安岡健一 解説

資料 戦後日本の農業と地域1

復刻版 日本4H新聞

第8巻

●第507号～第576号（1967年7月4日～1969年6月24日）

不二出版

凡例

一、本書は、戦後、社団法人日本４Ｈ協会が発行した『日本４Ｈ新聞』第15号（１９５２年９月４日）から第７０７号（１９７３年３月24日）と、関連する４Ｈ運動の資料を、『復刻版　日本４Ｈ新聞』全10巻・別巻１（資料　戦後日本の農業と地域１）として復刻・刊行するものである。
一、『日本４Ｈ新聞』は、第２４５号（１９６０年１月14日）までは『日本４・Ｈ新聞』と表記されているが、本復刻では『日本４Ｈ新聞』で統一した。
一、配本は第１回（第８－10巻）、第２回（第４－７巻）、第３回（第１－３巻・別巻１）の全３回である。
一、収録内容については各巻目次（収録一覧）を参照されたい。
一、別巻には、日本４Ｈ運動に関係する戦後の資料を収録、また第１巻冒頭には安岡健一による解説を収録する。
一、原則的に第一面から最終面までを収録した。欠号ならびに欠落部分については、当該箇所にその旨を記載、あるいは＊を入れる等とした。
一、原資料を忠実に復刻することに努め、紙幅の関係上、縮小して収録した。誤植、破損個所、印字が不鮮明な箇所等もそのままとした。
一、復刻にあたっては一般社団法人全国農業協同組合中央会、全国農業青年クラブ連絡協議会、学校法人日本力行会、公益財団法人キープ協会、国立国会図書館の所蔵資料を使用した。
一、今日の視点から人権上、不適切な表記、現在では使用されなくなった表現がある場合も歴史的資料としての性質に鑑み、底本通りとした。

＊ご協力いただいた学校法人日本力行会、公益財団法人キープ協会に記して感謝申し上げます。

復刻版　日本４Ｈ新聞　第８巻

目次〈収録一覧〉

１９６７年（第５０７号～第５２０号）

日本4H新聞
4Hクラブ 農事研究会 生活改善グループ 全国弘報紙
発行所 社団法人 日本4H協会
電話(269)1675
編集発行人 玉井
月3回・4の日発行

出発 草の根大使 来日

日本代表→4Hクラブ員←アメリカ代表

国際農村青年交換（IFYE）計画に基づいて社団法人日本4H協会（松下幸之助会長）が四十二年度にア[illegible]三名はさる十九日に出発、それと入替りに当協会が招くアメリカ代表の"草の根大使"（来日アメリカ代[illegible]た。ともに両国でオリエンテーションなどをうけたあと各地の受入れ農家に入り、その家庭の一子弟とし[illegible]俗習慣、4Hクラブ活動などを学ぶかたわら4Hクラブ員を中心とした関係者と交歓、それぞれのお国が[illegible]理解と友交親善のうえに大きな効果をあげるものと期待される。（関連記事二、四面にもあります）

左からブラウ君、ヒバードさん、グルナーさんと新田日本4H協会事務局長（羽田空港到着ロビーで）

期待、胸に秘め出発
山崎、小林君、中井さんの三人

四十二年度の派米クラブ員三人＝小林哲博君（二）三重県四日市市水沢茶屋、中崎寿君（二）愛媛県温泉郡中島町、中井郁子さん（二）三重県阿山郡阿山村＝は、さる十九日午後二時十五分、羽田空港発のノースウエスト機〇〇二便で出発した。

カンカン照りの好天に恵まれたこの日、空港ロビーには三人の家族はじめ親せき、友人、それに日本4H協会職員ら関係者多数の見送り人でにぎわいをみせた。

歓送陣にかこまれた三人はややあがり気味。新田日本4H協会事務局長の激励のことばをうけたあと、友人らと握手をかわしながら盛大な拍手のうちに出発ゲートへ。"いってらっしゃい、頑張って"という歓送陣の声援に元気に手をふって応えやがて機中の人となり大空へ吸い込まれていった。

三人は、二十二日までオリエンテーションなどを受けたあと、約六ヵ月間、それぞれ二、三州の受入れ農家に宿泊しその家庭の一員として生活する。その間、日常の農家生活、農村社会、風俗、習慣、思想、4Hクラブ活動などを学ぶ一方、関係者との交歓を通じて日本のそれらを紹介することになっている。また、毎年4Hクラブ員の世界大会にも出席しており、日米両国はじめ世界各国との相互理解、親善友交のうえに大きな役割りを果すことが期待される。

第一報届く

三人は、渡米に対して大きな期待（四面に掲載）を抱いて元気に出発したが、このほど早くも小林君と中井さんから別記の内容の第一報が4H協会と本紙編集部に届いた。

出発前の派米クラブ員三人（中央4H旗をもった人、左から中崎君、中井さん、小林君）と家族など見送りの人たち＝羽田空港ロビーで

十月下旬に 全国4Hクラブ員の集い
全協 八、九日執行部会開く

全国4Hクラブ連絡協議会（会長、丸山勲君）は、来る八、九の両日、東京・新宿区市谷の日本4H協会内、同協議会事務局で今年度第一回の執行部会を開き、先日都下武蔵小金井の浴恩館で開かれた今年度第一回の評議員会において方向づけと具体化された全国4Hクラブ員のつどい、4H会館建設問題、ブロック4Hクラブ推進会議などについて検討する。

注目されていた「全国4Hクラブ員の集い」の今年度の開催県は評議員会において富山県と決定、また開催時期は北陸地方の農閑期をねらって十月下旬か十一月上旬をメドに準備を進めることになった。

しかし、地元、富山県4Hクラブ連絡協議会（会長、久保博君）が十月下旬から十一月にかけて県連の大きな事業として農業祭やクラブ員のプロジェクト実績展示品[illegible]

[illegible]

単位クラブ充実へ
新会長に諏訪君選ぶ
鹿児島県連

[illegible]

諏訪県連会長

農家子弟の一員に
11月下旬まで滞在

四十二年度の来日アメリカ代表4Hクラブリーダー三人＝アリス・ジーン・グルナーさん（三）ケンタッキー州出身、バーバラ・ルィーズ・ヒバードさん（三）コネクチカット州出身、ウイリアム・デビッド・ブラウ君（三）ペンシルバニア州出身＝は、さる二十六日、予定より約一時間遅れて午後八時半羽田着のパンアメリカン空航機で来日した。

[illegible]

翌二十七日、三人は新宿区市ケ[illegible]

また二十八日から三十日まで三[illegible]する。

[illegible]千葉県で開かれる夏の全国大会（第七回全国農村青少年技術交換大会）への参加などを通じて全国クラブ員の人気者となり、日本両国の相互理解、親善友交にも大きな役割を果たすものと期待される。帰国は十一月下旬の予定。

日本の発展に驚く
見たいところは"富士山と京都"

[illegible]

いると思わなかった。また映画をみたが、農業などもアメリカと同じくらい進んでいるので驚いた。

—昨年来日したクラブ員のテープを聞いたというが、どんなことが強調されていたか

三人　契約的農業で、狭い土地を有利に活用していることだ。

—では、悪い面ではどうか

三人　悪いというわけではないが生活環境が違うので、それに慣れるように努力したということだった。

—日本で五ヵ月間生活するわけだが、最も不安というか心配なことはなにか

三人　日本語が話せないので心配。東京ではよいが、地方に行くと英語を話せる人も少ないと思うし、農家の年寄りの人たちとの話し合いが不安。

—出発前、日本語を勉強したと思うが、どの程度日本語を知っているか

三人　日本語はアクセントが難しい。覚えたことばは「お早よう」「今日は」「今晩は」「どうも有難う……」などで、あとは初めのうちはゼスチャーでやろうと思う。

—日本の中でも、とくに見たいと思うところはどこか

グルナーさん　まず富士山。

ヒバードさん　京都と五色の橋（「天の橋立」か）

ブラウ君　富士山だ。

なお、三人の日本滞在中に学びたいことがらは次のとおり。

ヒバートさん　❶クラブ活動について＝組織と指導体制、プロジェクト、行事、活動❷教育について＝教育制度、教師の補充と訓練、父兄・市町村・国の責任❸農業について＝管理、主婦と家族の役割、生産と流通機構、家畜の管理、機具、最近の傾向など。

グルナーさん　❶酪農について＝乳牛の種類、管理、飼料、搾乳、生乳の処理、加工など❷クラブ活動について＝クラブ、プロジェクト活動、計画がどのように立案され実行に移されているか、年令別の活動内容❸衣類＝衣類の種類、原料や製法など、農村の衣生活

ブラウ君　❶農業について＝農作業法、畑作園芸、酪農❷クラブ活動について＝日米の4Hクラブの比較、リーダーの役割、プロジェクト、社会活動❸結婚の風習＝宗教的観点から、社会的儀式、家族関係とその役割など。

在米クラブ員から

只今ことばOK　小林君

[illegible]ソ三本がなんと三ドル七五セント。一人前一ドル八十セント余りの夕食になって一同大笑い。

でも心配した言葉は、専門用語を除いてはOKであり、ぜんぜん外国へ来た気がしない。ただお金の大きさが順序不同で明確に記入しないので少し迷う程度である。

大変な珍道中　中井さん

[illegible]

まずいのにがっかり。これにこりて夕食はパンとアイスクリームとフルーツを買い込んで三人でぱくつく。アイスクリームのとてもおいしかったこと。

やはりここはアメリカ、何もかもが大きい。雄大である。建物も人間も……。こせこせした歩き方をしない。大きなからだをゆすって八十歳くらいのおばあさんが、真赤なドレスを着て、真赤なルージュをぬる。そんな光景はざらである。色彩的に実に華やかで、とりどりである。

二十二日までシアトルにいて、いよいよ私はイリノイ州とペンシルバニア州の民家に入る。（二十日午前二時、ホテルにて）

国体を花で飾ろう とタネまきの奉仕
埼玉、所沢4Hクラブ員

【埼玉】"国体をきれいな花で飾ろう"と所沢市の4Hクラブ員二十人は、このほど同市に協力して同市下安松地区のフラワーセンターに種まきをした。

花で飾る計画は、二千平方米という広い土地にサルビア、ホウキ草、カンナなど埼玉国体の花六種類の種をまき、クレー射撃会場やその周辺の沿道、市内繁華街のフラワ[illegible]

機関誌「いきじ」の創刊号できる
岐阜・平田町4Hクラブ

【岐阜】海津郡の平田町4Hクラブ（会長、近藤悦[illegible]）ではこのほど機関誌「生（いきじ）」の創刊号を発行した。同誌の内容は、[illegible]

心頭技健

[illegible]

クラブの綱領

[illegible]私達は友情に富む心をつちかいます。一、私達は楽しく暮らし、元気で働くための健康を増進します。

涼風暖風
女も乗せる青年の船

「女は乗せない青年の船」「女は乗せない巡航船」—来年の明治百年の記念事業として計画が進められている「青年の船」は、思わぬところでつまずいた。

この「青年の船」は、男女青年が同じ船で世界を巡航して視野を広め、各国と親善を深める—という構想でスタート、総理府の青少年局が中心となり、青年の団体である中央青少年団体連絡協議会（十八の青少[illegible]施設要項案を紹介したところ、すでに全国の多くのクラブ員から参加希望の声が出ている。

しかし、団員募集の段階にいたって総理府が応募は男子に限ると決めたため各青少年団体が反発、中青連では緊急会議を開き青年の船からの女性締出しに対して「現在の青少年に対する不信を示すもので納得できない。募集要項の発表を延ばしこの措置を撤回してほしい」と申し入れた。

募集から女性を除く方針をとった理由として政府は、初航海に使う"さくら丸"が見本市船で客船ではなく、寝室もカイコダナで居住性に問題があり、さらに試験航海である点を強調、単に男女一緒だと間違いが起るという理由ではないといっている。実際、同船を見てきた人の話しでは、寝具はお世辞にもよいとは云いないようだが、女性の乗船については青年の間では当然と考えられ、男女の比率が話題にのぼった程度だったようである。寝耳に水だ。現代青年のモラルの低下が心配されているが、グループ活動などをしている人は淡交の訓練もできている。カップルができるのも好ましいことであろう。結局、船を改造して女性も乗せるようにするらしいが、青年たちはそれを注視している。

4Hの本質論に反響

岐阜県連 リーダー研修会開く

【岐阜＝柘植弘成連絡報道員発】岐阜県4Hクラブ連絡協議会（会長、松野芳正君）はこのほど県青年研修館でリーダー研修会を開催した。

同研修会には、各地区のリーダー四十五名が出席、講義、分科会、全体討議、レクリエーションなどを行ない有意義に過した。中でも新田日本4H協会事務局長の「4Hクラブとはどんなクラブか」という題の講義は注目され、自分たちの考えていたクラブについての反省と方向づけとなった。

・第一日目は、まず開講式。小島県青年センター事務局長から同センターについての説明があり、同センターに対する協力の要請があった。中食のあと午後一時から二時間、新田4H協会事務局長の講義があり、つづいて分科会に入った。

討議のテーマは❶クラブ活動を活発にするにはどうしたらいいか❷4Hクラブの本質は何か❸クラブリーダーのあり方について、などだった。

夕食のあと今年度第一回の理事会を開き四十二年度の運営と事業計画の具体化について検討した。はじめに松野会長のあいさつがあり、つづいて松田君（前県連監事）を議長に選出して議事審議に入った。事務局員の承認のあと事業面では「夏の集い」の開催場所運営方法などについて話し合い、開催場所は現地とも相談のうえ平湯キャンプ場に決定することになった。

また、四十二年度の県連のスローガンを「友愛と技能を結ぶ4H」としてかかげ各種事業を展開することを決めた。

松野県連会長

第二日目は、林県青年専門技術員の講義「クラブリーダーと農村青年について」ではじまり、分科会、レクリエーション、全体討議などを開いた。全体討議では前日の新田事務局長の講義についての意見も出て活発に意見が交換された。午前中に閉講式をすまし、午後近郊の優秀農家を視察して鬼岩公園で散会した。

二日間を通してみて、新田4H協会事務局長の講義の反響が大きかった。自分たちの考えている、また組織している4Hクラブと同局長の講義の内容とのギャップが余りにも大きい。"われわれの理想だ"という声も多かった。だが自分たちはその方向に自分たちのメンバーで一歩一歩前進することをこのリーダー研修会で確認し合い、地区へ帰って4Hクラブの向上を期すことを誓い合った。

岐阜で女子の研修会

26日から吉城郡のキャンプ場で

【岐阜】岐阜県4Hクラブ連絡協議会（会長、松野芳正君）では来る二十六日から二十八日までの三日間、吉城郡上宝村の平湯キャンプ場で県農村女子青年の研修会を開く。

日ごろ農業の改良と生活の実践活動に励む農村青少年が一堂に集まり、農業や生活技術、クラブ活動などについて語り合うとともに、合宿生活を通じて指導力や仲間づくり、豊かな人間性の高揚をはかろうというもの。

主な内容は、合宿生活、交換、話しあい、キャンプファイヤー、移動教室、レクリエーションなど。

参加者は、一普及所ごとに青少年三人（主に女子青年）、実績発表者は県連一名、県事務局、生活改良普及員一人で、経費は食費、宿泊費、交通費など八百円。

日程は、第一日目午後一時半までに高山駅に集合し、直ちにバスで会場の平湯へ出発。同三時半からオリエンテーションのあと分科会を構成、つづいて開講式を行なう。夕食のあと七時から夕のつどいを開き、部屋ごとに話し合いをする。

第二日目は早朝六時から体そうと大滝散歩、八時から実績発表と研究討議。午後一時から分科会を開いて話しあったあと全体討議、五時からレクリエーション。夜はキャンプファイヤーをくりひろげる。

第三日目は午前五時から体そうと清掃のあと同七時からバス教室として乗鞍に登山、正午高山駅前に到着解散する。

"ミス農業"選抜など

茨城でクラブ大会

来る27日から久慈郡大子町で

【茨城】第七回茨城県農村青少年クラブ大会が来る二十七日から二十九日までの三日間、久慈郡大子町の良沼スケート場で県下の農村青少年クラブ員約五百名が参加して開催される。

この大会は、日ごろ自主的なクラブ活動を通して農業や農村生活の改善、改良について研究、実践している県下のクラブ員が一ヵ所に集まり話し合いや技術の交流などを通じて仲間づくり、農業のにない手としての自信と実践力をつちかおうというもので、県農業研究クラブ連絡協議会（青少年部長、根本武雄君）の共催。

主な内容は、地区別話し合いをはじめとして地元大子町による歓迎の夕べ、ミスター・ミス茨城農業選抜大会として各種技術競技と体力検定、参加者の人気投票による各男女一名ずつの選出、東南アジア、アフリカ、中南米など国際研修員との交歓会、「夢を語る」をテーマとする班別ごとの話し合い、長福山、男体山周辺へのハイキング、各種競技、ゲームなどによるグループ競争、別れのつどい（競技やコンクールの表彰も含む）などで、日程は次のとおり。

第一日目は、午後一時からオリエンテーションと班編成につづいて二時からテント設営と環境整備、四時から地区別話し合い、夕食のあと六時から開会式と歓迎の夕が行なわれ、八時から自由交歓。

第二日目は、早朝六時半起床、ラジオ体操、朝食などのあと八時から技術競技などのミス・ミスター茨城農業選抜。十時半から約一時間国際研修員との交歓につづいてレクリエーション。午後はハイキングを行ない、四時半から夕食と自由交歓、夜七時からキャンプファイヤーをくりひろげる。

最終日は午前八時からグループ競技につづいて班別話し合い、午後、別れのつどい、閉会式を最後に幕を閉じる。

参加経費は一人六百円で、このほか交通費や食糧なども参加者負担。

このクラブ大会は、新規就農者の参加が優先されるが、テントをはってのキャンプ生活なので思い出深く、有意義な大会になるものと期待されている。

茨城県連でリーダー研修会

【茨城】茨城県農業研究クラブ連絡協議会（青少年部長、根本武雄君）では、来る六日から三日間長岡の農村青年館で青少年部長の研修会を開く。参加者は各地区ごとにリーダー二名ずつを予定している。

"青少年よ正しく"

第17回「社会を明るくする運動」 全国あげて推進

第十七回「社会を明るくする運動」が法務省の主唱によって、今月いっぱい全国的にくりひろげられる。

この運動は、犯罪の防止と罪を犯した人たちの更正について全国民が愛の手をさしのべ、それぞれの立場において力を合わせ、犯罪のない明るい社会を築こうというもの。とくに「青少年の非行防止」を重点目標としてかかげ、家庭、学園、職場などの社会環境の健全化と同時に、非行青少年が立ち直るため国民の善意と力を結集することになっている。

この運動の実施と推進にあたるため、中央と地方に"社会を明るくする運動"実施委員会をおいて次のような方法を中心にそれぞれ実情に応じて重点的、集中的に運動が展開されている。

❶七月一日を「更生保護の日」とし、同運動月間の初日にふさわしい行事を行なう❷犯罪多発地域などに重点活動地域を設けるなどして非行防止活動の積極的な推進を図る❸講演会、座談会、ケース研究会などを開催する❹学校、PTAその他関係機関、団体、地域の有識者などによって非行防止について協議する❺更生保護と青少年問題に関する相談を行なう❻非行防止、更生保護について事業主の理解を深めるよう努力する❼更生保護会に対する理解、協力などを深めるため有志の人の訪問などを勧める❽名士書画展示会、矯正施設の製作品展示会を開催する❾矯正、更生保護に功労のある民間協力者を顕彰する❿ラジオ、テレビ、有線放送、新聞、雑誌や官公署、団体などの発行する機関紙などによる啓発活動を行なう⓫ポスター、リーフレット、パンフレット、懸垂幕、立看板などによる広報を行なう、など。

4Hクラブ員には、非行青少年犯罪者が殆んど出ないのが自慢のタネでもあり、また日ごろ全国各地の4Hクラブでは、模範受刑者と交歓会を開いたり、刑務所の庭の美化作業に勤労奉仕したりしているが、今後も、この運動の主旨にそって社会を明るくするため努力されることが期待されよう。本紙でもこれらに関して随時とりあげていく考えである。

なお、先月初旬東京・大手町の都立産業会館で刑務所作業品展示会が開かれたほか、同月二十七日から今月二日まで東京・日本橋三越で名士揮毫色紙即売展が催された。また来る二十九日、九段会館でBBS運動発足二十周年記念全国大会が開かれる。

本紙の連絡報道員ぞくぞく決る

本紙編集部では、4Hクラブを中心とする全国農村青少年クラブ員の機関紙としての性格を強め、さらに紙面の充実を図るため昨年度から連絡報道員制度を設け、各都道府県連会長から推せんされた人たちに連絡報道員をお願いして取材などに協力してもらいましたが、今年度も昨年に続いて、各県連会長に連絡報道員の選任をお願いしたところ、六月二十八日現在、三十名が推せんされてきました。

連絡報道員の主な任務は❶原稿（クラブ活動、プロジェクト活動などのニュース、状況、実績、農業経営、生活、農政などについての意見、文芸、趣味、娯楽、写真その他建設的なもの）の送稿❷クラブ員に対する寄稿の働きかけ❸本紙企画記事の取材に協力―などです。今後、この連絡報道員を中心に全国のクラブ員と手をたずさえて、クラブ員のための新聞として有益な紙面の作成にあたりたいと思いますので、全国の愛読者のみなさん、関係者の力強いご協力をお願い致します。なお、連絡報道員未決定の県連も、一日も早く決定しご推せん下さいますようご依頼申し上げます。

道府県	氏名	県連役務	居住地
北海道	稲葉良弘	事務局次長	江別市東野幌
岩手	高橋善裕	事務局員	稗貫郡石鳥谷町
山形	佐藤章夫		山形市大字南館
宮城	峯岸義信	事務局長	宮城郡宮城町
茨城	永田正治	事務局次長	西茨城郡岩瀬町
栃木	大出邦広	副会長	鹿沼市武子
群馬	吉沢功	理事	伊勢崎市安堀町
埼玉	大鹿良夫	4H部長	北葛飾郡栗橋町
長野	山本茂樹	前会長	飯山市大字[illegible]
山梨	小野好道	副会長	中巨摩郡白根町
静岡	栗田伸雄	理事	富士市吉原局
新潟	松沢栄一郎	青少年部会長	中蒲原郡村松町
富山	横井弘三	事務局長	八尾町
石川	鳴戸良一	事務局長	小松市額見町
岐阜	柘植弘成	副会長	恵那市野井
三重	西村喜代司	理事	度会郡小俣町
滋賀	油浦豊一	副会長	蒲生郡日野町
大阪	古谷伊佐雄	4H部長	泉佐野市長滝
兵庫	小西篤信	事務局長	神戸市兵庫区
奈良	広井洋司	事務局長	天理市二階堂上入田町
山口	山崎順之	理事	山口市大田氷上
岡山	原田靖雄	理事	小田郡美星町
徳島	河崎嘉宏	副会長	名西郡石井町
高知	西谷章博	副会長	長岡郡大豊村
〃	高橋直子	理事	土佐郡土佐山村
佐賀	田中旨広	幹事	杵島郡白石町
長崎	大久保忠信	事務局長	南高来郡布津村
熊本	前田一博	監事	宇土市野鶴町
大分	矢羽田孝昭	副会長	日田郡大山村
鹿児島	山田勝	副会長	阿久根市筑本

海外派遣農業実習生募る

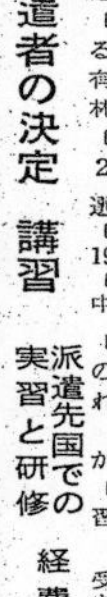
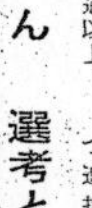
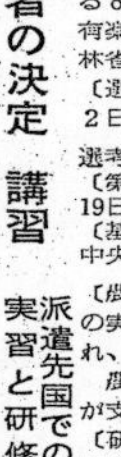
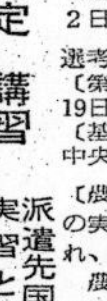
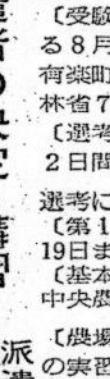
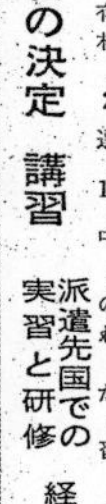
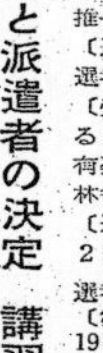

社団法人国際農友会は、いま、42年度に海外派遣する農村青年（農業実習生）を募集している。

これは農業に従事する青年に対して、海外農業実習と研修を通じて近代的農業を体得させ、知識技能および国の農業近代化の中核的推進力ともなる人材を養成確保しようというもので、農村の多くの若い人たちの応募が期待されている。実施要領は以下の通り。

派遣人員など

派遣先国	派遣予定人員	出発予定時期	滞在期間
アメリカ合衆国 欧州とカナダ国	150名	43年3月下旬	約1年
デンマーク国	3名	43年9月	約1年半
スイス国	8名	43年2月	約1年
西ドイツ国	9名	42年12月	約1年2ヵ月
オランダ国	3名	43年2月	約1年
カナダ国	5名	43年3月	〃
ニュージランド国	4名	43年5月	〃

農業の実習生の資格

❶専業的農業の経営主またはその後継者と農業生産法人の構成員で、現在農業に従事し、将来も継続して農業に従事するとみこまれる人で、帰国後その地域社会の農業近代化の実践推進に大きな期待をかけられている優秀者、指導的農業者、または現在地方公共団体もしくは農業関係組織において直接農業者の指導を行なうことを主任務としている人。とくに帰国後も本事業目的の趣旨にそって直接農業者を指導することが予定されている人❷年令が各派遣時において満20歳以上、満35歳未満（ただしデンマーク国への派遣者にあっては満30歳未満、ニュージランド国は満25歳未満）の男子。農業技術者は、満23歳以上満30歳未満の男子❸新制高等学校卒業程度またはこれと同等以上の学力を有し、特に語学の基礎学力のある者❹技術および身体が強健な人で、激しい継続的農業労働に耐えうる体力と精神力を有する者❺[illegible]（ニュージランドを除く）

推せん

都道府県知事は、応募資格条件を具えた人の中から選考者を選考し、国際農友会長に推せんする。推せんにあたっては、推せん書類を提出する。

【推せん書類】❶知事推せん状❷分担金についての確約書（様式指定）❸志願書（〃）＝各1通❹農業実習生カード（指定用紙）＝2通❺健康診断、体力検定書（〃）胸部レントゲン写真「4切版」以上を添付すること❻戸籍抄本＝各1通❼写真（3×4㎝、無帽上半身、正面）3葉

【推せん期限】来る8月5日（土）

選考と派遣者の決定

都道府県知事の推せんに基づいて国際農友会が選考を行ない、その結果に基づいて国際農友会長が派遣者を決定する。それぞれの選考結果は、選考後に告示し、推せん知事と農林省に報告する。

【選考】指示試問により身体検査と体力検査、筆記試験、面接選考の総合成績により派遣候補者を選抜する。

【受験者集合日時と場所】アメリカ合衆国以外の各国希望者は来る8月11日午前9時、農林中央金庫有楽町ビル会議室（千代田区有楽町1の9）。アメリカ合衆国希望者は同月17日午前9時、農林省7階講堂（千代田区霞ヶ関）

【選考日】アメリカ合衆国以外の各国希望者は来る8月11、12の2日間、アメリカ合衆国希望者は同月17日から19日までの3日間

講習

選考に合格した人に対して合宿による次の講習を行なう。

【第1次語学特別講習】アメリカ以外の各国希望者は来る8月13日から19日までの7日間、日本女子会館（港区芝公園12号地）で

【基本講習】来る8月20日から9月4日まで16日間、八ヶ岳経営中央農場（長野県）で

派遣先国の実習と研修

【農場実習】派遣先国の受入機関により選ばれた農場に、実習生の実習希望業種（例えば―酪農・養豚など）に合わせて配置され、その農場の一員として農業に従事し実習する。

農場実習中は、宿舎食事の提供のほか一定額の生活経費（小遣）が支給される。

【研　修】農場実習中、数回にわたって、学校などにおける講習会や見学旅行などの研修が行われる。

経費

国から補助金、都道府県の分担金などによって賄なわれるが、受験のための費用、国内旅費、身繕品などの経費は本人の負担となる。

国体参加選手にヘライモのごちそう

岩手県連で計画

【岩手】岩手県農村青少年クラブ連絡協議会（会長、田沼斉君）は、岩手国体のとき全国から参加する選手に、同県の野趣に富んだごちそうをしようと、ヘライモの栽培運動を全県的に進める計画だという。

ヘライモはトロロイモに似ているが、栄養価、カロリーがそれより高いというスタミナ食で、食べられるようになるまで三年間かかるので、ことしはとりあえず種をつくり、来年から四千二百人の全クラブ員で栽培にとりかかろうという考え。

これは、クラブ員も国体に参加しようということで持ちあがったもので、一時は山菜栽培の話も出たようだが、このヘライモは誰でも栽培できるのとスタミナがあるため選んだもの。これを約五万人と見込まれている選手の献立に加えてもらい、同県のクラブ員が丹精こめてつくった作物を全選手に味わってもらおうというわけである。

部落の減収を阻む

青森・館4Hクラブ 防除に4H精神発揮

【青森】三戸郡三戸地区の館4Hクラブは、このほど部落の水田十五町に対し、どろ負い虫の防除を行なった。

この日は朝六時、十四名の同クラブの全員が出動、四台の動力散粉機を使用してBHC粉剤を散布した。

同部落は、殆んどの農家がりんごを中心とした果菜園芸によって生活をたてているため、最近の労力不足も拍車をかけて必然的に水田作業はおろそかにされがち。

そこで、クラブではそれを少しでも補って収量の低下を防止しようと、いまりんごの品質向上をめざして実すぐりの最盛期だが、その大切な一日を部落全体のために返上、4H精神を発揮して奉仕し感謝されている。

クラブ員は、こんなところにも相互助け合いの精神、社会生活のモラルを学び、人生形成向上の場とし、あわせて部落内への4H精神の浸透を図ろうとしている。

夜は、反省会をひらき、防除作業の反省とともに、今後都市近郊農業形態に変って行くと予想される部落の中で、農業に生き続ける自分たちはいかに対処すべきであるか―新しい農村建設のプランについて語り合った。（館4Hクラブ水田部長、船場利昭君より）

高野会長が理事に

宮城青年会議総会開く 各種青年団体と交流

【宮城＝峰岸義信連絡報道員発】宮城県青年会議の総会がこのほど県民会館において、各種加盟団体五人ずつの代議員参加のもとに開かれた。

この青年会議は、県内各種青年団体相互の連絡と親睦を図るとともに共通の問題を研究討議してその解決に努力し、新県民生活運動に積極的に協力、各種実践活動を通じ組織の拡大と宮城県青年の向上発展を[illegible]査に、高野会長が理事に選ばれ、二十一名の役員の中に県4Hク連協から二つのイスを占めることができ、今後の他団体の交流に大いに役立つものと期待される。

主な事業計画は次のように決まった。

(1) 海外派遣＝七月
(2) 青年大会＝九月
(3) 機関紙発行＝十月と三月の二回
(4) 奉仕活動（新県民生活運動に参加し美化や交通安全に協力する。社会福祉施設の清掃慰問）
(5) 幹部研修会（一団体五～八名）＝十一月
(6) 県外研修視察
(7) 各種団体間の交流交歓（年五回以上）
(8) 論文募集

試験田を借受け"三づくり"へ

宮城・七郷4Hクラブ

【宮城】仙台市の七郷4Hクラブ（会長、大泉邦夫君）は、仲間づくり、資金づくり、米づくりの"三づくり"を試験田の耕作を通じてみのらせようと、ことしから同市七郷字浦の町の民有地を借りうけ、このほど全員総出で田植えをすませた。

同クラブは、ことしから水田企画管理委員会（委員長、渡辺善伸君）を新しく編成、試験田で米づくりの生産性をめざして試験耕作することにしたもの。

試験田は十アールで、水が豊富で土地の肥えた同地帯は十アール当たり大体八俵はとれるが、クラブの試験田では九俵から十俵の収穫を目標にしており意欲的だ。

田植えのあとは毎日、会員が一人ずつ交代で水管理をするほか、[illegible]

「やや良」

水稲の成育

[illegible]

友情の援軍

宮城・成田4Hクラブ

【宮城】柴田郡柴田町の成田地区4Hクラブ員は、このほど開田作業中、トラクター事故でケガをして入院している同クラブ会長、平間栄一君の家の田植え奉仕作業をした。

平間会長の家では、お母さんがリューマチで入院、つづいて平間君も左足のケガで入院した。ネコの手も借りたい農繁期を迎えて、お母さんは一時退院、また同君も退院したが普通に歩くのがやっとで自宅静養している。

このような会長宅の苦境をみかねたクラブ員たちが、応援を申し出たもので、4Hクラブ員たちは平間君の両親や親せきの人たちと苗植えに精を出し、平間さんの家族からその友情に感謝されている。

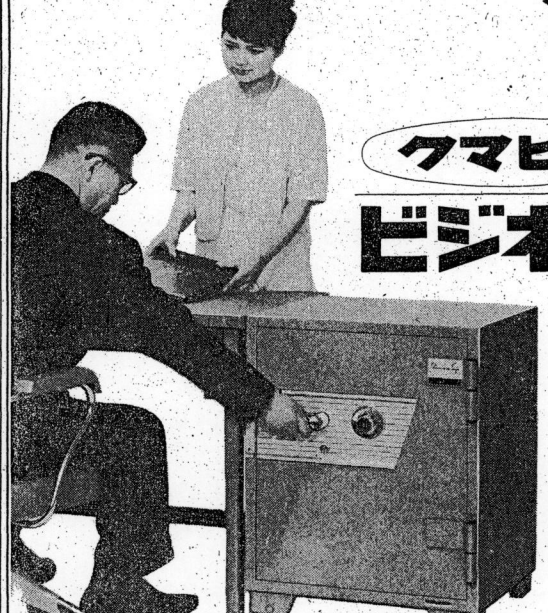

【訂正】本紙前号一面の全国4Hクラブ連絡協議会（丸山勉会長）四十二年度第一回評議員会の記事中、女子副会長に選ばれた向山紀子さんの住所が滋賀県となっておりましたのは、兵庫県ですのでお詫びして訂正いたします。なお、向山さんの住所は次のとおりです。兵庫県津名郡五色町鮎原

4Hくん No.96 桜井はじめ

うーん これ むづかしいわ
おっ! ポテトのやつ 何かやってるぞ
ぼくのも たのむよ! クローバーちゃんが 手相を見るとは しらなかったよ
ばかねっ トゲを抜いて あげてるのよ

私のプロジェクト

女家族の収入源に 菊作り専業をめざす

愛知県渥美郡渥美町大字高田 清田4Hクラブ 鈴木淳子(19)

女家族の大黒柱として

[illegible]

実践計画について

いよいよ栽培に着手するに当り普及員さんの実地指導をうけ、またラジオ農業放送番組を利用するなどして、次のような仕事にかかりました。

1、苗づくり

A、秋菊の挿し芽について

❶水平な場所に [illegible]

❷五㌢ないし二〇㌢のハチに、挿し芽をしてその中に並べて、中に水を三分の一ほど入れる。このような方法の長所としては、ハチとハチの間にすき間ができるために風通しが良く、また上から水をかけないので、病気が出にくい。

❸欠点としては、この他の方法（ハチを使用せず一面に挿す方法）に比べて、手間がかかる事と場所がたくさんいる。

注 [illegible]

B 夏菊の苗の作り方

[illegible] のままでよい。夏菊で一番大事なことは、良い苗を植えて、できるだけ早く開花させることである。早く出荷するほど値がよい。このために注意すべき点をあげると次のとおりである。

苗作りの注意

❶品種の選定
[illegible] とくに花弁などが暑さに強いもの、暑さで蒸れるので病気に強いもの

❷温度の管理
私の温室には暖房設備がしてないために、温度調節は室内の温度を逃がさないようにビニールを二重にかこっている。

❸肥料の施し方
できるだけ効き目の早い肥料を使う。その施肥計画は第2表のとおりにしている。これも必 [illegible]

第1表　菊の栽培計画

	秋菊	夏菊	夏メロン
温室(50坪)	[illegible]	[illegible]	[illegible]
ハウス(40坪)	[illegible]	[illegible]	
ハウス(40坪)	[illegible]	[illegible]	

第2表　施肥計画

	秋菊	夏菊
元肥	メロンの後のため [illegible]	菊配合坪当り0.5kg けいふん坪当り0.5kg
追肥	[illegible]	菊配合坪当り1.5kg

第3表　収支計算表

売上		生産費	
秋菊 130坪(坪当り 170本) 22,100本	442,000円	肥料費	21,200円
		農薬代	6,500
夏菊 90坪(坪当り 160本) 14,400本	259,200円	保温材料費	3,400
		組合費	3,000
		その他経費	2,800
		消却費	64,500
合計	701,200円		101,400
純益	599,800円		

評価と反省

菊の栽培は苗作りが大切であります。特に挿し芽とするとき、光線、水分の程度が生育に大きく影響する。また病気も苗の時代に多く出るので、たびたびの予防消毒をすることが必要です。

昨年は菊の価格もよく、充分に採算が見合ったので、資本を投資して近い将来暖房施設を採り入れて、施設園芸としての規模を拡大し、菊作り専業農家として経営していきたいと思っております。

小遣いはどうなっているか 農家の嫁と姑の立場

宮城県白石市白川大卒都場　4Hクラブ　木村比佐(19)

クラブ活動と因習打破

[illegible] されている。

このような中にあって、私たち就農青少年に寄せられる期待は大きく、クラブ活動を通して研修につとめ、明るい近代的な郷土建設を目標に努力している。

わがクラブは男女混合クラブで会員は七名、組織の中に部を設け私たち女子は生活改善部として活動しているが、就農青少年の減少と農家の嫁不足並びに出稼ぎの増加は [illegible] 問題として大きく世論的に [illegible] ている今日、私たちはいった [illegible] に原因しているかに疑問をい [illegible] し、昭和四十年度に私たちの出 [illegible] 手近かなプロジェクトとして農家の嫁の小遣いの現状と農村 [illegible] わる因習封建的思想など数 [illegible] の迷路について考えてみることにした。そこで四十一年度にま [illegible] し、左記の項目についてその [illegible] を分析し、これを基礎に広く農家の嫁の小遣いについて [illegible] のお母さん方に理解していた [illegible] ために数回の座談会や交換会 [illegible] いてきた。山間部の七ケ宿 [illegible] 丘陵部の白石市福岡、平坦部 [illegible] 町で、一戸当り平均耕作面積 [illegible] 一・二町歩を経営している婦人会 [illegible] 会、生活改善クラブの皆さんを対象に話しあった。

姑の立場と嫁の小遣い

[illegible] の資料として提出した調査結果は次の通りである。

嫁の小遣い調査

[illegible] 小遣いをあげる立場、もらう立場（あげる立場）

[illegible] として嫁いできた嫁には、困 [illegible] っていなくとも小遣いをあげる。（一〇〇%）

○嫁は小遣いが欲しい時、実家からもらわないで、息子が中をとりもっていってくれればやりやすい。（八〇%）

嫁（もらう立場）

○実家に帰ると親がくれるのでもらう（一〇〇%）

○嫁いで二～三年はつい遠慮がちになってしまい、実家からもらう。

二、嫁の立場から月々小遣いが欲しいという願いに対して

姑のがわ

○月々にあげたくともあげられないので、生産物を売ったときあげる。（八〇%）

○よそで働いてきた若夫婦に対しては、そのお金を小遣いとしてあげる（七〇%）

嫁のがわ

○農業経営を改善し、所得の増大を計るようにして小遣いを月々にもらいたい。（八〇%）

○現在の農業経営の状態であるとすれば、家族の話しあいで無理のない小遣いのもらい方をしたい。（九〇%）

三、姑と嫁の小遣いに対しての気持ちは

姑のがわ

○嫁の姿を見て気をつかってパーマをかけるようにと小遣いをあげる。（三〇%）

○衣類は家で全部買ってやりたい（一〇〇%）

○医者代やミルク代等は家計費の中から出すべきだ（一〇〇%）

○パーマをかけるとき、気軽に嫁の方から下さいといわれた方がよい。（一〇〇%）

嫁のがわ

○衣類は自分の好みにあった物を買いたい。（一〇〇%）

○医者代、ミルク代は全部家計費から出して欲しい。（一〇〇%）

○パーマは自分の都合のよい時、自分の好きなようにかけたい。（一〇〇%）

四、年間一八、〇〇〇円は欲しいに対して

姑のがわ

○現在は現金収入がないので、六〇〇〇円～七、〇〇〇円しかあげる事ができない。（九〇%）

嫁のがわ

○せめて月一、五〇〇円は欲しい（八〇%）

五、小遣いを欲しい時、気軽にいえないのに対して

姑のがわ

○嫁の方から気軽にいって欲しい（一〇〇%）

嫁のがわ

○金のことになるとなかなかいえない（八〇%）

六、小遣いをあげる立場から

姑のがわ

○その都度あげる。（九〇%）

○月々あげる。（一〇%）

嫁のがわ

○その都度欲しい。（実業農家、八〇%）

○月々欲しい。（兼業農家、二〇%）

毎日が楽しいと明るい嫁の顔

以上の調査について、私たちが、この二年間で特に感じたことは、農業経営方針をかえて農家所得の増大を計ることも重要であるが、その前に収支のバランスについて考えることが必要である。とくに支出面は余りに無計画な事が痛感させられる。このような問題について座談会や交換会などで話しあってみると、中には理解しない人もいて残念な気がした。

嫁の立場から小遣いが欲しいといっても現在の生活力からみて無理なことかも知れないが、今まで小遣いの使途をみると当然家計費になるべきものが多かった。こんなことも気軽に話し合う団らんの場を設けて解決されるのではないだろうか。現に三ヵ月過ぎてお嫁さんに「その後どうですか」と尋ねると「最近、家のお姑さんも色々と理解してくれ、毎日の生活が楽しくなった」と聞き、私たちクラブ員としても大変喜んでいる。

私たちはそれに元気づけられて、機会ある毎に部落から部落と明るい生活をめざして訴えて歩いている。又、県外出稼ぎの目立つ現今、クラブ員は留守家族の不安な毎日を解消するには近郊に工場誘致して出稼ぎを防ぐため市当局に要請して四十一年夏に白石市郊外に電子工業株式会社が設立される運びとなり、兼業農家約三〇〇名が就職する状況となった。

私たちの願いは、嫁の小遣いの問題から地域社会の改善へと視野を広げてきたが、今後もこの自信と自覚を以て益々プロジェクトをすすめ、4Hクラブの一員として生活の創造に努力していきたいと思う。

すすんでいる農業の新技術 (11)

OED（蒸発抑制剤）の開発とその応用 (5)

果樹栽培への応用

二、果樹の鮮度保持

[illegible]

1、カンキツ類の鮮度保持

[illegible]

処理	3,000個×400g＝1,200kg×0.88＝1,056（減損歩留）
	1,056kg×60円/kg＝63,360円
	63,360円−380円＝62,980円（OED価格）
無処理	3,000個×400g＝1,200kg×0.80＝960kg（減損歩留）
	960kg×60円/kg＝57,600円
処理−無処理	5,380円

[illegible] ものとして注目される。

2、リンゴの鮮度保持

[illegible]

3、モモの鮮度保持

[illegible] 理液濃度一㌫液と二㌫液との間にはほとんど差は認められないが浸漬処理の場合は明らかに減損割合が少なくなっている。熟度の進行は浸漬処理により明らかに抑えられ、追熟期間は一～二日延びている。

以上モモについての結果をみると、いずれも果実重量の減少抑制にOED処理の効果のあることは認められているが、三㌫OED処理後、室温で六日間設置した結果では、品質の上に変化を来し、正常な追熟が進行しないようで今後に残された問題である。

4、ナシの鮮度保持

廿世紀種をOED処理区、ビニール袋密封区などに分けて果実重量の変化を比較した結果を処理後三十一日目に検べてみると果実重量の減少割合は、ビニール袋密封のものが一・三㌫で殆ど差がなく、OED一㌫液が六・二㌫、同三㌫液が六・五㌫であったのに対し、無処理区では十一・八㌫の減少割合を示した。別に市販果実用ワックス剤とオレイン酸を用い、OEDと比較するとワックス剤の方が重量減少割合が低く、廿世紀種に対するOED効果は明らかに認められるが、半面、市販果実用ワックス剤、ビニール袋に比較すると抑制効果が劣っていることがわかる。

なお、廿世紀種を放置中に果皮の色が緑色から黄色に変わる速さは無処理が最も早く、オレイン酸区がこれにつぎ、次がOED区で、市販果実用ワックス区が最も遅く、緑色の残存が著しかった。

5、ビワの鮮度保持

長崎県総合農林センター果実部では、茂木種の果実に対してOEDの日持ち効果を検討した、十二日目の果実重量の悪化をみるとOED一㌫液が九二㌫、同〇・五㌫が八九㌫に対し、無処理区は八五㌫と高い。OED一㌫区と無処理区とでは処理後十日で六～七%程度の重量差があり外観的にも無処理区の方が萎れの現れ方が早かった。また椿種にOEDのほかパラフィン、市販果実用被膜剤などによる蒸散抑制を比較すると、十五日目における重量比はパラフィン塗布区が九五㌫と高く、OED〇・三三㌫が八八㌫、被膜剤グリンナー三倍区が八六㌫、OED〇・一七㌫区が八三㌫に対し、無処理区は七八㌫と低かった。外観的にも十二日目には無処理区に果皮の枯凋がはっきり現われはじめ、二十日目には無処理は果皮が全く枯凋し、果肉は水分損失して硬くなり、商品価値が全くなくなったのに対し、OED処理区は果皮に光沢があり、商品価値が認められた。しかしパラフィン塗布区が果実重量減が最も少ないだけでなく、外観的にも最もすぐれていた。ただし二十日目にはこれらの区でも香気は少なくなっていた。

OED多分子膜による鮮度保持

OEDグリーンに浸してのち、貯蔵3カ月経過したミカン（下段）と標準（上段）

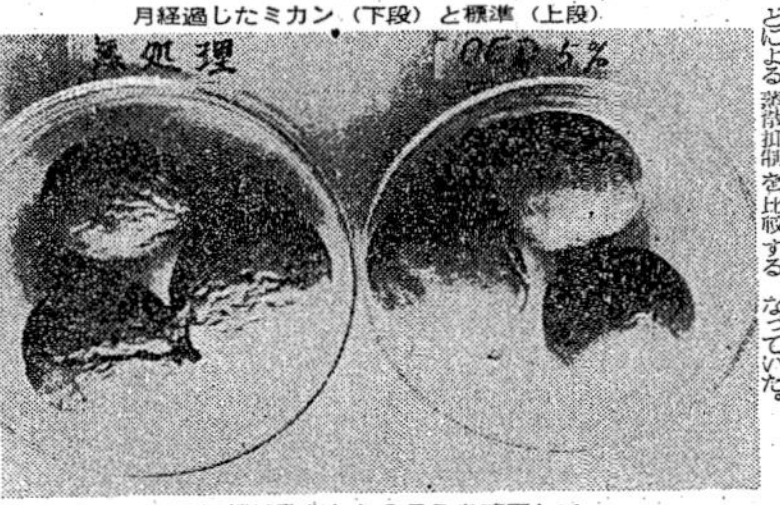

ビワに機械乳化したOEDを噴霧して1週間、室内に放置したものの比較

暖かい雪 (25)

田井専六　米良武子画

ブナの太幹（三）

日本海の向うに、烈火の瑰にも似た真紅な太陽が沈み終ると、ブナ樹海の残照も、茜（あかね）色に染っていた頂上の岩も次第に色が褪せて、キャンプ村には、夕餉の後の賑やかな一と時が訪れる。ラジオが鳴り、若々しい合唱が湧いたが、それに倦きたりぬ人たちは、大山寺部落まで散歩にでかけてゆくのである。

キャンプの第一夜を迎えた健一兄弟も、そんな散歩する人たちの中にまじっていた。

白や黄や赤や、色とりどりのシャツを着た若い男女の群が、夏山の夜のもつ妖しい魅力と、自然の子に帰った解放感から、はちきれるような若いエネルギーと情熱を発散しつつ、みずからの作る雑踏のような雑踏のなかを、ただわけもなく歌って、歩いていた。

高校時代の友だちにであった昌夫は、しばらく行動をともにするといって別れ、健一はひとり大山寺橋の欄干に凭れて、ゆき来する人波、みるともなくぼんやりみていた。

「あら、大野さん――」

突然、声を掛けたのは江見万千子だった。これだけたくさんの若い人たちの登っている山で、まだ知った顔の誰にもであわないのにたった二人の知った顔が万千子で――万千子も以前中学校で、夏休みになったら友だちと大山登山すると話していたから、ひょっとして山であえるかも知れない、と淡い期待をもっていたが――それが現実になって、こんなところであうなどと――。

「弟さんとキャンプ?」

「そうです。弟の奴、どっかへいっちまって」

「あたしは、大学時代の友だち三人と、昨晩から宿坊に――」

「ひとりで、どこへゆくんです――」

「フィルムを切らしたから、そこいらの土産物の店まで。ね、いっしょに歩かない――」

万千子の、白のブラウスと、形のいい脚の線のみえるスラックスと、ゆたかな髪を短かめに、淡く化粧した白い顔は、いつかの夜よりも清潔で、いかにも柔らつとした感じだった。

「ね、同じみちを帰っても、しようがないから、別のみちを帰るわ、しばらく送って――」

買物を終って、店をでると、万千子がいった。健一も、もとより望むところだったが、

「別のみち、暗いでしょう。」

「平気よ、まさか三段のボディーガード付きですもの。それよりその後、滅多に、稽古にこないのね、この前出会ってから一世紀も経ったわ。あたしは、毎日のように体育館をのぞいてみるのよ」

「すみません。」

肩を並べて歩いた。坂路を二百㍍ほど上ると三叉路があり、それを右へ曲ると、賽の河原を通って万千子たちの泊っている宿坊へのみちがある。二人は、当然、右へ曲った。

ブナの巨木の枝が、みちの上を厚く掩い、三叉路には裸電球の外灯が灯り、旅館の灯もあるが、そんな灯は、少し路を曲るともう届かない。暗いみちを二人は黙って歩いた。

万千子は、それを承知で、このみちを選んでくれたのだろうか――健一は、こんなことに弱い健一を大胆にして、肩を並べて歩いているうちに、ふと、触れ合った万千子の手を握った。

万千子が握り返した。

大山寺橋付近の賑やかさに比べ、暗いこのみちは、人があまり通らない。二人はゆっくり、黙って歩いた。「山の歌」を歌ってくる四五人の高等学校の生徒らとすれ違ったが、握り合っている手は、幸い離さなかった。

みちは賽の河原へでる。そこは大山寺橋からの電灯の光も届き、蛾いながら、月明りもある。

あと五十㍍、ブナの下闇をぬけて河原へでてしまうことは、なんとしても心残りである。

どちらから先にそうしたか、二人は径の河原を目の前にして、人通りの余然ない、暗い径（こみち）を、上りになる左へ逸れた。

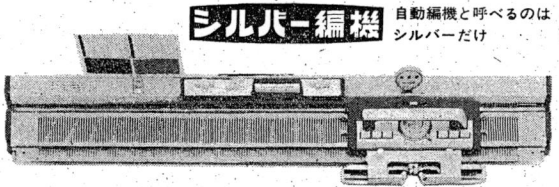

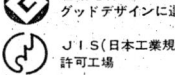

◀投稿案内▶

本紙は、みなさん方の新聞として、全国のクラブ員に利用して戴きたいと考えています。それでクラブの催しや個人のプロジェクト、詩、短歌、随筆、写真、悩みや意見、村の話題、伝説、行事その他なんでも原稿にして送って下さい。

お願い ❶長さや形式は自由です ❷できれば簡単な説明をつけた写真をそえて下さい ❸送り先 東京都新宿区市ケ谷船河原町十一 日本4H協会編集部

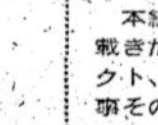

渡米へ夢は広がる

42年度派米クラブ員 中崎、小林君、中井さん

[illegible]十六日大きな期待を胸に秘めて出発した。小林君はアメリカの合理的な生活、中崎君は学べるものはすべて、中井さんは心からの誠と愛をもって接し学ぼうと意欲を燃やして。以下は出発に際して三人がつづった渡米への抱負である。

心からの誠と愛をもって 中井郁子さん

今年の初夢が真に現実になろうとは思わなかった。

今まで、少しの荒波にもまれはしたが、まだまだ人生の半ばもすぎない未熟な自分がアメリカ行きという一大事に遭遇し、めんくらっている仕末である。準備が整いするにつけ、多くの関係者などのことば全耳に、これからの使命の大きさに責任感を持たざるを得ない自分である。

"4Hクラブは自分で自分を教育する場である"とあるが、私はこれまでの人生上の過程において常によりよい自分でありたいと願い、現時点の自分を今よりもより[illegible]

[illegible]してアメリカ人の大陸的な快活さを大いに吸収して、私の最大の欠点である引込み思案な性分を少しでも直そう。

しかし、大和なでしこの良さは決して失いたくはない。そしてもう一つ、自分の頭で考え、自分の腕で学び、自分の足で歩き、自主独立の精神を大いに養ってきたい。

私の主な研究テーマとして❶米国の農村、家庭生活（日常の主婦の生活と役割 食事、育児）❷米国の農業の実体❸米国4Hクラブの実態、（特に同年代の女子クラブ員の活動、進め方、社会に対しての役[illegible]

[illegible]たちもそう思っています。農業に従事していない若人がたくさんいます。共に固まって学ぶ良い場がなく、点々と散らばっている状態です。これらの人たちにこそ本当の良いクラブを作ってもらって、三重県でも、最も誇りとする四十名余りのわが"阿山女子サークル"がありますので、こうした種々多様のクラブがたくさん出来、共に助け合って伸びて行ければ最高だと思っています。そのために4Hクラブの本当の意味や働きを、みなさんに説き理解してもらえるよう努力するのが、いま一番の私の[illegible]

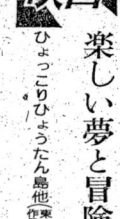

学べるものはすべて吸収を 中崎[illegible]君

[illegible]においてとくに農業、農村生活、農業者、4Hクラブに目を見張り身体ごとぶつかり、学んできます。

そこでまた、アメリカから日本を考え、批判し、世界における日本の位置、重要性を正確にキャッチして、その日本におけるわれわれ青年の理想像と、それを実現するための力を4Hクラブの活動の中から考えて、自分の身体にうえつけてきたいと思っています。

とにかく、「学び取れるものはすべて学び取って来よう」というのが出発前の何か落ちつかない、[illegible]

合理性の底流の思想は何か 小林[illegible]君

[illegible]

…動があるからだと信じています。

梅雨の歌

原登美子(19)

屋根は土色にけむって
手足は真黒に日焼けして
腰をキッチリ縛かけて
単純なリズムをくりかえしながら
あれは村の子どもたち

少し大きな目の新しい麦わら帽子をかぶって
赤や黄の織り込んだカスリの服を着て
手ぬぐいで頭をスッポリとかくし
明かるい声で歌いながら田植えをしている
あれは村の娘です

額にタラタラと汗を流し
両手に全身の力を注ぎ
少し調子の悪くなった耕運機を
上手に操作しながら前進している
たくましい精力の固まり
あれは村の青年です

（山口県山口市大字大内御堀七三三）

過日、青森県・館4Hクラブの船場登士二君から、つぎのような手紙が寄せられた。

六月九日、私のところに一枚の葉書が送られて来ました。差出人の住所氏名が無いので一抹の不安を感じて文章を読んだのですが、読み進むうちに言い表せぬ不安と気味悪さを感じたのでした。以下はその文章です。〈この便りは幸福の手紙と云う沖縄から順々に私のところに来たもので止めると不幸が訪れます。都々カナダ大使が考えたもので、テキサス大使がこの手紙を止めて五年後に亡くなりました。ルーズベルトはこの手紙を頭って五人の知人に出して三年後に大統領になりました。この手紙を留た人は幸福になるといわれます。七十四時間以内に五人の知人に出して下さい。一番上をぬいて一番下に自分の名前を書いて文章は必ず右の様に、大変勝な事ですが…どうぞ悪しからず〉

そして十名の名前が書いてあり、一番下にMさんの名前があったのです。とても ず信じられ発信地の消印を確めたのでした。Mさんからの便りとは解りながらもやはり素直に受け取る気にはなれなかったのです。Mさんには悪かったけれど、「何も私の所に」それが私の正直な心の中の一人言だったのです。

たしか以前、この幸福の便りが一般新聞の紙上で問題になった事がありました。たしかその時の結論は「発信人に返送しよう」という事だったと記憶しています。

はたして気味悪さを感じこそすれ、最初から素直に喜ぶ事の出来る人は何人いたでしょう。むしろ見知らぬ人から言うより友から貰う事の出来た私、その意味では幸せだったかも知れません。

"幸福の手紙"について

しかし「止めると不幸が」そんな事あるものかと思う反面、何も私が止めなくとも（私も幸せになりたいのかも知れません）結局、私も心に割り切れぬものを覚えながらも五人の方にその便りを送ったのです。（幸せになることを祈りながら）

全国の友のみなさん勇気のある方は止める事も良い事でしょう。しかし返送だけはしないでほしいと思います。何故なら返送を受ける友の事を考えて。また、続けて送ろうとする方、一言で良いから何か相手の心に通じる言葉を書いて送ってくれませんか。幸せを送るはずの手紙が相手に不安を与えたり、その事で友の反感を受けたなら、幸福でなく不幸の便りになってしまうと思うのです。

ほぼ原文のまま、船場君の手紙を紹介しましたが、文末に、この手紙に対する考えなどを併せて載せていただければ幸いですと依頼が書いてありました。

正直に言って、私はこの手紙を読んで良い気持にはなれませんでした。気味悪くなったからではなく、このような便りに惑わされる4Hクラブ員がいるという現実にガッカリしたのです。船場君には酷かも知れませんが、君はすでに幸福の手紙なるものについて新聞紙上で読んでいたのに、何故迷ったのですか。4Hクラブ員の信条は自らの努力で科学的に物事を判断する力を養うことではありませんか。科学的に根拠のない迷信に惑わされてはクラブ員としての誇りも失せるでしょう。

それにもうひとつ。君は、返送を受ける友の事を考えて、返送だけはしないでほしい、と願っていますが、これは気味悪がって発送した人の身勝手な言い分であって、送られた方こそいい迷惑であり、自分の意に添わないものは返送するのが当然です。（Y）

私たちのクラブ活動

明るい村づくりのために 一丸となって邁進

高知県高岡郡葉山村永野・葉山村4Hクラブ 大崎隆起

〈発展の可能性求めて組織を拡大〉

農村に在住する青少年の数は毎年のように私たちの周囲から減っているけれども、私たちは決して卑屈になってはいけない。このような中で農業に従事する者同志が一丸となって明るい村づくりに邁進するため、一村一クラブを提唱してクラブを結成してから四年間、二十名であった仲間もある者は出稼ぎに、ある者は他の産業へ移っていった。

現在、十五名のクラブ員が村に点在しているが、以前の小集落組織当時と違って集会場所が限定され、参集距離がきわめて遠くなったためと、山間地という経営面積の狭少、経済的な問題から自然に夜間の集会にならざるを得ない。したがって、こうした面から制約をうけて参集人員も減少し、固定化しつつある。

クラブの組織範囲を広域化することによる利害得失は大きい。そのなかでも会合への出席者が固定化することは、クラブの連帯意識の高い者が多くなることであって、4Hクラブの性格上やむをえないことであろう。

そのことよりも、クラブの広域化をはかった理由としては、❶単位クラブ員の減少もさることながら、少人数より多くの仲間がいるところに発展の可能性があること❷構造改善事業によってみかん栽培が基幹作目として取り上げられクラブ員のすべてが主作目として経営的にやや均等であること❸基幹労働力の出稼ぎが激増し、構造改善事業を推進するために若い農業者の育成が急務であった。このような理由で村の要請も強く、広域一本化に進んでいったのである。

しかし、クラブに参加する意欲を持ちながら夜間であるため参加できない仲間たちのためと、農業者としての学習は昼間行うべきであるという意見がクラブ内で支配的になってきたことから、親の協力を得て、毎月二回は昼間、一回は夜間に定例会を開くことにしたので、広域化にともなういろいろの阻害関係も徐々に改善されつつある。

〈来る者は求め、去る者は追わず〉

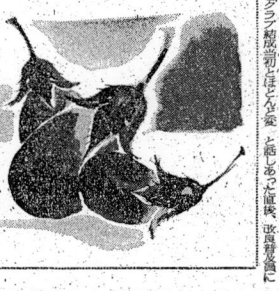

つぎに新規加入者の減少とクラブ員の高令化の問題であるが、毎年のように中学の新規卒業生の九八%程度は高校入学や他の産業へ移っていくため、4Hクラブへの加入者は中学を終えて、帰全農場(経営)や果樹伝習所を修了して農村に残る者のみで、年間わずか二、三名にすぎない。

このことは必然的にクラブ員の高令化を招き、新規加入クラブ員との年令差を生じている。

したがって、私たちはより近代的な農業を目ざし、クラブ員としての質的な向上をねがうために、「去る者は追わず、来る者はなお求める」という気持で、クラブ員の相互理解とクラブ発展に努めなければいけない。

クラブ員の年令差によるハンディはほとんどないといってよい。それには年令別学習体系をとり、年令に応じた学習が確立されてきたためである。とくに年少グラブ員については改良普及員の個別指導が定期的に進められ、技術指導はもちろん、親子学習や経営参加による学習などさまざまな形で進められつつある。

また、新規加入者は数年後には増加する見通しもついている。それは最近帰全農場や果樹伝習所への志望者がふえ、村の援助も従前より強力にすすめられ、かつ主幹作目であるみかんが採果期に成長し、収入が増大しつつあるからで父兄も私たちクラブ員への認識を深めつつある。

〈マンネリ化防ぐ新しい学習活動〉

自主的なクラブ活動は、集団組織として最も重要なものである。それには学習方法をいかにして向上させ、いかにすれば学習意欲を高揚できるか、つねに考えなければいけない。

学習方法には指導機関によるもの、クラブ員の自主的な運営によるものがある。これらはややもするとグラブ結成当初とほとんど変化のない方法ですすめられてきた傾がある。このことからクラブ員の学習に対する意欲が停滞して足踏み状態を呈しているともいえる。

こうした問題を解決してゆくためには、どのような学習をすればより効果的にできるか、どうすればクラブ員の学習に対する意識高揚がはかれるか、これが現在の課題である。

この学習の渋滞はその方法によって改善されるものであろうと考えられる。このことはクラブ意識の低下をきたし、さらにはクラブから逃避する可能性をもっている。

旧態依然とした学習方法をクラブ員の自覚によって改めていこうと話しあった直後、改良普及員によって学習活動の方向が見出され現在実験的学習から実践へ発展しつつある。

この学習というのは、まず雑談的な話し合いから脱して、あるときは真剣にディスカッションし、正しい意見を発表する能力を身につけるための録音による学習、また文集発行や文通による学習、読書を通じての批評能力の涵養、クラブ活動の歩みをしるすためのスライド集録による学習、毎日定例的にテレビ、ラジオによる放送利用学習、その他すぐれたクラブとの交歓や隣接地区との技術交換会あるいはレクリエーションを通して相互の理解や親睦を深め、さらに仲間意識を高めていこうとするものである。

〈一人ひとりの力を結集して〉

私たちのクラブ活動をすすめていくうえでの三つの問題について反省し、その解決の方向を考えてきたが、私たちは楽しやすい農業楽しい農業への夢をもってすすんでいる。しかしその夢への道程にはきびしい現実がひかえている。それをのり越えてゆくためには、将来のわが家の経営の目標を見極める能力と正しい認識をもたねばならない。

そのために、経営への直接参加、先進地留学研修、各種研修会への参加など、農業の改善に熱意をもってたちむかうきびしさをもちつづけていくべきである。

私たちはクラブ員一人ひとりの努力を結集して、きっとより明るく平和な農村を築く知恵と力を養うグループにしていかなければいけない。

映画 楽しい夢と冒険

ひょっこりひょうたん島他（東映作品）

東映では毎年、夏休みには、おもしろいマンガ映画を揃えて公開し、少年たちの人気を集め、その度にヒットをとばしてきたが、この夏休みも、やはり東映ならではの充実した内容である。

作品は、「ひょっこりひょうたん島」「黄金バット＝危機一発！」「魔法使いサリー＝謎の幽霊館・魔法の風船旅行」「キャプテン・ウルトラ＝怪星ロケット・キンダーあらわる・バンデル巨人あらわる」、これら夢と冒険、ユーモア、そして宇宙科学など、文字通り少年たちをたっぷり楽しませる要素が、たくさん盛り込まれている。

海を漂流するうち、犬の国ブルドキアにたどりついたドンガバチョは、ブル天師のピッツ長官に捕われてしまった

ひょっこりひょうたん島

ある日のこと、海を漂流するひょうたん島はブルドキア王国という陸地とぶつかります。

このブルドキア国は犬の国で、しかもひどく人間をにくんでいたので、ひょうたん島に戦争をしかけてきました。

大砲を打ちこまれて驚いたのはサンデー先生をはじめひょうたん島の人たちです。そこでドンガバチョが、話し合いに行きますが、ブルドキアのブル天師ピッツ長官に捕ってしまい、そのうえ犬たちは島に戦車隊を出動させたのです。

さて、敵に捕ったガバチョを助け出そうと、博士の名案で、ひょうたん島の人たちは島に化けてブルドキアにもぐり込みました。ゲリラ作戦がうまくいって、ガバチョを助け、島に逃げ返った一同はブルドキア国と斗うためにライオン君の体から三千匹のノミを取り出し、犬の部隊に投げつけます。

この博士の計画もみごと成功。押しよせた犬たちは一匹のこらずノミにたかられて、かゆくてたまらず、ついに降参。それでも人間と斗うことをあきらめないピッツ長官はゴーストタウンに逃げ込みました。

それからまもなく、荒れくるう砂嵐がぶきみにうなり声を立てるゴーストタウンでピッツ長官とマシンガンダンディの一対一の決斗が行なわれるのです。果してどちらが勝つのか……？

魔法使いサリー

謎の幽霊館

サリーの住む街では、気味の悪い幽霊館のうわさでもちきりでした。そこでサリーは、仲良しグループのよし子、すみれと一緒に、その幽霊館の探険に出かけます。

クモの巣だらけの館には、幽霊など姿も見えず、実は世界的盗賊団ハードボイルド一味がいたのです。そして今まで盗んできた品物の荷造りをして、外国へ逃げようとしていたところだったのです。

これを知ったサリーが、魔法をかけると急に彫刻が動き出して、盗賊団を追いかけます。

ビックリしたのは盗賊たちです。こうしてサリーのお手柄で、さしもの世界的なドロボウも、警察に捕ってしまいました。

日本4H新聞
4Hクラブ　農事研究会　生活改善クラブ
全国弘報紙
発行所　社団法人　日本4H協会　東京都市ケ谷家の光会館　電話(269)1675
編集発行人　玉井光
月3回・4の日発行　定価1部10円　6ヵ月180円　1ヵ年360円(送料共)　振替口座東京12055番

10月26日から立山(富山)で
全国4Hクラブ員北陸の集い
行事や日程はなお流動的

トップは近畿
4Hクラブ推進会議
全協で執行部会開き検討

全国4Hクラブ連絡協議会（丸山会長＝富山県）は、さる八、九の両日東京・新宿区市ケ谷の日本4H協会内、同協議会事務局で執行部会を開き、今年度事業計画の大きな柱である「全国4Hクラブ員北陸のつどい」やブロック別4Hクラブ推進会議などについて検討した。

同執行部会には、丸山会長はじめ[illegible]、兵庫県淡路島の向山紀子副会長を除く全協役員、それに富山県4Hクラブ連絡協議会から横井弘三事務局長、岩崎茂日本4H会館建設委員長（全協初代会長・静岡）が出席した。

まず、今年度で第三回目を迎えた「全国4Hクラブ員北陸のつどい」については、[illegible]とを決めた。

行事内容は、九州、関東の前二回のつどいと同じく、講演、話し合い、意見と体験の発表、自由交歓、スケッチ、現地交換訪問などのほか、富山県農業祭の参観や全国単位クラブの活動記録作品展示会などの新しい行事も計画している。

また日程については、つどいの重要なウエイトを占める現地交換訪問を前二回と同様に行事の最後にもっていくか、またまん中にはさむか、立山荘での宿泊を一泊にするか二泊にするかなど第一案から第四案まで出された。しかし、現地交換訪問のスケジュールは、富山県の農業祭に日帰りでくる同県のクラブ員と一緒に各地に行って交歓するかどうか、また立山荘での宿泊は大体一泊一千五百円なので、富山県のクラブ員には相当負担になるなどの問題があるため十二日に開く同県連の理事会ではかったうえ再検討して決定することになった。

開催期間は、二十六日から二十九日までの三泊四日を予定、二十六日はこれまで午後に行なっていた開会式をくりあげ、午前九時から受付けを開始し、同十時から開会式に入り、つづいて富山駅前の農協会館ホールで開催される農業祭を参観する計画。

今後さらに日程や行事内容について検討を加え、肉付けしていくことになっているが、全国から一人でも多くのクラブ員が参加してみのり多いつどいとなることが期待される。

この全国4Hクラブ員のつどいは、全国で活躍している4Hクラブ員が4Hの旗のもとに集まり、各行事を通じて4H精神の高揚と相互の親ぼく協調を図ると同時に、4Hクラブ員の使命と今後の奮起を再確認し誓い合い、また、地域に根をはった家族ぐるみのクラブ活動を推進しようというもので、自主性を誇る全国クラブ員の一大祭典でもある。前二回のつどいにもまして全国クラブ員の前進への足がかりとなることが望まれる。

次に今年度の全協事業の大きな柱の一つであるブロック別4Hクラブ推進会議については、まずそのトップを切って、近畿ブロック（京都、大阪両府、奈良、和歌山、兵庫、滋賀各県）の同推進会議が来る八月十六日から十八日までの三日間、京都市左京区吉田の御殿荘で開催されることになった。

これには各府県から現と次期リーダー六名、全協役員四名が出席する。

4H会館　25日に建設委員会開く

このほか、懸案の4H会館建設問題について岩崎同会館建設委員長を迎えて話し合った結果、来る二十五、二十六の両日東京・新宿区の全協事務局で建設委員会を開くことになった。

この4H会館建設については、先月東京・武蔵小金井の浴恩館で開かれた今年度第一回の評議員会でも大きく取り上げられ、渋滞状態にある責任として建設委員会が矢面に立たされたが、今回の建設委員会では、同建設委の再編成、再出発などの声と関連して何らか新しい動きがあるものとみられる。

岩崎4H会館建設委員長

丸山会長

組織活動を強める
滋賀県連　新会長に河原田君

【滋賀＝油瀬健一連絡報道員発】[illegible]

長野県連　会長に古川君

[illegible]

部落の水稲病害虫いっせい防除奉仕
宮城・北郷4Hクラブ

[illegible]

意見交換に熱入る
石川県連二ヵ所でクラブ交換会開く

【石川】石川県農業青少年グループ連絡協議会（会長、森章君）では、このほど農業青少年グループ員がクラブ活動や農業、農家生活に関する意見の交換やレクリエーションを[illegible]発展を図ろうというもので初の試み。同県が南北に距離的に長い関係から県内を二ヵ所に分け、能登地方はさる六月二十一日鳳至郡穴水町の穴水青年の家で、加賀地方は同月二十八日金沢[illegible]を開き、自主性のあるクラブ活動の推進、女性が喜んで嫁いでくるような農業経[illegible]ボールを追い若いエネルギーを燃やした。

またこの交歓会では、農業青少年の実態、意識を知るためアンケート調査をした。

能登地方のクラブ交換会であいさつする森県連会長

能登地区
もっと自主性もて
意気込みあふれる発言

[illegible]世代の若者に経済的にも社会的にも遅れをとらないようグループ活動を通じて努力しよう」という意見もあり意気込みがあふれていた。

とかく、経費の関係上停滞しがちなグループ活動も「グループ活動の経費を市町村や農協にばかり頼っておれない」ということで「山林の下刈り作業をうけ負いその収入をあてよう」（穴水農業青少年グループ）というグループや「会員相互の理解と友情を深めるため、会員の家庭を訪問し合う」（七尾市つくし会）というグループの報告もあった。

またグループ員が減少しがちな山村にあって「ただ会員を集めるだけではなく、少なくとも本当に農業を考える者だけの集まりでいいじゃないか、やる気のない者がいてはかえって活発なグループ活動の妨げになる」（珠洲市青年会議）という意見も述べられた。

昼には、能登半島の青い海と松[illegible]

加賀地区
"女性が好む農村に"
暗い影見えない仲間の顔

去る六月二十八日、干天続きの天候に終止符を打つかのように朝から慈雨が降り続いた。この日石川県農業青少年グループの加賀地区交歓会が開かれた。

金沢市街を周囲に見おろす高台ー ここ卯辰山公園の金沢ユースホステルに加賀地区十のグループ員が日頃のグループ活動や農業、農家生活に関する意見を交換し、お互いの親睦を深めようと、久しぶりの雨の中を、日頃田畑で愛用しているトラックや遠くの人はバスで元気な姿をつぎつぎと現わした。

各グループごとに四、五人の仲間が自分たちの活動状況などをプリントした資料を持ち寄り、十時半から昨年の足跡とグループの問題点を発表、本年度の計画を概っぽくみんなに報告した。十二時半過ぎまでお互いに質問や意見を出し、今後の自分達のグループにとり入れようと熱心に話し合った。

馴じみの顔、新しい顔、それはみな土に取り組む力強い顔である。カレーライスを食べながら親しさを更に増している様子に執行部の人たちの顔も自然にほころぶ…。

[illegible]と楽しいゲームや合唱を指導、日頃の農作業の疲れも忘れてみんな元気に歌っていた。

最後に「こんな農村を期待する」というテーマで話し合い、米作中心の経営に疑問を述べる者、水稲栽培面積をさらに増大するという自信家など…「やっぱり嫁さんが喜んで来てくれるような農村農家にしようや」と、どっと笑い合って一日の楽しい有意義な交換会の日程を閉じた。

なお、この加賀地区の交換会でも能登地区と同様にアンケート調査が行なわれた。

主な質問事項は▽過去一年間の農業従事日数▽農業に従事した理由▽農業をしている友だちの数▽こずかいの額▽休養日数▽農業技術の習得方法▽嫁不足の実態や考えなどで、その結果が注目されている。

加賀地方のクラブ交換会で熱心に語り合うクラブ員

レクの方法など学ぶ
高知県連　リーダー研修会開く

【高知県＝高橋直子連絡報道員発】高知県農村青少年クラブ連絡協議会（会長、久万田昭文君）では、さる六月二十日から二十三日までの四日間、窪川町東又の県農村青年研修館で今年度第一回の県農村青少年グループリーダー研修会を開いた。

これは、県下の農村青少年クラブリーダーが集まって、日ごろの活動状況を交換しながらグループ活動上におけるリーダーとしての知識、技術を高めるとともに地区内グループの活動を促進させようというもので、今回はとくに、県下各ブロックで七月から八月にかけて予定している技術交換会において中核となる人材を養成するための研修という性格をもたせた。

また期間中は、全員合宿して共同生活を行ない、自主的な運営委員会を組織して研修効果を高めた。

この研修会には、県連各役員はじめ各地区のグループリーダー男女合わせて五十人が参加、第一日午後一時から開講式、オリエンテーションについて、宮崎高吉前県出納長の「世界の文明諸国における社会問題」という話を聞き、夜は話し合いをした。

第二日目は、午前中、録音教材の上手な使い方について岡崎弘県教委、また午後はグループ活動とレクリエーションについて前田禎三郎高知大教授の指導を受けた。

三日目は一日中、前日と同じく前田教授の指導でキャンプファイヤーの理論と実技について学んだ。最終日は午前中、「リーダーとしての心構え」について県自治研修所の吉松茂氏の話を聞き、四日間にわたる研修会を閉じた。

岩崎4Hクラブが誕生
山口

【山口】[illegible]に、このほど「岩崎4Hクラブ」が誕生した。

これからは、土壌検定はじめせん定講習などの生産活動の研修、市場見学、先進地視察などの県内外の研修、また新規就農者との話し合いのほか広報活動なども活発に行ない、地域の農業振興のために活動することになった。とくに本年度は❶心の通った仲間づくり❷関係他団体との連けい❸土壌検定❹せん定講習会の開催❺機関紙発行、などの事業を展開していくことになった。

初代役員は次のとおり。

▽会長　前田米国▽副会長　佐藤和彦、上野忠利▽事務局長　金井正樂▽同次長　渡辺勇、村松剛、志村義彦▽広報同　前田米国▽局員　牧野徳幸、高野剛（連絡）里吉秀人、西宮正弘（外務）鈴木峰雄、高野武治、斎藤寿幸（広報）

道路修理は引き受けた
宮城・向山4Hクラブ

【宮城】蔵王町向山地区の向山4Hクラブ（会長、向山浩一君・会員十五人）はこのほど、地区内の県、町、農道などの道路修理の奉仕作業をした。

この日各クラブ員は各自が持ちよったスコップやクワのほか、関係会社や町などからトラックも借り、午前九時から夕方まで近くの白石川からじゃりを運んで道路に敷くなど、炎天下で汗びっしょりになって修理に励み、地区民から感謝されている。

心頭技健

過日、ある[illegible]員と話したときのことである。まじめな青年で、4Hクラブに入って多くの仲間を得、楽しいクラブ活動ができて本当に嬉しい。最近はレクをとり入れたのでクラブ員も増加したということであった。そこで現在の悩みは何かと問えば、それはクラブがあまり活発なのでそれを今後も維持してゆくにはどうすればよいかということであるという▼農家にあとつぎがいなくなったり、残っていても仲間がみんな都会に出てしまったあと、孤独感にとりつかれて不安になっている人が多いときに、このクラブは何とうらやましい、明るいクラブであろう。みんなり会う仲間が大勢いて、みんなでクラブ活動を楽しんでいるのである。ここにクラブ活動のひとつの意義があるようだ▼しかしながら、これをクラブ員自身がよく使う"切磋琢磨"という言葉からみるとどうであろうか。これは"玉も磨かざれば光なし"というあの玉や角を成す方法をたとえたものであって、[illegible]はじめに切り込み、それからやすりで磋（と）いで仕上げる。玉ははじめにノミで琢（う）ち、そして砂で磨く。このようにものを成すに順序とそれに適したやり方がある。クラブ活動にもこのことがいえるのは当然である▼本来、4Hクラブ活動は将来役立つ腕を磨くところに、人格陶冶の場である。したがって、はじめは、悩みを持つ仲間が集って慰めあうのもよかろう。つぎには、レクなどをとり入れて楽しい集いにするのもよかろう。それからは将来役立つ腕を磨くよう努力する。そして最後には社会人としての人格陶冶に励むべきである。このようにクラブ活動にも、その発展段階に適した方法でやるべき[illegible]

クラブの綱領

私達は実践を通じて自らを磨くとともに互いに力を合わせてよりよい農村、よりよい日本を創るため四つの信条をかかげます。1、私達は農業の改良と生活の改善に役立つ腕をみがきます。1、私達は科学的に物を考えることのできる頭の訓練をします。1、私達は誠実で友情に富む心をつちかいます。1、私達は楽しく暮らし、元気で働くための健康を増進します。

涼風暖風
東京の空

離れから聞いたのか、それとも自分で想像したのか、また、ちょうどそのようなとき訪ずれたのか東京の空はいつもどんよりと曇っていると思っている地方の人がいる。東京には青空がないというわけだが、東京にだって青い空もある。とくに雨あがりの翌日の晴れた朝など遠方に秀麗富士山をのぞめるときがある。また夕陽で窓ガラスがだいだい色に染まることもある。その季節になれば、そのときを告げるかのように季節の花が咲き、木々の葉もちゃんと色づく。そして夜になれば、やはり星をちりばめた黒いベールで覆われる。時期的にこれからは、さらに美しくなるだろう。

しかし残念ながら、排気ガスなどによる空気の汚染はひどい。都心に近くなればなるほどその度合は高くなっている。風の具合によっては、スモッグでむせかえるようなときもある。ある人は、呼吸もろくにできない、人間の住めるところでないといっているが、人体への害の浸食度が目立たないだけに離れるとほどにも感じない。

先日、九州のある4Hクラブ員から、東京の水はきたない、木の葉の色も黒づんでいる―といわれて少々ギョッとした。水がきたないことは常々感じ、また木の葉のそれも聞いたことはあるが、普段はマヒしているせいかさほど感じない。東京の木は草深なので緑濃くなったのだろうといってはみたが、相手は九州のクラブ員である。桜の葉にしても、九州ではもっとすき通った青色をしていて生き生きしているという。

離れるということは、よい面も多いけれど一面において恐ろしいことである。

このところ東京の空は、雲が低くたれこめ文字通りどんよりの曇り空。思い出したように雨が降る日をくりかえしているが、やがて梅雨もあけて入道雲もみられることだろう。そしたら東京を離れて、その雲をみくらべてみようと思う。

人はその中にいると案外気がつかないものである。ときおりアウトサイダーぶっていやマンネリから脱するためにもふりかえってみる必要があるようだ。

病害虫防除かってでる
千葉・勝浦市4Hクラブ

【千葉】勝浦市上野の4Hクラブあゆみ会（会長、鈴木正信君）は、このほど四日間にわたって市内の興津、守谷地区の水田四十紛の防除作業の勤労奉仕をした。

これは、人手不足で悩む農家を対象にクロカメ虫と葉イモチ病の防除を引き受けようと乗り出したもので、関係農家から感謝されている。

同地区は半農半漁地区で、男性が漁業や近くの工場に勤めに出る関係から農業をやっている人は老人や婦女子だけで、いわゆる三ちゃん農業。このため、ことしのようにクロカメ虫や葉イモチが発生して被害は広がる一方だが人手不足の状態から思うように防除もはかどらないので困った。

そこで、同地区の大多喜農業改良普及所員が市内の各農村青少年クラブにこうした実態を話したところ、同クラブがさっそく防除作業をかって出たもの。

同クラブはさる四月、十八歳から二十三歳まで農業に従事する青少年十八人（男子十六人、女子二人）で結成したばかりで、毎週一回例会を開いて話し合いをするほか農業研修やクラブ[illegible]などを催し、農業経営の向上と自己の鍛練に努力している。

第三回北陸地区 第七回石川県 技術交換大会開く

奥能登めぐりも 8月1日から輪島市（石川）で

【石川県＝鳴戸良一連絡報道員発】第三回北陸ブロック農村青少年技術交換会と第七回石川県農村青少年技術交換会の合同大会は、北陸農政局、石川県、同県農業青少年グループ連絡協議会（会長、森幸君）の三者共催によって来る八月一日から三日間、輪島市で開催される。

参加者は、石川県内各地区農村青少年と北陸三県（新潟、富山、福井各県）の農村青少年各代表、石川県内の篤志指導者、その他関係者など約百八十名が予定されている。

主な行事内容は、プロジェクト実績の演示発表、クラブ活動交換発表、技術競技、クラブ話し合い、レクリエーション、バス教室、合宿生活などで、日程は次のとおり。

第一日 午後三時から鳳来山で開会式、オリエンテーションにつづいて同四時から二時間、レクリエーションとして光浦海岸、鴨ケ浦などの自然探勝。夕食のあと夜七時半ごろから宿舎の国民宿舎輪島荘でレセプションを開く。

二日目 体操、朝食のあと午前八時から鳳来山で技術競技、つづいて同所で十一時から一時間演示発表。午後一時から同所でレクリエーション、二時から宿舎でクラブ活動交換発表、つづいて話し合いをする。五時半から演示と技術競技の成績優秀者の表彰式。夕食、オリエンテーションのあと八時から袖ケ浜でキャンプファイヤーをくりひろげる。

三日目 体操、朝食のあと午前七時からバス教室。として能登半島めぐり輪島、曽々木、狼煙、飯田をたずねて奥能登の自然探勝と社会見学し、珠洲駅前での閉会式を最後に解散する。

長野県は26日から小諸で

【長野】長野県農村青少年クラブ連絡協議会（会長、古川忠己君）では、来る二十六日から二十九日までの四日間、小諸市山浦の長野県農業高等学園内の農村青年研修館で県下のクラブ員約二百五十名の参加のもとに「県農村青少年技術交換大会」を開催する。

田植えたびの改良など競う
長野県中高4Hク連協

【長野】中高4Hクラブ連絡協議会と下高井農業改良普及所共催の本年度中高4Hクラブ技術交換大会が二十七日、中野市一本木公会堂を中心に行われた。約百人のクラブ員が参加し、地区自慢のリンゴの袋掛け競技をはじめ研究結果の演示、鑑定競技の三種目でわざを競った。

その結果、袋掛け競技の部では三十分に三百九十五枚掛けた山ノ内町寒沢の清流4Hクラブの山本よし子さんが優秀賞、同二百九十三枚の同清流4Hクラブの鈴木照康君と三百六十七枚の中野市竹原4Hクの小沢幸三君が優良賞。

また、研究発表の演示では平野4Hクラブの小林みつ子さん・小川ふじ子さんが田植えたびの改良で努力賞、鑑定競技では中野市四ヶ郷4Hクラブの池田通美君が優秀賞、高丘4Hクラブの市村正身君と山ノ内町清流4Hクラブの鈴木顕治君が優良賞を獲得した。

この結果、演示の小林さんたちと鑑定競技の池田さんが県大会に出場する。

いよいよ明日から
北海道上川管内の大会

【北海道】上川管内農村青少年技術交換大会が、明十五日から三日間、上川郡比布町で開かれる。

大会に参加するのは、各地区で農業改良、生活改善の各分野にわたって実践活動を行なっている4Hクラブなどの代表で、参加予定者は約二百人。ほかにこれらのクラブの指導者約五十人も加わり、二泊三日間にわたって多くの催しを展開する。

行事は、演示発表、総合技術競技、討論会、キャンプファイア、レクリエーション、講話、表彰式といった順序で進められる。

大会の中心となる演示発表では農産、畜産、生活の三部門に十二のクラブ代表が参加する。

また、技術競技には、一市町村から五人の代表が参加し、与えられた課題に取組みその腕を競う。

一方、第二日から最後日にかけて行われるキャンプファイアやレクリエーションは、参加者の親ぼくをはかるもので、毎年にぎやかに展開され、参加者の記憶に残る楽しい行事である。

田村地方では百十六人参加して
福島

【福島】田村地方4Hクラブの技術交換会は、このほど船引町集会所でクラブ員百十六人が参加して開かれた。

同日は、管川田村農業改良普及所長の話しのあと、交換会にうつり、百十六人の会員が農作物の制定、鑑定などに腕を競い合った。採点票を片手に水稲や畑作そさい、畜産、生活改良など五部門の採点が行なわれた。各自の得点は五十問中、三十点を上まわる得点の人が多かった。

4Hクラブ員の集い
福島県連 8月下旬猪苗代で開く

【福島】福島県4Hクラブ連合会（会長、白石隆君）は、県、同教委と共催で、来る八月二十一日から三日間、耶麻郡猪苗代町押立地内の猪苗代町営牧場で「若い農業者のつどい」を開催する。

これは、日ごろ農業や農家生活について研究、改良に努力している4Hクラブ員が集まり、キャンプ生活を通じてそれらの成果を交換しあい、またレクリエーションなどの交流によって相互の団結と友情を深めようというもので、県下の4Hクラブ員約二千名の参加が予定されている。

なお、このつどいには、クラブ単位ごとに創意工夫した胸章、ユニホームを着用して参加することになっており優秀作品には賞品が贈られるという。

開拓農家の田植えを応援
北海道・岩見沢4Hク連

【北海道】岩見沢市4Hクラブ連絡協議会（会長、山野邦夫君）は、人手不足、水不足で田植えが遅れている開拓農家の田植えを手伝おうと、このほど開拓地に入り普通より一カ月遅れの田植え作業を行ない、関係者から感謝されている。

当日二十余名のクラブ員たちは「開拓農家に迷惑をかけては…」とみんな弁当を持参して夕方くらくなるまで泥だらけで働いた。4Hクラブ員の手なれた田植えで、みるみるうちにつぎつぎと苗が植えられていった。これに感激した農家は弁当代にと一般労務者の三分の一以下の額のおれいをわたしたが、クラブではこの金を有意義な事業に使うという。

"日本的4Hクラブ"を
宮城副会長（日本4H協会）の帰国談

宮城副会長

既報の通り、社団法人日本4H協会副会長[illegible]

広壮な全米4H本部前で＝左から2人目が宮城副会長、その左がシュラム理事

全米4H本部の前庭に立つポールに4H旗がひるがえっている

青空教室など決る
山形地区連で代表者会議開く 新会長に安達君

【山形県＝佐藤章夫連絡報道員】[illegible]

…説明があり、なるべく多くの会員が参加するように申し合わせ、さらにキャンプファイアーの際の余興で、他の普及所管内の参加者に負けないだしものを、参加する人だけがもう一度集まって協議することになった。

県の技術交換大会とは別に、山形普及所管内（山形、上山両市、山辺、中山両町）の連絡協議会独自の親善キャンプを来る九月一、二の両日、蔵王の坊平高原で行なうことを決め、開催要領の細目は事務局に一任することに意見が一致した。

このあと、一昨年の派米4Hクラブ員、佐藤章夫君の「アメリカの4Hクラブ運動」と題するスピーチがあって午後四時半散会した。

農業就業者の推移

卒業年	中卒	高卒	その他卒	計
38年3月卒	[illegible]	[illegible]	[illegible]	9万人
39.3	[illegible]	[illegible]	[illegible]	6.6万人
40.3	[illegible]	[illegible]	[illegible]	6.8万人
41.3	[illegible]	[illegible]	[illegible]	7.2万人
42.3	[illegible]	[illegible]	[illegible]	6.4万人

注：（ ）は構成比

卒業者数（進学者を除く）のうち農業就業者の占める割合（農業就業率）

卒業年	農業就業率
38年3月卒	13.6%
39.3	11.4%
40.3	10.5%
41.3	11.1%
42.3	9.9%

強まった減少傾向
42年度新卒者就農動向

このほど農林省では、本年三月学校を卒業した人たちを対象にその就業状況を調べた「農家の新規学校卒業の動向」を発表した。この調査によると、中卒では進学率が増加し、高卒の就農率が増加している。全体的にみれば、進学者を除いた新卒者のうち農業に就いたものは六万四千人で前年より八千人減少し、農業就業人口の減少傾向を強めているのがうかがわれる（以下はその要約）

卒業者数 昭和四十二年三月に中学以上の学校を卒業した農家子弟の総数は一三三万人で前年より二万人減少した。

このうち中卒は七五万人（前年より六万人減）、高卒は五二万人（前年より三万人増）、その他卒は五万人（前年より一万人増）となった。

進学率 卒業者総数のうち、さらに上級学校に進学したものは六七万人（五一％）である。このうち「中卒」は五五万人で前年度より二万人減ったが、進学率は七三％となり前年の七〇％をさらに上回る高い進学率を示した。高卒は一二万人で前年とほとんど変らない。

就農者 進学者を除いた新卒者十四万人のうち農業に就業したものは一〇％（六・四万人）であるが、前年より一〇％（〇・八万人）減少し、農業就業人口の減少傾向を強めている。

農業就業者のうち男が六一％（四万人）であるが、その世帯上の地位別ではあとつぎが四一％、あとつぎ以外は二〇％の構成となり、女子が三九％の割合となっている。このうちあとつぎの農業就業率は一九％となっている。

学歴別にみると中卒は三八％（二・四万人）、高卒が五六％（三・六万人）（前年五二％）で年々高卒の比重は高まっている。高卒業の「あとつぎ」が約二万人で農業就業者数の三割を占めている。

地域別にみた就農者 卒業者（進学者を除く）中に占める農業就業者の比率を地域別にみると、高いところは北海道（三〇％）東北（一八％）、北関東と北陸（共に一二％）と東日本に集中し逆に西日本、とくに近畿、山陽の工業地帯の地域は著しく低いのが目立っている。

経営規模別にみた就農者 卒業者（進学者を除く）から農業就業者の占める割合を経営規模別にみると、二㌶以上の耕地規模の大きい農家においては前年より農業就業者は多くなり、新卒労働力の補充は増加している。

他産業への就職者 卒業者のうち他産業へ就職したものは五二万人（進学者を除いた卒業者の八〇％）で、この三年ほぼ変らない。

学歴別では中卒が前年より三万人減って一六万人となり、高卒は二万人増加して三二万人となり高卒は二倍に達した。

就業形態別では、転出が二八万人（五三％）、通勤は二四万人（四六％）であるが、転出が減って通勤が増加している。「高卒」では通勤が五四％を占め、とくに「あとつぎ」においてその傾向がつよい。

ブドウの正しい房づくり学ぶ
山梨・東八代4Hク

【山梨】東八代農改普及所管内の4Hクラブ員を対象とする今年度第一回の果樹生産技術研修会が、同農改普及所の主催でこのほど、クラブ員の御坂町栗合、前田初男君のブドウ園で開かれた。

この日は、郡下の4Hクラブ員十二人が参加し、保延清東八代農改普及所長、同塚田君技師からネオマスの正しい房づくりなど摘房について説明を聞いた。

"感涙にむせびあいさつ"
初のニュージーランド交歓研修生出発

岡山 【原田靖雄連絡報道員発】海外の新しい酪農技術、生活技術を学び青年の発展に寄与しようと、自分たちの同志である菊地俊六（ニ七）長恒健二（二七）の両君が、八ヵ月間の交歓研修生として去る三日、神戸港からニュージーランドの首都ウエリントン郊外のパーマストン農場へ向けて決意を秘めて出発した。

それに先だち、農村青年として第一線で活躍している青少年たち有志と同山県、酪連、酪農会、同窓生などによって両君の歓送会がこのほど三好野会館で盛大に催された。

蔵知前中国四国酪農大学校々長のあいさつにはじまり、経過報告のあと次々と諸先生の祝辞、青年の励ましのことばあり、寄せ書きなどが行なわれるにつれて一段と盛りあがったころ、懇親会長がかけつけ会も頂点に達した。

両君は感激のあまり声も出ず、涙にむせびながら「日本の名に、岡山県の名に恥じないよう一生懸命がんばります」とあいさつしていた。

晴れて岡山県代表に選ばれた菊地、長恒両君の派遣に当っては、かねてから加藤岡山県知事、酪農大学校々長、岡山ライオンズクラブ、真庭ライオンズクラブの好意によって実現できたものである。それにジャパンライン社の深い理解もあり、ニュージランドまでの経費免除というまれな農村青年と他団体との連携で、今後によろこばしい結果をみるに至った。

菊地君はさる三十九年三月、酪農大学卒業と同時に、農協職員として酪農指導にたずさわるかたわら自宅でも酪農経営に精を出している。帰国後は現在交際中の快活で明るいお嬢さんとの結婚が待ちかまえている。長恒君は四十年に酪農大学校卒業、酪農経営に頑張っている。

ニュージーランドからの交歓研修生としては要望もあって来岡される気象社へ研修生として来岡されることになっている。

NHKモニターに
山形・漆山農益会

【山形県＝佐藤章夫連絡報道員発】山形市漆山の漆山農益会（会長、鳥利一君・会員六名）は、今年度から「放送農業グループ」としての活動を正式に開始することになった。

これは、NHKの農事番組を中心に学習するもので、日曜を除く毎朝七時からの「農業教室」、それに五時からの「早起き鳥」の番組を聞き、それをもとに会員同志が話し合ったものを月一回以上放送局あて報告する義務がある。NHKから年額五千円の謝礼があるので、それを会の活動資金として、いかせば、学習と資金の両面で大いに益するところがある―と、会員一同張り切っている。

全国のクラブ員のみなさん 秀峰富士へ登りましょう

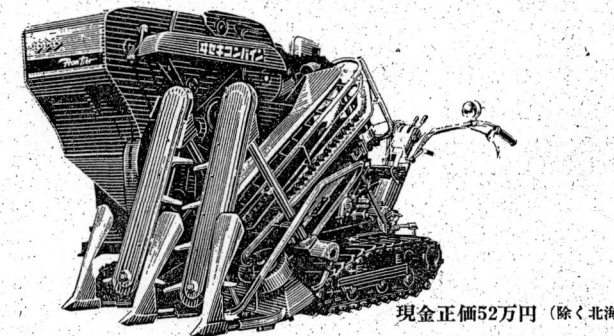

いよいよ登山日迫る

[illegible]

静岡県御殿場市東田中二六二、電話（〇五五〇）二―二五四、北駿4Hクラブ、江藤婆子

4Hくん No.97 桜井はじめ

私のプロジェクト

意義ある働きの為に ハウスで力を試めす

岐阜県美濃市 美濃市4Hクラブ 中田美佐子(19)

野菜の一大産地をめざして

私の町は昔から美濃紙の産地として知られたところでしたが、段近では農村の変化も著しく、人口も年々減っていく反面、小さなわが町の農業も零細で、一戸平均水田三〇アール、畑一六アール、そのほとんどが米麦を中心とした兼業農家ばかりとなり、農業収入に頼るものは一割にも足りません。幸いに私の中有知地区は半数以上が専業農家で、昔から蔬菜地帯として知られ、美濃市、関都を中心とする野菜の供給地でありました。段近では岐阜、名古屋、大阪市場へと広く出荷されるようになり、一大産地づくりを目ざしております。また私達の地区には青少年も多く現在の美濃市4Hクラブ員のほとんどが中有知出身であり、常に連絡と協力のもとに励ましあって働いております。

私達のクラブと活動の概要

美濃市4Hクラブは古い歴史を持っておりますが、中途で不振となったのを昭和三九年に普及所のお骨折りで再編成しました。その構成は年令別では十六才一名、十七才五名、十八才三名、十九才三名、二十才三名、二十一才一名、二十二才一名の計十七名で、平均年令十八、五才と比較的若いグループで、このうち男子十二名、女子五名です。学歴別では高校卒五名修練農場卒六名、新中学卒六名。プロジェクト別では酪農五名、園芸四名、養鶏二名、養豚二名、生活四名となっております。

実社会に投げ出された私たちはまず自身を作り、社会性をもつことを第一の活動方針として、昨年まで歩んできました。その活動経過は第1表のとおりです。このうち定例会は昼間の時は普及員さんから農業の基礎学習をうけ、夜の時はクラブ員の各家をもちまわりで開き、全員が日頃の悩みや問題を発表して話し合いましたが、これは会場となったクラブ員の親達の理解を深めることができて、大変効果がありました。クラブ員自身も心からうちとけ気楽になんでも話し合えるようになりました。

意義ある働き方をする為に

私は昭和四〇年に普通高校を卒業し、両親といっしょに無我夢中で農業の手伝をし、それこそ真黒になって働きました。しかし一ヵ年間を振り返って見ますと、何だか働けて明け暮れたような気がしてなりませんでした。自分一人加わったのだから両親は労働から多少なりとも開放できただろうと思ったのに、それほど楽になった様子もなく、年間の収入も一人分多くなったような話も両親はしませんでした。私はこれでは何のために働いたのかわからなくなり、どうせ働くなら意義ある働き方をせねばならぬと思いました。それにはまず第一に自分自身に何かプロジェクトを持って勉強しなくてはいけないと思ったので、普及員さんに相談したところ「大変よいことだ。自分のもつ能力を掘り出し、その能力にすべてをかけてこそ、人間の真価が生れるのだ」といわれ、私は心の中に強い支えができたような気がしました。そこで私はその暮れに、県外実習生として愛知県豊橋市の蔬菜農家に行き、そ菜を通じてその栽培法や経営法、さらに農家の社会観、人生観などを勉強させてもらいました。

ハウス経営で自分を試めす

明けて四十一年の春になって、自分で自分をためすため後継者資金をかりて三二〇平方メートルのビニールハウスを建てました。その結果、自分にまかされた仕事であるトマト栽培に全力を傾ける決心をし、誰よりも早く起きてトマトの成長に愛情をそそぎました。しかしそのトマトが花を咲かせ、白い実をつける頃、ふとした私の温度管理の不注意から、葉をやいてしまいました。そして、どうしたら良いかわからないまま収穫しなければならなくなりました。その結果、果実も小さく収量も少なく、それだけ隣の人や上手な人の半分以下という結果になりました。その内訳は第2表の通りです。

愛情で育たぬ農業の難しさ

[illegible]

不安な迷いを解決するには

[illegible]自分の実践したプロジェクトの中から何か不安な迷いが頭をかすめるようになりました。

例えば私の作った菊は一本三円か五円位でしたが、同じグループの人が作った花でも開花の時期が違うと、一本当り十円とか二十円とかいう非常に高値になったりする姿を見た時、農業というのは自分の手にお金を確とにぎって見るまでは安心できない不安な職業であることに気がつきました。私がセーラー服を野良着に変えて、娘としての意識も忘れて暑いハウスの中でマニキュアならぬトマトのアクに手を染めて管理したあのトマト作り、そして八月の炎天下で真黒になって単調な菊の芽かきをした思い出には、農業ほど健康的でロマンチックに思っていた職業が、その苦痛の中に私達の生活がかかっているのに気付きました。そうして一体いくら位で売れるのか、相手まかせの市場価格、それが私達の生活に直結している切迫感をこの肌を通していやという程知らされ、考えずにはいられなくなりました。

農業とはこんな不安なものか、私は一生を農業で過さなくてはならない身です。いろいろ考えていると、一体自分はどう生きるべきかと迷います。鉄を持ち収穫する楽しみだけでは解決出来ない社会情勢、労働に明けくれて、いつ生活の安らぎ、心の安らぎを得られる日が訪れるかと案じている今日この頃の私の心境です。この様な私に誰か勇気と知恵を与えて下さい。私の心は、明日の農業に向い炎の様にもえていますが、この炎も現実の社会の姿に打ち消されてしまう気がするのです。私一人の小さな力でどうにもならないものなら、私達若者の団結の力、又全国の農民の力の結集によって私達の生活が安定するものなら、私はそのリングの一片となって働きたいと思います。

第1表 4Hクラブの活動経過

項目	内容
定例会	毎月2回、農業基礎学習、日頃の問題点の討議
親子会	親との話し合い、市との話し合いにより活動を理解してもらう
クラブ交歓会	郡と4HC、山県南部4HCとの交歓会
先進地視察	静岡県神奈川県の先進地農家訪問
レクリエーション	サイクリング、山登り
その他	県外派遣実習、県の研修、全国大会、中央研修への参加

第2表 ビニールハウス栽培成績

種類	面積	収量	単価	粗収入	10a当り収量換算	10a当り粗収入換算
トマト	330m²	1,170kg	42円/kg	47,170円	3,510kg	147,420円
菊	330m²	18,470本	4円/本	73,880	55,410本	221,140
計	660m²			123,020		369,060

すすんでいる農業の新技術 (12)

果樹栽培への応用 ブドウの脱粒防止 OED(蒸発抑制剤)の応用 (完)

三、ブドウの脱粒防止

農林省園芸試験場では、ブドウ(スーパー・ハンブルグ種)の集団栽培地(約一〇ヘクタール)より「市場から、脱粒が著しく、小売店で消費者が房をもちあげただけでポロポロ落ち、ひどいところは軸だけになってしまうときつい苦情がきたので、何とか止められないか」との話をもちかけられた。これが動機となって同場でいろいろの試験を行なった結果、ブドウの脱粒防止には2・4-Dのアミン酸二、〇〇〇倍液にOED一〇〇～二〇倍液を加用したものに採取した果房を浸漬することが、もっとも効果的であることがわかった。2・4-Dにより果軸と果粒との間の離層の発達が抑制されて脱粒を防止するのであるが、OED加用により効果が著しく増加し、かつ果肉の軟化をおそくし、ブドウの日持ちを良くするのである。OEDにより果房、とくに果軸の蒸滴防止の効果がこの脱粒防止に関係するものと考えられる。現在、この集団栽培地では、すべてこの防止処理(共同出荷で三十九年は三万箱をこえた)をして出荷しており、市場からの苦情は全くなくなったということである。

次に、この脱粒防止法について述べよう。

1、処理液

脱粒は主に果軸と果粒との間の離層の発達によって起こるので、この発達を抑制するためにいろいろのホルモン剤へ、収穫した果房を二～三秒間浸して、その後の脱粒をみたところ、防止効果と薬価の点より2・4-Dのアミン酸がよいことが認められた。しかし、2・4-Dのアミン酸でも二、〇〇〇倍液処理で七日後に二二・五％の脱粒をみた。二、〇〇〇倍より高い濃度でも防止効果は、ほぼ同程度であった。反対に無処理では六九・一％の脱粒をみた。

そこでこの脱粒率をさらに低くするために、OEDグリーンと2・4-Dを併用したところ2・4-D二、〇〇〇プラスOEDグリーン二〇倍液処理の七日後の脱粒率は六・二％(無処理は一〇〇％、2・4-D二、〇〇〇倍液処理は三六・八％)であった。この果房の状態は写真で示すとおりである。2・4-D二、〇〇〇倍プラスOEDグリーン二〇倍液処理の脱粒率六・二％は、一果房で約四果粒の脱粒(無処理は全果が脱粒)に相当し、しかもこの脱粒は果梗をもち、房の部分を毎日、中程度にゆすった場合のもので、実際にはこのように果房を扱うことはまずないから、さらに脱粒は少ないものと思われる。

以上によって実用上、2、4-D二、〇〇〇倍プラスOEDグリーン二〇倍液の処理でよいと認められ、市場でも五―七日間の脱粒が高度に防止できれば十分であるとのことであった。

たとえこれより以上長期間、脱粒が高度に防止できても、貯蔵方法を考えないと、品質が悪化のために、防止の意味が乏しいこととなる。

2、4-D二、〇〇〇倍プラスOEDグリーン二〇倍液の処理房は、果粉の状態などの外見上は無処理果房とほとんど差異がないが、OEDグリーンは果粒へわずかながら臭気をつけるので、臭気をつけないOED-一〇〇がつくられ、これが脱粒防止の薬液作製の容易さと安全の点で効果のあることが認められている。

2、品種別による脱粒防止効果

ブドウの脱粒は品種により、また採取の時期(早採りまたは遅採り)によって異なるので、2、4-D二、〇〇〇倍プラスOED-一〇〇の二〇倍液により、脱粒防止の効果をしらべてみた。まず次の三種について、果梗をもち房の部分を一―二秒間薬液に浸した後、実際の場合と同様にダンボール箱へつめた。

(1)スーパー・ハンブルグ種 薬液処理はいずれの採取期も脱粒がはなはだ少ないが、八月中旬の早採りではとくに少ない。この原因については離層の発達状態によるものか、盛夏の高温、乾燥の環境で果房を採取したため検討を要するが、多分に後者ではないかと思われる。目減り、糖度、酸度など品質には、処理による悪影響は全く認められず、目減りは薬液処理の[illegible]

(2)マスカット・ベーリーA種 [illegible]

(3)キャンベル・アーリー種 [illegible]

果房の状態(スーパー種)

5日後

7日後

無処理区 / 2・4-D 2,000倍区 / OEDグリーン 20倍 + 2・4-D 2,000倍 区 / OEDグリーン 40倍 + 2・4-D 2,000倍 区

[illegible]地における水温上昇や果樹栽培における寒害防止、果実の鮮度保持、ブドウの脱粒防止等の実績について述べてきたが、この中には実用化の可能性の高いものがかなりあると考えられる。その場合、さらに市販の各種ワックス剤との比較を十分に行い、OEDの長所、特長を明らかにすることが肝要であることを最後につけ加えておこう。

近代化資金を利用して 酪農一筋に切りかえ

千葉県東葛飾郡関宿 若葉クラブ 遠藤博一(20)

酪農一本に切りかえる

[illegible]

借入年月	38年
据置期間	2年
金額	720,000円
支払利息	28,426
現在残高	240,000
使途	家畜導入、牛舎改修
最終償還年月	42年11月

酪農部門の施設と成績

[illegible]

酪農部門の施設

施設名	規模	使用年数
畜舎	50坪	15
サイロ	2.1m×4m 2基 1.5m×3m 1基	新規13
ミルカー	ユニット2	3
クーラ	1.2石KPS	4
カッター	中型	3
小型テーラー	35～5PS	4
三輪トラック	1,000kg	4
四輪トラック	1,000kg	

収支計算

収入 科目	金額	支出 科目	金額
牛乳販売額	4,769,772	購入飼料代	2,320,005
自家消費	29,400	種付料	13,200
産犢販売	13,200	衛生治療費	98,780
自家保留見積	240,000	支払労賃	20,200
疾患牛販売	150,000	水道光熱費	152,326
		修繕費	88,785
		共済掛金	139,560
		償却費	345,065
		支払利息	28,426
		租税公課	17,660
		種子肥料	36,935
		借地料	17,000
		専従者給与	120,000
		近代化資金返済金	240,000
		雑費	14,330
計	5,321,172	計	3,652,472
差引利益			1,668,700

[illegible]麦、とうもろこし、牧草(イタリアンライグラス)、下総カブを作付けし、さつまいもづるを農家から買い集めている。

春から秋にかけては、作付しているものの外に、河川敷地や堤防が放牧地として利用できるため、粗飼料の不足は感じないが、冬から春にかけては、ビタミン剤程度しか与えられないので、主にワラを利用している。昨年、サイロ二基を増設して飼料を増産する外随時、近所の農家に出るそ菜類、とくに大根やキャベツの葉などを集めて給与している。

牛乳の生産量

昨年の牛乳の販売量は一一三、五六六キロ、一頭当り生産量は五、五六七キロで、月別生産量は次の通りとなっている。

月別の生産量

月	1	2	3	4
量	9.900kg	8.521	9.767	10.238
月	5	6	7	8
量	11.394	9.592	7.762	6.479
月	9	10	11	12
量	5.874	10.001	11.556	12.482
合計	113.566kg			

脂肪率は平均三・二五％。〇・一％あがる毎に九十五銭ずつ価格があがる。搾乳量は、夏に約半分に下がってしまうが、これは暑気による体力消耗と秋に分娩するよう種付しているので、八―九月は乾乳期にはいる牛が多い。

収支計算

次に四十一年度の収支計算をみると別表のとおりである。これで見るように粗収入は自家消費を除いて五一七万円余、経費は近代化[illegible]

今後の改善目標

①今年の搾乳量は平均一頭当り五、五〇〇キロであったのを六、〇〇〇キロにあげること、そのためには病気の早期発見、早期治療につとめたい。

②基礎牛をそろえること、少なくとも六〇％は基礎牛で固め、毎年五頭程度の育成牛をおく。それが安定経営につながる道だと思っている。そのためにも育成技術の向上に努める。

③人工授精は免許をもっているので自分で行なっている。技術には自信があるので、次に鑑定技術を身につけ、また繁殖障害の予防についてもいろいろ勉強していくつもりである。

暖かい雪 (26)

田井専六 米良武子画

ブナの太幹(四)

ブナの木立がやや薄く、そこは真の闇ではなかった。万千子のブラウスは白で、近ずけば人がいるとわかるだろうが、十メートルも離れていれば、人眼につきそうにない。

二人はブナの太幹のかげの草の上に、並んで腰を卸した。

話すようなことは何もない。ただこうして、お互の体温を感じつつ、近々と並んで座っているだけで、充ち足りた気持だった。闇に馴れた眼に、お互の顔の輪郭が、それと判るくらいで、微かな風の音があり、大山寺橋のあたりで歌う声が遠く聞こえ、その外は全く静かである。

万千子が、頬を健一の肩にもたせた。

健一が、万千子の肩を抱いた。どちらかいかにも自然だった。どちらから先にそうなったか、どちらも意識していなかった。

「ああ、あたしは、健一、大好き――」

万千子が、ため息のようにいって、顔を、顔に近ずけてきた。

「ねー、キッスして――」

万千子がささやいた。

健一が、唇で、その唇を圧えた。二人の健康な歯並みが、がちがち鳴った。

「ああー、あたしは、やっぱり、健一、大好きなんだわ」

唇を離したとき、万千子はもういちどそういって、その顔を、幅広い健一の胸に埋め

「だから、あたしを、ミリヤムにはしないでね、ポール――」

ミリヤム、ポール、それが何を意味するかわからないまま、健一は返事しないで、感情の昂ぶりをもう一度の接吻にあらわした。

それから、どれだけ時間が経ったろう。

万千子が立上り、健一も立上った。

二人は、そのまま賽の河原にはでないで、いまきた路を後戻りして大山寺橋を渡ると、また明日を約して別れた。

――まるで夢のようだ。

健一はキャンプに帰って、ひとりで寝ながら、先きほどのことをあれこれ思い返し、結局纏った結論は、それしか得られなかった。

昌夫が、キャンプへ帰ってきたのは九時過ぎだった。何か気取られはせぬか、と心配したが、万千子とわかれて一時間も経っていたから、健一は、すっかり落付いてそれを迎えることができた。昌夫は、いっぱい機嫌である。

「面白かったよ、高校時代の思い出を語り、恋愛を論じ、ビールを飲み、ピーナツを噛り、ただ残念なのは、山の夜の神秘さは人間を悪魔にするに違いないのに、集るはむくつけき野郎ばかり――」

どのキャンプか、ギターを鳴らしながら、合唱している。いつまで騒ぐつもりだろう。

「兄さんは、何か獲物はなかった?」

「ないね、別に――」

「たよりないなあ、あんなにたくさん女の子がうろついていて、だれか話しかけてくれないかしら、と物欲しそうにしていた女の子だってたくさんいたはずだのに、兄さんみたいな聖人にも困るなあ、歯痒いよ、全く――」

「馬鹿にするな、認識不足だぞ、ぼくだって若い血に燃えている。ひょっとして、この大山にいる間にも、お前の羨むような事態が起らぬとも限らぬが、いいか――」

「うわあ、すごい、ああ、わが敬愛するカタパン兄貴が、あんなことをぬけぬけとおっしゃいました。ありがとう、神よ、どうぞ、そういう事態が起りますように――」

「その節は、いうまでもなく、お前は気を利かせて、どこかへ消えてなくなれよ」

「もち論、おっしゃるまでもない――あっ、また鳴く、いま鳴いたあの鳥?それ、さっきからしきりに鳴いてとおる、キョキョキョキョッキョウ――って?」

「ホトトギスだ」

「あれが――、卯の花の匂う垣根の――。平凡な声だね、平凡な恋愛歌――」

「恋愛って、もともと誰でもできる。平凡なもんじゃないのか――」

わがクラブ わが同志

旅人 浅野育子

遠い 遠い道程の彼方に
何を求めて旅にいでしか
広漠たる荒野を行く
年若き旅人われは

（茨城県稲敷郡 江戸崎4Hクラブ）

4H活動の在り方について

静岡県藤枝市大新島 杉本文子

活動規範の確立を

本質に沿う具体的なもの

4H新聞が私たちの間接的な意見や情報交換の場なら、各種の研修大会は直接的な意見や情報交換の場であります。そして、その範囲が全国、県単位クラブと狭められれば、それだけかける期待も大きいものがあると思います。夏を迎え、今年も技術交換大会を皮切りに各種の大会が始まりました。浅はかな洞察で感ずることは、日本では産業も生活も経営者の個性で創造すべき時代を迎えているのかも知れません。県下でも特異なケースとして誕生した二市二町の広域活動で今年八月で満三才を迎えた私たちのグループは、本部活動、専門部活動、支部活動の強固な三支柱のもとにますます磨きがかけられつつあります。私たち女子クラブ員も、支部にあっては家庭に根ざす横の関係を、専門部にあっては、家政部に属し衣食住を初めとした生活課題を、本部活動ではレクリエーション、研修、講演講話、視察旅行など男女混合活動を進めております。クラブの経歴が短いだけに、活動がややもすると手段のための事業をこなすだけで精一杯になってきた反省から、新らたに会員を増し、現在までに十九名に達しました。勢い大家族になり、男子との比率から眺めても三割、決して多いとはいわれませんが、また増せること確実を信ずるとき、活動の今後は火を見るより明らかな気さえします。

こうした会員の更新が常に行われて行くと、手段のための事業をこなすだけでなく、一本の大きな流れが必要となり、それを生み出すべく努力を重ねております。

しかしながら難しい問題は多々あります。時代の求める農村女性像として私たちの描く未来像とのハンデイに、今現在自分たちが何をなすべきか、グループ員としての仲間意識と共存心を保つための共通課題として具体的にプログラム構成する場合、うたい込むことの難しさをつくづく感じました。

こうした課題は、過去の大会研修会を通じ直かに語り合い聞きながら、今だかって具体的な解決の方策さえ講じられておりません。きまって抽象論を闘わせるのみで、論議のための論議に焦点が置かれてきた感が強かったと思います。

技術を交換し、キャンプファイヤーを囲む、そんな繰り返しの場であっても、初めて参会するクラブ員にとっては友を得るだけでも意義深いものがたくさんあるでしょう。全国の大会に比較したら、県の大会は、より多くの地域代表自主的な参加者が一堂に会せる場、また、上部機関との対話交流も直接でき、生のままの自由交換の場だと思います。それだけ、皆んなで築く理想の農家に変わりありませんが、その中にPRのための大会スローガンでなく、地域に応じた個性ある具体的なものが打ち出され、一本の大きな流れが造られ、次の春の教育会議との継続が生まれることを期待しております。与えられた環境の中で、その時点、その時点を真険に考え行動し、そして自らが開拓して行くたくみにも、自らが大きな流れの中にいどみ、大海の中で自己の確立、単位クラブの重要性、地域発展への私たちの使命を客観的に再認識する時期を迎えているようです。そして、自分を取りまく環境を広め、その中で自分の歩む道を、グループ活動の方向を、考えて行くべきではないでしょうか。

でも、その中に、どんなものでもいい、単位クラブに直結するような、誰れの心もひとつに溶け合うような一本の流れを今年こそ打ち出し、造り出してほしいのです。一番問題とされている、二、三の問題にしぼり、背景を分析し、解決への方向付けを討議し、実情に合せ、それぞれが地域に生かして行く、それはグループ活動のみならず、具体的な問題解決への機会には絶好だと思うのです。

毎年大会スローガンの抽象さを嘆きたくなるのは私だけでしょうか。

本県の知事が就任直後『郷土に木を植えましょう』と県民に呼びかけ、その一端として東名高速道路は県花を初めとした花木が植えられていると聞きます。身近かに、そして誰れもが直ぐ行動に移せる四季折り折りの緑の香り、なんと具体的で美しいことでしょうか。

そうした独自性とは、狭い限界の中でのみ効能があるのか、それを突き抜けた普遍性を持ち狭い中でも立派に活用できるものか、一考するに充分価値があるような気もします。

我執にもならず、さりとてPR過剰にもならず、良き師、良き友を得、そして研修会や大会などでは良きライバルを見つけましょう。

私自身の体験から、誰れも本質を見きつめなければならない。それは必ず得ることがあると断言できる各種研修会や大会への参会である。

今年こそ、本質に沿った具体的な継続性のある一本の流れを期待します。

それは明確に打ち出されても良いのではないでしょうか。

さとわのうた

自己の存在

[illegible]

（K）

「米麦用紙袋を使用した結果の考察」

著者 福島県農業改良普及協議会信夫支部

[illegible] いる人にもよき参考資料である。

（東京都中央区銀座東六の六新保ビル全国穀用紙袋協会 無料提供）

映画 青春の香り漂う

女たちの庭（松竹）

[illegible] うかたわら、お金持ちにライトバンを乗り回して店を手伝う三女のいずみ（生田悦子）の三姉妹がいた。

ある日、父の学友古沢（千秋実）が、やはり学友で九州伊万里に住む陶芸家の真山がガンで長くなさそうだという悪いうわさを持って訪れてきた。うわさは、真山が親代りに学費を見てやり、東大を卒業させた加川（山口崇）という青年からもたらされたものだった。その話を聞いて、なぜか急にふさぎ込む綾子の姿に、悠子といずみは不審がる。

宗一郎と古沢の計画で、加川と悠子の縁談が進められたが、向っ気の強い悠子は、加川に好感を持ちながら、まわりの大人たちの持って回ったようなお膳立てに反発してすねて見せる。結婚して洋裁店を経営している親友・康子（倍賞千恵子）の勧めもいっこうに効果がない。

[illegible] いずみにとって、真山という人は一面識もない。どうしてこんなものが送られてきたのか。彼女の疑問は深まり、やがて、その謎に惹かれて、単身九州に向かった。

真山の死と、いずみの九州行きを知った綾子は、打ちのめされたような衝撃を受けた。二十年間も胸に秘めていたあることが知れることは、彼女にとって死よりもつらいことだった。二十年前の母の秘密、それは母と真山との間に秘められた交情であり、自分の父は真山、そして孤児のみふゆとは、腹違いの姉妹だったのだ。

知っていてもいわないほうがいいって事ーそんな事が人生には一杯あるのだ。ひと目でいい、父に会いたかった……そんな想いを抱いて帰京したいずみを、母の秘密を知っていた悠子はやさしく迎えた。そして秘密は二人だけの胸の中に秘めることを姉と妹は誓いあった。

かくされていた過去の秘密をめぐって、助けあい、笑いあい、泣きあう女たち（右から岡田、倍賞、香山、生田）

私たちのクラブ活動

山口県熊毛郡平生町大野 井上・平生4Hクラブ 田中康子

盛上った同志意識

今後の課題はリーダー養成

＜複雑なクラブ員の構成＞

私たちのクラブ員の構成は、男子九人、女子八人とだいたい半々で、男女とも農業に従事している者とそうでない者がいる。農従している者九名のうち、すでに親にかわって経営の中心になっている者が五名いる。年令的には十七才から三十三才までにわたり、とくに男子クラブ員は高年令層が多い。

このようにクラブ員の構成が複雑で、クラブの行事に対するおのおのの要求内容、程度が違っており、自分にあわない行事には欠席することが多かった。

たとえば、みかんの技術研修を行なっても、女子クラブ員は関心を示さない。また、男子クラブ員でもその経営の主体が、みかん、水稲、和牛と異っており、みかんを主体にしたクラブ員は水稲の研修の場には参加しないことが多かった。即ち、技術の腕をみがくことでは分科会的な集りが多く、自然に出席者も少なくなってきた。

そこで、いきおいレクリエーションをかねた先進地視察や他クラブとの交歓会が多くなってしまった。

私たちのクラブは農村青年の集りである。技術の腕をみがくことをもっと充実させ、住みよい農村社会をきずくために役立つ知識を得る活動をしよう。そしてまた、みんなが話し合いやレクリエーションをもち、仲間づくりをすることも大切だが、単なる仲よしクラブで終ってはいけないーという声が起り、一昨年からクラブの目的をつぎの三つにしぼり、行事をくんだ。

❶ 仲間づくりの推進
❷ 技術や生活の腕をみがく
❸ 生活環境（とくに家族関係）の改善

仲間づくりでは、お互いに仲間同志であるという意識をもち、何でも話し合える間柄でありたいと願った。クラブ員の構成が複雑だといっても、満足のゆくクラブ活動ができるためにはこうした雰囲気が生れることが先決だと考えたのである。

そうすればクラブに対する野次馬的な不平不満もなくなり、建設的な意見交換の場になるのではないか。そのためには、毎月一回以上は必ず集まり、その際にはお互いがきそいあって来るということにした。

はじめは遠慮がちに集っていたクラブ員も徐々に打ち解けた気持で話せるようになった。まだまだ完全とはいえないが、これからもより深い心のつながりをつくるための努力が必要だと思う。

＜冗談もでる明るい活動＞

腕をみがくことは、4Hクラブである以上、必要なことである。この点については前に述べたように部門の相違はあるが、みかんと水稲、それに女子は料理をとりあげた。

男子の場合、技術に対する経験の差があったようだが、普及員にお願いいして初歩的なものから入った。いままでは、お互いに技術の腕もあがったというが、まだまだ勉強の必要がある。それと作目の違いは仕方のないことなので、共通するものとして経営の話を入れることにしたが、これはクラブ員に好評だったようである。

男子が野外に出ている間、私たち女子クラブ員は公民館に集り、生改普及員の指導で料理教室を行なった。「農繁期の料理」「夏バテを防ぐ料理」「クリスマス料理」など季節に応じて学習した。

そして料理が出来上った頃、男子クラブ員が現地から帰ってくる。

「ああ、腹が減った！」

開口一番、こういう男子クラブ員が、私たちのつくった料理をみてツバをのむ。そこでテーブルを囲み、料理に舌づつみを打ちながら話し合いやレクリエーションに入る。最近では「こんなにおいしい料理がつくれる人をお嫁にほしいよ」という男子クラブ員の冗談もとびだすようになった。

話し合いのテーマは「生活環境の改善」が中心になった。これまで問題提起の意味で、録音教材、映画なども利用したが、昨年四月からはNHKテレビ「明日の家族」を教材にとりあげた。放送利用農業集団の指定を受け、それを機会に家族関係の改善のテーマにこの番組を選んだのである。

このやり方はクラブ員にとって好評だったようだが、問題も残った。ひとつは、まだ全員が話し合いに加われないこと、[illegible]テレビ利用の場合、内容[illegible]クラブ員が少[illegible]である。この点「あの雲越えて」など農村を舞台にしたドラマなどもとり入れていった。

＜リーダー養成を内部で＞

4Hクラブは私たち青年の集りである以上、会の運営は私たちが自主的に行うものであろう。昭和三十八年に発足してから、会長はじめいくつかの役を選んだものの普及所などの積極的なリードを受けている現状であった。そして私たちの中からリーダーを養成しようというのが、ひとつの課題であった。

クラブをリードする人といっても、そんなに簡単に生まれるものではない。お互いが活動する中からその資格を身につけてゆくことだと思う。

そこで、つぎのような役割を決め、おのおのの範囲の中で責任をもって世話をすることにした。

❶ 技術部＝農業技術に関する研修や先進地視察その他。
❷ 生活部＝生活改善に関する研究活動
❸ 文化部＝一般教養や機関誌発行
❹ レクリエーション部＝レクリエーション、体育など

これらを会長、副会長がまとめてゆくのである。

一年間、これらの組織で会を運営してきたが、部の責任者によってうまく運営されるものと、そうでないものとがでてくる。この点はお互いに補いあってやっているが、まだ数名を除いて、会をリードしてゆくのは難しい段階である。

また、リーダーとなるための勉強をするには、できるだけ多くの研修、会合の場に出る必要があることで、県農村青年リーダー研修[illegible]他クラブとの交歓の場へも参加している。昨年からは、町の四つの青年団と平生町青年協議会をつくり、お互いの良い所を学ぶという意味で、月一回の集いをもち、交歓で世話役を引き受けている。

このようにリーダーの養成については、もう少し時間がかかりそうだが、地道に努力をつづけているつもりである。

＜充実したプロジェクト＞

私たちのクラブでは、毎年個人プロジェクトの充実をはかってきた。男子は主として、みかん、水稲などの技術、経営面をとりあげ女子は栄養診断、働きやすい作業衣の研究などである。しかしこれまでに満足のゆく成果は生まれていない。

男子は新しい農業資材の確認、みかんの肥大調査、農業簿記など[illegible]

女子は働きやすい作業衣、わが家の栄養診断などをとりあげた。その結果、簿記の記帳、家計簿、栄養診断の毎日の記録など、毎日根気よく続ける仕事、とくに記帳することには弱いことがわかった。

しかし、このことが最も大切なことである。原因をいろいろ考えてみたが、そのひとつに記帳の必要性がほんとうに認識されていないこと、その結果がどのように役立つかが解っていないというのがあげられた。ぜひはっきりした結果を出し、その成果をみたいと思っていたところへ、昨年、平生町が県民栄養調査地区の指定を受けたことから、これをクラブ員でひきうけ、全員で調査を実施することにした。

一日三日の食量を計り記帳することは困難な[illegible]研保所の積極的な指導もあり、書後までやり通した。

その結果、❶蛋白質、カルシウムが二〇%、ビタミンA、B1、B2が五〇%不足している❷芋類有色野菜、卵類、果物などの自給できる食品の摂取量が極端に少く魚、肉などの現金支出が少い❸米食偏重、動物性食品など酸性食品が片寄る。

このようなことがわかり、クラブ員一同たいへん参考になった。

このように少し頑張ればやれないことはないということで、来年も調査を続け、今年と比較してみる。また男子クラブ員の方は簿記の記帳にとりくんでいくということにした。

そうして、今後ともクラブ活動を通して将来のよき社会人となるため努力するつもりである。

日本4H新聞

4Hクラブ 農事研究会 生活改善クラブ 全国弘報紙

発行所 社団法人 日本4H協会
編集発行人 玉井光
月3回・4の日発行
振替口座東京 12055番

クラブの綱領

私達は実践を通して自らを磨くとともに互いに力を合わせてよりよい農村、よりよい日本を創るため四つの信条をかかげます。1、私達は農業の改良と生活の改善に役立つ腕をみがきます。1、私達は科学的に物を考えることのできる頭の訓練をします。1、私達は誠実で友情に富む心を養います。1、私達は楽しく働き元気で暮らすための健康を増進します。

九州で「協議会」結成へ

規約草案まとまる

来月七、八日 佐賀で準備会

[illegible]

大きな柱であるブロック4Hクラブ推進会議を九月中旬に開催する計画をたてているが、同協議会の結成は、九州地方におけるクラブ活動や組織活動などの上で大きな役割を果すものと期待される。

幹部の心構え学ぶ

滋賀県連 女子まじえリーダー研修

【滋賀県＝油浦豊一連絡報道員発】滋賀県農業後継者クラブ連絡協議会（会長、原田吉則君）は、去る六月二十、二十一の二日間、大津市唐橋町の県青年会館を会場としてリーダー研修会を開催した。

この研修会には、県連役員、各地区理事二名づつ、それに初の試みとして女子クラブ員がいる六地区から女子代表各一名の計三十七名が参加、クラブ活動の活発化の根源となる内部リーダーの養成をねらいとして、リーダーの役割、活動の方法などについてより以上の指導性をつちかおうと、全員が真剣に研修した。

第一日目は、開会式に続いて県農業改良課長の「農村青年に期待するもの」と題し、自覚と責任をもって前進してほしいという内容の講演があった。

午後から塚本専技のリーダーシップについて、とくにリーダーの心掛けやタイプ、任務などに関する話しがあり熱心に耳を傾けた。

つぎに、各地区活動の検討会が副会長の司会で進められ、十三地区の今年度の事業計画をもとに活動方針や事業内容について発表があり、これに対して活発に意見と質問が出された。夕食後塚本専技の指導で、レクリエーションの理論と実際と題してキャンドルサービスをとりひろげ、時間のたつのも忘れて全員解放感を味った。

第二日目は、塚本専技の司会で「グループ活動を阻害しているもの」をテーマに、農村会社、家庭、組織、クラブ活動などの諸問題について討議し三時ごろ閉会した。

涼風暖風

孤立化する都会の青年

わずか五㍍のヨットで太平洋を横断したコラーサ二世号の栄光、その裏には百一日間の孤独との闘いがあったはずである。それだけに、鹿島さんの快挙はなおいっそうの称讃に価いする。

農村に残った青年は取り残されたような淋しさを感じ、仲間を求めてクラブを作るというが、孤独に悩んでいるのは農村の青年ばかりではない。農村から毎年数十万の青年が職を求めて都会に流れ込んでいるが、孤独という点では、むしろ彼らの方が深い悩みをもっている。

NHKテレビ教養特集「都会と青年―勤労青年の孤立と連帯―」という番組で、ある中小企業で働く青年はこういっていた。

―東京へ出てから、幸福感をもったことは一度もない。自分が下積みであることをはっきりと知った―と。彼は転職四回、そしてあるサークルに入った。残業を九時までやらされることもある。それでも手当は出ない。指を切断したこと四回。未来に希望もなくやりきれない気持を仲間たちもそうだということで耐えている。

またある青年は、手がきかなくなって病院へ入院したが、そこは零細企業の悲しさ、給料も出なくなった。そこで彼はなけなしの貯金をおろしたが、あとが心細い。ベッドの中でおフクロが思い出されるという。

このように、はじめ野心を抱いて出て来た青年たちも、孤独感、劣等感にとりつかれてくる。そして救いを求めてサークルに入るが、これとてその場かぎりの慰めに過ぎないものが多い。東京にはそうしたサークルが八千もあるという。

この状況を救うのは政治をおいてほかにない。しかしその政治は都会の谷間に住む彼らには手をさしのべていない。政治がもっと温かく彼らを見守っていたならば、千葉の鉄道爆破のようなケースは起らなかったかも知れない。

それにくらべると、方々から手をさしのべられている農村青年は仕合せである。

4H週間

京都府連で展開

若人の意気天下に

8月1日から 府下縦断パレードなど

各地区連でも積極的に行事

[illegible]

縦断パレード

[illegible]

有の自動車のべ三十四台が参加、すべての自動車［illegible］ドの趣旨などを流して啓蒙を図ると同時に、各班［illegible］合流）↓小倉農協前（九時、宇治、久御山両班各一台合流）↓三条城前（十時三十分、京都班五台と乙訓班一台合流）↓府庁（知事に感謝する会）↓山形屋（昼食、北桑田、船井両班各二台合流）↓千師橋（午後三時二十分、大江、夜久野、三和の三班各二台合流）↓綾部市民センター・府農村青少年クラブ員大会会場。

加悦谷、網野両班各一台、中班、久美浜両班各二台↓宮津班一台↓舞鶴班二台↓クラブ員大会［illegible］三台合流）↓城陽町役場（同四十分、城陽班一台［illegible］

クラブ員大会

[illegible]

二日目 早朝六時半紫水ケ丘に集合、九時まで［illegible］朝食、体操のあと「われわれが農村社会に果たす役割」について班別に話し合いをする。センターへ引き返し十時から昼食をはさんで午後三時までスポーツ大会を実施、卓球、バレーボール、ソフトなどをブロック対抗で試合する。三時から閉会式と各種の表彰式を行ない、4H週間の幕を閉じる。

4H週間への参加者は、ブロック別行事に延べ五百名、パレードとクラブ員大会に百五十名と関係者五十名の総勢七百名が見込まれている。

同府連では、この4H週間を成功させるため、その推進体制として府連協本部と各ブロックにそれぞれ必要に応じて実行委員会を設け、推進の中心的役割を果すとともに農業改良普及所と綿密な連絡をとっていくことになっている。

また同行事の趣旨や内容を周知徹底させるため、各ブロックごとにクラブ長会を開いてその徹底を図ると同時に参加者を掌握するように努力している。

参加費は、四日から六日までの参加者が一千七百円、五、六の二日間だけの参加者は一千三百円で、旅費は参加者負担。

なお、ブロック別行事は、一日から三日間くりひろげられるが、その内容などについてはブロック実行委員会に一任されている。

恋愛論にも花咲く

リーダー研修会開く 核心つく意見続出

茨城県連

【茨城県＝永田正治連絡報道員発】茨城県農業研究クラブ連絡協議会（青少年部長、根本武昭君）は、このほど長岡の県立農村青年館でリーダー研修会を開催した。

この研修会には各地区からリーダー男女各一名が参加、第一日目は午前十時から受付け午後一時から開会式に入った。オリエンテーションのあと同四十分からレクリエーションの実技とそのとり入れ方について県農業改良課の芳賀専技の指導を受けた。

夜は七時から二時間にわたって部屋ごとに話し合いをした。各班での共通話題は「恋愛」についてであったが、話しの内容は年齢によって相当の差がみられた。これは「理想論と現実論」としての開きでもあったようだ。

第二日目は午前八時半から「単位クラブの運営とリーダーのあり方」について問題点を摘出、九時半から事例研究、十時から竜ケ崎の住井すゑ氏の「私の考えている農業」と題する講話を聞いた。

午後は、分科会と全体討議を行ない、午前中の話し合いで出された問題点や事例について意見を交換した。やはり各地区のリーダーだけあって核心をつく意見が出されていた。午後七時からは待望のパーティを開いた。とくに県内では初めての試みとして記念品の交換をしたが、クラブ員同志がお互いに親密感がわいて、大変良かったという評判であった。

第三日目は、午前八時半から、来る二十七日から久慈郡大子町で開く「県農村青少年クラブ大会」の運営について根本部長から細部にわたって説明があったが、参加者はみんなリーダーだけに責任を感じ真剣に耳を傾けていた。

十一時から三日間の研修内容の評価、つづいて閉会式を行ない、二十七日からの大会を成功させるよう努力することを誓い合った。

四ヵ所でクラブ交換

山口県連 仲間意識の高揚へ

【山口県＝山崎順之連絡報道員発】山口県農村青少年クラブ連絡協議会（会長、岡崎秋正君）では四十二年度の活動方針として第一番にクラブ員の仲間意識の高揚、二番にクラブ組織の充実と拡大を図るため新クラブの結成、三番目として関係機関や他団体との連絡強化―の三大目標をかかげ、この目標を達成させるために、いくつかの事業計画を展開しているが、その計画の一つである「クラブ交換」の実施地区を去る十一日の選考会で決定した。

この行事は、今年度の目標を達成しようとする一つの行事でもあり、クラブ員の仲間意識の高揚とクラブ組織の充実、拡大を図るため、各種青少年団体などとの交歓会を地区協議会と協力して、県下五カ所で実施しようというもので地区協議会に若干の援助をする。

この日の選考会において、本年度は県下の四地区で交換会を実施することに決まった。この中には県協へ未加入の農業クラブもあり本年度の活動方針にそって組織の拡大が徐々に実現されることに大きな期待をかけている。

苗取りをする大和郡山市4Hクラブ員

水稲の実験栽培・・

試験田で取組む

奈良・大和郡山市4Hク

【奈良県＝広井洋司連絡報道員発】大和郡山市4Hクラブ（会長中津隆夫君）では、市内井戸野町のクラブ所有の試験田二十㌃で新肥料、新農薬、新栽培方法をとり入れた水稲の実験栽培と取組むことになり、さる一日田植えした。

同地方は干ばつで田植えが全般的に遅れたために参加者は八名と少なかったが、当日午前八時に試験田に集合、苗取り、代かきをしたあと田植えを行なった。あいにく作業の途中から雨が降り出したが、みんな頑張って最後まで植え終た。

今後は、新肥料、新除草剤を投入して生育調査を行なうことにしているが、新肥料は十一月上旬の収穫期に、また新除草剤と生育調査は近く判明する見込みで、クラブ員が試験田栽培の結果を今から期待している。

なれた手つきで試験田の田植えに精出すクラブ員

先進地視察のワンダーホーゲル

単車で伊勢湾一周

三重・意欲燃やす小俣農村青少年クラブ

【三重県＝西村晋代司連絡報道員発】小俣町農村青少年クラブ（会長、桜井広行君）は、さる一日から一泊二日の単車による先進地視察を実施した。

これは、同クラブの本年度のスローガンである❶積極的な対外活動や役員のローテーションにより幅広いリーダーシップを身につける❷ホームプロジェクト（現在プリンスメロンを実践）の完遂により自立営農基盤の確立に努める―の二つの目標の一環として行なったもの。

まず、志摩地方の日帰りを実施した昨年の教訓を生かして、機動力を使うため整備を入念にすることになり仲間同志が分解整備をおこない、実施に当っての注意事項として次の四点を厳守させることにした。

❶規定の制限スピードを守る。❷必ず団体行動をとる。❸飲酒運転、ふざけ運転の禁止。❹平均スピードを時速二五～三〇㌔㍍で走行区分を設ける。すなわちそれぞれ四名で一班を編成し、各班は車間距離を十㍍に保ち班別行動をとるようにした。

また準備品として、とくに今回は目的地が県外のため、道路地図やポンプなどパンク修理用具をもって出発、次のコースで進んだ。

一日目 伊勢―鳥羽―伊良湖（フラワーセンター）―赤羽根（メロン温室、露地のプリンスメロン、タバコなど）―豊橋（養鶏）―浜松（養鰻）―三ヵ日（柑橘）野営

二日目 浜松―豊橋―蒲郡―碧南―刈谷―熱田―桑名―四日市―伊勢を走破した。

終了後の反省としては、二日目に雨が降り家路へ急いだため視察ができなかった点で、時期としては、九、十月か三、四月の梅雨期を避けることも今後の課題としてあげられた。

大会参加者など決る

恵那市4Hク連 役員会開き検討

【岐阜】恵那市4Hクラブ連絡協議会（会長、林忠義君）は、さる十日第二回の役員会を開いた。

同役員会では、さきに開いた第一回役員会で決めた新年度の事業計画や予算などの具体的な展開について話し合ったが、各代議員から建設的な意見が多く出され、事業の推進に意欲があふれていた。

席上決定したことがらは大体次のとおり。

一、全協、県連などの事業への参加について協議し、各行事へ次の人たちを市連の代表として推せんすることになった。

❶全国農村青少年技術交換大会（千葉県）参加者＝遠藤哲郎

❷岐阜県連主催の岐阜県4Hクラブ員夏の集い参加者（吉城郡）＝近藤洋一、可知久好、小本曽正隆、西尾耕作、度合勝良、千邑重子、交告桂子、石原道子、小林勝臣、遠藤哲郎、遠藤健一君の十一名

❸岐阜県青少年団体リーダー養成講習会参加者＝林忠義、近藤洋一、丸山千尋君の三名

二、機関誌「恵土」第三号発行について

同誌をより一層効果的なものとするために、次のマ[illegible]

湖畔に集う

滋賀県連で技術交換大会

【滋賀県＝油浦豊一連絡報道員発】第三回滋賀県農業後継者技術交換大会は、さる五、六の両日、このほど高島郡安曇川町北舟本に新設された県青年湖畔レクリエーションセンターで、県下のクラブ員百七十名が参加して盛大に開催された。

第一日目の開会式では副知事、地元町長、それに河原田吉則県連会長のあいさつがあり、つづいて技術競技にうつり、必須の経営のほか生活、作物、畜産、園芸のうち一科目選択で地元普及員の指導で腕を競った。

次に八班に別かれて、それぞれ「技術競技内容について」「わが家の経営改善の問題点」「農業後継者として父母に何を望むか」の各テーマについて話し合った。

夜は、キャンプファイヤーの予定だったが、雨のため屋内でキャンドルサービスに変更、塚本専技と鈴本県連理事の司会で夜の更けるのも忘れて楽しんだ。

二日目は、まず部門別研究会を開き、全員が前日の話し合いで出された問題を中心に経営について反省し、つづいて部門別ごとに研究した。

このあと、体力づくりが湖畔広場で各班対抗によって行なわれ、日ごろきたえた力と技を競い、成績優秀チームと個人を表彰した。

午後から、お別れパーティをひらき、マジック、ゼスチャー、命令ゲーム、ナンバーコールなどを楽しんだ。

三時から閉会式に入り、競技成績優秀者の表彰、全国大会派遣者壮行会などを行ない全日程を終了した。

農家に合理的な献立表配る

徳島・勝浦クの女子部

【徳島県＝河崎嘉宏連絡報道員発】勝浦農業後継者クラブの女子部は、いま農繁期で食事がおろそかになって[illegible]

心頭技健

[illegible]

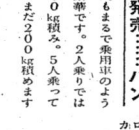

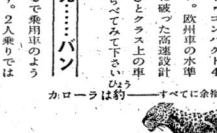

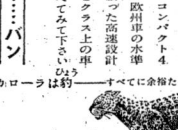

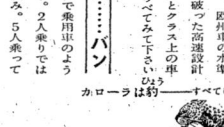

八月二十五日から四日間、千葉県の九十九里浜で開催される第七回全国農村青少年技術交換大会をあと一月あとに控えて、各地区、都道府県でいっせいにその予選ともいうべき技術交換大会がくりひろげられている。とくに、その内容をみるとマンネリから脱しようとして新しい企画や地のりを生かした行事がふえているようだ。

技術交換大会たけなわ

研究（プロジェクト）の成果交換
奈良県連　参加者、頭脳と腕競う

【奈良県＝広井洋司連絡報道員発】奈良県の技術交換大会は、同県4Hクラブ連絡協議会（会長、山田高作君）と県の共催によってさる八日、県農業試験場研修室で開かれた。

当日はあいにくの雨であったが百余名の多数のクラブ員が参加して午前十時から花々しく幕をあけた。午前中は日ごろプロジェクトの過程で体得したものの中から地区クラブ大会で選出された代表者[illegible]

▽一位＝「改良荷造台」南幸作（大和郡山市4Hクラブ）▽二位＝「簡易施肥機の考案」己波義司（生駒4Hク）▽三位＝「溝堀りの省力」森島敏夫（天理4Hク）「メモインスドロバット」榛垣内政次（中吉野4Hク）「改良テーラー」今中猶行（天理4Hク）「農発の安上がり法」森田秀昭（西葛城4Hク）「農業全般について」細井良侑（磯城4Hク）

以上多数の発表者があったが、代表として南幸作君をおくることになった。なお、この代表決定は県の来賓四名による厳正審査の結果決まったもの。

午後から室内で技術競技の部として実物鑑定の個人競技が行なわれた。出題問題の内容は農業全般にわたり、質的にも相当程度の高いものであった。解答は一人当り十分間の持ち時間で各部門別に行なう方式がとり入れられた。個人成績は次の通り。

[illegible]

奈良県技術交換大会の演示発表風景
中央は「簡易施肥機の考案」について発表する生駒4Hクラブの己波義司君

行事に漸新さ加えて
宮城県連　各地区でいっせいに

【宮城県＝峰岸義信連絡報道員発】宮城県内各地区の農村青少年技術交換大会が七月から八月にかけていっせいに開催される。いま各地区でそれぞれ着々と準備を進めており、殆んどが開幕を待つばかりとなった。

県大会は七月二十八日から三十一日まで行なわれるので、各地区ともその日を避けその前後に大会を集中している。

宮城県では、昨年四月の農業改良普及所の広域化に伴ない、各地区4Hクラブの組織活動も昨年から今年にかけ広域化し、従来の三十二地区が今年は県内普及所の数と同じく十七地区になり、それぞれ4Hクラブ員を中心に例年通り技術交換大会（通称、キャンプ大会）が開催されることになった。

主な行事計画内容をみると、県大会に準じ前夜祭、技術競技、話し合い、登山、キャンプファイヤー、レクリエーションなどのキャンプに加え、殆んどの地区がマンネリ化した行事から脱皮しようと工夫をこらし、屋外料理競技実演会、デスカッションによるクラブ活動やプロジェクト交換、演示発表、あるいは海岸で行なう地区は魚つりや水泳大会など特色あるものがめだっている。もちろん地区連4Hクラブ役員が大会を運営する。

この技術交換大会（キャンプ大会）は、当県連では毎年各地区ごとに二泊三日程度の日程で山や海辺にテントを張ってキャンプ村を設営し、キャンプ生活を通じ行なってきた。今年は十七地区連に減ったが広域化により大型地区が数ケ所あり第一回大会と呼ぶところもある。

各地区連大会のそれぞれの日程と場所、参加者人数の取りまとめた結果は次のとおり。

▽白石地区＝七月十七〜十九日まで蔵王町井戸沢蔵王山麓、参加者八十名
▽大河原地区＝七月二十四〜二十六日まで栗駒町栗駒山、百五十名
▽角田地区＝七月二十三〜二十六日まで栗駒町栗駒山、百二十名
▽亘理地区＝七月二十一〜二十三日まで大和町船形山、百三十名
▽岩沼地区＝七月二十四〜二十六日まで栗駒町栗駒山、六十名
▽仙台地区＝七月二十一〜二十三日まで川崎町笹谷峠、百七十名
▽大和地区＝七月十三日〜十五日まで大和町船形山、百名
▽中新田地区＝八月二十二〜二十四日まで色麻村小野山、未定
▽古川地区＝八月十七〜十九日まで鳴子町鬼首カムロ高原、八十名
▽小牛田地区＝八月十〜十一日まで気仙沼市大島、六十名
▽築館地区＝七月二十〜二十二日まで栗駒町駒湯キャンプ場、百二十名
▽追地区＝八月八〜十日まで、栗駒町栗駒山、八十名
▽志津川地区＝八月十六〜十八日まで歌津町泊浜、五十名
▽本吉地区＝八月十一〜十二日まで本吉町大谷海岸、七十名
▽気仙沼地区＝七月二十〜二十一日まで唐桑町半造、九十名
▽河北地区＝八月三〜五日まで河北町大川横手海岸キャンプ場、六十名
▽石巻地区＝七月十五〜十七日まで牡鹿半島、八十名

以上のようになっており、参加者は4Hクラブ員をはじめ機能集団、専修学園などでしめ、県内の農村青少年技術交換大会の参加者は地区連総人数千五百名余、県連が五百名で、のべ二千人以上の農村青少年が技術交換大会（キャンプ大会）に参加する予定である。

いずれも実践活動で体験した技術の相互交流により地域的課題解決の能力向上に資し、キャンプ生活を通じ、心身鍛練と協同精神を養ないお互いに友情を培いあい未来の農業に立ち向かうものと思われる。

昨年の思い出の地で
三重県連　来月5、6日開く

【三重県＝西村喜代司連絡報道員発】三重県農村青少年クラブ連絡協議会（会長、岡田常雄君）は今年度初の全体会議、農村青少年技術交換大会を、昨年度の夏の全国大会の会場となった県体育館、神宮会館そして伊勢志摩スカイラインなど思い出の地で、来る八月五、六の二日間にわたって開催することになり、盛り沢山の行事をこの二日間に結集しようと努力している。

参加者は、県内農村青少年で二十五才未満の男女（ただし、二十才未満の男女それぞれ半数以上）など総勢三百名を予定している。

行事内容は、昨年より一層刷新され、新しく体力づくり、夕べのつどいが設けられている。体力づくりは、心身ともに健康で強い体力をもった農村青少年育成のためバレーボール（地区対抗）や体操、ゲーム、フォークダンスなどを行なう。また夕べのつどいは、伊勢湾を一望できる伊勢志摩スカイライン、レストハウスで行ない、お互いの友情と親睦を深めるため各地区代表が"出しもの"を披露するなどレクリエーションを中心とするスケジュール。

執行部としても、農繁期であり本来の県連活動の方針からして研究討議とレクリエーションのウエイトの配分をどうするかで、相当討議を重ねた結果、演示発表と分科会別の話し合いのムードを盛り上げるための企画としての体力づくりであり、夕べのつどいであるという点で一致した。

二日目の話し合いは、前日の六部門別に編成し、部門別に体験した活動や今後の問題について自主的に話し合い、意見や知識を交換する予定。

日程は五日午前九時半から受付十一時半開会式、オリエンテーション。昼食のあと午後一時から演示発表、五時半移動、六時夕食（神宮会館）七時から夕べのつどい。

六日午前七時半から話し合い、九時半移動、十時から体力づくり（体育館）午後三時半閉会式。

日本青年海外協力隊応募の手引き

日本青年海外協力隊は、開発途上にある国々の要請に応え、政府間の協定にもとづき技術、または技能を身につけた心身ともに健全な日本の青年男女を派遣し、その国の経済的開発と民生の向上に協力しようとするものです。

すでに昭和四十年度より発足しこれまで隊員による活躍は、現地の人々に多大の感銘を与えており「友情の大使」と呼ばれ、「汚き技術の使節」と親まれてきております。

派遣対象国（農業関係）マレーシア、フィリッピン、タイ、モロッコ、ケニアほか。派遣期間は原則として二ヵ年ですが、必要に応じ延長することがあります。

応募資格 ❶年令 満二十才以上❷学歴 とくに問わないが、短大卒業程度の知識をもつ者❸技術 募集に該当する技術分野で、任務遂行に必要な技術をもつ者❹語学 英語の基本的能力をもち現地語のできる者、または一定期間の研修によりそれを修得できる能力がある者❺健康 任務に耐えられる健康な身体をもち、現地の社会環境に順応できる者❻性格 協調の精神があり、円満に共同生活ができる者。

選考方法 第一次書類審査 第二次学科試験（常識、技術、語学）面接、身体検査（第二次試験は東京で行う）

事前訓練 選考された者に対し、合宿による事前訓練を行います。❶期間は原則として三ヵ月 ❷内容は一般オリエンテーション、語学、技術、心身の鍛練 ❸訓練中の食事費等は事務局負担

派遣 ❶隊員の身分 派遣される隊員は事業団と業務内容、服務待遇等の条件を記載した役務契約を結びます。❷服務 隊員は日本政府と相手国政府との合意にもとづき相手国の人々と生活と労働を共にしながら任務を遂行することになります。❸隊員には相手国との取り決めによって原則として免税、医療、宿舎等の便宜が与えられます。

待遇 隊員には国内積立金、海外手当、渡航費、移転料、支度料国内旅費および旅行雑費を支給します。❶国内積立金月額一五、〇〇〇円（帰国時支給）❷海外手当月額一五〇ドルを基準とします

願書希望者は通信料同封のうえ左記に申込み下さい

日本青年海外協力隊事務局
海外技術協力事業団
東京都新宿区市ケ谷本村町四二
電話東京＝三五三－二二七一

27日から雲仙で
長崎県連　三百人参加予定

【長崎県＝大久保忠信連絡報道員発】第七回長崎県農村青少年技術交換大会は、県と同県農村青少年クラブ連絡協議会（会長、永川満君）の共催で、来る二十七日から二十九日までの三日間南高来郡小浜町雲仙の雲仙ユースホステルを会場として開催される。

主な行事内容は、演示発表（普通作物、果樹園芸、畜産、生活改善各部門）はじめ技術競技（生活改善、果樹、畜産、そさい、共通各部門）話し合い、レクリエーション、体育競技、キャンプファイヤーなどで、日程は次の通り。

一日目 正午からオリエンテーション、午後一時から開会式、同二時から五時半まで演示発表、夜六時半から夕べのつどい。

二日目 午前八時半から白雲の池で技術競技、午後はレクリエーションとマラソンやバレーボールの体育競技、夜七時半からキャンプファイヤーをくりひろげる。

三日目 午前中❶農村における親子関係はどうあるべきか❷農村指導者に何を望むか❸農業人の健康を向上させるためにはどうするかーのテーマのもとに話し合い、午後一時から閉会式を行ない幕を閉じる。

なお参加者は、県下のクラブ員など約三百名が見込まれている。

知事囲む話し合いも
山口　キャンプ設営し交歓

【山口】[illegible]

[illegible]影、二時から三時半まで同校講堂で県知事を囲んでの話し合い、五[illegible]

和歌山も開く

【和歌山】和歌山県4Hクラブ連絡協議会（会長、久保浦克美[illegible]

リーダー研修会
北海道

[illegible]

石川県連でアンケート
65%が積極的に農従
地区で意識にかなりの開き

【石川県連絡報道員鳴戸良一君発】石川県農業青少年グループ連絡協議会（森章会長）では、さる六月二十一日と同二十八日、それぞれ能登地区（津幡以南）、加賀地区（羽咋以北）で開いた同協議会主催の「農村青少年グループ交換会」において、参加した青少年を対象にアンケートを行なったが、その実態と意識の傾向をこのほどまとめた。以下はその概要である。

まず、第一表からもわかるように、アンケートに答えたものは能登、加賀あわせて五七名で、県下の農業青少年グループに加入している青少年五百名のうちわずか一〇％にすぎないが、この結果はグループの中核者で、かつ農業に積極的に取り組んでいる青少年の傾向と考えてさしつかえないとみられる。すなわち、過去一年間の農従日数二〇〇日以上をこえたものが五〇％を占めていることからも裏付けできる。

第二表は農従した理由を示しているが、能登、加賀地区とも「農業が好きだったから」というのが圧倒的に多く（五六％）、「長男すなわち農家のあととりでしかたがなかったから」というのが二六％と多い。これを便宜上、積極型（表のイ、オ）と消極型（同ア、ウ、エ）に分けると、能登ではそれぞれ六五％、三五％であり、加賀でも六〇％、四〇％と同じ傾向を示しており、県計では六五％の青少年は積極的に農従したと考えられる。

第三表は「青少年のこづかいについて」の質問であるが、能登地区では一カ月二千円〜四千円のこづかいをつかっているものが四七％であるのに、加賀地区では六千円以上使っているというのが三九％でもっとも多かった。こづかいを有効に使っているかは不明であるが、これは地域差によるものと思われる。

また、一カ月のこづかいはいくらあれば適当かというのに対して能登地区では二千円〜四千円と六千円以上と答えたものがともに多いが、実績からみて二千円〜四千円のこづかいで満足しているように思われる。一方、加賀地区では六千円以上あれば適当であるというのが七〇％で、つぎに述べる休養日の多いことと関連があるように思われる。

第四表は本県の主幹作目である水稲の作業期である三〜十一月の一カ月平均休養日を示すものであるが、能登地区では月に六日以上が四三％、加賀地区では二五％もいた。これは近年農村の労働日数も省力化などの技術普及で減少している傾向にあるが、専業農家のあとつぎにあってはサラリーマン以上の休日をとっているものが非常に多いということである。

第五表は未婚者の青少年だけを対象に、結婚の条件について調べたものであるが、「自分といっしょに農業をやる嫁でないと困る」と答えたものが能登地区で三八％、加賀地区で八六％あったのに対し「農業が嫌いでも自分のところに来てくれる嫁ならよい」というのが能登で三八％、加賀で七％あった。このことから加賀地区では青少年が農業に対して大きい自信をもっていることがうかがえるが、能登地区の青少年は経営規模などから農業にやや不安を感じているものがあると推察される。

このことについて、アンケートに示されていないが、交換会での座談のおり、農村の嫁について、加賀地区の青年はほとんど口をそろえ、嫁がこないということを否定していた。

つぎに現在の農業技術、知識をどこから修得したかについて、❶学校で❷専門書や雑誌から❸普及員から❹精農家から―の順になっており、また農村青少年の会合について、❶技術、知識、教養に関する研修❷固くるしい研修や会合よりレクリエーションや娯楽的なこと❸視察や見学―の順に希望が多かった。

アンケート調査結果表
（前の数字は人数、後の数字は％を示す）

第1表 アンケートにこたえた者の年令、学歴、農従日数

区分 地区	アンケートにこたえた者	年令層 20才以下		20才以上		学歴別 中卒		高卒		その他		1年間の農従日数 100日以下		100日～200日		200日以上	
能登	23	4	18	19	82	6	26	11	48	6	26	3	13	6	26	14	61
加賀	34	7	20	27	80	4	11	21	61	9	28	7	22	13	39	13	39
計	57	11	19	44	81	10	17	32	56	15	27	10	18	19	33	27	49

第2表 農従した理由

理由 ＼ 地区	能登		加賀		計	
ア、長男でしかたがなかったから	6	30	7	23	13	26
イ、農業はもうかると思ったから	1	5	3	10	4	8
ウ、両親が農従するよう奨められたから	1	5	3	10	4	8
エ、他の農業で働く自信がなかったから	0	0	1	7	1	2
オ、農業が好きだったから	12	60	15	50	27	56

第3表 こづかいについて

区分 地区	1ヵ月平均のこづかい 2千円以上		2千～4千円		4千～6千円		6千円以上		1ヵ月いくらこづかいがあれば適当か 2千円以下		2千～4千円		4千～6千円		6千円以上	
能登	5	21	11	47	1	4	6	26	2	9	8	36	5	19	8	16
加賀			9	26	10	29	15	45			4	22	6	18	23	70
計	5	9	20	34	11	19	21	39	2	4	12	21	11	19	31	56

第4表 1ヵ月平均（3～11月）の休養日

地区 休養日	1日		2日		3日		4日		5日		6日以上	
能登			1	3	9	21	3	9	6	18	14	43
加賀	1	5	1	5	3	15	8	45	1	5	5	25
計	1	2	2	4	12	23	11	22	7	14	19	35

第5表 結婚について

区分 ＼ 地区	能登		加賀		計	
ア、自分といっしょに農業をやる嫁でないとこまる	5	38	23	86	28	69
イ、農業が嫌いでも農家へ来てくれるならよい	5	38	2	7	7	18
ウ、嫁には農業をやらせない	3	24	2	7	5	13

私のプロジェクト

農家留学で研修し 優良牛の生産に成功

鹿児島県　和牛グループ　厚地和子(18)

和四〇年度農業者部門の和牛研修をうけ、さらに昭和四一年度農村センター専修学園女子コースの第一期生として、県内の優秀な和牛飼育農家に依託実習生として研修し、引きつづいて総合研修生として県外の和牛飼育を視察研修して飼い方を身につけて参りました。

研修の中でも私が一番問題にしていました自給飼料の増産や運動手入れが一番大切であることがわかりましたので、昭和四一年の営農より❶自給飼料を多く作る❷運動の労力を省くため、庭先を利用して運動場を作るという二点を取りあげ、仔牛三頭の販売代金二九一、七〇〇円から飼料代その他諸経費七六、二三一円を差引き、二一五、四六九円の収入となり、一応の成績をあげることができました。その甲斐があって九月に行われた町の品評会では一等の三席に入賞できたのです。このよろこびは私に非常な勇気をもたらしてくれました。こんごの和牛の飼育について飼料作物の栽培について検討してもらったところ、直接費で購入六七％自給率が三三％で、購入飼料が自給飼料生産の二倍になっていることがわかり、私の牛飼いが経済的にはまずいということが指摘されました。

目標達成に一層の努力

ここで今まで飼育してきたいろいろのことを反省してみると、野草だけにたよらず、飼料作物を計画的に栽培して、養分の高い粗飼料を与え、濃厚飼料を少なくすること、また同時に運動手入れを十分に行なわなければ立派な牛は作られないということがわかりました。

以上の経験から今後は三ヵ年計画をたてて最終年度には第1表のように目的を達成する方針を立てました。現在の生産牛三頭を五頭にし、この計画の達成までは、自家で生れた仔牛を育成していき、その後、質のよい牛に切りかえていく計画です。さらに目標達成の暁には、自給飼料を七〇％以上にもっていき、仔牛販売六〇万円にしたいと思っております。

今後は、清新な気はくと旺盛な実行力をもって、さらに新しい知識と技術を身につけて、貧困だった営農作農家から、和牛飼育による自立経営農家になるために一層の努力を続けていく覚悟です。

第1表　昭和44年度収支計算書（目標）

収入 費目	金額	備考	支出 費目	金額	備考
仔牛販売（5頭）	600,000円	1頭平均円 120,000	購入飼料	円	K当り
			くみあい配合肉用牛1号(300K)	12,150	40円50銭
			小計	12,150	(26%)
			自給飼料		
			テオシント(20a)	3,960	肥料代
			トウモロコシ(20a)	3,680	26,950円
			ソルゴー(10a)	2,080	
			イタリアンライグラス		種子代
			ナエンバク(70a)	13,160	6,190円
			飼料カブ(30a)	5,250	
			麦(50a)	5,550	
			小計	33,140	(74%)
			合計	45,290	
			種付市場手数料	69,000	種付料6分 市場手数料6分5厘
合計	600,000		合計	114,290	

差引収入　485,710円
1日当り労働報酬　約1,331円
註　計算は直接費で計算した。

零細農業から脱却 養豚導入で経営改善

高知県高岡郡檮原町檮原農業改良青年実践班　中平紀善

土佐のチベットの農業経営

土讃線須崎駅より西に六六キロメートル、通称土佐のチベットともいわれている山間地帯であり、標高は最低三〇〇メートル～一四〇〇メートルにも及び、平均気温一三・六度、また年間降雨量は二、六七〇ミリで南国土佐でありながら積雪は五〇センチから二メートルに達するという特殊性をもっている。面積三六、八〇四ヘクタールの広大な地域に一、二〇〇戸余りの農家が一五～三〇戸位の集落をつくって散在している農畜林のごく零細な農業を営んでいるところである。

生産拡大に養豚を導入

このように恵まれない山間地帯で農業を営んでいる今日、社会経済の高度成長につれて肉畜生産振興が注目を浴びていることに着目し、わが山村でも昔のままの農業形態を切り換えることを痛切に感じたのである。私の家も山林とわずかな水田を主体とした零細農業であり、そのかたわら副業として種豚一～二頭飼いをしてきたが、やはり山村農家の悩みの種である現金収入が少なく、一年間の所得というものは僅かであった。

私はこのようなことでは将来性がないと思い、零細農家の経営規模の拡大をはかるために、今後は企業的農業に進出することを決心し、特に成長部門といわれる畜産の中でも養豚にふみ切り、仔豚生産を主目的に経営することとした。仔豚の生産は非常に回転が早く、牛等にくらべると案外少ない労力でできるし、また自給飼料の経済効率が高いということから、種豚を購入して主畜農業経営へと努力している。

しかし、近年肉畜の生産と消費の関係は、生活文化の向上にともなって畜産物や畜産加工品の需要が著しく増加して有望産業とはいえ、養豚の将来には大きな壁があり、多くの問題をかかえている。すなわち生産基盤の未整備、流通機構の不備、豚価の不安定、飼料の値上り等、養豚経営を阻害する要因が余りに多く、これらを一日も早く解決する必要がある。

経営の内容と養豚施設

さてわが家の労働は父母と私の三人で、経営耕地は水田四七アール、畑四〇アール、果樹園（クリ）四〇アール、椎茸三三〇立方メートル（原木）、山林約一二ヘクタール（植林八ヘクタール）である。

養豚施設としては、豚舎がデンマーク式複式で一八九、六立方メートル、六・四平方メートルの二棟、サイロは二メートル×一・七メートルを二基、一・七メートル×三・三メートル一基の三基を構築している。飼養頭数は繁殖豚一五頭（雌ランド）、繁殖豚一頭（雄、ランド）、育成豚三頭（中ヨーク）仔豚六〇頭である。次に飼料給与量であるが、妊娠中は維持飼料に対し初産の場合は三～四割増とする。そして二産以降は二～三割増とするが、しかし妊娠前半は青刈飼料を加える。

哺乳中の繁殖豚に対しては、高栄養を必要とするので完全配合を主体とし、自給飼料のイモ、ヌカ、サイレンジャー、カブ等を加える。また妊娠中は自給飼料主体とした給与方法をとっている。分娩直後には一～二日間、麩を少量与えるだけとし、三～四日目から除々に増量している。

一年の収支と経営診断

私の養豚経営の最近一ヵ年の収支と所得をみると第1表の通りである。

まず購入飼料代が高くついて、いかに自給飼料の確保が大切であるかという事が良くわかる。

次に我が家の養豚経営の診断をしてみるといくつかの問題がある。まず母豚の繁殖育成能力で仔豚育成率七三％であるが、特に生後一週間までの仔豚の死亡が多く、その原因としては分娩柵を利用していないために、母豚による圧死がほとんどであるから、今後は省力の点からも分娩柵の利用が必要となっている。

病気の予防（仔豚哺乳中の下痢、白痢）についても充分の注意が必要である。繁殖豚にとってもっとも脅威な病気で、その原因は哺乳中に母豚飼料の盗み食いが多く、消化不良で下痢をおこす。早期餌付け、早期離乳により白痢貧血等を予防し、育成率を向上させる。

飼料については、山間地帯で交通の便が悪く購入価格も高いので今後は飼料工場から直接取引し、安く仕入れるよう努め、自給飼料率を高めるため、さつまいも等の生産量をふやすことにしている。

養豚に要する所要労働は、一頭分十二分と無駄が多く、給水施設の完備、厩肥搬出等に工夫を要する。また省力を考え山林を利用して放牧することも考えられ、繁殖豚においては、立派な繁殖成績をあげるための体形造りが必要であり、放牧養豚によって四蹄を強くすると共に、過度繁殖障害を防ぎ [illegible] には好条件であると思われるので実行したいと思っている。

最後に品種の問題であるが、現在飼養される品種は、ランドレース、中ヨークシャーが主で、他に大ヨークシャー、バークシャー、デュロックジャージー等が飼われているが、食肉としては中ヨーク×ランドの一代交配種が多く、現在では肉豚の五〇％を占めているといわれている。またこのF1が生産仔数が多く、育成率も良く肉質も良いとされている。

私の家も生産仔豚はほとんどF1であるが、今後はF1よりも経済能力のすぐれたランド×大ヨークの交配種、あるいは中ヨーク×ランドの一代雑種に大ヨークを交配する三元交配が望ましいと思っている。

豚と椎茸で三ケ年計画

最後に我家の三年後の経営改善計画は第2表の通りで、まず種豚を三〇頭に増やし、年間一頭平均一八頭円外の仔豚を生産し、年間仔豚出荷数を五五〇頭とする。またシイタケは山間地帯における現金収入源であり、案外労力もかからないので、特に豚とシイタケの両立を考え、栗と水田は現在のものを続けていく計画である。

第1表　養豚部門の収支と所得　（1ケ年間）

収入項目	金額	支出項目	金額
仔豚販売代（111頭）	637,300円	種豚購入費	5,330円
		購入飼料費	305,225
家畜資産増加（4頭）	120,000	自給飼料費	35,403
		衛生費	7,610
		諸材料費	3,100
		運賃	3,500
		燃料費	2,500
		光熱費	4,705
		小農具費	3,680
		減価償却費	18,414
		雑費	3,608
粗収入	757,300	経営費計	449,045
		差引所得	316,255

第2表　3年後の経営改善計画

部門	面積頭数	生産量	単価	金額	経営費	収益
豚	30頭	550頭	4,500円	2,475,000	1,500,000	975,000
シイタケ	198㎡	180Kg	1,700	306,000	65,000	241,000
水稲	47a	1,292Kg	133	171,836	68,734	103,102
栗	40a	800Kg	150	120,000	24,000	96,000
計				3,072,836	1,657,734	1,415,102

すすんでいる農業の新技術（13）

こんにゃく生子の増収法 ジベレリンで処理

はじめに

農林水産技術会議では、農林水産業の生産構造の改善と生活性の向上をはかるために、革新的な農業技術を研究し、更に国立、助成をうけている公立、大学および指定事業や応用研究費をうけている民間の試験研究の成果をまとめ「新しい技術」として発表してきた。この中には4Hクラブ員にも参考となるところが多いので、その内容の一部を紹介することとした。

種芋の増殖率はひくい

こんにゃくの種芋植付量は、一年生でも一〇アール当り二〇〇キロをこえるが、それ以後、年生を増すことに増加して、三年生では一、〇〇〇キロにも達することも珍しくない。

これに対して芋の増殖率はきわめて低く、各年生を通じて収穫量は植付量の数倍にすぎない。このために、こんにゃく栽培は種芋のほとんどを自家生産によるのが普通であり、種芋自給の場合でも、生産費の七〇％以上が種苗費で占められている。

したがって、新規栽培や自家種芋の更新をはかるために、他から種芋を導入する必要にせまられても、必要量を一時に手に入れることは、まず困難で、やむなくわずかの量を導入した後、多年の労苦によって目的とする量にまで増殖しているのが現状である。

この制約は、立場をかえて種芋を供給する側に立っても同じである。優良種芋や新品種などの普及をはかるために、原種圃や採種圃を設けても、その平均一年の生産能力は、よほど順調な条件の下でも、面積にしてせいぜい二、三倍の需要をみたすにすぎない。

これらの事例は、こんにゃくの増殖率の低さが、栽培上の大きな制約となっていることを示すもので、反面、増殖率を向上させることが、こんにゃくの生産性を高める有力な手段であることを教えている。

生子を種として用いる

こんにゃくの増殖は、最終的には球根や生子（きご）が肥大することが必要であるが、数の上ではもっぱら生子の着生数の多いことが望まれる。したがって増殖率を高めるには、生子の着生量を増大させる方法が確立されれば都合がよいということになる。（注、生子は球茎（こんにゃく芋）の上部や側部から出る太い匍枝（地下茎の一種）の先端にできる子芋のことで、これを種として用いる）

このために考えられたのがジベレリンを利用する方法である。こんにゃくに対するジベレリンの利用は、低年生の球茎に花芽を着生させ、世代更新の年数を大幅に短縮することにより育種面での実用性が認められているが、同時に生子着生数を著しく増加させる効果のあることが注目されているのである。

実際には、花芽着生を目的とする場合にくらべて、ジベレリン処理の濃度を低くすることにより、生子増収法として利用できる見込を得ることができた。

ジベレリン処理の方法

ジベレリン処理の方法はきわめて単純で、こんにゃくの開葉期に、ジベレリン6～10PPmを葉面散布するだけである。

散布の適期は、すべての小葉が完全に展開した日から五日以内であるが、圃場の場合では、このような状態になった株が、全株数の八〇％程度に達した日から十日以内が適当で、これよりおくれるにしたがって効果は急速に悪くなる。散布量は一株当り二年生で二五cc、三年生で五〇cc程度であるが、一〇アール当りでは一〇〇―三〇〇リットルが適当である。要は葉の表裏に薬液がむらなく付着する程度でよい。

濃度は一〇PPm以上では、球茎および生子の主芽が、花芽または奇型芽となるおそれがあり、また五PPmではほとんど効果がない。

散布する対象の年生は、大型の生子が着生する二年生以上が適当で、一年生のように着生する生子の小さいものは、ジベレリン処理によってますます生子が小型化するために、貯蔵が困難になるばかりでなく、以後の生産性も劣るので適当ではない。

ジベレリン処理の効果

通常では生子に発達しない順位にある側芽が、ジベレリン処理によって発育を促がされるので、生子の着生量は著しく増大する。個数では、無処理の場合の二・三倍に増加するが、一個平均の重さは小さくなるので、重量では一・五～二倍程度となる。

ジベレリン処理による生子は、やや小型ではあるが、貯蔵で充実性がきわめてよく、貯蔵期間における傷みも少ない。また翌年以降の肥大率が比較的に高いので、一球平均の生産力は、年々無処理のものに近づいていく傾向がある。

ジベレリン処理した年度の球茎の肥大率は、生子着生量が多い場合ほど低くなる傾向があり、最大の生子着生量を望む場合には、無処理にくらべて二五％程度の減収をするようになる。この球茎はさらに種芋として翌年使用すると、肥大性は前年と同じ程度であるが、生子着生量はむしろ無処理のものより多い。

種芋更新に実用化する

種芋の良否は、こんにゃく栽培を左右するとまでいわれている。しかも種芋の性能は、病虫害や気象障害などにより、容易に低下し、なかなか快復しない。

種芋の性能低下のために、生産を阻害されている例は、栽培歴の長い主要産地ほど多い。優良種芋を導入して、自家種芋の更新をはかることは、従来からも行われてはいるが、種芋の入手が困難な上に増殖の過程も長いために、限られた実績しか上がっていない。ジベレリンによる生子増収法は、方法も比較的に簡単であるから、このように個人的な種芋更新にも利用できて、更新の実績を高めることが期待される。

また優良種芋の普及をはかる立場においても、従来のこんにゃくの増殖率では採種圃の運営でさえ困難で、組織的な採種事業はほとんど成立しなかった。このために、育成品種のように原種量の少ないものでは、採種圃の段階までの増殖も容易でないことから、普及の可能性すらあやしまれてきた。しかし、このジベレリン処理法による増殖率程度であれば、こんにゃくの採種事業も成立の見通しがついたともみられ、これによって新品種などが普及するのも一段と高まるものと考えられるのである。

解決すべき研究の余地

こんにゃくに対するジベレリン利用にはまだいくつかの問題点があり、これを解決する努力が必要である。それはいずれの場合でも球茎の肥大率が低下することで、こんご処理法や栽培法などを工夫していけば、利用範囲は拡大されていくものと思われる。

また、二年生、三年生と二年連続して行なう処理やこれによって得た生子が二年生程度に達した場合に行なう処理の結果を検討するとか、濃度の高いジベレリンの少量散布による処理労力の節減や生子の貯蔵法を検討するなど研究の余地が残されているが、これが可能となればこんにゃくの増殖は飛躍的に高まることになる。

（注　球茎は一般にこんにゃく玉といわれ三～四年生の球茎をうすく切り、乾燥させて粉砕し、こんにゃく粉をつくる）

（研究者・群馬県農業試験場・山賀一郎氏）

ジベレリン処理の比較
10PPM　5PPM　無処理

暖かい雪（27）

田井専六
米良武子 画

ブナの太幹（五）

頂上の御来迎をみようという登山者たちは、夜中の三時ごろから出発する。ブナの深い樹海に遮ぎられ星明りさえみえないまっ暗な狭い路は、四、五合目がいちばん急で、密林はますます深く、懐中電灯の灯が、ブナの太幹を照し、樹海を縫って闇の中へ溶けこむ。

別に急ぐわけでもないが、健一兄弟の若い足は、渋滞するところがないから、みちばたに腰かけて一ト息いれている人たちや、ゆっくりゆっくり登ってゆく人たちを自然にもう何十人か追い越してきた。

「時任謙作は、このみちがなく正面登山しようとしたのだから、苦しかったろうな―」

「それに、下痢したあとだ――」

そんなことを話しながら、若し

きっと欠員があったりすると思うわ、彼に連絡して、本気で探させたら、なんとかなるわ」

「彼、どうしているの、便りない？」

「ときどき、たまに、いまの中学校に話のきまったとき、なんだ、田舎へ引っ込んでしまうのか、って怒って、短い便りをくれたわ」

それは、明らかに万千子だった。

万千子には、学生時代、すでに恋人があったのだ。同学の上級生か、何かに――。

「東京って、いいだろうな、ことに、彼は教学なんだから、父兄だって下にも置かぬもてなしよ、きっと、万千子、気が気じゃないでしょ」

「万千子が卒業して、上京してくる日を、彼は指折り数えて待ってたろうに」

わがクラブ わが同志

アメリカ観て歩き
大規模養鶏に驚く さすがに美しいハワイ

奈良県天理市上ノ庄町　奈良県4H連絡協議会長　広井洋司

米国養鶏視察の旅

[illegible] 泊、ニューヨーク三泊、サンフランシスコ二泊、ホノルル一泊 [illegible] 離陸後四時間余り日付変更線を通過、日付を一日遅らせた。[illegible]

見事なケージ養鶏

無事ロスアンゼルス着、アメリカ大地を [illegible] リバーサイド地区の養鶏場を [illegible] 番大規模的な方法を取り入れているらしい。[illegible] と見学さで満足、経営などの勉強には程遠かった。

最後に世界トップのデズニーランド遊園地に入り [illegible] 楽しい夢の国デズニーを後にテキサスへ [illegible] 見渡す限り青々茂り、さすがきれいなものだ。これよりいいようがない。

農家の減少目立つ

アーカンソー州は [illegible] 農業技術の向上で生産が増加しつつあるそうだ。アイオワ州のデモインで [illegible] 心した。しかも日本より年令層が若いのに。さすがニューヨーク、でっかい [illegible] もいい表わしようがない。[illegible] 県はもっと美しいといって [illegible] またニューヨークヤンキースタジアムで大リーガーの試合を観戦したが、さすがマンモス球場でヤンキーズ対ホワイトソックスの試合だった。あの有名なミッキーマントルが四打席三三振とは不調で観戦していて残念だった。

サンフランシスコの丘は有名。坂道といっても町の通りは急な坂道で、また日系米人の多いのも [illegible]。日本料理専門店もあるが、久しぶり日本料理に舌つづみを打った。これほど日本料理を美しく感じたのは初めてだ。

最後のハワイはさすがとこ夏の島であって美しい花が一面咲き誇り、花粉の臭を漂よわせている。ヤシの木とワイキキの海岸が夜まで続いている。夕陽の海に映る景色など皆さんに見て欲しいくらいきれいだ。そしてハワイには三分の一の日系人がいるため、言葉の不自由もなく、この旅行を通じて一番印象に残った場所だ。ハワイを出発する前に再度この島を訪れたいと心の中で願ったのも当然である。

数々の想い出残る

そして無事に私たち全員日本の土を踏むことができたが、渡米中はいろいろの珍談、奇談、喜怒哀楽などがあったが、私の感じたことといえば毎日の食事であるが、料理は簡単で味付けが悪い。よく米国人が毎日を過しているなと思う。しかし栄養においては日本食など足もとへも及ぶまい。

私はこの二十日間の渡米視察旅行を生かし、今後大いに私生活、職業、クラブ活動などに利用して行きたいと思っている。最後にクラブ員皆様も何かよい機会があればぜひ海外へ行かれるように、たいへん良い勉強に、また一生の思い出となるだろう。

現在、派米実習生が、いろいろ募集されているが、大いに出かけ知識を広める事がよいと思う。では一生の想い出である渡米旅行記をこれで閉じることにしよう。

写真上＝サン・フランシスコのハイウエー、一度でいいからハンドルを握ってみたかった（上）
夢のカケ橋ゴールデン・ブリッヂの前で記念撮影（右）

さとわのうた

まさしく炎暑の夏にあえぐ。

するどい無残な爪あとを残して今年の梅雨はあがった。神戸、広島、西九州の集中豪雨の被害の悲惨さは目を蔽うばかりである。自然の猛威に余りに弱い人間のすべをなげく。

炎暑の夏は、なんといっても海に思いをはす。涯てしなくひろがる無限の可能性をもった海。青く、深く、さわぐ海には、秘められたロマンとドラマがある。そして冒険と未知への憧憬がある。

今年の夏の全国技術交換大会は、千葉の九十九里ヶ浜で八月の二十五日から開かれる。白波と砂のコントラスト。永遠の夢をもった白い渚。全国の青年は何を求め何を語るのであろうか。

海よ　おしえてくれないか

青く澄んでる　そのわけは
今日も生まれた　悲しみの
黒い流れを　抱きながら
海よ　海よ　なぜ青い
海よ　おしえてくれないか
歌を捨てない　そのわけを
愛を運んで　来た舟が
遠い港へ帰るのに
海よ　海よ　なぜ歌う
弱い私がこれからも
夢を消さずに
いるように
海よ　海よ
この胸に

海よ、おしえて

これは横井弘の詩である。飯田三郎の曲で倍洋子さんがうたっている。私の好きなうたの一つでもある。海は愛を運んでくれる。夢を消さずにくれるである。

海といえば、太平洋横断を見事になしとげた鹿島郁夫さんの勇気を讃えたくなる。しかし、一面、自分の趣味のため、非生産的な毎日をすごしたことに対して、余り英雄視することに私は抵抗を感じないでもない。ただ彼の綿密な計画と準備、孤独に耐える精神力、努力と勇気には敬服せざるを得ないのである。

彼が三十九年十月十二日、イタリアのジェノバ港をコラーサ一世号で出発、地中海を経て約一万五千キロ、四十年七月十二日ニューヨークに到着。今度はコラーサ二世号で四月三日、ロスアンゼルス郊外のロングビーチを出発、七月十三日午後六時四十分百一日目に横浜港大桟橋についた。まさに一年近くを孤独と闘い抜いたことになる。簡単に孤独というが、全くの孤独に耐える精神力は容易でないと思う。彼の航海日誌をみると、人間的な悩みを感じる。やはり彼も人の子である。

『四月九日、薄暗いキャビンの中で何もやらずにじっとしているのはやはり苦痛だ。ラジオから流れる音楽がどれだけ気持をやわらげてくれるか知れない。

四月十日、ペコ（注、ペットのハイスター、ネズミの一種）もかわいそうだ。人間のエゴイズムのために、無理やりに航海にひっぱり出されて。

四月十二日、あれぐらいのシケで、われながら情ない。一パッ頭から波をかぶると、おじけづいて何をするのもいやになってしまうのだ。

四月十四日、やはりねむれない。何をそんなに興奮しているのか、とりたてての心配事もないのに。』

鹿島さんの一面を書いたにすぎないが、彼はいう。航海で得たものは、友情であると、この成功は友人みんなが力を貸してくれたたまものであると。孤独の勇者が友情を第一とする。

『冒険とは、すべて合理性の上にたったものであり、周到な計画と準備にささえられたものだ。だから冒険を危険なものだとは考えたくない。』

私は「自然と戦う」なんて大それたことは考えない。「戦う」には、余りにも偉大で、人間の力のとても及ぶ相手ではない。自然のおきてに従うより仕方がない。それが合理性というものだ。』

私たちは、彼の言葉をもう一度、かみしめてみる必要がありそうだ。（K）

私たちのクラブ活動
環境にあった活動 時代にあった考え方

富山県氷見市日名田一四九三・若葉4Hクラブ　寺下小枝子

〈不利な農業条件を克服して〉

私たちの若葉4Hクラブの仲間づくりは [illegible] それは、農家とは労働が激しく生活水準が最も低いものとみられているため、家族が大切な娘にそんなみじめな思いをさせたくないと考え、農業を極端に嫌っているのである。

したがって、女子はほとんど学校を卒業すると [illegible] さんいる。氷見の狭い耕地をいかにして利用すべきか、単位面積当りの増収などについて真剣にとりくんでいる。

要約すると、生産学習のための仲間づくりはなかなか進まないが、農村社会に生活する場の悩みは数多くある。このような課題解決のためのグループ活動が重要である。

〈困難な広域グループの活動〉

私たちの氷見市は富山県の北西部に属している。[illegible] わずかの平野が展開している。川の水量が少なく、すぐ山が連なっているため、耕地のうち水田は種々の制約を受けている。山と山の間を開拓し、水稲を耕作しているところが多く、他にも「い草」などを作っているが、小農が多いため、出稼ぎや会社勤めの多い第二種農家が過半数を占めている。近代化施設も最もおくれているものの一つである。

有磯海、灘浦海岸を望み、山を間近にひかえた私の愛する郷土自然の美しさはおそらく何処にも劣らないと思う。そんな美しい自然の中で、二年前、私たちの若葉4Hクラブが発足した。農村青年はもっともっと農業を愛し、生活を築き、この自然を守るべきだということを一つの目標にして。

一般に4Hクラブの入会は、農村青年に限るという観念がある。しかし、これは本来の目的から少々ずれていると思う。そこで私たちのクラブでは、農業に少なからず興味をもっている者なら誰れでも入会できるようになっている。

これは農業に関することにはあまりタッチしないというのではない。私たちは農業を理解することに大きな意義を感じている。

一昨年のことである。私たちの町では土と共に生きようとしている人はほんとうにいないのだろうかと、実態調査をやってみた。ところが意外にも、農業を好きだという人が過半数を占めていたのである。

それでは、どうして農業の研究に専念しようという人が少ないのだろうか。理由はいともたやすく発見された。地域の拡大である。

現在、私たちの若葉4Hクラブは氷見市全体を地区にしているが、最近の農業状況について地区内だけではとうてい無理なのである。

酪農に関心をもつ者を例にとりあげてみよう。彼は酪農による自立経営を考え、その研究を進めるため対策をこうじているが、旧農協管内では同志が見つからない。つまり共通の経営からくる仲間をつくることは困難である。

しかし、地域拡大といっても容易なことではない。他のクラブとの交流が必要であるが、果して同志がそんなにいるかということである。たとえ、何十キロも離れた地区に一人、二人いたとして一つの研究グループをつくってもいろいろな面で不都合を生じ、ついには解散するということも考えられる。それではすばらしい仲間づくりとはいえない。

ただ、人数を集めるだけであったら容易なことである。しかし、真の仲間づくりはそうであってはいけないと思う。経営部門において技術の向上を図ろうとする場合たとえ少人数であっても末長く続くものであるべきだと思う。

〈花嫁教室などをとり入れて〉

クラブ活動において、現在の農業状況や農家生活のあり方などを話し合って、少しでも理解し、心の糧となるよう進めるには、まず、クラブ員の集め方が問題になる。

私たちのクラブでは、仲間を集めるための対策の一つとして、女子は農業に関することなどぜんぜん知らなくてもよいということにして、資格や条件は「農村に住む青少年」としたわけである。

しかし何か目的をもたなければ4Hクラブは単なる雑談の場になってしまう。それでは農業のわからない農家の女子は何をやればよいのだろうか。研究発表などを聞いても少しもおもしろくない。およそ見当違いの話にしか受取れないのである。せっかく集った仲間も、これでは一人、二人と減ってしまう。

そこで普及員の発案で、趣味を中心として仲間を集めようと、実益もかねて、茶道教室、華道教室料理教室などを設けた。

しかし、そんな花嫁修業で終るのでは4Hクラブイコール花嫁学校になってしまうので、男子の研究発表会やその他農業に関する諸問題や解決策、討論などに出席している。そこではもちろん発言権はあっても、おのずと聞き手になってしまい、受身であることは残念である。

しかし、発足して二年しか経っていない私たちのクラブでは同志を集めるだけでせいいっぱいであった。現在五十名のクラブ員がおり、そのうち二十名ぐらいが女子である。こと今後の対策として、たとえくわしいことはわからなくても、もっともっと農業に関心をもたねばいけない。仲間づくりについては、そんなに抵抗を感じないのだから。

映画
女教師の愛と涙
下り階段をのぼれ（ワーナー映画作品）

大都会の貧しい片隅にある高校へ理想に燃えて赴任してきた若い女教師が困難と闘いながらついに生徒どの心の交流をつかむまでを描いた感動の名作である

☆　☆　☆

シルビア（サンディ・デニス）は若さと理想にあふれて、新学期を迎えたクーリッジ高校へやってきた　大都会の裏側にあるこの高校が彼女の新しい仕事場なのだ。

始業のベルが鳴り、生徒たちがどっとなだれ込んできた。背丈もタイプも態度も種々雑多な彼らはおしゃべりやくだらぬ質問やからかいやバカ騒ぎで、さっそく彼女を困らせた。

放課後、教師たちの会合があったが、論じられるのはまるで重要とも思えぬ議題ばかりで、学用品の不足、風紀問題、生徒の麻薬問題など、当りさわりのない論議を二言三言かわしたあげくに学校の委員会まかせ。その無気力ぶりはシルビアをがっかりさせた。

翌日の文学の時間はシルビアの指導がうまく成功して生徒たちから生き生きした議論が百出し、その討論に耳を傾けながら彼女は幾人かの目立つ生徒を見きわめていった。クラスのリーダー格のハリー、恋愛病のアリス、セクシータイプが自慢のリンダ、人権問題にうるさいエディ、無口で感受性の鋭いホセなどであった。

しかしシルビアがある有名な詩を参考に引用したとき、生徒たちはその中の言葉をわいせつに解釈し、あっという間に教室は手もつけられぬ混乱におちいった。

放課後、すべてに冷笑的な英語教師のパリンジャーの訪問を受けた。理想ばかり追っていたずらに戦闘的にならず、教職に対してもう少し受身でのぞんだ方がいいのじゃないかという忠告であった。しかし翌日、新入生のジョーが盗みを働いたと聞かされたとたん、彼女はそれを黙って聞き捨てにできぬ自分にもどっていた。なんとか心を通じあおうと努めた彼女に、話がなかなか進まぬうちにジョーは隠しもったナイフを振りあげる破目になり、彼女は深い幻滅に陥った。

恒例のダンスパーティーの日、パリンジャーはアリスと踊ったことからアリスに誤解される。その後、彼にお熱をあげ、冷たくあしらわれたアリスは教室の窓から身を投げた。

ショックを忘れようとしたパリンジャーは酔いにまかせて、シルビアの前で演説をぶちはじめた。生徒は学校で真面目に勉強だけすればいい、それのできない奴は学校から出て行きゃいい！

しかしそれを実行したのは生徒でなく彼自身であった　彼は辞職した。

しかしシルビアはそんな彼の態度を許せなかった。あきらめて去る者よりは、難題に立ち向って苦しんでいる者にこそ望みがある。彼女の目はしっかと生徒たちに注がれていた。

若さと理想に燃えて赴任してきたシルビアを迎えたのは不良学生の冷やかしの口笛であった。

日本4H新聞

4Hクラブ 農事研究会 生活改善クラブ 全国弘報紙

発行所 社団法人 日本4H協会
東京都市ケ谷家の光会館内
電話（269）1675
編集発行人 玉井光

月3回・4の日発行
定価 1部 10円
6ヵ月180円（送料共）
1ヵ年360円 〃
振替口座東京 12055番

クラブの綱領

私達は実践を通じて自らを磨くとともに互いに力を合わせてよりよい農村、よりよい日本を創るため四つの信条をかかげます。1、私達は農業の改良と生活の改善に役立つ腕をみがきます。1、私達は科学的に物を考えることのできる頭の訓練をします。1、私達は誠実で友情に富む心をつちかいます。1、私達は楽しく暮らし、元気で働くための健康を増進します。

現役 OB 父兄の意見交換計画

全国4Hクラブ員北陸のつどい

現地訪問は最後に

全協 開催要領まとめる

全国4Hクラブ連絡協議会（会長、丸山勉君・富山）は、さる七月二十五、六の両日、東京・新宿区市ケ谷船河町の日本4H協会内、同協議会事務局で執行部会を開き、今秋十月二十六日から富山で開催する「全国4Hクラブ員北陸のつどい」について協議し、その開催要領をまとめた。

全国4Hクラブ員北陸のつどいの宿舎となる立山荘（中央）と北アルプス立山連峰

全協執行部は、前回の役員会において今年度で第三回目を迎えた全国4Hクラブ員の一大祭典―「全国4Hクラブ員北陸のつどい」を十月二十六日から富山市と立山の両会場を中心として開催することを決定した。しかし、その日程構成や行事内容については案が分かれたことや開催地の富山県4Hクラブ連絡協議会（会長、久保博君）の意向を反映する必要があるため、同県連の決定を待って最終的に結論を出すことになっていたもの。

当日の執行部では、富山県連でまとめた開催要領に検討を加え、肉付けして左表のように決定した。

全国から発表者募る

行事の主な内容は、現地交歓訪問をはじめとして、意見発表、体験発表、話し合い、講演、農業祭参観、キャンドルサービス、自然の探勝、スケッチ、開・閉会式など、前二回の全国4Hクラブ員のつどいとあまり変っていないが、その内容において特色が出されている。

まず話し合いでは、クラブ員とOB、父兄の三者で各班を編成して意見を交換することになったほか、意見、体験発表もクラブ員、OB、父兄の三年代層の各代表が出席して行なう。

テーマは、班別話し合いが❶「親の言い分、息子の言い分」❷「これからの4Hクラブのあり方」❸「組織と実践活動について」など、また意見発表、体験発表は4Hクラブのビジョンやクラブ活動の推進方法などで、とくに体験発表はパネル方式で行なう。

この現役クラブ員とOB、父兄三者による意見の交換と発表は、家族ぐるみの4Hクラブ活動の推進、クラブ活動に対する父兄の理解による積極的な援助、OBとクラブ員との近密化、OBによるクラブ員へのアドバイス、働きかけなどを図ることをねらいとしているが、それとともに、クラブ員の意気の高揚に重点をおいている。

意見、体験発表とも、それぞれ四名ずつ出席する計画で、その発表者を広く全国から募集することになった。九月二十日まで全協事務局で応募者の申込みを受け付ける。

また、現地交歓訪問は、前二回のつどいとも開催地を中心とするブロック内の各県で行なってきたが、今回は富山県だけで受け入れることになった。参観する農業祭は富山県が主催するもので、これにはクラブ員の作品約二千点が出展される予定である。

宿舎の立山荘内には単位クラブ県連、全協の活動を象徴する写真などを展示、開会式では農高生によるブラスバンドを予定、各行事を八ミリ映写機で撮影記録して保存し、必要に応じて各都道府県連に貸し出すことなどを決めた。

なお、自然探勝とスケッチの会場となる室堂平は海抜二千五百メートルのはいまつ地帯。また、宿舎の立山荘は約二千メートルで気温が摂氏四度まで下るので参加者は耐寒の服装が必要だという。

参加経費は現在、一人四千円以下が見積もられている。

この全国4Hクラブ員のつどいは、全国の4Hクラブ員が4Hの旗印のもとに集まり、各行事を通して4H精神の高揚と相互の親睦協調を図ると同時に、4Hクラブ員の使命を再確認し今後の奮起を誓い、また、地域に根をはった家族ぐるみのクラブ活動を推進しようというもので、自主的で全国的な現役のクラブ員の集まりとして唯一のものであり、多くのクラブ員の参加が期待されている。

北陸のつどい日程

第1日（10月26日）

午前8時	受付（富山駅）
10時	開会式（地鉄ビル）オリエンテーション
11時30分	昼食
午後1時	講演
3時	農業祭参観
4時30分	会場移動（富山観光センター）
5時	夕食、入浴
7時	キャンドルサービス クラブ員による郷土芸能
10時	就寝

第2日（同27日）

午前6時	起床、朝のつどい、朝食
8時	出発準備
9時	室堂平に移動（バス）
12時30分	昼食
午後1時	室堂平で自然の探勝とスケッチ
4時	立山荘へ移動（バス）
4時30分	部屋別編成 入浴、夕食
7時	話し合い（班別）OB・父兄・クラブ員三者の編成
10時	就寝

第3日（同28日）

午前6時	朝のつどい、朝食
8時	意見発表（4名） 体験発表（同）
11時	閉会式
11時30分	昼食、移動準備
12時30分	富山駅へ移動（バス）
午後3時	現地交歓訪問に出発

第4日（同29日） 現地交歓（富山）

第5日（同30日） 現地交歓（富山）

われらが指向するもの

いま重大使命負う

若さ発揮し意義ある青年期を

埼玉県農業研究団体連合会4H部長 大鹿良夫

この度、私は埼玉県農研連4H部長に六月三日の総会において選出されました。この紙面をかり一言ご挨拶申し上げます。

前部長の山岡さんよりバトンタッチして二ケ月たとうとしておりますが、その任務の重大さにいささかあわてております。埼玉4Hクラブの発展と豊かな農村建設のために微力ではありますが、全力を傾注する覚悟ですので皆様のご支援、ご協力をお願い致します。

私は農高卒業後、水稲＋養豚の経営に取組むと共に、地元の栗橋4Hクラブに入会し六年目になります。クラブは利用するものであるという考えで、仲間と共にいろいろなことを経験してきたとき、地域において農業構造改善事業や土地基盤整備が進み、農村も大きく変ろうとしているとき、農村の後継者として新しい農業を推進して行けるのはわれわれ4Hクラブ員以外にないと確信するものです。

すなわちこの問題多い農業および生活を改良し農村を明るくして行くのは私たちに課せられた重大な使命となるでしょう。問題解決能力は4Hクラブ活動により身につけたいと考えます。そこで埼玉4Hクラブ員の皆さんは各地域で農業に4H活動に励んでいると思いますが、県連の方針と私の考えの一端を述べてみたいと思います。

（一）4Hクラブの本質と活動

4Hクラブは、正しい生活態度を身につける体験集団であることと自己教育の場であることを基本に本質を再認識していただきたい。誠実で相手を信頼出来るリーダー育成を図る。

以上を達成するため、十一月頃単位クラブ会長研修会および女子クラブ員研修会を開催する考えです。地区連推進会議も適宜開催したい。

（二）組織の充実強化

県農林部の機構改革により三十ケ所の農業改良普及所が十五の広域普及所に生まれ変った。これに伴い今年度を準備期間として、来年度より広域普及所単位の地区連を編成するのが望ましいという方向で推進する。

まず最初に、八月二十二日に県農業研修センターにおいて地区連推進会議を行ない、地区連のあり方、市町村連の必要性とあり方、単位クラブのあり方と各々の関連を正確に把握してもらいたいと思います。地区連は地区内クラブ員の育成を主にした育成連絡機関とし、市町村連は一つの行政単位にまとまり農政にマッチした活動をする連絡機関とし、単位クラブは理想的には二十名位で構成し、それぞれ自己の存在を明白にし、人間完成のため4Hの信条に基づく活動をするのが望ましいと私は考えます。

（三）広報活動の展開

わが県連においては予算などの都合で機関紙を発行することが出来ないので、全国4Hクラブ員の機関紙として多くの仲間に愛されている日本4H新聞を県連機関紙として活用する考えです。本年は昨年の購読部数全国一をさらに伸ばしたいと思います。また投稿の面においても大歓迎致しますから、行事、プロジェクト、意見などを私または直接日本4H協会へ送って下さい。

（四）クラブ交換会および交流の推進

単位クラブや地区連の会員役員名簿と事業計画を把握し、相互の交換会、合同研修会などの仲介を行ない仲間作りを広く実施します。

（五）実績発表、技術交換、意見交換および4Hクラブ員としての自覚と意気の高揚

九月五日農業経営伝習場で技術交換大会を県と共催し、日頃のプロジェクト活動の一助にする、診断、判定、啓発、鑑定競技を行なう。三月には4H週間を設け、実績発表会と青年会議、埼玉を創る4Hの集いを開催する予定です。

実績発表は部門別の研究集会として自分の属する部門で専門的に発表者を中心に研究してもらいたいと思います。「埼玉を創る4Hの集い」は、年に一度県下の4Hクラブ員およびOBに気軽に誰れでも参加してもらい、明日の埼玉を創るのだという意気を示すと共に仲間が相集い、励まし合うのがねらいです。

以上が昭和四十二年度の事業の基本的なものです。最近の若いものは自主性と広い視野が欠けていると耳にすることがあります。

これはごく一部のことでしょうが、私たち青年として考えなければなりません。幸い私たちは人間形成と同志的仲間を得ることの出来る4H活動をしているので解決出来ると思います。

自分自身で手足を動かし体験を通した、有意義な4H活動を行なうものだけに与えられた特権であります。若さをフルに発揮し二度とない青年期を意義あるものにするためにも4H活動は是非必要だと思います。私たちは個々の完成、住み良い村作り、更に民主的国家日本の発展を願い、世界の平和を望むものです。

いろいろ書いた大きな目標達成のためにも必要とされる人間になろうではありませんか。

（埼玉県北葛飾郡栗橋町大字高柳二七八）

凉風暖風

女子クラブ員の心意気

先日、ある女子クラブ員の口からサルトルやボーボワール、トルストイなど世界的に有名な作家や思想家の名前を聞いた。別にそれが不思議とは思わないが、クラブ員からはいままで余り聞けなかっただけに興味がひかれた。

学校を卒業するとそれらとは次第に離れていくのが普通だが、その女子クラブ員は高校卒業後三年にして、先日来日したサルトルやボーボワールの講演を聞くためラジオにかじりついたという。よく理解できなかったそうだが、そう努力するだけでも立派だと思う。しかも、読書が趣味というより、これまでのただ働くだけという古い型の農村女性のようになることを避けるためにいろいろ吸収しようとしているのである。

その女子クラブ員の家は兼業で父親が勤めに出ている。彼女は母親と農業に従事していたが、昨年母親をガンで失い、いまは今年高校を卒業したばかりの弟（4Hクラブ員）と二人で田畑を守っている。本を買ってもなかなか読むヒマがないとなげいていた。

彼女は、大学の通信教育で二カ年間勉強したというからインテリかも知れないが、クラブ活動をしている姿からはそれが感じられない。

話しは変るがつい先日、あるクラブの交歓会で、女子クラブ員がキャンプファイヤーのレクリエーションの指導をしていた。あるクラブに他クラブの人たちが混ったもので男性の数に比べて女性が少なかった。フォークダンスのとき、慣れないので男性がもたついていると「このときとばかり女性の手をしっかり握って…」「そんなことでは恋人がみつからないわヨ」そしてダンスが終ってもとの席に戻るのにまごついていると「早く女性のそばに行って…」とハッパがかかり、男性群もたじたじだった。

ともに男子クラブ員大いにハッスルさせられる点があろう。彼女らは、女子クラブ員をみるとみんなよい人たちばかりだ。それをほっておくのは男子クラブ員の責任だというが、いかがなものであろうか。

4H会館 再び建設委を開く

次に、各道府県連への役員派遣について話し合った。はじめに飯田副会長から去る七月十八日から三日間和歌山県・潮の岬の県立青年の家で開かれた第四回近畿農村青少年のつどいに関して説明があったあと、七月二十七日から開かれた茨城県のクラブ大会に丸山会長、八月一日から開かれた山口県の農村青少年技術交換大会、八月三日からの鳥取県の同大会に太田副会長が出席することを決めた。

なお、同執行部会には、丸山会長、飯田（奈良）太田（山梨）両副会長、岡田（埼玉）事務局長、黒田（茨城）事務局次長が出席した。

ひき続いて、クラブ員などから再編成の強い要望が出ている注目の日本4H会館建設委員会（委員長、岩崎茂全協初代会長）が開かれた。しかし同委員会には、全協執行部を除いて岩崎委員長、梅田清雄元全協会長（富山）長田清吉前同会長（静岡）の三人が出席しただけにとどまったため、会館建設推進の母体は現役かOBか、募金に当ってどれだけOBの協力が得られるか懸念があるなどの意見が出され、会館建設推進続行の可否について論及された。これに対し、全協の今年度の総会や評議員会でも決定されたようにあくまで建てるという路線に立って進めていくべきであるという意見が大勢を占め、その結果、来る十一、十二の両日、再び建設委員会を全協事務局で開き、会館建設を軌道に乗せていくことを決定した。

クラブ大会ヤマ場に

4Hクラブ強化月間

大阪府連で今月中展開

【大阪府＝長滝谷正行連絡報道員発】大阪府農業研究クラブ連絡協議会4H部（部長、古谷伊佐雄君）は、去る七月十一日、市内で本年度第一回の「4Hクラブリーダー研修会（会長会議）」を開き「府4Hクラブ強化月間」の展開などについて打ち合わせた。

午前中、事務局から第四回近畿地方農村青少年のつどい、府青少年交歓キャンプ大会、その他事務運営などの報告と説明があり、つづいて府農畜産課の福山普及係長から「4Hクラブ活動の問題点」というテーマで講習を受けた。

午後から討議に入り、今年初めて企画された「府4Hクラブ強化月間」の展開について話し合いが行なわれた。

月間運動はクラブ活動の質的、量的発展をねらい、クラブ員の自覚と仲間意識を盛り上げると同時に、活動に対する外部の認識を深めてもらうことも意図している。

会議では、まず、運動の期間を八月一日から三十一日までと決めたあと具体的な行事について討議した。

行事内容（案）は次の通り。

▽大阪府4Hクラブのバッチ、旗、歌、標語、ポスターの図案、作詩などをクラブ内外から募集作成する。
▽通信4Hクラブを作成する。
▽クラブ活動の紹介と展示即売会を開催する。
▽普通高文化祭に4Hクラブコーナーを設ける。
▽有線放送でクラブ活動を紹介する。
▽事務局に現地交換会の窓口を開く。
▽農林部長を囲む会の開催。
▽他産業青年との話し合い。
▽社会奉仕……献血、災害援助など。
▽車でパレードし、運動を盛り上げる。
▽府4Hクラブキャンプ大会の開催……などで、キャンプ大会（八月二十二、二十三日）を強化月間のヤマ場にする。

このあと、月間運動の実行委員八名を各ブロックから選出した。実行委員は、決定された行事計画案に基づいて今後の具体的な月間運動を執行することになった。

三和と豊田4Hクラブ交歓

【愛知】西尾市の三和4Hクラブ（会長、犬塚達侑君・会員十五人）と豊田4Hクラブ（会長、宮沢恒人君・会員十二人）の研究交歓会がこのほど豊田市で行なわれた。これは、豊田4Hクラブが視野を広くするため三和のクラブ員を招待したもの。同日は石川牧場、市畜産センターなどを見学したあと各クラブ員の家庭を訪問し、新しい農業やクラブ活動について意見を交換した。

夏の県大会開かる 新潟

【新潟県＝松沢栄一朗連絡報道員発】新潟県農業改良クラブ連盟（会長、松沢栄一朗君）と新潟県主催の第七回同県農村青少年技術交換大会は、さる七月十九日から二泊三日の日程で小千谷市小本山の「市民の家」で開催された。

一日目は午後一時から「みんなで築こう豊かな農村」のスローガンを掲げた講堂に県下の農村青少年男女約二百名が参加して開会式が行なわれた。このあと各地区代表七名による演示発表があり、午後四時半から各班単位の話し合い、夜は小千谷市と小千谷地区連などによる歓迎レセプションで楽しい夜をすごした。

二日目、午前中は技術競技で診断、判定、鑑定など日頃の実践活動で磨いた腕をきそい合った。

午後は分科会に別かれて話し合いを行ない、夜はキャンプファイヤーをくりひろげた。

三日目は午前八時から閉会式、表彰式のあとバス教室にうつり、市内の錦鯉センター、北魚川口町のヤナ場、国鉄信濃川の小千谷発電所などを見学したあと小千谷駅前で解散した。

十周年の記念式 南幌4Hクラブなど

【北海道】空知支庁内の南幌、長沼、栗山、由仁、栗沢五町村4Hクラブの創立十周年記念式が、さる七月二十、二十一の両日、南幌高校で行なわれた。二十日は開会式、記念式のあと技術競技、二十一日は「近代農業に対処する」と題して話し合いをした。

会長に今泉君 愛知・新城市4Hクラブ

【愛知】新城市4Hクラブの新役員がこのほど次の通り決った。

▽会長 今泉京一（徳定）▽副会長 小野田義明（上平井）安形満男（中宇利）▽書記 白井克彦（川田）▽会計 河上高司（富岡）▽理事 山本享司（一鍬田）伊藤豊治（富岡）小林国彦（杉山）田中啓裕（黒田）小山孝（豊島）山本和成（日吉）宮城義紀（八名井）安形勇次（富岡）本田清治（中宇利）

心頭技健

国際間の相互理解というものはやっかいなものである。それでいてなおざりにもできない。「日本を発つとき、アメリカについてのことはかなり勉強しました。そして最初の家に入ったとき、これがアメリカかと思いました。でもこんど別の家に入ってから全くアメリカが分からなくなりました。日本で学んだアメリカは表面だけのものだったと思います」現在日本の4Hクラブ員の代表として渡米中の中崎君からこのような便りがよせられてきた▼「シアトルでオリエンテーションのときいわれました。君たちが今すぐ日本に帰ったら二時間だけアメリカについて語ることができる。でも六カ月間滞在してたらアメリカを断言できなくなるーと。その現象ができてきたのでしょうか。見れば見るほど、聞けば聞くほど分からなくなってきます」と、彼は述懐している▼反対に、外務省がアメリカで日本はどう見られているかという対日世論調査を行ったものによると、意外に日本の実情が彼らには分かっていない。まず「日本を信頼し得る友邦と考えるか否か」について回答を求めたところ、日本は信頼できる友邦と答えたものは全国平均で四五%で過半数に満たず、信頼できないと答えたものは三二%で、残りは分らないと答えている▼ここでとくに目につくのが教育や職業などによって信頼度がちがっていることで、大卒は六六%、専門家や実業家は六〇%が信頼しているのに対し、小、中学卒では二五%、農民も二五%と非常に理解していない。井の中の蛙という言葉が日本にあるが、アメリカの農民もそれらしき観がある。日本のクラブ員交換もこのような観点から大いに意義があり、当人たちに課せられた使命は大きい▼もっと極端な例をあげれば、同じく外務省がイギリスについて調べたところでは、「日本の政治体制」に関する質問に対し、日本を民主主義国家と答えたものは三一%に過ぎず、共産国家九%、専制国家一七%、分からないが四二%にものぼり、英国人十人中七人までが、無知であるが正しく理解していない。なにもこれはイギリス人特有のユーモアで国会の黒い霧や政府の姿勢を皮肉ったのではない。

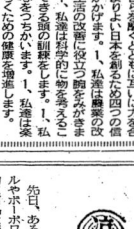

第四回近畿地方のつどい開かる

すばらしい仲間意識

雨ついて二百八十名が交歓

第四回近畿地方農村青少年のつどい（大会委員長、久保浦克和君・和歌山）は、近畿地方農村青少年クラブ連絡協議会と全国農村青少年教育振興会の共催によって去る七月十八日から三日間、本州の最南端、和歌山県串本町潮の岬の県立青年の家で開催された。同つどいには近畿地方各府県（京都、大阪、和歌山、奈良、滋賀、兵庫）から4Hクラブ員を中心とする農村青年代表約二百八十名が参加し日ごろ体得した技術や意見の交換を通して仲間意識を盛りあげ、近畿地方農村の若人の息吹きをみなぎらせた。（和歌山県日高郡南部町、尾崎泰弘君発）

一日目　飛雨を衝らし「少しでも時間の無駄を省こう」ということから開催県である和歌山を除いて他府県は大阪天王寺駅で受付けをして、オリエンテーションも車中で行なった。午後三時、地元和歌山県のクラブ員が拍手で迎える中を入場。再び体育館で輝くオリエンテーションをすませ、それぞれ十一のキャンプ村に分かれて入村した。

このあと太鼓とファンファーレを合図に参加者全員による入場行進がくり広げられ、やがて大会旗と各府県連旗が入場、つづいて友情の灯が点火され、大会委員長の久保浦克和君（和歌山）が力強く宣言し、三日間にわたるつどいの幕を切って落した。全国農村青少年教育振興会井上理事ら主催者あいさつに続いて相坂近畿農政局長、日本4H協会坂本広報部長の激励の言葉、串本町長、和歌山県立潮の岬青年の家要海所長の歓迎のことばがあって開会式を終了。

夜はそれぞれのキャンプ村に分かれて話し合いや、歌、ゲームなどで楽しんだが、そこには農村青年の明るい姿が満ちあふれていた。

二日目　早朝雷鳴とともに雨が降り、キャンプ村は床上浸水のところも現われ、急いで排水溝を掘る者も出てくる始末。しかし朝食が終るころには空もからりと晴れ心配されていた日程の方も順調に進行した。

まずキャンプ村全体を二つに分け、一組はキャンプ場から海岸におりて貝拾いやコーラスを、もう一組は松の木陰でコーラスを通じて仲間づくりをそれぞれ楽しんだ。そのあとグループダイナミックショーが開かれ、アイデア交換会や料理コンテストが行なわれ、日ごろ磨いた農業、生活に関する腕を競い合った。

午後は講話の予定であったが気象の変化が激しいため自由時間にし、各村ごとに海岸に降りて参加者は貝を拾ったり魚を追ったり、われを忘れ無邪気なこどもたちのように騒ぎまわっていた。また夜も、この大会のクライマックスであるキャンプファイヤーが日程に組まれていたが、あいにくの雨。途中で切り上げ、体育館を借りて高橋野一明治学院大学教授の指導で、キャンドルサービスを行なった。

三日目　昨日から雨続きで日程はしばしば変更した。どうしても本部役員一同、南国のスコールには頭が上らない。しかしつどいの最後を飾って閉会式が体育館で盛大に行なわれた。

久保浦つどい実行委員長、来賓のあいさつのあと、ダイナミックショウでアイデア交換に参加したクラブ員の表彰が行なわれ、つづいて大会旗が入場し、開催県和歌山から来年度の開催県である京都府に引きつがれた。その直後、約二分間、各村単位で近畿のつどいの感激を表徴して、お互いに知り合い親しくなった仲間で肩挽げし抱き合い、または固い握手を交わし、体育館が割れんばかりのにぎやかさだった。

最後に大会長の閉会宣言で三日間にわたった大会の幕を閉じた。

このあと小雨の中でバス教室を決行、本州最南端潮の岬を見学し別れを惜しんだ。

4H旗がひるがえる中で開会宣言する久保浦実行委員長（左端）

堂々と入場行進する参加者＝近畿農村青少年のつどい開会式で

滋賀県の代表、頑張る

近畿のつどいで

【滋賀県＝油浦豊一連絡報道員発】はまゆうが咲き、黒潮おどる本州の南端、和歌山県の潮の岬でさる七月十八日から三日間開催された第四回近畿農村青少年のつどいに、滋賀県農業後継者クラブ連絡協議会（会長、岡原田吉則君）から三十九名（うち女子十名）が参加し、開会式では堂々と入場をおこなった。

二日目、グループダイナミックショウの中のアイデア交換で、わが県代表として、蒲生神崎東部地区の佐生照夫君と小島悦子さんの「労働安全保護具」、東浅井地区の尚永吉計君の「湿田運搬器」の演示発表がおこなわれ、万来の拍手を浴びた。

なお来年の第五回のつどいは京都で開催される。

防霧機の下刈り

北海道・釧路4Hクラブ

【北海道】釧路村4Hクラブでは、このほど共同作業として遠矢地方区にある鳥通林有牧野に隣接している防霧帯の下刈りを実施した。

見事なフラダンスも披露

静岡・東部地域農村青少年ク連協　夏のつどい開く

キャンドルサービスで会場をわかせた男子クラブ員の見事なダンス

【静岡県＝栗田伸雄連絡報道員発】静岡県東部地域農村青少年クラブ連絡協議会（会長、栗田伸雄君）では、さる七月十三日から二日間、御殿場市の国立中央青年の家で「夏の集い」を開いた。東部地区の各地から集まった農村青少年男女約百三十名は、炎天下で仲間の発表に真剣に耳を傾けていた。

式は午前十一時半から杉山良子副会長の開会のあいさつで開幕、勝又東部農業事務所技術課長の激励のあいさつ、小畑専門技術員、平野県青少年対策室主事、植田三男東部教育事務所主事らのあいさつで開会式を終った。

昼食のあと、役員による総会報告があり、つづいて演示発表に入った。発表者はいずれも各地から選ばれた代表だけあって立派な発表態度で、クラブ員もメモをとりながら真険に発表を聞いていた。

夜は体育館においてキャンドルサービスをくりひろげた。各地区からいろいろの出し物が披露されたが、なかなか堂に入った演技を見せていた。中には女装したフラダンサーが見事な踊りを見せた時には場内は最高潮に達した。

翌日は、各地区対抗球技大会が行なわれ、クラブ員は白球をおって若い情熱をもやした。午後から県人事課の係長の「上手な話し方」と題して講話を聞き、四時から表彰、講評などを最後に幕を閉じた。なお冬の大会は南駿普及所管内で行なうことに決定した。

猛暑の中で交歓

4Hクラブ大会開く

茨城・江戸崎地区4Hク連協

【茨城】江戸崎地区4Hクラブ連絡協議会では、江戸崎地区農改普及所と共催で、さる七月十日から十二日までの三日間桜川村浮島キャンプ場で同地区4Hクラブ大会を開いた。

この大会は、自主的なクラブ活動を通じて力強く農業に取りくみ農業の改良や農村生活の改善について研究実践している地区4Hクラブ員が一堂に集い、話し合いや技術の交流などを通じて仲間づくりや農業の担い手としての実践力を養おうというもの。

一日目　オリエンテーションと男女別の話し合いを行ない、つづいて社会問題のクイズで頭の訓練をした。午後からはスイカ割りやコーラス、ゲームなどをして楽しいひとときを過した。また夜はキャンプファイヤーを囲み夢や希望などについて語り合った。

二日目　ラジオ体操、朝食のあと……て楽しんだ。

三日目　朝食のあと単位クラブ別の交歓会や全体研修を行ない、大会の反省や評価をした。午後からは別れのつどい、閉会式を最後に三日間にわたった大会の幕を閉じた。

大会中、むし暑い日の連続だったが、参加者は真剣に知識や技術を交換しあい、その成果を明日からのクラブ活動に、また農業経営に、家庭生活に生かして行こうとみんなファイトをもってそれぞれの地区へ帰って行った。なお、麻生、鉾田両地区連も同キャンプ場で4Hクラブ大会を開いた。（同4Hク連協、村山文雄君より）

除草剤の有効的な使用法を学習

奈良・中吉野4Hクラブ

【奈良県＝広井洋司連絡報道員発】中吉野4Hクラブ（会長、松本博善君）では、さる七月十七日吉野郡下市町青年研修所で除草剤の有効的な使用方法について勉強した。

同クラブでは、かねて、農業管理のうえで最も手間のかかる除草について、除草剤の理想的で現実的な使用方法を学びたいとクラブ員全員が望んでいたが、それがやっと実現したわけ。

同日は、講師に県農業試験場の辻本技師を迎え「新しい除草剤使用方法」と題する……が、各クラブ員とも……ロジェクトで除草に……こともあって熱心に……していた。

三重県と隣接県のクラブ員のみなさんへ

○…三重県農村青少年クラブ連絡協議会（会長、岡田常雄君）では、クラブ活動をさらに一層活発化させるため、昨年は県連バッジを作成、本年は県連歌を作り、単位グループと地区連の上に立った県連を一層身近な存在にしてゆきたいと考えています。そこで、県連歌の作詞・作曲・いずれでも結構ですから、どしどしご応募下さい。宛先は、三重県津市広明町、三重県庁農業改良課、青少年担当係です。

○…昨年の第六回全国農村青少年技術交換大会の美しいグラビアアルバムが出来上りました。写真八十枚掲載で、単価三百円です。

○…県連では、対外活動の推進の一環として、本年九月の農閑期を中心に、県外先進クラブとの交換会を予定しています。これは、これまでの教育会議や技術交換大会が、会場を動かないデスク発表であったのを改め、実際自分の目で見、質問研究することにより、より一層の活動効果を高めようというものです。三重県隣県のクラブでご協力下さるクラブがあれば幸いかと存じます。（三重県＝西村嘉代司連絡報道員発）

旭川市4H連の会旗できる

【北海道】旭川市4Hクラブ連絡協議会（会長・鎌田弘信君）は、この旗のもとに結集しようとこのほど、同クラブのシンボル"会旗"をつくった。

4H関係は十名

「青年の船」の団員を募る

全協

[illegible]

イ、一団体からの推薦人数は十名以内とし、この中から総理府における最終選考によって団員を決定する。

（二）推薦期限　都道府県、青少年団体から団員候補者を総理府に推薦する期限は来る八月二十日とする。

五、最終選考

（一）総理府は推薦された団員候補者につき選考組織を設けて選考する

（二）最終選考の際、必要により候補者に対して面接、その他の方法による試験を行うことがある

（三）最終選考の結果、一般団員に決定した者については本人および推薦者に対して九月中に通知する

六、決定の取消

（一）出航前、出航後団員として不適当と認めた場合には団員としての資格を取り消すことがある

（二）出航後資格を取り消された者は、下船させることとし、その帰国の経費等は個人負担とする

七、応募提出書類

（1）申込書（2）承諾書（3）作文＝テーマは「青年の船に応募して」（二百字詰原稿用紙五枚以内、縦書、青年の船団員となった場合、帰国後参加経験をどの様に生かすかという点を中心に書くこと）（4）戸籍抄本二通（5）履歴書（6）健康診断書（公的医療機関の医師による昭和四十二年六月一日以降のものであること）（7）写真一葉（上半身正面脱帽5×5cm、昭和四十二年六月一日以降撮影のもの）

八、全国4Hクラブ連絡協議会を通じて応募する場合の規定

（一）応募提出書類　申込書、承諾書、履歴書、健康診断書、写真各一部、戸籍抄本二通、作文、県連会長の推薦書一通

（2）募集締切　昭和四十二年八月十五日必着のこと

（3）県連会長推薦　応募者は県連会長の推薦書として応募理由、4Hクラブ活動歴などを付し様式は自由とする。4Hクラブ関係として十名以内

（5）中間選考　全協においては応募者の書類選考会を行い、十名以内を総理府あて推薦する。

この「青年の船」は、男女青年が同じ船で世界を巡航して視野を広め、各国と親善を深めることとクラブのリーダーの育成をねらいとしており、今回は全国から男女三百六十名を募集、来年一月から約二ヵ月間にわたって東南アジア諸国を訪問することになっている。

沖縄4Hクを訪問

全協初代会長　岩崎　茂氏

全国4Hクラブ連絡協議会初代会長、岩崎茂氏（日本4H会館建設委員長、清水市社会教育委員長、同市議会経済常任副委員長）は、沖縄の4Hクラブ活動状況と農業視察をかねて、さる七月十九日から二十五日まで同地を訪問した。

同氏の沖縄訪問はこれで三度目で、前回はさる三十九年、琉球4Hクラブ連絡協議会が全協に加盟したのを記念して全協が同協議会に贈った4H旗を当時の全協役員と共に贈り届け、琉球4Hクラブ大会に参加した。

今回は、各地の4Hクラブ員と意見を交換、今後の4Hクラブのあり方、活動方針などをアドバイスしたが、同氏は同地のクラブ活動についての感想を次のように語った。

今回はとくに農業開発青年隊キャンプで東村の4Hクラブ員と意見を交換したが、クラブ活動はかなり活発である。同クラブは、村当局に先がけてパイナップル栽培をとり入れ、いまではそれがキビ作りを上回る農家の収入源になっている。とくに中、北部は沖縄の農業地帯の縮図ともいえるが、こうした中で活動するクラブ員の問題は❶行き詰ったキビ、パイナップルに変る換金作物の開拓❷資金制度の拡充などにある。東村の4Hクラブでは新しい換金作物として、ビニールハウスによるキュウリ、野菜栽培を手がけているが資金不足に悩まされているようだ。沖縄でも早く本土のように資金制度を確立すべきだと思う。

私の地元、清水市では、トマト、イチゴ、キュウリなどのほかビールのつまみにする枝豆の促成栽培に力を入れているが、八月に千葉県で開かれる全国4Hクラブ技術交換大会に出席する沖縄代表を清水市に招いて、果樹、園芸の実情をみてもらうとともに枝豆の種子を贈りたいと思っている。

また沖縄も本土と同じく学卒新規就農者が減ってきており、その方面でも解決に迫られているようだ。

4Hくん No.99 桜井はじめ

私のプロジェクト

各時代からみた 農家の結婚仕度の研究

岩手県東磐井郡千厩町 [illegible] 菅原美代子(20)

調査を進めた概要

[illegible]

時代の背景

[illegible]

結婚支度金の割合

年代	調度品	礼服	日常品	寝具
明治	13.62%	44.48%	27.83%	14.07%
大正	22.76	55.38	14.35	7.51
昭和前期	33.95	26.25	27.42	12.38
昭和後期	36.80	25.08	29.90	8.19

[illegible]

結婚後新たに購入した物（十年以内）の結果は第2表のとおりと[illegible]はほとんど嫁入り時の物を持ち合わせていた。大正には実家から二万円ほど揃えてもらい、婚家からも作業衣や付属品など三[illegible]もらっている。昭和前期は実家からも礼服をもらい、その金額も多くなっている。昭和後期は、実家、婚家からかなりの種類をもらっているが、加えて自分で、二万円のお[illegible]

指摘される問題点

以上みてくること、そこに幾つかの問題点があることがわかる。

一、品名を見ると農家として必要度の少ない高額な編物機、ミシンを用意し、ほとんど袖を通さない礼服（和服）に沢山お金をかけている。その反面、ぜひ必要な作業衣には注意がはらわれていない。

二、結婚支度だけで三十万円余りのお金を要することから、結婚費用が五十万円をこすものと想像される。農家の収入と生活との間にアンバランスのあることがわかる。

三、内容をみると、生活が文化的になっているのに、昔ながらの調度品、礼服にかける比重が高く、不自然だと感じる。

四、結婚十年を経ても、まだ経済的に実家にたよっている人が多い。

五、理屈として、さいきんの結婚仕度の不合理はわかっているが世間体とか利己的な愛情で、簡素は不可能とあきらめている。

研究から得た体験と特質

こんどの研究によって、時代の変せんと共に結婚仕度にも簡素な時と華美なときのあることがわかり、これを参考にしてこれから結婚しようとする私たち娘はどんな考えをもつべきかについて話しあい、次のような結論となった。

娘の考え方

一、一生のうちに何回も着ないような礼服よりも作業衣や普段着がほしい。

二、借金してほどもという親の愛情も有難いけれど、家を犠牲にしてほどもほしくない。

三、自分たちの幸わせは、花やかな式や仕度だとは思わない。公民館結婚など簡素でよい。

四、式の衣裳も簡単にしたい。

五、嫁ぎ先にあるものは、まず持っていかない。その代りに必要なものにまわしたい。

今後改善されるべき事項

以上の問題を解決していくには次のような事項と取組まねばならない。

一、嫁家先との話しあいを密接にして、道具や調度品を相談の上必要なものだけ揃えるようにする。冠婚葬祭の礼服は公民館、農協、或は貸衣裳の物を利用したい。

二、結婚前に衣生活設計をたてておく。

三、婦人会とか4Hクラブや青年会との話し合いの場を通して、常に嫁の考えを理解してもらうようにする。

四、結婚後も実家にたよっている事情は、婦人会や農協等の活動を通して、農家生活の合理化を実現させ、その上でお嫁さんにも小使いが与えられるようにする。

五、世間的な事を気にしないで、皆が幸わせになるような生活課題を設けて、学習活動が行なわれるようにする。

これからの方向と進め方

こんどの調査では、結婚仕度を基本とした衣生活の現状までをまとめたが、こんどはさらに次の点を調べ、この資料によってクラブとか婦人学級、農協婦人部と座談会をもって、問題を掘り下げてみたいと思っている。即ち

一、品物がどのように利用されてきたか

二、更生したとしたらどんな物にしたか

三、品物別の利用頻度

四、理想的な仕度の設計をたてる

まとめ

私たちは以上の調査プロジェクトに取組んでみて、結婚について時代の流れが良くわかり、また経費を思ったより大きくかけているのに驚くばかりでした。これからの農村に生きる者として、このプロジェクトを機会に、ただ漠然と結婚にあこがれるばかりでなく、自分の問題として仕度の障害となっている農村の習慣や意識を、私たちの手で改善し、農家経済に結びつけて考える事ができました。

第1表　どんな物を持ってきたか。どのくらいかけたか。（価格現在高に直した）

年代	道具	礼服	普段着	下着	作業衣	寝具	附属品	
明治	長持	(白黒)紋付合	ユカタ	肌じばん	ももひき	掛ブトン	くし	
	手箱	羽織	袷	お腰	はんてん	敷ブトン	かんざし	
	洗足鉢	袷	羽織	ジュバン	はたこ	まくら	よ油	
		帯	じばん				け	
		じゅばん	帯					
		とうつり(メリンス)						
	16,933円	58,500円	30,000円	4,100円	2,500円	18,500円	920円	合計131,513円
大正	長持	紋付(白黒)	もちり	肌じばん	ももひき	掛ブトン	かんざし	下駄
	コウリカゴ	じゅばん	帯、前かけ	肌着	たすき	敷ブトン	くし	かさ
	洗い鉢	袷長着	角巻,袷長着	メリヤス上下	帯	寝まき	こうがい	えりまき
	洗面器	袷綿入れ	じばん	お腰	かっぽう着	まくら	かもじ	風呂敷
	鏡台	羽織	はんてん		もんぺ		油	うらうちぞうり
	タンス	丸帯、帯	ゆかた		はんてん		より	帯上げ
	手箱	絹綿入れ	どんぶく		地下タビ		さしぐし	帯止め
	裁縫道具		もんぺ		はたこ		すきぐし けすじ なまこがけ	8,773円
	33,050円	101,750円	17,075円	3,075円	6,200円	13,800円		合計183,743円
昭和(前)	タンス	紋付(白黒)	袷長着	肌じばん	はんてん	掛ブトン	下駄	
	下駄箱	紋付き羽織	羽織	肌着	もんぺ	敷ブトン	うらうちぞうり	
	鏡台	絹袷長着	ジュバン	お腰	前かけ	ねまき	のめり	
	ちょうず鉢	丸帯	ひふこ		かっぽう着	敷布	あすだ	
	柳ごおり	名古屋帯	ゆかた		手ぬぐい	枕、カバー	こうもり	
	トランク		えりまき		作業着	毛布	からかさ	
	洗面器		どんぶく		たすき		ふろしき	
	手箱		道ゆきコート		活動着		たび	
	裁縫道具				地下タビ			
	51,200円	45,000円	36,000円	1,500円	9,980円	21,140円	7,050円	合計171,870円
昭和(後)	タンス(三つ重ね)	紋付(白黒)	ブラウス	肌着	もんぺ	掛ブトン	下駄	ショール
	整理ダンス	訪問着	ジャケット	袖なし,半袖	かっぽうぎ	敷ブトン	靴	手さげカバン
	タライ	スーツ	スラックス	長袖	ももひき	まくら	サンダル	帯止
	洗面器	羽織	スカート	ズボン下	手袋	まくらカバー	長ぐつ,皮ぐつ	帯上げ
	つづら箱	袷長着	セーター	ズロース	地下タビ	シーツ	ハイヒール	たび、その他
	鏡台	単衣長着	スーツ	パンティ	手ぬぐい	毛布	雨傘	
	裁板	じばん	レインコート	スリップ	スカーフ	丹前	洋傘	
	アイロン	帯	オーバー	ストッキング	作業服	パジャマ	旅行カバン	
	編機	紋付羽織	半コート	靴下		座ブトン	化粧品	
	ミシン	袷帯	ゆかた、羽織	お腰		寝まき	ハンドバック	19,950円
	洗濯機	コート	袷帯					
	98,850円	82,660円	82,660円	4,490円	3,740円	26,780円		合計304,420円

第2表　結婚後新たに購入した品物

年代	実家から	婚家から	自分で	合計
明治	はたこ (500円)		ゆかた (1,000円)	(1,500円)
大正	作業衣、はたこ、袷じゅばん、どんぶく (10,580円)	ももひき、ゆかた、だるま靴、げた、はだこ (3,080円)	半衿、たび (450円)	(14,110円)
昭和(前)	はおり、ゆかた、袷どんぶく、帯 (11,750円)	袷、はおり、丸おび、もんぺ、ゲタ、ゆかた、タビ (22,525円)		(34,275円)
昭和(後)	羽織、袷、作業衣、スーツ、セーター、はきもの帯、赤ンぼうのもの (21,150円)	スーツ、作業衣、エプロン、羽織、袷、はきもの (30,500円)	ブラウス、くつ下、下着スカート、手袋スラックス、化粧品 (19,370円)	(71,020円)

すすんでいる農業の新技術 (13)

肉豚生産における三元交雑種の利用

純粋種から交雑へ移行

わが国における肉豚生産の素材としては、もっぱらヨークシャー、バークシャーの純粋種を改良して、純粋種そのものを精肉用として利用してきたが、最近における多頭飼育への要請から、❶産子数の多いこと、❷発育の早いこと、❸飼料要求率の小さなこと、❹育成率（強健性）の高いこと、❺肉質のよいことが求められるに至った。

これらの要求を満たすためには、交雑による雑種強勢を最大限に利用することが考えられるが、豚において雑種強勢が鮮明に現われる形質は、産子数、育成率（強健性）であるから、雑種利用は単に一代雑種にとどまることなく、むしろ、母豚にすぐれた繁殖能力（多産、哺乳能力の高さ、強健性）をもつ一代雑種を用いて、三元交雑種を作り出し、母性効果を巧みに活用しながら、かつ、その子に付加された雑種強勢をあわせて利用することが考えられる。

この目的のため、ヨークシャー、バークシャー、ポーランドチャイナー、ハンプシャーおよびランドレースについて種々の組合せ交雑試験の結果、三元交雑種は純粋種に比べ、産子数、発育、強健性（育成率）、飼料効率、肉質にすぐれていることが確認されている。

育成率のよい三元交雑種

初めに本文中の記号を示しておこう。

B……バークシャー、Y……ヨークシャー、P……ポーランドチャイナー、H……ハンプシャー、L……ランドレース、W…大ヨークシャー

♀……雌、♂……雄

三元交雑には次のような種類がある。BP(♀)×Y(♂)、BL(♀)×Y(♂)、YL(♀)×B(♂)、YL(♀)×H(♂)。これらにおいては比較的に同腹数（分娩時産子数）が多く、とくにBLを母豚とした場合に鮮明に現われ、一腹平均産子数は十二頭に達する。

これらと交配型では、例外なく育成率がきわめて高く、平均九三・五％を示し、強健であることを如実に物語っている。発育も良好で、九〇キロ到達の日令は一七五日～二〇四日の範囲にある。その上、肉質においても、脂肪適度であり、ハム部は[illegible]肉片のほぼ三二％を占め、充実感をもっている。しかも、一代雑種である母豚（BP、BL、YL）の繁殖供用年限はヨークシャーと同様に六～七産は容易である。したがって、肉豚生産の素材としての三元交雑種は肉豚の多頭飼育技術に、性能面においても、また省力管理の面でも、大いに利するところがあると信ぜられる。

子豚の生産団地化へ

現在、肉豚市場の約八〇％はヨークシャーあるいはバークシャーとランドレースのF1でしめられているが、しだいにこれらのF1のうち、資質体型の優良なものを母豚として繁殖に供し三元交雑種を作り出し、既に一部は市場に出まわりつつある。

繁殖豚の多頭化とあいまって今後F1を母豚とする三元交雑種の普及度は高くなると考えられる。既に九州地域の福岡県糸島地区、大刀洗地区のように、肉用子豚の統一銘柄により、子豚の生産団地化をはかりつつあり、F1母豚採用の標準化と規制とを実行しているところもある。

系統造成が育種技術の焦点

肉豚における性能の当面の目標は、九〇キロ日令は一七〇日、背脂肪厚さは二・〇センチ以下、飼料要求率三・〇、枝肉に対するカタ、バラ＋ロース、ハムの比率は三一：三七：三二と考えてよかろう。この目標に達するためには、栄養面の研究もさることながら、育種面にもかなり研究の余地がまだまだ残されている。同じ交配型のうちでも個体の差異、品種の相違によっても性能にかなりのバラツキがみられ、特定個体間、あるいは品種間では上述の理想タイプに近いものが得られるからである。

高度の性能を常時コンスタントに発揮することのできる性質の保持は、雑種利用の基本的考え方でもあり、特定品種内の系統造成は今後の育種技術の焦点ということができる。

純粋種の維持と向上を図る

また、ここではふれなかったが、ランドレースの普及につれて、それと同様の大型種であるベーコンタイプの大ヨークシャーの存在も無視しえず、ランドレース×大ヨークシャー×ヨークシャー（あるいはバークシャー）の性能調査も早晩のうちに行なう必要がある。

また、さらに重要なことは、雑種生産の母体となるべき純粋種の維持とその性能の向上ということである。昭和四十一年二月の農林統計に示されているとおり、総飼養頭数五一五万頭のうち、雑種はすでに四六％以上を示しており、ランドレースは漸増している反面、ヨークシャー、バークシャーが激減している現状である。純粋種における系統造成の確立によって、雑種利用の能率化が期待されるのはいうまでもないことであるから給食センターとか増殖団地が組織されるようになれば、三元交雑種の研究も促進されることになる。

なお、F1を母豚とする場合ランドレースが片親でなければならぬことはもちろんであるが相手の品種は何か、さらにまた三元の場合、第三の品種は何かということについては、各地区の純粋種の飼養状態、市場の動向をみきわめねばならず、いたずらに奇を求めることは避けねばならない。それは雑種利用に際しては、系統の造成が先決であるからである。（研究者・九州農業試験場・姫野健太郎氏）

交雑種の生体

L♀×H♂の一代雑種

(L♀×H♂)♀×W♂の三元交配種

暖かい雪 (28)

田井専六　米良武子画

盆の月 (一)

この一ト月ばかり、村岡卓二と交際したことが、淳子には悪夢のように蘇ってくる——。

洋裁学校の帰り、淳子は毎日のように卓二の自動車に乗り、喫茶店や食堂にゆき、映画もみた。大山へ快適なドライブして、涼しい環状道路をぶっとばし、鏡ケ成（かがみがなる）の国民宿舎でジンギスカン鍋をつつき、いかにも東京で生活して洗練されてきた青年らしい、スマートでおしゃれで人をそらさぬ物腰や話に、すっかり傾きかけていた自分が、思えばなんてお人好しの、世間知らずの田舎者だったろう、われながら恥かしさとなさけなさで、自分自身に腹立たしくいやけがさし、泣けそうになる。

——やっぱり、こんなことだろう、と思って、踏みこんでみたが、はたして——

二人が、はっとしてとびのき、淳子は部屋の隅に逃げて、スカートの乱れをなおすと、毒々しく唇をまっ赤に塗り、派手なワンピースを着た背の高い三十くらいな女が、憎々しげに二人を眺め回わした。女はかなり酔っていた。

——おい、ブレー坊や——

——なんだアケミか——

——アケミで悪かったね。おいそこのお嬢さん、あたしは、卓二坊やのいい人なんだよ。同じベッドで寝んねしたこともある。お前さんなんかに、大切な色男を寝取られたんじゃ、あたしの面子（メンツ）がたたないからね、さっさと帰えんな。バスはまだあるから…。

もう一歩で、危うく卓二の誘惑に負けるところだった。

鏡ケ成から大山寺に引き返えし卓二のいうまま観光ホテルの静かな一室で休憩した。

ことさら部屋を借りなくとも、ロビーでも休憩できるのに、と思うと、二人切りでいることに何か不安を覚えた。

卓二は、疲れたから、といいビールを注文し、夕方になるからもう帰ろう、という淳子に、冗談じゃない。ここは七〇〇㍍の山の上だから、暑さを全然忘れているがそんなつもりで下界へ降りたら、うだるような暑さだ。日が落ちてもっと涼しくなってからがいい。自動車で僅か四十分だ、といって腰を上げようとしない。そして酔っぱらい運転を恐れる淳子に、「君は心配性なんだね」と一笑に付し、ゆうゆうビールを飲み、淳子も勧められて、少しばかりコップに口をつけた。

日が暮れかかり、淳子の不安はつのり、気が気でなかった。

酔のでた卓二が、テーブルをまわって淳子の方へにじり寄り、[illegible]を退く淳子の手を掴んだ。[illegible]りほどくと肩を抱え、[illegible]を立てないで身を縮めて[illegible]さいわい、酒臭い息を吐き[illegible]口を顔に近ずけてきた。顔[illegible]て、必死にそれを避けてい[illegible]

[illegible]坊やが娘さんと、この部屋へはいってゆくのを、ロビーで飲みながらみていてね、もしや、と思って来てみると——

それから、アケミと名乗る女と卓二の間に口争いが始まって——

淳子は、驚いて、口もきけなかったが、どうしてとび出してきたか、そのまま部屋に二人を残してとび出すと、下山するバスに丁度間に合ったが、座席はもうなかった。

「岸本さんじゃないか」

声を掛けたのは、健一の弟の昌夫だった。健一と並んで腰かけていたが

「どうぞ、かわりますから——」

昌夫が立上った。淳子より一級下である。

「いいえ、いいんです」淳子が遠慮したが

「ぼくは男です。レディ、ファス[illegible]

投稿案内

本紙は、みなさん方の新聞として、全国のクラブ員に利用して戴きたいと考えています。それでクラブの催しや個人のプロジェクト、詩、短歌、随筆、写真、悩みや意見、村の話題、伝説、行事その他なんでも原稿にして送って下さい。

お願い ❶長さや形式は自由です ❷できれば簡単な説明をつけた写真をそえて下さい ❸送り先 東京都新宿区市ヶ谷船河原町十一 日本4H協会編集部

身についた合理性
古い考え方を再検討して

栃木県下都賀郡岩舟町曲ノ島一三七四・岩舟4Hクラブ 池田紀美子

私は学校を卒業すると同時に農業に従事することになった。

農業後継者のほかで農業に従事する者は、同級生の中で数える程度、いままで一緒に勉強した友だちがみんな自分から離れ、別社会へ入ってしまうような気がし、自分ひとり取り残されたようなとても淋しい毎日であった。

そのようなとき、私は後継者である同級生に勧められ4Hクラブに入会し、何もわからないままにクラブ活動に参加した。

キャンプ大会や実績発表大会に二度、三度と参加しているうちに自分と同じ立場の友を知り、先輩の活動を聞き、農業に自信はないけれども、何か漠然とした気持であるが、少なからずやろうとする気持がわいてきた。

こうして淋しさからぬけだし、意見を交し合い、また直面するさまざまな考えを、お互いにとけ合って語り合うことができたことは私にとって一番の収穫であった。

また、日光で開かれた全国技術交換大会や全国4Hクラブ員中央研修会に地元クラブ員の一員として参加し、多くの友を知り、以前の古い考え方を捨て、何らかの形で少しでも新しいものを取り入れることができるような気がし、自分ながらたいへんうれしく思った。

農業に関する、またクラブに関する話題は、私たちの現実に体当りする問題だと思う。

今後も、私たちがクラブを推進していくのだから、同志が語り合うということは欠かすことのできない最も大切なことである。

楽しかったクラブの野外研修会

まず食生活の改善
祝祭行事料理を調査して

農村生活向上のため、生活の改善が呼ばれている今日、私たちのクラブでは共同プロジェクトとして食生活の改善を取り上げた。

まず年間を通し、祝祭日にまつわる料理がたくさんあることに思いつき、暦をつかって調べ、それらにまつわる行事料理を各方面から調査し、それを古い考えにとらわれず、栄養などの点から新たに検討を加えてみることから始めた。

はじめに、年間の行事とその料理を季節にわけて表にしてみた。その結果、栄養がかたよっている。同質材料でありながら、形や食べ方をちがえているのは昔なりに工夫されているが、その後の工夫がみられないことなどが反省としてあげられた。

そこでこれから改善すべき点として、❶調理法の工夫❷動物性タンパク質をどういう形で取り入れるか❸野菜の食べ方の工夫❹半製品の広範囲な利用❺普及しやすく栄養的にも合理的な料理法の研究などがあげられた。

その改善としては、❶同じ料理を作るにしても、少しの工夫で一つの料理で数多い栄養素がとれることが考えられる❷タンパク質を多くとるためには、だし汁に煮干しやかつをぶしなどを利用するのも一つの方法である❸これまで農家では野菜に必要以上に熱を加える傾向があったので、ビタミンCなどは七〇%も破壊されていた❹半製品の中には乳製品、調味品などがあり、現在ではかなり利用されてきているが、手間のかからない半製品をもっと広く利用するようにしたい❺普及しやすく合理的で栄養のある料理の研究では、行事食ばかりでなく、日常生活の中に普及しやすい料理の条件を考えてみると、最近かなり農家に普及してきた料理に、野菜サラダ、カレーライスなどがあるが、それはありあわせの材料でできるからだと考えられる。

そして新しい料理の講習を受けても、実際にはあまり家庭にとり入れられていないようである。その理由としては、材料が家のものだけではそろわず、店から買入れなければできなかったり、時間を多くかけなければできないなどである。

栄養的にもよく工夫された行事食は、ふだんの食生活の中に取り入れ、また不足しているものを補うために、これからの行事について、若い私たちの力で改善していきたいと考えている。

私たちのクラブ活動
夜はエレキの練習
悩みは異性が少ないこと

福島県安達郡本宮町南ノ内九三・くろがね4Hクラブ 菊田平八

〈多すぎる青少年のグループ〉

現在の農村には、4Hクラブ、ラジオ農業学校、農村青年建設班、青年学校、青年団、その他趣味のグループと数多くの農村青少年のグループがあるが、最近は農業後継者が少なくなり、一人で三つ四つのグループに加入しているのが現状である。

ところがどのグループも独自の方針で活動しているため、各グループの関連性がなく、会合なども重なったりして各グループの活動が円滑に行われない場合が多い。また、各グループの役員をダブッた時などはどちらかのグループに比重を置くことになり、他のグループに対しては、積極的でないということになってしまう。

そこで一人の人間が多くのグループに加入することは、個々のグループ活動を妨げるもので好ましくはないが、現在ひとつのグループでは自分の欲求するものが満たされないために数多くのグループに加入する結果となってしまう。

農村の青少年の数が少ない現在、このように各グループに分散して活動することは農村の青少年グループ活動の発展を阻害している大きな原因ではないだろうか。

そこで私たちは、とくに活動したいものを二つだけ選び焦点を絞って活動するようにした。そうして他の仲間たちにも呼びかけている。

〈物足りない現在の学習内容〉

つぎに、クラブ構成員の年令や学歴が異っているために活動がしにくい。学習内容が一般的なものになりがちで、ある程度の知識と経験を積んだ者には物足りない気がする。したがって、直接自分の経営にはプラスにならない。

また、各農村青少年グループの目的は農業後継者としての技術の修得が一番大きなものであり、その研修時間が少ないためどうしても固苦しいものになってしまいがちである。

しかし、若い私たちの年代には音楽も聞きたいし、ダンスもしたい、スキー、スケートその他の運動なども実際にやり、力いっぱい遊びたい年頃である。

私たちの年代には楽しい雰囲気の中で当面する諸問題について話し合い、お互い助け合う仲間意識の芽生えが大切で、その中から親密なる仲間ができあがり、私たちの人生行路に明るい灯をともすものでなければいけないが、私たちのクラブ活動は現在そこまで行っていない状態である。

だからといって、農業技術の研究をやりたくないというのではない。しかし、それを進めるためには大いに欲求不満を解消し、趣味を楽しみながらさわやかな気分で勉強することにより勉強にも自然に実が入って、グループ活動がおもしろくなってくるのではなかろうか。

私たちの4Hクラブでは昨年五人で三〇アールのキウリのネット栽培を共同で行ない、レクリエーションとしてエレキを取り入れ、日中はキウリの栽培、夜はエレキと順調で張りのあるクラブ活動であった。

しかし、キウリ栽培が終ってからは、学習活動よりもレクとしてのエレキが中心になって、バランスがくずれるのが心配である。

指導機関については、各グループで役場、公民館、普及所とそれぞれ指導を受けているが、その各指導機関に一貫性がなく、バラバラに行われており、多くのグループに所属していると内容がダブッたりしてしまい、毎年同じようなことを繰り返して行うので、興味や魅力がなくなり、あきてしまうのではないだろうか。もっと具体的に、一年目は何を勉強し、二年目は何を勉強するといった計画的な学習計画により行なうべきであろう。それと共に、関係指導機関の協力を求めてゆくべきである。

〈正しい異性観を養うために〉

また、私たちの世代は異性に悩みを持ちはじめ、次第に結婚の対象として異性を求めるようになる。

したがって、多くの異性と交際をもち、話し合うことにより、正しい異性観、結婚観、人生観というものが養われるのではなだろうか。

しかし、現実には農村に残る青少年は少くなり、しかもそのほとんどが長男、長女で、したがって私たちの接することのできる異性は部落の中、村の中と限られた一部となってしまう。これでは豊かな異性観、結婚観を養うことはできず、また人生観も何か物足りないものとなってしまう。

したがって、広域のグループを作って活動するようにしたり、交歓会や各種の大きな会合に参加し多くの異性に接する機会を多く持つようにしなければいけない。

〈望まれる各指導機関の協調〉

このほか、農村の青少年活動を活発にし、農業後継者の確保を図り、農村の中核者を養成するためには多くの問題が山積しているがそれらの中には私たちだけで解決できない問題もある。

そこで、私はそれらを解決するためにつぎのことを提案したい。

今後は公民館、普及所、役所、農協などの関係指導機関が協力し一貫した強力な指導体制の下に、現在農村にあるグループを一本にまとめ、広域の集団を作り、学習指導を行うべきである。

これを冬の期間は農業学校のようなものとし、夏の農繁期は従来の4Hクラブのような小集団にわかれ、プロジェクト学習を中心に進める。

昨年の私たちのキウリ栽培も批判されながらも良い成績をあげ、大型プロジェクトに新しい希望も出てきた。

このように、いかなる夢も理想も一人ひとりの小さな努力が大きな波紋となって広がるのだと思う。とにかく、この理想に向って関係者の意欲あるご尽力をお願いしたい。

さとわうた
太陽に酔える時

あはれ快きは夏なり 人皆太陽に酔へる時 忽ち前に裂くるは 夕立のシトロン さて夜となれば 金剛石の涼風（すずかぜ）と 水晶の月 夢を揺する ……（五行略）

これは与謝野晶子の「草と人」からとった夏のうたの一節である。「光と熱と芳香と七色との…」という言葉もこの詩にみうけるが、夏を讃えた、晶子らしい詩である。

一方、高村光太郎は「道程」の中の「夏」と題する詩に

夏になればてらてらと 屋根の瓦が照り返し 入道雲ものぼせつつ うろん臭げなうす笑い 物もうごかぬ真日昼（まひるま）に いきり立つ水気の憎さ やがてつもれば、どうせ不祥な 留さまがわめきだす 夏になればすぱすぱと ふかす煙草（たばこ）もあぢきなく ……しん底夏には身をそがれるぞ

のまた夏が来るのかねと、いかにも夏をうらむ詩がある。

ある人は夏がよいという。またある人は冬がよいという。しかし昂じつめれば、暑い三十数度のじめじめした炎夏はがまんがならないし、寒さが身にしずむ厳寒の冬はたたえられないというのが本音であろう。一時の涼を求めて、海に山に故郷へと急ぐ人々の足どりの繁くなるのもやむをえまい。

それにしても夏の暑さが暴動に変化してゆくのは困る。日本でも東京の山谷、大阪のあいりん地区（釜ヶ崎）に騒動がおこるが、この騒動はお祭騒ぎに似たもので根が浅い。

それにひきかえ、アメリカの各市で起っている黒人騒動は南北戦争いらいの最も深刻な国内危機になりつつあるとケネディ上院議員も警告している。騒ぎのきっかけは、黒人の運転手が警官になぐられたというごくささいなことに起因しているという。このニューヨークにはじまった騒動はデトロイトで荒れ狂い、いまだ無気味な形勢にある。放火、略奪、撃ち合い……死傷者千数百人という言葉だけでもそのすさまじさが知れる。根強い人種差別と住宅、職業選択に事実上の差別の不満が「人種差別」プラス「スラム騒動」の形をとって狂暴化してくる。この偉大な社会にポッカリどす黒くあいた傷口をいかに処置するか、ブラックパワー（黒い力）を叫ぶ暴力的黒人運動はますます強くなってゆくであろう。

日本には幸い人種差別はないが、学歴などによる職業差別は根深い。いつか破壊的活動が起らないとは誰が否定できようか。人間がつくる人間社会のおきて、差別を人間自らの手で平……

（K）

新刊書の紹介
農林省農政局普及部監修「新設計による農山漁村住宅のプラン70案」

昨年、埼玉県三峰山で行われた「全国4Hクラブ員関東の集い」のおり、参加者を対象にした本紙のアンケートによると、いま最もやってみたいものは、旅行と家の新築（改築）であった。

このように現在の農村青年諸君は、古い間取りの家屋が気に入らず、明るく合理的な家に住みたいという希望をもっている。また、結婚の条件として、若夫婦の個室を要求するのは常識になっている。

このような青年諸君の要望をまつまでもなく、農村生活を豊かなものにするため、生活の根拠地としての住居をはじめ生活の環境を整備していくことは当面の課題である。とくに農山漁……

……解説を付したものが中心となっている。農村の住宅改善が、環境整備の一環として強力に推進されようとしているこの時期において、このような実用的な図案が果す役割は大きいと思われる。

つぎに、この書の特長は平面整理番号を索引として、希望する間取りがすぐに引出せるようにしてあることで、あたかも辞書を引くように所要の間取図を見出すことができることである。

また農家住宅の状況の理解のために、昭和四十年末に、生活改善実行グループ全国連絡研究会が実施した調査結果の分析を収めているが、農民の住生活の実態を知る上で大いに参考になるものである。

その他、農林省で作成した「農家住宅設計基準（案）」を添付して、利用者の便をはかっている。

これから住宅の新築、改築をしようとする人、その指導にあたられる人に広く活用してもらいたい本である。（東京都港区六本木一の九の五 社団法人 農山漁家生活改善研究会発行 定価二八〇円 送料五〇円 振替東京四二〇九三）

映画
終戦の秘話描く
日本のいちばん長い日（東宝作品）

昭和二十年八月十五日、太平洋戦争終結の日、この一日は日本でいちばん長い日であった。物語りは十四日正午、宮城内の地下防空壕の御前会議から、翌十五日正午、玉音放送に到る波乱と緊迫の二十四時間を記録的にドキュメンタリータッチで描く激動のドラマである。

☆ ☆ ☆

日本に降伏を求めるアメリカ、イギリス及び中国のポツダム宣言が海外放送で傍受されたのは、昭和二十年七月二十六日午前六時だった。翌二十七日以来連日、これを受諾するか否かについての緊急閣議が鈴木総理（笠智衆）大臣官邸で行なわれたが、この間、広島、長崎に原爆が落され、八月八日にはソ連が参戦、日本の運命はまさに風前の灯だった。

東郷外相（宮口精二）は「連合国回答は不満足ながら、国体は護持される」として受諾する方針を定めたが、阿南陸相（三船敏郎）以下反対派は、こんなことでは受諾できぬ、陸軍は本土決戦あるのみと硬化した。

この間、反対派の陸軍青年将校による兵力動員計画書が阿南陸相に提出された。それはポツダム宣言受諾を策する和平派を天皇から隔離し、東京に戒厳令を布くもので、軍事課長荒尾大佐以下畑中少佐など課員六名の謀議であった。

八月十四日の特別御前会議はまたも荒れたが、正午に天皇が立ち上られ、「これ以上戦争を続けることは無理である。私自身が如何になろうとも、国民にこれ以上の苦痛をなめせることは私には忍べない。出来ることはなんでもする。……内閣は至急終戦に関する詔書を用意して欲しい」と述べられた。ここに御聖断は下り、日本のポツダム宣言受諾ははっきりと決めた。

憤然として独り陸軍省にもどってきた阿南陸相を待ち受けていたのは、血気の青年将校であった。

午後一時、首相官邸の奥まった一室で全大臣出席による終戦処理の閣議が開かれていた。日本の歴史を塗りかえるこの難事業を大過なく、しかも電光石火の早業でし遂げねばならぬ。先づこの終戦の事実を、陛下の玉音によってラジオ放送することに決った。

深夜、近衛師団の参謀室ではクーデターの計画者が、森師団長を説得、宮城を占領して君側の奸を斬るべく画策、降伏よりは栄光の死を選ぼうとしていた。一方、厚木三〇二航空隊の司令小園大佐は本隊は絶対降伏せず徹底抗戦の籠城を策すると部下に伝えた。また横浜警備隊長の佐々木大尉も敗北を信ぜず、大隊を動員し今夜のうちに首相や重臣を襲い降伏を阻止しようと計画している。

八月十五日、クーデターがはじまった。森師団長は射殺され、放送局は襲われ、また首相官邸、私邸、議長邸も襲われ、火が放れた。阿南陸相は遺書を残して、壮烈な自刃を遂げた。

だが、田中東部軍司令官の指揮によって反乱軍は鎮圧され、真夏の暑い太陽がじりじりと戦火に焼けただれた東京に照りつけていた正午、国民を驚かせた玉音放送が電波に乗って全国に伝っていた。

8月15日午前4時半、東京放送局を襲った反乱軍の畑中少佐（黒沢年男）は拳銃を片手に舘野放送員（加山雄三）をおどしたが、舘野はきっぱりとつっぱねた

日本4H新聞
4Hクラブ 農事研究会 生活改善クラブ
全国弘報紙
発行所 社団法人 日本4H協会
東京都市ケ谷家の光会館内 電話（269）1675
編集発行人 玉井光
月3回・4の日発行
定価 1部10円 6ヵ月180円（送料共） 1ヵ年360円
振替口座東京 12055番

クラブの綱領

私達は実践を通じて自らを磨くとともに互いに力を合わせてよりよい農村、よりよい日本を創るため四つの信条をかかげます。1、私達は農業の改良と生活の改善に役立つ腕をみがきます。1、私達は科学的に物を考えることのできる頭の訓練をします。1、私達は誠実で友情に富む心をつちかいます。1、私達は楽しく暮らし、元気で働くための健康を増進します。

近畿で4H推進会議開く
リーダーの養成へ
17、18日 京都・聖護院で

全国4Hクラブ連絡協議会（会長、丸山勝己）が昨年から事業の大きな柱として実施しているブロック4Hクラブ推進会議の今年度第一回近畿ブロック4Hクラブ推進会議は、来る十七日から三日間京都市左京区吉田の聖護院御殿荘で開催される。

……講、技術の研修を行ない、4Hクラブの推進に役立つリーダーを養成するのがねらい。

参加者は、近畿各府県連六名ずつ（十九才から二十三才までの4Hクラブ員で次期リーダーとして府県連会長が推せんした者）と全協役員六名の計四十二名を予定している。

主な内容は「4Hクラブの歴史と現状分析」についての説明、「4Hクラブの本質と組織活動」について日本4H協会新田事務局長、「4Hクラブ活動のビジョンと実践活動」について丸山全協会長の講義、同講義の内容を中心とする分科会での話し合い、全体討議、レクリエーションなどで、このほかブロック会議、第四回近畿地方農村青少年のつどいの反省会、大文字焼の見物などを計画している。

一日目は午前十一時から午後にかけて近畿のつどいの反省会、夜は七時から大文字焼を見物。

二日目午前八時からブロック会議を開き、つづいて4Hクラブ推進会議に入る。開会式のあと午前中「4Hクラブの歴史と現状分析」の説明、午後一時から新田4H協会事務局長の講義があり、ついで分科会を開き、講義の内容を中心に話し合う。夜は七時からレクリエーションを行なう。

三日目は、午前八時から丸山全協会長の講義のあと、同講義の内容を中心に話し合う。午後一時から全体討議を開き、閉会式を最後に午後四時終了する予定。

4H強化月間
大阪府連でスタート
奉仕活動も計画
「農林部長囲む会」で幕開け

【大阪府＝長谷任行連絡報道員発】大阪府農業研究クラブ連絡協議会4H部（部長、古谷伊佐雄君）は、4Hクラブの質と「府4Hクラブ強化月間」を今月中県下で自主的に展開するが、さる一日「農林部長を囲む会」……

古谷4H部長

……らは各地区から一、二名の代表（男女）と高橋府連会長、森田農研部長、古谷4H部長など十六名が出席した。

会は、高橋会長の司会で進められ、まず青少年側が各自の農業経営やクラブ活動、将来の展望などを紹介したあと農林部長のあいさつがあって自由懇談に入った。

話し合いでは、最近の府下の農業事情、4Hクラブ活動の状況、農業技術、経営と農業生活などいろいろの問題が出されたが、全般に後継者問題など都市、大阪農業らしい問題がとりあげられ、活発な意見の交換と農政への要望が出された。

最後に同農林部長から「大阪の実情に即した現実的な農政を進めたい。これからも具体的な問題を持ちよって、このような話し合いの場を重ねたい」とあいさつがあり、午後四時半ごろ閉会した。

われらが指向するもの
躍進へ羽ばたく
役員は多忙な夏おくる

高知県農村青少年クラブ連絡協議会長 久万田昭文

涼風暖風
驚いた人間の氾濫

過ぐる日曜日、多摩川上流の秋川渓谷へ遊びに出かけて驚いた。川が人間であふれているのである。

泳ぐ者、潜る者、釣る者、州で騒ぐ者、よくもこんなに出かけて来たものだと思った。これでは砂利の数とはいかなくても、魚の数より人間の数が多かろうとあきれもした。

砂利洲にはあちこちにテントが張られ、そのまわりに、炭火を持込んでバーベキューをやっているグループ、水瓜割りをやっているグループ、円陣をつくって合唱しているグループと、色とりどりである。

混雑する海を避けて、静かに釣りでも愉しもうというこちらの意図はいっぺんに挫かれた。こうなれば、こちらも群衆の一員となって、人ごみの中でバタバタ泳いでみるより仕方がなかった。

いまは、休日の過し方もむかしと違って家の中でゴロゴロ寝転がっていない。外へ出かけていって何でもやる時代だそうである。休日じゃなくて、曜日である。このごろは経済の成長とともに、日本人のバイタリティも大したものになったものである。

それにしても、この人間の氾濫は人口の都市集中のあらわれではないか。なんでも昭和五十年には、東京圏の人口は三千五百万人になるとかいうことである。

秋川にしても二、三年前はこんなではなかった。東京駅から二時間足らずで行けるということが、こんな大勢の人出を招くようになったのだろう。都会は年ごとに騒々しくなっている。

だが、ここで考えねばならぬことは、人口の都市集中といえども、大きく変転している世相の一断面にすぎず、都会にしろ、農村にしろ、現在、世の中は大きく変貌しているという事実である。

農林省は、抜本的ともいえる新しい農政の方向を打ち出そうとしている。これからは既製の概念で間に合わないことがたくさん起ってこよう。要は、自分の頭脳を新しい事態に適応できるように、明せきで柔軟なものにしておくことである。

現役とOB交歓会
佐賀・みどり4Hクラブ

【佐賀】三根町のみどり4Hクラブはさる三十三年に発足したが、このほどクラブ員とOBとの初の交歓会が開かれた。

同クラブからはすでに四十四人の会員が巣立ち、一家の柱となって働いているが、この交歓会は三十人の現クラブ員が先輩から激励される格好となり、クラブ員たちは先輩からかけられる期待をふかくかみしめた。

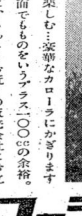

4H旗、富士山頂にひるがえる

静岡県の北駿4Hクラブが本紙を通じて全国の仲間に呼びかけた富士登山は、一都二府九県のクラブ員など約百名が参加してさる7月27日から行なわれ、29日早朝富士山頂に4H旗をひるがえした＝関連記事2面にあります。

4H活動の指導へ
高知 土佐地区連で単位クに

【高知＝西谷章博連絡報道員発】土佐地区農村青少年クラブ連絡協議会（会長、和田憲君・松ケ丘4Hクラブ所属）は、このほど土佐村西石原公民館で行なわれた高須4Hクラブ（会長、筒井順一郎君）の個人プロジェクトの中間発表に会長以下四人の役員が出席した。

これは、地区内のクラブの活動を活発にすることと、クラブ員一人一人に4H活動を自覚してもらい、さらにクラブ活動の強化をはかり、クラブ員同志の深いつながりをもたせようというもの。

なお、これからも地区連役員は地区内九つの単位クラブをしばしば訪問して、4Hクラブの活動のしかたや各4Hクラブ員の指導を行ない、クラブ活動をさらに強化していくことを計画している。

下刈りの奉仕作業
三重・青山4Hクラブ

【三重】名賀地区の青山4Hクラブは、このほど奥鹿野にある町有林の下刈りの奉仕作業を行ない夜は高尾小古田分校に宿泊、翌日同校で研修大会を開いた。

登山道整備の奉仕作業
山梨・上野原4Hクラブ

【山梨】上野原町4Hクラブは、このほど扇山ハイキングコースの登山道整備の奉仕作業をした。

扇山は日曜、祭日など緑を求めて訪ずれるハイキング客で賑わうが、最近は地元の人たちが山に登らなくなったため、ハイカーは草をわけながら登山していた。これを知った同4Hクラブが楽しいハイキングができるようにと、カマやナタを持って登山道を整備したもの。

福島でキャンプ
栃木・岩舟4Hクラブ

【栃木】下都賀郡の岩舟町4Hクラブは、このほど二泊三日の日程で福島県桧原湖でキャンプ生活をした。

キャンプ生活
高知・室戸市4Hクラブ

【高知】室戸市の4Hクラブ員はこのほど同市吉良川町黒耳の安芸海岸でキャンプ生活し、そ菜、畜産、果樹などの栽培、育成について話し合い、またキャンプファイヤーなどで楽しんだ。

経営状態を視察
北海道・釧路村4Hクラブ

【北海道】釧路村4Hクラブは、このほど同寒町内の酪農家とそさい栽培農家の経営状態を視察して回った。

目立つ女性の発表
山梨県の技術交換大会 規律と若さあふる

【山梨県＝小野好道連絡報道員発】農村青少年の向上をめざす山梨県、県農村青少年クラブ連絡協議会（会長、伊藤基君）の共催、南都留郡勝山村後援による山梨県農村青少年技術交換大会は、さる七月八日秀麗富士のふもと勝山村公民館に県内七十の4Hクラブ代表約五十名が参加して開かれた。

第一日目は、川口正之県農業改良普及課長補佐、伊藤県連会長のあいさつ、堀内富士吉田市長、在原好勝勝山村助役の祝辞、白倉市郎岳麓農改普及所長の歓迎のことばのあと日程にしたがって、演示発表はじめ意見発表、分科会ごとの話し合い、クラブ活動状況の交換、レクリエーションなどが行なわれた。

演示では東八代郡連代表の大竹豊子さん、竹下礼子さんの「ハスの利用について」など六地区の代表から日頃の研究成果について発表があった。これまでの男子中心の発表から今回はとくに女性の発表が目立った。

意見発表は「農村青年はいかにあるべきか」というテーマでOBの立場から甲府地区連の柳沢保君、また新しい農村青年の立場で塩山地区連の村松君が発表、二人の意見発表をもとに六分科会に別れて話し合いをした。

レクリエーションでは地元岳麓地区代表がユカタ姿で河口湖音頭など民踊を披露し参加者の拍手をあびた。

八日はあいにくの雨。しかしプロジェクト活動の体験と工夫で得た技術の演示、農村青年はいかにあるべきかをテーマにした分科会討議、レクリエーションなどどれも次代をになう農村青年らしい規律と若さがみなぎっていた。

高原の朝はさわやかである。朝六時起床、広場でラジオ体操のあと「郷土を美しくする」という4H精神に基づいて宿舎近くの一朝台という岡に登り、一時間清掃奉仕。クラブ員手づくりの朝食をすませ、十時から河口湖畔でグループ別に技術競技をおこなった。技術競技を終る頃あいにくの雨。全員公民館に帰り午後から体力測定やレクを楽しみ、あいにくの雨のためキャンプ教室、三日目の三ツ峠登山をみあわせ午後四時散会。

十月に「大会」を計画
高知県連 県青少年福祉センターで

【高知＝西谷章博連絡報道員発】高知県農村青少年クラブ連絡協議会（会長、久万田昭文君）では、このほど高知県庁で役員会を開き、十月下旬に行なわれる高知県農山村青少年大会の日程などについて協議した。

その結果、大会は、十月二十八日から三十日までの三日間、いま香美郡野市町に建設中の県青少年福祉センターで実施することになった。

参加人員は一千五百人を目標とする。主な内容は、技術競技はじめ、講演、話し合い、レクリエーション（ソフトボール、キャンプファイヤー、フォークダンス）実績発表（若い農業経営者コンクール入選者の発表）など日頃忙しい毎日を送っている農山村青少年のため有意義で、たのしい大会にするよう役員一同張切っている。

農業や生活を語る
岐阜市4Hクラブ 農高分校生徒と交歓

【岐阜】岐阜市4Hクラブ（会長、近藤清美君）は、さる七月十九日午後一時から岐阜農林高校黒野分校生徒と第三回目の交歓会を同校体育館で開いた。

この交歓会は、岐阜市4Hクラブの提案によって二年前から行なっているもので、同日は岐阜市4Hクラブ員二十五名、分校女生徒三十名、本校（岐阜農林高校）男子生徒三十名、それに美濃市4Hクラブ員六名の特別参加もあって盛会のうちにすすめられた。

岐阜市4Hクラブ員と学生との間で「これからの農業」と「農村生活のあり方」の二つのテーマについて話し合いが行なわれたが、農業については、クラブ員から、いままでの農業の体験を通じた悩みや将来の希望、計画など、また学生側からは、学校で学んだことを今後大いに活用して農業に役立てたいと熱意あふれる抱負が述べられた。

このあと美濃市4Hクラブ員と食事をともにし歓談した（同4Hクラブ事務局、早川健治君より）

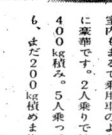

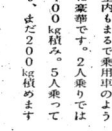

交歓会で勢ぞろいした農高生徒と関係者のあいさつ

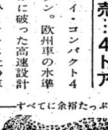

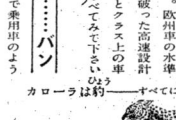

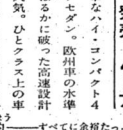

心頭技健

全国の4Hクラブ員が、一つの目的のもとに自主的に集まり、友情をつちかい仲間意識を高揚する。と同時に肉体的、精神的な耐久力の試練を受ける登山を通じて人間の美しい心があやなし、その苦闘のあとに生涯忘れることのできない青春時代の楽しい思い出が残る。すばらしいことである▼静岡県の北駿4Hクラブが本紙を通じて全国の4Hクラブ員に呼びかけた富士登山と交歓会は、一都二府九県（岡山、愛知、岐阜、静岡、長野、神奈川、千葉、埼玉、栃木）の4Hクラブ員、それに全協、地元青年団員など約百名が参加して、さる七月二十七日から三日間にわたって行なわれた。参加者は友情をかわし富士山頂の征服に喜び、その思い出を胸深く刻み込んだ。そしてこの機会を与えてくれた北駿4Hクラブ員たちに感謝し、その活躍ぶりを讃えた▼このように単位クラブが4Hの旗印のもとに、全国の仲間に呼びかけて行事を行なったのは今回が初めてである。しかも、まだ発足後一年五ヵ月しかたっておらず、また平均年令が二十才以下という同クラブが、手際よくやってのけた。4Hクラブ員が持つ無限の可能性の探究でもあるが、やはりここまで力を発揮できたのも日頃のクラブ活動における訓練がものをいっていると思われる▼綿密な計画、周到な準備、情熱、行動力、正しい問題解決の態度、友情など富士登山を通じてみせたそれらが物語っている。キャンプファイヤーでは、4Hクラブ員はダンスが踊れない人も多く、即興の芝居も出来ないだろう、ということで地元青年団員をかり出したあたり心にくいばかりではある▼ともかく、参加者全員が頑張った。多府県のクラブ員が規律を守り、自分のために迷惑をかけまいと最後まで努力し、お互いに助け合ったことも成功の大きな原因であるといえよう▼この時期は全国的に技術交換大会がたけなわであったにもかかわらず、これほどのクラブ員が全国から集まったことは、富士登山という魅力があったとはいえ、すばらしいことである。これこそ自主的精神の発露であり、4H精神、仲間意識の高揚である。▼こんど、このような呼びかけが各地でおこり、それを実践していくなら4Hクラブ活動の発展の上にも、大きなエネルギーになるものと思われる。

全国の仲間富士山に集う

静岡県御殿場の北駿4Hクラブ（会長、滝口建夫君）が本紙を通じて全国の4Hクラブ員に呼びかけていた富士登山と交歓会は、一都二府九県の4Hクラブ員など約百人が参加して去る七月二十七日から二十九日までの三日間、富士と駿東郡小山町湯舟高原ハウスなどを会場としてくりひろげられた。4Hの旗印のもとに自主的に参加した全国のクラブ員は、キャンプファイヤー、話し合い、富士登山などを通して友情をつちかい、青春時代の楽しい思い出を胸の奥深く刻みつけた。みんなが、発足後一年五ヵ月しかたっていない北駿4Hクラブがみせたその力を讃え、感謝した。ここでクラブ員の心に灯された火はやがて大きな広がりとなっていくことだろう—以下はその同行記である。

意地でも登るぞ!!
しっかと結ぶ友情のきずな

一息入れたあと、4H旗をなびかせながら再び火山灰の坂道を登る参加者＝六合目付近で

一日目　高原の宿で夜の宴

午後五時、静岡県の御殿場駅。登山客などで賑わう改札口にひときわ目立つ4H旗。その下に滝口会長や同クラブを代表して本紙を通じて全国の仲間に呼びかけた江藤雅子さんらが顔をそろえていた。午後一時から同所で受付けをしていたが、当日到着予定者はほとんど集まったということだった。すぐにクラブ員に案内されて宿舎の小山町湯舟高原ハウスに向う。駅前からバスが出ているが、クラブ員の車をかり出し参加者を迎えたという。ハウスは、民家を改造した旅館で、棟続きで牛舎がある。そこに、富士へ挑むため全国から集まった同志がいた。中には、自転車できた埼玉県の4Hクラブ員二人もいた。

まもなく、ハウス玄関前の広場に雨戸、かいば桶のような箱、黒ずんだ電柱を組み合わせてインスタント食卓がつくられ、これを囲んで楽しい夕食どきを過した。食事ははじめ地元女子クラブ員の手料理を全国のクラブ員にご馳走しようという計画もあったが、中毒など万一のことを考えて給食センターの弁当にしたという。しかし、みそ汁つきだ。湯茶をついで回る女子クラブ員の心ゆく接待ぶりに、参加者一同旅の疲れをいやした。

次第に陽はかげり、窓辺に灯ともる七時十五分ごろ、同所で開会式に入った。開会のことば、滝口富士登山実行委員長のあいさつ、役員紹介、日程、登山案内、注意事項の説明につづいて小山町農林課代表、岡田全協事務局長、中村北駿農改普及所長補佐らから激励と祝辞があって終了。4Hクラブの歌などのレッスンのあと、こんどは歓迎のキャンプファイヤーが隣接する広場に会場を移してくりひろげられた。

きらめく星の輝き冴え、すだく虫の声いよいよ高く静寂の世界に誘われるとき「遠き山に陽は落ちて…」の大合唱が夜のとばりを破って響きわたる。やがて仙人の姿をした滝口営火長のかかげる火が暗闇の中に一筋の線を残して入場、「われわれは実践を通じて…」—4Hクラブの綱領朗唱とともに四つのHに、そしてマキに点火。「燃えろよ燃えろ……」の合唱にあわせて火は勢いをまし、天をこがさんばかり。参加者は自己紹介をはさんで、フォークダンスや出し物、それに富士踊り、金時踊りなどを地元クラブ員の姿をまねて、夜のふけるのも忘れ、輪になって踊り興じた。そこには友情で結ばれた若者だけが味わえる世界があった。この歓迎会には、地元婦人会の人たちと青年団の団員も参加しムードを盛り上げた。

夜は、テントで寝た一部の地元クラブ員を除いて、しのぎよく、明日にそなえて熟睡した。

二日目　苦闘、富士山への挑戦

高原のさわやかな朝を迎えた。雲間からそそぐ太陽の光線がまばゆい。宿のおばさんも「天気はいい方ですヨ」と太鼓判を押す。広場でバレーボールをするクラブ員たちの顔も明るい。今日はいよいよ待望の富士登山である。

昨晩と同じように朝食をすませたあと、八班に別れて午前八時から宿舎や木陰で話し合いをした。テーマは自由だったが、やはり話題は農業経営やクラブ活動、郷土の自慢話しなどに集中。農業では専業と兼業、構造改善、基盤整備、今後の心構え、またクラブ活動では、女子クラブ員の問題、他団体との関連などについての悩みや希望意見をかわしていた。

十時、一般クラブ員は貸切りバス、地元クラブ員は自家用車で名所見物へ出発。地元クラブ員の説明を聞きながらまず富士スピードウェイへ足を進めた。同所は世界最大の規模と最高の設備を誇るレース場。一周六㌔、高速型のロードコースで先日は世界的に有名なインデアナポリスが開かれた。時速百五十から二百㌔のスピードで傾斜を走る競争車の快音を耳にしながら同所を後にした。

百万坪に二十万基が収めてある公園墓地、富士霊園（土地二坪墓石つき、十万円）をめぐり、須走口の浅間神社へ。木陰で昼食をとったあと三台の登山バスに分乗して、須走口五合目へ向った。焼けつくような炎天、火山灰がいや応なく車窓から飛び込んでくる。間もなく霧がかかり、砂じんと見分けがつかない。やがて須走口五合目に到着した。海抜二千㍍。やはり涼しい。

一息入れたあと午後一時半ごろ4H旗をなびかせながら頂上めざして力強く富士に足を踏みつけた。

天然クーラーのような涼しさ。ひとりでに足が進む。そのせいかかなり早いピッチである。次第に汗がにじみ出る。先頭と最後尾はトランシーバーで連絡をとっているもののその間隔は開くばかり。班ごとに歩いていた列も次第に乱れ、遅れる人が出てくる。クラブ員の間から「休けい」という声がかかる。それを励ます地元の女子クラブ員。先ほどまで聞こえた歌も、談笑も消えて、もくもくと足をはこぶ。五合目から次の休憩点である本五合目までは頂上までのうち最も長い距離だ。本五合目に着いたときには、茶屋を目の前にしてどっかと火山灰に腰をおろし、身じろぎもしない女性が多かった。

富士山の八合目のムロ（山小屋）でアルバイトをしている北駿4Hクラブの杉山君が同僚とともに迎えてくれた。ここから女性を先頭にして、杉山君の案内でゆっくりと同じ歩調で再び火山灰を踏む。みんなが助け合い、落伍者を出すまいと誓った。二、三十分歩いては「合目」ごとに五分から十分の小憩をとったが、今度は「本何合目」だという声に、今のは嘘だったのかというせつない声がかえってくる。はるか上に白雲抱く頂上、はるか雲の下にのぞむ街。もうひき返すことはできない。ときおり足もとから雷鳴が聞える。寝不足と疲労のためか途中でめまいした北駿の女子クラブ員もいた。しかし、みんなスタートのときより調子がよかった。こうして夕闇せまる午後六時ごろ八合目のムロに到着、宿をとった。杉山君のお姉さん、良子さん（北駿4Hクラブ員）もここでアルバイトをしていた。

さすが外気はつめたい。防寒衣を身にまとう。出された一杯のあついみそ汁がすごくうまかった。中味が何であるかは別問題であった。水はコップ一杯二十円である。

一枚のふとんに三人が横に並び、その反対側からまた三人が交互に足を入れて寝る。身動きはできない。防寒衣のままなので次第に汗がにじんでくる。次々に訪ずれる登山客の話し声などで寝苦しいが、疲労が睡眠を誘った。リックで防壁を築く女子クラブ員の手を握った男性がいたというが幻覚の中であったろうか。

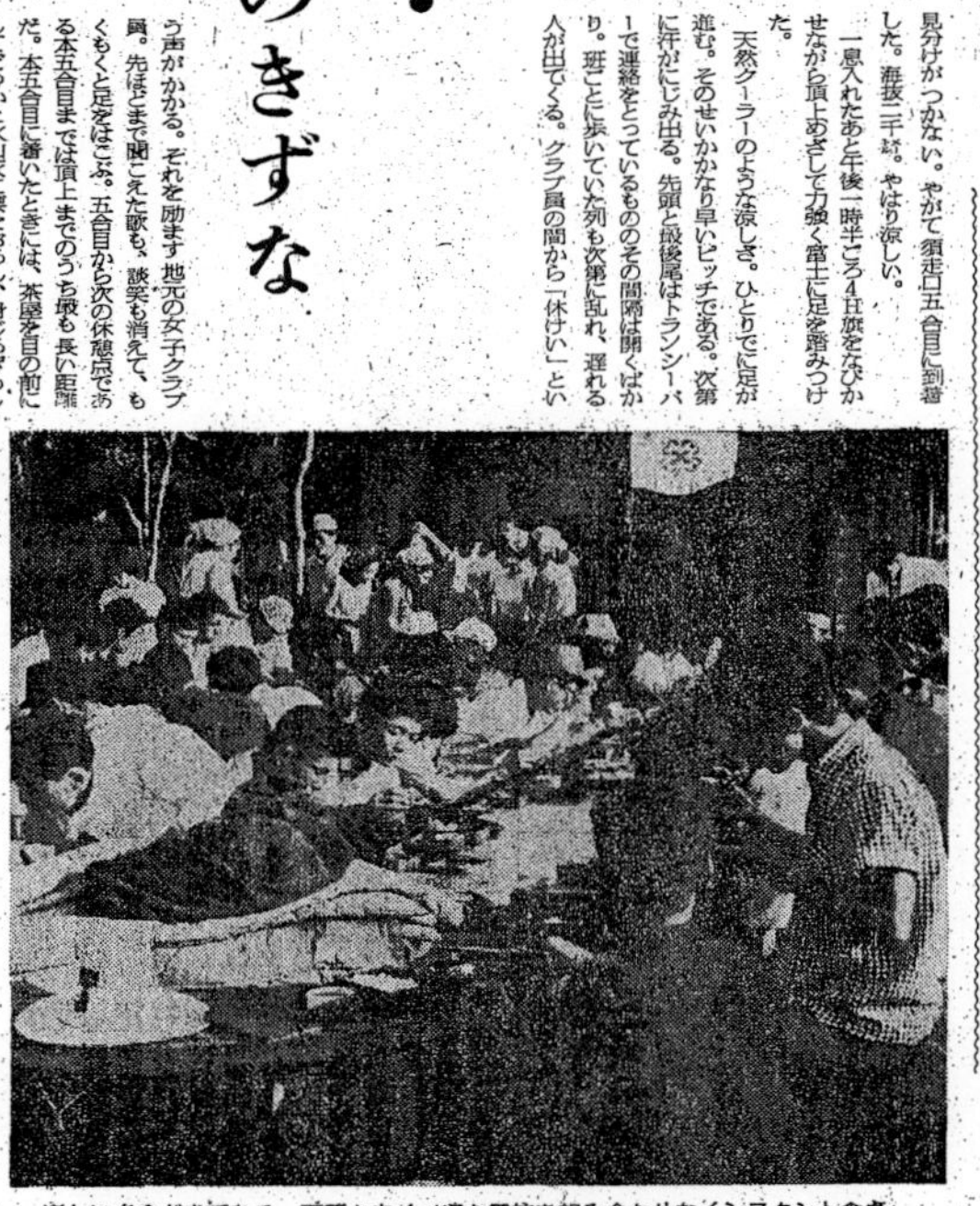

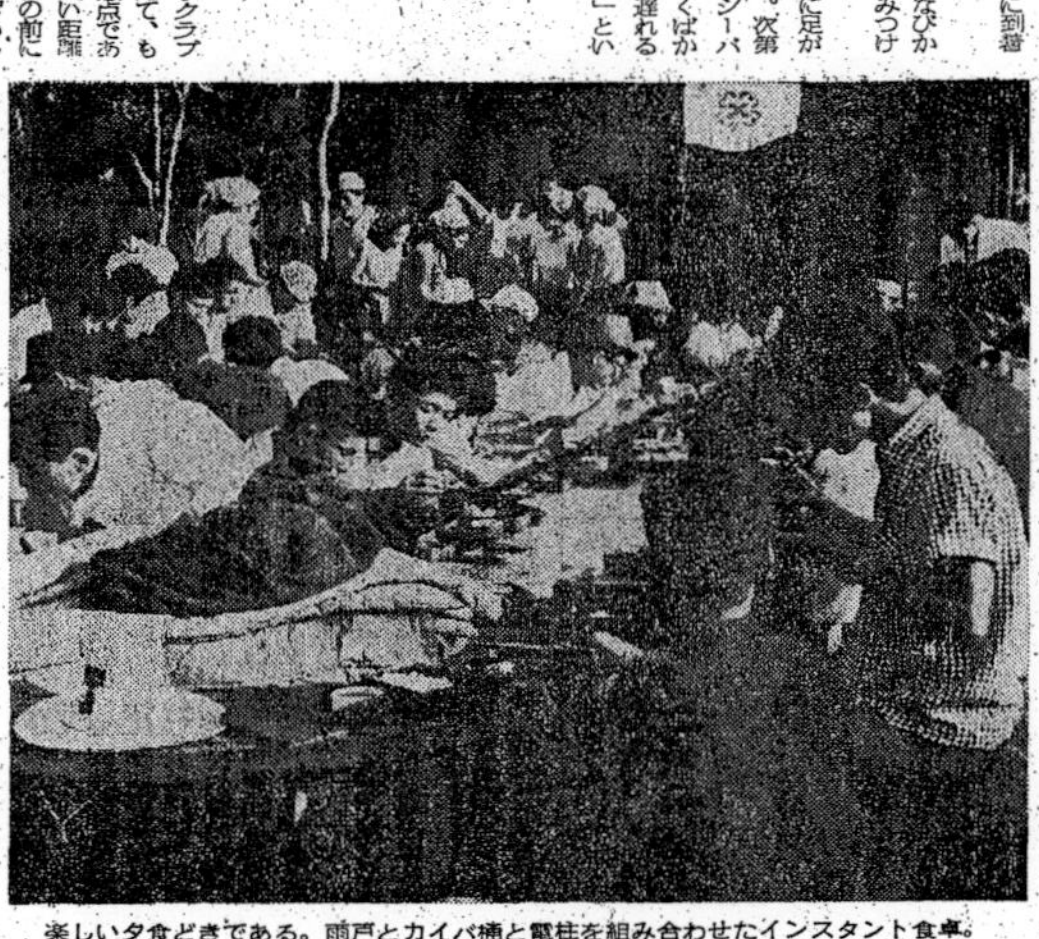
楽しい夕食どきである。雨戸とカイバ桶と電柱を組み合わせたインスタント食卓。女子クラブ員の快い接待で旅の疲れもふき飛ぶ＝1日目高原ハウスで

三日目　ついに頂上を征服

あたりの騒々しさに目を覚ましたのは午前二時半ごろだったろうか。ねむい目をこすりながら出発の準備にとりかかる。三時過ぎ人員点呼のあと山頂をめざして新たな力をみなぎらせて登り始める。はるか下に見える街のあかり、頂上に続く懐中電灯の光の線、山小屋のあかりが暗黒の世界に映えて美しい。八合目半付近であったろうか、山道にふとんをひいて寝ている登山客がいた。このあたりから列はストップしたり、徐行の連続となった。登山口が合流したのだ。次第に東の空が白らじゃけ、足もとを明るくした。まさに蛇行である。ここから胸つき八丁、一番の難所と云われるところだ。足もとから石が崩れ落ちる。みんな大声でさけぶ。空は紫色からくれないに染まり御来光の近きを告げる。しかし辛い。はやる若い人たちをよそに、顔を青くしてヘドを吐く登山者がふえた。4H一行の間隔もあくばかりだった。男子クラブ員でさえ「辛いとは聞いていたがこれほどまでとは……」「精神と肉体の耐久力をためされているようだ」「意地でも登るぞ」と可能性の限界の試練に歯をくいしばる。みんな頑張った。昨夜吐いた女子クラブ員も全力をふりしぼった。こうして五時過ぎ、ついに全員が山頂征服に成功した。みんなが待ち望んでいたその瞬間が現実に来たのである。滝口会長は前夜、宿舎で「三分の一くらい高山病にかかるのでは……」と心配していたが、それは危惧に終った。なんとすがすがしく、美しい朝であったろうか。御来光はあいにく雲で妨げられたが、それ以上に4Hの旗印のもとに全国から集まったクラブ員の心の中には、ほのぼのとした温い光がさし込んでいたに違いない。

山頂はまさに銀座のにぎわいである。山頂めざして進んでくる登山者が蟻の列のようだ。ここで一服したあと、すぐに下山した岡山のクラブ員を除いて全員が午前六時からお鉢めぐりへ。白銀の火口を眼下にしながら錦明水のそばを通って気象台測候所のある、まぎれもない山頂へ足を進めた。途中、残氷の傾斜を滑って無心に興じたり、えぐりとられたような断崖絶壁にしばし足をとめて涼風にひたった。そして、ついに三千七百七十六㍍、富士山頂にたどりついた。

八時ごろ浅間神社で、杉山さん姉弟らと別れを告げ須走下山道を下った。頂上を征服したクラブ員は疲労を回復、あるいはさらに元気を出して一路六合目へ。この附近から本格的な砂走りが始まった。四十度以上の傾斜、一歩ごとにズズズスーッと滑り落ちる。霧が下から吹き上げ、その中を三三五五、クラブ員が走る。肩を組み、あるいは手を握って進む女子クラブ員—幻想的な世界が描き出されていた。この快適さはまさに富士のだいご味といえよう。しかし御殿場口新二合目に着いたときには、焼けつくような炎天が待っていた。

十一時過ぎ下山バスで御殿場駅へ。昼から御殿場農協新橋支所で閉会式とお別れ歓談会が開かれた。閉会式では開会のことばのあと滝口会長が「私たちは精いっぱいやりましたが……」と感慨深げに言葉少なあいさつ、この日の思い出を忘れないでほしいと呼びかけた。

つづいて同農協のもてなしで反省会をかねたお別れ会にうつった。各府県クラブの代表者がそれぞれ感想を述べたが、殆んど全員が初めての富士登山であっただけに「これまで登る機会がなかったが、こんど呼びかけていただいて登ることができた。本当に楽しかった。青春時代のよい思い出になった」と異口同音にその感激を語り北駿4Hのクラブ員に感謝した。ある女子クラブ員は、いままで漠然としていた4Hに対する認識がこの登山を通じてはっきりわかったような気がするともつけ加え、またあるクラブ員は気分が悪くなって迷惑をかけたことを詫びた。登るときは誰れもが苦しかったようだが、今はただ楽しい思い出だけが残っていた。参加者がひとしく生涯忘れることができないだろう。みんなが別れるころ夕立がはげしく大地をうっていた。

北駿4Hクラブに拍手

滝口会長

北駿4Hクラブは昨年二月、御殿場市と駿東郡小山町の人たちが集まって結成された（初代会長、西山利明君）

現在、会員は三十三名だが、実際に活動しているのはこのうち二十五名。男性が十二、女性十三という割合で、女子クラブ員が男子クラブ員より多いのは県下でも同クラブだけという女性優勢のクラブ。このためクラブ活動においても女性の発言力が強く、ときどき執行部がつきあげをくうという。今度のキャンプファイヤーでも女子クラブ員が指導し、参加した男子クラブ員にハッパをかけていた姿をみてもうなずける。

また平均年齢が若いのも特徴。女性は大体十九歳、男性は十九歳半で、みんながなんでも吸収しようという行動的な人たちばかりだ。それに会合では、司会を持ち回りにしてみんなが発表や意見をまとめる能力を養い、また何かあった場合は、原稿用紙一枚でもよいから必ず感想文などを書くようにしている。みんなが体験して問題解決の正しい態度を体得し、一人一人が完成された人間に成長しようと努めている。今回の富士登山で他府県のクラブ員が「北駿4Hクラブの人は男性も女性もみんなとてもいい人たちばかりだ。みていても気持がいい」と語っていたが、その秘訣、源泉はこんなところにあるのかも知れない。

同クラブは、田んぼ二〇㌃、畑一〇㌃の試験圃場をもち実験栽培と取り組んでいる。この圃場は近くの民有地をほとんど無償のかたちで借り受けたもので、新技術、農薬、肥施などから土壌調査などまで行なっており、その益金をクラブ活動の資金源に当てている。一挙両得の試験栽培だ。

こんどの富士登山は、全国4Hクラブ中央研修会や夏の全国大会などで「近くには行くがなかなか登る機会がない」という他府県クラブ員の声が多かったことや仲間づくりを図るために企画したものだが、いつも日中開いている会合がこんどばかりは夜にもくい込み、会合の連続だったという。また予定していた独自のキャンプファイヤーをとりやめ登山に全力を注いだことからクラブ内から反発もあったそうだ。この三日間中にもクラブ内で衝突があったというが、それらを乗越えてよくやった。単位クラブがこのように全国の仲間に呼びかけて行事を成功させ、友情のきずなを深めたのは初めてである。いま同クラブのようにできる単位クラブが全国に果してどの位あるだろうか。最高の讃辞がおくられるだろう。ただ願わくば、「4Hクラブ」について、一人一人がもっと深い認識をもっていってくれればと思う。

4H旗をバッグに参加クラブ員の記念撮影

女性が約半数
高知・嶺北地区の技術交換大会

【高知県＝西谷貴博連絡報道員発】高知県農村青少年クラブ連絡協議会（会長、久万田昭文君）では、今年度事業計画の一つであるブロック技術交換大会をさる七月から九月にかけ県下七ブロックで行ない、着々とその成果をあげているが、そのうちの一つ、嶺北地区農村青少年クラブの技術交換大会が、さる七月十五、十六の両日にわたって開かれた。

同日は好天に恵まれ、土佐地区から九つの単位クラブの会員約四十名と大豊地区から五単位クラブの会員約五十名、それに特別参加として土佐山田4Hクラブの十五名、合計約百名が参加した。

ことに今回は、女性の参加が非常に多く、参加者の約半分を占め花やかさをそえた。

大会第一日目は、午後一時から開会式とオリエンテーションに続いて技術競技を行ない、そのあと分科会を開いた。分科会のテーマは❶農村青年のあり方❷農村青年の生き方❸現在の青年と将来の青年❹青年活動のあり方—の四つで、このテーマにもとづいてそれぞれの分科会（四分科会）で討議を行なった。夕方は、県立帰全公園の川原でキャンプファイヤーを盛大にくりひろげた。

第二日は、朝のラジオ体操とレクリエーションのあと前日にひきつづいて分科会を開いて話し合った。ついで全体会に移り、分科会の発表や大会の反省、今後の大会の内容などについて意見を交わした。

このあと技術競技の成績発表と表彰が行なわれたが、知事賞は、高相4Hクラブの式地幹夫君が獲得した。昼からはソフトボール大会を展開し、大豊4Hクラブと土佐4Hクの間で決勝戦を行ない大豊チームが優勝した。午後三時から閉会式を行ない、続いてフォークダンスで楽しみ四時半に散会した。（記事と写真は土佐4Hクラブ会長、和田豊豊君より）

今後は高等園芸と畜産の多頭化で
群馬・三郷4Hクラブ　地元議員囲んで懇談

【群馬＝吉沢功連絡報道員発】伊勢崎地区の三郷4Hクラブ（会長、石田準作君）は、農業青年会議所と共催で、さる七月二十六日同所で地元市会議員を囲んで懇談した。

話しあいの内容は、四月に行なわれた統一選挙における公開質問状に対する回答説明と具体的な意見、三郷地区において本年度から行なわれる構造改善事業、市会の傍聴時期などである。

話し合いでは、まず都市近郊農業の位置づけについて「三郷地区は、伊勢崎市の北部に位置しており、駅が比較的近いということから近年宅地が激増しており、また工場の進出で農地が毎年縮小されていままで行なってきた米、麦、養蚕の経営では一本立ちは望めない。高等園芸の推進と畜産の多頭化で専業経営が望ましい」ということにクラブ員も議員も一致した。

しかし疎菜園芸、花卉などはよいが、近郊地帯においては畜産の多頭化にも問題がある。そこで次にこの問題について話し合った。

畜産経営の多頭化に伴う公害、衛生問題とその対策については「これからの畜産経営を考えた場合には、密集民家から離れて設置するのがよく、畜産団地の造成、あるいはし尿処理場の設置などを行なうことが最もよいことであるが、現在の段階ではまだ無理な状態なので、完全浄化槽の建設、またはバキュームカーの購入などに大幅な資金の融資と補助の交付など関係当局に働きかける必要がある」という意見が多かった。

また、農業後継者育成対策については「農業後継者のクラブを地域的に結成させて、市においてその団体を育成指導するとともに、一般産業の所得格差、農産物の安定、流通機構の改善を図り、農家生活の向上に努めるようにする」など真剣に話しあった。

4Hくん No.100　桜井はじめ

私のプロジェクト

経営規模の拡大に繁殖養豚に取り組む

伊藤一美 (19)

経営の拡大に繁殖養豚

経営のカベは資金問題

経営の実際

収をはかるか、しかも、冬期間の幾年かかる返済期間、それについて……相当額の経費を見とおして細心の注意をし、豚舎内の清潔を維持する……

子数、育成率、種付及び……四点に要約される。群飼の……当り、個々に発情適期をつかむことは困難なので、放飼して自由種付を行わせるしたが、自由交配の場合、……定日の確認に難点があるので、……分に注意するようにして……子数については初期種付の……改善、黒子防止のため脳……射をし、育成率を高める……剤の注射、駆虫等を確実に……圧死防止のための分娩柵の……は絶対に守らねばならぬ……

すすんでいる農業の新技術 (15)

農薬の流水施用方法の確立

防除効果と省力化の新方法

流水施用の条件と方法

流水試験と防除効果

第1表　BHC粒剤の流水施用による二カメイチュウ第1世代防除試験

試験区		被害株率	被害茎率	心枯茎率	備考
流水施用	A	12.50%	0.89%	0.11%	BHC粒剤2kg/10a
〃	B	13.34	1.00	0.19	
〃	C	30.83	5.33	1.28	
慣行EPE散布		20.83	1.68	0.59	1,500倍
無散布		62.21	12.16	4.64	

普及可能な流水施用法

……で、とくにA圃の効果は、従来のEPN……の〇倍散布区よりまさって……このことはBHC……ュウに対する致死含有量で〇・一ppmであれば充分であると……うかがわれる。

……施用は上に述べた……資類はとくに必要……、経費も非常に少……の防除効果においても……散布に少しも劣る……などから、まった……技術ということが……に近年強力な農薬……殺類の併殺が問題……が、この方法では……殺にかかることが……の点からも非常に……といえよう。また……布の労力が全くな……除の際にも水田内……要もなく、省力化……一手段である。……いないが、それは……によるより、害虫……因するものが大き……られる。すでに一……の方法に注目し、……する従来の固定し……法による実際防除……く展示圃などにお……とり入れている。

この方法が普及される立地条件としては、平坦部水田はもちろんであるが、とくに山地水田でへり散布や畦畔、農道が狭く大型防除機による防除ができない地帯の害虫防除法として、非常にすぐれた特長をもっている。

解決すべき問題点

本法においてもなおいくつかの問題点が未解決となっている。第一に防除面積の拡大である。一ケ所に設置した農薬によって防除可能面積は現在のところ二〇～三〇アールが限度のようであるが、これをさらに大幅に増す必要がある。そのためには農薬の形態をかえ、例えば特殊な油剤にするとか非常に浮遊性に富んだ製剤にする。第二は灌漑水が豊富で灌水が自由にできる必要がある。またかけ流し方式によって灌漑できることが望ましい。第三はニカメイチュウ以外の害虫防除が残される心配がある。従来の茎葉散布では同時にウンカ、ヨコバイなどもかなり防除できたが、この場合にはそれらの効果が落ちるか全く期待できないおそれがある。この点については滲透性殺虫剤の利用などによって解決される可能性も考えられ、今後更に研究する必要がある。（農林省農事試験場・虫害第一研究室）

トマトの特産地作りに 三段摘心の密植栽培

京都市南区久世上久世　久世農協青年部　戸倉貞明 (20)

ハウスの地域栽培の確立へ

計画実現に全力を投入

市場の有力性を生かす

三段摘心密植栽培の概要

栽培上の注意と創意工夫

……つらしによって締った苗を作る。二、本田では定植後は❶花房の開花を揃えること❷玉揃えをよくすること❸玉の太りをよくすることこのように定植初めから玉の肥大期までの管理は三段揃えとする。

しかし初年度は、この三点を混同して、花が咲く頃に玉の肥大をはかるような管理をしたり、定植始めから肥料を効かせて本田で木作りになって失敗した。そこで二年目は、第一花房を三段揃えの管理として❶第一花を摘花して開花を揃える❷適度の温度を保つため三〇度C以上の高温にならぬよう換気に努めた。以上の工夫によって木勢が調節でき、玉の肥大も順調になった。定植後二〇日位までが玉伸びのよいトマトを作る最大のヤマ場である。特に当地方は夜温の低下、日照不足などの条件にあるので、初年度は十一月一日播種、一月下旬定植では活着期が最低気温にあい、その後の生育、収量に影響した。

そこで二年目は、播種を半月繰り上げ、定植活着を最低気温までに終るように持っていったため、成育も良好で二四〇〇箱の収量を上げることができた。

特産地作りと将来の方針

以上のように二ヶ年の体験によって第2表の決算に示すように粗収益七九万円で、純収益五八万円となり、一日当り労働報酬は三、三五二円となった。これは従来のホウレン草の一日当り労働報酬一、〇〇〇円と比較して格段の差のあることが判った。このよう……

第1表　私のトマト密植栽培概要（40年度10a当り）

月日	作業名	摘要
10.15	播種	品種米寿5cm条まき床土4cm冷床
11.5	薬剤散布	本葉出初め以り7日に1回ダイセン700倍
11.20	第1回移植	本葉2.5枚9×9cm床上7cmコモカク最低12～
〃	元肥施用	堆肥800kg鶏糞300kg 1B化成80kgみつか石灰100kg
11.25	ビニール被覆	
12.20	第2回移植	本葉5～6枚苗をきさせないため灌水をひかえ
1.5～10	定植	6000本定植、10日後ホルモン処理できる苗
115～20	第1回摘花 1段ホルモン処理	第1花房花させることにより開花を揃える
2.5～10	第2段ホルモン処理	〃 トマトーン60倍液噴霧
2月下	換気、灌水	十分換気し、初めたら畦間灌水
	第3段ホルモン処理	トマトーン80倍液噴霧
	摘心	ホルモン処理の頃出来るだけ早く本葉2～3残し摘心
1中旬 4下旬	薬剤散布	ハカビボドー疫病防除のため10日にトリアジン　マンネブサニパー
4.10	第1段収穫初	
4.25	第2段収穫初	
4末	収穫最盛期	1日80箱
5.5	第3段収穫初	
5.20	収穫終り	2400箱　4月50%　5月50%

第2表　ハウストマト収支決算（昭和40年度10a当り）

項目		金額	摘要
収入	売上金	792,000円	収量(4Kg箱)2400箱×@330円
支出	ハウス建設	18,486	
	肥料	41,646	
	資材	4,214	
		8,540	
	ハウス建設人夫	12,000	
	計	84,886円	
	種苗		
	農薬	13,200	
		5,500	
出荷費	トンネル支柱材料	4,980	
	トンネル用ビニール	7,000	ポリ0.05(300)400m×3,500円% ビニール2,400枚×150円紙ナワ2ケ×1,100円紙箱2,400×29円
	出荷容器	75,400	
	運賃	12,000	2,400箱×@5円
	市場手数料	6,737	792,000×0.85
	計	127,052	
	支出合計①+②	216,938	
	差引収益	580,062	
	1日当り労働報酬	3,352	ハウストマト栽培労働173人

暖かい雪 (29)

田井専六　米良武子 画

盆の月 (二)

街路樹の幹に凭れて、ぼんやりバスを待っている淳子に、声をかけたものがあった。

「やっぱり君か、バスを待ってるんだろう—」

大野健一だった。

「そうよ」

「ぼくのオートバイの尻に乗ってくれるだろうね、光栄だな」

「誰も乗るっていわないのに—」

「混み合う夕方のバスなんかよりオートバイの方がいいに決まってるよ、ね、乗れよ、君の家の前まで送るから」

「また酔っているんじゃない」

「仰しゃるとおり、でもたったビール一本、大丈夫だ。性根はたしかだ。絶対酔っぱらい運転でつかまったりはしないから」

「じゃ、乗せて、でもスピード出し過ぎたり—」

「心配ないったら、さ、乗れよ。おっと待った。それよりぼくは腹ぺこで、駅の食堂でラーメンでも食って帰るつもりでここへ来たんだ。でないと、途中で飢え死にする危険性が多分にある。つき合えよ久しぶりだ」

「飢え死だなんて大袈裟ね、つき合うわ」

「有り難い、駅の食堂へゆこう」

大山へ村岡卓二とドライブして以来、すっかり元気をなくしていた淳子は、人の混み合う平凡な駅の食堂で、ラーメンを食べようという健一と、何のこだわりもなくうきうきして、並んで歩いた。

駅前にオートバイをおいて、二人は駅の二階の食堂へ上っていった。時間が時間だから、いっぱいの人である。やっと席をみつけて座ると、近づいてきた少女にラーメンを注文し、だされたおしぼりで、健一は、ごしごし顔の汗を拭った。そんな仕科など、おしゃれの卓二には、全然みられないことである。

「どこで、誰と飲んだの？」

「つい、その向うの立ちきゅう酒屋さ、秋蒔き野菜の種子を買いにきたら、同級生にであってね。君……

……んとぼくの親父の主義だ……のことはしょっちゅう対……に、これだけはすぐお互……しだって、かわいいじゃ……

「そうね。まあいい傾向……」

「只の酒を飲むと胃癌に……」

「まさか—」

「本当だよ、ぺーさんが……の、さ、ラーメンが来た……」

二人の間におかれた合……れを、健一がすぐ手にと……

「わり勘よ」

「冗談いうな、ぼくが誘……ないか」

「でも乗車賃よ」

「乗車賃とったりして乗……義だ」

「なら、乗せていらない……」

「どうぞ、乗るなよ、バ……でてしまったころだ。ほ……のバスを待ちなさい」

「待つわ、ラーメンで腹……して」

「こらっ、君は、どうし……からぼくのいうことを聞……嫌つくんだ」

「仕方がないわ、だって……いったんでしょ、犬と猿……—」

「笹川のお喋りめ、畜生……

……を乗せて帰るんなら、トラ……出ればよかった。酒かな……ら—」

「だいぶ、飲めるように……？」

「それが、駄目なんだ。……でる。うまれつきって、……ないんだね、ときどき親……の上前を、少しはねたり……ーニングするんだが、ど……ない。もっとも親父だっ……

……生活やこのごろ町会議員……多くなったから、やっと……うになったらしいが—」

「そうね、あたしの父な……うよ、町会議員って、よ……会を作るらしいのね、い……」

「そういうな“飲むなら……で—”というのが、君……

わがクラブ　わが同志

なかまを得た喜び
自己をみつめる鏡にも

茨城県真壁郡協和町 門井協和園芸クラブ　海老沢暁

私たちのクラブは、昭和四十年二月に発足し、現在クラブ員十三名で活発に活動している。

私も同年七月に入会し、現在までやってきたが「自分も仲間に入れてください」とお願いしたことが、まるで昨日のように思われてならない。

短かかったようで、いろいろなことがあったクラブ活動の中で、自分は何を得たか……。

先日の集会の後で、「クラブに入って、何が自分のためになり、何が不利益になったか」について討議した。

いろいろな意見がでた中で、何といっても「友や仲間を得たこと」、それから、「クラブは自分の鏡である」という意見が強いようであった。クラブは自分の鏡というのは、私なりの解釈では、クラブ活動の中において自分を見つめることができる。クラブ員お互いが比較しあって、自分の存在価値を認めあうことができる。そこには、自然に競争意識が生まれ良い意味でのライバルができる、ということである。

自分は何のため入会したのか。友だちを得るためか、あるいは農業知識習得のためか……。現在ではそのいずれもが着々と満たされてきていると思う。何といっても何でも話しあえ、相談できる仲間を得たことが心強い。

また、クラブ活動をしているといろいろな集会や大会に出席する機会が多くなる。この度年長の仲間をより多く知り、何か自信のようなものができ、「よし、やるぞ」という農業への意欲が一段と増す。

しかし、ある期間たつと、次第にあの燃えるような闘志が消えかかる。そんなとき、クラブの仲間に会うと、自分の心にまた張りを増す。クラブは私たちの気つけ薬ともいえる。

また、共同プロジェクトにおいても、クラブ全員での作業、朝のすがすがしい大気の中で眠気などはみじんもない。仲間同志で行なう作業の楽しさ、そんなとき、私は限りない喜こびを感じる。

そこには、自然にお互いに助けあい、励ましあってゆこうとする団結心が生まれ、クラブ員相互の結びつきがいっそう強いものになるのだと思う。だから私たちクラブ員は、集会が楽しく待ちどおしい。クラブは、私たちにとってオアシスである。

ほん本ほん

良書の紹介

稲と杉の国
大槻正男著

[illegible]

……らわが国の国土が狭小にして人口が過剰である事実に帰し、日本の農業問題を解決するのは農業人口……て獲得できるものではなく、愛情がしぜんに心の内に芽生えて成長する年少時代において培い育てら……らいたい本である。……込んだ失敗談など、およそ、日本における農業簿記の創始者で、農業経営学の権威者、京都大学名誉……

（発行所　大阪市北区堂島　毎日新聞社内　富民協会　定価八百円）

理想の結婚
こんな人と一生を

三重県桑名郡長島町相模　林治三

[illegible]

……長い人生、楽しいこともあるだろうが、苦しいことの方が多いのではないだろうか。その苦しさが……

愛は山越え　谷越えて

[illegible]

……郡の栗原文子さん、もう一組、……市の伊藤学君と阿山郡の大森マ子さん。さあ、あなたも頑張って……

おれは百姓
内田伝

おれは百姓
大地をきり拓く百姓
自分の意志とアイデアで働く百姓
でも　おれには才能も学力もない
しかし　おれは悲観はしない
おれには農業にかけた根性がある
おれは百姓
大地に根をはる百姓
おれには夢と希望がある
先輩も同輩も後輩もいる
百姓同志で手をつないでゆける
おれには農業にかけた使命がある

（山梨県中巨摩郡……4Hクラブ）

私たちのクラブ活動

和歌山県那賀郡粉河町上丹生谷　川原4Hクラブ　森本昌成

クラブ結成の動機

私たちのクラブは、昭和四十年六月に少数の、熱心な先輩たちの努力によって誕生した。はじめに、この4Hクラブ発足の動機に……

……うな人間本来の心と現在農業から青少年が離れていくため、農業の重要性を深く認識評価し、グループを通じて共同の精神と自家経営の将来に自信と経営栽培技術を身につけたい気持が各自に生まれ、……

……とする人たちの小さな集まりということである。問題のないところには活発さがあっても、そのような芯のないグループは進歩も発展もない井戸端会議にすぎず、永続きしない。

……ていた場合、環境や考え方の違いが生じ、クラブ活動は進めにくいものになる。でもいまなら、いかなる人が入ってきても、各人の協力、ねばり、結合力がすぐれているから十分にやっていける。

……つある4Hクラブ活動とクラブ員の質的向上。

4Hクラブ活動に楽しみを持たせ、参加する喜こびと誇りをクラブ員に自覚させることにより、4Hクラブ活動を通じてクラブ員の質的向上をはかる。

そのため、まず会合の出席時間を守り、安定させる。また出欠を毎回記録するようにしている。これには問題提出の方法、女子クラブ員の加入、レクリエーションなどが大きく影響してくる。

……は深刻な問題であり、会合においてはつねに議題となっている。それゆえに、面積の拡大、単位面積の収量の増大には、若いながらも、経営技術や栽培技術を身につけるように努力している。

近年農業技術、経営の改善が……農業近代化が急速な進歩をたどってきたが、農業に従事する私たちクラブ員は、新しい農業技術……

状況に合った活動

[illegible]

活動は問題中心に

[illegible]

問題意識をもって　地域社会にも大きな貢献

[illegible]

4Hの誇りと喜び

[illegible]

さとわのうた

みすずかる信濃の旅（1）

都塵と輻射する炎熱のビルの谷間を避け、緑陰と清涼なるオゾンを求めて旅にでた。といいたいところだが、実は二泊三日の日程で、長野県下の稲作高度集団栽培地帯における普及所の指導活動状況調査を命じられ出張してきた。

アルプスへ、軽井沢へと急ぐ登山者やレジャー族で、ごったがえしているという報道とうらはらに、座席も取れて快適の旅であった。

長野に二時すぎついた。善光寺平の標高三百米という、暑さは東京と変らないがこころなしか風が清涼に感じられた。全国の農村青少年育成研究会長をやっている西川青少年専技の出迎えをうけた。冷房の適度にきいた新築成る県庁で夕刻まで、長岡技幹を中心に、長野県の農政の進め方、農業の概況、特に稲作の作況概況や農村青少年育成事業の概要について説明をお聴きした。

稲は、今年は、佐賀を抜いて日本一になれそうだとの強い自信のほどを示された。その後三日間どこを廻っても、今年は豊作だと普及員さんたちの顔がまことに明るい。あとは病害虫の防除さえうまく行けば絶対日本一だという。ちなみに、長野の過去の最高は一〇アール当り五一八キロであったが、今年は七月三〇日現在で五二〇キロの作況であるという。すくすくと青々と育っている稲をみて、むべなるかなと私も日本一を保証できるようであった。

その夜は戸倉の温泉に泊った。十月中旬を思わせる夕べの風は一日の旅の疲れをことごとく吹き飛ばしてくれた。

翌朝早く、中央線の姨捨（おばすて）にでた。つぎの列車まで一時間余時間があるというので、たまたま一緒になった山口県の久保井課長さんと、私と同行しているわが課の鈴木さんと姨捨山長楽寺を尋ねて山を下った。田毎（たごと）の月と椎山節考でご存じの姨捨山の伝説の地は、私の心をロマンとドラマの世界にいやがうえにもかきたていざなうてくれた。

木の花さくや姫や大山姫にまつわる姨捨山縁起の伝説は古代にさかのぼるがここでふれるには紙面がたりない。ただ今和歌集をはじめ大和物語の伝説の体形をなし、西行、藤原定家、紀貫之、能因法師らがうたっている点からも古くから都に知られていたことがわかる。その他謡曲のなかの世阿弥元清作、姨捨山」はあまりにも有名である。それよりも、日本三塚の一つといわれる「芭蕉翁面影塚」をこの寺の境内にみたのはうれしかった。

おもかげや姨ひとりなく月の友

元禄元年（一六八八年）八月木曽から更級に遊んだときの俳句である。

一時間後車中の人となり、松本の一つ前の田沢で下車、南安曇普及所佐藤所長の出迎えをうけ、地方事務所へ行く。それから豊科町高家（たかべ）の稲作高度集団栽培地をみた。高家事業所長の小西さんと、豊科町を担当する神谷普及員の説明に耳を傾ける。もと競馬場跡という悪条件を克服して客土を重ね二〇・三ヘクタールを肥沃の地と化した。三七農家の参加だが、大型機械導入による労働力の削減は大きい。一〇アール当り一三〇・七時間であったのが、九一・二時間で、三〇％の減である。今後運用によりもっと削減できるという。農民の方の意欲もさることながら普及所の濃密指導のたまものといっても過言でない」と小西農協事業所長さんは普及所の指導の成果を讃えていた。（次号に続く）（K）

（注・みすずかる―みすずは信濃に多く産する山竹で、それを刈っているさまから信濃の国にかかる枕言葉である。）

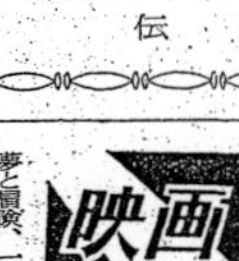

一獲千金の夢
駅前探検（東宝作品）

夢と冒険、一獲千金をほんとうに考える人たちのためのお話である。

質屋の親父孫作（伴淳）のところに、とんでもない質草を持ってやって来るお客がいる。鉱山師の徳之助（森繁）、考古学教授の次郎（フランキー）などで、金の入歯だの、どこの馬だか犬だかわからない恐竜の骨を質草に金を借りて行くようなおてあい。

こんな連中に、孫作が自慢して持っている絵草紙を見せていたが、その草紙の間から一枚の紙片が落ちた。これは御宿旅館「千成」の女将圭子（淡島）が質草に持って埋蔵金にかかわる古文書の続きの話しをしているのを立聞きしてしまう。

そんなことは知らない徳之助、孫作、次郎、染子たちは、やっと見つけた古文書の続きをたよりに探検隊を組織して出かけてゆく。

あっちこっち探し続ける探検隊の一部始終を望遠鏡で観察しているのはペテン師グループである。

やっとの思いで探し当てた金の瓢箪、古文書の謎はこの瓢箪の中にある地図で解けると探検隊一同大喜び。ところが、その夜、テントに入った泥棒のために金の瓢箪は盗み出されてしまう。

劇場旅館「千成」の女将圭子（淡島千景）が質屋孫作（伴淳三郎）のところにもってきた質草の中から、埋蔵金の埋蔵金を記した古文書が出てきた。さあ大変、駅前の連中はいきりたった

日本4H新聞
4Hクラブ 農事研究会 生活改善クラブ
全国弘報紙

発行所
社団法人 日本4H協会
東京都市ケ谷家の光会館内
電話（269）1675
編集発行人 玉井光

月3回・4の日発行
定価 1部 10円
6ヵ月180円（送料共）
1ヵ年360円 〃
振替口座東京 12055番

クラブの綱領

私達は実践を通じて自らを磨くとともに互いに力を合わせてよりよい農村、よりよい日本を創るため四つの信条をかかげます。1、私達は農業の改良と生活の改善に役立つ腕をみがきます。1、私達は科学的に物を考えることのできる頭の訓練をします。1、私達は誠実で友情に富む心をつちかいます。1、私達は楽しく暮らし、元気で働くための健康を増進します。

夏の全国大会いよいよ開幕

知識と技術を交換
25日から千葉で 行事に海のムード

全国の4Hクラブ員を中心とする農村青少年代表が集まり、知識と技術の相互交流を通じ、明日への意欲を燃やす一恒例の全国大会（全国農村青少年技術交換大会）は今年で第七回を迎え、農林省、千葉県、全国農村青少年教育振興会（東畑精一会長）、日本4H協会（松下幸之助会長）の共催によって、いよいよ明二十五日から三泊四日間の日程で千葉県山武郡の国民宿舎、九十九里センターを主会場として開催される。

受け入れ側の地元、千葉県ではすでに最後の準備段階に入り、全国の参加者を迎えるばかりとなった。とくに今回は会場が九十九里浜である関係から、いかにして海岸の雰囲気を最大限に生かし思い出深い大会にするか、また千葉県の農産物を印象づけるかなどその趣向に知恵をしぼっている。

まず、開会式が、浜辺で夜ひらかれるのは今回が初めてであるが、その舞台装置として砂浜に二隻の木造船をひきあげ、その上に主催者などが並ぼうという趣向。また海岸という平面に立体感を出すため、開会式で、しだれ柳など色づき花火の打ちあげを計画している。海には波が高くて入れないが三日目に行なう地びき網は、現在海の状態がよく安全度が高くなっているという。

さらに、レクリエーションでは参加者の中で海辺で[illegible]た経験のある人は少[illegible]いうことでスイカパ[illegible]しているが日照り続[illegible]のスイカ集めにも一[illegible]今年はバス教室がな[illegible]の、宿泊が九十九里[illegible]予荘などのほか千葉[illegible]

[illegible]他の各部門別に発表する）❷技術競技（演示発表と同じ部門別に、都道府県をこえたグループ別、約十名のチームで腕を競う）❸工場見学❹話し合い（グループ別）❺レクリエーションなどで、日程は次のとおり。

全国大会日程

一日目　午前九時から国鉄房総東線「大網駅」前で受付け、九十九里センターへバスで移動する。午後五時半からオリエンテーションのあと六時から九十九里浜で開会式、七時半から同所で歓迎レセプションが行なわれる。

二日目　午前六時から朝食のあとバスで移動し、九時から茂原農業高校で技術競技を行ない、工場[illegible]

別に話し合う（記念品交換）

三日目　午前六時から二時間、レクリエーションとして九十九里浜で地びき網を行なう。九時からグループ別の話し合いをする。午後二時から九十九里浜でレクリエーションとしてスイカパーティなどを行なう。五時から夕食、六時半から同所でキャンプファイヤーをくりひろげる。

四日目　バスで移動し、午前十時から千葉市の千葉文化会館で閉会式を行ない、午後一時全日程を終了し解散する（バスで国鉄千葉駅まで送る）

夏の全国大会の会場九十九里浜と宿舎の国民宿舎、九十九里センター（右側の建て物）

奈良県連で4H週間
集いやパレードなど 10月2日から全県下で展開

【奈良県＝広井洋司連絡報道員発】奈良県4Hクラブ連絡協議会（会長、山田高作君）では、昨[illegible]八日までの一週間、全県下で実施する[illegible]

[illegible]活動は単位クラブで研修会や他地区クラブとの交歓会などが行なわれるので、その活動期間中に県連執行部が単位クラブを激励訪問する。

六日＝4Hクラブ員の集いと新規学卒者就農激励大会

午前中は開会式のあと4Hの塔の除幕式、つづいて新規学卒者就農者激励と歓迎大会を開く。午後は意見発表、代表者によるビジョンを語る発表のあと講演を行なう。

七日＝パレード、奈良県農業祭参加

パレードは各地区から花自動車一台以上出場させ、午前八時に奈良県庁前へ集合、「知事」から激励の言葉をうけて本部車を先頭に各クラブの花自動車が県庁前を八時半に出発し橿原体育館に行く。体育館着の予定は十時、今年度は体育館からAコース、Bコースに別れて地区巡回に出る。

〈Aコース〉橿原－高田－御所－五条－中吉野－宇陀－桜井－橿原

〈Bコース〉橿原－番芝－生駒－郡山－奈良－山添－天理－桜井－橿原

A、Bコースとも橿原着が午後六時の予定。

パレードに参加しない人は県の農業祭に参加する。

八日＝反省会

以上が4H週間の実施要領であるが、パレードに参加した花自動車の装飾と各クラブの団結のすがたの良くまとまったチームに対して表彰する。

涼風暖風
一億総芸術家論

立秋のころから、明け方冷しくなったなあーと感じる朝があったが、昨夜からの雨がすっかり暑さを流した。

むかしの人は、秋来ぬと目にはさやかに見えねども風の音にぞおどろかれぬる、と詠んでいるが、当節都会の住人には、この風の音にはあまり縁がない。自動車の騒音で聴覚が麻痺しているからである。

そこで音への郷愁を求めて、音楽会がはやり、音楽喫茶がはやる。だが、この音楽喫茶の方は、音楽より男女の笑声で騒々しく、鑑賞どころではない。

本物の音楽会の方はなかなか盛況で、日本は外人演奏家の上得意だといわれている。毎年、日本に演奏に来る一流音楽家の数は相当なものになっており、ために、日本の演奏家の出る幕がないともいわれ、新進指揮者の小沢征爾氏などはその例外だそうである。

芸術の秋といえばそのさきがけとして、このほど上野松坂屋で、ルノアール展が開かれた。冷房のきいたデパートで開かれたこの展覧会。折から夏休み中の女子学生の目にとまり、連日、大入満員の盛況を呈した。大きなデパートの裏から一階のフロアを横断し、階段をえんえんと登ること六階まで、それから六階のフロアを再び横断し反対側の階段を下りて五階にある会場の入口まで続いた。

長い行列をつくり、人にもまれ、疲れ果てた末に絵の前にたどりつく。やっと絵を眺めていると、ひとの前を横切っていく無礼者もいる。こういう俗物のやからがいては、おちおち鑑賞もできない。

芸術の大衆化は大いに結構であるが、これでは一億総芸術家で、マスコミに踊らされた俗化のにおいがする。このうち何人がルノアールをほんとうに鑑賞できたか疑問である。

ただ、有名な画家の作品が展示されるというだけで、何となく自分も芸術的になったような気分で出かけるというのや、ひとが見ているのに、自分は見てないと笑われそうなので出かけるという人も多いに違いない。

勝手ないいぐさかも知れないが、一億総芸術家反対といきたい。

五百名の参加見込む
全国4Hクラブ員北陸の集い　発表者を広く募る

全国4Hクラブ連絡協議会（会長、丸山勉君・富山）は、今秋十月二十六日から三十日までの五日間富山県の立山荘などを会場として開催する「全国4Hクラブ員北陸の集い」の開催要領をこのほどまとめ、各都道府県連あてに通知と依頼状を出した。

この集いは、明日の日本農業の担い手として日夜実践活動に努力している4Hクラブ員が自らが企画、運営し、新しい農業経営の勉強、4Hクラブ活動推進の話し合い、現地交換訪問などの行事を通じて仲間づくりや自主性を高揚すると同時に、地域社会からよく理解された家族ぐるみの4Hクラブ活動の推進を図ろうというもので九州（大分）関東（埼玉）についでことしで三回目。全国4Hクラブ員の一大祭典でもあり、多くの参加者が期待されている。

開催要領の主な点は次の通り。

【主催】全国4Hクラブ連絡協議会、富山県4Hクラブ連絡協議会

【後援】文部省、農林省、総理府、富山県、NHK、全国農村青少年教育振興会、日本4H協会、富山県四葉会などを予定。

【会場】❶富山県民会館（富山市）❷富山県農協会館（同）❸富山県中新川郡立山町弥陀ケ原❹富山県下一円

【参加者】❶4Hクラブ員、OBとその家族、農業高校と経伝生徒❷各都道府県青少年関係職員（普及員を含む）篤志指導者❸関係各省と団体、青年団体の関係者など富山県内百五十名、県外三百五十名の計五百名を予定している。

【参加者経費】参加者の自主性を高揚するため必要経費のほか運営費の一部を負担する。四千一百円（宿泊食費、二千五百円、交通費千四百円、運営負担金二百円）参加希望者は県連を通じて九月三十日まで申し込むこと。

【携行品と服装】❶現地は標高二千五百㍍の高地のため耐寒と野外活動に便利な服装のこと❷洗面用具、筆記具、雨具、運動靴、ビニール風呂敷、懐中電灯、その他日用品❸記念品を交換するので各自百円程度の郷土品を必ず持参すること。

【現地交換訪問】富山県外の参加者全員が参加し、これを富山[illegible]

【日程】[illegible]ルを行なう❷話し合い＝テーマ「親の言い分、息子の言い分」「これからの4Hクラブ理念の探求」「4Hクラブ活動と社会奉仕」❸キャンドルサービス

三日目　❶意見と体験の発表❷表彰式をかねて閉会式❸現地交換訪問に出発

四、五日目　現地交換訪問

このほか期間中つどい会場で4Hクラブ活動写真展示会を開く。このためその出展作品を都道府県の連を通じて全国から募集する。

発表者の応募要領

全協は、これまで前二回のつどいで行なってきた意見発表のほかに体験発表も加え、中学生以上の4Hクラブ員とOB、父兄の意見交換を計画しているが、その発表者を広く全国から募集することになった。

応募資格は、意見、体験の部とも、中学生以上の4[illegible]部とも主題について発表要旨を四百字以内にまとめ、発表者の簡単な活動歴を添えて全協集い事務局あて送付することになっている。一方全協では選考委員会を設け提出書類をもとに各四名を選考しつどいの席上発表、記念品を贈呈する。

「4Hの塔」建設へ
奈良県連　資金は〝米の持寄り〟で

【奈良県＝広井洋司連絡報道員発】奈良県4Hクラブ連絡協議会（会長、山田高作君）では、今年度の事業計画に基づいて、かねてからの念願であった「4Hクラブの塔」建設について準備調査委員会を設けて検討を重ねてきたが、このほどその原案がまとまり、これをもとに先般の役員会で基本的な構想を決定した。ただちに建設委員会を発足させ、来る十月二日から八日まで県連で実施する「4H週間」期間中の、六日のクラブ員大会の席上、この塔の除幕式を行なう予定をたて、それまでに完成させることになった。

この4Hの塔は〝我らが担おう明日の農業〟をスローガンとして今後県下全域にわたって、クラブ員自身の自覚と地域農業者および関係者に対する認識を深めるための一つの方法として県立農業試験場の研究館玄関前に設置することになったもの。設計、施工は美術研究所に依頼し、基礎工事などの簡単なものはクラブ員の奉仕によって行ない、出来るだけ経費を下げるように考えられた。

全高三㍍余の塔のうち、上部は〝4H精神〟を表現した抽象像を樹脂製とし、下部の礎石は石垣にする。一見説明なしでは理解できにくいようにも思えるが、なかなか近代的センスのあるスマートな塔になるもよう。

なお、経費のことについては、クラブ員一人ずつから〝米の持ち寄り運動〟を展開し、それを基金として、農村青少年の意気を示す一連の事業とすることにねらいがある。なにぶんこういった事業そのものが県連としても初めての試みであり、全国的にもめずらしいものなので、相当困難な事態も予想されるが、県下クラブの飛躍的発展の一つの方法として全力をあげて取組むことを役員会で決議した。

サボテンの温室の中でつくし会の人たちに説明する春日井4Hクラブ員

男、女性像を語る
愛知・春日井農業クラブ4H部　看護婦さんと交歓

【愛知】春日井農業クラブ4H部は、このほど春日井市内に就職している九州出身看護婦グループ「つくし会」と交歓会を開いた。

この交歓会は、本年度のスローガンである「積極的な対外活動により、幅広い社会人となる」という目標の一環として行なった。

午後一時の集会時間までにみんなが顔をそろえ、4H部員のデラックスな乗用車が勢揃いした。その乗用車に分乗し、まず全国の主要生産をあげているサボテンを経営するクラブ員を訪問、見学した。ガラスとビニール張りの温室の中で4H部員が汗を流しながらサボテンの移植作業、接木をたくみに演示、宣伝し、これをつくし会の人たちが熱心にメモしていた。

このあと会場を移して話し合いに入った。両リーダーのあいさつ、自己紹介のあとクラブ活動の内容を紹介し合った。

このつくし会は、都会の青少年の非行化防止しようと、さる四十年十月に結成したもので、会員は現在四十名、入会資格は主に九州出身の看護婦ということだった。主な活動は慈善事業で、愛のともしび募金運動によって植樹、養護施設の慰問のほか、市役所や病院などの公共施設の玄関に非行化防止の標語の竹筒を取りつけ、同グループは一名〝竹筒グループ〟として有名である。

これに対し4H部活動の紹介は交歓会に馴れているせいもあってスムーズに行ない、このあとテーマ「理想の男性像、女性像」について大いに語り合った。やはり興味あるテーマだけに話しに花がさき、女性側から、男らしさ、根性のある男性など、また男性側から家庭的で健康な女性、明るい女性、仕事と自分を理解してくれる女性など盛んに意見が出された。

つづいて、最近流行語の「家つき、カーつき、ババぬき」について話し合い、記念撮影、歌を最後に別れをつげた。（春日井農業クラブ4H部、石黒武彦君より）

愛知川4Hクと交歓
奈良、大和郡山市4Hクラブ　深夜の話合い熱す

【奈良】大和郡山市4Hクラブ（会長、中峯降夫君）では、滋賀県愛知川4Hクラブ（会長、荒本総四郎君）とキャンプをかねた交歓会をさる二、三の両日、滋賀県稲枝町の琵琶湖畔で開いた。

これは、4H精神にもとづく仲間づくりと共同生活を通じてクラブ員一人一人の積極性を養うために行なったもので、この交歓会には郡山市4Hクラブから男子二十二名、愛知川4Hクラブから男子十七名、女子八名が参加した。

郡山市4Hクラブ員は交通道徳と団体行動の規律を学ぶため乗用車五台で二日午前八時郡山普及所前を出発、一路滋賀へ向った。十時半愛知川普及所へ到着し、十時から同所で交歓会に入った。まず同普及所長から愛知川地区の農業の実態と後継者問題について説明があり、そのあとクラブ員が自己紹介と経営内容を紹介しあった。

午後一時から稲枝町カントリーエレベータ（もみの乾燥貯蔵庫）[illegible]

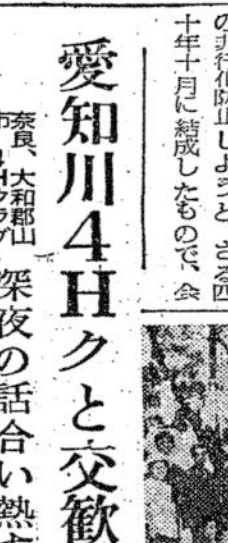

郡山と愛知川4Hクラブ交歓会の参加者

心頭技健

[illegible]

夏の大会で気勢あげる各県連

二十五日から四日間にわたって千葉県の九十九里浜を主会場として開催される夏の全国大会（第七回全国農村青少年技術交換大会）に先き立ち、各県でいっせいに県大会が開かれた。この夏の大会は、大自然の中での共同生活を通じて行なうところがほとんど。参加者は日ごろの農業経営やクラブ活動の中で体験し磨いた知識や技術の交流と共同生活を通じて友情をかわしまた新たに明日へのファイトを燃やした。以下は各県で行なわれた大会の模様である。

熱入った意見交換
北陸ブロック・石川県の合同大会 石川県連が初運営

【石川県＝隅戸良一連絡報道員発】第三回北陸ブロックと第七回石川県農村青少年技術交換会の合同大会は、"築こう我らの若い手で豊かな農業、明るい生活"―のスローガンをかかげてさる八月一日から三日間石川県の能登輪島で開催された。

一日目 この日、能登七尾線終着駅に新潟、富山、福井、それに開催当番県石川の陽に焼けた顔の仲間が次々と到着、宿舎の国民宿舎「輪島荘」で受付けをすませたあと、午後二時半過ぎから第一日目の日程に入った。

青く澄んだ能登の海を眼下に見おろす鳳来山公園で、花火を合図に県連旗を先頭に参加クラブ員が入場し開会式の幕をあけた。当番県石川の運営委員は初めての大会運営に落着かない様子。主催者側のあいさつ、輪島市長の歓迎のことば、全国4Hクラブ連絡協議会の丸山会長からの祝電が披露されて終了。オリエンテーションのあと、長旅の疲れを吹き飛ばし、はじめての仲間と親睦をはかるためにしばらくの間アコーディオンを手にした司会者を中心に陽気に歌ったが、そこにはすでになごやかな空気が取り巻いていた。

夕日が日本海の端に傾きかけるころ輪島荘の管理人の説明を聞きながら日本海の荒波に洗われた海岸線と岩の奇勝を探勝し期待も大きく宿舎に向う。そして青少年百四十数名、指導者数十名を含めた大家族の生活が始まった。

夕食後輪島市で歓迎レセプションが開かれ、輪島市の郷土芸能で楽しんだ。とくに印象深かったのは名舟部落に伝わる御陣乗太鼓という神事芸能であった。すさまじい面をかぶり、七人の武者がかわるがわる面に応じ個性豊かに太鼓を打ち鳴らす芸である。

二日目 午前五時起床、能登の海に朝日を迎え英気いっぱい。ラジオ体操で活動開始した。今日は技術競技と演示発表が主な行事。午前中に作物、園芸、畜産、生活の四部門について、診断、判定、審査、鑑定などに腕を競った。

十時半から各県ごとに四名の代表によって演示発表が行なわれた。西瓜の均等割、リンゴのデザート作りなど、見る人は手をたたき肩をたたいて声援していた。十一時から石川の三名による演示発表が行なわれた。「地域農業の近代化を目指すグループの連絡研究」や女子グループ員による「味噌漬かしわの中華風」の演示など昼前の空腹にグッとくる臭いを振りまいてみんなの注目を集めていた。林間での発表が終わり、その場でおにぎりの昼食。

午後は各県代表によるグループ活動交換発表が行なわれたが「やる気の仲間で充実した活動を進める」と「農村に住む青少年は全て農村青少年として活動を進める」という対照的な意見が出され議論のマトになった。参加者は九つのグループに分れ「グループ活動を活発にするためにはどうしたらよいか」のテーマで話し合いに入った。「共同テーマを持つ」「仲間が少いところでは地域を広げて仲間を集める」「自主性の確立」など日頃の活動における問題点があげられ、その解決案が熱心に話されていた。

夜はザザーッとゆっくり打ち寄せる浜辺でキャンプファイヤー。ヤミとヒカリ、動と静のコンストラストの中でにぎやかにくりひろげられた。お互いの心と心とがふれ合いゆり動かし、これからの日にきっと能登の海に赤々と燃え立つ炎をいつまでもみんなが心に燃え続けさせることだろう。歌、ゲーム、郷土民謡などいずれもグループ員が練ったユーモアのある楽しいものばかり。火の勢いが衰えるとき静かなハーミングでトーチサービスに移り、終えた。

三日目 朝から暑い。今日はバス教室である。三台のバスに分乗し輪島から曽々木―狼煙（のろし）―飯田のコースで奥能登の自然探勝と社会見学。

午前七時半に出発し、まず平家の子孫時国が流されその子孫がいまも住んでいる時国家を見学、曽々木から外浦を通り、奥能登の自然を充分に味わい、閉会式々場である珠洲駅に十一時に到着。いつか空は雨の降りそうな様子となりいかにも別れを惜しむかの様であった。

来年は福井で！と固い握手で再会と健闘を祈りながら三日間の想い出を胸に、明日からの希望も新たに能登の地に別れを告げた。

北陸ブロックと石川県合同大会の開会式であいさつする森石川県連会長（中央正面）

見事な五百のあかり
宮城県連 感銘与えた役員

【宮城県＝峰岸義信連絡報道員発】宮城県、県4Hクラブ連絡協議会（会長、高野秀策君）共催の第十六回宮城県農村青少年技術交換大会は、さる七月二十八日から三十一日までの四日間、宮城郡泉町の泉ケ岳山麓を会場としてテント村でのキャンプ生活を通じて開かれた。

この大会は、県内各地区からクラブ員三百名、未来の4Hクラブ員である伝習農場の古川分場と宮城農学寮生徒百六十名、それに県と各関係指導機関の関係者あわせて約五百名が参加した。

一日目 県庁前で各地区ごとに受付け、貸切バスで一時間半もかかるキャンプ地の泉ケ岳山麓へ。広々とした高原に百五十㌶のリンゴ園と数十㌶の採草地を下界に眺めながらまずオリエンテーション。このあと地区連ごとにテントして話し合いから始まった。参加者を十ブロックに分けて班を編成し自分達のとり組んできた活動について話し合った。テーマは「私の人生観」と題し、助言者は県専門技術員と青少年専門普及員があたった。

このあと、からりと晴れた青空の下で開会式。県知事代理の大泉農業水産部長などの出席のもとで参加者代表石川長志君（仙台地区代表）の力強い宣誓が十九の地区連旗に囲まれて行なわれ、炎天下で進められた。

ひきつづいて技術競技が農業に関する一般常識と専門項目、さらに専門項目は水稲、果樹、野菜、酪農、養豚、養鶏、生活に分けて行なわれ、日ごろの腕を競った。最後に技術競技の出題について専門の先生に解説を行なってもらい、課題解決方法について研究協議された。

次に野外料理コンクールが、各地区ごとに三人一組のグループ（男女とわず）が出場し、百五十円以内の品物で三人分を三十分で作る規定で腕を競った。コンロ、木炭は県連で準備し、調理器具、材料は出場者が持参して行なった。山料理なのでいろいろのめずらしい物が作られ、最後にみんなで試食した。

三日目 朝四時に起床し、千二百米の泉ケ岳をめざし県連旗を先頭にそれぞれ地区ごとに地区連旗を掲げ一列になって頂上をめざした。下山のあと県連指導班と富志指導者（前会長寺嶋氏）の指導によって約三時間なごやかに歌、ゲーム、競技、フォークダンス、また体力作りを兼ねた綱引きなどを行なった。最後に決勝トーナメントで残った二チームの綱引きで太い綱が切れてしまい、参加者全員笑いの中で終った。

本大会最大のヤマ場であるキャンプファイヤーは、午後七時半から行なわれた。静かに参加者が入場、ハーモニカによる北帰行と遠き山に日は落ちての伴奏に続いて夜話が唱えられるうちにヤーホーのかけ声と共に営火が入場し高野会長に手渡され、ついで四つに分火され四つの誓い（クラブ員代表男女二名ずつ）をしたあと四百余も積まれたファイヤーの焚木に点火された。火はたちまち数丈の炎を上げ暗やみの中の五百の顔を照らしだした。まさにやみと光、静と動の厳しい対決の瞬間である。

さっそく県連指導班（條岸、星、佐々木君）の司会によりもえろよもえろよの歌声に続き、ブロックごとのだしもの、寸劇、ゲーム、競技などが行なわれ本大会最高潮にもり上がった。一時間後、火の衰えと共に、しめ火が副会長（文屋路子さん）から静かに唱えられ高野会長から参加者一人一人のたいまつにトーチ点火され、会員ほたるの光を歌いながら、県連役員の並ぶ前を、クラブ員が握手しながら五百のたいまつの明りが暗やみの広大な草原を一列に照らし見事であった。

四日目 午前九時までテントを撤収し閉会式に入った。技術競技の五十九名の入賞者と料理コンクールの十チーム（三十人）が表彰された。そして今後の宮城県4Hクラブ発展と本大会を祝し県連高野会長のおんどにより万才三唱をし大会の幕を閉じた。

なお、この大会機構は大会総裁が高橋宮城県知事、大会長が大泉農業水産部長、副大会長が高野県4H会長であった。そして本大会は県4Hが運営を全部任され県連役員十五名と地元実行委（仙台地区連）五名、計二十名で本大会一切を動かした。そのため参加者のクラブ員や伝習農場の生徒に与える影響は大きく、自主的な活動として自からせっさたくまして4Hの本質からいっても大いに役立った。そして本大会二十名の役員の席務、進行、受付誘導、施設、競技、指導の責任を役務分担とそれらの横の連絡を密にしての運営とチームワークは大変良かった。

そのため進行をつとめた副会長小幡市郎君は声がかすれてしまい最後の閉会のあいさつの際のかすれ声は参加者に深い感銘を与え、解散の時、県連のみなさんご苦労さんという参加者の声が二十名の役員の胸にじんときた。本大会は今後の宮城県4Hクラブ発展に大いに役立つものと思われる。

参加者マスを追う
山口

【山口県＝山崎順之連絡報道員発】第七回山口県農村青少年技術交換大会は、さる七月三十一日から八月二日までの三日間山口県のほぼ中央にある佐波郡徳地町の山中で盛大に開催された。澄みきった青空、照りつける太陽の下で青年たちは思うぞんぶん技術の交換や仲間づくりに若い情熱を注いだ。

一日目の最大の行事として予定していた知事を囲む話し合いは都合によって農林部長を囲む会に切り変え、日ごろ農村青年の感じている悩みや希望を部長に話した。部長の理解ある答えに、固い表情だった青年の顔もいつかほほえみがさしていた。

このあと自衛隊音楽隊演奏のブラスバンド、フォークダンスなどで疲れをいやして楽しかった一日を終え、佐波川のせせらぎと、かすかに鳴くかじかの声を子守歌にして夢路についた。

二日目は、先進農家視察として徳地町の農家を巡回した。みんな「農業はこのようにやるべきだ」とみせつけられたようで、農業に対するファイトをもやした。

昼から佐波川で放流されたマスのつかみどりをした。十匹もとってニコニコしているクラブ員、私につかまってくれないと角を出すクラブ員など、忘れることが出来ないレクリエーションとなった。

夜は長者ケ原で盛大にキャンプファイヤーをくりひろげた。

最終日も晴天に恵まれ、炎天下で農業技術競技が行なわれた。ふだん別に何とも思っていないことがいざ問題として提出されると意外にむずかしいものだという事がよくわかったようだ。こうして自由交歓を最後に会場の長者ケ原をあとにした。

山口県大会でマスのつかみどりに興じる参加者（佐波川で）

会場に若さあふれる
兵庫県連 村活動で楽しく

【兵庫県＝小西簾信連絡報道員発】第十三回兵庫県農業青年技術交換大会は、このほど二日間にわたって三田市の関西学院大学千刈キャンプ場で盛大に開かれた。

とくに今年の大会は、当県連絡協議会（会長、長久晃充君）が結成されて初めてのもので、県と共催で行なわれた。参加者数もこれまで最も多く、北は香住、豊岡をはじめ、南は淡路島まで県下各地から二百二十名（このうち女子四十五名）のクラブ員が猛暑をついて千刈広場に集まった。

運営は、県連評議員、地元三田市地区の耕楽クラブ、それに県、農林事務所、普及員などが当り、盛り沢山の行事を組んで日程に入った。参加者二百二十名を十村に村分けし、キャンプ場施設のキャビンを村活動にあてて全行事の進行に当った。各村の競争によって掃除から食事、全日程を得点対象にして、競争心、共同心を盛り上げながら、最後に表彰式を行なった。

内容については例年と大差はないが、これまでに見られない若さ溢れ志気盛んな大会となった。何一つ不平が出なかったのは、この大会の描き出した魅力、自分たちに一番マッチしたものであることを立証しているものと思われる。

一日目 午後一時から受付、オリエンテーション、大会の説明、注意事項のあと、開会式にうつりまず長久県連会長が力強くあいさつ、つづいて県経営課長はじめ来賓祝辞があり、ついで大会スローガンを石野喜美子さん（北神クラブ）が若く美しい声で斉唱。午後二時から参加者が各村（十村）に別れ、村活動に移った。村名は"さつまいも村""カンピョウ村""山のイモ村""レンコン村"など野菜の名で十村によって野菜王国が成立した。そのあと四時から各村対抗競技が行なわれ、体力競技（棒押し、女子による風船割り）技術競技（トーナメント式クイズ合戦、実物鑑定）全員によるフォークダンスがくりひろげられた。今年は女子の参加が多いためか熱心で、アンコールも再三あり時間の大巾な延長が生じ、大会役員を困らせた一幕もあった。クイズや実鑑は今年は成績が良く、日頃の技術知識練磨の跡がよくうかがえた。

夕食のあと八時から最大の呼びもの、キャンプファイヤーに入った。心ゆくまで真夏の星空の下、静まりかえった森の中で燃え続けるファイヤーを囲み、歌やダンスゲーム、スタンツなど時間のたつのも忘れ、夏の夜を満喫した。最後に全員が手にトーチを持ったとき明日への希望、若い力が溢れ、口々に"よし頑張ろう"という声が発せられ胸のひきしまる一瞬であった。その夜寝つかれないのか二十名余り徹夜組が現われ設けられた談話室に集り、知りあった仲間同志で花が咲き、夜明けも知らず一睡もしなかったものが続出した。

二日目 午前六時起床のあと体操に続いて、八時から三組の若い夫婦OBのカップルを囲みシンポジュームを行なった。年令的にも参加者と大差なく、自立経営者として自分たちの良き先輩としての結婚生活、経営への情熱、今後の生き方など参考になることが多く参加者からも多くの質問が続出し解答に顔を紅くする場面もあり、大いに勉強になる一時であった。印象に残ったのは、二人で自分達の生活を築き上げたことで、質問に答えてある奥さんの言われた「主人を選ぶ時は成長株をねらえ」という名言が強烈に刻みこまれた。

ついで飯盒炊事による料理コンテストが各村自慢の腕前でくりひろげられた。手にしたことのないぶ格好な男子の包丁さばき、火をたく者、味つけする者、メニューもバラエティに富み、暑さにもかかわらず、一番楽しい一時のようであった。中にはカレーの鍋を堅木の枝でかき回わしていたものもあり、普段味わうことの出来ない雰囲気にお互が協力し合って得た喜びをかみしめていた。表彰式がポールサイトで行なわれ、二日間の日程を通じ最高得点を得た"さつまいも村"（村長、藤城明美さん、加古川）が一位になった。その他二位、三位、アイデア賞等ユーモアに富んだ表彰状と豪華な賞品が各々に手渡された。最後に神戸農林事務所長さんの閉会のあいさつ、長久会長の別れの言葉に続いて会長を胴上したのち各村の閉村式を行ない解散した。

この大会についてアンケートをとったが、良かったのは、キャンプファイヤー、飯盒炊事、フォークダンス、シンポジュームと続き一応目的にそったプログラムにみんな好い印象を与えた様である。一方、悪かったことは、食事、水不足などが目立ったが、最初予想した人員よりも参加者がはるかに増えたことなどで、充分な場所と思ったのが狭くなり、日照続きの水不足が重なる結果となった。これも、クラブ員の団結力、連協に対する関心の深さを現わしている証拠であり、今後この大会を契機にして、兵庫県の若い農業者のあり方について、この大会で描き出された、若い力を精一杯盛り上げていくような県連にさせなければならないと思う。

刺激された農業者との話合い
広島の県大会

【広島】広島県の第七回農村青少年技術交換大会は、このほど三 [illegible] らに沢辺広島県農政部長を囲んでの座談会など、第三日はひき続いて四分科会にわかれての経営座談会など充実したものであった。

日野水氏は「現代の農村青少年は甘やかされている。米価つり上げ運動に精力を注ぐよりも、大規模経営を拓いていくための行政施策をなぜ強力に望み、自からもそれへの情勢を注がないのか」と青年をしったし、また永友教授は「この落漠たる未利用資源、とくに山林原野に着眼せよ」と強調 [illegible]

上から❶宮城県大会＝技術競技 生活部門で難問に頭を悩ます女子クラブ員 ❷兵庫県大会＝ぐっと腕に力入る体力競技の棒押し ❸広島県大会＝農業者のシンポジュームと参加者 ❹熊本県大会＝阿蘇の五岳を眺めながら班別話し合い

（関連記事3面に）

画期的なコンバインが出現

現実の農業に適した特性

"史上最高の操作"の明るい見通しの中で、ことしもいよいよ稲の収穫が始まったが、このほど、現在の日本農業に最適の画期的な歩行型・自脱式コンバインが登場、早くも全国各地で爆発的な人気をよんでいる。このコンバインは、軽量、小型のため小回りがきき、収穫能率が高いうえに、ロス率は手刈り・脱穀よりも低くこれまでのコンバインのなかでは最低。しかも価格が一台五十二万円で操作も簡単と、農家の人たちが長く待ち望んでいた条件をみたしてくれるコンバインの決定版だ。来年は、後発メーカーが続々と登場し、耕耘機につぐブームが現出しそうである。そこで、農業機械化研究所が行なった鑑定試験と日本農業機械化協会が行なった"公式実用テスト"の結果にもとづきながら、この新しいコンバインを紹介してみよう。

歩行型・自脱式コンバインの収穫作業

上＝小麦の収穫作業（愛媛県北条市で）、中＝ビール麦（神奈川県平塚市で）一日85アールを処理、下＝水稲（熊本県八代市の金剛干拓地で）

向って右側で刈りとられた株は、送り込みの自動装置で穂先を変えながな、自脱装置にかけられていく。脱穀されたワラは一定の大きさの束にまとめられて落下する。機械前方には草分け（ディバイダー）に引き起こし装置、右側に脱穀された穀粒を袋に入れる装置がある。

早くも人気よぶ

"農家が待っていた"機種

いま、農業構造改善事業が進められ、大型機械の導入による経営の近代化、合理化が強くさけばれている。しかし、その反面、構造改善事業は批判的な眼が向けられなかなか思うように進まず、何百万円もする大型機械が期待ほどの能率もあげないまま倉庫などにねむっている例は少なくない。4Hクラブ員からも"いま高い機械を買えば、ただ損をするだけだ"という声さえ聞かれる状態である。これは日本農業の実情を無視していっそく飛びに何年か先きの経営に行きつこうとしたからであろう。

たとえば、四、五百万円もする乗用型のコンバインをみても、構造改善事業がスタートした当初、机上の計画では、一日の稼動率を一・五ヘクタール前後と考えていたが、実際はその半分にも達していない状態である。それに、この中、大型コンバインがUターンするのに十五～十七平方メートルの土地を要し、一分から一分半の時間がかかる。それだけ稲が踏みつけられロスも多くなる。最近改良されたものでも約五％のロスが出て、さらにオペレーターが不慣れであったりすると、ロスは一五％くらいにまではね上ってしまう。百俵のうちに十俵以上がロスになる計算である。

大型機械については"若干のロスがあっても、人件費が安くなるからよい"という説得も聞かれるが、目標の収穫がとれたうえに労力の節減ができることが必要であろう。また農作業の流れとして部分的に能率をあげても、そのほかで能率が下っては価値も薄らぐ。

このように、大型機械の導入は将来何年か先きのビジョンとしてはよいが、現実に、農家の採算を無視してそれをいうのでは、本当に農業従事者を考えているのか疑問がでてくる。やはり現実を直視し、段階を踏む必要がある。

〔歩行型コンバイン（キセキＨＤ50型）諸元〕

寸法　長さ（ミリ）	2230～2420
寸法　幅（ミリ）	1680～2490
寸法　高さ（ミリ）	1385
重量（Kg）／能率（時間/10アール）／刈幅（ミリ）／回転方向／運転速度／刈り取り方式／株引き起こし／脱穀方式／エンジン（馬力）	580 ／ 1～1.5 ／ 500（2条）／ 刈り（左）／ 前進3段　後進1段 ／ リ刈ソン付きみ送り / 歩行バリカン… ／ 回転式チェーン… ／ 自動送り込み脱穀機 ／ 7～9（キセキＫＦ805）

軽量小型で選別単純

"自脱式と歩行型"に特徴

このため、農林省も、このほど構造政策の基本方針（案）を新たに発表したが、自立経営農家の具体的な基準として、次のように述べている。

「農家と生活環境の類似した市町村在住の勤労者の世帯員一人当り所得とほぼ均等する農業所得をあげることができる農家である。それは大きく飛躍した大規模経営でもなく、現実の農村において十分実現可能なものとして、農家経済調査によればすでにその約九％が実在していると推定される家族農業経営なのである。

もちろん、自立経営の内容は弾力的であり、今後、他産業従事者の所得水準が向上するにつれて自立経営の所得の基準もまた年々上昇することはいうまでもない」と。

農家から現実の農業に適した機械が待ち望まれていたが、その要望にこたえて出現したのが、この歩行型・自脱式コンバインである。昨年から全国的に実験してきたこともあって各地から多くの注文が殺到、"待っていた機械"として早くも爆発的な人気を呼んでいるという。

ことしから市販される歩行型・自脱式コンバインは、重さ五百八十キロ、高さ約一・四メートル、幅二メートル前後、長さ約二・四メートル、エンジンは七～九馬力という軽量、小型機であるうえ、作業能率は十アール当たり一～一・五時間。これまでのコンバインのうちでは❶もっとも高能率❷脱粒、選別性能が高い❸日本の稲や麦に最適❹機械が簡単で操作も簡単❺小型軽量❻安価－など輸入外国製品にはとうてい望めなかった数多くの特色と性能をもっている。

これらの特色と性能を生み出した大きな理由は、このコンバインがわが国稲作機械として長年にわたって改良を加えられてきた"自脱機（自動送込脱こく機）"を、刈りとり、歩行機構と組み合わせた点にある。他の多くのコンバインは脱穀方式として「スレッシャー」を用いているが、この方法だと、ワラと穀粒とを選別するために、コンケーブ、グレーンシブ、ストローラックなどの選別式による。

公式実用テスト成績

試験担当		日本農業機械化協力会
試験月日		昭和42年6月13日
場所		平塚市神田農協
作物条件	品種	ビールムギサツキ2条
	草丈	89.5センチ
	含水率	23.4%
	立毛状態	穂先地上高71.6センチ
	1条1メートル当たり穂数	平均82.4本（78本～119本）
	推定収量	6.5～7俵（10アール当たり）
ほ場	面積	85.25アール
	土壌状態	乾田、雑草多し
	平均刈り幅	0.45メートル
	刈り株高さ	9.6センチ（8～14センチ）
作業時間	総所要時間	11時間10分（10アール当たり）79分
	刈り取り時間	10時間05分（　〃　）71分
	旋回時間	1回当たりUターン10～13秒
	事前調整時間	13分
	袋取り替え時間	とくになし、1人で刈り取り中可能
	停止時間	故障による停止なし（11時間連続運転）
	手刈り時間	実施せず
損傷	粒のいたみ	全くなし
損失	頭部	0.3～0.5%
	こぎ部	0.7～0.8%
	計	1.0～1.4%（農業機械化研究所による）

Ⓐ収穫コストの比較（10アール当たり円）

収穫方式		収穫面積 1ヘクタール	2ヘクタール	3ヘクタール	5ヘクタール
慣行	地干しこぎ	5,990	5,530	5,440	5,380
	直こぎ	7,260	6,860	6,770	6,700
歩行型コンバイン		11,300	6,980	5,750	5,820
3条刈りバインダー（専用機）	地干しこぎ（小束こぎ）	11,770	8,050	7,590	7,240
	直こぎ（小束こぎ）	12,650	8,990	8,530	8,170

Ⓑ関係製品の性能、価格

	エンジン 馬力	燃料	燃費率	能率 時間/10アール	小売り価格（千円）
歩行型コンバイン	7～9	ガソリン	310グラム/馬力時	1.5	520
3条刈りバインダー（専用機）	3～5	ガソリン	350	1.4	430
自脱	—	—	—	—	70
自脱用エンジン	4～5	ガソリン	290	—	50
乾燥機	½～¼	灯油	2.1リットル/時.	—	35

刈り取り一時間に約7.5アール

ロスは手刈りよりも低い

収穫コストも低い

二ヘクタール以上は慣行法より有利

10アール当たりの収穫コスト比較

北海道のクラブ員訪問

新農村づくりに意欲

熊本　技術交換大会開かる

群馬県連でリーダー研修会

暖かい雪 (30)

田井専六
米良武子 画

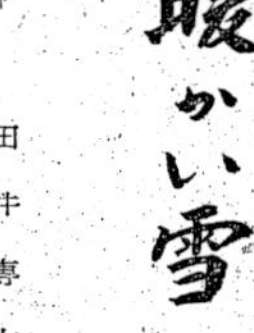
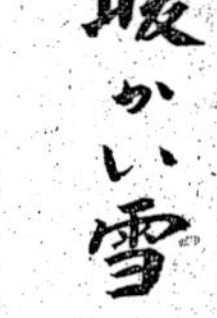

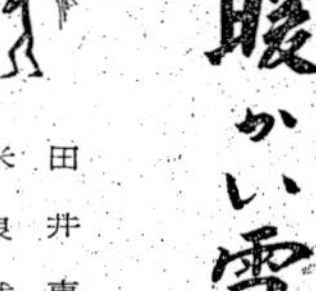
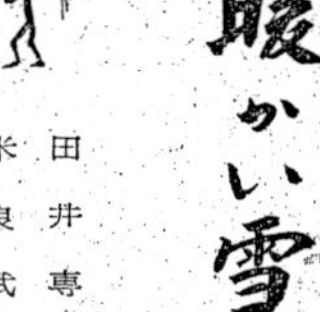
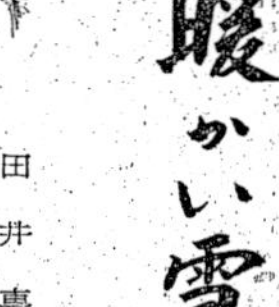
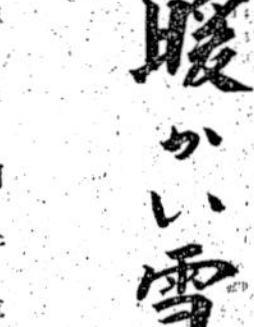

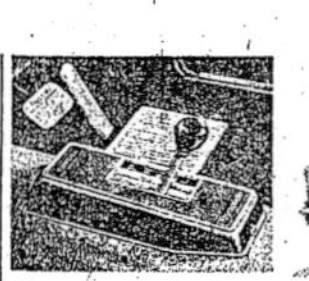

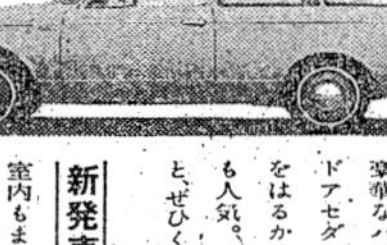
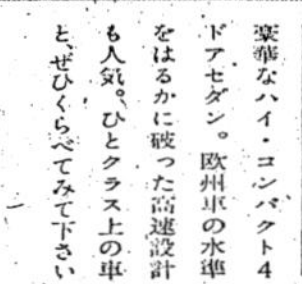
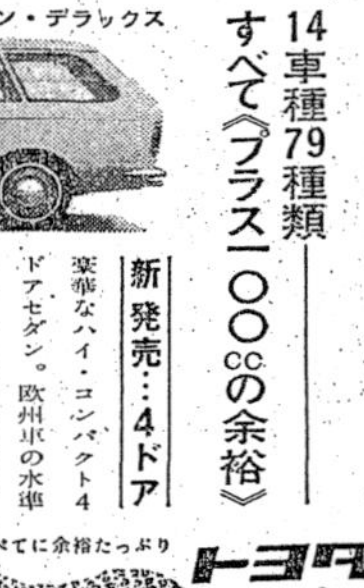
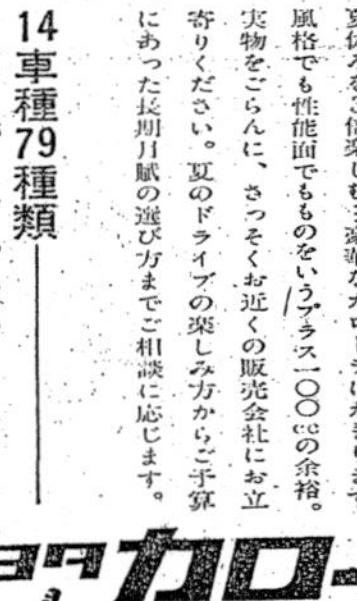

4Hとプロジェクト

4Hの綱領

一、私達は実践を通して自分を磨くとともに正しい心を合わせて一そうよい農村、よりよい日本を創るため四つの信条をかかげます。

一、私達は農業の改良と生活の改善に役立つ腕をみがきます。

一、私達は科学的に物を考えることのできる頭の訓練をします。

一、私達は誠実で友情に富む心をつちかいます。

一、私達は楽しく暮らし、元気で働くための健康を増進します。

4Hクラブの性格

クラブは活動手段

意識の高揚は実践で

「4Hクラブとは何か」ということをいきなり聞かれたとしたら、返答は少し問題が出るかもしれない……くるのであろうか。

4Hクラブとは？

「えらいピーそれはですね……チョット……」などという人が多いのではないだろうか。戦後の民主化の過程で、青年の集団のひとつとして4Hクラブが導入されてから、しかも4Hクラブの性格について、あまりにも漠然としたままであるように思える。

もちろん、4Hの四つのHはいうまでもなく、その綱領はだれもが知っているはずのことである。しかし、これでは4Hクラブの本質とはいえまい。こういう基本が忘れられ、根本になる青年の意識が低いのではなかろうか。

しかし、この前の四つのHや綱領の解説はやらぬことにして、4Hクラブの性格にふれてみよう。

4Hクラブとは青年の話し合う場であるというような解釈をもつ人も少なくないのではなかろうか。しかしながら4Hクラブの本質は話し合うだけではないということだけは、はっきりといっておかなければならない。

クラブ活動と組織

4Hクラブの組織とは活動に便なるようにつくられるものである。活動、すなわち実践があってはじめて組織が形づくられるものであって、もし組織が活動の邪魔になるとするならば組織はなくてもよいと極論されるものであるべきである。したがって4Hクラブは何か勉強をしたいという受身の人々の講習受習場ではなく、実際の生活体験の現場なのである。

だから言葉を代えれば、教養集団でなく体験集団であるわけで、「こうあるべきである」「私はこう思う」など話し合うだけではなく、むしろ「私はこうやった。そうしたらこうなった、君の場合はどのように行なったか」というような体験が一番ものをいう所であり、やったことが一番尊敬されるグループである。

つぎに、組織の強さの問題を考えてみよう。よく「あのクラブは、クラブ意識が高いから組織がしっかりしている」ということを聞く。また問題意識があるかないかだ、人の問題だな」ということも聞かされる。

これらのことは一体どういうことなのであろうか。まず意識が高まらないとクラブ組織は強くならないという意味は何か。

真の4Hクラブ意識というものは理論で高まるものでなく、実践行動で培われるものである。実践の積み上げなくしては意識は高まるものではない。組織の強さとは実践力の強さであり「行うことによって学ぶ」行き方こそ、4H組織の強さを伸すものである。

たとえば、女子クラブ員が嫁にいき、部落には新しく入ってくるような若い人が一人もいないようなピンチになったときでも活動は止めてはいけない。一人になったとしても続けるべきで、そうすれば必ず仲間は寄ってくるようになるものである。

4Hクラブの性格は活動の中から形成されるものであり、活動が停止しているグループには、たとえ考え方が立派であっても4Hクラブとして認めるわけにはゆかない。

そしてその活動は一人であっても、何人であっても展開することができるものであり、もしある部落に青年が一人しかいない場合であっても、その一人が黙々と活動を続けているならば、そこには立派な4Hクラブ活動が生きているといえるのである。

4Hクラブとは、そういう性格をもっているものである。すなわち、クラブというグループは活動のための手段として存在するものなのであることを、ここに再確認しておきたい。

4H旗の表わすもの

また、4Hクラブの性格を知るもう一つのものとして、案外忘れられているものに4Hの旗がある。

これは白地に緑の四つ葉のクローバーが描かれ、クローバーの葉の中に白地で四つのHをぬいてあるのが本当である。この意味は緑は大自然の色、希望の色と解され、青年の生命と成長を示すもの、また、四つのHの白文字と白の旗地は純潔と真理の象徴としてとりきめられたものである。

この根本の原因の一つは、もと[illegible]

正しい態度の練磨

結果の良否よりその過程

4Hクラブ活動が日本で行なわれるようになってから、はや二十年になろうとしています。この間、戦後の日本は食糧難に見舞われ、当時の農村青年には食糧増産という急務が課せられていました。青年たちはよくこの期待にそって増産に励み、輝かしい業績を残しましたが、その反面、本来の4Hクラブ活動、とりわけそのプロジェクトの考え方がゆがめられ、生産活動即プロジェクトという安易な受け取り方をしていた様子も伺えます。したがって、今日なお、クラブ員の中には4Hプロジェクトがどんなものであるか理解されていないところがあります。そこで今回は特集として、4Hクラブに情熱をもって長い間指導してこられその理論と実際を本紙に連載されました栃木県の特別専技、湯浅甲子氏のご意見をここに再掲し、多くの読者の参考に供したいと思います。（編集部）

プロジェクトという言葉は、とかく問題になる言葉である。これが4Hクラブの特徴を代表する意見に受けとられていることは事実であるから、この言葉の意味の解釈が、4Hクラブの性格付けになることになる。したがって、プロジェクトとは何ぞやという質問には明確に答えなければならない。

このプロジェクトという言葉の意味は、物理の定理のように誰れもが共通してはっきり納得していないと思われる。それも当然のことで、たとえば英語辞典をひいてみてもどうもスッキリしない。直訳的には、「投射する」とか、「設計する」「工夫する」「思いめぐらす」「想像する」などと訳されているが、4Hクラブで毎日展開しているプロジェクトとは無関係とはいえないにしても、どうもピッタリこないのは事実である。

そこで、プロジェクトが4Hクラブの中に入ってくるまでの経過をたどってみることにしよう。

一九〇〇年というから明治三十三年であろうか。アメリカのコロンビア大学でリチャードという人が、学生を教える方法に手工学習という新手を考え出したのである。これは、教えたことを学生自身に納得いくまで実際にやらせ、工夫をさせ、完成させるのである。この方法はたいへん実効をあげたので、一九一四年にはアメリカ教育局が農業教育に応用し、ホームプロジェクト法として採用し、活用をはかったのである。

そして一九一七年（大正六年）には、スミス・ヒューズ法により、農業教育振興経済援助法が制定され、プロジェクト法が制度化して全アメリカに普及していったのである。

一方、日本国内では、一九〇八年（明治四十一年）に、織田利三郎氏が静岡県浜松近在の小学生に、一坪農業と称してトマトとトウガラシの栽培をやらせた記録があり一九一三年（大正二年）には、高岡熊吉氏が、一九一六年（大正五年）には佐藤寛次氏がそれぞれ「アメリカの農業教育」としてホームプロジェクトなるものを紹介している。

その後、ず－とんで戦後の一九四八年つまり昭和二十三年五月に、コロラド農工大学のカナダ教授とGHQ民間情報教育部の職業教育官ネルソン氏は、ホームプロジェクトを農業学校に採用するよう助言し、昭和二十七年には、産業教育振興法（昭和二十六年六月十一日公布）によってホームプロジェクトがますます発展していったのである。

そして、この間に、アメリカ普及事業農村青少年教育専門官のポール・W・ローズ氏により、日本の農村青少年教育にプロジェクト法が指導されたのであった。

このような経緯をふり返ってみると、このプロジェクトなるものは、学校教育の中で生まれ、育ってきた教育法であることがわかる。

学校教育から出発

自主活動へ切替え必要

それがアメリカの4Hクラブに取り入れられたが、アメリカの4Hは少年対象の教育であるから、学校型のプロジェクトでも矛盾はあまりなかったらしい。ところが、この方法が直訳的に日本の農村青年活動に採用されたとき、一つも矛盾がなかったであろうか。それは、あってもわからなかったのである。

ということは、当時は戦後の混乱期で、経済は全く不安定となり、食糧事情はまさにどん底の飢餓状態にあった。そして、農家ははじめは米を作る強みで百姓天下を誇っていたが、だんだん資材不足、技術不足から生産は低下し、収入もジリ貧になってきたので、心ある農民や落ちつきをとりもどした青年は農業生産研究活動の必要性に追られ、馴れぬグループ活動を展開し始めたのであった。この機にプロジェクトという耳なれぬが、何やら新しいムードをもった研究体制が導入されたので、プロジェクトの何たるかのぎん味よりもまず実行に踏みきったのである。

しかも一方、やはりアメリカ直輸入の普及事業（普及所の仕事）は、普及員を日本国内に急造し、このプロジェクトなるパイプをとおして、戦後のひへいした農業の復活に食糧増産技術をそそぎ込んだものだから、農家の人々はわれもわれもとこのグループに集まり、プロジェクトにとり組むようになったのである。

それもそのはずで、このプロジェクトのパイプにつながってさえいれば、いつでも新しい技術が入ってきたからである。ここまでに至る日本のプロジェクトの推移は、まず多大なる成果をあげたという一言につきるであろう。

ところが冷静にこのプロジェクトの受け止め方をみてみると、こんなことになっていたのである。

一つは、食糧増産につながったために、これを受けて立った農家の人はその家の主人クラスの人々で、今日の農業研究クラブ員層であったのである。もう一つの事実は、当時の青少年は、徴兵されるか、工場へ動員された経験者ばかりなので、年令の割りに、ゆがんだ社会を無我無中で、体験し、フト我れにかえったときは戦後の虚脱と混乱期であったから、食糧増産への生産技術一辺倒とはどうしてもなじむことができなかったのである。

このようにして、プロジェクトは、壮年層に大きく受けとめられ、[illegible]

風潮に流されるな

テーマは生活の中から

[illegible]

ところがこのあたりから、農業生産方式が大きく転換をはじめ、特産地育成とか、流通改善とか、他産業との格差などと、農業を見る角度が変わるにつれて、クラブ活動もますます己れを顧みる余裕がなくなり天下国家の論争に巻きこまれてゆき、時の農政が望む新農業施策に共鳴した活動をもって、4H活動の本分であるかのような様相を呈するになったのであった。

この風潮は現在なおも存続している。端的な例としては、青年による協業事例などが花々しくPRされ、新しい農村青年像というような言葉でアッピールされているのである。この傾向は農業基本法制定以後とくに目立ってきた現象であるが、このこと自体が悪いことではなく、むしろ当然好ましい農村青年の姿である。

ただ、これについて心がかりなことは、もしこれがいわば時代迎合主義的4H活動に終ってしまうのではないかという心配がある。風潮の流れ、相場のよしあし、天候の順、不順、為政者の指導などで、青少年の生活態度というものが右往左往して定まるところがなく、ただ金がとれればいいといった問題意識しか持たず、いわれるがままに、あるいは自分勝手に行動するようなことでは、たとえとりあげた課題がさん新であっても、4H活動としては立派なプロジェクトとはいえない。

さて、ここらで4Hプロジェクトに対す[illegible]

プロジェクトに励む　みんなで子豚を研究する栃木の土沢4Hクラブのなかまたち

改善は永遠にして無限なり

4Hクラブ活動

プロの取り組み方

4H旗の下に集う仲間たち　(昨年十月埼玉県三峯山で)

さて、ここでは、実際にプロジェクト活動の中でおきやすい疑問やしばしばぶつかる問題などをいくつか引き抜いて解説を試みることにしよう。したがって、一部既述と重複する点はあるが、ご了承願いたい。

(一) 栽培することと、プロジェクトすることは違う

プロジェクト巡回などをしてみると、よく見ることであるが、普通栽培や慣行的栽培と全く同じやり方で作物をつくっているのに、ぼくは白菜のプロジェクトをやっています、キウリのプロを持っています、などといっている人がいるようである。こういう作業は、体験することの価値はあるけれども、何ら問題意識を持っていないのであるから、課題解決活動とはみることができない。つまり、プロジェクト以前の活動と見るべきである。

どうも一般的にいって、プロジェクトの計画をピチンと樹てられる人はなく、何回か指導をうけなければならないと思われる。

❶どんなプロジェクトをやったらいいか

(イ) まず、身近かな小さな問題から

カンやコツといったもので、くりかえし農業をやっていることが、私たちの周辺にはたいへん多い。こういうものの中から問題を拾い出そうではないか。

(ロ) 焦点をしぼる

なぜ、こうなるのだろう、と考えると、どこから手をつけたらよいのか迷ってしまうことが多い。とり組むテーマが大きく、ボケていればいるほど、計画や目標もボケ、結論に到達できないか、結論づけるにも、余りに要因が多すぎてまとまらないような結果をまねくおそれがある。

(ハ) 到達目標の考え方

なんとなく理想像を抽象的に表現しがちであるが、これは失敗のもとである。到達目標は単なる希望ではなく、努力すれば出来る可能性の範囲内におかねばならない。それだけに、ハッキリした具体的なものであるべきである。

たとえば、到達目標を「酪農による経営の合理化」というようなものでなく、もっと明確にすべきで「自給飼料の組み入れ方の改良」などとすれば、かなりハッキリしてくる。

(二) 経営とプロジェクトの関係

だれでも、最終的には経営の合理化と有利性を高めることにねらいを持たぬ人はないが、しかし、考え方としては更に一歩つっこんで「今の経営をよくするためには、いま、なにが一番問題なのか」「何が原因で経営がうまくいかないのか」を分析して、そのポイントになる点を抽出して、プロジェクトにするのである。そうすると、経営を組み立てている技術のうちどれに問題があるのか、あるいは、術と術の組み合わせ方に問題があるのか、さらには、労働配分にムリがあるのか、いずれかハッキリしてくるに違いないのである。そうなったら、その病気に向って短刀直入に、手術のメスを入れていく、という取り組み方をするように心掛けるべきである。

❷プロジェクトテーマーの選び方事例

ここで、実際どのように進めたらいいのか、実例をあげて解説してみよう。なおこれから紹介する例は、4Hクラブ員一人ひとりからプロジェクト計画の提出を求め、これを専門技術員やクラブ育成担当者と当該クラブ員とが膝をあわせて検討し、改訂したものである。

したがって、検討前のものはクラブ員提出のナマの計画で、検討後は、三者協議の末、変更したものである。変化の様子をよくご研究願いたいと思う。

第一例

(検討前)

プロジェクト名……食生活改善調査

プロジェクトを選んだ理由……農村の食生活は少なからず向上はしているが、それが、どの位の水準に達しているかを知り、今後の改善をはかるための資料とする。

本年度到達目標……毎月一週間以上の食べものを記録し、それらの成分を知る。

(検討後)

プロジェクト名……我が家の日常食の実態を知る。

プロジェクトを選んだ理由……栄養的に基準量と比較し、我が家に欠けている食品は何かを知りたい。

本年度到達目標……年間の食料計画が樹てられるようにする。

この第一例は、女子クラブ員がしばしば実施する食生活実態調査プロジェクトであったが、いろいろ話しているうちに、彼女は当初は部落全部を調べようとしていたがその困難性と、結論の出し方に自信が持てなくなり、かえって足元の自分の家のことすら、全くわかっていないことに気づき、プロジェクトの対象をわが家のみにしぼり正確な調査に入ることにしたのである。

第二例

(検討前)

プロジェクト名……稲の晩植栽培について

プロジェクトを選んだ理由……晩植栽培の増収安定をはかる。

本年度到達目標……水稲の収量を豊凶作の年にかかわらず、常に安定した収穫を得るようにしたい。

(検討後)

プロジェクト名……稲の晩植栽培における無効分けつをどう防ぐか。

プロジェクトを選んだ理由……晩植は、茎数に比して無効分けつ数が多く、収量が安定しない。

本年度到達目標……無効分けつをおさえる技術を修得する。

この例は、話し合っていると、問題点はたいへんはっきりしているのに、計画書には極めてばく然と書いていることがわかった。そこで、そのクラブ員が問題として困っていることズバリを計画化するように指導したら、検討後のように、極めて明確なプロジェクトになってきたのである。

この他にたくさんの例があるが、あとはプロジェクト名だけを検討前、検討後と比較列記することにしよう。

水田単作における副業養鶏→鶏の飼料比較研究。トマト半促成栽培→ビニールハウス利用トマトの半促成栽培の研究。家庭菜園と料理→野菜を主とした調理法。

内容を説明しないと、なぜこう変ったかがわからないであろうが、しかしこのテーマを見ただけでも、かなり具体的になったことは伺えるであろう。要するに、4Hプロジェクトは、身近かなもので、小さいものでもよく、ただ出来るだけ、具体的に問題をとらえることが大切であるということを忘れてはならない。

問題意識こそ大切
プロの基本は個人型

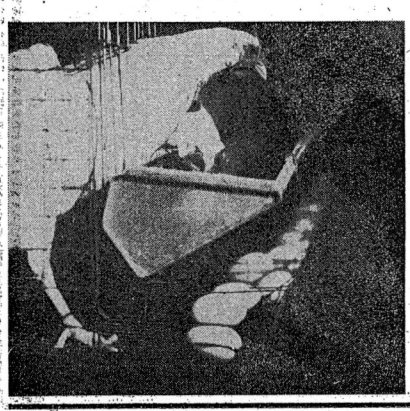

ちょっと前項の復習から始めよう。プロジェクトはどんなものをやったらいいか、ということの中に(イ)身近かな小さな問題から(ロ)焦点をしぼって(ハ)到達目標の考え方は具体的に実現可能なものを(二)経営プロジェクトは内容の分解分析から始めなければ……など、おわかりのとおりである。

さて、プロジェクトというものは、こういうつかみ方で取り組むことが大切であるとご理解願えたとすると、共同プロジェクト、個人プロジェクトの基本的理解のしかたは、おのづからわかってもらえるだろう。それは、結論から先にいうならば、4Hクラブのプロジェクトの基本型は、個人プロジェクトであるということである。

何となれば、プロジェクトは、一言でいい表わすと、身近かな、小さいことから焦点をしぼって、より自分の生活に合致した具体性のある、しかも実効を期待しうる課題ととりくむことであるから、これは必然的に個人の問題であるといえる。

農業は、いかに同質性の高いものであるとはいえ、一戸一戸、一人一人違うものをもっているのである。従って、共同でとりくみうるものは、むしろ少なく、諸君の行うプロジェクトの題材は、諸君の家の経営の中にだけある独自のテーマであることの方が自然である。いや、自然であるばかりでなく、その方が、プロジェクトと、自分の家の問題とが、同一なものになりうるのであり、この点が4Hプロジェクトとして、最も大切なことであると思うのである。

ややもすれば、プロジェクトに気負いすぎて、足元にあるわが家の切実な問題から離れ、飛躍して、華やかな大きいものをねらいがちであるが、これは充分注意しなければならないと思うのである。

よく諸君らは、こんな話し合いの経験があるだろう。

「そりゃあ、おれだって夏の出稼ぎなんか行きたくないサ、お前みたいに、きうりが作れればな、しかし、おれんとこの田んぼは湿田だし、人手も少ないから、やさい作って、米が減収しちゃっては、親たちが承知しねえからなあ」と。

この言葉の中には、その人だけに存在する問題が、いくつかあるようである。確かに本人は、他の人と同じく、やさい作りのよさを知っているが、水田の状態が、他の人と違うようだ。そして人手も少ないというから、労働配分に自信がなさそうである。そのうえ、自分と親たちの間に、米とやさいの理解度が違っているらしい。

こういう条件下の場合、それでも諸君らは、みんなと一緒に、きうり作りに踏み切るべきであろうか、私は、その前に、この人は、やらねばならない独自な課題がある、と思うのである。その解決を計った後で、やさいに取り組むのが順当であると考える。ここに、個人プロジェクトが基本であるとする根拠があるのである。

農村には、とかく、当然個人で解決すべき問題まで、他のせいにして、あわよくば補助までいただこうという魂胆の人がないではないし、また、こんな人ほど、人のため、みんなのためと、きれいごとを乱用するものなのである。

人間として、社会人として、先ず大事なことは、他人に迷惑をかけないという基本的生活態度であろうと思うが、これを守るのには"自分のことは、自分でする"というような平凡な言葉の実行以外にはないのである。この考えに通じるのが、個人プロジェクトである。

さて、だいぶ個人プロジェクトを礼賛してしまったようであるから、この辺で一つ誤解を防ぐために釘を刺しておかねばなるまい。

諸君らの疑惑としては、それなら、4Hクラブのプロジェクトは、個人プロジェクトオンリーでいいのか、そんなことではますます自分勝手で排他的な農民をつくってしまうのではないか、協調性に欠けた人ができて、地域農業振興とか、協業など思いもよらないことになりはすまいか、と心配するに違いないであろう。

これらに対して、私は、こう考えているのである。4Hプロジェクトで、個人プロジェクトをガッチリ実践しうるような青年になってもらうことは、ひいては理想的共同プロジェクトを実行しうる人になるであろうと思うのである。したがって、初めから共同プロジェクトのよさ、必要性を説いて、その実践の推進をはかることより、正しい個人プロジェクトの体験に力を入れれば、必ず個人と全体の関連を正しく理解し素晴らしい共同プロジェクトの展開を期待することができると信ずるのである。

この点をよくわきまえず、共同を信奉することは[illegible]危険をはらむものとして、[illegible]ならない。

クラブリーダーの一部に[illegible]プへ入ったばかりで、プロ[illegible]といわれても、何をやって[illegible]らない。そういうときは、[illegible]ェクトとして、みんなと[illegible]から始めると、やりやすい[illegible]は、私の期待する本当の共同プロジェクトを奨める人[illegible]ではなく、むしろ、個人[illegible]つまでの導入方法として、[illegible]なことでもやっているうち[illegible]だろうという、軽い意味の[illegible]と見るべきであろう。

私は、真の共同の大切さ[illegible]かっているつもりである。[illegible]直に取り組めない重要な[illegible]ると考えている。したが[illegible]上は、綿密な計画と、己れ[illegible]に果しうる能力をもった人[illegible]進したいと思う。そのため[illegible]を、先ずプロジェクトの基[illegible]のである。

ここに、個人プロジェク[illegible]ジェクトへの進展を歩んで[illegible]例をご紹介しよう。

いまから五年前にさかの[illegible]芳賀郡二宮町の十人の農[illegible]ポート学習を始めたので[illegible]は、先ず第一に、「わが家[illegible]は何か」というテーマで、[illegible]ートを書き、それを持ちよ[illegible]のである。そして一人一人[illegible]と、実行したこと、した[illegible]どをサラケ出し合い、[illegible]をしたのである。

このレポート学習をし[illegible]んだん自分の問題と、み[illegible]わかってきて、個人問題[illegible]され、自分の責任は完全[illegible]なの問題を共同で解明して[illegible]体制が確立したのである。

今日、稲作協業とか、共[illegible]集団栽培など、農業構造[illegible]モデル地区として、しば[illegible]地も、このように、一人一[illegible]ていく、いわば個人プロ[illegible]かかる優秀な共同活動を[illegible]のである。

青年よ　特許をもて！

4Hクラブの考え方

まず、個人が成長を　楽しく、ためになる活動

4Hクラブ活動とはどんなものか、プロジェクトとは何か、ということの概略がほぼつかめたところで、基本的な4Hクラブ活動の考え方を述べることにする。

一　4H活動の図

4H活動には二つの大きな柱があると思う。その一つは「たのしい」ということであり、もう一つは「ためになる」ということである。

たのしさは心のつながりをもたせ、ためになることは生活の信条が培われるものである。この二つの柱を、タテとヨコの軸にとって、その交点からプロジェクトの線を斜め上に向けて引くと、4H活動を表わす図ができあがるのである。

4Hクラブ活動は、下の図のように、たのしさとためになることが、バランスのとれたとき、はじめて活力が生ずるのである。なぜならば、青年の行動は、常にたのしいこととためになることのバランスの中で感激と興味を感じるものであり、このどちらかが弱くなると、あきてしまうか、かたくなって動きがにぶるのである。だからこの両軸の中間を保つような性格のプロジェクトを行なっていくならば、必ず、そのクラブの一人一人は日一日と、人間的に、あるいは農村人として立派に成長していくものと信ずるものである。

つまり、話を逆にして要約するならば、4Hクラブで活動は、個人の成長を期待するために、たのしい、しかも、ためになるプロジェクトを感激と興味の中で積み上げていくことである、といえる。

二　青年の方程式

たのしいことと、ためになることを兼ね備えたプロジェクトというものは、4Hクラブ員にだけ、大切な、個人成長の登り道ではない、むしろ青年共通の大切なものである。と、いうことは、次の式で考えてほしい。

◇(希望＋なやみ)×プロジェクト(課題解決活動)＝苦労のしがいがある＝幸福

◇(希望＋なやみ)×あきらめ＝不安＝不幸

青年の胸の中には、希望となやみが渦をまいているものである。ある青年は、「イヤ、おれは希望なんか爪のアカほどもなくなって、なやみごとばかりだ」というかも知れないが、そんなことはない。なぜなら、なやみがあるということは、希望があるからこそなので、希望が大きければなやみも大きいはずであり、本来、希望となやみは同じ分量ずつ持ち合わせているのが、青年の特徴といえるのである。これは、どんな青年でも同じである。

ところが、この希望となやみを、どう処理するかが、問題の分れ道である。一方は何んとか解明しようとすれば、自分の満足のできるものではなくてもやるだけはやったという満ち足りたものが胸の中に暖かく残るが、一方、なやみは、希望の変名であることに気付かず、あきらめてしまうと、その結果は、日増しに内心へ不安がつもり、遂いには、思わぬ不幸を招くことになりがちである。

人間、だれも幸福を願わぬものはないが幸も不幸も、その前提条件は同じで、それをどのように処理するかという課題解決活動の有無がきめ手であると心得るべきであろう。

三　改善は永遠にして無限なり

たのしく、ためになるプロジェクト、幸不幸のきめ手になるプロジェクトなど、あるものであろうか。あるとしたらどんなものであろうか。

このことは、あとでお話することにして、ここでは、課題解決活動、すなわち、一言でいうなら「改善」方法はいくらでもあるということを「改善は永遠にして無限なり」という、ある工場の職場訓を引用して、言い切っておこう。

四　適度の不良性を生かせ

たのしく、ためになる活動……そんな4H活動はあるだろうか？、諸君らはきっとだれでも反論するに違いない。だが、もしあるとすれば、こんな素晴らしいことはないと思うだろう。

昨今、4H活動の様相をみていると、よくリーダーや、ときには指導者まで、こんなことを口にするのをよく聞かれる。

「いまどき、若い人を集めることは、むずかしい。レクリエーションをうんと取り入れて、おもしろくしなければだめだ。若い人の興味をそそるようなものをやらなければ」と。

諸君らも、きっと、耳にした言葉であろう。それでいて、プロジェクトとなるとむずかしい理論と、やかましい条件でやらねばならなくなる。ここでは、たのしいことと、ためになることが、全く背中あわせで反目しているようである。

なるほど、クラブ活動の中には、確かにレクリエーションもあり、プロジェクトもある。しかし、この大切な活動要素が、全然、別々に体験しなければならないとしたら、若い諸君らは、全くやりきれないであろうと思うのである。

なぜならば、諸君らの心のうちでは「レクリエーションもしたい。むずかしい勉強もしたい。しかし、これを別々にやることより、何とか、一つにならないだろうか。つまり、趣味と実益が一本にならないだろうか」という、虫のいい期待を、4Hクラブにかけているのではないだろうか。この虫のいい期待が、そっくりクラブに受け入れられたとしたら、こんなご気嫌はないに違いない。

ところが、4Hクラブの中では、どうも期待どおりいかないらしい。だから、入会時にいだいた、バラ色の希望は、だんだん色あせて、次第に灰色になってしまうのであろう。まことにおしいことである。4Hクラブという旗のもとでは、この、たのしいことと、ためになることが合体できないものだろうか……いや、そうではないと私は考えている。

第一、青年が「たのしい」と感じるものは何んだろうか。遊びなのか、歌や踊りなのだろうか。それども、その他のものなのだろうか。

私はこう考える。遊びにも、たのしさはある。しかしそれは、休止符的たのしさである。しかし青年は、そんな休止符的やすらぎを、真にたのしさと解しているだろうか。少くとも4Hクラブに入会してきた心ある青年は、そんな一時的なことで満足はしていないだろうと思うのである。

むしろその反対に、未知の世界に対する興味や、対決、すなわち冒険をさがし求めているのではないか。そのときの、ギラギラした炎のような眼ざしの中にこそ、青年らしい"無我の境"的たのしさを持っているのではないかと思うのである。すなわち青年の長つづきする真のたのしさなるものは、青年の冒険の中にこそ、あきざるたのしさがあるように思うのである。

さて、ならば、青年の冒険とはどんなものかを考えてみよう。だいたい、冒険というものは、不可能にいどむことであろう。常識を破ることでもあろう。未知のものに対して、未経験な行動を勇敢にぶっつけていくことであろう。いわば無茶な行動といえるかも知れまい。

しかし、この無茶な行動の中にこそ、青年らしい、満足した、たのしさを見いだすのが青年の特権であると私は考えているのである。したがって極言するならば、私はクラブ活動の中で、この無茶と思われる行動を堂々とやらせていくならば、青年は、きっとついてくると信ずるのである。

クラブ活動の中で、青年のエネルギーを発散させることが大切であると思うのである。ただ、それも無軌道ではならない。青年である以上、男も女も、冒険を試みようとする心理は、誰れでももっている。これを、私は、青年の適度の不良性といっているが、この青年に必在する適度の不良性を善導発散するクラブ活動のあり方をリーダーたるものは充分研究しておくべきであろうと思うのである。

この適度の不良性を、上手に処理することは、青年グループ育成上、最も重要なことである。この処理は、篤志指導者や普及員など、信頼しうる指導者と充分話し合って行なうべきであることはもちろんである。

たのしい
プロジェクト
個人の成長
感激と興味
ためになる

五　青年よ特許をもて

さて、暴言ともいうべき、前項の適度の不良性も、向け方をあやまらなければ、次にくるものは、自信である。青年が、何か小さなことでも、そのことに絶対自信をもち、他の追随を許さざるものを勝ちとると青年は強くなるものである。格段とシッカリしてくるのである。

青年の心の中に「このことは、おれの専売特許だ」ということが一つでも生まれたら、大成功である。そのときこそ、趣味と実益が一つになり、たのしみながら実績を上げていく青年になっていくものである。

六　秒針活動

ところで、だいぶ"適度の不良性を生かせ"だの、"特許をもて"など、ドキッとするような話を持ちだしたが、要は、クラブ員一人一人が、着実に、たゆまず努力をすることが第一で、浮わついた心や行動では、特許をもつまでには致らないだろう。

そこに、日常の地味な一人一人のクラブ活動の積み上げが必要なのである。これはちょうど、時計の針に似ていると思う。あの文字盤の上を、細かく小さく刻む、一秒一秒の秒針があればこそ、時計は正確に時を報することができるのである。時計の種類によっては、秒針がかくされて見えないものもあろうが、他人に見えようが見えなかろうが、その時計のどこかに秒を刻む針があり、それが正確であってこそ、はじめて時計としての役を果すものなのである。

4Hクラブの活動がいいも悪いも、かかって一人一人の秒針活動的日常が、最も大切であると思うのである。

七　美をつくる活動

何か一つのことに取り組んで無中になったとき、人として最も美しい瞬間があると思うのである。外観の装いより、にじみでているときに、人を魅了する美しさが備わるものである。

クラブ活動のよさも、ここにあるのであって、たとえ、活動のテーマは小さくともその及ぼす価値は低くとも、そのことに集中する生活態度こそ、何んにもまして貴重なものなのである。クラブ活動は、そのこと自体に意味があり、結果はむしろ二の次と考えてよいのである。したがった、4Hクラブ活動そのものが、美を作る活動であるといってよいであろう。

適度の不良性を生かせ

わがクラブわが同志

◀投稿案内▶
本紙は、みなさん方の新聞として、全国のクラブ員に利用して戴きたいと考えています。それでクラブの催しや個人のプロジェクト、詩、短歌、随筆、写真、悩みや意見、村の話題、伝説、行事その他なんでも原稿にして送って下さい。
お願い ❶長さや形式は自由です。❷できれば簡単な説明をつけた写真をそえて下さい ❸送り先 東京都新宿区市ヶ谷船河原町十一 日本4H協会編集部

幸福な日々の生活
農業こそ私の生きがい

岐阜県関市小屋名 関市4Hクラブ 古川まさ子

[illegible]

農家に生まれたことに感謝し、自分も農家にお嫁に行きたいという古川さんは、昨年郷里の農業まつりの美人コンテストでみごと準ミスに選ばれ、市内をパレードした

自宅の庭先きで

[illegible]して終りたいと願っている。もちろん、夫婦一緒でなければ嫌だけど。俗にいう、母ちゃん農業はやはり反対である。夫は会社に、妻は農業ということになると、そこに一つの何かが生じるのでは？姑さんと何かがおきた場合、夫がうまく取り合ってくれるのではないだろうか。

私の家は、母ちゃん農業のよい見本である。幼いころから見ている母の姿はやはりつらそう。

私は母のようにはなりたくない、また、子どもにも私の育ったような淋しい思いは絶対にさせたくない。

でも、私はこうして二十才まで育った今日、幸福と思うことは、やはり農村のこの大空の下でのびのびと育ったことである。都会の青年たちは、この美しい土地も、空気も、土のにおいも、のどかなこの田園風景も、まったく知らないと思うと、教えてあげたい気がする。

農村はほんとうによい！私の生きがいである。

日本を訪ずれて

日本4H協会に招かれて、毎年日本各地を訪ずれるアメリカ代表4Hクラブ員は、訪問した先々で大歓迎を受け、数々の思いでを残し両国の親善に寄与しているが、ことしもまた、元気はつらつとしたビル君とアリス、バーバラの明るい二人のお嬢さんが日本を訪れています。本文は今月はじめ、岩手県の受入農家の生活をおえ、千葉県の新しい受入農家へ向う途中、東京でもらった手記です。三名とも日本語はまだうまくありませんが、この新聞が発行される頃は、千葉県で行われる技術交換大会に参加し、全国のクラブ員の人気者になることでしょう。

七月十一日、千葉県天羽町の天羽4Hクラブを訪ずれ、女子クラブ員に生け花を習うバーバラさん（右）とアリスさん

親切な日本の人々
アリス・グルナー

アリスさん

私は、岩手県を訪問していたこの二週間半の期間に、新しい友だちができ、またあちこちおもしろい所へ案内してもらった。お世話になった花巻市の千葉さんの家には、隆昭さん、お父さん、お母さん、おばあさんの家族で、私はたいへん可愛がってもらった。私はこの家の娘としてみなさんから受けた親切と好意を生涯忘れることはないでしょう。

この家にいる間に、私は、乳牛のための草の刈り方など、おもしろいものを学びました。お母さんが食事の準備をされるのを手伝いながら、有益な料理の仕方を教わりました。

それから、牛乳会社、学校、酪農家を訪ね、4Hクラブや婦人会の会合にも出席した。婦人会はアメリカのものとよく似ています。また、あるときは岩手特有の古い造りの家を見に行きました。

私は一日、4Hのキャンプに参加して思い出楽しい体験をしました。日本の人は暖かく、親切で、アメリカの農業にたいへん関心をもっています。私が会った人たちは、自分たちの農業技術をどんなにして改良していくかということを考えておりました。

私はその人たちが、目的に向って、どんどん進歩しているのを知ったのでした。

楽しかったキャンプ
ビル・ブラウ

ビル君

私はアメリカ東北・ペンシルバニア州からやってきましたビル・ブラウです。

私は酪農家にお世話になっております。この家には二二八匁の農場に五〇頭の搾乳中の牛、五〇頭の若牛などがいます。私たちはからす麦や干草を作り、約五〇頭の豚を飼っています。

私は岩手県の生活が故郷の生活に非常に似かよっていることを発見しました。からす麦や干草などの作物も同じです。ペンシルバニア南部の私の農場の方が広く、そしてもっと平坦でタバコも作っていますが、酪農は岩手とまったく同じやり方です。

これまでの体験では、ホームシックにはならないようです。食事は異りますが、これまで与えられたものは何でも食べられました。

日本の人たちはたいへん親切で思いやりがあります。私は日本語がにがてで、いつも思ったことがいえませんが、だんだんよくなってきています。

4Hクラブは、年令はちがいますが、プロジェクトや目的は同じです。岩手に滞在中、4Hのキャンプに参加し、県知事に会う名誉と機会を得ました。

受入れ農家の村山さん方の生活とこのキャンプ生活はたいへん楽しいものでした。このすばらしい体験の機会を与えて下さった方々に心から感謝しております。

千葉県・天羽4Hクラブ員と交歓するアメリカ4Hクラブ員。アメリカの4Hを紹介したあと、スライドを見せたり、歌をうたったり、西瓜のごちそうになった。

何ごとも見聞から
バーバラ・ヒバード

バーバラさん

東京―世界最大の都会、[illegible]さ、忙しそうな人々、交通、[illegible]なお店、洋装、シャワーとのあるホテル―私にはほじくしたニューヨークのようでした。それで私はこちら[illegible]ました。[illegible]したとき、すぐにやすらい[illegible]なれました。

千葉のマザー牧場では、[illegible]

私の王国
松本和子

私の倖せ 貴方には分かるかしら
お嫁さんになって
おいしいお料理出来るかしら
味付けうまく出来るかしら
貴方の手造りのイスに向かい合って
いつまでも貴方のおしゃべり聞きたいんです
〝でも 貴方に好かれる
可愛いい奥さんになれるかしら〟
別れの時が来たら 小さな声で〝さよなら〟といいます
でも それはいつわりだと思って下さい
イスを離れる貴方を見ると
どうしても耐えられないんです
小さな倖せがにげて行ってしまうようで恐いんです

（茨城県稲敷郡東村東大沼 稲穂サークル4H）

さとわのうた
みすずかる信濃の旅（2）

信濃といえば、島崎藤村を思いおこす。代表作の「夜明け前」の書きだしは「木曽路はすべて山の中である。あるところは岨づたいに行く崖の道であり、あるところは数十間の深さに臨む木曽川の岸であり、あるところは山の尾をめぐる谷の入口である。一筋の街道はこの深い森林地帯を貫いていた」とある。木曽路にかかわらず長野県全体が山の中であるようだ。

藤村といえば丁度二十五年前である。村山知義の脚色になる藤村の「破戒」を五幕十場で延々五時間、六回興行をやった。瀬川丑松と志保の恋は美しかった。丑松の話に志保が「牛が塩をなめるんですか」と驚ろく状景のシーンもいまだに忘れられない。

さて話を信濃の旅にもどそう。

豊科町高家の現地を見て、小西農協所長さんたちと話しあいをする。典型的な稲作依存の地帯だけに、労力節減による余剰労働力が現在のところ充分利用されていない点があった。プラスアルファを何に求めてゆけばよいか今後の課題であろうが、米価の安定ムードにアグラをかいている点がなきにしもあらずと思った。高度集団栽培は、高度多角経営に移行してこそ、真の成功といえよう。

時間があったので、穂高町の農業構造改善事業パイロット地区をみせていただいた。なお、同町の田植機利用地の生育状況もみせていただいたが、多少の収穫期の遅れはあるらしいが、十分の成果をあげることは間違いないという。年々田植機の利用は高まり、田植時期の省力化は大いに期待できるという。

その後、普及員さんたちと二時間余、普及活動について語りあった。がっちりと農家と四つに組んで普及活動を続けておられるのには頭がさがった。

夕刻、穂高町にある一面六町余のわさび田を見た。清流が流れる礫石の間に青々としたわさびが氷々しい。十二度Cが適温だという。アルプスの水を湧水とし、こんこんと湧き、蕭条（しょうじょう）と流れてゆく水の清さに心までが洗い流される思いがした。

その夜は、美ケ原温泉に泊る。湯ケ原温泉とも、里山辺・入山辺温泉ともいう。俗っぽさのないひっそりとした情緒が旅情をなぐさめる。案内の県の友野主任と同行の鈴木さんと地酒の美酒に酔う。秋のおとずれをつげる虫の音がかなしい。

翌朝、松筑普及所に無理にお願いして、長野県農業専門学園の生徒さんたちが、先進地農家留学をしている松本市並柳の有賀正さん宅を訪ねた。松筑普及所の石原総合班長さんが直接車を運転して案内してくれた。有賀さんは、朝日農業賞をはじめ全国農業祭でも振興会長賞を取られた方でセルリーを中心に西洋野菜の集団栽培を取り入れられた方で、話の節々に出る言葉は、つけやきばでない真実の生産人であることを感じさせる。何か知らないが、ぐんぐんと人をひきつけてゆく青年実力者だけがもつ魅力をもっている。いわゆる、よい意味でのこわい人であるという印象をうけた。留学先も元気で頑張っていた。冷蔵庫のなかから勝手に好きなものをつまみ食いのできる程、生活の中にとけこんでいた。

有賀さん宅を辞し、石原班長さんのお言葉に甘えて、帰途の汽車を五時間程度おくらせて、美ケ原高原にのぼる。標高二千米の一大草地は南北六キロ、東西三キロに雄大にひろがる。高山植物マルハダケブキの黄色が美しい。十一月中下旬の頃の気温であろうか、寒さが肌をさす。高山植物のむらがり咲き乱れる六月頃が最高に美しいそうだ。もう一度訪ねてみたいと思う。

松本駅三時、鈴木さんと車中の人となる。（K）

映画 新手法が見もの
十一人の侍（東映作品）

館林藩六万一千石の主・松平斉厚（菅貫太郎）の短気から隣国忍藩十万石の主、阿部正由（穂高稔）が殺され、動揺する忍藩では次席家老・榊原帯刀（南原宏治）が訴状と証処の矢を老中・水野越前守に届け出る。

しかし、将軍の弟にあたる斉厚の暴虐を知りつつも、水野は忍藩の非として取潰しをほのめかすのだった。

意を決した帯刀は、ひそかに忍藩馬回りの仙石隼人（夏八木勲）に斉厚暗殺を命じていた。

失敗の許されない暗殺計画、隼人は妻にも告げず脱藩、同志の三田村健四郎（里見浩太郎）、久河[illegible]

[illegible]したことから、忍藩の即刻取潰しを水野に迫る刑部は、帯刀の裏をかいて夜のうちに斉厚の行列を出した。日光街道を館林に向う斉厚の行列、道中待ちうける隼人ら暗殺隊の面々。

暗殺計画成就という矢先、隼人らは、老かいな水野に踊らされた帯刀から暗殺計画中止の命令を受けた。斉厚の一命を掌中におさめながら無念の涙で見送る隼人ら暗殺隊をしり目に、雨中の日光街道を騎馬隊を組んで突っ走る斉厚ら。

刑部と水野が仕組んだ謀略と気づいた帯刀は、隼人ら十一人に無念を伝え、腹を切った。殺気だっ[illegible]

館林藩主松平斉厚は短気から隣国忍藩主阿部正由を殺し、この暗殺隊に追われながら自領へ向う

日本4H新聞

4Hクラブ 農事研究会 生活改善グループ 全国弘報紙

発行所 社団法人 日本4H協会
東京都市ケ谷家の光会館内 電話（269）1675
編集発行人・玉井光

月3回・4の日発行 定価1部10円 6ヵ月180円 1ヵ年360円（送料共） 振替口座東京 12055番

クラブの綱領

私達は実践を通して自ら学ぶと共に互いに力を合わせてよりよい農村、よりよい日本を築くため四つの信条をかかげます。一、私達は農業の改良と生活の改善に役立つ技能を修めます。一、私達は科学的に物を考える頭を養います。一、私達は誠実で友情に富む心を培います。一、私達は楽しく働き元気で暮らすための健康を増進します。

千葉で夏の全国大会開く

大海原を背景に 全国の仲間、智と技交換

農業経営や生活の改良、改善について日ごろクラブ活動などで研究、実践している全国の農業従事青少年代表が一堂に会し、相互の知識と技術の交換を通じて明日への自信と誇りをつちかう―農林省、千葉県、社団法人全国農村青少年教育振興会（東畑精一会長）同日本4H協会（松下幸之助会長）四者共催の今年度の夏の全国大会＝第七回全国農村青少年技術交換大会＝は、さる八月二十五日から二十八日までの四日間、黒潮おどる千葉県山武郡九十九里町の国民宿舎「九十九里センター」を主会場として、4Hクラブ員を中心とする全国都道府県代表と千葉県の青少年など約千五百名が参加して盛大に開催された。

さいきんでは、珍しく好天に恵まれた大会であった。が、浜風は湿度が高く、連日むし暑さとの闘いが続いた。このような中で各行事が進められたが、とりわけ今大会を特色づけるものは、なんといっても海のムードがふんだんに盛り込まれたことで、参加者の楽しい思い出となった。また、百五十名（このうち青少年は四十五名）にものぼる千葉県の大会事務局員の数も記録的だった。

入場行進

第七回全国農村青少年技術交換大会の第一日目、九十九里センター前で

海のムード溢れる舞台装置

一日目　午後六時過ぎ、打ち上げ花火の号砲を合図に、九十九里センター前から開会式場へ参加者の入場行進がくりひろげられた。両側に整列して拍手で迎える千葉県の青少年、その間を先導者の乗用トラクターに続いて千葉県を先頭に、北海道から沖縄までの全国代表の農村青年がそれぞれ都道府県ごとに都道府県旗と同農村青少年クラブ連絡協議会の4H旗をなびかせ、自衛隊音楽隊の演奏に合わせて力強く行進、センター前では二階ロビーに並ぶ主催者代表に右手を高くかかげてあいさつ、青年の意気を示した。日本4H協会の招きで滞日しているアメリカ代表の4Hクラブリーダー三人や茨城県で学習している東南アジアの海外研修員の姿もみられ、国際色豊かな行進が約三十分間続いた。

開会式場は、波打ち際から約八十米離れた浜辺の一角に、砂をおわん型に積み上げ、その中に、千葉県青少年が県外の参加者を包むような型で大海原に向って陣どる。その正面には漁船を八の字型にならべ、それに包まれるように舞台をおくという装置。漁船には何本もの大漁の旗が海風にひるがえり、黒潮が波音高く打ち寄せるという九十九里浜の特色を生した演出ぶり。参加者のお揃いの黄色い帽子が投光器に映えていた。

六時四十分過ぎ、打ち上げ花火を合図に開会のファンファーレが高くなり響き、開式のことばで大会の幕を切って落とした。国旗などの掲揚のあと国歌斉唱、つづいて舞台前中央で県旗、県連旗に囲まれた千葉県連[illegible]会スローガン[illegible]築け明日の農[illegible]サイドに両翼[illegible]者あいさつと[illegible]一郎文部政務[illegible]教育振興会と[illegible]して三宅三郎[illegible]会理事の斎藤[illegible]次官）千葉県の川上副知事からそれぞれ激励と歓迎のことば、また千葉県議会議長代理の鈴木農林水産委員長から祝辞がおくられ、日本4H協会の松下幸之助会長、衆議院議員からの祝電が披露された。ついで米国クラブ員を代表してバーバラ・ヒバードさんがメッセージ。

このあと参加青少年を代表して千葉県連会長の石山光男君が「このように全国の仲間が一堂に会し日ごろのクラブ活動で得たすぐれた知識や技術を交換することは豊かな農村をつくるためにも大きな意義があり、全参加者の熱心な姿勢が望まれる。クラブは私たちの唯一の学び場であり、いろいろの問題を解決し、悩みと喜びを分かち合う場である。現在、仲間の離村、嫁不足、兼業化、農村婦人対策など多くの問題があるが、〝未来は青年の夢である〟というように、情熱と勇気があればそれらの問題を解決し、明るい農村が建設できると確信する。私たちは全国の仲間と共にクラブ活動を密接にして、真剣に取り組んで行きたい。みなさん、ここで得た成果を広めていこうではないか」と参加者に呼びかけ拍手を集めた。閉会のことばで終了し、ひき続いて七時半ごろから自衛隊音楽隊の演奏に続いて同所で、地元九十九里町主催の歓迎レセプションが桜井町長の歓迎のことばで開会された。地元の民謡保存会の婦人による新しい郷土民謡「九十九里音頭」などの踊りや獅子舞、地元クラブ員による大漁節の踊りなどの披露のあと、参加者全員が大漁節の踊りの手ほどきをうけ、踊り興じた。

日頃の研究成果を競う

二日目　午前六時に起床、それぞれ宿舎近くの浜辺で体操。宿舎で朝食をとったあとバスに分乗し、技術競技会場の茂原農業高校（茂原市）へ。県外参加青少年は九時から同校で都道府県を越えた十名で一グループを編成、四十八班に別れて技術競技に入った。競技は生活（衣服、食物、住居）土壌肥料、果樹、作物、畜産、農業機械、園芸（そさい・花）の九部門にわかれて全問題を解答するという方法。一班から順に会場にめぐらされた二本のテープの間をぬって問題が提示されている教室へ。この競技に応援する同校生徒八十人が各部屋に陣どり、問題の解答時間を告げては追い出していた。生活に強い女子も土壌あたりから「ここから男性は前に行って」と叫ぶなどなごやかな競技風景がみられた。とくに畜産や機械などは同校にあるものだけにこれまでの大会とは違う特色でもあった。このあと体育館で「よろめき」ゲームや綱引きをして汗を流した。

午後から県外の参加者は、県内青少年と入れ替りに、バスで近くの肥料メーカー東洋高圧茂原工場を見学、紹介映画を観賞した。一方県内青少年は技術競技を行なった。

三時過ぎから体育館や教室などを会場として、作物・畜産・特用作物、機械、果樹・そさい、花、生活二の六部門に別れて演示発表を行なった。各部門とも発表者は六名から八名で計四十一名。日ごろプロジェクト活動で研究、創意工夫したことがらについて実物を示しながら熱心に発表。これに対し参加者から盛んに質問が出され暗くなるまで活気あふれる発表風景が展開された。しかし中には経営実績発表のようなものがあったようだった。

再びバスで宿舎に帰り、夕食のあと部屋ごとに、レクリエーションをおりこんで話し合いをした。

魚と西瓜と炎と……

三日目　前夜遅く降り出した雨はあがっていた。朝五時に起床、県外参加者は九十九里センター、県内参加者は旅館、各都道府県青少年担当者、農業改良普及員、篤志指導者、クラブリーダーは自子在と、それぞれ宿舎近くの海岸に出て体操のあと地びき網を行なった。波はさいわい静かで、とくに参加者のためにいつもより大きい網が使用された。漁船が一回りしてくるといよいよ二本のつな引きである。二本のロープの間隔が次第に狭められ〝それ引け、それ引け〟という掛け声とともに、付近の漁家の主婦や子供たちもまじえて網をひく。

やがて網が海面に顔を出し、歓声があがる。ときたま打ち寄せる大波に参加者はズボンを濡らしての作業。場所によって収穫量に差異があったが、参加者は珍らしい魚をつかんでは大はしゃぎだった。

午前九時半から九十九里センターで話し合いをした。各都道府県の参加者が入りまじって十名前後で班を編成し、それぞれ各部屋で千葉県青少年の司会で意見を交換し合った。班の数は実に八十三。テーマは、自分の農業経営と地域の農業事情の説明紹介、クラブ活動への参加と学習、自分の将来の農業経営の方向などについてで、日ごろ抱いている悩みや希望を述べ合った。どの部屋からもお国なまりの方言が飛び出し、明るい笑い声が聞こえていた。しかし、班編成が都道府県別、男女別にかなり片寄っているのが目立ち、司会者や助言者によっても雰囲気が違っていたようだ。また真剣に語り合い、親ぼくを深めるためには二時間という時間が短いようだった。

午後から開会式を行なった場所と同じ浜辺で、高橋賢一明治学院大学教授の指導でレクリエーションに興じた。まず、からだの柔軟さ、器用さ、力持ちなどを競う体力づくりゲームに、照りつける大陽の下で若い血潮をたぎらせた。つづいて砂浜にどっかと腰をおろしスイカパーティが行なわれた。白波打ち寄せる浜辺に、スイカを囲む十五以上の大きな青年の輪が描き出された。スイカ割りで腹をかかえ、スイカに舌つづみをうった。

夕食のあと最後の夜を飾って大会の花、キャンプファイヤーが夕闇に包まれる七時過ぎから同所でくりひろげられた。夜のとばりを破って響きわたった「星かげさやかに…」の大合唱が止むとき静寂と暗黒の世界に誘われる。うっすらと白ずんで見える漁船、光る波、まばたく星、音はリズミカルな大海原の語らいだけ。開会宣言につづいて「遠き山に陽は落ちて」の大合唱、やがて昨年の大会開催地三重県から受け継がれた元火の入場、営火長の「何をも焼きつくすこの火のように、明日から仲間たちが手を結んで闘魂を傾け、困難を打ち破って進もう」というあいさつのあと千葉県の青年男女各二名がもつ頭脳、心、技術、健康の四つのHのタイマツに、そしてマキに点火された。線路の枕木百本を組み合わせその中にまきを入れ石油二かんをかけたもので、大がかりなもの。みるみるうちに炎は赤々と夜空を染め約千五百の顔を映し出した。大会参加者、それに地元の主婦や子供たちがしばらく沈黙のままこれを見守った。「燃えろよ燃えろ」の大合唱とともに火は勢いをまし、暑くて後ずさりするほど。地元クラブ員による郷土民謡「白浜音頭」はじめ鹿児島の「はんや節」徳島の「阿波踊り」、福岡の「無法松の一生」、来年の大会のPRもかねた三十数名による山形の「花笠踊り」などの踊りやアメリカ代表クラブ員による「クレージーベースボール」が次々に披露されたが、舞踊はいずれもお揃いの衣装をつけての熱演。とくに阿波踊りでは、参加者の中からうかれたクラブ員が次々に飛び出し「踊らにゃそんそん」と手まね足まねで踊り興じる一マクもあり、すばらしい夜のページェントを描き出した。つづいて日米、沖縄代表による木馬落し、女子代表による記憶力を試すゲームやトランポリンの披露のあと東西二分にしての歌合戦やダンスで楽しんだ。蛍の光の歌とともにタイマツをかかげて二列に並ぶ千葉県青少年の間を、ご苦労さんでしたと声をかけあい、また握手をかわしながら宿舎へ向った。

しかし、自分たちがやるファイヤーでなく、見るファイヤーであったとの声も聞かれた。

九十九里浜で地引き網に精出す参加者

開放感をひきしめた閉会式

四日目　午前八時、それぞれバスに分乗して宿舎を出発、千葉市のはな山にある同県文化会館に向った。同会館は殿堂の名にふさわしい建物で、冷房のついた大ホールでの行事が、昨日までの開放感をぐっと引締めた。十時過ぎから香取郡多古高等学校農業科の男女生徒による郷土芸能が披露された。大だいこ、小だいこ、つつみ、笛など鳴物による男子生徒の力強いおはやし、女子生徒の踊り、色彩りも鮮やかに、熱演する後輩たちに大会参加者はおしみなく拍手をおくっていた。このあとただちに閉会式に入った。

閉会のことば、国歌斉唱のあと表彰状の授与にうつり、大会事務局長の鹿間千葉県農業改良課長から技術競技の成績について上位三位の紹介があり、これを表彰、ついで同じくレクリエーションの体力づくりゲームで一位になった男女各三名に川上副知事から表彰状と記念品が手渡された。

つづいて主催者あいさつとして三宅常務理事、千葉県を代表して川上副知事があいさつ、また来賓として鈴木千葉県議会農林水産委員長から祝辞がのべられた。千葉県から来年の大会開催地である山形の青少年代表に大会旗が伝達されたあと、青少年代表の別れのあいさつがあり、最後に農林省の田中普及教育長の音頭で万才三唱し大会の幕を閉じた。県外の参加者は県内青少年の拍手で送る中を通ってバスへ。千葉駅で別れを告げた。

来年の大会は蔵王（山形）で

来年の夏の全国大会（第八回全国農村青少年技術交換大会）は、山形県で開催されることが、大会二日目の夜開かれた各都道府県担当者会議の席上、報告された。

場所は樹氷やスキー場で名高い蔵王で、時期はやはり八月中旬以後になるものとみられている。山形県では今大会に約三十名のクラブ員をおくり、キャンプファイヤーでは来年はみなさんをお待ちしておりますと参加者に呼びかけ、郷土民謡〝花笠音頭〟の踊りを披露するなどの力の入れようで、来年の大会が期待される。

涼風暖風　四つのLとRとH

千葉県と九十九里浜で開かれた夏の技術交換大会に参加した。[illegible]やの晴れあがった浜辺はすがすがしく、「エンヤ・コーラ」の掛声も勇ましかった。

[illegible]によると、人生は、生活（ライフ）、自由（リバティ）、労働（レイバー）、レジャーの四つのLが深く結びつい[illegible]どれが欠けても他の三つがマイナスの影響を受けるということである。そしてレジャーが充実するためには弛度（リラクゼーション）、解消（リタクション）、躍動（リズム）、そして洗練（リファインメント）の四つのRが満足されなければならないという。

わが農村青少年活動が四つのHに[illegible]われているのはご承知の通りであるが、そしてこんどの大会はこの四つのL・Rが適当に満たされていたように思われた。

日本4H協会 13日総会開く

社団法人日本4H協会（松下幸之助会長）は、来る十三日、東京・港区芝四の八の松下電器産業株式会社東京支店で、正午から理事会、続いて午後一時三十分から通常総会を開催する。

主な議題は四十一年度の事業経過と収支決算の報告、四十二年度の事業計画と予算両案の承認決定などであるが、とくに今回は定款変更による会員構成の改組と役員改選が行なわれてから初めての総会であり注目される。

心頭技健

こんどの夏の全国大会では、百五十人にものぼる千葉県の大会事務局員（青少年四十五人）が、県内の青少年とともにお揃いのユニホームをつけ、千葉県の特色を出した思い出深い大会にしようと、休日も返上して、連日、猛暑の中を文字通り東奔西走して努力してくれた▼各行事をみても、千葉県がいかに力を入れたかがわかる。余りにも、黒潮おどる大海原をバックにしての全国の仲間との交流に感激し、また新たに楽しい思い出を胸深くきざみつけたようである▼しかし青少年の自主性、青少年主体の運営、青少年による大会という方向からみると、昨年の三重大会より逆戻りした感がある。昨年、三重県の青少年は、大会を自分たち仲間のものとして、力を合わせて成功させるため、初めてユニホームをつけ意識の高揚を図った。もちろん自費負担であった▼そのユニホームに汗をにじませて活躍する彼らの姿に参加者は感動し、仲間たちは盛んに拍手をおくった。参加青少年は少なくとも、自分たちの同志の大会であるという意識を強くした。と同時に三重県連活動の一歩前進への大きなエネルギーとなったのである。こんどの大会では千葉県の青少年は一部の役員を除いて〝楽だ〟と語っていた▼もちろん、千五百人もの参加者を一度に受け入れ、行事を進めていくことは大変で、これを農村で働く青少年に全部やれといっても無理である。だが、地区や県などの大会では、青少年が主体となって運営しているため参加者はそのギャップを強く感じていた▼それに、主催者の中でも青少年の自主性を強調し、〝青少年による、青少年の、青少年のための大会〟の考え方を述べている人もいる。それでこそ青年の探究心がわき、問題の正しい解決の体験を豊富にして、明日の農村、社会を築く意欲が大きな広がりとなってくるのではないだろうか▼いま、各県で技術交換大会そのものについて再検討が加えられているが、それとともに、この点についても考察が加えられる必要があろう。

大会の思い出

主催者のことば

諸君自からの手で

斎藤　誠

第七回全国農村青少年技術交換大会がかくも盛大に開催され、このように参加者ではちきれる姿をみることは喜びにたえない。私は、農林省在職のときから、これからのわが国の農業を背負うのは次代を担う諸君たち以外にないと確信して、この全国大会を始めたのであるが、遂年盛んになってきたことは喜びにたえない。民主政治は「人民の、人民による、人民のための政治にある」とかってアメリカの大統領が言ったが、私は、青少年活動も「青少年の、青少年による、青少年のための活動」が最も好ましいと思っている。大会も諸君自身によって運営されることは、諸君のためであろうと期待している。毎年このような形であることを確信している。

青少年には特権と同時に義務がある。技術を磨き、経営を改善し実益をあげる意気と意欲を示す義務がある。みなさんは今日展開する農業近代化を進める特権と同時に秩序をつくる義務があると思う。

このように恵まれた環境の中で、参加者はたくましい意志をもってのぞみ、大いに成果をあげるよう期待する。（全国農村青少年教育振興会理事）

若き実行力に期待

草野一郎平

日本の農業は、一大転換期を迎えてからもう十年近くなる。また農業基本法が制定されてから昨年で五年を迎えたが、この間、同基本法制定当時は予想もしなかったことが生じている。

まず、わが国の経済は、当初十年間に倍増するという計画が、もう六、七年で倍増を達成した。またわが国の工業力も三倍に伸びたが、その前提として農村の労働力の都市への供給、流出があり、その背後に農業近代化の課題がある。

このように経済が予想以上の長足の発展をしたことによって、農村の労働力が外へ向って流れ出しているが、日本国民の食糧は、自国の力で支える必要がある。このためにも農政はいま一大転回期にきているともいえる。こうした状態にあるとき、新しい農業を支える若き労働力―無限を象徴する九十九里の大海原、限りなく押し寄せる波のように、若さと実行力と情熱をもった諸君にかける期待は大きい。

いま農業近代化が進められているが、これからの日本農業を支えるのは諸君の使命であり、その責任も双肩にかかっている。

農林省は、今年の八月、新しい農政の方向を打ち出したが、新しい世代に期待するところは大きく、いま十年、二十年先きいや二十一世紀に向って実にほのぼのとした感がある。この技術交換大会では、大いに実力を発揮されるよう、諸君の健闘を祈る。（農林政務次官）

大会写真の説明

❶ 地元九十九里町主催の歓迎レセプションで披露された郷土芸能の獅子舞
❷ 太平洋をバックにした地元名物地引き網の漁船
❸ 砂浜に円陣をつくって、スイカ割りに興ずるクラブ員たち
❹ 制限時間内に何回踏べるか、体力測定競技の一カット
❺ キャンプ・ファイヤーにおけるトランプリンの妙技
❻ はるばる四国から持参の着物姿で阿波踊り
❼ アメリカ代表も参加して人気を集めた。（技術競技場で）
❽ お互いのクラブ活動を話し合うクラブ員たち

参加者の声

感激をみんなにも　楽しかった思い出

太平洋の波音が静かに聞えるこの九十九里の浜。目を細めてみるとファイヤーのたいまつのかがり火が美しく点々とゆれて見える。ふと、さみしい思いがした。再び会えない仲間もいるのかという思いが頭の中をかすめたからだ。いまは、この時間が一秒でもよい、長くほしい気がした。

そして郷里・埼玉の仲間にも味あわせてあげたい。いや、全国各地で農業に励げんでいる仲間たちに、この感激を知らせることができたらすばらしいことだと思った。

波音を耳にしながら、短かかったこの大会の印象が思い出される。

海なし県の埼玉人にとって、いっそう印象を深めた夜の浜の開会式とレセプション、九十九里ならではのすばらしい一夜であった。初めての地引き網、おいしかった浜で食べた西瓜、いままでになかったたのしい思い出がまたひとつ残された。

消灯時間などなんのその、しゃべりつづけた三日間。まるで何年も前から一緒にいる仲間のように感じたのは私だけだろうか。

二度と私は本大会に参加できないかも知れない。だからこそ、私はこの大会を大切にしたいとも考える。この期間中、私はできるだけ人と接するようにした。新しいことを知りたいと思ったからである。

とにかく、私にとっていままでにないすばらしい思い出が心のアルバムをうめてくれた。もっともっと多くの仲間に見せてあげたかった―という感じの九十九里での大会であった。これを機会に新しい全国の友と手をとりあって伸びてゆきたいと思う。

（埼玉県南畑4Hクラブ、砂川みさ子）

同志よ頑張ろう　海の思い出を胸に秘めて

全国百姓の集い―全国にこれだけの勇気と研究心、行動力のある同志がいた―ぼくはうれしい。ぼくもこの大会に参加した今日という日を境にして、同志と同じように将来に無限の力を信じて努力しよう。同志よ！がんばろう。

また、長くつづく砂浜、広々と広がる海、照りつける太陽、ぼくらはここえきてほんとうの海岸や海を見たような気がした。海、ぼくらの人生のように広く、長く、幾多の障害のある海、この思い出はぼくの胸にいつまでも残る。

そして、この大会を開催してくださった関係者の方々、あたたかく歓迎してくださった地元の方々ありがとうございました。

（岐阜県岐阜市4Hクラブ　向木義弘）

明日への希望わく　みんながひとつになって

八月二十五日午後五時三十分、私たちの夢と希望のように無限に広がる太平洋のすさまじい波の音と夜空を彩どった花火、そして自衛隊音楽隊の演奏で幕が開けられた大会。

「たくましい意欲で築け明日の農業」のスローガン斉唱。ここにこうして同じ農業につく仲間を見たとき、明日への意欲と希望が燃えるのをおぼえた。

二日目、茂原農業高校で行われた技術競技、きょうのために参加した演示発表者の熱演。NHKカメラの前でお互い各県の友だちと日頃の努力を発揮した。

また、全国大会でなければ知ることのできない各県のクラブ状況や県の特徴を生かした地域農業など充分に話し合うことができた。これをがっちり持ち帰り、いっそう充実したクラブに発展するように努力したい。

三日目、朝起床五時、浜辺で潮風を受けて体操。地引き網、全員大漁を祈って長い綱を引いたが、これはどうやら期待ほど獲れなかった。しかし海のない私たちの方では、何ともいえない海の味は楽しい思い出の一つとなった。

なごりつきないこの大会の最後を飾って、キャンプファイヤーが夜空を赤く染め、みんながひとつの心になってこの炎の中にこれからの日本を築こうと誓った。そして、地元千葉県のクラブ員の「ホタルの光」の合唱とたいまつの火に送られてわかれていった。

（埼玉県所沢4Hクラブ　市川幸子）

4Hくん No.101 桜井はじめ

夏の全国大会 演示発表から

第七回全国農村青少年技術交換大会における演示発表会は、大会二日目の二十六日、千葉県茂原市の県立茂原農業高校で行なわれた。この日、晴れの舞台に立った四十七名のクラブ員は、それぞれ「作物、畜産、特用作物」「機械」「果樹、そさい」「花卉」「生活」の各部門ごとに、日頃の研究の成果を発表した。会場には発表者のために大きなテーブルが用意され、その前で発表者は持込んだ資料や器具を実際に使って演示を行ない、参加者は熱心に視察し、少しでも疑問があれば質問し、助言者として臨席の先生方からは適切なアドバイスが与えられていた。また、女子の料理の発表のところでは、腕をかけてできあがったおいしい料理をみんなで賞味するという楽しい演示風景も見うけられた。

各演示の内容は、さすが全国から選ばれて発表したものだけに優れたものが多く、福岡県筑後市4Hクラブの下川康夫君の動力草刈機の回転円板の改良のように実用新案の申請を出して専門家も感嘆するような発明をしたものもあった。ここでは紙面の都合で愛知県常滑4Hクラブの水谷清美さんの農作業用補助衣の工夫と香川県若葉4Hクラブの米沢邦弘君の観葉植物ホヤ・バリエガーターづくりの改善の二点を紹介することにしよう。水谷さんのは汚れやすりきれを防ぐだけでなく、若人むきの個性あるデザインで楽しく農作業ができる補助衣を考えだしたものであり、末沢君のはこれまで多くの時間や労力を費していたホヤづくりで、小鉢移植という過程を省く育苗法をあみ出したものである。（左の写真はみんなの前で演示発表をする末沢君）

農作業用補助衣の工夫

愛知県常滑市矢田字西根組・常滑市4Hクラブ　水谷清美

農作業も楽しみに　若人むきのデザインで

農業―私はこの道を選ぶのにずい分迷った。家がそれほどたいした経営をやっていない。また、私は後継ぎでもないから、農業をやらなければいけないということもなかった。

しかし、愛知県追進農場で、農業に生きようという多くの仲間と接し、やっぱり、私は農業が好きであり、またそれに向いている人間だと思った。

一生懸命になって育てた作物が立派に実ったときの喜び、こんなとき、つくづく農業に生きることのすばらしさを知るのである。万物の源である大地、そこに深く根を張り、この道を進んでいこうとする私は幸せだと思う。

こんなことを考え、いま家で父母の手伝いをしている私であるが稲作と養鶏の仕事をしているときに作業服がとても汚れ、だんだんそのことが気になってくるようになった。

そこで服の汚れなどを防ぐことのできる補助衣が必要となってくるようになった。補助衣、これは汚れを防ぐだけでなく、多くの目的がふくまれている。たとえば、すりきれを防ぐことなどである。そこで私は、農作業用補助衣について考えてみることにした。

まず、考えたこと

まず、どのようなことを考えて補助衣を製作すればよいか。

その結果、

❶清潔な衣類をきる
❷作業衣の長もちを考える
❸作業能率を増進させる
❹気候条件を考える
❺外部の危害から身を守る

などの五つの点が考えられる。

それでは、これらのことについてもう少し深くほりさげて考えてみたいと思う。

❶清潔にする
イ よく洗たくする
ロ 落ちついた柄、色の布地を選ぶ
ハ くどいデザインでないこと

❷作業衣を長もちさせる
イ 作業に着用するものは、一般的に使い方が激しく、汚れがひどいため、幾度もの洗たくに耐える丈夫な布地がよい。

❸作業能率を増進させる
イ 運動が自由で、かつ円滑に作業がおこなわれなければならない
ロ そのため袖の上腕部は袖、丈、ともにある程度の余裕が必要
ハ 上肢の運動は胸部の運動も伴うから、服の胸部にもある程度の余裕がほしい

❹気候条件を考える
イ 夏は涼しく、冬は暖かく仕事をする
ロ 季節に適した布地の選択

❺外部の危害から身を守る
イ 帽子、ゴム長ぐつ、手袋、手ぬぐいなどを使用すれば一応外部の危害から身が守れる

私が工夫した内容

このようなことを考えて、私のする作業に合った補助衣の目的であるすりきれ、汚れなどを防ぎ、着用しやすいなどの点も考えデザインしてみた。

❶工夫した点
イ 機能的で働きやすい
ロ 布地は丈夫なデニムを
ハ 補助衣として稲刈りと集卵用に着用できる
ニ 誰れでも簡単につくれる
ホ 若い人むきのデザイン

などの点を工夫し、補助衣の中へ取り入れた。

❷製作
イ 材料　春秋での着用が多いため、厚くて丈夫なもの、作業衣の長もち、清潔などの点を考え、色は無地で綿五〇%、ビニロン五〇%のビニロンデニムの布を使用し、全部の材料は次の通りである。

用布九一㌢巾　一・六㍍
ゴム紐二㌢巾　二〇㌢
ボタン　一個
合計　四一五円

イ 作り方
(A) 紐を作る
(B) ポケットを作る
(C) 肩を縫う
(D) 衿ぐりと袖ぐりにバイヤスの見返しの出来上り幅一、二㌢折って端ミシンをかける
(E) 裾を三つ折りにしてミシンをかける
(F) 前、後の脇をそれぞれ三つ折にしてミシンをかける
(G) タックを縫う
(H) 中心のタックに紐をはさみ込む
(I) 紐を脇までミシンで縫いつける

以上で仕上ったわけであるが、製作時間は四時間内であるから、誰れにでも簡単にできる。

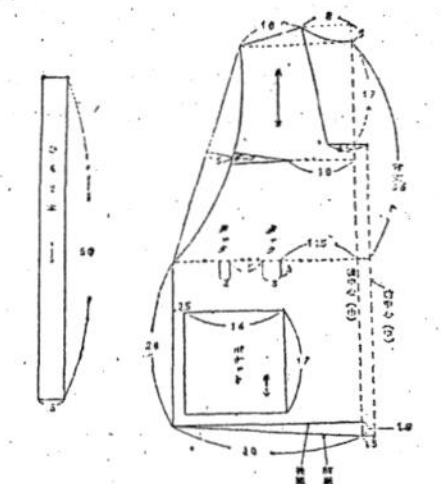

補助衣製図　　出来上り着用図

着用結果について

❶着用する農作業の内容

それでは、この補助衣は主にどのような仕事に着用できるだろうか。いろいろな面で補助衣の働きを示すと思うが、私の場合、私の家の経営が稲作と養鶏なので、稲刈り、脱穀を中心とする稲作作業それに集卵場へ行っているため、集卵場での洗卵、選別作業に着用できる補助衣を考えたのでこうした作業に着用している。

とくにこの補助衣は、前の汚れやすりきれなどを防ぐのに役立つので、いろいろの面で使い方ができた。

❷着用した結果

それでは、ここで着用した結果をまとめてみよう。

良かった点
イ 袖がないため、クワ使いなどをするとき、楽に仕事ができた。
ロ 汚れ、すりきれを充分に防ぐことができた。
ハ デザインが若い人むきでよかった。
ニ 補助衣の中へ着用するブラウスなどによって個性をもたらすことができた。

改良すべき点
イ 後身頃にもう少し変化がほしかった。
ロ ひもが少し短かすぎた。
ハ もう少し補助衣にゆとりがほしかった。

着用の結果の評判もよく、楽しく作業に従事することができるようになった。

ホヤ（観葉植物）づくりの改善

香川県高松市鶴市町八七四・若葉4Hクラブ　末沢邦弘

資材と労力を節減　育苗と仕上げに新しい試み

観葉植物栽培の歴史は新しく、[illegible]が残されている。

私は昭和三十九年、香川県立[illegible]高校園芸科を卒業と同時に京都の観賞植物会社へ園芸研修生として一年間、その後、愛知県へ五ヵ月間研修を積み、現在に至っている。

私が工夫した技術

園芸、とくに花卉栽培への着眼はわが家の農業経営（水田〇・五㌶、みかん一㌶、労力三人）を分析、検討した結果から集約高収性を目標にしたことにあるが、もちろん、花卉栽培が好きであったからである。現在栽培規模は、ビニール温室一七二平方㍍（五二坪）にアナナス類、つるもの類、ダニヤなどを中心に七種類、二十系統を栽培している。

ことしは、さらにガラス温室一七二平方㍍を増築し、五種類ぐらいにまとめるつもりである。

観葉植物づくりは品質を第一に「よいものをつくる」ことに重点をおき、つぎに実用種を経営の主体におくようにつとめた。そこで私はホヤ・バリエガーターの栽培についていろいろ研究した結果、たいへん簡単で、誰れにでも容易にまねられ、大したことではない「コロンブスの卵」の話のような技術を紹介する。

育苗仕上げ方法

いままでホヤの育苗法は労力、資材（鉢）、ハウス面積が多く必要で、経営規模が大きいわりには[illegible]あった。

そこで、これまでトロ箱に挿芽を[illegible]小鉢（二・五寸）に鉢上げ、[illegible]三枚くらいまで育て、その後仕上げ鉢（四寸）に移し、成品として出荷していた。

しかしこれでは小鉢代金、その移植労力がかかり、ハウスの利用率も[illegible]行程を省略してみた。すなわち、ルートン処理したトロ箱[illegible]

このように工夫した結果、つぎのような効果がみられた。

❶移植用の小鉢がいらなくなった
❷温室面積も少なくてすむ
❸移植作業がなく[illegible]
❹植え傷みが少なく[illegible]
❺摘心によって[illegible]

肥培管理の改善

これまで観葉植物には、化成肥料は[illegible]使い方さえ誤らなければ非常に効果的と考え、いろいろためしたところ、ほぼ確かなものが得られた。[illegible]

このように工夫した結果、[illegible]

私が工夫した技術[illegible]深めることができた。

育苗仕上げ法の比較

	挿芽数	ルートン処理	小鉢移植	鉢上げ後の摘心	肥料	施肥期	施肥法
慣行	140本	なし	要	なし	油粕	発芽直後	ねり肥
改善	70	塗布	なし	3～4節摘心	油粕 化学肥料	挿芽直前 第1葉展開時	粉末を全面に

改善後の成果

	葉色	茎径（10株平均）	硬さ（茎の色）	葉長（10株平均）	発根	樹勢	観賞期間	市価比率
慣行	うすい	2㎜	軟い、うす茶	5×2.5cm（長×短）	少い	普通	1年	100%
改善	濃い	2.5㎜	硬い、こい茶	6×4	多い	やや強い	1年	120

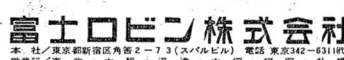

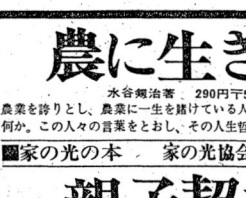

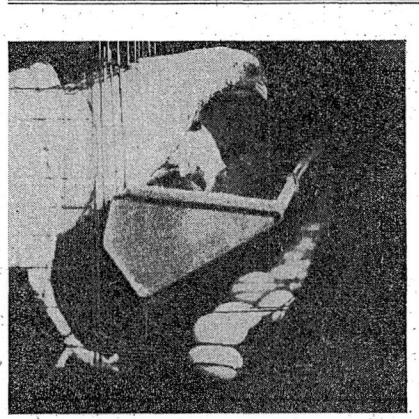

特色出す各県の技術交換大会

県知事かけつけ激励

静岡県連 波紋なげた〝災害保険〟

【静岡県＝粟田伸雄連絡報道員発】静岡県と県農村青少年クラブ連絡協議会（会長、山城宿君）共催の県農村青少年技術交換大会はこのほど三日間にわたって焼津市石津浜の県立焼津青年の家で、県下の農村青少年約百十名が参加して開かれた。

静岡県大会にかけつけ参加クラブ員を激励する竹山県知事（4H旗の前の人）

一日目は午後一時から開会式が行なわれた。宮沢静夫県連理事の開会のことばで開会、主催者を代表してまず石川県農政課長があいさつ、つづいて山城県連会長が「お互いに、ただひとすじに農業に生きる百姓である。百姓であるがゆえに苦しくとも、辛くとも、胸を張って風雪に耐えて力強く百姓として生きて行こう」と詩情あふれるあいさつを述べ拍手を集めた。このあと松永県青少年対策室長、県教育委員会青少年課の宗課長補佐、伊藤青少年の家所長の激励のあいさつがあり、杉山良子県連副会長の閉会のことばで終了、つづいて技術競技に入った。

三人一組を抽せんで決め、各自がパートナーと一緒に、いろいろの問題を二時間にかけて解答して歩いた。参加者の感想は今年は昨年より難問だということだった。

夕食のあと七時から広場で親ぼくの夕べを行なった。各地区ごとの紹介につづいてフォークダンス、歌など夜のふけるのも忘れて楽しんだ。途中小雨が降ったため会場を研修室に移して行なった。

二日目は、午前中演示発表を行なったが、発表者は代表だけあって発表内容、態度とも立派だったという評判。いずれもすぐれており、審査員も非常に審査がしにくかったようだ。これを聞くクラブ員からも活発に質問が出された。

昼食のあと「青年の望むもの」をテーマとして分科会ごとに話し合いをしたが、途中二時ごろ突然に、竹山県知事が焼津市長、[illegible]県青少年課長らを伴って会場に現われた。同知事は冬の大会にも予算審議で忙しい時間をさいて来られたことがある。

竹山知事は「県では、道路の整備、貿易の振興とともに青少年の育成を当面の重要目標にしている。なかでも青少年育成について農村青少年に多くを期待している。いかに立派な国でも、国の重要産業である農業をおろそかにしてはその国の発展は望めない。みなさんは、郷土や国家を背負って立とうとする広い視野と気はくを持ってほしい」と中国の紅衛兵まで引き出して参加者を激励した。短い時間であったが、知事の農業に対する姿勢が理解できたことで参加クラブ員は満足していた。

夜は、キャンプファイヤーを青年の家前の浜辺で行なった。国鉄焼津駅の好意でもらった線路のマクラ木を焼やし、夜空を赤々と染めた。また途中、昨夜と同様に降雨が激しくなったため、会場を研修室に移してキャンドルサービスを展開、最後の夜とあって三十分時間をくり下げてクラブ員相互の友情のきずなを固くむすんだ。

三日目は、朝食後、全体討議に入り、昨日の分科会の討議内容をもとに、各分科会の司会者同志が話し合う方法で戸塚正義県連顧問の司会で進められた。

とくに「社会保険では、農業も災害保険をつくってはどうか」という問題が提起され、注目されたが、この問題は県連でもっと話し合い勉強してから全国大会などの会合のときに話し合ったらよいだろう」と積極的に意見が述べられた。この全体討議では少数の人だけが意見を述べていた二、三年前より大変進歩し、多くのクラブ員から意見が出された。

閉会式は十一時から三高県経済部長が出席して行なわれた。同部長の激励のことばに続いて山城県連会長が閉会式と同様に詩的なあいさつ、スローガン〝この腕で築こう明日の農業〟を斉唱して大会の幕を閉じた。

県連が独自の行事

クラブ員の集い 鹿児島県連 来る九、十日鹿児島市で

諏訪県連会長

【鹿児島県＝山田勝連絡報道員発】鹿児島県農村青少年クラブ連絡協議会（会長、諏訪直樹君）は、さる八月十八日鹿児島市の産業会館で理事会を開き、来る九、十の二日間、鹿児島市の九州館で「鹿児島県農村青少年の集い」を開催することを決めた。

これは「全国4Hクラブ員の集い」にならって昨年から実施しているもので今年で二回目。連絡協議会が独自で行なう大きな行事である。

主な内容は、第一日目が、全国4Hクラブ連絡協議会の役員による4Hクラブ活動についての説明につづいて、先輩の体験発表、農協首脳部とのシンポジューム、クラブ員の体験発表などを計画、二日目は大隅半島へバス視察する。

参加者は、各地区連協から男女各三名で、計百五十名を予定。

ことしの夏の思い出

きょうは八月三十一日、一般的に六、七、八月を夏季というが、そういう意味において、きょうで夏ともお別れである。

子供のころ、山積する冊子の宿題を前にして、明日から始まる新学期をのろったものである、「一年で一番いやな日」という思い出が今も忘れられない。しかし今となっては、夏のバカンスに対する惜別の情が思い出となって宿るのである。

今年の夏は、まことに猛暑の連続であった。朝日（二十日）、毎日（十六日）、読売（十六日）の三大新聞に期せずして今年の暑さを分析報道していた。三新聞と私の調べを加えてもう一度今年の暑さのあれこれを――

一日の最高気温が三〇度を越えた日を「熱帯日」（朝日）または真夏日（毎日）と呼ぶそうである。年間の真夏日は平均四十五回、（七、八月では三十五・八日）あるという。今年はすでに四十八回（七、八月では四十七日）、九月までに三十九年の五十二回に追い付くのではないかと予想される。

日中の猛暑もさることながら夜の寝苦しさも記録破りであった。人間は室温が二八度ぐらいにあがると素裸で寝たくなるほど寝苦しくなる。その時の外気温は二五度ぐらい。そこで最低気温二五度以上の夏の夜を「熱帯夜」または「真夏夜」という。

八月十日夜の最低が二七・六度で、昭和十七年七月二十五日の二七・二度の記録を上回る寝苦しい夜の記録を更新した。八月十七日夜も二七・五度で、新記録続出である。「熱帯夜」は七、八、九月の三ヵ月間で九・二日が平均というが、今年はもうすでに二十六日間である。過去の記録では昭和三十六年に二十六日間というのがあるが、あと一日でこれも記録更新となる。

不快指数も、全国不快の指数八〇以上が六～九月の四ヵ月間で平均三一・二日、今年は早くも三十九日に達した。さらに、気象に関係しては、佐賀、長崎、広島、兵庫の集中豪雨の惨状もつかの間、今度は新潟、山形、福島に惨状をもたらした。天のいたずらの無情さも悩いが天の猛威に抗しきれない人力のあまりにも非力さを悲しむ。「なんとかならぬものか」といっている間に惨劇はつぎつぎにおこる。天に抗する科学の力を期待したいものだ。

ともかく、暑い暑いを連発し汗をふきふき、あえぎあえぎの今年の夏の思い出は忘れられないことであろう。

この暑さは世界的傾向であったのであろうか。デトロイトを中心に全米にひろがった黒人暴動は、まったく夏の夜の異変であった。日本でも東京の山谷で小暴動が起った。

夏の思い出のメイエベントは何といっても第七回全国農村青少年技術交換大会である。澎湃（ほうはい）と寄せる大海原、茫洋と無限にひろがる九十九里の浜辺にくりひろげられた千五百の若人の一大ページェントは、明日の農村に生きる青年の胸に新たな希望と信念を与えてくれたことと思う。二艘の漁船をバックに配し、古代ローマの野外劇場を彷彿とさせた式場、その背後に高村光太郎の智恵子抄の碑がポツネンと我々を見守ってくれた。

天を焦したファイヤーの火も消えた。若人たちは、夏の日の最後の思い出を胸に抱いて、全国津々浦々のふるさとに帰っていった。そこからクラブ活動の芽が息吹きはじめ、育ちゆき、やがて美しい花をたくさん咲かせるであろう。（K）

ミス、ミスターを選抜

茨城県でクラブ大会 参加者、明日へ闘志

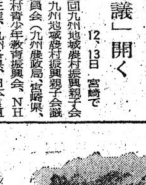

茨城県のクラブ大会でミスター茨城農業の体力測定に見入る参加者

【茨城県＝永田正治連絡報道員発】茨城県農村青少年クラブ連絡協議会（会長、小橋正一君）は、[illegible]共催によってこのほど三日間[illegible]にゃくと茶の本場である久慈郡大子町下津原（貝沼スケートリンク）で県クラブ大会を盛大に開催した。

この大会には県内各地区からクラブ員ら五百余名が参加、過日のリーダー研修会に参加したクラブリーダー若干名のほかは、全員新規就農者という実に若さあふれる大会となった。

まず第一日目は、午前十時から受付け、午後一時からオリエンテーション、このあとテント設営と各地区別の話し合いを行なった。六時半から開会式につづいて地元大子町の主催で歓迎の夕べが開かれ、楽しい思い出の一ページを記した。

二日目は、ラジオ体操、朝食のあと、午前八時から待望の「ミス、ミスター茨城農業コンテスト」が行なわれた。ミスとミスターは、診断はじめ判定、審査、鑑定、体力、技能競技を予選、準決勝、決勝にわけて選抜した。次に東南アジアの国際研修員と交歓会を開いた。研修員の自己紹介につづいて話し合いやレクリエーションを国際色豊かに行なった。

午後一時からハイキング、袋田の滝へ足を進め、久慈の深緑を味わいながらお互いに友情を深め合った。だが途中、激しい雷雨にあい全員びしょぬれ。これも忘れることのできない想い出となった。

夜は、大会のクライマックスでもあるキャンプファイヤーを久慈の河原でくりひろげ、クラブ員は思う存分、若いエネルギーを発散し、若人の熱気を高めた。

三日目は午前八時から団体競技を行なった。各地区単位に、体力、模擬、診断、創意工夫の各課題を設けて競技し、地区ごとの優劣を競い合った。十一時から班別話し合いに入り、お互いに準備してきた百円程度のおみやげを交換し、親ぼくを深めた。

昼食のあとテントを撤収し、午後一時から別れの集いを行ない、三日間の生活を通して得たいろいろの体験をしっかり心にきざみこみ、結び合った心のきずなを通して、明日の農村をになう決意を固め、再会を約し散会した。

キャンプで親睦図る

奈良・天理市4Hク連 葛城山で自炊

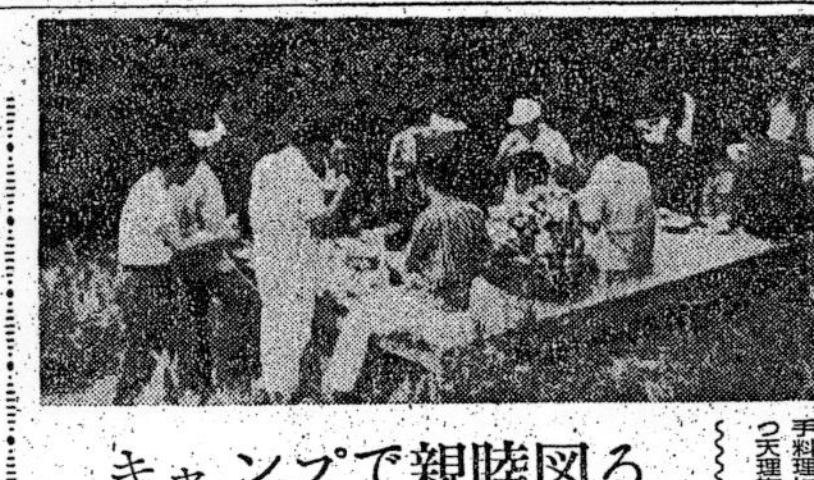

手料理に舌づつみうつ天理市の4Hク員

【奈良県＝広井洋司連絡報道員発】天理市4Hクラブ連絡協議会（会長、喜多精君）では、さる八月十五、十六の二日間葛城山キャンプ場でキャンプ大会を開いた。

このキャンプ大会は、4H精神の涵養、キャンプ生活による共同精神の涵養、相互の親ぼく、仲間づくりを目的として毎年行なっているもの。とくに今年はちょうどお盆に当り、例年にない多数のクラブ員が参加してにぎわった。

テント用具、炊事用具一式を市役所から借りて、十五日午後二時天理駅からバスで出発し、御所駅へ到着、ここから葛城山ロープウェイを利用して山頂へ向った。キャンプ場へ到着と同時にテントを張り、夕食の準備にとりかかった。まず三食の炊事当番を決めて腕を競い合うことにした。

夜は、輪になって自慢ののどを披露し十時過ぎまでなごやかに楽しいひとときを過した。

十六日は午前六時に起床し、朝の散歩のあと食事当番がつくった朝食ですき腹をみたし、葛城山頂周辺へハイキング、足を鍛えた。昼食はこのキャンプ最後の食事とあって残っているだけの材料を全部使用し念入りにつくった。

このキャンプ中三回の食事を自分たちの手で作ったが、一度の失敗もなく、おいしく出来あがったことはやはりクラブ員同志が意気統合していたことが充分示されていた。今後もこの気持をプロジェクト活動などに利用されてほしいものである。午後から木陰でプロジェクト活動について検討、話し合いをして四時大会に終了符をうった。（この記事は、天理市4Hクラブ連協の柴田岩昭君から協力を得たものである）

十和田湖畔に集う

青森の大会 熱入ったパネル討議

【青森県＝斎藤正行連絡報道員発】第七回青森県農村青少年技術交換大会と青森県放送利用農業集団の結成大会は、このほど三日間にわたって深緑の国立公園十和田湖畔の宇樽部で県下の農村青少年三百余名が参加して開かれた。

まず第一日目、神秘の湖の水面を震わせるかのように大会ファンファーレが鳴りわたり大会の幕が切って落され、大会のスタートを飾るにふさわしい入場行進を行なった。

まず開会式に入り、県を代表して北村副知事があいさつ、来賓の激励のことばに応え、県農村青少年クラブ連絡協議会々長の佐々木剛君が「農業といえば、とかく暗いイメージにとらわれがちであるが、われわれ青少年の力でその観念を打破しよう」と力強く参加者に呼びかけた。

開会式にひき続いて放送利用集団結成式が行なわれ、このあと日程に従って行事を進めた。

今大会の大きな特徴は、まず、青少年の自主的運営のもとに運ばれたことであるが、その徹底を図るため大会二日前から農業技術研修の一環である農村青少年の指導者研修を行ない、県連役員八名と指導者およそ二十名の密接な連けいを図った点である。

第二点として、技術競技では従来まで行なってきた一人二部門の選択をとり止め、りんご、そさい、畑作、畜産、水稲、生活改善の五部門のうち一人一部門選択としたことである。

第三点としては、青森県が今年度から十年計画で推進する〝米づくり運動〟に関連し、パネル討議「米づくり優秀農家を語る」を新しく盛り込んだことである。

北国とはいえ夏の十和田湖畔も当日は三十度を越す暑さであったが、パネル討議は発表する農業経営者や青少年代表（各三名）助言者のことばに参加者から矢次ぎ早やに質問があびせられ、時間超過を気にする司会者に「もっと続けろ！」と声がかかるなど実に熱心な討議風景が展開された。

大会二日目、第二会場の十和田湖畔宇樽部キャンプ場で午後八時ごろから、大会の花、キャンプファイヤーがくりひろげられた。

大会の行事は、これらのほか、演示発表、野外レクリエーションなどが行なわれたが、スローガンのねらいを実現していくにふさわしく、頼もしいクラブ員を関係者はただ見守るばかりだった。

〝4Hならではのムード〟 国体祝い盆踊り大会

埼玉―入間東部地区4Hクラブ連協

【埼玉】入間東部地区4Hクラブ連合会（会長、斉藤浩宣君）では、さる八月十九日入間郡大井町小学校々庭で、第二十二回埼玉国体を祝して連合会初の納涼盆おどり大会をレクリエーション大会の一つとして開き、夏の日のたのしい一夜をすごした。

この納涼盆おどり大会は、例年にない行事だけに、クラブ員たちは慣れないやぐら組みやかざりつけに汗をながし、すばらしい団結力をみせた。

当夜は、埼玉の代表民謡である秩父音頭をはじめ直実節、そして県民音頭など踊り、また、この大会をきっかけにクラブ員全員に4H音頭をおぼえてもらい、4Hクラブならではの盆踊り大会となった。

初めての行事なので参加クラブ員の出足を心配したが、ふだんの会合以上に多くのクラブ員、それに先輩、他地区の応援クラブ員、そして青年会員、一般農家の人たちなど予期以上の人数が参集、やぐらを囲んだ輪は二重、三重となり、盛大に、しかも大成功のうちに幕を閉じた。

これを機会に4H音頭を大いに活用し、多くのクラブ員にもおぼえてもらいたいと考えている。また、この大会が先輩、他地区クラブ員、他団体との親ぼく交流の場になったことは、一つの成果であったと思う。さらにクラブ員一同埼玉国体が成功するよう祈り、協力したいと思う。

（埼玉県入間東部地区4Hクラブ連合会、砂川みさ子さんより）

九州で「親子会議」開く

12、13日 宮崎で

第二回九州地域農村振興親子会議は、九州地域農村振興親子会議実行委員会（九州農政局、宮崎県、全国農村青少年教育振興会、NHK）の主催、九州各県、日本4H協会などの後援によって来る十二、十三の両日、宮崎県児湯郡高鍋町の同県高等営農研修所で開催される。

暖かい雪 (31)

田井専六 米良武子画

盆の月（四）

「――その人、どこの誰かしら。素晴しい人ね、きっと――。それがそんなに打ち明け難い人なの？」

淳子の声が、少し顫えていた。涙ぐんでもいる。嫉妬か、くやしいのか。

「自信、勇気」健一が口の中で呟き、そして

「つい、近くにいるんだ」

「つい近く――？」

「ぼくのつい近く、並んで月をみている」

「ええッ――」

「ぼくは、やはり君がいちばん好きだったのだ。ずっと前から、君が茶色の自転車で赤松川の堤のみちを学校へ通う、あのころから、ぼくはわざと時間をみこして追跡した――」

「――」

「きょうね、街へでたついでに学校へ寄ってみた。夏休中でも、ひょっとしてペイさんがでていないかしらと思って、そしたらいたよ。うれしかったから、いろんな話をしているうち『おい、この冬、おでん屋でいっぱいやりながら、君のうわさをした娘、その後どうした』と聞くから『どうもしていません』っていったら『なんだ、だらしない、はっきりしろ』って、はっぱをかけられた』

「――」

「そのあとで君をオートバイに乗せ、やっぱり君がいちばん好きだってことを、身体中で、しみじみ感じたことだった」

「――」

「気を悪くした？こんなことをいい出して――」

淳子は、なんと答えていいか、突嗟に返事のできないまま、黙っていた。

――あたしも、やはりケンチ君が、誰より好きだった。だからつい遠慮なく、いわなくともいいへらず口をいい、しなくてもいい抵抗もした。そのケンチ君がいま、口からでまかせなどいえないケンチ君が、誰よりも好きだと打明けてくれた。ヴィナスのことはうわさだったのだ。別に何もなかったのだ――

そんなことを考える淳子の、鼻の奥から、何か酢っぱいようなものが湧き、眼頭が熱く、目がうるんで、何かいわねば、と思いながら、声がつまって、何もいえないのだった。

健一が、頭の後を抱えて草の上にあおのけに寝た。

淳子も、後に手をついて、上体を支え、曲げていた脚をのばした。不思議と不安も警戒心も起らない。

淳子の投げだした、のびのびした足が、月の光の下に、しろじろと光っている。

川のせせらぎと虫の音と、おり土手の上を通る自動車の音が掻き消すが、その外はまったく静かである。月の光は、眼を閉じても瞼の裏にあかるさを残すほど明るかった。

健一の腕がのび、淳子の髪に触れ、その指が髪をなぶった。淳子は、それでも、大山の観光ホテルの一部屋に、村岡卓二と二人切りになったときのような、不安や恐怖はおこらないで、健一の髪をなぶるに任かせていた。

健一も黙ってしまった。淳子も黙っている。

淳子は、ふと、話に聞いたことのある盆踊りの姿を、瞼のうらに描いてみた。いまでは八月十三日から月遅れの盂蘭盆（うらぼん）を

眼前は旧暦の盆だから、月は必ず満月である。こんな明るい月の下で、祭衎太鼓や尺八、笛、三味線くらいを伴奏に、のど自慢の誰かが音頭で、若い男女が、囃しや合の手を入れたりして、手振りうるしく、単調な踊りを、夜遅くまで踊ったことだろう。

父や母も、その青年時代、そんな盆踊りをしたろうか、ケンチ君の両親も――。

派手な浴衣に兵児（へこ）帯を尻の上にぐるぐる巻きした若ものたち、花模様の浴衣に、赤い夏帯を締めた娘たち、それが四、五人に月を落ちかかるまで、倦きもせず単調な踊りを――

だが、淳子の、瞼の裏に描いてみた盆踊のイメージは、健一の思いつめた、のどの奥にからんだような声に、掻き消された。

日本4H新聞
4Hクラブ 農事研究会 生活改善グループ
全国弘報紙
発行所 社団法人 日本4H協会

張切る女子クラブ員
明るい生活づくりに快気炎

農村の嫁不足という声をよそに、明るく豊かな家庭生活を自分たちの手で築こうと努力している女子クラブ員が全国に多勢いる。このほど、滋賀県では女子クラブ員の熱意と努力で生活講座開講の宿願が実り、また、茨城では、姉弟クラブの男子クラブ員を迎えて料理講習に励み手をとりあって生活向上に努力しようと農村女性の心意気をみせた。このような中からやがて新しい時代のしあわせな農家生活が芽生えようとしている。

遂に宿願を達成
滋賀県連、新境地を拓く　稔り多い生活講座

【滋賀県＝油浦豊一連絡報道員発】滋賀県農業後継者クラブ連絡協議会（会長、河原田吉則君）は、県農業改良課と共催で、このほど三日間にわたって蒲生郡日野町山本の県農村青年研修館で県女子青年生活講座を開いた。この生活講座には、県下の女子クラブ員四十五名が参加、未来の家庭の主婦としての期待をにない、意義ある研修の場となるよう胸を含らませてのぞんだ。

第一日は、開講式につづいて、堀井県農業改良課長が「農村生活のビジョン」と題して、明るく楽しい、ゆとりのある農家を築くために、また地域の発展のために、そして一家のよきパートナーとなり、協力者となって努力し勉強してほしい」と女子クラブ員の心構えについて要望した。

午後から滋賀大学、砂田先生の「家庭生活の管理」、また田井県改良課係員の「住宅改善設計」についての講話があった。

このあと、共働き、出稼ぎなど現在の家庭状況から、家庭内での話し合い、住居はこれでいいか、主婦が働き易く、働き易い状態にあるか、また改善すべき点はどこか、それはなぜか－などについてグループ別になってそれぞれ家庭内の見取図をみながら活発に意見を交換した。

夜は夏の衣服の披露が、馬場専門技術員を中心に、河原田県連会長、県改良課長、係長らのゲストを交じえ、ファッション形式で楽しい雰囲気のうちに進められた。

二日目は、馬場専技の「衣服の整理」の講義のあと、古川専技から「家庭菜園」について説明があった。野菜はたえず新鮮なものが望まれる現在、自分の手で作り上げたいろいろの野菜で食卓をにぎわせたいものである、という内容である。つづいて日赤、川口両係員から「健康管理は、家庭から」と題して、家庭人として最少限度身につけていなくてはならない病気発見や治療について、実技をまじえて講義があった。

午後からは、藤崎係員の指導のもとに調理の実習に腕をふるった。ピーマンのつめもの、生野菜のサラダ、かんてんによるデザート、クラッカーによるオードブルなどいろとりどりの見事な料理が女子クラブ員の手でつくられ、このあと諸講師をまじえて試食し舌づつみをうった。

夜は、「還き山に日は落ちて…」の合唱とともにキャンプファイヤーをくりひろげ、静と動、明と暗、そして規律ある中で夜のふけるのも忘れて楽しく愉快に夏の一日を過した。

三日目は、早朝、牧場の新鮮な空気をいっぱいに吸いながら搾乳場や大型機械などを見学した。

このあと二時間余にわたって各クラブ、各地の情報交換をまじえて討議した。甲南町の藤田栄、悦子夫婦を招いての「クラブ先輩夫婦と語る」は、夢と現実の世界をさまようクラブ員の心に、大きな示唆を与えてくれた。ユーモラスな対話のうちに終り、午後からの手芸実習を最後に三日間にわたった生活講座の幕を閉じた。

こうして、県下女子クラブ員のここ数年来の念願は、女子クラブ員の熱意と努力によって実った。

この女子研修会は、滋賀県連初めての試みとして大いに注目されたが、このように成功のうちに終了したことは、今後の県連の新しい方向を示すもの、また新境地を拓くものとして期待は大きい。

この研修会が実現するまでの道は遠くけわしかったが、県連副会長の向井久恵さんを中心に、自主的に構想を練り、運営もすべて女子が受け持ち、近代農村建設へのなみなみならぬ決意がうかがわれた研修会であった。県下女子クラブ員の三年越しの夢であっただけに、またその間が苦難の道の連続であったため女子リーダーはまったく感無量であったようだ。

女子クラブ員は、これから家庭に入っても、井の中の蛙で終らないよう、いつも新しい感覚のもとで、農村生活向上のため頑張ってほしいものである。

滋賀県の女子生活講座で、住宅改善設計について講師の話しに熱心に耳を傾ける女子クラブ員

サイダーで乾杯！
茨城・樺穂女子4Hク　調理に"姉さん"の貫禄

【茨城県＝永田正治連絡報道員発】真壁地区の樺穂女子4Hクラブ（会長、藤田美禮子さん）では、さる八月三十日真壁町公民館で定例会をかねて料理実習を行なった。

残暑きびしい折とあって「ちょっとした手間で出来るお菓子と飲みもの」と題して、フレンチ・トースト、アップル・サイダー、カスタード・プディング、野菜サラダなどの料理のつくり方を学んだもの。また、この日は、同地区内の男子クラブ、耕心の集い（会長小薬文之介君）のかねてからの要望だった"姉さんクラブと試食会をもちたい"という夢を実現することができた。

集合時間の午前九時半には全員顔がそろい、若々しく明るい雰囲気の中で、藤田会長の歓迎のあいさつのあと4Hクラブの綱領朗唱、4Hクラブの歌を合唱し、ひき続いて実習に入った。

初めのうちは、テレくさいのかモジモジウロウロしていた男子クラブ員も、姉さんたちのあたたかいリードで、それぞれ分担を決めて配置につく。プリン型にバターを塗る人、梨やリンゴの皮をむきパンを焼く人、手つきも思いのほか上手で、かくれた才能をみる思いであった。

そして二時間余の大奮闘、調理室いっぱいに甘い香りを漂わせて盛りつけ配膳を終える。腹の虫もこのときとばかりに遠慮なく泣く。

藤田会長の音頭で乾杯していよいよ試食。手料理に舌つづみをうちながら料理することの楽しさ、食物の好みと栄養価の問題、家事労働も立派な労働であることを身をもって体験した二十六人。また、クラブ活動の意義や活動方法などみんな心を開いて話し合った。

試食後、ともに後片づけをして男子クラブ員の車で野外ステージへと会場を移す。

公民館から約十キロ離れたバラ園に到着。サンライトの下でのフォークダンス、ぶどう園での語らいは赤い太陽が西に傾くまで続けられた。

帰り道は、その地域で活躍しているクラブ員数人を訪問し、汗して働いている姿に同志としての心を寄せた。"よし、明日から俺も私も頑張るぞ"と－こうして楽しく意義ある一日は終った。

ところで、この樺穂女子クラブは結成以後十三年間、女子だけのクラブとして活動を続けてきている。先輩たちは、ほとんどが農家に嫁ぎ、遠く近くで見守ってくれクラブ員自身も伝統あるクラブの火を消すことなく、少人数ながらクラブ活動の楽しさを味わっている。一昨年は農林大臣賞を受賞した。

一方の"耕心の集い"は、昨年の九月、地元農高卒業者十一名でウブ声をあげ、実践を通して学んでいるクラブ。樺穂女子クラブ員の一人が常に相談役となり、月三回、五の日を集会にあて、若さの特権を学習にぶっつけている。とくに、今年は「家族ぐるみのクラブ活動」をとりあげ、クラブ員の誕生会を持ち、それぞれ自宅で集会し家族との交流、親ぼくを図っている。

この地域で、これら姉弟クラブがガッチリと手を組んで新しい村づくりの一端をになえば、住みよい環境が必ずや生まれるものと思われる。

ぶどう園で、一房のぶどうを手にしてあるクラブ員は次のように語っていた。

"風に吹かれ、雨にあい、太陽の恵みを受けて、しだいに成熟してゆくぶどう。

私たちのクラブもこの一房のぶどうと同じであろう。一粒一粒は私たち一人一人の姿ではないだろうか－。

いまはまだ青いけれども学ぶ心と、横のつながりを密にしたならば、見事に熟れた一房になるであろう－と。

料理実習に精出す茨城県真壁郡の樺穂女子4Hクラブ員
上＝姉弟クラブの発展を誓い、アップルサイダーで乾杯する女子クラブ員と"耕心の集い"の男子クラブ員
下＝男子クラブ員のあざやかな手つきに、つい見とれてしまう女子クラブ員

フナ釣りと人生

ヘラブナという魚がいる。フナの一種で、もともと琵琶湖の原産である。この魚、形は真ブナより大きくて平たいところから、平ブナと呼ばれ、ヘラブナとなったもので、植物性のものを好んで食べ、その食い方は非常に微妙である。したがってこの習性ゆえに、釣り人の間でたいへん人気を集めている魚である。

俗に「魚釣りはフナから入ってフナに終る」……

……出来ている。この赤や緑に区分けされたウキが魚信によって千変の動きをする。

このウキの動きを読んでかけ合わせをするのであるが、これがなかなか難しい。長年にわたる技術と鋭い感を必要とする。ここにヘラブナ釣りの魅力がある。

また、この釣りでは運が大きく左右する。競技会などでは、場所を決めるくじ運……技術だけで勝敗が決まるものにはスリルがない。

同じことが人生についてもいえる。人生を勝ち抜くためには、日頃から腕を磨いておかねばならない。だが、人生を左右するのは運命であることもまた事実である。

銘すべきは、せっかくチャンスが来たらそれを掴むだけの腕を磨いたおくことである。異性の獲得また然り、釣りもまた人生に似たるかな。

阿久根で地区連結成　鹿児島

【鹿児島県＝山田勝連絡報道員発】阿久根地区農村青少年クラブ連絡協議会の結成大会が、このほど二日間にわたって阿久根市民会館と阿久根大島で開かれた同地区の技術交換大会の期間中行なわれた。

この結成大会には、阿久根市、東町、長島町の農村青少年約百名が参加、まず結成準備委員から経過報告されたあと、規約、事業計画、予算などの各案が審議され、全会一致で承認、次の役員を決めスタートを切った。

▽会長　松崎勝雄（阿久根市）▽副会長　原口秀昭（東町）吉川照元（長島町）

このあと技術競技などを行ない夜は大島海岸でキャンプファイヤーをくりひろげ、脇本のクラブ員で編成するエレキバンドで、ハワイアンムードの中でダンスを楽しんだ。しかし参加者のうち女性がわずか五名だったため、男性の諸君残念がることしきり。

父兄と懇談
岐阜・平田4Hクラブ

【岐阜】海津郡平田町4Hクラブでは、さる八月十七日平田町役場でクラブ員の父親二十人を招き懇談会を開いた。

これは農林高校などを卒業後、農業後継者として活動している4Hクラブ員たちは、父親などの理解不足から、4Hクラブの会合は夜しか開けない現状で、自分たち自身を高めるための時間が少ないため、毎月二回の「4Hクラブ員の日」を決め、この日は、講習会や講演会などを行ない、話し合いを通じて父親たちとの相互理解をうながそうというもの。

このほかクラブ員たちに水田や畑・温室などの経営を、責任をもって担当させるシステムをとるように話し合った。

4Hク研修会開く

【岐阜】岐阜ブロック（本巣、伊奈波、山県事務所管内）4Hクラブ研修会がさる二十、二十一の両日、本巣町神海キャンプ場で開かれた。

心頭技健

空は澄み鱗雲が流れ、豊作が予想される初秋を迎えた。秋は結婚というお目出たのシーズンでもある。実りの秋という新しい人生に旅立つ人たちにとっても、まことにふさわしい季節である▼夫婦の結びつきはどうなっているのか"日本の結婚"の実態を社会的、経済的な面からとらえた調査結果が厚生省から発表された。調査は昨年五、六の両月、東京他の百六十九市区町村で婚姻届けを出した五千三百十七組みを対象としたもので、これによると、社会が未発達であるほど男女の結びつきの範囲が狭く、文明が進むほど通婚圏が広くなるという▼また結婚前の夫婦の職業をみると夫の職業が農業の場合、妻も農業であるケースが七四％と同じ職業同士の結びつきの最高位を占めている、などが明らかにされた。近年農村の嫁飢が通説になっているが、これなどは都市周辺と山間農村地帯が著しく、職業的な面において制約をうけていると思われる▼しかし最近頓に言えることは女子の4Hクラブ員の中に、農家に嫁ぐことを希望する人がふえてきたことである。まさか職業と結婚する気持があるとも思えないから、それだけ農村も経済的な面や社会環境が豊かになり、農村の男性も4Hクラブ活動などを通して精神的に豊かになった現われであろう▼近ごろクラブ員同士の結婚も通婚圏が広くなり、県境を越え海を渡って結ばれるケースも非常に多い。これらの人たちが結ばれた過程は、全国的な行事や中央研修会を機……

集おう秋の立山に
全国4Hクラブ員北陸の集い　参加者を広く募る

……現地交換訪問……期間中つどい会場で4H写真展示を開く。この展作品を都道府県連から募集する。

発表者の応募要領

五クラブが新加盟
広島県連　会長に村上君選ぶ

4Hの塔 奈良県連

高さ3.5メートルに「4H週間」の準備進む

【奈良県＝広井浩県連絡報道員発】奈良県4Hクラブ連絡協議会（会長、山田孝作君）は、このほど県教育会館で役員会を開き、十月一日から全県にわたって実施する「4H週間」や「4Hの塔」建設などについて話し合った。

まず「4H週間」について [illegible]

互いにアドバイス 仙台市の4Hクラブ・カリム会 プロジェクト巡回

【宮城】[illegible]

湖東でブロック大会 滋賀県連 組織の強化図る

【滋賀県＝[illegible]連絡報道員発】[illegible]

都市農業の将来考察 愛知・春日井農業クラブ4H部 新市長と話合う

【愛知】春日井農業クラブ4H部は、さる八月十五日、このほど就任した大野春日井市長を囲んで座談会を開いた。

これは、激動する都市の中で各地に点在し、自立農業経営者としてクラブ活動を通じてたえず自立農業の安定化に努力しているクラブ員六十二名が、こんご新しく明るい三十万都市づくりをめざす同地域において、そのような環境の中でどのように農業を改善し、都市づくりと農業をどう結びつけ市の発展に協力していくかを検討するために、農業の問題を中心に話し合ったもの。

午後一時から、昨年一ヵ年国際農友会から派遣されアメリカで実習生活してきたクラブ員、松本洋一君の八ミリ映画を映してのアメリカ農業の紹介があったあと、三時から大野市長はじめ市経済部長、農政課長、普及所地区係長を交じえて話し合いに入った。

クラブ側からは、同地域における将来の農業、また現時点における農業についての要望事項九点が提出された。主に、これからの専門農業経営者の進むべき方向として、区画整理事業、農地の転用、都市化による畜産専業経営の環境衛生面、農業後継者資金などの関連について終始熱心に意見が交わされた。

最後に、市当局から本年十二月までに市政五ヵ年計画を再検討しこれから進む新しい農業の方向をみいだしたいとの意向が示され、再び集まってその案を充分話し合うことを約束して午後六時終了した。（春日井農業4Hクラブ、鵜飼浩君より）

大野春日井市長を囲んで都市農業の将来について話し合う春日井農業クラブ4H部の人たち

研修会ひらく 岐阜・東濃地区4Hクラブ

【岐阜】東濃ブロック4Hクラブ研修会がさる二、三の両日瑞浪市釜戸町天猷寺で開かれた。これには4Hクラブ員約百名が参加しクラブ活動の現状を話し合い、また四講師の講話を聞いた。

動き出した地区連 三重県連 新会長出そろう

【三重県＝西村喜代司連絡報道員発】三重県農村青少年クラブ連絡協議会（会長、岡田常雄君）では、本年度の活動目標の一つである組織伝達機構の地区連活動を育成、強化するため、各地区大会には役員（理事）派遣、助成金補助など内外ともに協力、タイアップしてその活動を推進している。

このような支援から、発足して間もない各地区連も次第にその体制を整えつつある。

また、このほど各地区連の新会長が決定した。それぞれ、希望を抱いて地区連活動の拡充に努力しているが、そのうちの一つ志摩地区連の会長、南保秀君の決意を紹介しよう。

地区連会長は次のとおり。

▽桑名＝武田弘（員弁郡藤原町本郷）▽四日市＝中川清（四日市市々良家町）▽鈴鹿＝川方晴（鈴鹿市長沢野田）▽津＝小黒敏克（安芸郡河芸町南黒田）▽一志＝田中彬之（一志郡嬉野町薬王寺）▽松阪＝池田武穂（多気郡勢和町丹生）▽伊勢＝西村喜代司（度会郡小俣町明野）▽志摩＝南保秀（志摩郡磯部町坂切）▽紀州＝西隆男（南牟婁郡御浜町下市木）▽伊賀＝山崎和久（上野市上ノ庄）

看板に負けません!! 志摩地区連会長 南保秀

志摩連協が設立されてはや三ヵ月、ようやくレールの上に乗りかかり、一輪車から四輪車へと、ボデーづくりに懸命である。三月には、親子交換会も開催し、連協の意義というものがはっきりしてきたと思う。

しかしながら、会員数の問題、経営部門の多角、女子会員の勧誘、予算の問題と悩みも多い。農家が散々し、跡継ぎは都会へと去り、それにもまして主産業が水産養殖と、その中にあって女子会員を勧誘はするが、身動きもしない。若い青年にとっては、夢もチボーもないな…。だからと言って、今のところどうすることもできない。みんなが団結、努力して、これらを吹き飛ばす意気ごみで、これからの行事の部門別活動、レクリエーションなどを消化していきたい。

いずれにせよ、地区連という大きな看板が出来たのだから、看板負けしないように、この一年間は事業がうまく消化でき、多くの参加を呼ぶ、魅力ある、協議会になるよう祈るとともに、他の地区連とも手をとり合い、また指導していただき、普及所などとも連絡を密にして、二年生めざしてりっぱに運営できるよう、会員とともに頑張っていきたい。

勢ぞろいした三重県の地区連会長

鉢巻き姿で励むパイオニヤ大学の学生たち

鉢巻き姿でハッスル 静岡のパイオニヤ大学

郷土開拓の情熱に燃ゆる若い力

【静岡県＝粟田伸雄連絡報道員発】優秀な4Hクラブ員を数多く世に送り出している静岡県の「青年パイオニヤ大学」第三期生の中央教室が、このほど三日間にわたって安部郡井川村大日の県営井川青少年キャンプセンターで開かれ、その充実ぶりをみせた。

この大学は、その名が示す通り"郷土開拓の若い力を育てる大学"で、ことしで三年目。四月から始まり翌年三月までの一年間に百時間の学習を課している。受講生は、各市町村が推せんした二十五才までの青少年が対象で第三期生は男女合わせて四百八十名。みんなグループ活動の経験者で大学終了後は郷土で活躍する人たち。

日ごろは県下七ヵ所に分かれて学習をしているが、毎年一回全校生が一ヵ所に集まって学習するのがこの中央教室。

学習内容は「指導者養成」のためまえから一般教養と団体活動の原理を追求することを二本の柱としている。教養面では指導者としての人格づくりに重点をおき、まず人生観の確立に力を注ぐ。その上で地方自治を勉強し、郷土づくりのビジョンへと発展させる。

また団体活動については机の上の勉強と同時に存在するあらゆる青少年団体を研究することによって団体原理を追求する方法をとっている。中央教室は実際に集団生活を営んで勉強した成果にみがきをかけるのが目的である。

初日の開講式には竹山静岡県知事もかけつけて学生たちを激励、地元の静岡放送テレビではこの開講式をテレビで中継して全県民に報道した。

このパイオニヤ大学には県下の4Hクラブ員も多数参加、とくに富士宮地区は4Hクラブ員十余名が北部農業普及所職員さんにつれられ参加、ボーイスカウト、ガールスカウトの指導者たちから高度の技術を学びながら大自然の中で、テントの張り方、食事の仕たく、営火の準備、野外ゲームの指導法、救急法、信号などみっちり勉強していた。

優秀な4Hクラブ員を輩出

このパイオニヤ大学は多くの人材を4Hクラブに送り出している。

前年度の静岡県連会長の戸塚正義君や副会長の村松明子さん、本年度会長の山城満君、そのほか前、現の県連の理事などほとんどがパイオニヤ大学出身者である。とくに村松明子さんは、県主催の青少年北海道視察団の女子指導員として参加している。

よりよい高度の4Hクラブにするため第三期の受講生として参加している4Hクラブ員は、一生懸命に勉強していた。

感動よんだ寸劇 笠間地区連クラブ大会 那須岳へハイク

[illegible]

那須岳の頂上で記念撮影する茨城・笠間地区連の人たち（ハンテンはレクリエーションで使用したもの）

沖縄の友にエダ豆の種贈る 静岡・清水市4Hクラブ

【静岡】清水市4Hクラブ（会長、窪田正元君）は、さる一日、清水市でエダマメの種約九㌔を沖縄の4Hクラブ員に贈った。

これは、既報の通り全国4Hクラブ連絡協議会顧問、岩崎茂氏（静岡・清水市）が、さる七月沖縄を訪問、4Hクラブ員と意見交換を行なったが、そのおりに換金作物として、清水市三保特産の促成エダマメが同島の土壌に合うと推奨し4Hクラブ員にエダマメの種を贈ることを約束していたもの。

このほど千葉県の九十九里で全国農村青少年技術交換会が開かれたのを機会に、沖縄4Hクラブ員の代表が清水市を訪れ同市の4Hクラブ員たちから、エダマメ栽培方法の講習を受け岩崎氏から約九㌔の種子が贈られた。沖縄4Hクラブ員代表は「必ずエダマメを特産に育てる」と大喜びだった。

この種は、来年二月から種取りして全島の4Hクラブ員が栽培する。同島の作物は砂糖キビとパイナップルが中心で、こんごエダマメ栽培を加えれば農家の収入はかなりふえると思われ岩崎氏の好意にたいし感謝がよせられている。

十周年を祝す 北海道・新生4Hクラブ

【北海道】花畔新生4Hクラブは、さる三日午後一時から花畔農協二階会議室で設立十周年記念大会を開き、十年間の歩みを回顧するとともにこれを機会にさらに前進へ努力することを誓い合った。

43年の家計簿をどうぞ

貯蓄増強中央委員会は、家計簿記帳の普及を進めるため毎年「あかるい生活の家計簿」を発行、好評を博しているが、ことしも、一般の購入希望者に対して実費で頒布し、また諸団体に対しては複製を認めることになり、いまその申込みを受付けている。

一般用実費頒布分の価格は送料を含めて一部六十円で、申込部数は三十部以上。購入希望者は一般用発注書に必要事項を記入のうえ、直接、大日本印刷㈱＝東京都新宿区市谷加賀町一の十二＝あてに申込むことになっており、来る十一月三十日まで申込を受付ける。現品は十二月二十日までに発送し、現品受領後一ヵ月以内に郵便振替で代金を払込む。

また、複製発行分は、発行者名差換料を含めて一部六十三円（送料実費は受注者負担）で、申込部数は三百部以上。申込みは複製承認願いと発注書に必要事項を記入のうえ、直接、銀行関係者は大日本印刷（株）に、そのほかは凸版印刷（株）＝東京都台東区東一の五＝に送付すること。申込みの締切りは十月十三日で、現品は申込順に逐次発送して十一月中には発行をすませ、現品受取のあと一ヵ月以内に各印刷会社の指定した銀行の当座預金口座へ代金を振込むことになっている。

なお、複製の条件としては複製した家計簿は会員、従業員、関係先などへ無償で配布しない、複製発行者は企業体名として支店、出張所などは入れないこと—などがある。

私のプロジェクト

動力草刈機回転円板の改良

福岡県筑後市庄島　筑後市4Hクラブ　下川康夫

機械の欠陥を除く
能率あがり、危険なくなる

私が草刈機の回転円板の改良を考案したきっかけについて話す前に、私の家の家族構成および私の住んでいる筑後地方の説明をすると、私は水田九〇㌃と養鶏一五〇〇羽をやっている農家で、長男の私のほかに、高校在学中の妹がおり、それに両親も四十代である。附近一帯は見わたすかぎり水田ばかりといったところである。

草が巻き込む危険な草刈機

まず、私が草刈機の改良を考案したきっかけから説明しよう。

ある晩、私の部落に農機具屋さんがきて、草刈機の説明をし、私の家でも近所の数軒とともに一台購入した。

そして、さっそく草刈り作業を始めたが、草がたくさん茂っているところや倒れているところを刈ると、回転板の上の部分に草が倒れてきて回転軸に巻きつき、回転速度は遅くなるし、エンジンの部分の遠心クラッチや回転軸の部分は手で触われないほど熱をもってくるし、ついにはエンジンが止まった。

また、回転の遅くなったときに巻きついた草を手で取り除こうとすると危険を生じ、取り除いてもまた巻きついて止まるので、作業を途中で中止し、一緒に購入された人たちや別のメーカーから購入された人の話を聞くと、私と同じように困っているとのことで、なかには手をケガした人もいた。

回転板に新しい刃をつける

私は、このまどろわしさをなんかなすく方法はないだろうかと思い工夫を試みた。

まず、草が刈り倒された状態は横、斜めになって巻きつき始めるので、それには逆にはたらく力を応用すればよいと考え、刃を垂直につければよいのではないだろうかと思いつき、さっそく図面を画いた。

はじめは回転力に加わる抵抗を少くし、エンジンに無理をかけず耐久力のあるものという点を考慮して、刃をどちらの方向につけたらよいか迷ったが、高校時代の応用力学の時間に回転用のモーメントについて教わったことを思い出し、刃を円曲の方につけたら回転力に加わる抵抗も少なく、切断力も強いのを応用して、寸法も記入した図面を持って鉄工所に行き、図面通りの製作を依頼して三日間で出来上った。

結果は上々で実用新案にも

さっそく、この回転板を機械に取り付け、試験的に草を刈ってみた結果、従来は下の三枚の刃が草を刈って回転板の上に倒れてきた草が、この刃を付けたことによって巻きつかずにスムーズに作業が行なわれた。

それから、これはよい考案と思ったので機械屋さんが話に来たとき特許の話を聞き、さっそく実用新案登録願を出し、今年の正月に出願番号通知がおくられてきたときはとびあがって大喜びをした。

考案は、どのメーカーの草刈機にも取り付けられる利点があり、[illegible]

機械の構造と改良した個所

[illegible]

孔⓫をもうけた取付板⓬の表面に⓾ボルト孔⓫から[illegible]して表面の取付[illegible]にボルト⓭をは[illegible]

[illegible]

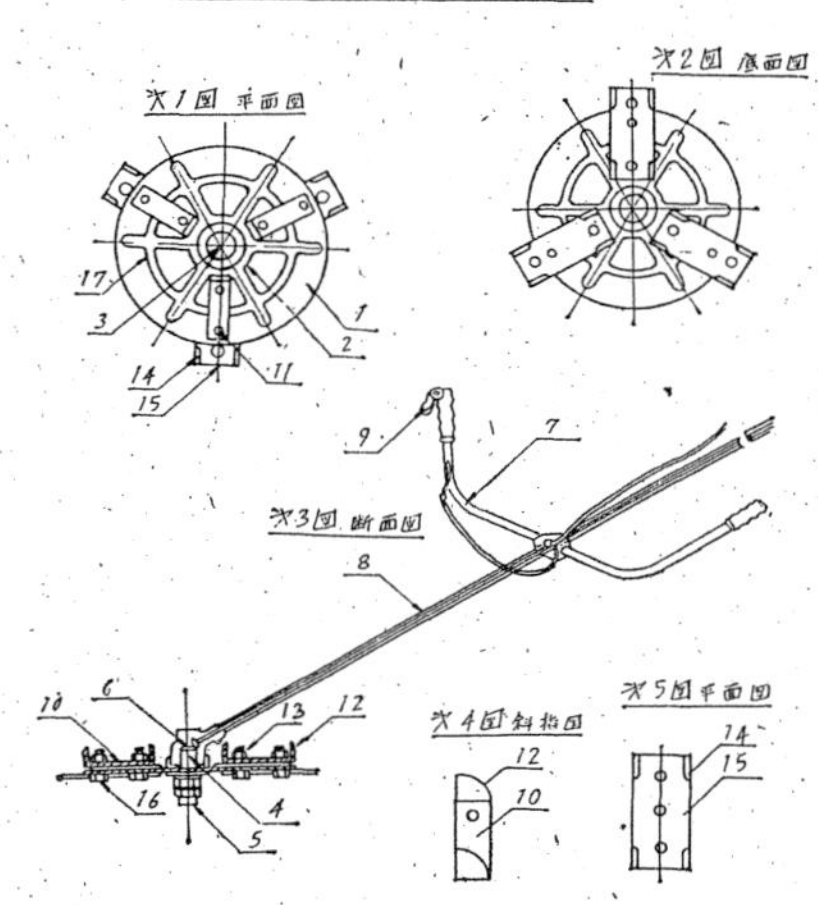

四季の立山連峰

(4)　[illegible]

(春)　[illegible]

山の春は清浄である。

(夏)　六月二十日、立山頂上雄山神社の扉は開く、山開きである。

高山植物の春である。お花ばたけは正直に正確に低きより高きへ徐々に移動する。透明な空には立山七二峰の紺碧の山肌があざやかにそびえ、夏山のシーズンである。美女平からひんぱんに遊覧バスの発車である。

若人の夢は立山を頂点として、そのさき大日、剣、黒部、五色ケ原、薬師、雲の平へと広がる。

(秋)　山※はふたたび太古の静けさをとりもどす。立山弥陀ヶ原の秋は紅葉が圧巻である。九月なかばから染まる紅葉は錦あやなす満山の紅である。草原地帯の草もみじも見ものである。原始林地帯の紅葉と称名峡の紅葉は十月末までつづく。その頃、立山の稜線から紅葉の黒部峡谷の展望もすばらしい大観である。

(冬)　立山、弥陀ヶ原の冬は早い、十一月[illegible]こそ静かな別天地である。

すすんでいる農業の新技術

イネ科牧草の圃場一日乾草調整法

画期的な乾草調整
一日で刈取りから収納まで

飼料作

◈意義

[illegible]

なぜなら従来のモアー体系による乾草調整法では[illegible]この方法はフレイル型フォレージハーベスター[illegible]

◈使用法

❶[illegible]

❷[illegible]

六〜七月刈取りの乾草は貯蔵が梅雨期にあるため、貯蔵場所と湿度の関係から含水率は二〇%以下とすることが必要である。[illegible]

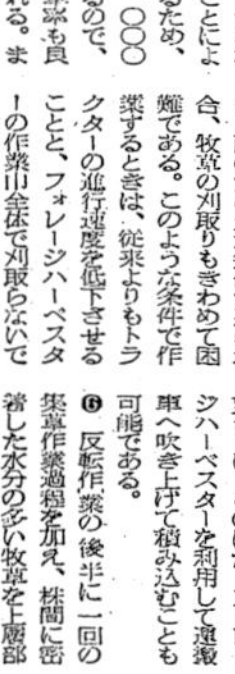
第一図

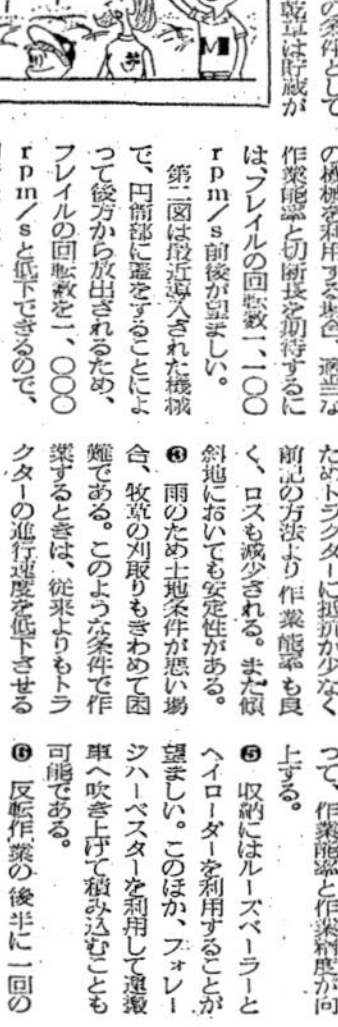
第二図

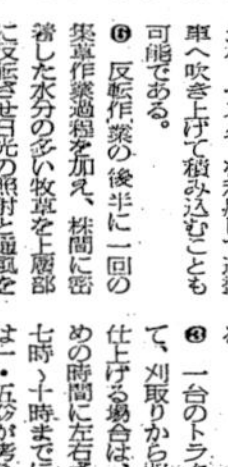
第三図

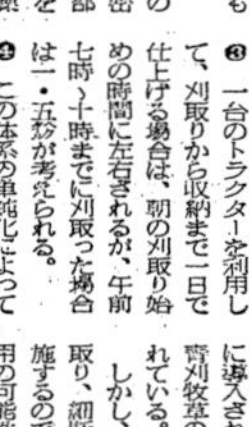

◈効果

[illegible]

◈普及

[illegible]性が認められ、一部の農業高校や開拓地ではすでに実用化しているところもある。

今後、汎用性の可能な作物に対する使用方法が解明されることにより、フォレージハーベスターは全国的にかなり普及されるものと思われる。

◈問題点

❶ フォレージハーベスターの汎用性(青刈牧草、実取菜種、青刈菜種、実取えん麦、青刈えん麦、実取小麦、青刈ライ麦、青刈とうもろこし、実取とうもろこし採実後の稈処理、かぶ菜部の刈取り、放牧地の不食過繁地の除去〈排ふんの飛散〉が可能)から考えて、各作物ごとに、省力的で生産性を向上させるための機械化栽培体系を検討すること。

❷ 共同化、協業化による乳牛の簡易畜舎を中心とする多頭飼育と、この飼育形態を支える飼料作物、とくに牧草地の集団化による基盤の整備。

❸ フォレージハーベスターの活用により、その年の梅雨のタイプに対応し、地域的な乾草調製技術の確立。

❹ 乾草の機械化が過剰投資にならないよう、乾草の生産量と投資と経営面積の関係を調査し、経営面積と機械化の規模とのバランスをとること。

暖かい雪 (32)

田井惇六
米良武子画

盆の月(五)

緊張した淳子の耳に、

「その好きな淳子が、いま、ぼくのすぐ傍に、草の上に並んで同じように月をみている。ぼくのいったこと、淳子がどんなに承けとってくれたか、気障ないい方と思うかも知れないが、知ってるようにぼくは口があまり上手な方でないから、苦しんでいる。そして、もう淳子の身体を、力いっぱい抱き締めてみたい、それを一生懸命、がまんしている」

「――」

「ね、抱いたりしたら、いけないだろうね、いけないとわかっているが、許してくれ――」

「――」

それでも淳子は返辞ができなかった。黙って動かないでいることは黙認した形(かたち)であり、黙っていれば、健一は、ほんとうに抱くかも知れない。いや、きっと抱く、それなのに、やはり危険も不安も感じないから警戒心も起らない。ただそうされることが、何かふしだらな女と思われそうでそれが気にかかるが、あの逞ましい腕で、息のつまるほど抱き締められてもみたいような気もした。

唖のようにおし黙って、身動きもせずにいる淳子の耳に、草の音がし、健一の動く気配がして、はっ、と思ったとき、眼の裏にあった月の光りが消えると、胸の上に大きな圧迫を覚え、支えていた手が圧迫に耐え切れなくなり、健一の逞しい腕に、息のつまるほど抱きしめられてしまった。

自分を喪いそうだった。それでも僅かに動かせる手で、健一の髪をまさぐりながら、健一の抱くに任かせていた。

でも、キッスしようとしたらどうしよう。拒むすべはない。だいいち、いまの淳子には、とてもそれを拒もうとするだけの理性はない。

しかし健一は、接吻はしなかった。いちど、かわゆくて仕方がない、といったように、激しく頬ずりはしたが、やがて腕の力がゆるんで、胸に加えられていた圧迫から解放されたと思うと、健一は、立上っていた。

淳子も、いそいで起き上った。

健一が淳子の手を握り、淳子が握り返した。

「すまない淳子、許してくれ、でも、もう、そうせずにはいられなかった。かわゆくて」

「いいのよ、あたしもやっぱり、あなたが好きだったのだわ、だから、あなたには、やたらに抵抗したのね、甘えん坊ね、あたしって――」

「ぼくはまた、淳子にそんなことをいって、軽蔑されたり、嫌われたりしたら、といらぬ心配をしていつまでもいいそびれていた」

「でも、どんぐり君って、誰にでも、男にでも女にでも、好かれる人なんだから――」

「どうして?」

「4Hクラブのメンバー、京子さんでも多胡子さんでも、みんなあなたが好きで、話したいのよ。中学校の江見先生だって、いつかの武道大会の日、日曜なのに、わざわざあなたの応援のため登校したといって――」

ヴィナスのことをいわれると、健一もやはり胸がいたむ。忘れたはずなのに、

「それに、うちのガンコで有名な祖父だってすごくあなたを褒めていたわ、いつか4Hクラブの企画の「老農に聞く」って、うちにも何人かきたでしょう。あの後で、祖父が話していたわ「みんなよくできた、いまどき珍しい青年ばかりだったが、朝岡の大野君は、ことによく考えた青年だった」って――」

「そうかなあ、あんときは冷汗がでた。嘘やはったりなど全然いえないもの、腹の底まで見透されているようで、桃作りをとおして、立派な農民像に接したのはいいが、ほんとは、君の家どんな家、君が家ではどんな顔をしているか、それもみたかったが、そんな腹の底までみ透されているようで、しどろもどろ」

「まあ、呆れた人」

「こん夜の話、ぼくはべイさんに[illegible]」

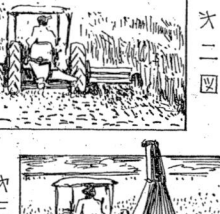

「待って、それは――」

わがクラブ わが同志

読書の秋を迎えて

青春の日を大切に 読書で人生にうるおいを

茨城県稲敷郡桜川村 桜川サークル4H 松本和子

"青春とは"第二の誕生日である。われわれ若人は、エネルギーが満ちあふれんばかりの生き方をして、自分の人生に幸福をつないでいる。しかし、われわれ若人の態度を顧えってみると、何か残念な気がしてならない。二度とない青春時代を、苦虫でもかみつぶしたようにくすぶっている仲間、もっと青春時代の自分自身を大切に明かるい声を響かせあって、楽しい青春時代を過したらよいと思う。

私たちの人生には、未来の扉が開かれています。この時代に社会人としての基礎を身につけて、よりよい人間形成と、豊かな情操を身につける必要があると思います。それには、あたかも初秋を迎え文学に親しむ頃となりました。

私たちは、もっと文学を愛し詩や文芸書を読むにつけ文芸のよさというものを知りえることは、つまり読書の魅力に取りつかれ、文学の素晴らしさを通じて、青春時代の情操を豊かにし、家庭生活にもうるおいがでるといってもけして過言ではないでしょう。

とかく今の若人には文学的精神が欠けています。人生を考え世界についての認識をどれだけ深めたかということで、その人の人間性の深さや、幅の広さというものが感じられます。たとえ短い生涯であっても、私たちは読書することによってこの人生をすばらしく充実させることができ、うるおいのあるものにしていくことができるでしょう。諺にあるように、鉄は赤いうちに打てといいますが、私たちの人生も若いうちによりよい形成をなしたいものです。

同じように人生も、感受性が鋭敏で柔軟である青年時代は心身ともに日一日と成長し、一日一刻が新鮮である青春時代にこそ体験する必要性があり、この時代こそ人生の岐路であり、その分岐点を前にした貴重な時代といえます。それだけに、もっとこの二度と訪ずれないこの青春を大切にすごしたいと思います。

「われら農業青年よ、目を開き世界をみよう。」農村青年の自主性などが叫ばれている現在たしかに私たちの視野は狭く、農村という殻の中での考え方に片寄りがちになり、ややもすると利己的にもなります。また教養の問題についても、これからの新しい感覚に立って農業経営に取り組むためには自から学び幅広い知識と技術を収得していかねばなりません。

私たちには多忙の中にも、自由な時間を生みだすことができ、この時間を有効に使い学習することは、青春時代を豊かにしむけるための前向きの姿であると思います。

やがて、灯火親しむ読書の秋が訪ずれてきます。この機会に読書の魅力に一度ふれ、文学の中に無限に広がるかぐわしい世界へ一歩でも踏みこんだならば心の糧となり、知識の泉となって必ず日日の生活にうるおいが生れることでしょう。したがって学ぶということは、まず若いうちに広い視野に立って、読書に励げむ習慣を身につけることも、一つの方法ではないかと読書の秋をむかえ、あれもこれも読みたいと夢が広がってきます。

百姓娘

大越歌子

農繁期
汗と埃で汚れた顔
搾れば出るような汗の作業衣
こんな日の作業はつらい
でも、嫌いではない
自から好んでいる百姓だ

ひとはいう
—無神経なのかも知れない—
ひとがどう干渉しようと
私は百姓が好きなんだ
私は百姓の娘なのだ

（栃木県小山地区）

仲秋

朝夕の涼風にひんやりと寒ささえ感じさせる今日この頃である。猛暑の続いた今年の夏であったが、秋は忘れずにやってきた。九月は雨が多いという。秋つゆり、秋霖といい梅雨に似て、淋しく、つめたく小雨が降る。時折、台風の豪雨が秋のあわれをかき乱して去ってゆくこともある。

九月はなんといっても仲秋の名月である。虫の音をききつつすすき穂のあいだから眺める名月はまことに美しい。ひとむれのまわたぐもが名月をぼかして去ってゆく景も格別である。仲秋は陰暦の八月十五日であるから、今年は九月十八日にあたる。芋名月ともいい、昔から月見の芋を食う風習がある。また陰暦の九月十三日（今年は十月十六日）を十三夜または栗明月、豆名月といい、この二日を名月といい、他の月の満月は名月とはいわないそうである。この名月の翌夜が十六夜（いざよい）、つぎの夜が立待月（たちまちのつき）といい寝ないでその事の成るのを待つという。つぎの夜が居待月（いまちのつき）といい坐りながら待ち、つぎの夜を寝待月（ねまちのつき）または臥待月（ふしまちのつき）といって寝て待つという。こうして名月から五日間、下弦の月にかわってゆくまで月見をたのしんだ古人の風流ごころがしのばれるのである。

機械文明のスピードと、複雑なメカニズムのトリコになってあくせく、せわしく動きまわる現代人の愚劣さ、とくに都会人の哀れさを歎かざるを得ない。勿論、その一人が私でもある。自然に還りたい。風流ごころの一端にでもふれたいと思う。その点、農村に生きる君たちは幸福だと思う。その幸を見失なわないように君たちの手で守り抜いてほしい。

話は変るが、新聞などでご存じかと思うが、来年四月に農林省農業者大学校（仮称）が開校になる予定である。この大学校は、自立経営者として将来とも農業を営なみ、地域の中核としてリーダーシップの取れる人を教育しようという目的で開校される。実は私もここ四ケ月間大学準備室で準備の仕事にたずさわってきたが、農村のエリートをつくるという大前提のもとに、まったくの至れり尽せりの教育カリキュラムを考えている。講師陣容も、日本で最高峰の権威者に教授願うことにしている。寮は洋式の個室でバルコニーまでついている。授業料は不要のみならず、年間一人数万円の教授費を国が負担し、食事等寮費についても自己負担をなくそうと努力している。教育期間は三ヶ年であるが、最初の一年七ヶ月は大学校で坐学中心の勉強、その後五ヶ月は研究機関や先進農家等に留学し、その後八ヶ月は在宅研修（通信教育の方法）、最後の四ヶ月は再び大学校に来て卒業論文などをまとめて卒業するということになる。

教育の内容は、作物、畜産、経済、民法、人文科学、社会科学等々の基礎学のほか、広く教養人として必要な芸術や茶道、生花等の一般教養も付与させることになっている。しかし、一学年五〇名だから、一県平均一名でなかなかの難関である。いま事務提要項を作っており、近く都道府県を通して募集になるが大体知事の推せん者を大学校で作文や教科目の常識程度の学科試験を実施して合格者をきめるようになるだろうと思う。日本の農村を背負ってたつ素晴らしい青年が入校してくると思う。もう教室、セミナー室等素晴らしい校舎ができた。東京郊外多摩川のほとり、聖蹟桜ケ丘の緑の台地にたつ白亜の殿堂が、有能なる諸君たちのくるのを待っている。（K）

明るい農村建設へ まず、心の姿を変えながら

山梨県東八代郡八代町 八代4HクラブOB 金井成浩

「となりに蔵が立つと腹が立つ」という言葉がありますが、なんとなくいやな言葉ではないでしょうか。人の不幸を喜ぶ心、人の幸せをねたむ心があるのではないでしょうか。この言葉から考えてみたいと思います。

となりのビニールハウス栽培が成功して、多くの収益をあげた時、その反対に、損をした時、あなたはどう感じますか。素直に喜んであげることができるでしょうか。これが4Hクラブ員であり、この四つの信条の中にある、人の心の姿勢ではないでしょうか。

まさか4Hクラブ員の中に、こんな人はいないだろう。友人のプロジェクトが成功した、良い結果を望んでやれないのでは困る。プロジェクト成果が、4H新聞に載ったら面白くないなどと思うクラブ員は一人もいないだろう。なぜならば4Hの信条をかかげて、農村社会向上のために張りきっている者さんこそ、理想的な農村社会の推進者なのですから。

この四つの信条を農村一般の人たちが持っていれば、もっと楽しい農村生活が営まれるのではないかと私は信じています。

農業は、科学の進歩した現在でも自然の天候に左右され、まだ多くの自然的条件に依存することが多く、予定されていた収穫物さえ一夜のうちに消えさることさえあります。逆に豊作の時は、農産物の価格は下り、経済的にはどうしても苦しい生活が続きます。だから農村には、人の不幸を喜ぶような心が自然と生れてきたのだと考えます。

またある地域に台風や水害が起ると農産物が高くなる、全国的に豊作が続くと価格が下るという社会構勢に責任の一旦があるにしても、それらを支える農村の人の心の姿が変ったなら、たとえ経済的に苦しくても、どんなに楽しい日日の生活ができることかわかりません。人の幸せを互いに分ちあたえることこそ、つまり自分も精神的な幸福になる道であると思います。社会全体の人が互いに思いやりのある美しい心の持ち主でありたいものです。

農産物の共同出荷を例に上げてみても分るように、ごく一部の人が出荷規定を破ったために、市場での信用を悪くし、真面目に品物を出荷している人にまで迷惑を及ぼし、商品価値も信用も共同出荷の意義さえ、なくしてしまう例も少なくありません。しかし、私は自分の心が第一に楽しくありたいと思うとともに、4Hクラブ員のみなさんに、この四つの信条を生かし、おおいに明るい農村社会の建設のため頑張っていただきたい思います。

ややもすると現状では、正直者が馬鹿をみるような状態ですが、必ずしも長い目でみれば、そんなことはありません。正直者が一人づつでもふえれば、それだけいがみあいのない生活が実現し、それが農村社会の発展につながります。

私たちのクラブ活動

話合いが楽しみに 女性だけで盛んな活動

山梨県中巨摩郡櫛形町 十五所・桑の実グループ 沢登文子

〈熟するまでやりぬこう〉

私の住む櫛形町は、甲府盆地から西に十二キロのところにあり、果樹と養蚕を主とした純農業地帯です。西に南アルプス、南に富士山、北に八ケ岳と四方を山にかこまれ朝に夕に富士山や白根山を眺めながら農作業に、またクラブ活動に頑張っています。

私たちのクラブは現在女性だけで活動しているグループです。クラブ員は少なく七名ですが、全員意欲的に農業と取組みながら、目標に向って活動を展開しています。このグループが結足したのは今から四年前で先進地に視察に行なった帰りに、個々では実現できない理想も、自からの若い力を結集すれば、必ずすぐれた活動ができると信じ、名前も地域が果樹と養蚕という関連から"桑の実グループ"と名付け希望を寄せあって今日に至っています。

結成当時は、仲間づくりを主体とし、この目的を達成するために優れたクラブの視察、交換会を多く行ない仲間意識の低いグループ員の話し合いを通して、意志の高上につとめてきました。互いに話し合うことにより、人の考え方を知り、自分の考えを人に聞いてもらうという、心のよりどころをみいだし、当初の目的を達成できたのです。

また集会は常にクラブ員の家庭を巡回し家族の人との話しあいを通じて、自分たちの活動を理解していただくよう努めました。このようにして、自からの力の結集により、次第に活動の基礎を築きました。仲間づくりが功をなし、クラブ活動も楽しくなり、自然に意欲的な方向へ発展していきました。

農繁期の食事についての実態調査を行ない、その結果から問題点を具体的に検討し、農家でありながら野菜などが非常に少なく、既製品の食糧に頼りすぎていることも知り、このことについてのプロジェクトを行ない、次第にクラブ活動に対する自信がついたことはいうまでもありません。そうした中で地区連、県連、全国段階の行事に積極的に参加し、こうして四年目を迎えたクラブも、昨年より機関紙の発行にも手がけています。自分たちの身近な問題や意見を文章にまとめ文字に表わした機関紙を手にする時の気持は、経験者のみの喜びであります。

また活動の一部として、社会奉仕も重要な位置をしめ、昨年本県が台風の災害にあったとき、クラブ員全員で衣類や野菜などを被災地に送ったこともありました。あらためて奉仕に対する認識を深め、その必要性からこんごとも続けて行きたいと思います。

私たちの活動も、根本的に日常の生活の中にとけこんだ内容をもった活動にするため、ふだんからその気持を養い、すばらしい活動を展開していきたいと思います。

〈心の中はいつも美しく〉

女性がクラブ活動する上には、問題が山積しています。結婚前の習いものが沢山あり、それに合せて、短い間に将来自分の歩む道がよりよい道であるよう努力しなくてはなりません。技術の修得、おけいこごと、人間性の向上など、将来自分がおかれる立場がどこであってもやりこなせる自信を身につけ、社会生活に対する自分の位置づけ、記録する訓練や発言力の向上、仲間づくりなど沢山あり、こうした場合、人との接触によってより効果が現われると考えます。そこで結婚を前にした私たちには、人間形成のためにも、クラブ活動に大きな意義があります。同じ目的をもつ仲間同志が語り合い、切磋琢磨し、互いの個性を生かしあらゆる面で成長していく姿は美しいものです。心の中はいつも美しいうるおいで満たされています。

女性のみのクラブが長続きしないということを耳にしますが、女性だってその気持のあり方ひとつでいくらでも活動できます。女性の活動が伸びない理由として、地域社会における対人関係に原因があるのではないでしょうか。よりよい農村を築くためには女性は、女性の立場として貢献する必要があると思います。今までの農村の主婦はあまりにも下向きの生活を送ってきましたが、これからは農村に生きる女性として、視野を広げ、実行力のある人になるために努力しなくてはならないと思います。

現在、私たちクラブ員が当面している問題として、結婚とクラブの後継者に対すること、今後の活動のあり方などいろいろありますが、少しでも、その問題点の解決を行い、後に続くクラブ員のためにもクラブ活動に明るい、みとおしをつけておきたいと考えます。

〈ひとつの気持になって〉

私たちも嫁いだなら、若い時代の体験を生かし、家族の協力をえて日常生活を豊かにしたい。そのためにも若妻の立場として、グループ活動を行いたいとも思います。また、結婚によりクラブが発展的解消ということで終ることがあっても、女性のみのクラブとして、やむをえない気もしますが、やはり、新らしい後輩ができ、限りなくこのクラブが発展することを期待し努力をはらいたいと思います。

次に活動と時間について考えてみたいと思います。今までの姿をふりかえったとき、活動する時間をどのように、あてていたのでしょうか。いつも夜の活動が多いようでした。しかし昼間しかできない活動はつとめて農作業と組み合せを上手に行いました。みんなして責任を分担し、個人、特に会長にだけ負担させるようでは、グループの発展はありえません。互いに助け合う精神が必要であり、そうした中から実生活にマッチした活動内容となり、互いに計画に基ずいた積極的に、自分の時間をみいだし惜まず活動ができるのではないでしょうか。

〈より豊かな農村社会へ〉

私たち農村に生きる女性として今日までクラブ活動を続けてきましたが、将来の農村を豊かな住みよいものにするためには、若い世代の積極的な行動こそ必要です。今、私たちが当面している問題は結婚のためクラブ員が去ることです。当然、女である以上、直面しなくてはなりません。しかしクラブ員同志が活動を通して友情を深め結婚にゴールインするまでのプロセスはすばらしいものです。

こうした仲間が活動を通して次々と結ばれたなら、将来の農村はもっと発展することでしょう。このような二人のために、私たちの手で記念すべき日に祝福してあげたいと思います。

女性の将来の姿を考え、女性の立場から目的をもった上で、これからの活動を推進していきたいと思います。一つ一つの積み重ねの中で一層新らしいものにすることが若い時代に課せられた大きな使命であることを再認識し、人間形成の追求を行いたいと思います。

これから先、私たちのクラブがどのような姿に発展するかわかりませんが、生涯クラブ活動を通じてえた友情が限りなく続くことを期待し、同じ世代の仲間がこの時代の生き方をもう一度考えた上で一人でも多くの仲間が団結し、より豊かな農村社会への建設へまい進したいと考えます。

映画 美と愛の小歌劇 フンブとノルブ

韓国カトリック児童芸術団「小さな星」（中央青少年団体連絡協議会推薦）

かわいい児童のオペラを通じて真、善、美、愛、平和の精神の普及と高揚、国際的な文化交流などを目的として、六年前に創設された少年少女のオペラ団である。日本では残念ながら広く知られていないが、韓国内では高く評価され韓国文部省や公報部からの推薦をうけて、テレビやラジオの出演、各地での舞台公演、施設慰問などを行い、芸能界や一流の新聞雑誌などから激賞されている。

小さな星は、西洋バレエ、韓国民族舞踊の他、多くの民謡などのレパートリーの広さを誇り、また団員たちは一人で歌い、踊り、演技し、楽器演奏を行なうのも大きな特徴の一つである。

かわいい少年少女たちによって演じられるフンブとノルブの一場面

日本公演は、九月十六日に来日し、約一ヵ月間全国各地において公演する。来日する団員は三十二名で団員は四〜十五歳までの少年少女たちからなり、上演内容は韓国の有名な民話「フンブとノルブ」で一幕、十五場で各方面より大きな期待が寄せられている。

☆ ☆

親孝行で隣近所には親切、そして妻子を心から愛し、いつも神の教えに従って生活している心の美しい弟フンブと、親不孝で近所の人にきらわれ、妻と年中けんかばかりし、子供たちをいじめている欲望だらけの兄ノルブの物語です。

ノルブは一日も早く父が死ぬことを願っています。それは父の財産を一人じめにしようと考えているためでした。

このようなノルブのことで心を痛め、床についた父は、まもなくこの世を去りました。老父は死のまぎわに二人を呼び「兄弟仲良くし、神の教えを守って、善い生活を送ってくれ」と言い残しました。ノルブの家族は踊りながら喜びましたが、フンブの家族は老父の死を悲しみ、ひざまづいて故人の安息を祈りました。

やがて八月十五日を迎え、この夜は名月をながめる祭りです。ノルブの家族は父の財産を一人占めにし、美しい着物でかざり、山のようなごちそうを食べ楽しみましたが、一方フンブ一家は食べるものさえない貧乏で、子供たちは、満月をみながらノルブ家族をうらやましがり涙にくれました。フンブの家族は食物とお金をもらいに行きましたが、ノルブは何もくれず、なぐって追い返してしまいました。

フンブは不平をいう妻と子供をなだめながら強く生きようと話しあいましたが、九人の子供をつれて十分な生活はできませんでした。みすぼらしい身なりの子供たちをみながら、ため息をつくフンブ夫婦の貧しい生活。どうにもならなくなったフンブは、お金をもうけるために代理罪人になって地方官庁に出頭しましたが、その日は王子の誕生日のため祝日となり得るところなくとぼとぼ帰ってきました。

やがて春がやってきました。フンブのわらぶき家の下にもつばめがとんできました。突然、大事件がおこり、つばめが傷ついて倒れました。フンブは傷ついたつばめをやさしく介抱してやりました。

つばめの王国の女王は、これを聞いて感謝し、お礼に種を渡しました。そのおかげでフンブは大金持ちになりました。ところがこれを聞いたノルブは……

日本4H新聞
4Hクラブ 農事研究会 生活改善クラブ
全国弘報紙
発行所 社団法人 日本4H協会

成果あげた「4H強化月間」
大阪府連

関心集めた奉仕活動
府下南北から車でパレード
農産物(小型トラック四台分)を施設に贈る

4Hカーに飾りつけ、パレードの出発準備をする4Hクラブ員

4Hカーに積み込まれた施設への慰問品

……「一走り」と、二班に分れ、城東区の「城東養護老人ホーム」と、大淀区にある身障者の「整肢学院」をそれぞれ訪ずれ、心づくしの品々をプレゼントして喜ばれた。

なお月間運動のヤマ場にと期待の大きかった「府4Hクラブキャンプ大会」は、台風のためやむなく中止された。

われらが指向するもの
4H活動で成果を
青年に残さる多くの課題
神奈川県農村青少年クラブ連絡協議会々長　北村　篤

……現在、神奈川県農村青少年クラブ……（横浜市戸……町一二三二）

4HOB会を結成
親睦と後輩指導に尽力
静岡

……た。これからはOB会の果す役割りも大きいものと期待されている。

なおOB会では広く会員を募集している。OB会の連絡先は、渡辺康夫君(元県連会長)で、住所は、静岡市瀬名二一九ノ一、電話=六一局三六六六。

"結婚話し"に熱気
思い出の三峰に集う
埼玉・入間地区4Hク連協

……と語った彼、友だちが大切といって「友だち」の詩を朗読した彼女らが印象的だった。

このあと地区連別に自己紹介が行なわれ、昼の日程を終了。夜七時から例年のごとく、地区連対抗のレクリエーション大会が開かれた。六地区連それぞれ、かくし芸を出し合い、第一日目の夜をたのしんだ。

男性ばかりのコーラス、坂戸地区連には「男ばかりでくやしかったで賞」ステテコ姿の盆おどりと片思いという寸劇を演じた川越地区連には「あつかったで賞」、結婚式を行なった入間東部地区連には「幸せで賞」、旅姿で踊った飯能地区連には「本職をまかすで賞」、盆踊りで舞台をかざった狭山・所沢両地区連には「おしとやかだったで賞」と、それぞれ賞状と賞品がわたされ、たのしかった一夜を終えた。

二日目　一面霧におおわれた。午前六時、中庭に出てコーラス、体操が行なわれた。すがすがしいつどいの朝である。午前は交流の時間と称して、ハイキング、スポーツ、スケッチ、話し合いの班に別れてそれぞれたのしんだ。

午後は、クラブの先輩を招いて、まず神奈川県の元渡米クラブ員である大津一太氏から自分の歩いた道と、アメリカ、ソ連の話、そして、これからのクラブ員への要望などの講義を聞き、その後八分科会にわかれ、吉田夫妻、婚約中の二人の女性、前年度役員、県連部長、副部長それに大津氏を助言者として話し合いが行なわれた。

有意義だった話し合いのあと夜は、中庭においてのキャンドルサービス。塚田先生の指導のもとにクラブ員それぞれの手に火が移され、いつまでも心の火として燃えつづけるようにと誓いあった。つづいて室内に入り、レクリエーション。女子のおしりによるブーセン割り、男女の口を使っての輪ゴム渡し、座席うばい合いゲームなど笑いに笑い、たのしい一夜をすごした。罰ゲームとして、講師の……

三日目　朝もやをついて午前六時から前日同様、中庭でコーラスとフォークダンス、八時から分科会報告、そしてシンポジュームに移り、先輩の体験談、意見の交換、普及所の先生方の初恋の経験や思い出までとび出しまつ。前日の分科会がどこにおいても男女交際とか、結婚について話し合われたことから、シンポジュームにおいても婚約者、あるいは吉田夫妻への関心が強く、中でも跡継ぎ娘を妻にした吉田氏は矢つぎ早やの質問に大弱りであった。

その後、反省会を開いたが、非常に良かった、たのしかったという意見が多く、役員としては非常にうれしい。

このあと文集「つどい」作成のためレポートを書き、予定時間通り閉会式が行なわれた。

(入間地区連副会長、砂川みさ子さんより)

大津氏が歌をうたい、二度目の副に、奥様の名前を三回呼んだことなどまことにとっけいだった。レク係のクラブ員のアイデアはすばらしいものだった。

耳を押さえながら風船をお尻で割る血圧競争にハッスルする女子クラブ員

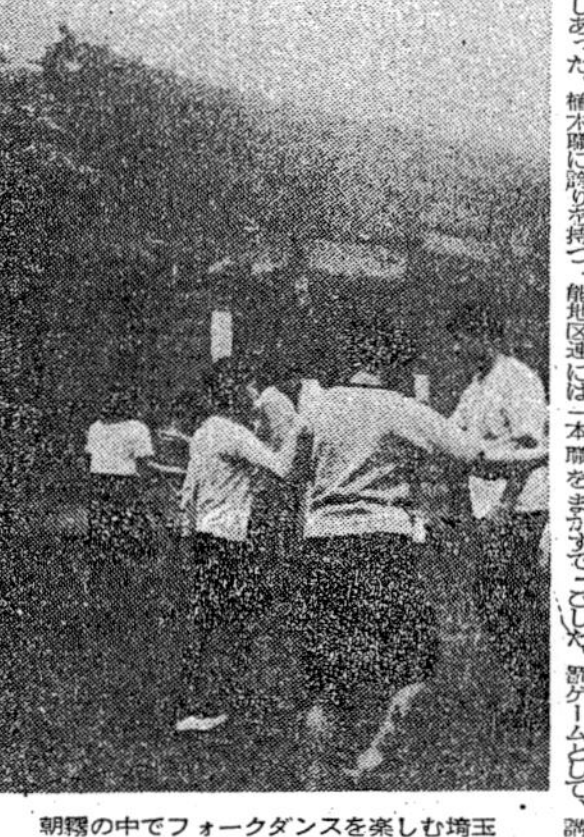
朝霧の中でフォークダンスを楽しむ埼玉入間地区の男女クラブ員＝三峰神社で

涼風暖風
ヘソナシ時代の若者たち

……ヘソナシ時代といわれる。太平になれた社会風潮があるように思われる。形式主義や学歴万能主義による受験勉強にしめられ、やがて大学に入って少し余裕がでて見まわした世間は、彼らが観念的に想像していたものとは異なり、頽廃と矛盾に満ちていたことであろう。

その頃、マスコミを騒がせたフーテン族の一人もいったものだ。フーテンはなまけ者の哲学、無益の社会批判だ。ウソとインチキでかためられた社会で孤立者の知的生活である"と。

しかしながら、木を見て山を見ずのたとえ、これら一部のバカ者どもを見て、いまの若者たちをきめつけるのは大間違いである。自然を相手にきょうも元気に働く4Hクラブ員をはじめ、世の多くの若者たちは真面目に生きているのである。

財政基盤強化へ
日本4H協会総会開く

社団法人日本4H協会(松下幸之助会長)は、さる十三日午後一時半から東京・港区芝四の八の松下電器産業株式会社東京支店六階で通常総会を開催した。

総会に上提された議案は、四十一年度の事業経過、収支決算の報告、四十二年度の事業計画、予算両案で、松下会長が議長となり、新田事務局長の説明のあとこれぞれ審議し、ともに原案通り可決承認した。

この総会は、定款変更による会員構成の改組と役員改選が行なわれてから初めてのもので、とくに四十二年度は新定款に基づいて会員増加による再出発という意欲のもとに、財政基盤の強化と協会事業の拡充を図ることを申し合わせた。

なお、この総会に先立ち正午から同所別室で理事会を開き、総会にのぞむ態度について打合せを行なった。

日本4H協会の通常総会、中央正面が松下会長＝松下電器東京支店で

クラブ員の意気高まる
岐阜ブロックの大会

【岐阜】岐阜ブロック連絡協議会(岐阜、羽島、各務原の各市、山県、本巣両郡の各4Hクラブで構成)は、既報の通り、さる二、三の両日本巣町の神海(こうみ)キャンプ場で第三回岐阜ブロック技術交換会を開いた。

これには地区内のクラブ員六十名が参加、岐阜青年センター事務局長の講話、「家庭における余暇の利用」と題する分科会と全体討議、キャンプファイヤー、また栗樹と七面鳥を二万羽飼育している近くの大宗農場を見学した。

一泊二日という短い日程だったが、充実した行事ができ大いに4Hクラブ員の意気が高まった。そして、明日からまたお互いに農業に誇りをもって仕事をしようと意欲をわかせて交換会の幕を閉じた。(岐阜市4Hクラブ事務局、早川健治君より)

心頭技健

現在、4Hクラブ活動を実践している人、かつて4Hクラブで活躍した先輩、これから4Hクラブ員になろうとする後輩、またクブ員の家族、篤志指導者など4Hクラブに関係している人なら誰でもが気軽に参加できる全国4Hクラブ員の一大祭典—「全国4Hクラブ員の集い」は今年で第三回を迎え、「北陸の集い」と銘打ち十月二十六日から五日間にわたって富山県で開催される▼この集いは、4Hクラブ員自身が企画、運営し、クラブ員の参加費は各自負担という文字通り「青年による、青年のための、青年の大会」である。クラブ員はお客としてではなく、自分たち一人一人がこの集いを進め、高めていくという意識のもとに参加し、仲間意識と4H精神を高める同志の集まりである▼主な行事は、二泊三日の現地交換訪問をはじめとして講演、4Hクラブ員とOB・父兄などによる意見、体験の発表、話し合い、レクリエーション、キャンドルサービス、スケッチコンクール、開・閉会式、富山県4Hクラブ連絡協議会が実施する信団の農業祭参観などで、これらの行事を通じて新しい農業経営、クラブ活動について学習し、また仲間づくりと地域社会からよく理解された家族ぐるみの4Hクラブ活動の推進を図ろうという大きな目的をもっている▼このように、全国4Hクラブ員の集いは、青年の自主性、4H精神、クラブ意識の高揚という大きな特色があり、"青年の大会"という点からみれば、全国的な規模では唯一のものであるといえる。多くのクラブ員と家族の人たち、また篤志指導者が参加され、全国の仲間の意気を肌で感じとってほしいものである▼とくに会場となる立山は日本三霊山の一つとして経剣を誇る山槍とともに日本の屋根の双璧といわれており連峰は東に黒部渓谷と稜線を結び、これからの紅葉は圧巻である。"錦あやなす満山の紅"の大自然の中で全国の仲間とともに語らい、唄い、踊り、青春の血を燃やすのもまた格別であろう。多くのクラブ員が参加してほしい。いざ友よ来たれ紅葉の立山へ。

福島で若い農業者の集い

二千三百の若人集う

相互の団結と友情を強める

福島の「若い農業者の集い」で演示発表は熱心に聞き入るクラブ員

【福島】福島県4Hクラブ連盟（会長、白石隆君）は、県、県教育委員会と共催で、このほど三日間にわたって猪苗代町押立地区内の町営牧場を会場として、県下の4Hクラブ員を中心とした農村青少年二千三百余名の参加のもとに「若い農業者の集い」を開いた。

これは、営農し、または今後就農しようとする県内の農村青少年がキャンプ生活をおくりながら日ごろ研究実践している技術や知識などの交換を通じてお互いの団結と友情を深め、さらにこれから農業をになっていく自信と誇りをつちかおうということで開かれたもの。

一日目　会場の猪苗代町営牧場は標高七百〜七百五十㍍のところにある広大な牧野。会場から猪苗代湖と、区画された水田が箱庭のように見おろせる美しい大自然の中にあり、ここで午後二時から開会式が行なわれた。

県教育長の開会のことばに続いて、主催者を代表して木村県知事が福島県の農業の立場とその将来、また日本の食糧供給基地としての役割などについてふれたあと「希望と誇りと自信をもって胸を張り農業と取り組んで下さい」と激励、ついで猪苗代町長の歓迎のことば、来賓の祝辞があった。

このあと七時からキャンプファイヤーをくりひろげた。一つの火を囲み二千余名が友情と団結を確くし夜のふけるのも忘れて楽しんだ。そしてその中に、若さのシンボルの力が火文字となり、赤々と光を放った。

二日目　朝六時起床、ラジオ体操、朝食のあと演示発表とクラブ活動の発表に入った。日ごろの研究成果についていずれも堂々と発表、これを見つめる参加者の目はキラリと輝くものがあった。

これに応えて青少年を代表して塙下郷作君（地元クラブ員）がこの大会を通じて団結と友情を深め、胸を張って日本農業の発展のために努力することを誓い、また白石県連会長が「この美しい大自然がわれわれの職場である。この大会を通じ農業そのものが他職業に比べてすぐれている点を再認識し自信をもって農業に生きてゆこう」と力強く呼びかけた。つづいて腕章コンクール、夕食。

この結果、演示の優秀作として安達地方の佐藤公伯君の「機械力を利用した抜根機」が選ばれた。クラブ活動の発表については生産技術、生活改善のほか幅広く活動し、また団結のよくとれた安達地方が選ばれたが、審査に当った農業改良普及員の人たちも「発表内容、態度ともに立派で、研究の着眼点もよく優劣がつけにくいほどだった」と感想を語っていた。

午後は各地方のクラブ交歓会を指導者や引率者を交じえて行ない午前中の行事などについて話し合うとともに、フォークダンスやレクリエーションを通じ親睦を図り明日へ胸をはずませた。

夕食後は、この「つどい」を思い出深いものにしようと猪苗代地方の盆おどりを行ない、二千余名の参加者全員がおどり興じ、友情を確かめ合い、美しい月あかりの中で明日の別れを惜しみ合った。

三日目　いよいよ大会の最終日である。朝、キャンプ村の撤収のあと食事をすませ話し合いに入った。

話し合いのテーマは❶グループ活動を活発にするにはどうしたらよいか❷農業の近代化を進めるに当って❸農村社会環境の改善❹放送利用（ラジオ農業学校など）を学習活動の中にとり入れるには—などだった。

グループ活動については、問題点を出し合いその解決法について論じ、農業近代化については"未来像"を出し合い、その達成のために可能と思われる点について話し合いを進め、環境整備についてはその問題点を抽出し身の回りの問題の解決策を、放送利用ではその実例などが披露され熱心に話し合った。

この話し合いの中で参加者各自が持参した記念品を交換し、大会の思い出として、また若い仲間の友情の記念としてそれぞれ受け取り、再会を約して三日間のつどいの幕を閉じた。

期間は短かかったが、この大会を通じて培われた友情と団結の種は、県下にまかれ、それが芽を出しやがて明日の農業、社会をになってすくすくと育って行くことであろう。

（県4Hクラブ連盟会長、白石隆君より）

宮城県

スポーツ大会に 若い血潮燃ゆ

仙台地区連

【宮城県＝峯岸義信連絡報道員発】宮城県内には昨年までの普及所の広域化に伴ない昨年までの三十二地区4Hクラブ連絡協議会が今年は十七地区連になった。その一つである仙台地区連（峰岸義信会長）のスポーツ大会がさる八月二十七日日本三景の一つ、宮城郡松島町の町民体育館でクラブ員九十名の参加のもとに行なわれた。

この仙台地区連は昨年度の仙台、宮城、塩釜の三地区の合同により今春三月に誕生したもので県内最大の地区として注目され、市町村も仙台市、塩釜市、松島町、泉町、宮城町、多賀城町、秋保町、利府村の八市町村からなっている。

現在、単位クラブ十五（町単位もある）からなり二百三十名のクラブ員で組織されている。付近の農業は、都市近郊なので稲作を中心として野菜がそれにつぎ（施設園芸も含む）、畜産、果樹と地理的条件と都市近郊を加味した経営実態が主体。日頃プロジェクトの生産活動に取組んでいる4Hクラブ員が、先月の技術交換大会に続いて一堂に集まっての行事であるが、本大会は特にプロジェクトや経営の技術的なことはいっさい忘れ、四つのHの一つの心を身につけ、親睦と友情をねらいとしたのがこのスポーツ大会であった。

競技内容は男性はソフトボール、女性はバレーボールとわかれ、チームの編成は、単位クラブ二十名以上のクラブは二チーム、八名以下のクラブは隣りのクラブと一緒になってチームを作り、男性八チーム、女性二チームで試合はなごやかに行なわれた。お互い先月のキャンプ大会に続いての大会なので広域化のムードにもなれ親睦と友情を深めるうえに大いに役立った。なお試合終了後、優勝チームの七郷4Hクラブに会長から賞品が手渡されて閉会式をすませた。このあとみんなで近くの高台に足を運び日本三景松島を下界にながめながら反省会を開いて友情を深め、最後に肩を組んで「幸せの歌」「4Hクラブの歌」を元気よく歌った。めずらしそうに見る観光客をよそに万歳を叫び、仙台4Hクラブ連絡協議会の発展をみんなで誓い合った。

郷土発展に誓い新た 15周年を祝う

市名坂4Hクラブ

【宮城県＝峯岸義信連絡報道員発】国道四号線を仙台から約七キロ北へ走った所に宮城郡泉町市名坂がある。国道ぞいで、両側は商店街が並んでいてちょっと見ると農業をしているようには見えない。経営面積平均一町にみたないこの土地に、さる二十八年発足した市名坂4Hクラブがある（現会長横岸一男君）。その十五周年大会祝賀会が去る八月二十日当町七北田農協で盛大に行なわれた。

二十八年、男子十六名の農村青少年が集まり、農業技術習得や研究の場として4Hクラブが誕生した。クラブ運営資金獲得のため国道修理工事に参加し、それで得た金で宮城県で最初に動力散粉機を購入したのがはじめての活動だった。

次の年、このクラブが先頭に立って地区連（宮城）が誕生、その後地区、県と横の連絡を密にし生産活動のプロジェクトや研究課題を常に主体として活動は続けられた。

いま、あたりは発足当時の純農村の面影は全くなく、住宅地や工場と農地が仙台市のベッドタウンとして生まれ変わった。

都市化し都市近郊農村としての経営形態に変わり、稲作中心からビニール園芸へプラスアルファ部門としてクラブ員が自から開拓した。いまは稲がプラスアルファになるほどビニール園芸が盛んになり、経営の主体になっている。現クラブ員十名で、このうち女子二名は生活改善のプロジェクトをもち、八名の男子は全部ビニール園芸をプロジェクトにもっている。

一口に十五年というが、都市化により一時はクラブの将来があやぶまれたこともあったが、そんな中での活躍ぶりは県内に知られ、県の優秀クラブとしての表彰はもとより三十八年には農林大臣賞にも輝いたクラブである。

記念大会には初代会長の佐藤勘蔵氏（三十九歳）をはじめ沢山のOB、各関係指導機関ら合わせて七十名が参加し、市名坂4Hクラブの十五周年大会を喜び合った。そして先輩、後輩がお互い手を取り合って郷土発展のため努力しようと誓い合い、当クラブの二十周年、三十周年大会もぜひ実現しようと約束しあった。

忙中のリーダー研修

奈良県連 女子と合同で開く

[illegible]

奈良県連の研修会、分科会にわかれて男女合同の話し合い

…策などについて約二時間余り熱心に討議された。三時から閉会式が行なわれ、この二日間の日程の反省をしながら明日の農業を夢みて"4Hクラブの歌"を合唱。最後に、このほど4Hクラブ奈良県連を代表して二十日間の日程でヨーロッパ七ヵ国の視察研修に出発する県連副会長巽茂一君に対し欧州での目的達成と健康を祈って万才三唱を会長音頭で行ない幕を閉じた。

この二日間の研修の結果、九月という多忙な毎日を送りながらも今後この様な研修会がどんどんもたれるよう要望されていた。この研修会が成功だったといえる。

知事に要望や質問

蒲生神崎で地区連を結成

滋賀

【滋賀県＝油浦豊一連絡報道員発】野崎県知事を迎えて、蒲生神崎東部、西部大中の湖のクラブ員と農業諸問題について話し合う「知事を囲む懇談会」が、さる七日午後二時から八日市市中央公民館で管内のクラブ員百四十五名が出席して行なわれた。

これは、自立経営の進め方、クラブ活動の運営、技術の取得などの諸問題について、クラブ員の要望や決意を知事に知ってもらうとともに、地域社会の発展に寄与することが主なねらい。

懇談会は、丹波県会議員はじめ各町長が列席する中で、森本芳雄（前年度県連会長）諏訪一男両君の司会によって各地区選出の代表者を中心に話し合いが進められた。

クラブ員側から出された主な質問や要請内容は「農業後継者独自の学習施設がほしい」「県の農業青少年担当専技の増加」「普及所の青少年担当者は、農業技術員を兼務しないで、特別に一人もうけてほしい」「貸付資金は、できるだけ簡単な手続きで借りたい」「離農者増加にともない専業農家が減少している今日、県当局として抜本的な対策を望む」「ソ菜類の価格が、不安定なため、産地形成ができない、その解決策がほしい」「農業後継者がもっと組織活動しやすいように県の助成を」など二時間余にわたって活発な質問と要望があった。

この懇談会に先立ち午前九時から、蒲生神崎東部地区農業後継者クラブ連絡協議会（会員一八一名）の設立総会が、同じ八日市市公民館で、八日市市長、同市農業協同組合長、近江八幡市長、八日市高校長、県改良課長、県連協会長（代理）らの来賓を迎えて盛大に開催され、会長に茶野拓夫（八日市）副会長に諏訪一男（五個荘）小島悦子（八日市）会計に村井賢治（蒲生町）の諸君を選んだ。

県連協（会長、河原田吉則君）としては、下部組織の充実こそ県連発展につながるもので、今回の設立は、たてのライン強化の意味でも当クラブ連協の発展を大いに期待している。

好かれるタイプは？

群馬・伊勢崎地区連で会議 青年の夢を語る

自然に顔もほころぶ男女交じえての話し合い＝群馬・伊勢崎地区連の交歓会

【群馬県＝吉沢功連絡報道員発】伊勢崎地区農村青少年クラブ連絡協議会（会長、大山辨君）では、さる七、八の両日、太田市金山の県立青年の家で農村教育青年会議を開いた。これには八単位クラブから男女クラブ員七十名が参加し、クラブ活動を通じての問題点や、農村青年としての理想や悩みなど日ごろ感じていることを卒直に話し合った。

第一日目は、開会式のあと「家族のあり方」と題して、室田技師の農村青年の家における家族の取り組み方と、心構えはどうしたら良いか、という内容の講演があった。

次に三分科に別かれて、それぞれ「青年の夢と悩み」「男性に好かれる女性とは」「女性に好かれる男性とは」「住み良い農村家庭を作るためにはどうしたらよいか」の各テーマについて話しあった。

夜は、昼間の熱心な話し合いによる疲れもわすれ各種のレクリエーションで過ごした。

二日目は、朝、集いのあと前日行なった分科会の報告があった。「夢と悩み」では明るい農家生活をおくるための方法や人間関係、経営の問題、職業観など、問題を掘り下げた報告、また「好かれる男性、女性」については、健康な心、誠実な人、自分の欠点を補ってくれる人など、[illegible] また、農家の女性が農家に嫁ぎたがらない理由など男性にとってはショッキングな意見も報告された。

このあと「この会議が大いに青年らしさを発揮した会議であり、これからの農村において活躍する皆さんに、こうした場を通して友や仲間を得ると共に、何事にもくじけない精神的支柱となるものをつかんでもらいたい」と普及所長の講評があり昼前閉会した。

有意義な「4H」講話

和歌山・日高郡4Hクラブ連協 研修会を開く

【和歌山県＝坂上勇男連絡報道員発】日高郡4Hクラブ連絡協議会（会長、湯川喜博君）では、恒例の夏季研修を、さる七、八の両日、日ノ岬ユースホステルで開催した。

一昨年までは同研修会を二泊三日の日程で八月中旬に開いてきたが、その期間は丁度、秋そ菜の播種育苗期で参加できないクラブ員が多いため、九月上旬に変更したもの。しかし、それでも、参加者の二割以上が第二日目の日程に参加できないという状態で、まだ問題は多い。

参加者は四十三名（第一日目）で、四班に編成し日程に従って班活動が展開された。

第一日目は、午前十時からの開会式に続いて、下田県専門技術員から「4Hクラブ活動の基礎理念」「プロジェクト活動の理解と実践について」と題して六時間にわたって講義があった。わずかな時間内なので充分内容をつくせなかった観はあるが、活動の実際や基礎理念を把握していなかった多くのクラブ員の声を反映させただけに、今後のクラブ活動に与える講義の影響は少なくないと思われる。

午後は一時から五時まで親睦と体力づくりをかねたソフトボールの試合が行なわれ、好プレー、珍プレー続出する中で二班が優勝した。

二日目は午前中、地元警察署から交通係官を招き交通道徳について講話を聴き、そのあと座談的に質疑応答をし、いろいろな意見質問が出されていたが、日頃気にとめない事柄の中から、予想外のことを見出すなど好評であった。

午後から反省会に入り、内容日程などに対し意見が出されたが、農業技術の面についてももっと講習や討議の場を採り入れて欲しいという意見もあり今後の一課題となった。

このあと閉講式をかね昨日のソフトボール試合に対し表彰式が行なわれた。趣向をこらした賞状、賞品、ことに珍プレーに対するそれなどに爆笑がうずを巻いて二日間のしめくくりをした。笑いが消えた頃、参加者は三々伍々帰途についた。

割引ききく身分証明書

兵庫のクラブ員手帳

【兵庫県＝小西義信連絡報道員発】兵庫県農業青年クラブ連絡協 [illegible] 人の歌、二十五曲❼クラブ役員名簿❽クラブ登録一覧表❾農林関係団体の名称、住所一覧❿クラブ行事参加証⓫クラブフレンドサイン帳—など。

とくにこの手帳で、身分証明欄を設けたことは大いに意義がある。この証明書で観光協会や映画などの割引きができ、大いにプラスになることと思われる。

トラクターが富士山頂を征服

○…上の写真は、平地をトラクターが走っているのを傾めに映したのではありません。トラクターがいま富士山頂をめざして坂道を登っているところです。

○…さいきん林業の機械化が進むにつれ、高地でトラクターを使う場合が多くなったため各種のデーターを得る目的で、京都大学のトラクター研究会が先月の下旬、ある大手の農機具メーカーの協力によって日本では初めてという「トラクターの富士テスト」を試みたもの。これは見事成功しました。

○…このトラクターは、二十馬力の空冷エンジンをつけたキャピタラ式のもので自重九百四十㌔。最高二十八度のこう配も楽に登りましたが、農機具の進歩のほどがうかがえるテスト風景でした。

4Hくん No.103 桜井はじめ

読書の秋

私のプロジェクト

グリーン・トイレの作り方

徳島県徳島市沖洲町、沼東4Hクラブ　吉田道子

恵まれた土地で盛んな活動

私たちの4Hクラブは、阿波踊りと鳴門の渦潮で有名な徳島県徳島市の潟東地区で、徳島駅から東へ約五キロ、北には吉野川、南には新町川に囲まれ、東は海に面したところにある。

地区における農家数は約一三〇戸で、その内訳は専業約三〇％、兼業約七〇％である。

主として全農家が青ネギを栽培し、その面積は年間延約一三〇紗で、周年栽培をしており、月平均一二キロ詰の容器で二万、五〇〇個を阪神市場に出荷し、九〇％の占有率を占めて、潟東ネギとしてその名を広く知られている。

私たちはこの恵まれた土地に、男子九名、女子四名の計一三名でクラブを構成している。

私たちの地区は、毎月第二土曜と第四土曜の二回を農休日としているので、私たちはクラブの会合を第一農休日の前日を利用して定例会を開いている。

その定例会には年間行事に基ずき、衣生活、食生活、住生活を中心とした生活改善の問題や労働の省力化、防除、除草などの栽培技術の問題などを研究するとともに農休日を利用して隣前の先生方を招き、4Hクラブの主催で、これからの農村のあり方、また食生活のあり方などの講習会を開いている。また新しいアイデアなども各人もちより、みんなといろいろと話し合っている。

切実な野外トイレの必要性

今年一月の定例会では、住生活の改善について話し合いを行なった。作業場をもう少し明るくしてはどうか、風通しのよいように、また暖かくするにはどうすればよいかなどいろいろ話がでた。

また新しいアイデアとして、野外トイレットを作ったら、という声があった。

その理由としては、特に稲刈りが終ると田園は一面に見通されて遮蔽物がなくなるので農作業中に私たち婦女子が用足しする場所がなく、用足しをがまんしているため農村婦人にぼうこう炎、腹膜炎、じんぞう炎などの病気にかかっている婦人が多いのである。そこでこの問題をとりあげることになった。

まずはじめに、私たちの周囲の農家の主婦五〇人を対象にアンケートをとった。

その結果

作業中トイレに行くのをがまんしていた人	二〇％
トイレは少し遠いが行っていた人	三五％
その他	四五％
また、用足しをがまんして作業していると	
作業に力がつかない人	三五％
気分が悪くなる人	三〇％
その他	一五％

となった。

私たちの部落は都市郊外で、最近住宅などが多くなってきたので一般の人々の往来が多く、畑で婦人の用足し問題がいよいよ切実になってきた。そこでこのアンケートの結果について話し合い、畑にトイレはぜひ必要であるということになった。

また、移動式と固定式とどちらがよいかということも相談した。

私も畑にトイレはぜひ必要と思い、さっそく両親に相談した結果、両親も賛成してくれた。

移動式の野外トイレを作る

そこでさっそく次のようなトイレを作ってみた。まず、私はどこへでも簡単に持って行ける移動式のトイレを作ることにした。

作る前の注意としては、つぎのことを考えてみた。

❶持ち運びが便利であること
❷費用が安いこと
❸手洗い水や石けんは必らず置き、衛生的であること

その他農繁期の臨時的なものなら移動式にし、長く置きたいものは固定式にする。

このような点を、作る前の注意にして作った。そしてこれをグリーントイレと名付けた。

女性の悩みを解消　みんなに喜ばれた野外トイレ

材料

ビニールパイプ	直径2㌢、長さ1㍍90㌢を4本	456円
ビニールパイプ	直径一・六㌢、長さ一・七㍍を二本、同長さ0・8㍍を2本	250円
ビニール布	厚さ0・06㍉、幅1・35㍍、長さ5・4㍍を一枚	810円
エルボー	1・6㌢　4個	160円
チーズ	2㌢　4個	280円
鉄棒	長さ一㍍　4本	
竹	長さ一㍍　4本	
合計		2、056円

作り方

ビニールは中がすけないこと、田園にふさわしいグリーン色のものを使い、幅を1・8㍍、長さ4・2㍍に貼り合わせる。

ビニールパイプに木のつめをさし、土にさしやすいようにする。

ビニールパイプを下から20㌢あがったところにチーズをさし込む。

ドアーのビニールを上下に[illegible]上下を強くするためにテ[illegible]ジテナ線を入れる。三方[illegible]同様に線を入れる。

ビニールパイプがさし[illegible]だけを貼り合わせる。私は[illegible]テを用いた。

ついで四方のはりを入[illegible]ーを取りつける。

上下のはりを入れ、ビ[illegible]すべらないように端に穴[illegible]ナイロンテープのよった[illegible]れ、はりにくくりつける。

開閉具のところも同様に[illegible]内側からもひもでくくれる[illegible]した。

移動式のトイレであるか[illegible]ぼはつめなくて、穴を掘っ[illegible]込み式にした。出来あがり[illegible]は2、056円であった。

クラブ員のなかにはビニ[illegible]肥料のビニール袋で、支柱[illegible]代用して800円ぐらいで[illegible]た人もあった。

明るく衛生的な野良仕事に

このグリーントイレの[illegible]ては費用が安く、自分で簡[illegible]れること、また簡単に持ち[illegible]でき、どこにでも組立てら[illegible]ら非常に便利なことである[illegible]

現在、潟東地区にこのよ[illegible]リーントイレが、十三名の[illegible]員全員と一般農家八戸の合[illegible]カ所、固定式の共同トイレ[illegible]所できた。

材料は各人の負担である[illegible]るのは私たちクラブ員の[illegible]っている。

最近、このグリーントイ[illegible]

作業は俺たちで

◇三重・嬉野4Hクラブ◇

地元に喜ばれた請負防除

【三重県連絡報道員西村省代司君発】一志郡嬉野町の嬉野4Hクラブは、町内の農業人口の流出による人手不足と、昨年大発生したウンカの防除対策として、本年からクラブ員九名で水稲の請負防除を行った。

なにぶん水稲の請負防除という[illegible]業はこれまで行ったことがない[illegible]で、初めは町役場、農協共済組[illegible]、4Hクラブの四者で嬉野町水[illegible]防除協議会をつくり、事業主体[illegible]4Hクラブにおくということで[illegible]面三十紗の計画で行った。

[illegible]度の暑い日に農薬散布は若いク[illegible]ブ員でもきつい仕事であるが、[illegible]クラブ員たちは若さにものをいわ[illegible]て目標の三十紗の二倍の六十紗[illegible]水田を散布し、地元の人たちか[illegible]感謝された。

[illegible]指導まで行う請負は、日頃研究[illegible]践を行っている4Hクラブ員で[illegible]ければできない事業である。

これを機会に本年から同じく水[illegible]の刈り取り請負を行う計画で[illegible]来は全面的な請負を行なってい[illegible]ということで、嬉野4Hクラブ[illegible]一同おおいに張切っている。

新型追肥機を考案

青森県・豊稲4クの長内君

[illegible]

主婦と衣食の勉強

埼玉・増林4Hクラブ

[illegible]越谷地区生活改善クラブと明[illegible]農村を語り合おうと座談会を[illegible]予定をたてている。

[illegible]これた良い環境づくりは必要である。これからの農村の主婦とし[illegible]時代にマッチした農家生活を営[illegible]ためにも、私はこの4Hクラブ[illegible]通して洗練された適応性のある[illegible]青年になりたいと思ってい[illegible]

着物の着つけ学ぶ

栃木・上三川女子4Hク

【栃木】上三川の女子4Hクラブ（会長、藤田和子さん）ではこのほど、町産業会館で「着物の着つけと帯のしめ方」の講習会を開[illegible]

貴女もいかがですか

コットンのウェディング・ドレス

結婚シーズンをひかえて、準備に忙しい女子クラブ員の方も多いことでしょう。

最近は花嫁衣裳を洋装でする方が増えているので、ご参考までに最も新しいアメリカのウエディング・ドレスの傾向をご紹介しましょう。

色は白、スタイルはエンパイアラインやAラインなどクラシックなものが多く、丈も床までの長いものが圧倒的。

全米婦花評議会が行なった未婚女性を対象にした調査でもやはり同じ結果がでていますから、当分はビックリするようなスタイルは登場しそうにもありません。

注目されるのは素材で、コットンを使ったものに人気が集っていること。これはコットンの白さと風[illegible]

[illegible]の花嫁に対し、付添は[illegible]な傾向にあるという。

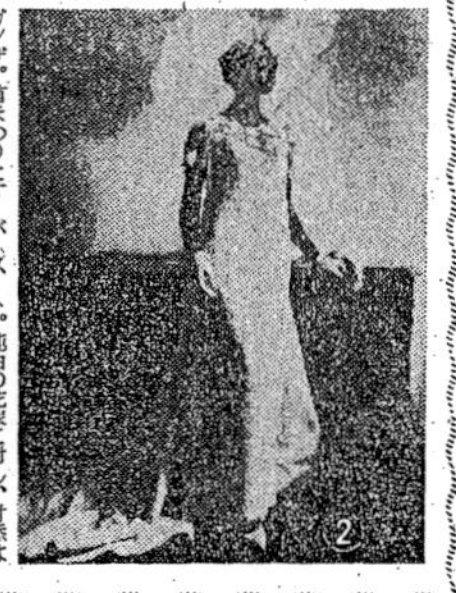

暖かい雪　(33)

田井専六　米良武子画

二人の母（一）

プラットホームへでて、汽車のはいってくるのを待ちながら、昌夫が、いった。

「ありそうで、なかなかないもんだね」

「何が？」母の喜久子がいった。

「兄さんの嫁さんになれそうな、適当なのはいないか、と思って、バスでも、街を歩きながらも、たくさんの娘さんを観察したが、どうもぼくの嫂（あによめ）、姉さん、って呼んで尊敬ができそうなのはいなかった」

「それですよ、お父さんの標準は〈うちの嫁です〉って誰にでも得意で紹介できる嫁、というのだから、なかなか、みつからない」

「この冬休み、おそくも来年の春休みには、兄貴の祝言するから、スキーなんかゆかないで、すぐ帰れ、っていうようなうれしい便りをもらう、って段取りにはならないかしら」

「是非、そうしたい、と思って、お父さんとも努力しているんだけど」

「兄さん、いい恋人をみつけて、恋愛結婚してくれよ、いつかもいったように」

「ああ、そうする。お前のためにもー」

そんな話をしているうちはいってきた汽車は、昌夫を大学へつれ去ってしまった。

昌夫の乗った汽車をいつまでも見送っていた喜久子は、いちばん遅れて改札口をでたが、つい先にでたはずの健一の姿がーみえないー、眼で探していると、やっぱりいた。あんなところに、大きな柱のそばで、若い女と立話している。

――どこの娘、どんな関係だろう――

声をかけていいかどうか、一寸ためらわれたから、その方へゆっくり歩いてゆくと、健一がこちらをみて、手を挙げた。娘も、喜久子の姿を認めたらしい。

綺麗な娘である。水色のワンピースの好みもよく、清潔な感じで色は少し黒いが、けばけばしい厚化粧でなく、背が高く、いい体格で、いかにも健康そうで、黒い眼が悧口そうで、印象は悪くないー

一瞬の間に、喜久子はそれをみて取った。二人とも別に照れる様子もなく、何かいって笑い合った。

「母だよ、東山の岸本淳子さん、ぼくの同窓後援、4Hクラブのメンバーー」

「大野の母でございます」

喜久子が気軽く、それでいて、十分親しみをこめてお辞儀をした。そんな態度を、健一は、いいなあ、と思ってみた。

「岸本淳子でございます、はじめましてー」

淳子がまた、いつもの淳子と違う、いともおしとやかに、深いお辞儀をした。

「お母さんには、婦人会でおめにかかって、よく存じていますがー」

「あなたは、どなたかお見送り、それともお迎えにでもー」

「はい、伯母が、いまの汽車で帰りましたので、荷物をもってあげてー」

「お母さん、すぐ帰る？　バスはあるがーー」

「そうね、久しぶりに街へでたので、私は買物して帰るから、別に、お供してくれなくともいいよ」

「そう、ならばぼくも久しぶりに映画でもみて帰る。それよりお母さん、暑いからのどが乾いた。何か冷たいものでも飲みたい」

「そう、そうしよう、岸本さん、あなたもどうぞ、同じ4Hクラブ員なのですから、お急ぎでなかったら、いっしょに、どうぞーー」

「別に急いではいませんけど、でもー」

「いいじゃないか、遠慮なんかするなよ、母はね、ぼくたち兄弟しか、女の子の味を知らないんだ、だから女の子の味を知らせてくれよ、君がサービスするつもりでーー」

「そうですよ、いっしょにどうぞ、いつまでもこんなところで立話しではーー」

気軽く勧められると、何か初対面と思えない親しさを覚え、無理に断わることが悪いような気がして、淳子は、健一母子といっしょに、駅の二階の食堂へ、上っていった。やはり足は鈍ったがーー。

わがクラブ わが同志

九十九里の想い出

仲間と語り意欲わく なつかしいあの顔、あの声

静岡県御殿場市 北駿4Hクラブ 杉山良子

私たち、農村青年が待ちに待った夏の技術交換大会も終り、農作業の片わら、たのしかった想い出と感激を胸に毎日を励げんでいます。

果てしもなく続く、九十九里に集った全国の仲間たちの真黒に日焼けした顔、顔、顔—そんな仲間たちの逞ましい姿をみたとき、私は再びこの大会に対する感激を覚えました。

都道府県を越えたクラブ員で編成された宿舎の部屋割り、技術競技に若者らしく、誰れにはばかることなく語り合ったあのとき僅かな時間であったが、その中にはっきりと自分をみいだし、自信をもって話し合ったクラブ員の真剣な顔が脳裡を走る。「ああ、農業をやっていて良かった。地域においては数少ないクラブ員も全国にはこんなにたくさんの仲間がいるんだ」あるクラブ員は「農業経営に対して自信を持てた」と喜こんでいたっけ、事実私の気持を探ってみてもそうなのです。

そんな時私は、二年前の自分と現在の自分を心の中でそっと比較してみました。そのころ私は、嬉しいことがあっても苦笑いの状態で心の中から素直に喜こべず、勤めに行く友だちの服装や表面上の生活をみては、ただ羨望のみに心を奪われたみじめな自分の姿でした。

それが全国的に、いや世界的にもつながる4Hクラブに入ってからの私は、驚くほど気持が大きくなり、以前は意欲の湧かなかった農作業の話が友だちの前で、できるようになったのです。

農業には農業としての楽しみや苦労があり、サラリーマンにはサラリーマンとしての悲しみや、楽しみがあるので表面的なことは比較できるかも知れませんがやはり本質的には比較できるものではないと思います。

私は、私なりに望んだ道を進んで行けばいいし、会社に勤めている友だちはそれなりの道を進むだろう。だからと言って、良い意味でのライバル意識を捨てたわけではありません。女性であっても何らかの形で社会のためにつくしたいと考えています。私は今度の大会に参加してこのような考えを一層強く感じました。

九十九里の砂浜で精いっぱいに曳いた地引網。玉のような汗を流して知と技を競った技術競技。夜おそくまで語り合ったあの顔、声を忘れろと言われても忘れることができないでしょう。そして、それは今、私の机の上に飾られている仲間からいただいた木彫りのアイヌ人形がさらに物語っているのです。来年も開かれるであろうこの大会が「ほんとうの意味でのクラブ員の自主的なものとして、青年による青年のための、青年の大会」として、農村青年の意欲高揚の場となることを願っています。

友情と再会を誓う仲間の別れ

ままならぬ農業だが

〃我々のつとめは、成功することにあるのではない。失敗にたゆまず、さらに進むことにある〃(スチーブンソン) 全くその通り

農業に生きると言っていた若者よどこへゆく。それは一、二年前の流行語となってしまった。それにしても、随分早く変ってきたものだ。私はある日、毎日無休で農業に頑張っている青年にたずねた。農業って、至極重労働でその上、血のにじむ思いで作った作物が、収穫直前に天災をうけ、苦労も水の泡となってしまう農業をどうして好んでやるのか?青年がいわく〃現在の農業は言葉で言い表わせない精神的魅力がある。農作業も昔と異って機械化され、上手に農薬も使われ、そのうえ人に使われず、いわば農業株式会社の社長とでもいえますかな〃でも私は農業を道楽や趣味でやっているのではない。お互いに人並の生活をしてゆくために働いているのですが!

しかし人は生まれながらにして平等に生きる権利をもっているが都市に比べ、農村の生活水準が低い。これでは、玉の汗を流し一日として休むことなく働いている我々青年がかわいそうではないか。転換期にある農業のしくみを官民一体となって考えて、日本農業の将来に明るいみとうしをみいだして行きたいと思います。(三重県鈴鹿市長沢町 野田・森川方晴)

私たちのクラブ活動

新潟県村上市山辺里 山辺里4Hクラブ 小野富美子

専業農家の確立へ 特産地造成と仲間作り

〈出稼ぎクラブ員の悩み〉

私たちの地域では、毎年出稼ぎが多くなっております。その原因の一つとして二年程前から米俵も麻袋に変り、男の人たちの冬仕事の一つであったワラ仕事の副業がまったくなくなり、現在ではほとんどの父親や若者が出稼にでている状態です。

どの家も年よりと子供がいるだけで母親さえも日雇に行くありさまです。出稼ぎをしなければ生活できないという訳でもなく、隣り近所の人がでるものだから、自分だけ残っていると人並でないような、一種の出稼ぎブームのようになっています。クラブ員も例にもれず、家から通ったり、また泊りがけで家を留守にしがちです。

このため、クラブの活動面においても滞りがちになり、クラブ員の横の連絡がとれなかったりしますが、集会などや行事のあるときは帰るようにしています。冬期出稼ぎは、十月末から三月ころまでですが、田植えが終えるとすぐにでかけます。一年のうち農繁期の二ケ月ぐらいしか家にいないクラブ員も一部おります。こういうクラブ員がふえるにつれて、仲間意識がうすれ、クラブ活動も低下していきます。また農業経営についても農産物の品質の低下、減収が目立ってきており将来の農業経営を考えたとき、大きなマイナスになることは分っていても、現金収入が大きな魅力なので出稼がますます増えていくのです。いまのところ日雇い、出稼に匹敵する農作業がないということなのです。この冬期間を利用した、雪下かんらんや蔬菜などを取り入れてきておりますが、充分の成果を上げていないようです。しかし私たちはあくまでも専業農家として自立していくためにクラブ活動を通してこの大きな問題を解決していきたいと思います。

〈保護政策から立ち上る〉

いま私たちのクラブは、産地育成ということで雪下かんらん、にんじんなどの展示圃場や生産費調査の担当を行ない、昨年からはメロン栽培を共同プロジェクトとして実施してきました。しかし雪下かんらん一つをとってみても、価格に安定がなくキロ当り六~七円という捨てるようなときもあれば六十~七十円と非常に値の高い時があり、価格の差があまりにもありすぎるため、これまでは安心して栽培できず、経営のみとうしすら立ちません。現在、農産物で価格の安定しているのは米とたばこですが、これも農業の保護政策としていろいろ批判されていますが、むしろ、米価が上るよりも諸農業産物の価格安定や資金貸付け基盤整備などについて、もっと基本的面についての農業政策を施していただきたいのです。最近農業後継者育成資金が貸しだされ利用されているが、生産物の価格の安定しないかぎり、いくら栽培技術があっても、経営にとり入れていけないし、資金を貸りる意欲もうすらいできます。これは流通機構にも大きな関係がありいくら商品価値のある農産物を生産し安価に出荷しても、消費者に渡るときは品質は低下し、価格は二倍も三倍にもなるというアンバランスに問題があります。こんなことが原因で賭けごとをやっているような危いことよりも、簡単に現金収入のある出稼ぎ、日雇いに仕事を求めて行くのではないのでしょうか。安心をして農業経営に意欲をうちこめるような法的裏付けや、政策ができることを、一日も早く望んでいます。しかしこれだけではいつまでたっても保護政策にあくまで頼っているようですが、けして、そうではなく、私たち若いクラブ員自らが立ち上って、保護政策にたよらずとも安心して農業にうちこめる状態をつくりだして行かねばなりません。そのためには4Hクラブ活動を通して、農業技術の研修はもとより流通機構やそれらを支えていくための仲間づくりなどを、もっと広い視野に立って学び、将来農業の進むべき針路をみいだしていかねばなりません。

〈4Hクラブの体制作り〉

私たちのクラブ活動は、一月はじめに会合をもって事業計画を立てます。主なものは一月に稲作設計、二月中旬メロン栽培技術指導講習会、六月雪下かんらん栽培指導会、七月水田圃場回り、先進地視察、八月下旬稲田回り、十月視察旅行、十二月反省会などが計画されています。これをみてもわかるように交換会などは一度もありません。それはやりたくても簡単にできない状態にあるのです。なぜならば私たちの普及所管内で、部落数が九五、そこに残っている青少年(二十五才以下)が千七百名以上。これだけの青少年が在村しながら、私たちと同じ目的をもって活動しているグループが一つもないからです。しかし昔から一つもなかったというのではなく、五年ほど前まではずいぶんクラブもあり、活動も活発だったのです。盛んなころは、交換会や話しあいなどがなされ、それぞれのクラブ活動の上にも大きな成果があったわけですが、現在は縦のつながりはありますが、横のつながりはまったく閉されています。私たち山辺里4Hクラブ員九名以外はいないのです。これでは、クラブ活動に対する意欲もわきませんし、明日の農業経営すらあやぶまれてきます。私たちが目標としている産地育成なども少人数の力では、大きな産地として生れかわることもできません。しかし自然消滅していった部落にも、必ずやる気のある人が一人や二人はいると思います。その人たちが立ち上り、一人から二人へと仲間をふやして行ったならお互いが意欲的になり、以前よりも増してクラブ活動も活発になると思います。そうなることを一番望んでいるのはやはり、当事者の青年たちであります。私たちも、その仲間のために4Hクラブへの加入や行事への参加を呼びかけて一人でも多くの仲間を増してゆき、新らしい体制のもとに4Hクラブ活動を推進してゆくように努力していきたいと思います。

〈村造りの為の発言力に〉

近年農業後継者対策が国をあげ行なわれている中で、私たちの所では充分な施策がおこなわれていません。もちろん施策だけに頼る私たちの考えではないのだが、いくら青年自体、自主的になってもそこには青年として力のおよばないことが多くあり、その点を市当局において補ってもらいたいのです。ところが、約二十五%を占める農家の農林予算が、市予算の五%にも足らないのです。こんな状態ですから後継者対策についてもおろそかになっていると思います。しかし他の町村においては後継者づくりの対策が行なわれ、県外研修会などに積極的に援助してくれています。では、お願いしても実現せず、あまり力を入れていないようにみえます。おそまきながら、昨年より後継者の調査がはじめられましたが、目にみえてわかる商工事業、観光事業などに力を入れがちで、すぐに成果の現われない、一番大切な農業を無視しているのではないのでしょうか。この点については、私たち同じ考えに結ばれた活動をしている同志が力を合せたならば、市当局に対しても農業や後継者対策についての大きな発言力となって私たちの望みも実現するのではないでしょうか。

私たち山辺里4Hクラブの最終目標は、出稼ぎに行かなくても自信と、意欲に満ちあふれた農民本来の専業農家の姿なのです。そのためには、まず明日の日本農業を担う責任を自から自覚し、精神的にも、技術的にも確立された人間形成をするとともに、仲間たちと力を合わせて目標の実現のために努力して行きたいと思います。

さとびとのうた 自然の美を守れ

快よい秋風をうけながら車窓から変りゆく田園を眺める機会に恵まれた。都心の騒音と、車の排気ガスをのがれて黒い土と、豊かな緑の繁る大自然の美しさ。豊かな実りを感じさせる秋の日である。都会の住人にとっては、規格化された現在の不自然の生活の中から土に親しみ、緑りにふれたいと思うその気持がわかる。

最近、都市近郊で話題を呼んでいる観光農業やレジャー農園についても、自然の美しさ、豊かさを求める心の表われである。人間は自然より生れ自然に帰ると言われるが、自然に親しむということは、現代に生きる人にとって、もっとも必要なことであり、より強い欲求である。その中から滑らかな情操教育もされ、豊かな人間性も培かわれてくると思う。

しかし、久しぶりに望むこの地帯の農村にも、住宅が林立し工場が誘致されて変化をもたらした。自然の美しさが次々と破壊されることは農業を愛し、自然に愛着を抱く者にとって、至極なげかわしい限りである。農地はもとより、みにくくけずられた山肌がその現象をもの語っている。それも計画された住宅化、工場化でなく、ほとんど無計画に等しい状態で、住宅や工場が建ち並んで自然的美観をそこね、詩情すらうすらいでいく。また、その土地を所有していた人たちは、どこへ行ったのだろうか。秋に感じる淋しさ以上のものを感じる。

また、現在は農地の拡大が農民の声として盛り上がっているのに、むしろ遊んでいる放棄状態の農地の多いのにも驚く。これも他産業に転職したりして、農地の値上がりと高い買い手を待っているのだろうか。

先日も、4Hクラブのリーダー研修会に招かれた時に、あるクラブ員が切実にこの現象を訴えていた。そのクラブ員の地帯は、純農村であったが、最近鉄道が敷けるために土地ブローカーが入り乱れて殺到し、農地の買収をはじめたそうだ。しかし比較的年令の若い人は、農業に強い意欲をもっているために、農地を手放すことなど考えないが年老いた人の中にはどうせ永く続けられない農業なら、土地を売って余生を送りたいと考えている人もいるという。それでも若い人たちの強い意志により、その土地は現在農地として守られているが、一人でも落伍者がでれば固い団結も崩れさり、たちどころに買収されて住宅、工場化されるのが目にみえ、そのために他の農地に及ぼす公害などの影響によって、次第に農業を続けることができなくなってしまうと歎いていた。

農家である以上むしろ少しでも多くの土地を求めたい、一人でも多くの仲間が欲しいと思う気持ちをもつのは当然であるが、この意に反するこれらのブームに対処していくためには、無計画に拍車をかける政策に責任はあると思う。しかし最後を決するのは君らの考えにある。

自然は厳しいが、その中には人生にも似た美しさがある。その美しさにうつつを抜かす人に対して、君たちは一種の憤慨を抱くかもしれないが、その大自然の美を保つことこそ農業を続けていくための条件である。自然との戦いの中で磨き上げた技術の成果が黄色に実る秋である。君たちの喜びの顔が目に浮ぶ。自然の恵みに感謝し、喜こびを分ち合おう。(O)

草の根だより

日米農村青年交換にもとずく草の根大使の近況がこのほど、IMC社(インターナショナル・ミネラル・アンド・ケミカル・コーポレーション)日本代表吉田宏氏を通じて本会に寄せられた。これによると日本代表の三君ともアメリカの各州において各農家の人たちとともに生活し、ともに農作業に励げみつつアメリカ農業の勉強を直接肌で体験し、時おり4Hクラブの行事にも参加して4Hクラブ活動について学んでいるとのことです。

この程、世界最大の肥料メーカーで、この交換計画のスポンサーでもあるIMC社の招きにより、イリノイ州にあるIMC社の玉蜀黍の試験圃場や施設を見学したとのことです。

零細な日本の農業とちがい広大なアメリカ農業にさぞ驚いてたことでしょう。

三君は、これから十二月中旬まで日米間の草の根大使として、文字どおりアメリカ各州の市民になりきってアメリカの各州の農家に入り、家族の一員となって、トラクターを運転し、家畜を追っての生活が続きます。ともに日本の4Hクラブ員の代表として、アメリカの農業技術はもとより農家生活、農業と他産業の関連性や4Hクラブ活動のあり方などについて正しく認識し、またほんとうの日本を紹介して、日米相互の親善のために大役を果たしていただきたいものです。

「写真」はIMC社の玉蜀黍の試験場における右より小林君(三重県)中崎君(愛媛県)中井さん(三重県)同試験場長

映画 山に生きる兄弟

山 (松竹映画配給)(中央青少年団体連絡協議会推薦)

スイスのアルプスの麓に、ザカリー(スペンサー・トレイシー)とクリス(ロバート・ワグナー)という兄弟が住んでいた。兄弟といっても年令は二十才もちがい、兄のザカリーは五十才というのに弟のクリスは三十才にもなっていなかった。

二人の父は名の知れた登山ガイドだったが、山で雷にうたれて死に、母もクリスを生んでまもなく死んだ。こんな関係の二人だったので、弟とはいいながら、ザカリーはクリスを自分の子供のように可愛がり、父のあとを継いで登山ガイドになってからも荷物運搬人として山へつれていっていた。しかし、一生山で生きようとするザカリーとちがい、クリスは気まぐれで時には盗みを働いて平然としていた。こんなクリスのことをザカリーはいつも気にかけていた。荷物運搬人として山へ連れていったのも、清らかな山の空気がクリスの性質を正しい方向にむかわせるにちがいないと思ったからだ。

こんな二人に、不幸な事件がおこった。ザカリーと登山客が氷の絶壁から墜落して、客は死にザカリーは九死に一生をえて、それ以来、山に見放されたと信じて、羊を飼ってくらすようになった。

ある日、ラジオが山の向うがわにインドの旅客機が墜落したことを告げた。

クリスは戦争から帰ってから、いっそう家を留守にすることが多く、夜がふけてからクリスが帰りとんでもない相談を持ちかけてきた。家を売って町にでるというのだ、ザカリーが家を売ることだけは承知できないと言うと、弟にも兄と同じ権利があると言って主張した。

旅客機遭難の救援隊が組織されたが、氷の割れ目で死んだ隊長の死体を運んで引返えしてきた。クリスは突然、二人で旅客機を捜索に行こうと言いだした。旅客機に大金がつんであることを知って、それをひそかに奪いとろうというのだった。ザカリーは考えた—金ができれば、クリスは家を売ると言うまい。久しぶりに山に挑戦する気持がザカリーの決意をうながし翌朝、二人は身支度して家を出、黙々とけわしい山道を登って行った。

岩壁をつたい、氷河をこえ、そそり立つ絶壁をロープに身を託してよじ登ると、やっと尾根にでた。山の斜面に大破した旅客機の残骸がみえた。機体の破片がとびちっている中に人間の腕や脚が無残にちらばっていた。クリスは夢中になって屍体のポケットをさぐった。ザカリーは、その様子を眉をしかめてみつめていた。

機体の中に入っていったクリスがあわててとび出してきた。奇蹟的にも一人の若い女が生きていたのだ。ザカリーはクリスの反対をおしきって橇をつくり、山を降りはじめた。クリスは女を助ければ金を盗んだことがバレルので、ザカリーをなぐりつけて、引き止めようとした。ザカリーは弟に絶望した……。

ザカリーは弟にかまわず、だまって橇を曳いていった。クリスが置いていかないでくれと叫んで追いすがってきたが、足をふみすべらせて氷河の割れ目へおちた……。

アルプスの絶壁に挑むザカリー、クリス兄弟

日本4H新聞
4Hクラブ 農事研究会 生活改善グループ
全国弘報紙
発行所 社団法人 日本4H協会
東京都市ケ谷家の光会館内
電話(269)1675
編集発行人 三井光
定価1部10円
振替口座東京12055番

クラブの綱領

…とともに互いに力を合わせて…日本を創るため四つの信条…す。1、私達は農業の改善に役立つ腕をみがきます。1、私達は科学的に物を考えることの訓練をします。1、私達は楽しく暮らし、元気で働くための健康を増進します。

「北陸の集い」開幕迫る

受入れ準備進む

参加者、昨年上回るか

…開催される全国4Hクラブ連絡協議会（丸山勉会長）富山県4H…助会長）共催の「全国4Hクラブ員北陸の集い」の開幕がいよいよ…全協集い事務局には、各県連を通じて全国から参加者の申し込み…主催者側ではさらに全国クラブ員の参加を呼びかけている。

…が、多くの応募を期待している。

開催地の地元、富山県連では、…う短い準備期間にもかかわらず、集い開催決定後わずか五カ月とい…全国の友をあたたかく迎え、集いを成功させようと県連行事と重なる中で連日努力を続けて、着々と受け入れ体制を整えている。その…

…運営し、参加も自費負担という文字通り"青年による、青年のための青年の大会"で、農村青少年の全国的規模の会合では唯一の自主性を誇るものである。

全国の4Hクラブ員と先輩、後輩、父兄が4Hの旗印のもとに一堂に会し、新しい農業経営の研修、クラブ活動推進の話し合い、現地交換訪問などの行事を通じてクラブ意識、自主性、4H精神の高揚と地域社会から理解された家族ぐるみの4Hクラブ活動推進を図ると同時に、明日への健闘を誓うことを主眼としており、九州（大分）関東（埼玉）の集いについでこんどで三回目。

主な行事は、二泊三日の現地交換訪問はじめ講演、4Hクラブ員とOB、父兄の三者による意見と体験の発表、話し合い、レクリエーション、キャンドルサービス、開・閉会式、それに農業祭に呼応して富山県連が実施するクラブ員の実績作品展示参観などを予定している。

参加者は、4Hクラブ員、OBとその家族、農業高校・経伝生徒…改良普及員、各都道府県青少年育成担当関係者、篤志指導者、関係各省、団体などの関係者、…内百五十名、県外参加者三百…名の計五百名を見込んでいる。参加経費は一人四千二百円（宿食費二千五百円、交通費四百…運営費負担金三百円）…一円となっている。

会場は、富山県民会館（…市）同県農協（同）同中新川…山町の弥陀ケ原、そのほか同…

なおこの集いには、文部省、農…を図る。

一日目 ❶ステッチ大会…

二日目 ❶スケッチ大会＝自然の探勝をかねてスケッチコンクールを行なう❷話し合い＝テーマ「親の言い分、息子の言い分」「これからの4Hクラブ活動と社会奉仕」❸キャンドルサービス

三日目 ❶意見と体験の発表❷表彰式をかねて閉会式❸現地訪問

四、五日目 現地交換訪問

富山湾 新潟 長野 石川 岐阜 氷見 新湊 高岡 富山 黒部 滑川 立山 弥陀ヶ原 常願寺川 神通川 庄川 八尾 黒部川

「全国4Hクラブ員北陸の集い」の主会場とその周辺

全国の仲間を待つ

紅葉に染まる壮大な景観

富山県連会長 久保博

久保県連会長

涼風暖風

保守化する勤労青年

最近、都会の勤労青年の意識動向が保守化の傾向を強めつつあることが総評の調査で明らかとなり、首脳部をあわてさせているということである。

そこで指摘されているおもな点は、かつて社会主義体制への移行に若き情熱を燃した彼らが、その期待を裏切られ、全般的に、実現は困難だなどという見方に変り、革新政権ができても生活は変らないというのから、逆に苦しくなるという見方もでてきているということである。

このことは保守、革新両党の支持派にも現われ、かつては社会党王国を誇った総評傘下で、とくに合理化のはげしい八幡製鉄はじめ、新鋭工場では、自民、社会両党の支持率が逆転するという事実になって現われてきている。

それではいったいこのように変ってきた青年たちの人生観と生活態度はどのようなものであろうか。

同調査によると、最近の経済成長の落しずともいうべき"マイホーム"的風潮がみなぎり、家族そろって幸福な生活を送るという青年が約六〇％を占め、組合活動に打ちこみ組合員のためにつくすなどという者は三割にも満たない。

このように都会の勤労青年が、階級意識を捨て損得によりドライに割切るようになったのは、旧来のイデオロギーで固まっている総評や社会党の先生方には腹立たしいことに違いない。

ところで、この若者たちの意識の変転の裏に一抹の憂いを見取るのは、あながち革新陣営の指導者のみとはいえまい。そこには、世界の驚異といわれる経済的繁栄のもとで、社会人としての、青年としての理想を見失なった哀れな若者たちの姿がある。

本来、健全な青年というものは進取の気性に富み、理想を求めてやまないものである。少し極端にいえば、保守的青年などというのはなく、革新的青年がほんとうの姿であろう。

あやまっていたのは理想に燃える若者の姿勢ではなく、その指向していたイデオロギーである。青年の求むべき理想は何もイデオロギーのみにあるのではない。世のため・人のために働らこうという者には、やるべきことはいくらでもあるではないか。

われらが指向するもの

奈良県4Hクラブ連絡協議会長 山田高作

着実な歩みが勝利

割切れぬ"期待される農民像"

…以上、目的をもつ、実行力をもつ、自信をもつ、楽しみをもつというように、まとめにしてまずかったけれど日頃感じているままに綴ってみた。

限りない前進を願ってお互いハッスルしようではありませんか。

自分の手は自分の意志で動かす自分の足は自分の意志で動くことを忘れずに。

（奈良県天理市田町）

4H活動にご関心

皇太子ご夫妻と語る

埼玉のクラブ員

…太子さまは農業経営の共同化などについてご熱心に質問され、また美智子さまも「人間関係は心のふれ合いが大切ですね」と述べられたが、ご夫妻ともとくに4Hクラブ活動に深い興味をもたれたご様子だった。

なお、両殿下は、三十九年の山口国体にご出席のときも予定外でこの種の座談会をとくに望まれて催されたことがある。このときも4Hクラブ員の話しに深く興味をもたれ、後日、両殿下から農村に関する文献が4Hクラブ員に贈り届けられた。これに深く感動した4Hクラブ員は当時の出席者で会をつくり、毎年思い出の日に会合を開いている。こんどの座談会でも、やはり出席した4Hクラブ員は、両殿下のご熱心さと、青年の抱負をうなづきながら親しくお聞きになる態度に強く心を打たれたようである。

（座談会に出席した4Hクラブ員砂川みさ子さんの手記が四面にあります）

同志と経営の学習

岐阜・益田郡4Hク連協 相互に技術を交換

…が少ないので、広く郡内のクラブ員の中から同志を求め、技術的、経営的な交換会をしようというもの。

当日は台風二十二号の到来のおそれもあって養蚕を主とするクラブ員は欠席したが、さいわい大したこともなく、しだいに秋晴れになった。

午前中は、現地にクラブ員を訪問して養鶏、蔬菜を中心とした経営を見学し意見を交換した。午後から一堂に会して、和牛、こんにゃく、養鶏、蔬菜、林業などそれぞれの部門ごとに、日ごろ抱いている問題点について農業改良普及員の助言を交じえて話し合いをした。最後に今後のクラブ活動について活発な討論を行なって閉会、お互いに今後の健闘を誓い合った。

（益田南部農業青年クラブ会長、松島光秋君発）

夜徹し話合う

高知・春野村4Hク員と宿毛市の農業青年

【高知】吾川郡春野村4Hクラブの会長増田福弘君一行（男子十八名、女子六名）は、このほど宿毛市農業後継者育成センターを訪ずれ、地元宿毛市の農業青年と合宿による交歓会を開き、夜を徹して語り合った。まず、市内のパイロット果樹園を視察したあと、夜七時から座談会を行なった。

春野4Hクラブ側から、農業センターのような施設がない、4Hクラブへの補助金も少ないと説明やクラブ活動の状況について意見、地元側からも農業振興五ヵ年計画が出された。とくに女子クラブ員からは「私たちは農家へとつぎたい」と力強い意見がだされた。

また、農業技術や後継者問題、クラブ活動に対する悩みや希望が出された。このほか園芸作物が取り入れられた宿毛市だけに、園芸に対する質問も活発で、それに関する労働問題など真剣に討議された。一行は同センターで一泊したあと帰宅した。

15周年の式典

北海道・蒲臼町4Hクラブ

【北海道】空知郡の蒲臼町4Hクラブ連絡協議会は、このほど同町農協会議室で創立十五周年記念式典を開いた。

西島会長、十河普及所長のあいさつのあと、歴代普及員と歴代会長に感謝状を贈り、ついで吉岡町長ら来賓から祝辞が述べられ、最後に北海道4Hクラブの歌を斉唱し、新たな決意を誓い合い式を閉じた。

女性だけの4Hクラブ結成

宮城・古川市内で

【宮城】このほど古川市に女性だけの4Hクラブ「あやめ会」が誕生した。会員はみんな家を継いで農業をしようという十八歳から二十一歳までの農村女子青年たち三十人で「これから、男性に負けないように手を取り合って勉強しよう…」と張切っている。同市には地区別に4Hクラブがあり、古川地区4Hクラブ連絡協議会を結成しているがみんな男性だけで、女性だけの4Hクラブができたのは仙北では初めて。

これからの事業としては、仙南地方の女性グループとの交歓会や農業を中心とした衣食住についての生活技術講座などを計画している。

淡路島に女子4Hクが誕生

【兵庫】淡路島の三原町にこのほど女子4Hクラブが誕生した。家業の農業を手伝うかたわら勤めに出ている二十歳前後の女子青年十人が集まって結成したもので、クラブの名称は「三原あさみ4Hクラブ」。今後、研修会や先進地視察などを行ない新しい農業技術を学ぶことになった。

男子4H誕生

会合に親も出席

鹿児島・栗野町

【鹿児島】姶良郡栗野町吉田にこのほど男子ばかりの4Hクラブが誕生した。

同町の浜崎勝博(二二)吉永利実(二〇)浜崎成男(二七)原田満(二七)山口和幸(二七)の五君で結成したもので、毎月一回持ちまわりの会合を開いて農作業などについて話し合うことにしているが、このほど開かれた会合には親たちも加わり、お互いを理解するうえでも成果をあげている。みんな、これからは共同出荷をするまでにして、さらに他クラブとの交流も深めていきたいと意欲をもやしている。

交歓会で友情結ぶ

奈良 郡山と月瀬4Hクラブ

【奈良】大和郡山市4Hクラブ（会長、中津隆天智・会員二十七名）では、さる九月十四日、添上郡月瀬4Hクラブ（会長、中西比呂武香・会員十七名）と交歓会を開いた。

これは、今まで以上に両クラブ員相互の親睦を深めるために催したもので、当日午後十二時半に月瀬4Hクラブ員十一名（うち女子三名）が大和郡山市農業改良普及所に到着。一時から月瀬、郡山（男子十五名）両クラブ員全員が車で五条山グランドに向い、同所でソフトボールと軟式野球の二試合を行ない一勝一敗の成績で終った。みんな日頃あまりやっていないこともあってボールを落したりトンネルをしたりなどの珍プレーが続出し、全員笑いの中で試合が展開された。

五時から両クラブ員全員が大和郡山市農業センターへ行き、相互のクラブ活動内容、自己紹介のあと経営内容などについて語り合い親交をあたためるとともに、明日へのファイトを燃やした。

（大和郡山市4Hクラブ員、鶴田晴久君より）

心頭技健

青少年の健全育成をめざして関係各省がその対策に力を入れているが、青年に"夢と研修の場"を提供しようと、このところ「青年の何々」ばやりである。例えば文部省の「青年の家」、総理府の「青年の船」などがそれ。そしてこんどは農林省が「青年の山」を計画している▼国立「青年の家」は、この一、二年の間に栃木、福島、北海道などに次々に建てられた。また「青年の船」は、明治百年記念事業の一環として、青年代表三百六十人を乗せて東南アジアを約一ヵ月間にわたって巡航するもの。一時、女性を乗せないということで話題になったが、結局、船を改造して乗せることになり、現在、全国からの応募者の中から団員を入選中である▼「青年の山」は、夢と希望を失って都市へ流出する山村の若手労働力の引き止め策として倉石農相自らが提唱したもので、各地の4Hクラブなど会員十名以上のグループを対象に国有林の一部を無償で提供、植林などをさせて"自分たちの山"の夢をもたせようというもの。来年度から五年計画で森林面積の多い県を中心に全国の三百六十ヵ所につくる予定である▼計画によると、この「青年の山」は一ヵ所が約十ヘクタールとかなり広い。国有林や公有林の一部をグループに提供し、スギ、ヒノキなど利用価値の高い木材を植林させる。一ヵ所の植林数は三万本程度であるが、区域内には「施肥地区」「エリート植林地区」「ていねい植え地区」などを設けて新しい林業技術の研究も行なう。そして将来、木材を出荷したさい、その一部を国に支払う。現行の国有林管理規定では二割程度となっているが、青年の山にはこれを一割程度まで引き下げることを検討しているという▼このため、初めに提供された人は、将来も引き続いて管理し、息子などに譲る形をとるようだ。そうなると、「青年の山」の経営権を得た人はよいが、それにもれた人、そのあとに続く後継はどうなるか、またグループ員の管理配分などいろいろの問題もあるが、老後の安定も保障してくれるこの山は、山村の青少年の希望をつなぎ、林業経営の意欲を刺激することは確かだ。今後どのように青年の声を反映して実施されるか大いに注目される。

初秋の富士へ登山
奈良・新庄4Hクラブ

【奈良県＝広井洋司連絡報道員発】新庄4Hクラブ（会長、蔵田秀昭君）では、さる八月二十九日から三十一日にかけて富士登山を行なった。これは、4Hクラブ員の体力の向上、共同生活を通じての協調精神のかん養、一層の友情を深めるなど心身の鍛錬とともにクラブ活動をより発展させるための勉強の場にしようというもので、その目的を達することができた。

寒さを乗り越えて、富士登頂に成功した男女クラブ員

浅間神社に祈る

まず第一日目、急行「いこま」で新庄から男子八名が出発、そして夏の全国大会に参加している新庄4Hクラブ員男女三名、同じく大会に参加している高市4Hクラブの女子一名の計十一名が富士駅で合流し富士山に向う。身延線に乗りかえ富士ノ宮へ。午前四時十分人気のない富士ノ宮市内を散歩、浅間神社にこの登山が無事達成出来るよう祈り、七時三十分登山バスにのる。バスは浅間神社を後に山麓帯を通り、富士二合目に入った。

赤松の林から標高を増すにつれ落葉地帯、白樺帯と区別されていて興味深い光景が展開されていた。やがてバスは二時間余りで終点の五合目に着く。さあ！「ガンバロウ」とみんなのかけ声と共に富士山に挑む。注意事項がもう一度クラブ員全員に繰り返され、九時三十分重いリックを背負い、日本一の富士山頂をめざし出発した。

4H旗を先頭に

4Hクラブ旗を先頭に全員足並みそろえて進む。富士登山もシーズンオフでだれも登る者がなくわれわれだけであった。五合目からは木立も消え、草木帯となり高山植物が所々に生え霧のベールに包まれ、しっとりぬれていた。六合目の山小屋を過ぎ七合目へ来ると霧は下から吹き上げて来る。われわれはようやく雲の上に出た。山頂は快晴であったが雲の上を一時間、三千米余り、気圧も下り息苦しくなり全員疲れ始めた。でも白地にグリーンのクローバーをあしらったクラブ旗は赤茶けた溶岩の中に一段と映えて美しく、勇気づけられた。八合目で飯盒炊飯を行なった。こん立はカレーライス。

美しい助け合う姿
山小屋の最後の客となる

た。飯をたく者、タマネギをむく者、全員手分けして見事なカレーライスが出来る。一時間余りなごやかに食事をとり、エネルギーをたくわえ、元気を新たに再び山頂に挑む。

最後の客となる

九合目から岩下には真白い残雪がおびのように続き、われわれはソーダラップや砂糖で雪氷を作り食べる。じっとしてると体の隅々までしびれてくる。丁度下界の初冬の気候を思わせる。さあ！最後の一合だ！山頂が六十度上にはっきり見えた。登山道はなくなり岩道となる。一歩一歩慎重に踏みしめ六根清浄の言葉を唱え進む。お互に励まし合い助け合って進む姿はクラブ活動に似ていて美しい。最後の鳥居をくぐると夢に見た日本一の富士山頂にたどり着く。登山時間六時間、午後三時三十二分三千七百七十六米に新庄4Hクラブ旗がひるがえる。不毛の地に緑の世界を創造する新庄4Hクラブ員の力強い姿が秀麗富士の上に描かれた。そしてしばらくして真赤な太陽が雲海を赤く染め地平線に沈んだ。そしてわれわれも山小屋に宿をとる。山小屋はもう一軒しか開いておらず、ここの人達も明日は下山するそうでわれわれが今年最後の客となった。山の夕暮れは早く五時には暗くなり寒さが加わる。夜は楽しいひとときをローソクの火で過ごす。

ご来光に手合す

翌朝、主人に起こされ外に出ると寒い。気温一度、快晴であるが下界は雲海が果てしなく続いている。丁度四時五十三分、その果てから真赤な太陽がのぼる。御来光だ！全員手を合せる。朝日は富士山の火山岩を奇妙な色彩に染めた。この思い出はここに登った者でなければ味わえない。噴火口は無気味な感じがする。火口の向こう側に富士測候所が城のようにそびえたっている。山頂での種々の体験、見たものを思い浮かべながら富士山頂に別れを告げ下山した。帰りは砂走を通り御殿場におり、バスを利用して箱根へ入る。国際的な景勝の地、芦ノ湖を回遊、峠を越えて最後の飯盒炊飯を行ない、熱海駅へ、新幹線を利用して帰途についた。われわれ4Hクラブ員はこの目的を達成出来た。この経験を生かし、今後一層のクラブ活動のため頑張りたいと誓い合った。（この記事は新庄4Hクラブ蔵田秀昭君から得たものです）

富士山頂の岩土につきさされ、初秋の風にひるがえる4H旗

農林省「青年の山」を計画
共同研修の場に
4Hなどに国有林を提供
老後の安定も考慮

[illegible]

する場として、その実践活動によって連帯意識の向上を図るように……十六カ所と順次に個所数をふやし五年後の四十七年度末には全国で……うち一定割り合いを国に支払う）で会員十人以上のグループに……将来も林業を経営するクラブ員に提供する。

バレーの大松氏講演
宮城県連役員 県青年大会で活躍

【宮城県＝峯岸発信連絡報道員発】宮城県には昨年一月発足した青年会議がある。これは県内各種青年団体の相互の連絡と親睦を図るとともに、共通の問題を研究討議し、その解決に努めるほか新県民生活実践活動を通じて組織の拡大と宮城県青年の向上発展を図ることを目的として県内各種十五青年団体で結成されたものである。

4Hクラブも他団体の交流と一般に認識してもらうための会議に加盟しているが、この大会が、去る九月五日県民会館において県知事、県議会議長、県社会教育課長、それに各種青年団体の指導機関の関係者らを招き、県内各地から加盟団体の代表者ら五百名参加のもとに盛大に行なわれた。

大会内容は、会長菅原一成氏の開会のことばに続いて県知事、県議会議長の祝辞のあと当会議の運営方針について会長から説明され役員を選出し参加者のこの会議に対する要望意見交換に入った。議長にはわが4H県連会長、高野秀養君（当会議副会長）がおされ、十五団体の代表者の活発な意見を巧みにまとめていった。

次いで大会宣言文の朗読を4H県連副会長文屋路子さんが当会議より依嘱され「われわれ青年は次代をになう者であるという自覚をもち、青年活動の正常な発展に努め、地域開発と豊かな郷土建設の実現に努力しよう」と宣言し参加者全員で誓い合い、共通の目標達成を採択した。続いて当会議があらかじめ加盟団体から募集した論文の上位入賞者の日頃の実践活動を通しての発表があった。農業関係から飯田三男君が「農村青年として思う」と発表し、世論が騒ぐ農村の現代の農村青年の活動が発表され、他産業の青年男女の発表もあった。この論文発表は参加者に大きな刺激を与えたようだ。その後、元ニチボー貝塚女子バレー監督大松博文氏の「なせば成る」と題しての力強い、時にはユーモアをまじえての講演があり、思わず三年前のオリンピックの感激のシーンを再現するかのようだった。そして「青年の若々しいエネルギーと創意工夫による無限の可能性を信じ、根性をもち課題解決にとりくみ飛躍的に進歩発展し、宮城県のため、日本のため頑張って下さい」という世界一のバレーボールチームを作り上げるまでの苦労話しをまじえての講演で、参加者全員に深い感銘を与えた。

最後に、閉会のことばが当会議副会長欠席のためこの加盟団体で農年少団体の4Hクラブの高野君がピンチヒッターとして「先程の大松元監督のなせば成るの信条と論文発表の意見を再認識し、明日からの青年活動や生活に大いに役立てるとともに、宮城県内の青年の輪を広げ宮城県発展のため頑張りましょう」と挨拶し、盛会のうちに大会を閉じた。

なお、本大会において農村青年活動における4Hクラブの存在を論文発表や高野君、文屋さんらの活躍によって大いに他団体の県内青年に認識させることができた。そしてますますそれぞれの性格と各々の特色をもつ各種青年団体が有機的に結び合いながら、その集団の機能を充分に発揮するとともにその集団の不足しているものを互いに補ない合うことを考えると、今後の宮城県4Hクラブもこの会議から大いに学ぶところがあるものと思われる。

楽しかった夏のつどい
岐阜・益田南部地区連

[illegible]

みんなの心に思い出を残した「夏のつどい」での記念撮影

注目さる調査結果
全国農村青少年教育振興会 集団活動実態把握へ

全国農村青少年教育振興会（東畑精一会長）では、農村における集団活動の実態調査を十月一日現在で行なう。調査内容は集団の名称、員数とその増減傾向、活動内容、資金とその拠出方法、指導者、規約などかなり詳細にわたっている。同会ではこの調査結果を来年三月末までにまとめることになっているが、現在、これに類する調査がないので、関係者からその結果が注目されている。

同調査は、農業に関する技術の改良、経営の改善および農村生活の改善を目的とする農民の自主的集団活動の現状について調査し、今後における集団の育成と活動助長をはかるための基礎資料を得るために行われるもので、五年前に行われた第一回目のものにつづいてこんどが二回目。（以下はその概要）

❶調査主体　振興会は都道府県の協力を得て実施する。

❷調査時期　昭和四十二年十月一日現在

❸調査の対象　調査の対象は4Hクラブなど農村青少年クラブ、農事研究会、生活改善グループ、農協青年部、婦人部などの名称がつけられているか否かにかかわらず、広く次の条件に該当するものをもれなく調査する。

（一）農業に関する技術改良、経営改善、または農村生活に関する改善と研究、あるいは研究的に実践している集団。ただし、実行組合、農業協同組合、農業共済組合、出荷組合など生産、販売などを直接の目的とするものは除く。

（二）集団の構成員の氏名、人員が明確に把握でき、自主的同志的なもの。

（三）集団の形成する地域のひろがりは、おおむね普及地区以内であること。

❹調査員の依嘱　各都道府県の関係職員、調査員に依嘱する。

❺調査方法

（一）振興会は集団カードおよび集団活動実態調査票（正副二部）を配布する。

（二）調査は調査員が都道府県の協力を得て行なう。

（三）普及所管内の集団リスト作成

調査員は三十七年六月一日現在の振興会の調査、普及所における農業後継者カード、四十一年十月一日現在の農林省農政局普及教育課による「農業生産に関する集団」の調査などの資料をもとにして、普及所地区段階の集団リストを作成する。

（四）調査、集団リストをもとづき調査員は普及地区ごとに集団の代表者もしくは責任者を訪問し代表者に集団カードの作成を依頼したあと、調査票によるききとり調査を行なう。

青少年を表彰
全協 各県連に推せん依頼
青少年育成国民会議で実施

青少年育成国民会議（会長、茅誠司氏）では、かねてから青成部会を通じて「青少年の表彰」について検討してきたが、このほどその成案がまとまり、全国4Hクラブ連絡協議会（会長・丸山協君）に対して、対象者推薦の依頼をしてきた。このため、全協では、本紙を通じて広く全国から対象者を募り、各県連会長の推薦者を全協執行部で検討し、一件を国民会議に推薦する。

このため、各県連会長は被推薦者を選定したうえ住所氏名、生年月日、履歴、活動内容を付して十月二十日までに全協・事務局まで申し込みされたい。なお、実施要項の要旨は次の通り。

「青少年の表彰」実施要項

一、主催　青少年育成国民会議

二、後援　総理府

三、趣旨　青少年は日本の希望であり、あすの日本のにない手であります。青少年が心身ともにたくましく成長し、国の繁栄、世界の平和と福祉に貢献しうる、りっぱな日本人となることを期待して、各界層の人びとと運動を進めております。

最近、青少年の非行が問題にされておりますが、反面多くの青少年が真剣に自己形成に努力し、青少年らしい健全な活動にはげんでいることを忘れてはなりません。青少年育成国民会議では、さまざまの困難を克服しながら努力しているこれらの青少年、青少年グループ、青少年団体を表彰し、その活動を広く一般に紹介することによってこれらの活動をさらに奨励助長し、青少年の健全な成長を促そうとするものであります。

四、表彰の対象　❶二十六歳未満の青少年または、青少年グループ、青少年団体❷次の区分に該当する行為ないし活動（A）奉仕活動（B）研究調査活動（C）文化体育活動（D）育成指導活動（E）その他の活動❸昭和四十年九月から昭和四十二年九月までの間に、一定期間にわたり継続または定期的に継続して行なわれた活動。

五、推薦方法　国民会議加盟団体から各一件推薦をうける。

六、推薦締切日　昭和四十二年十月三十一日

七、選考並びに表彰　❶国民会議会長、同役員ならびに関係団体代表などで選考委員会を構成し、審査のうえ適正な選考を行なう❷発表、結果は昭和四十三年一月八日に、新聞などにより公表するほか、推薦者、被表彰者に通知する❸被表彰者には表彰状ならびに記念品を贈り昭和四十三年一月東京において表彰式を行なう。

◆その他詳細は全協事務局（東京都新宿区市ケ谷砂土原町十一ノ二家の光会館内 電話（269）一六七五）に問い合せください。

勝利はチームワークで
賑やかにソフト大会開く
埼玉・川越地方4Hクラブ連協

【埼玉】川越地方4Hクラブ連協（会長、斎藤浩宣君）では、国体の開会式が行なわれて、国体の祭典・夏季国体（埼玉）を記念して、さる九月十七日、川越市立福原小・中学校々庭で普及所の広域化に伴い新しく編成された地区連の初の球技（ソフトボール）大会を開いた。

これには入間東部地区連合会六クラブ、川越地区連合会八クラブの合計十四単位クラブ、十七チームが参加、各チーム対抗試合で熱戦をくりひろげた。チーム編成は女子三名以上の混合チームで、なれない女子クラブ員の珍プレーもとび出すやらで、勝敗はともかく楽しい試合運びとなった。

昼食時ともなると、先輩や女子クラブ員手製のお弁当をほおばるクラブ員、牛乳片手にパンを食べながら見学の応援するクラブ員などさまざまな光景がみられ、みんなのしそうであった。

どのチームも実力の差はなく一点、二点差で開いただけで各クラブともチームワークの良さを物語っていた。中でも、決勝に残った福岡4H対南畑4Hでは、南畑が逆転勝ちした。思いもかけない南畑4Hの優勝に頭をかしげるクラブ員が多かったけれども、チーム実力は五分五分の差で、チームワークの良さと、のんびりムードが勝利へ導いた。四試合とも全部一点差の勝ち方をみてもわかる。

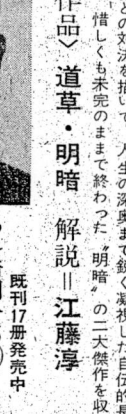

成績は次のとおり。▽優勝＝南畑4Hクラブ▽準優勝＝福岡4Hクラブ▽三位＝三芳4Hクラブ▽四位＝大東4Hクラブ（南畑4Hクラブ、砂川みさ子さんより）

4Hくん No.104 桜井はじめ

新型カカシのテスト中

ちかごろのスズメは図々しい

アラアラすっかりバカにされてる

ダンプ

こわいものしってるのね

すすんでいる農業の新技術

乳牛の新しい飼養標準

新しい乳牛の献立

実情にあった貴重な資料

意義

従来わが国では、乳牛の飼養標準として、ケンネルの標準、モリソンの標準、飼料単位などが使用され、近年はNRC標準を利用するなど、諸外国で設定した各種の標準を利用してきた。

しかし外国の標準をそのまま利用するのは実状にあわないので、経験によって一部補正した数値を利用した場合もあった。このようなことからわが国の乳牛に適する飼養標準の改定についての要望が高まった。

そこで昭和三十二年から六年間にわたり、わが国の環境条件などに適合する新しい飼養標準を作成するために、畜産試験場を中心として、農林省地域農業試験場畜産部三場所(北海道、東北、九州)、農林省種畜牧場三場所(新冠、福島、長野)、道県関係機関九場所(北海道、山梨、静岡、岡山、福岡)が共同して代謝試験および飼養試験を実施した。

同時に飼養標準を有効に利用するのに必要な飼料成分表を作成するために、上記の場所に鳥取種畜牧場を加えた十三場所が同一方針によって、わが国で乳牛に慣用している飼料について飼料成分の分析を実施した。

研究成果及び利用上の注意

六年間にわたる試験の結果、乳牛の維持、牛乳の生産、妊娠末期の増し飼い、若雌牛の正常発育などに要する可消化粗蛋白質(DCP)および可消化養分総量(TDN)についての成績を得た。

同時に本試験成績の中から、飼養標準とともに飼料成分調査の成績にもとづいて、飼料成分表が作成された。

❶ 飼料標準作成のための基礎成績

乳牛の新しい飼養標準は別表に示したようであるが、これを作成するための基礎成績はつぎのようである。

(イ) 成牛が体重の維持に必要とする養分量は、メタボリック・ボデー・サイズ(体重をキログラムで示し、それを四分の三乗した数値)の単位当たり、DCPは窒素として四三四ミリグラム必要であり、TDNは三七・三七グラム必要であることを認め、この数値を基礎とし、それぞれの体重に対する養分の要求量はメタボリック・ボデー・サイズに比例するとして求めた。

(ロ) 牛乳の生産に要する養分量は、FCM(乳脂率四%の牛乳を基準とし、それぞれの乳脂率の牛乳を基準の牛乳と同じエネルギー価になるように換算した場合の乳量)一キログラム当りDCPは四六・四グラム、TDNは三二九グラム必要であることを認め、これを基準とし、それぞれの乳脂率の牛乳生産に要するDCPおよびTDN量を求めた。

(ハ) 分娩前二〜三カ月からの増し飼いに要する養分は、NRC標準に示された量で充分であることを認め、新しい飼養標準もNRC標準と同一養分量とした。

(ニ) 初産程度の若雌牛の正常発育に必要なDCP、TDNは、NRC標準に示されているDCP、TDNの量で充分であることを認めた。

しかし、今回の新しい飼養標準は、成牛のみを対象として作成し、発育中のものについてはさらに研究を進めてから作成することにした。

(ホ) その他、種雄牛のDCP、TDNの要求量、および成牛の各条件下におけるカルシウム、リン、カロチンなどの要求量については試験を実施しないので、NRC標準に示された数値をそのまま、またはわずかに高くした数値を利用した。

❷ 飼養標準を利用する場合の注意

本試験により、このような飼養標準を利用する場合に注意しなければならない諸点を述べるとつぎのようである。

(イ) 体重の変化および牛乳の生産のいずれの場合にも、TDNの過不足は、DCPの過不足よりも大きな影響をおよぼすことになる。

これにより、飼料を給与する場合は、まずTDNの要求量をどのようにして充足するかということに留意しなければならない。

(ロ) 同一量のTDNを給与しても、それを供給する飼料によって効果が相違する。

たとえばチモシー主体の牧乾草と稲わらを比較すると、稲わらは牧乾草と等量のTDNを給与しても、乳牛が利用できる正味のエネルギーは牧乾草の約七〇%程度になる。

(ハ) 飼料の給与量を飼料成分表によって計算して給与した場合に、その給与計算と乳牛が実際に摂取した養分量の間にどの程度の差が生じるかというと標準偏差としてDCPでは約一五%、TDNでは約一〇%となるから、実際に飼料を計算によって給与する場合には、この程度の誤差はあるものとみておく必要がある。

この原因の主なものは、つぎにあげる飼料の採食率や飼料成分の変動によるものである。

(ニ) 飼料の採食率(給与量に対する摂取量の割合)は、給与する飼料および乳牛個体の嗜好性によって相違する。

その変動はとくに粗飼料について大きい。たとえば稲わらでは、一頭当り五キログラム以下の給与量の場合に、採食率は五〜一〇〇%であった。

また、濃厚飼料でもとうもろこし(子実)を〇・二〜七・一キログラム給与した場合採食率が四〇〜一〇〇%と大きな変動を示した例がある。

このようなことから、飼料を給与した場合に、その飼料の採食状況を観察することが飼養標準を有効に利用するために絶対に必要なことである。

(ホ) 飼料成分表に示されている成分含量の数値は、多数例の平均値であるから、それぞれの飼料の実際の成分は平均値と差があるのは当然である。

諸成分の変動のうちで、養分給与量に最も大きく影響するのは、水分含量の多い生草などの水分含量である。高水分の飼料では、水分が平均値に対して数%変動すると、養分含量は数十%変動することに留意しなければならない。

また、同一水分含量に換算した場合の諸成分も変動する。たとえばオーチャードグラスの粗蛋白質含量は一・八〜五〇%で、脱脂米糠の粗脂肪含量は一・〇〜五・八%の範囲にある。

このように同一品名の飼料でも、その成分含量は飼料成分表の平均値とは相違する場合があることを認識しておくことが必要である。

以上のように飼養標準を実際に利用する場合は、養分要求量に対してDCPは一五%、TDNは一〇%程度多く給与した方が安全である。

その後は乳牛の状態を観察して、飼料の給与量を増減し、栄養状態を良好に保つように処置することが飼料技術として必要である。

効果

全国的な協同研究によって、わが国の酪農事情にあった飼養標準が設定され、また、全国で乳牛に慣用している飼料の成分表が作成されたことによって、乳牛の飼料給与の面で、統一された基準に基づく試験と研究と指導が可能になった。

そればかりでなく、酪農の経済調査、飼料の生産、流通などの行政面の企画を行なう場合も統一された一つの基準として有効に利用できるものと思われる。

普及

今後、この飼養標準を酪農家に普及する場合に、かなり農家に対しては、そのまま普及しても有効に実用化できるものと思うが、一般の酪農家に対しては現在全国八道県機関で実施している「給与基準設定に関する試験」にみられるように、飼養標準を各飼料でおき換えたいわゆる「乳牛の献立表」の形にして普及するのが妥当であると考えられる。

乳牛の飼養標準

	可消化粗蛋白質 (DCP)	可消化養分総量 (TDN)	カルシウム (Ca)	リン (P)	カロチン
(1) 維持飼料(1日1頭当り)					
体重 350	0.23Kg	3.02Kg	8g	8g	48mg
400	0.25	3.34	9	9	54
450	0.27	3.65	10	10	60
500	0.29	3.95	11	11	66
550	0.31	4.25	12	12	72
600	0.23	4.53	13	13	78
650	0.35	4.81	14	14	84
700	0.37	5.09	15	15	90
(2) 産乳に要する飼料(牛乳1Kgに対して維持飼料に加える量)					
乳脂率 3.0%	0.043	0.280	2.2	1.6	
4.0	0.045	0.305	2.2	1.6	
4.5	0.050	0.355	2.2	1.6	
5.0	0.053	0.380	2.2	1.6	
5.5	0.056	0.405	2.2	1.6	
6.0	0.059	0.430	2.2	1.6	
(3) 妊娠中の乳牛(分娩2〜3ヵ月前に1日1頭当り維持飼料に加える量)					
	0.270	2.70	12	7	30
(4) 種雄牛(1日1頭当り)					
体重 730Kg	0.55	5.86	16	16	96
910	0.66	7.08	18	18	108
1100	0.73	8.26	20	20	120

(注) 泌乳牛の風乾物(乾物87%換算)摂取量の標準は体重の3%

私のプロジェクト

茶さし木の省力灌水法 ①

静岡県掛川市五明 三笠4Hクラブ 波多野規久雄

達成した省力散水

今後は他への転用を考える

私たちの住む掛川市における茶の占める割合は大きく、全農業生産額三十七億二千万円のうち、約四〇%にあたる十三億円をあげている。

そして茶園は、近年在来種から品種茶へと大きく増改植が進められている。一昨年までは毎年約二五㌶ずつ進められてきたが、昨年は一挙に三倍近くの七一㌶が増改植された。ことしもこれに近い面積が行われている。

しかし、その園に新植する優良品種茶の苗木不足が農家にとって深刻な問題となっている。

そこで、私たち三笠4Hクラブでは地域のこのような悩みを少しでも解消しようとクラブ員で研究の結果、良質の苗木の自給を目標として取り組むことにした。

動機

(一) 灌水労力の省力化 従来のジョロなどによる方法から、老人や子どもなどだれでも簡単にできる方法を見つけ、あわせて生産性を高める。

(二) 活着率の向上 灌水の際、さし穂がゆれるため活着率が低下するので、これを防ぐ方法を見出す。

経過

(一) 動力噴霧機による灌水実験 省力という目的は達成されたが、水圧が高すぎて穂がゆれ活着率が低下した。

(二) 水道を水源としたホースにジョロの口をつけた灌水実験 水圧は下り、水量も十分得られたが圃場内をホースが移動するときに、さし穂にふれ活着率が低下する。これを防ぐには二人以上で灌水するので省力とならない。

(三) 解決法 ビニールホースに穴をあけ、圃場内に固定して灌水することによって、これらの問題を解決した。

解決法の概要

ホースの状態 穴を五方向に向けたので均一に幅広く灌水できる。(第三図参照)

ホースの固定の仕方 高さは寒冷紗の高さ、作業への支障、霧の状態などから考慮して決めた。

設置した幅は三尺毎にしたが、これはホースを一般的な圧力の水道につないで霧のかかったときの平均の幅は水圧、ホースの長さによっても変動があるので、固定の[illegible]

[illegible]

結論

[illegible]

① 掛川市の農業生産額 37.2億円
茶 13億円
米 10億円
畜産 6.2億円
そさい 7.7億円
その他 0.3億円

② 掛川市茶改植茶園面積
25 28 22 71
38年 39年 40年 41年

③ ホース状態
4cm 1cm
穴 側面 断面
▲穴を5方向に向けたので均一に巾広く灌水できる。

④ ホースの固定の仕方
寒冷紗 8番線もしくは竹ざお 水道 ホース 25m 通路 さし床

⑤ 時間 ジョロ ホース 面積
10 20 30 40 50 60 m²

今後の課題

[illegible]

初の女子青年講座

北海道・上川4Hクラブ

[illegible]

気軽に秋を楽しむ

[illegible]

暖かい雪 (34)

田井専六 作
米良武子 画

二人の母 (三)

[illegible]

[illegible]

「はい、でも毎日でな[illegible]ん。忙しいときだけで[illegible]のごろは桃の出荷を終[illegible]つぎ柿の出荷までは[illegible]

ジュースが運ばれて[illegible]ながストローに口をつ[illegible]やっと息が抜けた。

「暑夫のやつ、冬休[illegible]らないよ」

「どうして—?」

「信州の友だちのとこ[illegible]ーにゆくらしい。スキ[illegible]と仲よくするため、理[illegible]非身につけておかねば[illegible]のひとつだ、なんてい[illegible]ら—」

「またアルバイトにお[illegible]担いで日当千円、それ[illegible]いだろうね」

母子が声を出して笑[illegible]れて淳子が

「大学はS大とか聞き[illegible]

「東京の大学へゆきた[illegible]すが、東大では手がで[illegible]では金がかかるから、[illegible]学」

「そんなこと、S大の[illegible]名なんでしょう。うち[illegible]の受験生がいます。そ[illegible]学にゆけたら」

「お宅、ご家族は?」

「祖父と両親と、兄弟[illegible]あたしと高校三年の[illegible]

皇太子ご夫妻を囲む座談会
4Hクラブ活動に親しくご感心
微笑に緊張和らぐ
新世代の青年と抱負語る

さる九月十七日に開幕した、第二十二回埼玉国体夏期大会ご臨席のため、十六日埼玉県下を、おとずれになられた皇太子殿下、美智子妃殿下は、同日午後四時過ぎから、川口市立グリーンセンター内において、県内代表十人の青年たちを囲み、座談会にのぞまれた。両殿下は、この種の座談会をとくに強く望まれて催されただけであって、まことにご熱心に、各青年たちの抱負に、親しくご傾聴なされた。この座談会には、各種職域から選ばれた青少年団体の代表者の中に、山岡正義君(関東ブロック代表評議員)砂川みさ子さん(入間地方4Hクラブ連協副会長)が農村青年代表として出席したため、話し合いの課題は、農村生活を中心とした農業の共同化、技術の問題、青年学級などについて話し合われ、とくに両殿下は、4Hクラブ活動に対して深い関心をおよせになられた。このため、一時間半という当初の予定を二十分もオーバーされ、新時代に生きる埼玉青年の抱負を親しくおききになられた。(以下は本紙によせられた砂川さんの感想)

わがクラブ わが同志

幸運に私も選ばれて

埼玉県入間地方4Hクラブ 砂川みさ子

夏期国体開会式ご出席のため来県された、皇太子ご夫妻を囲む、「新時代に生きる埼玉青年の抱負を語る」座談会が九月十六日午後四時四十九分から、川口市立グリーンセンターにおいて開かれ、ご夫妻は、県内の青年代表十名を囲み親しく話された。農村青年からは、埼玉県前年度4H部長の山岡正義さん、それに幸運にも私が選ばれて、この座談会に出席させていただきました。

紺のネクタイ、ネズミ色の背広を着用された皇太子殿下、チャコールグレーのワンピース、白と黄紫の帽子をつけられた美智子妃殿下を囲んで十名の青年が着席した。私たちは、期待と不安を感じながらも、晴れの出席者に選ばれ、はじめは、上気してコチコチに堅くなっていましたが、ほんの二、三分で心も打ちとけて、両殿下のお気軽なお話や、うなずきに、緊張もほぐれ、室内は笑い声にはずみ、話合いが続いて、予定時間の一時間半を二十分も超過する程でありました。

後半の時間は、両殿下のご質問に私たちがお答えすることになり特に、農村問題について、多くの関心をよせられ、中でも4Hクラブ活動の状況や、青年学級、そして共同作業などについては細かくするどい質問がなされ、私たちの答えに、両殿下とも親身になってうなずき、お聞きくださったのには胸を打たれました。

砂川さん

山岡さん

皇室については、堅苦しいという私たちの先入観が多分にありましたが、両殿下の人がらの良さとなごやかな、笑いのある話し合いを通して、そんな先入観など、ふきとんでしまいました。

未熟な私が、このような大役に選ばれたことに対して、皆様のご期待にそえたかどうか疑問ですが、私なりに精いっぱいの力をだしたつもりです。ほんとうに私には、もったいないような機会に恵まれた座談会でした。それとともに、いろいろの職業にたずさわっている友だちができて、意見の交換ができたこと、大変うれしく思っております。これを機会に、4Hクラブ活動をもっと、意義深いものにするため広い視野に立って実践に励げみ農村生活の向上に、つとめたいと思います。

この精神をいかせ

稔りの秋をむかえ、史上最高の豊作だと言う。しかし、この喜びの蔭には、新潟県加治川地区が水の被害をうけた。4Hクラブの仲間たちの中には自家用の飯米すら確保できない農家もあるときく。それにも増して悲惨なのは、田畑が一瞬にして荒地と化して、農民の命である田畑さえ、奪われてしまうことだ。また、皮肉にも四国九州では干ばつで稲が枯れると言う。

あえて私が、この問題を取りあげたのは4Hクラブには、奉仕の精神がある。このときこそ、その精神をもって仲間のために立ち上がろうではないか。それでこそ、4Hクラブ活動を実践した意義があり、仲間づくりに励げんだ価値がある。被害をうけた仲間よ頑張ってくれ。全国の仲間よ、力をよせ合い仲間のためにつくす運動を進めようではないか。(O)

私たちのクラブ活動
実績で存在価値を
"4Hクラブここにあり"

栃木県栃木市大宮町大宮4Hクラブ 篠原清美

〈理解されないプロ活動〉

私の所属している4Hクラブはクラブ員男子二十五名、女子二名平均年令一九歳という若いクラブであります。私の住んでいる地帯は、水田地帯であるために水稲中心の経営です。その割合は水稲七五%、そ菜一五%、その他一〇%です。

プロジェクトも、そんな地域性から、クラブ員が話し合った結果全部のクラブ員が、今年は水稲のプロジェクトを実施しようということになり、取りくんできましたが、中には、プロジェクトの活動が良く理解されていないために、必ずしも自分から取り組もうとしなかったのかよく解らないと言うクラブ員が数人、初めのうち実施していたが途中でやめてしまったと言う人、また自分は水稲より別の部門の方が良いが会長から言われたのでしかたなく実施したクラブ員も数人おりました。

反面、最後まで一応実施したクラブ員も数人おりますので、そのプロジェクト活動の実績を紹介しこんどのクラブ活動のあり方を考えていきたいと思います。

まず、例会を開いてプロジェクトの実践方法について検討を加えましたが、私たちのプロジェクトの課題は次の三点を取りあげました。

1、病害虫の適期防除
2、土地と合った施肥設計
3、完全な管理作業

このような問題点をみつけだしとくに無効分けつの抑制を行い、一穂の着粒数の増加と、稔実歩合をよくすべく葉面散布、2・4・Dの撒布を行い、今まで一〇アール当り七俵しか収穫できなかったものを、八俵の線まで増収を図った。しかし、より一層の増収すべく、来年は暗渠排水をして、土地の乾田化を図ろうという意欲のあるクラブ員もでてきました。

このクラブ員たちの実績を中心に話し合いを進め、プロジェクト活動を伸展していく考えでおりますが、全体として、まとまらない状態のプロジェクトになった感があります。もっと最初にもプロジェクトの意義、実践方法についての基礎知識を学んだうえで実施したなら、より効果的であったと反省させられます。

〈課題解決の実践活動を〉

そんな状態が原因してか、クラブの集会の時間まで守られなくなってしまいました。昔から農村には"○○時間"などといって、数一〇分遅れるのがきまりのようになっている悪い習慣が残っています。農村だけでなく日本人の悪い習慣の一つです。また農村に生れた私たちは、大自然の中で住む所にも、食べる物にも、なに不自由なく生活してきたために、自分から何か求めていこうとする態度が欠けているように思われます。

それらを打開するためには、若年らしい前向きの姿勢が大切でしょう。それには、手はじめとして私たちの身辺にあるプロジェクト活動からはじめたら良いと思います。こんどは、部門別活動を取りあげて一般活動との関連を図りながら、活動を進めていきたいと考えます。その活動していくために必要なことは、クラブ員一人一人の意見をリーダーがよく聞き、話し合って、そのうえでどのように活動を展開したらよいか考えることが必要だと思います。

4Hクラブは、プロジェクト活動も必要なことですが、そのプロジェクト活動を通して、より多くの仲間と接し、いろいろな角度から自分自身を磨き、将来に向って人間形成をなすとともに、クラブ員一人一人が目的をもち、課題解決のため実践に励めば、もっと意欲も向上し、熱の入った4Hクラブ活動ができると思います。

〈出稼も社会勉強の一つ〉

最近は、農村においても生活水準が高くなり、少しくらいの農業経営では、収支のバランスがくずれ、現金収入を求めて出稼ぎにでる傾向があります。また政府の政策の中にも"小さい農家は離農"などという施策がとられ、その影響で私たちの地域でも数戸の農家が離農してしまいました。しかしまだ数多くの兼業農家は農地を手ばなさず耕作している中で、長男が勤めにでています。そんなことがクラブにも影響して、農閑期になると月一回の定例会も、クラブ員の二〇%~三〇%くらいしか出席しない状態です。

若いうちは、社会人としての教養を身につけることが大切です。農業だけの知識を知っていても、社会人としての知識がなければ、たとえ農業を営むにしても、偏見的な見方になってしまうでしょう。

そういうことから、農閑期中に勤めるということは、社会勉強をするのに良い機会だと思います。勤めの仕事の中で何かの障害に当面したときなど、クラブの定例会などのときに持ちかえって話し合って解決したり、他産業における考え方などを農業経営に対して、取り入れることも考えられます。こんな中にもクラブ活動の道があると思います。要は勤めに出るのがよいか悪いかの問題でなく、考え方一つにあると思います。

私たち、クラブ員は、その上に立って、どうしたら出稼ぎにでないですみ、少しの農地を利用してより多くの収入を得ることができるかということを考える必要があります。いつも、問題点をみいだしてクラブ活動の中で、解決していくよう皆が考えたなら、もっと楽しく、自主的なクラブ活動が展開され、必然的に農閑期などの出稼ぎも少なくなり、クラブの出席率の低下はもちろん、農業経営自体が確立されてくると考えられます。

〈親子でお早ようの挨拶〉

私が4Hクラブに入るまで、4Hクラブがあったかどうか知らなかったように、家族の人や、地域の人たちも4Hクラブの活動を知っていないようです。それは、4Hクラブ自体が、目にみえた活動がなされていなかったからでしょう。これからは、もっと地域社会からよく理解された4Hクラブになるため、活動面において、もっとPRすることが必要だと思います。私が4Hクラブに入って、その目的と考えについて三つの点をあげてみます。

1、プロジェクト活動=これは、自から問題点をみつけだし、自から解決していく態度を養う。

2、仲間づくり=個人中心の活動に連帯性を保たせ、その活動をより効果的にするため、仲間づくりが必要と思う。

3、社会人としての教養を身につける=農民といえども、広い視野に立って農業を考えるとき、技術中心だけでなく、精神的にも幅広い人間性が要求される。そのため、クラブ活動の中でこれに取りくむ。

これらを土台にして、単位クラブの団結をはかり活動を通して実績をあげ"4Hクラブここにあり"という意気込みで進むことが地域の人、また家族の人たちに4Hクラブの存在を知ってもらう唯一の方法だと思います。そして自から体験しその中で考え、研究していくことが必要だと思います。

クラブの行事に参加したときは、何か一つでも身につけて家へもち帰り、家族の人たちと話し合いながら生活の中に生かして行くという態度が必要でしょう。また、自分の生活の中からクラブ活動の中に体験を生かすということも考えられます。

とかく若いうちは、家族と話し合いがスムースにおこなわれない傾向にありますが、話し合いを持たないということは、自分に対しても大きなマイナスになります。話し合える親子になるためには、どうしたらよいでしょう。朝起きて親子の間で「おはようございます」と挨拶をかわしたらいかがでしょうか。そんな態度から、自然にうちとけて、話し合いもスムースにいくのではないかと思います。

そんなささやかなことでも、自分の方から接していくことにより親子の間が一層親密になり、4Hクラブ活動を知ってもらえるきっかけになると思います。常にこんな態度で、クラブ員が家族の人や地域の人たちに接したならば、文字通り、地域社会に密着した家族ぐるみの4Hクラブ活動が展開されるのではないでしょうか。

☆ ☆

秋と芸術

秋のお彼岸が明けたと思うと、もう十月である。神無月(かみなづき)ともいう。八百万(やおよろず)の神々が出雲大社に集まり、いまはやりの「対話」をやるので、他の土地では神様が留守になる月という説からきたそうである。出雲では、十月十六日に〈いざなみのみこと〉が崩じたので神々が参集したことに由来するという。また異説としては、雷の無い月の意味とするものもあり、また、新穀を用いて酒をかもすことから醸成月(かみなしつき)といったともいう。すべて先祖の農事の智恵からきたものであろうが、神出立の祭り、神帰着の祭りで農事の終りを祝い、次の年の農事の始まりを祭い祝ったものである。

近年のように諸事機械文明のとりこになり、全てを合理的に考え、伝説や風習を忘れてしまうのは悲しいことである。「村祭り」だけはにぎにぎしく盛大にしたいものである。また埋もれた民族の伝統の諸行事、諸しぐさ、民謡を発掘して保存する運動を展開してほしい。この民族の文化財を採集し保存してゆくのは農村の青年のちからなくしてはできないと思う。本気で努力してほしいと願う。

秋はなんといっても芸術の秋である。八月二十四日号の本紙涼風暖風らんに、一億総芸術家論という文がでたが、まったく何とはなしに芸術づいている人が多くなった。世の中が平和であり、美に対する憧憬が多くなったのであろう。まことに喜ばしいことだが、その場がまだまだ中央集権的で、大都市でなければ、その芸術の恩恵に浴しえないことも事実である。

実は、私もルノアール展を観にいった。約千米以上の行列のうしろについた。蝸牛の歩みに似たる速さで入場まで一時間四十分かかった。猫も杓子もといっては失礼だが、今まで絵などとはまったく無縁だったと思はれるような人までが、延々長蛇の列に加って黙々と歩いていた。勿論、大へん結構なことであるが、ルノアールだから観ておかないと、人に馬鹿にされるから、自慢できないからという気持がなきにしもあらずだと思う。実は今度のルノアール展にはがっかりさせられた。ルノアールの傑作と称せられる作品が、一~二点を除いてはなかったからである。だまされた感じであった。九月に上野で二科展をみた。土曜の午後だったが、観覧者はまばらだった。日本の現代を代表する画家たちが、心血を注いだ傑作である。それを観ようとしない。フランスからサロン・ド・メの傑作も同時展覧してあったが無関心である。マスコミが騒がなければ、芸術を愛さないのが、大部分の日本人のようである。

話は変るが、九月十四日から十七日まで、岩手の劇団ぶどう座が、東京で劇団東演と提携公演をやった。ぶどう座は岩手県の湯田町で楽余に演劇活動を十七年も続けている集団である。山田民雄さんの書いた「かりそめの出発」を上演した。素人臭は感じられたが、本当に芝居を愛する人達の真摯な純粋な美しさが、胸をたたいた。農村問題をテーマにしたこの作品は、種々の問題をも含んでいた。この作品を取りあげ、真剣に農村の直面する問題を肌で感じ、演技で体得し、多くの観客に呼びかける。このような演劇運動が、もっと全国の村々に興ることを期待したいのである。

その意味においても、岩手ぶどう座の東京公演は、エポックメーキングであったと思う。私はかぎりなく拍手をたたきつづけたい。(K)

譚詩(バラーデ)

松本和子

"お前悩んでいるね"
この寛大な自然を見よ
この自然美の中で遥かな青々とした静けさが
私の魂に押し寄せる
自然美に照らされ
作物がまるで姉弟のように親しく交わる
この美しい自然を見てごらん
そしてあくせくとあせる心を静めなさい
今年の秋ほど楽な収穫はなかったよ
これは私が農業をやっているから
いえる事で
また、百姓娘だからそう感じているのです
"でもね、農業だといって
卑下する奴は嫌いだよ"

(茨城県稲敷郡東村東大沼稲穂サークル4H)

映画 鉄道員の哀歓描く
旅路 (東映東京作品)
(NHKテレビ・ドラマの映画化)

かいせつ

昭和初期の北海道—。風と雨と雪と、荒けずりなへき地の四季、自然を背景にして、若い鉄道員夫婦の生活、その闘いと哀歓、そして限りない愛を、ダイナミックなスケールと、感動を以って描く詩情あふれた人間ドラマである。

物語りは、駅員として働く雄一郎が、父母の遺骨を抱いて故里の紀州に帰省するプロローグから、有里との出逢い、結婚、貧しくも希望に満ちた生活、数々のドラマチックなエピソードを連ねながら雄一郎と有里が新しい人生に向ってゆくラストに至るまで、終始、心に沁みとうるような人間愛をテーマにして描きだす。

キャストは、佐久間良子(有里)、神代達矢(雄一郎)のコンビをはじめ、小山明子、悠木千帆、吉行和子、木村功、三宅邦子、石井竜他の豪華陣容。

ものがたり

昭和三年、秋—。雄一郎は、北海道から、故郷の紀州へ、父母の遺骨を抱いて帰省した。思えば、父と母が新らしい生活と希望を求めて、北海道に渡ったのは、大正四年の春だった。だが、父は荒海に呑まれて死んだ。この時雄一郎は十歳、子供心にも、父を奪った海を恨んで、自らは、機関手になることを誓った。

大正八年、雄一郎は駅手見習いとなったが、この雄一郎と妹の千枝の世話を、病身の母に代って、これまでやってきたのは長姉のはる子だった。このはる子には、駅員をしている栄吉という恋人があり、彼の東京転勤を機会に求婚された。だが、今はまず雄一郎が一人前になるまではと、栄吉の申し出を断った。その年、雄一郎の幼な友だちの三千代が、東京に嫁いでいった。そして昭和三年、母の死。

久しぶりの故郷・紀州尾鷲—。雄一郎は、伯父夫婦のすすめで、土地の旧家の娘、弘子と見合をした。虚栄と自尊心の強い弘子には、なぜか雄一郎の心は、ひかれるものがなかった。しかし返って雄一郎が心を奪われたのは、次女の有里だった。

その優しく、むしろ古風な風情を持つ有里の面影を抱いたまま雄一郎は、北海道に戻った。やがて雄一郎は、有里に手紙で求婚。有里は、虚栄にみちた生活を捨て単身、雄一郎の胸に飛びこんだ。つつましい結婚式。そして鉄道員の妻としての生活の闘い。そんな折も折、奈津子と名付けられた捨て子が舞いこんで、有里は育児に専念した。ただでさえ貧しい生活の、うえ、牛乳代にもこと欠いた。有里は健気にも、仕立て物をしたり豆撰工場に働きにでて頑張った。

ある日突然、奈津子の母親と名のる女性の出現に、有里はとまどいながら奈津子を手放すのだった。

昭和六年の夏。雄一郎は車掌試験に合格。妹の千枝も成長して、カマタキの良平と恋中である。そうした明るい日々に、少なからず波紋を投げたのは、三千代の帰郷であった。夫と離婚を決意し、失意にヤケ気味となった三千代は列車のデッキから投身自殺を計ったが、雄一郎に助けられ「人にあまえて生きてはならない」という言葉に、はじめて生きる力をえた。

昭和六年。雄一郎は、釧網本線の専務車掌を拝命して、転勤が決った。千枝も、良平が機関手になれば結婚するだろう。はる子も栄吉と結ばれる。そして何より、嬉しいことは、有里に赤ン坊ができた。いろいろなことがあった。だけど幸せだった。これからも、二人で一緒に生きていく限り—雄一郎と有里は、固く手を握り合う。

幸せな生活に有里は雄一郎の胸によりそう

日本4H新聞
4Hクラブ 農事研究会 生活改善クラブ
全国弘報紙
発行所 社団法人 日本4H協会
編集発行人 玉井光
月3回・4の日発行
振替口座東京 12055番

クラブの綱領
私達は誠実で友情に富む心をつちかいます。1、私達は[illegible]。1、私達は楽しく暮らし、元気で働くための健康を増進します。

夢は東南アジアへ

「青年の船」団員候補決る

砂川さんら七人

来年一月、歴訪の途へ

明治百年記念事業の一環として総理府が実施する「青年の船」の昭和四十二年度の派遣団員に、このほど4Hクラブ員から七名が候補に決定した。全国の青少年団体代表三百五十三名とともに来年一月に日本を出発し、二ヵ月間にわたって東南アジア諸国を巡航するが、彼らの活躍が大いに期待されている。

全国4Hクラブ連絡協議会（会長・丸山勉君）では、「青年の船」団員の募集を、各都道府県4Hクラブ連絡協議会長の推薦によって行ない、多数の4Hクラブ員関係の応募者の中から割り当てられた十名のクラブ員を選考し、総理府に対して推薦を行なっていた。

この青年の船は、青少年団体活動推進のためのリーダー研修や国際親善、青少年の視野の拡大などをねらいとして、全国の青少年団体代表三百六十人を乗せ、約二ヵ月間にわたって東南アジア諸国を巡航するもの。

すでに承知の通り「女性は乗せない」などマスコミ関係でも大きく取り上げられ問題とされる一方、中央青少年団体連絡協議会（全協加盟）においても当局に対し強く抗議するなど、一時は青少年対策について政府の不信を叫ぶなどして運航があやぶまれたが、その後の話し合いによって、結局、船内の改造を行ない女性を八十名に限って乗船させることにおちつき、官民一体となってこの事業を遂行することになった。

募集にあたっては、都道府県推薦と団体推薦の二つの方法がとられた。特に各青少年団体としては約五十団体が対象とされ、各団体ともそれぞれの面目をかけて応募者の推薦にしのぎをけずっていた。各団体によって募集方法は異っていたようだが、なかには八百名にもおよぶ応募者がおしよせた団体もあり、全国的に青年の船についての盛り上がった観があった。

最近は、農村青年たちにとっても海外に渡航する機会があたえられているが、現実の問題としてチャンスはほど遠く、このような状態からとかく狭い視野によって物事を判断してしまう傾向が強い。このため全協においては、早くから青年の船の運航に参画して、運航企画会議などに積極的に参加して、一人でも多くの4Hクラブの仲間を派遣することに努力してきた。

団員候補者の決定については、総理府内に特別委員会がもうけられ、各都道府県や青少年団体から推薦のあった応募者の中から選考した結果が十月七日付けをもって発表になった。4H関係からは、七名という他団体に比べ非常に立派な成績で仲間が選ばれた。これで、4Hは名実ともに日本の団体の仲間入りができたように思われる。

なお、決定は直接本人に通知されるとともに、渡航をひかえ十月二十三日から二十八日まで中央青年の家において事前研修が行なわれる。これは、団員として目的や心構えを獲わせ、[illegible]

全協 中央会議に出席求める意向

五周年の記念式典

岡山「青野やろう会」でにぎやかに

【岡山県＝原田靖雄連絡報道員発】井原農業後継者クラブの中の一つ、青野やろう会では、秋分の日のさる九月二十四日、農業部長、公民館長、普及所青少年係長など青少年育成関係者と笠岡地方農村青少年クラブ、青年学級生など八十四名を招いて、収穫祭をかね発足五周年記念式典を催した。

式は、三宅剛会長のあいさつのあと、北田市長代理ら六名から励ましのことばがあり、つづいて同会の五年間の歩みを畝川広太郎君が発表、またさる八月千葉県で行なわれた全国大会に出席した三宅一男君が実績発表。ついで、肥育牛四〇頭を経営している畝川正一君（もち会員みんなの水稲を陳列、会員の手で実らせたブドウを試食しながらなごやかに意見を交換した。いずれ青年学級生の井手悦子さんから「あなたたち農業青年の人は、どんな楽しみをもっておられますか」など、活発に質問もとび出していた。

午後に入り、会員の手で試案された鑑定競技の部屋では、男女入りみだれての鑑定にみんな思案顔だった。秋晴れの下の校庭でフォークダンス、ソフトボール、バレーボールで楽しんだあと会員宅でぶどう狩りをした。

茅原青少年係長の「豊かな経営をもとにして文化的な生活を営むよう頑張ってほしい」ということばを最後に、全員別れを惜しみながら交歓会を終了した。

この「やろう会」は、岡山県の南・西部の純高原地にあるクラブ。青野町、稗原町の農業青年で構成されていて「見てやろう、聞いてやろう、行ってやろう」のスローガンのもとに会員みんなが頑張っている。

また、さる八月十一、十二日、閑谷学校で開かれた岡山県農村青少年クラブ連絡協議会主催の幹部リーダー研修会のグループ活動の部で、模範発表した会（三宅康之君）でもある。

東海地区4Hクラブ推進会議をみる

愛知県連絡報道員　長坂正子

重みのある意見続出

魅力ある郡連活動など話合う

全国4Hクラブ連絡協議会（丸山勉会長）東海ブロック4Hクラブ連絡協議会共催の「東海ブロック4Hクラブ推進会議」が、このほど三日間にわたって岡崎市美合町の愛知県青年の家で開催された。

この推進会議は、4Hクラブの本質を中心に、クラブ運営技術、組織強化などについての基本的知識、技術の研修を行ない、4Hクラブ活動推進に役立つリーダーの養成をねらいとして開かれたもので、ことしで第四回目。東海地方三県（愛知、三重、岐阜）の4Hクラブの幹部四十五名（うち女性十四名）と東海三県担当職員、専門技術員など五十余名の関係者が出席した。

会議は「4Hクラブ単連（郡連）組織の強化と運営について」と題して、各県連が当面している問題、他の青年団、関係機関との連携をいかにするか、具体的な事例（問題点）をあげて話し合い、それからしぼられた具体的な結論に基づいて一年間実践し、その結果を来年の会議に持ち寄って検討する方法をとっている。

第一日目は、まずシンポジューム。発表者は各県連会長、各県担当の六人で、時田教育係長の司会によって話し合いに入った。

まず議題について、各県連の方針や問題点を具体的に発表し、全体の問題を提起した。
一、魅力ある単連の活動について
二、4Hクラブリーダーの養成をいかにするか
三、新規クラブ員をいかにして確保するか

以上の四問題を五分科会（第一議題は二分科会編成）に別かれ活発な討議を展開した。

夕べは、青年の家の庭園でおにぎりのパーティが催され、各県連の友好的ムードが深められた。

青い芝生と初秋のさわやかな夜風の中で、テーブルの上のおにぎり、果物などをつまみながら、楽しくおしゃべりしたり、歌を唄ったり、またゲームでは、どっと笑い声がわき、若人らしい生き生きとした力強さが溢れていた。最後に唱った"友情の歌"はみんなの心が一つに溶け合い、美しい歌声が広い庭園の隅々にまで流れ、パーティの盛り上りをみせた。

二日目は、朝食前、伝習農場として全国でも名をなす「遠藤農場」を見学した。新しい技術によって行なわれている蔬菜、作物の栽培法、また酪農をはじめとする省力飼育法を目のあたりにした。将来、立派な農業者をめざしているクラブ員に、また一つの新しい視野が加わったようである。

午前九時から前日に引き続いて分科会を開き、分科会最後のまとめをした。

午前十一時から各分科会の代表者によってパネル討議に入り、山田専門技術員の司会で話し合いが進められた。まず、▽魅力ある単連の活動に関して「女子クラブ員の減少にどう対処していったらよいか」という質問が出された。これに対して❶女子クラブのリーダー養成❷県連で4Hクラブの女子研修会をもうける❸他の女性グループと交歓会をもち、4Hの精神をくみとってもらう―などユニークな意見がみられた。

また、▽単連における運営経費の問題では、「個人会費にたよっていたのでは十分な活動が出来ないのだが…」という質問に対して「市町村から援助してもらえればよいが、不可能に近いので現在は個人会費で運営して行こう」という意見。リーダーのあり方については「単位クラブでは、[illegible]」などの意見が出された。

▽4Hクラブのリーダー養成をいかにするか」については、❶年一～二回各地域ごとの選抜リーダー研修会を行なう❷先輩リーダーの知識と体験を吸収させる❸クラブ内でリーダーの活動や農業経営に対し、相互扶助的な人間関係を築きあげる―など。

▽新規クラブ員をいかに確保するかでは、❶先輩（現クラブ員）が勧誘する❷4HクラブのPRを図る。これは巡回講演会や実習作業、レクリエーション、プロジェクト発表など地域の人や親に見てもらい"4Hとは、こんなによいものか、これなら息子を入れても…"と言われるようにする❸新入クラブ員に早く慣れるように新入クラブ員の希望をいってもらう。県連行事、技術観技に参加させ4Hクラブの目的を理解させる―など。

▽他の青年団、関係機関との連携をいかにするか」については、「青年団と4Hクラブの連携には別に大きな支障はない（青年団は主にレクリエーション的なことが多いので）」という意見が述べられたほか、他の機関と4Hクラブとの間で幹部役員が重複することの問題、また、これからの農村青年活動はどうあるべきか―という質問に対しては「4Hクラブは本来の目的に向って進めばよい」という意見が出された。

今回は、一議題から四つの問題点を提供し、具体的な結論を目的に話し合いをしたため、より多くの現実的な意見が出され、大変有意義で、しかも興味深い会議であった。難点をあげれば"まとめ"の面でやや充実感が欠けていたように思われた。

最後に閉会式のとき、"来年は三重でお会いしましょう"の言葉を胸に二日間にわたって真剣に話し合った推進会議の幕を閉じた。

水害地に資金カンパ

大阪のクラブ員が4Hの友情

さる8月28日、新潟、山形、福島の各県は集中豪雨に見舞われ大きな被害を出した。これは二年連続の打撃であったが、大阪の千早赤阪4Hクラブ（会長、松田嘉栄君）は、苦境の友を助けようとクラブ員がこづかいを出し合い、このほど4H協会を通じて、新潟の加治愛農4Hクラブ（代表者、大滝健一君）に見舞金をおくった。

暗い表情の農民
やっと刈りはじめたが、全滅に近い稲をみながら二年連続の水害に泣く新潟の農民

この千早赤阪4Hクラブは、[illegible]に結成されたばかりで、男子十四名、女子[illegible]名で、自信と誇りをもってクラブ活動を続けている。府の4H週間の[illegible]施設にクラブ員たち[illegible]たが、府4H部の役員などと一緒に巡っていた松田会長が施設の人たちの喜ぶ姿をみて大変感激したことや、4Hクラブの精神からも当然のこととして今度のカンパをしたという。それも不足分を予算からではなく、みんなでこづかいを出し合ったもの。

一方、加治愛農4Hクラブは、さる二十七年四月に結成された。クラブ員の農業経営は、同地区が蒲原平野という環境から水田作が主体で、クラブ結成以来、水田を中心とした研究に取り組んでプロジェクト活動を続けている。

その間、他クラブとの積極的に交歓会をもつなど農業技術の向上に努力してきた。現在では同県4Hクラブの中でも優秀なクラブに属し、三十三年には全国の模範クラブとして表彰されている。

今度の水害では、クラブ員に次のような被害が出ている。

床上浸水十六名（最高一四〇～三〇糎）、田畑冠水（四～二日）全員、水稲収穫皆無十一名、飯米確保困難四名、このほかのクラブ員も全員が耕地に冠水し、七〇％から三〇％の減収が推測されている。

そこで本紙では、この友情と水害の復興に取組む4Hクラブ員の姿を全国のクラブ員に知らせるため、同クラブとその関係者に寄稿を依頼した。復興のため多忙な新潟のクラブ員からは未到着だが、このほど千早赤阪4Hクラブの松田会長と府の川端氏から別記の便りが届いた。

4Hでは当然のこと

大阪・千早赤阪4Hクラブ会長　松田嘉栄君

4Hクラブとしては、まったく常識的なことですのに、新聞に載るなんて少々恥ずかしいほどです。

現在のわれわれのクラブは、予算の三割近い金が赤字でピーピーいっています。それで金をもらいに役場へ行ったり、ロータリークラブの好意をうけたりして、どうにかやっています。そんなクラブがまさかと、第三者なら思うような今度のことです。

それは、今まで自分たちの悩みのタネであった4Hでやるか、農業一本でやるか、[illegible]クラブ運営がはっきり示されたためでもあります。

どちらかといえば、親も、農業一本の方が理解してくれ易いし、先日、交歓会をもった[illegible]県のクラブは、後継者としてそれ一本でやっているということです。

しかし"わが大阪では"と悩みます。そんなときに、府と府連で実施した4H強化月間の一つとして、施設に特産物を贈ろうとのことで僕たちのクラブでも参加しました。そのとき、施設まで行った自分は、施設の人たちから大変喜ばれたことを全員に話しました。

ここで考えたことは、"同志が新潟で苦しんでいる。われわれの大阪は、まったく恵まれているのだ。同志に何か贈ろう"ということだった。自分たちが農研クラブなら、こういうことはなかったと思う。

僕がいうまでもなく、多くの者が、言いだす。それで、金を集めることにしたが、何しろ、二十一名のクラブ員だ、金という程のこともなかったが……。

[illegible]るのに会が必要だ。それで普及所にお願いした。その後、府の農業普及課の川端（宏）さんのお世話になった次第である。有難いと思う。

欲をいえば、自分たちの名を、出さないでやりたかった。僕たちのクラブのスローガン「[illegible]」から離れるから。

最後に、災害地のクラブ員のみなさんが（大阪では想像できないことと思いますが）一日ごしの災害から、一日も早く立ちあがられることを、大阪の空からお祈り致します。また、全国の多くの同志の方々が、友のために祈られるようお願いします。

千早赤阪4Hクラブのこと

大阪府農業改良課　川端宏氏

[illegible]た実研が、誇りと自信になっているようだ。

現在、会員は女子七名を加えて二十一名で、全員ミカン栽培の後継者。昨年五月農家からミカン園二十アールを借り受け、新しい農薬、肥料、農機具を導入する前に、この園で試験、研究を行なっている。

彼らは議論が好きである。雨が降れば集る。普通でも一週間に一回は集る。近くにある高校へ誰かの恩師が宿直の晩は大挙して押しかけることがある。そして、夜を徹して、農業のこと、人生のことについて話し合う風景が見られる。

村の農業近代化や生活改善にも意欲的だ。月一回は村の有線放送で「4Hアワー」を放送する。月一回といえども、毎月の放送日はすぐにやってくる。テーマの選定や録音に費やす時間も初めての彼らには馬鹿にならない負担だ。[illegible]

大阪のミカン園地はいずれも傾斜地で拡大が困難になっている。千早赤阪も例外ではない。今クラブ員は隣県の適地可能な地域に土地を求めるべく、基礎調査に余念がない。

会長の松田嘉栄君はいう。「ボクたちはいまグループの基礎をようやく固めたところです。全国のクラブと対等に付き合えるにはまだまだやりとおさねばならない問題があります」と。善意のカンパが4H新聞に紹介されるとの報にいささかはにかみ気味である。

誇りと自信の中に反省と謙虚さを忘れない彼らに、ガメついといわれる大阪には貴重な存在として、今後も伸びつづけていくことを読みとることが出来る。

身障者救援に切手五百三十枚を贈る

【茨城】真壁郡[illegible]の権現女子4Hクラブ（会長、藤田[illegible]さん）では、このほど身障者救援のため使用済み切手五百三十枚を読売新聞に寄託した。

涼風晩風

梅干とドーナツ

丸大の高橋義孝教授によると、いまの大学生はドーナツ人間だそうである。

服装や知識など外側はりっぱだが、子どもにでもわかるはずの、精神的なものが欠けているからだ[illegible]。

そのよい例が、最近[illegible]盗みに入ってつかまった[illegible]大生である。二人とも[illegible]らせる一流大学のエリ[illegible]

心頭技健

先日、全国農村青少年教育振興会の会議の席で、農業青少年対策に関して一つ、農業青少年から意見を聴き、そのうち受け入れられるものは受け入れ、それを農政に反映していってはどうか」という話しが持ち上がった。▼このような会議には農林省の事務次官はじめ文部省、普及部長、[illegible]、青少年対策[illegible]振興会加入団体の関係者が出席したものであるが、このような会合でこのような結論が出たこと自体大きな前進であり、それをぜひとも実現してほしいものである▼総理府や文部省などでは、予算編成に当っても青少年の意見を充分に聞き、それを出来るだけ施策の面に反映し、青少年活動を伸ばすうえで大きな効果をあげている。しかし、農業青少年となると、残念ながら、これまで青年の声は軽視されがちだったように思われる。これが、農業青少年不在の農業青少年教育、育成だ、といわれる一面でもある▼現在でも、筋道が通り、理路整然とした内容の話しをする農業青少年に対して、仲間がその話しを[illegible]、"彼は青少年ではない"と勝手に烙印を押し、一蹴してしまう指導者が少なくないにもかかわらず[illegible]

あれからもう4ヵ月

視野広める派米クラブ員

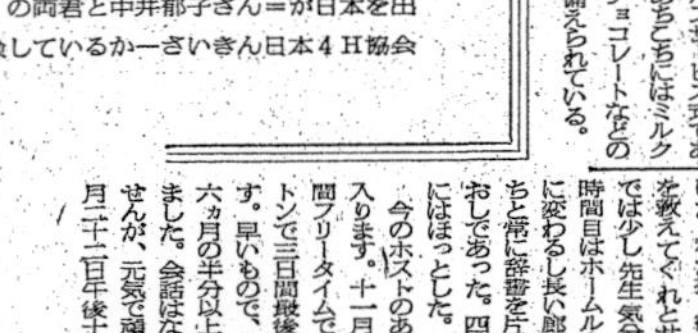

国際農村青年交換計画に基づいて日本4H協会がアメリカに派遣している草の根大使一42年度代表の3人＝小林哲広（三重）中崎寿（愛媛）の両君と中井郁子さん＝が日本を出発して早くも4ヵ月。いまどんなことを見聞し、経験しているかーさいきん日本4H協会に届いた彼らの手紙から紹介してみましょう。

一日入学で質問攻め

中井郁子さん

中井さん

……私の現在のホストには、十九才の大学二年生のアン、獣医を目指している元気な娘さんがいます。獣医科四十人中女子は一人だけだそうです。十六才の高校一年生のジョン、十二才の中学一年生のリンダ、それに農園の仕事を手助けしているダニーの六人の仲間入りをしました。

二百五十エーカーの農園、三百五十頭の豚、四匹の肉牛、二匹の乳牛、十五匹の猫、一匹のいぬも仲間入りです。この家には十月六日まで滞在します。大変忙しい季節で、毎日朝晩、豚小屋の世話や乳牛の乳しぼりを手伝いますが、以前のホストでは機械で乳をしぼっていたので手でしぼるのは初めてです。なかなか難しいもので、十二才のリンダがやるとサーサーと快い音をたててミルクがほとばしる……

……ろとして楽やくきも共に刈りとってサイロに貯える。この作業は、二、三週間後にするだろうと言っていた。

九月二十日、ジョンとリンダの学校で一日七年生となって四年ぶりの学校生活を試みる。朝六時三十分に起き、七時三十分にスクールバスで出かける。七百人の中学生、高校生を共にした学校である。赤レンガの一階建ての校舎。ユニホームもスクールカバンもなく、生徒たちは一、二冊の部厚い本とノートをかかえて行く。高校の三年生になると驚くほど大人っぽく姿形、服装も自由そのままで化粧やマニキュアをしている子も見かける。

八時四十五分授業開始の合図と共にホームルームで国旗の掲揚。ロータリークラブ、ライオンズク……

（九月十二日午後十一時記）

ビルの鶏舎に驚く

小林哲博君

小林君

私は八月の十三日からメインに入りました。他の二人はペンシルバニア、ニュージャージーと、仲々良さそうな所なので安心しています。こちらはとても涼しいというより、もう寒く朝は華氏四五度、午後は同六五～七五度。日本の十一月ごろのようです。白樺の木と湖がたくさんあり、他の名をバケーションランド（休暇の邑）というにふさわしい所です。遠くはニューヨークやシカゴから避暑に、金持の人たちが別荘を持っています。

農業の形態は少し日本と似ているようです。というのは、少しでも多く収穫を上げようと努力しているからです。カンサスでは草地に肥料をやるのを見たこともなかったが、こちらは土地が狭いせいか、施肥しています。

また、メインヤンキーは生活が地味で、ものをムダにしません。でも生活上の根本的なものは、どこの家庭でもあるように思いますが決してぜいたくはしていません。日本のコロナなどの小さな車が多く走っているのもそのせいでしょう。

また、こちらの家の建て方は少し変っていて、どこの家でも地下室をもっています。日本のように無理に土地をならして使いません。山があればそれを利用して一階からでも、二階からでもすぐ外に出られるようにしたり、鶏舎、畜舎にしても一階と二階はどこからでも出入りできるようにしてあります。

また、グラスウールを多く使い、カベの間二・五光ぐらいの厚さにいっぱい入れ込んでいます。鶏舎にスチームパイプを通して保温している。これは初めてのことで、少々驚きました。こちらは日本と違ってビルディングの鶏舎ばかりです。三～四階建のビルの中に二～三万羽が入っている。ブロイラーの場合は三割方多く入れ、どこの農家でも自動給餌給水、温度調整器を使い、フロアーにはウッドチップを用いています。

品種はハイラインが多く、デカルブ、ハーバードなど日本で同じみの鶏が沢山います。二年間飼ってその間平均九〇％産卵といいますから、かなりハイラインです。

鶏の病気は、コクシジュームなどで多く死んでいます。CRDニューカッスルは生ワクを使うせいかみんな水に溶かして簡単に行なっています。

今日も寒く、もうキルティングコートをしばしば用いなくてはならないので先が思いやられます。

祖国に郷愁抱く日本の女性

中崎寿君

中崎君

小生三番目の家はデーリーファームでした。朝六時すぎからと夕方五時からの乳しぼりは大変でした。そして昨日、第四番目の家に入りました。

三番目の家で、日本の女の人が訪ねて来てくれまして、いろいろと話すことが出来ました。それで今日は彼女が九年間アメリカで過して感じているアメリカ人というものを書いてみます。

彼女曰く『ふだん、友達としてつきあっているときは、格式ばらずフランクで、そして他人にはいっさい干渉せず、本当に自由を味わえるところです。アメリカ生活すでに九年間、義理と人情で育った私にはどうしても合点のいかぬところがある。それは一口にいえば「義理も人情もない」ということでしょうか。例えば最近あったことですけど、いつも仲の良い隣の子供が家へ遊びにきた。そのうちにその子供が指を大ケガをした。すると当然のように親がやって来て医者代を要求、それですべて出すことになった（アメリカの法律では、自分の地所内で起きた事故に対しては例えその者の不注意とわかっていても、ケガをした当人は裁判にかけ医者代を請求することができる）

それからすぐ近くに私のような日本人の嫁さんをもつ家があります。それで同じ日本の嫁をもつ家だということで、そこのしゅうとめさんとも仲良くつきあっていましたが、男の方が女をつくり離婚してしまった。すると、そのしゅうとめはもちろん家族のものみんなが日本人をけなし、当然のように私との関係もないものとなった。それに私の悪口まで言いふらして歩いている。

また、近所の男の子たちがドラムやギターで夜ドンチャン、ドンチャンやっていたりすると、ふだん仲良く近所づきあいをしている……

話合いに思う（夏の全国大会）

経営を語れるように

滋賀県・蒲生郡農業経営研究クラブ 白井功司

写真は滋賀県代表メンバー（後列向って右から二人目が白井君）

姉妹クラブになってくれませんか

水郷や早場米の出荷で知られる茨城県稲敷郡東村の稲穂サークル4H（会長、黒田勝君）が、姉妹クラブを求めています。

茨城・稲穂サークル4H

水郷 佐原

同志として同じ意識のもとに、相互の親睦と友情を深め、意見と技術の交流を通じて自分たちを磨いてゆこうというものですが、まず同クラブの概況について紹介しましょう。

稲穂サークル4Hは、さる三十六年に結成され、現在、会員は五十六名（このうち男子約四十名）で男女とも全員が高等学校卒です。平均年齢は男子が大体二十三歳、女子は二十歳半というところ。クラブ員の家の経営は水稲が中心で、平均耕作面積は約三㌶と多く、所得水準も高い。

このような経済事情やクラブ活動に対するクラブ員の積極的参加の意志を反映して、個人会費は一月二百円で、年間の予算は臨時収入も含めて六十万円前後と多い。全国の県連でもこれより少ないところがいくつもあります。

また、その活動面において大きな特色をもっています。

同クラブでは、経験などによって、青年学級、4H課（部）エコノミー課（同）の三段階に分けて活動しています。まず、クラブ加入第一年度は青年学級で一年間勉強します。この青年学級は地区の役場とタイアップして実施しているもので、みんながその過程を経て、それを卒業すると4H課に入り、大体四年間活動を続けます。そして最後にエコノミー（経済）課へと進むわけですが、これは一生続けます。同クラブでは農業経済部とも訳していますが、農研部と似ていて、ここでは水稲研修や農林青少年育成対策など大きな課題として、政治的にも活動するそうです。エコノミーという名称そのものにも近代的な感覚があふれ、その意欲のほどがうかがえます。

また、この三段階の次元とは違いますが、女子課が設けられています。事業面では、4H研修、県外研修、水稲研修の三つが大きな柱となっています。

4H研修は、クラブリーダーだけでなく、全クラブ員を対象として4Hの理念やクラブ活動について研修し、県外研修は技術交流、先進地視察、文献閲覧などを中心とし、また水稲研修は純粋な技術研修で、機械なども大手メーカーと提携して勉強しています。

今年度は、4H週間と呼応して農林省技術研究所の松島省三氏を招いて水稲の勉強をします。昼は同氏の講演とそれに対する質問、夜は同氏とクラブ員がひざを交えて話し合いをする予定となっていますが、この講演には村の人たちも参加します。

クラブ員は個人プロジェクトのほかに団体でもって共同プロジェクトを進めているが、構造改善事業の区画整理に会っていまのところなくなっていますが、このほど女子クラブ員が附近の農家から借地して共同プロを始めました。

稲穂サークル4Hの女子課の人たち

以上が同クラブの活動概況ですが、全国のクラブ員の集いや、4Hクラブ中央研修会、青年会議、技術交換大会などの全国大会であった人も多いと思います。また本紙上を通じてご存知の人も多いと思います。

このような同クラブが望んでいる姉妹クラブの特性から同クラブの相手クラブとしては❶水稲が主幹で、他の経営がプラスされている経営形態❷特色あるクラブ活動を行う❸個人会費が多い❹男性と女子が適当に入っている❺一年、活動を続けていく意志がある―と同時に❻交歓の場がもてる全国大会によく参加できるクラブーなどです。

この姉妹クラブの縁結びも、本当は、来る二十六日から五日間、富山県で開催される「全国4Hクラブ員北陸の集い」である程度話しを進めたかったようですが、遅れたので、なるべく早く申し込んでいただきたいとのことです。

連絡先は、日本4H新聞編集部（東京都新宿区市谷船河原町十一家の光会館内）です。

論文、ポスター募る

◇青少年育成国民会議◇

少年と青年の部で

……についての関心を高めて青少年健全育成運動を盛りあげるとともに青少年自身に国の将来を背負うものとしての誇りと、責任を自覚することを促すために、全国の青少年を対象として実施するもので要領は次のとおり。

【論文、作文の部】

◎応募資格＝少年の部満十八才未満の者。青年の部＝十八才以上二十六才未満の者

◎主題＝少年の部（作文）

❶「わたくしのともだち」ともだちをもつことの意味、ともだちから学ぶこと……

❷「わたくしの尊敬する人」（わたくしが尊敬している人について、なぜその人を尊敬するようになったか、どのような点をとくに尊敬するのか、さらにその人に学ぶために、あなたがどんな努力をしているかなどについて）

青年の部（論文）＝「私しの信条」（自分の仕事や能力に誇りをもち、周囲の人やグループ、あるいは社会や国家、世界の平和などになんらかの責任を感じ、すこしでもその責任を果たそうとすることは大切だが、それを実行すること……

……のに限る。

◎送付先＝東京都港区芝公園十二号地、青少年育成国民会議事務局。

◎締切期日＝来る十一月三十日（当日消印有効）

◎入賞決定と発表＝❶入賞作品については審査会で決定する。❷入賞については本人に通知するとともに、来年一月十五日に発表する。

◎表彰＝入賞者には次の通り賞を送り、来年二月に東京で表彰する。

▽少年の部＝最優秀賞・内閣総理大臣賞と記念品・一名。優秀賞・青少年育成国民会議会長賞・十名程度、佳作・青少年育成国民会……

……

◎応募方法＝❶一名一点❷用紙はA版以下の画用紙とし、使用する色は四色とします❸ポスターには、題材として選んだ標語を配するとともに「青少年育成国民会議」の文字を必ず入れて下さい❹住所、氏名、生年月日、性別、職業勤務先および学校名学年を作品の裏に明記すること❺本人の作品で未発表のものに限る❻作品の送付に関しては破損しないように注意すること❼送付先、締切日、入賞と発表要領は論文、作文と同じ。作品は返却しません。また入賞作品は、主催者が無償で利用できるものとします。

作物品評会開く

北海道・美宇4Hクラブ

【北海道】日高地方の美宇4Hクラブは、このほど美宇青年会と共催で美宇小中学校を会場として作物品評会を開いた。成績は次のとおり。

▽総合優勝 小野寺祥（水稲・畜産）▽水稲❶小野寺誠一❷宮住茂❸牧野初男▽換金作物❶川本武夫❷宮本武男❸今井晶▽飼料❶畔柳啓三❷野尻文四郎❸前田忠男▽そ菜❶小岩清一❷牧野初男❸富本武夫

4Hくん No.105 桜井はじめ

私のプロジェクト

生活を楽しむ合成皮革の染色

高知県吾川郡吾北村小川松尾 伊藤啓子

自作の喜こび味う 心をやわらげた手造り品

私たちの住んでいる村は、高知県中部山間地帯で、高知市から四二キロ入ったところにある。周囲を六〇〇～一、二〇〇メートルの山に囲まれた山村だから、川にそって水田が少しあるだけで、あとは傾斜地を利用して桑、コンニャク、それに最近になって栗やみかんも栽培されるようになった。これらに林業を併わせて生計が成り立っている現状である。

私たちは、四十年四月から女子青年生活講座を開催し、毎月二回九時から午後四時まで農村に力強く生きようとする村の若い仲間が集まり、衣、食、住、保健衛生についての学習や話し合い、またときには、男子青年とともにレクリエーションなどを楽しく一年間を通して励んでいる。

今回は昨年実施した被服講座の中で研究した合成皮革のローケツ染について紹介しよう。

毎日の農作業の忙しさにまぎれ、自分で物を作ることのよろこびやたのしさを味わうことが少なく家の中も外もそして私たちの生活も、すべて既製品ばかりの生活の中に、何か自分の頭で考え、自分の手で形にしたもので家庭の中や身のまわりにあるということは、ほんとうに心のやわらぐものである。

私たちにもこんな時間があってもよいのではないかと思い、比較的に安価に手軽にできるローケツ[illegible]

[illegible]

❺ きれつの中までよく染料を入れるためにアルコールをしませた綿花でロウの上をこする
❻ 紙で水分をとる
❼ ロウをはずす
❽ 綿花か布で上をこすりながらよくつやを出す
❾ 袋に仕上げる

鍵になる点

❶ ロウから煙がでる直前の温度が適温で六〇～七〇度C
❷ 単色はよくないので数種のいろを組合わせたものがよい
❸ はじめから濃い色でぬらない

費用 合成皮九五円、染料その他の材料費三〇円、合計一二五円

最近は、色のとりあわせ方やロウのかけ方など、どの程度で良いのかわからとまどってきたがみんな相談しながら作成した。

これを家に持ち帰り、裏をつけたり、ファスナーをつけたりなどして、いろいろな形にしあげた。

農業制度融資の概要

自営農業の確立へ 各種の制度金融の利用を

農業改良資金

[illegible]

❼ 園外条蚕育 資材をあわせ購入する場合（桑葉しおれ防止）
❽ 家畜共同化施設 70万円 5年
技術導入資金（10アール当り）

農業近代化資金

[illegible]

農林公庫資金

[illegible]

天災融資資金

[illegible]

家畜の人工受精に新しい凍結保存容器

[illegible]

すすんでいる農業の新技術

くりの新しい品種

脚光浴びる"筑波" これからの栽培は組合せで

意義

わが国のくり栽培は、クリタマバチの発生、蔓延によって甚大なる被害を受け、生産は著しく減少した。しかし耐虫性品種の出現により、最近の栽培面積は被害前を上まわり、著しい増植が行なわれている。

園芸試験場では一九四七年にくりの育種を開始し、一九五五年には耐虫性の十三種を選抜した。その後、各地における試作の結果から、三品種の優秀性が認められたので、一九五九年に丹沢（くり農林一号）、伊吹（同農林二号）、筑波（同農林三号）と名づけて発表した。

最近のくり栽培の増植面積のうち、約八〇％は、これらの品種が占めている現状にあり、他の果樹類の生産増加に比べ、とり残されていたくり果の生産量も、遠からず他のものと肩をならべることになろう。

効果

❶ 丹沢（くり農林一号）（交配符号、五一三〇）（組合せ、乙宗×大正早生）

樹性 樹姿は豊円でやや開張性、樹勢は両親のいずれよりも強い。枝梢は太く淡黄緑色を呈し、やや密生する傾向にあり芽は三角円で小さい。

葉は披針形でやや大きく、基部は円形をしている。鋸歯の大きさは中程度で直向している。

雄花穂はやや短かく横向きに着生し、雌花は一個を着生するのが普通である。開花期は父親の大正早生とほぼ同時期で、五月下旬～六月上旬で比較的短期間で終わる。

果実 いがは扁円形であり、大きさ、いが肉の厚さ、とげの長さはともに中程度である。

果実はやや大きく二〇グラム前後である。形は円形で果頂がややとがり、座の大きさは、中程度である。

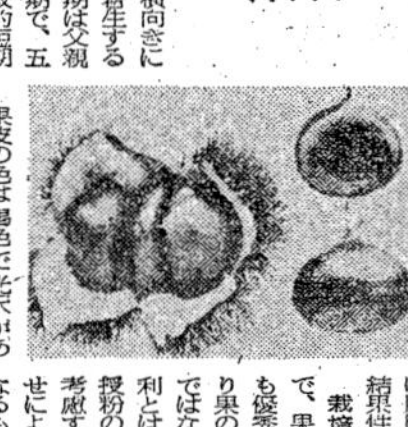

果皮の色は褐色で光沢がある。果皮および渋皮の厚さは、ともに中位で剥皮は容易でない。

果肉は粉質で淡黄白色を呈し早生種としては品質がすぐれている。裂果、双子果は少ない方である。接線は波状を呈し、角波を呈している。

八月下旬～九月上旬にわたって成熟し、従来の大正早生とほぼ同時期であり、豊産性で隔年結果性は弱い。

栽培上の特性 丹沢は早生種で、果実が大きく豊産性で品質も優秀であるが、この時期はくり果の需要がそれほど多い時期ではないので大面積の栽培は有利とはいえないだろう。しかし授粉の関係や収穫労力の分散を考慮すると、他の品種との組合せによる栽培は、経営上有利になるものと考えられる。

❷ 伊吹（くり農林二号）（交配符号、E―16）（組合せ 銀寄×豊多摩早生）

樹性 樹姿は扁円形で開張しやすい。樹勢は銀寄に似ている。枝梢の太さは中程度である。

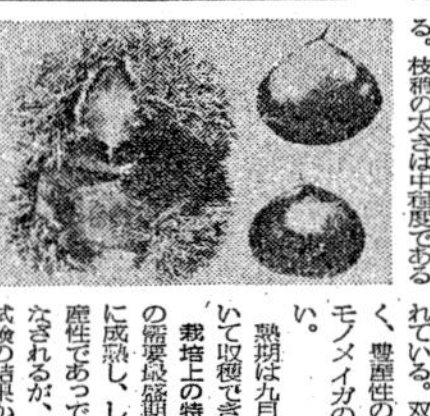

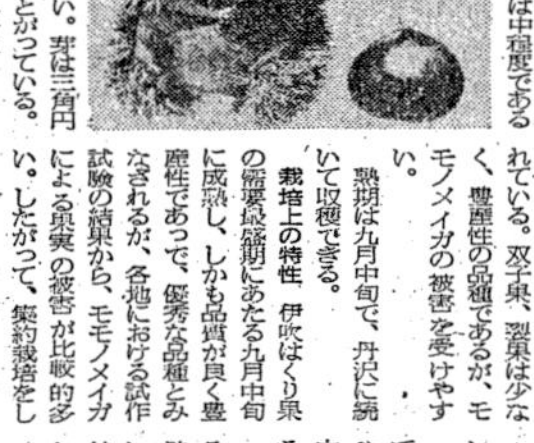

葉は抜針形で、基部はやや丸味をおびている。鋸歯は小さくやや上をむいている。

雄花穂の長さは中位で、斜めに着生し雌花は一～二個をつける。開花期は六月上旬～七月上旬で比較的長い。

果実 いがは円形で、大きさ、いが肉の厚さはともに中位であり、とげは短く密生している。

果実はやや大きく二〇グラムぐらいであり、短三角円で果頂がとがっている。座はやや大きく、果皮の皮は濃褐色で光沢があり縦線が明瞭に認められる。

果皮 渋皮はともにやや厚く渋皮の剥皮は容易でない。

果肉はやや粉質で品質はすぐれている。双子果、裂果は少なく、豊産性の品種であるが、モモノメイガの被害を受けやすい。

熟期は九月中旬で、丹沢に続いて収穫できる。

栽培上の特性 伊吹はくり果の需要最盛期にあたる九月中旬に成熟し、しかも品質が良く豊産性であって、優秀な品種とみなされるが、各地における試作試験の結果から、モモノメイガによる果実の被害が比較的多い。したがって、集約栽培をして、害虫防除に相当の注意をはらう必要のある品種である。また貯蔵性にも富んでいる。加工用としても剥皮歩合の高い品種である。

❸ 筑波（くり農林三号）（交配符号、そ―29）（組合せ 岸根×芳養玉）

樹性 直立性の樹姿をつくり樹勢は強く大木になる性質がある。枝梢は長く岸根に似ている。芽は三角円で頭部がややとがる。鋸歯の大きさは中位である。発芽期が銀寄に比べて一週間程度おそい。

雄花穂は長く、やや下垂し雌花は一～二個を着生し、きわめて豊産性である。開花期は六月上旬～下旬にわたり、比較的長い。

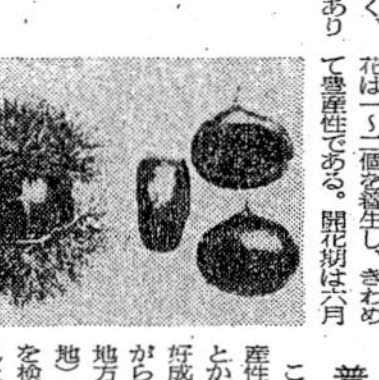

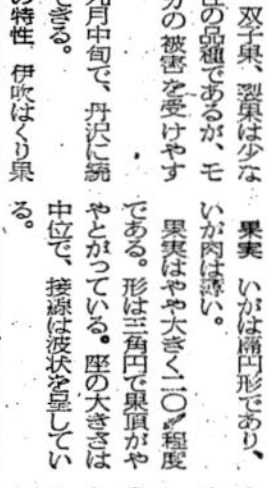

果実 いがは楕円形であり、いが肉は薄い。

果実はやや大きく二〇グラム程度である。形は三角円で果頂がややとがっている。座の大きさは中位で、接線は波状を呈している。

果皮の色は赤褐色で光沢がある。果皮の厚さは中程度であり渋皮は薄いが、剥皮は容易でない。果肉は粉質で淡黄色を呈し甘味も多く品質はきわめてすぐれている。

双子果や裂果は非常に少なく[illegible]

熟期は九月下旬～十月上旬で銀寄の前に成熟する。

栽培上の特性 筑波は樹勢よく、果実の外観品質ともすぐれ、しかも貯蔵性が良いのできわめて優秀な品種といえよう。従来の銀寄に比較して収量が多く年々良く結実するので、今後は銀寄に代わり主要品種になるものと期待されている。

普及、問題点

これらの品種は、いずれも豊産性で品質が良いのであるが、とかく、肥沃地での集約栽培で好成績をあげている。しかしながら、比較的低温な地帯（東北地方の中部や北部あるいは寒冷地）における経済栽培の可能性を検討することも、今後に残された問題である。なおくり果の需要は、大部分が加工需要であり、用途別の加工適性を明らかにすることは、品種の選択や栽培指導の立場からも、あるいは今後の育種を進めるうえできわめて重要な事項である。

最近の農業は経営の合理化、省力栽培、未利用地の開発というような方向にある。このような方向に適する作物としてくりが注目された結果、前記のように急速な面積増加と新品種の普及がなされたものであろう。

これらの品種は、今後九州あるいは東北南部地域に普及、増殖される気運がみられている。

NHK農事番組（十月二十一～三十一日）

ラジオ

早起き鳥 5・05～5・57 ❶
21日 村のポスト 投書
22日 稲作報告 多元座談会
23日 放送利用で村づくり 広島
24日 この人にきく 北海道農試人工冷害実験室 佐々木正
25日 通信員の日記 田口満夫
26日 高原の早出し大根 栃木
27日 離農者相談所 群馬県高崎
28日 村のポスト 投書
29日 農協二十年
30日 島にできた牛乳処理工場 鹿児島県種子ヶ島
31日 この人にきく 京都府立大学教授 高橋四郎

ラジオ農業学校
月～土 6・40～7・00 ❷
日 6・30～7・00 ❷
22日 農業講演会「農業経営のビジョン」 東大名誉教授 神谷慶治
29日 経営手帳 千葉県専門技術員 石丸美春
あすへの技術「放射線利用の食品保存」 農林省食糧研究所はっこう食品部長 佐藤友太郎

テレビ

明るい農村 6・30～6・55 総合
21日 リンゴ試験場 青森県黒石
22日 新ソバ味くらべ 観光イモほり
23日 寄生との闘い 茨城県
24日 本を読む
25日 フィルムリレー
26日 大臣にきく
27日 新産物風土記 まつたけ
28日 八郎潟干拓地 秋田
29日 立体農業 兵庫県
30日 養蚕立村 蚕糸運動
31日 農家と農協

農業教室 7・00～7・30 教育
21日 養鶏の飼育管理 現地訪問
23日 温室の高度利用 施設園芸の現状
24日 同 有利な作物の組み合せ
25日 同 労働力から見たハウス経営
26日 同 土壌管理
27日 同 ハウス物の流通と市場
28日 同 現地訪問
30日 同 りんご生産を考える 現状と将来
31日 同 流通の問題点

あすの村づくり
日 7・00～8・00 教育
22日 グループとともに「仲間とともに」「花むこの条件」広島県庄原市 石田九市
29日 グループだより 仲間とともに「封建性を打破しよう」鹿児島県阿久根市 先輩と語る 静岡県御殿場市 あすにかける 栃木県農村教育センターを訪ねて

暖かい雪 (35)

田井専六 作 米良武子 画

二人の母 (8)

[illegible]

をふるわせながら鳴きだした。スイッチョ、スイッチョとよく透った声である。

娘が、一身上の重大問題だ、というのですっかり緊張した母親の智子へ

「あたしね、笑わないでよ、お母さん」

「重大問題に笑ったりはしない」

「あたしね、大野君が好きなの、意地悪の憎たらしいケンチの、どんぐりだけど――」

「大野君、って朝岡の、柔道の強い？」

「そう、ずっと先へ老農に聞く＜という企画で、4Hクラブの人たちが三、四人うちへきたことあるでしょう。おじいさんが凄く褒めていた、あのケンチ君、ケンチ君も、あたしが好きだって、はっきりいったわ」

「変な間違いはしないだろうね」

智子があわてていった。大根事件以来、智子の神経は尖っている。

「馬鹿ね、お母さん、自分の娘を信用してよ。それに相手は大野君よ」

「信用していますよ、それで？」

「きょう、伯母さんを駅まで送ったでしょ、そしたら大平へ帰る弟さんを送った、という大野君とお母さんに駅であって、大野君が紹介するからご挨拶して、お母さんは大野君のお母さん知ってる

知？」

「いまごろ、お母さんと二人切りだから、きっと話していると思うわ、別れるとき、そういっていたから、親に秘密などもちたくない、今夜、早速話す、君も勇気を出して話せ、って、こんな話していけなかった？」

「いいえ、話してくれてよかった。変な噂が先に流れたりしたらいけないのに、でも寝耳に水だから、びっくりした。気をつけてよ、田舎はうるさいからね」

「おかねさん？」

「だけじゃないわ、それにね、きょうお前の留守に昭叔父さんがみえて、お前の縁談よ、相手は村岡の二男さん」

「へえ、驚いた。あんなプレーボーイ、そんな話をもち込んでくる叔父さんのセンスを疑うな、もとは、あたし、叔父さんの弟だ、というだけでなく、叔父さんをずいぶん尊敬していたのに、がっかりだわ」

「村岡のお母さんは、お前をみてすっかり気に入ったって、いつお目にかかった？」

「いつか、叔父さんにお屋むご馳走になったと報告したわね、あのときよ、村岡さんご夫婦と偶然同じテーブルで、さては、あたしを観察しよう、という魂胆だったのねー」

わがクラブ　わが同志

草の根大使訪問記

暖かい日本の人々

意志の疎通は身振りで

本年度来日米クラブ員　バーバラ・ヒバード

千葉の生活

千葉駅に関係者の方々のお出迎えを受けてから最後にまた駅でお別れのごあいさつをするまで、私はずっと千葉県、とくにお世話になった伊藤さん宅のある横芝での生活を楽しく過すことができた。

私をお世話くださった伊藤青紀さんはアイオワ州に一年留学されてつい最近帰国された、まだ二十九歳の若いご主人であった。伊藤さんと私はお互いに愉快にふざけあって暮らしたものである。

千葉はちょうど稲刈りが始まったところであった。私は稲刈りがへたで、初日には六度も自分の指を切ってしまう始末であったが、冗談をいって稲を担ぐことはできた。

思い出に一番残っているのは、私とアリスの父方の主人と一緒にトウモロコシやそのほかの畑作を見学に行った日のことである。初めの見学を終ったところで自動車が故障し、二軒目を訪ねたときはちょうど昼食時になってしまって失敗した。

次の週は海に行った。このとき私はカゼをひいていて、シャガレ声で歌う私をみんなが笑いながら聞いた。みんなが笑えば笑うほど私の声はかすれておかしくなった。

またあるときは4Hクラブの集会に出席して、ミニスカート論からベトナム問題まで議論をかわした。

九十九里浜で行われた夏の全国大会も、忘れることのできない大きな思い出である。全国から参加した千数百人の若人に交って、私も新しい友を得、話し合い、スイカ割り、地引き網、キャンプファイヤーなどを楽しんだ。このとき私は体力測定競技で女子の第四位になった。あとで数日間も足が痛んだほどであったが、このときはまったく張り切ったものである。

このほか、おぼんの行事、お茶の会なども私の千葉滞在をすばらしいものにしてくれた。

千葉を発つ前夜、私は料理の腕をふるってピザを作った。何しろ道具がないのでアメリカにいるときのようにはうまくいかなかったが、家族の方たちは喜んでくれた。

また、県の農業改良課でも、私たちのお別れにバーベキューパーティーをしていただき、食べたり歌ったり楽しく遊ぶ機会を与えていただいた。

大分の生活

九月四日、ちょうどその日はアメリカの祭日、労働祭の日であった。ビルとアリスと私は大分に向って東京駅から寝台列車に乗り込んだ。三人とも不馴れなために、十六時間のうち三時間しか眠れなかったように思う。

ここの生活がこれまでのものと最も異っていたのは、家の中で英語を話す方が一人もいなかったことであった。

しかしながらよくしたもので、私たちは辞引きや身振りを使ってお互いに意志の疎通を図ることができた。そのうち家族の方たちは私がどんな日本語の単語を知っているかのみこんで、その単語を使って話してくれるようになった。

とくに私の日本語の先生を務めてくれたのは、ご主人、朝来野隆一さんの五歳になるマサミちゃんと三歳になるジュン子ちゃんであった。

私の新しい受入農家の仕事は少しこれまでと異って、タバコが主であった。そして私も多くの時間をタバコの葉を束ねる仕事に費した。

また、別府の地獄めぐりや高崎山、阿蘇、城島高原など多くの観光地へ案内していただいた。そのほか小学校や病院、美容院、4Hクラブの会合にも出かけていった。

それからほとんど毎日のように学生や英語の先生、近所の人々、新聞記者、テレビ局の人、おまわりさん、お坊さん、写真屋さんたちが訪ねてきた。

ある日、一人の高校生がテープレコーダーをさげてきた。彼はビルとアリスと私がでたテレビを観て録音していたのである。そしてそのテープを再生しながら、それを私に文章に書いてくれというのであった。

ある中学校の先生は、四つの英作文をもってきて、それを訂正し、テープに吹き込んで欲しいという申し出をした。そして録音をしているとニ度もテープレコーダーが故障を起し、やっと録音を終えたときは三時間もかかっていた。

大分滞在中に、私はテレビに三度、新聞にも少くともそれ以上でた。それからアメリカの友だちからいろいろ質問の手紙をもらい、アメリカへ近いうちに行こうとしている学生たちからもいろいろな質問を受けた。もちろんそれは英文の手紙である。

私はこれまで九州の山ほどきれいな山波みを見たことはなかった。それで私はいつもハイウエイをドライブしながら山また山、畑また畑を眺めるのを楽しみにしていた。

これらは私がアメリカに帰った後までも残る思い出の一つになることだろう。

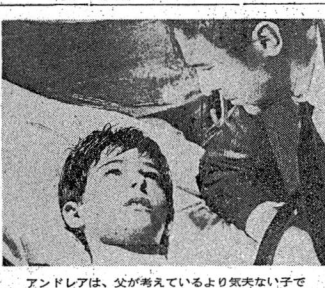

体力測定競技でみごと第四位になったバーバラさんの演技＝千葉の九十九里浜で

さとわのうた

能楽をみて

十月の名月が今度は見られそうである。仲秋の名月は、東京地方は、あいにくの雨で見れなかったようだ。私は、丁度その夜は京都にいた。午後からの雨で案じられた空も、午後八時頃から雲がきれて、中天に青白色に輝やく真円の名月がくっきりと浮んでいた。京の都の静寂のハーモニーのなかに、比叡の山なみと五重の塔をシルエットにした景を加茂川のほとりに立って眺めたが、一幅の墨水画をみるおもいでまったく冥利につきた。京都ならではの風雅なおもむきであった。

月見にも二種類あるようだ。童謡にある「でたでた月がまあるいまあるいまんまるい盆のような月が」という黄金色に輝やき山の端から昇らんとするあの大きな月、この月は童心を呼びさますという。親子の狸とすすきと名月を配した絵は幼児絵本の特徴である。もう一つは「名月や池をめぐりてよもすがら」にある中天に青白く照り映える月を眺めて、もの思いにふける。俳諧師ならずも一首うたもでる風流ごころである。諸事万端輻湊（ふくそう）する世の中のこと、名月の夜ぐらいはよもすがら何も考えずに月を眺めてすごしたいものである。

晴天の月を待ちのぞみたいが西日本各地の八十日余の晴天続きも困ったものだ。私の故郷も八十日余雨が降らない。一日、バケツ二杯の給水で生活していると母の便りにあった。毎朝の天気予報をきいて今日も晴天かと私までがガッカリする。週刊朝日のグラビアに私の町の写真がでていたが、どうにもならない極限まできているようで心配である。天の恵みというが、雨の恵みを一日も早くと願いたてまつりたい気持でいっぱいである。

先日、「能」なるものを初めてみた。今までみる機会がなかったことも事実だが、正直のところ、能を敬遠していたのが本音である。若い頃、新劇にこったことがある。新劇ではスタニスラフスキーシステムといって演技を現実に一番近いかたち、すなわち、日常そのままに表現する方法をとる。演技を様式化したり、誇張したりしないで、むしろ、人間の生活をナマのままにかつ心理的に表現する。それにひきかえ、歌舞伎や新派や新国劇は、表現を誇張し、様式化し、観客にアッピールしようとする。大見得を切り、大向うからやんやの喝采をえる。またお涙頂戴と称して、観客の嗚咽がやまず紅涙ハンカチを絞らしめる。また、殺陣（たて）の早技が、バッタバッタと悪人を切り殺してゆき修羅場と化す、勧善懲悪がはっきりしている。それを新劇愛好者は極端にきらい、馬鹿にしてきたようである。能にはその誇張が感じられない。

今回の能をみるとき、長時間の観覧に耐えうるだろうかと心配であった。しかし、みているうちに引きこまれていった。能楽堂の建築美がまず私を引きこんだ。「花月」と「船弁慶」のだしものであったが、シテ役の静的にして動的な動きに能舞の美しさを感じた。能面は一見つめたい表情だが、舞につれて喜怒哀楽の変化をあらわす。足利義満の時代、観阿弥がでてその子世阿弥が大成し、徳川幕府がこれを保護し、武家の式楽となっただけに、幽玄な雰囲気がかもしだされて、落着きをあたえてくれるようだ。ただ謡（うたい）の言葉が私にはよくわからなかったのが残念だった。外人も数名、一番前で熱心に観ていた。われわれ日本の芸能をまず日本人の全てが理解することだ。ロックだ、ゴーゴーだと気ちがい沙汰の馬鹿おどりも若さの吐け口かも知れぬが、能楽の高邁（こうまい）な芸にふれることも、日本人だけにあたえられた特権であるようだ。（K）

話題の乏しい青年

視野を広め人間形成を

[illegible]

に対して、魅力をもつ要素であると考える。

[illegible]

活動の中に、人間形成の場を求め[illegible]が乏しい。したがって4Hクラブ[illegible]らの刺激をより多く受けることにより、4Hクラブの新らしい活動[illegible]

[illegible]クラブ員の支援者となってほしい。

私の地区では、わずか十四名の[illegible]学習と実践に励げんで行きたいものである。（一4Hクラブ員）

私たちのクラブ活動

生活に女性の夢を

〝若く美しく〟は共通の願い

宮城県柴田郡柴田町内海道・入間田4Hクラブ　佐藤ふかよ

〈農業で若人の夢を実現〉

私の周辺の生活環境をみつめるとき、農家の生活はまだまだおくれているようです。また、その諸問題が充分解決されないうち、別の問題がおこるという現状です。たとえば、住居問題にしても、家の間取りが田の字形にただ広く、そのうえ、窓が少なく暗く陰気で自分の自由時間をもつ個室さえないということは、近代的住居感覚から大きく崩れています。そして若者が好まない過重労働と、農村にまつわる封建性また生活と生産の場の混同、こうした環境と更に他産業との所得の違いが、嫁不足、若い青年の離農と、これからますます発展しなくてはならない農村にとって難しい問題が山積されています。

そこで、これらについて私なりの考えをのべてみますと、事実離農していく青年は「これからは農業だけでは生活して行けない。それに毎日土にまみれて働いても、残るのは借金ばかりだ。なんのために働いているのかわからない」ともらしています。しかし私たち農業をやって行こうとする者にとっては、あまりにも淋しいことです。それは農業とは、ある程度の肉体労働です。ほかの産業にくらべて余暇が少ないこと、生産物の価格が不安定なこと、親子の意見のくい違いも生じ、将来への不安や農業に対する劣等感から離農するのではないでしょうか。

たしかに冷害や台風で一夜にして、努力も水のあわになることがあります。その点、サラリーマンは一定した生活が約束されています。すがスモッグ、騒音の中での生活、労働に束縛されている都会人には味わえない農村人だけの喜こびがあります。また、農業は働けばそれだけ自分に対してははねかえりがあり、物をつくる喜び、自然の美しさ、人間らしい生活、これらを考えてみても、農業ほど若人の夢や希望を実現させるためにやりがいのある職業はないと思います。

〈話し合いから心の改善〉

以前から、農村の生活改善が行なわれてきましたが、これからは形のうえばかりの環境改善ではなく、人間関係の問題にメスを入れることが大切だと思います。私の住んでいる地域でも、江戸時代の五人組制度の封建的なしこりが現在でも残っており、他人の生活の干渉、嫁姑の問題、古い家長制度など封建的思想がいぜんとして農村を支配しています。

そんなことが原因で、形ばかりの生活改善はできても、それを押し進めるために必要な、心の改善ができないのです。このような封建性は、生活環境のしきたりの中で長いこと積み重ねて生れたものであるだけに、一概に崩すことは困難だと思います。したがって、私たち青年が率先して、新しい感覚により勇気をもって、住みよい環境づくりのためにつくすことが大切だと思います。

また、家庭内においては最近は生活の合理化がさけばれて、生計費はぐんぐん上昇し、所得はそれにおいつかず相当苦しい現状です。そうした場合、家族全員で話し合って経済状態をガラス張りにして所得にみあった生活をしたならば、家族の不平不満もなくなり家計に理解と協力が現われると思います。

そのためには、家族会議などを開いて、家族の誰もがハッキリと意見の主張できる場を積極的に作り、民主的な明るく楽しい家庭を築くことが、真の生活改善であり、私たちの務めではないでしょうか。まず、私たち自身の家庭から実践し、その成果を広く社会に普及することが、私たちの住む環境をよくする手段だと思います。

〈家庭生活は憩いの場に〉

最近の農村は、社会情勢の変化にともない、生活の中にひずみをもたらしています。それは、理想と現実の違いが青年の心境に大きな変動をもたらします。しかし、私たちの努力次第で自然と生活に夢がわいてくるはずです。しかし現在はどうでしょうか。このような夢の実現にもっとも努力しなくてはならない立場の青年自体が、村から離れていくとするなら、ますます、農村生活から夢が遠のいてしまうと思います。

私が、女性の立場から考えてみますと、農家に嫁いだ場合、家事、育児から農作業に追い回され、化粧などする暇さえありません。女性であれば誰でもが、いつまでも若く美しくありたいと願うのは共通ではないでしょうか。しかし農繁期などは化粧どころか、みだしなみさえもただす余裕すらありません。このような生活では魅力ゼロです。ふだん着や作業衣の工夫をし、明るいブルー系などの活動しやすいデザインなども考えて身にまとい、生活の場と生産の場を混同せず、あくまでも家庭は、いこいの場として行きたいものです。

食生活の面についても、現在農家の食生活は働くための栄養補給といった考え方から、さらにカロリーと栄養分のバランスや味覚などの点を考慮して、はげしい農繁期の労働に対応できるバランスのとれた食事を、食卓に供したいと思います。また、家族全員でハイキング、旅行、誕生パーティなど家族ぐるみの行事なども計画して、生活にうるおいをもたせたいと思います。こんなささやかなことでも、女性にとっては魅力であり、女性の幸せにも通じると思います。

〈問題解決は青年自から〉

以上のような農村の問題を少しずつでも、解決していくためには、青年自からの自覚がなくしては実現しません。そのためには、4Hクラブ活動などの行事などに進んで参加し、見聞や体験を広める意味において、他人と接する機会を多くもつ必要があります。その体験の中から農村社会の改善に立ち向う勇気と、技術も備わってくると思います。

私たち青年は、将来のために今が最もエネルギーを貯えられる時期であると思います。幸いにクラブ活動を通じて、仲間との話し合いや技術の研さんを積み重ねる機会があたえられています。このチャンスを有効に活用して、よりすばらしい明日の農村生活の設計をえがきつつ、仲間との錬磨にはげみたいと思います。

映画

子供の感受性描く

天使の詩（日本ヘラルド映画）

[illegible]

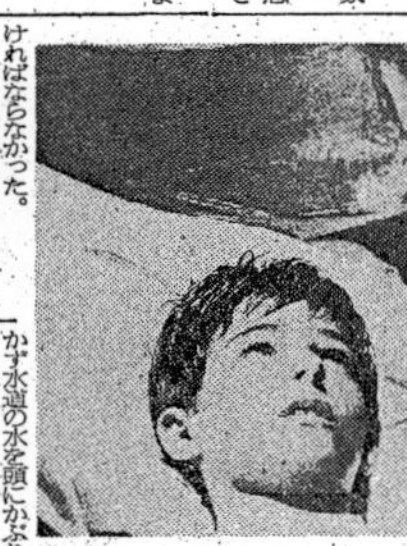

アンドレアは、父が考えているより気丈な子ではなく、むしろデリケートで父の愛に飢えていた

ければならなかった。

父から話しを聞かされたアンドレアは、それほど取り乱した態度を見せなかった。ダンカンは、それはアンドレアが気の強い性格だからと思いこんだ。事実はそうでなかった。アンドレアは、すでに母の死を知っていて深い悲しみにうちのめされていたのだ。ダンカンはそんな気持に気付かず、ミロのことを心配した。

アンドレアは、父と話しをしたり甘えたかったが、ダンカンはその時間を持たなかった。柔道の試合を見に来てくれるよう父に頼んだが「行けそうもない」とことわられた。当日思いなおした父は試合場にやってきた。試合中のアンドレアは、父の姿をみて思わず力を抜き、そのため負けた。耐えがたい屈辱感を感じてムキになって父に弁解したが、父はアンドレアの気持を察してやることができず父と子の間に生れた心の違和は、父の誤解によって次第に大きくな[illegible]

かず水道の水を頭にかぶり、熱を出してしまった。アンドレアは、僕のせいじゃない、ミロが悪いんだと主張したが、怒った父は一人でローマに出かけてしまった。

アンドレアは決定的に打ちのめされた。この淋しさは何をしてもまぎれなかった。池のふちの〝度胸だめしの枝〟とよんでいる枯木にぶらさがっている時、退院したミロが帰ってきて、一諸にぶらさがると言いだした。「だめだよ、危いよ」と叫んだとき枝が折れてアンドレアは池に落ちた。知らせを受けた父は帰ったが、思いのほか重傷で脊骨にヒビが入っていた「しっかりするんだ。パパがついている」と励ましたが「パパはミロのものだ」とアンドレアは苦しく呟いた。父はハッと胸をつかれた「許してくれ、パパはお前の不幸なのがわからなかったのだ」父は後悔の涙を流したが、アンドレアは父の手を握りしめたまま深い眠りに落ちていった。

日本4H新聞

4Hクラブ 農事研究会 生活改善クラブ
全国弘報紙

発行所 社団法人 日本4H協会
東京都市ケ谷家の光会館内
電話（269）1675
編集発行人 玉井光
月3回・4の日発行
定価 1部10円 6ヵ月180円（送料共） 1ヵ年360円 〃
振替口座東京12055番

クラブの綱領

私達は実践を通じて自らを磨くとともに互いに力を合わせてよりよい農村、よりよい日本を創るため四つの信条をかかげます。1、私達は農業の改良と生活の改善に役立つ腕をみがきます。1、私達は科学的に物を考えることのできる頭の訓練をします。1、私達は誠実で友情に富む心をつちかいます。1、私達は楽しく暮らし、元気で働らくための健康を増進します。

いよいよ開幕

全国4Hクラブ員北陸の集い

4H旗下に集う
全国の精鋭、富山へ

4H旗の下に集う全国の同志＝「九州の集い」で

全国4Hクラブ員の一大祭典―「全国4Hクラブ員北陸の集い」は、全国4Hクラブ連絡協議会（丸山勉会長）富山県4Hクラブ連絡協議会（久保博会長）社団法人日本4H協会（松下幸之助会長）の三者共催によって、富山県下を舞台として、いよいよ来る二十六日花々しくその幕が切って落される。参加者はすでに昨年を上回る多数の申し込みがあり、この全国クラブ員の集いも第三回目を迎えて、全国4Hクラブ員の自主性と意欲的な姿がみられ、ますます大きな広がりとなっていく様相を呈し始めている。集いの期間中、富山は4H色で塗りつぶされることが予想されるが、自分たちの集いとして成功させるため参加者相互の協力が期待される。

この4Hクラブ員の集いは、三年前、全国の4Hクラブ活動を自主的に推進する目的で、大分県の九州のつどいで城島高原を会場として開催され、続いて昨年、埼玉県の秩父を会場にして第二回と、全協、開催県連を中心として後援団体の支援を受けながら年々充実され、発展してきている。

現在、農村青少年の教育を目的としたいくつかの全国大会があるが、この種の大会と、この集いの最も異る点は、4Hクラブ員の自主的な発想によって、企画から運営まですべてが4Hクラブ員自らの手で行なわれ、参加者も全国の4Hクラブ員、OB、これに賛同する人であれば誰れでも気軽に参加できることと、参加者は県の代表的存在でなく、個人の自主的な意志によって必要経費を各自が負担して参加するもので、参加者はお客的意識よりも一運営者として発言し、行動するようになっていることである。

主な行事は、現地交歓訪問をはじめとして、今回とくに重点をおいた意見と体験の発表、話し合い、レクリエーション、キャンドルサービス、富山県の農業祭に呼応して富山県連が実施するクラブ員の実績作品展示の参観、開・閉会式などを予定している。

これらの諸行事を通して、参加者は、近代農業経営者としての技術の習得はもちろん、日本農業の推進者となるべく視野と教養を身につけるとともに、相互連携を深めることになっている。とくに、クラブ員自体が4Hクラブに対する活動意欲を高めるためにも、地域社会から、よく認識された活動を展開し、その存在を明らかにして、社会の要求に応えて行かなければならないが、そのために現地交歓訪問は行事最大のウエイトがかけられている。

参加者全員が、富山県下の4Hクラブ員の家庭に二泊三日にわたって訪問し、家族との話し合いを中心にして、北陸農業の実態や農家生活のあり方などについて見聞を広める。

そして、参加者は、全国十二万余の4Hクラブ員のわずか一部ではあるが、この五日間、富山県下一円を4H色で塗りつぶすものと予想される。と同時に、参加者がただ若き日の想い出だけで終ることなく、これを機会に、日本の将来をになうべき4Hクラブ活動の推進者になることが望まれている。

なお、三日目に計画されている意見、体験発表については、本紙で広く全国から募集していたが、多くの応募者の中から、次の十一名の人たちが選ばれた。それぞれの発表の中から、こんどの4Hクラブ活動の指針ともいうべきビジョンや体験が披露されるものと期待されている。

▽体験発表の部「4Hクラブ活動の実践を通じて」＝須田旭（新潟県）桜井広行（三重）鈴木敏章（長野）滝口建夫（静岡）

▽意見発表の部 向山海子（山梨県）木幡市郎（宮城）上野喜生（山口）近野照子（埼玉）O・B杉原中学校4Hクラブ員、富山県O・B（富山）

花やかに4H週間展開 奈良県連
『4Hの塔』を除幕
花自動車で県下パレード

【奈良県＝広井洋司連絡報道員発】奈良県4Hクラブ連絡協議会（会長、山田耕作君）では、さる二日から今年度県連最大の事業として、かねてから懸案であった「4H週間」をにぎやかに開催した。前半は地域活動を主体に、また六日は、4Hクラブ員のつどい、来春学卒予定者の激励大会、4Hの塔除幕式など、七日は後継者激励大会と花自動車のオンパレードなど一連の行事をくりひろげ大きな成果をおさめた。

同県連は、昨年、全国に先がけて4H週間の行事を一大展開したが、その効果は、各関係機関や地域に4Hクラブの存在と理解を深め、その後各単位クラブの活動をスムーズに展開されることができた。今年度はそれに、さらに拍車をかけるかたちとなった。

まず地区活動として、二日、天理と橿原高市両4Hクラブが現地交換訪問と座談会をもち、また桜井4Hクラブでは地域の織田農協婦人部のあゆみ会と親子の話し合いという型式で、家庭生活など相当深く掘り下げて意見をかわし、農業青年の意気あるところを披露した。農協組合長の名司会で、すばらしい親近感のうちに話し合いがすすみ、記念撮影を何枚も映すという心のうちとけ方だった。

郡山市4Hクラブでは、市民グランドの整備に汗を流したあと、市の農業関係を囲んで"明日の郡山農業を語る会"を開き、するどい追求や希望を述べる反面、市行政の一端をいろいろと詳しく教わった。

夜には、山添村4Hクラブで討茶会が開かれた。これは出されたお茶がどんな茶であるかを判定する競技で、終始なごやかに過ごした。このほか、御所市4Hクラブの乳牛千頭祭記念パレードや、宇陀4Hクラブのソフトボール、生駒と山添の両4Hクラブの交歓会（まつたけ狩り）などが各地で展開された。

高い理想を求める若者の姿を表象する「4Hの塔」

六日は、4Hクラブ員のつどいを開き、十時から県農業祭の開場式と並行して、農業試験場の一角に建立した「4Hの塔」の除幕式典がおごそかに行なわれた。

県立田原農高生のブラスバンドのファンファーレとともに、男女二名ずつのクラブ員の手で「4Hの塔」に覆われていた白布が切って落され、晴れの姿を披露した。山田会長のあいさつに続いて副知事はじめ各関係から祝辞が述べられた。

「4Hの塔」は、今夏からクラブ員一人一人が米を持ちより、それを資金として建設したもの。四葉のクローバーに、四つの信条を象徴したものが、清潔、青年の夢、無限の広がりなどを表わす白球を支えている全長三・五尺の高さの大理石風の抽象像で、いかにも、クラブ員の希望が満ち溢れんばかりの型をしており、今まさに世界をも支えようとする勢いをも感じさせるもの。一般参加者も"無限の理想を求める若者の姿がありありと偲ばれる"と感心していた。

昼から本館講堂で"つどい"を開き、意見発表が五人の地区代表者（うち女子一名、先輩一名）によって行なわれ、日ごろのたゆまない生活にも、いろいろと改善、革新の必要を強く感じさせられた。最後に、指導講評として大和タイ [illegible]

[illegible] 八時半同所を出発し、県の農民まつり会場である県立橿原体育館へ [illegible] 体育館では、打ち上げ花火の号砲を合図に、県経済部長はじめ関 [illegible] わってパレードし、地元の人たちの拍手を浴びた。[illegible]

われらが指向するもの

富山県4Hクラブ連絡協議会長 久保博

4H本来の姿に戻せ
クラブ員に課せられた大きな問題

いま、農村において一 [illegible] 気になるかというと、農 [illegible] 自由化、米価の問題など [illegible] の話題の中で、とくに農 [illegible] 者対策が最も深刻のよう [illegible] というのも、これから [illegible] がどうなるのかという一 [illegible] 安が覆っているからです [illegible] 耕地は十年前と変らない [illegible] ある反面、労働は段々と [illegible] していく。そして、第一 [illegible] 三次産業の発展によって [illegible] 大資本が農村に進出して [illegible] る。これらの現象を考え [illegible] 農業の将来がむつかしい [illegible] 実感が迫ってきます。

しかしながら、農村青 [illegible] の組織としての4Hクラ [illegible] その真価を発揮すべき重 [illegible] 期に到来したと思います [illegible] 二十三年農業改良助長法 [illegible] て農村で4Hクラブが活 [illegible] 始して以来、十九年余の [illegible] 農村青年の教育の場とし [illegible] 能を充分に発揮してきた [illegible] 証明しています。そして [illegible] に対する貢献も大きいこ [illegible]

[illegible] くりかえしてきた。このため、本紙でもご承知の通り、今年度は「第一回富山県4Hクラブ員の集い」を実施した。参加した青少年は約十二百名で、日ごろ農業やクラブ活動を通して感じたことを発表してもらい、聴衆に深い感銘を与えたことは、記憶に新しい。

また、先進視察も県連の事業として取り組み、八月に四国・高知県に十五名のクラブ員を約十日間の日程で、ソ菜の研修 [illegible]

[illegible] このように、私たちクラブ員に課せられた問題は山積していますが、ぜひ、よい成果を収めることを期待します。[illegible]

（富山県中新川郡立山町大窪）

スズメも浮かれて

秋晴れの好天につられ、たまさかに近くの公園に出かけてみた。昼さがりの公園は賑やかだった。色とりどり華やかに着こんだアベックや家族づれ、学生などが休日の午後を楽しんでいた。

武蔵野の面影を残したナラや雑木の林は、梢を金色に染めてかがやき、サルビアの花はいよいよ真紅の色を増し、秋たけなわであった。

詩人、野口雨情はここをこよなく愛し、よく訪れては散策したという。一人の画家が池の淵にカンバスを立てて、この風景を描いていた。四、五人の野次馬がそれを後からのぞいていた。そこへ二人づれの学生がきた。「きれいな絵だなあ」とひとりがいう。「ううん？」と相棒が答えた。さきの学生はとっさには自分の愚かな批評を取り下げて、「判かりいい絵だね」と言い直した。私は思わずこみあげてきた可笑しさを噛み殺してその場を離れた。そして池に沿ってゆっくりとめぐってみた。

寄り添って散歩している恋人たち、ベンチで景色を眺めている人、本を読んでいる女学生、空地を見つけてバレーボールに興じている若いグループ、みんな楽しそうである。池の中ではスイスイとボートが行き交っている。二人でオールを漕いでいるアベックに「危険ですから一人で漕いでください」とマイクが叫んでいる。ともの方に可愛い坊やを乗せた若いママは、美容体操でもしているかのようにゆっくりボートを漕ぎ、ときどき手を休めては坊やの話を聞いている。

秋といえば、古来からもののあわれを感ずるのが日本人の心情であった。「さびしさはその色としもなかりけり槇立つ山の秋の夕暮」と、いにしえの歌人は詠んだものである。ところがどうも、近ごろは文明が発達しいわゆる文化生活を享楽するようになって、秋のもつ収穫の喜びのみが非常にあふれているように見うけられる。

ひとり私は池畔にたたずむ茶屋に腰をおろし、熱燗のお銚子を傾けながら、そんな想いをめぐらしていると、さきほどから軒先でたわむれていたスズメも、「チチチチチーッ」とひときわ大きな声を出しているのに気がついた。

いま復旧に起ち上る

新潟・加治愛農4Hクラブ会長 大滝健一君

前号で既報の通り、八・二六の羽越水害に対し、大阪の千早赤阪4Hクラブ（会長、松田嘉栄君）は、新潟の加治愛農4Hクラブ（代表者、大滝健一君）に日本4H協会を通じて友情の見舞金を贈ったが、このほど、愛農4Hクラブの大滝君から水害復旧に取組むクラブ員の姿が伝えられてきた。

千早赤阪4Hクラブ員のみなさん、真心のこもった見舞金をいただきまして誠にありがとうございました。クラブ員一同心から感謝いたしております。

八・二六水害は、われわれクラブ員全員に対して、大なり小なりの被害を与え、収穫を目前にした稲作をはじめ、一年間の努力の結晶までも無惨なまでに奪ってしまいました。その後のクラブ活動は農繁期を迎え思うように行きませんが、現在、もっぱら在宅活動で被害のあとかたずけやわずかに残った稲の収穫におわれています。

さて、被害状況ですが、クラブ員二十六名のうち、水田冠水が二十三名（一日～五日間）、床上浸水十六名、水田堤没四名、山土砂くずれ二名、特に堤防決壊場所の向中条クラブ員の被害には、目もあてられないほど無残な惨状で、水田や家の中にまで土砂がおし入って埋まり、とりだしに何日もかかるという始末です。また、二年連続の被害で収穫皆無のありさまで、昨年の七・一七水害とまったく同じ状態になってしまったのです。

昨年の収穫も皆無同様だったのに今年も稲の収穫は望めない（新潟・向中条で）

昨年の復旧工事もまだ終らぬうちの被害で、もっと早く新堤防が完成していたらと、長期間にわたる復旧工事対策の甘さに強いいきどうりさえ感じています。また、二年連続の被害に落胆して、農業をやめようかなどと言っている人もありますが、自然の恵みもさることながら、その恐ろしさも十二分に味わいました。

しかし、一面識もない千早赤阪4Hクラブ員からの温たかい励げましの言葉と、見舞金をいただきまして、ほんとうに嬉れしく復旧のために意を強くして起ち上がっております。素晴らしい仲間をもった喜びに、クラブ員一同心から感謝して、このむくいにとしては、私たちが一日でも早く立ち直ることだと、皆さんの励げましに応えて勇気をもって復旧に取り組んでおります。千早赤阪4Hクラブ員の皆さんありがとうございました。こんごとも宜しくご指導下さいますようお願いしてお礼といたします。

なお、新潟、山形など八・二六水害の被災者、また干ばつによる九州のクラブ員に対し、全国クラブ員と共にお見舞い申し上げ、一日も早い立ち直りをお祈りしたいと思います。

親と子で技術の腕競う
佐賀・湯崎4Hクラブ

【佐賀】技術交換会に親子の会合を取り入れ、親子で技術交換して成果をあげているクラブが佐賀県鹿島市にある。それは、同市浜町湯崎地区の湯崎4Hクラブ（会長、富永勝喜君）で、こともこのほど同地区天神宮の広場でクラブ員と親たち約四十人が参加して開かれた。

この日は鹿島地区農業改良普及所や農協の技術員らの「この薬剤はミカン栽培では何に使いますか」などといった実物を示しての質問に答え、水稲、果樹、生活の三部門で技術を競ったあと、クラブ員と親たちで活発に意見を交換した。このように4Hクラブで親子同で技術交換を行なっているのは県内でも同クラブだけだという。

心頭技健

秋深まり、東京でも朝夕の冷え込みが一段と感じられる季節となった。北アルプスの主峰、立山（富山）には早くも冬将軍が訪ずれ、スキーが楽しめるほどだという。気温零下四度という寒さだ。その裾野は、いま紅葉が盛り。"錦あやなす満山の紅"の世界が展開する▼この大自然を舞台として、いよいよ二十六日、四泊五日の予定で全国4Hクラブ員の祭典「全国4Hクラブ員の集い」が花々しく開幕される。同志を求め、4Hの旗の下に集った全国の4Hクラブ員の精鋭によって、やがて、4H色に塗り変えられ、明るく力強い若人の歌声がこだますることだろう▼とくに今回は、前回（関東の集い）をはるかに上回る参加希望者があった。この集いに対する認識が次第に深まると同時に、クラブ意識の高まり、自主性への積極的な姿勢を物語る証拠ともみられる。来年は、奈良県が候補に上っているが、ますます盛況の途を辿ろうとしていることは心強い▼この4Hクラブ員の集いの大きなねらいと特色は、農業研修はもちろん、農村青少年の自主性、クラブ意識、4H精神の高揚、家族と地域社会に理解され支援されるクラブ活動の推進などにあるが、とくに、自分たちが企画、運営し、自分たちの懐から各経費を出して参加することに意義があるといえる▼それは、何かを探し求めようとする限りない探究心の現われでもあり、トビラを開くカギを自分たちの手でつかもうとする強い意欲、根性、執着、冒険心の現われでもある。また、参加者は招かれたお客さまとしてではなく、一運営者として参加することになる。そこに、この集いを自分たちのものとして高めていこうとする意欲がわき、そこから汲みとるものも自ら違ってくると思われる。このような積極的な態度、無限の可能性を求めて努力する姿勢こそ若者に期待されている▼全国の4Hクラブ員が一堂に会し、交歓できることは楽しいことであり、またすばらしいことである。さいわい、各省、関係機関、団体、OBもバックアップしてくれている。大いにハッスルして、稔り多い祭典としようではないか。

ブ活動の道しるべに

特集

4Hクラブ活動のとり組み方はどうあるべきか—本紙では、すでに、永年4Hクラブの育成指導に情熱をもって当ってこられた栃木県の特別専技、湯浅甲子氏が熱意をこめて本紙に連載された「4Hクラブのリーダーのために」と題する4Hクラブの理論と実際についての解説を再掲し、4Hクラブとは何か、プロジェクトの考え方とその実践などについて特集してきたが、今回は、とくにクラブ活動の具体的な道を示す「4Hクラブ活動実践科目」について特集した。4Hクラブ活動について、レクリエーション中心、あるいは技術一辺倒の機能集団などと考えている4Hクラブ員にとってはもちろん、4Hクラブ活動で「どのように」やったらよいか迷っている人たちにも大いに参考になると思う。また、4Hクラブの意欲の奥深く秘めている「やる気」を強く表面に引き出す刺激誘導剤的役割を果すことが期待できると考える。

自発力誘発の導火線に

4Hクラブは、受身の研修集団ではなく、積極的な課題解決行動集団である。従って、実践する課題を別途用意しておいて、それをやらせるような、クラブ員からみれば、やらされるような活動は、4H活動の本筋ではないことは当然である。

しかし、とはいっても、二十才以下の青少年や、卒業直後の農村青年が、果して4H理想の活動が、すぐさま開始できるであろうか。これは、無理な注文といわなければならない。

現在、農業高校卒業生がクラブ員に多いが、彼らは、わずか三ヵ年で、農業という巨木のアウトラインを学んできただろうが、それは農業というものの一部を学習してきただけのことであって、巨大な農業を牛耳られる人間に成長しているとはいえないのである。そこに、いかなる青年といえども、農業に直面するとたじろがざるをえないものがあるのである。そして、それは当然のことであり、もし、思い上った青少年がいるとすれば、これこそ貴重な試練といえるであろう。そのとき、ただこれを傍観し、何んとかなるだろうと貴重な時間を空費するよりは、今後何度となく青少年におそいかかるであろうところの苦難に、敢然と対決し、切り抜いていく生活態度を身につけさせる方法を教えてやることは、まことに大事であり、これは決して本人の自主性を無視したことにもならず、むしろ、自発力を誘発させる導火線役をするものだろうと思うのである。

そこで私は、全国の4Hの友が既に実践してきた多くの実践科目を分類し、「4H活動実践科目」というものをつくりあげたのである。従っていうまでもなくこの科目の意味は

一つ、自主的活動を始める準備のために

一つ、自主的活動を無駄なく順序よく実践していくために

一つ、自主的活動を効果的に行なうために

一つ、立派な近代的センスを身につけた経営者や主婦になれるために、出来たものである。

科目は、必須科目六十六科目、選択科目二十一科目からなるが、必須はさらに大きく三つのクラス別けがしてある。その一つは緑クラスで、クラブ員としての基本課程であり、一般教養的なものを含んでいる。その上は、銀クラスで、研究活動の充実課程であり、もう一つは、金クラスとして、リーダーとしての実力の発展課程としている。

この三つの課程は、原則として、緑から金へ上っていく方法がよいが、その履修期間は、年数を限っていない。要するに、4H期間にやり終ればよいと考えている。なお、この緑・銀・金はクラブ員の実力を示すものなので、4Hバッチにこの色の座ブタをハメこむことにしている。もちろん、男女、学歴、年令は一切不問とする。

必須科目の中には、一度経験すれば、そこでその科目の履修は終了とする科目と、通年的に継続履修することによって一科目を終了するものとがある。また、緑・銀・金にまたがって継続履修する科目があり、ときには何年もやらねばならぬものもあるのである。

そこで、クラブ員がこの科目の実践をしているうちは、4Hクラブ活動実践カードにより、育成指導者の確認と指導をうけられるのである。また、この科目は広範囲にわたるので、指導者も普及員だけにしないで、篤志指導者、社会教育関係者、市町村、農協関係者、4HOB、教師、優秀な農業経営者など広く求める必要がある。なお、この科目を履修する場は、原則として在家履修による自習であるが、科目によっては、集合教育をするものもあり、また、クラブ員が何人か、小グループをくんで共同履修することもある。なお、科目によっては、県や国が行なう農村青少年育成事業をそっくり科目として組み込んであり、それに参加することによって、履修が終る仕組みのものもある。

選択科目は、一応二十一科目あるが、このほかに、ぜひ自分はやりたいと思うものがあれば、普及所の了解をえて、選択科目に加えることができる。そして、全期間をとおして、三科目以上履修することになっている。それではどんな科目があるか紹介しよう。

実践科目の設定を

緑クラス

1、通年講座の受講

県・郡・市町村、あるいは農業教育機関などが、農村青壮年を対象に行なう各種の通年講座を受講することである。

内容的には、基礎づくりとしての緑クラスに不似合な、かなり専門的なものもあろうが、通年としてある程度体系づけられたものが学べるので基礎がためには都合がよい。この科目は、もちろん一年がかりで終了するものであるのでかなりの努力が必要であるが、ぜひとも適切な通年講座を選定し受講させたいものである。

2、社会見学

まず、農業に関係ある社会機関、施設など「百聞は一見にしかず」の諺のとおり、見て歩くのである。出来うるならば必ず見学させておいた方がよいというもののリストを作成しておき、順序よく見ることが望ましい。

見学となると、とかく遠方の大規模事例をあさりたいものであるが、この科目ではむしろ、身近かな、日ごろ見落しかねないものから始めるべきである。例えば、地元の農業協同組合の実情とか、共済組合の仕組みであるとか、役場の農政行政や予算編成状況など、直接、日常生活にひびく大事な事柄を、充分に理解することが大切である。

また、農業を離れて近代産業の花型ともいうべき電気工業などの職場や、農機具工場などの見学も、農業生産システムと全く異る世界を知ることによって、農業をみる広角度な客観性を養うことができて、よいと思う。

3、男女交際と家族関係

男女交際については、正面から取り組むとなかなか複雑な要素が多いから、むしろ4Hの先輩や、身近かな尊敬できる指導者の体験的、人生訓的話題を集め、テープなどに録音したものを、聞きながら話し合う方法などが有意義であろう。

また、家族関係などは、年中一緒に生活をしているものだから、矛盾も、よきも馴れっこになっていて気付かないことが多い。そして、他人の家はよく見え、わが家だけが思うようにいかぬ、といった偏見をもち勝ちなので、極力、クラブ員間の家庭訪問をひんぱんに行ない、家族関係の改善に役立たせたい。

4、文芸・鑑賞・発表

「あなたの趣味は」と聞くと、「読書、音楽、スポーツ」と答える青年が多い。この三大趣味を、単に個人の教養的条件としてだけ考えずに、グループの中で、明るく楽しく交歓しあい、伸ばし合うような機会を与えてやりたい。

5、青年学級出席

公民館が、地域の青年に行なう社会教育である青年学級は、農村という社会環境には、もってこいの教育事業である。4Hクラブの一般教養的科目は、もっぱらこの青年学級によっておきなわれてしかるべきと考える。

ただ近年、参加者が少なくなっていくことを関係者はうれいているようであるが、これらも、各組織との関連を深くすれば解消されることが多い。

6、新加入クラブ員講習の受講

クラブ員になったということは、よくクラブを理解したということにならない。かえって4Hクラブなどということはどうでもよく、ただ孤独から救われたい。グループに身を投ずれば安心していられる。何かあるだろうといった程度の新クラブ員が大半である。この人たちに4Hとは何か、クラブ活動とはどんなものか、青年の行動の責任など、4Hクラブ員として知っておかねばならない基本的問題の理解度を深めておく必要がある。

これは、今後続けられるクラブ活動の心の寄りどころや判断の尺度になるものであるから、新クラブ員は、必ず受講しなければならない講習である。

7、会合の持ち方の習得

グループ活動は、常に二人以上の会合から成立している。従ってそれが、話し合い、会議であろうと活動事業であろうと、会合としてのルールや、効率性を考慮した方法論を理解し、お互いに尊重していかないと、うまくいかないのである。

とくに親しい仲ほど、これを無視し勝ちで、そのためにとりかえしのつかぬ心の溝をあけてしまう例も多いのである。端的な例としては、父親と息子の話し合いで、農家の親子の経営論争が破局を招いたり、娘の結婚問題に、親と娘が充分意見の交換ができなかったばかりに不幸な結果を招くなど、身近かにその例は多いだろう。

何としても、社会人の常識として会合の持ち方については、充分訓練を積んでおく必要がある。

8、調査記録活動

クラブ活動の「しつけ」として何事につけ、調べ、記録するクセを身につけたいものである。そのためには、直接生産活動の中からテーマを選んで調査記録をするのもいいし、スクラップや、日誌や感想文など一般活動の記録から行なってもよい。

とにかく、一つのことを、とことんまで追求し記録するという生活態度を養うため、とり組みやすい課題で調査記録活動をやることである。

9、定点観測

これは、第8項に関係があるが、ただ調査記録の習慣だけのみでなく、その結果が、農業や生活に利用できるように価値のある調査を、継続観測することである。これも初めから複雑困難なテーマととり組まずに、簡易なものから始めるべきである。

例えば、稲生育期間中の気温、水温、地温、の定点観測などを全クラブ員が共通テーマとしてとりあげ、毎年継続すると、なかなか有意義なデーターができ、大いに意味のある活動となろう。

10、資料しゅう集活動

コレクションは、子供のころからもっている習性らしい。これは、単に暇のある人のぜい沢な趣味だけとは限らないと思う。われわれ気がつかないが、生活の中で知らず知らずのうちに、自分の好きなものを集めている場合が多い。たとえそれが、農業の生産に直接つながらなくてもいいではないか。自分の意図する何かが、集められていくということは、それだけ楽しいし、価値があると思うのである。

クラブ活動では、これをただ個人のワク内だけでやらず、人に公開し、豊かな人間形成に役立たせたいと考えるのである。

以上の十項目については、この中から八項目を選び、実践させるのであるが、ただし、6項の「新加入クラブ員講習の受講」は、必ず受講させなければならない。

11、日本4H新聞の購読

4H活動に身を投じる主たる理由に、孤独から救われ、多くの友をもちたいとする心情があることは既述したが、その点、この新聞は、全国の仲間の状況や意見が載せられているので、極めて有意義な機関紙である。ここにクラブ員の継続購読をお奨めしたい。

12、NHKラジオ農業学校聴講（銀・金クラス共通）

ラジオ農校は、毎朝NHK第二放送六時四十分から放送されていることは既にご存じのとおりである。この番組は、専門ごとにまとめて、よくわかるように話されているし、テキストも立派なものがあるから、4Hクラブ員たるものは、みんな受講すべき番組である。

13、月刊「農業と生活」の購読（銀・金クラス共通）

「農業と生活」というのは、栃木県が普及職員と4Hクラブ、農研クラブ、生活改善クラブと共同で編集している月刊農業専門誌であるが、こういう雑誌は各県とも、名称、組織は異っても発行されているはずである。クラブ員はよろしく自分の県の農業専門家が執筆するこの雑誌を必読しつつ、営農の研究を続けるべきである。

14、4H週間の実施（銀・金共通）

栃木県では、春、秋の二回、4H活動強調週間を設けている。もっとも、この週間のもち方はそれほど窮屈なものではなく各普及所単位にいろいろのアイデヤを加えて楽しく実施しているものである。

そして、もちろん、クラブ員自身の自覚を高める意味もあるが、また、父兄、農村、ひいては一般の方々に4Hクラブなるものの理解を深めてもらおうとする意図も含まれている。従って、親子合同の話し合いや、指導機関の人々との交換会、クラブ交換、発表会、レクリエーション大会など、多彩な催物がくりひろげられるのである。

15、展示、指導施設巡回学習（銀・金共通）

どこの普及所も大事な仕事の一つに、展示圃とか、各種の指導施設を、地区内に数多く設けてあるのである。栃木県今市の普及所では、春夏作でけでも約五十ヵ所はある。

この展示圃などは、普及員の指導によって、適切な農業の圃場で農家の人が実施する試験のようなものであるから、新しい技術や、新しい考え方が、いつでも見られ、極めて有意気なのである。中には4Hクラブ員自身が、この展示圃をひき受けてやっている人もいよう。そこでクラブ員は、これらの施設を適時訪れて勉強をすべきである。

16、技術交換会の参加（銀・金共通）

これは、ご承知のとおり全国大会につながせる全国的行事なので詳細な説明は略す。

17、野外研究集会の参加（銀・金共通）

栃木県では、この名称で呼んでいるが、要するに、キャンプ生活をとおして行なうクラブ活動であるから、これまた、各県が実施しているものである。そして、クラブ活動におけるキャンプの意味は、いまさらいうまでもないことではあるが、大自然の中で、ある程度の不便に耐えながら、工夫と協力で楽しく、有意義な共同生活をすることは、そのこと自体、すでにクラブ活動そのものであって、余りむずかしい研修的な内容を加味しなくてもよいのである。

しかし、折角の野外集会でもあり、教育キャンプ的性格からして、この中に、いろいろな行事を盛りこんで、多目的なキャンプにしているのが今までの例である。これが少々いき過ぎると、大変多忙なキャンプ運営となり、折角、大自然の懐に抱かれながら、自然の中に溶けこむ余裕がなくなり、広く澄んだ空を見ながら、静かに自己をみつめる時間をもつことさえ不可能になってしまいがちである。このあたりを充分注意しながら、楽しく、規律あるキャンプ生活を体験したいものである。

18、修養講座（銀・金共通）

人間的な幅をもつことや、人格の陶冶といった問題は、いわゆる講習講話会的な催しもので培われるものであるとは思えない。むしろ、常日ごろの生活の中で自らが、自己を律する社会的訓練を経て積み上ってくるものなのであろう。従って、修養講座とか、教養講座とかいわれる講習会を、4H活動の一環にとり入れる場合の取り扱い方は、ただ単なるお説教を聞かせるタイプのものであっては特色がないと考えるのである。

それなら、4H活動としてどういう持ち方をすればよいのであろうか。愚かなる私見を申し述べてみよう。

私は「人は、自己を律しうる力は社会的訓練（いや、試練といった方が当たるかもしれないが）の中で、見つけ出すものなのだろう」と考えている。従って社会的経験の少ない青少年にもっとも有効なる修養講座の内容は、青少年がよく知っている身近かな尊敬しうる人の、人生経験、特に、その人が、丁度4Hクラブ員と同年令時代頃に、どのような生活の仕方をし、どんなことを考えていたか、そしてそれが、どのような変遷を経て今日のその人になったかを、年代をおって、くわしく話してやることではないかと思うのである。

これにはもちろん、昔と今の時代差が問題となるであろうが、私の考えは、むしろそれよりも、時代時代に対処して、己れの道をあやまらず辿ってきた、その人の生活信条にこそ、価値を見いだすのである。従って4Hクラブ活動でとり上げる修養講座は、一口にいうなら、貴重な体験談を聞いて、自分の浅い経験を補ない、心の糧としてもらおうとするものであり、ここにも「体験が一番ものをいう4Hクラブ」の性格が現われているといってよいのである。

急げ父兄会の結成
レクは求めるレクから

19、洋食会とテーブルマナー（銀・金共通）

各クラブ共通科目として、大きくとりあげていいかどうか疑問はあるだろうが、クラブ員にとっては、とても期待している楽しい科目である。だから、私は、極力、デラックスなムードで、この催しを開くように努力をしているのである。笑い話のようだが、クラブ員は会が終ると、ホッとした気持と、別世界のようなムードに酔って頬を紅潮させながら、「なんだか、味がサッパリわかんなかった」と爆笑するのであった。もちろん、男女とも参加するが、クラブ活動中でも異色の体験としてその人気は大したものなのである。4Hには、こんな一面があってもよいのではないだろうか。

20、レクリエーション（銀・金共通）

歌、ゲーム、ダンスなどその範囲は広いが、従来あった日本的なものと、戦後入ってきた欧米風のものとは、レクリエーションの雰囲気が大部違っている。日本的なものは、どちらかといえば個人本意で、静かなムードをもっているが、アチラ風のものは、集団中心の動作の華やかなものが多いようである。

しかし、私の見方では、このどちら側も同じくいえることとして、やはり一人一人が、楽しく有意義でなくてはならないということである。従ってレクリエーションの根本は、一人でもマイペースでゆっくり楽しめるし、また、大ぜいでも気軽にたのしめるという工夫が大切である。われわれ日本人は、マイペース型の楽しみのとり方は得手とするが、グループ型のそれは、大部ニガ手であることは誰れもが気づいているのである。この事実を頭から無視したり、否定して、レクリエーションにとりかかると、また逆の結果を生じがちである。

さて、レクリエーションの基本論はここでは省くとして、実践科目の中で、各クラブ共通科目としているレクリエーションはどういう風に体験してみたらいいのであろうか、を考えてみよう。

それには一番大切なこととして、まず与えられるレクリエーションでなく、求めるレクから入ることである。自分が好きで時間のたつのも忘れるというようなものを伸ばしてやり、同好グループをつくっていくのである。これは趣味のグループといった性格のものでよい。次に与えられるレクを体験するのも無駄ではない。これには、各種の参考書や、手引きが市販されているから、やってみることである。既製品のレクではなく、自分のアイデアを入れたものを工夫するのである。これが出来るようになれば、クラブ員としてばかりでなく、社会人としてもひとかどのものといえるだろう。何といってもレクリエーションは、レクリエーションである。気軽に明るく、童心にかえったつもりで、心や体のシコリをほぐす役目を果たすようにしたいもの。

21、父兄会の結成と開催

アメリカには、親たちの4Hクラブというのがあって、少年たちの4Hクラブより、集合を多くもたなければならないキマリになっていると聞く。日本の4Hクラブは、年令的にも、活動内容も、アメリカのそれとは大部異っているけれども、親たちの理解と協力が必要なことは全く同様であると考えている。本来なら4Hクラブ結成と同時に、その親たちの4Hクラブが発足すべきなのだろうし、4Hクラブ入会と同時に、親もその父兄会に入会すべきことなのだろう。

しかし、現実の親とクラブ員の間柄はそう簡単ではないようである。当初は、むしろ、親対子の対立と、無理解が火花を散らしているようであるが、そのうちに、親は、クラブに子を預けたように考えて、よろしくお願いしますといった、信頼とまかせ主義による親子関係になるようである。

しかし、今日の農業を考え、農家生活を思い、青年を案ずるとき、このような甘っちょろい親子関係で、今日の事態が乗り切れるであろうかと心配なのである。いまこそ、親と子が、力を尽しあって奮闘しなければならない大事な時代と思うのである。そういう意味から、4Hクラブの囲りをかためる父兄会は、ぜひ早急に結成しなければならないと思うのである。そして、このメンバーと、普及員や各種指導機関がタイアップして、4Hクラブ員の成長に協力すべきであると考えるのである。

22、インタビュー（各クラス共通）

緑クラスから、インタビューを体験することは、少々無理かもしれないが、後半、幾分でも4H活動を経験したら実施してもらうとよいと思う。この科目は、自分の身のまわりにある指導機関やそのメンバー、あるいは先輩有名人など、とにかく、若いときに一度会っておいた方が将来大変に役立つと思われる人物をえらび、何人かのクラブ員がその人を訪ねて、いろいろ聞いたり、見たりする科目である。

23、郷土史、郷土芸能などの探究（各クラス共通）

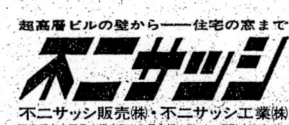

クラブ活動としては異色の科目であるが、近年社会の変化にともなって、思い出深い郷土の伝統ある催しものが、どんどんなくなっていくことは何とも淋しい限りである。全国的には、郷土民芸保存会なるものが保存に努力しているところもあるようであるが、これらの民芸は、時代により、やはり、すたりがあるというものではなく、長い庶民の生活の歴史の中から生まれてきた、よろこびの歌やかなしみの歌であり、祈りでもあるのである。従って、いわば、先祖の生活であり、土の歴史であるから、現在の人には、これを後世の人に伝えていく歴史的責任のようなものがあると思うのである。

4Hクラ

銀クラス

創意工夫の出展も
経営は確実な技術の組合せ

実践科目の中級科目として、特に研究活動に焦点をあわせた一連の科目である。ここでは、生産や生活を科学的に、計数的にとらえる生活習慣をつけながら、農村青年としてのプライドがもてるようにしていきたいと考えているのである。

1、クラブ交換、自宅訪問、家庭実習

クラブ活動のうちで、この種のものは、自分と周りの人に、4Hの理解を深めるよい方法であると同時に、クラブ員として自分の姿勢を正すのに極めて有効である。ことに、家庭実習は生活技術の修得以上に、人間修養の面でも価値あるものと考える。そこで、家庭実習のやり方は、クラブ員が、先進農家に住みこんで或る期間実習するとか、クラブ員同相互の交換家庭実習とか、特定の技術修得のための実習など、いろいろやり方があると思う。これは後述する海外、県外留学制度を、身近かな範囲で行なうものと考えればよいのである。

2、料理研究

基礎的なものは、緑クラスで行なうとして、ここでは、あくまで日常生活の中にある実用本位のものを工夫し、研究したいものである。

例えば、お茶漬け、漬物、みそ汁、おむすび、おやつ、おべんとう、など身近かにある素材について、突っこんだ研究をしてみると楽しくてよろこばれるものになるだろう。

3、審査技術

農業技術はもちろんのこと、生活技術であっても、AとBとを比較し価値判断をすることは、しばしば必要に迫られる技術である。それには、実態を正しく把握理解し、適正な判断が講じられるようにならなければならない。

従来、品評会とか、立毛審査とか、何々コンクールなどにおいて審査技術を磨いているが、技術競技では、これが重要な項目になっていることは、既にご存じの通りである。

4、海外、県内外の視察留学

国や県では、大部前から毎年実施している事業であるが、近年では市町村でもとり上げている所が少なくない。いずれも農村青少年対象のものは、4Hクラブ員である以上、一度は、どの方面かへ出かけて見聞を広め、体験をつかむことをお奨めしたい。

よく、自分の家では忙しくて、とても長期間不在にするわけにはいかないなどという人がいるが、今後の長い将来にかけて、このわずかな期間の実習がどの位プラスになるか計り知れないのである。

事実、海外実習で一年間も家をあけた青年が、帰国と同時に思いきった経営転換を行ない、目を見張るような営農をやっている例は、諸君たちの身近かにもいくつかあることであろう。とにかく、クラブ員でいる間に、必ず、どの視察か、留学に参加し体験をしてほしいと考える。

5、研究課題にとりくむ

この科目は狭義のプロジェクトである。

プロジェクトの概念についての解説は別にゆずり、ここでは個々の研究課題について考えていくことにしたい。

クラブ員の生活基盤は、農家にあるのであるから、生活の中の課題をえらび、研究し、解決していく4H活動の研究課題は、当然、農業および農家生活の中にあるテーマであることが自然である。従って男子は生産部門の、女子は農家生活からテーマが選ばれることになる。そこで、まず男子の研究課題では、近年とくに専門別に分化研究する傾向と、経営計算を加えたやり方になってきているようであるが、これは、まことに結構な方向である。ただ注意を払うべきこととして技術テーマに取り組むときには、事前に関係技術の現在時の水準や、現在までの試験成績などを充分調べてから着手することである。

次に、経営のとらえ方については、ただ収支決算をして利潤をうみだしさえすればいいという考えではなく、経営は、一つ一つの確実な技術の組み合わせ方にあるという見地から、技術の精度を高め、その組み合わせ方を充分研究するという課題をえらぶときは、普及員などから充分情報を聞きとり、勉強してから開始してほしいものである。

それと同時に、普及員は、自分の専門とする技術を4Hクラブに指導する際は、どのようにして導入し、地域農業振興につないでいくかという、4H指導技術プログラムがつくられていなければならないのである。普及員はクラブ員から相談のあったある一つの技術のやり方だけを教えていては、地盤の弱い所へ家を建てさせるような結果になるのである。さて、そこで生産研究テーマの一つ一つについては最寄りの普及所と充分話し合って決定した方が最も適切と思えるので、ここで一つ一つテーマをのべることは略す。

次に、女子クラブ員の課題であるが、具体的にどんなテーマをつかんだらよいのであろうか。その道しるべとして次のことを紹介しておこう。

農林省が農家生活白書というまとめを作り、農家の生活の現状と改善点を指摘したが、一方、将来の農村生活図表という扇状図表をつくった。これは、一応、指導者として一つの考え方を示したものであるが、この内容は、地域農村生活改善プランとして、五人前後の農家の家庭ではどんな生活目標をもったらいいか、地域社会としてはどんなことをしたらよいか、といった具体的なものが図表化してあげられているのである。

この表を扇のカナメから円周に向ってたどっていくと、農家生活改善の課題がいくつも浮かび上ってくるのである。例えば、「能率、効率の高い生活」をしようとする生活目標に対しては(1)保健衛生の面からは、寝具、便所、家庭電器などの改善があげられ(2)被服では、洗濯機、家族の衣生活整備がとり上げられ(3)家庭管理では、メタンガス利用、天日タンクなど多くの機具がとりあげられ、労働の合理化に関連づけてあるし(4)養老(5)住宅の項では、老人室、若夫婦室など住宅改善問題が書かれている。なお、大きく社会問題としては、マーケットや給食施設、共同洗濯所などにおよび、理想的農村生活がえがかれ、目に浮ぶようである。

これらの表の中に、クラブプロジェクトとして取り組む価値のあるテーマは、沢山見つけ出すことができるのである。

6、青年農事研修に参加
7、農村教育青年会議に出席

6、7は、一連の国、県が行なっている研修や会議であるが、こういうものには、積極的に参加し、勉強したり、他人の考えを聞いておく必要がある。

8、委託研究、展示会の担当

毎年でなくとも、展示会をひきうけてやることは、諸君たちにとってどの位プラスになるか計り知れないであろう。新しい技術が農家の庭先で使われ、その結果は、その地域農業に大きな影響力をもつものである。その貴重な展示会を身をもって体験できることは、クラブ員としてこの上ない名誉であろう。普及所では、毎年、春夏作と秋冬作で五十ヵ所もの各種展示会を管内農家にお願いして実施しているのである。この中に、ぜひ4Hクラブ員が加わり立派な成果を上げてもらいたいものである。

9、発表会で発表する

発表をするということは、そのことよりも、行なってきたことをまとめられるところに価値があると思う。何事によらず、前進するには実績をよくまとめ、のみこんでおく反省がなくてはならない。今日、全国各段階で数多くの発表会がもたれているから、卒先して、自分の足跡をまとめて発表すべきであろう。

10、創意工夫を出展する

4Hクラブの創意工夫展は、学校などの工作展ではないのである。手間、ヒマかけて作り上げたものより、チョッピリのアイデアこそ大切なのである。農機具一つ考えても、メーカー品がそっくりそのままわが家の田畑でスムーズに最高能率を上げてくれるだろうか。まず十中八、九は、どこかに手を入れ、工夫をしないとダメな場合が多いに違いない。そういう手を入れた部分の苦心や、機械の使い方など仕事の仕方の改善が、クラブ活動としては大切であり必要なのである。従って「展」という名がつくと、必ず品物を並べなければならないように思っているが、そうではなく、無形な創意工夫も、出展すべきであると考える。

例えば、従来の仕事の仕方と、改善した仕事の仕方を比較し、工夫点を明示し、出来ればその成果が収穫にどのように影響したかといった展示の仕方である。

11、中核者養成講習会への参加

各県、あるいは普及所単位で行なっている行事であるが、最低一度は参加しなければならない講習会である。

4Hクラブは、よきメンバーはよきリーダーたりうるものという考え方で活動をしているグループであるから、だれでもリーダーたりうるものとして、中核者講習にはぜひ参加してほしいものである。中には、役員講習会と誤解して、いつでも役員を参加させたり、同じ人が何回も連続して出席している例があるようだが、これは大変な間違いである。

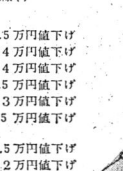

作物の審査技術も重要な一つ
(石川県の今年度の大会で)

金クラス

記録は必須中の必須
活動計画は4H組織のカナメ

このクラスは、4H活動の経験を積み重ねた人々がいよいよ立派な後継者として経営に参画し、一家の主柱として恥かしくない知識、技術を身につけていくことと、クラブや地域集団のリーダーシップを涵養し、地域農業振興に寄与できるような人物を養成していくために必要な実践科目を配列させたものである。

1、クラブ役員の体験

4Hクラブの役員というのは、一人一役主義で、いずれは誰れでも体験する役職である。従って組織のリーダーであっても、活動のリーダーであってもよい。各自のもつ持ち味を生かすような役目につき、役職というものを体験する必要があるのである。

人はよく、私はその「うつわ」ではないから、とか、私よりはだれさんの方が適任だとか、口癖のようにいうけれども4Hクラブの役職は、基本的にそういう意味はもっていないと解釈すべきである。それなら、役職の体験とはどういう意味があるのだろうか。私は、この必要性を次のように考えているのである。

農民は、ともすれば自分勝手で独立独歩に偏し、視野が狭く、見通しに盲目がきかないという共通的欠陥があるということは、久しくいわれていたことで、私たち農業にたずさわるものの、ひとしく自覚と改善への努力が必要とされているわけであるが、これらの欠陥は、私流に考えると、農民が組織活動に弱いという点に原因があるのではないかと思うのである。

組織は、原始的には、種族の安全保存のために必要とされたものであろうが、近代社会においては、むしろ個人の繁栄を図るために利用すべき結合体であるべきである。従って、農業を職とする農民は、その発展のため、極力組織力を培養し活用する必要があるはずであるが、現実はむしろ、組織には無欲で反発的でさえあると思えるのである。こういう固い封鎖的意識の壁を破り、開放的に組織結合に導くには、諸君たちのような青年期に、組織の真価を体験、理解する以外に方途はないようである。

さて、組織の終局の目的は、個人の繁栄にあることは疑いもないことであるが、そこへ到達するために体験する集団思考と共同実践活動こそ組織の真価と考えるのである。この体験こそ農村青少年の大事な仕事であり、4Hクラブの重要な活動なのである。この体験は、難行苦行とはいわないが、古来の農村生活様式の中では、かなりの抵抗があることは事実である。しかし、それを若さと意欲で、愉快に突破することが、クラブ員に課せられた使命であろう。

話は少し本論から離れたようなので元へ戻すことにして、このような組織の真価を体験し、「みんなで話し、みんなでやろう、それが自分のためなのだ」ということをわかってもらう一番の早道は、何かの役員をやってみることである。一般クラブ員の立場ではわからない貴重な経験を積むことができるのである。そして今までの自分の意見が妥当であったか、偏っていたかもわかり、各人各人の意見相違がよく読みとれるのである。こういう立場に一度たったことのある人と、ない人との、ものの判断や、調整力、協調性の違いはまさに月とスッポンほどの開きがあるものである。

つまり、役員をやることによって他人の意向を理解し判断する力ができるわけで、今後、地域のリーダーとして先導の役割を果すであろう諸君たちは、いまの時期に、ぜひその素質を身につけておいていただきたいものである。そして農民共通の弱点である組織の活用力を高める礎石になってほしいと思うのである。こういう意味で、役員の体験を必須科目に入れてあるわけであり、決して適任だから、不適任だからとか、単なる経験をするということから取り上げた科目ではないのである。

2、仲間づくり、後輩の指導

私の体験からすれば、仲間づくりについて特別にPRや活動を展開しなくても、現在いるクラブ員が、クラブに対する認識を深め、活動をしていれば、周囲の人たちは見逃すことはない。必ずよってきて参加を申し込んでくるのである。

農村の青少年は、自分の身を集団の中におくことによって孤独感からのがれようとしている気持があるから、身近かに、活発なグループがあれば、必ず参加しようという気持をもっているものである。こういう見方をとれば、仲間づくりは、自分の活動をよりよくすることによって果されるということになるのであるが、それは、それとして、他に諸君らがやる仲間づくりの方法を考えてみよう。

私の体験の中で一番例が多いのは、同窓生の先輩、後輩を通じての勧誘である。その次はクラブ行事や集会に友人として同行出席をし、一緒に時を過したのが動機になる例である。それから、有線放送で、4Hの集まりごとの連絡を流していたのをときどき聞いて刺激されたとか、農業や生活の勉強を自由に、もっと深くやりたいという希望をもってクラブ員の所へ聞きにきて、奨められて加入するなどが仲間づくりの主な例である。

いずれにしても、あまり笛や太鼓でクラブ員を引っぱりこんだり、一人で一人の仲間を見つけようなどといった行き過ぎた仲間づくりは避けた方がいいと思う。それより、クラブ活動に自信をもち実績をもつならば、仲間づくりは、さほど特別な仕事ということでなしに、自然に展開し、むしろ、「あなたに、人がついてくる」という形で、仲間づくりが活発に進んでいくと思うのである。

後輩の指導ということは、長が部下の指導をするといったタテの関係ではなく、4Hクラブの場合は率先垂範と世話役という関係で後輩に接することであろう。とくに前にのべたように、4Hに入ってくる人の大部分は、4Hとはどんなことをするグループであるか、全く知らないのであるから、一日も早くそれをのみこんでもらうための手助けをしてやる必要がある。その後においては、年令的や学歴などによる差別はないものと考えるべきであろう。

3、単位クラブ、協議会の計画樹立

一般常識から考えると、会費がある。だから予算をたてなければならない。予算は事業に伴うものだから事業計画を立てよう、という順序になってくる。こういう考えでいくと、どうしても、総会費、役員会費、前役員の記念品代、県郡市町村行事の参加旅費というような費目の額がかさんできて予算の大半を占めてしまい、残額は、ハイキングにでもいき、あとは雑費にまわせば予算は零になるといった型になってしまいがちである。これでは組織費はあっても活動費がないことになってしまわないだろうか。4Hは活動が生命で、組織はそのためのうつわである。

従って、少ない予算ならなおさらのこと、活動に要する費用に予算をかけて計画化を図らねば、4Hらしい活動計画にならないと思うのである。

単位クラブにしても、協議会にしても集まる事業、即ち、家から外へ出かける事業ばかりを考えず、在家研究実践活動に拍車をかけるような活動計画樹立に力を入れてほしいと思う。例えば、一人一人のプロジェクトの樹立、実践、反省に要する協力事業とか、クラブ活動助長を図る資料の作成や、企画に要する事業、更には年間月間活動計画の検討樹立、農繁期における活動推進のための具体策、男女混成で楽しい有意義な活動の計画など、ぜひアイデアに富んだ4Hらしい活動計画を創案してほしい。

協議会の計画樹立は、更に慎重に考慮する必要があると思う。即ち協議会の使命は、単位クラブの活動助長を第一義とし、他機関との連携を第二義とするものであるから、協議会が余り華々しく集合行事を計画すると、単位クラブの計画が崩されてしまうのである。協議会はその本分をわきまえた活動計画に重点をおき他はむしろつつましくすべきである。

4Hクラブの生命は、単位クラブと普及所段階にある協議会の活動如何にある、といっても過言ではない。それだけに、この集団の活動計画は、4H組織のうちで一番重要なカナメであるから、金クラスにある諸君らは、自分のためにもまた多くの同僚クラブ員のためにも、ぜひ素晴らしいプランメーカーとなり、アイデアマンになってもらいたい。

4、経理のしかた

計画に伴う予算と実績に伴う決算は、金銭が動く限り必在するわけで、個人でもクラブでも重要性は同じである。とくに予算のたて方は、前項の計画樹立と一身同体の大切な仕事である。この予算項目などは、一般社会集団のそれにならうことはよいとしても、活動計画に4Hらしい特色が表われるべきである。

4Hは活動体なのだから、事務所の予算書を見ているような項目ばかりでは、およそ無意味であろう。しかし、経理の仕方には、一定のきまりがあり、客観的に、その正確さと合理性が要求されるから、小さなクラブだからといって、いい加減なものであっては断じてならない。そのために、経理の基本と実際を、経営専門の普及員などから学びとってほしいのである。

5、記録活動

経営簿記、労働日誌、家計簿、作業日誌、生活記録、台所日記などの記録は、4Hクラブ員である以上必須中の必須である。

人はよく「記録だけやっても意味はない。その活用を考えなくは…」とか「活用できる記録法でなくては…」という。もっともなことである。まさにその通りであるが、自発的に記録をしている人、あるいは、記録することが身についてしまっている人をみれば、そんな心配はないことに気がつくであろう。こういう方々は記録の意味をよく知っておられ記録の有難さを充分感じとっているのである。

従って、記録の中から、その人の信念が生まれ、記録の中から、今後の方針が発想しているといってもよいのである。即ち、記録とは、記録のための記録に終ることはないと考えてよいのである。若い諸君らは、理屈をいうまえに、まず記録をしたまえ。

そして、記録を長く続ける人は、計画も実績も人より優れたものをやりうる人であることを私は知っている。

6、農業、生活通年講座の受講

通年講座は、緑のクラスにも銀のクラスにも農事研修などの形式で組み入れてあった。金クラスでは、より高度な内容のものを履修するためにあらゆる機会をとらえて受講すべきである。

7、4Hゼミナール

クラブ員も、このクラスになってくれば、かなり専門内容を望むだろうから、活動も単位クラブ一本立の活動ばかりではなく、専門別活動に入るべきであろう。その方法として、普及員の特技を生かし、専門別に、その普及員を囲んだ共同研究体制をとるとよいと思う。

クラブ員は、自分の将来を考えて加入するゼミナール班を自分できめればよい。そして、受身の勉強会ではなく、各自が研究テーマをもち、さらに普及員や仲間と共同課題にとり組むなど、体験を積み上げながら、切磋琢磨していくことである。

8、親子協定

今日ほど、親と子が全力を出し合って農業に対決しなければならない時期はないと思う。親中心の営農や、息子に任かされた営農では到底御しきれぬ困難さをもっているのが今の農業とみるべきであろう。

親子の間に締結される協定も、ややもすれば、理解のある親が、やる気を内蔵する息子に、経営の一部をまかせる約束と、その報酬のとり決めが多いようであるが、真の協定は、親の責任を一部息子に移譲するようなものではなく、むしろ責任の範囲を定め、親子ともども全力をあげて営農にとり組む新体制であると解釈すべきではないだろうか。したがって親子協定には、きびしい自覚と責任が伴うことを知らなければならない。そういう意味の協定こそ、4Hクラブ員が求める協定であろう。

9、レポート提出

研究論文というと大げさかもしれないが、農民は数字に弱いとか、文字は得手でない、などといっていられる時代は既に終っている。新しい職業人としての自覚に立って、新分野の開拓に積極的な突っこみが必要である。それには、自分の営農の中から、年に一テーマのレポートをまとめる習慣をつけたいものである。

これをやれば、日頃考えていることや、実績がペンをもつことによってますますはっきりしてくるし、自己反省や、他の人の意向を知ることができ、益するところ大である。

10、個展をひらく

4Hクラブは、人間のふれ合いの中で所期の目的を達そうとする集団であるから、クラブ員一人一人が、自分を多面的に他へ紹介する機会をつくらねばならないと考える。

その一つとして、個展をひらくことを考えてみてはどうであろうか。例えば「渡辺甲子個展」「渡辺一郎個展」といったものを、技術交換会や、実績発表会などと平行して会場に展示するものである。手持ちの図書を並べたり、4Hクラブ活動実績写真をはりつけたり、小学校時代からの習字をならべたり、趣味、道楽にいたるまで、何でも自分の思い出の品々をうまく展示するのである。

とくに、二十五才くらいになって、いよいよ4Hクラブを卒業するようなクラブ員は、記念に必ず個展を開くといったことにでもしておけば、なおさら進備が出来るので面白い個展になるであろう。

11、普及計画の理解、主産地形成への協力研究、市町村農協施策の検討協力

どんな仕事でも、自分一人だけで成功することはない。ということは、自分が成功したければ、自分以外のものを十分検討研究する必要があるともいえる。

とくに農業は、自然の立地条件が、他のものより大きく影響するので、自分の営農の方向は、自分のいる地域の自然条件によって可成り影響されているはずである。従って、同地域内に生活する農家群は、共通する自然条件下で営農をしているから類似点が非常に多い。ここに生産団地の育つ因があり、地域共通の利点、欠点が生まれるわけである。

市町村、農協の農政に対しても、積極的に理解するように努めるならば、諸君の行なう今後の活動や営農に利することが計りしれないものがあると思うのである。すべて普及計画にしろ、農政施策にしろ、受身の形で受けとめずに、前向きに取り組むことが大切であると思うのである。

選択科目

以上の必須のほかに、各クラス共通として選択科目がある。主なものは❶農作業機械化技術交換会への参加❷設計図の書き方❸計算尺の使い方❹測量のやり方❺木材々質と新建材の知識❻融資の活用❼機関誌発行―などで、クラブ員はこのうち三つ以上を履修する必要があるとしている。解説は紙面の都合で割愛した。

暖かい雪 (36) 最終回

田井専六
米良武子画

二人の母 (四)

「学校へ叔父さんから電話があって、昼飯食わずからでてこい、というのよ。お弁当もっていたけどご馳走になるのも悪くないと思って、レストランにいったのよ。そしたらへやあ、社長さんもお揃いでVというようなことで、同じテーブルで喰べたわ。社長夫人と向かい合って坐っていたから、いろんなこと聞かれたけど、あんときあたしを観察したのね、よく食べる娘だ、とみたんでしょ」

「どんな人とみた? その村岡夫人を……」

「キツネみたいに尖った顔、あの顔、たしかヒステリーを売り物にしている顔だわ。流石にプレーボーイの母親だけあって、口先きお上手だけど、きっとお嫁さんを喰る人よ、大野君子のお母さんはケタ違いに立派だと思うな。それでお祖父さんやお父さんの意見は?」

「お祖父さんは、一喝のもとに、提灯と釣鐘だ、断わってしまえ、って、村岡の奥さんが家柄自慢をしたのじゃない、それを叔父さんがいったから、カンに触ったのよ。お父さんは、ははあ、村岡正蔵さんは、人がなんて陰口いおうが、あれだけの財力をもつ企業家なんだから偉い人には違いないが、息子の方は、次男は知らぬが、長男は、山の番人しか能がない。少しお粗末だ、あまり自慢するほどの家系とは思えんね、まあ、ご勘弁願った方が無難だろう、って。

叔父さんもね、次男は少し金遣いが荒いから、しっかりした嫁でもつけたら落着くんじゃないか、という腹のようだ、腹のうちがみえているが、社長命令だから仕方がない。いちおう持ち込んだ、って全然乗り気でなかった」

「やれやれ、それで安心、本気でそんな話持ち込むようだったら、あたしは、もう叔父さんを尊敬しない。本当にケイベツするわ。

大野君はね、三町歩の水田と乳牛までいる大経営よ。だから自分はホワイトカラーで、家は三ちゃん農業、ってわけにゆかないの。大野君は、理想農家の姿を描いて

それは本当に実現してゆく男がいるわ。お母さんなんか、いまもうほとんど田ん圃にでないんだって、彼女の労働力をあてにしない農業、というのも彼の理想のひとつ、あたしは、もち論、農業覚悟だけど

「とにかく、お父さんに話してみようね」

「お父さん反対するかしら?」

「どうして?」

「だって、犬と猿なんでしょ、彼のお父さんと——」

「町議会の何かで議論したのに尾鰭(おひれ)がついたんじゃない。大野議員は、駆け引きなんか全然しない頭のいい男だ。だから子供がみんなできがいいそうだ、って感心していたから。

それで、すっかり約束してしまったの?」

「いいえ、彼は、なま温い、っていうかも知れないが、万一のことがあればお互傷がつくから、こんな重大問題は、当人同志だけで決めるべきでない、って慎重なのよ」

「でも、農業って、やはり辛い仕事——」

「それじゃ、嫂(ねえ)さんは、どうしてうちみたいな大百姓にきたの。まさか、騙ましたり掠奪したのではないんでしょ。そしてよく働いて、お母さん、お母さんのて、本当の親娘のようにお母さんと仲よくして、やっぱりお母さんがえらいのね。いい姑さんなのね」

「わたしを、おだてているの」

「まあね、あたしだって、ケンチ君のお母さんとなら、絶対、仲よくできると思うな。その点村岡のマダム、ヒステリーなんかとは、お母さんだって知ってるでしょ、とても駄目。もしまた村岡から、人を差えていってくるようだったら、あたし、どんぐり君をそそのかして、カケオチするかもしれない。彼の自動車で——。

この冬、ケンチ君とバスでいっしょになって帰えったことがあった。雪の夜だったけど、ケンチ君と話して、別れて家に帰えるみちちっとも寒いと思わなかった。暖かい雪だったわ——」

結婚観など話題に
大阪で早くも青年会議

【大阪府＝長滝谷正行通信報道員発】四十二年度の大阪府農村教育青年会議が、早くもさる五日大阪市阿部野区の以和貴（いわき）荘で、府下の4Hクラブ員が多数参加して開かれ、クラブ員は日ごろの夢や悩みを話し合った。

この青年会議はこんどで第七回を迎えたもので、当日は事前に開かれた各地区ごとの青年会議参加者の中から選ばれた代表六十名（うち女子十四名）と、育成機関関係者二十余名が出席、地元大阪市の4Hクラブ員代表を中心に運営された。

会議は午前十時から始められ、オリエンテーション、開会式のあと四分科会にわかれ、それぞれ次のテーマに基づいて予め提出された各自のレポートを中心に、関係者の助言を受けながら討議した。

つづいて分科会方式で同報告にうつり、パネル討議方式で同報告を中心に全員で討議し、このあと講師の大阪府立大学、梅森正行教授の総括的な助言を受けた。

各分科会報告の要旨は次のとおり。

第一分科会（二十才以下の男子）＝「将来のリーダーとなる人」＝「グループ活動を活発にするためには」…❶共同プロジェクトによる研究と実践活動で問題解決に努める❷月一回程度の研修会開催、府や全国大会の集会に参加、交歓会、親子の話し合いなどの事業を実施し、啓蒙に努める❷スポーツ、レクリエーションをとり入れて活動内容を豊かにする❸会合出席率をよくするために努力する（出席簿、皆勤賞など）❹教材に日本4H新聞、農事放送を利用する❺会員の確保とPRの必要（資料配布、女子への呼びかけなど）❻学校教育の中に4Hクラブ活動をとり入れる方法を考える❼マスコミは農業をもっと明るく、正しくPRして欲しい―など。

第二分科会（二十一～二十五才の男子）＝「自立経営を進めるには」…❶経営合理化のための簿記記帳とその研修会への参加❷都市農業らしい立体的規模拡大と集約化❸産地づくりと、共販による販売面の強化拡充❹労力不足をカバーするためにクラブ間の労力交換❺制度資金の活用を図るため、後継者育成資金の増額と返済期間の延長について配慮して欲しい❻その他、公害対策、仲間つくり問題なども出された。

第三分科会（同）…「府下における経営耕地拡大は困難なので、施設園芸を柱におく、酪農は裏作を借地、飼料作付❷施設園芸の作目は、販売を重視する。主要調査など高い技術をもとに計画生産が必要である❸果実部門では、つねに販売市場の開拓につとめる必要、長期計画に基づく生産出荷体制の強化など。

第四分科会（二十五才以下の女子）＝「生活の環境の改善について」…❶結婚観について「女性の求める男性像」としては、共に働く人、両親を大切にする人、ユーモアを解する人、グループ活動に参加している人、など❷嫁と姑については、お互いに思いやりの心をもつ、姑に一歩をゆずる気持をもつ、お互いに話し合う機会をつくること。テレビ、ラジオを有効的に利用すること、など❸若夫婦に独立した部屋を❹冠婚葬祭の簡素化。とくに嫁入り仕度は男性の理解で簡単に出来るようにしたい、などである。

早くも開かれた大阪の農村教育青年会議に集まったクラブ員

奉仕の草刈り精出す
奈良・大和郡山市4Hクラブ 地域農業を語合う

【奈良】大和郡山市4Hクラブ（会長、中津隆夫君）では、奈良県連が展開する「4H週間」第一日目のさる二日、午後一時から三時間半にわたって4H精神にもとづいて奉仕活動を行なった。これは、市が十月十日の体育の日に行なった市営グランド開きにさきだってグランド周辺の草刈りに精を出したもの。

同日は、十五名のクラブ員が参加、それぞれ手に鎌をもち、また草刈機で、グランドの周囲の高さ一・五㍍から五十㌢の草を幅五㍍長さ四百㍍にわたって、グランド開きの成功を祈りながら刈り取った。

このあと五時から農業センターで「郡山農業を語る」と題して、郡山普及所長、市産業部長、農務課長、同係長、県農業振興協議会長、市農業研究会長を迎えて約一時間半話し合った。

まず、明日の農業をつくる運動について普及所長から「管内の農業人口が毎年約二％減っている。農業人口は女子が男子よりも一〇％だけ多い。また、県が郡山に望んでいる主産地形成は❶水稲❷イチゴ、トマト、スイカ❸酪農―の三部門五品目である」などの説明があった。

また今後の市農業振興について市農務課長から、現在、基盤整備、農道、水利など数十年後の郡山農業マスタープランを計画中であること、近代化に伴う集荷場、機械化、共同化、研究部門生産販売やさらに同市において四十年度から翌年度にかけて農家が百戸しか減っていないこと、兼業が減り専業農家がふえているなど近郊都市農業では珍しい現象がみられることが説明された。

これらをテーマに話し合いをしたが、用・排水、下水の問題だけで時間切れとなったため第二回目を十二月上旬に開くことにした。話し合いでは、市が土地をあっせんしないこと、また排水路は整備が悪く水が流れないことなど市当局にとっては耳のいたいことばかりであった。

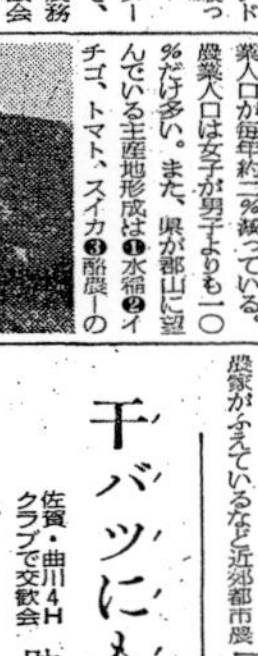

奉仕の精神を発揮してグランド周辺の草刈りに精を出す大和郡山市の4Hクラブ員

"集い"で意見発表
富山 杉原中学4Hクラブ

私たちの杉原中学校では、昨年から、全校生徒にホームプロジェクトとして秋どりの白菜栽培を行なっております。その栽培の一切の管理は、杉原中学校4Hクラブ員が行ない、現在みごとに成育して多量の収穫を目前にひかえています。

来る十一月上旬には、第二回の白菜の大品評会を開催する予定で日頃の実践活動できたえたクラブ員の腕前を、競い合うことになっています。これには、青年4Hクラブ（杉原4Hクラブ）員も協力的で、指導にあたっております。

そのため、クラブ員も品評会の成果を今から楽しみにして、最後の仕上げにはりきっています。

また、今月の中旬には杉原中学校創立二十周年記念が行なわれ、その記念行事の一つとして、全校生徒の意見発表と同時に中学4Hクラブ員十数名の研究発表（実績展示）を郷土の人たちに公開すると同時に、三日間にわたって、クラブ員が栽培した鉢花の即売会も実施しました。

十月二十六日から「全国4Hクラブ員北陸の集い」が、富山県立山の弥陀ヶ原を中心として県下一円を会場に開催される機会に、杉原中学校4Hクラブ員も先輩クラブ員に混って参加し意見発表をさせていただき、みなさんのご批判とご指導によって、こんどの中学校4Hクラブ活動に対して更に拍車をかけたいと思っております。

この、集いを機会に全国の中学校4Hクラブ員のみなさんも、今回の意義ある催しを良く理解され、特に文部省からの後援をいただいていることですから、なんとか工夫して、この全国4Hクラブ員のつどいに対して、積極的にご参加されますよう期待しております。

（同クラブ代表者・同校講師、藤浪国敏氏より）

私たちのクラブ活動
計画的に生活改善
家庭の日に話し合いを

福島県南会津郡下郷町 川・大松川4Hクラブ 佐藤ミネ子

〈合理的生活設計の確立〉

[illegible]

〈見栄をすて簿記の記帳〉

[illegible] 望んでいるが、実現はほど [illegible] しながら、このような現状 [illegible] 生活であっても、現実に私 [illegible]

[illegible] 費を優先的に考えて、必要経費の内において価値の高い献立をたてて、計画的な食生活を行なう。そのためには、炊事時間を生みだすよう、農作業も計画的に能率的に行ない、主婦の過重労働を軽減し、一方、台所を計画的に改善し [illegible]

[illegible] めには、関係機関の積極的な指導と合わせて、改善のための社会的なムードをつくって行きたい。

〈民主的人間関係の確立〉

最近は、農村家庭でも家族の話 [illegible] ろとなる場所を考えて行きたいと思います。

私たち青年の間では、農村は、環境が悪いから住むのがきらいだと、良く意見として出されます。これも農村人の視野の問題であったり、文化的な問題であったり、[illegible]

干バツにもめげず
佐賀・曲川4Hクラブで交歓会 助け合い頑張る

【佐賀・西有田町、岩永与志郎君発】西松浦郡の曲川4Hクラブ（会長、松尾俊助君）は、このほど同郡上場地方のありごの会と交歓会を開いた。

同日、曲川4Hクラブの松尾会長以下男女十七名のクラブ員は、自分たちが運転する車で、午前八時半農協前を出発し、途中唐甲を経て予定通り十時に、東松浦郡呼子町七釜に到着。車の旅の疲れも忘れて十時からありごの会と交歓会に入った。レクリエーションをはさんでお互いのクラブの情報交換や討議をした。同じ農業人同志という親しみからすぐに仲間になりクラブ運営のむずかしさや、地域社会へのクラブの役割などについて熱心に意見をかわした。

昼は、仲間になったばかりのありごの会、若芽の会の人たちが入り混ってお互いに自慢話しなどをしながら食事をとった。

午後からは玄海の荒波を望みながらソフトボール。若さいっぱいのクラブ員の意気に荒波もとまどっている様子だった。こうして五時に再会を約して家路についた。参加者だれもが満足しきった顔をみせ、スナップ写真が出来上るのを楽しみにしている。

九州は七十年に一回といわれる干バツに見舞われているが、この日集った4Hクラブ員は、その暗い表情すら見せず、レクリエーションに興じ、話し合いに意欲をもやして、お互いに励げまし合っていた。このようにクラブ員相互の親睦が助け合う大きな力となっている。

クラブ員の殆んどが半作か自家保有米ぐらいしか収穫できませんが、来年こそと、この打撃にくじけることなく、みんな頑張っていますので、全国のクラブ員のみなさんご安心下さい。

曲川4Hクラブとありごの会の交歓会でレクリエーションを楽しむクラブ員

さとわのうた
秋まつり

早朝の風情は、農村ならではみられない素晴らしい風景である。東京でも、よく晴れた日の朝など肌をさす冷気がここちよい。さすがに秋もたけなわである。

秋の語源は、あきるほど物が豊富に食べられる季節からきたという。いわゆる味覚の秋である。せいぜい秋の恩恵に浴したいものだ。

秋といえば、秋の村祭りが思いだされる。

小学校三年の頃教わった唱歌に

「村の鎮守の神様の、今日はめでたいお祭日
どんどんひゃらら、どんひゃらら
どんどんひゃらら、どんひゃらら」

初霜がキラキラと田の面に輝やく朝から聞える笛太鼓」という「村祭」の歌があった。私の好きな唱歌の一つである。

二番は「今年も豊年満作で、村は総出の大祭、夜まで賑う宮の森」と歌う。村祭りをほうふつとさせるいい歌だと今も思う。

柳田国男の「日本の祭」のなかに「大きな祭は、何としても秋の収穫後の、物の豊かな時に行なわれるものだ。つぎは、春の末、または夏のかかりで農村では苗代ごしらえにかかる前のものがあった。これ（祭）は農業ごとに稲作の始めと終りとを表示したことはほぼ確かで、山の神が田に下り、また田の神が山に入る日として、祭るという風も農村には多い」と書いてある。

また「マツリはマツラフ、すなわちお側にいることであり、神と共にあって啓示を与えられる宗教的感激に浸る機会であった」と。多くは深夜に、神秘的に執り行なうのが本当のマツリであるわけだが、職業神主の成立から自然と村人たちが祭に奉仕することから避け、見物の地位に甘んずるようになり、奉納の諸行事が人口に膾炙（かいしゃ）されてから、商業的、大衆的祭りと化してしまったようである。

しかし、村々には、伝承された無形文化財的な田楽舞や神代神楽等が残っている。これらの文化財の伝承は若者たちの手で受け継がれてゆかないと滅んでしまうと思う。八ミリ写真や録音テープにとって名優のしぐさや音曲を残すことも大切だが、教授されてうけつぐことが、精神的な伝承も加わり大切なことと思う。何回もこのコラムに書くが、私はえがたい郷土芸術である無形文化財が滅びゆくことを歎き惜しむからである。

私のことで恐縮だが、私のふるさとの秋祭りは、十月二十三日である。御供日（おくんち）という。平家を壇の浦で滅ぼした時に軍功のあった領主は源範頼に属していたが、わが御社の [illegible] 氏を守護したことから、報告をできて二回も源 [illegible] きいた頼朝は喜んで御礼に後鳥羽上皇の勅使左大弁藤原基氏と鎌倉の使節内舎人大野遠景をつかわせて参詣させた。その日が十月の二十三日であるという。その時使節を歓待するため「流鏑馬（やぶさめ）」の行事がとり行なわれた。それが祭の行事となった。矢の立った的（まと）は村民らの氏神様に奉納して火災除けの守りとしたようである。

このほか「馬駆け」の行事がある。これは荒馬に乗った射手が街中を駆ける。追手がいて青竹をもち喚声をあげて馬をむちうち追いかける。馬は驚いて夢中に走るが、昔はその乗手の射手が落馬すれば不覚をとったと割腹してあやまるのが慣例であったそうだ。今も射手塚が残っており射手たちを葬ったという。

私の子供の頃はこの「馬駆け」を見学し、コマまわしをするのがたのしみであった。喧嘩独楽といって先に釘をつけて相手のコマを倒す遊びである。勇壮な遊びである。食物は、「栗おこわ」と「鮒ごく」が供日のご馳走であった。鮒ごくとは生きたままの鮒に昆布をまいて一昼夜煮て骨まで食べるもので一層おいしかった。故郷の香りと味がぷんとにおってくる。（K）

映画
日本の誇り頂戴
クレージーの快盗ジバコ
（東宝作品）

怪盗ジバコ。この男の本名は誰も知らない。人相、年齢、国籍不明……彼は、変相術により、一瞬にして化けることができる。ニューヨークの銀行からアメリカ一年の軍事予算を上回る金を盗んだのも、バッキンガム宮殿から、英国王の王冠を盗んだのも、クレムリン図書館からマルクスの資本論の原稿を盗んだのも、いや世界中の大きなセッ盗事件の九十九パーセントまで、ジバコがやったと全世界の人は信じて疑わなかった。彼は、世界各国の銀行を破産させること百数十回、内閣を総辞職に [illegible]

[illegible] だ。一方、鈴木刑事に変相したジバコは彼の恋人を驚かせ、さらに警視庁にのりこんで [illegible] 風のごとく去ってしまった。羽田でジバコと知り合ったナナは彼と一夕を共にし、その写真を新聞に発表。一躍ジバコの恋人として有名スターの仲間入り。W・C・W・C一味は狙う獲物がジバコと鉢合せをしているとも知らず、ともに京都にのりこむ。そして明智、鈴木らの追跡陣も……ジバコは、まず美術館の秘蔵品義経の黄金の太刀を狙う。虫一匹通さない科学的防御装置、ジバコを捕 [illegible]

「日本のホコリを頂戴する」と予告して、怪盗ジバコは堂々と羽田に降りたった

日本4H新聞
4Hクラブ 農事研究会 生活改善クラブ 全国弘報紙
発行所 社団法人 日本4H協会

全国4Hクラブ員北陸の集い開く

青年の意気上る

立山では猛吹雪に遭遇

全国4Hクラブ連絡協議会（会長・丸山勉君）、富山県4Hクラブ連絡協議会（会長・久保博君）、社団法人日本4H協会（会長・松下幸之助氏）主催、文部省、農林省、総理府、富山県、NHK、社団法人全国農村青少年教育振興会（会長・東畑精一氏）、富山県四ツ葉会後援の「全国4Hクラブ員北陸の集い」は、さる十月二十六日から五日間にわたって、富山県の県民会館、観光センター、立山荘を主会場とし、富山県下にわたって盛大にくりひろげられた。4Hクラブ員の、4Hクラブ員による、4Hクラブ員のための催しとして、青年自からが企画運営したこの集いには、全国各地から四百五十名にのぼる多数のクラブ員、OBや家族、篤志指導者、県庁や普及所の担当官が参加し、とくに県外からは二百数十名の参加をみた。立山荘で猛吹雪に遭うというように天候にこそ恵まれなかったが、参加者の一人ひとりが自からの意志と費用で参加したのだという意識をもち、主催者の一員としての自覚に立って行動したために、内容においては非常に充実した集いになった。話し合いに、意見発表に、体験発表に、またレクリエーションに、若人の情熱を傾けて、全員で集いを盛りあげていった。とくに規律正しい参加者の態度、行きとどいた運営はことしの集いの最大の特徴であった。青年自からが企画運営したこの集いは、所期の目的を達成して盛会のうちに幕を下した。

厳かに国歌の斉唱

四つ葉のマークも鮮かに県連旗が入場すると、会員起立して君が代を斉唱した（富山県民会館における開会式から）

一日目

午前十時三十分、富山市の目抜き通りに近代的偉容を誇る県民会館大ホールに県外参加者二百二十名を含む四百五十名の出席を得て、ここに集いは開幕した。

開会式は、黒田事務局次長の司会で、まず滋賀県の向井久恵さんが開会の言葉、ついでエレクトーンのマーチの演奏にあわせ、全協旗を先頭に各県連旗の堂々たる入場行進がつづいた。

全員起立して、国歌の斉唱。主催者の挨拶は、まず丸山全協会長が「この集いは、全国の志を同じくする私たち4Hクラブ員が、自から企画、運営し、もって自主自立の精神を養うとともに、クラブ活動を家族の人々にもよく理解してもらうことを目的として開いたものである。

歴史が教えてくれるように、時の青少年の意識と行動が後のその国の社会を大きく左右していることを思うとき、私たち日本の青少年はただ己れのことのみに没頭することなく、地域社会の発展と祖国繁栄への歴史的使命を自覚し、自主的な実践活動をもたねばならない。このためにも、参加者のみなさん一人ひとりが自分も主催者であるという自覚をもって集いの成果が上るよう努めてもらいたい」と力強く呼びかけた。

ついで、宮城4H協会副会長が「全国からクラブ員のみなさんが集ったこの機会に一言申しあげておきたいことがある。それは＜4Hクラブとは何か＞＜4Hクラブの目的とは何か＞ということをここに集ったのを機会にしてよく考え、話し合ってもらいたい。

参考までに申し上げると、みなさんが4Hクラブをつくるということは、立派な人間をつくるということである。クラブで切磋琢磨して立派な人間になるということである」とあいさつのなかで述べられた。

つづいて来賓の方々からつぎのような激励の言葉が贈られた。

吉田富山県知事は、「農業は生きものを扱う愛情の仕事、すなわち心の問題である。私はこれを心田開発と呼んでいる。戦後日本は物質中心の歩みをしてきた。ここでみなさんもおおいに私のいう心田開発をしてもらいたい」

北陸農政局農林部長は「最近わが国の農村で青年が減ってきている中で、みなさんのような優秀な青年が残っているのはまことに心強い。農林省も現在新しい施策を検討中で、いずれ具体策を発表するが、その中にはみなさん方に大きな期待がかけられております」

中橋富山県議会議長は、「これからの農業はみなさん方が中心になってやってもらいたい」

山田富山県農協中央会会長は、「みなさん方が当地に集われ、富山県の若い人たちに刺激を与えられたことに感謝し、お礼を申しあげる。農業はいま厳しい中にあるが、われわれはただ呆然としていてはならない。農村はただ食料の供給基地ではない。立派な日本人は農村から生れている。この困難の中に踏みとどまるみなさんに敬意を表するとともに、期待するところ大である」と、それぞれ愛情あふれる言葉で激励された。

ついで、来日中のアメリカクラブ員を代表してバーバラさんが、「この集いに参加できたてうれしい。この三日間日本のみなさんと仲よくやっていきましょう」とあいさつをした。

このあと、佐藤総理、松下4H協会長ほかの方々から寄せられた祝電が披露され、富山県のOBで結成している四ッ葉会の数会長から「われわれはこれまでやってきた。これからはみなさん方で世界に輸出するまでに努力してもらいたい」と先輩の立場から呼びかけられた。

最後に全員で4Hクラブの歌を斉唱し、久保富山県連会長の歓迎の言葉で開会式を終了した。

このあと中食をとってから、みんなで富山県農業祭の展示会場を見学した。会場には県下の4Hクラブ員の日頃の研究の成果を示す農産物をはじめ、衣、食、住にわたる膨大な点数の展示品が整然と配列され、いまさらながら富山県下の4Hクラブ員の精進のほどがうかがわれた。

午後二時から再び大ホールに入り「農業政策の方向と問題点」と題した、共同通信社論説委員・寺山義男氏の講演を聴いた。

講演は「日本の農政を動かしているのは、官僚と国会（代議士）と農業団体の三者であり、官僚は代議士に弱く、代議士は団体に弱く、団体は官僚に弱い。そして、日本の農業は基本法によって進められているが、それには構造改善事業が必要であり、この構造改善の中心をなすものは土地所有の問題であるが、歴代の農相は自分の失体をおそれ土地所有には手をふれないでいる」というのがその概要で、氏独特のユーモアを交えた歴代農相論なども披瀝され、参加者は思わずにやりとしながらも、多くの示唆を受けたものであった。

講演のあと四時からバスを連ねて、観光センターへ移動し、夕食をはさんで七時まで自由時間で、センター内で各々自由に交歓している情景が展開された。センターは郊外の丘の上にあり、部屋の窓から美しく輝く富山市街の夜景が眼前に拡がって見えた。

この夜、七時からセンターの大広間に集合して、キャンドル・サービスが行なわれた。司会は地元富山県4HクラブOBで、富山県レクリエーション協会の理事をつとめる鈴木さん。

つづいて長谷川舞踊団の舞踊を、最後に富山県南砺4Hクラブの西川会長以下男女合わせて二十余名による郷土民芸、城端麦屋節、古代神などの民謡と踊りをそれぞれ観賞した。

二日目

全員六時三十分に起床し、すがすがしい朝の空気を胸一杯吸い込んでセンターの向いにある丘まで駆け足、体操をしてから朝食をとった。

八時、バスで富山駅に移動、九時、富山地方鉄道の電車に乗って立山へ向う。十時十四分立山登山口にあたる千寿ヶ原に着く、このころから天候がくずれ雨模様となる。さっそくケーブルに乗って美女平へ、美女平からバスに乗って約一時間、海抜二千メートルの弥陀ヶ原に到着し、宿舎の立山荘に入った。この間の車窓からの展望はすばらしく、ちょうど紅葉の盛りでブナや白樺の美しい彩り、直径三メートルもある立山杉の巨木など秋山の美を満喫した。ただ残念なことは雨で視界が悪く遠景がかすんで見えたこと、スケッチ大会を予定していた室堂へ行けなかったことであった。

立山荘では午後一時から四時まで、班別に分かれて話し合いを行なった。テーマは「今後の4Hクラブの在り方」「4Hクラブの理念の探求」「4Hクラブと社会奉仕」の三つで、班ごとに割当てられ、各県から参加されていた担当官の方に助言者になってもらって話し合いを進めた。（話し合いの概要は四面に掲載）

四時から七時まで自由交歓の時間にし、全協や各地のクラブから持参したクラブ活動の紹介写真や展示品を見学したり、夕食をとった。

七時から翌日に予定されていた意見、体験発表を繰りあげて行なうことになった。屋外はとうぜん紀伊、東海地方を襲った台風三十四号の影響を受けて雨が雪になり雪が吹雪になっていった。

こうした屋外の天候にもかかわらず、発表会は熱心に行なわれた。まず、体験発表の部では、ことしの夏、4H新聞を通して全国の仲間に呼びかけ大成功を収めた静岡県北駿4Hクラブの富士登山を同クラブ会長の滝口建夫君、全国でも数少ない中学校4Hクラブの活動を紹介した富山県杉原中学校4Hクラブの高見秀行君（二面に掲載）、クラブ結成以来二年間の歩みと問題点を発表した三重県小俣町4Hクラブ会長の桜井広行君、県の技術交換大会に出席したときの体験を発表した新潟県小栗田4Hクラブの須田旭君、五年間の4Hクラブ活動の体験を発表した長野県大島4Hクラブの鈴木敏彦君と、それぞれ4Hクラブ活動を通して得た貴重な体験をみんなに披露した。

また、意見発表では、クラブ活動は人づくりであるという、山梨県青空4Hクラブの向山清子さん、都市にも4Hクラブをという、宮城県連副会長の不破市郎君（三面に掲載）、クラブ活動における実践の重要さを説いた、埼玉県堀兼4Hクラブの佐野照子さん、4Hクラブの学習は幅広く、人間向上を求むべきであるという、山口県徳佐4HクラブOBの上野富生君（三面に掲載）の発表がそれぞれ行なわれた。

体験、意見発表とも、まず一人五分ずつ発表し、ひととおりみんなの発表が済んだところで、質疑応答を行ない理解を深めた。

三日目

前夜から吹き荒れていた吹雪もおさまり、雨も止み視界も開けたが、それもつかの間のことで山はふたたび濃い霧雨に包まれた。

朝食後、八時三十分からスケッチの時間、窓ぎわに椅子を持ち寄り雪の積った景色を写す者、食堂でお互の顔を写し合う者、前衛画家なみに抽象画を描く者、みんな自由に好きな絵を画いていた。

九時三十分から、全協の黒田君の司会でみんな楽しく歌を歌ったり、踊りを披露したり楽しいレクリエーションを行なった。

十時三十分から食堂で閉会式を行なった。まず、スケッチの受賞があり、ついで、丸山全協会長は、青年に課せられた歴史的使命を自覚し、今後の活動に励まれたい、新田4H協会事務局長は、青年自からが企画運営した集いの意義について述べ、久保富山県連会長は、初雪の思い出とともにこの集いで得た貴い体験をこれからのクラブ活動に生かしてもらいたいと述べ、来年の集いを開催することになった奈良の県連会長山田高作君と握手を交わし、山田君は「来年もいっそう盛大にこの集いを開きたいので多くの方のご参加をお願いします」とあいさつし、閉会式を終った。

昼食後、全員バスに乗って霧雨けむる立山をあとにして、富山県のクラブ員の家へ家庭訪問の途についた。

クラブの綱領

私達は実践を通して自らを磨くとともに互いに力を合わせてよりよい日本を創るため四つの信条をかかげます。1、私達は農業の改良と生活の改善に役立つ腕をみがきます。1、私達は科学的に物を考えることのできる頭の訓練をします。1、私達は誠実で友情に富む心をつちかいます。1、私達は楽しく暮らし、元気で働くための健康を増進します。

涼風晩風

4H活動と4H運動

過日、奈良県の松石憲晃君と歓談していたときのことであった。彼は非常に熱心なクラブ員であるが、つぎのような話をした。

「自分はこれまで4Hクラブ員として真剣にクラブ活動に打ち込んできた。わが家の経営も確立させ、クラブの仲間とも心を一つにして助け合い、励まし合ってきた。この限りにおいて悔いない活動をしてきたと思う。だが、こんど結婚して第一線を退き、これまでのクラブ活動を顧みるときに、何かしら、四つのHを磨くだけではもの足りないような気がしてならない。4Hクラブは立派な社会人をつくるのが目的だから、その手段としての4H活動はそれなりに優れたものだと信じているが、その四つのHの奥に何か思想というか、心の支えとなる信仰みたいなものが欲しいと思う」

全国でも指折りの立派なクラブ活動をしてきた松石君の述懐は、これまでのわが国の4H活動についての大きな問題をついているように思われた。

ご承知のように、アメリカの4Hクラブ活動はキリスト教の愛の思想に根ざしている。日本に4Hクラブの苗木は移入されたが、その思想的な土壌までは持ち込めない。日本には日本の土壌があるからである。

たしかに立派な社会人を育成する方法として優れた4Hクラブ活動であっても、それを全国津々浦々にまで興隆させるには、それに思想的な根拠を与え、4H活動を4H運動にまでもってゆくことが肝要である。

運動になれば、これまでの仲間は同志となってそれを推進し、また運動そのもののもつ自発的波及性によってひとりでに発展することも可能であろう。いいかえれば、4H活動は絶えず外部から刺激を与えないと活性を失うおそれがあるが、思想的な根拠を得た4H運動ならば放っておいても興隆に向うものと推察される。

それでは、日本の4Hクラブを支える思想を何に求めるかは、これからみんなで考えてみなければなるまい。そして日本の4Hクラブは立派な日本民族をつくる運動に発展すべきであろう。

4Hクラブ中央推進会議

行事、日程きまる

十二月五日から四泊五日 御殿場市国立中央青年の家で

去る十一月一日社団法人日本4H協会（会長・松下幸之助氏）と全国4Hクラブ連絡協議会（会長・丸山勉君）では合同会議を開き、両者共催による全国4Hクラブ中央推進会議の内容や日程が決められた。

これは全国の4Hクラブリーダーの養成を図るため過去九回にわたり実施されてきたが、今回はブロック4Hクラブ推進会議との関連性をもたせるため、名称も中央推進会議と変更し、4Hクラブ推進に必要なリーダーの知識と技術の研修を行なう。この開催にあたっては各県連を通して参加者が募集されるが、今からその成果が期待されている。主な開催要項は次の通り。

❶期日、昭和四十二年十二月五日から十二月九日の四泊五日 ❷場所、国立中央青年の家 ❸参加者、各県連五名内、男子県連会長を含み三名、女子二名、4Hクラブ関係青年の船団員 ❹参加経費、一人、一六〇〇円 ❺参加者報告、十一月二十五日 ❻会議の主な内容、◎4Hクラブの現状と方針、◎4Hクラブの本質と活動の意義について、◎4Hクラブの組織強化について ◎4Hクラブのリーダーについて 以上を講演、分科会、全体会議を行う。◎農村青少年教育の方針についての講演、◎派米クラブ員の帰国報告会、◎県連会長会議、◎自由交換、レクリエーション、キャンドルサービスなどが計画されている。

心頭技健

さる十月二十六日から五日間にわたって「全国4Hクラブ員北陸の集い」が富山で行なわれた。青年みずからが企画運営し仲間つくりや自主性の高揚をうたったこの集いも、九州（大分）関東（埼玉）につづいて、ことしで第三回目を迎えた。回を重ねるごとに参加者もふえてことしは四百五十名に達し、内容もだんだん盛大になってきた▼今回は富山県の農業祭と時期を同じくしたために、富山県連の4Hクラブ実績展示会なども見学することができた。会場には農業の改良や農産物から衣食住のすべてにわたる日頃の研究の成果が展示され、さすが4Hクラブ活動の盛んな富山県ならではの観があり、参観者一同、そのみごとな展示に啓発されたようだ▼集いの方も三回目とあって、回を重ねることに充実してきたのはうれしいことである。まず、運営がよかった。地元富山県のOBである四ツ葉会の先輩たちが裏にまわってよく面倒をみてくれていたし、若い運営委員たちはてきぱきと分担を決めて献身的によく働いていた。行事の内容について、起りうるあらゆる場合を想定し、前日の夜おそくまで細部にわたって検討した運営ぶりは、これまでの全国大会などではみられなかった統制と連絡のよさがあった。▼スムーズな進行のせいもあってか、参加者の方も非常に規律正しい行動をとった。学習と遊びの組み合わせもよかったようだ。とくに立山荘における部屋別の話し合いなどは、与えられた一つのテーマについて大勢の人が三時間の長きにわたって真剣に話し合いをつづけた。たいていこういう場合は、脱線して雑談になったり、騒いだり、会場をはなれてあちこちぶらついている者がいるものであるが、こんどに限ってそういうことはぜんぜんなかった。みんな真面目にやっていた▼意見発表と体験発表のときも、発表者は自分の発表することについて前もって充分の準備をしており、限られた時間を有効に使って堂々と発表していた▼キャンドルサービスでは、左手にローソクを捧げ、右手で肩を組み合い4Hクラブの歌を斉唱するみんなの顔には4Hクラブ員としての誇りと喜びが溢れていた。四つの信条のもと、北から南から志を同じくする仲間が一堂に集うということは、それだけでも素晴らしいことである。

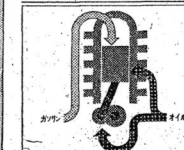

写真でみる北陸の集い

⑦⑧富山県の4Hクラブ員が日ごろの研究の成果を展示した実績発表会場の展示品の列
⑨雨のために室内からスケッチするクラブ員たち
⑩立山荘で展示された各県のクラブ活動の紹介
⑪⑫お嫁さん問題で質疑応答するクラブ員＝答弁しているのは山梨の向山清子さん

北陸の集いを開催して

青年の自覚と使命
祖国の繁栄は我らの双肩に

全国4Hクラブ連絡協議会会長　丸山　勉

私たち全国の志を同じくする4Hクラブ員が、4Hクラブ員による4Hクラブ員のための4Hクラブ員の集いを旗印に、私たち青少年自らが自主的に企画運営をし、そうした集団活動の中から自主自立の精神を涵養することを目的とすると共に、また日頃私たちのクラブ活動が家族の人々からよく理解されていない面を少しでも是正し、家庭の中に根ざしたクラブ活動を展開し、健全な人間形成がなされるよう願う意味から父母や兄弟、そして幼少のわが子もこの集いに参加していただく「家族ぐるみ」を合言葉にしたこの集いも、九州、関東の各集いをへて今回は第三回目の北陸での集いを開催したわけであります。

クラブ員の方々はすでによくご承知のことと思いますが、わが国に4Hクラブ活動が国策として取り入れられてから早くも二十年の歳月が流れておりますが、その間私たちの先輩諸兄は各指導機関や育成団体の方々の力強い支援を糧として、戦後の食糧難を解決すべく国家的使命と根強く残る農村社会の封建性を打破し、民主地域社会を造り上げようというスローガンを掲げて着実なクラブ活動を全国津々浦々の地において展開してきたわけであります。

今日私たちの眼前に展開するわが国の繁栄は、先輩諸兄がこれらの国家的使命を無事に成し遂げた賜であり、この血のにじむような努力と鉄のように固い意志を考えてみるときに、ただ彼らが造り上げてくれた繁栄に酔しれ、地域社会や国家への使命を忘れ、己れのことのみにきゅうきゅうとした狭い視野の中にとじこもっていないか、互いによく反省してみる必要があると思います。

自己中心的視野に溺没している人々はこのような集いに参加してもとかく団体行動や集団生活を円滑に進める上での障害となるものですが、今回の集いを運営した者の立場から顧ってみると、このような障害は皆無に等しく、この上もない大きな収穫であったと感じております。

これは参加された一人一人が主催者であり、運営委員でもあるといったこの集いの主旨をよく理解し、行動された成果であります。このような主体性に富んだ青少年らしい行動をいつ、どの場所でも発揮できるように互いに努力したいものです。

歴史が私たちに教えてくれるように、時の青少年の意識と行動が後のその社会を大きく左右していることを思うとき、未来の日本は私たち青少年の双肩に懸っているといえましょう。こうした面からも地域社会の発展と祖国の繁栄への歴史的使命を自覚して、自主的な主体性に富んだ日頃のプロジェクト活動や実践活動が要求され、これこそが明日の社会を築く礎石になるものと確信いたします。

数々の反省すべき点の中で特に言及したいものは、家族ぐるみの集いを合い言葉にして久しいにもかかわらず、今だにその実績が遅々として表われていないことです。もちろん現地交歓訪問などにおいて充分にクラブ員の家族の人々との団らんの中においてなされたという面は決して否定できないが、このことが更に一歩前進して開会式など、交歓訪問以外の日程の中にも自由に参加され、話し合いやスケッチ大会の実際を肌でもって味わってもらいたいものであります。

このような光景が各大会毎にみられるようになる時、米国から輸入された4Hクラブ活動が本当に日本の土壌に根を張り、日本の4Hクラブとして成長したときであると思います。妻と小さなわが子の手を取り笑顔で会場に入るクラブ員、父母や祖父母を会場に案内するクラブ員の姿が各地の大会や集いにみられる光景を我々クラブ員の手でなしとげ、家庭を基盤とする巨大な底辺に支えられた4Hクラブ組織を作り上げるよう、全国のクラブ員が手を取り合って努力しようではありませんか。

なお、この集いを開催するに際し、総理府、農林省、文部省や富山県の指導機関や各種育成団体の方々、また、遠路この集いにご出席頂きました諸県の担当官の方々から賜りました力強い支援とご協力に心よりお礼を申上げますと共に、今後更に私たち青少年をご指導支援して下さいますようお願い申上げます。私たちもこのような集いを明日の社会を築く一石となるよう日頃の精進と研さんに励み、皆様のご期待に添えるよう努力することを約束いたします。

新しい研究に魅力

クラブ活動の体験発表

郷土に貢献できる人に

富山県婦負郡八尾町杉原中学4Hクラブ　高見　秀行

自分たち杉原中学校4Hクラブ活動の実態の一部と、ぼく個人の感想についてお話しします。

ぼくは、4Hクラブへ入会して二年になりますが、その間、ずい分苦しい体験を味わってきました。耕うん機が動かず、雨が降り、泥まみれになって家へ帰えったことは、一度や二度ではありませんでした。炎天の下で、畑の草取りに目まいをしたことや、雪中の蕪（かぶ）や葱（ねぎ）掘りなどしたときの冷たさ！一つ一つ数えあげる暇もありません。しかし今では、それは大変な楽しい想い出であり、そうしたことによって大きな自信をもちました。今日となって、それが無性に心うれしいことです。

また逆に、クラブ活動には実に楽しいこともたくさんありました。そこで、ぼくらの思うクラブ活動の魅力はといいますと、次のように感じています。

一、新しいことを、いろいろと研究できるのが魅力的です。たとえば、まず❶稲作三方式とか❷増収の研究❸レタスの高値売栽培法❹茄子（なす）の二期作研究などであります。

二、作業は、息の合ったもの同志で行なっています。当クラブ内の組織は、稲作部、野菜部、飼育部、草花部に分類されて、それぞれ好みの部に所属しているので、好きなもの同志のことでまとまりやすいのです。

三、地域社会に役立つことなら、たとえ気乗らぬ仕事であっても実行となると、自（おのずか）らほのぼのと心がはずんでくるのです。特に、奉仕作業の出来上りとなると、なにものにもたとえようもなくうれしいものです。

毎年行なっている当クラブ員の奉仕作業は次のとおりです。

❶公衆の集まり場などに草花を植えています。
❷農道の修理、用水路の土やゴミさらいをしています。
❸校舎や道路などの除雪をしています。
❹来春、全校卒業生に対し、当クラブ員が日ごろ温室で育てた花鉢を贈ることにしていますがその時の一切の準備、世話をしています。
❺本校、白菜品評会の開催に至るまでの一切の世話などもしております。

昨年から全校生徒に白菜の家庭プロジェクトを取り入れて、地区の青年4Hクラブと合同して品評会を開催しています。これは、理科の学習ともなり、地域の特産をさらに盛り上げようとする意図があります。

これと同時に、白菜や茄子の適地品種試験をして、優良品種をきめてわずかでも郷土のためになればと努力しています。

四、その他、魅力ある行事のいろいろについてお話しいたしたいと思います。

❶毎年、夏休みを利用してキャンプを行なっています。
❷キャンプ場で技術競技会も行なっています。
❸毎年、研究実績発表会を校内で行なっております。今年は、本校創立二十周年記念に、今月十七日、発表大会を開催して実績と演示に計十六名が発表しました。全校生徒はもちろん、多数のPTAの参集を得て大好評を博しました。同時に、今月十四日から三日間、本校温室で育てた草花の即売会を催したところ、利益金一万五千円も得て互いに喜び合いました。

その他、テーブルマナー、先進地視察、学園祭などいずれも待ちに待たれる4Hクラブ独特のもつ楽しい行事です。しかし、クラブ運営上の盲点やクラブ員の悩みも少なくありません。

体験発表をする高見君

次に、本校4Hクラブ運営上の盲点についてお話しします。

一、きびしい正規の学習に追われて、学習や研究などのクラブ活動をする時間が足りません。作物栽培にはそれぞれ適期があるので、そのチャンスには適正な施しができないので困ります。

二、研究調査が長期にわたるとき少年期の心理段階からみても、仕事は長く続かない傾向があります。

三、少年期であるために経済的観念が薄いので、積極的自主性に乏しいです。

四、中学校には、4Hクラブ数が大へん少ないので、交換会や姉妹校としての交流に恵まれていないので淋しいのです。

五、概して、勤労愛好心が乏しいのです。

それでは、盲点の打開について考えを述べますと

一、新技術の導入で、常に興味をそそるものであること。

二、研究資材をじゅう分に備え、活動しやすいように予算化すること。

三、研究欲の中絶を防ぐため、観察、記録、経過を重視します。

四、マスコミ、その他あらゆる機関をとおして4Hクラブの性格をハッキリ打ち出してPRし、各学校へその設置かたを勧めること。また、各学校長、担当教諭によく認識してもらうよう働きかけることがよいと思います（本校学校長は、認識、理解ともに満点です）。文部省をはじめ地区の教育委員会の認識、理解が必要であります。

五、現段階では、各地区の教育振興会、農協などの理解と支援は特に必要となってきたようです。

最後に、結論を述べたいと思います。

一、四つの綱領を信条とする4H精神を徹底すること。特にサービス精神を徹底する必要があります。

二、自然を愛し、郷土に貢献できる人になるよう努力すること。

三、共同による活動、仕事は楽しく、有利であることを直接、肌に感じて、豊かな、潤（うるおい）のある生活を願い、希望します。これが、ぼくたちクラブ員の理想の人間像です。

夫と共に参加して

初めて知った、4Hの素晴しさ

徳島　香東　武子

私は独身時代、青年活動や4Hクラブはもとより、グループ活動には何一つ加入したことはありませんでした。たまたま私の主人が全協の中四国代表評議員をしている関係で、今回の北陸の集いにお招きをいただき参加させていただきました。

私は、四日間4Hクラブ員の方々と共に、わずかながら運営の手使いをさせていただきまして感じましたことは、第一に、4Hクラブ員の方々全員が快く集まり、心からうちとけた感じで準備から集いの運営など、数多くのクラブ員の方々のお世話を実によく気をくばっておられるのを見て、ただ敬服の限りでした。また話し合いや意見、体験発表においても力のこもった貴重な発表に私たち農業に従事する者にとって、まだまだ農業は無限の可能性のあることを身をもって教えてくれ力強く感じました。

また4Hクラブ活動を通して、一人でも多くの青少年が農業に親しむ心を養い、常にものごとに対して科学的な判断力と、社会的に広い視野をもとめるために、若い方々に4Hクラブ活動をすすめて行きたいと思います。

4H精神が自己の育成のみならず奉仕的精神を培う場として素晴らしいものであることもわかり、これからも、できるかぎりこうした行事に参加して、私自身勉強したいと考えています。

若さと情熱に感激

話し合いで自己の向上

茨城　女子クラブ員

意外に広がる日本海の荒波と、雄大につらなる山なみの美しさに感嘆の声をあげるとともに、この4Hクラブ員の集いに対するこの上ない期待と意欲をもって、ここ富山の地に着いた。この集いに参加してまず感じたことの一つは、参加クラブ員の一人一人が若さと情熱に溢ふれている姿が、ひしひしと感じられた。

これからの日本農業を背負って立つ同志として、もっと多くの人と話し合い、自己の人間形成の向上の糧としてほしかった。でもこの集いに参加したことによって多くの友を知り、語り合いの中からあらためて4Hクラブえの自覚と認識を身をもって体験することができた。

このように、全国の4Hクラブ員が一堂に会して、盛大にこの集いが成功に幕を閉じることができたことは、ひとえに企画、運営にあたられた全協役員はじめ富山県連役員の方々のご努力に対して、感謝の気持でいっぱいです。

熱意あるわが先輩に誇り

中学4Hクラブ員の参加を

富山　高見　秀行

僕は、このような大きな4Hクラブの大会に参加したのは初めてです。体験発表や意見発表などに対するクラブ員の熱心な態度と熱意には、僕の想像以上のものがありました。また消灯後になっても意見交換をしているクラブ員の熱心な姿に対して、僕はこのような熱意ある先輩をもったことを誇りに思い力強く感じます。また、このような行事にどしどし参加して全国の友と、もっと深い交流を持ちたいと思います。

しかしこれからは、僕たちのような中学校4Hクラブ員がもっと多く参加して、中学校4Hクラブの存在を全国の友に認識してもらい、中学校4Hクラブのあり方を理解してほしいと思います。僕はこの北陸の集いに参加して、大きな非常によい体験を味あわせてくれました。僕にとってそれだけでも、この集いに参加した意義があったと思います。

4Hクラブ活動の意見発表

都市にも4H活動を
社会に必須のもの

宮城県4Hクラブ連絡協議会副会長　木幡市郎

都市にも4Hクラブ活動を広めようと訴える木幡君

私が、過去七年にわたるクラブ活動を通じて常に考えてきたことについて申し上げ、皆様のご批判を仰ぎたいと思います。

結論から申し上げますと、都市にも4Hクラブ活動を推し進めようということなのであります。

まず、これについて申し上げる前に、現在のわれわれの活動のあり方をふりかえってみなければなりませんが、第一に、現にクラブ員であるわれわれがどの程度、自分たちのクラブの本質を理解しているかということです。この点について私は非常に疑問に思うのです。なぜなら、第三者から4Hクラブとはどういうクラブですか、と尋ねられた時、はっきり答えられる人が何人いるでしょうか。

第二に、クラブの名称についてですが、4Hクラブと同じような活動をしながら、4Hラブと名命していないクラブが沢山あることです。どうせ、活動内容が同じなのだから、名前はどうでも良いといわれることでしょうが、では、なぜ、クラブの歌を唱うのでしょうか。また、なぜクラブの旗を掲げるのでしょうか。4Hクラブ本来の意味からすれば本当におかしなことだと私は思います。

以上のような疑問が、現在のわれわれのクラブ活動において問題になっていることは、事実なのではないでしょうか。

とにかく以上のような問題があるにせよ、われわれ農村の青年には、他に類のないクラブ活動である4Hクラブがあり、現にそれに入っている大部分の青年が活動していることは、大変、良いことであると思います。しかし、このような活動は、われわれ農村青年にだけあって良いものでしょうか。

確かに、現在の4Hクラブ活動の基本は、農村向けにつくられてありますから、あまり疑問を感じないですみますが、4Hクラブ本来の姿を理解したときに、私は、これは農村青年にだけにあるのではなく、都市にも、漁村にも全国青少年の誰れにでも通用するものであると思われるのです。

いつか、都会に就職して行った友が帰ってきたとき、丁度、私たちはクラブ員全員で手料理を作ってクリスマスパーティをやろうとしておりました。それを見た友はなんと羨ましく思ったことでしょうか。若い、青年男女が楽しく語り合い、力を合わせて大きなケーキを作り、バーベキュウを作り、手をとり合ってダンスを踊るさまを見たとき、彼は「われわれ都会には、どうしてこのようなクラブがないのだろうか」という疑問を抱いていました。

確かに、都会では暇があれば映画を見たり、本を読んだりすぐ出来るけれども、すべて個人行動なのであるということです。そんな彼の目に映った、あのクリスマスパーティは、はっきり、4Hクラブの姿を理解できなかったとしても、何かにそこにひきつけられるものがあったのでしょう。

そこで、われわれは4Hクラブ本来の姿をもう一度考えてみようではありませんか。私の考える4Hクラブ本来の姿の要点を簡単に申し上げますと（時間の都合で全部を申し上げることができないのが残念ですが）、よりよい社会をつくるために、いわゆる四つのH（科学的に物ごとを考えることのできる頭、誠実で友情に富む心、楽しく暮らし元気で働くための健康、農業の改良と生活の改善に役立つ腕）を信条としてかかげ、これをまず自分に誓い、そして他人にも誓うことによって必ず世のためになろうとしているのです。

そしてまた、4Hクラブには、プロジェクトというものがあります。これは、一つの課題解決の手段として行なわれるものでありますが、前にいった4Hの信条を達成するためにはぜひ必要なものです。ですから、プロジェクトなくして、4Hクラブ活動とはいえないでしょう。

以上が私の考えている4Hクラブの本来の姿の一部ですが、一体このような姿をしているクラブが果して都会にできるかどうかという疑問を抱くことでしょう。しかし、私はできると思うのです。なぜなら、四つの信条は広く考えてみると、すべての人間社会に適用する、そしてまた、必要欠くべからざるものであると思うからです。

都市では、農村のようにプロジェクト活動が思うようにできないから、4Hクラブをつくってもプロジェクトぬきの4Hクラブでは意味がないといわれるでしょう。

本来、プロジェクトは生き物を生産するのが望ましいとされており、私としても都市においては、このことは非常に難しい問題であると思います。

しかし、物を生産するとまでは行かなくとも、アパートのベランダに箱を置いて草花の種子をまいても良いでしょう。また、下宿の机の上に何か観葉植物の鉢でも置いても良いでしょう。また広く考えれば、プロジェクトは一つの課題解決の手段ですから、現在の自分の仕事について何か問題点を見つけて考えていっても良いでしょう。

なんでも良いから、自分の近辺を見渡して生物を育てるなり、日常の仕事や生活について考えたりすれば、それがはっきりとしたプロジェクトでなくとも、4Hの信条の一つに当てはまるのではないでしょうか。これが強いては都市にも4Hクラブが誕生する一つの大きな原因になると確信しております。

そして、都市の青年も、農村の青年も一つの目的に向かい、お互いに交流を図り、4Hの信条を高く掲げたとき、現在の4Hクラブは、ますます大きく発展し、よりよい社会、よりよい日本が誕生するのではないでしょうか。

これは、夢としてではなく、近い将来、必ずそのようになる手段を講ずることがわれわれの責務と思います。

4Hクラブのビジョン

学習―実践―社会（農業）貢献のレールを
全青年をクラブ員に

山口県阿部郡阿東町　徳佐4Hクラブ　上野喜生

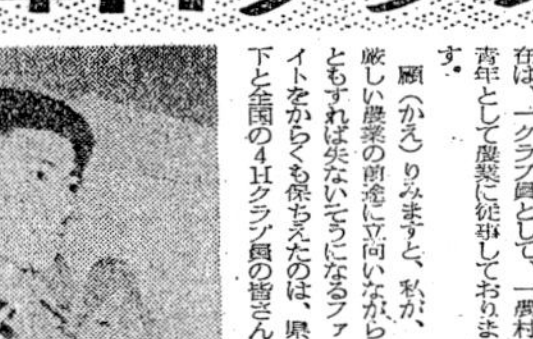

なにをするにも第一は"人"だと力説する上野君

全国のクラブ員の皆さん、私は皆さんに逢いたい一心で、はるばる山口県からやってまいりました。

いま、北陸の、この地で、全国のクラブ員が一同に会し、今後の日本農業、ならびに4H活動についてひざを交えて語り合うことはまことに意義深いことであると思います。

私たちの日常の学習の成果をお互いに話し合い、互いに励まし合い、"明るい農村の建設"に、若い情熱をぶっつけようではありませんか。

さて、私は「4Hクラブ活動のビジョン」と題し、私の4H活動の体験と、それをもとにして日頃考えている私見を述べ、皆さんとともに考えてみたいと思います。

私は、高校卒業以来、六年、4Hクラブとともに歩んでまいりました。その間、数々の役職を経て昨年度の県連の会長を最後に、現在は、一クラブ員として、一農村青年として農業に従事しております。

顧（かえ）りみますと、私が、厳しい農業の前途に立向いながらともすれば失ないそうになるファイトをからくも保ちえたのは、県下と全国の4Hクラブ員の皆さんの農業に立向う、ひたむきな情熱にほかなりません。

「負けてはならぬ」「負けてなるものか」ーそう思いながら、わが心にむち打ちつつ、今日まで頑張ってまいりました。

「そこに同志がいる」「あそこに仲間がいる」ーこの心のつながりこそ、4Hクラブが私たちの心の中に生きている源（みなもと）に違いありません。

さて、クラブについて語るとき「学習活動はいかにあるべきか」ということは、常に論議の争点となるところです。

しかしながら、私は、はっきりと申します。「4Hクラブの学習は幅広く、人間的向上を求めるべきである」と…。私たちが立向わなければならないのは、日本の農業なのです。

しかるに、幅広い学習活動を展開し、人間性の向上と、社会性を持った農民の基礎を作らねばなりません。

人はよく、経営だと言う。技術だと言う。私にも、それはよく解ります。しかし"人"が第一であり、よりよい考え、より新しい合理的な考えを持った青年が、一人でも多くなることが、新しい農村の建設になるのではないでしょうか。

4Hクラブの時代について、広く世界に眼を開き、あらゆるものを吸収しなければなりません。

激しい変動をしている社会と農業の中で、今こそ、農業の中の悪幣（へい）を徹底的に打破しなければなりません。

[illegible]

さて「学習は、幅広いものでなければならない」と述べてまいりましたが、クラブ員の自覚によって、それは一段と活発化し、大きな発展をみるでしょう。

同じ農業をするにしても、はっきりと経営の目的を持って進むなら、仕事も楽しく、ファイトも湧いてくるように"社会の中での農業"をはっきりと把握し、農業の中での青年の、4Hクラブの役割りをはっきりと見い出さなければなりません。

農村青年の使命は何か?、それは、私が言うまでもありません。

「豊かな農業」「明るい農村の建設」であります。このことをはっきり自覚しなければなりません。

[illegible]

新しい目標であり、社会へ貢献する欠くべからざる条件であると感います。

[illegible] なければならないと痛感するからであります。

私たちは、学習をただ学習に終らせてはなりません。学習の成果は、それを計画し、実践するところにあります。

技術の研修にしてもそうでしょう。実践して、初めて成果が現われて来ます。では、4Hクラブは何を実践すべきか！

私は、4Hクラブが、社会にしっかりと根をおろしたクラブとなるためには「社会に貢献」しなければならないと思います。

われわれの実習を実践する体制の確立こそ、今後のクラブ活動の後の目標であり、4Hクラブが求めてやまない姿であると確信いたします。

では、何によって貢献すべきか…、例を上げて申しましょう。

私は、昨年、私の県の農林部長さらには県知事との話し合いを提案し、その実現を県の指導機関を通じ要望いたしました。ようやくにして、今年七月末、県知事との話し合いが実現のはこびとなりましたが、急きょ、都合により農林部長との話し合いに変更し、初めて実現となったのであります。

私たちは、一歩を踏み出しました。さらに前進するために、私たちは、もっともっと学習しなければならないことを感じました。

私たちは、農林部長に数々の要求をいたしました。そのことによって、全（すべ）てが実現するなどと思っていません。

しかし、一つ一つの実践の積み重ねによって、少しでも多く私たちの意見が反映される努力を払うとともに、少しでも、農業へ貢献しなければならないと考えたのであります。

これは、一例に過ぎません。私たちは多くの方法を知っているに違いありません。

クラブ員一人一人の自覚によっ

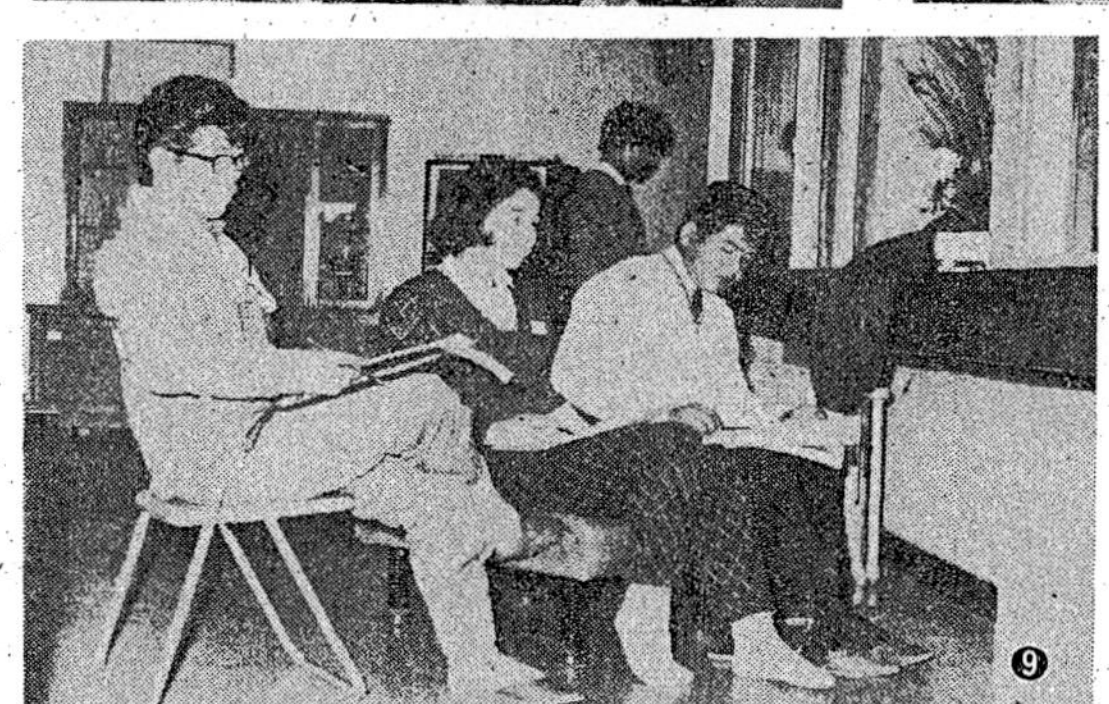

写真説明

❶郷土民芸の麦屋節を披露する地元富山県の南砺4Hクラブ員たち
❷女子クラブ員が作った造花のブローチを買上げられる宮城日本4H協会副会長＝実績展示場で
❸熱のこもった体験発表会＝発表しているのは鈴木敏章君
❹みんな楽しく遊んだレクリェションの夜＝指導者は富山県のOB鈴木さん
❺立山一帯は吹雪に覆われた＝立山荘の窓から翌日写す
❻花やかに開会式が行なわれた富山県民会館

北陸の集い　参加者の声

4Hの将来にあかり、そこに社会背負う若者の姿をみる

茨城　黒田勝

この集いには、私たちの4Hクラブから九州の集いに二名、関東の集いに十六名、今回の北陸の集いに十二名と現在三十名のクラブ員が参加しています。そのため全国大会の独特の雰囲気が、私たちの4Hクラブの中に芽ばえクラブ員の活動意識の向上に非常に役立っており、今後の活動面において大きく発展する基となっております。

初めて北陸路を訪ずれて、日本海に目をみはり、雄大な北アルプス連峰の美景を背景に、全国の4Hクラブ員が一堂に会して、体験、意見を活発に発表し、農業の喜びとまた苦しみを参加者が心を一つにして話し合う姿こそ、これからの日本農業と社会を背負う若者であると思う。

私自身昨年の関東の集いに引続いて二度目の参加ですが、参加者の態度も昨年とはうって変ったように思えます。これも激しく流動する社会情勢の中で、クラブ員の考え方もだいぶ変ってきたような姿が見うけられます。特に感じたことは、参加者のほとんどが県、地区のリーダーのため、4Hクラブ活動推進について真剣に考え、話し合う姿や顔つきにも、するどい光景がたびたびあり、これならば4Hクラブの将来に明るい見通ができると感じました。

また、このクラブ員の集いの目的として、地域社会からよく認識された4Hクラブ活動を推進するために、家族ぐるみの集いがとなえられていますが、現実にはほど遠い感じがします。しかし今回はOBを交えての運営委員会、県の担当者や全協の先輩役員、何人かの家族の人の参加者があったように、昨年よりは参加者の顔ぶれが豊かであったと思います。将来続くであろう、この集いには、ぜひ家族ぐるみの集いにすべく、小さく出発したこの輪を私たちの手で大きく広げようではありませんか。

意欲も新たに　期待裏切らなかった現地交歓訪問

山梨　長田保雄

私は北陸の集いに参加するのにいくつかの目的があった。その一つは、日本は狭いと言っても地域によって風俗、習慣、生活環境が非常に異っていると思う。しかしその中における同志4Hクラブ員と寝食をともにして話し合い、その中から考え方や意見を感じとりそして自分自身のあり方をみつめ反省の糧としたい。また、とかく敬遠されがちな農村に力強く生きる4Hクラブ員と語り合い、明日からの4Hクラブ活動の指針としたい。

また、現地交歓訪問は初めての体験だけに集いを通して一番意義深いものがあり、期待をうらぎらなかった。それだけに受入れ側として大変ご苦労さまでした。おかげでこの集いに参加して、感激と意欲をあらたにクラブ活動のために努力して行く覚悟ができ、初めの目的であった自分自身をみつめる機会も、わずかの期間でしたが私自身この集いに参加して大きな意義と体験になりました。

新しい、友と新しい知識を得る

来日アメリカ4Hクラブ員　ビル・ブラウ

たいへん立派な集いであった。日本の各地から参加した仲間たちの間に友情が芽生え、みんな楽しそうであった。

集いに参加した人たちは、新しい友に会い、新しい考えを得て、より高く、より力強くなったようだ。

4Hクラブ員であったために日本の地方の人が他の地方の4Hクラブ員と出会うことができ、各県で行なっている自分たち自身のクラブ活動を紹介し会うことができたのである。みんな自分たちの地方の農業や自分のプロジェクトを話し合っていた。

私たち国際交換生にとっては、日本から米国へ行ったことのある人たちと会い、お互いの見聞や日米交換事業について意見をかわす機会を得た。

私自身もこの集いの行事を楽しみ多くの友を得ることができた。集いに参加された日本の4Hクラブ員のすべてが、最大の収穫も収められたことと思います。

自主的運営に深く感銘

岐阜　男子クラブ員

力の弱い者ほど寄り合い、助け合って一つの力を持ち、伸びようとする。私たち青少年も当然その心が働いて、一つの力を持ちたいと願っている。そこには、仲間意識と連帯感がうまれ組織が誕生する。しかし、その組織は健全で自主的なものでなければならない。

今回の全国4Hクラブ員の集いも4Hクラブ員の自主的な発想により、三回目を迎え、私は初めての参加であったが、この種の全国大会はとかく青少年不在の企画運営がされがちであったが、この集いに参加して、先ず感じたことは多少の企画、運営の不出来はあるにせよ、4Hクラブ員が中心になって、そのほかに指導的立場の人が適切な助言をあたえるという、今までに無い雰囲気に気づいた。

これこそ青少年の組織として望ましい姿であり、農村青少年活動の改革である。私たち自身が必要とする組織なら、私たちの手で4Hクラブの県連をまた全国協議会を育てようではないか。4Hクラブ員の集いに参加して、特に4Hクラブ組織強化の必要性を感じた。

話し合いのまとめ
4Hクラブ活動と問題点

奉仕活動は気軽に
OBは後輩の育成指導を

集いの第三日目、会場を海抜二千メートル立山の弥陀ヶ原にある国民宿舎立山荘に移して班別話し合いを行なった。テーマは、「4Hクラブと社会奉仕」「4Hクラブの理念の探」の三つを取りあげ、各班ごとに各県から出席された担当官の方を助言者にして一つのテーマの頃から立山一帯は雪まじりの風雨に見舞われたが、参加者全員が三時間にわたって話し合

肝じんなのは心がけ

社会奉仕活動

まず、各クラブで行なっている社会奉仕の実態について、つぎのような発表があった。

農村の各種の実態調査を行ないデーターを公表した。クラブ員の家に起る不幸のときクラブ員がみんなで労動奉仕をした。県の緑化運動に応呼して花苗の提供をした。新規農業後継者に対する激励大会を開いた。各農家の土壌検定を行なった。クラブ員相互の労働奉仕をやっている。共同防除および稲刈り作業を安い報酬でやっている。施設の老人を訪問した。豚の予防注射をした。献血運動を取りあげる予定。郷土民芸を守ることによって社会奉仕をする―などである。

それでは、4Hクラブ員の社会奉仕活動はどうあるべきかということについてつぎに話し合いを進めていった。

報酬目的の奉仕活動であってはならない。報酬の提供を受けた場合、遠慮なく受け取ってよい。大切なことは、報酬の有無にかかわらず「社会に少しでも奉仕する」という心がけである。奉仕活動は気軽に行なうものであり、相手のある奉仕活動においては、奉仕を受ける側も気軽な気持で受けられるようクラブ員としての……しい。4Hクラブ活動の……

また、4Hクラブ活動の……決していった問題は、すぐ……につながらなくとも、いず……会のためになる立派な社会……ある。奉仕活動によってク……の和を強め、仲間づくり……ような結果ができている……そして、望ましい奉仕……

全人格的学習の場

理念の探求

はじめに各クラブの活……について話し合った。

青年団のレクリエーシ……だけに満足できない仲間……

魅力あるクラブに

今後の在り方

……うのがみんなの希望であった。

4Hクラブ活動については、全員がプロジェクトにつもつ、共同プロジェクトをもつ、全体活動と部門別活動に分けてプロジェクトを進めてゆく、同じ者で技術面を話し合い、競争心をあおるとよくやるようになる。

また、集会は全員参加できるように雨天のとき行なう。定例会を毎月一回以上行なう。

農業簿記の講座や親子研修、他産業の人たちと交歓会を行ない視野を広め、技術の向上をはかる。技術中心主義であると利己主義的な人間ができる。

まずクラブ員は同志の人間関係を最初につくり、レクリエーションを適当にとり入れて技術面と心のつながりを大切にして、地域に模範を示して社会に認められるようにすべきである。

経営もこのスタイルで
運動会にぎわう
群馬・伊勢崎地区農村青少年ク連

仲良く風船運び競争に懸命な男女クラブ員

【群馬県＝吉沢功連絡報道員発】伊勢崎地区農村青少年クラブ連絡協議会（会長、大山辨君）では、さる十月十五日、佐波農高の校庭でクラブ員の運動会を行なった。

同地区連では、例年、スポーツ大会として球技種目（ソフトボール）の試合を行なってきたが、ことしから全クラブ員が参加できるものということから運動会にしたもの。

運動会には、地区内八単位クラブから男女クラブ員百二十名が参加し、黄、青、桃、白の五団に分かれて対抗戦をくりひろげ、若い血をたぎらせた。

競技種目から、主なものをいくつか拾って紹介してみよう。

○…二人三脚リレー（男女混合組）では、いきが合ってスムーズに走れる組、両人の足がそろわず倒れる組、または、お互いにかけ声を出し合いながら走る組など、それぞれ応援するクラブ員の笑いと声援の中を真剣に走った。

○…どじょう掴み競争では、おけのどじょうがぬらりと逃げて掴めずクラブ員たちは四苦八苦。そのうえ、ジュースの空ビンに二匹ずつ入れるとあってまた一苦労。みんな思ったより難かしい様子であった。

○…パン喰い競争では、糸でつり下げられたパンに素早く喰いつく者、また、糸をゆずられるのでなかなかとらえることの出来ない人などさまざまの光景がみられた。しかしそれでも、みんな比較的馴れているとみえて、まずまずであった。

○…競技二十四種目の最後に行なった綱引きでは、ワッショイ、ワッショイとかけ声をかけ合いながら全員で力をふりしぼり、笑いの中で全種目を終った。

団対抗では、白組が百三十二点で優勝を飾った。この運動会では各クラブ員が、若さと協調の精神を惜しみなく出し合い、楽しい一日であった。

新生クラブと親睦の試合
静岡・浮島4Hクラブ

【静岡県＝栗田伸雄連絡報道員発】秋晴れのさる十月十七日、富士市の浮島4Hクラブ（会長、中西範道君）は、同市営球場で沼津市の南駿4Hクラブとソフトボールの試合二回戦を行ない、日ごろの苦労も忘れて情熱をもやした。

これは、浮島4Hクラブが、新しく誕生した4Hクラブとスポーツによって親睦を深めようと、去る九月に結成されたばかりの南駿4Hクラブに呼びかけて行なったもの。

日ごろ、クワやカマなどしか持ったことがないクラブ員たちは、バットをかまえて一流選手なみの好プレーをみせていた。中にはバットが球に当らず苦労していたクラブ員もいた。

お互いにクラブ員が持ち寄った柿や落花生を食べながら一生懸命プレーに精を出した。成績は第一試合が十二対六で浮島チーム、第二試合は六対四で南駿チームが勝って一勝一敗と引き分けた。昼食を市内の食堂で一緒に食べながら、お互いにクラブの発展を誓い合って散会した。

講師にふとん店さん
埼玉・入間東部地区4Hクラブ連合会　初の女子教室開く

……き、現代にマッチした女子活動にしょう」というねらいで、第一回が試験的に行なわれた。

講師には、綿入れを職業にしている近くのふとんやさんにお願いして、また、布の選び方、買い方などについては、農閑期にふとん店につとめているある女子クラブ員を講師として、親切、ていねいに教えてもらった。

参加クラブ員は二十余名と少なかったが、一時の時間もムダにせず、みんな真剣に学んだ。

研修内容の成果はもちろん、自分たちのために、女子クラブ員の手で企画、運営したのだという自信ができただけでも大きな成果であるといえる。

最後にもうけた一時間の反省会と、次回開催の「クラブ員教室」についての話し合いにも積極的で活発な意見が多く出されたことをみてもわかる。今後の「教室」が大いに期待される。（入間東部地区4Hクラブ連合会副会長、砂川みさ子さんより）

女子4Hクが誕生
長崎・有明町で

【長崎】南高来郡有明町にこの……

干バツの被害にも負けず
姉妹クラブの縁結ぶ
鹿児島　二つの「若鶴会」が山頂で交歓

【鹿児島県＝山田勝連絡報道員発】鶴が訪ずれる町で全国に有名な出水市の農村青少年クラブ「若鶴会」（会長、重信護一君・会員八十九名）と、九州一の多目的ダムといわれる鶴田ダムのある鹿児島県鶴田町農村青少年クラブ「若鶴会」……の農村青少年の生き方などについて活発に意見を交換した。またかれながら若い歌声を、澄んだ秋空のすみずみまで響かせた。

両クラブの活動内容紹介や、今後……しかし、南九州一帯に続いている同十年ぶりという干バツには、ミカン、水稲など大きな被害が出ているだけに深刻な表情は隠せないようだった。

両クラブとも、4H精神にもとづいて活動を進めている農村青少年クラブであり、また、同じ「若鶴会」という名称をもつ両クラブは、姉妹クラブの盟約を結んで楽しかった山頂での交歓会を終えた。（下の写真は、山頂での記念撮影）

山頂で姉妹クラブのちぎりを結ぶ二つの若鶴会のクラブ員

農業祭ひらく
北海道・渡島4Hク連協

【北海道】渡島4Hクラブ連絡協議会は、渡島市庁と共催で、このほど三日間にわたって函館市船見町の道南青年の家を会場として四十一年度渡島4Hクラブ農業祭を開いた。

巨星墜つ

日本4H新聞
4Hクラブ 農事研究会 生活改善グループ 全国弘報紙
発行所 社団法人 日本4H協会 東京都市ケ谷家の光会館内 電話（269）1675 編集発行人 玉井光
月3回・4の日発行 定価 1部10円 6ヵ月180円（送料共） 1ヵ年360円 振替口座東京 12055番

クラブの綱領

…しく暮らし、元気で働らくための健康を増進します。

全国4Hクラブ中央推進会議

参加者、各県連から5名

4Hリーダー研修

来月五日から中央青年の家で開く

全国4Hクラブ連絡協議会（丸山勉会長）社団法人日本4H協会（松下幸之助会長）共催の「全国4Hクラブ中央推進会議」は、来る十二月五日から九日までの五日間、静岡県御殿場市中畑の国立中央青年の家で開催される。この中央会議は、4Hクラブ活動の真髄を探究し、その方法を学習する場として、現在、最高の充実した内容を誇るもので、その成果が注目されている。

最高の内容を誇る

全協と日本4H協会は、4Hクラブ活動の推進を図るため、次期リーダーの養成を目的として、過去九回にわたって同所で「全国4Hクラブ中央研修会」を開催し、大きな成果を上げてきた。

しかし、さいきん、クラブ活動の本質、目的などを見失った活動が行なわれているグループが一部にみられるばかりでなく、離農青年の増加などによってクラブ活動が渋滞している地域もみられるため、さらに積極的な手をうつことが必要になってきた。

このため、昨年から各地区で中央研修会の内容にそった研修会を開いてきたが、その成果を単に研修だけにとどめることなく、一歩前進し、クラブ活動を推進させるという意味で「4Hクラブ推進会議」と銘打ち、意欲的に取り組んできた。このような関連もあり、今回は、前回までの「中央研修会」を「中央推進会議」と改称し意欲も新たに開催することになった。それだけに、今回の会議はとくに意義深いものがあり、注目される。

丸山全協会長

開催要領は次のとおり。

主催　全国4Hクラブ連絡協議会、社団法人日本4H協会

後援　農林省、国立中央青年の家、全国農村青少年教育振興会（予定）

参加者　各都道府県4Hクラブ連絡協議会々長（代理でもよい）と男、女クラブ員各二名の計五名で、将来、県連や地区連においてリーダーとして活動する者。4Hクラブ関係青年の船団員七名。

参加者の報告　十一月二十五日までに参加者を報告すること。

会議の主な内容（カッコ内は説明者と講師）

❶4Hクラブ活動の方針（丸山勉全協会長）❷4Hクラブの本質と活動（日本4H協会、[illegible]長）❸4Hクラブの強化について（宮城孝治副会長）❹リーダーのあり方（[illegible]県専門技術員、湯[illegible]）❺[illegible]林省の農村青少年[illegible]林省普及教育課、[illegible]年班長）❻派米ク[illegible]

会議の日程

【第一日】正午から午後二時まで国立中央青年の家オリエンテーション室で受付け。二時から開会式とオリエンテーション、七時から九時まで懇親会。

【第二日】午前中4Hクラブ活動の現状分析の説明と質疑応答、午後は「4Hクラブの本質」と意義」の講演と分科会、夜は派米クラブ員の帰国報告会。

【第三日】午前八時半から全体討議を開き、前日の分科会報告を中心に話し合う。十時から「青少年教育の方針」の説明、午後一時からレクリエーションとしてソフトボール、三時から「組織づくりとその強化について」の講演、夜は会長会議と、翌日のキャンドルサービスの準備。

【第四日】午前中、組織づくりの講演の内容を中心に分科会と全体討議を開いて話し合う。午後一時から「リーダーのあり方」についての講演、三時から自由交歓、夜はキャンドルサービスをくりひろげる。

【第五日】午前中、リーダーのあり方の講演の内容をもとにして分科会と全体討議で話し合い、このあと研修のまとめをして、午後、閉会式を最後に幕を閉じる。

毎日、朝六時半に起床し、七時から朝のつどい、同三十分から朝食、八時半から研修に入る。昼食は正午から一時間、研修のあと四時半から夕べのつどい、夕食と入浴、七時から夜の催しを行ない、九時に終了、十時に消灯する。

このように、毎日の生活が規律正しく、しかも足もとからそびえる秀麗富士を仰ぎ、寒気せまる中で研修と交歓を行なう。

われらが高めるもの

依存より推進役を

考え直そう4Hの本質

宮城県4Hクラブ連絡協議会会長　高野秀策

私たち4Hクラブ員は、高い理想、すなわち四つの信条を高くかかげ、プロジェクト活動を通じ、仲間とともに自分をさらに高め、自分たちによる、自分たちのための、自分たちのクラブ活動を実践してきました。

しかし、私たちをとりまく農業の諸状勢は、極めて厳しく、農業の繁栄を阻害する要因が、さらにふえつつあります。

とくに、農業後継者の問題は、世論のマトであり、当事者である私たちクラブ員は、行政機関や指導機関の対策に依存するだけでなく、一層の自覚のもとに、新しい農業の推進役として、努力しなければならないと考えます。

昨年、東北七県知事の提言によって、東北地方は、日本の食糧基地として、今後の方向づけが明確にされ、私たちのクラブ活動も、その目的がはっきり示されたと言えます。

一方、宮城県においては、農業改良普及所の統合に伴い、各普及所に青少年担当の専門普及員がおり、私たちの活動に、大きなバックアップとなり、クラブ活動そのもの、また縦横のつながりが一層スムースに連携されてきました。

次に、県連の活動方針と、私の所感の一端を述べてみたいと思います。

一、4Hクラブの本質の正しい認識と実践

宮城県に4Hクラブが誕生して、早や二十年になります。一口に、二十年と申しますが、ここまで到達するには、先輩諸氏の若い情熱と、何ものにもくじけない根性があったからこそ、幾多の困難を乗り越えてきたものと思います。

しかし最近、4Hクラブの本質、すなわち、4Hクラブとはどんなクラブであるかということが、たいへんボヤケて来ているのです。ただ単に、農業に従事する青年のグループや農村青年の集まりであれば、4Hクラブのように考えている大人はもちろん、クラブ員さえ少なくありません。

そこで、ここでもう一度、よりよい人間になるための教育の場として、4Hの本質をみんなで考え、そして、その教育は自分のために、自分でするという考え方でプロジェクト活動に取り組み、私たちの身体の中で、最も重要な機能（頭脳、心、腕、健康）の健全な均斉のとれた発達を図らなければなりません。これが成し遂げられたら、誠実で友情に富む、心の温い、誰からでも信頼される青年になるものと思います。

以上を達成するために、リーダー研修会、女子クラブ員推進会議、4H祭（大会）の開催、さらには、日本4H新聞の購読推進などで大いに学習をすすめていきたいと考えております。

二、組織の充実強化と啓蒙活動の展開

現在、県連には、十七地区連のもとに、二百クラブ、二千五百名のクラブ員が加盟しております。

しかし、県全体の活動の状況をみますと、それが地域的に片寄り、4Hが活発な地区は、他の青年団体活動が低調で、青年団が活発な地区は4Hが低調という競合関係が見られます。また、女子クラブ員が少ないのも悩みの一つです。これらの対策として、各行事を通して未結成地区への働きかけを行ない、女子クラブ員については、新たに女子クラブ員だけを対象とした推進会議を開催し、女子リーダーの育成を図ることにしております。また、機関紙「宮城4H」の発刊（年三回）とあわせて、日本4H新聞の購読を[illegible]推進し、情報交換を密にしております。

三、クラブ員相互の交換および交流の推進

クラブ員一人ひとりが実践しているプロジェクトの公開や、地域的問題の解決を図るための相互理解を深めるために、さらに、お互いのクラブ活動の向上をめざして、技術交換大会、交[illegible]

四、放送利用によるクラブ活動の推進

[illegible]いのテーマとして、テレビやラジオの農業番組、ドラマなどをグループで積極的に視聴し、これに基づいて話し合いをすすめております。いままで、漫然と見ていたテレビも、目的をもって真剣に見ることによって学習効果もあがっています。

さらに、四月から毎週日曜日の朝六時十五分から十五分間は「若い仲間」という時間帯が、私たちのクラブの時間として設けていただき、県連事務局から、クラブの行事紹介、各地区連やクラブの行事紹介、音楽のリクエストなどにも利用し、クラブ員にとって貴重な、しかも楽しみにしている時間になっております。

以上、県連の活動方針を述べてみましたが、私たちのクラブは、数こそ減少はしていますが、ほんとうに農業で自立できることを目ざして、農業に生きようと真剣に考えている同志がたくさんおり、私も意を強くして運営に当っております。

4H活動は、青年時代の人間形成へ重大な役割を果していると思います。クラブ活動で修得した4Hは、自分たちの将来に、大きな力となって役立つことでしょう。（仙台市岩切今市）

張切る七人の同志

"親善に全国の友の贈物を"

青年の船派遣団員

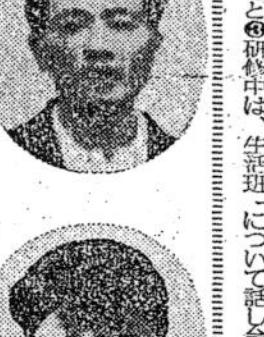

左から、二宮、清水君、上から田中、長滝谷、松田、水野君と砂川さん

明治百年記念事業の一環として、総理府が実施する「青年の船」の四十二年度の派遣団員候補に選ばれた、全国4Hクラブ連絡協議会代表の4Hクラブ員七名は、いま、海外の青少年に贈る全国クラブ員からの"おみやげ"を望んでいる。これは、海外の青少年との交流親善が参加団員だけのものとして終ることなく、全国のクラブ員が彼らとともにその役割りを果すと同時に、日本4Hクラブを広く紹介しようというものである。

この青年の船は、青少年団体活動推進のためのリーダー研修や、国際親善、青少年の視野の拡大などをねらいとして、全国の青少年団体代表三百六十人を乗せ、来年一月から約二ヵ月間にわたって東南アジア諸国を巡航するもの。その事前研修が、さる十月二十三日から五泊六日の日程で静岡県御殿場の国立中央青年の家で行なわれた。

この事前研修には、4Hクラブ員七名全員が参加し、全日程にわたって、日本の歴史などについて勉強した。この間、4Hクラブ員たちは、ぎっしりつまった日程の中で寸暇をみつけて集まり、4Hクラブ員として、ぜひ、やらなければならないことや、これから出航するまでに準備することなどについて話し合った。

その結果、次回に集まる全国4Hクラブ中央推進会議までに、やらなければならないことの一つとして、青年の船の親善の目的にそって、ささいなものでも、日本を紹介する"おみやげ"を持参しようという案が持ち上った。

とくに、青年の船への参加が、参加団員七名だけに終ることがな[illegible]

九州各県連が手結ぶ

相互発展に「協議会」結成

坂井会長

【佐賀】九州ブロック農村青少年クラブ連絡協議会が、このほど正式に発足した。

同協議会の結成については、かねて、四十一年度の派米クラブ員坂井邦夫君（佐賀）らを中心として準備が進められ、先日、佐賀県で開かれた同協議会の発足準備会で規約や役員を決定し、事実上スタートしたが、その発会宣言は、このほど三日間にわたって佐賀県立青年の家で開かれた同協議会主催の「第一回九州ブロック農村青少年クラブ活動推進会議」の席上行なわれた。

この協議会結成によって、九州各県連が手を結び、相互発展へのレールがひかれたわけで、同地域での4Hクラブ活動の推進に大きな力になるものと期待が寄せられている。

初代役員は次の通り。

▽会長　坂井邦夫（佐賀）▽副会長　上杉光弘（[illegible]）[illegible]（福岡）西加代（[illegible]）[illegible]諏訪直樹（鹿児島）[illegible]（長崎）▽事務局[illegible]（佐賀）

発会宣誓文は左[illegible]ブ活動推進会議の[illegible]掲載）

発会宣誓文

日本農業は、いまや、大きな転換期に直面している。その中にあって、将来、日本農業の飛躍的発展のために期待されているわれわれ九州地域の農村青少年は、その特異性を生かし、さらに前進しなければならない。

今日、ここに、九州各県の在村青少年が一堂に会し、九州ブロック農村青少年クラブ連絡協議会の発足をみるに至ったことは、九州地域の農村青少年活動の歴史上に輝やかしい一頁を記した。

われわれは、今後、クラブ活動（農村青少年集団活動）を展開していくに当り、われわれが生まれ育てられた大自然への愛着と情熱を活動の基調とな[illegible]明日の担い手とし[illegible]に、友情と団結の[illegible]すべての農村青少[illegible]から、九州農業発[illegible]き前進を期待して[illegible]九州ブロック農村[illegible]絡協議会の発足を[illegible]る。

活動に新たな視野を

清水憲君

日本4H新聞で「青年の船」団員募集を知り[illegible]

[illegible]航海中の団体生活、寄港地で特に勉強してきたいことをあげると❶能力を最大に発揮し社会を観察したい❷見るもの、きくものを一つの観点から体系づけたい❸特に日本農業の混乱状態に、経済的な進路を見いだす❹国際的視野に立った親善❺人間形成の場としての4Hクラブが、東南アジアにおいてどのようにつくられ、社会とどう結びついているか❻海外の農村[illegible]

"女"の重荷はあるが…

砂川みさ子さん

私の今年の目標[illegible]ふさわしい充実した[illegible]こと、自分をより[illegible]何ごとにも体でぶつ[illegible]ということでした。[illegible]船」団員決定通知[illegible]海外に行ってみた[illegible]かすかな夢でした。[illegible]を知った時、自分[illegible]いという気持も手[illegible]ようと決心しまし[illegible]

七人の主な略歴

[illegible]

涼風暖風

自由恋愛と農村青年

[illegible]

心頭技健

[illegible]

稲作の反省会開く

岐阜・大和村4Hクラブ

[illegible]

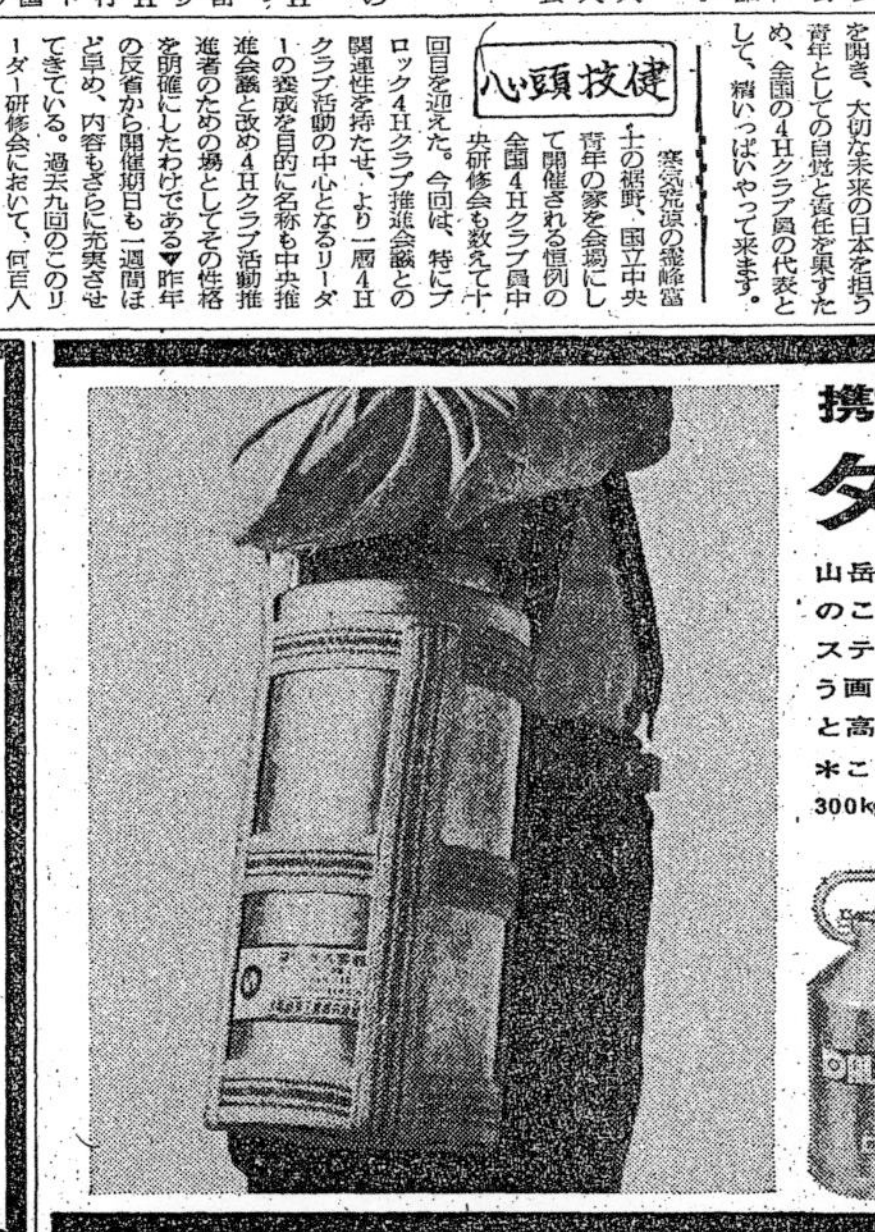

九州地区クラブ推進会議開く

クラブ興隆へ第一歩

明日への闘志よんだ講演

【佐賀県＝坂井邦夫君発】さきに発足準備会で発足が決議された九州ブロック農村青少年クラブ連絡協議会主催による「第一回九州ブロック農村青少年クラブ活動推進会議」が、全国4Hクラブ連絡協議会、社団法人日本4H協会、西日本新聞社などの後援をえて、このほど三日間にわたって佐賀市の佐賀県立青年の家で開催された。この会議は、相互に情報と意見を交換し、クラブ活動の推進に役立つ次期リーダーの養成を目的としたものである。

推進会議には、九州各県のクラブ員八十五名（うち、女子二十五名）全協から丸山会長、飯田副会長、松崎事務局次長、九州各県の青少年担当者、専門技術員、講師として日本4H協会の新田事務局長、それに地元佐賀県農業改良課から江口課長、久原係長、吉本専技ら関係者百余名が参加した。

第一日目 まず開会式。上杉副会長の開会の辞につづいて、主催者を代表して、坂井会長（佐賀）が「日本農業の明日の担い手として、お互いにクラブ活動を通して友情と団結の輪を広げたい」とあいさつ、ついで佐賀県の農業改良課久原係長、日本4H協会の新田事務局長、丸山全協会長など来賓から祝辞があって開会式を終了した。

オリエンテーション、日程説明のあと、各県連の情報を交換した。六分科会に分れて、各県連から特色ある活動が紹介された。

夕食のあと、七時から、去る八月の準備会において決議された九州連協の「発会宣言式」を行なった。まず坂井会長が経過を報告し発会宣言を朗読した。つづいて、佐賀県農業改良課の江口課長から「この九連協発足を機会に、各県のクラブ員が心を一つにして、近代化された明日の農業に向って前進してほしい」と激励のことばが述べられた。

このあと、全協の飯田副会長が全協の活動基本方針や、4Hクラブのあり方などについて説明、九連協発足を祝すとともに、参加者を激励して終了した。

第二日目 前日にひきつづいて分科会が開かれ、各県から提出された「クラブ活動の現状と将来」をテーマとしたレポートを中心として話し合いが進められた。とくに、次の三点が問題となった。

一、リーダーの養成

次期リーダーの養成も必要であるが、リーダーだけの養成というものでなく、すべてのクラブ員が、リーダーとしての認識を深め、リーダーをかって出るようなクラブ員が生まれてくるのが望ましい。そのためには、各段階でのリーダー養成も合わせて行なうのがよいのではないか。

二、クラブの運営について

クラブ員が、4Hクラブ、青年団、研究グループなどと重複していて、一方に力を入れると他方がおろそかになるという問題が生じているのが現状である。しかし、実際、活動する場合には、あらゆることが必要とされるので、情操的気風を盛り上げるためにも、クラブの運営を意義あるものにする必要がある。

三、組織について

実情に応じ、目的を同じくするグループを個人の力で創造するとスムーズに進む。しかし、4Hクラブ、青年団などのほかに、いろいろな研究団体にウエイトをおく市町村関係の現状を加味して、窓口の一本化も考え合わせて、立体化した型の下での組織の拡充を図るのが望ましい。

つづいて、さる八月完成したばかりの青年の家をバックに記念撮影したあと、新田4H協会事務局長から「4Hクラブの本質」と題する講演を聞いた。

この講演によって、クラブの運営、リーダーの養成、組織、資金など、各分科で続出した問題に解決の糸口を見出すことができた。今まで、4Hクラブ員でありながら、4Hクラブについて本質的に考える機会が少なかった参加者は大きな感銘をうけ、4Hクラブ推進のため、次期リーダーとしての使命をしっかりと学びとった。

午後二時、貸切バス二台で青年の家を出発し、佐賀市兵庫町で、稲作三年連続日本一として全国から注目されている新佐賀段階米つくり運動の現地研修をした。地元クラブの真崎会長を中心として、資料の作成、圃場の説明などをクラブ員が一手にひき受け、OBクラブ員、普及所、農協の関係者から稲作について技術的な説明を聞いた。

稲穂は、三年連続日本一を約束するかのように重く頭をたれていた。

夕べの集いのあと、夜七時から県社会教育課の西川主事によってキャンドルサービスが行なわれた。静かな山すそに囲まれた県立青年の家に参加者全員が集まり"遠き山に日は落ちて"のハミングのうちに、坂井会長によって運ばれたキャンドルの灯が中央の燭台に点火された。まず、各県代表によって「九連協に誓い…、クラブに誓い……」と、力強い献詞があってアトラクションに移った。九州各県からの参加者で構成されている各班ではあったが、次々と演出するアトラクションによって、お互いに仲間として協力し合い、クラブ員として親睦を深めることができた。農村に生き、クラブ活動とともに力強く前進することを誓った参加者の瞳は、希望と情熱に溢れていた。その後方で各県の4H旗がキャンドルの灯に映え一段と印象的であった。

三日目 まず、パネル形式で全体討議を行ない、つづいて「農村青年に期待する」と題して、益田西日本新聞社編集局次長、藤木佐賀県農協中央会営農生産課長、喜多農政食糧課長、山本農業改良課生活改善係長、伊東NHK佐賀放送局運営部長の六名によってシンポジュームが行なわれた。「青年は、自からを厳しくみつめ、社会的、政治的研修を重ね、世界的視野も広げながら、自分の農業経営を充実しなければならない」と、参加者に期待は大きかった。このシンポジュームの講師の言葉の一つ一つが、青年の理想と情熱を生み参加者は明日へのファイトを心に刻んだ。

閉会式のあと、佐賀県連の徳永会長の司会によって、青年の家の庭内でオニギリパーティをひらいた。キャンドルサービスのとき出せなかった各県の民謡もとび出し、なごやかなムードのうちに親睦を深め、来年、宮崎での再会を誓って会議の幕を閉じた。

ここに、九連協が発足して第一回の会議が開催できたことは、九州地域の農村青少年活動に輝やかしい歴史的ひとこまを残すことであろうと信ずる。

九連協は、多くの難題をかかえながら、ここにやっと発会し、農村青年の理想と情熱、それに自然への愛着、信念をもって第一歩を踏み出し、今後の発展がクラブ員からも大きな期待がかけられている。八月の準備会開催以来、連協結成、規約審議、そして第一回の会議開催と、わずかの期間ではあったが、自主的運営のため協力していただいた九連協委員、佐賀県連役員諸君に心から感謝するとともに、この会議開催のため、ご指導いただいた関係者の方々に心から深くお礼を申し上げます。

にぎわうおにぎりパーティ（青年の家で）

姉妹クラブを募集

茨城 稲穂サークル4H

水郷めぐりなどで名高い茨城県稲敷郡東村の稲穂サークル4H（会長、黒田勝君）は、いま全国から「姉妹クラブ」を募集しています。

稲穂サークル4Hは、さる三十六年に、現在、全国4Hクラブ連絡協議会事務局次長の黒田保君を中心に農業高校卒業生が集まって結成したクラブで、会員は、五十六名（男子四十名）です。クラブ員の経営形態は水稲が中心で平均耕作面積は約三反です。クラブ活動は、経験などによって❶青年学級（クラブ加入第一年度）❷4H課（部）❸エコノミー課（一生続ける）の三段階に分けて活動しています。エコノミー課は、水稲研修や農村青少年育成対策などを大きな課題としていて、政治的にも活動することになっています。このほか女子部が設けられています。

事業面では❶4H研修（リーダーだけでなく全クラブ員を対象としたもの）❷県外研修（技術交流、先進地視察、交歓親睦など）❸水稲研修（技術研修で、村の人たちも参加することがある）の三本が大きな柱となっています。

このほか、クラブ員の個人プロジェクト、共同プロジェクトなどは他のクラブと同様です。

会費は個人会費が一月二百円で年間の予算は、地区の役場とタイアップしている青年学級への補助金や臨時収入を含めて約六十万円とかなり大型。単位クラブとしては全国でも多い方です。

同クラブが、姉妹クラブの相手クラブとして望んでいる条件は❶クラブ員の経営形態が、水稲が主幹で他の経営がプラスされているもの❷特色あるクラブ活動、行事をしていること❸男性と女性が適当に入っていること❹個人会費が比較的多いこと❺一生、活動を続けていく意志があること❻予算の都合もあって度々出かけるわけにはいかないので、交歓の場がもてる全国大会によく参加できるクラブーなどをあげていますので、この条件を満たし、大いにやろうとファイトをもやしているクラブはどうぞ申し込んで下さい。連絡先は、日本4H新聞編集部（東京都新宿区市谷船河原町十一家の光会館内）です。

地元青年の手で運営

農機具、自動車展示会開く

農家、メーカーともに真剣

群馬・伊勢崎地区

【群馬県＝吉沢功連絡報道員発】さる十月十六、十七日の両日利根川原敷地で、営農相談室と自動車展示会を兼ねて農機具展が開かれた。

このところ、農業の近代化によって農業機械の普及率が著しいが、さらに、労働力の減少によって、ますます機械力に依存するようになってきている。こうしたことから、収穫期を迎えて、収穫機械を中心とした農機具を展示すると同時に営農相談室を開いて農業者の参考にしようと、伊勢崎市、伊勢崎農業青年会議所（青少年クラブ加入）農協連絡協議会の共催で開かれたもの。

そして、この展示会が青年の手によって運営されたことも大きな特徴であった。

展示会には、農機具メーカー三十五社から約百五十点の農機具などが出品された。値段は、一丁百円の稲刈り鎌から一台二百万円もするトラクターまでさまざま。

あすの農業へ夢開くトラクターをはじめとして、稲刈り作業の革命ともいえるバインダーやロンバイン、また、現実向きのテイラーに取り付けられる回転式稲刈機など、農業の進歩を示す農機具がいずれも参集者の注目をひいていた。

農機具展のほかに、営農相談室や土壌相談室も開かれ、畑の土を見てもらう人、検定する係員などと和気あいあいのうちにPH、有効石灰、マンガン、苦土、りん分などが調べあげられた。

また、自動車も展示されたが、農機具以上の人気を呼んでいた。今年は農作ブームのためか、売るメーカー側は真剣そのもの。また買う方の農家の人たちも熱心に説明に耳を傾けていた。

ずらり並んだトラクター展示場

施設に秋の収穫を贈る

北海道・釧路市4Hク連

【北海道】釧路市4Hクラブ連絡協議会（会長、大島満吉君）は秋の収穫の喜びを恵まれない施設の人たちにも分けようーと、ことしも同市農村婦人グループ連絡協議会、酪農学校釧路分校生徒会とともに、このほど母子寮、学園など市内の社会福祉施設へ野菜を贈った。黒い土のついた大根やニンジン、キャベツなど二千五百㌔。小型トラック三台分で、施設の関係者や子供たちから大へん喜ばれた。

公徳心高揚に清掃の奉仕

栃木・馬頭町4Hクラブ

【栃木】那須郡の馬頭町4Hクラブ（会長、笠井伸露君）は、奉仕活動として、このほど町内公共施設の清掃作業を行なった。

同日は、男女クラブ員三十九人が参加、馬頭公園、中央公民館の広場、神社境内や役場など、朝から半日がかりで草取りや庭の掃除作業をした。

同クラブは、公徳心を高揚しようと毎年、農繁期の合い間をみつけて奉仕活動をつづけているもので、ことしで四回目。午後は中央公民館でフォークダンスやソフトボールなどで楽しいひとときを過した。

稲刈り請負う

香川・吉原4Hクラブ

【香川】善通寺市吉原町の吉原4Hクラブ（会長、尾崎征男君）では、ことしから稲刈りの請け負い作業を始めた。

同吉原地区はミカン園が多く、兼業農家が殆んど。ミカンの収穫シーズンには人手不足となるため、それを解消しようと同クラブが始めたもので、四十三万円を出し合い全自動式の結束刈り取り機一台を購入した。

4Hクラブが稲刈りの請け負い作業をするのは県下でも初の試み。

これまでの手刈りだと一人で一日に八十六㌃しか刈れないが、バインダーだと一日に九十㌃から一㌶の刈り取りができる。作業能率も九～十倍で、人手不足の農家から喜ばれている。

農業に希望と意欲を

山口県吉敷郡小郡町 先輩が後輩を激励

【山口県＝山崎順之連絡報道員発】さる十月二十三日、吉敷郡小郡町の県農協会館で、ことし新しく農林業に就職した管内の二百五十五名の青少年を招いて激励会が開催された。

この大会は、他産業に就職した人たちは、それぞれの職場で就職を祝う会がもたれているのにかかわらず、農林業に就職した友だちにはそのような機会がもたれていないということで「農林業に取り組む希望と意欲を燃やし、仲間づくりに役立ててもらおう」との。

昨年から県、市町村、農林業関係団体の主催で行なわれているもの。

この日は、橋本県知事をはじめ、県下から先輩青年など約千人が参加し、新規就農青年を祝福した。また、県農村青少年クラブ副会長の木村さと子さんも青年を代表して「私たちは農業が好きです。手と手を取り合って、あの明治の防長（ぼうちょう）青年のように、強くたくましく生き、二十一世紀に向って前進しようではないか」と、新規、先輩青年を激励され、力ずけをされた。

大会は、就農を記念して男子には金もくせい、女子には銀もくせいの記念樹の贈呈が行なわれたあと、自立経営の確立に努力した青年の表彰や先輩青年の体験発表、それに山口大学、田中晃教授の「生産の意義」と題する特別講演が行なわれた。

また大会終了後、新規農村青年はバスに分乗して、佐賀県三日月村の「米づくり」、厳木町の共同化による「みかん」、福岡県志摩町の青年による「温室園芸」など先進地の農業を視察するため九州へ先輩者たちに見送られて出発した。

クラブ員の卵を激励する山口県連副会長の木村さと子さん

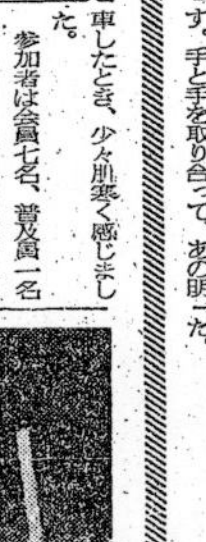

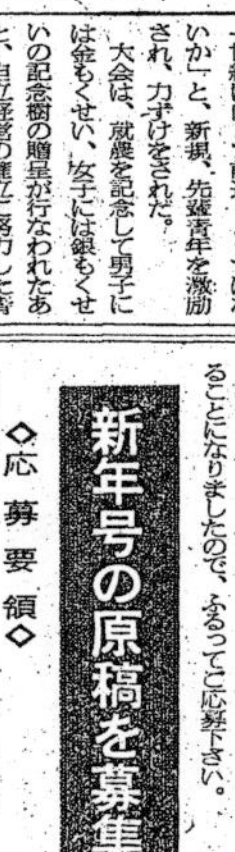

信州中野に実習して

地元クラブ員と交歓

神奈川県連絡報道員 成井サダ子

私たちのクラブでは、毎年県外実習を行なっていますが、本年度も同じ果樹のりんご産地、長野県は信州中野で、このほど十日間にわたって行ないました。

私たちミカンを経営するものにとっては、経営面積や価格などが将来、産地拡大の一途をたどっている新興産地との競合を考えるとき、どのような経営形態にしていったらよいかは大きな問題ですが、その点、りんご経営に学ぶところがあると思い、同地で実習したわけです。また、実習期間中での精神的、肉体的苦労を知ることも目的の一つでした。というのは、小田原では、みかんの収穫期に、季節労務者を頼みます。そこで働き手からみた私たち雇主の立場を身をもって知る必要があるからです。

やはり、長野は小田原より北寄りの県だけあって、信州中野に下車したとき、少々肌寒く感じました。

参加者は会員七名、普及員一名の計八名で、中高農業改良普及所へ行き、研修先の会員と初対面をしたあと各農家へ散って行きました。みんなファイトをもってやることを誓っていました。

夜は何となく寝つかれません。私は小林薇明さん宅。家族三人。りんご、桃、稲、養豚の多角経営です。みかん専門の私はびっくりです。次の日の労働は何を、と考えていましたが、結局、実習中はりんごの葉取りで終始しました。

りんごは色ツヤを出すため葉を一枚一枚、手でむしり取るのです。労働としては、比較的楽でしたが、これが商売となると根気のいる仕事ではないかと思ったりしました。

管理面で気付いたことは、多種のりんごが混植になっていることでした。手を入れるのに不都合のようにも思えましたが、生活面では、食事の時間が自分たちの地方と比べ、一時間ほど遅いのには多少習の調子がくるような時もありましたが、全般的に位置しているミカン作りにとって、平地のりんご畑は羨ましくさえ思えました。

中高4Hクラブとの交歓会の機会も多くもち、観光地へドライブに連れていってもらったりしました。中高4Hクラブ員の活動の活発なことを知り、農業仲間として頼もしく思いました。

各種部門による経営は、価格変動に対する危険分散、また、労働の均衡も考えているということなど参考にさせていただきました。

しかし、私たちは、現在、みかん作り一本です。この一本の道しかありません。労働の省力や経費を節減し、規模拡大への方向をたどって行くべきであると考える。まだまだ難しい問題もあるが、これを機に徐々に考えていくつもりです。全国の仲間に負けないように……。

最後に、中高井4Hクラブの関係者、受入れ農家の方々に深く感謝します。

りんごの葉取り作業の手本をみせるクラブ員

長野県の中高井4Hクラブとの交歓会。ドライブの途中での記念撮影

「はたちに思う」など

新年号の原稿を募集

十一日から年賀はがきが全国いっせいに発売されましたが、今年も、いよいよ"年の瀬近し"という感じを深めます。

本紙の発行も、年末まであと三回。十二月二十四日号は、来年一月四日号と合併し、新年号として増頁のうえ、企画も新たに、門出にふさわしい関係記事で編集して、愛読者のお手もとに届けようと計画しています。

つきましては、愛読者はじめ関係者のご寄稿によって、本紙上を飾らせていただくため、次の要領で新年号の原稿を募集することになりましたので、ふるってご応募下さい。

◇応募要領◇

【原稿の内容】（1）題 イ＝「成人の年に思う」❶私はこのような人になりたい❷私の生活設計❸私たちの喜びーなど。ロ、「クラブ活動に思う」「わが経営のビジョン」など。

（2）自由 新年への抱負、年頭所感、雑感、意見、詩、俳句、随筆、その他建設的なもの。

【応募資格】制限なし

【原稿の長さ】四百字詰原稿用紙五枚以内（できるだけ顔写真、関係写真と絵図を添えて下さい。）

【原稿の締切日】十二月十五日

【送り先】東京都新宿区市ヶ谷船河原町十一、家の光会館内、日本4H新聞新年特集号係

◎なお、掲載分には謝礼をいたします。

4Hくん No.107 桜井はじめ

すすんでいる 農業の新技術

とうもろこしの多収技術

大きな収穫を得る
コストも輸入品以下に

意義

近年、畜産の急速な発展にともなって、濃厚飼料である穀類子実とうもろこしの輸入が増大している。しかしいたずらに海外に依存するのではなく、国際価格に打ち勝つために、飛躍的多収をあげる必要があって、昭和三十五年以降全国の農業試験場で、その技術確立を担当し、密植による多収効果を明らかにした。

方法

耕種法は、地域の気象、土壌条件に適応してきまるので、一概にいえないが、できるかぎり地域を考えてのべてみたい。

❶土壌の肥沃化　第一図にみるように、密植による増収効果は肥沃な土壌ほど大きく、かつ高い密度まで多収となる可能性をもっている。土壌がやせていると密植はかえって減収する。したがって、新墾地や管理のよくないやせた畑には土壌改造を行なうか、堆厩肥を充分（一アール当り一五〇～三〇〇キロ）ほどこす。また石灰により、土壌を中性に近づけておく。

❷施肥　とうもろこしは雄穂が出てから実子まで肥料効果がきわめて大事で、とくに窒素の肥効に注意し、追肥またはこれと同じような効果がある方法も考えておく。

すなわち、密植条件で機械化栽培の場合は、トラクタのはいる時期がとうもろこしの生育（草丈）で制限され、追肥が困難であるから、深耕肥の投入、基肥の一部の全面施用などにたよらなくてはならない。

施肥量は、目標収量が、今までの二～三倍となるから火山性土壌では、窒素一・二～一・五キロ、リン酸二・〇キロ、カリ一キロ（いずれも一アール当り成分量）とし、リン酸は溶リンと過石を半半とする。

九州地方のような温暖多雨地帯では、遅効性窒素を用いたり基肥の二分の一～三分の一を追肥（穂肥）にする必要がある。寒地となるにしたがって、基肥を重点とする。また耕土の厚さが少ない場合には、深耕多肥か追肥を考える。

非火山性土壌ではリン酸はこれほど必要でなく、今までの一・五～二倍でよいであろう。一般に火山性土壌に比べ生育後半に窒素がきれる傾向があるので堆厩肥あるいは追肥が必要となる。

❸品種　密植栽培では生育後半に葉が重なりすぎて、太陽の光がとおりにくくなり実の入りが悪くなるので、比較的稈が短かい、先のとおりのよい早生～中生種を選ぶのが原則である。

最近育成された一代雑種は密植適応性が高い性質をもっている。東北、東山地方では交七号が、北海道では交四号（早生）、交六号（早生）が安定してよい。西日本では、台風による倒状（これがためにコーンピッカー収穫を困難にしている）被害軽減にとくに短い稈の品種がのぞましい。

❹播種期および栽培密度　適期播はきわめて大事である。東日本の寒冷地帯（北海道、東北、東山）では早播は増収が安全しているので、平均気温一二度C（発芽日数十日）の時期とし、深播にならないよう四センチ程度にする。西日本では穂の出る時期が夏至以降となるので、従来の適期（五月中）と同じでよい。いずれの地帯でも適期幅は一週間程度。

機械化を前提とし、畦巾は六〇～七〇センチ、株間は一七～二五センチ一〇アール当り六〇〇〇～八〇〇〇株（一本立て）を目標とする。土壌が肥沃であれば一アール当り八〇〇株を、また肥沃でない場合には、同じく六〇〇株と多少加減する。

❺播種についての注意　耕起＝とくに砕土を均一ていねいにする。種子＝粒選（無病健全、小粒除去）を厳にする。

株間のそろいは、多収を目標とすると最大も大切である。たとえば第二図から一〇アール当り八〇〇〇本以上をとるには、畦七一センチとして畦五メートルに二八～三〇粒播かれる必要があり、これよりばらつきが大きくなると収量がへってくる。したがって、播種機の調整は充分慎重にしておかなければならない。

❻その他の管理　除草直後PCP一〇アール当り一キロを散布する。また初期雑草の株間除草にシンナー（カルチベイションアタッチメントを装着）を利用することによってその発生をおさえることができる。後期雑草については、培土の際、除草剤散布装置を装架し、一〇アール当り二・四D、七〇～八〇グラムを散布する。

培土＝六～七葉期に実施し、それまで雑草の発生をみながら一～二回ステアリンホーで中耕する。

病虫害防除＝ハリガネムシに対しては整地時に、アルドリン、ヘプタクロール、BHCなどを成分で一〇アール当り二〇〇～三〇〇グラム全面散布するか、六〇～一〇〇グラムを播種溝に散布する。アワヨトウに対しては六～八月に、またアワノメイガに対しては絹糸抽出期にDDT、DDT・BHC混合液、DEPなどの五〇〇倍液かEPNの一、〇〇〇倍液、またはこれらの粉剤を散布する。

第一図　栽培密度と収量

（縦軸）子実収量（kg/a）　95～115　（横軸）本数（本/a）　500～1250　（曲線）化・改・堆　化・改　化

土壌の肥沃度段階および栽培密度と収量の関係。化…化学肥料（N1.5P1.5K1.2Kg/a成分）改…土壌改造（熔燐56Kg過石14Kg/a）、推…推厩肥300Kg/a

第二図　株数と実子量

（縦軸）株数（本/5m）（本/a）　（横軸）子実重（kg/10a）　収量と平均立毛数の相関係数 r=0.949m

多収量段階におけるg当たり株数畦5m当たり株数とそのばらつき。（ ）内数値は株数の変異係数(%)。なお畦幅は71cm

効果

第三図は農林省の生産費調査の全国平均の純利益と、家族労働報酬などを（上段）東北農試における多収事例と比較したものである。

中段は反収の向上だけで経済性が大幅に増加することを示している。しかし一、一〇〇キロ（一〇アール当り）の目標はかなり高いので、各地域の試験結果からみて可能であろう八〇〇キロを考え、東北農試の機械化栽培の結果から労働時間を短縮したとすると下段のようになる。

いずれの場合も生産費は輸入……

第三図　東北農試における多収事例

	反収 Kg	反当粗収入 円	生産費 円	60Kg当り生産費 円	反当り純収益 円	反当り家族労働報酬 円	反当り労働時間 時間	1日当り家族労働報酬 円
全国平均	390	11,993	13,377	2,058	−1,393	4,357	86.9	401
東北農試多収	1,100	33,880	14,557	792	19,323	25,572	94.9	2,155
東北農試機械化栽培	800	17,200	14,000	1,050	3,200	6,510	50.0	1,041

普及

問題点

私のプロジェクト

キウリの省力栽培

埼玉県加須市大字船越二七一・加須4Hクラブ　並木利夫

新しい技法を学ぶ
成功した熱風暖房機導入

地域の概況

私の住む加須市は、埼玉県の東北部の利根川ぞいにある水田地帯である。

稲作のほかに、そ菜の栽培もさかんで、ナスは約一〇〇ha、キウリのビニールハウス約一五〇、〇〇〇平方メートル、いちごのビニールハウス約四三、〇〇〇平方メートル、作付されている。

わが家の経営状況

経営面積　水田一六〇アール　普通畑十五アール

労働内容

昭和四十一年度
労働力　父母の二人
水稲一六〇アール　小麦四〇アール　育肥豚一〇〇頭　ナス（トンネル）一二アール

昭和四十二年
労働力　父母と私の三人
水稲一六〇アール　小麦四〇アール　肥育豚一〇〇頭　キウリ（ハウス）七九二平方メートル　キウリ（トンネル）一三アール　ナス（トンネル）五アール　ハウス抑制キウリ七九二平方メートル

キウリ栽培を導入した動機

私は昭和四十一年に杉戸農高を卒業した。

これまでの経営は、第一図に示したように冬の間の労力が非常に遊んでいた。そこで、私の卒業によってふえた労力をうまく使い、また冬の労力もうまく使い、楽しい近代生活確立のための収入増をねらって、そ菜のハウス栽培をはじめることにした。

…を利用することにした。これについては、市販されている暖房機を調査したところ熱効率も高く、サーモスタットによる自動化されたものが見つかったことも導入した動機になった。

第一図　わが家の必要労働力

第二図　ベッドの構造

第三図　温度調査

❶トンネル内加温、地温　❷トンネル内無加温地温　❸トンネル内加温無加温　❹トンネル内無加温地温　❺ハウス内気温　❻外地温　❼外気温

籾ガラくん炭育苗の特徴

❶床土を作る労力と資材が節約でき、床土消毒の必要がない。

❷育苗日数が短縮できる（ふつう四五日～五〇日のところを三五日ぐらいでできる）

❸苗の肥培管理、灌水が基準化され高度の技術を必要としない。

❹鉢上げ一回のみで移植労力が大幅に節約できる。

❺モミガラが多量にいる。

❻熱源には、電熱しか使えない。

ベッドの構造

ベッドは第二図のようにして作る。

❶ポリエチレン・フィルム（厚み〇・一ミリ、幅一五〇センチ）を二枚重ねとする。床幅一二〇センチ、深さ一〇センチ

❷ヌキ板、または幅一〇～一三センチの板

❸砂、または土（温床、線の上）

❹温床線、三・三平方メートル当り二〇〇～二五〇W（時期によって増減）

❺断熱層（生籾ガラを四～五センチの厚さに敷く）

❻ビニール、またはポリエチレンフィルム

❼パック鉢　五〇〇CCのものでは一一～一二列とし、鉢ずらし後は九～一〇列とする。八〇〇CCのものでは九～一〇列とし、鉢ずらし後は七～八列とする。

❽トンネル弓＋ビニールまたはポリエチレンフィルム＋保温剤、必ず天井換気とすること。

籾ガラくん炭育苗の問題点

❶やや徒長ぎみの成長をするので、培養液の使用がむずかしい。

❷電熱ばかりなので、電気料がはずむ。

❸停電の心配がある。

熱風暖房機の利用

熱風暖房機導入の動機

❶コモかけの労力は非常に多くかかり、またハウスの面積が大きくなるほど、適期作業がしにくくなる。

❷熱効率が高く、運転が自動化された暖房機が市販された。

❸ハウス建設のため労力がかかり、コモを作りきれなかった。

サーモスタットによる自動運転

❶サーモスタットは、一五度Cにセットし、電源は午後六～七時にセットし

❷ダクトはなるべくキウリにふれないようヨシでしっかり固定した。

❸ダクトの終りは、トンネルの外に出し、万一の場合のガス害に注意。

コモかけと暖房機利用の比較

A　コモかけの場合
期間　二月二五日～三月二五日（二八日間）
時間　朝と夕　三時間
必要枚数　500枚（3・3平方メートル当り二枚として）
償却額　8、334円（500枚×50で三年として）
労賃　12、600円（28日×3時間×150円）
費用合計　20、934円

暖房機の場合
重油代　7、875円（ドラム缶3・5本×2、250円）
暖房機償却額　13、500円（135、000円を毎年2カ月使用して5年使用して）
電気代　約500円
暖房管理労力　1、120円（朝夕で15分40円×28日）
カーテンの開閉労力　2、250円（朝夕で1時間30分×10日）
費用合計　25、245円

問題点
一、トンネルの北の方が南の方より、1～2度C高い。
二、北の方は南の方に比べやや徒長気味であった。
三、停電の心配がある。

反省と周囲への影響

本年は五月中旬以降のキウリの価格が安かったので、販売面において平年より収益があがらなかったが、このようなプロジェクトにより、さらに科学的な態度を養い、自主性をもっていきたい。

たんに収入増加をはかるばかりでなく、省力化し、楽しい農業をやっていきながらさらに規模拡大を計りたいと考えている。

農業への情熱培う
私を育てたクラブ活動

宮田寅則

残耕を解消した
新製品の紹介
ホンダ耕うん機

栗の新品種について
丹沢　は味が悪く不人気

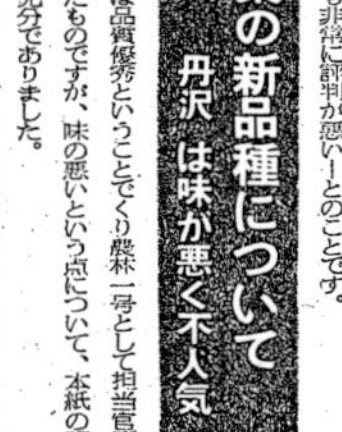
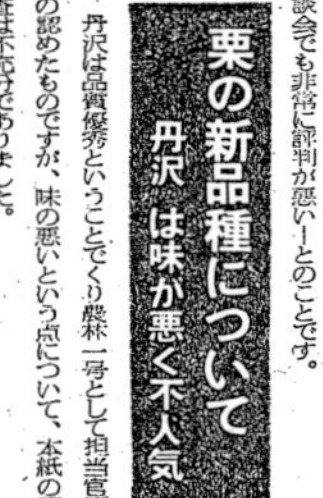
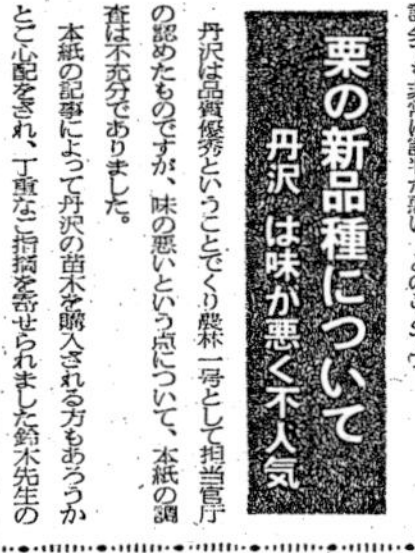
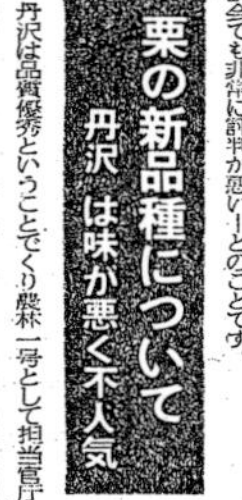
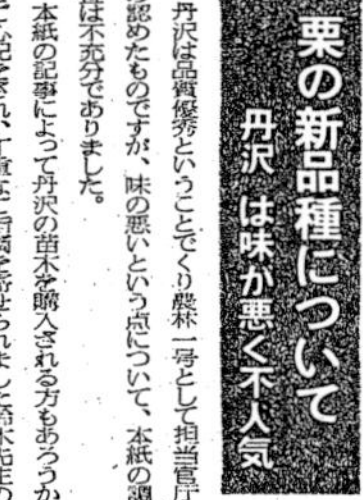

全国4Hクラブ員北陸の集い

意見、体験発表から

体験発表

創造し行動で前進

青春を4H活動に賭ける

長野県下伊那郡松川町 大島・大宮4Hクラブ 鈴木敏章

4Hクラブに籍をおいて五年目を迎えた。この間、一農業者として、また一個の人間として、青春の一時期をクラブで過ごし、いろいろと学び、育くまれ、クラブと共に歩んで来たのであります。

いま、農村の仲間が、どんどん他産業へ流出する中で、自分がこうして他産業にとり組んでいるが、これから先、まだまだ農業に関する問題は数限りなく、生産基盤の問題、生産性、自由化、農業後継者問題など、いろいろあるのです。

それにもかかわらず、自分は敢えて、その中にとび込んで行こうとさえ考えているのです。農業に生きる自分が、ごく当り前のようになっているのです。

学校卒業後、五年間、クラブの活動を通し、仲間との助け合い、交歓を通して、研究したり、話し合ったり、また考えたりしたことの意義の深さを今さらのように感じております。

入会当初、研究会のテーマを与えられて、クラブ員の前で、自分が精いっぱい調べてまとめあげた研究結果を発表することによって技術の面でも大いに勉強になりました。また、それにもまして、多勢の前で話しをすることの難しさを感じとることができたのであります。

さらに、演示の発表では、忙しさもかえりみず、発表準備のために、クラブ員全員が連日連夜、若さにまかせてとび歩き、作り上げたのです。みんなで力を合わせて一つのものを創り出す――一つのものに全員が精魂を傾けて活動するということができたことは、私たちにとって貴重な体験でした。

そのうえ、栄誉ある全国大会へ参加できたことも、この上ない喜びであります。

しかし、このような日々の生活における努力にもかかわらず、農業は問題が非常に多い。それだけに、私たちの悩みは沢山あるのです。

それを解決し、あせる心をいやすには、やはりクラブ員と語らうより他はなく、同じような悩みを持っているだけに、親身になって考えることができるのです。

また、悩みをうちあけることによって、晴々した気持になることができたものでした。

このような中で、クラブ活動自体を考えてみると、現在まで、決して、クラブの和、仲間づくりに山坂がなかったわけではありません。

年令的な隔りを感じる、心の底から話しができない、ということから、クラブ活動に魅力がなくなった……など、クラブが根もとから揺れ動いたこともありました。

「何でも話し合えたり、心の触れ合いのできる友だちづくり」――その仲間づくりを進めて、青春を悔いなく、グループ活動に力いっぱい若さをかけることのできるクラブが望まれるようになったのであります。

それには、一体どうしたら良いだろうか。

私たちのクラブにとって、これほど大きな問題は、今までになかったであろう。今年になって二ヵ月ほどの間、みんな本当に、真剣に考えてみたのです。

私たちは、天下り式で、一本のレールの上を歩むということが極めて嫌いなのである。前に向って行動し、創造して行くことに興味を感じるのである。

私たち若者は、一歩一歩着実にということも大切であるが、一歩後退、二歩前進という、後退しても二歩進めば同じことであると考えたり、他人が、こっちだといえば自分はあっちだ、というように多少の損得勘定は覚悟の上で、より多くの発展を考えるというような冒険もあえてやる。そんな若さと、ファイトをもっているのではないだろうか。

そんな考えのもとで、クラブの再編成を考えたのであります。

二十名足らずのクラブ員ですが各々研究テーマを持って、三人から五人くらいの小グループを編成して研究を進める。一方、クラブ全体で行なう行事については、小グループごとに責任をもって、企画から執行までやってもらうという方法で、運営するということにしたのであります。

更に、クラブでは、小グループの集会、研究、運営については、いっさい干渉しないことにして、本当に自主的に動いてもらうようにしたのであります。

グループが少人数のため、話し合いをするときなど、一人一回は少なくとも皆んなと話しをすることができるし、そうすれば興味もでてくる。さらに、小グループでもクラブ全体を動かすことができれば、一つの自信にもなるし、クラブ員としての自覚も促（うなが）されるということになってきたのです。

このように新しい形にしてきて、今日まで農繁期、農閑期を問わず八〇％以上の出席率を上げることができたことも、新しく入会した人と古い人と、たいした意見のくい違いもなく進めてこれたのも、その成果と考えております。

何んでも話しのできる友だちづくり、心の触れ合う仲間づくり、これを推し進める中で、私は、クラブで悔いなく過ごせた五年間の、もう何ヵ月か残された期間を充実させようと認識を新たにするとともに、クラブ員すべてに、クラブ在籍中、悔いのないよう過して欲しいものであると念願しながら、クラブ員と共に歩んでいます。

心のふれ合いが第一と力説する鈴木君

意見発表

高い次元の活動を

目標はズバリ人づくり

山梨県塩山市 青空4Hクラブ 向山清子

今年も農村には、一年を通して一番充実した素晴しい、実りの秋がやってきました。しかし、この情緒ある農村には、内面に一歩足を踏み入れると「後継者の不足」「嫁不足」「農作物の価格の不安定」など大きな問題が、数多く横たわっています。私は、このような多くの農村問題解決を前提に明日のクラブ活動のあり方について考えてみました。

現在農村で問題になっている後継者の不足は、イコールクラブ員の減少につながってきています。クラブ員が少ないからクラブ活動ができない。これは弁解にすぎません。二人以上いればりっぱなクラブです。今では、農家にはほとんどバイクとか乗用車が入っているので、そうとう広い地域にわたるクラブ活動の可能性があります。特殊な一人が、百歩前進するよりも、百人が一歩ずつ前進した方が農村社会全体が、より進歩するでしょう。そのためにこれからは、少数精鋭でなく、後継者一人残らず4Hクラブ活動に参加するようにして行くべきです。

現在、結成されているほとんどのクラブが、最初は仲間づくりを手段に、クラブ活動を始めています。でもその目的が達成してしまうと新らしい目的が見つからず、唯あそぶだけの活動になってしまいます。こんなクラブ活動はやはり、リーダーの手腕によって左右されます。「世に名馬ありとも伯楽なし」という言葉がありますが今の農村にも、その人の良さをみぬいて育てて行く伯楽があまりにも、少ないというより一人もいないのです。普通のクラブの中に、このような素晴らしいリーダーを養成するための専門のクラブ活動が絶対に必要です。

4Hクラブとは、頭・手・心・健康の四つのHからなる精神を持ち、農業青少年の農業技術及び農家生活の改善をするためにつくられたものです。技術や生活改善といってもいろいろとあります。米麦地帯には、米麦地帯に適応したやり方があり、果樹地帯には果樹地帯のやり方があります。土壌改良でも病虫害の共同駆除でも、その活動内容は何んでもよいのですが、真にクラブ員のための活動であれば良いのです。しかしどれは今までのクラブ活動でもやってきたことです。これからは、これだけの目的に終らせずに、もう一歩高い次元にクラブ活動の目標をおくべきではないでしょうか。

その目標は何か、ずばり言って「人作り」であります。めまぐるしく変化する社会情勢の中にあって、生きるための生活意欲を持ち、しっかりとした農業経営を行なえる人材を養うところが、4Hクラブではないでしょうか。❶、広い視野に立ち、ものごとの判断できる人、❷、自信と根性のある人、❸、ユーモアとセンスに富んだ人、など三つかかげてみましたが、農業に生きがいを感じる人を育てることです。クラブ活動とは、自分自身をよりよい人間に完成するための活動であり、その成果を広く社会に奉仕するような積極的な態度がほしいものです。クラブ員が共に遊び、共に学ぶ中から人の和がつくられて行くのです。一人ではけっして得られないことが、クラブ活動の中からこそ得られるもの、それはヒューマン、チェーンなのです。みなさんヒューマン・チェーンのすばらしさを忘れないで下さい。

向山清子さん

紅葉のにしき

八日は立冬であった。十五日は七五三である。大安でもあるし、婚礼と重なってお宮様も大繁昌のことであろう。紅葉のたよりがきかれる。十月の末十和田に遊んだ友の言によると、もう湖面をいろどる紅葉も早や終りに近かったという。奥入瀬の渓流にふりしきるもみぢ葉が渓流に舞い踊って流れゆくさまはことの他美しいという。目に浮ぶようである。「あらし吹くみむろの山のもみぢ葉は竜田の川の錦なりけり」という能因法師の有名な歌は百人一首で知られるが、いまも竜田の川の両岸にもみぢが植えられて美しい風情をみせている。私が訪れたのは初夏であったが、新緑の美しさが素晴らしかった。あの緑もはや紅葉となって錦繍（きんしゅう）の色を呈していることだろう。

先日、広島に出かけた。安芸の宮島で知られる厳島神社に詣でたが、参詣ののち裏山の紅葉谷公園を散策した。深山幽谷の水を集めて流れる渓谷の清冽さに心まで浄われるほどの感激に酔った。一夜この渓流の音を聴きながら、この清水で茶をたてて飲んだらさぞうまかろうと柄にもなく風流なことなど考えた。紅葉には少し早かったが、いちょうの黄色が夕日に映えて鮮やかであった。

翌日三次（みよし）をとおり庄原市にいった。経伝をたずねたが、さすがに標高三〇〇米の盆地、紅葉が美しかった。悲しい伝説をつたえる国兼の池を見おろす高台に、明日の農村を背負う青年たちが学んでいた。高校卒が大部分で、しかも普通高校出が多いという。将来は模擬農家システムをとり、一部門六名位を単位として酪農、養豚、養鶏、野菜、果樹等々部門ごとに農家を形成し、収支決算まで自分達でやって企業農家経営の勉強をする方法を考えているという。新しいこころみであるが、実際に役立つ農業者ができるであろう。

午後、庄原普及所をたずね、池峠次長さんの案内でM・I君とH・I君の家族協定農業（父子契約）の実態をみせてもらった。M・I君は協定農業を進めながら、昭和三十九年農業後継者成育資金を借りて三頭の乳牛を入れ、わずか三年で二十余頭の乳牛を入れルーズバン牛舎を建てたばかりであった。今年高校をでた弟と二人で酪農経営に生命をかけるという。H・I君は、現在二百五十余頭の養豚をやっているがこれだけではだめだと考え、さらに六百頭を収容する豚舎を山の中に建設中であった。お父さんと二人でブロックを積んでいたが、自ら設計し自ら建てていた。山の中に建てた理由は、六百頭も飼うと、においもするし、うるさくもあるし、近隣に対しても、またわが家の文化生活の面からもよくない。生活と分離して出動農業にしたこと。山林なら土地も安いし、必要なだけ得られる。また養豚経営の最大のガンは糞尿処理の問題である。設計にも処理槽を充分とることにポイントをおいている。また処置としては栗林の肥料にするし、近くの庄原実業高校からもほしいという事なので処理問題は心配ないということである。父親は拡大することには、やはり心配してはじめは賛成してくれなかったが話しあいを重ね了承してくれたという。一緒に働いておられたお父さんは「息子の決断と努力と可能性を心から信じるのみです」という。息子を信頼しなければ、これだけのことはできるものではない。養豚の将来性についても、過去の暴落のにがい経験もしているし考えたが、これならやれるという自信ができたので踏みきったという。勇気のいることだが、今後の農村が企業的自立経営として前進するにはこのような、信念と勇気と自信をもち決断してゆく青年たちが多く輩出する他道はないと思う。I君たち頑張ってください。（K）

「結婚憲章」決める

山梨 実質的な将来の幸せを

適令期―とは、結婚年令のことである。その年代の青年男女にとって一番関心の深い話題である。今やそのシーズンを迎え、幸福という人性航路に向って、第二の人生に船出する喜びの人たちも数多い。しかし、以然として農家の嫁き飢問題も深こくのようだ。去る、全国4Hクラブ員北陸の集いにおける話し合いの中でも、この結婚論について話題が百出し、依心の深さをしめした。その中でみんなの関心を集めたのは、次に紹介する結婚憲章である。これは町の青年団員の手によって作らたものであるが、結婚式の簡そ化が活々叫されている時代にふさわしいものであり、実質的な二人の将来の幸せをという意識であるが、議論と実践の参考にしてほしいと思う。またこの青年団では、町の各種団体は結婚問題についての実態調査や模擬結婚式なども計画しており、結婚シーズンに送る意義深い結婚憲章となろう＝以下は山梨県東八代郡中道町右左口、せせらぎ4Hクラブ・富永勝恵さんからの便りである。

富永勝恵さん

最近は、組織内での仲間同志による結婚（カップル）が非常に少なくなった。これらの原因は何であろうか。過去において、中道町青年団内には、はなはなしく展開されたと良く先輩に聞かされた。また、最近には昭和三十九年度、結婚問題（公民館結婚）が論議されたが、うまく消化されていない。

そこで今年度新たに、青年団の一つの運動目標として、結婚改善クラブが団員の力により実現された。このことは、非常に意義深いと思う。そこで結婚改善クラブが中心となり、中道町青年団結婚憲章が生れました。

結婚は、一個の社会的に認められた男性と女性が、一つの大きな愛情とお互いの信用、信頼、親睦の上に立って、明日へのよりよい家庭生活と、幸せな未来開発及び地域社会を創造するために、あくまで自分たちの強固な意志によって行うべきであると思う。

これまでは比較的、家と家とが家柄と家柄に重点がおかれてきたが、これでは幸せな結婚生活はできないと思う。私たちのめざす結婚は、あくまでも夫となり、妻となるものでなくてはならない。従って婚約に際しては、家に結納金を贈る習慣は、考え方によっては人が人を買うことに等しい行為であると思う。

また、結婚式にしても従来は、三～四日の大さわぎをしていたが現在では、あくまでも当人二人を中心として、行なわなければ意義が失なわれてくると思う。また結婚に要する費用は、結婚する当人とそれを祝福する多くの仲間たちの協力で、つくるよう努力すべきであろう。それと同時に結婚する二人は、仲間の前で結婚に対する固い決心と決意を明らかにする機会を持つように心がけるべきであろう（特に公民館結婚式）。

また、式の後はただちに明日から、自分たちの生活の計画と将来の方向を具体的に話し合える、二人だけの時間をもつために、旅行にでかけるように心がけるべきであろう。

以上のような観点に立って、中道町青年団結婚憲章を作成し、団員全員が立派な社会人となり、素晴らしい未来の中道町の地域開発と民主化推進の為に努力しよう。

中道町青年団の「結婚憲章」

第一条 青年団員同志の芽ばえた交際、恋愛をみんなで、うまく大いに暖かくみつめ、カップルが誕生するようにみんなで力をかそう。

第二条 へんな噂を流すことなく良い方向になるように展開させよう。

第三条 交際中お互いの人間性を大いに発揮し、充分理解ができるように努めよう。

第四条 婚約に際しては、できるだけ結納金のやりとりはやめて、そのかわり青年団の仲間に寄贈しお祝いしよう。

第五条 結婚式は、ほんとうに意義深く、できるだけうまく行なおう。特に、公民館結婚式を推奨しよう。

第六条 結婚届は式場で署名し、その場で届けるようにしよう。

第七条 式後二人の新婚旅行はできるだけその日のうちに出発しよう。

第八条 結婚後の二人の生活は、あくまでも二人の手と心と頭と力で切りひらく。

第九条 お互いに努力し、なるべく青年団を引退する時は、青年団同志とのカップルが誕生した時とする。

第十条 町当局、相談員、青少年相談員、社会教育員、町内各種団体の皆様方の力強い声を要請する。

第十一条 常に青年団員は親たちと話し合いの場をふやし、親たちに公民館結婚式の意義を理解してもらうように努力しよう。

第十二条 時には先輩の人たちと結婚問題について大いに論議しよう。

第十三条 結婚に際しては、中道町の女性は中道町に残し、他の地域の優秀な人間をスカウトするよう努力しよう。

第十四条 他青年団仲間同志と常に連絡をとり、目的達成のためにお互いに協力努力しよう。

第十五条 とにかく中道町の青年は、東八の青年と固く手を握り、中道町、東八代郡の地域開発のためになる人をお互いの結婚相手に選ぶように努力し、青春時代の人生街道を大きく進もう。

先輩と後輩の絆に

果す人間関係の役割り

埼玉県加須市 水深4Hクラブ 斎藤勇

「坪刈りで一番とれた品種は、なんだい」「タマヨドで七、六俵あったよ」

「今年の米は、とれないのに割合とれた方だない」「雨の降った次の日だから水で目方が増したんだんべ」先輩はニコニコ笑い、話ははずんだ。

ある秋晴れの朝、農協で米俵の検査の時、4Hクラブの先輩との対話の一コマである。多分先輩は、三年前に4Hクラブで一緒に行なった「坪刈り」が頭に浮んで話しかけたのだろう。十回以上も続いているこの行事に、何か懐かしさを感じているだろう。なんでもないごく自然な会話の中で私を4Hクラブに入れてくれた、この先輩と共通の広場を持って、いろいろと話し合いの出来ることをすごくありがたく思うのである。

ほんとうに小さいことであるが、このようなところに、私は、4Hクラブの大きな意義を感じるのである。

最近の農村は、急速に都市化している。そのことは別に良い悪いの問題ではないが、ともすると「合理的な生活」という美名に隠れ人間個々の心の温かさが薄くなり「自分さえ良ければ」的な態度を最近特に感じるのである。そのような中で4Hクラブが地域内ではたす人間の相互関係の役割りは、非常に大きいと思うのである。

ともすると、目先のことに気をとられるのが人情であるが、むしろ目に見えない精神的なものの方が、より重要だと思う。そのように考える時、4Hクラブ活動が人数の減少のために活動ができなくなるということを耳にする時、私は非常に淋しい。単位クラブだけは、絶対に減らさないように努力する必要があります。極端に言えば、クラブ員の集まりが月一回であっても、そこに「共通の広場」を持つことによって、農業の推進

同窓会長に選ばる

IFYE元来日米クラブ員

パール・E・レニアー君は昭和三十三年、第四回全国4Hクラブ技術交換大会が静岡県清水市三保海岸で開催された時、ブシク隊と共に参加し、全国各県の4Hクラブ員七百名の方々と交歓した。この大会の前後は、各地の農家で農業を通して各地の青年と交歓したが、なお多くの方が記憶していることと思う。[illegible]は同君から、元静岡県4H担当官、鈴木元助氏あてに着便した端である。

あなたから時々くださる元気な便りにいつも感謝しています。私はカルフォルニア州、パシフィックグローブで開催された全米農村青年交換計画（IFYE）同窓者協議会で一九六八年の同会議、会長に選ばれました。今年度中、私が同会議の副会長をしていた間、同会議として為すべき仕事は山積していました。

現在、全米に約千九百名のIFYE同窓会員がおります。私はこの会議の重要性に鑑み、自己の地位の責任を感じ、大いになすべき仕事に向ってベストをつくそうと思います。終りに日本4H[illegible]の御好意によって、日本4Hクラブの一層の発展と、日米両国の[illegible]善を農民の手によって、一層[illegible]進められるよう祈るものであります。

パール・E・レニアーさん

レニアー君の住所は、Mr. Vele. E. Lanier. 1000 [illegible] h Street, S. W. Washington, D. C, U. S. A

＊第５２１－５２３号（１９６７年11月24日－12月14日）は欠号である。

1968年（第524号～第558号）

日本4H新聞

4Hクラブ
農事研究会
生活改善クラブ
全国弘報紙

発行所
社団法人 日本4H協会
東京都新宿区市ケ谷船河原町11 家の光会館内
電話(269)1675
編集発行人 王井光
月3回・4の日発行
定価1部10円 1ケ年360円(送料共)
振替口座東京12055番

クラブの綱領

私達は実践を通して自らを磨くとともに互いに力を合わせてよりよい農村、よりよい日本を創るため四つの信条をかかげます。一、私達は農業の改良と生活の改善に役立つ腕をみがきます。一、私達は科学的に物を考えることのできる頭の訓練をします。一、私達は誠実で友情に富む心をつちかいます。一、私達は楽しく暮らし、元気で働くための健康を増進します。

新年特集号

四十二年十二月二十四日号と四十三年一月四日号を併せ、増ページしました

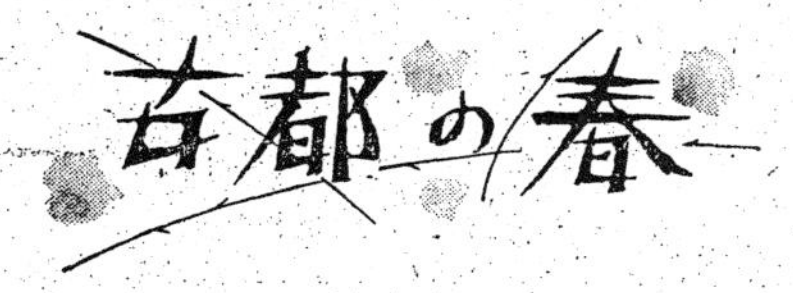

古都の春

大和（やまと）はわが民族の心の故郷（ふるさと）である。いまから約千三百年前、理想に燃えた青年政治家聖徳太子によって、新しい日本の夜明けを迎えた地である。そしていま、古都は静かなたたずまいを残しながら、今秋ここに集う全国のわれらの仲間を迎えようとしている。

【猿沢の池から興福寺・五重の塔を望む】

祖国を自覚する年

石原慎太郎

国家と自分自身の関係

世界のどの国の歴史を見ても、老朽した社会が蘇えり大きく脱皮される時には、必ず、青年の国家社会に対する積極的な参加があります。

人間の歴史は、いつも青年たちの理想に支えられた情熱的な行動によって進展して来ました。

一九六八年という年に、日本は明治百年を迎える訳ですが、我々若い日本人がこの年頭に持つべき自覚は、単なる過去の百年間への回顧などではなく、むしろ、これから先の明治百五十年、二百年を目指して、現代という時代に、この国という国家において、我々が行ない果すべき責任が何かを自覚することに他ならないでしょう。

ある外国の評論家は、日本人は戦後二十年、今日の物質文明を獲得するためにその代償として魂、精神をすべて売り払ってしまった。なんという虚しい繁栄だろうか。日本という国は、精神的バックボーンのない臆病な巨人である、といいました。

この外国人の得た批評を、我々は肝に銘じなくてはなりますまい。

確かに、今の日本人は何か一本、かんじんなものが欠けている。それは、日本人が自分自身の頭でこの国の将来を考え、自らの手でこの国をつくる、という自覚に欠けていることです。

明治の人間にはそれがあった。彼らは、自らの志を国家の志とし、自らの人生の目的、歓びを国家民族の目的、歓びとして、世界史上に奇蹟といわれるこの国の近代化を行って来ました。

今、日本は高度成長の美名に隠れて、その実、内には重要な問題を数多く、未解決のままにかかえています。

魂のない、歪んだ今日の教育、計画性のない経済、問題多い憲法への再討論、防衛の問題、或はまた、二十世紀後半から二十一世紀にかけて、新しい時代の新しい繁栄の基盤となる、原子力の積極的開発の問題。

こうした大問題が、政治家を含めて、日本人のそれぞれ自身の頭で考えられ討論されてはいません。そして、日本という国は、この混乱した文明の中で、行く先知れぬ船のように、漂っているだけです。

この船に正しい針路を与え、目的地を教える指導力が現在の政治や思想、教育に全くない。しかし、ないではすまない。それがないのならば、我々自身の手でそれを育てなくてはならない。

その作業に最も責任あるものこそ、想像力と行動力のある、若い世代に他なりません。

若い世代の日本人は、まず、今日のこの安逸さの中に、実は大きな危うさが含まれており、それを積極的に民主的討論にかけ、日本人の統合意見をつくり出すことが、焦眉の急であるということをまず知るべきであります。

その認識の上に、自分が一人の日本人としてこの日本のために何を考え、何を行うべきかということを自覚しなくてはなりますまい。

私の耳には、六年前、アメリカで、あの青年大統領ケネディが国民に呼びかけた言葉、「国が諸君に何をしてくれるかではなく、自分が国に何をすることが出来るかを考え給え」という言葉が、強い響きで伝わって来ます。

日本がこの繁栄を更に保ちつづけるためには、まず、文明の背景となる日本人の精神的支柱を据え直さなくてはなりません。

そしてその支柱とは、この時代に於ける、国家と自分自身の関係を、誰よりも若い日本人が強固に自覚するということに他なりません。

我々は一体今まで、どれほど本気で、自分自身の頭でこの国の事を考えたでしょうか。今年こそ、日本人全体がそれを強く反省し、自分の属している国家社会、民族のイメージを強く描き直す年でなくてはなりません。

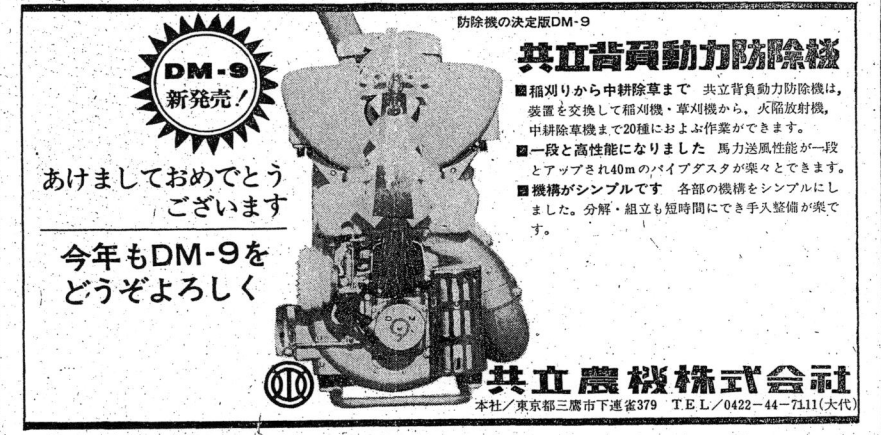

【いしはら しんたろう 作家】

新春によせて

心頭技健

青年の自覚と活動

[illegible]

われら青年こその気概を

日本4H協会々長 松下幸之助

[illegible]

豊かな創造力に期待

農林大臣 倉石忠雄

この紙上を通し、農村青少年の諸君に新年のごあいさつを申し上げます。

昨年は未曽有の大豊作であったことは、誠に喜ばしいことで、どこにいっても明るい笑い声を聴くことができました。しかし一面、羽越地方をおそった豪雨や、西日本一帯の干害などの災害に見舞われた方々の惨状も忘れることはできません。一喜一憂の昨年を乗り越えて今年こそはの希望と抱負に、諸君たちは胸を張って第一歩を踏みだされたことでしょう。

私も農政推進の責任者として、新しい覚悟で諸君たちと共に頑張ってゆきます。

申すまでもなく、諸君たちの住む農村では、生産面からみると機械化が進み、農業経営の近代化が非常に進んでおります。また一方、生活面では、電化や自動車などの急速な普及によって、生活の近代化は日増しに進んでおり、かなり明るいきざしであります。

しかし、その反面、最近の農村の動きをみて、私が一番心にかけておりますことはいかにして、青少年を農村に確保するということであります。幸い、諸君たちが、若い農業を志ざす友と共にグループをつくり、グループ活動を通して農業技術を研究しあい、生活改善の実をあげ、心と心のふれあいのなかから、社会人としての知識を得ておられる姿をみるとき、諸君たちこそ真の農業推進者であり、自立経営の原動力となる人だと確信し、大きな期待をかけております。

さて、ひるがえって農村のそして農業の現状をみてみますと、食料の需要は食生活の高度化、多様化に応じて畜産物、果実、野菜などは増加の傾向を辿っており、この傾向は今後も続きます。このように農産物の需要が強いことは、わが国農業の将来に非常な強みであり、今後飛躍的な発展が期待できます。

しかしながら、現状は極めて零細な耕地規模で家族労働中心の経営の特徴をもっており、このことが今後の農業の発展に大きな制約となります。したがいまして、私はこの際思いきって経営規模の拡大のための施策を強化し、一生の職業として農業に専念し、しかも農業で相当な生産水準を維持することのできる家庭をできるだけ多く育ててゆくことが、やはり農政の基本ではないかと考えております。

他方、わが国の農業をとりまく国際情勢の推移についてみましても、昭和四十年代は、わが国経済が全面的な国際化の時代を迎えるときであり、農業としてその例外であることは許されません。昨年六月妥結をみましたガットにおける関税一括引下げ交渉や、また近く開催が予定されている国連貿易開発会議における南北問題の進展等を考慮するとき、農産物に対する輸入制限の一層の緩和、関税その他の貿易障害の撤廃ないし緩和など、国内農業保護政策の緩和の要請が、国際的にも益々強まることが予想されております。このような事情を考えるとき農業生産性を高め、国際競争にも耐え得るよう、わが国農業の体質を可及的に強化改善してゆくことが望まれます。

以上のような考え方にたって、私はわが国の農政は、農業経営の規模拡大の問題に本格的に取り組み、農業の体質強化に全力をあげるべきではないかと思っております。本年こそは、従来の努力に倍して本腰をいれ、経営規模の拡大に資するように農地の流動化を促進し、資金面、技術指導面を含めた総合的な助成指導を図ることとあわせて、秩序ある農村の土地利用の確保と、農村環境の整備を進めるなど、体質の強い日本農業と、近代的な農村をつくりあげてゆくために最善の努力をいたす所存であります。

以上、年頭にあたり所懐の一端をのべましたが、農業はその性格からして、一朝一夕にしてその施策の効果があらわれるものではありません。政府はもちろん施策の推進者として、懸命の努力を続けてゆきますが、この効果をあげますのは、諸君たちのような清新にして、はつらつたる若いエネルギーの結集が必要であります。

私は、諸君たちの若い力と新らしい知性と豊かな創造性をバックに期待しながら、一歩一歩農政を推進してゆく覚悟であります。どうか諸君も元気に頑張ってください。

新春にあたり、農村青少年諸君の一層の精進と、繁栄を祈念しあいさつといたします。

社団法人 日本4H協会

会長 松下幸之助（松下電器産業株式会社会長）
副会長 宮城孝治（共栄火災海上保険相互会社社長）
理事 伊藤末吉（伊藤建設株式会社社長）
〃 岩佐凱実（株式会社富士銀行取締役頭取）
〃 江崎利一（江崎グリコ株式会社社長）
〃 奥原潔（社団法人家の光協会副会長）
〃 笠村一雄（久保田鉄工株式会社常務取締役）
〃 窪田角一（東洋ガス化学工業株式会社取締役）
〃 小林寅次郎（ライオン油脂株式会社社長）
〃 鈴木万平（三共株式会社社長）
〃 塚田一甫（社団法人富民協会理事長）
〃 土岐定一（全国販売農業協同組合連合会常務理事）
〃 徳安健太郎（日本てん菜振興会理事）
〃 土井正治（住友化学工業株式会社会長）
〃 新田健吉（社団法人日本4H協会事務局長）
〃 大山勇（日本放送協会農事部長）
〃 真板武夫（全国購買農業協同組合連合会常務理事）
〃 町田辰次郎（財団法人新生活運動協会常務理事）
〃 三宅三郎（社団法人中央畜産会副会長）
〃 安井三郎（農林中央金庫理事）
〃 柳田久（全国農業協同組合中央会常務理事）
〃 山中義教（全国共済農業協同組合中央会専務理事）
〃 吉田宏（インターナショナル・ミネラルズ・エンド・ケミカル・コーポレイション日本代表）
〃 渡瀬正信（三菱重工業株式会社機器部長）

謹賀新年

全国4Hクラブ連絡協議会

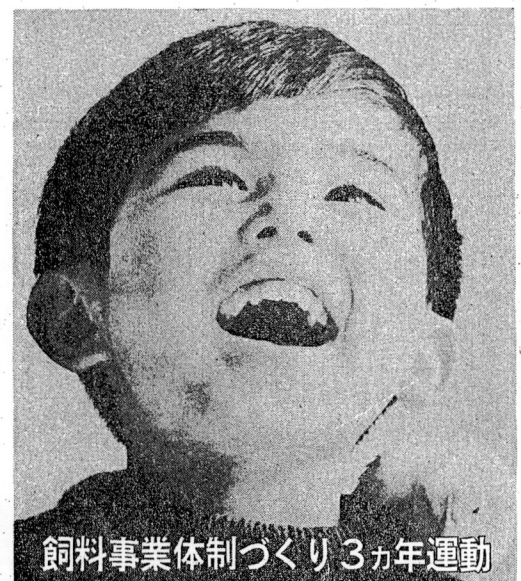

会長 丸山勉（富山県上新川郡大沢野町万願寺）
副会長 飯田喜代視（奈良県大和郡山市上三橋町）
〃 太田正紀（山梨県西八代郡三珠町上野）
事務局長 岡田右京正（埼玉県秩父郡吉田町阿熊）
〃次長 黒田保（茨城県稲敷郡東村新川）
〃 松崎正勝（大分県宇佐市四日市町下時枝）
監事 高野秀策（宮城県仙台市岩切今市）
〃 石井一雄（神奈川県津久井郡鳥屋）
〃 池添勲（香川県高松市上福岡町）
代表評議員 石川岳志（北海道天塩郡豊富町豊徳西）
〃 田沼斉（岩手県岩手郡滝沢村大釜）
〃 山岡正義（埼玉県川口市神戸）
〃 青木保（新潟県中頸城郡三和村今保）
〃 久野知英（愛知県西加茂郡三好町莇生）
〃 久保浦克和（和歌山県海草郡野上町坂本）
〃 香東治（徳島県那賀郡那賀川町土地）
〃 坂井邦夫（佐賀県佐賀市本庄町大井樋）
〃 向井久恵（滋賀県近江八幡市益田町）

新しい時代を生きる

◇4Hクラブの諸君に三つの提言◇

文部省社会教育局長　木田　宏

先日、ある県の青年団体の会合に出席した私の局の伊藤君が、「これには驚きました」と話していた。

その話によると、会合はお寺を借りて開かれたが、さしもの広い境内も、百余台の自動車で身動きもできないありさまだったという。年式や車種には違いがあるものの、これはみんな参加者のものであったわけである。もちろん、参加者の殆んどは農業青年であっ…

…で都市化といわれ、その一翼をになうものとして技術革新が指摘され、将来を示すものとして情報革…

…である。

職業選択については、ローゼンバーグは次の三点をあげ、そのいずれかにのみ傾斜することをいましめている。

❶目標価値（自己実現）自分の適性にあったものを選び、自分の力をフルに発揮できる喜び

❷報償価値（経済的意識）その働きによって金銭を得、生活ができること

❸対人関係価値（社会的使命）職業を通じて社会の役に立つこと

先日、ラジオで"青年と語る"（日本短波、毎週火曜、八時）を聞いていたところ、昭和四十年度米づくり日本一の竹本平一さんが「なぜ農業を選んだか」という青年に答えて、

「一つには、農業が他の産業と格差があること。この格差が可能性として私にはうつった。二つには他人がいやがること。これはちょっと努力すれば、自分が頭角をあらわすことができると考えた。それに、食べるものを作ることは楽しい」というような趣旨のことを話しておられた。

これは、ローゼンバークの職業…

困難に耐える

総理府青少年局長　安嶋　彌

青年は生きた宝石

研磨の努力と最善を尽せ

山口県玖珂郡錦町　4Hクラブ育成指導者　樋口静恵

新年おめでとうございます。古くから言いなれた言葉だが、たいへん新鮮味のある言葉である。過ぎ去った年への反省の中から、新しく迎えるたくましい意欲と希望を含めた言葉である。

元日ほど身も心も軽く解放された、ゆとりのある朝の喜びはほかにない。大気を胸一杯吸いこみつつ胸をはれば、遥かな丘の空が静かに明るく燃える。垣越しの柿がぽつりと一つ枝に残されたまま、真紅の色をみせて昨年の秋の姿を浮かべている。

農村の元日、山村の元日は、都市ではみられない甘い平和な朝で…

明けまして　おめでとうございます

世界に羽ばたく

（写真は、青年の船さくら丸）

農は国の大本なり

期待される少数の精鋭

新潟県新発田市館野小路　4Hクラブ育成指導者　伊藤甚一

主体性を確立しよう

未来は私たちの双肩に

全国4Hクラブ連絡協議会々長　丸山　勉

お正月とお酒と文学

古賀龍史

お正月 おめでとう

いいものですね、お正月の朝のあいさつは。家族共々おめでとうをかわし、朝の祝膳に集う。

それぞれの故郷に、それぞれのならわしがある。朝の祝膳は年中の最高の厳粛な家庭のセレモニーである。家族一同が集い、健康と幸福を確かめ、明日の希望と喜びを語り祝う。正月ならでは味わえない一大行事である。

ふるさとのわが家では、正月の元旦の朝は、一同座敷に集い、家長から順次年長の男子順にならぶ。女子は長女であってもそのあとに従がう。

一同に新茶の初湯がくばられる。一同声をそろえて「おめでとうございます」とあいさつをかわし、その新茶を飲む。それから、朱の木皿にそえられた干柿とみかんを食する。干柿の種が七個あれば「めでたい」とされ、今年の年占いをする。

それから席順に三宝の盃がまわされる。三段の盃の一番大きいので家長がのむ。私は十五歳で家長になったので、このころから一ばん大きい盃でお屠蘇を飲む権利が与えられていた。

お屠蘇は三・三・九度方式でそそがれ、昆布とするめと鰹節をけずったものを塩にまぶした酒肴を手のひらにうけ、それでお屠蘇を祝いいただく。その後に三杯酢とかごまめ、黒豆などのおせち料理やれんこんごぼうなどの煮つけに手をつけるのである。

現在、東京にきて約二十年近くなるし、妻の出身も違う。しかし私は、わが家の風習を教え、この方法で元旦を祝うことにしている。お屠蘇の一杯のあとが、酒と変り、ほのかな酔い心地に正月の朝をすごす。

私は、大晦日の夕刻の年越しそばの宴から飲みはじめ紅白歌合戦がおわり、ゆく年くる年のゆきかう人の群を見、百八つの煩悩の垢(あか)をぬぐい去る。除夜の鐘をきくまで飲みつづける。そして床につきあくる正月の宴の屠蘇がわりに酒を飲み、ひる頃までに二升の酒を飲みほす。

自慢にならない自慢だが、一年のうちで年越しの酒と、正月の朝酒ほどうまいものはないと私は思っている。酒を飲みながら私は酒の詩をうたい、一人慰めるのである。酒を飲み、酒に酔うばかりがお正月ではない。酒の詩(うた)をうたいながら飲むのが、本当のお正月の酒のように思う。

古くはギリシャのアナクレオン(紀元前五七二年生れ)の詩をうたう。

「うま酒をのめばや ものもいもやすらはむ なげかいもいたはりも ものもいも何せむに あらがうもつひに死ぬ 身のいかで世にまよう さらばいざ君われと よきバッコスのうま酒をなのまむ 汲むほどに 飲むほどに ものもいもやすらうと」

万葉の歌人、大伴旅人のうたもいい。

古(いにしへ)の七(なな)の賢(さか)しき 人どもも欲(ほ)りせしものは 酒にしあるらし

生けるもの ついにも死ぬる ものにあれば この世なる間は 楽しくをあらな

言はむすべ せむすべ知らず 極まりて 貴きものは 酒にしあるらし

万葉には、酒宴の時に詠まれたものが三十首ほどある。

今も塩酒といって、枡酒のカドに塩をちょっぴりのせ、枡酒を飲ませる店が多くあるが、万葉集の巻五に山上憶良の歌として

「風まじり 雨降る夜の 雨まじり 雪降る夜は 術(すべ)もなく 寒くしあれば 堅塩を 取りつづしろひ かすゆ酒 うち啜(すす)ろいて……」とつづく貧窮問答歌がある。昔から酒の肴として塩をつかったようである。

近代となると、やはり若山牧水であろう。

しらたまの 歯にしみとほる 秋の夜の 酒はしずかに 飲むべかりけり

それほどに うまかと人の 問うたれば 何とこたへむ この酒の味

かんがえて 飲みはじめたる 一合の 二合の酒の 夏のゆうぐれ

牧水の酒の歌は、枚挙にいとまがない。吉井勇も、酒のうたをよくうたった。

満つる時 よろこび乗り/満たぬ時 かなしみきたる 酒甕(かめ)を抱く

よき玉の 琥珀(こはく)に似たる 酒のいろ あまり見惚れて われを忘れる

酒の歌は、すべて素晴らしい。紙面が続けば書き続けたい衝動にかられる。

国をかえて、中国にいたれば、酒を愛した詩人はすべて名詩人であった。李白をはじめ、杜甫、白楽天、蘇東坡、みな酒を愛し、自然を愛し、名詩をのこした。一つ李白の「月下独酌」に代表してもらおう。

天もし酒を愛せずんば 酒星は天にあらじ 地もし酒を愛せずんば 地はまさに酒泉なかるべし 天地すでに酒を愛すれば 酒を愛するは天にはぢず すでに聞く 清は聖に比すと またいう 濁は賢の如しと 賢聖すでに飲めば なんぞ必ずしも神仙を求めん 三盃大道に通じ 一斗自然に合す ただ酒中の趣をえんのみ 醒者のために伝うることなかれ

ふたたび、日本文学にもどろう。酔ったいま、酒の文学を書いたものを思いおこすと、たしか、芥川龍之介のものに「酒虫」というのがある。支那の長山の劉氏という男が、朝から盃を離さず「独酌することにすなわち一甕(おう)を尽す」という男で酒の虫が体の中にいて、酒を飲むのであろうかという三問答をだして、自分でもわからないと結論をだしている小文である。

しかし、酒の文学で一ばん私の印象に残るのは、太宰治の「斜陽」のなかに「二つのコップが力弱くふれ合ってカチと悲しい音がした。ギロチンギロチンシュルシュルシュとだれかがいって、それに応じてまたひとりがギロチンギロチンシュルシュルシュといい、カチンと音高くコップを打ち合せてぐいと飲む。……」とつづく、この印象が忘れられない。

そしてもう一つ、同じ太宰の「人間失格」の最後に、「私たちの知っている葉ちゃんは、とても素直で、よく気がきいて、あれでお酒さえ飲まなければ、いいえ、飲んでも……神様みたいないい子でした」というセリフがある。この言葉が素晴らしくいい。

お正月の酒に酔って、一人でに語りたいことを語ったようだ。お正月早々酔態をみせたようで恐縮している。どうか今年もよろしく。(農林省普及教育課・さとわのうた筆者)

今年もよろしく

4Hクラブのみなさん、あけましておめでとうございます。よいお年をお迎えになりましたか。

昨年はお仕事が忙しく、まるで夢のように過ごしてしまいました。静かな新春がまるでウソみたいに感じられます。

私にとって一番の想い出になったのは何といっても「夕笛」の大ヒット。それにテレビ「あいつと私」「ある日わたしは」がたくさんのみなさまに支持され、愛されたことでした。

芸能界にデビューして六年目。やっと自分なりに演技をつかみかけた気がします。今年はこの新たな感激を胸に、さらにもう一歩前進したいと思っています。

青春ものや文芸もの、欲をいえばメロ・ドラマもどしどしやって芸域を少しでも広げてみたい。

そして映画、テレビと同時に、新しく始めた歌の方も思う存分歌ってみたい。そんな欲ばった夢を描いているのです。

どうぞよろしく、ご支援下さいますようお願いします。

一九六八年 元旦

【まつばら ちえこ 日活女優】

新婚家庭をたずねて

松石善晃君

松石洋子さん

昨年も農家の嫁不足がささやかれた年であったが、反面多くの仲間たちが、愛の人生航路の帆を張って独身生活に終止符をうった。そこで、本紙では初春にあたり、意欲的に生活設計に励んでいる新婚家庭を訪問し、全国の適令期をむかえた皆さんに紹介してみよう。白羽の矢をたてたのは、ご存知の読者も多い、奈良県大和郡山市4Hクラブ員の松石善晃君である。松石君は、昨秋の十月三日の佳き日に、新婦洋子さんを迎え、専業農家の長男として水田、野菜を中心として、意欲的に農業経営にとりくむ好漢である。

米・長靴持参で酪農研修

古都奈良の西方に位置する大和郡山市は、生駒山系を西に仰ぐ水田地帯で、金魚と溜池はあまりにも有名である。

大和郡山市の4Hクラブは、昭和三十六年に再結成され、松石君も翌年の三十七年三月に4Hクラブに入会した。

4Hクラブに入会した動機は、普及員や金魚振興会長の飯田君から呼びかけられたこともあったが、あのときは「友だちがいなくって無性に淋しく、青年特有の心理的動揺をふせぐ意味もあって入会した」という。

夜を徹して友と雑魚寝

こんなとき、松石君を支える力となったのは、4Hクラブの仲間である。トマト栽培を行うためビニールハウス一〇〇〇㎡を建てたときは、雪の日に十余名の4Hクラブ員が手伝いに来てくれ、たちまちに建てあがったという。

松石君はいう。

―4Hクラブに入ったおかげで、すばらしい友だちができて、よい中で互いに切磋琢磨して、よい人間関係が生れた。これが郡山4Hクラブの特色であると、知る限りでは、この4Hクラブの発展したのは、やはりクラブ員同志が兄弟以上の絆で結ばれているからだ。またこの面が、家族たちとの間にもみえる。夜を徹して語り合い、雑魚寝する中に大和郡山4Hクラブの活動の源があると思う。

こんな楽しい、青春を過ごす中で松石君も結婚適令期を迎え、結婚を考えた。

一週間に一度の定期便

人生には、三回の儀式がある。この世に生をうけたとき、結婚したとき、そして……。彼も二つ目の儀式を迎えたわけだ。

そんなとき、折よく見合の話しがあり、とんとん拍子に話が決まり、洋子さんと婚約した。

お見合いから、結婚までのデートの回数は、

―かぞえきれない。一週間に一度の定期便だったかしら―

結婚式の内容について、

―県改良職員組合の公設式場で、会費制だった。披露宴は企画から運営の司会、受付、会計、写真の係まで全部仲間の4Hクラブ員がやってくれた―

4Hクラブの歌をうたい、4Hクラブの旗に記念のサインをしてまさに、4H結婚である。大勢の親戚、仲間から祝福されての門出にふさわしい新夫婦である。さぞご両親の喜びもひとしおであったことだろう。

も、二人の意気のあった姿がうかがわれ、ピリッとした中にも二人の満ち溢れるような、甘い愛情がうかがわれて、俗にいうあてられつづけたとも付け加えておこう。

まず一発聞いてみた。最近は農家に嫁ぐ娘さんが少ない。まして勤めていたのに農家に嫁いだ理由は、

―私は、職場で結婚したのでなく本人次第、これを第一に考えました―

横にいる旦那が、満足そうにうなずく。

一緒に働く喜びは最高

新婚旅行はどこへ、

―南九州へ、五泊六日。指宿、えびの高原、宮崎みんなよかった―

新婚旅行の意義と、話し合った内容は、

―意義は多いにある。場所、期間を問わず、ぜひ行った方がよい。結婚の記念にというだけでなく、二人して行くことに意義があり、そこで自分たちの使命の自覚と、将来の生活設計について話し合った―

なるほど、そこかしこでのポートレートをみせていただいた中にも、希望と自信、そして二人のいたわりあうほほえましい姿を知ることができる。

生活設計について、

―ガラス張りの家庭を築き、妻はもちろん家族から尊敬、信頼される愛情の深い夫となりたい。妻へは、初心を忘れないでもらいたいこと。家風というかこのうちの方針を早く身につけてほしい。そのために建設的な愛情をもって、お互いの立場を理解した夫婦、親子関係をつくりあげるとともに、物質、精神、健康三拍子揃った家庭を築きたい―と目を輝かせ、奥さんもいちいちうなずく。

奥さんが一日も早く家族の一員になるために、努めたことは、

―やはり、人生経験の豊かな両親の意見を聞くことと、兄弟同志のような愛情をもって私、嫁という関係でなく、真の親子的な関係になることだと思う―

この話しからして、今はやりの家つき、カーつき、〇〇ぬきという気持はみじんもない。朝食後や家族そろっての話し合いもひんぱんにやるという。

おそくなったけど、お二人の名前の呼び方は、

―名前をひすて―

―あなたと呼ぶ―

奥さんはいう。まだ仕事になれないけど、二人いっしょに仕事ができる喜び、これが最高にうれしい、と顔をほころばす。現に昨日も苺の薬かきをした。農業を知らなくても、仕事ができる、できないの問題でなく、やる気があるかないかにあるというし、これからの女性は家事、育児にと言われているが、経済的、労力的、経営内容から考えて女性としての範囲内で働く必要があるーと。

―でも女性ですから、働く場と生活の場との変化を考えて、たとえば衣服を変えてみるとか美しくすごしたい―。

二人の前途に幸多かれ

将来の農業経営について、

―経営については、京阪神に近い池の利をいかした近郊農業として水田、果菜類の中心としてイチゴ栽培で行く―

4Hクラブの先輩として、後輩に何を望みますか。

―大和郡山4Hクラブの精神を伸ばしてほしい。また、クラブ員の主張や意見も、義務と権利を自覚したうえで、実践に励んでもらいたい―

―4Hクラブ活動に対して親の理解はもちろんに必要だが、友だちを通して家族との話し合いから―と実践による理論はするどい。

誰れでも一度は通らなくてはならない路―結婚、そしてこれからも訪ずれるかもしれない苦難の人生に挑戦して行く新夫婦の健康と勝利を祈って辞退した。

ややもすれば、農村から逃避しようとする青年が多い中で、この二人のように強い愛情と堅い信念で農村を築きあげようとする姿を見たとき、明日の農村の繁栄が約束されたと思われた。今年も佳き日に全国で仲間たちのカップルが、続々誕生していくだろう。芽ばえた愛情は、皆ます協力して育ててあげようではないか。

披露宴はすべて仲間がやってくれて、まるで4H結婚だったと、記念に贈られたサイン帳に見入る松石君と洋子さん

「一緒に働いているときが、いちばん幸せ」という。今日も、ビニールハウスの中で苺の世話に精を出す二人。そのいたわりあう愛情に春の日はまぶしい

20歳に思う

今春、成人式を迎える人たちは、全国で二百三十五万余名と推定される。この人たちは、来る十五日をもって法的に、社会的にも責任ある大人として認められるわけだ。選挙権があたえられ、酒、たばこが許される権利をえるかわりに、その義務を忘れないでほしい。この人生の門出を祝って、全国的にいろいろな形で成人式が催される。この日のために、晴着を新調した人もいると思う。その良し悪しより、いかに成人となった意義を自覚するかということに大きな問題がある。自分自身の豊かな人生目標に向って、励むことはもちろんだが、将来の日本を担う若者として、社会からの期待も大きいし、人生航路は厳しい。本紙では、これらの人たちにスポットをあて喜びの表情と、強くたくましく、生きぬこうとするその心意気を特集してみた。全国の成人式を迎えた人たちの限りない成長を祈る。

二十歳への歩み

根本邦子

二十歳の仲間よ
矛盾した社会に抵抗する前に
己れのみを行なおうとする大人たちに
怒りをむける前に

この静かなやさしさに満ちた
朱色の空をみつめてみよう
〈汚れのない〉〈嘘のない〉
尊くも厳かな黄昏の空を
尖った神経は柔らぎ
やさしさが愛の心が
きっと―かえってくるだろう

二十歳の仲間よ
どんなに世の中がかわろうとも
社会の約束がどんなに忘れられても
自分たちはいつも強く正しくあるように
ほら―忘れないでみつめてみよう
この日没の聡明な光は
決して消えうせることはないのだから―

さあ二十歳の仲間よ
胸をはって歩いてゆこう
果てしない未知の世界へ

（茨城県稲敷郡東村・稲穂サークル4H）

厳しさに勝ちぬく

若い生命を燃して

人生を自覚し希望わく

大阪府堺市福田一〇二　片上和子

私は、農家の一人娘。私の家では、両親と兄の三人で農業を営んでいます。

小さい時から女一人という、甘やかされた環境の中で育てられたこともあって自分から進んで仕事の手使いもしなかった私です。でも家の中の仕事については、好んで手使いましたが、あまりにも恵まれた生活の中で育ってきたため仕事に対して、意欲的でありませんでした。

家の者は私に、高校へ行くように勧めてくれましたが、私はそのことに感心がでなく、将来のことなど考えないで、うわべだけの考えから就職を決心したのです。このような私ですから、社会に対しあまりにも、甘く考え過ぎて社会の厳しさについて知らなすぎました。これも、私自身気楽な家庭生活に甘えていたためでしょう。

いざ、実社会にでて働いてみると、なんと苦労の多いことでしょう。私は、毎日が苦になり始めました。なんど退職しようと思ったかしれません。このとき、やっと進学しておけば良かったと、何度後悔したことでしょう。学歴が言々される世の中ですが、無学の私には、幸福なんて掴めないのかと自分を責めたこともありました。それでも私は、大きな夢を描き続けました。

その一つには、私が歌手になるとか、裕福な家庭の息子さんと結婚して、上流階級のお金持気どりの奥さんになったとか、また自分のテーラーを経営してデザイナーの仕事をしている私など、数えきれないほどの大きな夢想を描いていました。

しかし私にとっては、社会の苦しみから逃れるための気休めだったのでしょう。このように、社会の表面ばかり眺めていた私、自分は幸福なんだと思って喜こんでいた自分がはずかしくなります。現実の社会を体験しなかった私、ただ、夢と希望に花を咲かせ、自分の力で努力しようとしなかった自分自身が馬鹿らしくなり、人生に反抗するようになりました。それからというものは、一日いち日がつまらなくなり、いっそうのこと退職して別の道を歩ゆもうと、とまどったことも二度三度ありました。

しかし実行することができないまま、歳月が流れ、二十歳を迎える今日、やっと退社しました。これもやはり、自分自身の夢を実現に移したかったからです。でもいままで私の過去の体験を考えてみて、なにひとつとして貴重な経験はなかったように思います。社会の実情も知らず、自分の信念にもうち勝てず、人に頼って生きているだけの自分が情なく思えました。立派な人間となって、幸福な日日を築きあげようと大きな夢を描いていた私は、皮肉にも反対の立場を味わうようになり、両親、兄の働いている姿をみていると、自分が情なく、恥かしくなります。

いままでの私は、中身の薄い、外見だけのみせかけの浮草だったのです。このような考え方をもっていただけに、人生に対しての苦しみが大きく、響くように感じられてきました。

二十歳になった今、自分自身の気持を整理して、あたえられた人生に対し、自覚と責任のある行動をとりたいと思います。そのためには、いままでのように、甘いバラ色の人生観を描いているだけでなく、積極的に現実の苦しさの中にとびこんで勝抜く精神力が必要だと思います。過ぎし日の私のように、親に甘え、社会に甘えて苦しみ、悲しみに負けるような人間であってはいけない。もっと自分自身を鍛えなくてはと、自覚したとき、私の未来が明るく輝き、希望と信念が湧いてきました。

いまからでも遅くありません。私の人生目標に向って「石にかじりついても頑張りたい」。あの急流に流されない大木の根のように大地にしっかりと根を張って成長を続けているように、私も力強く生き続けていきたいと、まず自分自身に言い聞かせる。

これからの私は、社会的にも、人格を認められた自分を忘れず、私なりの女性としての夢と希望を実現するため、あらゆる面から知と技を吸収して、自分本位でなく社会的にもプラスになるように、若い命を燃しつづけたい。強い信念と勇気、責任感と正義をいつまでも忘れぬ私になりきり、粉雪からやがて大きな雪だるまとなるように私も一生懸命努力して、未来の私を決定する精神を訓練し、よりよい社会人となるよう人間形成に励げみたいと思います。

青年の社会的価値

「青年よ、大志をもて」とか「青年よ野心をもて」と、言われる言葉がある。実際、青年はたくましい野心と大望をいだいて、その可能性に奮起している。もちろん、青年から未来にたいする野心、大望、夢をとってしまえば青年の青年たる、ゆえんは何も残らない。

青年の豊かな未来にたいする可能性を大きく実現させるのは、野心、大望、夢にほかならない。青年は、これらをたゆまぬ努力と実践によって追求して、未知の可能性を花開かせることができる。

青年は、これらの追求によって自己を大きく成長し鍛えあげ、現代の社会が青年によせている、大きな期待にこたえる意味で、大きく社会的活動をおこなって、明日の社会の進歩発展のために大いに役立とうとする念願にかられなければならない。

青年は、人間らしい夢、野心、大望家となり、社会的に意義のある使命をはたすことによって青年の青年としての社会的真価が与えられるのである。（〇）

記念すべき二十歳

愛知県安城市篠目町竜田十一　川村しげ子

先日、父母が「しげ子も、この一月十五日で成人になるんだなあ」と言っているのを聞きながら、ああ私も二十歳、大人になったんだ、という感情がひしひしと湧きあがった。

私は、いままで小さく歩んできた過去をふりかえり、反省して、これからのよりよい人生航路の糧としたい。

幼い頃、レンゲ畑で寝ころんで遊び、草の汁が服についたと母にしかられ、菜の花畑で、かくれんぼしたこと、中学時代、時業を早退して田植えを手使ったこと、幼き日の想い出はつきない。

そんな毎日を送りながら、卒業をひかえて、進路を自分なりに一生懸命考えたすえ「農業がしたいから、寮生活のできる追進農場に行きたい」と言ったときの両親の顔、農場に入学して父母との別れ、寮生活の不安、卒業のときの[illegible]など別れのつらかったこと、家に帰って、半年ぐらいは何となくすごしてしまった。

そのうちに、4Hクラブに入会して、大勢の友だちもできて、クラブの行事に出席するようになった。この4Hクラブの体験が、私の青春時代の最大の想い出として忘れられぬものとなるだろう。

そして今、私の生涯に記念すべき二十歳を迎えた。

少年から青年へ、子どもから大人へのきりかえの年としての成人式に当り、認識を改め、自覚を深めたいと思う。

[illegible]として生れ、比較的物心両面に恵まれた生活の中で育ってきた面もあるが、また、反面、進学のための試験地獄には、ほとほと悩まされた年代でもある。だが、いかなる環境の中で育った私たちであっても、次代を担う者として社会から要求される期待は大きい。

とくに、本年は明治百年を記念する年として、当時維新の立役者として活躍した青年たちを偲んでみたい。若年にして国の将来を考え、命をかけて日本の夜明けを勝ちとった人たちの信念や心意気と現代に生きる青少年と比較してみよう。

人生の真理追求

個人完成の糧としたい

マスコミは、人間の生活様式をかえるというが、昨年はとくに激しかった。人間疎外の機械文明が活字や電波にのって、純心な青少年に対して精神的な危害を加えていった。その中に青年は、青年としての自覚を忘れ、ある者は学業をすて、革命家気どりで暴徒化し、ある者はエレキギターに酔いしれフーテンとなって町をさまよい歩く。一方農村にあっては、経済的な面ばかり求める利己的な考え方をもつ青年が増えていった。はたしてこれでよいのだろうか。私は何かが狂っていると思う。

もちろん、時の流れにさからった生き方は考えられないが、もっと青年らしい生き方があるのではないでしょうか。立派な人間になるために、自己の確立こそ大切ですが、それだけに終止する傾向が強いのではないか。

たとえば、身近な例で4Hクラブ活動について考えてみると、ある人は言う「幸せな生活を築くために、クラブ活動を通して技術を磨き、経営の確立をはかりたい。そのために所得を上げたい」と。

しかし、ここで考えられることは、幸せな生活を築くため、経済的な面も多いに確立しなくてはならないが、それを支えていく精神的な面を忘れているのではないでしょうか。また人間本来の生き方からすれば、目的と手段をはき違えているのではないか。

したがって自分本位な考え、行動となって、私たち青年の使命感さえ忘れられている。ここに維新の志士との違いが現われていると思う。

今年はあたかも明治百年を記念して、世間がわき上がると思うが、ただ催し物やそれを悪用するマスコミなどに、まどわされず、この機会に、青年としての正しい生き方を考え、また生の真理を追求して行きたいと思います。

私の家の附近にも、最近は工場住宅が建設されて、昔の田園風景が失われてきています。経済的社会の発達からみれば、やむをえないことであっても、それと同時に人間の精神的な美しさまでも、失なわれていくことを考えると、さびしい限りです。とくに農業を志す私にとって、重大な問題です。これらのことについても、私は計画性をもって対処して行きたいと思います。

このことは、4Hクラブ活動についても多分に言えます。農業をしているから4Hに入ったというクラブ員や、プロジェクトは活動はしていないとか、4Hクラブ本来の目的すら理解していないクラブ員がほとんどです。これではなんのために4Hクラブに入ったのかわかりません。したがって活動内容もおろそかになり、計画性や魅力のないクラブ活動になってしまいます。

最近、4Hクラブのあり方が再検討されてきましたが、このことは、もっと私たち自身が深い感心をもって理解する必要があると思います。とかく私たちは、農村という狭い範囲で、ものごとを判断しがちになりますが、日本の青年であるという広い視野に立って考えて行く必要があると思います。

今年から責任ある者として、社会的に認められた人格をかせられるわけですが、それに対する使命感、責任をよく自覚して、新春にあたり私の人生航路を歩みつづけたいと思います。

二十歳

透きとうった湖洲のひかりをうけて
これからの稚い二十歳が花開く

二十歳とは
恋占いもできないような
稚い果実のように想える

二十歳とは
真夏の真珠のようだという

二十歳とは
微光がきらめき波紋のように広がる
新鮮で限りなく美しいもの
かなしいもののように想える

自身の可能性を伸す

茨城県稲敷郡東村
稲穂サークル4H　松本和子

人生で、最も満ち足りた素晴らしい日々とは、自己の満足をこえて、広く社会に平和をもたらそうと努力するときであると思います。

私は確信のある生き方をしたい。たとえ無情な人生であっても良しと確信するなら、その人生と社会の道理を学び、生きてゆく情熱を燃やしたい。表面的な華やかさにとらわれず、矛盾した現実の中で、社会への眼が開かれるだろう。

私は、自分自身の可能性を最大にのばすよう学習し、努力して自からの運命を切り開いていきたい。

今、春の陽をいっぱいあびて、野菜が芽をのばし葉を広げていく姿をみたとき、土に生きる人間の喜びを知った。自然の厳しさと戦う苦しさ、そして勝利の喜び、人間の運命にも似る。

働く喜びと生活の楽しさを考えるとき、人生にうるおいをもちたい。私は文芸をえらび、自然を詩う中から自分の姿をかえりみたい。

私は、美化された人生でなく、自己の考えや喜びと不安を、現実に向って表現し、話し合いのあるふん囲気の家庭をつくり、お互いに理解しあって問題を解決したい。

新春放言

活動は実践にあり

案ずるより生むが易し

山梨県中巨摩郡敷島町
一心会4Hクラブ　高橋基次

新らしい年を迎えた。山や海、そして雲の中から希望に満ちた太陽が登ってきた。まぶしい元旦の陽光は一段とそう思う。

年一回、太陽に向って合掌して自分に都合のいい、欲ばった条件をとなえ、今年もより一層の幸せが我が身に訪ずれることを、目をとじて祈るのも元旦だけに勝手である。今年こそ充実したりっぱな社会人になれますように、健康で医者の世話にならないように、金運があるように、多くのよい友だちがつくれますように……よくも、それからそれへと欲深な願いごとがあるものだと不思議である。でも全部言いきると体中がさっぱりとしたいい気分になる。

大きく背のびして周囲の山家に「今年も頑張ろう」と自分にいいきかせるのであるが、今年もどうなることか。勢いっぱいやってみたい。

一年の計は元旦にありと言う。精神的に肉体的に進歩するための良き気分転換の期に、昨年を思い越しながら、年頭にあたって、頭の中を整理してみたい。4H新聞を通して4Hクラブ活動の本質論や目的など、いろいろの角度から拝聴できた。けっきょく最終的には、良き農民としてのりっぱな社会人となろうとすることである。

誰れでも正月を迎え、年令が一つひとつ加算されると、自然に社会人としての自分の位置や責任感、行動範囲が拡大し、また充実されるのを自覚する。だから、それなりの勤勉や世の中の動きに対して、心と頭をその環境に適応していかねばならないと思う。

いちがいに適応させることはむずかしいことである。でも案外、偉人伝の書物にでてくる言葉や内容を素直に信ずることによって、それを少しでも達成できるように思える。

「皆美しい種子あり」好きな言葉のひとつである。どんな職業人や仲間たち、年令を問わずその人たちは、他に持っていない美しいものを心に秘めているという。だから誰れもが、それを学ぼうとする気持で、認めて理解を深めようとするならば日常生活の中でも、会話や人々の態度が何気なく自分のために知識となっているということを再発見して、常に整理しなければいけないと思う。

クラブ活動内容のマンネリ化や、クラブ員の無気力な態度の参加では、気のぬけたただの4Hクラブ員で終ってしまう。つまり、どんな仲間のクラブ員も俺たちはよきリーダーであるとまず自分で悟って進むほどの心の余裕と、確信を欠いてはならないのである。よく良きリーダーの育成をと、言われているが別に必要ないことで、全クラブ員がリーダーであると自覚することが大切である。そこに初めて研修会や学習、見学などが必要であり、みながそれぞれ異ったタイプのリーダーであればあるほど、一人の仲間はそれなりに多くの体験から生れた助言を与えられるのである。

このような考えを自分のものにするならば、仲間全体が我が身を青少年教育指導機関の歯車であることを確信し、相手を尊び、感謝していけるなら、ただ批判ばかりしたり、陰口を言ったり、ウワサのとりこになったりするのは誠に、あほらしくなってくる。したがって人を見る目が成長すると同時に、自分自身も仲間のためにという心が働いてくる。そこに「切磋琢磨」という態度が、実践活動の中に生れてくるのである。

さあ「案ずるより生むが安し」我らの活動は実践にあり、今年も4Hクラブ活動の芽ばえのために、みんなの「美しい種子」を育てていこう。

4H活動推進のために

全国4Hクラブ中央推進会議の講演と話し合い

全国4Hクラブ連絡協議会と日本4H協会主催の「全国4Hクラブ中央推進会議」が、昨年十二月一日から五日までの五日間、静岡県御殿場市の国立中央青年の家で開かれました。

これには、全国から次期クラブリーダー約百四十名が参加し、4Hクラブの本質、組織、リーダーのあり方などについて、講演のあと分科会と全体討議を開いて講演の内容を中心に話し合い、4Hクラブ活動の推進について検討しました。

その講演や話し合いの中から、とくに骨子となるもの、特色あるものをまとめてみました。クラブ活動を進めるうえで、大いに参考になるものと思われます。

仲間の協力で四Hの訓練

プロジェクト活動の実践を通じて

新田健吉氏

本質

人々は常に、よりよい生活を築くために努力しているが、個人の能力には限界があり、この限界を社会の力で補ってもらうことを期待している。よりよい社会ほどその期待に応えることができる。よりよい社会をつくるためには、その構成分子となるよりよい人をつくることが大切で、ここに教育という仕事が始まる。よりよい人とは、自活の能力をもつのは当然として、その能力を社会の開発、伸展に進んで奉仕する人だと思う。

4Hクラブは、青少年がこのような人となるための教育の場であるが、とくに、青少年が自覚して自分が自分を教育することを建前としている。

4Hクラブは、このように、よりよい人となるために、頭脳、心、技術、健康の四つの機能の平均のとれた教育が絶対に必要であることを、長い経験の積み重ねで築きあげている。そして、このような教育で得た能力で、自分はもとより、クラブのため、社会のため、国のためになるようやり遂げることを誓う。これを信条（綱領）という。

四つのHを身につける方法として、4Hクラブでは、必ずプロジェクトをもち、それらの課題解決を通して行なう。この課題解決の連続が人生ともいえるし、その成功者が人生の勝利者ともいえる。

プロジェクト活動の過程は、一般に❶課題解決の目標を定める❷目標を達成する計画をたてる❸計画どおり実践する❹結果の反省、考察を行なう—という四段階に分かれ、それらの行動や結果をすべて記帳し、実践を通じて学ぶ。課題を合理的、科学的に解決していく学習は、頭脳、技術の訓練、健康、意志の陶冶に最適である。

プロジェクト活動のテーマは、その人の環境によって千差万別で、その分類もいろいろだが、4Hクラブで一般にいわれている分類は❶準備プロ（基礎、準備的）❷調査プロ（課題の発見など）❸単一生産プロ（苗や雛などを生産する小規模のもの）❹複合生産プロ（作物の組合せや経営など高度のもの）❺改良プロ（台所や畜舎の改良など生産、生活の向上のためのもの）❻試験プロ（品種の比較やせん定の方法）—などで、その取り上げ方によって個人と共同プロに分類することもある。

4Hクラブでとくに望ましいプロジェクトは、できるだけ自分、家庭、地域に密着した身近かなものを取り上げ、なかでも、ものを生産するプロ、生き物を生産するプロを行なうことがよい。それは頭脳や技術だけでなく、愛という心の教育、人間性の教育にも大いに役立つためである。

このように4Hは青少年の教育に意義深いと同時に、農業者の養成に最適なクラブである。

4Hクラブ活動では、それぞれ相互扶助、激励し合う血の通った行動が期待され、そのような実践活動を通じて真の友情、誠実、奉仕などの精神が養われる。しかも人の心の教育の実践は仲間がなければやれないことで、ここにクラブ結成の重要性がある。

仲間のクラブ員に協力しようという気持が常に働いていれば、多くの機会に必ず何らかの協力できる資料をうることができると思う。

このような血のかよったプロジェクト活動が4Hクラブでは最も大切である。プロジェクト活動は、マンツウマン式（外部指導者と個人だけの接触）を避け、必ずクラブ員同志で助け合い、カベに突き当ったとき初めて外部の指導、援助を仰ぐべきである。

4Hクラブの会合については、クラブ員が興味を感じる会合であることが必要である。各クラブ員が真剣に取り組んでいる課題が、全員の協力で伸びることを基本としており、クラブ員の関心もそこに集まるように心がけるべきである。クラブ運営については、クラブ員の能力に応じて何らかの責任ある任務を受け持つことがよい。

次に、4Hクラブの名称については、四つのHを信条として4Hクラブの歌をうたい、これまで述べてきた活動をしているのが4Hクラブと呼ばれ、長い歴史と世界共通という広がりをもっている。この名称は長い間の努力で築きあげたもので、世界共通の客観的価値がありおたがいに充分尊重すべきである。

4Hクラブは、あくまでも自分たちのための活動であり、その体験は各人に自信と信念を与え、やがて立派な農業人、社会人として成長することが約束されている。

（日本4H協会事務局長）

4Hは個人成長の場

現場で火花散る厳しさ

湯浅甲子氏

リーダー

グループは離れのためでもなく、一人一人が成長するために結成するのである。4Hクラブは個人の成長の場なのである。

一人でいると、自分の考えていることが正しいだろうか、合っているだろうかという不安を抱き、どうしても一人ぼっちでいられなくなる。

みんなが自分をどう認めているかという疑問を抱けば抱くほど自分をぶつけて反応させて確認してみる。また、みんなが自分を知らないと思うと〝どうだい〟といいたくなり、相手の反応をみる—離れのためでもない、自分というものの存在価値を認識して、さらに高めていくためにクラブはある。いわゆる自己の存在価値、ことばを換えれば人生価値を高める—それがグループ活動なのである。

そして、自分という人生をがっしりと受けとめ、自分がそこにいるということを認識する。それが個人をグループと結びつける根源となる。

他の人から信頼される人、頼られる人、それが存在価値となる。あの人は、いい考え方をもっている、いつも忙しいのに勉強する、いつも新しい考えをもっているということで、人と人とのつながりができる。

ある人に対して、尊敬、憧憬、同情、羨望、共鳴などの感情がわいていく。それらの感情を通して人と人との間に社会的なつながりができる。あの人に聞けばよいということになる。判断力がものをいうのである。いま勉強している技術が明日にも古くならないとは限らない。それより、新しいものを律していくという実力、判断が早く、正しいという能力を身につけること、それをクラブ員はグループを通して期待していると思う。

自分が卒業した学校がいつまでもなつかしいのは、なにも、うつわがよいというのではなく自分を変えてくれた先生や級友に何かを感じるからである。そのような感情がいつまでも学校とつなげるのである。

クラブも、プロジェク活動によってクラブ員が結ばれていくのである。そのプロジェクト活動が盛んであればあるほど、その結びつきは強くなる。クラブは、事業そのものに価値があるのではなく、それを起している人と人とのつながりに価値があるのである。

わずかの年数の中で、クラブ員は、クラブに何を求めているのか。その橋渡しはプロジェクト活動にある。そして具体的な活動のつながり、課題解決の機会を与えてくれるのはクラブ活動なのだ。

ここで、個人とクラブの関係をみてみよう。

4Hクラブ活動の主体は在家活動で、自分の問題、生活の問題が中心となる。本舞台はその青年の仕事にある。在家活動で出てきた問題、疑問をクラブへ持ち込んで、みなに相談し解決する。これをクラブの提案活動という。4Hクラブでは在家活動が主で、クラブ活動は従の関係にあり、クラブは極端にいうと、うつわも何にもなくともよい。

また、問題は忙しいときほど起る。農繁期で忙しいのでクラブ活動ができないというのはおかしい。農繁期こそ会合を多くもち問題を解決していくべきである。また生活が苦しいときほど動くので問題もあるはずである。在家活動は昼なので、クラブの会合も夜だけでなく日中にも開くべきである。

問題など話し合いをしても切実感がないので、それでは来年はそうしましょうかということになってしまう。クラブ活動は体験の交換、提案の交換が中心となるのであって、もう一歩も退かない、という切迫感をもって現場で火花を散らす、こうなれば、クラブに行くことが楽しくなるはずである。

自分の考えや、やっていることを確認するために、仲間の意見を聞きたくなる。いま忙しいけれども、問題がおきると先進地農家に走り昼夜をついて研究する。もう教わるより略奪するようになる。4H活動には切迫感がある。それがなかったらクラブ活動は高まらない。温泉にでも入って、ゆっくり相談しようか、などといっては追いつけないのである。夜、ヒマ、遊びだけの集まりではいけない。

栃木のあるクラブでは、毎朝クラブ員同志が市場で顔を合わせるが、ここで体験の交換をしている例もある。

次に4Hクラブと他の青年集団の関係についてみてみよう。

みんなは青年期にやりたいことは一つでないと思う。それを4Hクラブ活動の中でどのように消化するかが問題となるが、4Hクラブといえどもすべての欲求を充たしてくれはしないだろう。そんな超次元のグループというものはない。すべてのグループには限界が用意されている。あるとすれば、それは全体主義的なものか、滅私奉行的なものである。どちらへ行ってよいか迷う、そんな仕合わせなことはないと思う。青年団と4Hクラブがある場合、そのどちらかよい方を選べばよいので、青年団と4Hの間で問題があるのは離れが悪いのでもない。みんながどちらを選ぶかで決まるのである。

大いに集団を利用して、青年の欲求を充たし、自分を高めていってほしい。

（このほかの講演内容については、十二月四日号に特集として掲載しましたので御覧します）

（栃木県普及教育課専門技術員）

運動まで高めよう

切磋琢磨で有能な人に

宮城孝治氏

組織

組織とは、同一の目的をもった人の集まりであり、人々は二重、三重の組織の中にいて、そこから逃げ出すことはできない。

国や県、市町村など公共団体の行政組織、会社などの経済、生産組織、また労働組合などすべて組織である。

この組織の要素を分析すると❶人間が作ったもの❷目的をもっている❸いつも運動している—などの条件がある。組織は常に活動していることが必要で、組織があっても活動していないのでは、生けるしかばねである。しかも、組織あるところに運動があり、運動あるところに組織がある。

4Hクラブも、同じ目的に向って行動する。まぎれもなく4Hクラブは組織である。

では、クラブは何のためにつくり、みんながそのメンバーとなるのか。いわゆるクラブとクラブ員の目的についてであるが、それはクラブをつくって（クラブ員になって）クラブ員自身がお互いに切磋琢磨して、それぞれ立派な人間になろうということである。それはイモの皮をむくためのイモ洗いに似ている。有能な人間になろうとする努力によって、昨日よりも今日、今日よりも明日へと向上し身についた能力をもつようになる。

そしてさらに、その力（身についてくる能力や人格など）によって、社会に役立とうとする。

このようにお互いが切磋琢磨して自分自身を向上させていくわけであるが、それは、ロジェクト活動の実践を通して行なわれる。いわゆるプロジェクト活動は、4Hクラブの骨柱でもある。

こうしてプロジェクト活動の実践を通じお互いに切磋琢磨して四つのHを平均してそなえた立派な人間になるわけであるが、立派な人間とは、家のため、村、そして日本農業、社会のためになる人で、また社会は、そういう人を求めている。ここに4Hクラブ員は、次代の日本、農業を背負う者として社会的使命があり、しかも日本の運命にもつながるのである。

すなわち、4Hクラブは人間をつくるための教育をするところだといえる。この教育は人から押しつけられたものではなく、能動的なものである。

4Hクラブは、このように高い価値があり、よいものであると確信するなら、仲間を集め、まだ4Hクラブのないところにもクラブをつくって盛んにする必要がある。そこに組織運動の一つの目的がある。

集団や組織がそこにある以上、動かなければならない。目的に向って前進させることが必要である。それが運動であり、その運動によって「よいもの」を周囲に広めていくべきである。

アメリカの4Hクラブは、クラブ員の年令層が低く、少年少女たちを立派な市民に育てるために行なわれている。指導は州立大学の農学部を中心として4H指導者が担当している。

これに比べて日本の4Hクラブ員は、年令が高いが、自主性や判断力などの点からみても、アメリカのそれよりはるかに高い。日本的に消化していけばよいと思う。

そして、4Hクラブは単なる教育的組織ではない。よいものは広げる必要があり、4H信条、4Hクラブという名称のもとに、組織運動、宗教運動という次元まで高める必要を感じる。

しかし、日本の4Hクラブの現状は、クラブ員が年令などによって卒業し、更新されていくと、どこかで途切れる懸念がある。そこでこの4H運動の中で、OBクラブ員の永続性、現役とOBとの密接な連けいなどの問題があるが、みなさん自身も将来も連けいを忘れないでほしい。

また、自分たちが何か身につけようとする場合、補助金ばかりを当てにするような、こじき根性は捨て、前途にはいろいろの問題はあるが、4H活動推進のため大いに努力してほしい。

（日本4H協会副会長）

必要な4Hの自覚

役員の体験は持回りで

話し合い

4Hの本質とプロジェクト

4Hクラブの本質について、現在、多くの人が知らないので、みんなに浸透するように努力すべきである。本質と実際の活動を結びつけることが必要であり、リーダーが本質をよく知り、それをみんなに伝えるとともに、日常のクラブ活動の中に生かしていくべきである。

プロジェクトはクラブ活動と一心同体であり、各自がもつ必要がある。そしてその実践活動で行き詰ったとき、クラブ員全員で課題解決に協力し、互いに助け合えば同志的な団結が身についてくる。プロジェクト発表のときに、問題点をみんなに投げかけてその解決に協力してもらう。現在、発表のためのプロジェクトもみられるが、プロは、問題解決の正しい態度を養い、組み合わさった技術の一つ一つを解明していくので、もっと認識を深めるべきである。

プロジェクトは、学校を卒業したばかりの年少者と、ある程度クラブ歴のある年長者にわけて活動した方がよい。年少者は基礎的なもの、年長者は経営や社会問題と取り組み、問題解決の訓練を積んでいくことがよい。女子クラブ員のプロジェクトは、村の実態調査、栄養調査、記帳などもある。

4Hクラブは個人完成の場といわれるが、共通の課題解決への方向にも進む必要が出てきている。

リーダー

結論として「リーダーは、リーダーであって、リーダーでないのが本当のリーダー」ということになる。リーダーらしくないリーダーである。

リーダーとは、必ずしも組織の会長ではない。もっと下にいる、ある意味では活動家的なものもリーダーといえる。リーダーとなる者の条件として、常に問題意識のもてる人、ある時はある程度のワンマン（個性的、情熱的）であってもよいかも知れないが、常に会員のことを心にかけ、物ごとを公平に判断し、会員を盛りあげ一本の平行線上にもっていける人、常に冷静に物ごとを考えることのできる人、いつ自分が退会しても、すぐそのあとリーダーとなる人を養成し、それに心がけている人—などである。

クラブに入ってある程度活動を経験してきた人たちに責任を分担し、役付け体験を味あわせるようにする。こうすれば、クラブ員がクラブに興味を持つようになるし、また、次々に起きる問題を解決する能力を養うことができる。

リーダーとしての特権を利用して、表面だって恋愛をしては、年少クラブ員からみて余り感心しない。

リーダーとリーダーの関連も大事で、また、リーダーの交代は、組織の活動方針や事業を円滑に進行させるため、何分の一か前任者が残るようにする必要がある。

女子クラブ員

女子は、男子に余りにも頼り過ぎる。女子クラブ員は全体的に勉強がたりない、もっと社会的にも勉強してほしい。男女クラブの場合、女子に関することは、女子リーダーが中心になって計画、運営してほしい。

女性はとかく、おくゆかしく、意見を述べたあとの心配が先立って、対外的に意見を出さない。発言のチャンスを与えてやることが大切だが、それでも話さない女性が多い。このような場合、リーダーがまずみんなの反発を受けるような意見を述べて刺激したり、良く発言する人に口火を切ってもらう。

女性ばかりの集会の場合をもてば同性同志ということもあって話しが多く出る。女子だけの意見をまとめて発表する。

年下のリーダーの場合は、とかく年長者を意識するが、そんな必要はない。自分が年長者になった場合、年少者をあたたかく見守ってやる必要がある。年長者は年少者がリーダーの場合、とかくひねくれる場合が多いので、それを男性が見抜いてやる必要がある。

男女で共同プロジェクトをやると、仕事を通じて打ちとけ合えるので良く意見が出る。

クラブ活動は男女間の協力が大切で、男女役員がいつも密接にする必要がある。女性の場合、結婚する前にできるだけ多くの知識を吸収しようとするが、大体、精神的なものが七割、経営思考力が三割の比率である。

親ぱくや、家族、地域の理解、認識を深めるため、持ち回り式でクラブ員の家で集会をもつことがよい。また地域婦人会やデパート、女子学院の生徒などとも交歓会を開いたり、父親との話し合いなどをすることが必要である。

年令問題

4Hクラブの年令は、大体十八才から二十五才までのところが多い。二十五才以上はOB会を結成したり、農研などに入って後輩の指導に当っている。

まず実績を示せ

出稼ぎも悩みの種

組織とPR

4Hクラブでは、未熟な青年の基礎的能力、人格をプロジェクト活動の実践を通じて引き出し、高め、個人の完成をめざすことが一番重要である。そのうえにたって組織の強化を図る必要がある。ややもすれば組織の強化だけに悩んで、個人の成長を忘れている面がみられる。クラブは個人の成長のためにあり、その効果をより高めるために組織はある。

4Hクラブは、鐘や太鼓でPRする前に、実績を示してその価値を認識してもらうことが大切である。そうすればPRもしやすくなる。

具体的なPRでは、4H週間の開催、パレード、印刷物の配布、農業高校生との話し合い、マイクロバスによる県連役員の巡回などがある。

県連の財政では、岐阜県の一人一日一円の会費などが注目をひいたが、どの県連でも資金不足に悩んでいる。日本4H新聞の購読料の半額返かんを活用している県連もある。

また青年団、青年学級など他団体との関連の問題、出稼ぎ増加の悩み、普及所の統合による広域化に伴う活動の困難、など問題が少なくない。

クラブ員の減少の主な原因とその対策について

▽主な原因＝❶農家の兼業化による意欲の減退❷四〜五十代の中年層の人たちが「自分の代で百姓は終りだ」というすてばち的な考え方をもっていて、息子に対して農業をやらせようとしない❸工場や住宅地の進出によってどうなるかわからない土地の不安感❹都市近郊の地価の値上りによる土地の財産的考え方❺女子クラブ員の後継者対策、養子対策ができていない❻4Hクラブに入るべき人なのに、出稼ぎにいって、クラブに入らない（農業を真剣に考えない）❼農業の労働生産性が低く、農村が貧困である❽4Hクラブ員のクラブに対する自覚がたりない❾親と子の経営や家庭生活についての話し合いが欠けている❿クラブ員が農業者だけに限られているため—など。

▽対策＝❶農業の労働生産性の向上による所得の拡大❷農業従事青少年の農村に対する関心を高めて、クラブ活動を理解してもらう❸4Hクラブ員のクラブに対する自覚を高め、広い視野をもつようにする❹農業高校生徒にアピールし、4Hクラブの啓蒙宣伝を図る❺親と子の話し合いをもち、親に理解してもらう（頭の構造改善、父子契約など）❻4Hクラブを農村青少年だけでなく、他産業青年にも解放し、理解してもらう—など。

▽総合＝❶農村、農業に生ずる問題に対し、適確に判断し、解決する能力を養う❷他産業の高度経済成長で、農村の労働力が多量に都市へ流れている❸農村は、歴史をみると、他産業の踏み台になることが非常に多かった。自分たちは自立農業を確立し、日本独得の4Hクラブ活動を展開、実践して明るい農村建設に邁進する、など。

真剣なまなざし

分科会で

4Hくん NO.111 桜井はじめ

あまつかぜ〜

くものかよいじ ふきとじよ

はい

はい

はい

ない

はい

ザッ

いやねっ! さっさと手をはなしてよ!

気炎あげる現代っ子女性

男性は"低姿勢"

宮城県連 初の女子4Hク員推進会議

【宮城県＝峯岸義信連絡報道員発】宮城県4Hクラブ連絡協議会（会長、高…）…ラブ員推進会議が、さる十二月二日から四日までの三日間、宮城農学寮内の県農村青年研修所で…

これは、県連事業として初の試みであり、現に農業や農家生活に関する研究実践活動を行ないながら、それぞれの青少年集団に参加し、将来幹部として嘱望され、とくに次代を担う代表的な女子青年を対象として開かれた。

県連幹部男子クラブ員をたじたじさせた宮城県女子4Hクラブの次期リーダーたち

農家生活向上のための基礎的知識や技術を修得させるとともに、衰退しつつある宮城県女子4Hクラブを啓蒙促進させることを大きなねらいとしたもので、これには県内の4Hクラブ員や未結成地区の農村女子青年四十八名が参加した。

この会議については、さきの役員会で決めた通り、県連女子役員の文園副会長を中心にして研修の内容や運営が検討されて進められた。

一日目　開会式につづいて講義に入り「くらしに知恵を」（講師は県農政課の斉藤氏）「女子クラブ活動のあり方」（同課、吉氏）と題する話しを聞いた。このあとレクリエーションと自由交歓で楽しいひとときを過ごした。

二日目　朝六時に起床し、清掃、体操のあと「婦人の衛生」（県医務課、佐藤氏）「楽しくなるため [illegible] 史）と題する講義を聞き、夜はキャンドルサービスと自由交歓を行なった。

三日目　朝六時に起床し、清掃や体操のあと、分科会と全体討議を開き「結婚」をテーマに話し合い、閉会式を最後に幕を閉じた。

以上のような日程で、みんな真剣に講義に耳を傾けた。自由交歓や話し合いも活発で、女性だけの会議として男性を意識しないためか、盛んに意見をのべていた。

宮城農学寮といえば全国に知られた農業後継者道場であるが、その中にある県研修館での生活とあって、朝早くからイガグリ頭やオカッパ姿の後継のたくましい姿が目にはいった。みんなが「私も明日の農村婦人になろう」と意欲をもやし、日ごろ農家の生活改善を [illegible]

[illegible] ぜひ開いて下さい」などと気炎をあげて、頼もしい限りであった。

なお、レクリエーション、キャンドルサービスには県連から事務局の男子役員四名がはせ参じ執行したが、活発な現代っ子たちに囲 [illegible] の未婚の男性に「どんな女性を結婚の相手として望みますか、一人一人聞かせて下さい」と四十八名の視線が彼らに集中、男子クラブ員は一人一人述べたが、たじたじするという一幕もあり盛況そのも [illegible] 性が加わらない方が活発な意見を期待できるときもあり、ぜひこのような会議はもうけるべきであると女子役員は意気込んでいた。

明日の努力誓合う

神奈川県連 盛大にクラブ大会

ダンスを楽しむ男女クラブ員

【神奈川】神奈川県農村青少年クラブ連絡協議会（会長、北村篤君）最大の行事である県クラブ大会が、十二月三日、県立平塚農業高校体育館で盛大に行なわれた。

この大会は、4H精神にもとづいて、自主性を高め、農業の改良と生活の改善への活動意欲を高めるためのクラブ員のつどいとするために開いたもので、クラブ員自からが企画、運営した。

同日は、県下からクラブ員四百余名が参加、開会のことばのあと高らかに県民歌を斉唱し大会ムードを盛り上げた。

北村県連会長の「実践力あるクラブ活動」をというあいさつにつづいて、大会に招待した県知事（代理）から「転換期であると考えられている神奈川農業を、クラブ員みんなで力を合わせ、わが県独自の新しい農業に仕立てていってもらいたい」と激励のことばがあった。ついで、大会に援助された農協中央会、農業会議などの関係者と、日本4H協会の新田事務局長からあいさつが述べられた。

新田事務局長のあいさつの要旨は"農業とは、みつけることであるといわれる。私たちみんなが実践を通じてものを考え、研究することが新しい農業技術、農業の方向を見いだせるものであり、その [illegible] の小沢君が「農業人としての使命と私の責任」と題して、これからファイトをもって努力することを誓った。今後のクラブ員としての活躍が期待され、力強く感じられた。

昼食後、明治学院大学の講師によってレクリエーションが行なわれた。レクは肉体的年齢を知るための体の屈曲を試し、点数をつけていく方式だったが、中には二十歳で"善は、五十歳から六十歳で"と言われた人もあり、一同爆笑していた。女性は屈曲は点数が…、普段の仕事が足りないから屈曲がるのだ、など男性に言われ、なごやかにレクが進められた。十二月なので最後にレコードにあわせて草競馬を踊ったり、フォークス、タンゴの指導で一同クリスマス気分を味わった。

楽しい一日もその後の閉会式で終了したが、「互いに誓おう明日の努力」という今大会のスローガンのように、また閉会式での会長の言葉のように「今後の明日と一日一日を努力していこう」と誓い合った。みんな友交を深めたことに喜び、満足し、各地区ごと連れあって家路へ向った。

（神奈川県連広報渉外部より）

出稼ぎの中で発表会

山形・長井地区連が初の農業祭開く　佐藤君招いて話し聞く

【山形県＝佐藤章夫連絡報道員発】長井市の農業青年サークルの連合体である長井市農業研究集団連絡協議会（会長、志釜一雄君）は、さる十二月四日、同市の勤労青年文化学園を会場として"意欲で拓け明日の農業"のスローガンのもとに初の農業祭を開いた。

同協議会は、牛会、楽友会などの4Hクラブを主体とした二十五才未満の青年の組織で、現在百五十名の会員を擁しているが、折からの出かせぎ期のため、残っている会員は三分の一の五十名ぐらいしかいない。それでも同日は、女子二十二名、男子二十名の参加があり、意欲的な活動を共にして有意義な一日を過ごした。

七人の準備委員たちは、前日から会場づくりに奔走し、農林省統計事務所から借りてきた農業図表を会場いっぱいに張りめぐらして雰囲気を盛りあげた。

小関陽一君の意見発表「私の農業への心がまえ」、菅野信夫君、高橋しげさんのホームプロジェクト「わが家の稲作」「長井市にお [illegible] れた。話しが農村の結婚問題を中心に展開したにもかかわらず、女子会員の発言がきわめて少なく、おとなしすぎたのがかえって目立った。

会長の志釜君は、この農業祭が時期的に出かせぎ期になって遅れたことを反省し、来年からは事前のPRを徹底して、もっと多くの人を集めたいと語っていた。

4Hクラブを結成

鹿児島・溝辺町の51人

【鹿児島】姶良郡溝辺町の農村青少年五十一人がこのほど4Hクラブを結成、次の役員を選んだ。

▽会長　花宮正光▽副会長　下久保久己、景勝寺エミ子▽会計　大山シゲ子▽和牛部長　今吉康弘▽酪農同　山下春行▽野菜同　久保田志郎▽果実同　別府俊一

[illegible] 第二日目は分科会と全体討議を開き、これからのリーダーのあり方やクラブのあり方について、普及員さん、先輩を助言者として熱心に話し合われ、午後三時の閉会式を最後に三日間の日程を終了した。今後のクラブ活動に期待したい。

（同4Hクラブ連協副会長、砂川みさ子さんより）

お年寄りにも"豊作の喜び"を

福島・郡山4Hク協、米やカボチャなど贈る

【福島】郡山4Hクラブ協議会（会長、高橋清吉君）は、このほど郡山市喜久池の老人ホームに「楽しいお正月を過ごしてください」と会員が持ち寄った新米百五十キロ、カボチャ六十個、アズキ十キロを贈った。

これは「養老園の老人たちにも豊作の喜びを味わってもらおう」と、市内十六4Hクラブ、百九十人の会員たちが自主的に集め、プレゼントしたもの。

すし料理に腕をふるう

立派な農村婦人めざし

奈良県連 女子部が単独で講習会

料理に腕ふるう女子クラブ員

【奈良県＝広井洋司連絡報道員発】奈良県4Hクラブ連絡協議会（会長、山田尚作君）では、さる十二月十日、奈良県農業試験場研修館・料理実験室で女子料理講習会を開催した。

この行事は、奈良県連年間事業を通じて唯一の女子部単独事業で大畑照子さん、山中郁子さんの両県連副会長をキャップに進められた。また、県連には女子クラブ員数が少ないため、生活通信講座生の参加を農改普及所を通じて呼びかけてもらった。その結果、当日は真冬を思わせるような北風の吹く寒い日であったが、日曜日とあって三十名の参加があり、定刻通り午前十時から開いた。いままで予定時間通り開会できた例はなく男子クラブ員も少々の理由はともかく見習うべきだと痛感された。

まず、松田講師の指導によって調理実習に入った。献立てはすし料理で、大巻ずし、胡瓜の細巻ずし、白魚の吸い物、巴ずし、そして茶菓子としてクッキーの作り方と、すし料理のいろいろな理科法を四組の調理台に別れて行なわれた。

日ごろ各家庭で余り知られていない巻ずしの変ったいろいろな料理法で、参加者全員が一生懸命に材料のメモや実習に取り組んでいた。この料理は、味付けの点で非常にむずかしいようだった。

二時間後の正午には色とりどりのすしが盛り合わされ、当日招待した県連執行部の男子クラブ員と全員ひざをまじえて試食会、このおいしく、めずらしい料理に舌ずつみをうった。また試食しながら松田講師を囲み質問や反省などの意見がやり取りされた。

午後一時から女性講師で全国的に有名な水島照子先生の「新家庭と生活設計およびその心構え」と題する講義を聞いたが、先生の体験を通しての講義内容だけに実感のこもった話しぶりに、女子の方はもちろん、男子クラブ員も熱心にメモをとったりして、熱心に耳を傾けていた。また二時間余りの時間、時の過ぎるのも忘れるほどだった。

こうしてこの講習会も無事成功のうちに終了したが、4Hクラブ活動行事のうち、女子専門事業の少ない現在、将来数多くの行事を持たれるよう女子の方から要望があった。

恵まれない子らに善意のモチつき

北海道・美唄市4Hク

【北海道】豊作の喜びを恵まれない子どもたちにも分かち合おうと、美唄市4Hクラブ（会長、上野義弘君）は、このほど美唄市の精神薄弱児童施設、美唄学園を訪ずれモチつきの奉仕をした。

この奉仕は、女子クラブ員の中から提案があったもので、会員八十人が米を出し合った。同日はクラブ員十五人がモチ米四十五キロ、アズキ、砂糖をもって訪問、モチつきに汗を流したが、ワッショイワッショイという子どもたちのかけ声に日ごろの苦労も忘れていた。

、クラブのあり方学ぶ

埼玉・入間4Hクラブ連協 リーダー研修会開く

【埼玉】入間地方4Hクラブ連絡協議会（会長、渋谷勝義君）では、昨年十二月五、六の両日、県立長瀞青年の家でリーダー研修会を開催した。

この研修会は、次期リーダー養成を目的として開かれたもので、参加者は各単位クラブ役員を除く [illegible]

強い説得力養え

青森 盛大に青年大会ひらく

森氏が呼びかけ

【青森県・斎藤正行連絡報道員発】四十二年度の青森県農村青年大会が、昨年の暮、県都青森市の県立図書館ホールを会場として、4Hクラブ員ら県下各地域の農村青少年六百余名の参加のもとに、サンケイ新聞論説委員・客員顧問、森有義氏を招いて盛大に開かれた。

この大会は、楽しく豊かな農業、生活を築くために❶積極的に経営改善を図り、農業所得を高めるための方法を経営者と共に考えよう❷民主的な考え方と情熱をもって親や地域社会の人々と話し合い、家庭や部落の人間関係を改善しよう❸村に残った同志は少なくともグループの結束を固くし、活発に活動するよう努めよう―の三つのスローガンを掲げて、さる三十九年度から農業の祭典である青森県農業祭と並行して行なわれてきたもの。とくに今大会は、これまでにない盛会となった。

五百名の定員の会場に六百余名が入場し、いやが上にも興奮の度を高め、そんなムードの中で午前九時四十五分から発表とパネル討議に入った。

今年度のテーマ「私は農業後継者資金を活用してこのように経営改善をすすめている」にそって県農務課主任専門技術員、佐藤義一氏の司会によってすすめられた。

青少年代表による発表は❶佐々木知也君（三戸郡名川町虎渡4Hクラブ）「ハウスによる経営改善」❷一戸義雄君（五所川原市広田、移動農業大学第一期生）「後継者資金による経営改善」❸清藤恭史君（青森市横内、農協青年部員の「後継者資金により経営規模拡大を」であった。

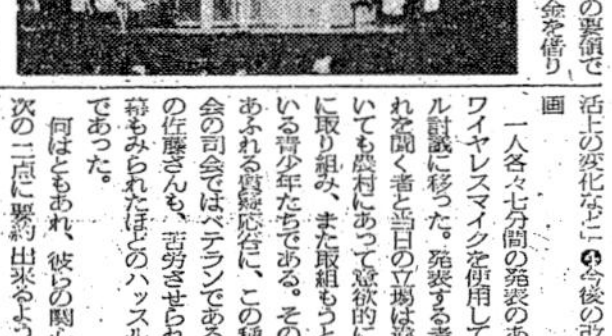

クラブ員の発表に熱気こもる青年大会々場

これらの発表はほぼ次の要領で行なわれた。❶後継者資金を借り受けたねらい❷資金活用による経営改善事例❸経営改善の効果（生活上の変化など）❹今後の改善計画

一人各々七分間の発表のあと、ワイヤレスマイクを使用してパネル討議に移った。発表する者とそれを聞く者と当日の立場は違っていても農村にあって意欲的に農業に取り組み、また取組もうとしている青少年たちである。その熱気あふれる質疑応答に、この種の大会の司会ではベテランであるはずの佐藤さんも、苦労させられる一幕もみられたほどのハッスルぶりであった。

何はともあれ、彼らの関心事は、次の二点に要約出来るようである。

❶農家の所得増大をいかにしてとり進めるべきか❷その条件を充たす農業にする環境条件をいかにして整えるか、である。

そして、これらを解決する方法の一手段として後継者資金は大いに活用すべきであるということ。そのほか施設園芸を経営事例として紹介した発表者には技術に関した質問も出された。

講師として登壇された森先生は「青年が農業経営をすすめるには」と題する講演と、当日の発表内容と討議内容に対する助言指導をした。およそ一時間半にわたった先生の講演に青少年は熱心に聴き入り、また、ときどき交えるユーモアに館内が割れんばかりの爆笑の渦に包まれていた。

とくに、次の言葉は今なお印象深く残っている。

「今日のテーマをはじめ、農業経営をよりよい方向にもっていくには無駄のない経営をすすめなければならない。だが、年老いた経営主の殆んどは、その無駄に無関心すぎる。そんな経営主のいる家で青年がより効果的な経営を行なおうとしても簡単に『はい、そうですか』と任せるはずがない。そこで、青年に要求されるのは秀れた説得力をもつということである。

基礎的知識、技術を身につけるための勉強と、より正確な数字をもとにした秀れた説得力をもつこと、これこそ経営改善に要求される大きな要素である。

ともかく『出来るだけ切りつめた投資で出来るだけ多くの利益を上げる』ことが要求される農業経営、そんな経営に導き得るのは創意と工夫に満ち溢れた君たち青少年をおいてほかにない」

この言葉は、森先生が青森県の青少年だけでなく、全国の青少年に向かって声高らかに叫びたかった言葉に相異ない。

註　この青年大会は次のような歴史をもって誕生した。

昭和三十七年度、十和田市において開催された第四回農業祭の一環として「ラジオ農業学校青森県集合研修」が行なわれた。そして昭和三十八年度、北郡板柳町での第五回農業祭では前年度の集合研修を「ラジオ農業学校開講講座」として催し、迎えた黒石市での第六回大会で、この種の行事を「青森県農村青年大会」と銘打ったのである。そこでは、将来近代農業の担い手となる青少年が意欲的に農業経営に取り組めるよう、日ごろ実践活動をとおして体験した共通の問題について発表し合う場としようというものである。

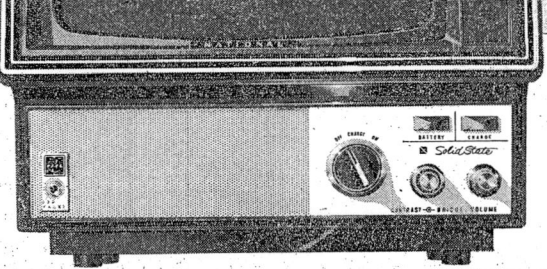

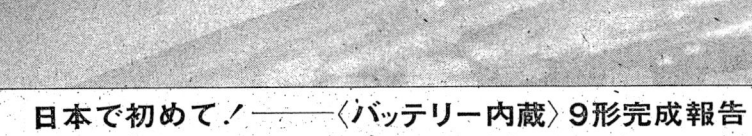

動躍進の年に

新春座談会

きょうお集まりいただきましたのは、クラブ、県連、全協などそれぞれの立場でご活躍なさっている4Hクラブ員のみなさんと、みなさんのやっている仕事になんとかお助けしようと、4Hクラブ発展のためにそれぞれの立場で努力されていらっしゃる方々です。

さいきん、ご承知の通り、4Hクラブもクラブらしいクラブとして発展のきざしがみえています。この点については喜ばしいと思いますが、しかし、いろいろの問題があるのが現状です。といいますのも4Hクラブが始められた当初は、それぞれ県や国の指導者も4Hクラブについて理解と豊富な知識をもってご指導っていたのですが、さいきんになりますと、それが弱くなって、4Hクラブからみると少しぼけてきているような気がします。

この点から、4Hクラブ活動を進めるうえでいろいろの問題がありますが、ことしは、丁度明治百年を迎えました。この際、過去をふりかえり、一つの契機を迎えるつもりで、4Hクラブの一大発展を図っていくことは大いに意義があると思います。ことしは、なんとか4Hクラブの発展の年にしたいという念願のもとに、この座談会を企画したものです。それぞれの立場からお話していただき、みんなが4Hクラブ活動の発展について真剣に考える口火にしたいと思います。（新田健吉・日本4H協会事務局長のあいさつから）＝文中、敬称を略させていただきます。

語る人

岐阜市4Hクラブ（岐阜県連会長） 松野芳正君
栃木県小山市・若草4Hクラブ 大越歌子さん
全国4Hクラブ連絡協議会会長（富山） 丸山勉君
同事務局長（埼玉） 岡田右京正君
日本4H協会副会長（共栄火災海上保険相互会社会長） 宮城孝治氏
同理事（社団法人家の光協会副会長） 奥原潔氏
同理事代理（全国農業協同組合中央会総務部長） 成毛半平氏
司会 日本4H協会事務局長（常務理事） 新田健吉

切り離せないプロジェクト
4H意識高めよう
ボケてきたクラブの認識

新田 はじめに、4Hクラブ活動の現状についてお互いに理解しておく必要がありますので、単位クラブ、県連、全協というそれぞれの立場からお話していただきたいと思います。

松野 私たちの岐阜市には、以前地域に4Hクラブがいくつかありましたが、クラブ員が減って一人、二人ということになってしまったので、三十九年に一応、岐阜市一本にまとまり活動しています。

現在、会員は三十名で、男子が二十九名に女子が一名です。

行事内容というのは、定例会といって、クラブ員全員が一個所に集まって、仲間づくりなどの雰囲気を作り、雰囲気が出たところで、次の段階として、研修会などをやっています。

新田 研修会というと、どういうことをやっているのか具体的に。

松野 いま岐阜県では五つの地区に分けていますが、そこの中で、それぞれ年に一度くらいしかできませんけれども、夏にキャンプをかねて、みんなが集まって研修しています。

地区においては、仲間づくりが主で県へくるとそれではいけないということで、研修をやっています。

宮城 もとは各部落にあった4Hクラブが、人が減ってきたので市一円のものになって、クラブ員が散在しているわけですね。非常に区域が広いので、集まってくるのにもかなり時間がかかりますか。

松野 そうですね。遠い人ですと、市の中心まで出てくるのに車で大体三十分くらいかかります。どうしても、集まる時間が限定されますね。

宮城 それで持ち回りでやっているんですか。

松野 持ち回りというわけにはいかないので、岐阜市の旧市内に集まることになります。

新田 大越さんのところはどうですか。

大越 私たちの単位クラブは、会員数が十四名で結成されていますが、男子が十名、女子四名です。それで事業ということはやっていないんです。殆ど地区、県連などの連絡事項をやっている状態で、そのほかの行事といえばレクリエーション的なものになっているんです。それというのも、町協、地区協などで事業をもっているので、余り大きいことができないわけです。一応、先進地視察などがありますが、いまのところやっていません。定例集会は月に一回もち、上の協議会の連絡事項や農業、恋愛論など雑談になっているんです。

奥原 そういう会合のときに、雑誌や本を持ちよって読むということはないんですか。私のところでは、この十年来、読書会を奨励してきたんです。十五人から二十人が集まるグループをつくり、家の光や地上を持ち寄って、みんなで輪読するんですが、そこに指導者がいて問題をあげて研究するという方法です。それがだんだん進んでくると、その中から何か始めようという話しが出て、それを具体化しようとしたり、それを表明してやっているんですよ。だから、若い人たちが雑誌などを持ちよって読書会をやったらよいのではないかと思います。

プロの巡回で勉強会

新田 みなさんのクラブでは、みんなプロジェクトをもっているんでしょう。

大越 私の場合、栄養発表をかねて、生活の衣食住の衣の方をやっています。古いものを改良して新しいものを作るとか、改良衣の工夫などです。

成毛 4Hクラブの会員は、農業でない人もいるんですか。

大越 私のクラブでは、全員が農業をやっている方たちです。

成毛 全国的にみても殆どないんですか。

新田 全国では、農業をやっていない人もいることはいます。自分のところから近くに勤めている農村出身の人が多いですか。

宮城 大越さんのところは県連の方が活動が活発だということですが、どんな活動をしているんですか。

大越 その場合ですと、どこでもやっていると思うんですが、プロジェクトコンクール巡回とか料理の講習、父兄との座談会などをやっています。

宮城 それで、プロジェクトのコンクールがあるという場合、単位クラブの方でも、プロジェクトを大いにや

[illegible]

な気がします。

これは、そのPRや指導もしていないのも原因かと思うが、さきほど松野君がいったように、クラブ員が三十人いて、巡回視察したり、発表するなりしても、今年はこれをやったから来年は何をやろうということについて、指導的なものがうまくヒントをもっていかないと雑談的な会で終ってしまう。

[illegible]

それから、酒は最後に飲みましたがいまのように車などでドライブに行くというようなことはなかったですね。そのへんは時代とともに変ったというか、根本がボヤけてそのようになったのか、そのへんがこれから極めなければならない重要な問題だと思います。

視野の拡大図れ
骨欠ける若者たち

成毛 根本はそれであったとしても、いま、4Hを構成しているのは諸君たちですからね、いまの4Hの会員の気持、ものの考え方を土台にして考えなければいけないわけですよ。

だから先輩の言うことがスーッと入っていけばよいが、そんなことばかり云っていられないと何かひっかかる点があれば、その点をよく話し合いしなければならない。大先輩の考え通りやれというのでは、それでは、本当のものが出てこないような気がするんですね。基本的なものがすぐに頭の中に入るか疑問で、その点を考えないと…。そこがスタートですからね、わからないままやったんでは組織は伸びないですよ。

宮城 さすがに実践家だけあって、その通りです。だが、わかっていても、現実はそう動かないということは、毎年、若い人たちが入ってきて、何んにも知らないままで大きくなってきているんですね。

新田 成毛さんの話しもごもっともだと思うんですが、ただ、ここ二、三年、一応基本的なことをもう一度ふりかえって、みなさんと話しながら掘り下げてみようという気持で進んでいるんです。

それでそのことに対して、今の若い人たちが非常に関心をもっていることは事実です。その話しをしてみると、わかるわからないは別として本来聞いているはずなんですが、最近の人は全然聞いていないし知らないようなんです。その点からすれば、そういう話しをすれば、なるほどそうだなという気持でいることは事実です。

丸山 これは、大人の責任ということなんですが、はっきりいって、教育の問題だと思うんですね。ということは、今の農村青少年の指導とか、農業高校でもなんでもよいのですが、とにかく、そういう青少年の教育というものは、経営とか技術ばかりいうんですね。もちろんこれは必要なのですけれども、それ以外のことは余りいわないんです。

それは、よく私たちが問題にするのですけれども、自分の経営をよくしたり、互いに切磋琢磨して人間的に成長するということは、いわゆる社会をよくしたり、国家を繁栄させる一つの土台なんですけれども、それが最終の目的だと思うんですね。自分の経営が最終目的だと考えるから、それ以外のことは考えないわけなんです。

農村に〝新しい息吹き〟を

新田 いま話しながら大きな問題も出てきたのですが、次に地区連や県連、あるいは全協という立ち場に立って、現状の問題点について話して下さい。

奥原 年令はどのくらいの人が集

[illegible]

人たちがふえ出したのは、ここ一、二年のことだと思う。

農協婦人部や青年部でも、次第に年齢が高くなり、婦人部ではおばさんが多かった。ところが、さいきん地方へ出てみますと、若妻会とか、もう少し若い人たちが本当に意欲的に活動し出したんです。そういう人たちが農協婦人部の本当の働きをするようになってくると、農協婦人部の内容は一新するのではないかと思う。

青年部の方はまだ遅れているが、その方は、若い4Hクラブの人たちが本当に自覚めれば、農村に新しい力が生まれてくると思うんです。

新田 松野君は県連会長ですね。岐阜県連の組織は、どうなっているんですか。

松野 私のところの県連は、各単位クラブの上に郡、市、県段階の連絡協議会があります。市単位に一本になっているところも多いので、役員は単位クラブから直接県連に出てくる場合もあって複雑な面もあります。

財源としては、一人一日一円会費の運動をやり、クラブ員から三百六十五円をもらい県連の運営費に当てています。県からの補助金が少ないので、それがないと県連の事業がやっていけません。しかし全部いただいても県連の事業に使う額がものすごく少ないので研修会などの事業をやるにしても、参加者の自己負担です。会費は二重になっていて、クラブ員は三百六十五円のほかに、単位クラブに収めています。

新田 県連の主な事業は

松野 研修会が主です。とくに、地区でレクリエーション的な仲間づくりをやっているものですから、地区で出来ない問題は県連へもってきてやるようにしています。

（九面につづく）

4Hクラブ活動の現状

4Hクラブ活動の方向

自主的な組織へ
中央推進会議を足場に

新田　岐阜県連の研修会はどういう内容ですか。

松野　部門別研修会といって、畜産と園芸にわけて、それぞれ講師を頼んで、一泊二日の研修をします。参加者全員にレポートを書いてもらって、自分の経営内容と、いま行なっているプロジェクトなどの問題を提起してもらい、また、将来こういうことをやりたいという考え、ビジョンを出し合って話し合います。

これは、修練農場の青年研修館で開きます。園芸の場合、一番問題になるのが流通ですが、やはり生産物は高く売らなければならないという観点から、まず流通の話しを聞いて、そのあと助言者を囲んで、自分の考え方などについて話し合っています。

ことしは、そのあとに、県連の役員は一応オブザーバーとして出席するが、企画から運営など全部女子だけでやる女子研修会を開きました。

内容は料理講習と、ライオン油脂から講師を頼みまして、洗剤の正しく上手な使い方について勉強しました。そのあとで保健所長さんに「仕合せな結婚」という話をしてもらいました。

丸山　富山も岐阜県と大体同じですが、ただ研修会では、必ずしも講師は農業部門の人だけでないんですね。ときによっては、西本願寺の住職さんを呼んだり、労働省の婦人青少年局の人を招いて労働問題を聞いたり、いろいろのことをやります。

新田　富山では、とくに強く感じられることは、現役とOBとのつながりが非常に強いんだが、どのようになっているのかな。

丸山　とくに組織だった違いはないですが、一つの事業、大会などをやる場合に、そういう人たちに出てきてもらいまして、いろいろ助言してもらったり、PTA的な役割りをやってもらうわけです。

新田　OBとOBの組織はできているのかな。

丸山　一応形はつくっていますが組織の場合必要なのは規約ですが、まだはっきりした規約はないんです。

つどいは家族ぐるみで

新田　農協青年部とOBとは同じ人なのかな。

丸山　それが面白いんです。OBの人たちは割合、農協青年部に関係ないんですよ。やはり本質的なものの考え方が違ってくるんですね。4Hクラブの本当のねらいというのは、実践活動ですが、それが農協青年部は自分たちの力でなかなか出来ないというと、ある程度で諦めてしまいますしね。大衆運動に訴え、それで要求不満を解決していこうということになり易いんです。そこに相入れないものがあるんではないですか。

宮城　ポイントをついているようですね。感心したのは、昨年開かれた「全国4Hクラブ員北陸の集い」に私も行ったのですが、富山県の4Hクラブ員が農業祭に自分たちが作った生産物を出品していた。そして即売会で売れた利益は県連の活動費に当てるということだった。ねぎや大根にしても立派なものばかりでした。

丸山　カードの裏にプロジェクトのねらい、経過などが記入してあるんです。

新田　埼玉でもやったことがあると思うが……

岡田　やりました。しかし、最近は開いていません。

新田　大阪などでは、その収益を施設に贈った例もあります。

奥原　クラブ員が生産面のプロジェクトを設定、研究してよいものをつくる。そのうえに、いかに市場で有利に販売するかが大切で、農協のやる運動に乗せることも必要なのではないかと思います。

新田　丸山君は、全協の会長として4Hクラブのあり方についてどういう考えを持っていますか。

丸山　はっきりいって、いまの全協は組織であって組織でないということです。クラブは本来、自然発生的に結成され、それが拡大されていくという道をたどるべきだと思いますが、いまのクラブはアメリカから輸入されたもので、行政的に行なわれたところに問題があると思います。

現在、県連、地区連の組織をみても、殆んどの問題を行政におんぶしているのが実情です。本当に自主性でないというのは、自分たちの組織の見方であるが、財政的にも独自の事務局をもって、日ごろ考えていることを解決していくのが4Hであると思います。

極端にいうと、県連組織をみても、自分たちがやらないところが多いのではないだろうか。口では自主性というが実際に態度でとられていない。これからの農村を考えると問題であると思います。

新田　では、どう改善しようと考えているのですか。

丸山　自主的な組織にしようということで、ご存知のようにつどいを大々的に開いてきています。自らが企画、運営する。自主独立の精神の涵養と日本の農業を背負う礎石となるため始めたものです。また、毎年、静岡県の御殿場で中央研修会を開いて、4Hクラブの本質や組織、リーダーのあり方などを勉強し、次期リーダーの養成につとめています。

成毛　研修会の参加者はどのくらいで、その男女の比率、経費、日程などはどうなっているんですか。

岡田　今回の参加者は約百四十名で、男子が百名、女子が四十名、四泊五日間です。経費は県連負担が多いですが、県の方から貰うところもあります。

成毛　つどいはどうですか。

丸山　一応成功したと思います。今回は各県に対しても刺激しました。今回は県の担当者の方八名が参加し、クラブ員と同じ立場で生活されましたが、高く評価されています。

成毛　つどいはいつから始め、どんなことをやるんですか。

岡田　まず最初の三泊四日は、第一段階として祭典的なものを行なっています。ことしは、講演、パーティ、話し合い、スケッチなどをやりましたが、それが終ってから現地交換訪問しました。参加者全員が富山のクラブ員宅に二泊し、農業研修や家族との話し合いなどを行ないました。これは、家族ぐるみのクラブ活動がねらいです。昨年で三回目でしたが、各県でもこれと同じ方法で開くようになってきています。

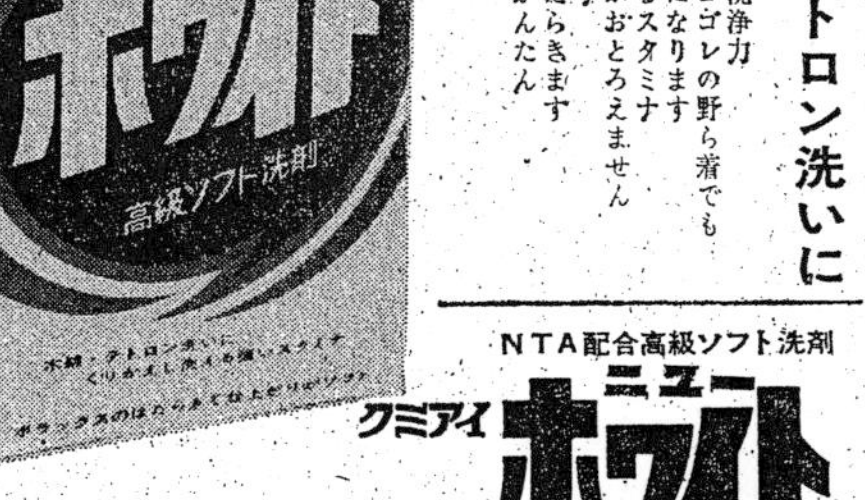

悩みは資金など
クラブ会合は農協で

丸山　家族ぐるみのクラブ活動は、4Hクラブ活動を、ゼロの立場にたって始めようと組織の強化をねらったこと、家庭に根をはった組織にしようと考えたことが始まりです。家族から支援を受け、または行政を[illegible]の学者がいった「揺りかごから墓場まで」と同じ考えです。巨大産業をもつ4Hクラブ活動を進めようというのが大きなねらいです。

成毛　4Hクラブと農協（単位農協）との関連を考えてはもらえないだろうか……。

丸山　農協の人たちは、二十五歳以下の青少年のクラブは行政の力が強いということで、余り面倒をみてくれないようです。

新田　農協で会合を開く場合、組合長も出席して[illegible]

成毛　なるべく農協を利用するとよいですね。

宮城　[illegible]

岡田　私のところは、農協がクラブの事務所がわり、会合も農協を使っています。[illegible]

成毛　「会合は農協で」というスローガンにしてはどうですか。

丸山　[illegible]

新田　話しはもとに戻りますが、全協では、つどいと研修会を二本の柱としてクラブ活動を積極的に進めていくということだが、問題はなにか…。

丸山　クラブ員の自覚にあります。補助金などによって、ことを進めようとする傾向が強い。貰えるものは何んでも貰おうとする。もらったらやるという姿勢が強いですね。

岡田　事業でやれば金をやるというんじゃないですか。事業できる人間になるために金をくれるんだったらわかるんですがね。

丸山　まったく自主性が自分たちの運営に欠けています。

新田　単位クラブの問題点は何んですか、大越さん。

大越　やはりプロジェクトですね。それと女性が少ないということで[illegible]クト活動が出来ないという考え方があります。

丸山　プロジェクトの意義を知らないというわけですね。

新田　大越さんのところのクラブの会費はどのくらいですか。

大越　単位クラブは月五十円、町連が三百円、県連を入れて一人年六百円になっています。

新田　栃木はどのくらいのクラブ員がいるんですか。

大越　三千人くらいです。

新田　単位クラブで資金の面で困ることはないですか。

大越　ありますので、荒地を借りて開墾し、陸稲を共同プロジェクトとしてことしから始めました。

新田　問題点といえば、資金や人が集まらない、女性が少ないということですが、松野君の方ではなにかPRしているんですか。

松野　都市近郊なので、若い人がいないんです。農業高校へ行って話したりPRしていますが、ダメですね。勤めた方がよいという考えが強い。女性が少ないというのは、男性に魅力がないのかも知れませんが、[illegible]

新田　県下のクラブ員数はどのくらいですか。

松野　男子が約九百名、女子が百名です。

岡田　全国で平均すると女子は三割ぐらいですね。

丸山　面白いことには、農村の女性は離村する傾向があって、逆に農業高校などの人たちがクラブに入っていると長続きしているようです。

宮城　社会的にいうと、男性は、山から里、町、そして大都会へ移動する傾向がある。そのあとを女性が追う。学生をみても大学へと行く。一面は国としても問題ですね。

奥原　農業、農家収入として、農家から通って現金収入が得られるよう周辺に工場をつくることも一つの方法です。そうすることでよくなると思います。さいきんそんな傾向がみられますね。

新田　現状を話しまして、いろいろの問題を話していただきましたが、こんご発展させるかが大きな問題になります。みなさんがこれだけはやりたいということを話して下さい。

松野　出来る限り"4Hとはこういうものだ"ということを広くアピールして、4Hのイメージづくりをやりたいと思っています。これは金がかかるんですが、中央推進会議で[illegible]PRしたいと思います。

広く4H活動のPRを

[illegible]

来なかったので、二月にはやろうと考えています。

岡田　推進会議の前後にやろうとしたんですが、さいきん各県でOBの動きが出てきています。

宮城　全協は、いい意味では知らして会長が毎年変る。面白いと思う半面、なにか割り切れないものがある。毎年、会長は初めから勉強することになり、組織活動に統一性がない。これは組織であって組織でないという一面があると思う。

成毛　丸山さんにしても、しょっちゅう会合に出るわけにいかない。自分の経営をやるのだからなかなか大変だと思う。

丸山　役員になることは、大体前年わかるので、先輩が経営的な助言を与えてくれる。[illegible]

格調高い理想と実力
活動はインホーマルだが

新田　宮城さんは、青少年問題審議会の委員でもありますが、青少年対策の方向などについて説明していただけませんか。

宮城　それぞれの役割は各省でやるようになっているが、一番の基本線[illegible]

ことやPRからです。行政的におんぶしているので、やろうとしても気になったんです。4Hクラブは役所とつながりが強いので、革新系の関係者からも突き上げがあった。それらを解決するためにも、民間という立場から考えたのです。

宮城　さきほども出たが、自主性と助言、助長を受けるかね合いは非常にデリケートなものだと思う。

私もアメリカの4Hをみてきた。アメリカでは4Hクラブ員の年令は九才から大体十九才までで、州立大学が中心となって一方通行的に指導している。しかしクラブでは、自主的な訓練をさせている。会議なども自分たちで進め、指導者や父兄は控え目にしている。それに比べて日本は年令が高く、日本的な4Hクラブの組織や運動はアメリカと違うと思っている。

青年団も、もともとは官製だし、農協青年部も指導を受けたが、自主性の面で伸びてきている。4Hクラブもやり方によっては自主的に発展すると思う。

4H協会は、農業会社や鶏卵、鉄工などの会社が集まってつくっているが、日本は立派な組織があるんだから、農協が農村のために、4H協会から離れて4Hのために、4Hクラブ発展のためにつくすべきであると思います。

農協青年部は政治的に動くが、4Hクラブは、それ以前の問題として人間形成や地域社会のために努力しようとしているのだから、農民教育体制の中に入れるべきだと思います。

奥原　農協は組合教育の面が強いが、これからの農業を背負って立つ4Hクラブ員を[illegible]、指導していくことも考えるべきだと思いますね。

新田　いま農村青少年の教育の指導は県にまかされている。農協は全面的に、地区でも協力すべきだと思います。それで、できれば、各県の農協中央会が中心となって支部的なものができないだろうかと考えます。

成毛　自主性を尊重するという立場からは、事業などの個々の面について協力していく方がよいのではないだろうか。

新田　4Hクラブ員は、もっと単位農協をよく理解して協力すべきであると思います。

成毛　つどいにしても、協力の仕方はいくらでもあると思います。

奥原　会合に農協の組合長とか参事などに出席してもらい、話しを聞いてもらえばよいと思いますね。実際の姿を知ってもらうためにも…。

丸山　昨年のつどいに出席してもらいました。

成毛　それは大切だが、一本のイデオロギーにまとめることには疑問がありますね。

宮城　4Hの場合それは可能だと思います。国全体などということと別問題だが、信条や名称などの点から本年は議題していくべきだと思います。

丸山　私の考えとして、4Hはインホーマルであると思います。

成毛　いま、統制的なものをスラっと受け入れるでしょうか。

丸山　個人的な考えとして、4Hは自然主義だと思う。人間復興です。

新田　4Hは権力者がやっているものでなく、みんなが長い時間をかけて築きあげてきたものです。

成毛　4Hは特色あってもよいと思います。百花繚乱の如くに……

宮城　それが調和していることを目的としている。幅のあるもので、プロジェクトは何をやってもよいことになっている。強い制約がない。

奥原　いま、愛国、愛社精神などというと反発をうけますね。

宮城　都会はマイホーム主義が強くなっていて、格調高い理想が出ていない。

奥原　マイホーム主義にとどまってはいけないわけですね。イギリスやフランスなどの発展をかえりみない。自分の住んでいる村などの発展をかえりみない。労働組合なんかもここまできているようです。

岡田　自分たちに可能性はあるが[illegible]

[illegible]「家の光」について[illegible]も今後の見通しをつ[illegible]処し、農協の教育を[illegible]方向を出した。[illegible]も改良していくこと[illegible]同組合の精神、原則[illegible]筋を通すことが必要[illegible]るように農協の支援[illegible]方も工夫していき[illegible]ますので、よろしく[illegible]わたって、有意義な[illegible]ただきまして、どうも[illegible]ました。

若い血潮が高鳴る
心をつないだ愛知県連体育大会

【愛知県＝長坂正子連絡報道員発】愛知県4Hクラブ連絡協議会（会長、久能知英君）主催の愛知県4Hクラブ体育大会が、昨年の十一月下旬、岡崎の愛知県追進農場でにぎやかにくりひろげられた。

ことしは、昨年の「愛知県4Hクラブ大会」（講演、パネル討議のほかアトラクションなど）とは内容面で異るが、大会の主旨は同じである。

日ごろ、農業と生活の向上について研究、実践活動を続けている県下のクラブ員が一堂に集まり、体育の活動を通じて健康の増進を図り、相互の親密度を深めて農業のにない手としての自信と友情を高めようというもの。

午前九時から壮快な軍隊行進曲のリズムにのって入場行進。本県4Hクラブ員のシンボル＝県連旗（旗手、松本洋一郎県連副会長）を先頭に、各単連ごとのプラカードに続くクラブ員、そしてこの大会のため、とくに協力してもらった追進農場講習生、改良普及職員の五百余名があとに続いて堂々と入場、花々しく大会の幕をあけた。

山内陸一君の開会のことばのあと、久野県連会長が「本日の体育本会を通じて、クラブ員としての認識を高めてほしい」とあいさつ、つづいて参加クラブ員代表の石川保君による力強い選手宣誓があり、それぞれの胸に"力いっぱい頑張ろう"と誓い合った。

午前十時から県追進農場、日清紡績美合工場の二会場でいよいよ競技に入った。試合は、ソフトボール、バレーボール、卓球の三種目。

バットを振る横顔、ジャンプする姿、"男の子なんかに負けられないワ"と奮起する女子クラブ員、"ガンバッテ"と声援するクラブ員、どの顔にも、若さと希望がみち溢れていた。

昼食どき、ラジオから流れる軽音楽の中で、クラブ員は楽しいひとときを過した。ある人は将来の農業経営のこと、またクラブ活動について語り合う仲間、気持よく注ぐ初冬の太陽のひざしをあびて、あちこちに楽しく語り合う男女の仲間の姿がみられ、私まで何となく、うれしい気持になった。

午後は、それぞれの競技の決勝戦へ。どの会場も真剣そのものだった。

改良普及員さんも精神的な若さでカバーして大奮闘だった。（翌日、肩や腰が痛くて大変なのに…本当にご苦労さま）

惜しくも優勝争奪権を逃がした単連はちょっぴり残念そう（でも次のときは頑張ってね）

"頑張って…その調子"と声援はずむ単連（いつどんな時でも調子のとれたクラブであってね）

年令からいえば若い追進農場講習生、日ごろのクラブ活動で鍛えただけあって、その活躍ぶりはなかなかなものだった。

多くの仲間に見守られた優勝戦―高なる声援、見つめる目、競技者のムダのないプレー、活気づく会場、まさに本大会の最高潮といったところ。その瞬間に、第一位と第二位の分れ目―勝敗が決定した。

競技成績は次のとおり。

【ソフトボールの部】❶安城4Hクラブ連絡協議会❷海部、津島4Hク連❸知多4Hク連

【バレーボールの部】❶海部、津島4Hク連❷豊田4Hク連❸知多4Hク連

【卓球の部】❶知多4Hク連❷田原4Hク連❸追進農場卓球部

表彰のあと、山崎延久県農業技術課長から「このような体育大会という決められた一つのワクの中で、みなさんのような若人が自由に伸び伸びと過ごすことは大変良いことである。限られた範囲でことを成す精神も、これからのみなさんには大変必要だと思います」というあいさつがあり、改めてスポーツマン精神を思い浮べた。

年に一度、五百余名という多数のクラブ員が一同に集まって親睦を深めることは、他の行事にもまして有意義なものである。

県連行事といえば限られた人たちの活動場に傾きやすい中で、ことし初めての試みである「体育大会」を終えたいま、親睦の面からいっても大変に効果的なものであったように思われる。運営、競技会場、道具といった面で不十分な点もあったかもしれないが、初めての行事、大会の主旨としては大変成果のあった体育大会だったと思います。

クラブ員自らの手で築き上げる「4Hクラブ大会」ということで昨年度から設けられたこの大会、愛知県4Hクラブが今後さらに向上飛躍し、同時に愛知県の農業のにない手としてたくましく明るく生きてゆくことを願っての大会、来年も大いに期待したい。

君たちと歩もう

きのうよりきょう
きょうよりあした
家の光協会は
より良い農業　よりよい農村の
建設をめざして四十余年
いつも
あすの農業・農村を求めてきました
そして
貿易の自由化　農業人口の流出など
厳しい条件のもとで
今日の農業と汗を流して取り組み
あすの農業を夜を徹して語り合う
若い君たちのために
きょうも
家の光協会は
新しい技術　新しい経営を追求して
仕事を進めています

一家に一冊 みんなの雑誌

家の光

定価 一三〇円

- すぐに役立つ暮らしの相談相手
- 新しい農協の動きと農業の新知識
- 読みごたえのある楽しい読み物
- 美しい色刷り写真ページがいっぱい

新しい農村指導者の雑誌

地上

定価 一二〇円

- 農政の動きを的確に報道し問題点をつく
- 農協の問題点をとらえその正しい方向をさぐる
- 生産と販売の知識を先進事例を中心に紹介・解説する
- 農協青年部・4Hクラブの学習テキスト

おかあさんの心でつくる

こどもの光

定価 八〇円

- 広い知識とゆたかな情操を育てる
- たのしく読んで勉強が好きになる
- 知らず知らずに科学する心を養う
- おもしろくためになる読み物・まんががいっぱい

家の光の本

●図書目録進呈

新農業経営双書 全8巻

●A5判／二〇八～二三二ページ●各巻三九〇円〒70

現在の農業経営が持っている問題点を解明して、これからの経営に指針を与える経営書。

図解農業技術 全18巻

●A5判／二〇〇ページ●各巻三三〇～三八〇円〒70

最近の農業の理論・技術を、図・写真・グラフなどを用いて解説した見てわかる技術書。

レインボウブックス 既刊30巻

●新書判／二二〇ページ前後●各巻二〇〇～二九〇円〒50

農業・文学・スポーツ・ルポ・人生問題など現在の話題、新しい教養を集めた読みもの。

お申し込みは農協へ

家の光協会

日本4H新聞
4Hクラブ 農事研究会 生活改善クラブ
全国弘報紙
発行所 社団法人 日本4H協会
東京都新宿区市ケ谷船河原町11 家の光会館内
電話（269）1675
編集発行人 玉井光
月3回・4の日発行
定価 1部 10円 1ヵ年360円（送料共）
振替口座東京 12055番

クラブの綱領

私達は実践を通じて自らを磨くとともに互いに力を合わせてよりよい農村、よりよい日本を創るため四つの信条をかかげます。一、私達は農業の改良と生活の改善に役立つ腕をみがきます。一、私達は科学的に物を考えることのできる頭の訓練をします。一、私達は誠実で友情に富む心をつちかいます。一、私達は楽しく暮らし、元気で働らくための健康を増進します。

「青少年の発言」加わる
第7回全国農村教育青年会議
2月26日から4日間 東京で
話し合いを中心に

農林省、NHK（前田義徳会長）社団法人全国農村青少年教育振興会（東畑精一会長）同日本4H協会（松下幸之助会長）共催の第七回全国農村教育青年会議は、来る二月二十六日から二十九日までの四日間、東京・新宿区のオリンピック記念青少年総合センターと、同千代田区内幸町のNHKホールの両会場で開催される。

この会議は、日ごろ農村にあって農業の改良や農家生活の改善のために努力している4Hクラブ員を中心とする全国の農村青少年など約七百名が一堂に集い、実践活動をとおして体験したことをお互いに発表し、話し合い、多くの仲間たちとの交流を深めることによって、農村に対する希望と自信をもって近代的農業の推進者になってもらおうというもの。とくに、前回まで実施していたプロジェクト実績発表は、夏の全国大会（全国農村青少年技術交換大会）に行なうことになり、それに替って今回新たに「農村青少年の発言」が加えられた。また、昨年初めて試みられた合宿が今回もひき続いて行なわれるほか、体力競技が今回初めてとり入れられている。

主な開催要領は次のとおり。

参加者　(1)農村青少年＝❶現在、自主的な農業研究グループに入っている二十五歳以下の農村青少年で、本年度、都道府県段階で開かれた農村教育青年会議、プロジェクト実績発表大会、放送利用農業集団大会など農村青少年を対象とした大会、研究会になどに参加し、都道府県の代表として選ばれた人❷年齢区分は、各都道府県とも二十歳以下の年少者五名、二十一歳以上の年長者五名の計十名とし、男女同数とする。このうち二名は「青少年の発言」参加者とする　(2)篤志指導者　(3)クラブリーダー　(4)農村青少年担当普及員と生活改良普及員　(5)都道府県農村青少年育成担当者と青少年専門技術員　(6)その他主催者がとくに参加を認めた人。

農村青少年の発言　(1)農村青少年が日ごろ考えていることや未来に対する夢、希望、抱負を主張し発言する❶発表者の資格は、各都道府県男女各一名で、二十歳以下の年少者一名、二十一歳以上の年長者一名とし、発表者はかならず分科会にも参加する❷発言の内容について、テーマはとくに定めないが、年少者はプロジェクト活動を通じてえた体験、年長者は自分の経営の中から考えたことなどについて、それぞれ実践活動を通しての主張を発表する❸発言は五会場で行ない、発表時間は、質疑応答を含めて一人十分以内とする❹発表者は、発言の要旨を四百字にまとめて来る三十一日まで青年会議事務局に提出する❺各会場に助言者をおく。

(2)「農村青少年の発言」代表発表＝発表者の中から五名を選び、発表後に助言者と司会者を加え、パネル討議を行なう。

青年会議【青少年のための議題】

◎第一議題＝「わたくしたちのグループ活動をより活発にするためにはどうしたらよいか」▽第一分科会＝プロジェクト活動を進めるにはどうすればよいか▽第二同＝グループ活動のプログラムはどのようにつくればよいか▽第三同＝新規グループ員を確保するにはどうすればよいか▽第四同＝グループの奉仕活動はどのようにすすめればよいか。

◎第二議題＝「自立経営を進めるにはわたくしたちはなにをすればよいか」▽第五分科会＝経営規模の拡大をどう進めたらよいか▽第六同＝労働力の確保と省力化をどう進めたらよいか▽第七同＝自立経営を進めるための高度な技術はどうしてえられるか▽第八同＝部門経営を進めるためにはどうしたらよいか。

◎第三議題＝「わたくしたちの家庭づくり、村づくりをどう進めてゆけばよいか」▽第九分科会＝健康な家庭づくりを進めるにはどうしたらよいか▽第十同＝仕事（農作業や家事）の分担はどうすればよいか▽第十一同＝住いや生活環境はどう改善すればよいか▽第十二同＝村づくりをどう進めていけばよいか。

◎第四議題＝「わたくしたちの豊かな農村を築くために、放送利用をどのように活用したらよいか」▽第十三分科会＝集団活動をより活発にさせるために放送をどのように活用したらよいか▽第十四同＝近代的農業経営を推進するために放送をどのように活用したらよいか▽第十五同＝農家生活の改善を進めるために放送をどのように活用したらよいか▽第十六同＝教養や情操を豊かにするために放送をどのように活用したらよいか。

【指導者のための議題】

◎主議題＝「農村青少年のなかまづくりを進めるためにはどう育成指導したらよいか」▽第十七分科会＝年少、女子グループの育成の方法とその指導者の獲得はどうすればよいか▽第十八同＝指導者は放送をどう集団活動に利用してゆけばよいか▽第十九同＝広域普及所において青少年育成の効率化をはかるにはどうすればよいか。

農業経営者によるシンポジューム　議題「われわれはこうして自立経営を進め、生活環境を改善してきた」＝第四回農業者研究集会参加者のなかから、経営部門別に夫婦三組六名を選んで、司会者、助言者を加えてシンポジューム形式で討論する。

表彰　❶模範農業研究集団（農林大臣賞）❷篤志指導者（農林省農政局長感謝状と記念品）❸農業改良普及所など育成協力機関（全国農村青少年教育振興会長、日本4H協会長感謝状と記念品）❹放送利用農業集団育成功績者（NHK会長感謝状と記念品）❺参加証の授与（青年会議参加者の青少年に参加証と章を贈る）❻体力証と体力章（体力競技参加者と優良者に対して贈る）

なお、この会議が、青年のための青年の手による自主的な運営によって成果をあげることが大きなねらいであるため、今回も都道府県から選出された運営委員で運営委員会をつくり、会議の進行などに当ることになっているが、その第一回の打ち合せ会が、来る二十七日午前十時から東京・渋谷区のNHK放送センター八階で開かれる。

主な日程

▽第一日（二十六日、月）＝午前八時からオリンピック記念青少年総合センターで受付け、九時半からオリエンテーション、十時半から開会式、十一時半から宿舎環境整備、十二時から昼食。十二時半から農村青少年の発言、午後四時半から七時まで夕べのつどいのあと夕食、入浴。七時から九時半まで部屋ごとに同室者の自己紹介、生活の運営方式、レクリエーション、十時就床。

▽第二日（二十七日、火）＝午前六時三十分起床、七時から朝のつどいのあと清掃、七時半から朝食、八時半からオリエンテーション、九時から分科会に入る。十二時から一時間昼食休憩のあとひきつづいて分科会。午後三時から「若い力」と題して体力競技、四時半から夕べのつどい、夕食、入浴。七時から九時半まで「村のはなし」としてグループ懇談会、十時就床。

▽第三日（二十八日、水）＝午前九時まで前日と同じ。九時から分科会（小議題による小分科会討議とまとめ）午後一時から分科会報告（各議題ごとにパネル討議）三時から体力競技、四時半から夕べのつどい、夕食、入浴。七時から「よるのつどい」を開き、十時就床。

▽第四日（二十九日、木）＝午前七時半まで前日と同じ。七時半から朝食、八時からNHKホールにバスで移動、九時から同ホールで「農村青少年の発言」代表発表、十時半から二時間経営者によるシンポジューム、昼食、休憩のあと午後一時から閉会式、四時半から芸能を観賞し、四時半解散する。

23・24日、多武峰で
奈良県の青年会議
議題に「一万ドル農業」も

【奈良県＝広井洋司連絡報道員発】奈良県4Hクラブ連絡協議会（会長、山田高作君）では、県連事業本年度後半期の最大行事、県農村教育青年会議を来る二十三、二十四日の両日、桜井市多武峰のユースホステルで開催する（予定）ことを、このほど開いた役員会で決定した。

これは、二月下旬東京で開かれる全国農村教育青年会議に先がけて本県代表の選考をかねて行なうもので、県連独自の多彩な日程を組み、「我らが担おう明日の農業」をスローガンにしている奈良県連の目的達成のためにも、新年早々の初行事としてふさわしい会議になることが予想される。

とくに、分科会では「一万ドル農業をめざして」というテーマで討論されるが、各自共通した問題でもあるだけに意義ある話し合いになるものと思われる。

県青年会議の開催要領は次のとおり。

主な日程▽一日目　午前九時から受付、開会式、十時から「放送利用」についてNHK関係者の講演。意見発表（全国大会県代表選出）県政映画観賞、分科会（テーマは、一万ドル農業をめざしてなど）県連副会長のヨーロッパ視察報告会、レクリエーション。

▽二日目　全体討論、新興部落見学（乗用車、バスなどで移動）尾崎氏の講演、三時から閉会式、解散。

分科会の話し合いのテーマは、全国大会のものに並行した四議題のほかに、県連独自の議題「一万ドル農業をめざして」を加え、五議題で行なう。参加者は、これらの議題の中から一つを選び、四百字詰め原稿用紙三～五枚程度のレポートにまとめる。

意見発表者は、県内十六地区から一名以上参加することとして、その中から全国大会県代表男女各一名を選出する。また全国大会参加者（分科会）八名は、当日の参加者で、レポート提出者に限られている。

参加者は、男子六十名、女子三十名で、会費は一人八百円（会費宿泊費を含む）

なお、多くのクラブ員の参加が望まれ、自分たちクラブ員の意義ある大会とするよう協力が期待される。

人気よんだパレード
静岡・浮島4Hクラブ　大々的に4HのPR

【静岡県＝[illegible]連絡報道員発】[illegible]

浮島4Hクラブ員も農業祭に参加し、会場整理や、クラブの共同[illegible]

なかでも最高のPRは、花自動車によるパレードである。この日のために毎晩遅くまで準備してきたクラブ員は、三台の車に乗って4Hの歌を讃歌していた。テレビマンガでおなじみのロボタンが耕運機を運転しているものや、稲束を持って喜んでいる黄金バットを作って自動車に乗せて走ったが子どもたちに大いにうけて、歓声をあげて喜ぶこどもたちの姿があちこちで見られた。

花自動車は市内にある十三の農協を巡回し、市長と浮島4Hクラブのメッセージを渡した。パレード隊は途中、市役所に斎藤富士市長を訪ずれ、浮島4Hクラブのメッセージを手渡し、クラブ員が精魂こめて作った椎茸をプレゼントした。これに応えて同市長は、中島会長に「いつまでも、今のような若い考えと行動力を捨てないで頑張って下さい」と励ましのことばをおくった。

パレード隊は行く先々の農協で大変な歓迎を受けた。同クラブでは、花自動車によるパレードを4Hクラブの恒例行事の一つにして農業祭の名物にしたい、と張り切っていた。

わずか十三名のクラブ員だが、同クラブの投げた波紋は大きく、市農政課でも高く評価している。

相次ぐ友情の贈物
奈良県連や館4Hク（青森）など

[illegible]

白波のようなハウスに驚く
四国路へ研修の旅
奈良・大和郡山市4Hクラブ　親ぼくにも成果

【奈良】大和郡山市4Hクラブ（会長、中津隆夫君・会員二十七名）では、昨年十二月十二日から十五日にかけて四国・徳島、高知へ視察旅行を行なった。この視察旅行の目的は、仲間づくり、クラブ員同志の心と心のつながりを深め、またハウス園芸の先進地を見学するために行なったもので、これにはクラブ員十六名が参加した。

十二日午後六時、参加者全員、クラブ員に見送られて近鉄郡山駅を出発、十三日午前五時三十分、徳島港に到着した。みんな船の中で熟睡したらしく元気で、すぐにバス（伊予鉄道バス）に乗り込んだ。あまり早く着き過ぎたので現地へ行くまでの間、鳴門公園、鳴門観潮を見て巡った。

九時、最初の見学地、徳島県鮎喰町の農業試験場内で栽培されている芳玉イチゴを同試験場の係員の案内で見学した。

みんなノートにメモをとり、芳玉イチゴの作り方や性質などについて、大和郡山のイチゴと比較しながら熱心に耳を傾けた。三時間余りの間であったが、時間のたつのも忘れるくらいであった。

十二時過ぎ同試験場をあとにし、ぼけ、竜河洞などを見学し、午後五時三十分、宿泊地である高知の三翠荘に着いた。竜河洞は長さ四キロにもおよぶ大鍾乳洞で、珍らしい形をした鍾乳石が垂れ下がっている。原始民族家居の跡や弥生式土器が発見され、天然記念物に指定されている。

十四日は午前八時三十分、三翠荘を出て名所、桂浜を見学した。月の名所として知られているところだけあって、海岸の砂浜を見ていると心が晴れ晴れとする思いであった。

十時に次の視察地である高知県春野町農業改良普及所に到着し、普及所の先生の案内で、地区内の農家のハウス園芸を見学した。現地へ着いて、まずびっくりしたことは、さすがハウス園芸の先進地だけあって、畑全体が白波が立っているように一面がビニールハウスで埋まっていることだった。

ハウス内は、促成トマト、促成キューリが鈴なりになっていて、とくに、さかずきくらいの大きさになっているトマトの実にはビックリした。現地では薬剤、燻煙剤の使用方法や品種、肥料設計などの説明をみんな熱心に聞いていた。

午後一時現地を出発し、四時三十分松山市の道後ホテルに到着した。

十五日午前九時、汽車で高松へ向い、高松港から宇高連絡船で宇野港に出た。宇野を出発すると、みんな三日間の旅の疲れが出たせいか大阪へ着くまでぐっすり寝こんでしまった。

この視察旅行は事故もなく無事に帰れことができ、また、目的を達することもできて成功に終ったと思われる。（同クラブ員、鶴田晴久君より）

見事に実ったトマトに見入る大和郡山市の4Hクラブ員

お餅のプレゼント
福井・みつば農村青少年クラブ　施設の園児を訪問

【福井】丹生郡朝日町と宮崎村にまたがる"みつば農村青少年クラブ"は、師走もおしせまり、ジングルベルの音楽が流れるようになった昨年の暮のある日、同クラブ活動基本方針の一つである奉仕活動として地区内の施設を訪問し、ぜんざいをサービスした。

当日、クラブ員たちが春から精根をこめて作り収穫したモチ米を一人一・五キロずつを持ち寄り、午前中男子クラブ員はモチをつき、女子はうすをとり合うというようにコンビネーションもよろしく、あっという間に四十キロの餅をつきあげた。

午後から、つきあげたばかりの餅をもって、クラブ員の自動車で丹生郡清水町にある和敬学園を慰問した。さっそく女子クラブ員はぜんざいを作り、園児約五十名にサービス。思わぬごちそうに、園児たちは何度もおかわりを出し、よろこんで食べてくれた。

このあと、歌や踊り、ゲームなどで楽しいひとときを過ごした。最後に、園児たちはクラブ員に可愛らしい声で"学園のうた"を聞かせてくれた。自分たちも"4Hクラブの歌"を唄って園児たちと別れをつげた。（同クラブ報道部、山田佐九治君より）

恵まれぬ子らに餅の贈りもの
茨城・鉾田地区4Hク連

【茨城】鹿島郡大洋村吾妻原4Hクラブなど村内五つの4Hクラブ代表七人は昨年の暮、同郡鹿島町平井にある精薄児収容施設、鹿島育成園児童寮（藤原キミエ園長）を訪ずれ、慰問をかねてモチつきのプレゼントをした。

これは、鉾田地区4Hクラブ連絡協議会（会長、大貫敢好君・二十二クラブ、会員約三百人）が、4H精神にもとづいて歳末に社会奉仕しようと計画したもので、全会員に呼びかけ一人〇・七五キロのモチ米を持ち寄ってこの日の慰問となった。

この日、他のグループは水戸市の養護施設「みどり園」「県立茨城養育園」と那珂湊市の老人ホームなども慰問し、みんなから喜ばれた。

4HOB会を結成
高知・窪川町に青年同志会

【高知】高岡郡窪川町で、このほど4Hクラブを卒業したOBたちが集まって町農業青年同志会を結成した。

お互いの親睦を深め4Hクラブの青年たちを指導しようというもので、会長に中川勝臣君、副会長に南部賢一君を選んだ。

マンネリ化に助言
北海道・釧路市の4HOB

【北海道】釧路市農協4HクラブOB会が昨年の暮、農協ビル会議室で開かれた。同OB会は同地区4Hクラブの相談役として運営をスムーズにさせるため努力しているが、最近、活動がマンネリ化しがちなため助言しようと話し合ったもの。

涼風暖風
男性とおしゃれ

日中農村青年交換で、現在来日中の台湾の4Hクラブ員・詹君によると、日本の青年はたいへんおしゃれだそうである。そしてなかには女と間違うようなものもいるという。

指摘されるまでもなく、ちかごろの若い男性はおしゃれになってきた。平凡パンチやプレイボーイなどの雑誌を愛読し、グラビアの写真のモードに目の色を変えて品定めをする。メンズ・モードの店で、ショウウインドウを熱心にのぞきながら溜め息をつき、デパートのヤングメンズ・コーナーで一時間近くも念入りに吟味して洋服やアクセサリーを買う。

また、007やテレビのサンセット77が若者にうけたのは、ストーリーより、ジェームス・ボンドやジンバリスト・ジュニアの身のこなし方や服装がカッコよかったからだという説もある。そして最近はクラッシック調がはやり、ズボン吊りや靴下どめが若者たちに愛用されている。男性用の化粧品が飛ぶように売れるというのも、当然のことである。

よくいわれることであるが、戦前の若者たちはデカンショなど概念的なもので自己表現をしたが、ちかごろの若者はからだで自己表現をしようとする。それがスケコマシでキザで軟弱なカッコよさということになると、そして、小遣いをチビチビ貯めてカッコづくりに精を出すいまどきの若者にはついていけない、とおとなたちはいう。

しかしながら、おしゃれは本来無意味なものに対して神経をつかうことであり、心のゆとりなのである。したがって、心にゆとりのない人にとっては、おしゃれは無縁のものである。若者のおしゃれを非難するおとなたちも、いちどこのことを反省してみるべきであろう。

他と同調しつつも、他よりはきわだちたいというのが男性の心理である。そして、日本におけるおしゃれの"神様"石津謙介氏によれば、おしゃれとは人に対して好感を与えようとする努力をいうのだそうである。日本も平和になったものである。

エレキで楽しく

[illegible]

心頭技健

[illegible]

わがクラブ わが同志

◀投稿案内▶
本紙は、みなさん方の新聞として、全国のクラブ員に利用して戴きたいと考えています。それでクラブの催しや個人のプロジェクト、詩、短歌、随筆、写真、悩みや意見、村の話題、伝説、行事その他なんでも原稿にして送って下さい。
お願い ❶長さや形式は自由です ❷できれば簡単な説明をつけた写真をそえて下さい ❸送り先 東京都新宿区市ヶ谷船河原町十一 日本4H協会編集部

4H活動を推進しよう

先輩の熱意で入会

日常生活で四Hを訓練

宮城県栗原郡藤沢・瀬峰4Hクラブ 小野寺知子

秋も真盛り、暮れゆく短い陽ざしの中で、稲あげに急ぐトラクター、トラックには、いまにもパンクしそうなくらい積んだ俵の山。いつもは静かな田園風景も収穫期を迎え、活気に満ちています。

私は一年間の寮生活も終え、その荷物整理もつかの間、早速折衷苗代の播種にかり出されて以来七ヵ月余り。この播種をはじめとして堆肥運搬、耕運機を使っての田起し、田植え稲刈りと次々にやってくる仕事に、目を白黒させながらどうにか今日まで過してきました。

高校を終えると友人の大半は、大学へと母校を巣立って行きました。そんな中で農業に生きようとする自分がなぜか、一人取り残されたようなみじめな気持になり、どうすることもできませんでした。しかしどうせ農業をやるなら本格的な知識、技術を身につけようと思い、伝習農場の宮城農学寮に入りました。

初めて家を離れての寮生活に不安を抱きながら、農学寮の毎日、同じ農業に生きようとする同志たちは、県内はもちろん東北六県、遠くは新潟、富山県から来ている多くの友を知ることによって不安も淋しさも忘れさることができました。全寮制という規則正しくきびしい毎日の生活において、寝食を共にして学び、そして働く仲間との語らいが、私にとってかけがえのない一年でした。

私が4Hクラブを知る機会を得たのは、卒業の際、座談会形式で「先輩と語る」という会が催され出席したとき十数名の先輩が来て自分たちが現在の経営に到達するまでの失敗談や苦労話をはじめグループ活動などについて話してくれたときです。驚くことに先輩一人一人が常に先端を行く考える農民であり、素晴らしい農業経営者であると同時に、かつて、あるいは現在において、4Hクラブの重要なポストにある人たちでした。

「4Hクラブの仲間と取りくむ共同経営、4Hの仲間と稲作研究会、4Hの仲間とレクリエーション大会」と、それぞれ得意気にそして明るく話す先輩たちの話しはどれをきいても自分たちのためになることはもちろん農村、社会に対してもプラスになることばかりの4Hクラブでした。ハンド、ヘッド、ハート、ヘルス。四つの信条を、スローガンとする4Hクラブに対し、私もいつかは加入したいと思わずにはいられませんでした。

仲間との共同生活を知り、グループ活動を知った一年間も、またたく間に過ぎ、再び我が家に帰ったとき私は"やるぞ"という自分自身に対する大きな自信と同時に話し合う友だちのいない毎日のことを思うと複雑でした。

我が家での生活がはじまって二ヵ月ばかりたったある日、町の4Hクラブの会長さんに逢い、道端で二時間余りも話し合いました。会長さんは私の先輩であり、久しぶりに逢えた嬉しさと、すでに農業経営者として、4Hクラブのリーダーとなって活躍している先輩と話しができたことは、日頃若い人と接する機会のない私にとってとても有意義でした。

私の町の4Hクラブ活動の内容についての話しの中に「女子クラブ員がいない」ということを聞いたとき、私は家に帰って以来私なりに"農村に生きるべき理想の人間像"について考えました。私たち農村に生きる者こそ、4Hクラブ活動が必要であると、おぼろげながらわかり、その必要性から積極的にクラブ活動に参加して、何事をも体験してやろうという気持になりました。

私は農家の跡とり娘、近所の人たちに"あんたは家つき娘だからいいね"とよく言われます。一般的には、気ままな自分勝手な苦労を知らないドラ娘のように言われています。確かにその傾向はあるかも知れませんが、でもそんな人間になりたくありません。世の荒波にもまれることや、人と接する機会の少い温床育ちには、自己を客観的にみつめることも、その毎日の生活態度すらかえりみることも、容易にできることではありません。そんなときクラブ活動の中に、身を投げ出して仲間とともに切磋琢磨し、自己をみい出すはずです。

クラブ活動を推し進めることは、仲間たちとの生活の中から自己をみい出し、人間いかに生きるべきかということを、正しく知る手段の一つであると思います。このことは、自分自身はもちろん明るい家庭づくり、明るい農村建設へ通ずることであると思います。家庭は農業を営む者にとって、職場であり、また生活の場であるということは、その人自身の創意工夫によって明るい家庭も、豊かな農業経営もできるのだと思います。したがって私たちの日常生活において手、頭、心、健康の訓練と信条は、いついかなる場合においても忘れてはならないことなのです。視野の広い豊かな人間になるために、私たち自身の手によって、この素晴しい4Hクラブを推進しようではありませんか。

迎春

初日の出 湖面にかかる むら雲に
微光ひとすじ あかねにそめる

初日の出 ふもとの村の あかるみて
友と祈りつ 雲海の上

苦しさを かみしめゆかば ほのかにも
吾れの心に 春がくるらし

迎えたる 年の初めの このよき日
花活ける娘ら 若く香ぐわし

（埼玉県・秋京）

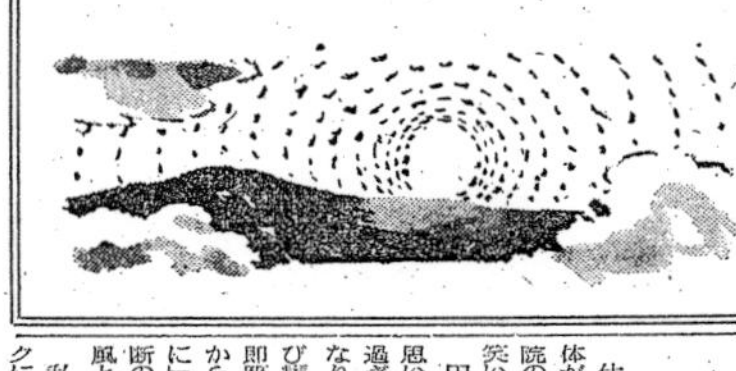

社会の建設に情熱

原動力は4Hクラブ員

埼玉県加須市水深4Hクラブ 並木利夫

仕事からくる疲労かと思われ、体がだるく、肩がこりました。病院の先生は「疲労だよ」とかるく笑いながら診察してくれました。

田植最中だったので、私もそう思いながら仕事を続け二、三日が過ぎました。口も満足にきけなくなり、背骨が曲ってきました。再び病院の門をくぐるなり、先生は即座に「破傷風のうたがいがあるから、至急大きな病院に行くように」と言われました。病院での診断の結果は、予期にたがわず破傷風との診断がくだりました。

私は体がゆれ動くほどのショックに打たれ、即座に入院、毎日毎日が死と生との戦いに、体はやつれて、注射、輸血の針のあとによって腕はふくれあがり「もう、だめなんだ」とあきらめたこともありました。しかし父母の不眠の看病により、再びこの大地をふみしめることができたとき、生きていることのありがたさを、しみじみ感じることができました。

人間には、生きていくうえにおいて、いろいろのことがあります。楽しいことより、苦しいことの方が多いかもしれません。しかし、そこで大切なことは、苦しいことを楽しいことに変えるために努力することであると思います。今は恐ろしい病気にかかったことも夢のように思え、むしろ、私には貴重な体験となりました。「もし、あのとき命が…」と考えたとき大きな勇気が湧いてきます。農業ではあらわせない、なにものかを得たような気持です。

私が杉戸農業高校を卒業する前の経営内容は、百七十アールの水稲と百頭の養豚でした。昨年度、後継者育成資金を借り入れて、自分の考えを自分の責任において実行したいと思い、ハウスの胡瓜栽培をはじめました。面積は八百平方メートルで、一月はじめの播種という高度な技術は、何も知らない私にとって困難の連続かもしれません。しかし私には、なにごとにもくじけない気力と根性がありました。

ハウスの中で胡瓜との生活、温度計を見ながら毎日がすぎ胡瓜が友だちのように思えてきました。病気で苗がバッタバッタと倒れたとき、寒さの被害をうけてしおれたときもありました。三月十一日、黄色い花を見つけました。濃い緑の大きな葉の下に、みずみずしい小さな花が朝の光に照らされて、やけに大きく見えました。いままでの苦労を忘れさせた瞬間でした。これが"農業のよさであり農民の喜びだ"と、つくづく思いました。

農業経営の中において、自分自身で解決できる問題と、一人ではどうにもならない二つの面があります。自分が自分の責任において実行したことは、自分なりに解決し、結果があらわれます。しかし個人ではどうにもならないこと、たとえば、市場価格の問題などがあります。せっかく丹精こめて栽培した胡瓜を赤字価格で売らなければならないとき、これほど悲しいことはありません。これが、経済の原則だと言ってしまえば、それまでですが、その中に、若者が農業をすてる大きな原因があるのではないかと思います。

毎日のきびしい労働の中にも、納得のいく報酬、労働にみあう収入が得られるならば、もっと張合いをもって農業に励むことができるのではないかと私は考えます。

私も、このようにして農業者として二年生になり、二十歳を迎えました。私の青春時代の理想は、農村の新時代をつくることです。もちろん、その原動力となるのは私たち4Hクラブ員の若い力と、情熱です。胡瓜をより多く収穫することも大切ですが、それ以上に大切であり必要なことは、役に立つ人間、価値のある人間、社会につくす人間になることではないでしょうか。

私は、二十歳を迎えた今日、社会への第一歩を意義深いものにするため、自分の理想を大きく実現させるために、4Hクラブの仲間とともに前進していきたいと思っています。

年賀状に思う

お正月は、いかがお過しでしたか。早くも一月中旬、屠蘇気分もぬけて、今年の目標に向って着実に、活動を歩み始めたことと思います。

思いのほか、今年の新年は静かに明けて、明治百年記念の年にふさわしい正月でしたね。正月といっても昔日の私たち、子供時代のような楽しい雰囲気は、少しずつ姿を消してしまったように思います。カルタとり、百人一首、羽根つき、たこあげなどの風景が見られなくなったのは、淋しいことの一つですね。これは時代の移り変りとともに人間生活の環境の変化などが一つの原因のようです。たしかに子供たちをはじめ大人たちに及ぶまで正月の過し方が変ってきました。

しかし、年令が重なるにつれて楽しさを増してくるのが屠蘇をいただくことです。ことに、私にとって家族全員でいただくとき、友人の家でいただくとき、どれにしても心酔できます。こんな気分の良い家族だんらんのときに、いま君たちが考えている抱負や悩みなどを両親にうちあけてみたらいかがですか。きっと普段はきびしい父親も、君たちの真剣な意見に耳をかたむけてくれて、素晴らしい反応があると思います。農業経営の問題、恋愛、結婚問題など、たくましく成長を続けている君たちにとっては、一つ一つが深刻に考えなくてはならない問題ばかりのはずです。一年の計は元旦にありといいます。この機会に話しあって、さっぱりとした気分で今年一年の計画に向って実践して行こうではありませんか。

また正月には、切っても切れないたのしみの一つとして、年賀状がありますね。今年も早々に賀状ありがとう。君たちの農業や4Hクラブ活動に燃している力強い決意のほどが窺えました。どうかこの決意にくじけることなく頑張ることを約束してください。

分厚く配達された年賀状に、一枚一枚目を通していくのも格別のたのしさがあります。なつかしい恩師や先輩、友人、後輩また一年に一度の御無沙汰を兼ねたのや、さてこんな人知らないなーと思ったら、昨年のクラブ大会や研修会で逢った仲間であったりして、とにかくたのしいものです。

今年は干支で申歳、猿にちなんだゴム版が多く使われていました。書体、文面は、その人の性格を表わすと言われますが、まさしくその通りで、極く親しい友人であれば文字を見ただけで誰であるか判断できたり、その友人の成長のほどが手にとるように判ります。一年も御無沙汰したり逢わずにいる友人の名前の脇に、新妻や赤ちゃんの名前が添えてあったり、ほほえましい賀状はとくにうれしいものです。中でも、君たちからの力強い決意のほどをしめした賀状の言葉は、私も忘れません。君たちもその決意遂行のため励げんでください。

この年賀状については、いろいろと言われていますが、私はその善し悪しより、これを一つの機会として、ただ新年の挨拶状だけに終ることなく、次の段階にエスカレートして行ってほしいと思います。互いに励まし合ったり、情報交換のための手紙となって、初めて仲間づくりやクラブ活動の強化、あるいは、組織づくりの基礎となって行くこともあるでしょう。友だちからの手紙は、たのしいものです。良い友人をもつということは、君たちの青春時代の豊さにも通じます。今年は大いに励ましの手紙を書きましょう。そして、友情のスクラムを、全国に広げて行こうではありませんか。（O）

私たちの放送利用

4H活動に新風を

放送利用クラブを指定

宮城県仙台市岩切4Hカムリ会 庄司健治

宮城県では全国にさきがけ、昭和四十年から本格的に、放送利用と取り組み、県庁の農政普及課内へ事務局を設置して、4Hクラブ員と放送局との連携を常に密にして放送利用による学習効果を高めるため体制を整えている。

県下約四百四十クラブを放送利用農業クラブと指定し、その内二クラブをモデルクラブとして実施している。

岩切4Hカムリ会は、このモデルクラブとして指定され、集団利用しており、4Hクラブ活動の中に放送利用を取り入れて、学習活動は盛んである。この動機は、カムリ会発足当時、クラブ員が学習の手段としてラジオ農業学校テキストを全員で購入し、個人的に必要に応じて番組を選定して学習していた。また放送を「五分間学習（セミナール）」の教材に利用したこともあった。しかし徹底した学習方法でなかったため、昭和三十九年をさかいに五分間学習はもとより、4H活動もマンネリ化しつつあった。

一方クラブ員の中には、作業中トランジスターラジオを腰にさげて聞いたり、計画的にテレビを見て学習を続ける者もいた。彼らはクラブの例会において話しかけ、グループ員全員で視聴しようではないか、利用することによりクラブ員個々がプラスになるし、4H活動に新風を送りこみ、継続的に利用していこうではないかーということで始められた。

利用目的

（1）クラブ員が集団視聴して学習しお互いに話し合いを深め農業技術及び一般教養に関する知識を高める。

（2）放送を正しく、目的的に視聴する。所定学習の目的をもって視聴することにより、なにものかを吸収し、さらに自分の考えをプラスして発展させる。

（3）問題解決や創造性に活用する。

放送利用内容

（1）利用方法は、放送委員を二名設置し、番組を選定してテープ録音したり、テレビ録画（NHKへ依頼）また個人視聴するように伝達したりしている。

（2）利用番組の例として一般教養番組では、テレビの若い世代、生活の知恵、現代の映像、海外取材番組。ラジオでは青少年を考える、若いこだま。農業関係は、テレビの明るい農村、新しい村づくり、農業教室、あすの村づくり。ラジオは、村の広場、新らしい農村、早起き局ラジオ農業学校。

利用した番組

一月七日 ラジオ農業学校（録音）「クラブ紹介」
一月十五日 青年の主張「全国コンクール」
二月十五日 あすの村づくり（録音）「仲間とともに」
三月十二日 村の広場（録音）「NHK優秀農家東北大会」
五月十三日 くらしを考える（録画）「企業農民」
八月五日 あかるい農村「宮城県農村青少年技術交換大会」
八月十三日 村の広場（録音）「クラブ紹介」
九月十二日 くらしを考える（録音）「老後」
九月十五日 あかるい農村「縁結び」
十一月二十八日 あかるい農村「過労を防ぐには」
十二月一日 ラジオ農業学校（録音）「水稲と肥料」

4Hクラブの交歓会の中でも放送利用の話題がとり上げられる（岩切4Hクラブ員）

以上、主なものがあげられる。例えば五月十三日「くらしを考えるー企業的農民」をグループで視聴したときなどは、全員がテレビに向い興味深くメモしながら見ており、従来私たちがテレビを見ている場合と異って、意欲的であることが痛感させられた。その後の話し合いにおいては、建設的な意見がでて、農業は商業的、かつ自由経済の社会の中で農業者として、自立できる経営者でなければならない。そのために私たちは未来へ向って「良き社会人」となるため、人間形成を図らなければならないと論議され、放送をグループ視聴することにより数多くの成果が達成した。

放送利用は一、二回の利用で効果が現われものではなく、4H活動の中で放送を利用することにより、必然的にクラブ員個々の血や肉となっていくのではないでしょうか。カムリ会も学習の手段として、例会の話題提供として、今後大いに放送を利用して行きたいと思います。

看護婦さんと交歓

クリスマスパーティでハッスル

愛知・春日井農業クラブ4H部

【愛知】春日井農業クラブ4H部は、昨年の暮、春日井市農協上条支所で、春日井市内に就職している九州出身の看護婦グループ「つくし会」とクリスマスパーティーを開いて交歓した。

このパーティーは、両クラブの会員五十名が参加、フォークダンス、歌、ゲーム、キャンドルサービスなどなごやかな雰囲気の中でくりひろげられ、爆笑に包まれていた。

同日は午後一時三十分、4H部員の乗用車が普及所に勢揃いし、彼女たちを分乗させて会場に移動した。

一間余りのクリスマスツリーを中心に飾られたなかで、両会長のユーモアたっぷりのあいさつのあと紅白に別れて「電報クイズ」やモデルに新聞紙を利用しての「私はテイラー」また最近流行のスタイル、ミニスカートにブーツなど超奇抜なゲームを楽しんだ。

つづいて、フォークダンス。日ごろの仕事とはことなり、女性と男性が手や肩をガッチリと組み合い、また時には、足と足が衝突するなど全員スムースにとけこんでいった。

歌では「4Hクラブの歌」と彼女たちの先輩が作った「つくし会」の歌をそれぞれ紹介しあった。

最後に、キャンドルサービスに入った。静じゃくの中で導火者の入場、誓いのことばにつづいてクリスマスの意義の説明、やがて全員のローソクに点火され、美しい世界を描き出した。ついで、メロデーの流れる中でプレゼントを交換した。貴重品や百万円の宝クジ抽せん券などが次々に飛び出し、笑いの渦がつづいた。

このような中で「つくし会」の人たちが作ったサンドイッチで満腹にし、再会を約束して別れを告げた。（同クラブ員、安田勝君より）

仲よくジャンケンタタキに興じる

デザイナー競技にミニスカートも登上

農産物の品評会開かる

山梨県上野原町の4Hクラブ（会長・水越隆美君）は、このほど農産物の品評会と即売会を町役場で開き、好評をはくした。入賞者は次の通り。

▽最優秀賞 鷹取正文（シクラメン）▽優秀賞 大庭辰雄、岡部醇（ホウレン草）米山正利（鶏卵）▽優良賞 米山正利（ブロイラー）水越隆美（ポットマム）都留農園（シイタケ）他が授賞した。

恵まれた山林資源
経営や作業は協業の方向に

福島県郡山市湖南町赤津 落合・湖南4Hクラブ 久下卓保

零細農家が多い山間高冷地

猪苗代湖の南、標高五五〇メートルの山間高冷地にある私たちの村は、耕地面積約一、三〇〇ヘクタール、うち水田一、〇〇〇ヘクタール、畑二五〇ヘクタール、その他五〇ヘクタール、農家戸数一、〇〇〇戸からなる。

したがって、一戸平均の耕地面積は一・五ヘクタール、山林三ヘクタール、収入は約六〇万円で、零細農家が大部分である。農業経営形態は、水稲を中心として、養蚕、たばこ、畜産がある。

このような点から、農業専業で生計をたてるには、耕地面積があまりにも少なく、またその利用度も約半年近くの稲作によって少ない。それで農家所得の増大を期するには、稲作だけに従事するばかりでは解決できない。日雇や山林作業、小作など、または冬期の約半年間を京浜地帯に出稼ぎをするほかはない。

積極的に規模拡大をはかる

そこで、私たちの経営を確立するためには、まず規模拡大をはかることが第一の問題である。

それには、現在の耕地面積をふやすことと資本の充実が必要になってくる。耕地面積の拡大をはかるには、開墾可能地を開墾するか買い求めることが必要になり、これらは限度のあることであって、資金の必要も生ずる。

また、経営部門に資本を大幅に投入しても、それがはねかえってくる量が少ないのでは、資本の拡大も容易ではない。何を行なうにも資金がいるので、自己資金のみでは当然間に合わなく、各種の制度資金の利用も考えなければならない。

しかし、これも十分とはいえなく、経営を無視した資金の乱用もみられる。私たち農業従事者の資金利用の勉強も必要である。

私たちの地域では、資金不足を補うには豊富な山林資源を十分に活用できる。当地域で水稲のみで農業の自立経営を行なっていくには、水田面積二・五ヘクタールぐらいなければ不可能である。また、水稲を中心として養蚕、たばこ、畜産経営が行なわれているが、昨今の労働力不足からも経営部門を二つ、三つにしぼっていくことが必要である。

しかし、これらは農家のみで行なうには限度があり、不可能に近いものであって、パイロット事業や構造改善事業その他の補助事業によらなければならない。国や県や市町村に働きかけて、これを待つ農業者ではなく、動かす農業者になりたいものである。

私たち若い者は、若さを利用しできる限り農業経営を研究しあい、常に新しい考えを持ち、これらを積極的に利用して水田面積の拡大化、および畜産経営の多頭羽化、大型農業機械の共同購入などによってその規模拡大をさらに推し進めようと心がけるべきである。

若い仲間で協業を呼びかけ

つぎに、経営組織の問題を考えてみよう。

農業を行なっていくのに耕地面積も少なければ資本力もない、かといって新しい部門経営を十分行ないうる技術もないような当地の零細農家では、その経営や作業を協業でやっていくことも必要になってくる。

現在、私たちのところでは協業は全くなく、集団作業も行なわれていない。ただ、農業改良推進団体や農事研究団体による水稲の病害虫防除を行なっているにすぎない。

私たち零細農業者が、個々に自分の思ったとおりの経営や農作業をしていたのでは、農業の近代化をはかれないばかりでなく、現在の形態から脱け出すことも困難であろう。それがため、われわれ若い仲間がグループや部落に呼びかけて、これらの実現に向ってゆきたい。

たとえば、集団作業では田植、そのときの共同炊事、水管理など比較的簡単な作業から進める。

主産地形成と地域農業振興

また、零細な農業経営の地域ほど多くの経営部門をもっている。

私たちの地域をみても、水稲、養蚕、たばこ、酪農、和牛の繁殖および肥育、ホップ、養豚、豊富な山林を利用したシイタケやナメコの栽培、それに高冷地トマトと種々雑多である。いくら農業のみで生活してゆけたとしても、これら数多くの作目による経営では、労働不足もはなはだしく、長期間続けることはできない。

また、消費地に遠い当地では、運賃や人件費などが多くかかり、高価なものとなり、採算のあう生産物の流通が不可能となり、生産はしたけれど売り場に困るということがでてくる。安価な農産物を大量に消費地に出荷し、都市生活者の食生活を確保するためにも、その地域の自然環境にあった消費地が求めている農産物の生産が必要である。

地域農業の振興の観点からも、当地域には主産地形成が叫ばれ、水稲と和牛の主産地として、和牛においては現在各農家に一頭いるものを多頭化の方向にすすめ、五頭ぐらいにしようという事業がなされている。当地域にあった和牛経営の今後が楽しみである。事業計画にそったことを各農家のみならず、部落一緒になって取り入れようと私たち若者は努力している。

これら経営部門を変えるには幾多の問題もあろうが、永い年月をかけても実施したい。

解決の糸口は封建性の打破

自立経営を行なうには、ほとんどの農家の現在の農業経営形態が何んらかの形で変わる。そして、これら一つひとつの事業を遂行するには経営主の了解を得なければならないし、周囲の抵抗など、新しいことを始めると隣り近所の眼を気にしなければならない。

たとえば、私たちクラブ員数人が、当地にはまったく新しい高冷地トマトの栽培を昨年行なったとすると、その結果をみて、成功したら俺たちもやろうという親たちもいる。

またある家で、農業機械や自動車などを購入すれば、それに負けまいと利用率も考えずに購入する。

このように、経営主たる親たちの勉強と子どもに対する理解や協力がたりないといえる。こうした農村、とくに山村に残っている封建性の打破が自立経営を進めていくひとつの解決策ともなる。

これらの問題について、私たち若い者が話し合い、そして先輩や農業指導者の助言を仰いで、私たちの農業を築いていくべきであり、そうすることによって若者の都会への流出や後継者不足、嫁不足など深刻な問題が解決されるのではないだろうか。

プロジェクトの成果を発表

北海道 当別4Hクラブ

北海道・当別町連合4Hクラブ（畠山貞一会長）では、先月十六日午前十時から当別町農業会館で四十二年度プロジェクト発表会を開き、営農改善、生活改善、村づくりの三部に分け、十人のクラブ員がそれぞれ体験した貴重な成果を発表した。

ジッパでシルエットを

国際レインウェア評議会はこのほど、六八年度の春～夏のコートのアイディア・コレクションを発表した。

これは、ヨーロッパ各国のレインウェア・メーカーの組織である同会が、年二回、男女コートの新しい傾向を示して注目されているもの。

今回の焦点はジッパーの扱い。ジッパーは最近よく使われるようになったが、このコレクションでは、高級コットンに組合せて、シルエットを若々しくすっきりみせる効果と装飾をかねているのが特長。

若向きにはスポーティな短いトレンチが圧倒的で、ミリタリー調はカジュアルに描きなおされて登場、いずれもジッパーのざん新な扱いが印象的。

生地は、キャバジン、ポプリン、キャンバスを主流とし他に畝織りやラフなものも取りあげられており、バラエティに富んでいる。

色調は逆にカラフルな女性用に比べると保守的で、オフ・ホワイト、茶、グリーンにしぼられている。

写真は、ダブルの打合いと胸の斜めポケットにジッパーを使って、きりっとまとめたカー・コート。打合いのジッパーを全部閉じるとステンカラーになり、雰囲気を変えると同時に風も防ぐ。雨ぶたポケットはミリタリー調。生地はオフ・ホワイトのコットン。

4Hクラブで土壌調査
地域農業の発展に大きく寄与

奈良県天理市 天理4Hクラブ 柴田岩昭

農業経営をより発展させるにはまず第一に土壌に関する調査と改良を徹底的に行なわねばならない。

わが奈良県においても、「土作り運動」が盛んに展開されているが、昨秋その一環として、天理4Hクラブ支部の朝和4Hクラブ（会長・藤岡照男君）の二十五名のなかまたちは、県経済連や普及所の協力を得て土壌調査を行なった。

調査の対象になったのは、地区の特産物であるイチゴの栽培を適期的に行なうため、イチゴ畑の土壌が選ばれた。

まず、約七百戸の農家に対して土を採取する方法を説明し、土を入れるポリ袋を配布した。そしてクラブ員の手によって、約八百点の土が回収された。

つぎに、この土を農協で分析しPH、土性、土質の結果を一つずつカードに記入し、それを改良する中和石灰量を割り出し、その指示によって良質な土壌にできるよう各農家に報告した。

こうして、これまで各農家単独ではどうしても出来なかった土壌調査を、若いクラブ員の熱意で地域ぐるみでできたことは、今後の地域農業発展に寄与するところが大きく、多くの人々に感謝される結果となった。

クラブでは、この成果を基に、大和西瓜や柿などの果菜田や果樹田を対象に約千五百点の土壌を前回同様に調査した。

さらに今後は、地域のPHや土質を色分けで地図に記入し、みんなで地域の土壌改良について研究することを年度事業計画に入れることになった。

また、土壌調査を通して、地域の人々に4Hクラブの理解と認識が高まり、今後の家族ぐるみのクラブ活動が容易になるものと思われる。このことはクラブ員相互に[illegible]ついてもみられることで、これを[illegible]

ホンダ農機ローンを全国的に実施

二輪車で世界を席捲した本田技研は、昨秋、ヨーロッパ各地の自動車ショーに、ホンダN三六〇、N六〇〇を出品、すでに一万五千台近い受注をかかえるという人気で、本田社長も「第二のスーパーカブにしてみせる」と強気だが、こんな派手さとは別の面で、地味に着実に輸出を伸ばしているのが、同社の耕うん機部門だ。

日本からの耕うん機の輸出は、農業事情が同じなヨーロッパ、東南アジアが主だが、昨年前期の総輸出台数約三万台のうち、ホンダは約七割近くを占め、同社は、期を追うごとに耕うん機部門の輸出割合の増加を[illegible]

4Hくん NO.112

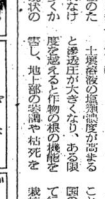

すすんでいる農業の新技術
ハウスそ菜の土壌管理と施肥

そ菜の施設栽培は昭和三十六年にビニールフィルムが出現して以来急速に発展し、現在では全国で約四千ヘクタールのハウス面積を持ち、今後ますます盛んになってくることが見込まれる。

ハウス内では温度、湿度、光線などの変化が露地栽培の場合と異っているが、これにもまして土壌は降雨の影響を受けず、かん水も一時に多量に行うこともないので、土壌中の肥料成分は下層へ流亡することが少なく多肥栽培時は、塩類集積土壌となりやすい。これは濃度障害、連作障害および窒素のガス化による損失の原因となり、特有の土壌別の推移をもたらし、特殊な成分の吸収阻害の素地となっており、さらに好ましい肥料についての考え方にも響いてくるであろう。

またハウスでは保温のため密閉するという特殊な条件がおり有害ガスによる障害とか炭酸ガスの不足などが認められている。

このようにハウス栽培では、その条件の特異性のため、土壌肥料的に解決されなければならない問題点を数多くかかえている。このような現状のもとで、適切な土壌管理と施肥法の確立が現場より要望されているものの、そのおのおのについて詳細に検討することは非常に困難である。

そこでハウスの特異性がもたらす、施肥障害の実態を調べ、これを回避する方向から農家の要望にこたえることとし、まず塩類濃度障害とガス障害の実態解明が行なわれてきた。

被害防ぐ事前判定
怖い塩類濃度とガス障害

（一）塩類濃度障害の判定と対策

意義

土壌溶液の塩類濃度が高まると浸透圧が大きくなり、ある限度を越えると作物の根の機能を害し、地上部の萎凋や枯死を招いて作物の根が枯死することはまれで、葉面からの水分蒸散の激しい昼間に萎凋し、夜間回復するという事例が最も多く、その他いろいろな症状が報告され、被害面積の広いことが推定されていたにもかかわらず、その診断に問題があり、適格な判定法が望まれていた。

土壌的判定にあっては、土壌溶液を採取して浸透圧を測定することがもっとも正しい方法であるが、繁雑なため現場での実用には供しがたい。そこで土壌懸濁液の電気伝導度を測定し、これで推定しようとする試みが国の内外の一部の研究者によって行なわれていたので、本法を栽培現場に応用できるような簡易測定法の検討がなされた。

使用法

根が分布している部位より採取した土壌の乾土と水の重量比が、ほぼ1対2になるように水を添加し、土壌がきれいにくずれるまで撹拌し、この懸濁液中に電導度計を挿入して伝導度を測定する。測定値は温度補正をしてミリモー単位で表示する。計器は市販の携帯用電気伝導度計（価格約5万円）を用いる。

効果

懸濁液の電気伝導度と作物の生育関係は土壌や作物の種類で異なり、ほぼ次表のような関係がある。現場ではこの表を基準として、普及指導にあたっているが、作物の差よりも土壌の違いの方が大きいことに注意しなければならない。

生育阻害限界点（ミリモー）	胡瓜	トマト	ピーマン
砂土	〇・六	〇・八	一・一
沖積埴壌土	一・二	一・五	一・五
腐植質埴壌土	一・五	一・五	二・〇

もし測定値が、この規準よりも高い場合は、追肥を中止させ土壌をあまり乾かさないように注意するか、著しく超過しているときは、一回のかん水量を多くして肥料成分を下層へ流しさるような指示を与える。

普及

現在ハウス栽培地帯の全農業改良普及所、主要な園芸組合、農協および肥料業者が計器を備え指導にあたっているため、被害面積は順次減少の傾向にあり、さらに追肥量や連作地の元肥量の決定に際しても使用される。

（2）亜硝酸ガス障害の判定と対策

昭和三十七年の冬に高知県下のビニールハウスでガス障害が集団的に発生した。その症状はいずれの作物でも葉にあらわれ、被害は中位葉がもっともはげしく新葉は無い。脈間が斑状に枯死し、黄白色となり周囲の健全部との境界が明確となるが、さらに葉全体が枯死する。この害は、その突発性と激烈さで特異的な障害として、農家におそれられ、大きくクローズアップされるに至った。

過去における施設栽培でのガス障害といえば、まずアンモニアガスによるものが常識的となっていたが、調査の結果、県下のハウスにおける障害は例外なく、ビニールフィルムの内面に結晶する露滴の反応を酸性にするガスが原因であり、俗に亜硝酸ガスと呼ばれているNO₂（二酸化窒素）が、土壌より多量に発生していることが判明した。

使用法

土壌よりの亜硝酸ガスの発生経路は、施された窒素質肥料がアンモニア態から硝酸態に変る途中で土壌微生物の活力の均衡がやぶれ、亜硝酸菌の活力より相対的に強くなり、土壌中に亜硝酸が集積し、これが酸性条件下でガス化するのではないかと推定されるに至った。

そしてこれらの現象を誘発する条件として窒素の多肥がもっとも大きな原因であろうと考えられた。なお障害ハウスの土壌はPHが約5・0以下、アンモニア態窒素が約50PPM以上、亜硝酸態窒素が約1～20PPM、硝酸態窒素が約200PPM以上であった。

ガス発生土壌に対しては、石灰でPHを高め、一時的にガス発生を止めるとともに、亜硝酸菌の増殖を止める硝化抑制剤を添加して、土壌中に亜硝酸が集積しないような対策が考えられた。

また亜硝酸ガスは水に溶けて酸性をしめすので、ハウス内に結晶露滴のPHを朝の換気前に測定して、これが5～4・5以下に低下すると障害発生の危険性があることも認められたので露滴PHの変化より障害発生の予知と確認が可能となった。

効果・普及

PH比色法を用いて農家自身が露滴を検定し、障害の予知または確認がなされた場合には、石灰と硝化抑制剤を土壌に添加して、これを回避するという一連の具体的対策が確立された。したがって、普及はこれからである。

（3）施肥上の問題点

肥料成分の流亡が少ないハウス条件であるにもかかわらず、露地よりも施肥が一般に行なわれている原因については、それなりに理由があるのかも知れないが、普通これが極端に多肥となり、しかも有機質肥料の偏重がみられるので、とりあえず窒素成分を対象として、農家慣行区と減肥区を比較してみた。次表参照。

これによると施肥の減肥区でも慣行区の収量品質と大差がなく有機質肥料の役割が疑われた。

施肥改善試験の一例（10a当り）

作期と土壌	区名	施用窒素（Kg）	全施用N対有機態N比（%）	収量（t）
抑制きゅうり（水田、ハウス1作目）	農家慣行区	123	81	8.5
	対照減肥区	64	47	8.2
半促成きゅうり（水田、ハウス2作目）	農家慣行区	77	57	14.2
	対照減肥区	26	0	14.8
促成ピーマン（砂土畑地）	農家慣行区	65	83	5.6
	対照減肥区	27	28	5.4

水田土壌における脱窒現象と同じく、ハウス土壌でも窒素の揮散損失を論じなければ施肥量に対する充分な説明ができないのではなかろうか。単なる施肥法の検討の余地が充分あることをしめしている。

しかしここで施肥窒素の揮散損失は諸外国ですでに報告されており、多量の易分解性有機物との共存とか、窒素の多量施用時に起こることが認められているので、湛水田作に類似しているハウス土壌においても当然認められる現象であろうと予想して、試験ハウスで施肥窒素の収支計算を行なったところ、概数ではあるが約半量が行方不明となっていた。

量試験で解決できない問題である。

つぎにハウスでは、露地でみられないような土壌PH変動が認められることである。たとえば油粕類や尿素の多量施用時にはその分解にともなうアンモニアの一時的集積により、ある時期にアルカリ性となり、その後硝酸化成作用が進行すると成長された硝酸のため、著しく酸性化する。

これらは特定要素の吸収阻害や、助長を誘発する可能性があり、さらには土壌中での亜硝酸塩などの有害成分の集積をもたらすことにもなり、生理障害の多様性の因となっているようである。

また近年経営規模の拡大のために、ハウスの大型化と固定化の傾向が認められるようになったが、ここでは従来からも問題視されつつある。

一般に連作障害は、病害や線虫害および有害物質による害などで論ぜられているが、ハウス栽培では、塩類集積による害も大きいようである。現在薬剤による土壌消毒や湛水処理が対策として、実施されているが、これらの処理が土壌におよぼす影響の解明と、その他の処理方法の開発も、こんごの重要な問題点と考えられている。

NHK農事番組（一月二十日～三十一日）

テレビ

明るい農村 6・30～6・55

20日 野菜の土壌 高知市
21日 カメラ通信 人参つくり十年
22日 東京農民 東京世田谷
23日 月給制
24日 フィルムリレー
25日 五十億円の夢
26日 ハム
27日 のり養殖の機械化 福岡
28日 カメラ通信
29日 スライド 緑の農業 走れ検診車 岩手県盛岡
30日 出かせぎの留守
31日 現地報告

農業教室 7・00～7・30

20日 水田作を考える
22日 野菜の主産地をさぐる
23日 地化の条件
24日 〃 団地キャベツ
25日 〃 茨城白菜
26日 〃 三浦大根
27日 〃 龍山いちご
29日 現地討論
30日 果樹の機械化と省力
31日 〃

あすの村づくり 日 7・00～8・00 再 土 13・00～14・00

21日 グループだより 仲間とともに

ラジオ

新春迎えてやる気充分

座談会　全国4Hクラブ中央推進会議

この座談会は、昨年12月上旬、静岡県御殿場市の国立中央青年の家で開かれた全国4Hクラブ中央推進会議（全国4Hクラブ連絡協議会、日本4H協会共催）の第3日目、研修の合い間をみて開いたものです。今月19日に船出する青年の船派遣団員3人、一般参加者3人、それに講師の方々にご出席願い、研修会の内容や明治百年に対する考えなどを大いに語ってもらいました。みなさんが新しい年を迎えて真剣に考える口火になれば幸いです＝文中、敬称を略させていただきました。

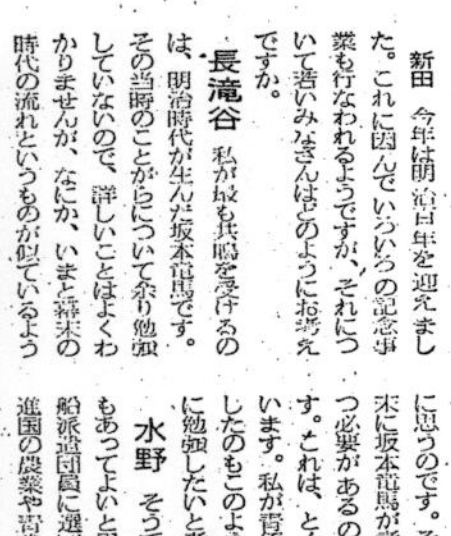

写真説明　左から水野、新田日本4H協会事務局長、湯浅農林技術員、長滝谷、稲葉、砂川さん、古賀さん、古川さん

語る人

愛知県渥美郡・渥美4Hクラブ　古川喜美子さん(19)
福岡県朝倉郡・夜須4Hクラブ　古賀幸枝さん(20)
北海道江別市・道連事務局次長　稲葉良弘君(25)
沖縄県八重山郡・青年の船派遣団員　砂川みさ子さん(20)
大阪府泉佐野市・青年の船派遣団員　長滝谷正行君(23)
愛知県西加茂郡・青年の船派遣団員　水野龍雄君(26)
農林省専門技術員（講師）　湯浅甲子氏
司会　日本4H協会事務局長　新田健吉

"竜馬"と同じ気持
心機一転で門出
明治百年迎え意気盛ん

新田　今年は明治百年を迎えました。これに因んでいろいろの記念事業も行なわれるようですが、それについて若いみなさんはどのようにお考えですか。

長滝谷　私が最も共鳴を受けるのは、明治時代が生んだ坂本竜馬です。その当時のことがらについて余り勉強していないので、詳しいことはよくわかりませんが、なにか、いまと幕末の時代の流れというものが似ているように思うのです。そこで、もう一度、幕末に坂本竜馬が考えたような自覚に立つ必要があるのではないかと感じます。これは、とくに青年に必要だと思います。私が青年の船派遣団員に応募したのもこのような気持からで、大いに勉強したいと考えています

水野　そうですね。そういう考えもあってよいと思います。私も青年の船派遣団員に選ばれたわけですが、後進国の農業や青少年にふれることによって、明治を切りぬけてきた（いろいろ曲折はしていますが）その意気というか考え方なども知れるのではないだろうかと思っています。青年の船には大いに期待をもっています。

砂川　私たちは、毎日のんびり過しているせいか、明治百年といってもふだん余りピンとこないのですが、ふりかえる機会がないので、過去をふりかえるよい機会だと思います。私も、青年の船派遣団員の一人に選ばれたのですが、大いに勉強したいと思います。

古川　私たちは、ふだん余り生活に馴れきっていて、ふり返るということがないわけですね。明治百年もそうですが、そういう意味から、研修会にきてよかったと思います。自分のこと、クラブ活動のことなどいろいろふりかえることができました。いい機会だと思います。

北海道では改良百年祭

稲葉　北海道も拓けてから今年で百年を迎えるわけです。丁度、僕たちが三代目になります。いままでを土台として、これからその上に築いていかなければならないわけですが、一世紀目を迎え、その使命感を強く感じています。道では、これを記念し、改良百年祭としてお祭り的な行事をくりひろげることを計画していますが、若いものは、何か新しいものを求め、生み出すことを当然と考えています。

古賀　明治百年といっても余りピンときませんが、それを土台にして越えたもの、新しいものを生み出していかなければならないという気持でいます。

新田　明治百年記念事業は、大人が考え出したというより、みなさんも意義があるとお考えになっていると受けとめてよいわけですね。明治の人たちが困難を乗り越え、発展させてきたその過程をふりかえり、その上に何か新しいものを生み出していくことに意義があるということですが、それでは、みなさんは、どういう点で現在からと

[illegible]

ろいろのことを知ることはすごく大事だと思う。こんどの青年の船では何かをつかんで帰えりたいと考えています。私はいま、坂本竜馬と同じ心境です。力をふりしぼって大いに努力したい気持でいっぱいです。

稲葉　私の、4Hクラブ活動の経歴は七年になりますが、ここらで新しい人生に入ってみようかと思っています。これを機会に心機一転して、結婚問題に入ろうかと考えています。

砂川　また一つ年をとって、私は二十一才になりますが、新しい年を迎えて、大人になったような気持で再出発したいと思います。

[illegible]

本紙愛読者に日記帳贈る

[illegible]

稔り多い中央推進会議
成果を態度で示そう

新田　いま、せっかくそのような話が出ましたので、研修会についてどう感じているか話して下さい。

稲葉　私は、このような全国的な研修会に参加したのは初めてですが、4Hクラブについての理解度は、それぞれ各県、クラブの幹部の人が出てきている割には薄いように感じました。一部には、4Hクラブを青年団などの団体と混同して考えている人がいる。私もそうですが、クラブについて、よく知っていないような気がします。

古川　私みたいなものが出ているからかも知れません。はじめに県の方からいわれて自分たちが始めたクラブですが、そう感じます。

長滝谷　まったくその通りで、よけいに指導者からみるとそうだと思います。私は、地区では自負していたがここへきてみて認識不足を感じました。これから、いろいろの会合にどんどん出てやっていく必要があると思っています。

湯浅　クラブの理解度ですが、みなさんは曲りなりにもクラブ活動をやっているわけです。どうです、みなさんのやっていることと、この研修会で話し合われたクラブの本質についてそんなに違っていましたか。

長滝谷　みんな熱心ですね。それに比べ私たちはのんびりしている。代表できている人たちの意気込みはすばらしいと思います。

古川　いままで、ばく然と仲間づくりをやってきましたが、ここへ来てみんな熱心にやっているのをみて反省させられたし、また大変勉強になります。

湯浅　わからなくとも、自分たちがクラブ活動をやってきて、追い求めてきたもの、自分の気持の中にあったものだと思います。クラブの組織や本質などを聞いて、自分たちのやっていることと大きな開きがあると感じていますか。

全員　そんなことはない。自分たちのやっていること、考えていることが整理され、方向づけられました。

湯浅　みんなが、納得がいくところがある、そこがよいと思う。なんだか解らないが、抵抗なく入れる、自然

ラブについて知らない人が多いように感じます。みんなサボッているのか、進歩がないですね。わかっていても実行しないと、ほんの数人で理解しただけに終ってしまうと思います。

古賀　みんなの意見を聞いて、本人のためにはよかったと思います。

湯浅　そう、4Hクラブ活動について理解できても、人に知らせるのは大変難しいですね。作物でも同じことで、態度で示すことが大事だが、はてどちらかというとなかなか難しいと思う。

全国段階で研修した人が、いざというとき、明快に本質的なことをいえるかどうか、また、こういう研修をすぎた人たちが日常のクラブ活動の中に出ないですね。この研修会で学んだことがらを広げなければならないが、しかしこの研修会の成果は高いという感じがします。それが何年か前から徐々に現われてきているようですね。それで、研修会の成果をどういう形で表現するか、それらの点についても問題が起きてくるといいなあと思います。

力の団結へ動く
だが4Hは体験力こそ誇り

[illegible]

員の力を合わせて改善しようという機運が盛り上ってきていることは確かです。

湯浅　4Hクラブでは提案活動が必要で、こういうことについても市町村の農政に対して建設的な意見を提案することはよいと思います。しかし、構造改善をみても政治だけが悪いのではない。資金などの問題については、実情がこういうことだからといって提案活動を行なうことはよいし、また、生活の声も訴えることはよいと思う。

水野　県によっては違いますが、千葉、愛知、山梨などでそういう動きが出てきています。

新田　それには、みんなが納得する行動、データーが必要であると思う。米価運動をやるにしても、人が作ってくれたものをうのみにして行動するのではなく、自分たちが実践を通じて出したデーターをもとにして主張すべきで、それが積み重なって大きな力となる必要があると考えます。

稲葉　北海道はそれらに対する認識のレベルが違うが、毎年、冷害を受けています。それを克服するために、十貫調査などを自分たちでやっている。本当に緊迫しています。だが政治や行政とは直結していません。いま自分たちは、冷害に打ち勝つ体験を積んでいます。

湯浅　そのことが大事だと思う。政治力を使うのではなく、体験力や生活力の力で提案につないでいけばよいわけで、政治力を使うのは4Hでは邪道で、それは4Hクラブではない。体験力や生活力、その誇りこそが4Hクラブでは大事なんだと考えます。

稲葉　この研修会でその政治力の動きについては、自分たちが想像していた以上のような気がします。

新田　その前の段階が4Hクラブでは大切なんです。

湯浅　その生活の力を高めることによって、政治や行政の関係者がなるほどと納得するようになる。それだけに4Hクラブは国会などで訴える力は強い。生活の叫びはしなければならないが、政治活動をしたければ他の団体ですればよいと思う。

新田　話がだいぶ進んできたのですが、残念ながら時間がなくなってきましたので、最後に、なにか言いたいことはございませんか。

湯浅　4Hクラブ活動の中で、最も問題になるのは、娘さんの扱い方ですが、女子の方は、4Hに何を期待して入ってきましたか。

古賀　私のクラブでは、男子が圧倒的に多いんです。クラブが結成されてから六年目になりますが、女子が入ってからは三年目で、昨年まで養子を迎える女子クラブ員二名がいました。しかし男子クラブ員が中心となってやる行事に参加するだけで、ただ手伝うといった方がよかったんです。

ことしから女子クラブ員が七名になって、男子とは別に、作業の改良衣や家計簿、小使い帳などについて勉強しています。

古川　私の地区では男子がいないわけではないのですが、お勤めに出たりして、クラブが不活発になっていたんです。農業をやっている若い人も部落に一名くらいずつちらばっている状態でなかなかやりにくいですね。そこで"やる気のない者はやめろ"ということになり、女子クラブ員がいなくなったんです。

しかし、家に閉じこもっていても仕方ないし、さて、いざやろうと思っても青年団は職業が違うわけですね。このため同じ立場で話し合えるクラブをつくろうということになり、やる気のある者だけが集まって再発足させたんです。

古賀　そうですね。農村に一人でいると何かとり残されたような気持になり、農村から出る、という気持になるんですね。これは農業、社会の問題でもあると思います。

新田　時間がきてしまいましたので、このへんで終らせていただきます。どうも、みなさんありがとうございました。

4Hクラブ活動と明治百年

日本4H新聞

4Hクラブ 農事研究会 生活改善クラブ 全国弘報紙

発行所 社団法人 日本4H協会 東京都新宿区市ケ谷船河原町11 家の光会館内 電話（269）1675 編集発行人 壬井光 月3回・4日日発行 定価1部10円 1ヵ年360円（送料共） 振替口座東京12055番

クラブの綱領

一、私達は実践を通じて自ら学ぶとともに互いに力を合わせてより良い農業、より良い生活を築きます。一、私達は科学的に考え [illegible]

「青年の船」出港

七人の同志元気に

東南ア諸国歴訪の途へ

全国仲間の贈物を携え

次代をになう青年に視野を広めさせ、広い教養を身につけさせようと政府が企画した第一回の「青年の船」は、全国から選ばれた十八歳から二十六歳までの男女青年など三百八十六人を乗せて、さる十九日午後一時、東京・晴海ふ頭を出港、東南アジアに向けて旅立った。これには、全国4Hクラブ連絡協議会推せんの七人が4Hクラブ員として参加、全国のクラブ員から贈られたはなむけを携えて [illegible] と元気に出航した。

[illegible]

出港 眼前を圧する「青年の船」さくら丸。幾条ものテープが初春の風に花のようにひらめく。その中に、4H旗がひときわあざやかに映えた。

[illegible] イプなどがあちこちにみられ、教室の両側も傾斜している。床全体が傾いていて初めのうちは足もとの [illegible] より悪いと、女子との差にしぶい顔をしている男子クラブ員もいた。教室などに飾られた写真の中には、全協が提供した4Hクラブ員の活動を紹介したものもあった。

船内は広く、見送り人でごったがえし、人を探すのも大変なほど。このような中で、団員たちは、地元からかけつけたクラブ員や県連役員、県担当者、肉親、親せき、知人、それに全協、4H協会職員らの激励を受け、記念撮影におさまっていた。

[illegible] 訪の途へ向った。

昨年十二月静岡県御殿場市の国立中央青年の家で開かれた全国4Hクラブ中央推進会議（全協と日本4H協会主催）で、参加者全員が同会議に参加した「青年の船」団員七人に一万円近い金を贈ったが、彼らの手から世界の友に渡され友情を結ぶきずなになるものと予想される。

これら全国のクラブ員の支援に意を強くした団員七人は「この青年の船団員の約四分の一は農業青年で4Hクラブ員です。4Hクラブ員がこの青年の船団員の指導権 [illegible]

「青年の船」団員の制服、制帽姿の4Hクラブ員（左から二宮、長瀧谷両君、砂川さん、松田、清水両君）＝さくら丸の休憩室で

[illegible] 理官以下二三、記録映画作成とその [illegible]

涼風暖風

政事と政治の違いは

米国の原子力空母エンタープライズが [illegible] 衝突、双方とも暴徒と化した。艦内に招かれた与党の代議士は、司令官と昼食をともにしながら歓談し [illegible] これは [illegible] 米国の使節ペリーが [illegible] 横井小楠は [illegible] 国是三論 [illegible]

[illegible]

二・六会が初の会合開く 茨城

クラブ活動や恋愛談義に思い出新た

【茨城】二・六会の第一回目の集いが、このほど筑波町の山水荘で開かれた。

二・六会とは、昨年の夏、千葉県で行なわれた夏の全国大会（第六回全国農村青少年技術交換大会）に茨城県代表として参加した人たち二十六名で大会期間中の八月二十六日に結成した会で、二・六会と名付けたもの。

当日は、全国大会に参加したクラブ員はじめ県連役員、県担当者など多数が出席し、午前中は、全国大会で得た成果をクラブ活動や農業経営にどのように生かしているかなどを中心に、クラブ活動や恋愛談義に花を咲かせた。

午後からは二・六会の発展を祈ってパーティを開き、全国大会中に九十九里の砂浜でおぼえた大漁節、九十九里音頭などが次々に飛び出し、大会のキャンプファイヤーを再現するような一幕があって笑いのうちに第一回目の集いを終え、さらに二回目の再会を約束して家路についた。

（二・六会々員、江戸崎4Hクラブ員、村山文雄君より）

会長に牧野君

北海道・上川4Hク連

【北海道】上川管内4Hクラブ連絡協議会はこのほど上川支庁で総会を開いた。

当日は管内市町村のクラブ代表 [illegible]

りんごの研究など決る

青森・館4Hクラブで総会

会長に船場義君

【青森】三戸地区の館4Hクラブでは、さる九日、第七回通常総会を開き、新年度の役員を次のとおり選んだ。

▽会長 船場義雄▽副会長 越後一雄

後忠敬▽書記 越後正博▽会計 船場昭雄▽監事 船場信一、越後一雄

▽園芸部長 越後一男、記録係 船場洋明▽水稲部長 山田正典、記録係 山田文則▽野球部監督 船場茂（非クラブ員）コーチ 船場幸男（同）

また、主な事業計画を次のとおり決めた。

▽りんごの剪定研究会（夏期研究会もかねる）▽りんごの人工授粉用花粉の共同採取▽りんご品種更新用苗木の育成（スパータイプと最新品種）▽水稲病害虫の共同防除▽水稲深層追肥の普及▽県内視察（りんごを中心として）▽クラブ員県外研修（東海地方、みかん地帯、野球親善試合をかねて）▽野球各種大会に参加▽農産物総合共進会開催など。

クラブ、放送など話合う

宮城県連 新春早々からリーダー研修

【宮城県＝峰岸義信連絡報道員発】4Hクラブ員を中心とする宮城県農村青少年リーダー研修会は、県、同4Hクラブ連絡協議会（会長、高野秀雄君）同放送利用クラブ推進協議会の共催によって、さる九日から十一日までの三日間、宮城農学寮内の県農村青年研修会館で県下の農村青少年八十四名が参加して開かれた。

これは、例年県と県4Hの共催によって行なわれてきたが、ことしは放送利用推進会議も加わり、NHK仙台中央放送局の協力をえて進められ、県連役員が研修会の執行に当った。

参加者は、現に農業に従事し農業や生活などについて研究活動を行ない、それぞれの青少年集団に参加していて、将来幹部として嘱望される農村青少年男女が対象。今後の農業の改良と生活改善に関する知識、技術を修得させるとともに、グループの内部指導者としての資質の向上をはかることを目的として開かれた。参加者も二十歳前後と若く、研修のプログラムにも漸新さが加えれた。

まず第一日目は、午前十時の受付開始とともに未来の農村をになう青少年が続々と集まった。新春はじめての研修参加とあってか、みんなの顔も明るく希望にみちて輝いていた。オリエンテーション、開会式のあと「東北農業の動向」と題して吉田寛一氏（東北大農学博士）の講演が行なわれた。内容は、終戦後から現在までの東北地方の農村の動き、今後の方向と農村青年の役割などについてであった。つづいて「親の立場、子の立場」と題する加藤きみ氏（宮城婦人少年室長）の講演を聞いた。内容は農家生活における親子関係、とくに、これからの嫁と姑のあり方についてであった。このあとNHK提供の映画「番組ができるまで」を鑑賞、前夜祭、意見交換などをして過した。

二日目は朝六時に起床、洗面、体操、清掃などのあと「テレビ学習」と題して、テレビの見方や利用の仕方などについて小林義朗氏（NHK仙台中央放送局製作課長）の講話があった。つづいて分科会を開いて、放送利用とこれからのクラブ活動について話し合った。

このあと「望ましい4Hクラブ活動」と題して、4Hクラブの本質の正しい認識と実践について新田健吉氏（日本4H協会事務局長）の講演があり、ついで県連事務局長の県連活動情勢についての説明が行なわれた。映画（宮城県農村青年祭実況録画）の鑑賞のあとレクリエーション、キャンドルサービス、自由交歓などで楽しいひとときを過した。

三日目は前日と同じく朝六時に起床、洗面、体操、清掃などのあと、全体会を開いて、分科会報告を中心に放送利用とクラブ活動について討議した。つづいて高橋良雄氏（前宮城県農政普及課々長）の講演、反省会、閉会式などで研修会の幕を閉じた。

以上のような内容で研修が行なわれたが、出席者は次期リーダーとして、単位クラブまたは地区連から派遣されたクラブ員だけあって、話し合いや講演を聞く態度も真剣そのものであった。また巧みな県連のリードによって休憩時間には台唱やゲームなどで無駄なく過ごしたこともあって、殆んどが初対面同士であったが、三日目ごろには、すっかり雰囲気になれて活発な全体討議になった。

反省会でも次々に要望や意見が出され、県連役員や篤志指導者の人たちも〝なるほど〟とうなずいていた。とくに「県連役員の人たちにだけ負担をかけるので、私たち参加者にも役務分担させて下さい」「やっと雰囲気になれたところで研修会が終ってしまう。それに一年に一度なので、もっと期間を長くして、参加者の数を限定しないでほしい」など、明日のクラブリーダーにふさわしいクラブ員の力強い姿がみられた。

改善は農地測量から

奈良・生駒4Hクラブ 測量技術研修会開く

【奈良県＝広井洋司連絡報道員発】生駒4Hクラブ（会長、北川治見君）では、昨年の暮、生駒郡三郷町役場で、同役場の中井係長を講師に依頼して測量技術研修会を開いた。

当日はクラブ員十名が参加、農地測量の仕方などについて、平板三脚を用いて中井係長の指導を受けて実習した。

農地や建物の構造物などの尺度は、同地でもこれまで個人のカンに頼るところが多くみられ、その結果、農業の合理化が相当欠けていた。また、農地の面積が実測面積とは相当の開きのあるところがあり、施肥の場合正確な計算はたてられなかった。そこで、今後の農業経営のうえで、各自の経営の実態を的確につかみ、科学的、計画的に押し進めていくためには、その第一歩として測量技術を身につけていく必要があり、生駒クラブ員総意のうえ、この研修会を開いたもので [illegible]

この日は [illegible] の実際③計 [illegible] て学んだが [illegible] 得した測量 [illegible] ラブ員の手 [illegible] 農地を計り [illegible] だして農業 [illegible] ことになっ [illegible]

（なお、[illegible] 北川会長か [illegible] のです）

チームワークで測量に張切る生駒4Hクラブのクラブ員たち

心頭技健

[illegible] は、青年代表など三百八十六人を乗せて、さる十九日、東京・晴海ふ頭から東南アジアへ向けて旅立った▼この青年代表の中には、全国4Hクラブ連絡協議会から推せんされた七人のほかに、各都道府県で激しい競争率の中から選ばれた大勢の4Hクラブ員がいた。横の接触がなかったので、まだはっきりした数字はつかめないが、当日、船の中でそれを知ることができた▼今回の団員の職業別では、農林漁業関係者が最も多いことをみてもうなずけるが、このように日本の青年代表として大勢の4Hクラブ員が選ばれたことは同志として心強い限りである。彼らは立派に役割を果し、二ヵ月あとには、ひとまわり大きくなった姿をわれわれの前にみせてくれよう▼4Hクラブ活動は、殆んどの自由諸国で行なわれており、東南アジアの青年たちともすぐに心を結べるに違いない。友情のきずなを深め、世界平和への道を広げてほしいものである。それに、彼らが、その使命を自覚、可能性を求めて探究しようとする意欲を燃やし、大いに努力しようとしていることは心強い▼昨年の全国4Hクラブ中央推進会議で参加者全員から寄せられたお金で4Hの旗やバッチ、日本の4Hクラブを紹介する英文のパンフレット、写真帳などをつくった。出港のとき、彼らは眼がしらを赤くしながらその旗を船の看ばんに高々とかかげた。これには他の団体関係者はどんな顔をしたかは知らないが、彼らの誇りと自覚のほどがうかがえてよかった▼出発間際には、彼らには心配は余りなかった。砂川さんは、とかく女性の間でありがちな船内での人間関係に気づかっていたが、これなど心配のうちに入らないだろう。〝天気晴ろうにして波静か〟に過ぎ、元気で帰国されることを祈念したい▼この「青年の船」は、明治百年の記念事業の一つとして政府がことし初めて実施したものだが〝可愛い子には旅させろ〟という諺を借りるまでもなく、よい企画であり、成功させて長続きさせてもらいたいものである。〝私も行きたい〟という人がいっぱいいる。

ダンスパーティーの益金を寄付

北海道 [illegible] 4Hク

[illegible]

開校まじかい 中央農民大学

入学生 今月下旬選考 農村の中核者に全国から50人

地域農業の振興と社会開発推進の中核となる農業青年を育成しようと農林省が二年前から設立の準備を進めていた中央農民大学（農林省中央青年研修施設＝東京・南多摩郡多摩町の農試試験場内）は、いよいよ今春四月から開校されることになり、その第一回入学生の入学試験が来る三十一日と二月一日の両日、東京の農林省ホールなどを会場として行なわれる。

この農民大学は、学校教育または実務研修教育を終了後、大体二年以上農業に従事している優秀な農村青年を入学させ、講義、演習、派遣実習などによる独自の学習方法と合宿生活によって、農業経営に対する自信と応用能力を身につけさせ、地域社会開発の中核者になってもらおうというもので、いわば農村のエリート養成所。

学生は、一学年五十人前後で、三年制。一年目は、集合教育として合宿による学習、二年目は、七ヵ月が集合教育、あとの五ヵ月は農業試験所や先進地農家への派遣実習、三年目は、初めの八ヵ月は在宅学習、そして最後の四ヵ月間集合教育を受けて卒業する。

当分の間入学生は男子だけで、一年生の部屋は個室。二年目になると二人一部屋になる。一年間の経費は一人当り大体二十五万五千円が見込まれているが、その半額が国、四分の一が都道府県、残りの四分の一と教科書代約一万四千円を個人が負担することになっている。

教育の方針は、農業を広い視野から捉え、判断して行動するような人材を育成する観点から、農業経営者が自分の経営と生活、さらには地域社会の開発などについて時代の動きとともに、直面する問題に対し、これらをどうとらえ、理解し、それにどう対応するかについての応用能力と自学自習の精神を涵養する。

その具体的な方法としては❶社会生活における規律を身につけるため全員が合宿し、自治を建前として生活する❷教育は、自然科学をはじめとして社会、人文科学など各分野にわたる基本的知識を学ぶ講義、演習など（集合教育）を [illegible] 派遣実習や在宅学習を行なう [illegible] 講義や演習は、教育、研究、行政機関などの一流の専門家、学識経験者を学習内容に応じて講師とするという。

卒業後の資格については、普通 [illegible] と同じく農学士の称号を与えるようにしてはどうかという意見もあるが、まだ決っていない。

応募資格は❶高等学校卒業者またはそれと同等以上の学力があると認められた者で、都道府県知事の推せんした者❷昭和十八年四月二日以降に生まれた男子で❸ [illegible] 農業に従事し、この大学で研修 [illegible] 引きつづいて農業に従事す [illegible] ることが確実なもの。今年度は、すでに各都道府県から適格者三人（北海道は五人）が推せんされてきている。この中から今回の試験で約五十人を選ぶわけで、一日目が筆記試験、二日目に面接と身体検査（とくに胸部疾患などの伝染性病患の有無について）を行ない合格者は、二月上旬都道府県知事と本人に通知することになっている。大学卒業後、地域農業振興の中核となるたて前から各都府県とも一名以上の合格者が考えられるが、試験の成績によっては、一人も合格しない県が出るかも知れないと関係者は語っている。

一方、教室などがある本館は昨年、また宿舎は本館の近くにいま建設中である。

本館は鉄筋コンクリート造りの三階建てで、建築面積が五四〇、三三一平方㍍、延べ一、五九二、一二八平方㍍。一階に講堂、学長室、職員室、事務室各一個、二階に図書館一、教官室五、講師室二、事務室一、三階に教室二、ゼミナール室四個がある。

宿舎も同じく鉄筋造りの四階建て。建築面積が五五〇平方㍍で延べ二二三三平方㍍。

一階に風呂場大小二個、洗濯場一、二階に集会室二、談話室一、講師室三、三階に食堂、医務室、会議室、事務室、宿泊室各一個。また、個室五〇と二人部屋二四個があり、個室はテラスつきというモダンな部屋。

予算は、四十一年度に七千十一万三千円、四十二年度に九千七百四十九万二千円、そして今年度は七千百二十三万六千円と三ヵ年で計二億三千八百八十四万円となっている。

なお、グランドはいまのところ敷地内には予定されていないが、目下検討中という。

ただ問題として、学校卒業後二年以上農業に従事している優秀な農業青年である場合、すでに経営でも大きな力となっていること、経営の種類によっては、二年以上も経営から離れられないこと、卒業後、地域社会でどのように位置づけされ、どのような役割を果すか明確でないこと、また生徒が一年間に五十人ではと効果が弱いことなどの点はあるが、いずれにしても、国自ら腰をあげて中核的農民を養成しようとしていること、これによって若い農民がかなり刺激されることは確実であり、今後の成果は大いに注目されよう。

完成した中央農民大学校の本館（東京・南多摩郡 [illegible]）

中堅者志し腕磨く

三重県連 花やかな部門別活動

【三重県＝西村喜代司連絡報道員発】三重県農村青少年クラブ連絡協議会（会長、岡田常雄君・会員千六百名）では、今年度県連活動方針の五つの柱＝❶組織体制の整備強化（地区連活動の充実、リーダー研修会の開催、顧問参与の依嘱）❷仲間づくりの強化（技術交換会、農業高校生との交歓会、青年会議、レクリエーション大会）❸部門別研修活動の推進（生産部門別技術研修会）❹情報交換活動の強化（県連機関紙「緑の三重」の充実）❺農政活動の推進＝を中心に多彩な行事を展開し、県連のより一層の発展充実を図っている。そこで、今回はとくに「部門別研修活動の推進」の一環として、県下各地でいろいろの技術研修会が計画され実施されているので、それらにスポットをあててみよう。

農村はいま、めまぐるしく移り変っている。私たちはその変り行く農業の中堅者とならなければならない。近い将来われわれの腕をみせるときが来るのは必至である。このため、その日が来ても途まどうことなく、立派な農業者として農村を背負っていけるようにと、いま、県下のクラブ員が集まって、昨年活動方針にあげただけで活動ができなかった部門別活動を再びとりあげて、農業生産面の技術の向上や、農村生活面のホームマナーの取得に努めている。

各地区では地域性を生かした部門別研修、研究、また県連では年に一度以上、部門別の研修会をもち、クラブ員それぞれの経営内容の紹介から、専門技術員の話しに耳を傾け、あるいは先進地には体験を語ってもらい、自分たちの経営上の失敗、問題点などについて話し合い、専門知識を身につけて技術の向上に役立てようと懸命である。

部門としては、稲作、畜産、園芸、果樹、生活の五つに分けてとり上げ、茶は地区研修を主体にして、必要に応じて県で部門別研修を行なっていく方針である。

その部門別専門研修会のうち、二つの研修会を紹介してみよう。

三重県連の農村女子青年研修会で熱心に語り合う女子クラブ員たち

鈴鹿の山野に若い歌声

一つは、さる九、十日の両日、鈴鹿市石薬師町の三重県農業経営研修所で開かれた三重県連生活部（堀美代子部長以下二百八十六名）主催の農村女子青年生活研修会である。

これは、県下の農村女子青年が将来、よい家庭の主婦となるため現在の農村生活を幅広く、また科学的に考え、より明るい農村社会の建設に積極的に参加するように意見を交換してみんなで考え、今後の地域グループの活動に反映させることをねらいとして開かれたもので、農村の女子青年三十六名が参加した。

まず第一日目は、開会式、オリエンテーションのあと午後一時から、新しい試みとして「父母との話し合い」を開いた。女子青年の二人のお母さんに出席してもらい若いときの思い出や考え、今日の生き甲斐などについてひざを交えて話し合い、それをもとに分科会（三分科）を開いて話し合った。

分科会でとくに問題点として出たのは❶私たちは今何をすべきかについて❷言葉の使い方❸労働の配分について❹女性から男性に希望すること—などで、その答えとして次のことがらがあげられた。

❶では、習いものはなんでも一通り出来るようにしたい、栄養知識を身につけたい、自動車の免許をぜひとりたい、など❷については、家庭の雰囲気づくりに努力し、ちょっとしたことばにも気を配りたい。一例として「ハイ」「ご苦労さん」「えらかったな」など❸については、部門別に分けてやる（生産と生活）❹では、家計簿は初めからまかせてほしい、個室はぜひほしい、などの意見が多かった。このあと二時間にわたって、女性ならではの美容実習が行なわれ、つづいてレクリエーションで楽しんだ。

二日目は朝六時半に起床、朝のつどい、朝食のあと前日につづいて分科会を開き、話し合いの内容をまとめた。午前十時半から正午まで愛知県立名古屋女子大学家政部長の福島フミ先生の「これからの女性のあり方について」と題する講演があった。

昼食のあと、南米視察から帰国した岡田県連会長の報告会が催され、午後三時前、この研修会の成果を各地区に反映させようと誓い合って閉会した。

期待の果樹研修会開く

次に、今月二十二日から二十四日まで南牟婁郡御浜町志原の紀南分場研修館、同町下市木の市木公 [illegible]

ことしの青果物出荷予想 農林省発表

玉葱、みかんが良い 干害のカバーや作付の拡大

[illegible]

野菜

[illegible]

果樹

[illegible]

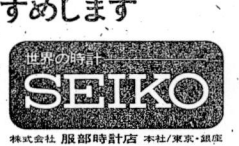

優れた経営者たち

農業にたずさわる人にとって、優れた業績をあげた経営者たちの事例を多く知ることは、新しい勇気を与え、自分の経営に対する意欲を鼓舞するものである。たとえ、それが直接自分の経営種目に結びつかない場合でも、優れた経営者が心血を注いで成しとげた事例には多くの示唆が含まれているものである。そこで本欄では、昨年の農業祭において栄ある受賞をされた方々の立派な業績を数回にわたって紹介することにした。まず第一回目は、肉用和牛で天皇賞を授与された岡山県・沖田洋美氏の業績をとりあげた。（左の写真は、受賞の対象となった黒毛和種、種雄牛第十九横氏号）

岡山県阿哲郡哲西町八鳥二八〇　沖田洋美氏

見事な種和牛を育成

模範的な親子契約経営

沖田氏は、現在育成牛七頭のほか、水田一・二㌶、畑〇・二五㌶、山林八・四㌶と、四十一年からクリ園八㌶を一六戸共同で経営しており、この規模は哲西町では大農に属する。

労働力の中心は、同氏、次男夫妻および三男の四人である。数年前から親子農業の近代化、若夫婦の経済的独立という意味から、主として牛の育成は同氏が、稲作は次男夫婦が担当し、父と三男は忙しい方の作業に従事している。もちろん農繁期、共進会など多忙な時期にはお互いに努力し合っている。

育成牛の経営では、種雄牛としての販売率が最大の問題であるが最近五年間の成績は、販売率八九％ときわめて良好である。

飼料面においては、今までの稲わら主体から、良質飼料の自給に意を用い、水田裏作としてイタリアンライグラスなどの飼料作物をとり入れ、青刈り給与のほかエンシレージや乾草をも調製し、冬期間飼養の合理化もはかり、また飼料用大麦の生産を行なって、購入飼料の節減に努めている。したがって最近では、飼料の購入は一部の配合飼料やダイズ油かすなどに限られ、四十一年度には牛販売費に対して購入飼料費の割合は一一％弱に過ぎなかった。

米作、麦作については、厩肥の多投と適期作業などによって、一〇㌃当たり収量は水稲で八・五俵（町の平均七・五俵）、大麦で八俵とかなり高い生産をあげている。

農機具類としては自動耕耘機、トレーラー、脱穀機、発動機、精麦機各一台とカッター二台のほかトラクターを一六戸で共有している。牛舎などの建物施設も必要なものに限られており、その配置にも工夫がみられ、育成牛と耕種の両面での経営の合理化がはかられている。

また近年、薪炭材を目的としていた山林八・四㌶に杉桧の植林を五㌶まで行ない、さらに樹園改善事業に参加し、四十一年にはクリ園八㌶の共同経営もはじめるなど父子で経営改善に積極的にとりくんでいる。

建物施設

名称	棟数	建坪	摘要
牛舎	1棟	72.6㎡	木造2階建、瓦ぶき
農機具庫	1〃	14.85㎡	〃 平屋建 〃
倉庫	1〃	24.75㎡	〃 〃 〃
サイロ	1基	1.8m×3.3m	半地下式
牛繋場	1〃	72.6㎡	コンクリート盤つき

全国共進会で首位入賞

まずこの出品牛の選ばれた共進会の特徴をあげると、今回の全国和牛産肉能力共進会は、今までの畜産共進会とその趣きを異にして今までの役肉用から肉用への改良方向の転換により、とくに今後の和牛に望まれる産肉能力に重点をおいて、七ヵ月以上の長期にわたって行なわれた。

すなわち、現地で子牛の時期から発育、体型、飼養管理などを調査し、出品者にも飼養管理について記帳させ、三回におよぶ慎重な審査により、良好なものの選抜を重ねて、この共進会の最終段階で優良なものが岡山会場に集められそのなかから抜群の成績で総理大臣賞および農林大臣賞を受賞したものである。

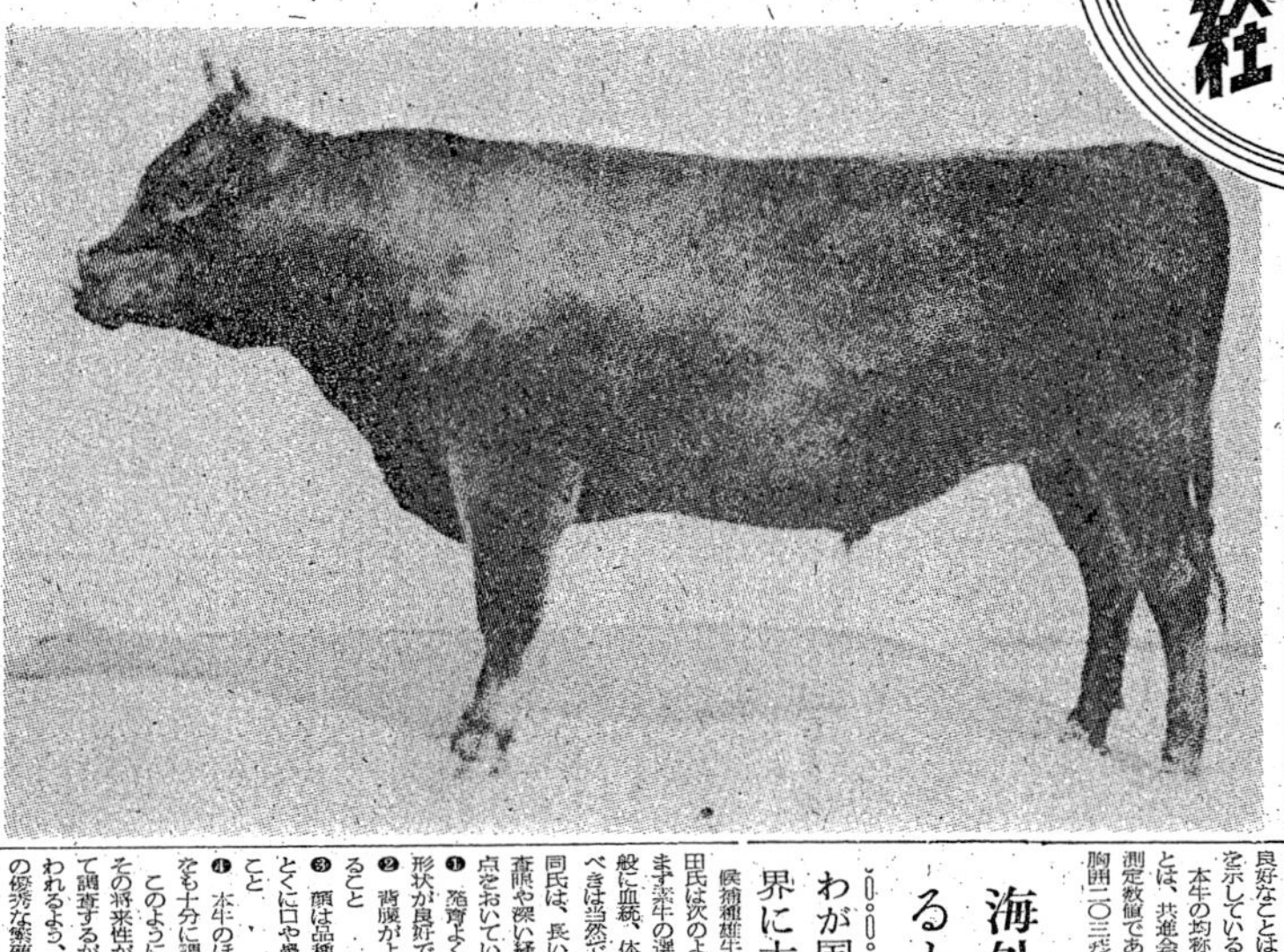

この出品財は、肉用牛（黒毛和種種雄牛）で、名号は第十九横氏号、昭和四十年三月八日生まれである。

本牛の血統は、岡山県における古来からの和牛生産地である阿哲郡の有名な系統である。ことに母方には第六清国号、第六荒神号のような実績をあげた有名牛が用いられ、父方にも第六荒神号が二代祖におり、広い意味での系統繁殖が行なわれた結果、本牛が生まれたとみてよい。

なお、母方の秀䔥号には、兵庫県の系統が入っており、これが本牛の良好な資質に貢献しているものと思われる。本牛の系統は、この秀䔥号を除けば、すべて阿哲郡産の牛であり、いわゆる阿哲牛（または千屋牛の名で有名である）の代表的なものとみてよい。また母牛の第九よこうじ号（昭和二十七年六月十日生まれ、産子一〇頭）はいまだ健在で繁殖を続けており、多産で活力に富む系統である。

本牛の第一回全国和牛産肉能力共進会の最終審査（岡山会場）における講評は、次のとおりであった。

「均称、体積、発育はいずれもすぐれ、背腰、十字部は良好であり、加えて和牛改良の一つのポイントである腿においては、外腿の充実とその腿下りの点でとくに良好であり、さらに顔、角、皮膚の良好なことは、その資質の優秀さを示しているものと認められる」

本牛の均称、発育のよろしいことは、共進会当時（一九ヵ月令）の測定数値である体高一二八・二㌢、胸囲二〇三㌢、体重六〇八㌔からみてもはっきりしており、とくに共進会の全期間（二二〇日）における一日当たり増体量は一・一一㌔を示し、この数値は、肉用種牛としては、すばらしい増体であり、しかもこの形質は、ヘリタビティ（遺伝性）の高い点から考えて、本牛は遺伝的能力のすぐれた種雄牛と判定できるであろう。

また、本牛の作型上の特色は、その背巾の大きいことと腿の形状のよろしい点である。これは、いずれも産肉能力を高めるためにはまずこの二点を改善しなければならないが、本牛はその二点においてとくにすぐれている。ことに腿の形状、すなわち外腿の充実していることと腿下りのよいことは今後の和牛の理想像に近い。

本牛のこの二大美点の遺伝状況については、調査時点ではまだ産子がみられないので、的確には判定しえないが、母牛、祖父、曽祖父などに腿の形状のよいものが多いこの牛の系統からみて、おそらく間違いあるまい。

元来、種雄牛の育成にはきわめて高度の技術を要するもので、失敗する例も多い。沖田氏が綿密な系統の調査をして、すぐれた素牛の選定眼をもち、強い信念とさらに卓越した育成技術と相まって、よく本牛をしあげたことは高く評価されてよい。

本牛は、現在岡山県和牛センター（試験場）で種雄牛として供用中である。調査は現在（昭和四十一年十月十六日）で生後三一ヵ月体高一三五・六㌢、胸囲二二九㌢、体重七五〇㌔を示し、審査標準（六〇ヵ月令時）の目標体重をすでに二〇㌔もオーバーしており、均称、発育よく、体積にとみ、背腰の状態よく、腿の形状は抜群であった。

本牛は、四十二年五月一日から繁殖に供用されたが、九月三十日までに五七五頭に授精され、十月十五日における受胎見込の判明したものは四一四頭にのぼっている。また本牛の精液の性状は良好で、夏期においても活力の低下はみられなかった。

結局、本牛は体型、資質においても近年まれにみる優良牛でありその様相は、現在における和牛の未来像を想わすに十分であり、また、その系統のすぐれている点とを併せて考えれば、本牛は将来優秀種雄牛として多くの業績を残し、肉用に転換したわが国和牛の改良に貢献するものと期待してよかろう。

海外の専用種に勝るとも劣らぬ増体

わが国畜産界に大貢献

候補種雄牛の育成について、沖田氏は次のように努力している。

まず素牛の選定にあたっては、一般に血統、体型、資質など配慮すべきは当然であるが、そのほかに同氏は、長い研さんで培われた審査眼や深い経験から、次の点に重点をおいている。

❶ 発育よく、とくに後軀の幅と形状が良好であること

❷ 背腰がよく、骨盤に富んでいること

❸ 顔は品種の特徴をよくそなえとくに口や鼻が十分発達していること

❹ 本牛のほかに父母牛、兄姉牛をも十分に調査すること

このように候補種雄牛として、その将来性があるかどうか徹底して調査するが、これが円滑に行なわれるよう、とくに平常から各地の優秀な繁殖牛をマークしておきそれぞれの地区の協力者から常に情報を入手して、広く育成候補牛を物色する方法をとっている。

氏はまず最初に検査する牛の月令は二～三ヵ月で行なっており、時には母牛の受胎中に予約する方法もとっている。この二～三ヵ月令時の検査は、子牛が環境の影響を受けることの少ない時期にあたり、検査の適期といえよう。

飼料の給与状況をみると粗飼料と濃厚飼料の年間のバランスをとり、粗飼料では生草と乾草のほかに、稲わらにより乾物量を調整し、育成の前半（一五月令ころまで）に十分な栄養を与えて発育を促進し、個々の発育状況に応じてダイズ油かすを調整的に用いている。

管理状況は、毎日朝夕時間を定めて一回三〇～四五分のひき運動を行ない、運動の前後に皮膚や肢蹄の手入れ、および発育段階に応じた調教を行なうほか、敷わらの交換を励行している。

飼料生産については、水田裏作の利用により、大麦の実とりとイタリアンライグラス、レンゲを主体としており、麦は多収を、飼料作物は収量よりもむしろ品質に重点をおいている。またこれらを生産する水田には、厩肥の多投などにより土質改良にも注意を払っている。

なお氏は、牛育成部門の合理化により、薪炭林から杉桧林への転換や、地域の特産品であるクリ園の造成にも着手している。

以上の素牛の選定、飼養管理、飼料生産などのすぐれた諸技術の周到な組み合わせと、四〇余年にわたるたゆまぬ努力が、本受賞牛をはじめ多くのすぐれた種雄牛の育成をなしとげたのである。だがしかし、忘れてならないのは、父の指導と息子たちの不断の協力である。つまり、今回農業者としてわが国最高の栄誉に輝いたことは、阿哲地域の先覚者たちが不撓不屈の信念をもって営々と築いた産牛、またわが国の和牛が、今まで役肉用から肉用にと大きく転換しているときに、沖田氏が海外の肉専用種に勝るとも劣らぬ増体成績を実証したことは、広く和牛飼養農家はもちろん、肉用牛関係者に生産改良への強い意欲鼓舞したもので、その意義は大きい。

さらに、わが国の肉用牛における人口授精の普及率が九〇％を上回り、家畜改良事業団を中心とする凍結精液の利用が推進されている点からも、優良種雄牛の確保はきわめて緊急であり、しかもわが国の種雄牛の大部分が民間で育成されている現状から考えると、氏の卓越した技術は、これら民間育成家に普及すべきはもちろん、一般生産者にも種々参考になる事項が多いものと考えられる。

飼料給与標準日量（単位：㎏）

飼料名	10～15月令	16～20月令	摘要
生草又はエンシレージ	10.0～12.0	12.0～15.0	
乾草	0.5	0.8～1.0	
稲わら	4.0～4.5	4.5～5.0	
大麦	2.5～4.0	4.0～5.0	
ふすま	3.0	3.0	
配合飼料	2.0	2.0	肉牛用
ダイズ油かす	0.8	0.8	

（註）1．ダイズ油かすは牛の状態により加減する
2．乾草は無生草期に給与する
3．ほかにカルシューム鉱塩などを給与する

作目および生産物の仕向率

作目別		作付面積	100当たり収量	仕向比率 販売	経営	家計	摘要
耕種	水稲	120㌃	8.5俵	80％		20％	
	大麦	50	8.0俵		100％		主として水田裏作
	イタリアンライグラス	60	4,000㎏		100		主として水田裏作
	レンゲ	20	2,500㎏		100		主として水田裏作
	野菜	5				100	
畜産	候補種雄牛	7頭					41年度4頭販売

（註）耕種部門は41年度、畜産部門は42年10月現在

略歴

沖田洋美氏は、明治四十一年三月二十日に沖田満穂氏の長男として哲西町に生まれ、現在、肉用牛候補種雄牛七頭の育成と耕地一・四五㌶を経営している。

氏を語るには、まず父を忘れてはならない。父満穂氏（故人）は阿哲の和牛産地に生まれ、若くから候補種雄牛の育成を行ない、研さんをかさね、優良牛の育成で農林大臣賞をも受けた経験をもち、また、大正初期から昭和二十二年まで種雄牛をも飼養して、地域の和牛の改良増殖に貢献し、現在なお健在である。

氏はこのような家庭に育ち、幼年期から牛に親しみ、少年期には父から牛の手入れ、追い運動の手ほどきを受け、草刈りなどを手伝った。

大正十四年、農業補習学校を卒業以来、本格的に自家の和牛経営に参加し、父の指導を中心に和牛の育成に関する技術知識を深め、父のよき協力者として過ごした。

種雄牛で天皇賞

二代がかりで和牛の改良

戦後は、地域振興策として、耕地の少ない県北部で広大な牧野をもつ阿哲地方では、和牛振興が提唱された。

昭和二十二年ごろから、氏は一家の主柱として、和牛育成の責任者となり、自己の後継者として次、三男の薫陶に当るほか地区の畜産指導者として常に意を用いた。

とくに昭和三十年には哲西町議会議員に選ばれ、町畜産振興会を発足させるなど振興に努めまた、三十八年には野馳農業協同組合の理事に選ばれ、組合員の畜産振興についての指導的役割りを果たした。なお現在、次男が氏に代って同農協の理事として活躍している。

氏は、昭和二十四年に開催された第五回県畜産共進会に自ら育成した候補種雄牛を出品して以来、本年まで毎回県共進会に候補種雄牛を出品し、常に上位に入賞しており、とくに今回の全国和牛産能力共進会では首位に選ばれた。

この間、ほぼ二〇年間に約八〇頭もの種雄牛を育成して広く供給した。このうち県段階以上の共進会に出品したものは三六頭にのぼり、これまでに農林大臣賞八回と総理大臣賞も一回受賞している。これら種雄牛は岡山県のみならず、広く西日本で活躍して、わが国肉用牛の改良増殖に貢献している。

これらの業績に対し、三十六年には阿哲畜連会長から畜産功労者として、四十一年には哲西町長から産業功労者として表彰され、さらに四十一年度に岡山県知事および阿哲畜連会長から畜産功労者として、それぞれ感謝状を贈呈されている。

氏の家族は、父母、次男、次男の妻、三男および孫二人で、いずれも健康であり、家庭は明朗である。氏は父の深い薫育を受け、旺盛な研究心と育成については、強い信念をもち、次、三男をよき後継者として育てており、次、三男も進んで協力しまさに牛の一家といえよう。

若い女性の人気もの
コーデュロイ

最近、個性をもとめる女性が多くなり、彼女たちは自分の思いのままに着飾るようになった。ことしの冬のコーデュロイの人気はすさまじい。色、畝、光沢の微妙なちがいなど種類も豊富。個性の強い素材だからどんな人が着ても独特の雰囲気が出る。それだけに高度なおしゃれのセンスがものをいう。

婦人労働に期待せず

家庭を楽しくする農業を

栃木県那須郡黒羽町・河原4Hクラブ　藤田京子

私たちがこれから自分の経営を確立してゆくためには、次ぎの三つの問題を解決していかなければならない。

まず第一は、収入を安定させることである。

これは常に農業経営が安定していることであり、それには所得が八〇万円以上は必要であろう。例えば、六人家族の農家の平均生活費は七四万円かかっているといわれ、そのために、私の住む山間地帯においては、水稲＋タバコ（二・四㌶、所得二五万円）＋和牛（二頭、所得六万円）＋山林（四㌶、二〇万円）の所得の合計は九〇万円である。

この地帯は、このほか酪農、養豚、しいたけなどを営んでいるが、とくにこれから改善しなければならないのは、労働の省力化である。目標は長期目標と短期目標があげられるが、長期目標は困難だから短期目標として、三年後には所得一五〇万円としたい。

私の場合、水稲（一・二㌶、所得五〇万円）＋タバコ（三〇㌃、四〇万円）＋和牛（七頭、二〇万円）＋山林（四㌶、四〇万円）を目標においている。

経営規模の拡大も必要だが、それより生活を苦しめてはならない。低利子の資金などを利用して所得の増加をはかり、生産の安定と生活が豊かになるよう努めなければならない。

第二に、家庭を楽しくする農業経営でなければならない。

私は、経営者の理想として、企業的農業経営を望んでいる。すでにビニール・ハウスや苺、養豚、酪農などを実施している人もいるが、私の住む地域での企業経営はそこまでやっていない。

農業は自分の手で収穫し、飼育できることが喜びであり、楽しみでもあると思う。これは他の職業では味うことのできないものと思っている。

だから、私は主婦の勉強と併せて営農の勉強もしている。とくに主婦は、家事、育児、営農と多忙であるので、労働を軽減できるように努めなければならない。そして常に収入が安定し、向上するよう併せて努力しなければならないと思う。

第三は、婦人労働を期待しなくてもできる農業経営にしなければならない。

これは、若い間はある程度の農のために犠牲になるのもやむを得ないと考える。生活を豊にするために収入も増大しなければならないし、一方、収入をあげるためには労力も多くかかるからである。

しかし、これからは営農していく中で、機械力や労働配分により改善してゆかなければならないし家族間の理解と協力が必要だと思う。

主婦の立場から考えると、農業はやはり主婦が日中も営農に従事し、朝夕の労働の配分、労働の軽減を家族に理解させ、協力してもらうことが必要である。

ニュース、天気予報 ふるさとの歌まつり

大阪・4Hクラブ員がよく見るNHK、放送

NHKのテレビやラジオ放送で4Hクラブ員がよく見たり聞いたりする番組は、仕事と密接な関係のある「天気予報」はじめ「ニュース」「ふるさとの歌まつり」などである―昨年の暮、NHK大阪中央放送局で開かれた大阪府放送農業グループ活動推進協議会主催の農村青少年放送懇談会で話し合われた。

次に多いのは、昨年いっぱいで終った「三姉妹」、そして「旅路」などやわらかいものが好まれている。

このほか「海外特派員報告」、ラジオでは「早起き鳥」「農業番組」などで、「歌のグランドショー」は奇抜な感じで好かない、「文吾捕物絵図」は堅すぎる感じがする、「素顔の青春」を夜放送してほしいなどの意見もあった。

とくに農事番組についてみると朝は仕事中で見られないので、夜に放送してほしい。夜十一時以降の再放送でも朝よりは見られる。「ラジオ農業学校」は若干程度が低い。「明日の農作業」は全国的に放送するせいか、時期的に合うときと合わないときがある。

また、以前の「飛行機雲」のような番組がほしい。農家に身近な生活素材を扱ったものが少ない「飛行機雲」は農村青年の悩みに参考になるところがあった。サラリーマン家庭のテーマが多く、農家が出てくるときは一般に暗く扱っている―など、ふだん4Hクラブ員の会合でも話し合われていることが指摘されていたようである。

（大阪府放送農業グループだより一月号より）

老人ホームにモチつきの慰問

栃木・上三川町4Hクラブ

【栃木】宇都宮市上三川町4Hクラブ（会長、高山勝利君）ではさる十二月二十七日、同市今泉町の老人ホーム「ちとせ寮」を訪れモチつきの慰問を行ない、老人たちから喜ばれた。

同クラブは、今夏開いた上三川町の体育大会のときのバザー益金と、先きに開いたダンスパーティーの益金をもとにして、こんどの慰問をしたもの。

この日は、クラブ員二十六人が各自に持ち寄ったモチ米二十八㌔、アズキ、納豆、大根とウス、キネなどモチつき道具一式を持ち込んでモチつきを行ない、七十二人の老人にごちそうした。

昼食後は、クラブ員が詩吟や歌謡曲、また「4Hクラブの歌」などを披露してねぎらった。

なお同女子4Hクラブは、このほど産業会館で料理と家計簿講習を行なった。

NHK農事番組（二月一日～十日）

テレビ

明るい農村　6・30～6・55総合
- 1日　時の話題
- 2日　新産物風土記　海苔
- 3日　農業新時代　電化農業　農業電化研究所　渡部一郎
- 4日　話題の広場　カメラ通信　村づくり組合長　和歌山県田辺市　廃棄期のイチゴ退塔　兵庫県池田市
- 5日　村の記録　交通事故相談員　山梨県一宮町
- 6日　くらしを考える　副業
- 7日　フィルム・リレー
- 8日　時の話題
- 9日　新産物風土記　うるし
- 10日　カーフ・センター　三重県菰野町

農業教室　7・00～7・30　教育
- 1日　果樹の機械化と省力
- 2日　〃
- 3日　〃　現地訪問
- 5日　食糧問題をどうするか＝食糧輸入の現在と将来
- 6日　〃　消費構造の変化
- 7日　〃　米の自給をどうする
- 8日　〃　畜産物の自給をどうする
- 9日　〃　食糧管理と米価
- 10日　〃　現地訪問

あすの村づくり　日　7・00～8・00　教育　再　土　13・00～14・00　教育
- 4日　グループだより　松山　仲間とともに　農外収入を捨てる　福井県武生市農業後継者クラブ　ある青年像　くろ十画伯　寅吉　繁

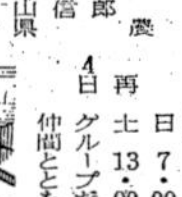

趣味の園芸　土　10・30～11・00総合　再　火　17・00～17・30　総合
- 3日　今月の庭仕事
- 10日　つる性植物を楽しむ

ラジオ

早起き鳥　5・50～6・00　❶
- 1日　産地訪問　ネギ　埼玉県豊…
- 3日　椿まつり　東京
- 5日　力持ち会場　岡山
- 8日　スキーの民宿大にぎわい　長野

ひるのいこい　12・15～12・34　❶

新しい農村　日　6・00～6・30　❷　再　火　14・00～14・30　❷
- 4日　グループのしおり　評論家　後藤竞三　現地研修　浦和

ラジオ農業学校　月～土　6・40～7・00　❷　日　6・30～7・00　❷　再　日～土　19・00～19・15　❷
- 2日　現地報告　洋菜にかける青年たち　滋賀県木之本町
- 3日　村のポスト　投書
- 4日　話題の窓　どうなる農業振興対策　森　有義ほか
- 5日　現地報告　山村の農村青年建設班　宮城県七ケ宿町
- 6日　この人にきく　厚生省人口問題研究所　黒田俊夫
- 7日　通信員の日記　興梠邦夫
- 8日　花木　静岡県引佐郡引佐町
- 9日　成功した畜産公社　埼玉県越谷市

わがクラブ わが同志

一人一名呼びかけ 女子クラブ員加入で盛上る

茨城県茨城町4Hクラブ　和家文雄

茨城県の中央に位置する茨城町は、水戸市を近くに近郊都市化の波にあおられて、農業に従事する青少年も少ない状態です。しかし数名の仲間たちによって、一昨年七月に4Hクラブの発足を行ないました。

発足当時は、男子八名でしたが一年を迎えるころには、クラブ員も十五名に増加して全クラブ員が一層のファイトをもやして活動を続けています。

活動内容も月一回の定例会のほか見学、キャンプ、ハイキング、研修会などの行事もなんの障害もなく実施してきました。活動内容は、まだまだ未熟な点もありますが、他のクラブの助言や協力により、現在はやっと一人歩きできるようになったのです。これも私たちクラブ員が一致団結した結果であると思います。

しかし、一年余り経過した私たちのクラブに女子クラブ員を入れようという考えがみえはじめました。やっと一人歩きできるようになったばかりのクラブに、女子を入れて、はたしてうまく活動できるだろうかという不安も感じられました。しかし、これはクラブ員から盛り上った意見でもあるし、とかく近郊化しつつある中で、農業に従事している女性が少ないのは覚悟のうえだったが「一人一名」の加入呼びかけということで普及所の名簿を調べて交渉にあたりました。

しかし現実はきびしかった。4HクラブのPR不足もあって「町の中に4Hクラブがあったのか、ちっとも知らなかったわ」というような中で説得するのも容易ではない。どうにか私たちこちらの意味も理解されて、一人二人と入会していただいて現在六名になりました。ときどき女子クラブ員がいないということを聞きますが、もっと積極的に加入を呼びかける必要があると思います。そうすることによって4HクラブのPRにもなるし、農村にはまだまだ、グループへ未加入の青少年が数多くいますので、その人たちにクラブ活動への参加を呼びかけることだと思います。

期待される女子クラブ活動

私たちは、去る十一月に定例会をかねて新加入クラブ員の歓迎会を行ないました。おどろいたことに女子クラブ員のファイトに、男子クラブ員も負けてなるものかとばかりにはりきって、前より一層の意気ごみが感じられるようになりました。

また活動内容も料理、生花なども加えられて、会合には必ずレクリエーションを行ない、たのしく、ゆかいに過す一方、農業の未来を背負って立つ青年らしく、人間形成の場としてクラブ活動を行なうつもりです。

昨年の夏は、陸稲のマルチング栽培の共同プロジェクトを行ない、栽培技術や仲間づくりのことについて多くのことを学習することができました。私たちの4Hクラブも、女子クラブ員を加えたことにより、大きく成長しようとしている現状です。こんご活動が活発になるも、悪くなるもクラブ員個々の考えと意欲一つであると思います。そのためには男子クラブ員はもちろん女子クラブ員の活動のやり方に大きな期待が寄せられています。

短歌

気にいりの　豚の近くに　腰かがめ　見いいる祖父に　笑いとみあぐ

故郷が　恋しといいし　友なれど　ひととせたたず　便り絶えたり

茨城県稲敷郡江戸崎町小羽賀　酒井美智子

滋賀 放送利用グループ研修会 モデル方法の公開

昭和四十二年度滋賀県放送農業グループのリーダー研修会は、十二月十九日午前十時から、県青年会館を会場にして、県下各放送農業グループリーダーなど、代表者約五十名が参加して開催された。

この研修会は、ラジオ・テレビによる放送を利用し、グループまたは家庭において学習活動をおこなっている放送農業グループのリーダーに対して、放送利用の体験交換と問題点の検討および放送利用法の研修を行ない、リーダーの養成をはかるとともに、グループ活動の助長をねらいとして、滋賀県、NHK大津放送局、県放送農業グループ推進協議会（会長・西川良三氏）の主催、県農業後継者クラブ連絡協議会（会長・河原田吉則君）の後援のもとにおこなわれた。

まず開会式のあと、堀井輝夫県改良課長から「放送利用が農業近代化のために、大きな推進力となるよう、よりよく、意義ある放送に育ててほしい」というあいさつがあり、つづいてNHK大津放送局森口一郎氏の放送番組の紹介。十一時から各放送利用グループリーダーによる学習内容の紹介があり、その後「放送利用と学習活動」のテーマで、県青少年専門技術員塚本賢次氏の講演があった。

講演の内容は「共通課題を通じてグループを結成し、各自視聴可能時間が一致しないため、当番制で集録し、グループの集会にもちより、テープによる学習方法が必要である」など放送利用に対する技術的なものだった。

午後から、このほど放送農業グループモデル地区指定になった日野町農村青少年クラブ員十名らによる、モデル学習公開が約一時間三十分にわたっておこなわれた。

テーマは、農村のグループ活動であった。

つぎに、映画によるグループ別学習があり、県およびNHKに対する各グループの要望がだされた。

この研修会を通じて次のことが再認識された。

共同社会に必要な、文化、自由、職業のすべてを通じて人間社会をつくりあげるラジオ・テレビの役割を私たちは十分尊重し、大切にしてよりよき放送に育てあげることが私たちの使命であると思います。その意味において、放送という身近な教材を自分のものとし農業技術の習得と、教養を身につけることによって農村社会の発展のために役立つ人間に成長しなければならない。

（滋賀県連絡報道員、油浦豊一君より）

さとわのうた　とんどの火祭

「とんど」の火祭の行事がおわると正月気分も遠のいてゆく。

私の故郷の方では「どんど焼」という松飾りや注連縄（しめなわ）などを野原に積み、それに猛宗竹を大量に積み火をつける。竹の油で火勢はすさまじく、また節々の破裂音はまさに爆竹の音である。若人の血を湧きたたせる小正月の行事として忘れ去ることができない。この行事も古く室町時代に年飼や仕丁が声をあげて「とうじやとうど」すなわち「尊や尊」とはやしたという。徒然草には「法成就の池にこそ」とはやしたと記されてある。兵庫の播磨地方では「とうどやほちょじ」とはやすそうだが、これは「法成就」のなまりであろう。

餅を焼き、さつまいもを焼き、どんど粥を食べる「とんど」の諸行事が、全国津々浦々に残っていることはうれしい。種々の諸行事が忘れ去られようとしている現代ではあるが、この行事は、いつまでもなくしたくないものである。

前号でOさんも書いていたが今年も多くの知人、多くの友人から年賀状を戴いた。農村の親しき青年の友からもたくさんいただいた。神奈川の友からは子供ができたといううれしい便り。おめでとう。とうとうゴールインと、式の日取りまで書いてよこした友も二人あった。私は手帳にその日を記録した。北海道の友には祝電を忘れずにうってやろう。関西の友は式に列席してくれとの依頼であった。少し遠いが、ぜひ行ってやり祝福してやりたいと思う。神奈川の若妻は希望に満ちた家庭を築くという。山形の友は夏の蔵王で待つ（全国農村青少年技術交換大会が本年八月山形で開催される）という。

佐賀の友は、大陸が何かを数え期待しているという。福岡の友は「さとわのうた」でもっと批判的に書いてほしいという。みんなそれぞれに力いっぱい頑張っている様子がうかがえてうれしい。私も二百十通の年賀状をいただいたが、そのうち印刷だけや印だけの賀状が百九通もあった。半分が消息を書いてないのである。賀状をいただいて文句をいうのはどうかと思うが一行でもよい。元気でいるとか昨年こんなことがあったとか、今年どんなことをするとかを書いてこそ賀状の有難味がある。友の消息を知り、息災を知り、ともに喜びをわかちあうのが賀状だと思う。幸い、農村青年の友からの賀状には全て消息が書いてあった。

私のことをいって恐縮だが、賀状は全部筆で書くことにしている。金釘流の下手な字ではあるが筆で書くことで誠意を示した気持を感じるからである。勿論、大量のため、印刷にするが余白にできる限り、一行でも三行でも消息文を書くことにしている。そうすることで賀状をだす意義を感じるからである。「謹賀新年」が生きている証拠であるという人もあろうが、形式的な賀状では有難味がわかないのが正直なところである。農村にあってはとくに孤独感を味うことが多いと思う。便りにちょっとした消息を書くだけでも嬉しいことだ。

年賀状だけに留まらず、全国の友々と語り合い激ましあう便りの交換をつねに続けてゆくよう。便りを書くうちに、文章もねれてくるし、字も知ってくる。最近の若い者は文章も書けないし、字も知らないし誤字だらけである、とよくいわれる。私もそう思う。意味の通じない文章、平気で間違った字を書く。これは年を取ってもなおるものではない。今から勉強しておくことである。私は文章を書く時、いつも辞書を机の上において書く。そして何度も辞書を引きながら、確かめ確かめ書くことにしている。辞書を引くことを習慣にするよう心がけるべきだと思う。（龍）

私たちのクラブ活動

明るい農村の建設 ファイトで自から創造

新潟県長岡市浦瀬町 あゆみ4Hクラブ　林 清治

〈複雑な農村の生活環境〉

私たちが生活している農村は、このところ数年の間に大きく変ってきている。なかでも一番変ったものは、農民自身の物の見方、考え方だと思う。

いままでの農村は、大きな藁ぶきの屋根、田の字形の間取りの大きな部屋、暗い台所に煙るいろり、こんな農村の生活環境の中に対人関係の複雑さも生まれ、悲惨な物語が多く存在している。このような農村生活の暗さが、あまりにも従来知られているため、農村の現状をまったく知らない都会の人は、昔のままのイメージを今でも、もっていると思うと残念でならない。

現在農村の一部には、広い大きな農家の中に、小さな明るい近代的な住宅があり、道路から玄関に通ずる小道の両側には四季の草花が乱れ咲き、家の周囲には緑のジュータンなる芝生が生え茂り、目も鮮やかな錦鯉のおよぐ池、傍らの庭に新鮮な野菜畑と果物の実子、牧草茂る運動場の一角には畜舎、作業場があり、のどかな風景の中には休日のレジャーに出かける若夫婦の乗用車がたたずむ。

また一日の作業にしても、朝の家畜管理に家もはずみ牛乳、卵に新鮮な野菜、彩りも鮮やかな朝食後は、トラクターを駆っての農耕に励む。夕方は早々に野良から帰っての家畜管理、家族揃っての団らんの中での夕食、まったく明るく楽しい農家生活を脳裏に夢を描いてみる。

しかし現実の農業、農村に目を向けると、そこには数多くの問題があって非常に酷しいものがある。すなわち食生活、住宅構造、親子関係、労働力、後継者問題、習慣などの対人関係は都市の生活に較べて、非常に複雑化している。

それでは、明るく住みよい農村にするためには、これらの諸問題をどのように改善したらよいだろうか。

〈真の健康は生産物の活用〉

まず食生活においては、健康と栄養を考えた食生活でなければならない。水田単作を中心とした日本農業は、いつまでたっても栄養不足による脚気、体格の小型、短命等々の悪影響を与えるだけで、とくに発育盛りの幼年者に欠くことのできない動物性蛋白質が非常に少ない。これは、米食にだけ片寄りすぎている食生活の不合理からであり、真の健康を保てるはずがない。とくに農村では、もっともカロリーの必要な農繁期に、漬物などの粗食な食品で補っているのは考えなければならない。

もっと、農家ならではに、その特性を生かして自分の家で生産した野菜、牛乳などをはじめとする畜産物や果物などを利用して蛋白質、ビタミン類など適宜に摂取すべきである。住宅問題においても、無駄の多い不合理な間取りは改善しなければならない。最近建設されている農家は、住宅と作業場、畜舎など分離されているものが多く、間取りも合理的になってきた。

農家における一番の問題は台所で、生活にとって最も大切な場所である。特に主婦は食事の途中に何回も立ったり、座ったりして疲労も多いから、これを椅子にするだけでどんなに助かるかも知れない。とにかく、住宅は長期間にわたり使用するものであるから、新築や改築する場合は、長い目でみとおした上で少しでも合理的にしなければならない。

〈友だちのような親子に〉

家族関係、後継者の問題では、父子契約など金銭にも責任体制の面でも、もっと明確にしてお互いの信頼のなかで気楽に仕事に励むようにすることが大切である。仕事は若い者が、サイフは親父がという家が多いが、責任のないものは、やりがいがないと思っている。家族関係も、あるときは友だち同志のような親子であり、またあるときは、他人のような家族であって、そのなかで何んでも話し合える雰囲気がほしい。

労働問題は農村において、最も大きな問題である。稲作を主体にした我が国の農業は、田植と収穫時期に労働のピークがあり、これを解決しなければならない。とくに、我が県のように水田単作・降雪地においては、すべての作業を雪消えから雪の降る間に限られているため、四月以降とくに五月中旬は最高のピークとなり、一日十三時間ぐらいの重労働が数日間続く。このピークを切り崩すことが必要である。そして老人や婦人を重労働から解放し、その余剰時間を炊事なり育児などのほか人間らしい、ゆとりのある生活の時間にしたいものである。そのほか、農村には見栄や時間の観念、習慣など多くの不合理があり、もっと経済的観念から改善する必要がある。

これらのことは、従来において誰れもが考えていながら解決されなかったことである。それは農民自身に勇気がなく、他人に依存していた面が強いためではないか。

〈農民の誇りファイトを〉

これらのことについては、農業者、農民としてのファイトの振興を考えなくてはならない。農民は素朴で純情、勤勉であるが反面不明瞭で、農民である自信と誇り、ファイトに欠けている。最近は生活の向上にともなって、現金支出も多くなったが、農民自身の考え方も大きく変ってきた。現金収入を得るため、農民としての誇りを失い、農作物の生産を怠り、ただ目先だけの経済的な面にこだわっているのは残念でならない。

もっと長期的な視野にたち、それらの労働力は、むしろ経営の中に吸収して、前向きの姿勢で自信とファイトをもって、生産基盤の確立を図らなくてはならない。農業は、馬鹿でもできるとは昔の話、これからの農民は生物学、化学・経済・経営学など高度の知識と技術を要求されている。各地には、素晴らしい経営実績を上げている篤農家がいるが、それらの人たちを見ならうことはもちろんであるが、自分から創造する力を学習や研修によって養い、新しい農業の開拓者となるべきである。

農業の機械化は急激に進んでいるが、はたして合理的に利用されているか？

〈楽しい家庭で農村建設〉

農村にも、新らしい機械が導入されたが、それらの購入費、維持費を得るために他産業に現金を求めに出稼ぎに行く状態であって、まったく世の中はまちがっていると思う。経営に投資された資金はそれ以上に経営の中から取り返す前向きの気構えをもって、農民が農民であるという自信と誇りを再認識すべきである。

とにかく、農村は若者が少なくなったことも原因しているが、努力や消力に欠けており、頭の切りかえが大切である。また農村の将来を見通したうえで、身近な計画を立て、常に夢と新鮮さを失いたくない。

国がいかなる良い政策を施しても農村社会個人個人の受入れ体制が整えられていなければ、農村の向上は望めない。明るい農村を建設するには、まずたのしい家庭を築き、農業個々の生活がよくならなければならない。

花のない生活は無味乾燥で、花は四季を通じて精神的に、また家庭的に生活の楽しみと潤いを与えている。花を栽培することは農民の特権であり、どんな人でもきれいな花をみて、たのしい気分を抱くときは素直に、仕事の能率も向上する。また精神的感情も発達して豊かな人間が養われる。これも、農村ならばこそ実現できる生活である。

乳とみつの流れる平和な農村にするためには、これらの諸問題を、そう遠からずして実現できると思います。それには、我々若人の若い力をもって、たゆまぬ不断の努力によって、明るい農村社会の建設に励みたいと思います。

映画 痛快な金鉱探し 黄金作戦追いつ追われつ

（W・ディズニー作品）

一八四九年、アメリカ中はゴールド・ラッシュに沸き立ち、一攫千金を夢みる男も女も西部へ、カリフォルニアへとおしよせる……そこに殺伐とした激斗もあれば、恋もあり、こんな痛快きわまりない金鉱地帯の大冒険もあった。

☆　☆　☆

ボストンの名家・フラッグ家の美しい娘アラベラと弟のジャックは、ゴールド・ラッシュに渦まく一八四九年、祖父を失なった。そして判ったことは、この名家が完全に破産していたことであった。

冒険好きの十四才のジャックはこの話を聞くなり、書置きをして金鉱探しにカルフォルニアに行こうと、どさくさにまぎれて西部行きの船に乗り込み、船底に隠れた。若い執事のグリフィンは跡を追って船に行き、ジャックを見つけて連れ戻そうとした途端、何者かに棒で殴られ気絶した。その頃、自称ヒギンズ判事という怪しげな紳士が船に乗り込んでいた。グリフィンを撲ったのはバートレットというシェークスピア役者で、切符はもっていたが、金鉱の地図を狙われていたので船底に隠れていたのだ。

船が出航してしまったので、グリフィンとジャックは、船長を説き伏せて、コックとボーイに使ってもらうことになった。

船がサンフランシスコに近づくころ、ヒギンズ判事が突然火事だと騒ぎだし、あわてたバートレットから地図を奪いとり、ボートを奪って陸へ向って逃走した。

グリフィンとジャックは、バートレットを助けてサンフランシスコに上陸し、ヒギンズを探すことになった。

まず、懐中文なしでは困るのでグリフィンが青空床屋をやってベラ棒な砂金を儲いだ。

大金持になった三人は店をたたんでいると、山牛という大怪物の無頼漢が髪を刈れと要求し、挙句の果て小柄なグリフィンのえり首をつかんで空中に吊り上げた。苦しまぎれにグリフィンが砂金の入った手袋で山牛をなぐると、大男は大地にノックダウン。

ヒギンズを追って、グリフィンはジャックと駅馬車でハングタウンへ向ったが、大平原の真只中で山賊に襲われ、ヒギンズも逃してしまう。

二人がやっと小さな村につくと、鉱夫たちがヒギンズを絞首刑にしようと騒いでいるところだった。ヒギンズの盗みを見つけたからだ。地図はやっと奪い返したが、肝心のところが弾丸の穴で失くなっていた。

鉱夫たちに命ぜられて二人がヒギンズの墓穴を掘っていると、すごい金脈を掘りあててしまった。が、ぜん、村中は沸きたち、私刑を放ったらかして騒ぐすきにヒギンズはまたも逃げてしまった。

グリフィンとジャックは砂金をつめた袋をベルトにつけ、サンフランシスコへ向う船に乗り込んだが、その船には山賊の首領山牛がいた。ヒギンズが待ち構えていたのだった。

無一文になったグリフィンは、旅費を工面するため山牛という無頼漢と拳斗試合をすることになったが、頼りないことおびただしい。

日本4H新聞
4Hクラブ 農事研究会 生活改善クラブ
全国弘報紙
発行所 社団法人 日本4H協会 東京都新宿区市ケ谷船河原町11 家の光会館内 電話（269）1675

初の打合せ会開く

第七回全国農村教育青年会議迫る

23名の青年で運営委を設置

来る二十六日から四日間、東京・代々木のオリンピック記念青少年総合センターを主会場として開かれる第七回全国農村教育青年会議（農林省、NHK、社団法人全国農村青少年教育振興会、日本4H協会の四者共催）の運営は、今回も全国から選ばれた二十三人の農村青年を中心として進められるが、その第一回の打合せ会が去る一月二十七日午前十時から東京・渋谷区のNHK放送センター八階で開かれた。

委員長に小沢君（神奈川）

[illegible]

第7回全国農村教育青年会議の運営委員会の初の打合せ会＝あいさつする三宅常務理事（東京・NHK放送センターで）

[illegible]茂みさの（佐賀県東松浦郡厳木町浦川内）西加代（熊本県菊地郡西[illegible]水富納）八久保恵子（宮崎県日南市大字中踊谷）

主催者側では、さる一日から東京・港区西新橋佐野ビル内の全国農村青少年教育振興会内に同会議の事務所を開いた。学生アルバイトなどを雇い入れて準備体制を整え、各県から送り込まれてくる資料の整理や連絡などに、早くも春の全国大会ムードが盛り上ってきている。

皇太子御夫妻ご訪問

農林省 生活改善技術研修館へ

[illegible]

矢口館長（生活改善課長）の案内で熱心に保存食の展示をご覧になる皇太子殿下と美智子妃殿下

大海に木葉のよう

4Hクラブの音頭で集会

「青年の船」から第一報

[illegible]

これからも出来るだけ機会をつくってデスカッションをやりたいと考えています。

制限された環境の中で怠惰心を起こさぬように、新鮮な気力をいかにして持続するかがポイントであるように思います。ぼくの私見ですが。

海はもっと荒れるそうです。健康を至上（ベストコンデション）にして、感度のいい、われわれの感覚を働かせて欲深く行きます。

時間に追われていますので、とり敢えずみんなの元気な様子をお知らせしてペンを置きます。

追々、まとまった記事、紀行文なども読んでいただけると思います。

サヨナラ

（さくら丸船上から）

マニラ 3月1日-3日
ポートスウエッテンハム 22日-25日
シンガポール 4日-7日 26日補油
マドラス 16日-18日
コロンボ 11日14日

日本の農村に愛着

中国の4Hクラブ員帰国

中国と日本両国間の4Hクラブ員交換計画に基づいて社団法人日本4H協会（松下幸之助会長）が昭和四十二年度、日本に招いた中国（台湾）代表の4Hクラブ員二人＝詹伝芳（セン・デンホウ）君(二三)と潘玉雲（ハン・ギョクウン）さん(二三)は、さる一月二十三日午前九時半、羽田発の中国航空機で帰国した。

二人は昨年十一月九日に来日、富山、徳島両県の4Hクラブ員宅に宿泊し、農業や農家生活について実習するとともに、日本の芸術、風俗などを学んだ。この間、昨年の十二月静岡県御殿場市の国立中央青年の家で開かれた全国4Hクラブ中央推進会議に出席したのをはじめ各地の4Hクラブ員や婦人部の人たちなど関係者と交歓、また学校などを訪問して人気を集め日中両国相互理解と親善に大きな役割りを果した。とくに、潘さんは本国から持参してきた民俗衣装で美しい舞踊を披露し、みんなに異国情緒を味わせ、どこでも喝采を集めていた。

日本に後髪をひかれながら離日する中国代表の4Hクラブ員（詹君と潘さん）＝羽田空港のロビーで

二人は、はじめ富山県のクラブ員宅に入り、同地で約一ヵ月間生活したあと全国4Hクラブ中央推進会議に参加、その足で徳島県のクラブ員と一緒に徳島に向い、同地で約二十日間生活したが、ともにクラブ員とその家族、農村の人たちの温い心、人情の機微に触れて感激し、離別を涙で惜しんだ。

その深い思い出もあって、今年一月に入ってから再度、両県のクラブ員宅を訪ずれて親交をあたためた。そして羽田で出発するまで"帰りたくない"という気持をもらし、そして日本人は平均して"頭がよい"と礼賛していた。将来、動物の遺伝研究を志している詹君は、台湾に帰るとすぐ軍隊に入隊し、二年後大学に入るが、やはり、日本の平和と農村の人たちのこまやかな心、文化や経済の発達に魅力を感じていたようである。

中国クラブ員を受入れた4Hクラブ員は次のとおり。

▽富山県＝丸山勉（上新川郡大沢野万願寺）全国4Hクラブ連絡協議会々長、久保博（中新川郡立山町大窪）富山県4Hクラブ連絡協議会々長、横井弘三（婦負郡八尾町高善寺）同事務局長、佐藤信次（上部川町大沢野町加納）

▽徳島＝賀東治（那賀郡那賀川町工地）全協代表評議員、多尾博司（名東郡佐那河内村）

また、日・中両国間の4Hクラブ員の交流は、さる四十年から始められたもので、ことしで三回目である。

なお、この交換計画に基づいて日本からも4Hクラブ員二名が近く台湾を訪問する予定である。

実績発表やクイズ競技

大阪 21日に青年と婦人の合同大会

大阪府の青年・婦人グループの大会は、来る二十一日、府立厚生会館で開催される。

これには、府下の4Hクラブ員と婦人グループ員約千人の参加が予定されている。まず午前九時から同四十分まで受付けを行ない、このあと午前中、花キ、果樹、畜産、そさい、生活の各部門に別かれてプロジェクト実績発表会をひらく。発表は図表を用いて一人十分。発表のあと質疑応答、全体討議を行なう。

十二時から別館ホールで「地区自慢」と題して、各地区ごとに地区の最も得意とする出しものを披露して競演する。出しものは、各地区とも秘中の秘で大いに期待できそうである。

ひきつづいて農業技術競技。これはテレビの「回転クイズ」のようなもので、クラブ員全員が参加でき、クイズ形式による常識問題が出題される。正解をして最後まで残った優秀な成績の人には賞品が用意されているという。

ついで午後二時半から文化ホールに会場を移し、婦人グループ員と合流して全体集会を開く。全員で歌の交歓をしたあと、大会決意の表明、各種表彰状、感謝状の贈呈、知事のあいさつ、来賓の励ましのことば、福引などを予定。

会長に高橋君

北海道・音別町4Hク連

【北海道】音別町4Hクラブ連絡協議会の四十三年度新役員が次のとおり決まった。

▽会長 高橋栄一▽副会長 河合弘志、菅原サヨ子▽書記 佐々木要一、菅原隆子▽会計 菅原博子▽幹事 西町司、渡辺栄一、岩崎建治、宮崎吴一、菅原初雄、大西陽子、小野田トメ子、佐藤志津子、早坂しげ子、菅原玲子▽監事 吉田正勝▽事務局 音別地区農業改良普及所

涼風暖風

日本海域波高し

佐世保に入港したエンタープライズが出ていった。これでやれやれと思ったとたんに、こんどは米情報収集艦プエブロが北朝鮮に捕獲されるという事件が発生した。

米国はカンカン怒り、佐世保を出たばかりのエンタープライズは北へ進路を急転させ現場へ向って直行、太平洋をベトナム沖へ向って航行中の対潜空母ヨークタウンも急きょ朝鮮へ向うことになった。ことの進展によっては第二の朝鮮戦争が始まらないともかぎらない。日本海域波高しである。

こうも日本をとりまくアジア情勢が緊迫すると、日本も昭和元禄などといって太平の夢をひとりむさぼっているわけにはいかない。事件が起るたびにあわてるのでは、見識がなさすぎる。

現実の厳しさを見究わめることもできず理想を説く人がある。学生が理想に走るのは仕方がないとしても、世に知識人と呼ばれる人の中にも

この現実の認識が甘い人が多いようだ。

いまの青少年層は、現実の戦争体験をもたない世代の人たちである。むかしの軍服みたいなのを着て、長靴をはくのが若い女の子の間で流行している。ミリタリー・ルックというのだそうである。なるほどゴーゴーやモンキーを踊るにはカッコよさそうである。だが、服装は似ていても中身の方は大違い。とてもとても、むかしの若い軍人はそんな甘ったれたものではなかった。最近刊行された特攻隊の記録にもあるように、いつでも国のために自分の命を投げ出す覚悟ができていたものである。

ゴーゴーやモンキーも結構である。だが一朝ことあるときの覚悟も必要である。"自分の国は自分で守る"のが当然ではないか。戦争の体験をもたない若い人たちも戦争について無関心でいることは許されないのである。

当然のことながら、戦争を考えることは国家というものを考えさせ、個人を考えさせてくれる。そして、人生とは何かという基本的テーマについて深く考えさせてくれるものである。そのことだけでも、戦争について考えることは無益ではあるまい。

「仲間つくり教室」開く

和歌山・日高4Hク連協 実績発表会かねて

【和歌山県＝坂上勇男連絡報道員発】日高郡4Hクラブ連絡協議会では、さる一月十八、十九の両日、プロジェクト実績発表会をかねて「仲間つくり推進教室」を開催した。

この「仲間つくり推進教室」は郡内の4Hクラブ員をはじめとして、OB、農業後継者などが自由に参加し、各種の講演や討議によって経営や技術の知識を深めるとともに、人格向上と相互の親睦をねらいとして、二、三日の宿泊研修の形で企画、実施されているもので、昨秋について今度で二回目。これには、郡と県の育成機関が後援している。

昨年の第一回の教室では、充実した内容が好評をはくしながらも時期的に無理があって参加者は約三十名にとどまって惜しまれた。そこで今回は、郡の実績発表をかねて開いたことから、第一回の倍の約六十名が参加した。

また、実績発表の部では、プロジェクト発表、青年会議（話し合い）青少年の発言など、いずれも日ごろ農業、農家生活の改良、改善やクラブ活動に傾倒するクラブ員の意気がうかがわれ、発表者とそれを聞くものがともに充分内容をつくした感があった。ことに、女子クラブ員三名の発表者を出した町連協などについては今後の活動に大きな期待が寄せられた。

しかし、中には停滞気味のクラブもあり、それらのクラブを今後どのようにして活発にさせるかということも充分考えなければならない面もみられた。

今回の発表会では、討議と講演が全日程を占めたことも、過去の集いと違った点であった。

夏季研修などでは、親睦の一手段としてレクリエーションが日程のうちでも大きなウエイトを占めているが、発表会では、さらに高度な内容を求める観点からとくに今回のような日程となった。

なお講演と講師は次のとおり。

▽「土壌改良について」＝農学士、田中秀太郎氏▽「日本経済の動向について」＝和歌山大学教授南清彦▽「農村の結婚問題と社会観」＝和大講師、藤田紹憲氏。

「父母の会」が誕生

山形・西川町4Hクラブ

【山形】西村山郡西川町4Hクラブに、このほど父母の会が結成された。

同4Hクラブは昨年四月に会員二十五人でつくられたばかりだが、この若人たちの"芽"を伸ばし、活動を側面から援助していこうと父母の会が発足したもの。

主な活動としては、会員の定期的な対話やクラブ員の相談などを受けていくことにしている。西村山地方の農村青少年グループに父母の会が結成されたのは、寒河江市のクラブについで二番目。

会長に渡部君

北海道・北空知4Hク

【北海道】北空知4Hクラブはこのほど新役員を次のとおり決めた。

▽会長 渡辺俊英（秩父別）▽副会長 藤井明雄（北竜）米毛栄（音江）▽書記 横井信一（一己）吉屋佐知子（幌加内）▽会計 平譲「納内」藤原悦子（雨竜）

生活改善クと交歓

静岡・浜北4Hクラブ

【静岡】浜北市4Hクラブは、さる一月十六日午前九時から市立研修所で同地区の生活改善グループと交歓会を開いた。

心頭技健

春の結婚シーズンを待たずに、今月から来月にかけて、全国4Hクラブ連絡協議会の現と前の役員をはじめとして新家庭へゴールインする4Hクラブ員が少なくない。とくに、クラブ活動などに精を出して幾度か結婚のチャンスを失っていた人たちが、次々に決っていくのは当人ならずともやはり嬉しい▼早々にゴールインした一部の人を除くと、県や全国段階で活躍している人たちは、とかく婚期が遅いように見受けられる。4Hクラブ活動では、リーダーはある特定の人を表面だって愛してはいけないという意見がある。特定の人を愛すると、ほかの人がやっかんで、クラブ活動がうまくいかなかったり、後輩に余りよい感じを与えないためだそうである▼リーダーにとっては少々残酷すぎる話しであるが、このようなことが役員の婚期を遅らせているのかも知れない。また、そういう人たちが、他県の異性を迎えるか、同じ地元でも一緒に活動している範囲の外から求めていることも事実である。一面、それは、捜索網がそれだけ広いからだともいえるが、好運な例は別としてなかなか実を結ぶことができないのも事実である▼農村のヨメ不足ムコ不足がいわれ出してから久しいが、クラブ活動や農業経営に精を出すリーダーは、地元の貴重な一人をクラブ員にゆずって、自分は広く余剰のあるところから探すと思えば気も軽くなろう。それだけにまた、心の痛手を受けている人が多いが、精神的な蓄積は少なくないに違いない▼市町村や関係団体が鳴物入りで結婚を奨励している地域ではかなり深刻 のようであるが、平均してみて「異性はいるが、適当な人がいない」というクラブ員が圧倒的に多い。「適当な」という言葉は、頼れる人、好きになれる人…などを指しているものと思われるが、これはなにも農村に限ったことではない▼それよりも、いま、ムコ不足が深刻である。女性から積極的に出られないし、男子クラブ員の殆んどは長男である。乙女心をいためている女子クラブ員も少なくない。みんで力を合わせて、なんとか解決の糸口を見出したいものである。

「青年の山」で実施へ 農林省

全国百八十四ヵ所に 4Hクなどに国有林を提供

年々減少する山村の若手労働力の引き止め策として倉石農相自ら提唱した山村の青壮年を対象とする「青年の山」は、四十三年度から三ヵ年計画で全国百八十四ヵ所につくられることになった。各地の4Hクラブなどのグループを対象に国有林などの一部を提供、植林などをさせて"自分たちの山"の夢をもたせるとともに、将来の近代的林業経営者としての新しい技術を習得させ、さらには老後の安定も保障しようというもの。

共同研修と老後安定に

林業経営は水稲などと違って経営権が親から息子に譲られるのが遅いこともあって、山村から、"夢と希望"を失った若手労働力の都市への流出が続いている。そこで山村の青壮年を引き止め、資質の向上を図る対策として、この「青年の山」が浮び上ったもの。また青年一人一人が習得した技術をグループで共同研究する場にして、その実践活動によって連帯意識の向上を図るようにする。さらに林業経営者には現在、農業経営者にある農民年金がないので、これに代る方法として、この「青年の山」によって老後の生活の安定も考慮している。農林省では、当初、五ヵ年計画で、三百六の農林業グループを対象に全国で三百六ヵ所をつくる計画を進めていたが、こんどの新年度予算で、四十三年度六十ヵ所、四十四、四十五の両年度六十二ヵ所ずつつくることになった。四十三年度予算は植林関係二千百四十二万円、倉庫、林業など付帯施設整備関係二千二百三十二万円の計四千三百七十四万円となっている。

計画によると、この「青年の山」は一ヵ所約十㌶。林業構造改善地域、山村振興計画地域など林政推進上重要な地域で活動している市町村以上の範囲で組織してい [illegible]

[illegible] 十三万の費用がかかるが、この「青年の山」については、同省では造林事業のうちでも最も補助率の高い「団地造林事業」方針を適用する考え。[illegible]

農地法の一部改正など

農林省 国会に十二法案を提出

農林省は、さる一月二十七日から開会された第五十八回国会に「農地法の一部を改正する法律案」など次の十二件の法案を提出した。

【農林省設置法の一部を改正する法律案】農林業をとりまく最近の諸情勢の推移に対応して農林行政機構の整備と統廃合を図ったもの。

農林経済局に企業流通部と国際部を設置、蚕糸局と園芸局とを統合して蚕糸園芸局に、食糧庁業務第二部を廃止し、地方農政局に民有林行政と統計調査事務所を統合して地方農林局とする。

このほか、農林本省の附属機関として農業者大学校（仮称）を新設するなど所要の改正を行なう。

【治山治水緊急措置法の一部を改正する法律案】最近発生している災害の状況などを考慮して、治山事業を緊急、計画的に実施し、国土の保全と開発を図るため、新たに四十三年度を初年度とする治山事業五箇年計画を作成するもの（建設省と共管）

【農地法の一部を改正する法律案】農地の流動化の促進と土地利用の効率化を図るために改正するもの。

賃貸借の解約などの制限の緩和、小作料の最高額統制の廃止、小作地の所有制限の緩和、農地などの利権移動制限の適正化、農業生産法人の要件の緩和、利用権設定制度の拡充、紛争の調停、仲裁制度の創設、国有農地などの売払いの特例など。

【農業協同組合法の一部を改正する法律案】近年の農業をめぐる諸条件の変化などに伴い、協業など集団的生産組織を助長するため、農協などによる農業経営の委託のみちをひらくとともに、農協などの事業運営などに関して改善整備するための改正。

【農業振興地域の整備に関する法律案（仮称）】農業の振興を図ることが必要な地域について、その自然的、経済的、社会的条件に応じて、土地の農業上の有効利用、農地保有の合理化、農業経営の近代化や生活環境の整備に関して必要な措置を講ずるもの。

農業振興地域の指定、同地域の整備計画の策定、土地利用計画などを内容とする整備計画の策定、土地利用の高度化や土地保有の合理化のための助言あっせんなどの制度を創設する。

【農林漁業金融公庫法などの一部を改正する法律案（仮称）】農業構造政策の推進の一環として、農業経営の規模を拡大し、自立経営の育成を図るため、農林漁業金融公庫に、各種の施設資金を総合的に融通する総合施設資金制度を設けるとともに、その融資と協調して融通される運転資金などを農業信用保証保険法による保証保険と融資保険の対象に加えるようにする。

また、生鮮食料品の流通の近代化と消費者物価の安定に効果をあげるため、農林漁業金融公庫に卸売市場近代化資金制度を新設するもの。

【北海道寒冷地畑作営農改善資金融通臨時措置法の一部を改正する法律案】北海道寒冷地の畑作農業の振興を図り、畑作農家の経営の改善、安定を推進するため、農林漁業金融公庫の貸し付ける貸付金についての利率の引下げなど所要の改正を行なう。

【南九州防災畑作営農改善資金融通臨時措置法案（仮称）】南九州の悪い自然条件のもとで行なわれている畑作農業の振興を図るため、畑作農家に対し、経営の改善に必要な資金を農林漁業金融公庫が長期低利の条件で融通するなどの措置をするもの。

【国有林野の活用に関する法律案（仮称）】国有林野のある地域の農林業の構造改善、そのほか農業の振興や住民の福祉の向上をねらいとして国有林野の活用の適正、円滑な実施の確保を図るための措置などについて規定するもの。

【魚価安定基金の解散および清算に関する法律案（仮称）】魚価安定基金の解散と清算に関して、所要の手続きと残余財産の帰属などを定めるもの。

【真珠養殖事業法の一部を改正する法律案】真珠や真珠貝の品質向上を図るため、真珠貝の密殖漁場における筏の台数を制限する措置をとる。また、真珠、真珠貝の生産数量などを調整するため、関係業者が自主的に調整活動を行なうことができるよう必要な規定を設けるもの。

【水資源開発公団法の一部を改正する法律案】愛知用水公団を解散し、その事業と一切の権利義務、また、その職員を水資源開発公団が承継し、これに伴い水資源開発公団の業務の範囲などを改めるほか、愛知用水公団法（昭和三十年法律第百四十一号）を廃止するなど関連法律に所要の改正を行なうもの（経済企画庁と共管）

二月の暦から

[illegible]

節分

[illegible]

自信に充ちた発表者

静岡・東部地区の集い 特別講演に心奪わる

[illegible]

育苗技術など学習

愛媛・財田4Hクラブ 「林業教室」開く

[illegible] 研修項目は、育苗技術の要点、[illegible]

"花普及運動"を展開

クラブのPRもかねて

＝石川県連＝

[illegible] 日間、県下で"花普及運動"を展 [illegible]

雑費 過去一年最高の伸び

[illegible] 大きい伸びとなった。

類別のおもな動きを前年同月に比べてみると、「その他の食料」の伸びが八月以降鈍化が続いたため、食料の伸び率はわずかに一・八%の上昇となり、前年同月の伸びを下回った。

その他の食料のうち「魚介肉卵乳」の伸びも九月以降鈍り続け二・三%となった。

また、臨時費、住居、雑費は前年同月の伸びを大きく上回り、ことに臨時費と雑費は、過去二ヵ年間の最高の伸びとなった。

「みどりの三重」から拾う

【三重県＝西村喬代司連絡報道員発】三重県農村青少年クラブ連絡協議会（会長・岡田常雄、会員千六百名）では、県連の四十二年度活動方針五大目標の一つである情報交換活動の強化の一策として「みどりの三重」を年四回発刊し、県連と地区連、単位クラブ間の連絡協調のパイプ役を果たしている。

この情報交換の強化は"何でも知ろう、何でも知ってもらおう"ということをモットーに、多くの友と情報や意見を交換して各県の活動を知り、昨年と同じく自分たちの活発な活動を全国の友に知ってもらおうというもの。

そのためには、県連機関紙の効果的な活用を考え、とかく事務連絡的な内容となりがちな内容を少しでも多彩にするとともに、提言や批評など各地区に一名ずついる通信員を通して、盛り上りつつあるクラブ活動をさらに発展させようとしている。また今年度は「写真でつづったクラブ活動」を一回発行し、会員だけでなく、県民にも広く購読してもらい、県連クラブ員の農業に対する若い情熱を知ってもらおうとしている。いま、このほど発刊された「みどりの三重」の中から三、四点を拔すいして紹介してみよう。

先輩の役割を自覚

"後輩との対話"に思う

はじめに、FFJ（高校農業クラブ）幹部講習会に参加したときの"後輩との対話"。

クラブ員たちは、高校農業クラブ幹部講習会に便乗して、農高生との意見交換会を行なった。当日は、県下の農高生のリーダーが前日からいろいろの問題について検討していたこともあって、現実に農業と取組んでいる自分たちクラブ員も悲鳴をあげるほど核心をつく質問が次々に出された。

彼らは、私たちも在学中はそうであったように、現在の学校の教育方針であると思われる"現実とは余り結びつけられない大きな夢や構想"をもっている。それに比べて、農業者である自分たちは、現実の農業のうえに希望や構想を描く。それが、農高生たちには余りにも生活に即応してしまった悲しい姿としか受けとれないらしい。

嬉しかったことは、農高生が真剣に農業に取りくむ意欲をもっていることだった。分科会で朝まで私たちを離してくれず追求してきた彼らが、いつかは自分たちの仲間になって一緒に語り合え、討論できるように祈りたいと思う。

十六歳の女子クラブ員が目を大きくして"結婚観"を話してくれた。幼いといえば幼なく、真剣だといえばうなずけもすることばに私たちクラブの男性諸君は、その夢がかなえられるような農業経営を確立して迎えてあげなければならないと思う。

私たち青少年、クラブ員は、今春、卒業する自営希望者が抱く大きな夢を無残に破らせないために新しい農村、農業を築いておかなければならないと、いまさらながら強く感じられた。

産業に負けぬ経営

県連OBクラブの結成めざす

力を合わせて問題解決へ

三重県御薗村高向　上川　進

次に、県連OBクラブ結成について。所得倍増をかかげた政策も、他産業においては実現されているかも知れないが、自分たちの農業について考えた場合はどうであろうか。

農業と他産業との格差を少しでも縮めようと農民は一生懸命である。しかし農業は、そう簡単に規模を拡大し、収益性の高い営農方法に発展させることは、現実には困難な問題が多い。その結果は"三ちゃん農業"というかたちで、やむにやまれない切り抜け策をとっているのが現状である。もちろん農民自身は、より安定した農業経営を望んでやまないことは、いうまでもない。

ある雑誌によると、工業製品の輸出を伸ばすための代替として、外国で余った農産物を買い入れ、結局、農民はわが国経済発展の犠牲になっていること。また、砂糖の自給政策を打ち出し、畑作振興の一環として砂糖大根を青森県に栽培させたところ、貿易自由化によって処理工場は閉鎖され、栽培農家は途方にくれたということ。そのほか小麦に関する例などをあげて「場当り政策はもうごめん」と述べている。

農林省が農業に対する未来像を描こうとしても、財政負担の面で大蔵省、貿易政策の面で通産省といった具合で方針が食い違うからだろうが、国として、根本的にもっと確かな農業に対する政策が必要であると思う。

しかしまた、農業には、もっともっと身近かなところにも、農民自身が解決しなければならない幾多の困難な問題があって、自分一人だけで解決できない、いわゆる地域全体でやらなければならないこと、目的を同じくしたグループで解決しなければならないことが沢山ある。

4Hクラブで仲間をつくり、勉強したことを実践し、さらに研究を重ねて、他産業に負けないすばらしい農業経営を確立するために私たちは純粋な農業者団体として今後も農業についてともに考え、ともに解決していこうと、クラブOBが集まってOB会結成の準備委員会を発足させ、今春三月ごろのスタートをめざしている。

県連にニューフェース誕生

幅広い人間性の持主 趣味は女の子？

谷川原方啓君

■…その一人、谷川原方啓君。はじめにいきなり"趣味"は？とたずねてみた。「女の子」だとニヤリ。ユーモアが溢れている。実際の彼は、いま、牛以外には目もくれない。

本年度、志摩地区連から選出された県連理事である。

経営内容は水田六〇㌃、畑一〇五㌃、乳牛一一頭。目下のところお父さんが勤めているので卒業以来完全な経営主である。

志摩弁で話しはじめると、自分自身でてれている。だれの相談にも心からのってくれる。幅広い人間性の持主である。

住所は、志摩郡阿児町鵜方

ハイミスになっても素敵な彼を…

浜中徳さん

■…その二人、浜中徳さん。本年度県連理事として、紀州地区連から選ばれた。役員就任後わずか二ヵ月余りで県連行事運営に対して、はっきり欠陥を指摘し、男性役員に刺激を与えた。いま、彼女の努力が一つ一つ実りつつあり、なくてはならぬ存在となっている。

経営については、柑橘と真珠の養殖をしている。柑橘経営については農高卒業後、男性に入り混じって愛媛県に勉強に行ったという努力家。

彼女の高校当時の同級生の一人に、彼女についてたずねてみると「手編のセーターを着ているかと思うと、白いマフラーよろしく、さっそうとグライダーの操縦桿を握る」という。また「果樹園で働く姿はたくましく人一倍正義感も強い。しかし、和服姿で舞う彼女の姿に、本当の徳さんをみることができる。現代女性のお手本です」と語っている。

結婚については、男のくさったようなのはキライで、ハイミスになってもいいから素敵な彼を見つけたい、という。

住所は、北牟婁郡海山町矢口浦。

前年より増加

昨年十一月調査のにわとりひなふ化羽数

農林省はこのほど、昨年十一月調査の「にわとりひなふ化羽数」を発表した。それによると、十一月にふ化された推定総ふ化羽数は三千九百五十万羽で、前年同月に比べ一五%の増加となっている。

このうち鑑別めすは、九百四十万羽（前年同月比一一四%）無鑑別二千五十万羽（同一一六%）である。ふ化羽数のうち出荷された羽数は採卵用ひなは、八百八十万羽（同一一七%）で、ブロイラー用ひなは二千二十万羽（同一一一%）となり、いずれも前年より増加した。

4Hくん　No.114　桜井はじめ

優れた経営者たち

千葉県君津郡富津町大富津町八五
篠部農業研究会

衰退から繁栄の道へ
村を再興に導いた共同の心

ここに紹介した篠部農業研究会は、衰退した野菜産地を共同の力で再興しようと努力し、その中心野菜として近代的なトマトを採用し、しかも施設園芸の方向に強力に進み、集団産地を形成し、全員が自立経営になるように精進して、見事に新しい意味での集団地を形成したもので、その優れた内容は昨年度農業祭において認められ、晴れの天皇杯を受賞されたものである。この地方は野菜の早場地帯として徳川時代から名声を得ていたところで、とくにカボチャは、温暖な気候と砂地の利点から早出し栽培に成功し、富津カボチャとして有名であった。しかし戦後の食糧事情の好転と嗜好の変化によって作付が急減しスイカ・ピーマン・キウリなどに転作した。しかし、忌地、ネマトーダの被害、夏の旱害に災されて収量があがらず、農家経済は窮乏した。この部落の危機を救ったのが青壮年層を中心として結成された本研究会である。

トマト

わが国有数の野菜王国

千葉県は古くからわが国の有数な野菜園芸地帯である。

近年においては、施設園芸へと伸びつつある。東京都中央卸売市場への出荷は約三〇万トン、約一二三億円で、年間市場占有率は一九・二％となっている。

このような野菜生産、出荷のなかで施設園芸の占める比重は年々高まり、作付面積に占める施設の割合一三・三％で、一、〇〇〇％以上の作付けをもつトマト、スイカ、キウリのうちでは、トマトの施設割合は九二％を占め、もっとも高い。

このように全国的にも、また千葉県野菜販売額中でも高い地位を占める背景をもつ施設トマトの安定と発展を期するためには、生産から販売まで一貫した近代的経営が必要であることはいうまでもない。

この目的達成のため県および県園芸関係団体は、各種の施策を講じている。その一環として「野菜生産農家の栽培意欲を高め、施設園芸の集団化をはかり、栽培、経営および流通の近代化を促進する」目的で施設園芸集団共進会を開催している。この共進会は、千葉県施設園芸とくにトマトを上述のように急速に進めるのに大きな貢献をしているものである。

共進会は県全域を対象として、トマト圃場立毛について、長期にわたり第一次審査を行ない、さらに第二次審査を行なっている。第二次審査は、現地審査（生産技術の合理性、普及性、安定性を主眼として審査）市場審査（東京都中央卸売市場に出荷されたトマトについて選別、荷造、箱詰などの良否を審査）書類審査（トマトの共販共計の実績、地域の栽培状況、近代化施設の利用状況なども審査）の三審査を行ない、その内容は、生産、販売、経営の三部門にわたって、詳細な項目を設定して採点している。

受賞研究会は、昭和四十二年度第三回共進会において、県下八支庁の優秀な参加団体三九のうち、共同育苗をはじめとする栽培および生産改善がきわめて優秀であり販売面では共販共計にすぐれ、さらに集団産地形成への努力、ハウス利用、労働、土地生産性が高い。

これらは、全会員が均一的に高いことを示し、第二位を大きく引き離して最高位を得たものである。前年度に引き続き農林大臣賞を連続二回受賞し、今回園芸部門第一位となり、天皇杯受賞となったものである。

篠部部落は、夏は涼しい南風があり、冬は比較的暖かく、一月の平均気温は五度をこえるが、西風は相当強いので、耕地の周囲には防風林、防風垣を設けている所が多い。

土壌は砂質で、地下水は高く、灌水用の揚水は容易である。

部落の経営概況は、およそ次のようである。

[illegible]

理想的な生産出荷体制

[illegible]

共同育苗作業　育苗はハウスによる共同育苗で苗の均一化と省力をはかっている

トマトの10アール当たり生産費

費目等		ハウス栽培 金額	ハウス栽培 算出基礎	トンネル栽培 金額	トンネル栽培 算定基礎
生産費用	種苗費	1,120円	種子4袋	1,120円	種子4袋
	肥料費	41,905	菜種粕225kg　重P99kg　F54　90kg　硫加60kg　魚粕150kg　大豆粕180kg　他に自給肥料	25,000	菜種粕180kg　重P80kg　F54　45kg　硫加60kg　魚粕150kg　大豆粕180kg　他に自給肥料
	諸材料費	56,410	トンネル用竹1,400本，支柱用竹2,880本　発熱材料，ビニールワルコン	38,100	トンネル用，支柱用竹，ビニールマルチ，ワルコン
	防除費	25,740	クロールピクリン2本，マンネブその他	10,500	マンネブ，ダイセン，エストックス
	建物費	66,300	ハウス　$600,000\times\frac{1}{10}=60,000$　ビニールポリ6,300	—	
	農具費	36,000	テーラー1，モーター1，エンジン，ポンプ，動噴　耐用年数5年	28,300	ライーラ，エンジン，ポンプ，動噴
	労働費 栽培	115,000	115人×1,000円	100,000	100人×1,000円
	労働費 収穫選荷等	65,500	65人×1,000円	50,000	50人×1,000円
	小計	407,475		253,020	
資本利子，地代		16,500	60万円10年　年5分近代化資金	—	
出荷費用	出荷資材費	70,720	箱23円，包装紙，くぎ縄等　1箱16円×2,720箱＝70,720円	39,000	1箱26円×1,500箱＝39,000円
	輸送費	29,920	1箱11円×2,720箱＝29,920円	16,500	1箱11円×1,500円＝16,500円
	出荷手数料	38,080	1箱14円×2,720箱＝38,080円	21,000	1箱14円×1,500円＝21,000円
	小計	138,720		76,500	
合計（A）		562,695		329,520	
10a当たり収量（B）		10,880kg		6,000kg	
1kg当たり	生産費用	37.45円		42.17円	
	資本利子地代	1.52		—	
	出荷費用	12.75		12.75	
	計（A/B）	51.72		54.92	

（注）「第3回千葉県施設園芸集団共進会関係資料」により計算

盛んなクラブ活動
営農に励む優秀な青少年

[illegible]

克服した稲作との競合

[illegible]

全員が自立経営に到達

[illegible]

ハウス内におけるトマトの生育状況

研究会の歩み

徳川時代から名声　一時は旧態にこだわる

[illegible]

NHK農事番組

テレビ

ラジオ

[illegible]

NHK放送利用の指導体験論文募る

[illegible]

◀投稿案内▶

本紙は、みなさん方の新聞として、全国のクラブ員に利用して戴きたいと考えています。それでクラブの催しや個人のプロジェクト、詩、短歌、随筆、写真、悩みや意見、村の話題、伝説、行事その他なんでも原稿にして送って下さい。

お願い ❶長さや形式は自由です ❷できれば簡単な説明をつけた写真をそえて下さい ❸送り先 東京都新宿区市ヶ谷船河原町十一 日本4H協会編集部

わがクラブわが同志

考える企業的農業

農業は夢と希望を満す

埼玉県比企郡小川町下里・小川4Hクラブ 金子美登

農家の長男に生れた私は、中学を卒業すると家族のすすめもあって、熊谷農業高校に入学した。中学時代は誰れもが、そうであるように、しっかりとした将来の進路をきめて初めから一路わが道を行く、というような考えをもって高校進学をするようなことは少ないのではないかと思う。したがって私も家族のすすめで、というようにしか当時の印象について記憶していない。

しかし、三ヵ年にわたる農業高校は、私にとって充実した時代であった。このことはおそらく私の一生を通じて最大の一頁をかざることであろう。農高在学中を振りかえって見ると、一年生の時は"初心忘れず"の言葉のように、一番勉強に励んだと記憶している。私は、畜産方面の勉強をしようと思って、クラブ活動は畜産クラブに入った。夏の暑い中を自転車に乗って熊谷市近辺はもちろん、深谷市方面にまで、家畜審査の練習に回って歩いた。

二年生の時は、将来の農業に対する少さな夢もでてきた。畜産クラブ活動に対する意欲と興味は、次第に増して行った。好きこそものの上手なれとはいかなかったが畜産に対する知識と技術は、相当深まって行ったと思う。このころ一番張り切ってクラブ活動に積極的に取り組んだ。

三年生になると、二年生当時からクラブ員同志で話し合ったプロジェクトか、クラブ発表で必ず全国大会へ行こうと約束して、その実現に邁進した。

まず、豚の寄生虫に関するプロジェクトと、クラブ発表の部の"優秀な農業後継者をめざし躍進する我がクラブ"と題して、クラブ員全員の努力を重ねた。その甲斐があって、両方とも校内代表として県大会に出場した。

プロジェクト発表は、惜しくも杉戸農高に優秀賞を譲ったが、クラブ発表は、甲府市で行なわれた関東甲信越大会に出場して、鹿沼農校と決勝を争ったが、結局夢の実現にいたらなかった。

卒業の年の夏、学校の紹介で行った長期の北海道実習も印象深い。苫小牧の早来小華和牧場での二週間の実習で得た尊い経験、また、幌延の北斗農場の協業経営などの体験を積んだ。

こうして高校の三年間、農業に取り組んでみて、私の家の農業もしくは酪農経営は、どこの地方にも負けないと思っている。また農希望に満ちた生きがい業ほど夢とのある職業はないと自負しつつ、高校を卒業した。卒業式の時校長先生が言われた"忍耐とは、最大の資本である"という言葉は、いまでも脳裏に深くやきついている。

実際の農業に従事して二年を迎えた。私の地区では農業をやって行く青年が少ない。なぜ農業を嫌うのか。人のことであるが腹の立つこともあった。しかし今では、農業を真剣に考える友だちもできて、悩みも吹きとんだ。親との意見の対立もあったが、いまではお互いに歩み寄って話し合いができるようになり、どんな苦難にぶつかっても、絶対農業一本でやっていく自信がついた。

いまの農民は農業技術をはじめとし、社会全般にわたる勉強が充分になされていないと思う。これらを習得した上で、農業発展の必須条件である未来の見通しの研究また目的達成のための計画性を持ち、記帳、実践に対する反省が大切だと思う。私は一年ほど前からこれらのことをプロジェクト活動によって実施してきたが、苦しいときもあるが脱線しても、すぐもとのレールの上に乗れるようである。

これからの農業経営は、広い視野に立って、考える企業的農業でなければならない。松下幸之助氏の著書を読んで痛感したことであるが、あの大会社のすみずみまで計画、記帳、反省の方法をとっているではないか。我々農民は、記帳すらできず、ただドンブリ勘定で適当に判断している。

私は、一回二回の失敗があろうと、犠牲を払おうと、人間として失敗せずに将来に向って成長できればよいと思っている。またここでくじけず根性を発揮したいと思う。要するにこれからの農業経営者に必要なものは、深い創造性と根性だと思う。このような経営者になるためにも私たちは、若い時代を有効にすごし、4Hクラブ活動を盛んにして行きたい。

現在の私は、年寄りの意見を聞くのが好きになった。このきっかけとなったのは、北海道・町村牧場の町村敬貴先生の本を読んでからである"十数年のアメリカ修業中、一番ためになったのは年寄りの意見を聞いたからだ"と言っている。私たちは、とかく年寄りを批判しがちになるが、貴い体験の持ち主たちから多いに見ならうことが必要だと思う。

私は実際に農業経営を行ってきて、卒業時の夢から現実に即した大きな夢がわいてきた。まず実現可能な夢を紹介してみると、酪農については搾乳牛十頭（一頭六千㌔）以上。この根拠は、私の家の耕作面積からみて妥当なこと、まだ搾乳牛は増やすことはできるが、自給飼料などの点で、どこかにひずみがでてくると思われる。また育成牛の飼育、これは優秀牛を残すため、次に酪農経営はなんといっても自給飼料の確立にある。そのため飼料作物の作付体形なども考慮して行きたい。労働力の高密化を図るために、機能力の導入も必要だ。これについては、トラクターを二、三年の内に共同購入して行きたい。

もう一つの大きな夢は、牛乳の出荷体制の確立である。まだまだ私の夢はあるが、現在の私の心境としては、農業が楽しくてならない。高校時代とちがってなんでも学び、吸収しようと思ってきたのだから不思議である。

自分の力一つで実現できる農業だから魅力だ。いまでは農業をすすめにくれた親たちや諸先輩たちに、感謝したい気持でいっぱいである。

邦子

木原士郎

邦子!!
君にあう時　私は変わる
君にあう時　急にムチャをしたりだまりこくる
君にあう時　知らん顔してしまう
君にあう時　胸が高まる

邦子!!
いつまでもいまの君でいてほしい
歳はとってもいまの君でいてほしい
何も知らなくてもいい
何も覚えなくてもいい
今の君なら　誰れにも負けずすばらしい

（山口県大島村神井4Hクラブ）

さとびわうた　雪国の旅

「国境の長いトンネルを抜けると雪国であった。夜の底が白くなった。信号所に汽車が止まった」という書き出しで川端康成の「雪国」ははじまる。このトンネルは清水トンネルで、雪国の舞台は新潟県の湯沢温泉である。島村と駒子の恋は雪国の美しい叙情詩である。

場所は違うが先日、山形に出張した。福島から板谷峠を越え栗子トンネルを通れば米沢である。この一時間の峠越えで、周囲の情景は急変するのである。無雪の表日本から一挙に数メートルの雪に覆われた吹雪の裏日本に変わる。灰色の空が低くたれこめ、白銀の嶺、広大な雪原がひろがる。その吹雪を耐え忍ぶように農家の藁屋根がひっそりと長い氷柱（つらら）をたれて建っている。わた雪がくるくると舞いながら空中をかけめぐる。手のひらで、車窓のくもりを拭いながら、驚異の目で私は戸外を眺めた。はじめてである。こんなに雪の降った景色を見たのは。私が想像していた以上にロマンチックな情景である。しかしまた想像以上に雪の猛威はおそろしいようだ。全てを埋めつくしてしまおうとする冬将軍の怒りは激しく荒々しいようである。四ヶ月余こうして雪の中にうもれて生きる東北の人々の生活は、私の考えている以上のきびしさがあるような気がした。出稼ぎの理由がよくわかる。東北の農民が自然にさからわず、じっと冬の長い期間を耐え忍んで生きてきた有史以来の忍従と忍耐の精神は今も東北に生きる人々の心に奥深くうけつがれているように思う。どうにも抵しきれない自然の摂理のなかで、どうしても生きてゆかなければならない人間の条件があるようである。日本人に生れたこと、雪国に生れたこと、農業者となって生きる定めをもったこと。この条件のなかで、より人間的に、より幸福に、より豊かに明るく生きることを見出す努力を強いられているのが人間であるように思う。生活に順応することが第一であろうが順応は停滞である。飛躍へのステップを力強く踏む努力とエネルギーをそして知性をそなえることを要求されよう。それが現代を生きる人間の必須条件であるから。

山形への出張は、今年八月二十一日から二十四日まで四日間山形市内と蔵王を会場に開催される第八回全国農村青少年技術交換大会の現場調査とスケジュールの打合せであった。山形県のご努力ですばらしい大会ができそうである。大会のことは、いつれ新聞にくわしく書かれることであろうから割愛する。

県庁で佐藤武夫君と会った。わたしの来県をききつけ、りんごの出荷の途中をさいて飛んできたという。相変らず元気いっぱいである。その夜宿泊地の上の山まで訪ねてくれた。一夜を共にし、枕を並べて話しあった。彼は悩んでいるという。それは、山形の市街地の近くで農業をやっているが、ひしひしと住宅地化の攻勢がおしよせてきており、ごく近い将来に抗しきれなくなるだろうという。その際どうすればよいかが問題であると。彼の一構想は、離村者の耕地を買って、肉用牛の肥育をやろうと思うと、それも粗放射にやるという。アメリカで見てきた体験から充分可能であると。ただ日本人の肉の嗜好がぜいたくで、上質の肉を要求する点が問題であるという。

また、農民だけが自由に小説や詩や、エッセイや、論文を発表できる同人雑誌をつくりたいという。中央公論や改造などの総合雑誌とまで行かなくとも、農民だけが自由に語れる自分たちで金をだしてつくる同人の雑誌をどうしてもつくりたいと。私は大賛成した。むつかしいことだと思う。しかし彼はやりとげるだろう。

（龍）

女子4Hク結成へ　山梨県・穂坂町

韮崎市穂坂町に、このほど女子4Hクラブ結成の機運が盛上がり韮崎農業改良普及所が指導にあたって、今春中に結成を目ざして準備にあたっている。

この町には、約二十人ほどの娘さんが農業に従事し、農業に深い関心を示して、明るい農村づくりのために話し合いなどを行なっているが、同じ年代の寄りどころとして4Hクラブを結成しようということになった。

4Hクラブ活動を通じ、農業技術や教養の習得、レクリエーションなどを行い、明日をになう農業後継者のよき伴りょになろうと意気ごんでいる。

穂崎町は、農協が中心となって明るい町づくりのビジョンを作成、本格的な農業開発に乗出そうとしている矢先だけに、町をあげて4Hクラブの組織づくりに協力している。

私たちのクラブ活動

巾広い教養の習得

後継者対策と家庭教育

大阪府南河内郡河南町長坂・河南町4Hクラブ 林和男

〈教養と技術と実践力で〉

農家は嫁飢饉だ、と世間ではよくいわれています。これはあまりにもマスコミにおいて騒ぎたてられるので、娘さんたちの大部分がそれに動揺しているのではないでしょうか。実際、私も一時は農業が嫌いで何度やめようかと思ったかわかりませんでした。

しかし大自然を相手に、さんさんと輝く太陽のもとで、誰にも指図されることなく、自分の思うがままに働ける喜びには、都会の人たちにとって、うらやましいことだと思います。スモッグと騒音の街は、いまや人間が住み良かな生活を続ける所ではないと思います。

しかし、現実に農家の息子に嫁にくる女性が少いというのは何故だろうか。私の考える原因としては、第一に農家の主婦は、家事と労働におわれて休む暇がないことです。そこには農家の経済的なことや経営形体に問題があると思います。妻を一日中、田んぼへつれていって働かすようなことでなく機械などを合理的に利用して、省力化を図り、妻は家事労働に専念できるような、労働力の体質改善を図りたいと思います。

第二に建設的な農業経営者が少ないのではないでしょうか。人間的にも豊かで、生活力のある意欲的な青年に対して、女性は何よりの魅力を感じるのではないでしょうか。これには社会人としての巾広い教養と技術の習得、それらに支えられた意欲と実践力が必要であると思います。

〈綿密な作業計画の樹立〉

農休日については、私の町内の農家戸数の半分くらい実施しています。一部の村では農休日をきめられ、その日は畑へ行けば罰金制をとっていたが、それもいつの間にかつぶれてしまった。これは何が問題となっているのだろうか。

私が思うには第一に、農作業は天候に左右されること。第二に農家それぞれの農作業が異なり、仕事の予定で区切のつく日がまちまちである。第三に農作業によっては、休んだ場合何万円もの損とわかっているから、みすみす休めない。などの理由があるのではないでしょうか。

いまの段階では、各人が綿密な作業計画をたてて、月に何回とか計画的な休養日をつくり実施して習慣化していくうちに、みんなの考えも一つの線上に歩みよって、農業経営と農家生活に密着した農休日が生れてくるのではないでしょうか。

農休日の過し方についても、いろいろ問題があると思います。一口にいって、身体の休養はもちろんですが、再生産につながるべきであります。たとえば、4Hクラブのプロジェクトの検討会、研修会、視察などをかねた健全なレクリエーションなど考えられます。

また、家族そろってハイキングなどを通じて団らんの一ときをすごすのもよいでしょう。その中から親と子の話し合いや融和が生れてくると思います。

〈4Hクラブが心の支え〉

私の町の同年令で、農業をやっている者は非常に少ない。親たちはやっているが子供はサラリーマンという兼業農家が増え、これが大阪農業の特徴である。農業労働者は、だんだん老令化していく。しかしやめていく者はやめたらよいと思う。日本農業はあまりにも零細すぎ戸数が多いので、なにかにつけまとまりがとれない。

農業人口が減るということは、なにもさびしくない。むしろそういった傾向になっていくことを私たちは望んでいる。そこに残った者同志が若人の積極的な行動、親子の話し合い、クラブ活動を通じて意見の交換などによって、お互いが励ましあっていきたい。同じ立場の者同志が力を合せて4Hクラブの活動を通じて、心のささえとなり話し合い、研究して楽しい生活を築きあげていきたいと思います。

〈生活の合理化と虚栄心〉

私の住む南河内地方は、府下でも一般に生活がはでな所だと言われています。そのために嫁入りひとつにしても、あそこの家はトラックに何台荷物をもって行ったとか、また葬式、見舞、新築祝いにしても同じことがいえる。交際費のむだな出費によりその家では生活のどこかに、そのしわよせが生じてくるのです。

そのために、多くの収入を得なければいけなくなり、忙しく働くという悪循環をくりかえしているわけです。以前にも、村の「寄り合い」で交際の自粛を申し合わせてきたが、一人がその定まりを守らなかったら次から次えと守られなくなり、すぐにつぶれてしまいます。

いくら生活の合理化と叫んでみたところで、現状は、足もとからずくれ去っているのです。人との交際は大切なことですが、そのうらにある人間の虚栄心に問題があるわけです。身分相応の生活、交際をするところに生活の合理化があり、いかに生活のムダを発見し改めていくことが必要です。

〈子供時代から勤労意欲〉

家庭における子供の教育について、とくに農家では家で仕事をしているので親と子供の接触する時間が多いわけです。学校での教育の必要性については言うまでもないが、豊かな人間性を養うことのできるのは、やはり家庭教育であります。

明るい民主的な家庭における親子関係、大自然の美くしさの中に育つ子供たちは、のびのびと健全そのものです。したがって、子供時代をいかに育ったかによって将来の人間性が確立される、といっても過言ではないでしょう。

農繁期には、とかく子供たちを放任しがちになり、いろいろな問題を起しますが、こういうときこそ親と子供が、よりいっそう深い連携をもつべきであります。たとえば、週に何回か子供たちを中心にして、家族会議をもち相互の意見を話し合う機会をもつことなどが考えられます。

人間の精神も、子供時代に基本的なものが養われます。いわゆる情操教育ですが、やはり親子の深い愛情と自然の美くしさによって養われます。自然に親しみ自然を愛するところから、豊かな人間性が培われます。その点、農村は環境に恵まれています。

また、子供時代から勤労意欲を身につけさせることも必要だと思います。野菜栽培とか家畜の世話など、子供に適した仕事がたくさんありますので仕事の分担を行い働く喜びと農業に対する理解を深めさせることが必要です。こういった子供の家庭教育の中から、立派な人間が育ち、社会的な問題となっている農村の後継者対策なども解決されるのではないでしょうか。これからの4Hクラブ活動も、こういうところに発展の途が開かれると思います。

子供たちの家庭教育は農業によって情操豊かになる（富山県・杉原中学校4Hクラブ）

映画　野獣の血が呼ぶ

クーガー荒野に帰る

（W・ディズニー作品）

人間に育てられたクーガーは、自然の厳しさの体験をもたない。そして野獣の本能にめざめ、雌のクーガーに誘われるままに森に帰ってみたが、待ちかまえるものは風雪と餓えという死とつながる大自然の掟だった。だがクーガーの体にはいつか人間では制御できないおそるべき野性の血が呼びもどされる。

☆　☆　☆

木材会社に勤めるジェスは森の中を巡回中、母親にはぐれてお腹を空かしているクーガーの子を拾った。ジェスにすっかりなついたクーガーは、だんだんいたずらをするようになった。そこでジェスは"お茶目のチャーリー"と名づけた。人なつっこく動き回るチャーリーを見て、大きくなったら厄介のもとになるだろうと心配する者もいた。

雪どけの川の水が増水する頃、伐った材木を急流に流す豪快な材木流しの作業がはじまった。大嫌いなテリア犬に追いかけられたチャーリーは逃げ場を失って岸につないであったボートに飛び乗った。その反動ではずみをくったチャーリーは川に落ち、急流に流されて行った。

やっと材木に乗って流れているチャーリーを見つけたジェスは、材木労務者にボートを貸してくれと頼んだ。料理の心得のあるジェスに料理を作ってくれるという条件で、流れて行くチャーリーをつかまえてくれた。

チャーリーはジェスとまた材木工場に戻ったが、すっかり成長したチャーリーを見た工場主は、危険を感じ工場につれてくることを禁じた。

ある夜メスのクーガーのなき声を聞き、本能の命ずるままに檻を破り、メスと共に散歩にでかけた。チャーリーはすっかり腹をへらしてしまった。獲物をつかまえる術を知らぬチャーリーは空腹をかかえ、食物をさがしに農家に行ったがたちまち猟銃をぶっ放されてしまった。

春が来る頃、チャーリーは厳しい自然の生活に慣れ、動物をつかまえて食べることを覚えた。勝手を知った食堂に入りこんだチャーリーは、食糧倉庫に閉じこめられ、何とか逃げだそうと必死になって暴れ回った。コックは気違いのように暴れるチャーリーを見て、野生に帰ってしまったのだと思い追いまわす。駆けつけたジェスは皆がとめるのも聞かず、チャーリーに近よる。狂気のように吼え、暴れていたチャーリーは、やがてジェスの声を聞きわけておとなしくなった。

野生の血がよみがえったチャーリーは、人間の世界でくらすことは危険だ。ジェスはチャーリーを禁猟区へ連れていった。別れを惜しむジェスの前に一匹のメスのクーガーが現われた。チャーリーのガールフレンドだ。荒野に帰るチャーリーは、もう独りぼっちではない。やがて荒野の王者としてくらすだろう。

人間の愛情に育くまれたクーガーも野獣の本能にめざめる日が訪れた

日本4H新聞

4Hクラブ　農事研究会　生活改善クラブ　全国弘報紙

発行 社団法人 日本4H協会
東京都新宿区市ケ谷船河原町11 家の光会館内
電話(269)1675
編集発行人 玉井光
月3回・4の日発行
定価1部10円 1ヵ年360円(送料共)
振替口座東京12055番

クラブの綱領

私達は実践を通じて自らを磨くとともに互いに力を合わせてよりよい農村、よりよい日本を創るため四つの信条をかかげます。一、私達は農業の改良と生活の改善に役立つ腕をみがきます。一、私達は科学的に物を考えることのできる頭の訓練をします。一、私達は誠実で友情に富む心をつちかいます。一、私達は楽しく暮らし、元気で働くための健康を増進します。

東北ブロック4Hクラブ推進会議

クラブ展開策探る

来月八、九日盛岡市で開く

全国4Hクラブ連絡協議会(会長、丸山勉君)の事業の大きな柱であるブロック4Hクラブ推進会議の一つ—東北ブロック4Hクラブ推進会議は、全協と岩手県農村青少年クラブ連絡協議会(会長、田沼芳君)の共催によって、来る三月八、九日の両日盛岡市つなぎの消温荘(地方職員共済組合寮)で開催される。

このブロック4Hクラブ推進会議は、全協と日本4H協会が毎年静岡県御殿場の国立中央青年の家で開催している全国4Hクラブ中央推進会議のブロック版といえるもので、その成果が高く、クラブ活動の拡充や近代農業の推進的役割をになうためにも、多くのクラブ員の参加が望まれる。

研修内容は、4Hクラブの本質をはじめとしてリーダーのあり方、組織、クラブの進め方などが中心となり、クラブリーダーの養成がねらいとなっているが、具体的な日程については、今後、全協執行部を中心に具体化が進められることになっている。

第一日目は、午前十時半から受付け、十一時から会議に入り、夜は午後六時半から懇親会を開く。二日目は午前八時から再び会議を開き、午後昼食のあと解散する。

参加経費は一泊二食で一人約千百円の予定。

なおこの東北ブロック4Hクラブ推進会議は昨年、宮城県で開かれた会議について今度で二回目である。

日本4H協会

今年も三人派遣

派米クラブ員を募る

社団法人日本4H協会(松下幸之助会長)は、四十三年度も、米国との間に三名づつの4Hクラブ員を交換派遣することになり、このほど派米クラブ員を全国から募集した。

この4Hクラブ員の派遣は、国際農村青年交換(IFYE)計画に基づいて、日本4H協会と米国4Hクラブ財団が毎年実施しているもので、今年で十五回目。日本側は農林省、米国側は農務省が後援している。

派米4Hクラブ員は、約六ヵ月間米国に滞在、二、三州の指定された受入れ農家に入り、その家族の一員として生活、農業や農村生活を体験すると同時に、米国の風俗や文化など広い範囲にわたって学ぶかたわら、関係地域のクラブ指導、小、中学校、教会などの会合に出席して日本を紹介する。

この間、毎年八月米国で開催される世界4Hクラブ大会に参加して約六十ヵ国の4Hクラブ員代表と交歓する。

このように派米クラブ員は、日米両国の相互理解と親善のうえに大きな役割を果し、民間人の中に草の根のように広く深く根をはることから"草の根"大使とも呼ばれている。

派米クラブ員の資格は❶現に4Hクラブ員であって、クラブ活動(学校農業クラブ歴通算)の経歴が三年以上の人❷年令は、ことしの二月現在で二十歳以上、二十三歳までの人で未婚者であること❸健康で人柄などがこの計画にふさわしい人❹中学卒業程度の英語を修得している人—など。

経費は、日・米間の往復旅費を日本4H協会で負担し、米国内での個人的経費(自由時間の見学、土産物費など)を除く一切の経費は米国側で負担する。

選考は第一次と第二次の審査があり、第一次は書類(履歴書、クラブ活動の経歴証明のある知事の推せん状、戸籍謄本、健康診断書、写真、両親の同意書など)第二次は面接によって審査する。

出発は五月中旬が予定されているが、米国からはすでに来日クラブ員決定の報を受けている。

岐阜県連で青年会議を開く

【岐阜県=拓植弘成連絡報道員発】岐阜県農村教育青年会議は県 [illegible]

[illegible] 閉会式のあと四分科会に分かれて熱心に話し合いをした。テーマは第一分科会「私達のグループ」(園芸)第三分科会 [illegible] 活動をより活発にするにはどうしたらよいか [illegible]

業内容についても出され共通話題としてなかなか有意義であった。

このあと分科会報告と全体討議を行なった。主な内容はクラブ員の自主的意識の問題をはじめとして女子クラブ員の動向、園芸の部門拡大と規模拡大、仲間づくり、産地形成、高度技術の導入、合理的な作業所の設計、労働配分、農休日の問題などであった。つづいて閉会式を行ない、4Hクラブの歌を最後に会議の幕を閉じた。

会長に三沢君

北海道・胆振4Hク

【北海道】胆振4Hクラブ連絡協議会は、このほど四十三年度の新役員を次のとおり決めた。▽会長 三沢敏夫▽副会長 渡辺力夫、高橋小枝子▽監事 細川良一、千葉茂、伊藤誠基▽事務局長 豊島繁基▽同次長 奥村信幸

涼風

都市化する日本の農村

[illegible]

化し、オートメ化すれば、形は農場であっても、それは煙突のない工場のようなものとみなすことができる。数万羽を飼う養鶏舎などはまさに無煙工場そのものである。

この農業の機械化、集約化をとりあげてみると、それは農村に工場が建ったことであり、農業の工業化である。

また、近頃のように広い土地と人手を求めて、本物の工場が農村に進出してくるようになると、農業を営みながら、工場へ通勤する人も多くなってくる。このようにして、日ごとに農村は都市化しているのである。したがって、われわれはこのような農村の傾向について無関心でいるわけにはいかない。

これは、大変なことである。というのは、これまで都市に対するものとしての農村がいまや都市そのものに変貌しようとしているのだから。

そして、従来きわめて悲観的に論じられてきた都市と農村の個人所得や生活上の格差がだんだんなくなるとともに、かつての農民の主業を生産するという誇り自覚が一つとなってくる。いずれにしても大切なことは誇りをもってそれに取り組むことである。

農業を尊い天職とみるか、ビジネスの一つとみるか、[illegible] 農業者が自分の職業に誇りをもちつづけているかぎり、わが国の農業は繁栄の道を進むものと思われるからである。

「青年の船」便り

いま、東南アジア諸国を歴訪、各国の青年と友交を深めている「青年の船」派遣団員の4Hクラブ員から、このほど日本4H協会と全国4Hクラブ連絡協議会に第二報が届いた。この「青年の船」は、次代をになう青年に視野を広めさせ、広い教養を身につけさせようと、明治百年記念事業の一つとして政府が今回初めて実施したもので、全国から選ばれた男女青少年(三百九十一人)と関係者三百六十六人を乗せ五十三日間にわたって東南アジア諸国を訪問している。同船には、全協推せんの4Hクラブ員七人=砂川みさ子(埼玉)清水寮(富山)水野龍雄(愛知)松田正治(岐阜)長瀬谷正行(大阪)田中利宣(三重)二宮高見(神奈川)=君が乗船しているが、今回、田中君と砂川さんから便りが寄せられた。田中君は青年団員代表として台湾の関係者と交歓した模様、また、砂川さんは挿絵の便り。砂川さんは全協と日本4H協会が共催した全国4Hクラブ員の九州と関東の両つどいのスケッチコンクールで上位入賞した腕前。今回の東南アジア諸国訪問に当ってもスケッチを送るようになってる。以下は二人の便りの内容である。

日本の明治時代のような台湾の風景

砂川みさ子さん

日本の冬を忘れてしまうような暖かい日が続きます。台湾を出港(二月二十四日午前八時)してあすの明方にはタイのバンコックに着きます。

七名全員が船の生活になれて元気にやっておりますのでご安心下さい。長瀬谷君の方から船内生活については報告したそうですから今日は台湾の印象について報告させていただきます。

私たちが基隆港に入港したのは二十二日朝でした。それから二十四日までわずかの期間であったので、期待していたほど見学することが出来なかったのが残念です。

しかし私は、団員代表として団長さんらと共に、基隆市長や第三海軍司令官の所にあいさつに逆れ [illegible]

交歓会一日、見学一日と短い台湾の日程でしたので、これといった強い印象もなく、あっという間 [illegible]

親日的な台湾の人々

4Hクラブ員"農業者の会"を結成する

田中利宣

[illegible]

ていっていただいて、じかに台湾の話しを聞き感激しました。

非常に親日的で、お世辞を言われているようで気まりが悪いくらいでした。でも、言葉のはしはしに反共が出てきます。また町のいたる所にこのような意味の看板が見られます。

台湾では、会う人にうかつに政治的な話しをすると誰れもいやな顔をします。カメラで、港や軍需工場などを映していると、フィルムを取られたり、スパイの容疑を [illegible]

てきた人を外省人(一〇%)と区別されています。

町は、丁度旧正月の買物でごったがえし、たくさんの屋台に人が群がっていました。町を歩いていると日本語の出来る人が寄ってきて、親切に買い物などを教えてくれたり、子供が大勢回りをかこんでもの珍らしいそうに私たちを見回します。服装はまったく貧しく身障のような子供がたくさん見られます。

町には日本の自動車、電気、製薬、製鉄、銀行など、多くの日 [illegible]

一つです。いま、茶の生産に非常に力が入れられていて、どんどん増植されているようです。台湾でもやはり日本と同じように農業人口減少の傾向がみられます。

物価は思ったより高く、食糧だけが非常に安価に思われました。日本のりんごが、丁度日本でバナナを食べるように高級品で売られています。

明日は、いよいよバンコックです。頑張ります。

農業従事者の会を4Hクラブを中心につくりました。名簿を調べたところ約七十名もいました。青年団員の約三十%を占めています。そこで、船の主導権はわれわれ農業者だということで、さくら丸の"さくら"をいただいて"さくら会"という名前をつけ、何回も集まって船内生活のこと、農業者として、視察した印象などの意見を交換して、管理者の方々へもわれわれの声を伝えています。同じ農業者でもいろいろの団体からきていますが、4Hクラブが常に中心になって頑張っています。

(二十九日午前十時(タイ時間)「青年の船」より)

夏の全国大会期日決る

第7回 全国農村青少年技術交換大会

山形 8月21日から4日間

蔵王と霞城公園で開く

いま、スキーで賑わう会場

県連では新体制づくりに意欲もやす

ことし山形で開催される全国農村青少年の夏の全国大会(第七回全国農村青少年技術交換大会)は、八月二十一日から二十四日までの四日間、山形市の霞城公園と蔵王山の両会場で開催されることが、このほど山形で開かれた主催者側関係者の打ち合わせ会で、開催期日や場所を内定したもの。

社団法人全国農村青少年教育振興会(松下幸之助会長)同日本4H協会(東畑精一会長)と開催県の四者共催によって実施されている。

今年の全国大会は、すでに昨年度の千葉大会における全国都道府県の担当者会議で山形県に開催することを決定、その後、山形県当局を中心に準備が進められてきた。

この打ち合わせ会に同行した山形県の本間連絡報道員、佐藤実君から、開催地の現地視察の模様などがこのほど次のように伝えられてきた。

から予定スケジュールの作成に取り組んできたが、さる一月二十四日、農林省から伊藤農村青少年教育担当の古賀係長、農村青少年教育振興会の金田事務局次長の両氏が山形を訪れ、打ち合わせを行なった結果開催期日や場所を最終的に決定した。

打ち合わせは、毎日の行事、活動、人員移動、主催団体の確認—などを中心として行なわれ、二十五日は、県の農村青少年教育担当の小関正雄主査の案内で、主会場の実地視察をした。

視察は、パレードを行なう市内街頭の状況、集合場所となる霞城公園内の体育館がポイントになった。パレードで行進する距離は約二・四キロ、少々長過ぎる感じがするし、曲り角が多いのも気になるようだった。

霞城公園の美観はすばらしい。[illegible] ることながら、夏には、土手いっぱいの桜の葉の青々しさが別の魅力を加えよう。遠くに望む出羽三山の峰々も興を添えるものと思われる。

演示発表等は、土手の桜の下で行なわれる予定であるが、雨天の場合を考えると、近くに十分の大きな体育館があるのは心強い。

一行は蔵王山も視察した。大会の行なわれる夏の蔵王とスキーたけなわの冬の蔵王とでは様子が違う。大会では、楽しい遊歩路になるであろう頂上、お釜附近の馬の背まで登頂することが不可能だったとはいたし方がない。

ロープウエイで行けば、ものの二、三十分で頂上に登れるが、大会ではバスで頂上に行って、帰路は中腹の温泉まで歩くことになっている。二千人を越える参加者を頂上まで運びあげることが事務当局にとっては頭の痛いところだが、徒歩下山は、自然愛好、体力づくり、レクリエーションと三拍子そろったすばらしい一日となるだろう、と一行の話がはずんだ。

佐藤連絡報道員

硫黄の臭いがプンプンする蔵王温泉はスキーをかついだ若者たちで満ちていた。キャンプファイヤーを予定している広場も近くの沼も、すっかり雪に覆われ、その下に眠っていた。

夏には、全国から集まった二千余の若人がここで火の祭典を催すのだ。雪の原は黒い大地と変じ、枯れ木はまっ青な葉で飾らせ、沼の水は、低い波を立てるだろう。

山形県連でも、早々と全県から二十四人の選考委員を集めて、大会の準備に着手したばかり。さらにこれを契機にして、連絡協議会自体の新しい体制づくりを強力に推進しようとして、運営委員会の中から特別委員会を設置して張り切っている。

今年の大会は、山形県の農村青年に大きな刺激を与えるだろう。そして、それが組織拡大、充実の方向に行くだろうことは間違いない。

視察を終えた一行は二十五日夕散会した。

園芸への熱意高まる

群馬の実績発表大会

大消費地近くに控え

【群馬県=吉沢功連絡報道員発】群馬県農村青少年クラブ連絡協議会(会長、長沼晴美君)は、一月十九、二十の両日、農村青年研修館で実績発表大会を開いた。

同日は、各地区ごとに予選によって選ばれた二十二名の代表によってプロジェクト(十二)とクラブ活動(八)の発表が行なわれた。

日ごろ、生産プロジェクトやクラブ活動に精を出しているクラブ員が、この一年間の総まとめをしたものであるが、いずれも手堅い通ってきたものだけに、内容の濃いものばかりだった。

ことしの発表をみてみると、プロジェクトでは内容的に、プロジェクト十一、畜産一で圧倒的に園芸中心の発表が多く、昨年に比べて小さくまとまったものが少なかった。

また、クラブ発表では、長い歴史あるクラブなど、生まれて一~二年のクラブ活動の内容を堂々と発表した。

今回、とくに園芸発表が多く見られたのも、見方を変えてみれば、本県が全国有数の畜産県であるが、東京に近いことからクラブ員の園芸に対する熱意が相当高いことを物語っているようである。

第一位には、五十羽養鶏から現在の二千羽養鶏に四年目に到達した長井建一君(富岡)の「私の養鶏」第二位には、群馬県で東京に最も近い館林にあって、若者無関心をハウス栽培に傾ける須永一雄君の「私のハウスキュウリ栽培」が選ばれた。

それらの中から、男子二十七、女子八の計三十五名の入選者が選ばれた。

実績を残した若葉4Hクラブの [illegible] 誕生会などを取り入れて、クラブ員の心を一つに結び、実践活動に [illegible]「私たちのクラブ活動について」が第一位に選ばれた。

なお、プロジェクト実績第一、二位の人は、一月二十四日に行なわれた群馬県農業研究団体実績発表大会に出場した。

青森県で青年会議開く

16・17日青森市で

第七回青森県農村青少年会議は、青森県とNHKなどの共催によって来る十六、十七の両日、青森市の県教育会館で開催される。

この会議は、4Hクラブなど各種の農村青少年集団に入っている県内の農村青少年が集まり、日ごろの実践活動の成果などについて意見を交流し、その成果を今後の活動に効果的に反映させるとともに、近代的農業の推進者としての希望と自信をつちかおうというもの。参加者は十五歳から二十五歳までの県内の農村青少年クラブ員で地区会議で選ばれた人と県指導者や農村青少年担当普及員など約二百五十名の予定。

主な日程は、農村青少年の主張と青少年代表実績発表、全国農村青年会議の主張と話しあいのテーマにもとづく分科会討議、全体会議、日本4H協会の新田事務局長の講演、表彰などを予定している。

十六日は午前十時から開会式、続いて昼食をはさんで午後二時過ぎまで農村青年の主張と青少年代表の実績発表、二時過ぎから分科会討議。十七日は午前、分科会報告と全体会議、午後一時から新田日本4H協会事務局長の講演、表彰のあと閉会式を開いて終了する。

心頭技健

年度がえを迎えて、そろそろ単位クラブや地区連の定期総会が開かれ始めた。とともに役員の新陣容をととのえ、意欲ある事業計画をたてて新年度へスタートを切っている。これから四月にかけて、全国の各道府県連でもいっせいに総会が開かれ、クラブ活動やプロジェクト活動にとっては、一年間の歩みの総決算のときであり、一年の計を立てる出発点であり、またファイトをわかせるときでもある。すでにクラブ員個人個人は大方の腹構えができていると思われるが、新年度の事業計画にしても、役員決定にしても、留意しなければならないことは、クラブや協議会の自主性、事業の一貫性であり、また組織やリーダーについての意識、役割、使命などの認識であろう▼いくら事業計画をたて、役員を決定しても、そこに自主性がなかったらクラブ員の興味、関心、やる気が薄らぎ、自ら組織の進展に限界を感じることになる。現在、クラブ員全体の組織に対する意識が弱く、組織がかたまっていないところでは指導機関などの全面的な支援を受けているところがあるが、これは過渡期のものであり、早く一人立ちする気構えをもってほしいものである▼また単位クラブなどが年間六千円も集めるところや二百万円近いところもあるが、県連では二十万円未満のところもある。しかし大切なのは額の多少にかかわらず、その中でクラブ員の会費が何%占めるかであり、それがクラブ員のやる気、自主性を示すバロメーターともなろう▼事業の一貫性、統一性の重要性についてはいまさら言うまでもない。組織で行なおうとする大きな目標、根本的な精神は一年くらいではなかなか末端まで浸透しない。これをないがしろにして、強く打ち出していくなかで役員の交代にかかわっているのが少なくない▼全員が交代すると、また振り出しに戻り、やり直しする形となるので、役員の改選に当っては、その何分の一かが前役員を入れ、また前会長を顧問のようにしていることが常識のようになっている▼なにか事をするには、下からの盛り上り、上から引っ張る力が一つに融合することが大切であるが、この総会期に当っては、お互いに、若さ、英智を働かせて、自主的なクラブ活動推進に大きく歩を進めてほしいものである。

農業者大学校の入学者

四十二名（三十道府県）が合格

年令では十九、二十歳が中心

農業の近代化と社会開発の中核となる農業者を養成しようと農林省が今年度から開設する中央農業者大学校（東京都中央区築地＝東京・府中市に新校舎予定）の入学試験が去る一月三十日と三十一日の二日間、東京の農林省ホールなどで行なわれ、四十二名の入学合格者が六日同省から発表された。

出題科目は理・数・国と作文

この農業者大学校は、学校教育または実務研修教育を終了後、大体二年以上農業に従事している優秀な農村青年を入学させ、講義、演習、派遣などによる学習方法と合宿生活によって、農業経営に対する自信と応用能力を身につけさせるとともに地域社会開発の中核者になってもらおうというもので三ヵ年制。一学年の定員は五十名前後で、今年の五月下旬に開校する予定である。

このため、同省では入学者の選考に当って、各都道府県から適格者三名（北海道は五名）の推せんを受けていたが、初年度であることもあって、全国から推せんされてきた人は六十名にとどまり、結局五十七名（定員の一・一四倍）が当日受験した。

一日目は筆記試験で、国語、数学、理科の三科目と作文が出題された。問題は各課目とも、高校卒業程度のもので、作文のテーマは「私はこういう農業者になりたい」。各問題とも解答時間は五十分で、受験者は頭をしぼった。

二日目は、面接試験と身体検査（とくに胸部疾患など伝染病患の有無について）が行なわれた。面接は三班に分かれ、審査委員九氏の質問を受けた。

この二日間にわたる試験の総合点によって四十二名が合格したわけで、定員の五十名を下回った。

合格者は三十都道府県におよび、北海道と徳島県が三名、岩手、宮城、山形、栃木、群馬、和歌山、福岡、宮崎各県が二名、秋田、埼玉、神奈川、静岡、新潟、富山、福井、岐阜、愛知、三重、京都、兵庫、奈良、島根、広島、山口、愛媛、佐賀、大分、鹿児島各府県が一名ずつとなっている。

年令別では、昨年十二月現在で十九歳が最も多く十七名、ついで二十歳十六名、二十三歳三名、十八、二十一、二十二歳が各二名となっていて、平均は十九・八歳と高校卒業後一、二年前後の人が中心になっている。

大学での学習は、一年目は集合教育として合宿による学習、二年目は七ヵ月が集合教育、あとの五ヵ月は農業試験所や先進地視察農家への派遣実習、三年目は、初めの八ヵ月は在宅学習、そして最後の四ヵ月間集合教育を受けて卒業する。集合教育は全寮制で、一年生の部屋は個室、二年目から二人一部屋になる。

教育の方針としては、農業を広い視野から考え、判断して行動するような人材を育成するため、農業経営者が自分の経営と生活、地域社会の開発などについて、時代の動きとともに直面する問題に対してどうとらえ、理解し、それにどう対応するかについての応用能力と自学自習の精神を涵養する。

このため、教育は、自然科学をはじめとして社会、人文科学など各分野にわたる基本的知識の学習（講義と演習）を中心とするほか課題解決の学習、派遣実習、在宅学習などがある。

とくに講義や演習には、東京大学など教育、研究、指導機関などの一流の専門家、学識経験者を講師に招くことにしている。

なお入学試験のうち筆記では、国語、理科、数学の順に成績がよかったようであるが、本紙では逐次、試験問題を紹介していく考えである。

第一回合格者名 農業者大学校

【北海道】加納昇（19）清沢光明（19）高橋庄作（20）【岩手】佐藤允宏（19）藤野隆一（22）【宮城】境野一好（20）末永健悦（21）【秋田】門脇一男（19）【山形】佐藤博（19）原田茂光（21）【栃木】高橋一三（19）中山富夫（19）【群馬】神谷光信（19）佐藤悦良（18）【埼玉】金子英登（19）【神奈川】諸星運一（19）【静岡】磯崎敬夫（20）【新潟】峰村正文（18）【富山】好田宗明（20）【福井】白崎正純（20）【岐阜】伊藤光明（20）【愛知】安藤富士雄（23）【三重】中西央（20）【京都】小西康之（20）【兵庫】福井正利（20）【奈良】野瀬鶴宏（19）【和歌山】嶋成秀夫（19）仲谷龍三（19）【島根】寺戸和憲（19）【広島】掛谷宗平（19）【山口】津田民幸（20）【徳島】宇山茂徳（23）榎本武良（20）前耕造（20）【愛媛】鈴木和夫（19）【福岡】入江裕敏（20）水落康督（20）【佐賀】井上雅健（19）【大分】佐藤紳一（20）【宮崎】新出水寛人（20）江村広海（22）【鹿児島】上山紘一（23）

650名が会場埋める

岐阜県連 盛大に4H大会開く 知事激励

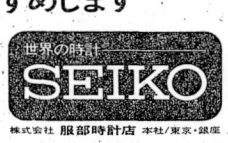

【岐阜県＝拓植弘成連絡報道員発】岐阜県4Hクラブ連絡協議会（会長、松野芳正君）では、県の後援をえて、去る一月二十六日県庁大会議室で県4Hクラブ大会を開催した。

この大会は、農業の改良や生活の改善に取り組んでいる県下の4Hクラブ員が一堂に会し、新しい時代の農業に対応するため、日ごろの実践活動の体験を発表し合い相互の親睦を深めるとともに4Hクラブの本質を認識して、明日からのクラブ活動をさらに前進させようというもの。

同日は、県連が予定していた参加者数（五百名）を上回り、4Hクラブ員四百三十五名、高校教育機関生四十七名、実習所、修練農場生百二十三名、普及員四十六名の計六百五十一名が参加、会場は若い顔で埋まった。

まず午前九時半から受付けを開始、大会誌「若い（二号）」を配布し十時から開会式に入った。

拓植副会長の開会のことば、飯田副会長の4Hクラブ綱領朗唱につづいて松野会長が昨年一年間の歩みを反省したあと「明日から4Hクラブの飛躍的発展をめざして努力しよう」と力強くあいさつ、県農務部長、小島青年センター事務局長の祝辞について、4Hクラブの歌斉唱、伊藤事務局長の日程説明、十時半から「明日を担う青年」と題して岐阜大学、織田正教授の記念講演が行なわれた。

正午から"民鑑一体となって新しい町造り"という意味を含めて岐阜県警ブラスバンドによる演奏があった。

午後一時半からプロジェクト実績発表として「グリーンサービス私の貸鉢経営における工夫」と題して岐阜市4Hクラブの白木君の発表があり、つづいて奥明方4Hクラブ員によるエレキバンドなどクラブ員による芸能で楽しんだ。

二時から4Hクラブ員の主張に移り、次の七名が日ごろのプロジェクトやクラブ活動の体験、実績を中心に意見を述べた。

▽「4H活動により、より多くの友を」古田滋（岐阜市4Hクラブ）▽「企業温室をめざして」松田修一（若葉4Hク）▽「クラブ活動に共同精神を」梅田元雄（下呂4Hク）▽「われわれの力で明るい村づくりを」坪井新定（奥明方4Hク）▽「私の体験と主張」成瀬忠雄（岩村4Hク）▽「兼業のない農村を」田中正躬（高山四楽ク）▽「道」山田健（丹生川4Hク）

途中、平野県知事がどうしても4Hクラブ員に激励のことばをおくりたいと、四十三年度予算編成中の多忙の身でありながらわざわざかけつけ、制限時間十五分の二倍の三十分余にわたって、クラブ員に激励のことばをおくった。

このあと修練農場男女生徒による芸能が披露されたが、彼らは、この4H大会にと実習や勉強の合い間をみつけて練習をかさねてきたもの。この若い、4Hクラブ各の"芽"に対してクラブ員は盛んな拍手をおくり会場はわれんばかりであった。五時から閉会式を行ない、飯田副会長の閉会のことばで幕を閉じた。

農業から身を守る "改良衣"で受賞

長野・松川町大島4Hクラブ

長野県下伊那郡松川町大島4Hクラブ（会長・鈴木敏章君、クラブ員二十名）がつくった作業衣が、厚生省と農林省が主催して全国から募集した昭和四十二年度の「農薬による危害防止のための創意工夫作品展」で優秀作に、このほど選ばれ、賞状と賞金がおくられる。

この「農薬から守る作業衣」は、昨年夏の4Hクラブの創意工夫展でも最優秀賞を獲得している。

この作業衣は、自動車修理工などが着る「つなぎ服」を改良したもので、防水加工がしてありスピードスプレヤー用のもの。

改良点の主なところは▽農薬が一番かかりやすい背中を木綿の布で二重にした▽スピードスプレヤーを運転する場合はヘルメットをかぶるため、ヘルメットにおおわれる頭の部分に網製のフードをつけた▽手首と足首から農薬がはいらないように、そでを二重にし内側のそで口にゴムを入れた。加工賃は約三百円ほど。

作業衣をつくったのは一昨年秋で、松川町の農家の人の中に農薬でヒフがかぶれるなど被害がでたため、農薬から身を守ろうと4Hクラブ員全員に「農薬の被害」などについてアンケートなどにより調査し改良点などを見いだして作ったという。

こんど「スピードスプレヤーを運転する人にとってこの作業衣は最適」と大島4Hクラブでは、おもわぬプロジェクトの成果にはりきっている。

富山・入善4Hクラブと交歓研修

山梨・中道町4Hクラブ

【山梨】東八代郡中道町4Hクラブ連合会（長田保雄会長）は、一月二十五日から二十八日までの四日間、富山県下新川郡入善町4Hクラブ員三十人を迎えて交歓会を開き、体験発表、技術交換、レクリエーションなどを行った。

この交歓会が開催されるきっかけとなったのは、昨年十月富山県において開催された「全国4Hクラブ員北陸のつどい」に中道町の4Hクラブ員が参加し、現地交歓で入善町4Hクラブ員の家庭に訪問したのが始まり。

中道町は「仲間づくり推進地域」に指定されており、北陸のつどいに参加したクラブ員が中心となって話し合っているうち、互いに4Hクラブ員として親睦を深めるため交歓会がもたれたもの。富山県から訪ずれたクラブ員たちは中道町のクラブ員の家に民宿して4Hクラブ活動や農業技術問題などについて話し合ったうえ、こんどの4Hクラブ活動の発展を誓い合った。

輪になって熱心に語り合う三重県連のクラブリーダー

三つの関連にメス

単位ク、地区連、県連

三重県連クラブ 指導者の研修

[illegible]

…して備えるべき条件について（講義、話し合い）❷クラブ組織の強化…❸自立経営上の諸問題について（県関係者との話し合い）の三点をあげ、県内農村青少年クラブのリーダーを対象に、指導者として…議した。

各地区連共通の課題をあげると次のとおり。

一、いわゆる地区連の存在価値の認識不足。

一、三段階組織の行事が多過ぎる（とくに、農繁期に問題化）

一、連絡を徹底してほしい（地区連会議に県連理事の不参加）

一、地区連の資金調達の方法

一、各単位クラブ間の足なみをいかにして合わせるかについて（どこにレベルを持っていくか）

また、県連に対する批判や要望として、次のような具体的な意見が述べられた。

一、地区連の行事が決定してから県の行事が決まるというのでは遅すぎる。原案でも早く地区連に示すべきである。

一、専門技術研修に対しては、地区連主催を充実して、県連はあっせんするようにしてはどうか。

一、県連、地区連、単位クラブの行事を配分してはどうか。

一、会長会などの行事をもっとふやしてほしい、など。

一、地区連の認識不足は、連絡の不徹底から起るものが主である。役員構成のうえで注意しなければならない点として、単位クラブのリーダーはローテーションしても支障ないが、地区連、県連という連絡協議体の場合、二、三年のキャリアが必要であり、役員構成も二つ以上の兼任によってノーマルな運営となり（県連、地区連、単位ク。ただし、会長兼務はいけない）同人物の役割が多過ぎる欠点も二役までは解消する。

[illegible] …て多くの例が指摘された。

埼玉でリーダー研修

連絡報道員 大鹿良夫

雪の磐梯（福島）に集う

"クラブ活動は投資である"

埼玉県農業研究団体連合会4H部（部長、大鹿良夫君）主催の埼玉県4Hクラブリーダー研修会が昨年の暮、磐梯山のふもと国立磐梯青年の家で盛大に開かれた。

このリーダー研修会は、県連最大の行事として、年一回、4Hクラブ員が自ら企画し、自ら運営して自分たちのために開催したもの。とくに、4Hクラブ活動を充実発展させるため、単位クラブ活動を強化し、クラブのレベルを県下平均に高めることに重点を置いた。いろいろの事情によって三日間という短期間であったが、4Hクラブの本質、リーダーのあり方4Hクラブ活動の具体的な取り組み方について熱心に話し合った。以下は研修会の報告である。

会場は、二百八十余名の単位クラブ、地区連幹部の参加を得て広い青年の家もはちきれんばかりであった。

外は、雪が五十センチも積もり、あたり一面が銀世界、美しく静かであった。青年の家は磐梯山の裾野にあり、裏には猪苗代湖が帯のように広がって裏側にはどっかりと磐梯山がそびえている最高の環境であった。

第一日目、予想外の雪と道路工事のために駅から青年の家までの輸送に手間どり、午後三時から直接オリエンテーションに入った。

入所団体は当4Hクラブと会津高田の青年学級生の二団体であった。小柳所長から青年の家の規律と生活の仕方について説明があり各部屋割りについては4H役員から説明を聞いて部屋に入った。入所後最初の夕食のあと七時から開会式を行なった。

埼玉4Hの歌斉唱のあと、主催者として飯田農研連会長、大鹿4H部長のあいさつ、農政普及課長富本氏、青年の家所長（代理）大宮氏、岡田全協事務局長の激励のことば、4H部長から講師、助言者の紹介があって終了。七時五十分から「4Hクラブ活動の中央情勢」と題して岡田全協事務局長の講話があった。

つづいて、女子リーダーのつどい、男子リーダーのつどいが四会場に分かれて行なわれた。青年の家の関係者にお願いして消灯三十分前まで盛んに議論した。

第二日目は六時半に起床し、清掃、朝のつどい、セルフサービスの朝食のあと、栃木県専門技術員湯浅甲子先生の「4Hクラブ活動とリーダーのあり方」と題する講演を聞いた。

内容は「友を求めるのは自分の存在価値を認めてもらいたい気持からである」「4Hクラブは在家活動が中心である」「一人の人間として、一生やって行くべき仕事を求め見つけ出してほしい」などで、これにクラブ員は大変感銘しみんな新たなエネルギーを蓄積した。

午後から分科会を開き、定例会のもち方、レクリエーションのとり入れ方、プロジェクトの取り組み方、女子クラブ員研修、新入クラブ員研修、クラブ員減少対策、OBとの交流、関係機関との連けい、単位クラブと地区連の関係など湯浅先生の講演の中から自由に選んで話し合いをした。

夜は体育館を使ってキャンドルサービスをくりひろげた。みんな大自然のもとにかえり、素朴に、火を心にきざみつけたあと各地区ごとに趣向をこらした寸劇や歌、民踊などをにぎやかにくりひろげ夜のふけるのも忘れるほどだった。

第三日目、午前九時から近藤氏が議長となって全体討議を開き、分科会報告発表のあと湯浅先生の講演内容を中心に意見をかわした。

「分科会のもち方に一考を」とか「地区連再編成に伴うその活動推進は県連としてどう考えるか」「単位クラブに帰った場合、理事としてここで学んだことがらをどうクラブに反映させていくか」など次々に建設的意見がとび出したが、この真剣さは将来に大きな期待がもたれた。

また「4Hクラブ活動を一生懸命やると家事が犠牲になる」という意見が出され注目をひいた。これに対し多くのクラブ員は「犠牲になることは悪い。研修会などに出るためによけい仕事をやり、計画をたててやれば大丈夫だ。若い時にはこのようなグループ活動は必要だ。将来への投資である」との力強い意見が述べられていた。

三日間のリーダー研修会の成果を地域のクラブ運営に役立たせ、自己を磨き、社会開発に奉仕しようと心に誓って磐梯山を後にした。

相互理解と幅広い教養を

電化、経済など学ぶ

奈良・大和郡山市4Hクラブ 仲間づくり事業開く

【奈良】大和郡山市4Hクラブ（会長、中澤隆夫君）では、さる一月十七、十八の両日、大和郡山市西矢田町の矢田寺念仏寺で"なかまづくり"推進事業を開催した。

これは、農村青少年男女が互いに友情、理解と共同精神をつちかい、幅広い教養を身につけて自主活動を促進し、有能な男女青少年の就農を促進させようというもの。

十七日は、4Hクラブ員二十二名と若妻会の主婦二十名の計四十二名が文字通り一堂に参加し、午後一時から開会。はじめに「農村の電化」について関西電力の関係者から説明を聞いた。内容は、経営面では育苗温床、ハウス内の温度、換気扇など。また、家庭の面では室内を暖かくする器の利用や温水器などについての話しを聞いた。

つづいて三時から「一般教養」について郡山市の吉田助役の話しを聞いた。内容は、いままでは、例えば親子、先生、生徒といったタテのつながりだけでよかったが現在はヨコのつながりが非常に大切になってきている。

意識と下意識があり、日ごろ、意識はうわべだけで、常に表に出るのは下意識であって、これを改造しなくてはいけない。また環境の整備、体験の積み重ねで自信をえることなどについてであった。

五時から入浴と夕食、七時から「農業経済」について滋賀短大の上村教授の講演があった。

講演の内容は、都市圧について、いままで大阪のゾ系は東大阪でおぎなってきたが、現在は奈良県がおぎなっている。すなわち都市圧がもう奈良県まで入りこんでいて数年でそれを近江がおぎなうことになるだろうというもので、そのためには、今後、農地の流動化、基盤整備、資金、大型機械化（技術）、協業、年金（離農、老令、経営など）土地区分などを行なっていかなければならないと強調された。

このあと全員で遅くまで室内レクリエーションを楽しんだが、なかにはこのレクを続け、朝まで寝ないクラブ員もいた。

十八日は、早朝に起床し、さわやかなの中で古寺の庭を散策。

朝食のあと八時から桜井普及所の先生方をまじえて技術交換を行ない、クラブ員のプロジェクトの問題点や、イチゴ、トマト、キュウリなど、これからの作業計画などについて意見を交換した。

ついで九時から「仲間づくり」と題して、ボーイスカウト、ユースホステル協会の理事長、松井香三氏にも、横のつながりがいかに大切であるかについて同氏の体験から具体的な例をあげて話をしてもらった。

一例をあげると、高校三年生の男女が心中しようとしたが、死にきれず困ってしまった。ふと、松井さんが頭に浮かんで、雨の中をずぶぬれになって訪ねてきた。なぜか、その高校生には、先生も親もあったろう、また友達もいただろう。しかしそれは、ただの付き合い、いわゆるタテのつながりであった。松井氏と高校生はユースのつながり、ヨコのつながりがあったからだ、ということだった。（同4Hクラブ会長、中澤隆夫君より）

4Hくん NO.115

養蚕

戦前、わが国の輸出産業の花形だった蚕糸は、戦後の食糧難による主食作物の作付や、ナイロンの発明などで斜陽の一途をたどったが、世の中が落着くにつれ、その優れた感触と天然の美しさが見直されて、再び脚光を浴びるようになった。ここに紹介した金沢組合は、早ばつの常襲する北向きの傾斜地という逆境の地にありながら、全組合員が一致協力して、全国に誇れる自立養蚕農家になり、昨年の全国農業祭で晴れの天皇賞を受賞したものである。

日本一を誇る養蚕組合

山梨県東八代郡中道町金沢
金沢養蚕農業協同組合

驚くほどの高収穫　4Hクラブ員も大活躍

共同飼育で作柄を安定

この組合の事業の概要はつぎのとおりである。

稚蚕共同飼育の実施

戦後、蚕の作柄は安定していたが、桑園の生産力が高まるにつれて組合内に違作が多くなり、その解消が最大の課題となった。

そこで組合では、蚕業技術指導所の指導と援助を受けて、作柄のよい地区との桑および蚕の交換試験を行ない、質の面にも飼育環境の面にも問題があることが明らかになった。

そこで組合は、駐在の普及員の実施した土壌調査の結果を活用して、施肥の合理化による葉質の向上につとめるとともに、稚蚕共同飼育の実施を計画した。

当時すでに掃立規模の最も大きい春蚕の掃立量は五〇〇箱に近く相当大規模な飼育所の建設が必要であるばかりでなく、自分の蚕を他人に委せることは到底できないとの考えが強かった。しかし、違作解消の熱意にもえる組合幹部の努力が実って、違作が多く掃立量の少ない夏秋蚕期のみ実施することになった。

三十四年、新農村建設事業の助成を受け、部落の桑園が集団している米倉地区の区有林を開墾して蚕室一六五平方メートル、貯桑室六六平方メートル、管理室など六七・七平方メートルの共同飼育所を建設した。

飼育所の建設はできたが、耕地がせまく、開墾できる土地もないため、稚蚕共同桑園を集団的に造成することは不可能であった。そこで組合は組合員の桑園の一部を稚蚕専用桑園として分散配置し、この地帯で最もおそろしい早ばつの際も良桑が確保できるよう配慮した。

その結果、蚕の作柄が安定したばかりでなく、組合員の団結も強化され、さらに、掃立蚕品種の統一はもちろん繭質も統一できて、その成果があがったため、春蚕期の共同飼育を希望する者が多くなった。

たまたま三十八年に中道町では農業構造改善事業の計画が進められ、この地区は共同飼育所の増設と稚蚕施設および農道の整備を計画し、四十年に飼育室一六五平方メートル、機械室六六平方メートル、宿直室四九・五平方メートルを増設し、さらに飼育の完璧を期するため、温湿度を自動的に調整できる温湿冷暖房装置を六七六万円を投じて設備した。その結果、春蚕期から掃立量の全量について、理想的な環境で共同飼育を実施できるようになった。

なお、永年苦しんできた米倉地区一帯の早ばつの被害を防止するため、かんがい施設を設置すべく計画していたが、水源が不足することが明らかとなり、計画を取りやめた。

農道は幅四～五メートルの道路二・六キロを四十～四十一年度に整備し、傾斜地の桑園内を縦横に農道が走って、有機物や桑の運搬に利用されて、生産力の向上に寄与している。耕地を拡張する余地のないこの地区では、農道の整備にともなって一・二二ヘクタールの桑園がつぶれるため相当問題があったが、現在では道路整備の効果が認められ、全員から喜ばれている。

病虫害の共同防除

県および県蚕連の指導方針にしたがって、数年前からきょう蛆駆除のため、組合員の床下にBHC粉剤を動力散粉機で共同散布し、五パーセント程度の被害率は四十二年度には〇・三に低下した。

稚蚕共同飼育と相まって蚕作安定の要である蚕室、蚕具などの消毒についても、稚蚕共同飼育所ばかりでなく、各農家も、共同作業によって消毒の徹底をはかっている。これらの共同作業は組合内を四つの班に分け、それぞれの地区から出ている役員が中心になって能率的に作業が進められている。

技術指導の徹底

県が設置する嘱託蚕業普及員が郡蚕業農協連右左口支部に二名駐在し、これら普及員を中心として普及指導事業が展開されているので、組合員は普及員と相談して、生産性向上のための技術導入につとめている。組合の行なっている主な指導事業は、つぎの通りである。

❶ 普及員または4Hクラブ員による桑園土壌調査の結果にもとづく施肥合理化の徹底をはかるため、施肥基準を示す。ことに稚蚕専用桑園は、組合の示す基準によるようにしている。

❷ 冬期および各蚕期前に、担当普及員による講習会を開催する。

❸ 毎年県蚕業試験場が実施する稚蚕共同飼育主任者講習会に数名を派遣するほか、県および県蚕連の行なう研修会に組合員を派遣する。

繭販売などの事業

蚕種、肥料その他の生産資材は組合がとりまとめて一括購入するが、普及指導事業と相まって、この事業を通じて組合員の技術水準の向上と生産の近代化を[illegible]る。また、蚕種の購入先、繭の販売先は、総会の決定にもとづき一本化され、このことによる[illegible]の効果も大きい。

繭は一部を製糸業者に生繭で共同販売するが、一部は郡蚕農協連の行なう乾繭事業を利用して販売し、これを有利に販売しているため、組合員の収めた利益が少なくない点は注目される。

[illegible]

行きとどいた桑園管理

❶ 桑園の概況

組合の桑園面積は二二・五[illegible]

二号三三〇キロ以上を基準とし、苦土石灰、石灰などの使用については、稚蚕用桑園と同様である。これらは冬期に施肥するが、このほか、天候、桑の発育状態などを考慮して、夏秋期に尿素、硝安、過燐酸石灰などが一部追肥として使用されている。

以上の結果、稚蚕用桑園はチッソ成分で二七キロ、壮蚕用は四〇キロ程度となっている。

❸ 行きとどいた桑園管理

桑園の管理は清耕地を主体として、一部敷わら法も行なわれている。とくにあげるほどの特色はないが、冬期は暇なため、かなりいき届いた管理を行ない、組合員が揃って決められた方法を確実に実行している。

すなわち、十一月中に石灰窒素を三袋程度散布する農家が多く、各畦ごとに耕耘機または手労働をもって桑園を掘り割り、堆肥などの有機物を入れ、片側の土のみ覆土し、ついでマル桑固形肥料を年間分全量散布して、反対側の土を覆土する。土壌の深い桑園には各畦にマルチが行なわれているが、これは全体の三〇パーセント程度である。

一～三月には土壌検定の結果にもとづいて、苦土石灰、石灰などを散布し、除草を兼ねて撹拌する。三月下旬から四月上旬にかけて除草剤シマジンを散布し、夏刈り後も除草剤を散布する農家もあるが、最近、耕耘機または動力除草機を利用する者が増加してきている。

六～八月にかけて桑の発育状況や天候などを考慮して、尿素、硝安などの追肥を行なう。桑の病虫害防除としては、クワカイガラムシを対象として、冬は機械油乳剤、夏は石灰硫黄合剤を毎年統一的に散布している。最近、桑紋羽病が若干発生している程度で、他にあまり被害の顕著な病虫害の発生は認められない。

養蚕経営の概況

		35年	40年	41年	42年
養蚕農家数(戸)		42	42(1)	42(1)	42(1)
桑園面積(ha)		30.1	21.66	22.51	24.93
掃立数量	春蚕	483	589	653	681
	初秋蚕	287	270	326	389
	晩秋蚕	378	422	431	425
	計(箱)	1,148	1,281	1,410	1,495
収繭量	春蚕	14,760	18,711	22,868	22,376
	初秋蚕	7,654	7,946	10,409	12,001
	晩秋蚕	9,930	11,952	14,206	13,188
	計(kg)	32,344	38,609	47,483	47,565
1戸当	農業従事者数(人)	—	—	2.77	2.77
	桑園面積(a)	47.9	51.6	53.6	63.2
	収繭量(kg)	770	942	1,158	1,160
10a当	収繭量(kg)	161	178	211	191
1人当	〃(kg)	—	—	420	421
1箱当	〃(kg)	28.2	30.1	33.6	31.8
備考			春、初秋…冷害 晩秋…台風		晩秋…早害

（註）① 養蚕農家数の（ ）内は休止養蚕者数である。

全員が力を合わせ、見事に日本一の養蚕組合になった金沢農協のメンバー、後方は稚蚕の共同飼育所（上）と部落の桑園（右）

優れた経営者たち

組合の歩み

協業で高い生産性
八五パーセントを占める養蚕収入

山梨県東八代郡中道町は、旧右左口（うばぐち）村と旧柏村の合併によって成立した町で、甲府市南約一〇キロに位置し、西北部は吹上川を境として甲府市に接し、南部には、標高一、〇〇〇メートル余りの御坂山系が連なっている。

林野率は五三パーセントで耕地は北面の緩傾斜地に展開している。

土壌は平坦地は沖積の砂壌土、台地は洪積の埴土であって、早ばつの常襲地帯である。

総戸数一、一四三戸のうち、農家戸数は九六三戸を占め、その半数以上が専業農家である。耕地面積は七〇五ヘクタールで、そのうち水田はわずかに七四ヘクタール（水田率一三パーセント）にすぎないが、桑園は三四三ヘクタールあって耕地の半分近くを占め、山梨県の中でも有数の養蚕地帯である。

中道町金沢部落は、旧右左口村のほぼ中央にあって、総戸数四九戸のうち養蚕農家は四二戸で、うち三九戸が専業農家である。

養蚕農家の耕地面積は三九ヘクタールで、うち水田は八・八ヘクタール（水田率二二パーセント）、桑園は二二・五ヘクタールを占め、桑園率は五八パーセントに達している。農業収入の主なものは養蚕で、稲、麦作、畜産もわずかにあるが、養蚕収入が全体の八五パーセントを占める養蚕部落である。

金沢養蚕農業協同組合は、東八代郡中道町金沢部落を地区とする非出資の養蚕専門農協で、昭和二十四年に設立されたものである。

この組合は金沢部落の養蚕農家の全員四二戸が組合員であり、この組合員は同時に右左口農業協同組合（総合農協）の組合員にもなっていて、生産資材の購入や繭の販売代金の決済はすべて右左口農協を通じて行なわれている。

組合の運営は七人の理事と二人の監事によって行なわれ、正副組合長のほか、桑園主任、飼育主任、蚕具主任および蚕繭主任をおいて、それぞれ仕事を分担している。また、組合員を地域によって四つのグループに分け、共同作業や技術指導の単位として、円滑な運営をはかっている。

この組合は郡内の他の養蚕農協とともに、東八代郡養蚕農業協同組合連合会を組織している。郡養蚕農協連は右左口支部をおいて、ここに嘱託蚕業普及員が二名駐在し、旧右左口村にある九つの養蚕農協の指導に当たっている。

この組合は、大規模養蚕地帯では困難とされていた稚蚕共同飼育を、他地区にさきがけて実行するとともに、蚕室、蚕具の共同消毒、蚕病の共同防除によって作柄の安定と向上をはかっている。

この組合は、あとにのべるような実績をあげ、昭和四十一年度には繭増産推進本部主催の繭生産向上全国コンクールの組合の部に参加し、最優秀と認められて農林大臣賞を受賞した。そして、昭和四十二年度全国農業祭において、養蚕日本一として晴れの天皇賞を受賞した。組合員一戸当たりの平均農業従事者数は二・七人、耕地面積九三アール

一方、桑園の肥培管理の合理化によって、葉質の改善をはかるとともに、多収穫桑園の育成に成功し、組合平均一〇アール当たり収繭量は二一一キロと極めて高い生産力をあげている。

また、全令条桑育などの省力技術を普及することによって、一戸当たり三四箱を掃立てる大規模な養蚕を、ほとんど家族労働でまかなう高能率の養蚕を行なっている。その結果従事者一人当たり四二〇キロ、一戸当たり一、一五八キロの繭を生産し、しかも各農家の技術水準が揃って高く、文字通り高反収高能率の養蚕集団である。

また、組合は蚕種、肥料など生産資材の共同購入および繭の共同販売によって収益の確保をはかり、規模の拡大と相まって、四十一年における組合員一人当たりの農業収入一四三万円のうち、養蚕収入は一二二万円に達し、四十二年には養蚕収入が一四五万円前後になる見込みである。

徹底した省力技術
雇傭労働を計画的に配分

[illegible]

コウジカビ病とダニ病の発生源となる木、竹などの資材をさけて、鉄パイプにビニールを被装した材料を用いて、天竜育用の飼育箱をつくり、蚕座の下にはビロシートを敷いた。

これは、はじめてのことなので組合幹部は指導所、試験場などに出掛けて慎重に検討して決定したが、蚕病予防上賢明な措置であった。

飼育は条桑育の無停食育で、一日二回給桑であるが、三令は条桑家で飼育し、三回給桑である。また、蚕架および各令起蚕をパクソールで消毒し、硬化病の予防につとめている。

春蚕の稚蚕用桑は、古条の上部（前年先端伐採をしない）を伐採している。

夏季蚕用桑は残条式全芽育成法の桑園七〇パーセント、条桑育用摘芯分枝法の桑園三〇パーセントを用意し、主として初秋は残条式を、晩秋は摘芯枝法桑園を多く利用している。これは摘芯分枝法が、早ばつのときでも割合によく発育するためである。

また、稚蚕用桑園は全桑園の二七パーセントもあるので、気象条件に応じて適良桑を確保できるよう各所に分散配置し、あまった桑は三令および四令初期にまで利用する。

❷ 壮蚕飼育

壮蚕期も早くから各蚕期とも条桑育を行なっているが、四十二年の晩秋期のように早害にあった際は摘葉飼育が多く、給桑回数は三～四回である。

掃立ては、春蚕五月十一日、初秋蚕は七月二十二日と二十九日、晩秋蚕は八月二十九日と九月三日に行なっている。春蚕を二回に分けないのは、上蔟後直ちに桑園の手入れ、麦刈り、田植えなどの作業が続き、掃立てがおそいと労働が競合するから、一回掃きとして上蔟時には雇傭を行なっている。

ほとんど全部の農家が専用蚕室を持っているが、十分ではなく、一部は居宅も利用している。宅地がせまく、庭も全部飼育に利用する農家が多い。また、宅地内に桑を運搬することが不便な農家の中には、桑園内に蚕室を建設している者もある。

飼育施設の整備が飼育労働の節約に寄与することが、よく認識されているためか、これら施設の改善が規模拡大とともに積極的に進められ、最近制度資金の利用高は八〇〇万円以上に達している。現在、飼育場所は専用蚕室が五、一〇〇平方メートル、テント、さしかけなど二、八〇〇平方メートル、居宅三、四〇〇平方メートルとなって、約三割はなお居宅内で養蚕が行なわれている。

桑園は部落の近くにあって、ほとんどの農家が、桑の運搬にはトラックまたはオート三輪を利用している。

壮蚕用桑園は春秋兼用で、春は多少労働を多くかけても、多収穫を第一として、数回にわたる間引き収穫が徹底している。初秋は間引き、晩秋二分の一～三分の一伐採の夏刈法が大部分であるが、春計画的に枝を一株に一～二本残して、初秋蚕に利用するものもある。

上蔟は条払台を利用する条払い法で、すべて回転蔟を使用する。

春蚕の上蔟期には公共職業安定所を通じて、計画的に雇用労働が配分されているが、養蚕主産地らしい風景である。

全員が七ケタ農業達成

この組合の生産性は極めて高く、しかも各組合員間のばらつきが少なく、よく揃っている。

まず、生産性に関係の深い養蚕の規模をみると、組合の一戸当たりの桑園面積は山梨県の一・八倍程度であるが、収繭量では山梨県の三・五倍、全国の五・二倍とその規模はきわめて大きい。収繭量について、その分布をみると、年間五〇〇キロ以下はわずかに三戸（うち二戸は二種兼業）で、一～一・五トンが一九戸と半数近くを占め、最も多い者でも二トンをわずかに超える程度であり、その七割近くは一～二トン階層に属している。

つぎに生産力をみると、桑園の一〇アール当たり収繭量は、平均二一一キロに達し、きわめて高水準にある。最低一七〇キロから最高二四〇キロの間にあって、二〇〇キロ以上が四一戸のうち実に二九戸に達し、驚くほど高水準の農家が多い。

日誌を記帳する農家もかなりあるが、各農家の労働時間を正確に把握するには、資料として不十分である。しかし、一戸当たりの農業従事者二・七七人で、年間三四・四箱を飼育していることからみて、相当能率的な養蚕が行なわれていることがわかる。

養蚕規模の最も大きい春蚕期の従事者一人当たり飼育量が五～一〇箱の農家が二六戸で全体の六四パーセントを占め、一〇箱以上が二戸で、最高は一人当たり一二・五箱を飼育している。

このような大規模養蚕にもかかわらず、ほとんど自家労働でまかない、上蔟期に平均約五人を日雇傭しているに過ぎないことから、労働生産力も相当高いことが推定できる。

組合員のうち、二戸の兼業農家のほか数戸を除けば、四十一年の農業粗収入はすべて一〇〇万円以上である。四二戸の平均は一四三万円で、そのうち養蚕収入は一二二万円を占め、八五パーセントに当たっている。

したがって、一〇アール当たり養蚕収入は二三万五千円と高く、従事者一人当たり四四万二千円に達している。養蚕収入の七〇パーセントを養蚕所得とすれば、一戸当たり八五万四千円となり、四十二年には一〇〇万円を超えるものと見込まれ、大部分の農家が養蚕による自立経営農家である。

NHK農事番組（二月二十一日～二十九日）

テレビ

明るい農村　6・30～6・55 総合
- 21日 村を結ぶ　フィルムリレー
- 22日 時の話題
- 23日 新農産物風土記　ブロイラー
- 24日 雪の中の機械化実験室　北大・道中央農試
- 25日 話の広場　カメラ通信　ミス農業千葉　出稼ぎ組合長　新潟県
- 26日 豚と九人の仲間　東京都久留米町
- 27日 くらしを考える　後継者資金
- 28日 村を結ぶ　現地報告

農業教室　7・00～7・30 教育
- 21日 施設園芸の新技術＝微量要素の考え方
- 22日 〃 炭酸ガス施肥
- 23日 〃 温室冷房
- 24日 〃 現場訪問
- 26日 乳牛の飼育管理＝乳牛の能力を考える
- 27日 〃 乳牛の環境
- 28日 〃 放牧牛の管理
- 29日 〃 産前産後の管理

あすの村づくり　日 7・00～8・00 教育　再 土 13・00～14・00 教育
- 25日 グループだより　仙台
- 食生活をめぐって　福岡県糸島郡志摩町可也女子青年グループ　先輩と語る　沖田洋美

ラジオ

早起き鳥　5・50～6・00 ❶
- 21日 通信員の日記から　稲五郎
- 22日 産地訪問　ミズナ　大阪
- 23日 農協牛乳四〇年　神奈川
- 24日 村のポスト　投書
- 25日 話題の窓　農業者研究奨励会から
- 26日 たくあんで出稼ぎ防止　福井
- 27日 全国農村青年教育大会出席者にきく
- 28日 通信員の日記から　石井清志
- 29日 産地訪問　ほうれん草　群馬

ラジオ農業学校　月～土 6・40～7・00 ❷　日 6・30～7・00 ❷　再 月～土 19・00～19・15 ❷
- 25日 農業講演会　変貌する農村と青年の役割　協同組合短期大学教授　美土路達雄（福岡市社会福祉会館で収録）

新しい農村　日 6・00～6・30 ❷　再 火 14・00～14・30 ❷

ひるのいこい　月～土 12・15～12・34 ❶
- 22日 独航船の漁港さかん　函館
- 24日 椎アユとり　宮崎
- 日 ブリの飼い付け漁　大阪

趣味の園芸　土 10・30～11・00 総合　再 火 17・00～17・30 総合
- 24日 庭をたのしむ　芝生と生垣

わがクラブわが同志

4Hはみんなの組織
リーダーの役割を分担

三重県・津市安芸農村青少年クラブ　小黒敏克

われわれがクラブ活動を行って問題になるのは、役員は活発に活動するが、クラブ員がついて来てくれないことと、役員が自分の仕事に相当の負担を感じなければならないことであります。ここで考えなくてはならないことは、クラブはクラブ員みんなの組織であることです。またリーダーは組織の中心的役割りをはたすために必要な存在であるということです。

私たちがクラブ員としてクラブ運営して行く以上この問題の解決の糸口をみいださなければなりません。それには、クラブ員全体に対して、クラブ員であるという意識の高揚をいかに図るかということであります。そのためにはクラブ員全体がクラブに参加して、意義あるものと感じるような方法をとることが必要です。それによってクラブに対する意識の高揚が図れると思います。

また、役員の負担の問題ですが、役員はあくまでもクラブの中心として、クラブ員の総意を結集して運営を図るのが本来の役割りですから、行事などの企画、運営などについてはクラブ員全体で役割りの分担を行うことが必要です。こういう方法をとることによって、役員に対する個人負担の犠牲は軽減されます。

こんなことはすでに解りきっていることと思いますが、現状は案外忘れられている重大な問題ではないでしょうか。4Hクラブ活動の衰退など言われる昨今、こういった基本的な問題を明らかにすべきだと思います。

とかく「若いうちは、豊富な経験を」といいます。たしかにクラブの役員をして、多くの人たちに接し、そしてクラブ員を統一して運営する努力の経験は、人間形成の上にも非常に良い勉強になることは間違いありません。しかしその人たちにまかせきりになったり、頼り過ぎたりしては、いけないと思います。

またクラブ活動を発展させるためには、側面から指導してくれる良きアドバイザーが必要です。クラブによっては篤志指導者など指定して活動を援助していただいていますが、広くクラブ活動をバックアップする意味において、特にOBの体制を整えるとともに、連携を深めることが必要です。かつて自分たち自身でクラブ活動を体験した人たちは、クラブ活動の理解度も深く、クラブ員が何を一番要望しているか解ってくれると思います。

また、先輩たちとの交りによって、4Hクラブが誕生した意義やその経過を認識したいものです。

しかし現実には、先輩たちが組織してくれたクラブに甘んじているところに、苦労を知らない温室育ちの弱さがあります。

もし「このクラブがなかったら」という切実感を考える必要があるのではないでしょうか。その上に立って、青年による青年のための4Hクラブを、自主的に育てて後から続く後輩のために、何ごとにもくじけない4Hクラブの前途を切開こうではありませんか。

青年会議　クラブ活動を活発に

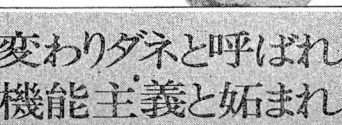

経営者は自分自身
"土を愛する喜び"知る

三重県四日市市　有竹康子

「農業」……。この二文字から私たちは何を思い浮べることでしょうか。石器時代の昔からトラクターの機械化の今日まで、めざましい進歩が遂げられてきた農業。昔からの風習もまだかなり残っている村も少なくない。その中で私たちは一人一人それぞれの理想を描き目的に向って一生懸命頑張っています。

農業は機械化されたとはいえ、年毎に無計画な農機具の購入の明け暮れ、また農産物価格の激しい変動との戦いに耐えて行くことも容易ではない。だがやり方によっては、夢も希望も湧いてくる。経営者は誰れでもなく自分自身である。だから農業はやり甲斐のある職業である。

私は働くという尊い喜びをかみしめて、喜こんで実践に一日一日を送り、生涯に二度とない今日という日を精いっぱい生きる喜びを誇りに思い、農家に生まれ土を愛する人でなければ味わえない喜びに浸っている。

最近農業を見捨て、農村から離れて行く青年も少なくない。私の村は生活水準も決して低くなく、たいていの農機具類は一軒で揃えている。農産物も個人で出荷したり、公設市場へ売り出す。いわゆる自己勢力が大きいからだろう。したがって農民組織のまとまりがない。

今年から蔬菜の特産地として政府から認められ、三年計画により構造改善事業が実施されることになり、その審査も軌道にのり出した。この事業が完成すれば、人工雨で灌水でき、耕耘も畦立てもすべてトラクターが使用でき、収穫した農作物は全部共同出荷など今まで夢に見てきた近代農業が経営できる。これからは同じ面積の土地でも労力、生活面に余裕ができる。そうなれば、余力で施設園芸など高度な経営を取り入れることも夢ではない。

農業構造改善事業によって、近代化される農家生活を夢見るのは私だけではない。でもいかにこの事業を具体的に進めていくかに問題がかかっている。要するに受入れ側の農民の体制をいかに整えるかである。それには、自己の利益追求だけに終止しない精神というか、それらに支えられた組織づくりにあると思う。

組織づくりといっても、従来古い観念にとらわれていたので民主的な組織の体制は整わない。現在の農村には組織が無数に存在しているが、これらの組織の運営を明らかにすることはもちろんだが、ややもすると有名無実の組織となることが多い。これは、農民自からが切望している自主的な動きをおこたっているからだろう。

農民の組織は、職業を通しての流通機構、いわゆる資材の購入、農産物の販売を目的とした組織であるから、それぞれ目的を同じくした組織の一本化を図りたい。

封建的な農村にあって、古い壁をつき破るということは、並たいていのことではない。若い私たちがいかに目ざめるかにある。4Hクラブ活動などで得た尊い体験をいまこそ生かして、夢と理想の湧きでる若い農村を私たちの手によって築こうではないか。

百姓の詩
岩崎康男

その果てしなき人の世の流れの中に
築かれてきた百姓の姿よ
美しき光となり逞ましき花と咲ける

土に生き自然を愛し
自からを打ちこんで戦い築き上げた年輪
そこに百姓のみが知る喜びも悲しみもあり
百姓のみが知る詩がある

ひと日ひと日の歩みに祈る幸福が
土に結ぶ二人の心の絆として
その姿に美しき光あり
その心に消らなリズムの流れあり

百姓のみの手で百姓のみの心で
百姓のみの詩が——

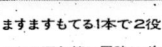

(和歌山県有田郡広川町上中野)

私たちのクラブ活動

計画的な家庭生活
家計簿で収支を明確に

山梨県東八代郡石和町今井・蓼の会　大竹豊子

〈農村の近代化と封建性〉

現在の農村生活には、都会にも劣らぬほどの電気製品が入り、農機具は機械化し、自動車を購入してたしかに目に写るものは近代化されています。しかし一歩家に入ってみると家族のつながり、隣り近所のつながりなど対人関係に、目に見えない封建性という厚いカーテンに鎖されていることが強く感じられます。現在問題になっている嫁飢饉や農業後継者問題などにしても、その多くは農村の封建性に原因があるのではないでしょうか。

経営の主体が米麦、養蚕であったころは価格がほぼ決っており、一年間の収入も一定して、ある程度金銭が計画的に使われていたようです。果樹、蔬菜に主体が変った今日の経営では、豊作貧乏という言葉が表すように、収入が不安定で計画すら立てられません。

最近の農業経営は企業化されてきている。莫大な資本投入するため何かの手違いでも生じると、収入皆無はおろか資材費がそのまま、借金に変ることもあります。それが原因で離農という悲しむべき現象となる場合もあります。計画を立てた上での借財ならかまいませんが、無計画の借財はつつしむべきことです。一年送りの収入で計画的に家庭生活が送るのが最も理想的であります。

計画的な家庭生活を送るには、家計簿をつけることが大切です。それは、家計簿が一番家の収入、支出をよくとらえているからです。今までつけてきた人は、ただ漠然とつけるだけでなくこれを基にして、計画的な家計生活を送れるよう努力しなければなりません。

現在家計簿を記帳していない人は、今日からでも記帳するようにして、家庭内で特定の人が一人でつけるのではなく、家族揃って一日の反省をしながらつけ、月の終りには家族みんなで楽しく集計を出すようにしたら、家の経済状態がガラス張りで、働くことに誇りを持ちはりあいのある日々送れるようになり、少しでも計画的な経済状態が築かれると思います。

〈親子の信頼で自信わく〉

私たちの周囲を見まわし二十才代で"これだけは自分の責任です"といえる仕事を持っている人が何人いるでしょうか。ほんの僅かな人だと思います。高校を出たばかりの若者に経営をまかせるということは、若者にとっても重荷になり、親としては不安が生じるでしょう。しかしこれを恐れていてはいけないと思います。

親の仕事を手伝っていたのではいつになっても農業に自信と誇りがもてず、そのために真の農業の楽しさがわいてきません。したがって他産業への流出となってしまいます。

いつか親子の考えに相違が生じいつの間にか大きな溝となり、お互いに憎しみ合い、罵り合うようになったら本当に暗い家庭となってしまいます。ほんの少しの面積でも責任をまかされたとしたら、若者はいかに親が自分を信頼しているかを知り、それに対して一生懸命農業に取り組むでしょう。失敗や成功を何度か経験するうちに農業に対する自信、物を創り出す楽しさがおのずからわかってくるでしょう。親たちも初めて不安から信頼感へ、そして子供たちのたくましさを理解することでしょう。お互いが理解と信頼することによって、何のわだかまりもない平和な家庭が生まれ、農家全体がこういう家庭になってこそほんとうの明るく住みよい農村となると思います。

〈食卓に新鮮な野菜類を〉

従来の農家における食生活は、自家生産物でまかなわれていました。そのため米麦を主に、副食はたまに動物性蛋白質を用いた位で家に飼っている鶏の卵さえ利用できない貧しいものでした。

では今の食生活はどうでしょうか。なるほど毎日動物性蛋白質、脂肪などの栄養分をとっています。むしろ昔とは反対に野菜類のとり方が少ないように思います。

私の住んでいる所は蔬菜、果樹地帯ですが、果樹専業農家は自家菜園にする用地さえありません。そのため行商人から鮮度の悪い野菜を買って用いなければならない状態です。そこで調理に手のかかる野菜類より簡単にできる魚、肉類とかインスタント食品を利用して食卓へという傾向が強くなっています。

栄養という点から考えて、動物性食品の三倍位の野菜を用いるのが理想とされています。この点からみて野菜の自給が必要となります。家庭菜園を手近に用意して、いつでも新鮮な野菜を食事に用いるようにしたいものです。

農繁期などのこともあるので、あまり時間をかけない調理方法を工夫して、愛情のこもった料理で食卓をかざり一家団らんの食事の時間にしたいものです。

4Hクラブなどで料理講習会などをよく開きますが、ややもすると講習だけに止まり実生活に生かされていません。それというのも材料の有無とか、その材料でしか出来ないものと思いこまれていますが代用品が利用できることを忘れてはいけません。まして農家では牛乳や卵、野菜など新鮮なものが豊富にあるので、これをいかに工夫して調理するかにあります。そのためにも家庭菜園を作り、四季とりどりの野菜づくりを私は提唱します。

〈話し合いのある家庭を〉

いままで"姑の嫁いびり"といわれていたが、現在はその逆に"嫁の姑いびり"という言葉が使われるようになってきました。これを解決する方法として家族同士、当事者同士の話し合いの機会を多くもち、相手の立場に立って物事を判断し、理解と誠意をもって相手の言い分をきき、自分の意見を腹を割って話し、感情に走らず納得のいくまで話し合うことによって、いつか必ず感情的な溝もなくなり、心が解け合いお互いの人格を認めるようになるでしょう。

その時初めてほんとうの親子のような感情が生まれ、家族間でつつみ隠しのないオープンな明るい家庭を築くことができるでしょう。それには不断からの話し合いが必要です。話し合いのない家庭に育った娘が嫁に行って、その家族と話し合いをしようとしても、簡単に出来るものではありません。若いうちからそういった習慣を身につけておく必要があります。

最近4Hクラブの父母の会などができているようですが、こういった場所を通じて話し合いを続けていくべきだと思います。

〈家庭内から地域全体に〉

遠くの親せきより近所の他人という諺のように、隣り近所の人たちとの交際は欠くことはできません。冠婚葬祭を初めとして種々のつきあいが、年々派手になってきている裏には封建性が根強く残っています。これらを打開することによって名実ともに民主的農村に生れ変ることができます。

この封建性は、農民の生活の中に長い期間を経て浸透したものだけに、そう簡単に打開できるものではありません。しかし近代的な農村を築くためにはどうしても大きな壁となります。またこの問題は一人の力ではどうにもならないことが山積しています。

でも誰れかがこの問題と積極的に、取り組まなければなりません。そのためには私たち青年が中心となって、家庭内で話し合いを進め、生活の簡素化の雰囲気をつくり地域全体に普及するよう努力しなければなりません。来年度はクラブのプロジェクトとして、この問題をとりあげて、一般の人たちがどのような方向を望んでいるかを調査し、少しでも農村をよりよく、住みよいものにするため努力して行きたいと思います。

ことわざとうた

二月の声をきき節分、立春が過ぎればもう春である。北の雪国には、まだまだ春も遠いことであろうが、それでも二月の声をきくと水ぬるみ、雪融けのけはいが満ち溢れる。早春の歓びは、胸の奥深くまで暖かさを与えてくれる。「早春賦」という歌の三番に「春ときかねば　知らでありしを　きけばせかるる　胸の想いを　如何にせよとの　この頃か」とある。今日も学窓の庭に女子学生の奏でる「早春賦」の歌声が美しくきこえてくる。

毎年のことだが、春には全国農村青少年会議が開かれる。今回は第七回だという。二月二十六日から二十九日まで四日間東京のオリンピック記念青少年総合センターで全員合宿で学習をすることになる。参加する代表者も各県全部決定した。丁度七〇〇名である。うち青年会議の分科会に出席する農村青少年は男二六二名、女二〇一名、青年の発言男四七名、女三八名である。運営委員やクラブリーダーを含めて、農村青少年が五百余名一堂に会し話し合う壮観は見事であろう。

今回のスローガンは「こころとわざをみがきあい若さで築こう豊かな農村」ときまった。また、未来への進歩と、無限のひろがりを象徴し青春を讃え、第七回をアレンジした参加章のバッチもできあがった。このバッチをつけて四日間、参加青少年たちは、勉強し続けることであろう。

青少年の発言

今回、あらたに「農村青少年の発言」というプログラムが加わった。

この「青年の発言」は、農村に生きる諸君たちが、日頃考えていることや未来に対する夢や希望や抱負を主張し発言することになっています。諸君たちが、クラブ活動のなかで学んだプロジェクトや実践活動をふみまえての主張を堂々と発言してほしいのであります。

NHKで成人の日に「青年の主張」をやっていますが、この主張に似たものだと思いますが、それに今までやっていましたプロジェクト実績発表の内容がはいると考えています。ややもすると弁論大会調におちいりやすいと思いますが、朴訥な発言で結構だと思います。勿論方言でありのままを話していただくことを期待しています。県の青年会議での「青年の発言」の様子を二～三の県にきいてみますと、やはり空想的な理論をぶつもの、足が地につかないでハッタリをかますもの、お涙頂戴的にうったえるものがやはりあったときいております。全国会議は県から選出された人たちですから大丈夫と思います。今回が初めてだけにいろいろ心配がありますが、みんなの力で立派な「青年の発言」の会にしたいと思います。

このプログラムはなかなか面白く勉強になったといわれるようにしたいものです。この会議が終りましたら、このコラムを借りて反省をしてみたいと思います。なお、今までやっていたプロジェクト実績発表会を、やめたのではなく夏の技術交換大会の演示部門に吸収したわけです。演示もプロジェクトの一つですから、演示を主体としてのプロジェクトの発表にしたいからです。

この会議の模様はNHKのテレビ、明るい農村(二月二十四日、三月十二日)あすの村づくり(三月三日)特別番組(総合テレビ三月二日一四・一〇～一五・三〇)「われら土に生きる」で放送されます。またラジオ農業学校などでも放送されますので、きみもテレビをみながら会議の様子を見守ってください。(龍)

映画　ダム建設に挑む
黒部の太陽
(三船・石原プロ作品)

三船敏郎、石原裕次郎—日本映画界を代表する二大スターの共演が遂に実現。

構想四年、その間には数々の障害が幾重にもぶ厚い壁となって、二人の前に立ちはだかっていた。しかし、両プロデューサーは、くじけず、おくせず、この壮大な人間ドラマの製作を開始した。二大スターのこの製作にかけた情熱と意欲は、まさに映画界最高の話題である。かつ、日本映画史上最高の製作費三億八千九百万円を投じたことは"日本人の勇気"をたたえるドラマにふさわしい快挙といえよう。

物語りは、秘境黒部峡谷を切り開いて、巨大な黒四ダムを造りあげた日本人の不屈の根性と斗志を雄大なスケールと、感動的なタッチで描いたもの。

☆　☆　☆

日本一の難所、人跡未踏の黒部峡谷に世界で第三の巨大なダムを作れという。戦後の日本が敗戦国から脱皮して世界に伍していくには必要なダムであることは分っているが、関西電力の北川(三船)は現場を視察して、さすがに深い溜息をついた。大田垣関西電力社長の決意は固く、北川に断固としてダム建設を命令した。

黒部川にダムを作るには、まずそこまでトンネルを掘って資材を運べるようにしなければならない。そのトンネル掘りが至難の事業であった。北川は建設事務所長として、熊谷組の下請源三たち労務者を指揮したが、この山は、日本列島のちょうど屈折部になっており、トンネルを掘っていくと地質学上、いつ破砕帯にぶつかるか分らない。

源三の息子岩岡剛(石原)も年老いた父親の代りに途中から参加したが、破砕帯への不安感が常につきまとっていた。

昭和三十一年五月一日に始まって十ヵ月目、ついにその恐るべき破砕帯にぶつかってしまった。折りも折、北川の次女牧子(日色ともゑ)が白血病で倒れ、北川は公私ともに最大の難所に立ったのである。

工事現場は絶望の日々を過した。悠久の太古から溜っている無限の地下水が、いつまでも溢れ落ち、一日一センチしか掘れない日がつづいた。岩岡は恋人である北川の長女由紀(樫山文枝)とスキーに行っても楽しむ余裕はない。

ようやく、×ヵ月目、地下水が減り、破砕帯を突破した。

岩岡と由紀は結婚した。ダムが完成してから式を挙げたかったのだが、妹牧子の病気があといくばくと生命が限られているため、早めにしたのである。

昭和三十三年二月二十五日、ようやくトンネルは貫通した。迎え掘りの間組と、ポッカリ開いたトンネルの中で握手し、そして抱き合って喜ぶ岩岡たち。苦しかった三年間のトンネル掘りをふりかえって、北川はただ涙を流すばかりだ。だが、そこへ一通の電報がとどいた。

「クロヨン　カンセイオ　イノリツツ　マキコ　シス」妹牧子のかなしい死の知らせであった。

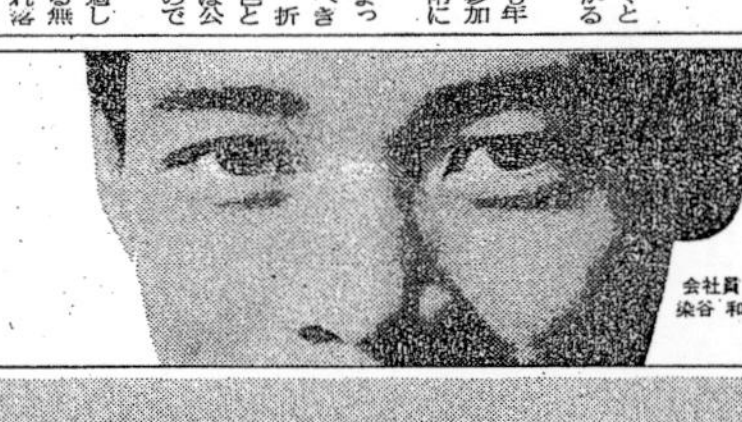

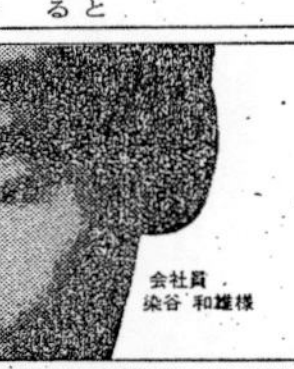

日本人の不屈の根性と斗志によって連日連夜破砕地帯の発掘に挑んだ

日本4H新聞
4Hクラブ 農事研究会 生活改善グループ
全国弘報紙
発行所 社団法人 日本4H協会
電話（269）1675
定価1部10円

クラブの綱領

プロジェクトの全国研究会開く

参加者を募る
今春四月十三日、東京で
全国4Hクラブ連協
十四日には通常総会

全国4Hクラブ連絡協議会（会長、丸山勉君）は、さる十五、十六の両日、全協事務局（東京・日本4H協会事務所）で会を開き、今年度の通常総会を来る四月十四日、東京・新宿区市谷の家の光会館で開催することを決定するとともに、これに合わせ、総会前日の十三日、同会館で「全国4Hクラブプロジェクト研究会」を開催することを決めた。

このプロジェクト研究会は、4Hクラブ活動の生命でもあるプロジェクト活動のあり方について、クラブ員のプロジェクト実績発表に基づいて検討、追求し、こんごの指針にしようというもの。さいきん、クラブ員の実績発表が経営成績発表に似たものや、発表のためのプロジェクト活動が目立ってきたため、これを是正し、本来の

長）の後援を予定している。

参加者は、プロジェクト発表者をはじめとして、全協総会に出席する各道府県連代表（全協代議員各二名）、任意参加の一般クラブ員（学生を含む）OBなど。

主な日程としては、クラブ員のプロジェクト発表、発表者、講師、助言者、OBなどによるシンポジューム、プロジェクトのもち方に

うける。これを最後に閉会するが、任意解散のかたちをとり、ひき続いて懇親会を開く。これは全協と県連、末端クラブ、OBなどの間に太いパイプを通すためで夕食をとりながら懇談する。なお、プロジェクトの発表者と

参加者は三月二……府県連を通じて……とになっている。

また、十四日……全協の四十二年……提出される議案……事業経過と決算

いよいよ開幕
第七回全国農村教育青年会議
26日から 東京で

から新しくとり入れられた「若い力」と題する体力競技、レクリエーション、表彰式をかねた閉会式などが計画されている。

また、昨年初めて試みられた合宿が今回も行なわれ、共同精神の涵養と青少年総合センターの規則に従い規律ある生活を身につける

和歌山で青年会議とプロジェクト発表

ジェクト発表につづり、発表者から充実した内容をもつ実績などが披露され、これに対し聴視者から突っ込んだ質問が出された。

発言、プロジェクト発表とも充実したものではあったが、プロジェクトは、グループに関するものが少なく惜しまれた。夜は、九人制の部対抗バレーボール試合が、そばの体育館で催された。

二日目は朝から午後三時まで部門別討議が行なわれた。昨夜帰宅した人たちの大部分が再び参加し盛況のうちに進められた。とくに今年は、討論に視聴者の提議的発言を制限したため、分科会出席者間での討議は良好であった。

ことになっている。

主な日程は、一日目は午前十時半から開会式、十二時半から青少年の発言、夕食のあと、夜は部屋ごとに同室者の自己紹介。二日目は、朝のつどいなどにつづいて午前九時から分科会討議に入り、昼食をはさんで午後三時まで続ける。ついで体力競技などのあと夜は「村のはなし」と題してグループ懇談会。三日目は午前九時から前日につづいて分科会（小議題による小分科会討議）午後は分科会報告にもとづいてパネル討議（全体討議）三時から体力競技などのあと、夜は「よるのつどい」を開く。

最終日はNHKホールに会場を移して午前九時から青少年の発言

図表を背に堂々とプロジェクトの成果を発表する男子クラブ員＝茨城県の実績発表会で

農政、税金説明も聞く
京都府連でクラブ員大会
絵画など力作展示

【京都府＝平野義男連絡報道員】京都府農村青少年クラブ連絡

年ごと充実の傾向
茨城県連　青年会議と実績発表

涼風晩風
青年会議を有意義に

彼らは「全協は俺たちの組織だ。青年会議は俺たちの会議であるといわれた。俺たちの会議に俺たちの代表が参加していない

合った自分たちの問題や悩みをまとめて、しかるべきところへ要望書を提出しようという動きがでたりするのである。

を通して農業に……らいたい。それが……願いである。

青年の船だより

"仏教の国"タイ
機械ぬきの農業
富山　清水　熹

国賓なみの待遇
岐阜　松田　正治

私たち「青年の船」は、台湾、バンコック、シンガポールの訪問を終り、現在インド洋をセイロンに向って航海しています。

東京を出航してから早くも二十日たち、毎日日程に追われて自分というものを忘れたような生活で手紙、日記の書く時間も少なく、ただ体の調子をととのえるだけで精いっぱいです。

訪問した三ヵ国とも国賓なみの扱いを受け、税関では管理官が出入国のパスポートの検査だけですみ、一般に厳しいとされている税関が余りにも簡単なので、外国へ来たという感じが薄れています。私の夢みた、外国というものがあっさりと破られたような気がします。

のどかな水上マーケット
埼玉　砂川みさ子

2月1日、バンコック滞在最後の日、朝7時さくら丸を出て、小さな舟に乗って、メナム川支流の水上マーケットの見学に行きました。ヤシやバナナ、スイカなど、舟にいっぱい積んで売り歩く農民の姿は、同じ農民として何か親しさを感じるとともに、日本の農業がなつかしくなりました。名前のわからない野菜や果物がたくさんありましたが、私たちはタイ語は通じず、ただキョロキョロするばかりでした。食料品の値の安さにはおどろきます。それに、せんたく、食器洗い、水泳など何でも同じ川で行なうことにもびっくりです。（挿絵は砂川さんの自筆）

活躍する農業者の会"さくら会"
神川　二宮高見

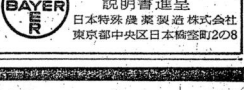

心頭技健

胸うつ母親のことば

鹿児島の青年会議　青年の手で運営

【鹿児島県＝山田静連絡報道員発】[illegible]

…触れ合いができたであろう。そして一緒に足をあげたジェンカの中で、子供たちのレクリエーションへの理解もなされたであろう。これだけでも大きな成果である。

もう一つの特色は、全体の実行がすべて青年の手でなされたことである。これを一番先にあげるべきであろう。クラブ員も非常に成長した。

こんど各地域に帰って、この会議の成果を生かし、クラブ活動に、また地域の若人として活動してくれるであろう。

親と話し合おう

クラブ活動や農業経営に精を出し、それを成功させていくためには、やはり親と子の協力が必要である。そこで、最近、家族ぐるみの4Hクラブ活動がさけばれているが、各地でも親とクラブ員との話し合いが盛んになってきている。このほどその会合が鹿児島、京都、奈良各府県で開かれた。

年輩者の洗脳教育を

奈良・桜井4Hクラブ　熱入った意見交換

【奈良県＝[illegible]連絡報道員発】[illegible]

…クラブ活動を通し、親子相互の理解を…らも農業の理解者を求める必要が…（…クラブ福田会長の情報による）

近代農業は協力で

京都・若駒4Hクラブ

【京都府＝[illegible]連絡報道員発】[illegible]

はばたけ農村の新鋭

茨城・県南地区で4Hク員が激励　"はばたく集い"

【茨城】[illegible]

…われているもの。県南地区の集いは、県南農林事務所が主催し、農協中央会、県農村青少年クラブ連絡協議会（会長、根本武昭君）が後援している。

会場には、朝早くから石岡一高、上郷農高など各高校の就農予定生徒が集まり、約六百の若い顔で埋まった。来賓として知事、県会議員らが出席「みなさんが明日の農業の中核者として、青年の英知と創造力で、近代的企業的農業を開拓して下さい」と激励したあと、農林事務所から農業改良普及事業と、地域農業の概況などの説明があった。

つづいて美浦4Hクラブの菅野治夫君ら五人の先輩から農業後継者としての意見と体験の発表があった。

このあと七つの分科会に分かれて「新規就農者として、農業経営技術をいかにして勉強するか」というテーマで話し合った。これに対し、4Hクラブなど先輩就農者から活発な意見が出されていた。

最後に就農生を代表して、江戸崎高校の北沢孝三君が「新たに農村社会へはいる私たちは、農業を職場とし、農村を生活の場とし、農業を少しでも良くするため頑張ります」と力強く誓いのことばを述べた。

なお、この集いには、地元4Hクラブ員が大勢かけつけ、新規就農者たちを励ました。（江戸崎4Hクラブ、村山文雄君より）

ゼッケンもあざやかにスキーの練習に励む女子クラブ員

町民の向上に努力

三重・阿山町4Hクラブ　農業技術研修会開く

「みどりの伊賀」創刊号から拾う

【三重県＝西村喜代司連絡報道員発】伊賀地区農村青少年クラブ連絡協議会（会長、山崎和久君・会員百六十四名）では、結成以来クラブ員が待ちに待った念願の機関紙「みどりの伊賀」（編集長、中林正悦君）」の第一号（創刊号）をこのほど発刊した。

地区連でも、情報交換活動の推進は、県連と同じく部門別研修活動の強化とあいまって二大目標の一つとしてかかげており、今回の創刊の意義は非常に大きく、活動実績の裏付けとして期待されている。今回はその中に収められた一つの記事を紹介してみよう。

阿山町の農業技術研修会が、男女4Hクラブ員と来賓約五十名が参加して、このほど河合公民館を主会場として開かれた。

行事内容は、男子クラブでは農業構造改善圃場でトラクターのロータリー耕転現地講習や町内各圃場の土壌検定と座談会などを行ない、一方女子クラブでは、姿我の研究と着付けの講習、座談会、話し合い、映画会、レクリエーションなど豊富な研修で二日間を過ごし大きな成果を収めた。

とくに今年の特色としては、4Hクラブの土壌検定と女子クラブの寄付けは、会員と町民一体の研修とされ、町内の篤農家、婦人会、先輩を招いてともに研修し、そのあとで座談会がもたれた。

これは、町の後継者としての自覚高揚をねらいとして、クラブだけの活動にとどまらず、町全体の農業技術のレベルをアップし、豊かな生活の向上に少しでも役立たせようとするものである。

また寝食をともにすることもクラブ員相互の親睦、団結を深め、共同精神を養うことになり、昨年から宿泊が行なわれている。あたたかいスキヤキ料理で夕食をとったあと映画会が開かれ、十時に就寝した。しかしすぐ床につく人はいない。昼間の熱心な研修から開放されたこともあって、日ごろの農業経営、生活改善、友情や結婚問題などクラブ員個人の夢や悩みについて、赤々と燃えるストーブを囲みながら、なごやかな雰囲気の中で夜のふけるのも忘れて語り合った。

こうして、技術、人間形成両面にわたって研修を積んだ。それぞれの胸に豊かな収穫を秘めて、これからクラブ活動の発展、町の農業振興、また生活の合理化や向上を、希望と若い情熱に燃える自分たちの手で実現させようと力強く誓い合って二日間にわたった研修の幕を閉じた。

雪の中で生活の勉強

滋賀の女子クラブ員

女性としての魅力を　雪溶かすハッスルぶり

【滋賀県＝油浦豊一連絡報道員発】滋賀県農業後継者クラブ連絡協議会（会長、河原田吉嗣君）は、県と共催で去る三、四の両日、県下の高島郡今津町の雪山に囲まれた三谷部落公民館を主会場として、第一回の県農村女子青年（代表責任者、森野和子さん）生活講座を開催した。これは昨年八月、日野町で行なわれた第一回の講座に続くもの。以下は参加クラブ員のレポートである。

参加人員は五十余名ではありましたが、気候にも恵まれ、最高のコンデションの中で午前十一時四十五分から開講式が行なわれました。

まずオリエンテーション、開会のことば、主催者のあいさつ、激励のことば、歓迎のことばなど高島地区の方々の温いおことばをいただきました。

つづいて午後一時から六時まで体力づくりとして「スキー教室」が箱館山でくりひろげられました。高島高校の先生はじめアシスタント役を勤めて下さった岡本普及員さんのご指導のもとで、一班に別れてスキーを練習しました。こんな雪のように気持よく滑る人、ころぶ人などまさに農業を後継するクラブ員だという女性軍のハッスルぶりが見られました。寒さは暑さでふっとんだ感じでした。

夕食のあとただちに三谷公民館に戻り、地元クラブ員との交歓会をかねて分科会を開きました。自己紹介のあと各班に分かれて「女子クラブ活動を推進するための問題点」について六六方式を用いてみんなで話し合った結果、いろいろの問題がでました。

その中で二、三の例をあげますと「女性が考える自分たちの任務」「青年団＝（イコール）後継者」「女子クラブ員には、クラブ員としての特長と仲間意識がない」などです。十時に終了して、みんな民泊所に戻りましたが、部屋に入っても分科会での話しはつきないようでした。

翌日午前六時半に起床。凍りついた雪の上に静かにこな雪がちらばめいて、さすがに高島だという感じがしました。肌にしみ込んでくるようでした。

九時から全体討議に入りました。昨日の分科会での話し合いの中から「男性の要求する女性の任務」「女性が考える自分たちの任務」の二つのテーマを選び、助言者の塚本先生と普及員さんからいろいろとお話しをうかがいました。中でも一番印象に残ったのは「男性でも女性でも社会性をもち親しみを感じる人間でありたい。女性は女性らしい魅力をもつ」ということ。あるいは「女性らしい態度で男性と同じレベルを持って進んでいかなければならない」ということです。このことばは、私たちクラブ員の励ましであり、また力づけであったと思います。

ついで十時から「農村生活の現状と今後の問題点」について専門技術員の鳥羽久子先生の講義がありました。このあとレクリエーションとして、歌の合唱や自己紹介のゲーム、チャンピオンゲームなどで楽しく過ごし、十一時四十五分から「経済情勢と農家生活」について農業改良課長さんからお話しがありました。

午後から深い雪の中へ入りながら宝さがし。早く探そうと必死でした。あっ、みかんがあったワ、あれレターコーラも出てきたワ、ヨ、とみんなとても楽しそうでした。このあと反省会が行なわれましたが「このような研修会をもっと続けていきたい」という意見が多く、また「女子だけではダメだ。もっと男性との話し合いが必要である」という声も口々に出ていました。

最後に閉会式。主催者あいさつ、お別れのことば、お礼のことば、4Hクラブの歌を合唱して無事終了しました。

農業者大学校の入試問題

地域農業の振興と社会開発推進の中核となる農業者を育成しようと農林省が三年前から準備を進めてきた中央農業者大学校（農林省中央青年研修施設＝東京・南多摩郡多摩町の林野庁鳥獣試験場内）は、いよいよ今春（五月下旬を予定）開校されます。その入学生の入学試験がさる一月三十一日と二月一日の両日、東京・農林省ホールなどで行なわれ、合格者四十二名が決定しました。学科試験は理科、数学、国語、作文（解答時間は各科目とも五十分）の四科目が出題されましたが、まず国語から試験問題を紹介してみましょう。

国語（1）

【一】次の文章を読んで後の問に答えなさい。

私はテレビについてはにがい思いでをもっている。テレビが流行しはじめたころ、ふるさとの私の家にはテレビがなくて、末の子が夕方になると近所の家へテレビを見にいっていた。たくさんの子がおしかけていくのでその家では迷惑していたらしい。とめようとするけれども言うことをきかない。妻が少しきつくしかったことから、子供がどこかへいってしまい、村中大さわぎをしているところへ私は旅から帰って来た。幸い家の片隅にかくれていることがわかって（イ）ことはおさまったが、おなじような事件がもう一つ村の中におこった。〈A〉子供のある家では皆無理をしてテレビを備えつけるようになったのである。おなじような話を私は旅さきでよく聞いた。〈B〉テレビを普及させた第一の（ロ）功績者は子供たちだったと思っている。

その次はオリンピックである。東京へは行けないから、せめてテレビでオリンピックを見たい、というのが地方の人たちの共通した願いであった。同時にテレビは十分その威力を発揮した。戦後の国民の意識をこれほど統一してオリンピックに向わせたのもテレビの力であった。私には実にくだらぬと思われたオリンピック音頭なるものを全国民に歌わせたのもマスコミの力であったようだ。（ハ）それはオリンピックのすんだ日からとたんに国民の脣から消えてしまう程度のものでしかなかったのであるが——。

言いかえると、それが大したものでなくても、テレビは国民にある事実を押しつけてしまう力をもっている。〈C〉それが本質的なものでない場合はマスコミのふれなくなるとすぐ忘れられてしまうものである。それにしても〈D〉偉大な力を持っている。とくに農村生活者の生活と意見を変えた力は絶大であった。

【問1】文中のA、B、Cの〈　〉には次のどのことばを入れたらよいか。

❶だから　❷そのかわり　❸そこで　❹あるいは　❺ともあれ　❻しかも

【問2】文中のDの〈　〉には次のどれを入れたらよいか。

1、子供の要求というものは大人の要求よりも
2、スポーツをみる楽しみは他のどんな娯楽よりも
3、テレビの説得力はいままでのあらゆるマスコミよりも

【問3】この文の筆者の子供の数については、次のどれが正しいか。

1、子供はいない。　2、一人いる。
3、二人以上いる。　4、この文からはわからない。

【問4】この文の筆者の家庭でテレビを備えつけた理由は次のどれか。

1、オリンピックを見るため
2、農村生活を向上させるため
3、子供にせがまれたため
4、オリンピック音頭をおぼえるため
5、特に理由はない

【問5】子供をしかったのは誰か。

1、筆者　2、筆者の妻　3、近所の人
4、村中の人　5、学校の先生

【問6】文中（イ）の「ことはおさまった」の「こと」の内容は次のどれか。

1、近所の家が迷惑したこと
2、子供が行方不明になったこと
3、テレビが流行したこと
4、筆者が旅行中だったこと
5、オリンピックをみたいと思ったこと

【問7】文中（ロ）の「功績者」ということばを用いているときの筆者の気持は、次の例のどれと同じか。

❶私の祖父はこの村を発展させた功績者だとされている。
❷ノーベルは世界の科学を発展させた功績者だが、その発明の結果は戦争と結びついてしまった。
❸日本の学者の貧乏が日本の理論物理学を世界的な水準にまで発展させた功績者だ。
❹目立たなくとも自己の職責を果している人々こそ、国家の功績として顕彰したいものだ。

【問8】文中（ハ）の「それ」が指しているのは次のどれか。

❶オリンピック音頭を普及させたマスコミの力
❷オリンピックを見たいという共通の願い
❸戦後の国民の意識
❹テレビがほしいという気持

【二】次の1から8までのことばの意味として正しいものを各一つ選んで下さい。

❶許可する
A 願い出る、B ゆるす、C 試験をうける、D たのむ、E 仕事を始める

❷実施する
A ほんとうにある、B まもる、C とりしまる、D ほどこしものをする、E おこなう

❸被害
A 人間にとって悪いこと、B 影響を与えること、C 害虫を殺すこと、D 損害をうけること、E めいわくをかけること

❹面会謝絶
A 面とむかってあやまる、B 会うことをおことわりする、C 病気が重い、D こんど会ったらよろしく、E 窓から顔を出すな

❺立入禁止
A 入口に立ってはいけない、B はいったらすわれ、C やってはいけない、D はいってはいけない、E 出たりはいったりする

❻努力する
A せいをだす、B 力をくらべる、C 本をよく読む、D 遊んでやる、E 力をかしてやる

❼期待する
A あてにして待つ、B 元気をつける、C 成功する、D 期日を待つ、E 尊敬する

❽協議する
A 賛成する、B 決める、C 力をあわせる、D 相談する、E 会を開く

鍬をストックに持ちかえて

新潟のクラブ員スキーの腕あげる

【新潟県＝松沢栄一郎連絡報道員発】さる一月二十五、二十六の両日（一泊二日）スキーのメッカ、妙高々原赤倉で、中頸城郡内の普及所（柿崎、直江津、高田、新井、頸南の五地区）の主催によって農村青少年の体力向上と仲間づくりを目的とした「スキー教室」が開かれた。

一日目は、参加者総勢六十名（青少年約五十名と指導者など）が三班に分かれて、白銀のゲレンデをすべって大いにはしゃいだ。夕食後はゲームや話し合いなどで宿舎の県職員寮「妙高園」からいつまでも笑い声が聞こえた。

二日目も基礎技術の指導を受けたが、みんな雪国の生まれだけにさすがに上達が早く指導員もびっくりするほどの腕前になった。運悪く二日間とも天候には恵まれなかったが、参加クラブ員の心の中は日本晴れ。別れを惜しみながら午後二時半ごろ再会を約して思い出の赤倉を後にした。

また同じ二十六日、下越地方でも五泉市農村青少年クラブ（会長、和泉昇君）と村松町農村青少年クラブ（会長、小林要一君）が冬鳥越で合同でスキー大会を開催、ウインタースポーツの"華"で一日をかざった。

農林省普及部長に富樫氏

石井前部長は東北農政局長に

農林省の人事異動がこのほど行なわれ、農政局普及部長、石井一雄氏(53)は、十六日付で東北農政局長に、また新普及部長には、前農業技術会議振興課長の富樫覚信氏(49)が昇格就任された。

優れた経営者たち

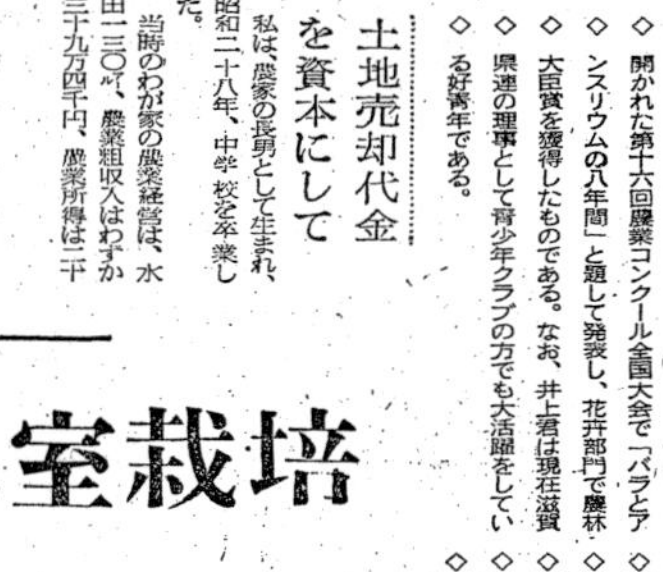

花卉

実績あげた温室栽培

ここに紹介した井上君の実績は、昨年八月、熊本市で開かれた第十六回農業コンクール全国大会で「バラとアンスリウムの八年間」と題して発表し、花卉部門で農林大臣賞を受賞したものである。なお、井上君は県連の理事として青少年クラブの力でも活躍をしている好青年である。

滋賀県草津市農業後継者クラブ　井上武夫君

花屋さんの店頭をにぎやかに飾る切り花の群れ。[illegible]（東京・神楽坂の花屋の店頭で）

土地売却代金を資本にして

私は、農家の長男として生まれ、昭和二十八年、中学校を卒業した。当時のわが家の農業経営は、水田一三〇アール、農業粗収入はわずか三十九万四千円、農業所得は二十三万八千円であった。[illegible]

井上君が新しく取り入れた高級品種アンスリウム（中央に飾られたもの）

経営の目標を七ケタ農業に

[illegible]

成功した積極的な品種更新

[illegible]

方メートルを増築した。

そのうえ、私の温室土壌が極端な粘土質であり、カーネーションの栽培は不適で、むしろバラ栽培に適しているという試験場のすすめがあり、普及所の指導をうけて本年から思い切ってカーネーションをバラに切替え、高収益をねらうことにした。

この切替えは成功し、温室バラの市場の品不足から予想外の高値で取引きされ、その実績は総収入二百万円を越え、農業所得百二十二万円と前年より五十七万円伸長した。

また、バラ栽培はカーネーションに比べて労力が少なくてすむことや将来は温室バラが市場で有利な作物であることも確信できた。

昭和三十九年

昨年の実績と経験から、自己資金でバラ温室を三三〇平方メートル増築した。また、市場に適する品種や栽培技術の研究に重点をおき、粗[illegible]

蒸気を利用した温室の断面図

被覆用シート

30cm

蒸気噴出ノズル

加熱用2φ鋼管

粗栽有機物

45cm

90cm

輝やく農林大臣賞

年間二五〇万円の純益あげる

[illegible]

蒸気消毒で連作障害を回避

[illegible]

栽培当初はあらかじめ準備していた新しい土の入れ替えを行なっていたが、温室面積の増加に伴ない床土の交換は労力的にも不可能になってきた。そこで、昭和三十九年から土壌消毒を実施し、連作を回避するよう努力している。

昭和三十九年はクロールピクリンによる土壌消毒、昭和四十年はサンヒュームを使用して消毒を実施した。

昭和四十一年度は、私の地区で実施されている農業構造改善事業で蒸気による消毒がクローズアップされ、移動式消毒機を導入し、カーネーション栽培農家で立枯病の防除と床土入れ替えの省力をかねて利用している。

さいわい、私の温室は蒸気を発生することができるセクショナル・ボイラー（最大蒸発量毎時五〇〇キロ、最高圧力毎平方センチ〇・六キロ）を暖房用に使用しているので、昨年度は、約三三平方メートルを蒸気消毒した。

その方法は、図のようにあらかじめ細かく砕いた床土に二センチの鋼管を埋設し、その上に蒸気が逃げないように被覆用のルミラ・シートをかぶせ、蒸気を通した。消毒処理時間は、鋼管の深さによって違うが三〇センチ埋設の場合、三三平方メートルが約一時間で消毒できた。

この結果は予想外に効果があり従来よりも定植後の生育がよく、もちろん連作の害もなく、雑草も生えないので除草労力も節減できた。

そのため、消毒方法や栽培技術[illegible]

にも自信がついた。

約四倍に増加した農業所得

私が昭和三十四年に温室経営をやり始めてから九年目を迎えることになった。その間、種々困難はあったが、当初の計画どおり順調に農業経営は改善され、昭和四十一年は三十四年に比べて農家所得は約四倍に増加した。

しかし、農業所得率は年々やや低下しており、その原因としては施設の増加や設備などの増加のためで、生産を増大していくには経営に見合った資金の投資も必要である。

家計支出についても漸増しており、とくに飲食費、研修費、生活改善のための風呂場や台所改善などは平常支出より多く要するようになっている。

運搬用の小型軽四輪車を三戸が共同で購入し、別に自家用軽四輪車も購入することができた。

私がもっとも念願するのは、所得増大のみをただ単に追求するのでなく、それが自己を犠牲にし、家族をかえりみない、いわゆる生活を第二義的にするというのではなく、健康で明るい家庭生活を築いていくのが私の終局の目的である。そのため家庭設計の良否が直接営農実績につながると確信している。

働くだけの農業でなく、生活に夢と希望をもち、労働時間は夏季九時間、冬季八時間を守り、家族同伴で月一回県内へ、年一回は県外へ慰安をかねた視察旅行ができるように努めている。

これからは省力技術を導入

私の農業経営をふりかえると、昭和三十四年から昭和三十七年までは、技術の習得と温室の基礎づくりであり、三十八年から四十一年までは温室バラの規模拡大に力を注いだことになる。

現在、温室面積は、バラが二、〇四六平方メートル、アンスリウム三三〇平方メートルであるが、四十三年を目標に三、三〇〇平方メートルまで拡大する計画をもっている。

今後は、規模が大きくなるほど省力技術の導入がぜひ必要になるので、省力技術の導入に向って、経営改善を進める計画である。

NHK農事番組（三月一日〜十日）

テレビ

明るい農村　6・30〜6・55　総合
1日　新産物風土記　梅
2日　農業新時代　原子力農業
3日　話の広場　カメラ通信　町長の嫁さがし（和歌山県中辺路町）あぜぬり機登場（京都府立農業試験場）
4日　みんなで選んだ優秀農家（北海道）
5日　〃（東北）
6日　〃（関東甲信越）
7日　〃（東海北陸）
8日　〃（近畿）
9日　〃（中国）
10日　〃（四国）

農業教室　7・00〜7・30　教育
1日　乳牛の飼養管理＝病気の防ぎ方
2日　〃　現地訪問
4日　多頭化酪農への道＝多頭化の経済性
5日　〃　労力からみた多頭化
6日　〃　機械のとり入れ方
7日　〃　飼料計画をどうするか
8日　〃　共同経営の方向
9日　〃　現地訪問

あすの村づくり
日　7・00〜8・00　教育
土　13・00〜14・00　教育
3日　第七回全国農村教育青年会議から＝自立経営への道＝
10日　グループだより　仲間とともに（新潟）　先輩・後継者（仮題）　世界の農業をみて＝デンマークの酪農（御殿場市　杉山忠作）

趣味の園芸
土　10・30〜11・00　総合
再　火　17・00〜17・30　総合
2日　今月の庭仕事
9日　花壇の設計

ラジオ

早起き鳥　5・05〜6・00　①
1日　現地報告　後継ぎ登録制度（群馬県南牧村）
2日　村のポスト投書
3日　話題の窓　すすまない農地流動化
4日　優秀農家の横顔（四国ブロック代表）
5日　〃（九州ブロック代表）
6日　〃（中国ブロック代表）
7日　〃（近畿ブロック代表）
8日　〃（東海北陸ブロック代表）
9日　〃（関東甲信越ブロック代表）
10日　話題の窓　今年の天気＝長期予報から＝

ラジオ農業学校
月〜土　6・40〜7・00②
日　6・30〜7・00②
再　月〜土　19・00〜19・15②
3日　録音構成・青年による「村のはなし」から＝第七回農村教育青年会議出席者＝
10日　座談会・放送利用による集団学習＝第七回農村教育青年会議分科会＝

新しい農村　日6・00〜6・30②　再　火14・00〜14・30②

ひるのいこい　月〜土　12・15〜12・34①
2日　養蜂キャラバン隊
7日　白サギ帰る

4Hくん　No.116　桜井はじめ

昨年度の青年会議　分科会討議から

来る二十六日から東京で、恒例の青年会議が開かれようとしている。現在、わが国の農村をとりまく環境は日々に変わり、そのとどまるところを知らない。こういうときにあって、明日の農業を担う青少年の悩みはつきない。青年会議における分科会討議は、これらの悩みを抱いた青少年が、お互いに問題を出しあい、みんなで考えることによって解決の糸口を見つけだそうとするものである。ことしも、全国の若い仲間たちによって、これらの問題が真剣に話し合われることだろうが、本欄では、その参考に昨年度の分科会における討議の中からその要点のいくつかを拾ってみた。

熱心に討議する昨年の分科会参加者

先決は意識の高揚

資金不足が大きな悩み

グループ活動

意識高揚の問題　クラブ活動を活発にするためには、まずクラブを構成する一人ひとりがクラブ員としての意識を高めることが最も大切なことである。

それにはクラブに入るとき、そのクラブがどのような目的を持ち、どのような信条、綱領、規約をもったものであるかよく調べてみる必要がある。親しいものだけの親睦の会なのか、目的を同じくするものの研究の会なのか、4Hクラブのようにそれらを兼ね供えたものなのか。

これらクラブの性格によってその運営も異なり、クラブ員の自分たちのクラブ活動に対する心構えも当然のことながら違ってくる。

組織の問題　クラブ活動を行なうにあたって、その前提となるのはクラブ組織の確立と強化である　これには、クラブ員をどうして確保するか、とくに女子クラブ員の加入をどうしてすすめるかということが最も大きな問題である。

また、活動が活発になれば、しぜんクラブも魅力を増して、組織もしっかりしてくる。

運営の問題　有意義で魅力ある活動内容にするためには、運営についていろいろ研究してみる必要がある。

それには、集会のもち方、女子クラブ員の活動、集会のための施設、レクリエーションの取り入れ方、他団体との連携、年令差、両親の理解などの問題がある。

リーダーの問題　クラブ活動を活発にし、クラブを発展させるためには、よいリーダーの指導と助言が必要である。

よいリーダーに恵まれずクラブ活動が停滞している例は非常に多い。

プロジェクトの問題　プロジェクトについては、その達成が難かしく、こだわりすぎるとクラブ員が減るなどというが、それはクラブ員の認識不足であって、クラブ活動の中心をなすものはプロジェクト活動であり、プロジェクトをもたないクラブ員はほんとうの4Hクラブ員とはいえないものである。

財政問題　クラブの資金については、個人会費、協同作業での捻出、関係機関から補助を受けるなどの方法がある。

その他の問題　他団体との連携がむずかしい。とくに青年団との関係については多くの考え方がある。

自立経営

規模拡大と資金の問題　自立経営を確立するためには、まずその基盤となる経営規模の拡大をはからねばならないが、そのための資金をどうしてまかなうかということがみんなの共通の悩みである。

資金には自己資金と融資があるが、自己資金には限度があり、どうしても制度融資に頼らざるをえない。だがこの貸付ワクが少なすぎる。

また、耕地をふやすには地価の高いところでは資金が足りないので、借地農業や請負耕作を実施すべきである。

過剰投資にならないように資本回転率をよくする必要があるが、根本的にはハッキリした離農者対策がうち出されるべきである。

つぎに、酪農、施設園芸、果樹、稲作＋アルファなどの各部門にはそれぞれ規模拡大のやり方がある。

労働問題　作業のポイントをおさえ、いろいろ工夫して無駄な労働をはぶき、合理的な労働配分をはかることが大切である。

そのため品種の組み合わせ、機械化とその共同購入などをはかる。稲作については直播や除草剤の利用などを行なうとともに、年間労働を均一にして労働ピークを切り下げる。

また、新しい技術を早く身につけ、計画的作業体系、計画的労働配分を行なう。婦人の労働については一緒に農作業に従事しているが、その場合、単に労働提供だけでなく生産技術を身につけ、適材適所で分担する必要がある。そして経営が安定した段階では、女性は家庭にあって家事に専念した方がよい。

価格と流通対策　生産者の組織をつよくしてゆくことが大切である。

例えば、資材の共同購入によって生産コストを引き下げ、共同出荷によって有効に販売する対策を考えてみるべきである。

技術の収得　技術は親から伝習によって学ぶ、先進地の視察や留学、普及所や研究機関の利用、マスコミの利用などによって収得するが、それには積極的に学習意欲を燃やして実践体験を通して身につけるよう心がける。

農業後継者について　農村に嫁がきないといわれるが、適令期になればだれもが結婚している実情からみて心配することはない。

マスコミは農村のもっと明るい面を出してもらいたい。農業をやる気のある者は農村に残るのだから、周囲から後継者対策で騒いだり、甘やかしたりする必要はない。

わがクラブわが同志

◀投稿案内▶

本紙は、みなさん方の新聞として、全国のクラブ員に利用して戴きたいと考えています。それでクラブの催しや個人のプロジェクト、詩、短歌、随筆、写真、悩みや意見、村の話題、伝説、行事その他なんでも原稿にして送って下さい。

お願い　❶長さや形式は自由です　❷できれば簡単な説明をつけた写真をそえて下さい　❸送り先　東京都新宿区市ヶ谷船河原町十一　日本4H協会編集部

活動の低下にメス 農業教育の欠陥を知る

岐阜県海津郡南濃町羽沢　県連事務局長　伊藤光明

4Hの推進者へ

人間教育の基礎求める

4Hクラブ活動が、日本で行なわれるようになってから、二十年になろうとしている。この間、全国の農村青少年クラブ活動を通して、農業の改良や生活改善などに数多くのすぐれた業績を残し、農村の発展に大きな貢献をしてきた。とくに、戦後の切迫した食糧事情のもとにあって、主食の増産新技術の実践に目覚しい活躍をして、一般からもその真価は高く評価されるようになった反面、最近のクラブ活動は鈍くなり、内容は年々低下している。

そこで、何が活動の低下をもたらしているのか、原因と解決について考えてみたい。原因の第一に農村人口の減少、他産業への従事者が多くなったとともに、経営拡大などで時間的余裕がなくなった。また、クラブ活動に魅力がなくなり、他に娯楽を求めやすくなった。以上の問題があげられる。

では、なぜ他産業従事者が多くなったのか。❶生活水準が向上し小規模な農業経営では収入が少なく、生活が困難である（農業をしたくてもできない）❷農業に魅力を感じず、農業の重要性を理解せずに都会にあこがれる（農業で生計は立つが嫌いな人）この二つに分れます。

では、なぜ農業に魅力を感じないのか。農村は都会に比べて、非近代的で青少年が農業に従事していては、自分の独立した財産を持つこともできない。農作業は、重労働で自由がなく、とくに婦人の仕事は、家事、育児はもとより、農作業にも多忙を極めるため、農業は若い女性からも嫌われている。

それにもう一つ、今までの学校農業教育は正しかっただろうか。成績の良い者が農業高校に進もうとすると、百姓になるのはおかしい。とか、百姓をするものには、学問はいらないように言われ、農業の重要性を教わるどころか、農業を軽視するような教育を受けてきた。これでは青年に農業を好きになれということの方が無理ではなかろうか。しかしこの問題は、青少年だけでなく、社会全体の問題として解決し、青少年自からが努力しなくてはいけない。

第二の活動に魅力がなくなった原因は、活動が「マンネリズム」となり、生産技術一本の1H的な活動となっていなかっただろうか。4Hクラブの活動は、まず自分を磨き発展させることを第一とし、学校のカリキュラムだけではなしえない立派な社会人としての人間形成の基礎づけを求めるのであるから、子供をもつ父兄はもちろんのこと、農村全体の問題として、その教育について真剣に検討すべき性質のものである。このような温かい手がさしのべられてこそ、地域に根をはった家族ぐるみの4Hクラブが発展して行くのではないだろうか。

実践活動は…4Hの鉄則

4Hクラブの特徴は、プロジェクト活動にあり、4Hクラブは、実践を通して4つのHを磨き、心のH（友情、誠実）を中心に結びつけ、有能な人材になることをねらいとしているのであり、その生命が活動となる。また、実践を通して学ぶことが、4Hクラブの鉄則であり、最高の勉強の方法であって、実践を通した体験こそほんとうにその人の血とも肉ともなるのです。

4Hクラブ活動は「やらされる型」でなく「やらねばならぬ型」のものであり、積極的な課題解決集団であります。あくまで、実践をともなう体験集団なのであり、ただひたすら一人一人の課題を解決していく努力を積み重ねていくことに価値があるのです。

このため、4Hクラブのやり方には、これといった手本がなく、クラブ活動には、入会時の新旧や学歴、年令、男女の差もない。クラブ員は、入会と同時に先輩のクラブ員同志とともに、平等に活動する資格がある。したがって、青少年は極めて自然にクラブに入り自分たちの身近な課題にのびのびと取り組む姿こそ、4Hクラブといえるのです。ここに人間完成と限りない課題解決へのエネルギーがわいてくるのです。

クラブの強さは、実行力の強さであり「行なうことによって学ぶ」いき方こそ、4Hクラブの強さを伸ばすものであろう。

4Hの旗印のもとに集まったクラブ員は、自分個有の問題をみんなの知恵を借りて、解決の糸口をほごそうとしているのです。グループとして成果を上げるためにはクラブ員が問題を腹蔵なくうちあけて、検討しあえるようにすべきであります。

そこで、お互いが理解し合うためにも、クラブ員がクラブに入ってからたどる心境の変化をつかむ必要があります。クラブ員は、だいたいクラブ活動や先輩について くる時期、クラブ活動が楽しくなる時期、クラブ運営やリーダーにそっぽを向いて、不平をのべる生理的反抗期、自分から積極的に意見や質問をのべる未知のものへ興味を示す自覚の発見期、クラブ活動にものたりなさを感じ、自分の存在価値、役割りをみつめる課題解決活動者の時期などをたどるのです。

最近クラブ員を集めたり、クラブ員に興味をもたせるため「レクリエーションを多く取り入れては……」という声が聞かれるが、青年が楽しいと感じるのは、はたして歌や踊りなのだろうか。レクリエーションもクラブ活動の一つであるが、心ある青少年たちは、そんな一時的なことでは満足しないに違いない。むしろ、未知の世界に対する興味、対決、すなわち探究、冒険の中に、青年のあこがる楽しさがあるのではないだろうか。クラブ活動の中で、青年のエネルギーを発散させることが最も大切だと思います。

補助金に頼らない 土壌検定で活動資金を

千葉県佐倉市　佐倉4Hクラブ　岩淵重雄

[illegible]

…の有効利用、クラブ員自身の勉強など数々の利点があげられます。

二十五名のクラブ員が、五名一組に分れて、連日交代で土だらけになり、また、寒さで手を真赤にしながら、土壌採集や、試験管とにらめっこをしているが、いずれも明るい表情で頑張っております。

この土壌検定で得た資金で、各種の事業を計画して、有効に利用したいと考えておりますが、自分たちの手によって苦労して生みだした資金であるだけに、自主的に使用でき、やっと私たちのモットーが生かされて、主体性のあるクラブ活動が運営できるものと思い、充実したすばらしい4H活動に大きな期待を抱いています。

剪定に学ぶ

三重県・亀の卵会

実践活動はここに クラブに新しい芽ばえ

[illegible]

「あっ、私ですけれど、どうしてですか」

「どうして、この枝を切ったのかね」

私は得意になって答えた。ありったけの知恵をしぼって切った枝だ。自信はあった。

「これは、あまりにも枝が伸びすぎていたからです。いわゆる徒長枝の一種だと思い切りました。この枝を、このままにし、あるいは、これを長く切ったら、下枝の発生が悪くなってしまい、はげ上り枝になってしまうからです」

「そういうことも考えられる。しかし、それはミカンの生理というか、芽の発生状態をよく研究していれば、この地点では切らなかっただろう。この切り方をしても下から強い枝は出ないよ。上芽より従長気味の枝が数本出るにすぎないのだ。それより、もっと上部から切り、上芽を弱くして、下芽から強い枝が出るよう整枝、誘引の方法をとるのだな」

「すると、その枝には今年は、実がならないわけですね」

「そう、ここは将来主枝として伸ばしてゆかねばならんやつだから、適正な枝が出るような方法をとってゆくことだね」

「中村さん、この樹はどのように、整枝してゆけばよいのでしょうか」

「これは、整枝をする前に、この角度の狭い同時分化芽を切り落してやってから、主枝、亜主枝と決めて誘引してゆくことだね」

—私は、昨日このミカン園に行って、自分の剪定した枝を見て、中村技師の言った言葉の一つ一つを思い出し、ミカン栽培者として励むことを誓った。

女子研修会で学習 誠意と幅広い教養 理想像望む女性の心理

埼玉県秩父郡吉田町　県4H部副部長　大野富江

一面銀世界の城峯山のふもと、城峯国立青年の家を会場に、埼玉県4Hクラブリーダー研修会が開催された。プログラムの中には、前からの念願であった女子研修会をくみ入れ、女子リーダーの集いと称して二時間の時間をもうけました。

予想外の天候の悪条件のために日程がずれてしまい、当初計画していた女子リーダーの集いも、時間が大幅に減ってしまいましたがこの少ない時間を有意義な集いにと考え“女子クラブ員の男性観”というテーマで話し合いを進めました。

次から次へと建設的な意見が活発にのべられましたが、その内容としては。

❶自分の意見をはっきりのべられる人❷職業に自信をもっている人❸誠意と幅広い教養のある人、その他に女子クラブ員の存在価値を認めてもらい、両車輪で活動をして行きたいというのが主な意見でした。

この集いを開催して一番強く感じたことは、今問題となっている農家の嫁さんをどう解決して行くかということです。「こういう男性でなくては」とか「こういう家庭でなくては」といろいろ女性側として理想はあります。しかし、それも必要だと思いますが、その前に女性としてもっと自分自身を考え、反省する必要があると思います。

したがって、もっと話し合いの場に参加して視野を広め、自分自身を反省し、物ごとを正しく見つめる技と精神を身につけることによって、解決の道が開けるのではないでしょうか。

自分一人の考え、それはほんとに尊い立派なものがたくさんあると思います。しかし、その考えや意見を人と交換しあい、話し合うことによって何十倍もの値うちがでてくるものと思います。あるいは人の考えに賛同したり、人の考えを変えて行く力ともなりましょう。

この女子クラブ員の集いが、時間的な関係で十分目的を成し遂げなかったのは残念ですが、女子研修の重要性をこれほどまでに痛感したことは、これからの活動に対して、大きなプラスになるものと思います。

この女子研修会を機会にして、一回でも多く開催することが、今私たちが取り組んでいる職業に対して、自信と誇りをもって取り組んで行ける人を生み出す要因であると信じます。クラブ員の人たちには、このような研修に進んで参加して、女子4Hクラブ員として農村に生きる信念を自覚するため大いに学習して行こうではありませんか。

お知らせ

次号「三月四日号」は、来る二十六日から東京のオリンピック記念青少年総合センターで開かれる「第七回全国農村教育青年会議」の記事を特集する計画ですので発行が少し遅れます。ご了承下さい。

（日本4H新聞　編集部）

さとわのうた　春の感情

春がくる　春がくる
春がくるときのよろこびは
あらゆるひとのいのちをふきならす笛のひびきのようだ
ふるえる　めずらしい野路のくさばな
おもたく雨にぬれた空気の中に
ひろがるひとつの音色
なやましき女のなきごえはそこにもきこえて春はしっとりとふくらんでくるようだ

この詩は萩原朔太郎の「春の感情」という詩の一節である。この詩は季節感の象徴的表現とそこに発酵する「生の感情」を表現して美しい。この詩の言葉にはそれぞれに優しさ、柔らかさがあり、音楽的な流れが、情緒のしっとりとした音色で聞えてくる。口語感覚の言葉が抒情の柔軟な触手となって春がくる歓びをうたっている。ほのぼのと春の暖かさが伝ってくる。

春とはいえ、さきごろ、東京にも大雪が降った。二十二センチ積った。十七年ぶりの大雪で、交通機関は一時完全にマヒしてしまった。わずか二十センチの雪にノックアウトされる大都会のメカニズムの弱さに驚いている。昭和二十六年に三十センチの大雪でこの日は一日中交通がとまった。あの時は、戦後まだ日浅く日本の弱さもありやむをえないといえるが、あれから十七年たった今、やはり、一歩も雪の防備体制ができていないのには、まったく恐れいった。日進月歩するこの日本の社会機構の流れのなかで、平穏無事にすぎている時はよいが一つ歯車が狂うと、全てが自茶苦茶に崩壊してしまうのではないかと空恐ろしい気がする。日本の近代化も案外底が浅いようである。あげ底文化をみすかされたおもはゆさを感じて背すじに冷たいものが走った。

この新聞が手もとに届く頃には、第七回全国農村教育青年会議が開かれているだろう。前号にも書いたが、今回とくに前年とかわったプログラムは、一つは開会式に入場行進が行なわれることである。エレクトーンのリズムにのって、プラカードと県旗と県連旗が入場してくる。NHKの鈴木三雄アナウンサーが、各県のキャッチフレーズを紹介する。大部分の参加者は会場に座っており、県の紹介の時に立ちあがって一礼をするという演出である。二つは、農村青少年の発言（前号で紹介）三つは「若い力」というプログラムである。柔らかさと力強さと器用さの体力を測定する。今後、農村の近代化を進めるためには、なくてはならない若い力である。

金、銀、銅の体力章（バッチ）がだされる。金バッチは参加者全員の一〇％位、銀バッチは二〇％位と予定している。そのバッチを誇らしく胸につけて今後の農村の推進者になってほしい。四つは「夜のつどい」である。明治学院大学高橋彦教授の指導をえて、全国の友が一堂に会して、一夜をたのしく歌い、踊りあおうというものである。社交ダンスの企画も考えられているようだ。その夜の最後は、明日から全国津々浦々に離れゆく友と静かに別れを惜しみながらキャンドルサービスで一夜をすごすことになる。

以上四つが、本年度に企画したプログラムであるが、昨年から加わった「村のはなし」懇談会に私は大きな期待をよせている。昨年非常に評判がよかっただけに、今年はもっと面白い話がでてくることを期待する。村に埋もれた民話や民謡や舞踊など、村につたわる歴史、自慢話を、今年もたくさんしてほしい。またよい話はできるだけ集録して、貴重な文献資料として残していくことも考えてほしい。忘れ去られようとする農村の無形文化を、諸君たちの手で発掘し、それを「村のはなし」で語ってほしい。（龍）

映画　若さ、冒険描く 最高にしあわせ（ウォルト・ディズニー）

パイオニア・スピリットにつちかわれたバイタリティ。飽くなき好奇心、若さにあふれる冒険と行動ー。これがフィラデルフィアの有名な大金持ち、ビドル氏一族の世界だ。そこに生れたユーモアとロマンスは、まさに小説以上に奇でアメリカ中の話題をさらったがそのヒロインが自ら綴ったビドル家の物語りが原作である。

配役

ビドル氏＝フレッド・マクマレー、ビドル夫人コーデリア＝グリア・ガースン、愛娘コーデリア＝レスリー・アン・ウォーレン、アンジー・デューク＝ジョン・デヴィッドスンほか。

☆　☆　☆

運は自分で開くものというのがジョンの主義だ。アイルランドから来たばかりで執事の仕事にありついたのは、フィラデルフィア一の大金持ビドル家である。ジョンが驚いたのは、主人ビドル氏の変った道楽である。家の中に大小沢山のワニを飼っていること。馬屋を改造し、ジムを作り、元ボクサーや青年を集め、娘のコーデリアまで加えてボクシングの練習をさせるのが、ボクシング狂ビドル氏の最高の楽しみだ。

口喧ましいメリー伯母は、コーデリアを男の子のように育てるは、ビドル家の家憲に反する。寄宿学校で女らしく、しとやかな教育をすべきだと寄宿学校に行くことになった。

ニュージャージーの寄宿学校。コーデリアは同室の友だちに、ボーイハントの秘訣を教えてもらう。

早速パーティで応用したが、お嬢さん育ちのコーデリアは、ボーイハントどころか話しもできない。そんな新鮮で正直な彼女に心惹かれたデュークは、ダンスに誘った。デートを重ねるうち二人は心から愛するようになった。

雪の深い夜、突然コーデリアが帰ってきて、学校をやめて結婚するといいだした。相談もなく我がままだとビドル氏は怒りだしたがとにかくデュークを晩さんに招待することにした。デュークに散々嫌がらせをして、二人の中をさいてやろうというのがビドル氏の魂胆だったが、断然デュークを見直してしまった。

コーデリアはデュークの案内でニューヨークに母を訪ねた。誇り高きデューク夫人は、息子が見ず知らずの娘を結婚相手と選んだとあって心おだやかでない。

ハネムーンは、デトロイトへというデュークのプランが、母の案で、変更されているのが判り、母親のいいなりになっているデュークがだらしないと怒って、婚約は破棄だといいすててしまった。楽しい結婚話に邪魔が入り、腐ったデュークはバーでやけざけをあおる。

プライドを傷つけられたデュークは、駆落ちしてでも二人だけの人生を開くというなり、いきなりコーデリアをかつぎ上げ表にとび出す。二人の行先は希望にあふれるデトロイトだ。

新鮮で正直そのもののコーデリアにデュークは心を惹かれ、二人は心から愛し合うようになった

日本4H新聞
4Hクラブ 農事研究会 生活改善グループ 全国弘報紙
発行 社団法人 日本4H協会
東京都新宿区市ケ谷船河原町11 家の光会館内
電話（269）1675
月3回・4の日発行
定価1部10円 1年360円（送料共）
振替口座東京12055番

第7回全国農村青年会議開かる

開会式

北は北海道、南は沖縄までの全国の仲間が一堂に会した。若さと意欲あふれる会場、四日間にわたる会議の幕開けである。参加者代表のことばを述べるクラブ員（正面演壇上中央）＝二十六日、東京・オリンピック記念青少年総合センター体育館で

全国の仲間と討論
明日への努力誓い合う

農業の改良や生活の改善と取り組んでいる4Hクラブ員を主体とする全国の農村青少年代表が一堂に会し、体験にもとづく意見の交換によって農業、クラブ活動への誇りと意欲を強め合う、恒例の春の全国大会—農林省、NHK（前田義徳会長）社団法人全国農村青少年教育振興会（東畑精一会長）同日本4H協会（松下幸之助会長）四者共催の第七回全国農村教育青年会議は、さる二月二十六日から二十九日までの四日間、東京オリンピック大会の選手村跡である東京・渋谷区代々木のオリンピック記念青少年総合センターと千代田区内幸町のNHKホールを会場として、全国の農村青少年代表はじめクラブリーダー、篤志指導者、青少年担当・普及員など約八百名が参加して開催された。＝関連記事二、三面にもあります

"熱気こもった"分科会

……続いた。さらに、昨年と同様に各県から選ばれた青少年代表二十三名の運営委員が、規律ある生活態度を身につけるとともに、この会議が"青年の会議"に近づけるための具体的方法として活躍した。参加者は四日間を通じて明日への努力を誓い合った。

第一日目

……県旗と県連旗の入場、高なる拍手。鮮やかに会場を彩る4H旗。しんがりの沖縄代表に一だんとわき起った拍手は印象的だった。

小沢嘉平運営委員長（神奈川）の力強い開会宣言で開会式の幕を切って落した。まず前田NHK会長が開会のことばを述べ、続いて西村農林大臣を代理して阿部農林政務次官が激励のことばをおくった（要旨二面に）

ついで北岡青少年総合センター理事長、井上農村更生協会常務理事、飯田全国4Hクラブ連絡協議会副会長らの来賓が紹介され、知事などからの祝電が披露された。

これに応え、参加者を代表して今年の夏の全国大会（第八回全国農村青少年技術交換大会）の開催地である山形県の阿部慎一郎君が、この会議にのぞむ意気と期待を述べたあと、夏の全国大会に多数の参加を心から待っていると呼びかけた。岸沢元子副運営委員長（大阪）の先導で今会議のスローガン「こころとわざをみがきあい若さで築こう豊かな農村」を右手を高くさしのべて全員で斉唱、ついで農村青少年のうた「日本4Hクラブの歌」を合唱、根本武昭副運営委員長（茨城）の閉会宣言で終了した。

昼食のあと五会場に分かれて「農村青少年の発言」に移った。クラブ活動、経営、生活、農業観、農業に対する抱負など、五部会でそれぞれ約十八名の代表が日ごろの実践を通じて得た体験や夢などを発表、参加者の拍手を集めた。学校卒業してから今日までの苦労話しや希望など、ある人は訴え絶叫し、説得しクラブ員の心深く入りこんだ。夜は各部屋ごとに自己紹介をした。

第二日目

午前六時半に起床、朝のつどいのあと、九時から会議の中心でもある分科会に入った。

議題は、青少年のための議題として❶グループ活動❷自立経営❸家庭づくり、村づくり❹放送利用と❺指導者のための議題「なかまづくりの育成指導」の五つ。青少年は各議題ごとに四分科会、指導者は篤志指導者、クラブリーダー、普及員などで三分科会の計十九分科会に分かれて討議研究した。

各分科会とも約三十名で編成、まず午前中、助言者と参加者の自己紹介のあと司会者、書記を選びレポートをもとにそれぞれ日常活動の中で成功した体験談や悩み、問題点、そして抱負などを発表。午後もひき続いて分科会を開き、明日の討論にそなえて問題点の焦点をしぼった。飛び出す方言、ユーモア、機智、現代っ子らしい堂々とした発表態度の中にやる気十分のファイトぶりをみせた。

三時から若い力と題して明治学院大学の高橋賢一教授の指導で体力競技にハッスルした。体を前や後に曲げたり、横とび、腕立伏せなど体の柔らかさ、器用さ、力強さなどのテストが行なわれたが、県の担当者、普及員、男女まじえて馴れない運動に苦労していた。

夜は各分科会ごとに「村のはなし」。主催者側から出された茶菓子を食べながら郷土の話しや民謡に花をさかせた。

第三日目
最終の夜飾って燭火式

午前九時から前日にひき続いて分科会を開き、前日の討議から提起された主要な問題点を選んで意見を交した。話しあいの効果を高めるため各分科会とも三、四の小グループに分けて各問題点について解決策を討議。このあと全員でまとめをした。

午後から各議題ごとに分科会報告をもとにパネル討議した。話し合いでは、地域的な差、経営の種類、年令、クラブ歴、性別、思想、地元における援助体制、問題意識の差などが目立った（分科会の要旨は三面に掲載）

続いて体力競技のあと七時から最後の夜を飾って高橋教授の指導で「よるのつどい」が行なわれ、ダンスの練習のあと厳かに燭火式（キャンドルサービス）がくりひろげられた。斎藤実振興会理事のあいさつのあと営火長、小沢運営委員長があいさつ、やがて一つの火が全員の手にひろがり、その感激を胸深く刻みつけた。

優良クラブなどを表彰

第四日目

会場をNHKホールに移して、午前九時から「青少年の発言」の代表発表が行なわれた。第一日目の発表者の中から各部会ごとに選ばれた五名の代表が全国の仲間と指導者を前に堂々と発表、産経新聞論説委員、農政評論家、山田民雄氏の助言、講評のあと一般参加者と質疑応答した。

代表発表者は次の通り。

▽隈部忠宗（熊本県、菊地4Hクラブ）＝「私の経営とクラブ活動」▽榎本秀一（静岡、静岡4Hクラブ）＝「農業経営は記録簿から」▽峯岸義信（宮城、柿崎4Hクラブ）＝「私の道」▽菅原敏（岩手、水沢青年建設班）＝「後継者の減少に思う」▽原田良子（長野、小諸市農村青少年クラブ）＝「開拓地にはばたく」

続いて約二時間にわたって「自立経営の道」と題して若い農業経営者によるシンポジュームが行なわれた。出席者は二月二十二日から東京で開かれた第四回全国農業者研究集会参加者のなかから経営部門別に選ばれた夫婦三組、六名で、ともに三十歳前後の先鋭。会場からも質問がとびだしムードを盛りあげたが、仲の良いところをみせつけられ参加者はあてられどおしだった。

午後から閉会式に入り、開会宣言に続いて表彰が行なわれ、富山県の魚津市4Hクラブなど二十八の模範農業研究集団に田所参事官から農林大臣賞、神奈川の坪井為教氏など四十一人の篤志指導者に同参事官から農林省農政局長感謝状、熊本の菊地農業改良普及所など四十三の育成機関に三宅日本4H協会常務理事（振興会常務理事）から振興会、日本4H協会会長の感謝状、青森の葛原四津男氏など十七名の放送利用農業集団育成功績者に小林NHK放送業務局長からNHK会長感謝状が贈られ、茨城の柴忠夫君（関城4Hクラブ）ら青少年参加者四百六十八名に山崎NHK教育局長から参加証が授与された。

このあと東畑振興会々長、松下日本4H協会長を代理して三宅常務理事（振興会、4H協会）から「この会議に出席したことは一生の思い出になることでしょう。しかしこれで閉会するのではない。彼ら背後には大勢の青年がいる。彼らと共にスローガンのように"心とわざを磨き合い"明るい農村建設のため頑張ってほしい」と主催者あいさつがあり、これに応えて愛知県の古川喜美子さん（渥美町女子4Hクラブ）が参加青少年を代表して誓いのことばを述べた。

最後に全員起立して4Hクラブの歌を合唱、岸沢副運営委員長の先導でスローガンを斉唱、根本副運営委員長の閉会宣言で四日間にわたった会議の幕を閉じた。

閉会後運営委員が一列に並んで別れのあいさつ、これに会場から"ご苦労さま"という言葉と拍手がわき起った。

このあとアトラクションとしてデュークエーセスの歌で楽しみ、三時半別れを告げた。

この会議で知り合った全国の友のサインに染められた4Hの旗がみんなの手に握りしめられていた。

心頭技健

恒例の全国農村教育青年会議がさる二月二十六日から四日間、東京のオリンピック記念青少年総合センターを主会場として開かれたが、その中から強く感じられた一面は、指導体制強化の必要性であった▼会議の中心となる分科会での話し合いは、日ごろクラブ活動で練磨されている全国代表だけあってスムーズに進められ、また現代っ子らしく意欲的で、なかなか活発な面がみられたが、その中味は、残念ながら、これまでよりかなり進歩していたという証拠はつかめなかった▼教育青年会議といっても、誰れも教育するわけでもなく、またある問題について結論づけするわけではないが、分科会の議題の一つ、クラブ活動についての討議を例にとっても、クラブ活動の必要性、目的、意義、プロジェクトとは何であるか、レクリエーションの効果、行事（プログラム）の意義などについても、よく理解している人が少ないように見受けられた▼といっても、ふだん自分から進んで理解し、整理している場合は別だが、誰れも教えてくれなければ知らないのが当り前で、むしろ模範的な意見を望む方が無理かも知れない。また、みんなよく理解し、実践しているなら話し合う必要がないという議論も成り立つ。しかし少なくとも参加者は全国代表である▼このクラブ活動や新規クラブ員の確保、女子クラブ員の育成などについては、クラブリーダーや普及員さんで構成する分科会でも話し合われたが、やはり期待したほどの意見が聞かれなかったようである。双方間には、活発に活動しているクラブからと、育成する立場からみた考え方の違いはみられたが、自からの切迫した問題としてその解決に試行錯誤し、打開策に努力しているリーダーに耳を傾けるべき意見が多くみられた。ある種の使命感をもって多くの会合、研修に出かけて、知識を吸収している努力の跡がにじみ出ている▼全国4Hクラブ連絡協議会でも、そのリーダーの養成、研修に努力しているがやはり末端で毎日のようにクラブ員と接する指導者に、もっと期待したいのである。そうすればこの会議の内容ももっとレベルアップするように思われる。

新年度事業計画について話し合う各役員、中央正面は松下会長＝東京・港区の松下電器東京支店会議室で

プロジェクト発表会 来年春開く
日本4H協会で役員会 さらに財源強化へ

社団法人日本4H協会（松下幸之助会長）は、さる二月二十二日東京・港区の松下電器東京支店で役員会を開き、四十二年度の事業報告、収支決算、四十三年度の事業計画、予算案、新役員の選任などについて審議した。

松下会長のあいさつに続いて、新田事務局長が第一号議案「四十二年度事業報告および収支決算」、第二号議案「四十三年度事業計画及び予算」、第三号議案「新役員の選任」について説明し、それぞれ審議、原案を了承した。

新年度の事業は、これまでの事業をさらに充実させるとともに、財源の強化をはかることとし、新たに「全国4Hクラブプロジェクト発表全国大会」を来年春に開くことを決めた。[illegible]

〔役員〕[illegible]（全国4Hクラブ中央推進協議会事務局長）常務理事、江崎利一（江崎グリコ株式会社社長）[illegible]

淡路へ研修の旅
高知・嶺西地区連

【高知】嶺西地区4Hクラブ連絡協議会は、かねて計画中であった県外研修旅行を淡路島で二月十四日、十五日の両日行なった。参加者は約五十名で大型バスで往復したが、車中では歌をうたったり、ゲームをしたり楽しいドライブでもあった。第一日目は兵庫県三原郡の[illegible]農協を見学したあと洲本に一泊、第二日目は同郡三原町の乳牛種畜場と酪農家を見学したが、優秀な農業、農家の実態を見学することによって、4Hクラブ活動の意義を強く感じた。（同クラブの会員より）

三重で新規就農者激励大会

【三重県＝西村善代司連絡報道】三重県農村青少年クラブ連絡協議会（会長・岡田常雄君）では、来る七日、津市公明町の三重県大講堂で新規就農者激励大会を開催する。

県連が数年前から力を入れてきた仲間づくりは、前年の夏の大会で形の上ではほぼ出来上ったが、今年は地区連もスタート、また初の試みとして農業高校生との交歓会をもつなどしてクラブ活動を盛んにするため努力しているだけに大きな期待をかけている。

多くの仲間を迎えるこの激励大会の主な行事内容は、クラブ員代表二名と父兄代表一名の体験発表、新規就農者とクラブ員代表の討論会、農林省農業総合研究所の並木正吉氏の講演を予定している。

クラブの綱領

私達は実践を通じて自らを磨くとともに互いに力を合わせてよりよい農村、よりよい日本を創るため四つの信条をかかげます。一、私達は農業の改良と生活の改善に役立つ腕をみがきます。一、私達は科学的に物を考えることのできる頭の訓練をします。一、私達は楽しく友情に富む心をつちかいます。一、私達は元気で働くための健康を増進します。

地震被災の友に二万円贈る

青年会議の参加者

青年、会議参加者が、先日、宮崎県のえびの地震によって被害を受けた友を助けようと二万余円を贈った。

涼風暖風
凄まじきかな女の性（さが）

近くに住むKさんの奥さんが寝込んでしまった。聞くところによると、お姑さんのことを気にしてノイローゼになったらしい。

Kさんはおとなしい人で、きれいな奥さんと水入らずで暮していた。そこへ事情があって、お姑さんが同居するようになったのである。

すると、これまで快活であった奥さんの顔に翳りがさすようになった。嫁も姑も相手の言うこと、なすことすべてが気に障るらしいのである。この二人の女の確執の間に立って、人のいいKさんはなすすべを知らず、ただ狼狽の態であった。

奥さんは、いっそのこと離婚しようかと思いつめたらしい。が、自分の母を妻になじられて、堪忍してくれと悲しそうに哀願する夫をみていると、この人がなにも悪いわけではないのに—と、夫が可哀想になってくるという。

こういう噂を耳にするのは嫌なもので

ある。そして「どんなにいいお姑さんのように見える人でも、いっしょに暮すとうまくいかないものなのねえ—」などと感じいったようにいうのを聞くと、ますます気が滅入ってしまう。

こういう嫁と姑の問題には、その当事者だけにしか判からない事情があるもので、他人がとやかく臆測しても仕方のないものである。

新聞や雑誌の人生相談などに、悩みを打ち明けて、教示を仰いでいるのがよく目につくが、実際にあんなものが役立つとは到底考えられない。相談をもちかけるのは一方的に悩みをぶちまけるもので、それを真に受けて教示をたれてみたところで何にもなりはすまい。せいぜい自分に都合のよいところだけを拾い出して、自分を正当化する程度のものであろう。

この間の青年会議でも、嫁と姑の問題が出され、お互いによく話し合って解決すればよいなどという常識論がだされていた。

だが、このような問題は第三者の立場で論じても無益なものであり、抽象論は空々しい響きがするだけである。

なぜならば、女の性（さが）というものは凄ましいものなのだから。

青少年の発言

「農村青少年の発言」は、青年会議第一日目、五つの会場に別れて行なわれた。年少者にあっては、プロジェクトを通して体験したこと、年長者にあっては、経営のなかから得たことなど、それぞれ実践活動を通しての発言が九十名の代表によって行なわれ、参加者と質疑応答があった。このあと、助言者によって各分科会ごとに代表一名が選考され、最終日の二十九日NHKホールにおいて鈴木NHKアナウンサーの司会で仲間たちと意見をかわした。

私の道

私は小さな企業家

経営に生きるプロジェクト活動

宮城県宮城郡宮城町 満穂・柿崎4Hクラブ 峯岸義信

私の父は、終戦直後、裸一貫で現在の土地に入植した開拓者です。酪農経営をめざしながらも、どうしても麦豆中心の雑穀経営からぬけきれず苦しい生活が続いたのです。

そんな生活の中で農業高校へ入った私は時には土工のアルバイトをしながらもなんとか卒業し、父の開墾した三町歩の土地と乳牛一頭を基礎に、酪農経営を夢みて七年前就農しました。

しかし、私を待ちうけていたのは、激しい労働と仲間のいない孤独感、それに父が入植したときからの借金の返済でした。

収入は借金の返済に回され、いつしか母に農業をまかせて、父と二人出稼ぎしなければならない生活がつづき、あせりと孤独感が私の気持をゆさぶりました。

そんなある日、4Hクラブの大会に参加した私は、クラブ活動を通じて悩みを克服し、農業の改良や生活の改善に努力する仲間たちの姿に心を強くうたれたのです。

そこで私は、父といままでの経営を反省し、計画と目標を具体的に立て、農協から四十万円の融資をうけ、二頭の乳牛を導入して再び酪農への道を歩みはじめました。その時、ちょうど私が二十才で次のような決意をしました。

❶二十五才までには安定した酪農にもっていき、住宅を新しくする❷簿記を記帳して、経営内容をはあくし、自分をきびしく見つめる。この二つでした。

それから五年、あるときは未熟な技術から乳牛を殺したことや、病気を何度もさせたり、飼料不足で近所をかけまわったこともありましたが、失敗は二度と繰り返すまいと研究したのです。おかげで現在は、乳牛も十四頭に増加し、昨年は住宅も建てることができ、当初の目標に一歩近ずくことができました。

また、自分の経営の夢と平行して、クラブ活動を通じお互い手を取り合い、研究のために農協から十町の山林を借り開墾して共同プロジェクトをはじめました。

そしてまた、三年前にはクラブ員の出稼ぎをなんとかしなければと考え、十町の共同開墾場を利用し、養豚の共同プロジェクトを始めました。これによって出稼ぎをしていたクラブ員二人が豚の飼育に興味をもち経営にとり入れ、いまではそれぞれ百頭以上の豚を飼育するまでになっています。

私は、このような体験から仲間たちの団結力の強さ、尊さを肌で感じました。

共同プロジェクトの実施によって、4Hクラブ員自身の経営を反省させ、行きあたりバッタリの農業から、出稼ぎしなくてもやっていける農業、例えば、規模拡大はもとより、クラブ員自身独立した経営部門を開拓しながら、クラブ活動をつづけるようになったのです。

また昨年は、農業簿記々帳の講習を月二回ずつもち、専門の指導をうけました。私たち農業者は、一人ひとりが小さな企業者なのです。従って記帳により、たえず経営の診断と設計を行ない、これを常にくりかえす必要があります。つまり4Hクラブでいうプロジェクト活動の必要性はここにあるのです。

私はいま、五年後の夢のスタート台に立っています。牧草の収穫をあげ、搾乳牛を二十頭以上に増やし、五百万円以上の収入をあげることです。それに一昨年から仲間と力を合せ公有林解放にとりくみ、その努力も実って七十町歩の牧草地造りの見通しがつきました。仲間たちが力をあわせれば、八ケタから九ケタ農業も夢ではないと信じます。

私は自分の体験から青春の二十代には、四十代、五十代の人たちの数倍もの実績を上げる可能性があると思います。

私たち青年は、政府が行う後継者対策によってだけでなく、自からが未来に挑む農業者として、実践し、楽しい生活の手段として、農業に賭け、自己の能力の限りを農村に尽します。これが私の選んだ道です。

青年会議スナップ

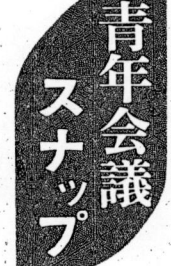

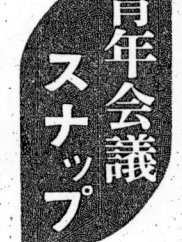

開会式で主催者あいさつする前田NHK会長

開会式。NHK鈴木アナウンサーの司会で、北海道から沖縄までの代表によっておこなわれた都道府県旗・県連旗の入場行進。それぞれ地域色をこらした服装や旗の波の中に、ひときわ4H旗はあざやかにひるがえった

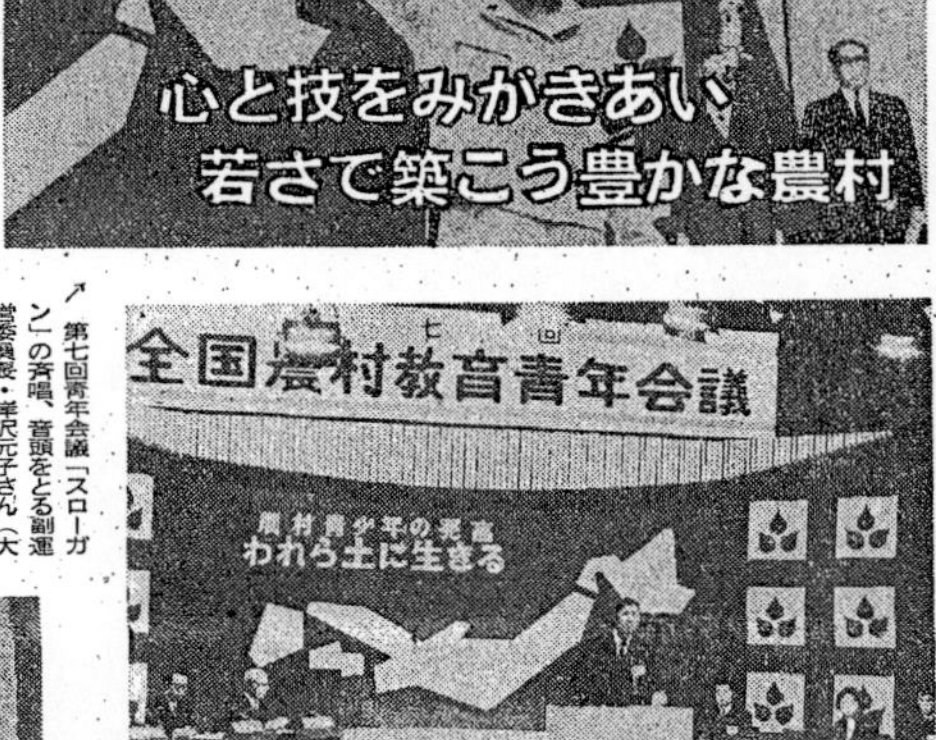

↗第七回青年会議「スローガン」の発唱。宣誓をとなる副運営委員長・堀内五子さん(大阪府)

◇各自の体力の現状※※を確かめ健康で自信の◇
◇ある体力をつくるための体力競技が行なわれ素かさ、器用さ力◇

若い力

強さの測定により、金、銀、銅の体力章が授与された。体力競技素かさの測定(右)とステップもかるくダンスに興じる参加者

↑青少年の発言は最終日NHKホールにおいて行なわれ、農政評論家・森有義氏、岡山田民課長の助言をうけ、会場の参加者と質疑応答が活発にかわされた

「よるのつどい」

青年会議の終夜をかざる夜のつどいは、キャンドルサービスによって幕を閉じた。小さな灯の光は参加者の胸に、あつく強くやきついて、豊かな農村づくりを誓いあった

模範農業研究集団・篤志指導者・育成機関・放送利用農業集団育成功績者に対し別記掲載の各賞が授与された(NHKホールで)

青年会議 受賞者氏名

蓼内4Hク(青森)などに農林大臣賞

さる26日から29日までの4日間にわたって東京・渋谷区代々木のオリンピック記念青少年総合センターと千代田区内幸町のNHKホールなどを会場にして開催された、第七回全国農村教育青年会議の閉会式冒頭に表彰が行なわれ、青森県の蓼内4Hクラブなど28の模範農業研究集団に農林大臣賞、静岡県の西山利明氏ら41名の篤志指導者に農林省農政局長感謝状、鯖延農業改良普及所など43の育成機関に全国農村青少年教育振興会および日本4H協会の両会長感謝状、また放送利用農業集団育成功績者として北海道の桜田英教氏(道農業改良課学園係長)ら17名にNHK会長感謝状がそれぞれ贈呈された。それぞれの受賞者は次のとおり。

全国農村青少年教育振興会々長・日本4H協会々長賞(育成機関感謝状)

野辺地地区農業改良普及所(青森)鷹巣農業改良普及所(秋田)福島農業改良普及所(福島)鉾田地区農業改良普及所(茨城)市貝農業改良普及所(栃木)館林農業改良普及所(群馬)飯能農業改良普及所(埼玉)東葛飾支庁野田農業改良普及所(千葉)海匝支庁八日市場農業改良普及所(千葉)津久井町農業委員会(神奈川)戸塚農業改良普及所(神奈川)塩山農業改良普及所(山梨)下高井農業改良普及所(長野)北駿農業改良普及所(静岡)長岡市農林一課(新潟)長岡地区農業改良普及所(新潟)津農業改良普及所(三重)蒲生神崎東部地区農業改良普及所(滋賀)日野町役場(滋賀)大阪地区農業改良普及所(大阪)生駒地区農業改良普及所(奈良)有田東部地区農業改良普及所(和歌山)日高北部地区農業改良普及所(和歌山)津和野農林改良事務所(島根)倉敷農業改良普及所(岡山)世羅町役場(広島)甲山農業改良普及所(広島)鹿野農業改良普及所(山口)徳島農業改良普及所(徳島)志度町役場(香川)鬼北農業改良普及所(愛媛)伊野農業改良普及所(高知)朝倉東部農業改良普及所(福岡)嘉穂中部農業改良普及所(福岡)神埼地区農業改良普及所(佐賀)西有田町公民館(佐賀)嬉野塩田地区農業改良普及所(佐賀)菊地農業改良普及所(熊本)国東町役場(大分)西郷農業改良普及所(宮崎)西郷村役場(宮崎)根占農業改良普及所(鹿児島)

農林大臣賞

模範農業研究集団

青森 蓼内4Hクラブ(上北郡東北町蓼内)宮城 七郷4Hクラブ(仙台市七郷)秋田 郡北営農会(鹿角郡十和田町)福島 あだち4Hクラブ(安達郡安達町油井)栃木 祖陽ヶ丘4Hクラブ(芳賀郡芳賀町祖母井)埼玉 武蔵野4Hクラブ(入間郡鶴ケ島町脚折)千葉 八街4Hクラブ(印旛郡八街町)神奈川 大正4Hクラブ(横浜市戸塚区汲沢町)山梨 玉宮4Hクラブ(塩山市玉宮)長野 清流4Hクラブ……熊本 肥条4Hクラブ(鹿本郡鹿北町岩野)鹿児島 栗の脇農村青少年クラブ(肝属郡根占町横別府)

農林省農政局長賞

篤志指導者感謝状

青森 赤石要七(農業)指導に当った集団=玉掛4Hクラブ、青森 沼山助定(農業)蓼内4Hクラブ、岩手 菊地実(農業)迷岡農研クラブ、山形 原田百合子(農業)おばこ会、福島 郷蔵多(農業)新屋敷農友会、福島 徳永元吉(農業)古今4Hクラブ、茨城 高野久(農業)土浦市上大津農業研究クラブ、栃木 大嶽健(農業)電熱温床友の会、群馬 斉藤ふく(農業)板倉4Hクラブ、埼玉 高橋慈光(農業)武蔵野4Hクラブ、千葉 中村弘(地方公務員)勝浦市建農会、東京 加藤源蔵(農業)練馬青年農業振興会、神奈川 坪井為教(農業)相模原市みのり会、長野 生玉静雄(農業)清流4Hクラブ、静岡 西山利明(農業)北駿4Hクラブ、新潟 山崎勝司(市役所吏員)新津市青年研修所、福井 増沢辞(農業)鯖江市農村青少年つつじクラブ、三重 亀沢一(農業)伊賀地区農村青少年連絡協議会、三重 梅田四郎(農業)三雲村市場青年同志会、滋賀 西沢達雄(農業)日野町農村青年クラブ、京都 出野祥(営農指導員)若駒4Hクラブ、大阪 川口広次郎(農業)寝屋川市連合4Hクラブ、兵庫 木戸源治郎(地方公務員)山南町農業青年会議、奈良 藤野紀夫(農業)御所市4Hクラブ、鳥取 蔵柑芳充(営農指導員)庄内4Hクラブ、島根 杠正雄(農業)横田町農林改良青年会議、岡山 日笠篤之助(農業)阿知の会、岡山 坂田七五三男(農業)高松町みのり会、広島 黒田倍行(高校教員)まくらぶ、山口 青木順一(農業)鹿野4Hクラブ、香川 良広静夫(公務員)高瀬4Hクラブ、愛媛 福鹿定(地方公務員)三間町農業後継者協議会、高知 吉本啓習(農業)伊野町青年農業研究会、佐賀 森国視(公民館主事)脇野農生会、佐賀 川添実明(社会教育主事)川副町農業後継者クラブ、長崎 亀山繁男(農業)平戸市青年団産業部、熊本 増田文徳(農業)鏡4Hクラブ、熊本 山石貞雪(農業)芦北町自営者クラブ、大分 原口定与(町役場吏員)野津町営農大学、宮崎 寺原義男(農業)上野原畜産振興クラブ、鹿児島 中間有敏(農業)山田4Hクラブ。

NHK会長賞

放送利用農業集団育成者感謝状

北海道 桜田英教(道農業改良課学園係長)北海道 横沢厚彦(道教育庁渡島教育局社会教育主事)北海道 大通敬八(宗谷支庁農務課)青森 葛原四津男(県農林部付)岩手 高橋秀洋(県立農業短大技師)神奈川 村瀬英武(県農政課主幹)山梨 内田宏(県農業改良課普及係長)静岡 佐藤勝定(県加茂農業改良普及所長補佐)石川 宮森久男(県営農指導課専門技術員)大阪 川端宏(府農業畜産課普及係技師)和歌山 津田利和(県東部農業改良普及所普及員)岡山 福島明(県勝山農林事務所振興課長)広島 神田三亀男(県農業改良課専門技術員)香川 川原富夫(県農業改良課技師)高知 広見汎(県農業改良課技師)宮崎 中村正美(県営農指導課教育係長)鹿児島 上甫木松来(県根占農業改良普及所長)

民族の発展は農村から

前田NHK会長らが激励

「いまの農村は労働力の都会への流出や構造改善など問題が山積してるが、若い希望に満ちたみなさんがこれから解決しなければならない。それだけにみなさんへの期待も大きい。NHKも農業の近代化と歩みながら、みなさんの役に立つため努力しているので大い[illegible]用し、この会議で学んだことを明日の農村を築くかてとしてほしい」と前田NHK会長。

「今日の農業はようやく近代化機化され明るい面が出てきている。食糧も食生活の高度化や多様化などで消費が増加している。反面、労働力の都市への流出、兼業化などが依然として続き、都市との所得格差もなかなか縮らない。みなさんはこの会議で真剣に話し合い、地元の振興と農業発展のために努力してほしい。農村の健全化は日本民族の発展につながる」と阿部政務次官が激励した。

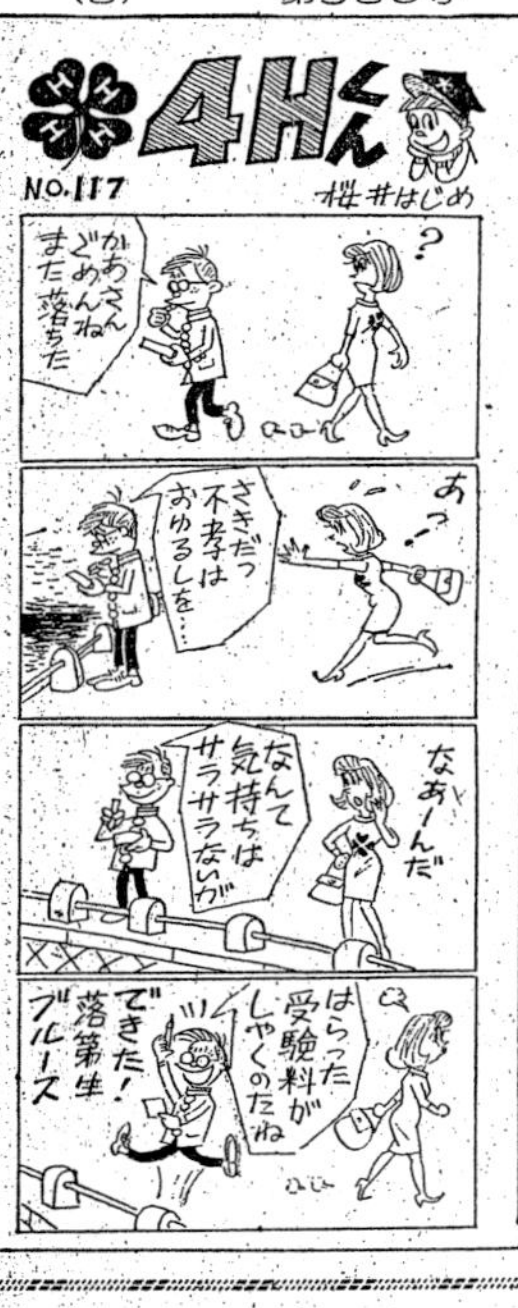
4Hくん
NO.117
桜井はじめ
かあさんごめんねまた落ちた
?
さきだつ不孝はおゆるしを……
あっ！
なんて気持ちはサラサラないが
なあーんだ
はらった受験料がしゃくのたね
できた！落第生ブルース

分科会報告

青年会議

さる二十六日から東京で行なわれた青年会議には、ことしも全国から多くの仲間が集まり、二日間にわたり、自分たちの悩みやその解決策について熱心に話し合った。今回は、十九分科会にわかれ、それぞれ与えられたテーマについて具体的に検討した。以下はその概要であるが紙面の都合で議題ごとに連載することにした。

みんなの和で魅力を

自信を高めるプロジェクト活動

クラブ活動

第一分科会　プロジェクト活動を進めるにはどうすればよいか

一、グループ組織について

❶ 年令差について

年令差が大きいと、話が合わなく、定例会をやる場合二分され、しかも年長者の話が中心となってしまうということがある。

反面、機能分化された集団においては、むしろ年長者は良い助言者となり、非常によい。

また、年少グループにおいては年長の会員がほしいという女子の意見もあった。

なお、これらは地域の状況により、男女別、作目別、年令別に区分して活動していくことが考えられる。

❷ 会員数について

最近、会員の減少、とくに女子が少ないので、その確保をはかるための悩みがある。人数はやはり十五～二〇名が適当であろう。

ただ、人数の問題はグループの構成範囲と相互関連があり、さらに農業の専門化とも関連してこよう。

このようなことから、距離的には交通の発達によって問題はないのではないか。ただ、人数を確保するためには仲間づくりという段階もあるのではないか。

具体的には、グループ活動を中学、あるいは高校卒業以前に説明会を開くことも必要であろう。

❸ グループ構成について

他産業者も含む集団、クラブの性格から女子会員を加入させない集団、さらには機能集団など、諸種の集団があり、それなりに活動がなされているが、方向としては今後の農業の方向にそった波及性のある活動を目標とするならば、地域の情況をよく把握して、グループの構成も考えるべきであろう。

❹ リーダーについて

グループによっては、会員の誰れが会長になってもよく運営されているものもあるようであるが、なかには会長が代るごとにグループ活動が活発になったり、低迷したりしているものがあるようである。

この点については、リーダー養成としての研修会に機会あるごとに参加することと、OB組織の結成を推進する必要があろう。

❺ 指導者について

関係機関との連携を密にし、いかにうまく活動するかということが必要であり、逆にいえば、助言指導をうまく受入れられるグループの体制を確立することも大切なことと考えられる。

二、プロジェクトの内容をいかに充実していけばよいか

❶ 参加者は、それぞれどんなプロジェクトをもっているか

専門技術を高めるもの、栄養調査や体重測定など地域の生活改善を目標にしたもの、農業簿記など経営を分析し、問題点を見出すなど具体的に出された。

ただ、それらが多種多様の型で実施されているものを一緒に討論することに無理があるとして、つぎのように分類した。

理念別
個人プロジェクト
共通プロジェクト
共同プロジェクト

発展過程
学習プロジェクト
生産プロジェクト
経営改善プロジェクト

❷ 個人プロジェクトをすすめるためにはどうすればよいか

個人プロジェクトの目的は―自分の力をためす、興味をもつ、自信を高める（技術や経営能力）

その目的を達成するためには―技術などについてはよく学ぶ、記録をとる。

主な問題点―資金問題＝後継者資金では額が少ない。嫁に行く女子については中断することが多いから貸してもらえない。だから利用しにくい。

❸ 共同プロジェクト　共通プロジェクト

意義　みんなの責任分担によりチームワークがよくなる。みんなにその気を起こさせ、レベルを高い位置に揃えることができる。

みんなのアイデアが盛込め、高度な内容のものが実施できる。

学習のためのもの、生活改善的なものについては共同プロジェクトが、経営改善面のものについては共通プロジェクトにすることが多くなろう。

❹ プロジェクトが計画だおれになりやすいのをどうして防ぐか

過大な問題を選ばないこと。できるだけ共通の問題をとりあげる。

目標、実施方法などみんなによく伝達し、確認する。

記帳をつづける。

全員に責任を分担し、明確にする。

第二分科会　グループ活動のプログラムはどのようにつくればよいか

一、プログラムは誰れがどうして作るか

❶ 前年のプログラムを反省し、よい面をとりあげる。

❷ 年度初めに大きな行事を作り小さなことは必要に応じてそのつどみんなで作る。

二、男子と女子の活動内容

主役をやれる農業にするため、女子もつっこんで経営技術および生産技術を収得する。

三、作物との関係

❶ 農繁期は実践活動（個人的な活動）

❷ 農閑期は学習活動などを重点に作成する（全体学習、グループ学習）

四、レクリエーションと学習活動の関係

❶ 考え方の相異する仲間相互の連体感の養成

❷ つぎの段階のため精神的意欲の蓄積

年令、経験、興味、関心、活動内容などによってレクリエーションとの割合を決定する。

第三分科会　新規グループ員を確保するにはどうすればよいか

一、女子クラブ員の確保はなぜ必要か

クラブ員一五〇名中に女性一人もいない（金沢市）

農業後継者として育てて行きたい。

配偶者を求めたい。

男、女を知るため。

農村の青年は孤独である。

定例会などの場へでるとき、男子、女子クラブ員がいると張合いがある。

二、確保の方法

❶ 有線放送利用　4Hクラブの定時番組をもつ必要がある。

❷ 他団体との交換をもつ（地域の工場などの農家出身者の女性）

両親など仕事を見ているから古い考え方から脱皮していないから、先入観を取りのぞく。

❸ 農政機関の利用。

❹ 理解を求めるような活動。

❺ 学校教育に働きかける。

三、小数精鋭主義は是か否か

❶ 小数精鋭　一方では地域社会における農民の団結が必要であり小数精鋭でなく、みんなで引張っていく。一方では小数精鋭によりガッチリ固まっていくということで平行線をたどった。

❷ グループを結成するとき、漏れた者をどう引張っていくか。

グループが地域社会に合ったものにしていくために、親と子の話し合いを持つことにより親の理解を得る。

四、魅力あるグループ活動をどう進めるか。

魅力とは、自分の持っているものはいらない。だから自分の欠けているものがほしい。

❶ グループの内容は男子優先である。みんなの和。

❷ リーダーとは、下の者を引張っていく推進者である。

第四分科会　グループ奉仕活動はどのようにすればよいか

一、奉仕活動と限界

奉仕というのは職業に関係なく各自が自覚し、自主的に行なうものである。奉仕活動を長い目でみた場合、クラブ活動を活発にするのは社会への奉仕とみることができる。

クラブで研究した実績成果を機関誌、または市の文化祭などに公表することによって、地域社会への間接的な奉仕となる。

二、奉仕活動と集団構成

奉仕活動を通して、より親密なクラブ員の仲間づくりに役立たせる。集団構成を二つに分析して考えると、まず年令によるものと集団目的からなるものと地域的に分けられる。

❶ 年令差による問題

次第に年長者となるに従い、経営者となり出席が容易でなくなる。参加できないときは、年少者がその日の行事内容などを日誌に記帳して理解してもらう。

❷ 地域性の問題

都市化された地域での奉仕活動として一例をあげると、クラブ員が地域農業に寄与するものとして兼業農家が多く、耕耘作業に支障をきたしてきた場合にトラクターの運転を行ない、地域の労働力不足を補なう。

三、奉仕活動とリーダーの指導性

リーダーの選出にあたり、その人に充分な指導性があるかどうか検討する。

つねに、リーダーは全クラブ員と話し合いを多くもち、理解を深めておく。方法としては、その活動を進める上においての時期的、計画性を充分考え実行したら反省する。

四、奉仕活動であるから報酬はもらわないことが前提であるが、相手からの善意による謝礼は報酬として考えてよい（相手に実益を与えること）

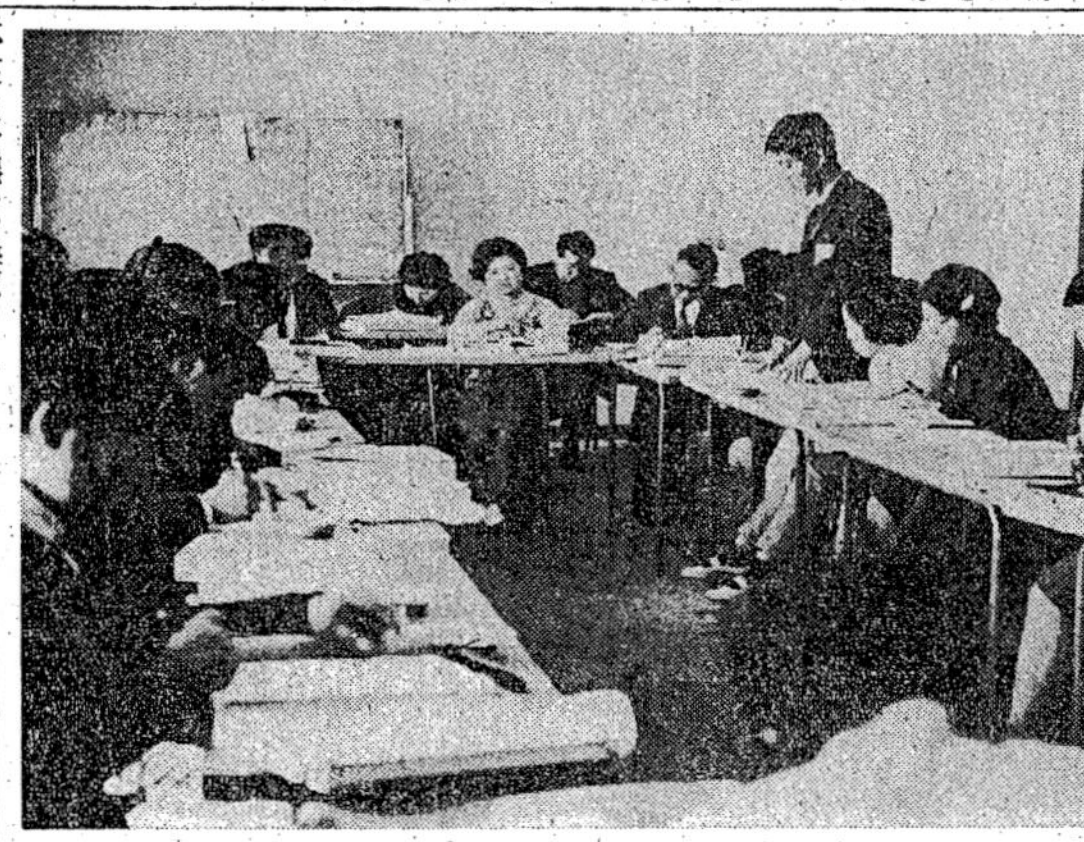

分科会討議では、それぞれ与えられたテーマに焦点をしぼって熱心に話し合った

目標は一万ドル農業

経営的センスを身につけて

自立経営

第五分科会　経営規模の拡大をどう進めたらよいか

一、自立できる農家の目標

経済成長率に対応できる収益をあげる。農業所得一万ドルを目標とする。

目標に到達するための努力。内容の充実と拡大のための技術の収得。

面積拡大（労働生産性と土地生産性向上を考える）

二、経営的センスを身につけるためには

自分で実際に生産活動を通して活動する。

簿記をつけることによって経営内容を把握する。

地域条件　進行計画に合った経営を考える。

親子契約などを結び、部門担当することによって経営的センスを身につける。

三、資金の問題

後継者育成資金などの制度資金を利用する。（総合資金　あらたに設けられる八〇〇万円）

うまく資金を利用する方法を学ぶ。

組織を利用し安い資材を購入。

現在の耕地を売却して安い耕地を多く購入する。

自分の経営の中で、拡大資金を計画的に積立てる。

仲間の力で公共の所有地の開発をし、それを利用する。

自分の技術や条件に合った計画的な資金の利用をする。

後継者育成資金についての要望として、据置き三～五年、償還一五年、二〇〇万円にしてほしい。また貸出の手続きを簡単にしてほしい。

四、流通の問題

農協の流通機構が弱い（手数料が多い）

販売対策の強化（共同出荷、マスコミ対策）

道路網の整備

生産のコストダウン

みんなで農協を利用し、流通機能の強い農協に育てる。

契約販売、市場の信用を得る。

流通の面で、世界の農業に立ち向うための検討が今から必要（輸出入対策）

自然条件、社会条件を考え、仲間とともに努力を重ね規模拡大につとめる。

第六分科会　労働力の獲得と省力化をどう進めたらよいか

一、問題点とその対策

❶ 基盤の整備……土地改良、農道整備、土地交換分合、土地区画整理、かん排水施設

❷ 作業の機械化……共同防除、機械の共同の共同利用

❸ 作業の共同化……共同栽培、共同出荷、共同管理

❹ 栽培（飼育）技術……品種の統一、早、中、晩の組合せ放牧、草地造成

❺ 労働力の確保……雇用（パートタイムなど）部落内の労力交換　労働銀行

二、これらの問題を解決する前提は、なんといっても人間関係、積極性、意欲、考え方などが大切である。

なお、参加者の地域、地帯性が異なったため、話し合いの効率化を高めるため、第二日目は各作目別（水稲、そ菜、果樹、畜産）に分かれて話し合いをすすめた。

第七分科会　自立経営をすすめるための高度な技術はどうして得られるか

一、効果的な学習の方法とその効果的な進め方はどうすればよいか

❶ 先進地留学と先進地視察

自分の経営内容をつかんでゆき得た技術を自分の土地に応用する。

❷ 専門書、参考書による学習

多くの本を読み、内容を把握し応用する。疑問をつねに持ち、専門家に指導を求める。

❸ テレビ、ラジオの放送利用

時間的に利用できない場合が多いのでテープを使って利用する。

❹ 試験場や普及所など研究機関の利用

目的をもち、自分の土地条件など注文をもって参加する。

❺ 研修会、講習会の利用

多くの研修会に参加し、そこで得たものを自分のものだけにせず、グループの人に公開する。

二、部門別活動をどうすればよいか

❶ 部門内での話し合いを多くもつ。

❷ 各地区別の勉強会にはいり技術を導入する。

❸ よい意味でのライバル意識をもたせる。

❹ 女子の場合、高い技術よりも高い知識を得る必要がある。

三、先進地留学の要件

❶ 改善点として、募集のみでなく実態のPRも重要である。

❷ 参加希望者はなるべく参加させるべきである。

❸ 受入れ農家の全国的なリスト作成

❹ 実習後、発表会、報告会を行なう。

❺ 受入れ農家は、研修の目標とする作目、内容を積極的に教えるべきである。

❻ 家族的な扱いをのぞむ

四、高度の技術を得るための姿勢

❶ 自分の技術を他人と比較検討して、その技術を交換し合う。

❷ 自分で研究、工夫、創造をして技術を高める。

❸ 先進地の技術を体験して、自分の経営診断をする。

❹ 指導者の技術をただ「うのみ」にしないで、自分の経営の中で消化していく態度が必要。

❺ 新しい技術を導入するためには、親とのトラブルが起こりやすいため、親との話し合いの場を多くもつ。

第八分科会　部門別経営をすすめるためにはどうしたらよいか

参加者二十六名のうち、農業後継者育成資金およびその他制度資金などの融資によって部門経営を開始している者が二十名に達し、しかもその半数以上が自立経営者として立派な成果をあげており、飛躍した考え方もあったが、問題を部門別経営にしぼって研究討議した。

一、資金調達の方法

❶ 新しい部門経営の資金として農業後継者育成資金制度があるが部門によって償還期間が短かい。（例、果樹、酪農）貸付最高限度額が少ない。

❷ また、他の制度融資についても、もっと研究しなければならない。必要資金は与えられるものでなく、自分らが積極的に関係機関へ働きかけて調達する必要がある。

二、技術の習得（生産、販売技術）

❶ 新しい部門経営を開始する前提として高度な技術を習得することが大切である。

先進地農家留学研修、グループ活動による共同研究、部門別研修会などで技術を身につける。

❷ 流通問題

農業生産の増大をはかっても、販売体制が確立されなければならない。そのため生産地形成をすすめて、共同出荷体制を確立することが必要である。

三、家族協定農業（親子協定、父子契約などのすすめ）

❶ 親の理解を得ること。知識や技術の習得により実績をあげることによって作業の分担から部門経営に発展していく。普及員など指導者をまじえて、親との話し合いをもつ。

❷ 周囲の人たちの理解を得ること。

❸ 労働報酬

こづかい型、月給型、所得分配型などあるが、家族と話し合いにより楽しみをもって農業に専念できるようにする。

誓いも新たに

近代農業は私たちの手で

今回の四日間にわたる会議に参加して、私たち青少年が日頃農村で実践活動を通して体験した問題を、お互いに発表し合い討議して、今後の近代的農村建設の推進者になることを誓いました。

また、参加者全員が青少年総合センターに合宿し、全国の友が寝食をともにした生活、仲間との心がふれあい、友情が深まり、ほのぼのとした交流が感じられました。そして、合宿はセンターの規則に従い規律ある生活を身につける意味からも意義がありました。

分科会は十九に分かれ、男女混合で討議されましたが、私が参加した「放送利用」の方では放送に仕事を合わせて視聴するとか、放送内容が一般的であるのでグループによる話し合いが強調されたなど、活発な意見がでて、今後の放送利用活動にあたり参考になり有意義でした。

私がこの会議に参加して所感いたしましたことは、全国には同じ仲間が懸命に農業に取り組み、活躍していることを知り、自分たちのクラブ活動の重要性を認識し、帰郷してこの日常のクラブ活動の効果が波となって近代的農村発展のためになるものであるということでした。

連日、熱心な討議が行なわれた中で、男女を問わず、また様々の問題を抱きながらも、全国の農業への意欲に燃えている仲間との交わりは、今後の農業がわれわれ若者クラブ員の教育にかかっていることを痛感させ、当面する問題も必ずやその未来に途が開けてくることを確信したものです。

（宮城県柴田郡柴田町入間田目連寺　入間田4Hクラブ　佐藤多江）

青年会議　参加者の声から

充実していた研修内容

私は、柑橘農業後継者一年生としてスタートして、はや一年になろうとしています。

当初は労働力を提供するのみで、営農に関しての知識の足りなさにはずいぶん悩みました。

そうした中で、この会議を通して学び得た事柄は、私にとって大きな光明となりました。

全国の仲間に合い、共に語り合うことにより、自分の道程に新らたな意欲を抱き、同大会に参加して充実した研修に深く感謝しています。

（和歌山県日高郡川辺町矢田　矢田4Hクラブ　坂田順子）

この成果を沖縄の友に

全国大会とその名の通りスケールの大きい大会に初めて参加させていただき、七百余名の多くの仲間を知り、心強く感じると共にみなさんが、それこそ真剣に取り組んでいる姿に感心しました。

一年中緑の中にあって、農作物の輸入が多い沖縄の現状をはずかしく思います。

会をスムーズに運んでいる運営委員の方々が私たちの年代であることも勉強になりました。

また、一人ではどうしようもない多くの問題を、クラブ活動を通して解決なり、理想へとすすめている点、ややもすると疎遠しがちな沖縄の若者たちへ活を入れる意味でも参加者を多く送りたいと思います。

また、全国大会が沖縄で開催されることを希望しております。

（沖縄豊見城村我那覇一六九　豊見城4Hクラブ　運天ノリ子）

クラブの良さを味わう

最高に楽しい雰囲気であった。初めて逢った友だちなのに何の気がねもなく語り合える。これがクラブのもつ良さなのだとしみじみ感じました。

私も、みんなに負けず頑張ろう。

（茨城県真壁郡明野町赤浜　杉の子クラブ　坂入雪子）

これを機会にハッスル

私のクラブは、日本で最初に発足した吉田4Hクラブですが時代の流れと共に他産業へと移って行く人が多くなりクラブ員の減少が深刻な問題となっております。

これらの対策や楽しい意義ある、活動を進めるために、この青年会議を機会に自分のクラブを紹介、みなさんの意見や地方のクラブ状況など話し合い、これからの農村生活や農業経営を親身に語り合い、学べる仲間クラブにしていきたいと思います。

そんな気持から、私なりに大いに学び、地域に帰り、参考にしていっそう活発なクラブとしていくよう努力していきたいと思っております。

（埼玉県秩父郡吉田町　吉田4Hクラブ　大野富江）

青年の手で自主運営

山形県の青年会議　目立つ優等生的な発言

【山形県＝佐藤章夫連絡報道員発】山形県の農村教育青年会議はさる二月十四、十五の両日、山形市の県民会館地下講堂を主会場として開催された。

参加人員は二百四名、男女ほぼ同数である。十四日の晩は市内宿舎に全員分宿した。

今回の会議の最大の特色は、運営のすべてが青年自身の手によって行なわれたことである。県内各普及所管内から選出された男女一名ずつの運営委員が会の進行や接待、会場づくりなどの仕事を全部果した。

今までの会議では、事務局にあてられた部屋に県庁の普及教育関係者が詰めているのが常であったが、今回は、山形県連会長の安達孝蔵君(三)をはじめとする幹部の面々が部屋を占めて、がっちりとしたチームワークの下で忙しげに立ち働いていた。

開会式や閉会式にも、主催団体のひとつである県連の立場を強力に打ち出す演出もみられ、総じて青年の手による青年のための会議のムードを盛りあげていた。

しかし、今日に至るまでの会議の企画、運営スケジュールの作成は、ほとんど県当局の手によって行なわれ、そこですっかり書きあげられた筋を、われわれは演じたに過ぎないのだ、という不満が、県連協の幹部の間に強いことも見逃し得ない。こうした不満を建設的な方向で解消してゆく努力が続けば、従来と比べて格段に自主的になってきた今回の会議をさらに青年自身のものに前進させてゆくことになるであろう。

第一日目は、県知事を迎えての開会式に続いて、「将来の山形県農業」と題するシンポジュームが行なわれた。県農政課長、県農協中央会理事の二氏と評論家・須藤克三氏、農業実践家として佐藤三郎氏、高山倫雄氏による討論は好司会とあいまって熱の入った議論を展開した。

短かい時間のなかで、主に農業の本質論が話題になったため、若年の参加者には少し難しかったのではなかろうかという反省もあった。

分科会は四つの議題を二つのエージグループに分けた八つと、それに指導者部会も加わって合計九つの分科会であった。一分科会十五名から二十五名の間の小グループだから話もはずむ筈なのだが、それほどにぎやかにもならない。いつものことだがあまりに優等生的な発言が多くて、結論のわかりきっているようなものばかりだから議論がわかないのだ、という助言者の感想を聞いた。いったいに助言者が多すぎるんじゃないか、せいぜい一分科会に一人か二人で充分だと言う人もいた。

夜は「おにぎり懇親パーティー」。NHK軽音楽団が花を添えて楽しい一夜を過ごした。

二日目は分科会報告を基調とする全体会議。父子契約に議論がわいた。放送利用の学習のテーマでは、NHKの番組の制作態度、時間帯などに関して意見や要望が出され会場に活気があふれた。

閉会式では、安達会長が今夏埼玉で開かれる全国青少年技術交換大会を成功させようと呼びかけ、全国青年会議への県代表、小林キミ子さん、安部慎一郎君ら八名の紹介があり、4Hクラブの唄の斉唱のうちに幕を閉じた。

最後に、今回初めて参加した二十歳前の人々の声を記そう。

「グループを結成したが、運営方法その他でアイデアの得るところが多かった」

「地域では自分だけが農業をしているようなさびしさがあるが、こんなにたくさんの農業青年がいることを知るだけで意が強くなる」

「地域の差、特に庄内と内陸の農業事情のちがいを各面で感じる」

「農業青年の集りで話されることは、どこに行ってもおんなじだ。収入、出かせぎ、サークル活動、冠婚葬祭などは必らず出てくる」

「こういう集会ではいつも現状の報告、問題の提起だけで、解決策が話されたことが少ない。その点で、農業青年の意識がマンネリ化しているような気がする」

伊藤NHK岡山放送局長のあいさつ＝岡山市の児童会館で

クラブ活動の促進を

岡山県連　放送利用の研究集会

【岡山県＝原田靖雄連絡報道員発】岡山県農村青少年クラブ連絡協議会（会長、真木英和君）は県、NHK岡山放送局と共催でさる二月三日から五日までの三日間岡山県上伊福町の県立児童会館と労働会館の両会場で「県農村青少年問題研究集会と放送利用農業者集団研究集会」を開催し、クラブ活動の促進と近代的農業の推進、明るい農村社会の建設に向って前進することを誓い合った。

この研修会には県下八十六クラブの代表者、九地区連絡協議会の代表者、農業改良クラブ、生活改善クラブなど三十団体の代表者が出席、実践活動を通じてのいろいろな意見や体験の事例をもとに、クラブ活動の意義、クラブ活動の促進、リーダーのあり方、地域的な課題などについて話し合った。

一日目午前十一時半から開会式に入り渡里普及教育課長、真木県連会長、中国四国農政改善部長などのあいさつがあり、午後から男子二十五名、女子十四名の会員で活動している倉敷市玉島の「若鮎会」の佐藤光子さんらがそれぞれ自分たちのクラブ活動を紹介、話し合った。

夜は「山陽路の旅」や結婚生活と共同養鶏に取り組んでいる若い青年の姿を描いた「土と愛」の映画鑑賞やフリートーキングした。

二日目は分科会報告と全体討議のあと、午前十時半から青少年のグループ活動問題から一歩進んで豊かな農村社会の建設のために、農政、生改クラブの代表者や担当普及員をまじえて放送利用を中心とした研究集会を開いた。

関係者のあいさつに続いて「放送と生活」と題して三木亀先生の講演があり、クラブ員のグループ活動紹介のあと「私たちは豊かな農村を築くために放送をどのように活用したらよいか」というテーマで分科会ごとに研究討議した。

三日目は労働会館へ会場移動、毎朝ラジオ放送でおなじみの「あの雲越えて」や「ゆく手はるかに」の作者、加藤誠一先生の「私の農村体験談」と題する心をひきつけるユーモアたっぷりの記念講演に三日間の疲れをとばし、このあと農林部長を囲んで全体討議を開き、NHKの平林アナウンサーの司会で五十分間録画中継した。クラブ員が日ごろの仕事やクラブ活動を通して直面している問題について部長といっしょに考え、また要望。録画が終っても話しはつきなかった。こうして大会は県連副会長の三崎道子さんの「この成果をクラブ活動に、日々の生活に役立てるよう頑張って下さい」という閉会のあいさつを最後に幕を閉じた。

農夫症なども発表

新潟の実績発表研究大会　あふれる農業への情熱

【新潟県＝松沢栄一郎連絡報道員発】新潟県、同県農業改良クラブ連盟、同林業研究連絡協議会など共催の「第十八回県農村青少年実績発表研究会」は、県下各地区から関係者三百五十人が参加して、越後一の宮弥彦神社のある西蒲原郡弥彦村のやひこ観光ホテルで開催された。

初日は開会式のあと、さっそく実績発表を行なった。生産プロでは「五石取りをやってみて」「私の養豚経営」「採種圃を取り入れて」などかなり専門的に突っ込んだ発表があり、また生活面でも「労働時間と農夫症の関係」なども参加者の深い関心を集めていた。

夜は弥彦体育館で体力テストに汗を流したあと"人間的な交流を深めるため"の交歓で楽しいひとときを過ごした。

二日目は活動実績の発表のあと昨夜の体力テストの決勝を行ない各分科会の間で得点を競った。

午後からは四十一年度海外派遣農業実習生の友橋良穂君が「ニュージーランド農業を体験して」と題して体験談を披ろう、このあと分科会に移り活発に討議した。

夜は、さらにお互いの交流を深めるためのキャンドルサービス。分科会ごとに趣向をこらした寸劇で楽しい夜を過ごした。

三日目は、分科会報告と全体討議、東京都教育委員会青少年課長貞岡鳴先生の「世界の青年」と題した講演のあと、閉会式、表彰式に入り、クラブ連盟の一大事業である米多収穫共進会などの表彰を行なった。

個人部門は小千谷地区の大平由広君が七一二キロで、団体部門（五人以上）では、両津地区の加茂歌代農業クラブが平均収量六五五キロでそれぞれ優勝カップを手にして三日間にわたった大会の幕を閉じた。

さとわのうた

春の宵

春宵一刻値千金、花有清香月有陰　歌管楼台声細細　しゅせん院落夜沈沈

この漢詩は蘇東坡の代表作「春夜」の詩である。大意は「春の宵の素晴らしさは、一刻（十五分）が千金に値するかと思われる。花は清らかな香りをただよわせ、月はおぼろにかすんで見える。歌声や管絃の音でにぎわっていた楼台も、今はひっそりと閑（しず）まって、ぶらんこが静かにたれている人気のない庭に、夜はしんしんとふけてゆく」という春の宵の暖かい雰囲気を描写して素晴らしい。このような宵がやってきた。

大宰府では「曲水の宴」が今月三日ひらかれたとテレビが報じている。千二百年前の平安朝の名残りをとどめる雅趣は、風流を解する日本人の春を愛でるやさしさが伝ってくるようだ。

今年も、全国農村教育青年会議が無事に終った。正直のところホッとした。一ヶ月間、全てをこの青年会議の準備一辺倒に傾倒してきただけに、今の私の気持は、万感交々胸に迫るという感情である。しばらくは何も考えないで、美酒の酔にひたり好きな音楽でも聴いていたい気持である。しかし、それは許されない。反省し、批判に耐え、明日からの農村青少年教育問題に取り組まなければならないと思う。

さて、六百余名の参加青年は何を考え何を得て帰っていったであろうか。この青年会議で得た何物かが、明日からの地域活動に波及してゆくであろうか。それが心に残る。全国津々浦々に、ささやかでよい、明るい灯がともり、グループ活動が盛んになることを願い祈るのである。そうなることが、この青年会議を開いた意義でもあるからである。

今回「青年の発言」をはじめてプログラムに加えたが、アンケートの結果なかなか評判がよい。八五％がよかったと感想をもらしており、代表発表は九五％までがよかったという。心配していただけに安堵の胸をなでおろした。来年は、さらに企画を練ってよりよきものにしたいと思う。

今回のアンケートで特に感じたことは、運営委員の諸君に対する感謝の言葉がたくさん書かれていたことである。本当によくやってくれたと思う。参加された諸君が心から感謝の気持をあらわされたことは、まことに嬉しい。これでこそ青年による青年のための会議といえると思う。

会期にいって、女性の方は、青年会議に参加したことを素直に喜び、明日への飛躍を約束し、感激して帰っていかれたようであるが、男性の方は、批判精神が横溢しているようだ。ひねくれているのか、何かぐちをこぼすことで自己満足しているような様子がみえる。もっと素直になれないものかと淋しい気持になる。なかには表現をはばかるような暴言を吐いた文もあり、これでも県の代表者かと首をかしげざるをえないものもあった。しかし大部分は好意的なご意見をいただいたので、来年の会議に生かしていきたいと思う。

最終日に、前年度の運営委員が集まった。今年の青年会議にみんなここで再会しようとの合い言葉で昨年別れたという。古谷（栃木）、船場（青森）、鳴門（石川）、安井（愛知）、鈴木（千葉）の五君である「先生、私をおぼえていますか」とニコニコと訪ねてきた。嬉しかった。みんな元気だった。運営委員をやって得たものはなにものにもかえがたいという。その思い出は強く胸に焼きついているという。どうか、いつまでもこの気持を忘れずに頑張ってほしいと思う。では元気で。（龍）

冬期研修会開く

岡山・笠岡地区連　で専門知識の勉強

【岡山県＝原田靖雄連絡報道員発】笠岡地方農村青少年クラブ連絡協議会（会長、古城賢徳君）は笠岡農業改良普及所と共催で、こ [illegible]

発表、続いて午後三時から約一時間、集団産地と個別経営について講義と分科会研究討議が行なわれた。その中で適当な時をみはからって必須と選択コースの鑑定クイズをした。夜はレクリエーションと生活の夢をみんなで楽しく語り合った。

翌日は、前日に続いて午前十時まで分科会討議、そのあと全体報告し、ついで企業農家としての後継者の心構えについて三村普及所長の講義があった。

午後から「企業的農業経営をするために農業後継者はいかにあるべきか」と題する山陽新聞論説委員、河合均氏の講演のあと反省会を開き、副会長三島陽子さんの閉会のことばで終了した。

実績と意見発表会開く

岡山・川上町連

【岡山県＝原田靖雄連絡報道員発】川上郡川上町農業後継者協 [illegible]

様々の東南ア諸国

"のどかな"田園風景

目を狂わせる"貧富の差"

青年の船だより

船内生活　朝の美しい後のひとときをゲームで楽しむ青年たち＝長崎丸甲板で

可能性秘めた国マレーシア

十日に帰国

すごくからいインドカレー

ユーモアもある実績発表

茨城　江戸崎地区連

＊＊三月のこよみ＊＊

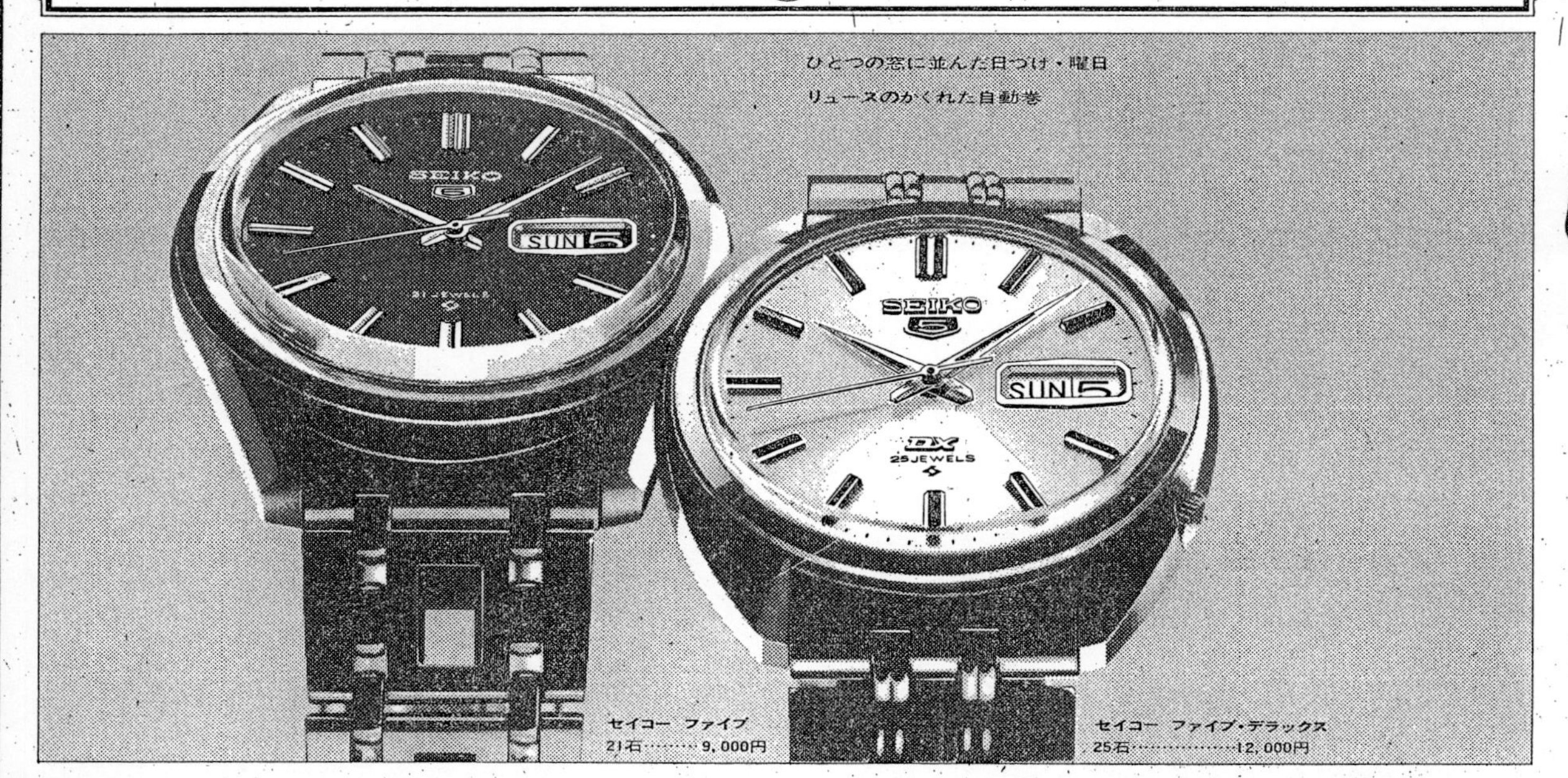

日本4H新聞
4Hクラブ 農事研究会 生活改善グループ 全国弘報紙
発行日
社団法人 日本4H協会
東京都新宿区市ケ谷船河原町11 家の光会館内
電話(269)1675
編集発行人 王井光
月3回・4の日発行
定価1部10円 1ヵ年360円(送料共)
振替口座東京12055番

クラブの綱領

私達は農業を改良して自ら働くとともに互いに力を合わせてよりよい農村、よりよい日本を建設するために[illegible]

プロジェクト 全国研究会迫る

実績発表と話合い

開催要領まとまる 4月13日、東京(家の光会館)で

全国4Hクラブ連絡協議会（会長、丸山勉君）は、社団法人日本4H協会（松下幸之助会長）と共催で来る四月十三日、東京・新宿区市ケ谷の家の光会館で「プロジェクト全国研究会」を開催することになり、このほどその実施要領を次の通りまとめた。[illegible]

発表、参加者を募る 全協

主旨 この研究会は、4Hクラブ活動の中核であるプロジェクト活動のあり方について、[illegible]

主催 全国4Hクラブ連絡協議会、社団法人日本4H協会

後援 農林省、文部省、総理府、NHK、[illegible]

参加者 ①プロジェクト発表者 ②各都道府県代表者 ③一般クラブ員 ④会長OB ⑤指導者

主な行事とその内容

①プロジェクト発表 イ、過去一年間を通じて行なった農業の改良や生活改善のプロジェクトの成果について発表する。[illegible]

②シンポジウム [illegible]

③講演 [illegible]

④懇親会 [illegible]

発表者と一般参加者の報告 各都道府県連会長は、次の要領によって発表者と一般参加者を報告すること。

①発表者 その者の住所、氏名、発表概要（一千字程度）、所属クラブ名[illegible]

②一般参加者はその者の住所、氏名、所属クラブ名を報告すること。

[illegible]日本4H協会事務局（東京都新宿区市ケ谷船河原町家の光会館内）とする。

参加者経費 参加者の経費は各自負担。なお宿泊は三百人に限りあっせんする。

日程 [illegible]…開会[illegible]…プロジェクト発表[illegible]…シンポジウム、[illegible]…懇親会（任意参加）

14日に全協の総会

全協では、十三日のプロジェクト全国研究会にひき続いて十四日[illegible]家の光会館で通常総会を開く。主な議題は四十二年度の事業と決算両告の承認、四十三年度の事業計画と予算の承認、日本4H会館建設の[illegible]

クラブ意識の高揚へ

高知県連で総会 会長に川村君選出

【高知県＝西谷瑳博連絡報道員発】高知県農村青少年クラブ連絡協議会（会長、[illegible]）では、さる二月二十一日、香美郡野市町の県青少年センターで開催の県リーダー研修会において総会を開き、新年度事業計画と予算案を決定するとともに、新役員を選んで四十三年度へのスタートをした。

総会は、[illegible]

[illegible]ラブ意識の高揚（クラブ員への4Hバッチ普及、単位クラブ、地区連にクラブ旗や三角旗の備えつけを呼びかける）❺優良クラブの表彰❻明るい農村運動の推進（若い農業者の農業経営コンクールや優良クラブの実績発表を行ない、広報につとめる）❼スポーツ大会の開催❽地区活動の促進事業（単位クラブや地区連の要請によって大会や研修会などに関係機関の協力を得て講師や県連役員を派遣する）❾地区連会長会議の開催❿中国四国ブロック会議や全国大会に派遣する。

三、農林業後継者対策事業の推進

❶運営の主体となって実施する事業＝農村青少年技術交換大会、農村教育青年会議、農村青少年スポーツ大会❷県の行なう各種研修事業の推進

なお予算は二十万円で昨年度と同じ。収入の内訳は会費七万八千円（三千円、二十六地区）4H新聞購読推進奨励金九万九千円（前年比九千円増）繰越金二万二千円（同九千円減）雑収入一千円。

新役員は次のとおり。

▽会長 川村雅士（土佐地区、松ヶ丘4Hクラブ）▽副会長 西谷瑳博（大豊、大野4Hク）岡村真弓（野市、野市4Hク）▽理事 和田殷営（土佐、松ヶ丘4Hク）掛水一吉（梼原、東洋野村農村青少年ク）黒岩敦夫（南国、南国4Hク）門脇桜夫（土佐山田、土佐山田4Hク）広田久子（窪川、すずな4Hク）▽監事 北村正太郎（十和、大正町農村青年ク）小松英一（安芸、井ノ口農業青少年グループ）

川村県連会長

文化功労章贈らる

4H協会 松下、宮城正副会長 サンパウロ州から

松下4H協会会長

宮城同副会長

社団法人日本4H協会会長松下幸之助（松下電器産業会長）、同副会長宮城孝治（共栄火災海上保険相互会社社長）の両氏は、このほどブラジルのサンパウロ州から文化功労章が贈られた。[illegible]

このほど発行された「4Hクラブの手引き」の表紙

4Hクラブの手引き
社団法人 日本4H協会
全国4Hクラブ連絡協議会

発足二年目迎え充実へ

石川県連も総会 森会長ら留任

【石川県＝鳴戸良一連絡報道員発】石川県農業青少年グループ連絡協議会（会長、森章君）は、[illegible]総会を開いた。[illegible]

まず鳴戸事務局長から四十二年度の事業実績と決算の報告、続いて松原藤郎監事から監査報告があり、質疑応答のあと四十二年度予算三十二万五百五十八円の決算が承認された。

ついで同じく鳴戸事務局長から四十三年度の事業計画について説明が行なわれたが、代議員から「もっとグループ員が多数参加できるよう執行部は努力すべきである」という要望があった。これに対し森会長から「県連発足二年目でもあるので充実した活動をするため努力する」との答弁があり原案どおり承認された。

とくに四十三年度では、全国の農村青少年と交り研修する機会を多くもつため全国大会に県連独自でも二～四名を派遣するよう計画されている。

このあと四十三年度の理事十六名の承認があり、ただちに理事会を開き役員選を行ない、県連の発足と充実に尽力あった森会長のほか全役員を再選した。

新役員は次の通り。

▽会長 森章（弁井町）▽副会長 増川将昭（金沢市）村田盛幸（羽咋市）▽事務局長 鳴戸良一（小松市）▽同次長 大西権四郎（若鹿町）

主な事業計画は▽総会▽理事会各種事業打合せ会（一、三、七、十二月）▽グループリーダー研修会（十一月）▽グループ交換会（六月）▽農村青少年技術交換大会（八月）▽会誌の発行（三、六、十一月）▽知事を囲む会（十二月）▽プロジェクト実績発表大会（十二月）▽全国4Hクラブ員の集い派遣（十月）▽全国4Hクラブ中央推進会議参加（十二月）▽健民運動＝花いっぱい運動＝（四～十月）▽北陸ブロック農村青少年技術交換大会派遣（八月）

なお予算は四十万六千円で、昨年より十万一千円の増加（寄付金と預金利子）

総会であいさつする森石川県連会長

「4Hクラブの手引き」発行

本紙連載「リーダーのために」など収録

社団法人日本4H協会（松下幸之助会長）と全国4Hクラブ連絡協議会（丸山勉会長）は、このほど4Hクラブ活動の指針となる本「4Hクラブの手引き」を発行した。

この「手引き」は、本紙に六十回にわたって連載、全国のクラブ員と関係者から反響を呼んだ栃木県専門技術員、湯浅甲子氏著の「4Hクラブリーダーのために」と4H協会事務局長、新田健吉氏の著「4Hクラブの本質」をまとめたもので、近く各都道府県、農業改良普及所、各都道府県4Hクラブ連絡協議会などに配布する予定である。

この「4Hクラブの手引き」は序論と本論からなっている。

序論は「4Hクラブの本質」。内容は、4Hクラブは青少年の教育の場である、4Hクラブの教育は具体的である、4Hクラブの誓い、4Hクラブの教育方法、名称、クラブは誰のものか、4Hクラブはきびしいものである—などからなっている。

本論は、湯浅氏が普及所長としてじかに4Hクラブ員と接し指導に当ってきた長い体験をもとに体系づけたものである。約二年間、毎回欠かさず全身を叩きつけるようにして書いていただけあって熱意にあふれ、その内容も全国の関係者から高く評価されており、クラブ活動を進めるうえで大いに参考になるものと確信される。

本論の前編では、4Hクラブの発生など、中編は、リーダーの心構え、4Hクラブの性格、リーダーの意味、組織の構成、後編は4Hクラブ活動とは、プロジェクトとは、4Hクラブ活動のとりくみ方、クラブ診断などの各項目別に分れている。

B5版、百三頁。横書き。

結束し地道な活動を

奈良・中吉野 4Hクラブで総会 新役員決まる

【奈良県＝広井洋司連絡報道員発】中吉野4Hクラブ連絡協議会（会長、松本博善君）では、このほど大淀町の西部農協会議室で総会を開催した。

午前十時から開会、まず四十二年度の事業経過と会計の報告があり、続いて四十三年度の事業計画と予算両案を審議し決定した。このあと役員改選を行ない、次の新役員を選んだ。

▽会長 栗山博則（下市地区）▽副会長 阪口文雄（大淀）▽会計 和田勝典（下市）

主な事業計画は❶土壌と肥料についての研究会❷農業簿記の講習会❸県内外先進地の視察旅行❹農改普及所技師をまじえてのソフトボール大会開催❺全国4Hクラブ員近畿のつどい協力、参加など。

また午後から、農業経営についての検討会に続いて「将来の経営規模拡大」について論議があり、このあと同講義の内容を中心に話し合いが行なわれた。

なお、本年度は四十五名の会員のうち真剣にクラブ活動を続けている二十五名で一層の結束と親睦を図り、地道に活動を推進していく方針を決めた。心機一転して新年度へスタートする同クラブの活躍と躍進が期待される（この記事は同クラブの松本前会長の提供によるもの）

クラブ活動に意欲新た

高知県連でリーダー研修会 今後の活動に期待

【高知県＝西谷瑳博連絡報道員発】高知県と県農村青少年クラブ連絡協議会共催の県農村青少年指導者研究協議会が、さる二月二十日から二十二日までの三日間、香美郡野市町の県青少年センターで農山村青少年クラブリーダー、4HクラブOB、農業指導所関係改良普及員ら百五十人が参加して盛大に開かれた。

一日目は、午後一時半から開会式に続いて記念講演として、茨城国際農業研修館長、中田正一先生（元農林省普及教育課技官）の「グループ活動への期待」と題する講演があり、参加者はクラブリーダーとして新たな心構えと指導方法を学んだ。

夕食後「キャンドルサービスの進め方」について県社会教育課の野村先生の指導で学んだ。みんな楽しく過ごし、笑声がつきなかった。

二日目は、各分科会に分れて問題点を出し熱心な討議を重ねた。そのあと全体会をもち各分科会で話し合った内容について発表、討議した。午後は県体育指導員の指導でレクリエーションについて講習を受けた。また、いつでも気軽にできる体操とバレーボールの試合も行なった。夕食のあと県連の総会を開催した。

三日目は、午前八時半からNHK高知放送局の協力をえて、話し方、司会のしかた、録音テープの編集のしかたなど放送利用学習について話を聞き勉強した。ひき続いて反省会と閉会式を行ない、三日間にわたった研修会の幕を閉じた。

南国土佐といっても二月の最も寒い時期。ときどき雪のちらつく寒い日が続いたにもかかわらず熱心に討議と研修を行ない、大きな成果をあげた。この研究会によって各地区連のこんごの活動に期待がもたれる。

4Hクラブを結成

長崎、北有馬村で

【長崎】南高来郡北有馬村でこのほど4Hクラブが結成された。

同村では三十八年に農業振興同志会が結成されたが、農業技術の向上を推進するため再編成が必要になり、このほど4Hクラブが結成されたもの。会長に佐藤実男、副会長に近藤正明、会計に宮田昇吉君が選ばれた。

岐阜・中津川4Hク結成

【岐阜】中津川4Hクラブの結成式が、さる一日午後一時から中

会長に高田君

北海道連新役員

【北海道】北海道4Hクラブ連絡協議会（会長、石川岳志君）は、このほど総会を開き、役員改選の結果次の新役員を決めた。

▽会長 高田勲（上川郡愛別町）▽副会長 時田繁志（上磯郡上磯町）山田すが子（苫前郡苫前町）▽書記長 泉一男（阿寒郡阿寒町）▽事務局長 山田勤（樺戸郡月形町）▽同次長 増原晃一（虻田郡ニセコ町）▽監事 赤松宏（余市郡赤井川村）片石鉄彦（桧山郡上ノ国町）▽評議員 鈴木君代（雨竜郡北竜町）奥村秀宏（沙流郡平取町）中川秀雄（亀田郡大野町）白田良子（天塩郡豊富町）牧野勝頼（上川郡比布町）▽代議員 織田展嘉（石狩郡石狩町）稲垣悦子（石狩郡当別町）庄司民子（上川郡名寄市）香田政子（虻田郡ニセコ町）大橋早苗子（爾志郡乙部町）工藤いつ子（函館市上湯川町）滝本順子（沙流郡門別町）本田博英（河東郡音更町）黄海妙子（同郡鹿追町）菅原サヨ子（白糠郡白糠町）松田修人（同郡白糠町）藤原勝一（標津郡中標津町）丹治良子（野付郡別海村）和田初（網走郡美幌町）橋本喜久子（同郡小向）岩角隆（枝幸郡浜頓別）木下義則（苫前郡羽幌町）三沢鉄男（虻田郡豊浦町）

涼風暖風

娘さん よく聞けよ

このほど農林省がまとめた農家の主婦の意識調査によると、ほとんどの主婦が農村に住みたいといい、都会に住みたいという人は一割もいない。

その理由としては「まわりがのんびりしている」という人がもっとも多く、ついで「健康によい」「生活が簡素」などである。

ところが自分の娘たちのことになると、約半数の母親が農家以外のところへ嫁がせたいと望んでいる。農家へ嫁がせたいという人は二割もいない。条件つきなら農家へという人をいれても四割に満たない。

もちろん、農村に住むということと農家に嫁ぐという違いはあるが、これは一体どうしたことであろうか。

思うにこれは、農家の主婦自身は農民になりきっていて、いまさら都会生活でもあるまい、だが、これから嫁に行く娘には農民としての生活をさせたくないというのが本心であろう。

その証拠に、農家に嫁がせたくない理由として「労働がきつい」「娘がいやがる」「収入が少ない」などをあげている。

しかしながら、最近はこれらのことも改善されてきていることが、同調査の別項にも示されている。すなわち、主婦の農作業は一日五時間から八時間というのが最も多く、これは都会の共稼ぎ夫婦と同等か、それ以下である。収入の方も次第に他産業の従事者に追いついてきており、なかには、サラリーマンなど足元にも及ばない所得をあげてきている農家もある。

さきに東京のNHKホールで開かれた青年会議のシンポジウムで、自立経営に至った自分の体験を発表していた秋田の伊藤さんは、参加者席からの質問に答えて、「私は、将来は妻には農作業はさせないつもりです」と胸を張って言い切った。隣に並んでいた奥さんのそのときの嬉しそうな笑顔が想い出される。

娘さん よく聞けよ。これから農村はもっともっとよくなるぞ。

◇ ◇

三周年を祝う

北海道・美唄市4Hクラブ

【北海道】美唄市4Hクラブはこのほど美唄内西四南三の道立母子福祉館で設立三周年記念式典を行なった。式典のあと特別講演として、空知管内栗沢町の秋元社教主事の「青少年のグループ活動について」と題する講演があった。

津公民館で行なわれた。

幹部研修会開く

北海道・十勝4Hクラブ

【北海道】十勝4Hクラブは、十勝支庁と共催でさる二月二十九日と三月一日の両日児童会館で幹部研修会を開き、4Hクラブ活動の進め方などについて研修した。

女子クラブ員のおしゃべり会

長野・中高4Hクで開く

【長野】このほど"女子クラブ員のおしゃべり会"が、下高井農改普及所と中高4Hクラブの共催によって地方事務所で開かれた。

冬の農閑期に家に閉じこもっていないで、おしゃべりしたり、レクリエーションを楽しもうと初めて試みられたもの。三十人のクラブ員のうち出稼ぎに行っている人などを除いて十五人が参加したが、さすがに、歌ったり踊ったり大はしゃぎ。農村生活についても気えんをあげていた。

心頭技健

4Hクラブ活動の道しるべとなる本「4Hクラブの手引き」が、このほど別掲囲み記事の通り、4H協会と全国4Hクラブ連絡協議会から出版された▼この「手引き」は、4H協会の新田事務局長（常務理事）執筆の「4Hクラブの本質」と本紙に、さる三十九年十月二十四日号から四十一年八月四日号までの六十回にわたって連載した栃木県の専門技術員、湯浅氏著の「4Hクラブリーダーのために」に加筆、編さんしたもの。量からみて「リーダーのために」が主体となっている▼この本の出版は、全国のクラブ員と関係者から大きな期待が寄せられていた。本紙に連載中から大きな反響をよび、終了後も同記事の掲載してある新聞を求める人が多かった。また直接、著者への問い合わせも少なくなく、悩みなどの打開策の相談をもちかけてきた人が大勢いるようだ。同記事の保存を途中から始めたり、ところどころ抜けたりして、これを一冊の本にまとめて出してほしいというクラブ員の声が強かった▼いかに、この種の資料をクラブ員が渇望しているかを物語っている。これに先立って全協では昨年、4Hクラブの本質と「リーダーのために」から抜すいしたもの、それに本紙に掲載した「アメリカ4Hクラブ」などをまとめた小冊子「4Hクラブとはどんなクラブか」を発行したが、この冊子に対する希望も多く、独自にこれと同じ本を作成してクラブ員に配布している県連もある▼現在4Hクラブとは何か、活動をどう進めたらよいかなど、クラブ員が実際に活動するうえで参考になる資料が少なく、またクラブ員自身が意欲的にクラブ活動と取り組んでいる証拠でもあるが、それだけに今回の「手引き」発行と、それによる学習は研修会を上回るとも劣らない効果を示すものと確信される▼湯浅氏は、中南米技術協力計画に基づいて、農村青少年教育関係では全国で唯一人の専門家としてブラジルのサンパウロ州に派遣されることになり、来る二十日羽田から出発するが、いまさらながら同氏の情熱と研究意欲努力のほどが感じられる▼全国のクラブ員も、県連や普及所などから借りて読んで実行してほしい。新たな視野が広がると思う。

盛大に十周年の記念大会
埼玉・越谷市4Hクラブ

市あげて前途祝福
クラブ員 こんごの努力誓い合う

【埼玉】越谷市4Hクラブ（会長、吉岡邦彦君）は、結成してから十周年を迎え、さる二月二十五日、越谷市立体育館で盛大に記念大会を開催した。同クラブはさる三十三年、旧町村単位にあった五つの4Hクラブを再編成して再発足、そのご地域に密着した活動を続けめざましい躍進ぶりをみせている。このため、この記念すべき大会を市あげて祝い、4Hクラブ活動の前途を祝福するとともに、クラブ員たちはこんごの活動を誓い合った。

二千名集めて芸能大会

この記念大会は、実行委員会（委員長、上原信三君）の主催、越谷市、同市教育委員会、同農業関係団体の後援によって行なわれ第一部として記念式典、第二部として市民芸能大会（ニッポン放送公開録音、市民のど自慢）に分けて行事が進められた。

同日、会場である市立体育館前は参加者でにぎわい、交通整理のパトカーも出動するほど。腕章をつけた4Hクラブ員たちが整理に忙しく走り回っていた。体育館正面には、受付所が設営され、クラブ員の手によって進められていた。

式典には、百三十名の同地区クラブ員会員と地元選出の衆参両院議員、県・市会議員、農業関係団体、育成団体関係者、それにクラブ員の家族や一般市民も参加、開会のことばに続いて国歌斉唱、吉岡会長あいさつ、越谷市4Hクラブの「十年のあゆみ」について発表があり、このあとこれまで指導育成に当られた五名の指導者に対し4Hクラブ会長から感謝状が贈られた。ついで来賓の祝辞として、地元選出の衆参両院議員、市農業委員長、農業改良普及所長から祝いと励ましの言葉があったが、いずれも4Hクラブ員に対して、次代の農村をになう者として大きな期待をよせていることがうかがわれた。とくに坂田普及所長は、4Hクラブ員に特に望むこととして「越谷市の地域性からみて都市農業の本質的なことを考え一歩ほりさげて考える態度と研究心が必要である。それには、お互いが都市化ムードにおぼれることなく勇気をもって真剣に考えていただきたい」と強調された。このあと全員で「埼玉4Hクラブの歌」を高らかに斉唱して閉会した。

この式典に参加した一クラブ員は胸をはって「先輩の築いてくれたこの4Hクラブをますます発展させていくことが私たちの任務である。現状は問題が山積しているが、青年としての勇気と真剣さをもって打開して行きたい。そして、もっと市民や地域社会に溶け込んだ4Hクラブ活動を推進したい」と張り切っていた。

昼食のあと、広い体育館で二千余名の一般市民を集めて「市民芸能大会」が催された。ニッポン放送の公開録音が行なわれ、続いて民謡、歌謡曲などによる素人のど自慢大会がくりひろげられた。これには4Hクラブ員五名のほか一般市民によって競われ、市長杯・4Hクラブ会長賞などが授与された。まさに市民に理解された4Hクラブ活動の芽ばえが、ここにある感であった。

越谷市4Hク 十年の歩み

十年前の昭和三十三年四月八日に、旧町村単位にあった五つの4Hクラブが集まり、越谷地区4Hクラブ連絡協議会（四十三年から越谷市4Hクラブに改名）を結成した。その当時の4Hクラブ員は五十名ほどであった。

活動内容は、埼玉県4Hクラブ連絡協議会の行事にしたがって、実績発表大会、技術競技会、農産物共進会の地区、郡予選会などを行ない県大会に出場してきた。

クラブ員は、これらの行事に参加したことによって、より多くの4Hクラブ員との交友が生まれ、ともすれば農村青年の眼を、広い視野に向けることができ、時には、[illegible]地域交換によって全国の農村青年と接してきた。

その後、クラブ員数もふえ、三十六年には増林4Hクラブ、三十八年には大相模4Hクラブが誕生し、現在では単位クラブは七つ、クラブ員も百三十四名と発足当時の倍以上にふくれあがっている。

越谷市は、近郊農村であるため農地などの流動などによって、クラブ員の中には多少の心の動揺があるようだが、全般的にみて、自立農業経営の確立をめざしているクラブ員がほとんどである。

活動内容は、4Hクラブの本質にもとづいたプロジェクト活動を中心として、その活動を助長させるために先進地視察、技術競技会、スポーツ大会、研修会、実績発表、青年会議と年々盛んになっている。とくに研修会は宿泊を通じて話し合い、クラブ員は宿泊を通じて一層の強い友情の結びつきの中に次代をになうクラブリーダーの意識の高揚を図っている。

これまでになるには、先覚諸氏の努力もさることながら、関係機関の理解と協力があったからで、クラブ員たちは「急変する社会状勢の中で、こんごのクラブ活動の進め方には、いろいろ問題があると思われるが、まず立派な社会人となるための教育の方法として4Hクラブ活動にその場を求めたいと思います。また、クラブ運営についても、自主独立の精神にのっとり、これらにまつわる諸問題を解決し、関係機関やOBとの連携を深めてより一層発展させていきたい。そこに市民の中における4Hクラブ活動が生まれ"誰もが親しみ、愛する4Hクラブ活動"があると思います」と語っていた。

ゼッケンを胸に、スキー姿に身をかためたクラブ員

白銀の世界でハッスル
三重・伊勢地区連

【三重県＝西村喜代司連絡報道員発】伊勢地区農村青少年クラブ連絡協議会（代表・西村喜代司君と曽野淑子さん、会員千六百名）では、今年度地区連の二大目標❶部門別専門研修活動の推進❷MAL（農業楽園づくり）運動推進の一環として、このほど二日間にわたって滋賀県マキノスキー場で初のスキー教室を開催した。

同日は地区連六地区から四十余名が参加し、第一日目早朝五時半に伊勢を出発、バスの中で大はしゃぎして十二時にスキー場へ到着した。すぐに二十人づつに分かれて民宿した。[illegible]ろりコタツに足をつっこんで[illegible]話しに花を咲かせた。

翌朝六時半に起床、バスで移動し八時から午後一時まで思いっきりハッスルした。白雪の中に立てた標識用の4H旗の緑が白一色に映えて美しく、会員会員の心の中に、4H精神の高揚が、この旗のように高くひるがえることと思われた。

会員同士の結婚
茨城・笠間市4Hクラブ員祝う

【茨城】笠間市4Hクラブ（会長、川崎武君）は、さる一月会員同士で結ばれた新郎新婦の結婚祝賀会を、このほど会員四十人が会費二百円を持ちより同市青年研修所で開き、彼らの第二の人生のスタートを祝福した。

めでたくゴールインしたのは、中沢[illegible]君（二三）＝同市[illegible]＝と[illegible]和子さん（二〇）＝同市[illegible]＝の二人。みんなから祝福された二人は力を合わせて、将来、農村の中堅としてみなさんの期待を裏切らないように頑張っていきたいと言葉少なに決心のほどを語っていた。

誓いのことば

○…梅の香匂うさる二月二十一日、全国4Hクラブ連絡協議会の事務局次長、松崎正勝君（大分県宇佐市四日市区）が安部忍さんと結婚式をあげた。

○…4Hクラブに誓いのことばがあるように、結婚式典では、新郎新婦の誓いのことばも重要な儀式の一つ。松崎君も[illegible]

誓いのことば
本日私達がここに結婚の式典を挙げ夫婦の契りを結ぶことになりましたことは誠に嬉しい人生の門出としてこの上もない喜びであります
今後私達は4Hの精神のもとに互に愛し互に尊敬し明るい家庭を造り上げると共により良い農村社会建設に貢献することを茲に誓います
昭和四三年二月二十一日
新郎 松崎正勝
新婦 安部忍

○…松崎君は、昨年暮の全国4Hクラブ中央推進会議などの機会をとらえて早くから宮城副会長に懇願していたが、それが実現したもの。結婚式の実行委員長は四十年度の全協副会長、麻生浩一君で、クラブ員からも祝福され、さすがの同君も破顔の連続だった。

○…同じく全協の副会長、飯田喜代視君（奈良・大和郡山市）もさる十日、堀田順子さんと新婚家庭へゴールインした。飯田、松崎両君は昨年の中央推進会議に未来の奥さんと同伴出席しておあついところをみせたが、そんなこともあって忍さんと順子さんは知り合いの仲。さぞかし、会議で学んだ成果を生かして4H精神を発揮し、十二、十六Hへと、幸福な家庭を築くだろうと、外野雀のさえずりもにぎやかである。

クラブで共に学ぼう
三重で初の新規就農者激励大会 "若い力"に呼びかけ

【三重県＝西村喜代司連絡報道員発】[illegible]、明野高、相可高、実業二[illegible]名）の生徒、引率の先生、[illegible]、そしてクラブ員が集まり、[illegible]大講堂もこの日ばかりは若い[illegible]埋まり、むせかえるような熱[illegible]が感じられた。

[illegible]開会式は、県知事の「日本の高度経済成長の中で農業を取りまく[illegible]は非常に変化しつつある。そ[illegible]農業も高水準への位置づけを[illegible]る必要があるが、近代的農業へ[illegible]若い後継者としてみなさんに期待[illegible]る」という激励のことばに続[illegible]来賓として各関係機関の関係[illegible]からお祝いのことばがあり、このあと岡田県連会長、奥村孝代同[illegible]会長が「われわれは君たちの若い力と勇敢な実行力、また[illegible]校で学ばれた最新知識の地域での実践を期待する。お互い農村を[illegible]い農業を切り開く青年としてクラブ活動で共に学ぼう」と呼びかけた。

[illegible]十一時から農村青少年クラブ員[illegible]名と父兄代表一名の体験発表がおこなわれ、経営的先輩としてその[illegible]を発揮した。

まず「私の温室経営」と題して[illegible]北郡長島町の伊藤康夫君が学卒[illegible]数ヵ年の経過とその実績を発表すると、生徒たちの目の輝きも一段と光をましていた。続いて、母親とともに山間地で制限された条件を乗り越えようとする、多気郡勢和村、池田武穂君の「自立経営をめざして」と題する発表では、卒業後何どもくじけそうになった時、励ましとなったグループの意義深さ、ありがたさなど"今日の自分の人間形成に役立った"と語りかけた。最後に父兄代表として松阪市岩村町、杉山氏の「わが子を農業後継者としてかく育てた」と題する発表があり、若い青年のあり方や考え方を理解しようとする態度が感じられた。

後継者確保の第一歩は、親が息子を受入れる条件を整備しておくことが先決であると強調された。

このあと各校代表の新規自営者十名と自分たちとクラブ員五名で「これからの農業をどのように改善、実践するか？、また先輩に何を期待するか」と題してパネルディスカッションが行なわれた。

話し合いは終始ユーモラスに運ばれ、生徒側から「農村には嫁キがないという深刻な問題があるが…」という質問が出されたのに対し"マスコミの過大描写であり、クラブ活動を通じてチャンスはいくらでもある。そんなことをいってないで経営に打ち込め"という意見が出され、さらに親密感を深めた。

レクリエーションのあと二時半から松丸志摩三先生の「明日の農業と青少年の使命」と題する講演があった。内容は、農村青年は現状にあまえすぎている。もう一歩経営に踏み入れるべきだ。そして❶農村青年は視野が狭い❷農業の基礎（現状把握の必要性）から学び直し❸近代的センスの[illegible]べきであり❹一つの[illegible]るにも、経済の拡充[illegible]拡充＝生産の基礎[illegible]が必要であるというものだった。

上＝われわれと共に学ぼうと呼びかける岡田県連会長（左端は奥村副会長）下＝会場を埋めた"若い力"。今春就農を予定されている高校生

好評、農高生との交歓
滋賀 県連 後継者育成に取組む

【滋賀県＝湯浦亘一連絡報道員発】[illegible]

[illegible]り入れた動機は…」「資金面はどうなっているか…」「小遣いは…」「楽しかったことは…」「将来の方針」など高校生から矢次ぎ早に質問がとび出し、これに対し先輩としてのクラブ員はサービス精神を発揮して、快よく親切に答えていた。

学校側からも、少なくとも年に二、三回はこのような催しをして高校生と接してほしいと要望があった。県連としても初めての試みで成功に終り、一段と勇気づけられると同時に、クラブ活動上における後継者育成の重要性、必要性を再確認させられた。

耕耘機の技術を競う
勝手違い悪戦苦闘 静岡・富士地区連

【静岡県＝栗田伸雄連絡報道員発】日ごろの農作業の腕前を発揮して青春の思い出をつくろうと富士地区農村青少年クラブ連絡協議会（会長 栗田伸雄君・十八クラブ加盟）では、さる二月二十四日、富士市岩本の根田耕地で耕耘機の技術競技会＝写真＝を行なった。各クラブから選ばれた十五台の耕運機を運転するクラブ員たちは一生懸命。

自分の家の田んぼとは勝手が違い悪戦苦闘するクラブ員もいれば、なかなか耕運機の方がいうことをきかず始動できずに困っていたクラブ員もいた。当日はあいにく寒い風が吹いていて、応援するクラブ員たちの顔は寒さで真赤。とくべつに地元のクラブ員たちの配慮で古タイヤ十本を田んぼの中で燃やして火にあたりながら気勢をあげていた。

審査の結果、優秀賞は岩松4Hクラブの高井政一君、技術賞は富士4Hクの大石了之君、敢斗賞は須津4Hクの半赤田侍男君が選ばれた。また、機械化協会長賞は富士4Hクの井出登君に決定、閉会式の席上、栗田地区連会長から記念の楯が贈られた。

なお、参加者全員に地区連からポリエチレン製ガソリン入れの容器が贈られた。

試験ほ場を新設
北海道・加野4Hクラブ

【北海道】後志地区の加野4Hクラブはこのほど部落集会所で四十三年度の活動計画などについて話し合い、ジャガイモ施肥試験ほ場（三アール）を設置し、調査を進めることを決めた。

農業者大学校の入試問題

今春五月に開校される予定の農林省・中央農業者大学校（農林省中央青年研修施設＝東京都下南多摩郡多摩町、林野庁鳥獣試験場内）の入学試験がこのほど東京で行なわれましたが、これはその試験の一部です。学科試験は理科、数学、国語、作文の四科目が出題されました。問題は高卒程度ですので、どうぞ解答を試みて下さい。

国語 (2)

【三】（Ⅰ）次の熟語の読み方をひらがなで解答しなさい。

1 行使　2 興味　3 動作　4 現象　5 会得
6 暴露　7 委嘱　8 便乗　9 出納　10 端境期

（Ⅱ）次の（ ）の中のひらがなを漢字に直して解答しなさい。

❶さっそく（へんじ）をしましょう。
❷お（ねが）いいたします。
❸あのことは（しんぱい）するな。
❹お会いしてお（れい）申しあげたい。
❺（ほしょうにん）になってください。
❻役場へ（とどけ）を出す。
❼ともかく（りれきしょ）をお出しなさい。
❽（らくのう）をはじめる。
❾（だっこくき）を使う。
❿田の（じょそう）をする。

【四】（1）次の各問題のA、B、Cの三つの文は、そのうちの二つは同じことをいっているが、一つだけは別のことをいっている。別のことをいっている文を選び出して解答しなさい。

1 A「子どもの家」はいつでも本が見られます。B「子どもの家」はいつでも本が見られます。C「子どもの家」はいつでも本で見られます。

2 A ずいぶん積もっていますね。B ずいぶん積もりますね。C ずいぶん積もりましたね。

3 A 弘君は大声を出して呼びながら、走っていく進君をおいかけました。B 弘君は大声を出して、呼びながら走っていく進君をおいかけました。C 弘君は走っていく進君を、大声を出して呼びながらおいかけました。

4 A 草の中にて虫の鳴く声すなり。B 草の中にて虫の鳴く声するなり。C 草の中で虫の鳴く声がする。

（Ⅱ）次の各文を（ ）の中に書かれた指示にしたがって書き直すと、ゴジックの部分はどのようになるか。答えなさい。

❶そんなことでどうするといって、兄は弟をひどくしかった。（弟を主語にした文にする）
❷私は本を読む。（「昨日」ということばを加え、ていねいないいかたにする）
❸ぼうしをとる。それから頭をさげた。（一つの文にする）
❹君は遠足に行く。（「昨日」ということばを加え、否定のかたちにする）

【五】次の各群の単語の中には、単語の種類、単語のうまれた場所、単語の構造などからみて、一つだけちがうものが含まれている。それを選び出して回答しなさい。

1 A 琵琶湖、B 野尻湖、C 八丁湖、D 十和田湖、E 八郎潟
2 A バレー・ボール、B レスリング、C 野球、D フットボール、E ボクシング
3 A、がたがたと、B ぶんぶんと、C がりがりと、D ざあざあと、E ひろびろと
4 A かれ、B これ、C、それ、D あれ、E どれ

自立経営への道

青年会議シンポジウム

第７回の全国農村教育青年会議には、農業技術の向上、農家生活の改善に努力している全国の若い仲間が東京に大勢集まり、自分たちの直面している問題について、４日間集中的に討議を重ねて学習した。その最終日、NHKホールに、自立経営を達成した三組の先輩夫婦を招き、「自立経営への道」と題してシンポジウムが開かれた。自立経営という言葉が聞かれるようになってかなり経つ。つまり、農業だけの所得で他の産業に働く人たちに負けないだけの生活水準を保つ経営のことである。これまで、立派な成績をあげた先輩がいる反面で、自立経営農家たりえず、残念ながら農村を離れていった先輩たちもいるのである。何事も、成功した人の体験を多く知ることは有意義であり、発奮させてくれるものである。そういう意味から、ここに当日の三組の先輩たちの発表を掲載して、多くの読者の参考に供することにした。

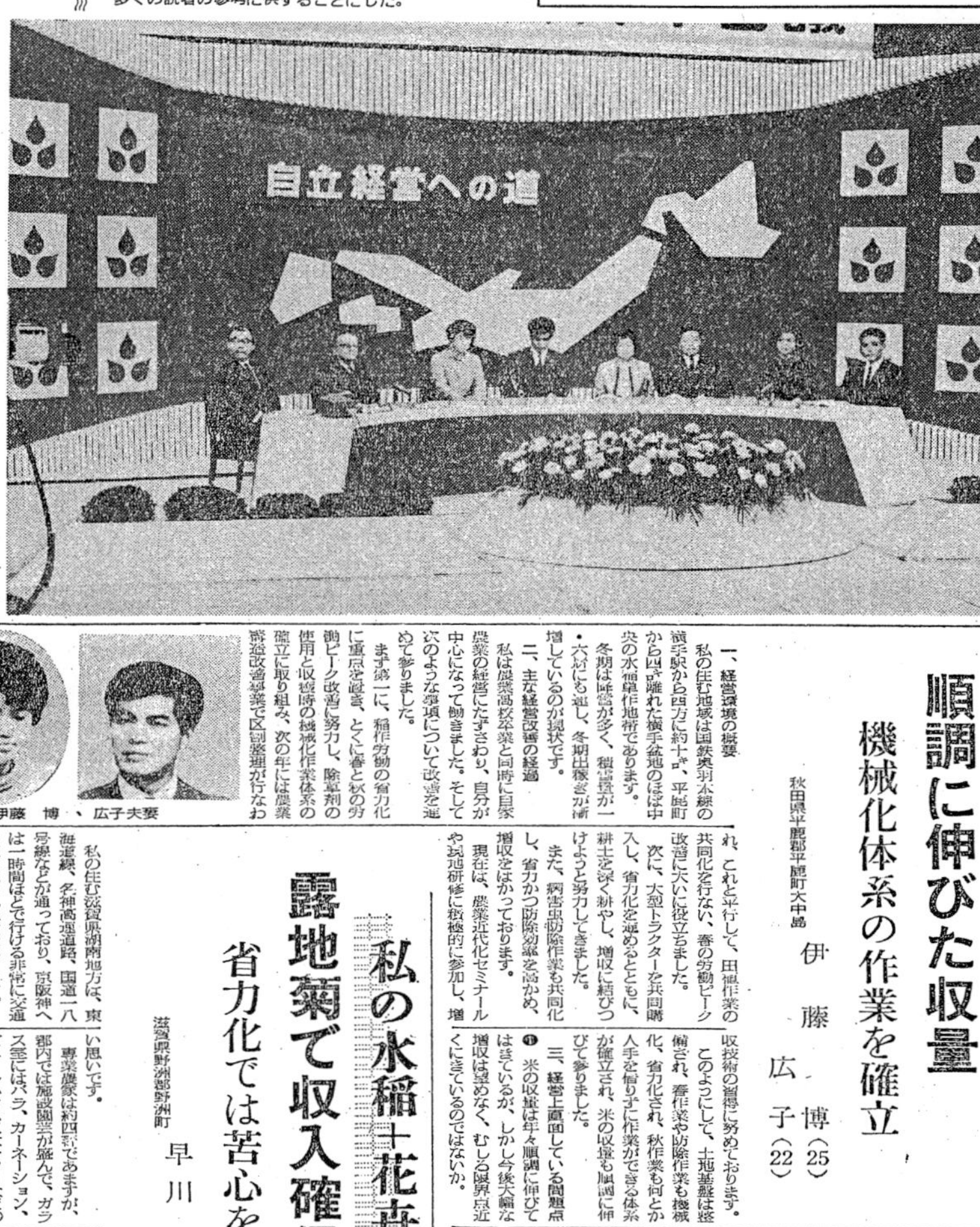

成果あげた養豚経営
経営の主幹に成長
今後は多頭化対策の課題

山梨県中巨摩郡玉穂村西新居二九六　藤巻 英樹（32）　もと子（29）

一、経営環境の概略

甲府盆地は水田地帯で平坦、高温、少雨で、耕地は南に笛吹川、西に釜無川などの河川流域にひらけ、土壌は沖積層の砂質壌土であります。

私の住む玉穂村は、甲府盆地中央南部に位置し、農家戸数五一六戸、耕地面積六〇一㌶の純農村です。

水田を基盤とし、水稲プラス養蚕、水稲プラス養豚、水稲プラス野菜の経営類型の確立を目標に農業を振興しています。

また、本村南部の桑園地区は、昭和三十七年度に農業構造改善事業のパイロット地区として土地基盤の整備、稚蚕共同飼育所の建設によって近代農業が進められています。

本村の水田の八〇㌫は湿田地帯のため、県営事業による幹線排水路の設備、大圃場の整備、農道の拡幅や新設などを行ない、湿田の乾田化、水稲作の省力、機械化による省力経営によって生産性を向上するとともに、余剰労働力を養豚、野菜にふりむけ、養豚の多頭飼育による主産地形成を行ない、野菜においては促成、半促成栽培の産地化を推進し、内延的規模拡大により、年間収入が見込める営農組織を確立して、農家所得の増大をはかっています。

藤巻英樹、もと子夫妻

二、現在までに行なった経営改善事項

私の経営概況は、父母の時代には水田と養蚕で、水田経営を基盤とした米麦中心であったが、近年豚の導入による経営規模拡大によって、生産性の向上と経営改善に努力しています。

すなわち、経営は主として米麦プラス養蚕であったが、グループ研究を年々重ねてきたなかで、私もその活動と共に自分の家の経営改善を行なうには養豚を組み入れる必要性を感じ、三十六年に神奈川県に三ヵ月間の先進地農家留学研修生として養豚を勉強して、豚の導入計画をたて、三十六年に種豚七頭、肉豚四五頭を導入、経営の改善をはかってきました。

また、三十六年に若い自営者で村に養豚研究会を組織し、その活動は着々成果をおさめ、三十八年に県の生産改良基地および肉豚共同出荷基地の指定を受け、以来、急速に養豚振興がなされてきました。

私の家の改善内容で、いままでの所得割合とこれからの目標は、農業所得を一〇〇㌫とした場合の比率で、三十六年には米麦、養蚕、その他野菜で全部を占めて、養豚収益は皆無であった。三十八年は米五一㌫、養蚕三二㌫、その他七㌫、養豚一〇㌫、三十九年は米四三㌫、養豚二九㌫、養蚕二六㌫、その他二㌫、四十一年は米三〇㌫、養蚕二〇㌫、養豚五〇㌫と養豚の占める割合も大きくなってきました。四十三年度には米三〇㌫、養蚕一三㌫、養豚五七㌫まで伸ばす計画で、繁殖豚二〇頭、肉豚一五〇頭の飼育を目標としています。

即ち、養豚を主幹作目に経営の仕組みを改善しようと考えています。

三、現在、経営上直面している問題点

❶ 養豚の多頭飼育には、購入飼料に依存する度合が高いが、その購入飼料が年々高くなっている現状で、養豚飼育上問題となっている。❷複合経営による労力の配分の問題などがあります。

稲作改善と取組んで
順調に伸びた収量
機械化体系の作業を確立

秋田県平鹿郡平鹿町大中島　伊藤 博（25）　広子（22）

一、経営環境の概要

私の住む地域は国鉄奥羽本線の横手駅から西方に約十キロ、平鹿町から四キロ離れた横手盆地のほぼ中央の水稲単作地帯であります。

冬期は降雪が多く、積雪量が一・六メートルにも達し、冬期出稼ぎが漸増しているのが現状です。

二、主な経営改善の経過

私は農業高校卒業と同時に自家農業の経営にたずさわり、自分が中心になって働きました。そして次のような事項について改善を進めて参りました。

まず第一に、稲作労働の省力化に重点を置き、とくに春と秋の労働ピーク改善に努力し、除草剤の使用と収穫時の機械化作業体系の確立に取り組み、次の年には農業構造改善事業で区画整理が行なわれ、これと平行して、田植作業の共同化を行ない、春の労働ピーク改善に大いに役立ちました。

次に、大型トラクターを共同購入し、省力化を進めるとともに、耕土を深く耕やし、増収に結びつけようと努力してきました。

また、病害虫防除作業も共同化し、省力かつ防除効果を高かめ、増収をはかっております。

現在は、農業近代化セミナールや現地研修に積極的に参加し、増収技術の習得に努めております。

このようにして、土地基盤は整備され、春作業や防除作業も機械化、省力化され、秋作業も何とか人手を借りずに作業ができる体系が確立され、米の収量も順調に伸びて参りました。

三、経営上直面している問題点

❶ 米の収量は年々順調に伸びてはきているが、しかし今後大幅な増収は望めなく、むしろ限界点近くにきているのではないか。

❷ 年間の就労状況をみると、稲作就労期間は八ヵ月で、あと残り四ヵ月間は遊んでいる状態なので、生産および収入に結びついていない。

❸ 自立できる規模に経営耕地面積を拡大したいが、土地を売る人がないし、開田する土地もない現状では規模拡大はむずかしい。

四、今後の改善対策の方向

❶ 遊休労力を活用し、ワラ工品の生産で、年間通して平均的生産ができる経営にもっていきたい。

❷ 町で推進している十万羽養鶏を取り上げ、漸次羽数を増やしていきたいと思い、愛知県の機械化された養鶏団地を現地研修し、現在地域に適した型を検討しております。

❸ 農作業はできるだけ分担制として徹底した機械化体系、省力技術を確立し、一人当たりの労働報酬をより多くし、単作地帯のカラを脱皮し、自立経営農家として豊かな生活ができるようにしたい。

伊藤 博、広子夫妻

私の水稲＋花卉栽培
露地菊で収入確保
省力化では苦心を体験

滋賀県野洲郡野洲町　早川 卯右門（30）　好子（27）

私の住む滋賀県湖南地方は、東海道線、名神高速道路、国道一八号線などが通っており、京阪神へは一時間ほどで行ける非常に交通の便に恵まれた所であります。

近年工場の進出、または宅地の造成によって耕地が減少して、私たち土に生きる者には非常に淋しい思いです。

専業農家は約四割でありますが、郡内では施設園芸が盛んで、ガラス室にはバラ、カーネーション、ビニールハウスにはキウリなどの野菜が多く栽培されています。

私は水田九七アール、肥育豚四頭、畑地三十六アールに露地菊を栽培しています。そして、町内に二十五名の同志が組合をつくっています。

従来、わが家では、米麦作だけの経営でしたが、私は学校卒業と同時に自立農家目ざして、露地菊導入による営農改善と取り組みました。

当初、五アールに秋菊の栽培を行ないましたが、花の市況はとても変動が激しく、安定した経営がむずかしいことを身をもって体験し、少しずつ出荷期の幅を広めるとともに、面積の拡大をはかって経営の安定をめざしたのであります。

現在では、延面積にして四十五アールになっております。

その結果、面積を拡大したので労働力が不足しました。菊の栽培においては、機械力による省力はほとんど困難であり、いかに合理的に省力するかということで、

第一、ネットの簡素化

第二、古株のほり起こしにティラーの使用

などによって、十アール当り、約二十五人ほどの省力となりました。

なお、今後の問題として、規模拡大と、菊も連作を嫌らうために多くの耕地の確保が問題です。

寒菊の霜害対策については、例年、寒冷紗披覆による防止を行なっておりますが、完全なものでなく、簡単でしかも安易にできる方法をさがしております。

今後の経営の方針としては、現在まで自立農家の確立のため、あらゆる努力を重ねてきましたが、現在のような基盤を作り上げた今日、生活を営むための農業であるために、生産を生活を楽しくする農業経営を作り上げたいと思っております。

早川卯右門、好子夫妻

分科会報告　青年会議
家庭と村つくり

主婦自身が自覚をもって生活に「けじめ」を

☆☆☆ 先号にひきつづいて、今回は青年会議における第三議題「わたしたちは、家庭づくり村づくりをどう進めていけばよいか」の討論の要旨を掲載しました ☆☆☆

第九分科会　健康な家庭づくりを進めるにはどうしたらよいか

一、主婦働のあり方

❶ 家庭の理解と協力が必要である。とくに夫の協力が必要であり、それは家庭管理に対する意見であってもよい。

また外面的にみれば、育児や食事の時間を農作業と同じように主婦の労働価値をみとめてほしい。

そこには主婦自体の自覚と積極的な家族に対する働きかけが重要なものである。

❷ 現在、家族労働に協力している主婦のために、季節制でよいから保育所をもうけてほしい。あくまでも教育の主体は親にあるが、おばあさんには時間的に分担してもらい、しわの深い知識を与えてもらうことも大切である。

❸ これらの話し合いの中からまとめとして、主婦労働については時間の使い方を反省し、自覚するとともに、夫も主婦の家庭管理について理解をし、時間を充分に与え、育児についても保育所などの施設も必要だと考えられるが、おばあさんの立場も理解することが必要である。

二、話し合えるムードを作り出す方法として、

❶ 家族揃って食事をともにする。

❷ 定期的に家族会議（とはいかなくてもそれに似かよったもの）を開き、家族間の親睦を深め、お互いの意見を尊重しあう。

❸ レジャーの取り入れ方

余暇を積極的にみつけ、家庭内のレジャーから取り入れるとよいのではないか。手軽な方法としてバドミントンなどがいい

❹ 家庭環境の合理化

家庭の中の話し合いについてのまとめとして、ほほ笑みのある家庭を作るため、家族との話し合いをもつことが必要であると思われるが、家庭の合理化を進めるとともに、その中から余暇利用を考え、家族が常に笑みのある家庭生活をおくることが必要である。

三、食生活の改善

❶ 食生活がかたよっている。農繁期には共同炊事を取り入れることもよい方法である。

❷ 献立表の作成が不十分である。料理講習会などで研究する。

❸ 料理の技術が体得されていない。普及所、新聞などを利用して自分の家庭に合ったものを作るよう研究する。

とくに、農繁期においては計画性がないためにかたよりがあったり、疲労の原因ともなっている。

健康な体を保持するためには献立を作り、必要量の確保につとめなければならない。

出席者の状況をあげると、ある献立例をもとにして、自給食品の応用により実行している人、一方作らない方としては前の日に考え、一日分の材料などをとりよせておくこともあげられた。

では、この献立を実行させるにはどのようにしたらよいかについては、作った食事を記入しておくとともに、家族の嗜好や年令に合わせたものにもっていくことである。

健康を保つためには、まず食生活を改善しなければならないが、それには計画的に献立表を作り、栄養を確保することが一番大切である。とくに農繁期には共同炊事をとり入れていくことが必要である。

以上が、話し合われた内容だが、今後私たちは地域に帰って仲間と共に話し合い、健康な家庭を作りたいものである。

第十分科会　仕事の分担はどうすればよいか

一、主婦の過重労働の問題について

❶ 家事労働と生産労働を同じように認める。早く農作業を切り上げて食事の仕度にかかる。

❷ 献立をつくって計画をたてる。

❸ 家事を合理化する。

❹ 自分のことは自分でする。

二、生産と家庭のけじめについて

❶ 経済的なけじめをつける。分担記帳をする。

その利点▽仕事の計画性が出る▽責任がもてる▽数学的に明らかにする。

進め方は、黒板を利用し、家族に明らかにする。

❷ 精神的、環境にけじめをつける。

家族の考え方は、農作業と生活の中で使用しない。

服装については、作業衣を生活のけじめをつけるようにする。

❸ 住居と作業場を分離する。

作業を分離する。時間のけじめをつける。生活における主婦の仕事を二次生産と考え、それを作業時間と考える。分担として親子契約をとり入れる。

三、休養と労働のバランスについて

❶ 農休日をつくる。地域的につくり方がちがうので、町全体、4Hクラブ、自分の経営などに合わせて行なう。

労働日誌をもとにして労力の配分を図り、他産業の水準に近づける。

❷ 正月、祭日、節句の主婦の労働の軽減。

形式にとらわれない。身近かな材料で間にあわす。祭日を経営に合わせて統一する。

四、仲間づくりについて

仲間と労力交換をする。

提案として、四季を通じて労働のバランスを保てるように政治的な配慮を望む。とくに北陸、東北地方などの出かせぎ解消の問題などが出された。

第十一分科会　住まいや生活環境はどう改善すればよいか。

一、問題提起

▽田の字型住宅に個室が少ない（プライバシーがおかされる）

▽生活の場と作業の場が完全に分離されていない

▽主婦労働の合理化

▽改善のための資金とその活用手段

▽住まいと衛生

二、個室の必要性とその設置方法

❶ 自分だけの時間がもてる。

❷ 結婚後、二人だけの生活に便利なものとする。

❸ 個室は創意工夫によって立派に作ることができる。例えばカーテン利用などによって大きな居間を区切る。

❹ 夫婦室は充分考えて設置する。

三、家族間、部落の人の話し合いについて

❶ 居間でテレビを見ながら、夕食事などに世間話などをする。

❷ 経営または仕事の段取り、労働などのことについては比較的話しやすいが、恋愛の話についてはなかなか話しができないので、父と酒を飲んだときに話すとよい。

❸ われわれ若人は、家庭において話しやすいような明るい雰囲気をつくる任務がある。

四、住まいと衛生、台所改善

❶ 家の中の整理は、必要なものとそうでないものとの区別が必要である。

❷ 広い部屋の楽しい利用法。例えばカーテンで区切ったり、壁装飾など、アイデアを生かして住まいの改善も必要ではないか。

❸ 会合の場所と生活の場が密着している。

❹ 住宅改善をするための対策として、近代化資金の借入れ、公共施設の増築、会合のもち方の研究をする。

五、主婦労働の合理化をどう進めたらよいか

主婦の主な労働は育児、家事、農作業である。また、労働がきつくてもあたりまえという昔からのあきらめがある。

❶ 経営と家事の計画をもって主婦の役割を自覚してほしい。

❷ 主婦の労働を軽くするために自由時間をつくって、自分の好きなことをしていろいろ考える。

結論として、主婦が農作業から解放されるよう、われわれ青年が働きかけなければならない。いずれにせよ、それには男性の協力が必要である。

第十二分科会　村づくりをどう進めていけばよいか

一、人間性の向上について

村づくりは人づくりから成り

NHK農事番組（3月21日〜31日）

テレビ

明るい農村　6・30〜6・55

21日　時の話題

22日　新産物風土記　わかめ

23日　農業新時代　田植草…

24日　話題の広場　農業放…

25日　村の記録　山村国…

26日　くらしを考える　花嫁…

27日　村を結ぶ　現地報告

28日　時の話題　農協法改正…

29日　新産風土記　杉

30日　農業新時代　芽ばえ…

31日　話題の広場　カメラ…

農業教室　7・00〜7・30

21日　トラクター利用の実際…

22日　〃　利用組合運営の問題…

23日　〃　現地訪問

25日　"経営拡大と金融"＝…

26日　〃　養鶏

27日　〃　施設園芸

28日　〃　果樹

29日　〃　協業組織

30日　〃　現地訪問

あすの村づくり

日　7・00〜8・00

土　13・00〜14・00

24日　わく内特集　われら…

ラジオ

早起き鳥　5・05〜6・00

4Hくん　NO.118　桜井はじめ

わがクラブわが同志

私の経営とクラブ活動　青年会議発言

新しい農業を推進
いま、村ぐるみの4H活動へ

熊本県菊地郡七城村菊地4Hクラブ　限部忠宗

限部 忠宗君

四年前、私の成人式を機会に、農村に残った仲間十一名で4Hクラブを結成しました。

お互いに人生の悩みをうちあけ、農業経営のことを話し合う場がほしかったからです。あるときは先輩と語り、あるときは議論しあい夜を徹して話しあったこともありました。

その頃、私はいままでの米と養蚕を主体とした農業経営を続けるか、新しい部門をとり入れて経営を改善するかで悩んでいました。グループの仲間も私と同じような悩みをもっていました。

そこで私は、将来の経営の方向を探ろうと昭和四十年八月、先進地農家見学の一人旅の計画を立てました。もちろん、両親は反対しました。しかし、クラブ員のすすめもあって、私は実行しました。

そして四十日間、愛知、神奈川、東京、千葉の先進地農家を訪ねて働きながら企業的農業の厳しさと、やればできる根性を肌で感じとりました。

帰宅すると同時に、農業経営の五ヵ年計画を立てました。今までの経営に酪農をとり入れ、米と酪農の自立経営を志ざしました。

あれから四年、田畑は二倍の三・六紛、乳牛は十九頭を飼育するまでに成長しました。

その間、私たちのクラブ員は、村の構造改善事業の推進力となって、ブルドーザーを運日運転したこともありました。現在では村の酪農、養豚、養蚕、稲作の各部門のトップクラスは、みんな私たち4Hクラブ員であります。

私は、ある機会に「グループ活動と経営の拡大」について発表しました。その甲斐あって、十一名でスタートしたクラブも、現在は九十一名となり、村ぐるみの4Hクラブ活動に広がり、村に残る青年のほとんどがクラブで活躍するようになりました。

しかし私は、ある出来ごとからクラブ活動の弱点を知りました。それは、私たち酪農にとりくむ仲間が経営の規模拡大の中場にしてクラブから去り、大阪へ行ってしまったのです。私自身は、クラブ活動の中で経営を拡大して、良き友を得、常に明日の農村造りの力を培ってきたのに、仲間にとっては、それが他産業への転出のきっかけとしかならなかったのです。

この原因について、私たちはいろいろと話し合いました。経営基盤が小さいためだろうか。農業技術が未熟なためだろうか。クラブ活動自体に欠陥があったからだろうか。その結論として、結局は私たち青年に潜在する農村コンプレックスと、家庭の不和が原因だということになりました。

それでは、私たちは何をすれば良いだろうか。現在、私たちはクラブ活動でなしえない幾つかの問題は、農協、行政指導機関を通じて、他の団体や家庭の協力によって解決しつつあります。

また、ラジオ、テレビなどを通じて全国の仲間たちの意見を聞くように努め、さらに私の体験から親子協定農業のよさを仲間に伝え広めて行きました。

また私は、仲間たちがほんとうに信頼して自分の悩みや経営のことを話しあえる指導者を求めていることを知りました。農村にも立派なカウンセラーが欲しいのです。

私は昨年、大学生だった妹を亡くしました。その悲しい中から決意したことは、こんご二人分の人生を送ろうと心に決めました。そのためには、まず誰にも負けない農業経営者になることです。もう一つは、自分の体験を生かして、青年といつも話し合い、信頼されるカウンセラーになる覚悟です。

そのためにも、4Hクラブ活動に対して情熱をかたむけることはもちろんですが、もっと、4Hクラブ活動の正しいあり方について理解して、仲間とともに活動し意義深い青春を過したいと思います。またそうすることが、私たちの人生に対してもプラスになると考えるし、この4H活動こそ、伸びゆく人生に対して大きな投資だと強く考えるからです。

これから伸びていく後輩たちに同じ道を歩いてきた立場の者として、大いに応えてやりたいのです。

夢に向って努力

三重県　鵜方4Hクラブ

友情のきずなで結ばれた仲間

私たちの鵜方4Hクラブは、昨年の春うぶ声をあげた。酪農、水稲、養豚、製茶などの経営を行ない、農協職員の指導によって、クラブ員一人一人が特色ある経営に取り組み、自己の目標に向って頑張っている。

発足して一年しか経っていないクラブは、同志を集めるだけが精いっぱいで、現在男子八名、女子六名によって構成されている。農業を営む青年の少ないことはしかたないことかもしれない。土を耕し、植物や動物などの生き物を育て、その生命と物を生産する喜び、そこに農業の姿を見いだしたなら、青年は、自分の誤ちを悟るであろう。私たちは農業に生きる人間として、今日まで、クラブ活動を続けてきたが、農業の将来を考えるとき、一つの目的に達しなくても、また失敗のくりかえしであっても、私たちは、その夢に向って努力しなければならない。そうすることによって、自分たちの信条に一歩でも近づいていく。とにかく実践することに意義があるのだ。私たちは、そんな意気に燃えて、4Hクラブ活動を推進していきたいと思う。

人間形成の基礎を作り、協調の精神を養い、信頼のある4Hクラブを築きあげることが、私たちクラブ員の大きな使命であると思う。

これからは、4Hクラブ活動を通して、常に夢をもち、学習し、友情のきずなに結ばれた団結力によって行動し、住みよい豊かな農村を築き上げるよう若き情熱をかたむけたいと思う。

さとわのうた

二人の愛

春の気配が日一日と横溢してくる今日この頃である。沈丁花の強烈なる香りが、すでに春だと謳歌する。

小さな花屋の店先にエリカのピンク色した小さな花、コデマリのあじさいをちっちゃくしたような可愛い白い花、ボケの朱色の花、雪柳の雪を散りばめたような白い小さな花、れんぎょうの黄色の花、サンシュウの黄色の花、アカシアの緑葉の葉隠に黄ろい丸い花を見いだした。

私は、豪華絢爛と誇らしげにわがもの顔に美粧をこらすチューリップや、カーネーションやスイトピーや、水仙や、フリージャや金魚草やストックのはなやかさのかげに、小さくも精いっぱいに咲く枝物の花が可憐でもあり、清潔でもあり、好きである。

つくられた美でなく、神から与えられた素直で自然な美をちからいっぱいに表現している姿が愛らしい。こんな花を見ると春だなとつくづくと実感が湧いてくるのである。

春といえば、奈良の飯田君（全協副会長）が、去る十日結婚した。ご招待をうけていたが所用あって出席できなくて残念だった。参列した近畿農政局の藤井さんから、披露宴の様子をうかがった。百六十人の友人、知人からの祝福をうけた素晴らしいうたげだったという。友情の暖かさにつつまれての立派な式であったという。彼の人徳であり、また彼が今日まで培ってきた、つくしてきた成果でもあったと。

それに忘れてならないのは、彼のご両親が偉かったからだと藤井さんはいう。息子を十分理解し、若いうちに社会の荒波に飛び込ませて、自らの手で試練に耐える人間をつくらせたという。篤農家でもあるおとうさんは、まだまだ農業経営の面でも一人前でないと彼をきびしく評されたという。

彼も結婚した。独身時代のように、勝手きままに飛び歩く自由は許されまい。今までクラブのために、社会のために尽したエネルギーを家庭築きのために向けてもらいたいと願う。

そうかといって、マイホーム主義オンリーで家に閉ち込められるのも困る。もちろん、彼のことだから、黙って引っ込んでいるような男ではなかろう。今まで同様に家庭を愛し、人間を愛し、クラブを愛し続けてゆくことであろう。

新妻に一言申しのべたい。あなたは、今彼の愛を一身に占めにしたいことと思います。また、あなたの愛の全てを彼に捧げつくしてしまいたい気持でいっぱいだと思います。もちろん、そうしてほしいのです。信頼とか理解とか協調とかいいますが、結局は、「二人が愛し合うこと」ただそれだけで、全て解決します。愛し合うために、二人はそれぞれどうすればよいかを、二人で愛し合いながら考えてみてください。

彼の心には、生れながらにもった奉仕の精神が宿っています。ある時は、あなたを忘れたかのように、その奉仕のために飛び回ることがありましょう。彼にはそうしなければどうにもならないやむにやまれぬ社会に対する愛が血脈に流れているからです。その社会愛は、つまりあなた方二人のための愛なのです。彼からその愛をうばうことは、あなたに対する愛もうばい去ることになるのです。どうか、彼が今まで同様クラブを愛し、友人を愛し続ける道を拓いてやってください。

しかし、時折はぐっと手綱をしめて、あなたの暖かい、やさしいふところに抱きしめてやってください。男なんて、結局は、甘ったれで、しょうのない坊やなんですから。「世界は二人のために」という素的な歌がありますが、あの歌詞のとおりです。私はあえてそれに加えて「二人の愛は二人のために」あることを強調したいと思います。心から二人が愛しあったとき、おのづから道は拓け、二人は手をとりあって歩きつづけるでありましょう。（寵）

真剣に生きる

〈今〉という瞬間に、私たちは二度生きることはできない。歴史の一部分に私の存在がある。人は如何なる環境に生れ、生きようとも一生は一生である。

「人間は、考える葦である」とパスカルは言った。人間の体力は、平均〇．三馬力にすぎないそうだ。しかし私たちは、核エネルギーという無限の力さえ生みだす能力を持っている。これも各々、その時代に生きた人々の努力、研究があればこそ実ったのだ。

今日に生きる私たちも、後世この地球に生きる人々のために、少しでも住みよい社会になるよう努力しなければならない。今、こうして文化的生活を営むことが出来るのも、先人の努力があってこそである。

現在、私たちは、さまざまの矛盾をもつ社会に生きている。私たちには運命もあろう。如何に努力しようとも目的の達せられぬこともある。しかし、その努力がなんらかの形で別の面で実り、生かされることがしばしばある。

友よ！この与えられた瞬間、私たちの生きることの再認識をして、一度しかない人生を、真剣に生きようではないか。

（茨城県稲敷郡東村稲穂サークル4H　島田　徹）

二十才の春を迎えて

山口市大内御堀　小林和弘

さる1月15日、山口市体育館で行なわれた成人式で発表する小林君

親子契約で張切る
目指すは企業的酪農経営

私は、昭和二十二年に生まれ、いまここに二十歳の春を迎えた喜びでいっぱいであります。

私は、学校卒業以来、酪農経営を営み、現在成牛五頭に取り組んでいます。数年後には、いわゆる企業的酪農経営を目標にして、毎日努力しています。いままでの段階に達するまでの経過は、昭和三十七年に、県立山口農業高校に入学しました。その当時家の農業経営は水田百六十アール、畑十アール、山林百三十アールの経営面積でした。

労働力は、両親と祖母の三人でしたので、労力不足は甚でもありません。そこで私は、家族の労働を少しでも軽くするため経営改善をしようと考えて、農業高校に進学したわけです。卒業をひかえたころ、稲作と野菜を結びつけた経営をやろうと思っていました。

卒業後、なるほど経営にたずさわってみて、労働力配分の面ではたいへん楽になりましたが市場や作付品種などの関係や家の立地条件などの良否により、野菜栽培は容易に行かず、結果は思うようになりませんでした。

それかといって米麦だけの経営では、農繁期と農閑期の労働力のピークがあり、昔からの経営内容では進歩がない、なんとかしなければ農業の行きずまりが目の前に来ている。あれこれ考えたすえ、酪農経営に踏みきる結論にいたりました。ちょうどそのころ家で乳牛の仔牛を二頭育成していましたので、これを基礎にして始めることにしました。

酪農を始めるからには、経営を完全に自分のものにして、独立させることが、希望でもあったので、毎晩父と話し合った結果、父は「酪農部門は、おまえにまかせよう。自分の思うようにやってみるがよい」と、いって、いっさいを私にまかせてくれました。父と私の間で、酪農部門に関係する親子契約を結びました。

その契約内容は❶本人の酪農事業に対し必要な資金は、その必要度に応じ、家族と話し合いの上借用する。❷借用資金の返済期限は十ヵ年間とし、利子は元金の二割とする。❸飼料作物の作付に用いる土地代金は、表作十アール当り六千円、裏作二千円とする。❹事業に関する建物は、必要に応じ家族と話し合いのうえ、建造、改修する。❺事業に用いる耕耘機、その他の農機具の使用料については、話し合いのうえその都度算定する。以上が契約内容であります。

私は、この契約に基づき、家から資金として、百万円を借り入れて、昭和四十年に、もとの牛舎を改修して、五頭入りの牛舎を作りました。

その後、仔牛一頭を導入し合せて三頭の飼育を始めましたが、仔牛ばかりなので、酪農部門を担当するといっても家の手伝いがほとんどでした。また、酪農に対する自信がありませんでしたので、一年間ぐらいは経営に対する基礎知識や技術を取得することにしました。

そこで酪農をやっている先輩をたずねたり、関係書籍などによって知識を得ることに専念しました。

昭和四十一年五月に、最初の二頭が繁殖に供用できるように成長し、私も酪農に関する知識や技術を身につけることができましたので、十月産みの初産牛を一頭導入し、四頭飼育となりました。

しかし、初めの二頭の牛が受胎しないので、十一月産みの初産牛を一頭導入しました。

私の体験からすると、仔牛から分娩までの育成費が一頭当り十三万円ぐらい必要であることが、私の記録から判明します。五月に購入した牛の分娩日が近ずき、私にとって最初の体験で、まったく新しい仕事の始まりであり、不安でありました。十月二十四日、待ちに待った分娩は私の不安をよそに行なわれ、その時の喜びといったらなんともいえない気持でした。

搾乳の第一歩が始まり、私自身容易でないと思っていましたが、しだいに自信がつき、一頭搾乳より、多頭飼育することが有利だと考え、受胎の悪い二頭を売却して、成牛を購入しました。乳牛は、経済動物でありますから、最も経済的に有利な元牛を導入することがよい経営の条件だと思います。そこで北海道産の妊娠牛を購入しました。

その後、つぎつぎと順調な出産をみることができ、現在五頭の経営規模となっています。これでどうやら軌道にのった経営の第一歩の基礎がためができて、こんごの見通しも明るく胸をふくらませています。

私は、短い期間でありますがこの体験を通して、何事もやれるという自信がつきました。私の選んだこの仕事は、何物にも勝る楽しさがあります。しかしその反面、これから成長していくための悩みや苦しさはありますが、その苦難をのりこえて目的を果たす義務があります。私たち青年は、その試練をのりこえて、明日の日本農業を背負って立つよう一歩一歩前進していかなければならないと思います。

映画　男女の真実衝く
招かれざる客（コロンビア映画・作品）

サンフランシスコ国際空港。ちょうどいま飛行機から降り、タクシーに乗った若いカップルが人眼をひいた。背の高い黒人青年と美しい白人女性。タクシー運転手のぶしつけな眼ざしにもかかわらず二人は楽しげに語り合っていた。

青年の名はジョン、世界的に著名な医師であった。彼女の名はジョーイ。二人はハワイで知り合い互いに深く尊敬し、愛し合う間柄であった。タクシーは丘の上のジョーイの両親の家の前に止まった。

ジョーイの母クリスティナは、娘の婚約者が黒人であることに驚いた。しかし、娘のいたけない姿に、その動揺は治まっていった。平和だった一家にさざ波がたった。父親のマットは新聞社を経営し、人種差別と斗ってきた人だが、いざ自分の娘が黒人と結婚するとなると話はちがってきた。いくら当人たちが愛し合っているとはいえ、黒人に対する世間の眼は冷酷だが、ジョンには少しも悪びれた様子はなかった。夫婦は冷静さをとり戻すにつれて、そんな青年に好感を抱き始めた。そのうえジョン博士は国連をはじめ、学界でも有数の有能な人物で、近くジュネーブの大病院に迎えられることになっていた。ジョーイも彼に同行するという。二人はその前に互いの両親から結婚の許しを得たがっていた。

そんなところへ、夫妻の友人であるライアン神父が訪ねてきた。彼は、若い人たちの肩をもち、マットの背立ちをおさえた。

何もかも夕食の席で話し合おうと、決心してマットはクリスティナと街へ出た。しかし、店で黒人の青年といざこざを起したマットは、それまで抑えていた感情を爆発させた。同じ頃、ジョンの両親が空港に着いた。彼らも、嫁が白人であることを知って愕然とした。

やがて、気まずい夕食時が訪れた。マットの心は、この結婚に反対することに決っていた。身仕度をしているマットに、神父がつめよっていった。「君には長いつきあいだが、こんなに情ない人とは思わなかった。新聞社で君がやっていることはマヤカシなのか」

やがて、夕食前のカクテル・タイム。結婚に反対なのは父親同士。穏やかなジョンが、父親と衝突した。「もうたくさんだ！子どもは父の所有物ではない。あなた方の世代は、われわれの重荷になるだけです！」

一方、クリスティナは夫のマットを静かに非難した。「年をとると、世の情熱などすっかり忘れてしまうんですか…」夫人の頬に一粒の涙が光った。

やがて、マットは一同を応接間に集めて、口を開いた。

「息子さんの娘に対する情熱は、そっくりそのまま、わしが妻に抱いた情熱だ。重要なのは当人たちの気持だ。それと互いに抱いている愛情の深さだ。この国にいる一億の人たちは、君たちの行動に驚き、反感をもち、友を失うだろう。君たちは、今後、毎日死ぬまでそれをのりこえねばならないのだ」

ジョンとジョーイの顔に喜びが輝いた。みんなニッコリとしてうなずいている。やがて一同は、そろって夕食の席についたのだった。

クリスティナは、黒人の青年と結婚するという娘に、はじめは驚き動揺したが、そのいたいけない娘の姿に次第に喜びを感じるようになった。

日本4H新聞
4Hクラブ 農事研究会 生活改善クラブ
発行所 社団法人 日本4H協会
東京都市ケ谷家の光会館内 電話（269）1675
編集発行人 玉井光
月3回・4の日発行 定価1部10円 6ヶ月180円（送料共）一ヶ年360円
振替口座東京12055番

クラブの綱領

私達は実践を通じて自らを磨くとともに互いに力を合わせてよりよい農村、よりよい日本を築きます。一、私達は農業の改良と生活の改善に役立つ知識と技術を修得します。一、私達は科学的に物を考えることのできる頭の訓練をします。一、私達は誠実で友情に富む人となります。一、私達は楽しく暮し、元気で働くため健康を増進します。

東北地区4Hクラブ推進会議開かる

自主的な活動を強調

次期リーダーの知識収得

全国4Hクラブ連絡協議会の事業の大きな柱であるブロック4Hクラブ推進会議の一つ「東北ブロック4Hクラブ推進会議」が、[illegible]

"OBとの連けい"を

丸山全協会長

[illegible]

……ので、自分たちが会費を出し合い、不足分は共同プロなどでおぎなうべきである」と強調された。

さらにクラブの主体性、財源確保、クラブ活動の推進の上で「OBのバックアップは大きく、常にOBとの連けいを強化していくよう努力すべきである」などの意見が出された。

この分科会のあと全体討議に移り、太田全協副会長の司会で分科会報告をもとに活発な意見交換が行なわれた。

続いて閉会式に入り、丸山全協会長、田沼岩手県連会長、新田4H協会事務局長、岩手県の千田農村青少年係長、紺野担当官からあいさつと激励のことばがあり、4Hクラブの歌の合唱を最後に太田全協副会長の閉会のことばで二日間にわたった有意義な会議の幕を閉じた。

動き出す静岡県のOB会

4HクのPRへ

農業祭に呼応

会の運営は県連役員交えて進める

[illegible]

涼風暖風

親馬鹿と人こそ笑え

[illegible] 序の口である。まったく、風呂の中でオナラでも何んでもやってみせるものだ。

私も子どもを持ってみて、親の喜びというものをはじめて知った。いま愛すべき伜は誕生を迎えて間もない頃だ。自分の見るもの、聴くものすべてが彼には珍らしい。そのうえ、オヤジに似て人一倍好奇心が強い。

彼の日課は、いつも五時半頃から始まる。[illegible]

組のテーマ曲が流れてくるとテレビの前にとんで行き、ジーッと観ているかと思えば手を叩いたり、踊ったりしている。

そして、ときどき親をびっくりさせることがある。いつの間にかイスの上に登っていたり、先日などは、四つ這いになり、顔を紅くして前方へ転回しようと頑張っていたが、力およばず肩から転んでしまった。これには驚いた。何しろ誕生日を過ぎたばかりである。

また、カゼをひいて苦しんでいるときなどは、そばで見ていて堪え難い思いがする。できるなら代ってやりたいと思うのは私だけではあるまい。

親馬鹿と笑うことなかれ、いずれあなたも笑われるときがくる。

[illegible] ……きなり顔に冷たいものが厳しかかるので驚いて眼を覚ますと、いつの間にか蒲団を抜け出した彼がニッコリ笑ってオヤジを起しているのである。「おお、可愛いい奴だ」とは思うものの、そんなに早くからつき合わされる方はかなわない。

近頃はテレビに興味をおぼえ、お子様番

生駒4Hクと交歓

奈良・大和郡山市4Hクラブ 福井県連役員迎え

【奈良】大和郡山市4Hクラブ（会長、中津隆夫君）では、このほど福井県農村青少年クラブ連絡協議会の役員を迎えて、生駒4Hクラブ（会長、吉田豊君）と交歓会を行なった。

この交歓会は、福井県連4Hクラブと奈良県連4Hクラブの交流と同時に、大和郡山と生駒郡生駒の両農業改良普及所の合併に伴い、これからの4Hクラブ活動の進め方などについて話し合ったもの。

自己紹介のあと奈良、福井両県連4Hクラブの事業、その展開策などについて意見をかわした。

福井県連役員が宿泊の関係で途中で帰ったが、そのあと大和郡山と生駒両クラブの話し合いに入り、そさい、花、果樹などの作り方やこれからの進め方、また来年度の問題点などについて話し合った。

（大和郡山市4Hクラブ、鶴田晴久君より）

韮崎地区連協の結成へ

山梨

【山梨】韮崎地区4Hクラブ連絡協議会の結成式が、二十四日午後一時から韮崎市韮崎町の韮崎農業改良普及所で行なわれる。

この連絡協議会には、双葉町の二葉4Hクラブ（会長、柳本正徳君）をはじめとして、穂坂町のやつで4Hク（会長、横内清久君）四葉4Hク（会長、横森宏伊君）穂栄4Hクラブ（会長、大柴正直君）さわらび4Hク（会長、横森芳尚君）韮崎町の上菜4Hク（会長、岩下克雄君）武川村の武川4Hク（会長、竹野政敏君）の七つの4Hクラブが加盟することになっている。

この中でもとくに、二十歳の同級生ばかり十二人で結成しているやつで4Hクラブに対して、今後の活動が期待されている。

全国4Hク員の集い打合せ

奈良に主催者集まり

全国4Hクラブ連絡協議会（会長、丸山勉君）は、さる十八、十九の両日東京・新宿区市ヶ谷船河原町、家の光会館内の同会事務局で執行部会を開き、来る四月十三日同会館で開催するプロジェクト全国研究会、翌十四日同所で開く総会などについて打合わせ、その準備を進めた。

また、これに先立ち、さる十、十一の両日、今秋、奈良で開催する「全国4Hクラブ員近畿のつどい」の打合せ会が、主催者側の全協、日本4H協会、それに地元奈良県4Hクラブ連絡協議会（会長山田高作君）の関係者が奈良市に集まって開かれた。この打合せ会では主に行事などについて話し合われた。

組織強化進める岡山県連

連絡報道員 原田靖雄

（上）

改組して再出発

瀬戸内経済圏時代に備え

真木県連会長

岡山県農村青少年クラブ連絡協議会は、地域の単位クラブ活動の助長とともに、県段階の組織強化を図るために努力しているが、県連自体も新しい組織化の背景とともに、やがてくる瀬戸内経済圏時代にそなえて、次代を背負う青少年の組織づくりをめざして第一歩を踏み出した。そこで、岡山県下の農村青少年グループの動向や、県連の活動を中心に紹介しよう。

県内クラブの動き

さる三十七年ごろは、一つの町内をみても、4Hクラブ、青年建設班、青年学級などの組織が重複し、その数は県下で三百余におよんだ。そして、それぞれが各自に活動していたが、時代の進展に伴い、農村青年として、やる気のある者だけが残り、あるグループは活動の停滞から脱皮するため、整理統合するなど、県連組織の改組と並行して、四十年度に入ってからは、その数も、百余に減少した。

四十一年度には八十二クラブとなったが、現在では、洗練された機能をもつクラブへと生れかわり実質的に、市町村単位のクラブとして、地域社会に役立つ活動が、普及所、役場、農協などのバックアップのもとに展開されるに至った。

そして、これら市町村単位のクラブがより有効に運営され、単位クラブだけでは難しい地域別、産地別の農業面については、お互いが同じ仲間として手を取り合っていくのだという連帯感が、共通問題の解決をはかる力となっている。いま、クラブ間の盛り上りと、県連の指導方針によって、新しく農林行政単位別に、地域クラブ連絡協議会を設け、目的達成のため、他の地区連との合同研修やそれぞれの事業計画にむかって活動が行なわれている。

新たに県連を結成

岡山県では、県段階の組織として、農村クラブ協議会の青少年部会（平松義嗣会長）があり、市町村の単位クラブと地区連の育成指導などに努力してきたが、さらによりよき発展を遂げるため、昨年八月二日「県農村青少年クラブ連絡協議会」に改組した。

この県連改組の会議は、県庁に各地区連会長と代議員（男女各一名ずつ）が集まって開かれた。県農林部普及教育課の池田課長補佐、佐藤、岸本両専技らから助言をあおぎながら改組に至った経過の報告、規約改正、事業計画、予算、活動方針などについて審議し、役員改選の結果、新役員が次のとおり決った。

▽会長 真木英和（津山地区連所属）▽副会長 井頭康二（倉敷同）三崎清子（真庭）▽書記 原田靖雄（笠岡）▽会計 岸保男（岡山）▽幹事 宇野岱宏（勝央）中村和恵（高梁）▽監事 菊井誠（和気）津村賀郎（阿新）

また、重要事業のあるごとに、各地区連から代議員の参集を求めて協議のうえ運営に当っている。

単位クラブ→地区連→県連を結ぶ大動脈をもって、地区連では解決の難しい課題や、有能なリーダー、活動家の養成、他団体、指導機関の連絡調整などを行ない、理想的なクラブ活動に向って取り組み、県行政とも結びつきながら活動を進めている。

地区連の主な活動

地区別活動状況は次の通り。

▽岡山地方農村青少年クラブ連絡協議会（岸保男会長）＝❶技術交換大会❷農業後継者研究集会❸その他必要な事業。

▽和気赤磐地区連（岩本忠司会長）＝❶夏期技術交換大会❷農村青年研究集会など。

▽倉敷地区連（沖博次会長）＝❶農村青年研修大会❷生改クラブとの交換会❸生産技術研修会❹仲間づくりの月間❺青少年の技術交換会。

▽笠岡地区連（古城賢徳会長）＝❶夏期技術交換大会❷視察研修旅行❸冬期研修会❹定期大会。

▽高梁地区連（三宅明会長）＝❶部会研修❷技術交換大会❸農業簿記研修❹実績発表大会。

▽阿新地区連（津村賀郎会長）＝❶生産技術研修❷自営者冬期学校❸技術交換大会❹農業後継者大会。

▽真庭地区連（佐山実会長）＝❶技術交換大会❷農業後継者大会❸実績発表大会❹その他研修会。

▽津山地区連（築山健会長）＝❶技術交換大会❷実績発表大会❸研究集会。

▽勝央地区連（宇野岱宏会長）＝❶技術交換大会❷部門別グループ研修❸各種研修会への参加。

各地区連とも平均したレベルを保ちながら適切な活動が続けられている。なお、連絡会議や役員会などは、行事のあるたびに行なわれている。

上＝県連設立代表者会議に出席した各地区連代表者と県青少年部会代議員の人たち（県庁前で）下＝笠岡地区連の夏期技術交換大会で食事の準備に忙しいクラブ員（小田郡美星町の五万原教育キャンプ場で）

新年度へ意欲的

4HPRなど計画

リーダーの講習も

静岡県連で4月26日に総会

【静岡県＝栗田伸雄連絡報道員発】県農村青少年クラブ連絡協議会（会長、山城清君）では、さる十五日、静岡市の県職員会館で理事会を開き、昨年度の各地区連絡協議会の活動状況と問題点、さらに来年度の県連活動の方針などについて話し合った。

各地区連の昨年度の活動では、夏の大会（技術競技会）と春の大会（青年会議）について報告があったが、同じような内容のものであった。しかし、どの地区連もリーダー不足が目立ち、リーダー講習会を開く必要があるという意見が多かった。

県連の来年度の活動に対する姿勢としては、かなり前向きの態度に出るようで、その一つとして"農業祭"にOB会と協力して県の"農業祭"に4HクラブのPR活動を行なうことになった。

また、県連と単位クラブとの話し合いの場をもつということで来年度は機関紙を発行してはどうか、NHKの「話しの広場」の時間に県連だよりを放送してもらってはどうか――などが強調された。

来年度の夏の技術交換大会は、浜名湖の三ケ日青年の家のバンガローを借りて七月二十二日から二泊三日の日程で行なうことに決定した。また来年度の総会を来る四月二十六日に行なうことなどについて話し合った。

いくたの先達にはぐくまれてきた静岡県連も新しい年度に向って新しい運動が展開され始めたと関係方面から期待されている。

父兄同伴で就農者の激励会

茨城県・石下町で

【茨城】結城郡石下町では去る十一日午前十時から町立中央公民館で、今春中学校を卒業して就農する四十六人の激励会を開いた。

"仕事熱心な奈良県人"

大和郡山市4Hクラブ 佐賀の農高生と交歓

【奈良】大和郡山市4Hクラブ（会長、中津隆夫君）では、さる十五日午後七時半から農業センターで佐賀県神崎農業高等学校の生徒と交歓会を行なった。

郡山市4Hクラブは十五年前から、実習生として同高の生徒を受け入れているが、その実習生との交歓会を毎年開いているもので、激励もかねて行なわれた。

同夜は、まず中津会長の実習生に対する激励のことばではじまり大和郡山市農改普及所長、神崎農高教師、奈良県経営伝習農場々長のあいさつに続いて、中川普及員の司会で話し合いをした。

生徒側からは郡山へ実習にきて奈良県農業に対して最初に感じたことや、言葉がわからなくて困ったことなどについて話しが出た。とくに「外へ出てみると一面にビニールハウスがたち並び、白波がたっているようでびっくりした」「佐賀県に比べて奈良県の農業経営は忙しく、みんな朝早くから夜遅くまで良く働き、仕事熱心である」「農家一戸当たりの栽培面積が少ないわりに、施設園芸をとり入れるなど研究の意欲が旺盛である」などの声が聞かれた。

これに対し4Hクラブ員側からは、学校を卒業して農業に従事したことや、また今年4Hクラブに加入した人からは「学校を卒業するまでは農業に対して大きな夢っていたが、いざ村へ帰ると世間の大人たちが恐く感じられ、農業はつらいことばかりで嫌になった」という意見も聞かれた。クラブに加入して三年たった人は「学校を卒業して一、二年は嫌だったが、今は農業に対して喜びと楽しみがわいてきて、大きな夢と希望をもって農業と取り組んでいる。そして、これからの農業はただ肉体を使うだけではやっていけない。頭を使い考える農業をやっていかなければならない」という激励の言葉があり、最後に神崎農高の校歌、4Hクラブの歌を全員で合唱し、なごやかな中で交歓会を閉じた。

（大和郡山市4Hクラブ、鶴田晴久君より）

心頭技健

[illegible]

多くの参加を

プロジェクト全国研究会に

[illegible]

農業者大学校の入試問題

これは、このほど行なわれた農林省・中央農業者大学校（農林省中央青年研修施設＝東京都下南多摩郡多摩町、林野庁局試験場内＝今春五月に開校予定）の入学試験問題です。学科試験は理科、数学、国語、作文の４科目で、解答時間は各50分です。問題は高卒程度ですので解答してみて下さい。

数学

1．次の（　）に適当な数を記入せよ。

(1)　$10-4\frac{2}{3}\div1\frac{7}{8}$ ＝（　　　）

(2)　a＝3、b＝−2、　c＝$-\frac{1}{4}$ のとき
2a−3b＋4c＝（　　　）

(3)　6mで120gの針金がある。この針金1Kgの長さは（　　　）mとなる。

(4)　右の図でx＝（　　）
y＝（　　）となる。

2．下の表は、3種類の肥料の成分（重量％）を示したものである。

	A化成肥料	燐硝安	草木灰
窒素	5％	20％	0％
燐酸	8	8	3
加里	5	0	4

(1)　A化成肥料、燐硝安、草木灰をそれぞれxKg、yKg、zKgだけ畑にほどこすと、窒素の量はどれだけほどこされることになるか。

(2)　また、燐酸の量はどれだけほどこされることになるか。

(3)　さらに、加里の量はどれだけほどこされることになるか。

(4)　ある畑に窒素12Kg、燐酸9.6Kg、加里5.2Kgが必要で、この3種類の肥料を適当な量だけ使ってこれを満たしたい。求めるA化成肥料、燐硝安、草木灰の量をそれぞれxKg、yKg、zKgとすると、どんな方程式ができるか。

(5)　この方程式を解いて、求める各肥料＝❶A化成肥料❷燐硝安❸草木灰＝の量を求めよ。ただしこれら3種類の肥料は別々にほどこすものとする。

3．肺ガンの発生は10万人に15人の割合で、しかも肺ガンの人の75％が喫煙し、肺ガンでない人の60％が喫煙しているものとする。図を参考にして次の問に答えよ。（数値はすべて、四捨五入で小数第2位まで求めよ。）

(1)　肺ガンでしかも喫煙している人は、10万人中何人か。

(2)　喫煙していてしかも肺ガンでない人は、10万中何人か。

(3)　喫煙者は10万人中何人か。

(4)　肺ガンでしかも喫煙していない人は、10万人中何人か。

(5)　喫煙者10万人について、肺ガンの人は何人の割合か。

(6)　喫煙していない人10万人について、肺ガンの人は何人の割合か。

4．次のA、Bのうちいずれかいっぽうを選んで解答せよ。

A．太陽の光線が地面に対し60°の方向からさしている。長さ2mの棒OAを、図のように、光線を含み地面に垂直な平面内で、Oを中心として回転させる。棒を水平の位置からx°だけ回転したとき、できる影の長さをYmとする。

(1)　YをXの式で表わせ。
ただし　$\sin60°=\frac{\sqrt{3}}{2},\ \cos60°=\frac{1}{2},\ \tan60°=\sqrt{3}$

(2)　Yの最大値を求めよ。

(3)　Yを最大にするような角X°の値を求めよ。

B．Xのある関数f(X)があり、どんなX、Yに対しても、つねにf(X＋Y)＝f(X)＋f(Y)＋Xy
という関係をみたしているとする。

(1)　f(0)の値を求めよ。

(2)　$\lim_{h\to0}\frac{f(a+h)-f(a)}{h}$ をaにおけるf(x)の微分係数といい、f'(a)で表わす。いま、f'(0)＝0とすればf'(a)の値はどうなるか。

(3)　f'(a)を表わ式を求めよ。

〝母親像〟などで快気炎
作業衣のミニ・ルックも出現

女子クラブ員のつどい　茨城

【茨城県＝永田正治連絡報道員発】真壁地区の4Hクラブ（樺穂女子、ひかり、杉の子の三クラブで構成）では、樺穂女子クラブが中心となって、このほど第一回の〝真壁地区女子クラブ員のつどい〟を開き、やがて迎える農村の〝母親像〟などで快気炎をあげた。

この〝女子クラブ員のつどい〟は、農村に住み農業に従事している女性が少ないと言われる昨今、娘時代のひとときをグループ活動を通じて学習している地区内の友が一堂に集い、常日ごろ農村女性として胸に抱いている喜びや悩み、希望などについて心を開いて話し合い、さらに親ぼくを深めて今後の農村の力となろうというもの。

また、今まで地区段階での行事運営は、ほとんどが男子クラブ員が中心で、女子クラブ員は「お手伝い」の型が多かった。これではいつまでたっても依頼心が強く自主性が身につかないので、この女子クラブ員のつどいを機会にみんなで学ぼう−ということになったものである。

午前九時半、三十余名の女子クラブ員は4H旗をかかげ、サクラ草やシクラメンの鉢を囲み、大場副会長（樺穂女子ク）の開会のことばで開幕された。

4Hクラブの歌の斉唱に続いて三クラブ会長のあいさつ、クラブの紹介、自己紹介と進行するにつれて、花やかさと、なごやかさの雰囲気の中で、ひとりひとりの顔は自然にほほえんでいった。

このあとレクリエーションに移り、レク委員の鈴木みかさんを中心に楽しく三部輪唱、二組に分れての「ヘボヌケ」「手つなぎ」のジャンケンゲーム、頭書きコンクール、新聞紙三枚用いてのファッションショーでは作業衣のミニルックも飛び出し、デザイナーのセンスの良さもうかがわれた。

また、フォークダンスや八木節の踊りの手振り、足の運びも軽やかに汗してハッスル。この最中、県連青少年部長の根本武昭君がフィアンセを同行して現れ、ついで過去二年間県連委員をつとめ、現在地域の後継者を指導している大橋洋子さん（下館地区）の特別参加に一同が感激、つどいの楽しさは最高に盛り上った。

午後からは、昨年十月、樺穂女子クラブが共同プロとして実施した「農村の若妻の実態調査」をもとにして話し合いを行なった。

この調査は、三十一項目についで行なわれた。例えば、娘時代に学んでおくべき芸ごとや、それに必要な期間、また家庭に入ってからの活用程度、持参した調度品との活用程度、家族関係、生活時間、小遣いや家計に関すること、農家の妻としての悩みや希望、生活態度、グループ活動の理解の有無といった幅広いもので、クラブ員みんなが遠からず直面することがらだけに話し合いに熱が入った。

このほかにも、作業衣に関すること、農村の良い面、悪い面、女性としての喜び、生きがい、それに母なる者の偉大さに照らして自らの像を描き、知恵ある女性となるよう努力しようと意を強くし、そして恋愛論にと、冬の午後はまたたく間に過ぎてしまった。

こうして三時三十分から〝別れのつどい〟に移った。4H旗に、クラブ員ひとりひとりが胸に抱く一端を寄せ書きし、それをクラブ代表が四方の端をもって高くかかげて、全員で4Hの綱領を力強く斉唱した。最後に藤田会長（樺穂女子クラブ）の音頭で万才を三唱して、いつの日か、第二回の〝つどい〟開催を約束し梅の香漂う街に別れて行った。

ところで、県内では、こうした女子クラブ員のつどいはかつてなかった。今まで、県段階では、しばしばこのような案は持ち上っていたが、実現への気運は遠く、女子クラブ員自身の相互の盛り上りがほしいところである。

こんど、この真壁地区の〝つどい〟がきっかけとなって、県段階での行事に組まれれば−と女子クラブ員一同心から願っている。

よせ書きした4H旗を中心に、ちょっとすました樺穂女子クラブ員

調理実習など決る
会長に大場さん
茨城・樺穂女子4Hクラブで総会　新年度の事業計画

【茨城県＝永田正治連絡報道員発】真壁地区樺穂女子クラブ（会長、藤田美穂子さん）では、さる八日、真壁町の中央公民館で四十二年度の総会を開き、新年度の事業計画などを決めた。

まず前年度の事業経過と収支決算の両報告を承認、反省したあと四十三年度の事業計画を次のとおり決めた。

▽四月、ハイキング（新クラブ員歓迎会をかねて）▽五月、作業衣の防水加工、保存食共同作成▽六月、各自・プロジェクトめぐり▽七月、調理実習（メン類）▽八月、同（漬物、飲物）▽九月、改良作業衣の講習▽十月、各自・プロジェクトめぐり▽十一月、調理実習（なべ物）▽十二月、クリスマス・調理実習（おせち料理）▽一月、交歓会（県外）▽二月、先進クラブ員や若妻との話し合い▽三月、先進地視察、プロジェクト発表会、一年間の反省、次年度の計画作成など。

このほか毎月一回定例会を開き、地区連や県連の行事には積極的に参加し、文集「かばほ」の第二号を発行する。

なお共通プロジェクトとして❶献立の作成❷家計簿の記帳❸家庭菜園の実施などを決めた。

また新役員を次のとおり選んだ

▽会長　大場良子▽副会長　斎藤竹子▽書記　飯山英子▽会計　岩渕しづい、島田えみ子▽プロジェクト委員　増渕文位▽レクリエーション委員　稲葉けい子▽文集編集委員　藤田美穂子▽相談役　鈴木みか

このあと二月に行なわれた県西地域の「はばたく集い」（新規就農者を励ます集い）に参加した藤田、稲葉さんから報告があり、また石岡地区千代田4Hクラブとの交歓会の反省をした。

今夏に初総会開く
派米クラブ員協議会

事務局長　佐藤章夫

昨年三月、有志の呼びかけによって発足した国際農村青年交換日本協議会（国際農村青年交換計画に基づいて日本4H協会が米国に派遣した4Hクラブ員＝派米クラブ員で構成）は、今夏八月七日から九日までの三日間、東京で初の総会を開くことを、このほど開いた役員会で決めた。

同協議会は、総会に備えてこれまで種々のアンケートによって全国に散在する会員の確認に努めてきた。その甲斐あって、総員三十一名の殆んどの住所と現況が明らかになり、簡単な名簿が作成された。

帰国後の年数を経るにつれて、アメリカで世話になったホーストファミリーとの間の文信が途絶えがちになるのもやむを得ない。しかし、それでは青年交換の持つ意義を充分に果たしていないことは確かである。各人は英語を綴る煩わしさに、心ならずも音信をとぎらしている状態なのだ。

会では、こうした会員の願いを共同で達成すべく、現在の家庭、仕事の状況などを添えた短いメッセージをアメリカで世話になった人々へ送ることにした。

最近渡米した人は別として、十有余年も前に渡った会員のホーストたちの近況は殆んど正確ではない。

そこで、アメリカ大使館を経由して、アメリカ各州の4Hエージェントに送付することになった。

このほど、会長の大津一太氏、副会長の久下英一氏と事務局長の私が東京に集ってその発送依頼にアメリカ大使館農業部竹下武雄氏を訪ねて同氏の快諾を得た。事務局で準備した英文の校正、タイプやコピー作製という事務手続きが残っているが、ここ一ヵ月の間にはアメリカへ向けて発送されることだろう。

昨春の発足集会のとき申し合わせた今夏の初総会の件も協議され、協力関係機関である日本4H協会と全国農村青少年教育振興会、NHKなどとの日程をにらみ合わせて八月七、八、九の三日間、東京で開くことにした。

主なスケジュールは次の通り。

▽八月七日＝座談会、「IFYE生、日本の農業を語る」▽八日＝会の議事、予算、決算、会則、活動方針などを協議し、お世話になった先生方を招待しての謝恩パーティー▽九日＝NHKの録音、雑誌社主催の座談会。

宿泊代、交通費などをできるだけ会から支給する方針のため、経費はかなりの額にのぼるが、三人が協力機関その他と折衝した結果ほぼ間に合うだけの額の寄金を仰げそうな情勢である。

なお事務局では、この総会に二十名前後の参加を予定している。

（本紙山形県連絡報道員）

東京と神奈川へ研修の旅
青少年活動の姿求めて　群馬のクラブ員

【群馬県＝吉沢功連絡報道員発】このほど、群馬県青少年団体連絡協議会（斉藤昭寿会長）主催の青少年団体指導者研修会が東京都と神奈川県で行なわれ、青少年クラブからは吉沢、石原両理事が参加した。

これは県内の加盟団体の活動の健全な発展を図るため、青少年団体の連絡協調と健全な青少年リーダーの育成をねらいとして、広く県内の青少年と情報交換などを行ない、視野を深め郷土の青少年活動を推進しようと初めて行なわれたもの。

交歓会や講義では青少年団体の活動がいかにあるべきかをくみとった。まず一日目は、東京の日本青年館で中央青少年団体連絡協議会の吉屋脩則事務局長の講話があったが、その中で「今後の青少年団体のあり方」として、これから思想をもって進むべきであり、国の行政を先回りするような改良主義的発想と具体的目的視をもつ活動をすることが必要である、という指針を示された。

夜は都青年団体連合との交歓会をもったが、その話し合いの中でも「これからの青少年対策は青少年に使命観をもたせることに集中すべきである」「青年の自発性を尊重し、それを側面から援助する教育行政が望ましく、青少年を育成しようとする人たちの計画の中にそのような配慮がほしい」などの意見がかわされた。

翌日は神奈川県庁で同県の青少年活動の現状や青少年対策の説明を聞いたあと団体リーダーとの交流を行なったが、この研修で都市における青少年問題に積極的に取り組んでいる両都県をみて歩き、みんな「これからの群馬県の青少年対策の一考になるようなレポートを出そう」と張り切っていた。

果樹の技術を磨く
三重県連　部門別活動で研修会

【三重県＝西村喜代司連絡報道員発】三重県農村青少年クラブ連絡協議会の果樹部会（会長、西隆功君・部員百六十名）の主催による第一回の果樹生産技術研修会が、このほど三日間にわたって南牟婁郡御浜町下市木の市木公民館などの三会場で開かれた。

これは、県連の本年度五大目標の一つである部門別専門研修活動の推進の一環として、一月下旬の女子生活研修にひき続いて開かれたもので、百数十名の参加者が寝食を共にして技術と知識の交流を図り、住みよく明るい農村づくり運動を展開した。

第一日目は開会式のあと、午後一時から田端専技の「紀南地方におけるみかん栽培の動き」と題する講義があり、遠路の長旅の疲れにもめげず全員が真剣に聞き入った。内容は❶収穫作業の合理化（現段階では片手切りが普及しているが、さらに一歩進めて収穫剤、クリッパーばさみも検討中である）❷中耕除草の管理としては、除草剤の利用が効率的であり、五月と七月の雑草防止が決め手である❸防除作業の省力化として共同管理作業にもってゆき、定置配管などによって防除効率を高めること❹施肥管理の省力化においても、液肥施用も検討されている−というものであった。

三時から分場長の「これからの果樹農業の方向」と題する講義があった。内容は、果樹は投下資金の大きい割に回転が遅く、資金ぐりに苦労するが、安定増収を図るには、産地形成以外に道はなく、地域ぐるみの、おいしく美しい果実作り運動が展開されるべきである−というものであった。

この夜、ブロック外の参加者は紀州ブロック会員宅に民宿させてもらい、ヒザを交えて一杯飲みながら、果樹経営やグループ活動、また将来の家庭生活などの話に花を咲かせた。

二日目は、午前中、昨日と同じ会場で「うまく美しい果物作り」と題する学習会がもたれ、大畑専技の講義を聞いた。

この中でとくに、みかんの品質をめぐる諸問題について県下各地の情勢を分析し、うまく美しいみかん作りの技術改善対策として次の六点があげられた。

❶土壌還元の徹底❷施肥の合理化❸減酸処理の徹底❹剪定と摘果の徹底❺外観阻害要因の排除❻適期増収と貯蔵技術の徹底など。

昼には、紀州地区連の女子クラブ員の心をこめた手料理が出され参加者一同、学習の連続で疲れた頭をスカッとさせた。

午後は、二時半まで「果樹経営と経営計画」と題して県の山中専技の講演があった。同氏は、果樹農業の問題点として❶果樹は成長力の強い商品で、今後も消費は伸びる❷わが国の果実生産のコストは高い❸果樹園経営の規模が小さい❹果樹作経営は、資本、労働力ともに集約的である。この四点を産地形成への素材として生かすように強調された。

柑橘剪定の技術競技に取り組むクラブ員

このあと御浜町の共同パイロットの柑橘防除施設を見学し、下市木地区のみかん園場で代表二十四名によって、みかん剪定技術競技が行なわれた。対象は十年生の早生温州で審査基準八点が示された。

夜は公民館で四分科会に分れて果樹についての多方面からの意見や個人の悩みなどについて打ちあけ合い、このあとレクリエーションとして、みんなパートナーを変えながらダンスのステップを踏んだ。

最終日は、まず最後のまとめとして、二井専技の「三重県の果実と流通問題」と題する講義があり各作目別の係数や将来性などについて説明をうけた。

十一時から昨日の技術競技の講評と表彰式があり、三日間にわたった研修の幕を閉じた。なお受賞者は次の通り。

▽梶間直紀（松阪市）▽植地増也（紀宝町）▽阪口邦夫（同）▽山門晃彦崎久文隆（御浜町）▽徐作安治（同）

やはり辛い田植え
農家の主婦の意識

農林省では、このほど「農業経営に関する意識調査」を行ない、その調査結果を発表した。これは農家の主婦の農業経営に果している役割と、それについての意向ならびに主婦の家庭生活と農業経営の関連などを調査したものである。

❶農家の主婦が農業経営に果している役割りとその意向

農家の主婦で、主として農業に従事している人は全国で約七四％で、農業に補助程度に従事している人は約二〇％、農業に従事していない人は約六％である。

この主婦の就業についての意向をみると、約二〇％の人は家事だけに従事することを希望し、家事を主とし農業を従としたい人約二五％、農業と家事を半々くらいにしたい人約三一％、農業を主とし家事を従としたい人一四％、農業だけをしたい人が約七％など。

次に就業時間についてみると、農繁期には半数に近い主婦が一日十時間以上農業に従事しているが、ふだんは五〜八時間従事している人が最も多く約三八％で、二〜五時間従事している人が約二六％、八〜十時間従事している人が約一七％などである。

この就業時間について、多いか少ないかの意向についてみると、このままでよいという人が約四七％、もっと減少したい意向をもっている人が約四二％である。

主婦が従事している農作業で、主婦にとって苦労な作業であるとしている農作業は、田植えが約七一％、稲の刈取りが約五四％、水田の除草と水田の耕起がともに約四七％である。

❷主婦の家庭生活と農業

主婦が農業に従事しているため家庭生活で困っていることは「過労のため体の故障が多い」とする人が約三〇％「家事が十分できない」とする人約一八％「子供の教育やめんどうがみられない」とする人約一七％「自由な時間がない」とする人約一二％などである。

次に農村生活を改善するため、環境について整備してもらいたいこととしては、道路の整備を希望する人が最も多く、ついで冠婚葬祭の簡易化、街灯設備、医療施設、保育所や育児施設の設置を希望している。

和やかに話し合う
女子は料理の講習
三重・桑員地区で青年会議開かる

【三重県＝西村喜代司連絡報道員発】桑員地区農村青少年クラブ連絡協議会（会長、武田弘君）では、さる三、四日の両日、員弁郡藤原町の藤原館と藤原中学校の両会場で第二回桑員地区農村教育青年会議を開いた。

同会としては、初めての一泊二日という行事のため、いろいろと慣れないことが多く気を使ったが、クラブ員三十余名の参加者があり分科会や夜のレクリエーションなどもなごやかな雰囲気の中にも活発に進められた。

分科会の議題は「私の希望する農村、農家」という肩のこらないもので、県単位の話し合いとは異って、身近かなものとしてよく理解されていることがらだけに、リラックスしながらも実のある話し合いができた。

二日目の朝は雪が降っていたため、みんなびっくり。藤原中学校の日本間ではストーブを燃やし、窓の外の銀世界をよそに桑名普及所の横地技師の講義を聞いた。

その間、女子クラブ員は料理講習。昼食はもちろん彼女たちの作ってくれた手料理をともに食べたが、宿の飯とはまた趣の違ったおいしさがあった。同会には六十名の会員がいるが、同日はいつもより参加者が多かった。

分科会やレクリエーションにときたつのも忘れ、評判もよかったことから、一泊二日の日程は成功であったと思われる。また指導的立場にある普及員さんと同じカマの飯を食べたことは親睦を深めるうえでとくに役立った。午後三時ごろ中村普及所長、武田会長のあいさつがあり終了した。

4Hくん №119 桜井はじめ

優れた経営者たち

熊本県人吉市木地屋町二二五八
大淵昇太郎氏

地域社会に範示す
実った林業への執着

最近、わが国の林業資源の確保については、政府や民間でもいろいろ対策が出され、またその長期見通しも発表された。これは日本経済の成長とともに激増する木材の需要に対して、国内の産出が追付かず、外国からの輸入がふえる一方で、このまま放っておけなくなったからである。昨年、林野庁が「青年の山」を計画した背景にもこんな事情が考慮されたものと推察される。ここに掲載した大淵氏は若くして林業に取り組み、苦闘の末功をなし、昨年の農業祭において晴れの天皇賞を授けられた先駆者である。氏は明治20年6月1日、福岡県八女郡中広川村に生まれ、同村広川高等小学校を卒業、大正元年、人吉市鍛治町で雑貨商を営む大淵家の養子となったが、大正3年、雑貨店を廃業し、現在経営地の一部となっている山林を購入、その中に住居を設けて転宅。それ以来、一家をあげて農林業経営に従事し、次第に経営規模の拡大、経営基盤の整備充実につとめた。

そして、苦闘五十余年を経て、自立林業農家の好モデルと目される優秀な経営の基礎を確立した。

氏の性格は温厚篤実そのもので、生涯を通じて後進林業地域における農家林業推進の先駆者として活動し、今日の成果を得たことは、身をもって地域社会に林業経営の範を示したものといえよう。

後継者の広次氏は、大正10年現住地に生まれ、球磨郡藍田村東間高等小学校、東間青年学校研究科に学び、家業に従事した。昭和22年、復員後父から経営をまかせられ、父の志を継いでいっそう経営の整備充実をはかり、経営基盤を確固なものにした。また氏は、地元の信望も厚く、森林組合の理事を2期も勤めた。

このように父子二代、50余年にわたる努力の結果、今日みるような合理的家族経営を成立させた功績は、高く評価されているものである。

経営の土地基盤　現有の土地は第一表の通りである。経営耕地は木地屋部落の平均よりやや小さいが、旧村である藍田地区の平均にほぼ等しい。

山林面積は、一、二の企業的経営を除けば、藍田地区でも、また人吉市全体からみても最上層に属しているといえる。

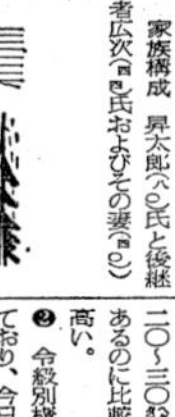

家族構成　昇太郎（八〇）氏と後継者広次（四八）氏およびその妻（四〇）、孫三名の六人の家族からなるが、現在家族内の働き手は後継者夫妻だけである。また、これから先十年間は、家族労働力の補充が望み得ない状態にある。

経営組織　農林複合経営をなしている。農業部門は、❶自給生産を主とする米麦作❷商品生産を目的とし、茶、ウメおよびクリ（未成園）からなる樹園地作❸役および仔取りを目的とする和牛部門からなっている。

林業部門は、育苗（自給および販売用苗木生産）、育林、伐採、搬出と一貫生産を行なっている。用材林生産を中核とし、竹と竹材を生産する竹林生産、自給を主とするシイタケ生産、自給本位の木炭生産とから構成されている。

森林の構造について、つぎの特徴を指適できる。

❶人工林率は八〇㌫をこえ、人吉市全体が四八㌫、林家経済調査の全国人工林二〇～三〇㌶階層が七八・四㌫、同じく全国山林面積二〇～三〇㌶階層が平均五〇㌫であるのに比較して、いずれよりも高い。

❷令級別構成面積は概して整っており、今日すでに主伐が可能でかつ継続的な生産を営み得る基盤を備えていることが認められる。

大渕氏の山林と人吉市全体の令級構成をくらべると、育林の後進地域のなかで大渕氏が造林の先駆者であったことをよく示している。

❸大渕氏の山林の単位面積当たり令級別蓄積を、熊本地方スギ林分収穫表を対比すると、その地位二等地に匹適し、平均成長量は九・三立方㍍程度で、同地方としては成長がよいことを示している。

産出と所得　ここ五ヵ年間の粗収益の平均は、林業部門六〇万円、農業その他の部門三七万円、合計九七万円である。このように粗収益が必ずしも高い額を示さないのは、後にものべるような経営方針にもとづいて、現在は主伐を行なっておらず、間伐もまた毎年実行するとは限らないからである。

しかし、このような粗収益に林木成長額を加えて林業収益とし、それから経営費を差引いて林業所得を算出する林家経済調査では、四十年度の林業所得は一四九万円を示しているのである。

これは同調査全国人工林二〇～三〇㌶階層、全国山林面積二〇～三〇㌶階層のいずれよりも高い結果となっている。

さらにこの調査では、さきの対比階層との比較で、農業所得および農業以外の所得が低いため、林家所得一六九万円は、人工林二〇～三〇㌶階層よりも幾分低いが、林家経済余剰および純余剰は九四万円で、いずれの対比階層よりも高くなっている。

林業用の施設と装備　主要団地の中腹を走る二、〇〇〇㍍の車道と、車道の起点と庭先工場を結ぶ四〇〇㍍の索道が施設されている。このほか小型集材機一基、ジープ改造運搬車、下刈機各一台などが装備されている。

大淵昇太郎氏

後継者の育成　後継者広次氏は経営権を受けついですでに二十余年を経過、いっそう卓越した経営手腕を発揮しつつある。その子息は長男が小学校五年、次男は三年とまだ幼ないが、入学記念林を造成して、子息の名を冠して修山、豊山と呼ぶなど、後継者に対する長期的な布石を行なっている。

経営の発展衰退は経営者の資質と才腕にかかっているといえるだけに、こうした配慮は、経営の将来に明るい影響をおよぼすものといえよう。

今後の発展方向　長期的経営方針とその実行状況からみて、森林構造はますます充実し、継続的に所得は増加することが展望される。

大渕氏の経営は、これまで単独かつ独自な活動を続けてきた。しかしこれは、地元林業組合の活動が消極的であったことによるところが大きい。組合の活動が活発化すれば、機械装備の共同利用、労務班による適期作業の励行なども可能となり、いっそうの発展が期待される。

林業経営展開の契機　大渕氏の一見異常ともみえる木場作と、林業に対する執着や努力はどこに由来するのだろうか。

これには幾つもの要因があげられるが、その第一は、氏が林業の展開が早かった福岡県八女郡の農家の生まれであったことだろう。八女林業の成立過程、山林を持つものと持たないものの生活安定の違いといったものを体得していたことが、木場作と林業に眼を向けさせた有力な要因であろう。

第二には、さらにこれを補なう要因として、銀行融資の際に条件としてつけられた植林の契約があげられる。氏がきわめて大胆とも思われる借金によって、山林購入を決意したのは、八女における見聞によるところが大きいのはもちろんであるが、一方融資側の銀行も、福岡県に本店をもち、林業投資は安全確実なものとみていたため、誓約条件をつけてのかなりの金額の融資を、基盤のまだ安定していない農家にあえてしたことは注目すべき点であろう。ともあれ、大渕氏の行なった長期的な林業への投資は、まさに卓見であったといえよう。

基盤整備上の配慮　大渕氏の主要施設であり、かつ経営方針、生産方式、販売方法などを規定している搬出設備（車道や索道）は、広次氏がうけ継いでから、同氏の卓越したアイディアによってできたことはすでに述べたとおりである。

だが、大正初年の最初の山林購入から数次にわたる林地の拡大過程で、大渕氏が林地集団化の有利を早くから認め、この方針にもとづいて土地基盤を整備してきたことが、この搬出整備の充実を容易にしたものといえよう。こうした経営基盤整備に当たっての配慮、手順といったものは、普及上大いに参考になろう。

集約施業の方針　今日の労力の不足化、賃金の高騰化につれて、その対応策として、土地生産性の向上よりも、労働生産性の向上をねらいとした能率的な技術が採用される傾向が多くみられる。

しかし大渕氏の経営が位置している環境、施設装備、経営者能力などを前提とする場合には、氏の行なっている労働生産性と土地生産性の向上とを調和するような技術の採用は、当を得たものと認められる。

近年、すぐれた企業的経営の多くは、林道の整備充実をはかり、小面積集約施業の採用による地力維持の必要を強調しているが、大渕氏の指向する技術が、これと軌を一にするものであることに注目しなければならない。

農業部門の整備　労力や資金を継続的に林業部門に投入できるように、昭和二十五年から三十五年にかけて、年雇を入れた期間に整備を行なっている。すなわち、山林内に散在していた茶、クリ、ウメなどを集団園地化し、また耕耘機、脱穀機、動力茶摘機などをそれぞれ導入、更新しているのがそれである。

令級別面積構成表

令級	面積	構成比
1	七・七七㌶	三五㌫
2	三・六〇㌶	一六㌫
3	一・四四㌶	六㌫
4	〇・三八㌶	二㌫
5	〇・二〇㌶	一㌫
6	三・二九㌶	一四㌫
7	三・七四㌶	一七㌫
8	〇・六四㌶	三㌫
9	一・四六㌶	六㌫
合計	二二・五七㌶	一〇〇㌫

第1表　経営土地

地目	種類	面積	地目	針広別	樹種	面積
宅地		0.07ha	山林	針葉樹	スギ	17.64ha
耕地	水田	0.40			ヒノキ	4.88
	畑	0.20			小計	22.52
	小計	0.60		広葉樹		6.01
園地	茶	0.40			小計	6.01
	クリ	0.40			計	28.53
	ウメ	0.60				
	小計	1.40				
	計	2.00	合計			30.60

第2表　5カ年間の素材生産と植林の実績

		37年	38	39	40	41	合計
素材生産 m³	間伐	30	—	60	20	30	145
	除伐	—	—	—	—	5	
素材販売額（千円）		566.0	—	692.6	32.6	156.5	1,447.8
植林面積 ha		0.5	—	4.0	—	0.5	5.0

大淵氏の特色ある経営

実績と経過

大渕氏の経営の象徴的な特色は、近代的、合理的な林業経営を営み得る基盤を、父子二代、五十余年の努力によって確立したことで、それは自立林業農家のよいモデルと見なされることである。

苦闘に満ちた基盤整備　大渕氏は、大正元年に福岡県八女郡内から熊本県人吉市内に入籍転居した。

氏は農家の子として生まれたため街で雑貨商として生きるよりは土とともに生きる生活を希望して、義父を説得した。

そして大正元年、山林を物色し始め、藍田地区に四㌶と五㌶の雑木林を購入した。

大正三年、かねての計画どおり雑貨店を廃業し、さきに求めてあった現経営山林地内に住居を設けて一家転宅し、木場作を始めた。

土に生きるといっても田畑は全くなく、当時は村道も開通してなく、隣家まで数一〇〇㍍も離れた山中の一軒家住いは開墾地への入植と同じ状態であった。

木場作は山地を開墾して、コウゾ、コンニャク、茶を栽培するものだが、いずれも多年生の作物で収穫は数年を待たなければ得られない。そこで義父が店をたたんだ資金で食いつなぎながら、年雇を三～四名雇って生産を続けた。木場作はまた数年耕作を続けては輪作を行なうため、広い土地を必要とするが、木場作の収穫が十分得られないうちに資金が底をついてしまった。

そのため、大正五年、九㌶と同六年の五㌶の山林の拡大には民間銀行の融資に頼らざるを得なかった。この融資には山林が担保にとられたのはもちろんであるが、木場作跡地に植林することを誓約させられた。山林の購入は木場作を直接の目的とするものではあったが、このように植林を前提として当初から林地が集団団地化するような意図のもとに行われた。

こうしてコンニャクの代金は借金の利子に、コウゾの代金は米代に充当するというような生活を続け、木場作を継続しながら、植林を続けていった。スギ苗は林内にあったアヤスギを母樹にして、当初からさし木苗を自家で養成した。八女出身の年雇が養苗や植林の技術を媒介したものである。このため木場作地への植林ではあったが、一〇㌃当たり三〇〇〇本程度ずつ植えこんだ。

大渕氏が植林を始めた大正初期藍田村の人たちはどのような生産を営んでいたのであろうか。

人吉市に住み、企業的林業をくわだてた丘岡林業が、明治末期に当村に三七〇㌶ほどの山林を購入して、大規模な植林を展開していた。しかし、農家は誰れ一人植林に眼を向けるものはなかった。

零細な耕地にたよって農業を続けながら、豊富な天然材の伐山やそれを原料とする薪・炭生産によって現金収入を得るという状態であった。これらの人たちの中には「スギは焚きものにもならない」といって、本場作と植林に取り組む大渕一家を嘲笑するものもあったそうである。

こうした中で、大正末期や昭和初期の不況の波にほんろうされながらも仕事は継続された。

昭和七年に離村する人があったのを機会に、銀行融資にやっと換金できるようになった造林木の伐採代金を加えて、山林四・五㌶と耕地六〇㌃、それに家屋敷をもとめ、村道に臨む現在の住宅に移り住んだ。田畑ともこの時に得たもので、これでやっと農家らしい経営土地基盤が整ったものである。

昭和十五年、戦争も長期化の様相をおび、年雇もみな去ってしまった。十七年には、長男の広次氏も現役兵として佐世保の海兵団に入り、労力事情は急激に悪化した。

このようなもとでは食糧生産が精一杯で、造林地の手入れや植林は停滞した。また借金の利子の累積や生活費の借入れなどで、借金は当時の貨幣額で一万円を超えた。とはいうものの、林業経営の基礎は終戦前にほぼ整っていたとみられる。

計画的な経営改善
苦闘に満ちた五十年の歩み

一貫生産、全幹集材を可能にした車道と索道

昭和二十二年七月、広次氏が復員したので経営を承け継いだ。間もなく昇太郎氏の義父の他界、二十四年には愛妻の死亡という家庭内の変化があった。

戦時中の労力不足から山林の手入れができなかったため、蔓茎類は繁茂をきわめ、間伐手遅れ地では枯損木の発生がみられる状態だった。こうして中で大渕氏父子の戦後の活動は、植林地の手入れから再開された。枯損木の整理という目的を内発的契機にした間伐が始まった。自家労力による伐採、搬出のため林道が必要となり、二十三年から家族の手によって着工された。これは当面必要な場所だけを対象とする牛曳き道だった。

二十五年には再び年雇を入れて基盤の整備強化と生産の増大をはかった。間伐材の牛曳き搬出は能率が悪いので、年雇の労力をも投入して、幅員の拡大と路線の延長をはかった。そして搬出も牛曳きから牛車、さらに軍用輜重車へと変わった。このような試行錯誤を重ねながら、逐次延長をはかり、二、〇〇〇㍍に及ぶ車道に改修、三十八年にジープ改造の運搬車を備えるに至った。

一方、三十二年に裏山山頂の林道の起点と、庭先工場四〇〇㍍を結ぶ索道を設置した。三十六年には広次氏が架線集運材技士の免許を得ている。この車道と索道の完成によって、全幹集材、庭先採材が可能となり、ために能率的な一貫生産とともに材の集約利用が可能になった。

前にのべたように、終戦直後の間伐損木や劣勢木の整備が主で、撫育間代ともいうべきものであったが、これら搬出施設が完成するまでは、一般材、足場丸太など間伐業用を償う材を対象とせざるを得なかった。

それが完成後は、全幹集材によって庭先工場までおろし、庭先で採材する。そこで生じた長さ一㍍といった半端な材でも、下駄材やかまぼこ板材などとして、三㍍といった除伐材でもイ支柱材などとして販売され、集約的な除・間伐の利用がなった。

多面的に対応できる販売　大渕氏の生産方式は、以うな能率的な選材、集約的利用のなか、正確取引きとな販売対策をとり得ることてその利益はいっそう増大

球磨郡内には森林組合系はないが、業者市場として木材市場、免田町の中球磨多良木町の上球磨林産の三ある。また郡内には木材業二三七名、製材工場一〇四（三、九五三馬力）を数えに鹿児島県境に近いため県も入り、木材需要は旺盛で一方、育林の後進地域で、令林木の供給が少ない。

このような条件のもとで売ができる。そこで大渕氏木材市場への選択出荷❷業庭先販売❸注文材生産の三況、業者情報、さらには注予約価格などを選択判断しすることを可能にしたので

計画的な経営改善目標　経営改善目標は、経営の経営が直面している諸情況

分科会報告
青年会議

人格と見識もった人による 一貫性ある指導を

◇今回は、指導者のための分科会を取り上げました。第◇
◇18分科会は次号に放送関係と一括して掲載の予定です◇

第十七分科会　年少、女子グループの育成の方法とその指導

一、グループ育成の問題点

▽グループ活動を親に理解してもらうために、学校、婦人会、親子会などとの連携を強める。

▽女子青年に農業を理解してもらうという立場で、農村出身の他産業に従事している女子青年なども含めたクラブ活動をする。

▽事業の一元化のもとに、各指導機関の連携を強める。

▽普及所内部における青少年担当の位置づけをやる。

二、グループ育成の方法と指導

❶一般的クラブ活動

▽男女混合クラブにおける運営の方法＝男女独自の専門部活動とは別に、全体の交流会をもつ。

▽女子不足に対しては、他産業従事者との交歓会などを進める。

▽年少者グループの育成＝農業高校など関係機関の実態把握をクラブ育成に生かす。年少者の要求に合った活動を考える。指導者はグループ員の中にとけこむ。

❷プロジェクト活動

▽年少者のプロジェクトに対する認識と意欲を、その人の能力や環境に応じて方向づける。

▽クラブ員の自主性を重んじて普及員の協力をあおぐ。

三、組織と外部リーダー

▽良きリーダーを得るためには、望ましいリーダーシップなどについて基礎学習をするとともに、それを体得する。

▽指導者とグループ員との交わりはどうすればよいか＝施設を利用しての集団活動などについて、お互いの人間関係を深める。視察旅行など、レクの場を共にする。講座を通じて膝をまじえる。

▽クラブ発足において、指導のポイント＝学校在学中は教科の中で認識を深める。学生とクラブ員との交流。準会員として参加させる。資料の配布。

学校卒業後は、県の研修会などを通じてクラブの役員などを育成する。また、歓迎会などレク活動を通して、適材適所を発足してやる。

学校の先生に生徒の状況を聞いてリーダー格の人を見つけ出す。また、外部リーダーに、そのクラブの持つ目標や価値を十分認識させることを忘れてはならない。

▽関係団体の調整＝時にはトラブルがあり、クラブ員を惑わすことがあるが、関係団体が対策懇談会や育成協議会の組織を作り、横の連絡を密にする必要があり、その構成メンバーはとくに身近かな担当者をおくことが望ましい。

第十九分科会　広域普及所において青少年育成の効率化をはかるにはどうすればよいか

一、広域普及所における体制をいかにするか

青少年教育の中に後継者育成があるとする観点から、職務の重要性は大である。

各県の実情は

❶事務処理的なもの

❷自立経営者養成のための農業技術を重要視するもの

❸人間教育を目標とするもの

と、三つのタイプの担当者がある。今後の体制は専任の担当者の設置が必要であり、その担当は人間教育もできる人格と識見のある人が必要である。ただし、責任者が設置された場合には、職務内容と職務分担を明確にしておくこと。

二、広域普及所における指導体系と方法

各県によって実情が異なるため一本の線はだせない。青少年自身がもつ、意欲、態度、能力などをよく把握し、一貫性のある指導を行なうべきである。そのためには組織作りと、基礎学習の重要性を述べている県が多かったが、これも地域の実情に合致した組織と学習内容にすべきである。

三、関係団体との連携

いうまでもなく、重要なことであり、よりいっそうの連携が必要とされている。

とくに、国や県、市町村、農業高校や中学校など、農協、社会教育関係団体とは密に連携を保ち、青少年の把握および指導の効率化に生かすべきである。

農協は生産物の流通にタッチすることなどから、比較的よく協力している所が多いけれども、市町村ではそれが少ないようである。

NHK優秀農家決る

第十回NHK優秀農家選定は、さる十五日中央審査をし、翌十六日表彰式を行なった。これはNHKが二十二日の放送記念日の行事の一環として行なったもので、左記の八氏がこの栄誉ある優秀農家に選ばれた。

経営賞＝北海道札幌郡広島村上輪厚　高根鉾治氏（酪農）

技術賞＝熊本県下益城郡松橋町浅川　緒方保吉氏（酪農）

優秀農家＝宮城県栗原郡栗原町岩渕　彦氏（水稲）　埼玉県北葛飾郡三郷町　大熊俵一郎氏（そ菜）　富山県東砺波郡城端町　西川幸三氏（養鶏）　大阪府泉佐野市上ノ郷　射手矢一長氏（水稲＋そ菜）　岡山県上道郡上道町　上松癸知夫氏（果樹＝ぶどう）　徳島県麻植郡鴨島町　松尾敬（ハウス園芸）

NHK農事番組（4月1日～10日）

テレビ

明るい農村　6・30～6・55　総合

1日　村の記録　養仁尊先生　山形県槙引町
2日　くらしを考える　同居・別居
3日　村を結ぶ　フィルムリレー
4日　話題の広場　住宅モデルセンター　北海道滝川市　温泉農場　白老町　蛎崎敏明
5日　産物往来　春の卵
6日　農業新時代　情報革命　東京神田ほか
7日　漁業センター　高知県宿毛
8日　村の記録　貯蓄推進隊　東京都江戸川町
9日　くらしを考える　インスタント食品
10日　村を結ぶ　フィルムリレー「紅一点」

農業教室　7・00～7・30　教育

ラジオ

早起き鳥　5・05～6・00

1日　現地報告　畑作地帯
2日　人と話題
3日　通信員の手帳から
4日　産地訪問　いちご作（富山）
5日　現地報告　ざす（長野市）
6日　村のポスト
7日　話題の窓
8日　現地報告
9日　人と話題
10日　通信員の手帳から

ラジオ農業学校　月～土　6・40～7・00

7日　グループのしおり

ひるのいこい　月～土　12・15～12・34

1日　黒島まつり　八戸
6日　大原女の花売り　京都

趣味の園芸　土　10・30～11・

5日　今月の庭仕事

あすの村づくり　日　7・00～8・

7日　グループだより　先進地に学ぶ　滋賀県水口町　水口4Hクラブ

1日　十五頭酪農への道
2日　〃　飼料計画
3日　〃　牛舎と設備
4日　〃　乳牛の導入
5日　〃　経営と資金
6日　〃　現地訪問
8日　〃　田植革新＝直播栽培
9日　〃　稚苗植えと成
10日　〃　稚苗用田植機

わがクラブ わが同志

農業後継者減少に思う　青年会議発言

闘志湧かせた仲間
まず、精神的欲求の解決

岩手県水沢市姉体町 水沢市農村青年建設班　菅原　敏

今年も蛍の光の歌に送られて、たくさんの若者が社会に旅立って行きます。この何千何万という卒業生の中で、自ら進んで農業に取り組もうとする者は、はたして何人いるだろうか、と考えさせられます。

私の住む水沢市の農業人口は二万二千人ですが、今年新しく農業に従事したのは男八名、女二名の十名にすぎませんでした。また私の学んだ農業高校でも農業についた者は二五％にすぎません。農業高校でありながら、先生方は進学、就職の指導に忙しく、農業自営者はなおざりにされがちで、後継者の相談相手になってくれません。

こんな中で私も二年前、卒業をひかえて、どんな職業につくか迷っていました。都会に出てみようか、と考えたこともありました。しかし、大自然を相手に自分の努力しだいでよくも悪くもなる農業の面白さと、都会へ流れて行く青少年への強い反発もあって、私は農業を選び第一歩を踏みだしました。

私の家は、水田百八十アールを耕作していますが、父が公務員のため、農作業は主に母と雇用労力に頼っていました。そこで私は、ほんとうの農業を知るために、高校卒業と同時に先進地留学研修として、宮城県の農家で働くことをきめました。

その農家は、都市近郊の蔬菜地帯で忙しさは相当なものです。野良仕事の経験の少い私にとって苦しいものでした。土と汗にまみれ、作業服に身をつつんでいる私自身の姿をみて、なにか現代の若い群像から取残されたようなコンプレックスに襲われたのです。農業を選んだのが間違いではなかったか、六ヵ月間の先進地留学研修を終えて、私はそんな思いにとらわれました。

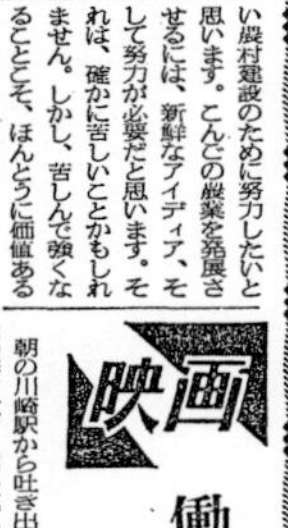
菅原　敏さん

家に帰って、農閑期にある職場へ勤めることになり、ここで私は大きな発見をしたのです。たしかに、勤め人は仕事も楽だし労働時間も一定で、冷害や凶作の心配もなく月給が入ってきます。しかし勤め人には、自由も誇りも責任もないのではないか……と。違った角度から農業を見つめる機会をもって、私は初めて農業の良さを知ったのです。農業はやりがいがある。素晴らしいものだと思うようになりました。しかも昔とちがって機械化、近代化が進められています。それなのに後継者不足、嫁ききんなど大きな問題となっています。その原因はどこにあるのでしょうか。私の体験からみれば、第一に労働時間が長いことです。私の父は「労働時間を制限していたら仕事などできない」と言いました。現状はそうかも知れませんが、現に農休日をつくり、自由時間をたのしんでいる農家もあります。ですから、できないときめつける前に、できるかできないか、やってみることが大切だと思います。

第二は、後継者が単なる労働力とみなされ、自由が少ないことです。一つの例ですが水田を何町も持ち、車も農機具もある農家の長男が突然家をとびだしたのです。この時、その父親は「車も買ってやったのに、何が不足なんだ」と叫んだそうです。

車、機械と物質をそろえることが後継者確保の方法と思っている事態に、私は悲しみを覚えました。後継者たちにとって物質的な欲求より、精神的な自由や自主性が大切であると私は思います。

第三は、仲間が少ないことです。私も留学研修のころ仲間がいなくて、淋しい思いをしました。もしあの時、仲間がいたらあんなに悩むことはなかったかもしれません。隣町の青年も家をとびださなかったかもしれません。幸い現在の私には、水沢市農村青年建設班の素晴しい仲間がおります。真剣になって苦しみや悩みを話しあえる仲間がいる、たったこれだけのことが私の視野をひろめ、農業に愛着をもたせ意欲をもたせてくれるのです。

これからは、仲間を中心に明るい農村建設のために努力したいと思います。こんどの農業を発展させるには、新鮮なアイディア、そして努力が必要だと思います。それは、確かに苦しいことかもしれません。しかし、苦しんで強くなることこそ、ほんとうに価値あることだと思います。

農業後継者減少の問題は、ただたんに、後継者と親だけの問題ではありません。将来の日本農業の方向とも関係する大きな問題だと思います。もちろん私たち自身がもっと努力しなければならないと思います。

梅一輪

春さきに先ず咲く宿の梅の花ひとり見つつや春日暮らさむ　山上憶良

[illegible]

梅一輪一輪ほどの暖かさ　嵐雪

[illegible]

映画　働く若者の純愛
めぐりあい（東宝・カラー作品）

朝の川崎駅から吐き出される工員の群が大きな川の流れのように工場街へと動いている。

自動車工場の組立工、江藤努（黒沢年男）の精悍な姿もその中にあった。大股に走る女工の一群を突っきるとき、勢い余って一人の女の子を突きとばしてしまった。

転んだ今井典子（酒井和歌子）は立ちあがりざま、努の頬に平手打ちを見舞うとふりむきもせず、グングン走り去っていった。その瞬間に、努は典子に恋をしたのかもしれない。

努の誕生日に、努と典子はデイトをした。ダンプカーで海辺へドライブして、二人は日頃の苦しさを忘れて語りあい、心ゆくまで泳いだ。

泳ぎつかれて、岩の上に寝ころんだ時、眼の前に立ちはだかった努のたくましい胸に、典子は性への恐れに身を固くした。努の愛を意識した典子は、ダンプの荷台に乗って帰途についた。

雨が激しく降ってきた。荷台の典子は横なぐりの雨にうたれて恐怖に泣いた。努は、典子を放り出して帰るつもりでいたが、雨の中に典子の泣き声が絶えたとき、努は一目散に荷台に駆け上がり典子を抱いた。そして、二人はぶつかり合うように唇を重ねた。

デイトから帰ってきた典子に、悲報が待っていた。父がいないために、保険の外交員をやって生計をたてていた母が、バスが転落したために、死んだという報せだった。そして、努にも父が会社をくびになったという報せがあった。努一人の働きにたよる家族の視線に反抗して、努は家をとび出した。翌日、努は典子と待合せをしたが、典子は来なかった。典子が来られなかった事情を知らない努の心は荒れた。

優秀な組立工員だった努は、仕事の上で大きなミスを犯した。このミスで、努は工員仲間たちがタコ部屋と呼んでいる鍛造部へまわされてしまった。典子のことや仕事の失敗つづきで、努の心はますます荒れていった。

一方、母を失った典子は、叔父の世話になるのを嫌って寮のある職場、遊園地へ勤を変えた。典子はけして、苦しさにおしつぶされていなかった。そして「一人で駄目でも、二人なら楽しく生活出来るかも知れない」と、きずついた努を励ましました。しかし、努の気持はもとに戻らなかった。そして毎日の重労働に、一生懸命たえしのんでいる努だが、機械のように追い回されて働く組立工と違って、鍛造部には何かやさしく温かい人間愛を感じ、努の心にもやっとやさしいほほえみと、温かい人間愛がよみがえり、精神に落ちつきをとりもどした。

日曜日に、典子のつとめる遊園地へ努は初めてたずねてみた。太陽をいっぱいに浴びて、働いている典子の姿を見た。そして、お互いに視線が合ったとき、大きな感動が二人をつつみ、努と典子は彫像のように動かなかった。

努と典子の視線が合ったとき大きな感動が二人をつつんだ

私は後継者

一つの目標に進む
岩の如く力強く農業に

三重県立・明野高校園芸課　中村清子

寒さも、ようやく峠を越えると思われる二月二十六日、津市で開かれた「新規就農青少年の激励大会」に参加しました。

農業で活躍されている先輩方の体験発表や、父兄方の教訓など私たちには、これから先農業やいろいろな社会問題の荒波にもまれていかなければならないか、大変興味深く感じられました。

ある新聞に次のようなことがのせられていました。「農業は次第に近代化されつつあるが、生産面の増加は一向にみられない。その理由の一つとして、農村の若者は企業、都会に吸収され、残っている者が少なく、しだいに労働力が弱まり、作業に十分手が回っていないためである」と、このような記事を記憶しています。

でも、激励大会に参加して、広範囲にわたって活躍されている先輩方の様子、実態をおしえていただき、新聞で騒がれていることは本当のことだろうか？と疑問に思うくらいでした。農村に残っている若者は、いま立派に農業人として活躍していることを、広く世間に訴えたい気もし、また今まで私たちが学校で学び、取りくんできた農業の概念も、先輩方の体験を聞くと、あまりにも底の浅い薄弱なものだったことを知りました。

そして、学校生活も残り少なくなり、学校という温室から出されるものにとって、先輩方の暖かいご指導と受け入れ体制が嬉しくてなりませんでした。

この大会に参加して、ただ一つ残念に思われてならなかったことは、この大会は男子の方ばかりの激励大会みたいだったことです。就農青少年をこれからもどしどしふやしていかなければならないそのためには、このような大会は有意義であると思いますが、でもその中で農村婦人として働こうとする女性のいることもわすれないでほしいのです。

女子青少年の方が農村で活躍されている様子を聞かせていただきましたが、経営の内容よりも、むしろ私たちは、農村社会の実態を知らなければならないと思います。また自分たちの肌で知るべきでしょう。本心、農業者の卵である今の私たちには、すごく不安なのです。

これからは、この大会で知った先輩たちに、追いつくよう努力するとともに「自分の行動を不安に思わず、何か一つ自分の目標をもって進んでいけばよい」と言われた先輩の言葉を、いつまでも忘れず、頑張りたいと思います。また地域社会でなすがままの水の流れではなく、流れを変える岩のごとく力強く農業について考えるようになったことは、青少年のファイトや、広範囲にわたる友と力強いスクラムを組もうとする私たちにとって、本当に有意義なものとなるでしょう。

素朴な農業が好き
労力の交換でファイト

佐賀県伊万里市南波多町大川原・南波多農業青年クラブ　前田スミエ

昨年七月、西日本をおそった七・九水害、そして、戦後初めての干害、今年二月十五日の大雪は、九州電力始まって以来の大損害の天災が続出している。その中にあって、私たち十名（男六名、女四名）は、昨年の四月から「あすなろ会」というクラブを結成して、士とともに勉学にいそしんでいます。

このクラブは、青年団と違った面白味があり、とくに自分の仕事に直接関係があるだけに、全員が熱心であります。一ヵ月一回の労働力の交換は、クラブ員の家に全員で行き、若い人たちが一緒になって手伝いあって働くことは、夏の暑さにも、冬の北風が吹き小雪がちらつく日もファイト満々です。

仕事の休み時間を利用して、女の人は男の人から、草刈機の使い方を習ったり、反対に女性は男性に洋食の食べ方を教えたりして、一日の反省を、果樹園の中や野原でする時の楽しさは、クラブ員ならではの味わいです。

毎月十五日は、あすなろ会の定例会の日として定め、事業の反省や今後の計画を立てたり、農事研究会、料理講習またクラブ員たちの悩みをうちあけて討論したり、時間のすぎるのも忘れてしまうほどです。

今年の一月に「家庭を明るくするには」というテーマで、婦人会との懇談会を開いたところ大成功に終り、いままでは農休日もきまっていませんでしたが、月の第一日曜日を農休日にすることができて、クラブ員全員が大喜びでした。また、今後はクラブ員の親子座談会を開こうと計画されています。

こうして私たちは、一歩一歩農業に対する理解を深め、意欲ある農業者になろうとしています。

私は父の進めで、いやいやながら農業の道に足を踏み入れましたが、今は土を愛し、自然の中で戦う農業の姿が、とても素朴で美しく思うようになりました。農家の嫁ききんとさわがれている今日、私たち女性軍の中では「こんなに農業は楽しい仕事なのに、どうしていやがるのか」と、口をそろえます。これからの日本農業を背負うためにも、私は一生懸命頑張りたいと思います。

そして、九十九里浜で開催された第七回全国農村青少年技術交換大会に、参加されたみなさんお元気ですか。あの太平洋の荒波に負けないように、共に頑張ろうではありませんか。

一仕事終えて談笑するたのしいひととき

より多くの友を

力弱い青年の団結
私たちは一歩一歩前進

岐阜県・岐阜市4Hクラブ　吉田　薫

私は昨年、岐農を卒業すると共に、岐阜市4Hクラブに入会し、曲り角に立っていると言われる農業に取り組んで来ました。

昨年の暮から、ビニールハウスでピーマンを栽培していますが、始めは農業をやるつもりで岐農に入学したわけでなく、就職するつもりで化学科に入り、専門の方でも化学的な実験ばかりやっていましたので、農作物の栽培の技術的なものは、まだぜんぜん知らないのです。これから実行にうつしつつ、本や作業の中から学び取ろうと思っています。

私は高校二年の時までは、都会の生活にあこがれていました。しかし、その夏、学校から実習で、会社にアルバイトに行きました。僅か二週間でしたが、この時機械にふりまわされている工員や上司にペコペコ頭を下げている会社員を実際に見て、サラリーマンがつくづくいやになり、自分の手で自分の考え通りにできる農業をやろうと決心しました。

しかし、その時から農業のための準備を始めたわけでなく、私はまだ学生でしたからクラブ活動（テニス）などに一生懸命はげみよい友だちもたくさんできました。

そのおかげで、友だちに園芸の先生を紹介してもらいハウス栽培についての基礎知識を教えてもらうことができました。

高校を卒業してしばらくは、学校や先輩の家へ実習に行きましたが、いざ実際に農業を行ってみると、苦しいことばかりで、昨年の日照りの時は約二ヵ月間も休む日がなく、朝と日暮から十時頃まで灌水を続けた時は、ホースをもっているのもいやになり、農業という職業に疑問をもち、一時は家を出ようと思ったこともありました。

そんな時、私を勇気づけてくれたのは、4Hクラブの定例会での先輩たちの言葉でした。私はいやなことが忘れられ、次の日から新たな気持ちで仕事をすることができました。また、私は三年もの長い回り道をし、一から農業に取り組んでいますが、私にとって、それは決して無駄な月日ではなかったと思っています。

そのおかげで、4Hクラブ活動においては、多くの友だちができましたし、肥料などについては、化学的な変化や、土質検査やNPなどの定質もできるようになったからです。しかし、何よりも大事なことは、幾人かのハウス栽培を志ざす自営者の親友ができたことです。時々、友だちが私のハウスを見に来てくれますが、そのことがハウス栽培を初めて行なった私を大変勇気づけてくれます。

私は、農業をやるようになって一番強く感じていることは、農業自営者は会社員に比べると、どうしても人との交流が少ないため、友だちが多くいることが、とくに大切だと思うのです。どうしても農業を行なっていると個独になりがちになり、技術的にいかに優秀な人でも、たった一人では生活していけるものではなく、いかに心の強い人でも「何か」あるいは「だれか」に、すがっているのだと思います。

その証拠に、みなさんが親友のすべてなくしてしまったことを考えて下さい。そんな時、孤立してしまい、不安でたまらない毎日を過さなければなりません。あるいは、反対に友だちばかりをあてにしていると、弱い人間になって、今の激しい世の流れに流されてしまうかも知れませんが、今は弱い青年の集りであっても、いつかは誠の友だちとなり、その時は、一人一人が力を合せ、もっと明るい豊かな農業を築きあげることが出来ると思います。

私たちは若いのですから、もっと青春を大いにエンジョイする権利があります。しかし、権利だけを主張するのではなく、仕事という義務を遂行し、その後でさっぱりとした気分で楽しみたいものです。

このレジャーを楽しむにも、自分一人では半減してしまい、友だちと一緒に過してこそ、その楽しさも倍加するのだと思います。だから、友だちを多くつくるという意味においても、農業自営者の唯一の組織である4Hクラブを私たちの若い力で、自から活動を活発にし、その中で実践を通し、身心をきたえて、一歩一歩前進し人間形成の上にも、技術習得にも大いに農村青年のレベルアップをしようではありませんか。

日本4H新聞

4Hクラブ 農事研究会 生活改善クラブ
全国弘報紙

発行所 社団法人 日本4H協会
東京都市ケ谷家の光会館内
電話(269)1675
編集発行人 玉井光
月3回・4の日発行
定価 1部10円
6ヵ月180円(送料共)
一ヵ年360円
振替口座東京 12055番

クラブの綱領

1、私達は実践を通して自らを磨くとともに互いに力を合わせてよりよい日本を創るため四つの信条をかかげます。1、私達は農業の改良と生活の改善に役立つ腕をみがきます。1、私達は科学的に物を考えることのできる頭の訓練をします。1、私達は誠実で友情に富む心をつちかいます。1、私達は楽しく暮らし、元気で働くための健康を増進します。

民間外交の 草の根大使

43年度の派米4Hクラブ員決る

北村君ら三人

来る十八日、羽田から出発

社団法人日本4H協会（松下幸之助会長）は、国際農村青年交換（IFYE）計画に基づいて四十三年度にアメリカへ派遣する日本代表の4Hクラブ員（派米クラブ員、別名"草の根大使"）三人をこのほど決定した。北村篤君(二〇)神奈川県・大正4Hクラブ、山本哲嗣君(二〇)鳥取県・赤碕4Hグリーンクラブ、国島淑子さん(二〇)岐阜県・岐阜市4Hクラブ=の三人で、東京で約一週間、英会話などの勉強をしたあと、来る十八日午後七時半、羽田空港発のノースウエスト機六便で出発する。

山本君

国島さん

北村君

4Hクラブ員の米国への派遣は国際農村青年交換（インターナショナル・ファーム・ユース・エクスチェンジ）計画に基づいて、4H協会がさる十八年から毎年実施しているもので今年で十五回目。

今回も三人の代表を派遣することになり、かねて全国から広くその候補者を募集、厳正な審査を重ねていたが、このほど北村君ら三人を決定した。

派米クラブ員は、米国の受入れ側であるワシントンの同国4H財団でオリエンテーションを受けたあと同国各州の受入れ農家に入りその家庭の一子弟として約六ヵ月間にわたって生活する。その間、同国の4Hクラブ活動や農業、家生活、農村社会、風俗習慣などについて身体で吸収する一方、4Hクラブ員を中心とする関係者と交歓して日本の4Hクラブ活動や農業、生活、風俗などを紹介、日米両国の相互理解と親善のためにつとめる。

このように派米クラブ員は、農業技術の実習だけを目的とする研修とは異なり、一般の人たちの中に根をはり、民間外交として親善の役割りを果すため、一名"草の根大使"（グラス・ルート）ともよばれている。

とくに、日本と日本人に対する同国の関心は強く、派米クラブ員は毎年人気者となっているが、ことしも、北村、山本両君と国島さんの活躍が期待される。また、帰国後は、アメリカでの生活体験を生かして4Hクラブ活動や農業、地域社会の発展に努力されることが切望される。

主な経歴

四十三年度派米クラブ員三人の主な経歴は別記のとおり。❶現住所❷所属クラブ名❸学歴❹クラブ歴など❺家庭の主な経営❻特技❼趣味❽訪米への抱負。

北村篤君(二〇)

❶横浜市戸塚区東俣野町一二三三❷大正4Hクラブ❸横浜市立戸塚高等学校❹五年、四十二年度神奈川県農村青少年クラブ連絡協議会会長❺野菜❻普通自動車免許、卓球❼文学、カメラ❽アメリカの地域社会に果す4H活動の役割、青年たちとの交流によってその考え方行動を理解し、アメリカ農業のあり方を知る。

国島淑子さん(二〇)

❶岐阜市黒野古市場五三一❷岐阜市4Hクラブ❸岐阜市立岐阜女子短期大学、アダチ洋裁専門学校在学中❹三年、四十二年度岐阜市4Hクラブ副会長❺水稲、蔬菜（キウリ）果樹（ブドウ、柿）❻硬式庭球❼音楽鑑賞、運動競技❽米国の風俗、習慣、4Hクラブ活動などについて知りたい。

山本哲嗣君(二〇)

❶鳥取県東伯郡赤碕町大字大父三五七❷赤碕4Hグリーンクラブ❸鳥取県立倉吉農業高等学校、同県立農業指導者養成所❹高校から五年❺稲、牧草❻三輪、普通自動車大型特殊（農耕作業用）各免許、野球❼読書、釣り❽進んだ農業経営と生活の実態を知る。米国の青年の職業観を知り今後の自立営農、地域のため生かす。4Hクラブ活動を知る。

中国へ二人派遣

4H協会 佐藤君（富山）と兼子さん（愛知）

佐藤君

兼子さん

日本4H協会は、中国と日本両国間の4Hクラブ員交換計画に基づいて、ことしも4Hクラブ員二人を中国に派遣する。

4H協会では、中国の実施機関である四健会からの強い要望もあって、さる四十年から同国と4Hクラブ員（男女各一名）の交換派遣を計画、すでに中国から三年にわたって六人の4Hクラブ員が来日したが、日本からの派遣はことしで二回目。

派中クラブ員に選ばれたのは、佐藤信次君(二)富山県上新川郡大沢野町加納八四と、兼子としゑさん(二)愛知県幡豆郡吉良町大字吉田字中屋敷二三一=の二人で、今月下旬羽田から出発の予定である。

約二ヵ月間、各地の受入れ農家に入り、その家庭の一子弟として生活、同国の4Hクラブ活動、農業、生活様式、風俗、習慣などについて学ぶかたわら、4Hクラブ員などとの交歓を通じて日本の実情について紹介することになっている。

佐藤君は、富山県立婦負農業高校を卒業後4Hクラブに入り、単位クラブ、地区連会長などを歴任、現在県連理事として活躍している。兼子さんは、愛知県立吉良高校を卒業、その後吉田4Hクラブ副会長、県連副会長などを歴任、現在その経験を生かしてクラブ活動の推進に努力している。

会長に法邑君

富山県4Hク連で総会

【富山】富山県4Hクラブ連絡協議会（会長、久保博君）は、さる三月十五日、富山市の県民会館で定期総会を開き、四十三年度の新役員を次のとおり選んだ。

▽会長 法邑伸一（福光地区）▽副会長 横井弘三（八尾）土肥茂（立山）重原一（福野）▽女子部長 舟木恵子（入善）▽同次長 高田成子（高岡）▽事務局長 守山一朗（井波）▽同次長 佐藤信次（小矢部）岩崎誠（福光）▽監事 伊東敏治（魚津）牧野健悦（上市）栗山良一（富山）

また、事業計画としては、専門別技術研修会、リーダー研修会の開催、花造り運動実績展示会、キャンプ大会の実施などを決めた。

胸に4Hのバッチ

栃木市・新規就農者入会式

【栃木】栃木市農村青少年クラブ連絡協議会（中野久会長）では、このほど、新規就農者の4Hクラブ入会式を開催し、農業に生きようとする若い後継者たちに、力強い励ましと決意を新たにした。

同協議会は、市内五つの4Hクラブで組織しており、現在百十余名のクラブ員がおり、クラブ活動を通して、農業の改良やよりよい人間形成を図ろうと意気盛ん。

入会式には、ことし農業高校を卒業した精鋭約三十八名が出席、先輩の励ましの言葉を受けたのち一人一人に4Hのバッチが贈られ"りっぱな農業人になるよう努力します"と、4Hクラブ入会の決意をのべた。

このあと、栃木農改普及所長の講話をきき、クラブ交歓会を開いた。

涼風暖風

さわやかなり、高校野球

さわやかな春風の中で、ことしも選抜高校野球が始まった。

こんどは第四十回目だそうで、三年ぶりに参加した沖縄をはじめ、全国から選ばれた代表三十校が、黒土匂う甲子園に集い、郷土と母校の栄誉をかけて十日間にわたる健闘をくりひろげている。

連日の熱戦は、ラジオやテレビを通じて全国のファンをわかせている。昼間のオフィスや工場でも、ラジオをかけてみんなで声援している。このときだけは、管理者もお目こぼしをしているようだ。ある職場など、部長がまっ先にスイッチを入れて聴いているそうである。

このように高校野球が全国のファンの血をわかせるのは、ひとえにその純粋さにあるものと思われる。技術やパワーにおいては、とうていプロ野球におよばないが、その真摯なプレーがファンを感動させるのだ。

このことはプロだから、またはアマだからというのではないようで、たとえばプロであるがゆえに厳しさに堪え、精進している人も世には多い。要するにその態度である。

したがって、アマであっても、この頃の国体のように評判が悪いのもある。知事が先頭に立って豪華な施設を造り、他県の優秀な選手を引き抜いてきて優勝をねらうという卑劣な行為がなされていると聞く。それもこれも、国体を開催した知事は、次の選挙で必ず再選されるからだそうである。これなど、アマ・スポーツを冒涜するものである。勝負には勝たねばならぬ。だが、それはスポーツのことで、知事選挙のことではない。

ひるがえって思うに、最近のクラブ員のプロジェクト発表なども、プロの農業経営者が顔負けするような堂々たるものを披露して得々としている者が目につく。これらは、なるほど立派な経営ではあるが、4Hのプロジェクトではない。4Hのプロジェクト評価は稼ぎ高で決まるのではなく、あくまでも、その取り組んだ学習態度で決まるものなのである。

「4H週間」を展開 山梨県連

一連の多彩な行事

連けい事業の発表会など

【甲府】山梨県農村青少年クラブ連絡協議会（会長、伊藤貞彦君）は、県と県農協中央会、NHKなどの後援を得て、さる二月十五日から二十一日までの期間「4H週間」を県下全域にわたって[illegible]展開した。

[illegible]

▽峡中ブロック（峡西、甲府、八ヶ東八ヶ地区連）=二十三日[illegible]林高等学校▽峡東ブロック（東[illegible]、山梨、塩山地区連）=十四日[illegible]農高校▽峡北ブロック（韮崎、[illegible]、八ケ岳地区連）=十六日、[illegible]北高校

新規就農者を励ます会

今春学校を卒業して新規就農予定されている青少年の激励大会が、山梨県農村青少年組織連絡協議会の後援をえて、二月二十日午後一時から甲府市の県立青年の家で開かれた。

これには新規就農予定者のほか[illegible]村青少年クラブ員、農業関係団体代表などが参加、「農村青年の使命」と題する新規就農者の意見発表をはじめとして、4Hクラブ[illegible]

プロを検討し指針に

「プロジェクト全国研究会」参加を呼びかける

[illegible]

[illegible]クトのもち方、進め方について質疑応答を行なう。[illegible]懇談会。これは全協と県連[illegible]クラブ員やOBなどが、話し合いを通して相互の関連性を[illegible]ただし、参加は任意と[illegible]主催者、後援各省、農業団体関係者、全協O[illegible]を予定している。[illegible]のような内容で四月十四[illegible]九時の受付から午後九時[illegible]の日程により行なわれる[illegible]を希望する場合は、事前[illegible]者に限りあっせんする。

クラブ員とともに食事をとる田辺山梨県知事（左側めがねをかけている人）とあいさつする伊藤県連会長（立っている人）＝県立青年の家で

共同事業の発表

県知事を迎えて中央大会

県連、地区連、単位クラブの共同連携研究事業中央研究発表大会は、県と県農協中央会の後援をえて二月二十、二十一の両日、甲府市の県立青年の家で開かれた。

これは、農村青少年の真の天分達成のためには"自分たちは何をすべきか"という問いを最大の目標として一年間調査研究してきた県下全地区連と単位クラブで行なった実態をお互いに発表し合い、自分たちの進む道を考察し、それを実践活動に生かすことを目的として開かれたもので、研究発表会、分科会と全体討議などをした。

この共同事業は「明るい農村建設のために」という課題のもとに昨年五から今年の二月にかけて行なってきたもの。研究は主に❶アンケートによる農村社会の動向の把握❷県連と地区連（クラブ員）の共同検討会❸青少年と普及員の研究会❹関係機関団体との共同会議❺講話会❻実績発表会などによって進められ、その調査結果が一冊の本にまとめられた。（調査結果については逐次掲載の予定）

二十一日には県知事がかけつけて参加クラブ員とともに食事をとり「県としても農村青年の期待にそえるよう努力するので、みなさんも頑張ってほしい」との激励のことばがあった。

なお同県連では、昨年度は「農村の封建性」について実態調査しその打開策に努力している。

調査研究事業について の県連役員のことば

農村は、いま農業近代化が叫ばれ、それにあらゆる面が歩調を合わせて進んでいることは確かである。しかし、その過程において幾多の問題がおきていることも見逃せない事実である。

ここで大きな問題として考えなければならないのは、農業後継者の急減である。このような状態が数年続くとするならば、あらゆる地域において将来農村社会が成立たないような最悪の事態に追い込まれてしまうといっても過言ではない。

われわれ個人がいかに頑張ったところで、そのような状態になるなら、われわれの将来の生活は保障されないと言えよう。

そこで、われわれはクラブの力によって、各地域の農村社会の動向を調査研究することによって把握し、その中で直ちに考えなければならない問題をみつけて、青年の考えや意見を中央に示すとともに、われわれ農村青年の実践活動によって解決できることはすぐにも実行することこそ、自分たちの真の使命達成を図る最良の道であると考え、この事業を行なった。

プロジェクト発表会開かる

福島・田村4Hクラブ

【福島】田村郡4Hクラブはこのほど農業改良普及所小野出張所でプロジェクト発表会を開いた。同日は七十二人のクラブ員が参加、代表者の発表が行なわれ、審査の結果次の人たちが入賞した。

①加藤安彦（都路地区）=「わが家の養蚕経営」②白岩トミ子（常葉）=「動きやすい作業着」斎藤武（美山）=「普及しつつある江戸川インゲン」③柳沼正男（中郷）=「パンダムの移植時期」石井典也（小野）=「養蜂の研究」、矢吹良一（七郷）=「わが家の農業経営の実態」

体験発表など披ろう 歓迎会かねて

三重・一志地区連で 新規就農者の激励会開く

【三重県=西村喜代司連絡報道員発】一志地区農村少年クラブ連絡協議会（会長、田中彬之君）では、今春学校を卒業して新規に就農する一志郡下の青少年二十四名を招いて、このほど久居町の一志会館で激励大会を開いた。

同日は、激励のことばのあと体験発表に入り、久米のイチゴ栽培家、中村治平氏から現在まで農業に打ち込んできた人生の体験談とこれからの農業経営のポイントについて話しがあり、また、昨年学卒したクラブ員、山村敏雄君が農家の農業経営の体験と抱負を披露した。続いて地区会長のクラブ活動とクラブの説明、体験発表があった。

午後は、昨年、南米を視察してきた岡田県連会長からスライドを写しながら報告があり、二班から畜産、野菜、果樹の三班に分けて各地の先進地農業をまわって見学、農家の人たちから激励のことばがおくられた。

この激励会は、新規就農者の激励とともに新クラブ員の歓迎もかねたものであったが、こんご先輩と後輩が仲間としてクラブと農業の発展に努力することが期待される。

合同交歓会開く

【北海道】函館、知内、大野、木古内四市町の各4Hクラブ連絡協議会の合同交歓会が、このほど木古内町公民館にクラブ員約六十人が集まって開かれた。分科会のあと全体討議を開いてリーダーやクラブ運営資の獲得、プロジェクトなどについて意見をかわした。

心頭技健

「自分たちが気軽に集まって研修できる施設がほしい」―これは全国のクラブ員がひとしく望んでいるものである。この声が反映して各県、各地区でも、いろいろの形でそれが実現されつつあるが、その願いが全国段階で一つに結ばれたのが「4H会館」の建設である▼この4H会館は、研修施設というほかに大きな目標をもっている。それは全国の現役とOBクラブ員の結束をはかる拠り所として、また、全国クラブ員の心のよりどころとしての「クラブ員の殿堂」ということである。これを自分たちの力で建てようというのである▼いま、この建設への情熱が、クラブ員の心の中で燃え続け、そのエネルギーが蓄積されている。このエネルギーの突破口が、いつ、誰によって開かれるか、全国クラブ員と関係者が見守っている。この大事業を通して、全国クラブ員とOBの心が結ばれ、使命達成への機運が盛り上ることは確かであろう▼しかし現実はその願望とは遠く、会館建設への道はけわしい。計画をたてたが、いざ実行の段階になると空回りして、足踏み状態を続けているのが、残念ながら現状である。各県連会長が各県の推進委員長となって努力するという約束も、人が変るにつれて、ややもすると忘れがちになっている▼いま、会館建設の推進に当って直面している問題はPR不足だ。各県連代表者はみんなに呼びかける材料となる「青写真」がほしいという。その青写真を描くもととなる材料がないのもまた事実である。例えば、研修室や宿泊にしても建設場所、敷地面積などによっても変ってくる。これをどう解決するか、大きな問題である。それによって募金額にも影響してくる▼その青写真ができればクラブ員は、コーヒーや酒代以上の金をふところからぽんと出してくれるだろう。協会では十四日に総会を開くが、それにどう取り組んでいくか、大きな課題をかかえているということができる。一つのことを成すには下からの盛り上りと、上から引張る力が融合する必要がある。明るい方向に進んでほしいものである。

組織強化進める岡山県連 (下)

連絡報道員 原田靖雄

前号では、県内のクラブのこれまでの推移、組織改正して再出発した岡山県農村青少年クラブ連絡協議会（会長、真木英紀君）、また各地区連絡協議会の主な年間行事を紹介したが、今回は、今年度下期に行なわれた県連事業を紹介してみよう。

広く仲間と手を携え 寄せ来る波に対応して前進

夏にはリーダ研修

県農村青少年クラブ連絡協議会の事業の一つ、クラブリーダーを対象に、中堅リーダー研修会は、昨年八月十一と十二の両日、和気郡の県青少年教育センター閑谷学校で行なわれた。これは、クラブリーダーの資質向上を目的として青少年クラブの組織強化やレクリエーションなどを研修したもの。

一日目は、開会式で荒木副知事から激励のことばがおくられた。午後から明治学院大学の高橋賢一教授の指導でレクリエーションの理論と実際について講義と実技があり、続いて、クラブの組織と運営面で特色ある次のクラブから、それぞれ問題提起としての発表があった。

▽「背野町やろう会の歩み」＝三宅康之君▽「奈義町若なぎ会の歩み」＝有元克義君▽「勝山町農村青年クラブの歩み」＝宮田修治君▽「笠岡地方農村青少年クラブの歩みと活動状況」＝原田靖雄君

発表のあと質疑応答など有意義な話し合いが行なわれた。

夜は、キャンプファイヤーがくりひろげられた。宵闇せまるころから、再び高橋先生の指導によって閑谷の山峡にキャンプファイヤーの火を点じ、近代農業ゼミナールの諸君とともに若きエネルギーを発散させた。

翌二日目は「クラブの研究実践活動」について佐藤専技、「リーダーシップ」について岸本専技からそれぞれ講義があり、そのあと県連の経過報告や組織強化について研究し合い、渡県農林部長のあいさつで閉会した。

青少年実績発表大会

今年度第二の行事として、日ごろ青少年がとりくんでいる各種のプロジェクト実績の発表を通して活動の実状を紹介し、農業後継者の意欲の向上をはかることを目的に、昨年十一月二十八日、県立農業試験場で次の各地方代表者九名によって実績発表が行なわれた。

▽岡山地方＝「私の養豚経営」浦上一▽和気＝「わが家の経営設計」時本広志▽倉敷＝「私の温室ブドウ経営について」木村賢二▽笠岡＝「ぶどう増収と省力化による経営改善」三宅剛▽高梁＝「養豚経営」堀毅▽阿新＝「山林を生かした和牛経営」津村賀郎▽真庭＝「私の養鶏経営」宮谷実▽津山＝「私たちの養豚協業」真木英和▽勝央＝「私の酪農経営」鎌田孝幸。

このあと県農業改良専門技術員による選考の結果、十二月七日に行なわれた岡山県農林漁業振興大会へ青年の部代表として、三宅剛、真木英知、津村賀郎、鎌田孝幸の四君が出席、発表した。代表と選ばれなかった人も内容の豊かな発表であった。

第3回県農林漁業振興大会へ参加

第三回県農林漁業振興大会が、県と中国四国農政局、山陽新聞社、県農林漁業団体各種連合会の共催によって開かれ、われわれの代表も農業改良、農村生活改善、林業改良の各部で実績発表した。

これは、県内農林業の改良と生活改善に積極的に取り組んでいる人々がお互いに研究実践活動の成果を発表、交換しあい、さらに近代農業の意欲を盛り上げ、地域社会の課題解決を図ることをねらいとして開催されたもので、同日は県下の意欲ある人々約八百余名が参加した。

午後は、加藤県知事のあいさつのあと表彰にうつり、各種団体に農林大臣、県知事、農林部長の各賞が贈られた。

このうち県連関係では、三宅剛、津村賀郎、真木英和、鎌田孝幸の各君が農林部長から表彰された。

来賓祝辞のあと、記念講演として、東京工業大学の林雄二郎教授の「明日の農業展望」と題する講演があり、午後三時、農林部長の閉会のことばで閉会した。

県農村青少年クラブリーダー研修会の開会式、あいさつする荒木副知事（中央正面立っている人）

冬には研究集会を

県連では、本紙三月四日号掲載の通り、県とNHK岡山放送局の共催によって、一月三日から五日までの三日間、岡山市上伊福の県立児童会館で農村青少年研究集会と放送利用農業集団研究集会を開いた。

—◇—

以上、岡山県連の行事経過をひろってきましたが、飛躍する岡山は、急速な発展をみせている県南新産業都市、備後工業[illegible]

そこで岡山県連では[illegible]

「青年の船」帰る

南国やけ、逞しく

4Hクラブの同志

「青年の船」さくら丸は、さる三月十日午前十時、神戸に帰港した。[illegible]

後続部隊を……

長滝谷正行君

[illegible]

長滝谷君

農業者大学校の入試問題

理科

1．A図は、ある植物の種子が、発芽して成長していくあいだに、その乾燥重量がどう変化していったかをしらべ、グラフであらわしたものである。

A図（乾燥重量／発芽時からの日数 7 14 25 30）

また、B表は種子中にふくまれていた主な物質の重量が、発芽後どう変化したかをしらべたものである。ただ、実験には100gの種子を用いた。

B表

物質名	発芽時の重量(g)	7日目の重量(g)
灰分	4.08	4.08
脂肪	2.28	2.01
セルロース	7.13	8.02
でんぷん	42.44	33.08
たんぱく質	23.84	23.46

A図とB表から次のような推論をおこなった。その中で正しいと思うものを、解答しなさい。

❶ 7日目までの乾燥重量の減少は、主に種子中の（イ）脂肪（ロ）でんぷんが（ハ）たんぱく質が 減少したためである。

❷ 7日目までの乾燥重量の減少は、その物質が（ニ）ほかの物質に変って、体内に貯えられたからである。（ホ）葉や茎をつくるために使われたからである。（ヘ）分解して体外に排出されたからである。

❸ 7～25日のあいだ乾燥重量の増減がほとんどないのは（ト）物質の出入がぜんぜんなかったからである。（チ）物質の出入がつりあっていたからである。（リ）物質の出入がはげしかったからである。

❹ 25日から乾燥重量の増加がいちじるしいのは（ヌ）体内物質が分解しなくなるからである。（ル）体内物質の分解が合成をうわまわるからである。（オ）体内物質の分解より合成のほうがさかんになったからである。

❺ 発芽した植物に光をあてないでおくと（ワ）乾燥重量は減りも増えもしない。（カ）乾燥重量は減るいっぽうである。（ヨ）乾燥重量は減ったり増えたりする。

2．次の文のうち、正しいと思うものには○印を、誤っているものには×印で解答しなさい。

① 水素ガスにはものを軽くする性質があるから、真空のボンベ（鉄の容器）に水素ガスをつめると、真空のときよりもボンベの重さは軽くなる。

② 密閉したガラス器のなかで、ローソクを燃やし、ローソクが自然に消えたのち、密閉したままガラス器の重さをはかってみたら、ローソクが燃える前と同じ重さであった。

③ 水をいれたコップの重さを台ばかりではかったら、ちょうど500gであった。このコップの中に重さ20g、体積35立方cmの木片をいれたら、この木片は水に浮いた。そしてこの時の台ばかりの目盛は水面より下にある木片の部分に相当する重さだけふえた。

④ 2kgのヤナギの苗木を植木鉢にうえ、5年間育てたのち、その重さをはかったら75kgにふえていた。次に植木鉢の土の重さをはかったら、ヤナギの重さがふえた分だけへっていた。

⑤ 生物体のはたらきには、物理学の法則は適用できない。

⑥ どんな生物でも、なんらかの物質を体のなかにとりいれ、これを変化させないでは、生きていられない。

⑦ 細菌のような、ごくちいさい微生物でも、ごみやくさった水などから、親なしにひとりでにわいたりはしない。

⑧ 生物は長い間に進化し、一つの種（しゅ）がべつの種に変化するという考えは、まだ一つの学説にすぎず確かめられた事実ではない。

⑨ 太陽の熱や光は、太陽をつくっている物質が燃えているために生じている。したがって、燃える物質が燃えつきてしまえば、月や地球のように、太陽もつめたくなり、光を出さなくなる。

⑩ 広大な宇宙のなかには、わたしたちがぞくしている太陽系とおなじような星の集団がたくさん存在して、その中には生物のすんでいる星もあるという可能性も考えられる。

3．（1）の式は、植物の光合成を化学式であらわしたものである。

（1）$6CO_2+12H_2O+674kcal \to C_6H_{12}O_6+6H_2O+6O_2$（ブドウ糖）

この式を参考にしながら次の問に答えなさい。

（イ）この式から、このような化学反応がおこるためには674kcalのエネルギーが必要なことがわかるが、植物はこのエネルギーを何からえているか。

（ロ）この式から、180gのブドウ糖ができるためには、二酸化炭素と水がそれぞれ何g必要か。ただし、C、H、Oの原子量はC＝12、H＝1、O＝16として計算しなさい。

（ハ）現在の大気中に存在する酸素は、植物の光合成によって生じたという考えがあるが、これは正しいと思うか、誤っていると思うか。

（ニ）光合成をおこなう植物は、植物体に必要な炭水化物、脂肪、たんぱく質などの有機物をすべて体内で合成することができるのか、それとも有機物の一部は根から吸収しているのか。

（ホ）葉緑素をもっている植物は、空気中にふくまれているちっ素を利用しているのか、それともちっ素の化合物として根から吸収しているのか。

（2）の式は、呼吸を化学式であらわしたものである。

（2）$C_6H_{12}O_6+6O_2 \to 6CO_2+6H_2O$

この式を参考にしながら、次の問に答えなさい。

（ヘ）ブドウ糖が二酸化炭素と水に分解するさいにはエネルギーが遊離されるが、180gのブドウ糖が分解するさいには何kcalのエネルギーが遊離されるか。

（ト）呼吸のさいに使われた酸素分子の量と発生した二酸化炭素分子の量の比を呼吸率（呼吸商）というが、ブドウ糖が呼吸に用いられたときの呼吸率（呼吸商）を（2）の式を参考にして計算しなさい。

（チ）次の3つの中で正しいものを解答しなさい。
（a）呼吸をおこなっているのは動物だけである。
（b）植物も呼吸しているが、それは夜間だけである。
（c）植物もいつでも呼吸している。

（おわり）

女子活動の原動力に アイデア交換も

山梨県連で女子クラブ員の研修会開く

[illegible]

楽しい話し合いに顔ほころぶ女子クラブ員＝山梨県の農村女子青年研修会の分科会で

スキーで合同交歓

三重・一志地区連

[illegible]

4月のこよみ

[illegible]

新しい増収の技術
ワラ＋石灰窒素の相乗効果

こんにちの農業の技術は日進月歩であって、少し勉強を怠ると取り残されてしまう時代です。しかし作物を安定して増収し、少しでも手を省いて経営を有利にするには、土地そのものの生産性を高めることが必要です。深耕や灌排水の設備、客土、有機物施用などの問題は、決して新しい技術ではない。しかし、生産を直接支配するこういう基本的なことが、さいきんおろそかにされているのではないでしょうか。特に有機物の資源としての堆肥が、労力の関係でめっきり減ってきています。日本の農業を支えてきた堆肥の重要性は、みなさんによくおわかりのように、たとえ時代が変わったといっても、昔も今も変わりないはずなんです。ところで、この大切だといわれてきた歴史的な堆肥が、いま農村からその影を没しようとしています。堆肥を積んだりしていると、ありゃ前時代的だよなどと笑う人さえあるといいます。これは驚くべき農村異変です。戦後十年たらずで、日本の経済が異常な成長をとげましたが、これが農村の社会に大きな変動を与えました。農村労力の流失、兼業の激化など、そして今では農業の担い手が、ほとんど主婦や老人に委ねられているのが実態です。堆肥の[illegible]カァちゃんに堆肥を積み運びは土台無理だというのです。そのとおり、カァちゃんには荷が重過ぎます。しかし、そうかといって、堆肥をやらなかったら、田や畑はどうなるでしょうか。地力がおちると稲作は不安定になり、野菜も果実も正常に育つことは困難です。家畜農家や稲単作地帯では、ワラを焼く農家がふえています。焼くか売り払った方が世話がないのです。そこで各県では、水田の地力増強にワラを田に返えそうと呼びかけ、寒い地方は堆肥、暖かい地方はワラをそのままやり、堆肥に劣らない効果をあげています。そこで、さいきん脚光をあびているワラを使った施用法について紹介しましょう。

ワラの効用
元全購連技術普及室 技師 友廣 勇

ワラを田に施すなどといえば、昔は家畜を持たぬ貧乏人のすることだといわれました。病害虫の研究者は、イモチ菌をばらまくことになるからといい、肥料の研究者はイネの根がいたむと反対したものです。それが、ワラでもよいということですから、これも農業の技術異変とでもいうのでしょうか。

ところで、ワラを田に施すという慣行は、昔から暖かい地方ではあったことで、堆肥にまさることを経験していたものです。私は愛媛県で麦稈を、高知県で生ワラの効用を、農家から教えられたのは、いまから三十年前のことです。

試験してみると、イネのできは秋まさり型で、病気もなく増収することを知りました。松尾さん（あとで鹿児島大学教授、故人）は私よりも二年くらい前に滋賀県農試で試験していましたが、これは農家の慣行を拾い上げたのだといっていました。くわしいことは省きますが、高知では堆肥を積んでいる暇がないといい、ワラの方は肥切れしないといいます。なるほど暖地で砂質田、浅耕礫質田の地帯では、生ワラの施用が多く、肥持ちがよくて粒張りがよいといいます。技術指導者の多くが反対するなかで、当時としては驚くべき識見だと思いました。

四十年の米作日本一になった竹本さんは、数年前から毎年ワラをすきこみ（一〇アール当たり約三〇〇キロ）、これで地力がつき増収したともらしています。石川県の竹東さんは、堆肥をワラに切り替えて、土つくりの近代化はこれだといっています。

農業を経営的な立場で考える人たちのすぐれた卓見とみることができます。今日ではワラがよいとか悪いとかの議論でなく、ワラで米を穫る研究、野菜の品質を高め増収する研究が必要なのです。

ワラにはいろいろ功罪がありますが、最近はワラで多収穫をあげる試験も、方々で行われるようになりました。ここに、農林省の中国農試で行われた多収穫施肥法のうち、ワラに関係した部分をとり出して紹介しておきます。（下図）

この試験では、ワラの施用量が著しく多いが、その特性を稲の多収穫に活用している点が興味深いです。この試験では、特に水の管理に注意し、ワラの分解で根を痛めない工夫がされていることも注目される点です。

ワラに石灰窒素をまく

ワラに窒素を加えて堆積すると、腐りが非常に早くなるので、こうしてつくる堆肥を速成堆肥といっています。以前はワラを消石灰をまぜて仮積みし、二週間後に切り返して本積みするとき、硫安を加えて積んでいました。

その後石灰窒素が有利であることがわかり、今では石灰窒素堆肥といわれるようになりました。石灰窒素だと石灰＋窒素であるから、消石灰で仮積みの必要がなく、本積み一回で充分良質堆肥が得られるからです。さてこの理屈を、直接田に散布したワラに応用して、ワラの腐りを早めることが合理的だとし、いま各県で奨励されています。カッターでワラを切ってまき、この上に石灰窒素をまとめて鋤き込むだけだから、堆肥よりずっと省力なわけです。

石灰窒素はワラの腐りを早める以外に、紋枯病菌の防除にも有効であり、ワラの分解に伴って発生する有害物の中和にも役立つわけです。これについては、すでに各地で試験されているので、別表の成績をみてください。

施すワラの量や石灰窒素の量は、各県で奨励されている基準に従うのですが、一般にワラの量は、暖地では多く、寒冷地では少な目、乾田に多く、湿田気味の田に少なくというのが普通です。石灰窒素の量は、各県一様ではないが、一〇アール当たり一〇〜二〇キロぐらいが普通でしょう。しかし速成堆肥とちがって、直接田にまいたワラの場合は、ワラの量に対して五％くらいの石灰窒素が必要です。

ワラや石灰窒素は、寒冷地では秋から年内に、暖地では田植の五〇日か一ヵ月ぐらい前の鋤き込みがよいようです。

さいきん水田の地力増強運動に呼応して、全購連が石灰窒素混合カッターを創案しました。ワラを切ると同時に連動的にホッパーから石灰窒素がおち、ワラに混合される仕組みです。堆肥にしたり、田全面にまき散らしたりできて便利です。

ワラを施した施肥設計

堆肥は理想であるが、労力緩和の見込みのない今日では、暖地ばかりでなく、ワラは全国的になるでしょう。さてこの場合の施肥体系をどのようにしたらよいか。ワラ＋石灰窒素を前提にした場合、次のようなことを考えに入れて、施肥設計を考えることです。

（1）秋か年内に鋤き込んだ場合
石灰窒素の窒素は地力窒素とみて、窒素施肥は加減しないでよい場合が多い。

（2）春鋤込みの場合
田植の三ヶ月前、またはそれ以後に鋤き込んだ場合、暖地では元肥の窒素を減らす必要はまずない。田植に近づくと残る窒素量が多くなるから、元肥を減らす必要がある。残る量は、暖地は少なく寒冷地では割合多い。

（3）石灰窒素の窒素は、その後有機態に変わっているようで、このため遅効性を現わす。石灰窒素の施用によっても違うが、分けつ期の中間追肥[illegible]

（4）[illegible]期に窒素が残っていると、[illegible]はPK化成を施して元肥とし[illegible]肥で生育を調節する。残存窒素[illegible]場合は、従来どおりの施肥設計になる。

以上、米の増収は総合技術の結果である[illegible]法ばかりでは成果があがらない（[illegible]苗×多株×深耕多肥×水管理など）、とくにワラ施用の場合[illegible]まる分けつ期−出穂期にかけ[illegible]大切である。

人工厩肥の意味

東北地方など寒冷地帯では、冷害対策の一[illegible]重要であり、早期分けつ確保は安全です。[illegible]害の年があった）、既肥区は三一・五％の増収です。（品種や施肥法の違った現在では、[illegible]

[illegible]態の窒素もふえるはずです。

以上、人工的に窒素成分の高い堆肥をつくることについて述べましたが、特にこの石灰窒素[illegible]堆積中に加えた石灰窒素のシアナ[illegible]ンジアミドの微量が、アンモニ[illegible]土中の硝酸化成をある程度抑[illegible]肥料の肥効を増進する作用があ[illegible]える力があるからです。[illegible]時代に、手をかけてつくる堆肥以上は、成分含量を少しでも高[illegible]効き目の多い人工厩肥にすべき[illegible]うちょっとした工夫が、農業をする皆さんにとって、大切なことだと思います。

写真 ワラと石灰窒素の散布は堆肥づくりに比べるとはるかに労力が少なくてすむが、右のような機械を使うとさらに能率があがる。これはカッターに石灰窒素ミキサーをセットしたもので、右から脱穀したワラを放り込めば、カットされ、石灰窒素とまざって左の筒からとび出してくる。

暖地移植水稲の多収施肥法に関する研究　昭和39年 農林省中国農試

区分	N一基肥 全層	N一基肥 条間深層	N一追肥 根際 5/29	N一追肥 条間深層 6/5	kg/10a わら	kg/10a 玄米	登熟歩合 %	籾／ワラ	指数
条間深層元肥	6	6	2	—	947	615.7	95.4	77.7	100
〃 追肥	6	—	2	6	997	591.4	91.4	70.5	96.2
条間深層元肥生ワラ一トン	6	6	2	—	977	681.1	95.7	83.0	110.5
無窒素	—	—	—	—	547	367.5	92.4	81.0	59.6

注 ① 肥料は石窒系粒状化成（N8.26％、P7.24％、K6.21％）施肥量はKg/10a
② 生ワラは前年12月に30cm深さに全層にすきこむ。
③ 前年12月に川砂（20トン）、珪カル（520Kg）、マンガン肥料20Kg、暗渠設置、水管理を行なう。

生わら施用による増収事例

県名	区分	収量Kg/10a わら類	玄米重	指数	施用量と時期Kg/10a 生わらKg	石窒Kg	N	P₂O₅	K₂O
徳島	生わら、石窒	780	477	111	5/30 300Kg	20Kg	10.3	5.1	9.6
（徳島市）	慣行	561	428	100			10.5	10.5	7.6
京都	生わら、石窒		376	116	3/1 850	10	塩安 22〜8	過石 49	塩加 17〜4
（木津）	生わら無施用		326	100					
〃	生わら	600	501	111	4/29 600	10			
（綾部）	標準	560	467	100					
島根	生わら、石窒	782	513	105	4/2 400	10			
（益田）	生わら無施用	730	489	100					
福井	生わら、石窒	372	465	105	400	20			
（坂井町）	生わら無施用	345	441	100					
滋賀	生わら、石窒		486	117	11/下 200	12/15 40			
（虎姫町）	生わら無施用		413	100					
岩手	生わら、石窒		652	116	11/20 750	25	8.6	6.6	4.8
（石鳥谷）	慣行		540	100	（堆肥1,100）	25	〃	〃	〃
山形	生わら、石窒		735	118	12/20 500	15	9.6	7.6	9.6
（酒田）	慣行		623	100			〃	〃	〃

4Hくん No.120 桜井はじめ

サクラ サクラ
マコトくん 殺虫剤ね
ところが こいつは
接着剤さ
これをかけておけば 一ヵ月は 花をながめられる わけさ
二週間後
なんだか うすぎたないわー
やっぱり惜しまれて散るのがサクラか…

NHK農事番組（4月11日〜20日）

テレビ

明るい農村 6・30〜6・55 総合
- 11日 話題の広場 V字型稲作 神鶏づくり五十年
- 12日 産物往来 ほうれん草
- 13日 農業新時代 農業婦人研修所（兵庫県竜野市）
- 14日 イルカ退治（長崎県郷之浦町）
- 15日 村の記録「働く母」編集長（岩手県山田町）
- 16日 くらしを考える 主婦の実力
- 17日 村を結ぶ フォルムリレー
- 18日 話の広場 ワンタッチ養豚（東京都八王子市） 村の博物館（栃木県大田原市）
- 19日 産物往来 にしん
- 20日 農業新時代 フルーツ作戦（東京晴海）

農業教室 7・00〜7・30 教育
- 11日 田植草祈り成苗用田植機
- 12日 〃 田植機の評価
- 13日 〃 現地訪問（熊本県岡原村）
- 15日 消費までの道＝食肉
- 16日 〃 牛乳
- 17日 〃 野菜
- 18日 〃 果実
- 19日 〃 鶏卵
- 20日 〃 現地訪問（京都府八幡町）

あすの村づくり 日 7・00〜8・00 教育 再 土 13・00〜14・00 教育
- 14日 生きがい 広島県豊東町 久保政夫氏を囲んで 世界の農業＝南北アメリカの農業 三重県一志郡美杉村 松井秋義

趣味の園芸 金 10・30〜11・00 総合 再 土 17・00〜17・30 総合
- 12日 鉢花をたのしもう
- 19日 春植球根

- 15日 現地報告
- 16日 人と話題 九州大学教授 福島栄二
- 17日 通信員の手帳から 江藤習久子
- 18日 産地訪問 ボタン苗木
- 19日 現地報告 砂栽培にかける（大阪府高槻市）
- 20日 村のポスト 投書

ラジオ

早起き鳥 5・05〜6・00 ❶
- 11日 産地訪問 日向かぼちゃ（宮崎）
- 12日 現地報告 村ぐるみの親子契約（静岡県城東町）
- 13日 村のポスト 投書
- 14日 全国婦人会議出席者にきく

ラジオ農業学校 月〜土 6・40〜7・00❷ 日 6・30〜7・00❷ 月〜土 7・00〜7・15❷
- 14日 農業ゼミナール 協同組合 短期大学教授 美土路達雄

ひるのいこい 月〜土 12・15〜12・34❶
- 18日 金刀比羅宮の田植祭り（高松）
- 20日 トラクター部隊くり出す（函館）

番組の選択は幅広く
長続きするようみんなで努力を
青年会議分科会報告

◇今回は、第四議題「わたくしたちは 豊かな農村を築くために 放送をどのように活用したらよいか」について討議した第13〜16分科会、および指導者は 放送をどう集団活動に利用してゆけばよいか」というテーマについて話し合った指導者側の第18分科会の概要を掲載することにしました。各分科会とも、助言者にNHKの担当者を招いて、グループ活動と専門技術習得に放送をいかに利用するか、二日間にわたり熱心に話し合った。◇

クラブ活動の補助手段

第十三分科会 集団活動をより活発にさせるために放送をどのように活用したらよいか

一、クラブ活動と放送利用の在り方
▽クラブ員の年令差、経験年数、出席率などの問題については、その解決策として、高度の技術関係については自己学習し、一般社会的、またはレクリエーション的なものについては集団利用にもっていく。
▽プロジェクトの程度に応じて放送を利用し、高度化するに従って技術員などの意見をきく。
▽小グループと広域グループの活動については、広域グループは部門別にわかれて利用し、年に一度ほど一堂に集り話し合う。

二、放送利用と問題点
▽時間的な放送制のずれは、お互に時間的に共通する番組を選定する。
▽家庭と放送利用の関係については、家庭の理解を得る。乱放送利用の欲求度。
▽地域と放送利用のつながり。

三、番組みの選定について
▽放送視聴内容のの検討についてはできるだけ楽しく娯楽的な番組も取り入れ、幅の広い集団活動にもっていく。
▽放送視聴の形態については、その時に応じて自分で利用し、また集団で放送を利用したりしていかなければならない。

これら三つの問題について話し合った後に、全体のまとめにうつり、テーマである集団活動をより活発にさせるために放送をどのように活用するかの隘路、問題点の解決策として、助言者の意見も総合していわれたことは、あくまでも放送利用は活動の助けとして利用されるものであり、放送のもっている可能性や限界を知って、利用することにより農業の基礎技術仲間づくり、地域性をかえていくということがいわれました。

また、あくまでも自己学習の上に集団活動がなり立つということがいわれた。

連絡体制を整えて活用

第十四分科会 近代的農業経営を推進するために放送をどのように活用したらよいか

一、放送を実践に移すにはどうしたらよいか
▽連絡体制をととのえる。
▽クラブ活動、部門別にわける。テーマ共通にする、放送利用の知識をたかめる。
▽身近かなテーマをあげる。
▽時間帯、放送番組にあわせて生活時間や作業内容を決める。
▽放送内容、ローカル色豊かなものを継続的に利用する。番組の中の問題解決をクラブで話し合う。専門部野と基礎分野にわけて放送する。
▽普及的機関のあり方、各関係が連携的な体制をとる。

二、われわれのグループに役立つ放送利用は何か
❶放送内容はどういうものがよいか
▽生活に密着したもの▽他のグループを紹介してほしい▽技術的なものに走らないようにしてほしい。教養も必要。
❷放送に対する希望
▽都市近郊だけでなく山間地にも電波が届くように▽農業に対する関心、価値などを放送してほしい▽時間を考えてほしい▽失敗談をふやしてほしい。
❸その放送をどういう心構えできくか
▽グループの団結を自分のためにと頭できかないで心できく▽放送を選ぶのは、自分のためでなくグループ中心に選ぶべきだ。
❹放送利用とグループ、リーダーとグループについて
▽視野の広い経験豊かな者▽グループみんなの自覚▽放送をきく分担をきめる。

三、組織づくりの姿勢、これからの放送利用を始めるには、どのような意気込みで、どのような型でいくべきか
▽いま活動しているグループなりに末端の組織で放送を受け入れていけばよい▽最初の段階においては技術的なものはとり入れにくい
▽一般教養は話題の共通点が多いため、組織にとり入れやすい。

機能的家庭生活設計に

第十五分科会 農家生活の改善を進めるために放送をどのように活用したらよいか

一、放送利用以前の問題としてどのようにして放送を視聴するか
個人では、意欲的に興味や必要性のある身近かなものを、農作業や家事作業の計画化によって積極的に視聴する。また、家族やグループでも予告や番組の紹介などを通して互いに視聴するようにすすめる。

二、放送時間、学習番組についてどのように工夫するか
放送時間については、視聴できるような生活時間の計画化が必要である。学習に必要な番組はグループ員に共通の問題を選び、事前に予告し、プリントなども作って視聴をはかる。

三、生活改善に必要とする放送内容は、どのようなものが必要か
ラジオ農業学校の中に増加させるとともに、婦人の農業労働問題、農家生活上の経済観念の問題、家族や共同体での人間関係などと自給食品による調理法などがいっそう必要である。

四、有線放送の利用をどうすすめるか
有線放送の機能を活用し、積極的に生活改善事項をとり入れるとともに、講習会、研修会などの再放送も考え、家族全員の聴取時間を選んで放送する。

五、放送利用の結果をどのように役立たせるか
放送利用を機会とし、家事分担をはかり、機能的に家庭生活に利用する。

また、グループなど地域社会においても積極的な活用をすすめるが、この場合、グループ活動に対する各家族の信用が利用促進の基礎になろう。

学習目標を樹て視聴

第十六分科会 教養や情操を豊かにするために放送をどのように活用したらよいか

一、個人で視聴する場合、どんな番組を、どのように活用したらよいか
▽番組としては、自分たちの生活に結びついているものがよい。たとえば「生活の知恵」「スタジオ一〇二」など。
▽利用の要点としては、
❶見る態度が大切
❷新聞の放送紹介欄などをみて計画的に視聴する番組をきめること。また、このことを習慣化するように努めること。
❸家の人と視る番組みのちがいで視れないときは、友と相談したり、グループでいっしょに視るように心がけること。
❹ばく然とでなく、目標を立てて視るようにしたい。

二、グループ（集団や家庭も含む）で視聴する場合、どんな番組をどのように活用したらよいか、放送利用をしているグループ活動を中心にして話し合ったが、その要点は、つぎのとおり。
❶グループでは、生（なま）の番組を集団視聴することはなかなか困難なので、テープに録音して利用したり、視聴は個別にして話し合いをグループでする方法が考えられる。
❷農業技術だけでなく、経営学やそのほか幅広く番組を選ぶようにする。
❸農業に関するものだけでなく人間性を高めるのに役立つような番組、たとえばNHK総合の夜七時半から八時までの番組などを選ぶのもよい。
❹グループ視聴は、一人ひとりで視聴したのでは得られないさまざまの受けとり方を仲間の発言から聞けるので有益である。
❺番組の選択や録音にとることや司会などを共同で、または順番でやる事により協力精神が養われ出席率が高まる。
❻集団視聴は、初めからあまり完全なやり方でやろうとは考えずできる程度から始め、長続きするようにみんなで努力し、協力し合うことが大切である。

三、どんな番組が望ましいか
▽現地の問題をとり扱った番組を多くとり入れてほしい▽農業に関する連続ドラマを望む▽朝の農業番組の放送を、夜に再放送してほしい。

望まれる現場指導体制

第十八分科会 導指者は放送利用をどう集団活動に利用してゆけばよいか

一、実態
❶放送利用には、一部の地域を除いて充分行なわれているとはいえないが、あわせて聴取実態調査も行なわれていない。
❷放送の集団利用には、現場指導者に強い指導体制が必要である。現状は手間が多い。
❸放送の種類が多いが、必ずしも適切とはいえない。
❹放送の内容が、必ずしも適切とはいえない。
❺「現地研修」が、必ずしも放送内容と適合していない。

二、放送利用の考え方
❶受け手の側
放送を一方的に受け入れる習慣にとじこもって、放送を主体的にとらえようという姿勢に乏しい。しかも"放送利用集団"という"形"にこだわって、特定の人数が特定の場所に"集団"で参加しないと放送利用集団と考えていないが、その考えは当らない。放送を日常の生活の場で生かしていくために、もっとインフォーマルな場で、放送を受けとめたいものだ。家庭の団らんのなかで、あるいは4Hクラブの集会のなかで、自由に放送の内容から出され、それが生産や生活に生かされることこそ、真の"放送利用"といえるものである。
❷送り手の側
送り手は、現状では"手さぐり"の状態といえる。送り手としての放送の目標と目的があるのだが、聴取者はそれの区別をもっていないし、放送目的とのズレがしばしば起こる。
農民の生産も生活も多様化するにつけ、放送への要求も多様化しつつあるが、現状は満足されていないように思う。
こうした"特殊な不満"に対しNHKTVでも、第三放送が話題になっているし、簡易VTRなどの活用を行なって聴取者の要望にこたえようという動きがある。
また、受け手の放送への声を、具体的にどう受けとめるか、送り手の大きな課題といえる。
❸受け手と送り手の間にある指導者
放送利用集団など、直接的な指導にあたっている中間指導者の役割が不明確であって、どちらかというと受け手側にあったといえる。
放送の内容を意図的に活用するとすれば、指導者側は、その放送の内容など、一般聴取者より多く知っておく必要がありそうだ。
そのため、年間の放送計画を前もって把握し、各集団に放送利用計画を具体的にたてるまでの指導がほしいところである。

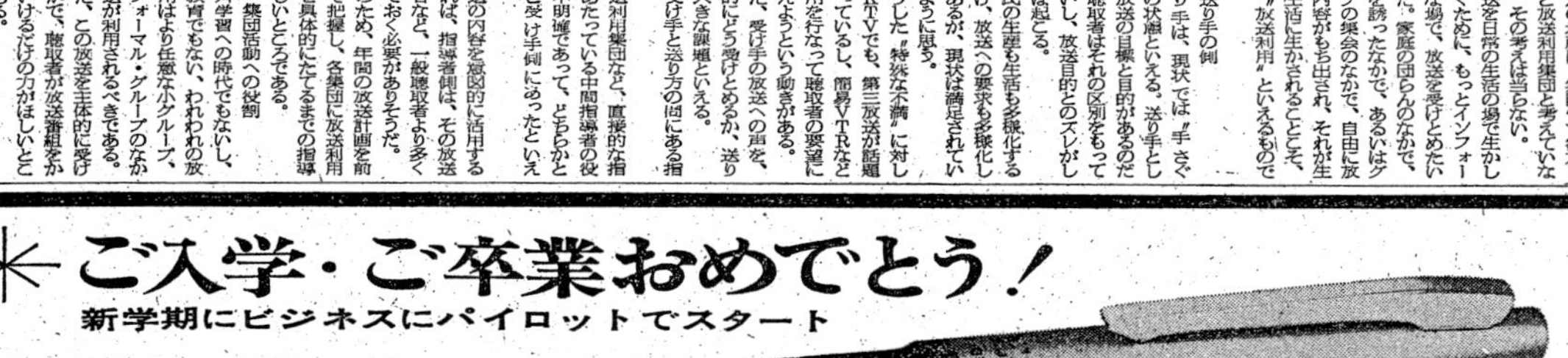

三、集団活動への役割
一斉学習への時代でもないし、学校教育でもない。われわれの放送利用はより任意な小グループ、インフォーマル・グループのなかに放送が利用されるべきである。
また、この放送を主体的に受けるなかで、聴取者が放送番組をかえていけるだけの力がほしいところである。
「放送を生活のなかに」"生活のあり方を放送に"こうしたありかたが、集団活動のなかに生かされるとき、真の放送利用グループが生まれる。

わがクラブわが同志

開拓地にはばたく　青年会議発言

生活面にけじめを
生産の向上と余暇利用

長野県小諸市南ヶ原 小諸市農村青少年クラブ　原田良子

私の住んでいる小諸市南ヶ原は昭和二十二年に開拓が始められました。この開拓地は、標高九百五十メートルで一般に「浅間山麓開拓地」と呼ばれています。ここは浅間山の噴火によって作られた火山灰土のやせ地で、毎年の旱抜や凍霜害などに悩まされています。

一度雨が降れば、表土の流亡が激しく、そのうえ年間平均気温7・8℃と寒冷地に属し、極めて不利な立地条件の所です。あるときは、ただでさえ作物が取れないところに、一年続きの冷害にあい食べる物もなく、それこそ口では言えない程の苦労をしました。

その後穀類、養鶏、そ菜といろいろ試した結果、現在の酪農が最も適していることがわかり、今では、両親と私の三人で乳牛三十一頭を飼育する酪農専業の農家になっています。こうした農業経営の中で私はずい分いろいろなことを知り、考えました。

私は、昭和四十年の春、畠崎藤村で知られる"小諸高校"を卒業し、農業に従きました。いざ仕事を始めてみると、農業がこんなにも難かしく大変なことだということを初めて知らされました。そこで、北海道の酪農学園短期大学の通信教育を受け、農業の基礎知識を働きながら学びました。これが現在の経営にどんなにプラスになっているかがわかります。このことからも農業にたずさわる私たちは、常に学習していかなければならないと肌で感じました。

また、農村は封建的であり、非近代的であります。私は、このような農村社会を一歩でも二歩でも改善していきたいのです。その原因は何なのか、それをつきとめなくては根本的に解決されません。

私は昨年、農家生活の実態と問題点を知りたいと思い、個人でアンケート調査を行いました。その結果からみると、一般的にいえることは、農家の生活はあらゆる面においてけじめがきちんとしていません。そのうえ余暇の利用が全然なく、これは農作業が多忙なために、暇な時間がつくれないということがわかりました。しかし経営の方法一つで、改善できることだと思います。

「家畜を飼っていると、他の農家の人よりも遊びに行く時間がとれない」と言われます。でも家族全員が協力して仕事を分担すれば余暇をつくりだすことも不可能ではないと思います。生活そのものの楽しさを見い出そうとする努力が大切ではないでしょうか。私の家では、どんなに忙がしいときでも月に一度くらい交代で遊びに行くようにしています。将来は、定休日をきめて、生活にけじめをつけたいと思います。

私は、農業をいやではありません。生命の源を作り出す尊い職業です。でも、ただ生産を上げるために、牛や馬のように朝から晩まで働くのはいやです。文化的で人間らしい生活、いつも清潔でうるおいのある生活を営み、自分の趣味を十分のばしたいのです。そして心を大きく豊かにもつために政治や社会問題がどんな状態におかれているのか、常に学習していきたいのです。

私は思います。現状のままではあまりにも農村は遅れています。美しい自然に恵まれたこの土地で農業経営の安定を図るために、生産部門の改善にも努力したいと思います。そして、この農村に生きる、目的を同じくする仲間と手を取り合い、激動する農村社会に新しい息吹を送りこんで、本当に楽しい農家生活を営めるよう、固く団結し、ともに努力したいと思います。

開拓地酪農に励む原田さん

クラブ結成に奔走
意見交換と親交に重点

岐阜県岩村町4Hクラブ会長　成瀬忠雄

私は農家の次男として生まれ、がんらい農業後継者ではありませんでしたが、酪農経営にたずさわっていた兄が、飼料作物の運搬中事故で急死したため、当時姉の嫁ぎ先である名古屋の問屋に働いていた私は、両親や親せきの切な願いに応えて昭和三十八年九月農業者として第一歩をふみ出しました。

その頃六頭の乳牛に追い回されていた酪農も、耕地などの条件に恵まれていない私の家では覚悟はしていたものの想像以上の苦しさでした。苦労の連続に比較して、収入の面では一家を支えるのに精一杯でした。その甲斐あって、今では十二頭を飼育していますが、ふりかえってみると、やはり努力があってこそ、みのったのだとしみじみ農業者として満足感に包まれています。

自分の計画が着々と進むにつれて、多少の落ちつきができると、酪農だけに専念していて、友だちと話し合うことをしていなかった今までの生活に満ち足りなさを感じるようになりました。

そうした時、たまたま普及所の先生が岩村町の後継者を一戸一戸訪問して、4Hクラブ結成のあしがかりをつくっていることを知り私も一緒になって奔走してみましたが、なにぶん岩村町にいる二十名近い後継者のうち、出稼ぎ専門が多くて僅か五名しか同志は出来ませんでした。しかし、その五名の同志によって、一昨年の七月に岩村4Hクラブを発足することができました。

4Hクラブは発足したものの、クラブ員の経営型態は違うし、クラブの運営は、容易なものではありませんでした。当初は、できる限り集まる機会を多くして、お互いの意見を交換しながら親交を図ることを重点としましたが、なにもまして、クラブ員の一人一人が自分の責任において酪農、そ菜稲作と経営の実権を握っている強味を持っていたことです。

クラブ員が、それぞれ違った形ではありますが、大地に両足をふんまえたことが、何よりも私たちの結びつきを強くしてくれました。

クラブが発足したころトビイロウンカが大発生をしましたので、早速クラブでその被害を調査したり、一般の関心を高めるために、農協に被害状況の展示をしたり、防除の徹底に一役を買ったりしました。

昨年は、クラブ員の水田で水稲の品種比較展示をやって、一般農家の注目を浴びたこともありました。十月末に富山県で開催された全国4Hクラブ員の集いに参加し、全国の人たちと意見交換のできたことは最も印象に残りました。

今年の計画は、まだ具体化していませんが、クラブ員の共通の問題をとりあげて、じっくり取組みたいと考えています。また、新しいクラブ員も獲得して、お互いにしっかり手を握りあって豊かな村づくりに励みたいと思います。

友情の"奉仕"
福島・愛農4Hクラブ

【福島】剪定は、果樹栽培農家にとって、春先の作業として、最も大切なものであるが、須賀川市泉田・大槻久美子さんの家でも約一[illegible]のリンゴ園があり、一家の大黒柱となって働いているが、父親が病気がちで、せん定作業がさっぱりはかどらず、困りきっていた。

この話しを伝えきいた須賀川市愛農4Hクラブでは"剪定の実習をかねて、私たちが手伝いましょう"と、久美子さんに申し入れ、このほど、岩瀬農改普及員の指導のもとに友情の剪定実習を行なった。

IFYEのすすめ

海を越えて交流
この名誉ある民間外交

国際農村青年交換計画本部審議・事務局長　佐藤章夫

[illegible]

クラブ員同志の結婚

結婚シーズン到来
カップルに祝福と激励

春の訪ずれと共に、第二の人生にスタートする人も多い。嬉野4Hクラブでも、三組のカップルが誕生しました。続いて、また三組のカップルが誕生する予定です。まさに、嬉野4Hクラブでは、結婚シーズン到来であります。

県連理事の中にも、素晴しいカップルが誕生したとのこと。県下各地において、何組が誕生したでしょうか。このカップルに、みんなで祝福と励ましの拍手を送ろう。

私たちが、青春をかたむけて活動している4Hクラブは、農業技術の向上と人間形成のための訓練の場であり、また青少年の明るい交際の場であります。

しかし、現実には、嫁さんでもあり、農家を嫌う娘さんもおります。ある調査によると自分の家庭には、立派な嫁を望むが、自分の娘は、農家に嫁がせたくない、という主婦の考えが出ていましたが、これではいつになっても根本的に解決されません。4Hクラブにも女子クラブ員の少ないことがありますが、それも方法によって、解決する余地があるのではないでしょうか。

先日も栃木県のクラブ員と、広島県のクラブ員が結ばれたと言う記事が、新聞に出ていました。これなど、まさしくクラブ活動が結びつけたものでありましょう。このように、広い視野に立って、伴侶を求めることも考えられますし、各地で開催する交歓会などの中から自然に浮ぶ愛情もあるでしょうが、男性自身の積極性と将来に対する自信を持つことが、女性に魅力をあたえるでしょう。

私も二十三才を迎え、順番が回ってきました。そろそろ将来の目標を決めて心がけなくてはいけない。今の私は、失恋したことはあっても、心に秘めた人もいなく、チョッピリ淋しい。早く、よい相手をみつけたい。

どうか適令期の諸君よ！農業経営の確立や豊かな人生を得るのも相手次第。この広い世界の中から一つの星を探そう。（三重県嬉野4HクラブY・T）

さとわうた

なたね梅雨が旬余続いた。太陽のない日の陰気さは体をも変調にさせるらしい。年のせいか腰痛や足痛に悩まされて苦しんでいる。

三月も末の五日間、兵庫県に出張した。農業改良普及員さんが具体的にどんな活動を続けておられるか、普及員さんの一週間の行動を中心に対話方式でいろいろお話をうかがってきた。また、農林事務所や農協や市町村役場や試験場や県の関係のある課と、どんな連絡や連けいをとって普及活動が行なわれているかということも試験場や農林事務所を回ってお聴きしてきた。お話をうかがえばうかがうほど、大変だなあーと思ったし、偉いなあーと思ったし、もっとなんとかしなければいかんなーとも思った。多くの収穫を得てきた。数日間、報告書のとりまとめにけんめいに取り組みたいと考えている。

デカンショの里

今度の調査の中心地は、デカンショ節で有名な丹波篠山（ささやま）である。国鉄福知山線篠山駅に乗りかえ東へ三㌔中国山脈の東端、四方山に囲まれた篠山盆地の中央にある。デカンショ節に「丹波篠山山家の猿が花のお江戸で芝居する」というように、「やまが」というイメージが山間僻地を連想するが、上古この付近一帯は、大和民族と出雲民族の交渉経路にあたり東西文化の交流地点として重要視されていた。

郡内至る所に発掘される古塚や豪族の割拠を物語る古墳からも偲ばれる。奈良朝末期にほ一時遷都の候補地にもなった。平安朝には日置の庄として藤原の荘園となり、下って、関ヶ原戦後、家康が注目し、慶長十四年（一六〇七）大阪城攻略の一拠点として、十五ヶ国の大名と八万余の人夫を動かし天下普請の大工事を行ない篠山城ができた。以来、松平三家八代と青山家六代（東京の青山の地名はこれからでた）二六〇年の平和が続いたという。このはなしは篠山営林署の前田所長さんが訥々と語ってくれたものである。

デカンショ節の本場だけに、少々その方の調査もした。レクリエーション協会の月刊誌「レクリエーション」の三月号に「日本民踊めぐり」としてデカンショ節を民踊研究家の松田務さんのペンで書いてあるが、なかなかくわしい調べで、現地の方々の知らない点もある。現地へと松田さんの文をアレンジして簡単に由来を書こう。

この歌は徳川中期に篠山藩の儒者が作詞作曲した「みつ節」の変形といわれるが、実際は味間村に古くから歌われた農婦の糸紡ぎ唄の哀歌であるという。

明治二十七年夏、旧藩校の鳳鳴義塾の学生間で歌われたものを、房州北条町八幡の海岸で渡三郎（後東京高師の教授）という一介の書生が、旧藩主の青山忠允の別荘で忠允の相手に何も芸がないので毎日蛮声を張りあげて唄っていたのを、近くの海浜寮に遊びにきていた一高の寮生たちがその還気と蛮気に満ちた歌に共鳴し、盛んに歌ったという。

この歌が粗俗、洒脱、粗野に似て、情緒があることから当時の学生の気風や気概にマッチしたことであろう。一高の学生がデカンショの意味を、デカルトのデ、カントのカン、ショウペンハウエルのショだと世界三大哲学者の頭文字をとったと伝えるが、それは付会説で、篠山地方の方言である「デゴザンショ」や「デゴワリマショウ」からでたのが真実性がある。

また古くから土地の青年たちが灘五郷へ丹波杜氏（とおじ）として酒造りに出稼ぎに行ったという説もある。いずれにしても、農村に生まれたこの歌が、天下の学生を陶酔境に落ち入らせたというのも愉快である。

てこんしょ　てこんしょで半年ァ暮らす　あとの半年ァ泣いて暮らす　でデカンショ

（龍）

映画
哀嘆の色濃く
雪夫人絵図
（東映東京作品）

信濃雪（佐久間良子）は、信濃の山に降る雪の中から生れたような美しい人……。雪夫人の美しさは、そのように白く冷く、どこかはかない運命の予感を、静かに湛えている……。

昭和二十四年の秋、雪夫人の父貴族院の長老、元子爵信濃長左エ門がなくなった日の夜、上野不忍池にある信濃家本邸に、多くの人々が集まった。

雪夫人の哀しみをよそに、故長左エ門の遺産をめぐって、醜い口論がたたかわされていた。ひとりの死を囲んで、人々が多様に揺れ動めく。

雪の夫、直之（山形勲）は、そ

夜、雪夫人は、自殺を企ったが未遂に終った。同じ頃、直之は綾子と共に赤倉に遊んだ。

やがてホテルの経営は、雪夫人の手から綾子の手に移った。ホテルの女主人に変貌した綾子は、雪夫人を嘲笑し、そのうえ納屋へ追いやった。雪夫人が記す"しなの日記"は、いよいよ哀嘆の色を濃くしてゆく。"われは幼きより、まことの愛を享けたることなし、愛とは、仮面の仮面、その下にあるものは、恐るべき恥なり、が、なお恋とは何？

冬は更に深まり、久しぶりの夏二との再会に激しい愛を感じる。

そして、雪解けの季節が来、雪

放蕩な直之は、義父の死にもつゆほどの関心も哀しみもない、そんな直之に憎しみも、嫉妬もあらわさぬ雪夫人…。

日本4H新聞
4Hクラブ 農事研究会 生活改善グループ 全国弘報紙
発行所 社団法人 日本4H協会
東京都市ケ谷家の光会館内 電話（269）1675
編集発行人 玉井光
月3回・4の日発行
定価 1部 10円 6ヵ月180円（送料共） 一ヵ年360円
振替口座東京 12055番

クラブの綱領

私達は実践を通じて自らを磨き、よりよい日本を築くことに努めます。一、良き農業者となるよう努めます。一、私達は科学的に物を考えるよう努めます。一、私達は誠実な心を養い、元気で働くための健康を増進します。

新年度事業計画を協議
全協で執行部会開く

「つどい」の名称も新たに
記念植樹や鹿寄せ
十月上旬、大和路で一大祭典 写真展など計画

全国4Hクラブ連絡協議会（丸山勉会長）は、十四日東京・新宿区市ケ谷の家の光会館で開催する四十三年度の通常総会に先立ち、さる一、二の両日、同会館内の全協事務局で執行部会を開き、総会にのぞむ態度などについて事前協議した。また、この執行部会には、奈良県4Hクラブ連絡協議会々長の山田高作君も出席し、今秋、同県で開催する全協主催の「全国4Hクラブ員のつどい」について、地元県連としてこれまで企画検討してきた事項について説明した。

4H会館の青写真を検討

全協総会に提出される主な議案は❶四十二年度の事業経過と決算両報告の承認❷四十三年度の事業計画と予算両案の審議❸日本4H会館建設の件❹役員改選❺顧問参与の推薦などであるが、同日の執行部会では、とくに今秋、奈良県で開催する「全国4Hクラブ員のつどい」を中心に話し合いが進められた。

この「4Hクラブ員のつどい」は、全協事業の大きな柱として、クラブ意識の高揚、家族ぐるみのクラブ活動推進、話し合いや現地交換訪問による研修と仲間づくりなどを目的とする全国クラブ員の一大祭典。すでに過去三年にわたって九州（開催県連、大分）関東（同埼玉）北陸（同富山）各地で開催され、年ごと参加者が増加するなど大きな成果を収めてきた。

迎えて第四回のつどいは、近畿（開催県連、奈良）で開催することに決定、昨年の北陸のつどいの席上、富山県連から奈良県連にバトンタッチされ、そのご奈良県連を中心に準備が進められている。

まず、同県連がこれまで企画検討してきた内容について山田県連会長から説明があった。

それによると「つどい」の開催期日は、十月七日から十日までの四日間、会場は奈良市の奈良公園と今春五月に完成する文化会館を予定している。

この期日は、奈良県で毎年実施している農業祭に合わせたもので、とくに七日の開会式は、同農業祭に呼応して奈良県連が昨年から開始した「4H週間」の一大行事、パレードによって花々しく飾ろうという趣向。その他の4H週間の各行事は同つどいにおきかえて4HクラブのPRを図る考えである。

宿泊所としては、会場から約八キロ離れた天理教の詰所を第一候補にあげているが、つどい開催期間の前後に、同神社神柱の就任祝賀会が予定されていることから、同所での宿泊が不可能になることも予想される。このため、第二候補として会場から約十キロの距離にある橿原神宮詰所をあげ目下検討中である。

日程に関しては、これまで現地交換訪問を二泊三日間にわたって実施してきたが、今回は同地方の都合から一泊二日間に縮め、会場での行事を伸ばしたい意向である。

開催期日が十月上旬に選ばれたことについて「全国的にみて、農繁期のため参加できない地域もでるのではないか」との意見が出されたが、これに対し、七月下旬に京都で近畿農村青少年のつどい、八月下旬に山形で全国農村青少年技術交換大会が開催されるなどの関係から、これ以上時期を早めることは甚だ困難である一方、十月下旬になると同地方が農繁期に入るなどから、これを大幅にずらすことは無理であるとの意見が述べられた。

このため、期日は近畿地方の農業事情を中心に決定すべきであるとの結論に達し、できる限り近畿地域以外のクラブ員が参加するよう積極的に呼びかけることを申し合わせた。

また、行事に関しては、全国4Hクラブ員の一大祭典としての特色を強く打ち出すほか、地の利を生かして古都を偲ばせるもの、明治百年を記念するものなどを新たに加えることを計画しているようである。

たとえば、記念植樹や由緒ある鹿寄せ、プロジェクト活動とクラブ活動を紹介する写真展などがその一例で、記念植樹は、史跡公園に予定されている平城京跡に苗木を植え、できれば"4Hの森"にしたい考え。植える苗木は、各県の県木にしてはどうかとの案もあるが、その運搬方法など具体的な方法については、こんごさらに検討していく。

このほか歓迎レセプション、話し合い、キャンドルサービスなどについて話し合ったが、これまでのスケッチに替わるものなどについても、こんごの研究課題として検討していくことになった。

さらに、大きな問題として「つどい」の名称変更がとりあげられた。これは、過去三回にわたって農政局単位の地域名で九州、関東、北陸の各つどいと銘打ってきたが、九州のつどいの場合を例にとっても、大分県以外で開催するときも同じ名称が使われるため明確さを欠くことや、今回「近畿のつどい」と銘打った場合、同地方で毎年開催されている「近畿農村青少年のつどい」と名称が似ていて混同しやすいなどの理由から浮び上ったもの。その結果、今回は「第四回全国4Hクラブ員のつどい」と銘打ち、こんご永続的に第何回と呼称していくことが妥当であるとの意見に一致した。

次に、総会の前日、家の光会館で開催する「プロジェクト全国研究会」について協議し、プロジェクト実績発表者と参加者の申し込み状況などについて話し合った。

また、講師に予定していた東京工大教授の川喜田二郎氏が都合によって出席できなくなったため、新たに、海外技術協力事業団茨城国際農業研修館々長、中田正一氏に講演を依頼することを決めた。同氏は、同研修館々長に就任する前、農林省普及教育課に勤務していたが、在任中、各地を回って農村青少年と接して4Hクラブ活動について指導、その体験をもとにクラブ活動について論文をまとめ農学博士号を得た、クラブ活動についての権威者である。

このほか、懸案の「4H会館建設」問題について意見をかわし、青写真の作成など建設推進の具体策を進めることを申し合わせた。

なお、総会の最後に注目の役員改選が行なわれるが、今年度の役員は次のとおり。

▽会長 丸山勉（富山・元全協副会長）▽副会長 飯田喜代視（奈良・前同監事）太田正紀（山梨）向山紀子（兵庫）▽事務局長 岡田石京正（埼玉・留任）▽同次長 松崎正勝（大分）黒田勝（茨城）▽監事 高野秀策（宮城）石井一雄（神奈川）池添勉（香川）

【ブロック代表評議員】▽北海道 石川岳志▽東北 田沼斉（岩手）▽関東 山岡正義（埼玉）▽北陸 青木保（新潟）▽東海 向井久恵（滋賀）▽近畿 久保清克（和歌山）▽中四国 香東治（徳島）▽九州 坂井邦夫（佐賀）

丸山会長

飯田副会長

太田副会長

岡田事務局長

黒田事務局次長

松崎事務局次長

涼風暖風

農業志願兵

A君は鉄工所の職工だが、会社をやめてみかん技術を習いたいという。B君は大学を失敗したのを機会に、お父さんが二年後に退職するのを待って、退職金で温室経営を始めたいという。将来、農家へお嫁に行きたいというC子さんら三人の農業高校生は、農家のくらしをよく知るために、春休みを利用して住み込みたいという。

以上は、最近私たちの手許に持ち込まれた相談事の一例だが、いずれも非農家の、大都会の中や衛星都市に住んでいる青少年の話である。そして彼らは、研修したいから適当な受入れ農家をあっせんしてほしいというのである。

農村青少年には農家留学制度があり、多数の青少年がその恩恵に浴しているが、前例のような青少年の研修制度は、当然のことながら閉ざされている。しかし、見よ。農村青少年ではなく、都会の青少年が、たくましくも門戸を叩いているではないか。農家留学派遣青年がたったの二人で、そのうち一人は危くケツを割りかけた「実績」をもつ私たちは、苦笑しながらも、勇敢なる志願兵のために、普及所をわずらわして農家の選定にかかった次第である。

「どうして君は農業へ転向したいのだ」「人に使われるってことは実につまらない」「このごろの農家は裕福に見えるし結構儲かるんだと思うよ」「どうしてもう一度大学を試さないんだ」「勉強はもう飽きました。ボク花を作るのがとても好きなんです。父が二年後に退職しますから、それまで大学に入ったつもりで技術を習いたいんです」「どうして農家へお嫁に行く気になったの」「二人が力を合わせたらすばらしい経営を創っていける。とても尊いことだと思います。花を作ってみるとよくわかることですが工夫すればしただけ、手間をかければかけただけ応えてくれるように思います。農業のそんなところが好きです」

その動機はさまざまであるが、志願兵の士気は誠に盛んで、土地や資本は意に介さないようだ。ともあれ、農業が数少ない"まともな職業"として都会の人々に認識されはじめたあかしとして受けとめたい。

「農業の良さがはからずも農地をもたない青年から知らされたよ。我ら農村青少年はこのことを知っているだろうか」私は、そうつぶやいて電話に立った。「春休みの実習はどうでした」「農家の生活って抜群、最高に感激でした」（大阪・川端）

普及所の統廃合で
十四年の歴史に幕
ソフトボール大会でしめくくり 静岡の富士地区連

【静岡県＝粟田伸雄連絡通信員】富士地区農村青少年クラブ連絡協議会（会長、粟田伸雄君・十八クラブ加盟）では、さる三月二十四日、富士市の県立富士宮農業高校で総会を開いた。

同日は、来賓として鈴木富士南部農業改良普及所長のあいさつのあと四十二年度の事業経過と会計両報告を承認。続いて県の機構改革による農改普及所の統廃合に伴う地区連の今後の運営方法について話し合った。

富士地区連は、富士市、富士宮市と芝川町の二市一町の単位クラブが集まって十四年前に結成されたもので、県下でも歴史のながい組織。

この地区には、これまで二つの農改普及所があった。しかし、このほどの機構改革によって一ヵ所は残ったが、富士市にあった普及所が沼津地区の普及所と合併され、従来通りの活動ができなくなってきたため話し合ったもの。その結果、長い間かかって先輩たちが築いた地区連を発展的に解消することに決定した。これに対しクラブ員たちは「県の農業政策は農家のことを考えていない」と不満をもっていたようだ。今後は各市町村単位で立派に活動しようと話し合って総会を閉じた。

昼食後は、各クラブ対抗のソフトボール大会が開かれ、十四年間続いた富士地区連の解散の総まとめにしようとクラブ員全員が一生懸命だった。みんな、白球を逃がすまいとグランドを走り回っていた。試合の結果、浮島4Hクラブが優勝、厚岡4Hクラブが準優勝し、最後の楯が贈られた。

植樹祭の道代表に 北海道・4Hクの菅君

【北海道】室蘭地区蒲洞町の向別4Hクラブ会長、菅正幸君は、さる三日皇居付属庭園で行なわれた植樹祭に北海道代表として選ばれて参加した。

町長囲む懇談会ひらく

【岐阜】平田町4Hクラブは、このほど町役場で町長を囲んで懇談した。

山梨県連「県4Hク連」に改称
部制設け責任分担
会長に小野君 連けい事業など決る

【山梨】山梨県農村青少年クラブ連絡協議会（会長、伊藤憲吾君）は、さる三月二十三日甲府市の県信用組合で定期総会を開き、県連の名称を「県4Hクラブ連絡協議会」と改称するとともに役員構成を改正し、意欲も新たに新年度へスタートした。

同県連の役員は、前年度まで会長、副会長、事務局長、同次長によって構成されていたが、組織と事業の拡大に伴い役員の仕事が過重となってきたため、事務局制を廃止し、新たに部制を設けて仕事を分担、責任をもって事業展開に努力することになった。

新役員は次のとおり。

▽会長 小野好道（白州クラブ・峡西地区）▽副会長 広瀬英範（同）奥山武夫（玉宮4Hク、塩山）藤井与三郎（ふじやま会、岳麓）▽総務部長 河東彰（鰍沢）名取定友（会、甲府）▽同企画係 飯島晶由（山桃会、山梨）▽同広報係 掛川潔（誠進4Hク、東八）▽外務部長 手塚久米（白友会）▽財務部長 広瀬英範▽事業部長 塩島栄喜（こぶしグループ、西八）▽監事 堀内邦雄（誠進4Hク）

また、四十三年度の主な事業としては、来る二十日に開く県下のクラブ会長会議をはじめとして4H週間、4Hクラブ推進会議、女子研修会、技術交換会、教養講座などの開催などを計画。また四十二年度は各地区連の運営の事業として農村の実態調査に取り組んだ結果、いろいろの問題が提起されたが、四十三年度はその解決のために、さらに各問題を深く掘り下げて検討していくことになった。

植樹の奉仕 静岡・豊岡村4Hクラブ

【静岡】磐田郡の豊岡村4Hクラブ（会長、鈴木敏之君）はこのほど、同村一貫地の天竜川左岸堤防下に桜の木約二百五十本を植えるなどの奉仕作業を行なった。

同クラブは、さる三十九年から天竜川をきれいにしようと、これまで毎年堤防の草を刈り、堤防下に合計三百本近い桜を植樹してきたが、ことしは明治百年に当たるため植樹本数をふやし、畑の土を運んで土壌を改良した。

役員構成若返える
千葉・安房地区4Hク連で総会 新会長に白井君

【千葉】安房地区4Hクラブ連合会では、さる三月三十日午前十時、館山の安房支庁会議室で定期総会を開き、四十二年度の事業経過と会計報告の承認に続いて四十三年度の役員選出を行ない、次の新役員を決定した。

▽会長 白井新治（三芳村）▽副会長 池田正義（三芳村、洲崎）永瀬正（丸）小宮芳美（三）戸倉春江▽事務局長 鈴木昇一

会長、副会長は、これまでの役員より一だんと若返り、今後の活躍ぶりが期待されている。

この後、四十三年度の活動方針などについて話し合いを行なったが、農業後継者育成資金借受者や新規就農者との話し合いをもとうなどという希望意見が出され、四十三年度の事業の中に加えられることになった。（同4Hク連合会事務局より）

ツツジの花で国道を美しく 長崎・愛野町4Hクで植樹

【長崎】花で郷土を飾り、国土を美しくしようと、南高来郡の愛野町4Hクラブ（会長、上田哲夫君）がこのほど、愛野中学校々庭や観光バスが行きかう同町の国道にツツジの苗木千五百本を植樹した。

同クラブはさる三十九年十一月に発足したが、奉仕活動としてグループ活動の大きな目標に国土美化をとりあげ、ツツジのさし木と移植に力を入れてきた。ツツジの種類はヨドガワ、キリシマ、サツキの三種で、三年間の努力がみのってようやくりっぱな苗木に育った。そこで、目的達成のためにこのほど十八人の全クラブ員が参加して植樹の奉仕作業に汗を流した。こんご植樹個所にツツジの管理に協力を呼びかける立て札を立てて施肥や除草をしていくことにしているが、美しい花を咲かせ、町の人たちの目を楽しませる日も近い。

島原地区連が発足
長崎県連 普及所の広域化に伴い

【長崎県＝大久保忠信連絡報道員発】長崎県農村青少年クラブ連絡協議会（会長、永川満君）では県下の普及所単位に地区連を結成、その地区連によって県連を組織するよう規約で定めている。

このため、普及所の広域化に伴い現在、地区連の組織の問題を検討しているが、それに先がけ島原普及所管内の四つの地区連（吾妻、国見、島原、有家各地区）が統合し、さる三日島原地区連として新たに発足した。

この結果、島原地区連は単位クラブ数十二、クラブ員数百九十五名となった。しかし地区内にはまだ加入していないクラブがあるものとみられるので、今後の活発な活動によってはクラブ数もふえるものと期待されている。

なお、役員は次のとおり決定した。

▽会長 小鉢治郎兵衛（島原市）▽副会長 原良幸（布津村）奥平玲子（島原市）▽事務局長 吉田忠博（有明町）▽書記 上田由利子（国見町）▽会計 松尾文昭（吾妻町）▽監事 河原義久（吾妻町）山崎和子（布津町）

堅固な陣容で出発
静岡・東部地区連で総会 会長に宮沢君選ぶ

【静岡県＝粟田伸雄連絡報道員発】東部地区農村青少年クラブ連絡協議会（会長、粟田伸雄君）では、さる三月二十八日、沼津市の日枝神社で総会を開き、四十二年度の事業経過報告のあと役員改選を行ない、会長に副会長だった宮沢静夫君（田方地区、みずほ会）を選んだ。

また、副会長には吉田彰君（北駿4Hクラブ）と野田幸子さん（花の実会）、監事に杉山安男君（山田見之）鈴木房夫君（浮島4Hクラブ）を決めた。

新年度の事業計画としては❶夏の大会の開催❷ラジオ農業学校への積極的な参加❸クラブ相互の交歓会の開催、促進❹クラブ員名簿の発行❺新規就農者の歓迎会とクラブ加入の促進などがあげられている。

東部地区連は、県下の農村青少年をリードして活躍しているが、さらにもう一歩前進しようと最強のベストメンバーで新年度事業に取り組むことになった。

総会のあと午後一時から新規就農者約三十名と地区連役員との話し合いを行なった。これに先立って、来賓として参加された県専門技術員の清水先生から新規就農者に対して激励のことばが述べられ、また、県農政課の渡辺宏氏から県連の活動内容などの紹介があり、4Hクラブに加入しようと呼びかけのことばがおくられた。ことし高校を卒業した新規就農者は先輩たちの話しに一生懸命耳を傾けていた。そして、出席した新規就農者の諸君は「必ずクラブに加入します」と力強く誓い、また「友だちも一緒に加入させます」とつけ加えていた。

海外派遣の青年を募る 総理府

総理府はこのほど、四十三年度（第十回）の青年海外派遣実施要綱を発表した。

この海外派遣は、青年の視野を広めさせるとともに、海外諸国の視察などを通じて国際協力、国際奉仕の精神をかん養し国際親善に役立てようというもの。派遣中の主な活動は、訪問国の産業、文化、教育、社会福祉、国土建設、青少年活動などの実地視察、各国青年との交歓と自主的な研修、調査など。

今回の派遣地域は北欧、中欧、南欧、アフリカ、中近東、アジア中、同東、オセアニア、南米の九カ所で、派遣期間はともに約二カ月間（南米約二・五カ月）が予定されている。派遣定員は各班ともに十一名前後（アフリカは約五名）で、七月下旬から九月下旬にかけて出発の予定。派遣団員は各都道府県推せん（青少年関係団体から推せんされたもの）制となっているが、主な資格は二十五歳以上三十六歳未満の男子で、各種青少年関係団体の中で活発に活動している青年。とくに海外での研修活動などの経験を帰国後積極的に生かして青少年活動について指導的役割を果すことができると認められた人などとなっている。なお、各都道府県知事は、さる二十日までに総理府総務長官（青少年局経由）あてに派遣団員を推せんすることになっている。

駅伝競走に出場 チームワークに大きな効果 奈良・桜井4Hクラブ

【奈良県＝広井洋司連絡報道員発】桜井4Hクラブ（会長、堀昌弘君）では、このほど、体力増進とチームワークを目的として開かれた桜井市体育協会主催の市内駅伝競技に初出場、参加チーム二十一のうち十一位の成績におさまったが、出場選手、応援団とも目的達成のため大いに効果をあげた。

とくに、チームワークという点では効果のある催しで、今後の事業の協同面に大きな役割をもつものと期待される。

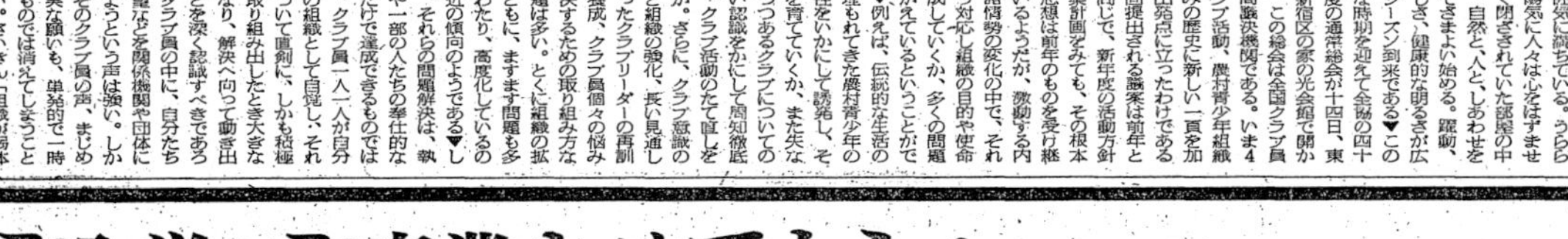

心頭技健

春だなあ。四月の声とともに光と花の季節を迎えた。新年度に入ったという気分転換もあってなんとなく明るい陽気に人は誘われる。[…]若々しさ、健康的な明るさがよみがえるシーズン到来である▼このような時期を迎えて全協の四十三年度の通常総会が十四日、東京・新宿区の家の光会館で開かれる。この総会は全国4Hクラブの最高議決機関である。いま4Hクラブ活動、農村青少年組織の歩みの歴史に新しい一頁を加える出発点に立つわけである▼今回提出される議案は前年度と大体同じで、新年度の活動方針や事業計画をみても、その根本的な思想は前年のものを受け継いでいるが、激動する内外の諸情勢の変化の中で、どう対応し組織の目的や使命を達成していくか、多くの問題をかかえているといえる▼例えば、伝統的な生活の中で埋もれてきた農村青少年の自主性をいかにして確保し、その芽を育てていくか、また失われつつあるクラブについての認識を正しく確保させ、クラブ活動のたて直しを図るか。さらに、クラブ意識の高揚と組織の強化、長い見通しに立ったクラブリーダーの再教練と養成、クラブ員個々の悩みを解決するための取り組み方など課題は多い。とくに組織の拡大とともに、ますます問題も複雑・高度化しているのが最近の傾向のようである▼しかし、それらの問題解決は、一部の人たちの奉仕的な努力だけで達成できるものではない。クラブ員一人一人が自分たちについて真剣に、しかも積極的に取り組み出すことが大きな力となり、解決へ向って動き出すことを深く認識すべきであろう▼クラブ員の中に、自分たちの要望などを関係機関や団体に訴えようという声は強い。しかし、そのクラブ員の声、まじめで切実な願いも、単発的で一時的なものでは消えてしまうことが多い。さいきん「組織が弱体化している」という声も聞くが、組織強化への出発点に立っているのは自分たちである。全協の総会に当って、全国のクラブ員も"自分たちの組織"という自覚を新たに、「組織の一員」として育て活用していってほしいものである。

トの研究

特集

4Hクラブ活動の中心をなすものはプロジェクトであるといわれています。すなわち、クラブ活動のなかには、仲間づくりやレクリエーション、視察旅行、奉仕活動、交歓会、研修会などいろいろありますが、プロジェクト活動がなければ、それは4Hクラブ活動とはいえないのです。ご承知のとおり、4Hクラブは青少年が自ら学習するグループであり、その学習法がプロジェクトと呼ばれるものなのです。したがって、プロジェクト活動を行なわない4Hクラブというのはあり得ないのです。

ところが、実情はどうかというと、必ずしも行なわれているとはいいきれません。また、十分な成果を上げていないところも見られます。これはクラブ員自身の熱意の問題もありますが、一般にプロジェクトに関する理解が不十分なところに原因があると考えられます。

そこで本欄では、クラブ員やその指導にあたられる方々の参考に「プロジェクトの研究」と題して、その概念や分類を特集してみました。これは、北海道農業改良課・専門技術員・三輪勲氏の著作「プロジェクト活動」（北海道4Hクラブ連絡協議会発行）から、同氏のご好意によって一部を掲載したものです。

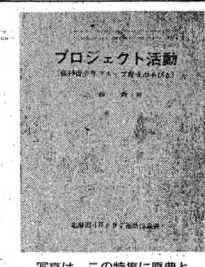

写真は、この特集に原典として使用した三輪勲著「プロジェクト活動」の表紙

プロジェクトの意味

四段階を経た主体的な生活による学習法

農村青少年グループは、プロジェクト活動を中心とするグループであるといわれているように、プロジェクト法（Project-Method）は、農村青少年指導の重要な柱となっている。

プロジェクトとは「投げ出す・突き出す・射出する・投影する・具体化する・思いめぐらす・計画・設計・案」などの意味がある。したがって「自分の考えていることを計画して、実際に行なってみる」という意味に理解してよい。

わが国では、プロジェクトを訳して「設計方法」「家庭農場設計」「家庭作業案」「構案法」など、いろいろな名称が用いられてきたが、文部省では昭和二十三年、高等学校の農業課程における「総合農業」の科目設置に伴って「家庭実習」の訳語で統一し、農業改良普及事業においては、一般に「計画事業」という訳語を用いた。

しかし、いずれも普遍化するに至らず、現在「プロジェクト」の原語がそのまま用いられている。

学校教育では、生徒が家庭で行なう活動の意味からホーム（Home）の語を冠してホームプロジェクトと称し、また、4Hクラブや経営伝習農場など農業改良普及事業における青少年教育では、単にプロジェクトと称している。

プロジェクトによる学習指導法をプロジェクトメソードといっている。プロジェクトメソードは、知識偏重の伝統的な教育に対する反省から生まれたものである。

過去における教育は、教師が生徒に対しできるだけ多くのことを教えこみ、生徒はその知識をただ記憶するということに指導の重点がおかれていた。したがって、学習によって得た知識は観念的なものにとどまりやすく、実際の生活に反映するのには弱いという難点があった。

こうした教範主義、注入主義の教育に反対したルソー（一七一二～一七七八）、ペスタロッチ（一七四六～一八二七）、フレーベル（一七八二～一八五二）などは、与えられた知識を実際に利用するための注意、想像、思考、観察などの能力育成を強調し、さらにデューイ（一八五九～一九五二）は生活経験における問題解決の過程をとおして思考が働き、知識や技能が習得されるという考え方に立って「生活による、また生活との関連における学習」が主要であると主張した。

デューイの「生活による学習」とは、生徒の日常生活における思考を主体として、その学習効果をあげようとするもので、日常の生活経験における疑問や不安の問題を解決していく過程において、行動と思考とを通して知識や技能が実際に習得されるという問題解決的思考を強調したわけである。

たとえば「じゃがいもの収穫をしたところ、収量が意外に少ない。これはどうしたわけだろう」と疑問をもち、土の状態、種いもの植えつけ、施肥の方法、病害虫の防除など、いずれかに欠点がなかったか調査してみた。その結果、種いも消毒の不完全が原因らしいことを発見した。さっそく種いも選別と消毒法を研究し、翌年この方法を採用してみると、収穫は平年よりも上回った。これによって種いもの処理が収穫に大きな影響のあることを認識し、この学習をさらに進めて、技術の改善を行なったという場合、具体的な生活（じゃがいもの生産）の中で、その生活の必要性（収穫の増加）にせまられて、問題（病害による減収）を解決（種いも消毒など）することが、デューイのいう「行なうことによって学ぶ」（Learning by doing）という問題解決的思考である。

アメリカの教育哲学者キルパトリック（一七七一～）は、このデューイの教育理論をもとにして具体的な学習指導の方法をまとめ、これをプロジェクトメソードと呼び「社会的環境の中で専心従事するところの目的の明確な活動」であると規定した。つまり青少年自身が興味をもって行なう自発的な活動を中心にして指導することを、学習指導の本筋としたわけである。

このため、プロジェクトメソードでは学習者の主体的な活動に重点をおくことから、キルパトリックは、デューイによる問題解決の思考についての五段階に従って、プロジェクトメソードの学習過程は、次表の四段階をもつものであるとした。

学習の過程

（プロジェクトの四段階）	（問題解決思考の五段階）
❶目的を立てること	❶困難の自覚 ❷問題点の検討
❷目的を達成するための計画をたてること	❸解決案の想定 ❹解決案の理論的検討
❸計画に基づいて実行すること ❹実行の結果を反省すること	❺解決案の実践的検討

つまり、デューイの五段階説の「困難の自覚・問題点の検討」は、プロジェクトメソードの第一段階「目的の確立」に、「解決案の想定・解決案の理論的検討」は、第二段階「計画の作成」に、また「解決案の実践的検討」は、第三段階「実施」と第四段階「反省・評価」に、それぞれ結びつけたわけである。

プロジェクトメソードは、学習と生活とを結びつけ実際の経験をとおして学習効果を上げようとするところに特長がある。いわゆる青少年自ら目的を定め、その達成をはかるための計画を立て、その計画に従って実行し、その結果を反省評価するという過程をとおして、知識、技能、態度の習得と養成を図ろうとするものである。

さらに、キルパトリックは、プロジェクトは「目的をもった活動」に基づくものであるとして、プロジェクトの範囲を大幅に広げ、次の四種を含むものであるとした。

（a）一つの計画を形のあるものに構成することを目的とするもの（例　鶏の給水器を作る。手紙を書く。農繁期の献立をつくる）

（b）生活上の問題を解くことを目的とするもの（例　追肥はなぜ必要か。温床育苗は収穫にどんな影響があるか。農婦症はなぜ起きるか）

（c）知識や技能の習得を目的とするもの（例　トラクターの運転を覚える。じゃがいもの料理方法を身につける。簿記のつけ方を練習する）

（d）楽しみの経験を目的とするもの（例　音楽を聞く。映画を見る。ダンスをする）

キルパトリックは、プロジェクトメソードの適用範囲をこのように広義にとらえているが、わが国における農村青少年指導では、プロジェクトメソードの理念を基本としながら、その範囲を行動的な実生活そのものにしぼり、農業改良と生活改善の立場から、おもに構成的なプロジェクトを中心としている。

こうした立場において、わが国では、一般に「プロジェクトとは、日常の農業や生活上の諸問題を解決する実践的な学習活動」と理解されている。いわゆる、日常の営農や生活における問題を認識し、その問題を解決する必要性に基づいて目標を定め、自発的な関心と興味をもって問題の解決を計画し、自分の責任において合理的に実施し、これをとおして農業改良や生活改善に関する知識と技術とを身につける実践的な学習活動である。

このような理解のもとに、目的・計画・実践・反省の四過程と、これをとおした記録とによってプロジェクト活動が行なわれている。

なお、キルパトリックによるプロジェクト分類の第二「問題を解くことを目的とするもの」は、問題法（Problem Method）と呼んでいる。たとえば「なぜ冷害が起きるのか」「農繁期の食事はどのくらいの栄養があればよいか」というように、問題解決の過程における知的な解決そのものが目的である。このため、プロジェクトと別に、青少年グループの話し合いや調査研究などの共同学習の分野で取り扱うことにされている。

また、第三の「知識や技能の習得を目的とするもの」は、学習プロジェクトとして行なわれることもあるが、一般には農業学園、ラジオ農業学校、青年学級などにおける系統的な学習領域で行なわれる。さらに第四の「楽しみの経験を目的とするもの」は、青少年グループにおけるレクリエーションや教養行事として実施されている。

このように、第一から第四までのものはいわゆるプロジェクトから切り放して扱い、プロジェクトの促進をはかる学習活動として指導上の位置づけがされている。

プロジェクトの沿革

農業教育の主流へ
米国で発祥、世界に普及

（1）アメリカの場合

プロジェクトという言葉を教育上の用語として初めて用いたのは、アメリカのコロ[illegible]

[illegible]しては年に六ヵ月の農業実習を課するなどの措置がとられた。

また、一方において、一九一四年制定の[illegible]

（2）日本の場合

[illegible]の一分野として実施され。また青年団における「一人一研究」などによってプロジェクト法による学習が試みられたが、発展するに至らなかった。

戦後、昭和二十三年に来日したアメリカコロラド農工大学のカナダ教授によって、東京農業教育専門学校において初めてホームプロジェクトの講演が行なわれた。これを皮切りに、アメリカにおける教育学の各種文献が続々と紹介された。

また、連合国軍総司令部の民間情報教育部の職業教育官ネルソンは、日本政府に対して農業高等学校の教育においてホームプロジェクトを採用するよう助言した。文部省では、これに基づいて昭和二十三年六月三日に「農業高等学校家庭実習実験学校設置」について各都道府県に通達し、北海道の空知農業学校（現在、岩見沢農高）と十勝農業学校（現在、帯広農高）など全国十二校をホームプロジェクト実験校に指定した。

さらに翌二十四年、高等学校学習指導要領において、農業自営者養成の科目「総合農業」の学習指導法としてホームプロジェクトを採用した。

このあと、昭和二十六年まで四年間にわたって実験指定校が増加され、翌二十七年からは産業教育振興法による研究指定校に拡大されるなど、学校農業クラブの活動とともに農業高等学校教育におけるホームプロジェクトは充実発展をみるに至った。

この間、昭和二十三年に公布の農業改良助長法によって、国と都道府県との協同による農業改良普及事業が発足した。

農林省では昭和二十四年、連合国軍総司令部の青少年指導官ローズの助言を得て、4Hクラブ活動の育成にプロジェクトを採用し、農業改良普及員と生活改良普及員の指導および篤志指導者の協力とによって、プロジェクトを中心とする4Hクラブ活動の育成が全国的にはじめられた。

このため、農村青少年によるプロジェクト活動は急速な発展をとげ、全国農村青少年クラブプロジェクト発表大会の開催、全国4Hクラブ連絡協議会の結成などにより4Hクラブだけでなく青年団においても自主的なプロジェクト活動が促進されるまでになった。さらに、各都道府県の経営伝習農場における教育においてもプロジェクト法が高く評価されるなど、プロジェクト活動は農業後継者の育成に大きな役割を果たすまでに進展した。

このように、わが国におけるプロジェクト法の農業教育は、農業高等学校における自営者養成と農業改良普及事業における農業後継者養成に、それぞれ大きな地位を占めるまでに発展している。

プロジェクトの特質と効果

営農と生活に直結
問題解決の能力高める

（1）プロジェクトの特質

プロジェクト活動は、日常の農業や生活についての問題解決をとおした実践的学習に特色がある。したがって、他の学習のしかたとは異った教育的な特質がある。

（ア）青少年の自主的な活動

プロジェクトは、実践をとおして知識技術を身につけることが中核となっているので、青少年の自主性に基づく活動がたてまえである。したがって、自らの必要性と興味とによって実施する問題解決の過程は、青少年の責任において行なわれることが必要である。

自らの意志によって行なう目的のはっきりした活動は、積極性が生まれ、学習の意欲も高まり、創意性も伸びる。成功すれば大きな満足感が得られ、さらに高度な活動へと進んでいく。これは受け身の学習態度ではない。青少年の興味と関心とによって自主的、自発的に行なわれるところにプロジェクトの特質がある。したがって、指導にあたっては、青少年の主体性を尊重して、その活動が効果的に進められるように方向づけを行なうことが重要である。

（イ）営農と生活に直結した学習

プロジェクトは生活そのものであり、物的な処理と身体的活動をともなうところに第二の特質がある。「収量が減少したのはこれが原因だから、こう改善すればよい」というように、生産や生活の問題を理論的に解明するだけでなく、その解決策に従って目標を定め、計画をたて実行し、実際の生産や生活を新しいものに改めていく活動でなければならない。プロジェクトはこのように営農と生活とに直接結びついた学習である。

（ウ）普及員・両親・青少年の協力

プロジェクトは青少年が主体となって実践されるべきものであるが、とくに、改良普及員の指導と両親の協力が必要である。

プロジェクトそのものの進め方や、それに必要な知識、技術については改良普及員が指導し、プロジェクト実施に必要な資材、資金、土地の提供やプロジェクト実施の時間の確保などについては、両親の理解に基づく承認と援助が大切である。また、プロジェクトは実際の生産や生活についての問題が中心となるため、実践にあたっては自家の経営や生活、さらに地域社会における農業とも直接のつながりがある。したがって、青少年のプロジェクトがこれらの関連において効果的に実施できるように、その条件整備と激励が重要である。

このように、改良普及員・両親・青少年の互いの協力によって学習や実践の効果を上げようとするところに、プロジェクトの第三の教育的な特質がある。

（2）プロジェクトの効果

プロジェクト活動の効果は、前項で述べた特質と関連するが、そのおもなものは次のとおりである。

（ア）問題解決の能力が高まる

実際の営農や生活の中から問題を探り、その解決のための目標をたて、計画し、実施し、反省するという四過程を反復することによって、合理的な思考力が高まる。問題解決のための注意力、観察力、判断力、想像力、理解力、実践力などが養われ、習得した知識や技術を実生活に応じて活用できるようになる。

プロジェクトは、青少年自身の興味や関心から出発しているので、実践に対する積極的な態度、自立心、責任感を向上させるなど、自主的に問題の解決をはかろうとする態度の形成に大きな役割を果たす。

（イ）農業や生活の知識、技術が習得できる

実践を通じて学習することから、知識や技術は完全に自分のものとして消化され、さらに一段と高度な学習を進めようとする意欲が高まってくる。しかも、断片的な知識や技術ではなく、一貫した作業を行なうことによって経営と技術との関連を理解でき、経営能力が養われる。

（ウ）協同の精神が高まる

青少年グループは、プロジェクトを主とするグループであるから、プロジェクトの実践をとおして研究の交換や話し合いなどの協力が高まる。また、家庭においても、改良普及員の指導のもとに、両親の協力と援助を得て実施するわけであるから、家族の話し合いが行なわれ、家庭における人間関係の改善にも役立つ。さらに、プロジェクトの実践を通じた資材の共同購入や生産物の共同出荷などによって、農業の協業化の態度や協同精神を養うことができる。

（エ）地域社会の発展に寄与する

プロジェクトは、自家の農業や生活の改善を直接のねらいとして行なわれるが、その成果は、青少年グループの実績発表会や演示発表、展示会などの諸行事によって農家に普及され、地域における農業改良の推進力的な役割を果すことになる。

また、プロジェクトの実践によって青少年自身も農業に対する関心がいっそう高まり、将来への希望や実践意欲も養われるなど、地域社会のすぐれた農業後継者として活動が期待される。

日常の農業および生活上の諸問題を解決する実践的な学習活動

プロジェクト

目的や人数で分類
初心者には技能補助プロ

行なうことによって学ぶ

プロジェクトの種類と特性

プロジェクトには種類が多く、その分類の方法もいろいろある。本稿ではプロジェクトの目的、人数、分量、実施場所の五つの指標によって分類し、それぞれの種類とおもな特性について紹介しよう。

目的による分類

(1)生産プロジェクト

生産プロジェクトは、作物の栽培、家畜の飼育、農畜産加工など、生産物を得てその利益をあげる目的のプロジェクトである。一般に、栽培や飼育の一生産周期における全作業を範囲とする。

生産プロジェクトは、生産量の増大や生産性の向上、生産物の質的向上など、その重点のおき方の違いはあっても直接収益をあげることを目標とする点では共通している。生産プロジェクトは、きわめて種目が多い。

栽培部門
いね、むぎ、じゃがいも、だいず、しょうず、てん菜、なたね、あま、トマト、だいこん、きうり、キャベツ、ねぎ、アスパラガス、とうもろこし、牧草、りんご、花、しいたけ—など

飼育部門
乳牛、豚、鶏、めんよう、みつばち—など

加工部門
ジャム、ハム、ベーコン、つけもの、毛皮—など

生産プロジェクトは、直接その生産によって利益を上げることを目的とするので農業生産に結びつき、また、その実践を拡大することによって経営の全領域にもおよぶのであるから、(経営プロジェクトと呼ぶ場合もある)も年長者に適したプロジェクトである。

しかも、生産プロジェクトの実践は、種まきから収穫までとか、分娩から成育までというように、かなり長期間の実践が必要だし、たとえ小規模であっても、数多くの単位作業が含まれているので、詳細な実施計画が必要となる。したがって、プロジェクトの初心者には困難が多い。

(2)改良プロジェクト

改良プロジェクトは、土地改良、畜舎の建設、衣服改善など、施設、設備などの改良、改善や作業能率の向上を通して、生産や生活の向上を促進する目的のプロジェクトである。直接の利益を上げることを目標とはしないが、これを通して終局には所得の増大をはかるものである。つまり、生産そのものよりは生産手段の改良を目的とするプロジェクトである。改良プロジェクトの種目を例示すると、つぎの通りである。

農場部門
酸土きょう正、客土、かんがい排水、農道整備—など

飼育部門
畜舎やサイロの建設、たい肥場の設置、給じ器の改良、牧野の改良、尿ための改良—など

栽培部門
温床の設置、施肥の改善、農機具の改良、ビニール・ハウスの設置—など

経営部門
農業簿記の記帳、経営設計—など

生活部門
台所の改善、衣服の改良、献立の改善、寝具の改良、子どものおもちゃ製作、室内装飾、燃料の改善—など

改良プロジェクトは、両親が行なう栽培や飼育、家政などに参画協力する立場で、その一部分の改良や改善を担当することによって行なわれる。実践作業は断片的な技術ではなく、体系的な一貫性を伴うものであり、また、実施に要する期間は、生産プロジェクトに比較してかなり短かい。

このプロジェクトは、生産プロジェクトを行なうには経験や能力が不足する場合、また、あとに述べる技能補助プロジェクトではもの足りない場合、つまり、年長者と年少者の中間層に適するプロジェクトである。したがって、経験や能力に応じて年間に二つ以上の改良プロジェクトを実施することも可能である。

(3)技能補助プロジェクト

技能補助プロジェクトは、単一技術の習熟を目的とするもので、生産プロジェクトや改良プロジェクトに付随した単位作業についての技術習得が課題となる。このため、技能補充プロジェクトと呼ぶこともある。

たとえば、果樹のせん定、豚の去勢、病害虫の防除、衣服の手入れなど、個々の技術を身につけることにねらいをおいたプロジェクトである。したがって、生産を高め利益を上げる直接の役割はないが、それを行なうための手段として部分ごとの技術を習得するわけである。

栽培部門
育苗、採種、肥料の配合、酸土検定、農薬の調製、種子の消毒、除草剤の散布、果樹のせん定、害虫の鑑定、発動機の操作、トラクターの運転、生産物の貯蔵—など

飼育部門
育すう、だ鶏とうた、点灯養鶏、去勢、飼料計算、肥育、子牛の取り扱い、ミルカー搾乳、出産の取り扱い、乾草の調製、畜舎の保温、毛皮のなめし、鶏の解体—など

経営部門
労働日記の記帳、生産費計算、農地の測量、コンクリート工作、気象観測、輪作計画—など

生活部門
衣服の手入れ、仮縫い、染色、防水加工、せんたく、調理、食品の取り扱い、ペンキの塗り方、看護、子どものしつけ、家具の補修—など

技能補助プロジェクトは、一般に規模が小さく、実施に要する期間も短かく、その課題の領域における単位作業の種類も少ない。このため、初心者でも容易に実践できる。また、技能プロジェクトの系統的な積み重ねによって生産、改良プロジェクトに発展することになる。したがって、そうした基礎的な知識や技術を習得する意味では年少者、年長者の別なく重要なプロジェクトである。

(4)その他のプロジェクト

一、試験プロジェクト

このプロジェクトは、たとえば品種の地域適応試験や在来品種との比較試験、施肥法や除草剤の効果比較試験など、試験研究機関で確認された新品種や栽培法などについて、その地域の適応性をみるための追試験を目的とするものである。これは、おもに栽培に関する課題について実施されることが多く、展示圃、試作圃の形態によって共同で行なわれることもある。

本来、農業試験場や大学などで行なう試験研究課題を、青少年のプロジェクトとして実施するのは無理が多い。一、二年程度の短期間の試験結果で実証できる性質のものではない。したがって、試験プロジェクトの課題は試験研究機関で立証済みの品種や技術に限定し、地域においてそれを再確認する意味での学習を重点として実施するのが適当である。

二、調査プロジェクト

このプロジェクトは、たとえば栄養実態調査、健康調査、労働時間調査など、現状の認識、理解や問題点の発見のための調査を目的とするものである。

調査プロジェクトは、独立して実施するほか、生産、改良プロジェクトを進めるための準備として行なう場合が多く、この意味では初心者に適するプロジェクトである。

年長者のプロジェクトにおいても、その課題領域の拡大に従って実態の適確な理解と判断が必要となるが、この場合に実証する調査プロジェクトの重要性も大きい。また、このプロジェクトは、個人で実施するよりも共同で実施することによって、分業をもとにした広い分野からの調査検討ができる。

三、学習プロジェクト

これは技能補助プロジェクトのほか、利益よりも学習に重点をおいた生産、改良プロジェクトを総称したものである。つまり農業改良や生活改善に必要な基礎的な知識や技術の習得を目的とするプロジェクトである。

学習プロジェクトは、学習そのものがねらいであるため、初心者にも容易に実践できる特長がある。

規模による分類

(1)主プロジェクト

これは生産周期の全域におよぶ規模のプロジェクト、たとえば養鶏プロジェクトや稲作プロジェクトをさす場合と、栽培、飼育、加工などの組み合わせた形態で実施するときの主体となるプロジェクトをさす場合とがある。いずれも、主プロジェクト、または主幹プロジェクトと呼ばれる。

なお、経営や生活の全領域にわたる大規模のプロジェクトを経営プロジェクトと呼ぶこともある。

(2)副プロジェクト

これは、主プロジェクトに比較して小規模のプロジェクトで、独立した名称ではなく、主プロジェクトに相対する呼び名でその目的や計画、実施のすべてが主プロジェクトの補助的な役割を果たすものである。

人数による分類

(1)個人プロジェクト

個人ごとに行なうプロジェクトを個人プロジェクトという。自分の力で実施することにより、自立心、自主性、自発性が高まり、責任感も強くなる。このため、学習や実践は徐々に発展拡大される。

しかし、個人の能力に対してプロジェクトの課題規模が大き過ぎたり、高度な知識や技術を必要とする場合、実施難のために中絶する心配がある。また反対に、個人の能力に対して課題の規模が過小であったり内容が低度である場合は、プロジェクトの興味や関心を喪失することもある。個人プロジェクトは、個人の能力に即応したものでなければならない。

なお、数人で同じ課題のプロジェクトをそれぞれ実施する場合、これを共通プロジェクトと呼ぶ場合もある。

(2)共同プロジェクト

二人以上の協力で行なうプロジェクトをいう。とくにグループを編成して行なう共同プロジェクトを、グループプロジェクトという。

共同プロジェクトには、各自が同一課題か同系統の課題の個人プロジェクトを実施しながらその実践過程において協力する方式と、各自は独立した個人プロジェクトを行なわず一つのプロジェクトを共同で実施する方式とがある。いずれの場合でも、個人の能力や経験などに応じた分業と協業の体制によって実施するところに特徴がある。

共同プロジェクトは、大規模な課題や広範囲の作業を必要とする場合に適するし、初心者がプロジェクトの進め方を学ぶにも適している。

以上の分類のほかに、実施場所によってプロジェクトを分けることもできる。家庭で行なうものをホーム・プロジェクト、生徒が学校の農場で行なうのをスクール・プロジェクトというように分けられる。青少年グループ員が行なうプロジェクトは前者に属すが、学校とは直接関係がないので単にプロジェクトと呼んでいる。

なお、プロジェクトの分類方法のうち、農村青少年指導において一般に用いられるのは目的と人数による分類である。

プロジェクトの実績発表会　プロジェクトは実際の営農や生活の中から問題を探り、その解決のための目標をたて計画し、実施し、結果を反省するという四過程を反復することによって、合理的な思考力を高め、問題解決の実力を養うものである。

原典の紹介

三輪勲著
「プロジェクト活動」
〈農村青少年グループ育成の手びき〉
北海道4Hクラブ連絡協議会　発行

著者の三輪勲氏は、北海道農業改良課の専門技術員として永年4Hクラブの育成、とくにプロジェクトの指導を手がけられてきたこの道のベテランである。この特集「プロジェクトの研究」もすべて、同氏の御好意により本書から転用させていただいたものである。

本書のねらいと内容は、その「まえがき」に述べられている。

「農業の近代化をになうのは次代の経営者や主婦となる青少年である。農業のあとつぎ青年たちは、4Hクラブや青年団の活動に積極的に参加して、さらにラジオ農業学校、農業学園、青年学級などで真剣な学習を行なっている。それらの実践や学習は、日常の農業や生活の問題解決をとおして知識や技術を身につけるプロジェクト活動が中心となっている。

農村青少年が持っている未来への可能性は、それにふさわしい教育を行なうことによって開発され、発展するが、そのためには実践を通して学ぶプロジェクト法が最も効果的である。これは、課題を見出して目標を立て、解決のための計画をつくり、その計画に従って実践し、結果を反省評価するという四つの過程によって、科学的、合理的な問題解決能力が養成されるからにほかならない。

しかし、農村青少年のプロジェクト活動の現状をみると、必ずしも十分な成果を上げているとはいえない。とくに年少者の場合、プロジェクト法の理解が不十分で実践に伸びなやみの傾向がある。これは、青少年の能力や問題意識にも原因があるが、助言指導の方法においても適切を欠く面があったと思われる。

この意味において、本書は、プロジェクト指導に関する基本的な問題について検討することとした。まず、第一章ではプロジェクトの概念を述べ、第二、三章でプロジェクトの展開を説明し、次にこれらの理解をもとに第四、五章でプロジェクト促進提導について取り扱い、また第六章では北海道農業学園教育におけるプロジェクト指導の要点をあげた。最終章では各章を総括する立場から、プロジェクト活動の問題点と今後の方向を述べて本書のしめくくりとした。

この書は、別題にも標示したように、農村の中堅青年、改良普及員、農業学園関係者、篤志指導者などの方々に、プロジェクトの基本的な理解を願う場合の手びき書としてまとめられたものである。

したがって、内容もできるだけ視点を広げて問題点をとりあげた。」＝以下省略＝

長文になったが、このような意図と内容が十分に盛り込まれた格好のプロジェクトの手びき書である。

4Hクラブ員はもちろん、その指導にあたる人にもぜひ一読をお願いしたい貴重な著作である。(A5版 一七一頁)

頒布御希望の方は左記へ申込んで下さい。

札幌市北二条七丁目　北海道庁農務部農業改良課内　北海道4Hクラブ連絡協議会

三輪勲氏

◇この特集では、プロジェクトの意味、沿革、特質と効果、それに種類と特性について◇
◇解説を載せましたが、詳しくは原典の三輪勲著プロジェクト活動をご覧下さい。また、◇
◇さらに深く研究される方のために、同氏が選ばれた重要参考文献をご紹介します。◇

プロジェクトに関する総合的な著書・論文

①「ホームプロジェクト」(厚沢留次郎・昭31・文教書院)
②「プロジェクト活動の理論と実践」(森本宮幸・昭32・東京第一図書)

いずれも農業高等学校生徒のホームプロジェクトについて解説したものであるが、農村青少年指導によい参考となる。①は、基礎編と応用編にわけてプロジェクトを体系的に述べてある。②は、北海道における農業高等学校生徒について教科、科目の指導に即応したプロジェクト指導事例を中心に説明してある。

③「H・PとF・H・Jを指導するために」(仙波千代・昭38・家政教育社)

この著書も高等学校生徒のホームプロジェクトについて説明したものであるが、とくに女子について家庭教科や学校家庭クラブなどの指導と関連して解説してある。生徒指導ばかりでなく、農村女子青年のプロジェクト指導に参考となる。

④「農村青少年クラブのプロジェクト」(岸田益雄・昭27・北海道農業改良普及協会)

農村青少年クラブ員のプロジェクトについて、北海道の実態に即して詳細かつ体系的に解説してある。とくに、改良普及員の活動との関連において具体的に説明してあり、プロジェクトリスト、プロジェクト学習例などの所収がある。この書は版こそ古いが、現在でも北海道における農村青少年のプロジェクト指導の原典として広く活用されている。

⑤「青年の生産活動」(梶田利治・昭31・東京第一図書)

この著書の副題に「プロジェクトの手引」と表示されているとおり、年少者と年長者にわけて、プロジェクトの具体的な活動方法を説明してある。とくに、プロジェクトに関連した生産活動も述べてあるので、総合的な理解が容易である。

⑥「プロジェクト活動の意義と実際」(藤井正弘<青少年クラブ活動の理念と実際>所収・昭29・長野県農村文化協会)

プロジェクト活動の意義と進め方について、生産、改良、調査プロジェクトを中心に、平易に説明してあり、青少年クラブ活動に関する他章との参照ができるので理解しやすい。とくに、プロジェクトの作業分析の事例が参考になる。

プロジェクトの概念・種類に関するもの

プロジェクトの理念を取り扱った総合的な著作については、前項に例示したとおりであるが、なお次の専門書がある。

①「問題解決学習」(梅根悟・昭29・誠文堂新光社)
②「普及方法の原理」(浜田陽太郎・昭40・全国農業改良普及協会)
③「新しい農村教育」(高橋、厚沢、野村・昭27・文教書院)

諸外国における農村青少年のプロジェクトやそのグループ活動の実態などを紹介したものに、次の著作がある。

④「アメリカ4Hクラブのおいたちと現況」(近藤亮一<集団活動第3号>所収・昭38・文教書院)
⑤「カナダの普及事業と4Hクラブ」(城田和人<集団活動第4号>所収・昭38・文教書院)
⑥「アジア農村青少年交流会議報告」(星野武四郎<集団活動第4号>所収・文教書院)

プロジェクトの展開に関するもの

プロジェクトの課題選定に伴う問題点の把握(はあく)については、次の調査に関する専門書がある。

①「部落基本調査のやり方」(農林省振興局・昭34)
②「社会調査の方法」(福武直編・昭29・有斐閣)

プロジェクトの課題選定と計画に関しての指導には次の論文がある。

③「プロジェクト主題の決定とその展開に関する試論」(梶田利治<集団活動第1号>所収・昭33・東京第一出版)
④「プロジェクトの計画とその進め方」(石丸美春<農業教育と農民教育第4号>所収・昭30・文教書院)

北海道の農村青少年に広く利用されているプロジェクト記録簿には、次の2種がある。⑤は農村青少年グループ向き、⑥は農業高等学校生徒向きである。いずれも毎年発行されている。

⑤「プロジェクト・レコードブック」(北海道農業改良課監修、北海道4Hクラブ連絡協議会発行)
⑥「畜大式レコードブック」(昭40・帯広畜産大学農村教育研究室発行・農産、畜産、生活の各編がある)

プロジェクト演示発表についての解説書は少ないが、⑦は事例を中心に平易に編集してあり、⑧は演示指導の要点を解説してある。

⑦「演示の手引集　第1集　第2集」(農村青少年クラブ研究会編・昭30・文教書院)
⑧「農村青少年の演示とその問題点」(三輪勲<改良普及員資料第4巻第6号>所収・昭30・北海道農業改良課)

共同プロジェクトの実施に関するもの

①「共同プロジェクトの展開構造」(三輪勲<集団活動第3号>所収・前掲)
②「青年の手による協業経営」(中田正一監修・昭36・文教書院)

共同プロジェクトに関連した協業について参考になる。

プロジェクトの促進に関するもの

年少者、女子のプロジェクト指導については、次の論文が参考になる。

①「低年次クラブのプロジェクト指導」(飯塚節夫<農業教育と農民教育第5集>所収・昭30・文教書院)
②「女子4Hクラブのプロジェクトの考え方と進め方」(葛原四津男<農業教育と農民教育第4集>所収・昭30・文教書院)

プロジェクトを中心とするグループ活動とその組織についての参考書に、次のものがある。③は実際の進め方を、④は理論を扱っている。

③「4Hクラブ行事のやり方」(野村泰二・昭27・長野県農村文化協会)
④「農村の仲間づくりはどう動いているか」(中田正一<農民>所収・昭34・明文堂)

プロジェクト指導の組織と運用に関するもの

次の資料は、学校生徒に関する理解の手びき書であるが、農村青少年の理解方法について示唆が多い。

①「生徒指導の手びき」(文部省・昭40・大蔵省印刷局)

次の論文は、プロジェクト巡回指導について高校教師の立場から説明したものである。

②「ホーム・プロジェクトの巡回指導」(江部乙高等学校<総合農業研究会報26号>所収・昭34・北海道地区総合農業研究会)

プロジェクト指導をめぐって、農業改良普及事業と学校教育との連けいについての著作に次のものがある。

③「中学校の農芸クラブと4Hクラブ」(厚沢留次郎、中田正一・昭30・文教書院)
④「農業教育と普及事業との連けい実験活動報告」(昭32・<農業技術普及資料第1巻第2号>所収・北海道農業改良課)
⑤「農村青少年教育をめぐる教育機能の相関性」(三輪勲<農業技術普及資料第4巻第2号>所収・昭35・北海道農業改良課)
⑥「北海道農業学園関係例規等」(昭40・北海道農務部)

これは、北海道農業学園教育におけるプロジェクト指導に関したものである。

プロジェクト活動の限界と補充に関するもの

プロジェクトに関連して、農村青少年の知識、技術の実態を分析したものに、次の論文がある。

①「日本農業のあととりたち」(久保田展雄<農業技術普及資料第6巻第5号>所収・昭38・北海道農業改良課)

プロジェクトの問題点について専門的に分析した著作に、次のものがある。

②「問題解決学習過程の再評価」(昭39・<現代教育科学No.82>所収・明治図書)
③「農村青少年の指導においてプロジェクト法の効用と限界」(牧野忠明<集団活動第3号>所収・昭38・文教書院)

◀投稿案内▶

本紙は、みなさん方の新聞として、全国のクラブ員に利用して頂きたいと考えています。それでクラブの催しや個人のプロジェクト、詩、短歌、随筆、写真、悩みや意見、村の話題、伝説、行事その他なんでも原稿にして送って下さい。

お願い ❶長さや形式は自由です ❷できれば簡単な説明をつけた写真をそえて下さい ❸送り先 東京都新宿区市ヶ谷船河原町十一 家の光会館内 日本4H新聞編集部

わがクラブわが同志

若い情熱を農業に 大いに語り青春を謳歌

静岡県御殿場市 北駿4Hクラブ 遠藤富子

この世の中には、男性がいるから女性がいるんだ、子供がいるから親がいるんだ、決してどちらか片方だけでは社会はなりたちません。

要するに男性ばかりでなく、これからの社会をになって行く若者を育て上げる女性こそ尊い存在ではないでしょうか。現在の農業は機械化が進み男性だけの仕事になり、女性はただ付録にしかすぎない存在となっていますが、では農作業を男性まかせにして、女性は男性の操縦するロボットでよいのでしょうか。

私がこんなことを考えたのは、一年前4Hクラブに入ってからでした。

4Hクラブに参加してから、いろいろの友だちを知り、お互いに悩みや苦しみなどを打ちあけ合うこともできましたが、もし友だちから4Hクラブを紹介されず、参加することができなかったならば私は消極的でみんなの前で意見発表をすることさえ不可能だったでしょう。

ある一定の年令がきたならば、親の勧めるままに、ある程度の花嫁修業を身につけ、適当なところに嫁に行くように、一番大事な青春時代をそんなことで終っていたでしょう。今の私は友だちに感謝すると同時に、ただ名前だけのクラブ員でなく、大いに語り合い若い力を発揮し、何ごとにでもぶつかってみたい気持でいっぱいです。若い時代は二度とない、若いうちだけなんだ、そんな時代をただ親の言う通りに左右に動くロボットでよいのでしょうか。

人間的に成長する意義ある時代に、お花、お茶、和洋裁を習えることも女性として必要なことですが、ただそれだけに終ってしまうなんて、残念に思います。人間として物を覚えたり、知ることはもちろん良いことですが、その前に、私たち青年として成すべきことがいっぱいあるはずです。

世の中の人間の生き方はそれぞれ異なり、金のために生きる人、生きるために働く人、人間それぞれさまざまですが、金では解決できないもの、それは人と人との心であり想い出ではないでしょうか。

同じように学校を卒業しても、一人は社会に出て行き、一人は家に残る場合、社会に出た人は、どうしても人と人とが接する機会も多く、苦労しながらも自分のためにプラスとなり、いずれは社会のために役立つことができるが、どうしても家に残る人は、外に出ないため人と接触する機会も少なくなり、だんだんひっこみがちになります。女性だからそれでもいいじゃないか、という人もいるでしょうが、いずれは一家の主婦となるのです。そのためにも大いに社会性を身につけたいものです。

昔のように主婦の話題が、隣近所の悪口やウワサ話で終ってしまうようでは、いつまでたっても女性の社会性は開かれません。だからこそ若い時代に4Hクラブ活動に参加して近代女性としての社会性を身につける必要が望まれるのではないでしょうか。

私は農家に生れながら、農業という職業になんの理解もなく、農業をきらい死んでも農家には嫁に行かないと、そんなことを考えていたときもありました。しかし、4Hクラブ活動に参加して考え方が一度に変ってしまいました。

親がいなくても立派に明るく育っている友、農業に"一生をかけるんだという友、農業だけが私の生きがいなんだと頑張っている友の話しを聞き"そうだ私だって同じ人間だ、意気ある若い女性なんだ"社会のために役立つ人間として生きたい、何ごとにもやってやれないことはない、若い情熱をこの農業のためにかけていきたいと思っています。4Hクラブに参加して貴い体験をつんだ私の青春は、必ずこれからの人生に役立つものと感謝し、この活動に励みたいと思います。

農村社会と近代化 楽しい生活はこの心で

岐阜県岩村町4Hクラブ会長 成瀬忠雄

最近、都市の農村化という耳新しい言葉も聞かれますが、私たち農業者にとって考えなければならない問題は、農村の都市化という現象であり、その現象が農村社会におよぼしている影響、またそれらに対し、私たち青年はどのような体勢をとるべきか、という問題ではないかと思います。

農業基本法が制定されて以来、口ぐせのように農業の近代化といわれていますが、その結果はどうでしょうか。さらに昨年は、農業構造政策が制定され、この農業構造改善によって、こんごの農業がどのような姿に変わろうとしているのか、期待と不安で複雑な気持になるのは、私一人ではないと思います。しかし、ここで再認識しなければならないことは、農村の都市化、農業の近代化といっても、直接関係あるのは私たち青年であり、これらの現象をどう農村社会にとり入れて、いままで封建的といわれ、さらに斜陽産業とまでいわれる農業をどう解決していくかは、私たち青年以外にはありません。

農村も最近は、都会のように便利になり、農協で何んでも買えるようになったし、テレビをはじめとする電気製品や車などが、すっかり農家生活に浸透しつつある今日、農村の都市化ということを考えると、むしろ当然あるべき姿といえるかも知れません。

しかし、農村社会から一歩視野を広めた場合はどうでしょうか。一見、農村の生活様式も都会のように近代化されていますけれどもそれは、あくまで生活の表面だけが変化されただけであり、農村社会を構成している人の精神は、以前と変らず、一歩遅れた社会を構成しているのが現在の農村ではないでしょうか。

近代化されつつある農村社会も昔からの風習、人間関係などまだまだ多くの問題がとり残されています。農村の生活様式も年々変化してきていますが、これを深く検討してみますと、すべて経済的な条件、つまりお金というもので置きかえられているにすぎません。

人の愛と精神は、お金では買われないように、人の真の心は絶体にお金に置きかえられるものではありません。楽しい明るい農村生活を築きあげるのは、私たち青年の「この心、この腕に」すべてがたくされているのではないでしょうか。

農業の生産面をいくら向上しようと叫んでみても、私たちが住んでいる農村社会が同時に近代化されなければ、真の農業の向上も近代化もなしえないのではないでしょうか。

ある人は「農村の風習などは、歴史が自然に解決してくれる」といいます。たしかに、いつかはそのような時代がやって来るでしょう。しかし、こんな考えでよいのでしょうか。一日も早くこの夢を、いや当然あるべき姿を実現するために努力していくのが青年に課せられた役割ではないでしょうか。

そこには当然、社会の厚い壁が横たわっていますから一人の力ではとうてい解決できません。私たちが4Hクラブで培いあった力を結集して、この厚い壁を打ちくだいて行こうではありませんか。

農業経営は記録簿から
経営を記帳で分析 理想を着実に実現へ

静岡県静岡市 静岡4Hクラブ 榎本秀一

最近のみかん栽培ブームにのって、西日本は、みかん一色にぬり潰され、その生産量もうなぎ登りにふえはじめました。なかでも九州は顕著で、その勢いは市場を左右するほどになってきました。私も去年の秋、半月ばかり大分県へ実習に行き、その雄大さに驚き、恵まれた立地条件を利用しての機械化による協業経営に、時代の最先端をいくみかん作りを感じ、今後の静岡でのみかん経営に一抹の不安を抱いて帰ってきたのです。

さて、希望に燃えて農業高校を卒業してからまる二年、最近では我家の農業経営の中で、今自分が最初になすべきことは何か、ということが次第にわかりかけてきました。

私の家は、みかんを主体とした複合経営でみかん園一㌶、茶園三十㌃、水田二十㌃の経営を行なっています。労力は父母と私の三人ですが、みかんの収穫時には延べ三十人位の労力を雇います。経営に関しては殆んど父まかせですが、その父ももはや六十歳になり、最近では私にいろいろと相談するようになり、私も少しづつ責任を感じてきました。

しかし、父に相談をかけられても、私は自信をもって"どうしよう"ということができません。父と話し合う間もなく、父の経営方法にまるめこまれてしまうのです。

その原因はどこにあるのでしょうか。私が在学中に学んだことはすべて農業の理想像であって、経験の浅い私の念頭には、理想の柑橘園しかなかったのです。しかも理想と現実とは余りにもかけはなれていて、現在の経営に私の理想を口ばさめば、すぐ父との対立になってしまいます。しかし農業経営四十年選手の父と二年そこそこの私とでは、いつも敗北者は決っているのです。敗北者の私はそのたびに、父の経営をそのまま受けついていくような不安に駆り立てられるのです。

しかし、私は長い間の経験、体験そのものについては尊いと思いますが、ただ経験からくる勘にたよる農業に、何か納得のいかないものを感じ、人間関係の複雑さからくる義理がたい経営に不満でなりません。

どうしたら父との対立をさけて自分の夢を実現の方向に進めることができるでしょうか。それが"一日も早く一人前の経営者にならなくては"という使命感を負わされた私の悩みであり、この悩みを解決しないことには、私の前途に太陽は輝かないような気がしてなりません。

さて、そんな悩みをもった私が記録簿の記帳を始めたのは、四十一年七月からでした。そして最近経営の記録簿をつけることによって、私は何か自信の湧いてくることを感じてきたのです。

先日も私が農協から、土壌調査の結果を聞いてきて"家の山はPH三・七だから六・五まで上げるには、十㌃当り三百五十㌔の苦土石灰を施肥しなくてはだめだ"と図表をもっていうと、父は何んなく妥協し、それからは私に施肥計画をまかせ、私は自信をもって計画の遂行にあたりました。

このことは、私と父の考えとが偶然に一致をみたのかもしれませんが、それは、経営簿記の記録の中から科学的な根拠の上にたって、我家の経営を数字的に分析したことによって、頑固な父の経営の一角を砕いた、と思いたいのです。そう思うことによって新たな自信が湧き、自己の経営をより分析して知ることこそ父との対立をさける唯一の道だと思いました。

"経営記録簿の記帳"一日五分間のこの仕事が若い私に自信を与えてくれるのです。今後の農業は急激に機械化の方向に進むでしょう。しかし、理想を追い機械化を追って、現実における自己の経営を見つめることを忘れたら、我々は、その理想も機械化も達成することができないでしょう。記録簿の記帳、それはスローテンポではありますが、私の夢を着実に実現の方向に導いてくれるのです。

最後に私は農業経営が、一つの企業であることを忘れてはならないと思います。我々同志が企業的センスを充分身につけて団結し、共に考える農業人となることによって、明日の農業への期待と、自信が湧いてくると確信します。

4Hくん No.121

マコトくんいる？

クローバちゃんだ

チョッチョッとまってねかたずけるから

バタバタガタガタ

アッ地図の画ビョウがとれたよ

アリャヤ？地図の下は女の人の写真だ

ママー

親子懇談会開く

長崎・愛野町4Hクラブ

【長崎】南高愛野町4Hクラブ（会長、上田哲夫君）はこのほど同町農協で親子懇談会を開いた。

この懇談会には十八人の全クラブ員と親たちが出席、宮崎同町教育長や農協技術員らの助言のもとに活発に意見をかわした。

クラブ員たちは「農業の楽しみを味わえるように、親は自分たちに何割かの田、畑をまかせてほしい。そうすれば責任をもって一生懸命努力するようになるし、自営の効果もあがると思う」「農業所得の中から自分たちが必要なお金を貰えるような親子関係を」「農休日を設けてほしい」など日ごろ考えていることを訴えた。

これに対して親たちからは「さいきんの若い人たちが農業に意欲をもやし、クラブをつくって真剣に考えるようになったことはよい傾向だ。こんごも郷土の農業発展に頑張ってほしい」「儲かる農業をめざして畜産にもっと力を入れていってはどうか」などの意見が述べられた。

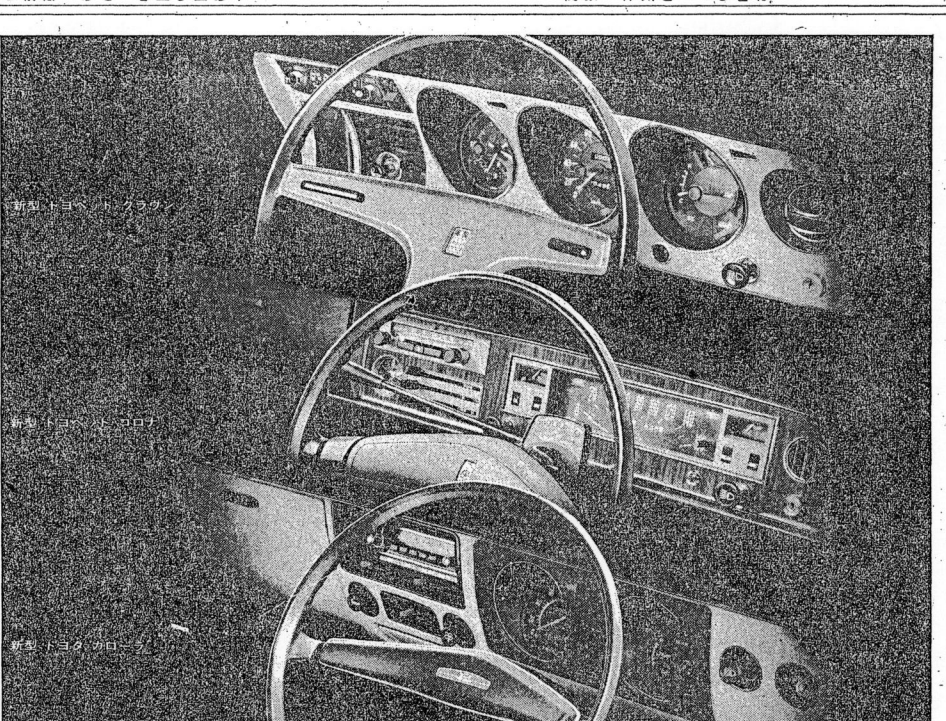

学習活動に励む 千葉県・三芳4Hクラブ

酪農経営に励む鈴木会長

結成以来、二十年という古い歴史をもつ三芳4Hクラブは、水稲共同耕作地をもつ4Hクラブとして、NHKから放送され、全国的に有名になったが、去る三月二十六日通常総会が開催され、昭和四十三年度の新会長に、鈴木勝美君が決定した。

鈴木君の家の経営は、乳牛二十五頭を飼育し、年間七百万円余りの収益をあげており、四十二年度のNHK優秀農家で関東地区・第二位に選出された。

このように、経営内容の充実もさることながら、今度の会長就任にあたっては、とくに房州人として欠けていると思われる心臓の強さ、大胆さを身につけようと発言し、例年実施している研修旅行も八郎潟（秋田県）の村つくりを見学しようと、新しい感覚にたち意気盛んである。

共同プロジェクトや個人プロジェクトにおいても、クラブ員の研究心は旺盛で、今後、自立経営農家となるために、二十名のクラブ員はいっそう団結し、自主性を高めながら、次代の三芳村を背負ってたつ青年となるべく努力をつづけている。

映画 激しい戦慄 冷血（コロンビア・映画）

キャンザス州西部のホルカム村は、人々にあまり知られていないさびしい地域である。土地はほとんど小麦畑というのどかな農村である。

一九五九年十一月十四日深夜、名士として人望を集めていたクラター家の四人が、何者かに殺害された。クラター家の電話は切断され、余り色したあともなかった。主人のクラター氏と息子のケニヨンは地下室で、母親ボニーと娘のナンシーはそれぞれの寝室で無惨に殺害されていた。

翌朝、事件のあまりの残虐さに村の住民たちはふるえあがった。人々の心には"あの人望の厚い一家が―"という驚きが強かった。

全州組織K・B・Iのベテラン刑事アルビン・デューイーは、フィニー郡の保安官アール・ロビンソンに事件を依頼された。最後には、十八名の刑事がこの事件に専念するわけになったが、その中にはK・B・Iえりぬきの捜査官が含まれていた。

事件はまったく不可解であった。一見して犯罪の動機がまったくない。刑事たちは、懸命に捜査を始めた。クラター家の親類縁者その他すべての関係者に尋問が行なわれた。尋問し、歩きまわりどんな小さな手がかりでもつかもうとしたが、時間は容赦なくたった。

一ヵ月すぎて事件は迷宮入りとなるかにみえたが、キャンザス州立刑務所の囚人ウェルズから事件の核心が引きだされた。

ウェルズは、かってクラター家の使用人であった。彼は囚人仲間のヒコットという男に、クラター家の金庫について話したことがあるというのだ。そのヒコックが出所して襲ったのではないかという仮説がたてられた。捜査線上に二人の人物が浮び刑事たちは色めきたって活動を開始した。

ヒコックは、キャンザス生れで二十八才、詐欺及び小切手偽造の罪歴をもつ、職業は自動車工で、頑強な体格をしている。ペリーはネバダ生れの三十一才、窃盗の前科があり。悲惨な家庭環境に育つ夢想家。

事件発生後一ヵ月半たってヒコックとペリーはラス・ベガスで別件逮捕された。

ヒコックとペリーは別件逮捕され囚れの身となった

さとわのうた 春の野

一、真白に見えし、雪消えて、野は面白くなりにけり。草もはえ、木も芽ばり、雲雀鳴き、蝶も飛ぶ。吹くともみえぬ春風を、なびく柳に知るばかり。

二、いつしか待ちし花咲きて日も暖かになりにけり。友さそい、籠さげて、すみれ摘み、れんげ取り、遊ぶも楽し、春の野に、長き日影のうつるまで。

これは童謡「桃太郎」を書いた田辺友三郎の詩である。田村虎蔵の作曲になる明治二十七年の小学二年の歌にでているが、田村は大江山、花咲じじい、浦島太郎、金太郎、牛若丸、電車唱歌、大黒さま、一寸法師、青葉の笛など童謡を沢山つくった。時まさに明治も三十年代というから素晴らしい。現在も老幼男女に至るまで広く愛唱されていることはうれしい。しかし初掲した「春の野」の詩はかくも美しく、春の野をうたいあげているにもかかわらず余り知られていないのはなんとも淋しい気がするのである。昔若き情熱に燃えて高歌した旧高校生の寮歌に託して春の花に最高の讃美を贈った「春爛漫の花の色」「嗚呼玉杯に花うけて」「芳野の花の華を尋い」「洛陽の花霞の桜の下に嘯（うそぶ）き逍遥し」「花の香漂う宴遊（うたげ）の莚」にと若き高らう感情の旋律をうたい逍遥したのである。

歌は嬉しき時の友ともなり、悲しき時の母ともなり、嗚呼二十歳（はたとせ）の栄華の夢をむさぼりて文明の化に人酔ったものである。

今日、私が古き日の郷愁として寮歌に憧憬し、沈潜し、讃美を感じたわけではないのである。桜の花のいかにもはかなく散る散りぎわの美しさに、ふとそのような歌が想いおこされたのである。

親鸞上人は皇太后宮大進藤原有範の子で叡山で得度される時（十歳前後と記憶するが）周囲の方々は余りの若さを哀れみ、もう一日お延ばしなされてはと申されたという。その幼き親鸞はそのとき

明日ありと思う心のあだ桜
夜半（よわ）にあらしの吹く
よしもがな

とうたわれたという。私はこの歌を座右の銘にしている。桜花を美しく観賞するとき、この歌が彷彿としてきて、日頃何事も「明日にまわしてしまおう」と思う心の反省の銘としている。

話は変るが、アメリカの黒人運動の指導者マーチン・ルーサー・キング牧師が四日夜凶弾に倒れ、全世界に異常なショックを投げかけた。一九六四年のノーベル平和賞受賞者である。一九二九年（三十八歳）人種差別のきびしい南部ジョージア州に生れ、ハーバード大学、ボストン大学で神学を修め、ガンジーの非暴力主義を黒人の行動方針に唱え、最近はベトナム反戦運動に全精力を集中していたという。恒例となった「暑い夏」の黒人暴動が早くも到来した感があり、ジョンソン大統領がベトナム和平の明るい話題を投げかけた直後でもあり、心なき一市民の行動が、全世界の人に暗い陰をおとしてしまうのである。

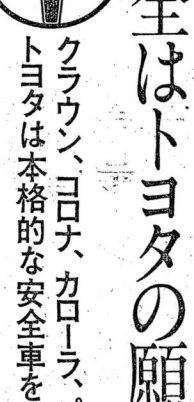

アメリカといえば、四十三年度の「草の根大使」が決定したようだ。北村君、山本君そして国励さんの三人である。頑張ってきてください。あなた方の先輩である佐藤章夫君が四月四日号にIEYEのすすめを書いている。彼は交換計画帰国者でつくっている国際農村青年交換日本協議会の事務局長をやっているが、山形と東京間を全くこまめに飛びまわっている。諸君たちがこの会に入れば三十四名となる。佐藤君は「この計画がピープル・トウ・ピープル以上にファミリー・トウ・ファミリーとなり、育てられた相互の友情、青春時代に受けた人間的愛情が必に刻みこまれ、人と人の結びつきが国間の外交に結びつき、それ以上の平和のとりでになる」といっている。外国から日本を見ること、これ程日本を認識できるものはありません。（範）

日本4H新聞
4Hクラブ 農事研究会 生活改善クラブ 全国弘報紙
発行所 社団法人 日本4H協会
東京都市ケ谷家の光会館内
電話(269)1675
編集発行人 玉井光
月3回・4の日発行
定価 1部 10円
6ヵ月180円(送料共)
一ヵ年360円 〃
振替口座東京 12055番

クラブの綱領

私達は実践を通じて自らを磨くとともに互いに力を合わせてよりよい農村、よりよい日本を創るため四つの信条をかかげます。1、私達は農業の改良と生活の改善に役立つ腕をみがきます。1、私達は科学的に物を考えることのできる頭の訓練をします。1、私達は誠実で友情に富む心をつちかいます。1、私達は楽しく暮らし、元気で働くための健康を増進します。

通常総会開く

全国4Hクラブ連絡協議会

勢ぞろいした四十三年度の全協新役員
右から丸山会長、飯田、黒田両副会長、大鹿事務局長、久野、小原両事務局次長、高田、坂井両監事

砂川副会長

村上監事

活動方針など決る

会長に丸山君(富山)を再選

全国4Hクラブ連絡協議会(丸山勉会長)は、さる十四日、東京・新宿区市ケ谷の家の光会館一階会議室で四十三年度の通常総会を開き、四十三年度の会長に丸山勉君(富山)を再選するとともに新役員を決定、また、プロジェクト研究会の開催や懸案の4H会館建設の推進などを通じて、4Hクラブ活動の活発化、自主性の確立、組織の強化などを図り、4Hクラブ員に課せられた使命達成と社会から寄せられる期待に応えるため努力することを誓い合った。

=関連記事三面に

総会には、全協代議員(各県連会長など)と執行部、それにオブザーバーなど五十余名が出席、午前八時半から黒田保事務局次長(茨城)の司会で開会した。飯田喜代視副会長の開会のことばのあと全員で4Hクラブの歌を合唱、続いて丸山会長と、来賓祝辞として新田日本4H協会事務局長、岩崎茂全協初代会長のあいさつ、法邑伸一資格審査委員、運営委員長(富山)の総会成立宣言、運営委員三名の選出に続いて前田一博同委員長(熊本)の日程説明があり、このあと議長団に高田勲(北海道)大鹿良夫(埼玉)松野芳正(岐阜)の三君を選出、また書記に坂井邦夫君(佐賀)と古川喜美子さん(愛知)を任命して議事審議に入った。

まず、岡田石京正事務局長(埼玉)が四十二年度の全協事業経過を報告した。

これに対し、4H週間の行事や青年の船団員の派遣、ブロック4Hクラブ推進会議の日程編成やその必要経費、他団体との連けい強化などの質問、要望などのほか、再び「各県連が夏の技術交換大会や農村教育青年会議などの行事を運営しているのに、その全国大会に全協がタッチしていないのはなぜか」という質問が出され論議を呼んだ。しかし、この全国大会への全協の参加について、執行部がこれまでの経過について説明するとともに、こん後の方向も各県連の考え方によって決ると強調し了承を求めた。

また「総会の資料を開催日二週間前に各県連に送付するよう規約につけ加えてほしい」という緊急動議が出されたが、一議案として後で新たに審議することにして採決の結果、事業報告を万場一致で承認した。

続いて四十三年度の活動方針と事業計画案について太田正紀副会長が説明。

これに対して、4Hクラブ推進本部の設置、OBとの協調、明治百年記念事業、青年の船団員の推せん数、専任事務局員の月十日間の駐在、各県連への連絡の徹底化、後継者育成に関する子供会などの働きかけの内容、外郭団体との関係、農協青年部とのつながり、4H新聞の購読、手引きの発行、4Hクラブ中央推進会議の方向などについて質問が出された。

とくに明治百年記念事業として今秋奈良県で開催する「全国4Hクラブ員のつどい」でも記念行事を計画しているが、この明治百[illegible]よりもむしろ4Hクラブ発足二十周年記念を強く打ち出してほしいという要望が出され注目をひいた。これについて討論のあと[illegible]し原案通り決定した。

ついで資料の関係で審議を後にした四十二年度の収支決算について岡田事務局長が報告。これに対し、4Hの手引き、役員派[illegible]費、未収金、全国4Hクラブ員のつどいの経費、事務局職員の手当などについて質問が出されたが、執行部説明のあと[illegible]監事(神奈川)の監査報告とともに承認した。

このあと四十三年度の収支予算案について岡田事務局長が説明。これに対し、役員会議費の減少、4H会館推進費の増加の理由、ブロック推進会議費の増額、[illegible]金の減少、来年度のプロジェクト研究会の開催内容、専任事務局員の待遇改善などの要望や質問、意見が出され、討論のあと、執行部提出どおり原案を可決した。

ついで顧問、参与を推薦、また先きに緊急動議として提出された規約改正について審議した結果、全協執行部も農業に従事して忙しいので、総会に出席する代議員も前年度の資料について勉強するように努力し、資料もできるだけ前に県連に送付することを申し合わせ、規約改正を否決した。

このあと4H会館建設について岩崎建設委員長(全協初代会長)のあいさつのあと黒田事務局次長が説明、協力を求めた。

これに対して代議員からも[illegible]が国に4Hクラブが発足してから今年は二十周年にも当るので、県連で募金を開始し立ち上[illegible]と積極的な意見が出され、その[illegible]

新役員の陣容成る

会長	丸山 勉	再選 富山県
副会長	飯田喜代視	再選 奈良県
同	黒田 保	前事務局次長 茨城県
同	砂川みさ子	埼玉県
事務局長	大鹿 良夫	同
事務局次長	久野 知英	愛知県
同	小原 忠孝	岩手県
監事	高田 勲	北海道
同	村上 光雄	広島県
同	坂井 邦夫	佐賀県

ブロック代表評議員(男子)

北海道	時田 繁志	上磯支庁
東北	佐々木 剛	青森県
関東	古川 忠己	長野県
北陸	久保 博	富山県
近畿	村田 喜昭	京都府
東海	岡田 常雄	三重県
中・四国	森田 一紀	香川県
九州	上杉 光弘	宮崎県

プロジェクト全国研究会開かる

その重要性を見直す

多数のOBクラブ員が支援

全国4Hクラブ連絡協議会(丸山勉会長)と社団法人日本4H協会(松下幸之助会長)共催の「4Hクラブプロジェクト全国研究会」は、総理府、文部省、NHK、全国農村青少年教育振興会などの後援をえて、さる十三日東京・家の光会館で開催された。この研究会は、4Hクラブ活動の生命であるプロジェクト活動の取り組み方について、発表に基づいて研究し、正しい姿を見い出すと同時に活発化を図ろうと全協が中心となって今回初めて試みたもの。同日は助言者として全国各地からOBクラブ員もかけつけ、クラブ員のプロジェクト研究発表、各県青少年担当者と講師、それにOBクラブ員代表によるシンポジューム、講演などによってプロジェクトの正しいあり方を研究協議し、こんご各地区でプロジェクト活動を活発に展開していく足がかりとした。

=関連記事三面に

白地に「全国4Hクラブプロジェクト研究会」とブルーで大書きしたたれ幕。その下に鮮やかに映える国旗と4Hクラブの旗ー。4Hクラブの歌のレコードがムードを盛り上げ、会場には、プロジェクトの取り組み方について真剣に研究しようとする参加者の意欲があふれていた。

午前十時半、黒田全協事務局次長の司会で開幕。飯田副会長の開会のあいさつに続いて、主催者を代表して丸山全協会長と新田4H協会事務局長が、プロジェクト活動について再認識の必要性を強調するとともに、同活動の活発化を図るよう熱心に研究してほしいと呼びかけ、また来賓を代表して徳山正人文部省社会教育局青少年課長から祝辞と激励のことばがおくられた。

ついで、総理府青少年局の山崎八郎参事官補佐はじめ、講師の中田正一氏(海外技術協力事業団茨城国際農業研修館長)助言者として出席された宮城孝治(日4H協会副会長)西川香雄(全国農村青少年育成研究会長、全協参与)星野武四郎(埼玉県立農業経営伝習場長、同)芳賀惣典(茨城県専門技術員)各氏、同じく全協歴代役員の宍戸貞之(福島)荻原貫一(岩手)小川重雄(埼玉)麻生浩一(大分)内田一(栃木)長田清吉(静岡)山賀英二(新潟)遠藤満之丞(神奈川)岩崎康男(和歌山)の各君が紹介された。梅田清鐐(宮城)堀場厳(岐阜)高野秀雄(富山)君らからの祝電の披露のあと4Hクラブの歌を合唱して開会式を終了。

ひき続いて、二会場に分れてクラブ員によるプロジェクト活動の研究発表に入った。発表者は十一名。発表内容は基礎的な学習プロ[illegible]から専門、経営、調査プロ[illegible]く揺れ動く現代の農業を反[illegible]ものなど多様にわたって[illegible]いずれも日ごろ真剣に取り[illegible]いるプロジェクト活動の研[illegible]と今後の抱負を披露、これ[illegible]助言者や一般参加者から[illegible]次ぎ早やに出され、持ち時[illegible]五分が短く感じられるほ[illegible]話し合いが続けられた。

このあとパンと牛乳で昼食をすませ、午後から「プロジェクトの取り組み方」と題するシンポジュームに移った。

出席者は、中田、芳賀、各氏とOBの宍戸、小川両[illegible]

星野氏の司会で進められた。まず[illegible]

[illegible]

初のプロジェクト全国研究会であいさつする文部省社会教育局の徳山青少年課長

[illegible]強調し、参加者を激励された[illegible]

涼風暖風

ヨメトリ道路

飛石ながら東名高速道路がいよいよ開通した。

これが全線開通になると、名神高速道路と結んで東京・大阪間をノンストップで六時間たらずにするという。

ところで、先日、大阪からの帰りを飛行機にした。機種はおなじみのジエット機727である。

大阪空港を飛びたって三十分、飛行機はすでに木更津上空にあった。あいにく着陸を待つ先客が四機もあるとか、十五分間旋回するむねアナウンスがあって、乗客の間からいらだたしそうな舌うちがおこった。

空港上空で十五分も待たされるのなら、東京・大阪間三十分のジェット機をわざわざ使わなくてもよさそうなものを、と素朴な疑問がわきおこった。それにもまして、東京・大阪間の移動で十五分ばかりのロスにイライラしている人たちを目のあたりにして、世の中はせまくもなり、忙がしくもなったものだと感心した始末。

交通機関の発達は、われわれの生活を時間的にも、空間的にもせばめているのだ。

東名ハイウエイの開通も例外ではない。名古屋周辺でとれるイチゴが東京市場へドッとおし寄せる日も近いだろう。静岡イチゴや日光イチゴの天下だった東京市場へ、名古屋産のイチゴが東名高速道路をすっとんでくる、という寸法である。

「時間」を重要な商品要素としている農業生産が増加しているときだけに、このイチゴの例にもみられるような時間的、空間的せばまりは農業にも大きな影響を与えている。

高速道路が産業と密接に結びついていることは自明の理であるが、日本の場合はややもするとレジャーとの結びつきのほうが強いようである。ハイウエイはカッコいいひびきを若ものたちに与えこそすれ、産業道路を連想する場合は少ないかも知れない。しかし、現実には道路は産業と表裏をなしている。だとすれば、農業もこれと無縁ではありえないはずである。

無縁でないといえば、高速道路の開通は結婚とも無縁ではありえない。またも通婚圏がひろがったのである。あなたが恋いこがれる隣まちの愛ちゃんを、一千キロ先の太郎がライバルとして恋いすることを高速道路は可能にした。

高速道路はヨメトリ道路として、若ものたちの夢をひろげ、ファイトをかきたてる。

(文部省・伊藤)

心頭技健

[illegible]

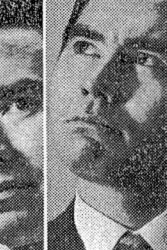

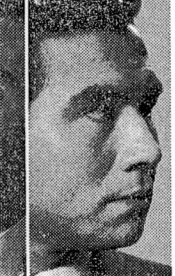

全協 43年度事業計画の全貌

さる十四日、東京・新宿区市ヶ谷、家の光会館で開催された全国4Hクラブ連絡協議会（略称全協）の四十三年度通常総会で決定された活動方針と事業計画は次のとおり。

プロジェクトを重視 クラブ活動伸展に地道な努力

活動方針

[illegible]

事業計画

（1）事務局体制の確立

組織の強化と主体制の確立

[illegible]

4Hクラブの使命と精神の高揚

（1）ブロック4Hクラブ連絡会の開催

[illegible]

（5）後継者の育成

会議の開催

[illegible] こうしたつどいの中で互いに交 [illegible] とめ地域社会への貢献に資する。

外部団体との連けい連絡協調

（1）中央機関

[illegible] 国民会議の構成団体として、青 [illegible] 助言をあおぐ。

4H会館建設の推進

[illegible]

やる気になった代議員 募金活動へ踏切る

4H会館建設へ〝論より証拠〟を

[illegible]

こんどの全協総会で、執行部から会館建設の具体的な構想が示され、一出席者の呼びかけから出席者全員が資金カンパを行ない、まず自らその決意のほどをみせ募金活動へ踏み切ったのである。

全国クラブ員の心のよりどころとして、また現役とOBクラブ員の結束を図る旗印としてのクラブ [illegible]

[illegible] 長、岩崎茂氏（静岡）を委員長とする会館建設委員会を結成、同委員会を主軸として年次計画をたて建設問題と取組んできた。

同委員会は、全協歴代役員と現役の執行部、県連会長などで構成されているが、その後の活動は、会館建設の具体的な構想の欠如によるPR不足、実行動の推進母体 [illegible]

[illegible] 建設推進の状況に関心を示すクラブ員もふえ、徐々に機運が盛り上ってきていた。

このような中で、とくに四十二年度は、会館建設を大きく左右する土地問題に一応メドをつけようと全協執行部が努力、また会館の具体的な構想についても同時に検討し青写真の作成を急いできた。

[illegible]

執行部の説明によると、土地については国有地を払い下げてもらうことが、現時点において建設推進上最大の必須条件であり、その運動を進めるようにしたい。しかし、国有地の払い下げは法人格の団体、会社などが対象となるので4H協会へ依頼するのが妥当であることが指摘された。

[illegible]

また、会館も総工費何億という超デラックスなものは自分たち農村青少年の力では無理なので、自分たちにふさわしいものにしたい―など別記のような構想が示され自分たちの手で作るので、盛り上がりが必要であると強調した。

これに対し、県連会長などからも「4H協会を動かすためにも、自分たちの手で資金カンパする必要がある。とくに四十三年度は明治百年にも当るし、4Hクラブの二十周年の記念すべき年でもあるので各県連で募金を開始し、会館建設へ立ち上ろう」と会館建設に積極的な意見が出された。

続いて、一出席者から「いくらやろうといっても、手本を示さなければダメだ。今日ここでカンパしよう」という呼びかけがあり、これに応えて全出席者が自主的に七千余円をカンパし、募金の足がかりをつくった。

一方、4H協会に協力を求めるため、会館建設要望の署名運動を展開することになり、全出席者が署名、こん後各地で、できる限りクラブ員の署名を求めることを決めた。

こうして会館建設の推進母体が全協の手に移され、募金ののろしをあげたが、こん後各クラブ員の協力が会館建設を大きく左右するものとみられるので、全国クラブ員の積極的な資金カンパが望まれる。

なお、会館建設の具体的な構想は次のとおり。

4H会館建設の推進、新役員などが決定し、退席のあいさつする議長団

日本4H会館建設の構想

一、土地に関して

青少年の教育施設という観点から、環境のよい交通の便利な東京都内の国有地などを借用する。

一、資金について

全国のクラブ員、OBからの寄付金、賛助金、その他をもってあてる。

一、施設に関して

全国のクラブ員が研修、宿泊できるものとし、全協、4H協会などの事務所を置く。そのため最低必要として次の施設が考えられる。

▽大研修室、一五〇平方㍍（二百名収容）▽中研修室、六〇同▽小研修室、三〇同▽事務所、九〇同（二～三ヵ所）▽展示室、三〇同▽談話室、一五同▽倉庫、一五同▽管理室、三〇同▽宿泊室、一二〇同（六〇名収容）▽食堂、六〇同▽その他必要なもの（風呂、便所、廊下など）

建物の高さは、法的な条例で、用地の広さによって異ってくることが考えられる。

4H会館建設に協力 県連独自の事業展開へ

中・四国ブロック会議開く

中国四国農村青少年クラブブロック会議は、香川県農村青少年クラブ連絡協議会（会長、森田一紀君）の主催によってさる三月二十一、二十二の両日、香川県綾歌郡国分寺町の同県農村青年研修館で開かれた。

第一日目は、開会式のあと分科会にひき続いて全体会議を開き、各県連の現状、組織づくりと連絡強化、クラブリーダーの養成などについて話し合った。夜は県連会長会議を開き意見を交換した。

翌二日目は会議のあと坂出市常盤公園（番ノ州工業地帯）はじめ高松市鬼無町のカーネーション栽培、同市牛島町の五色台みかん園をマイクロバスで巡回視察し、午後二時高松駅で解散した。

会議の主な内容は、クラブの組織づくりについては、市町村や各関係協力機関、団体にクラブ活動の内容を説示するとともに、農業高等学校を訪ねて卒業後農業従事予定者に4Hクラブ活動を紹介しよく理解してもらい、新人クラブ員を確保する―など。

また、リーダー養成については将来クラブの中心人物となると目されるクラブ員を、全国大会はじめ中央研修会、中・四国ブロック会議、近県クラブ交換会などにどしどし出席させ、その成果をクラブ活動に反映させるよう各県連が協力することに意見が一致した。

県連会長会議では、現在の県連は県の行政の手助けをしているに過ぎないので、これからは県連独自の事業を積極的に推進すべきであるとの意見が多かった。

また、4H会館建設については各県連が協調して全協の方針に協力することを約束した。

農政局長ら推戴

全協の顧問、参与に

全協は、このほど開いた四十二年度の通常総会において、顧問、参与に次の人たちを推たいした。

【顧問】森本修（農林省農政局長）富樫覚悟（同普及部長）宮脇朝男（全国農業協同組合中央会長）東畑精一（全国農村青少年教育振興会長）大山勇（日本放送協会農事部長）松下幸之助（日本4H協会長）宮城孝治（同副会長）三宅三郎（同常務理事）

【参与】矢口光子（農林省農政局生活改善課長）猿島眞一郎（同普及教育課青少年班長）西川哲雄（全国農村青少年育成研究会長）鳥野武四郎（埼玉県立農業経営伝習農場長）新田健吉（日本4H協会事務局長）岩崎茂（全協初代会長）長田清吉（全協前会長）

船引町4Hク連協を結成

福島・八つのクラブ

【福島】船引町内にある八つの4Hクラブがこのほど、百三十余人の会員相互の親ぼくを図ろうと連絡協議会を結成した。

また、役員を次の通り決めた。

▽会長 安瀬利男▽副会長 石井秀一、佐藤幸子▽監事 和田恒夫、佐久間康夫、吉田朝子▽会計 佐藤清美、根本君江▽幹事 大山秀一、渡辺芳雄

高森町でも4Hク連を結成

熊本・七つのクラブが協調

【熊本】阿蘇郡高森町にある上色見、清栄など七つの4Hクラブがこのほど一本化し連絡協議会を結成した。

同町内の七つのクラブはこれまで、横の連絡がなくそれぞれ独自に活動していた。このため横の連絡を密にして相互の親睦を図り、また互いに協調して健全なクラブ活動を推進しようと同地区普及所の音頭でこのほどその結成大会が開かれたもの。

会員は百十人で、役員を次の通り決めた。

会長 楢木野孝一（上色見4Hクラブ）▽副会長 岩下雅文（南）佐藤すみ子（清栄）▽監事 本田消隆（清栄）▽書記 岡本和雄（草部南）▽会計 岩下征一（色見）

恵那クリ七百五十本を植樹

岐阜・黄金4Hクラブ

【岐阜】恵那市笠置町の黄金4Hクラブ（会長・林忠義君）はこのほど、同市恵那峡近くの毛呂窪地内の山林にクリの苗木七百五十本を植えた。

クリの苗木は恵那ロータリークラブ（伊藤源記会長）から〝恵那クリ〟栽培の奨励として贈られたもの。

クラブ員は約一ヘクタールの山林を開墾して苗木を植えたものだが、三年先きには収穫でき、現金収入が得られる。それだけにクラブ員たちは、この黄金の木を一本一本恋人のように管理し実がつくのを楽しみにしているという。

新入会員の歓迎会

北海道・浦臼4Hクラブ

【北海道】空知地区浦臼4Hクラブ連絡協議会（会長、近藤日出雄君）は、このほど浦臼高校でプロジェクト計画発表と新入クラブ員の歓迎会を開いた。

物語る努力の足跡 機関誌「水菜」を発行

＝静岡・北駿4Hクラブ＝

【静岡】北駿4Hクラブ（会長真田勝君）はこのほど、クラブ機関誌「水菜」第一号を発行した。

同クラブは、全国4Hクラブ連絡協議会が毎年十二月に開催している全国4Hクラブ中央推進会議の会場として知られる御殿場市の国立中央青年の家の周辺、富士山麓で活躍しているクラブ。クラブを結成してからことしで三年目になるが、クラブ員は発足当時の十四名から三倍強の三十名にふくれあがり、昨年は全国の4Hクラブ員に呼びかけて富士登山を実施し単位クラブとしては全国でも例のない大事業を見事に成功させるなどめざましい活躍ぶりをみせている。

こんどの機関誌の発行もその成長を物語るものであるが、一頁一頁にその努力のあとがにじみ出ているようだ。

内容は、4Hクラブの綱領、クラブ活動を紹介するグラビア、四十二年度の会長、滝国口建夫君の巻頭言に続いて▽北駿4Hクラブに期待して▽北駿4Hクラブ四十二年度の活動から▽富士登山▽研修旅行▽論壇▽研修報告▽失敗・成功▽役員の横顔▽4Hクラブ員名簿―などからなっており、江藤北駿農業改良普及所長や山城静岡県連会長の激励のことばをはじめとして、クラブ員の体験談や意見、悩み、喜び、活動報告、他県クラブ員からの寄稿など百名近い人たちの原稿が手ぎわよくまとめられている。

その中から、クラブ員の意識やクラブ活動に対する考え、農村青少年、若者としての生き方、単位クラブの活動とその努力の跡がよみとれる。5S版のガリ刷り、九十頁。

このほど発行された静岡県北駿4Hクラブの機関誌創刊号

プロジェクトの取り組み方

全国研究会 シンポジウム報告 ①

プロジェクト研究会におけるシンポジウム討議

シンポジウムでは、現在、4Hのプロジェクトが直面しているいろいろな問題が、あらゆる角度から熱心に討議された。壇上は、右から芳賀、西川、中田、星野の諸先生、および宍戸、小川両元全協役員。

★別報の通り、さる三月、東京の家の光会館において、4Hクラブのプロジェクト全国研究会が開催されました。社会の変転につれて4Hのプロジェクトも変って来ており、研究会では、今後の活動に大いに参考になる多くの問題点が指摘され、話し合われました。以下は、そのときのシンポジウム討議をまとめたものです。★

出席者

中田正一　海外技術協力事業団 茨城国際農業研修館長
西川哲雄　農村青少年育成研究会会長　全協参与
芳賀惣典　茨城県専門技術員
宍戸貞之　福島県安達郡　元全協役員
小川重雄　埼玉県大里郡　元全協役員
司会　星野武四郎　埼玉県立農業経営伝習場長　全協参与

四段階ごとに工夫
課題は重点的に絞って

司会　それでは、これからシンポジウムを始めることにいたします。はじめに、先生方のご感想やご意見を伺うことにいたしましょう。それでは芳賀先生からひとつお願いいたします。

芳賀　まず、みなさんが発表に使用された図表についてですが、その図表を使って何をいわんとしているのか、なかには非常にいいのもありましたが、はっきり浮び上ってこないのがいくつかあったという感じがするんです。枚数からするといろいろありましたが、必要な枚数はなければなりませんが、あまり多過ぎると、何をいおうとしているのか判からない。

それから、みなさん自身、農業経営をやっておられるのだから、例えば、一つの作物を作っても、栽培管理あるいは栽培技術、労力の問題から、収支決算、所得の問題などいろんな問題があろうと思う。わずか十分間の中で、自分自身が最も問題にし、課題にしていることに絞って発表してもらわないと、何をいおうとしているのか判からないということになるのではないかと思います。

例えば、キウリを作っても、一番問題になるのは労力のことなんです。そういうときは労力について発表されるのがいいんじゃないでしょうか。もちろん農業経営をやっているんだから、最終的には金を儲けなくてはなんにもならないといわれるかも知れないけれども、プロジェクトとしては、日本語に訳せば課題解決活動ということになっているんですが、課題をできるだけ絞って発表されたらいいんじゃないのか。あるいは、プロジェクトに取組まれる場合にも、このことを解決したいということを絞って、はっきり目標を絞って入られるのがいいのじゃないのか、ということを感じました。

それから、プロジェクトというのは四つの段階でやるんだということは、みなさんご存知だろうと思うんです。課題を見つけて、計画をたてて、それからそれを実際にやって、それから最後に集計してまとめ、評価する。このうち一番難かしいのは評価ということではないかと思いますね。

なにか例えば、ここにこういう一枚の紙があります。「この紙は大きいですか」とみなさんに聞いても、みなさんはどう答えますか。物差しがなければ大きいのか小さいのか判からないわけですね。物差しをこの脇に当ててみて、何センチある、それは何センチより大きいとか、小さいとかいえるわけですね。

ところが、みなさん方のまとめ、あるいは反省、評価をみてみますと、その辺のところが弱いんじゃないのかという感じがしました。その物差しになるのはなにかというと、二番目の計画がなるのではないでしょうか。その計画の中に目標というものも加えなければならない。そういうふうに思うわけです。

私、聞いておりまして、私がいまお話したようなことにピッタリ合っている発表もありましたし、それからそういうふうなことから離れている発表もあったように感じました。

結論は急がないで
大切なのはその過程

司会　それでは二番目に、小川さんからひとつお願いします。

小川　私は、技術的なことについてはそれなりの問題があると思いますが、このプロジェクト研究会のことについて、私の感じました問題点を二、三、申しあげます。

まず、4Hクラブであるという建前から、必ずこれはプロジェクトをもつということがむかしから一つの定説のような型で進められてきたんですけど、最近、農業に従事される方々の、われわれが農業を始めた時代とは大分いまの時代は違いまして、かなりつっ込んだ、要するに儲かる農業ということに重点をおいて、内容そのものがかなり広範囲にわたって、プロジェクトというものが取りあげられているということが感じられたのです。

私は、このプロジェクトの発表ということは、ちょっと内容からいって好ましくないと思っています。といいますのは、とかく発表となりますと、成果があがったことについて発表したいのが人間の常であります。

そうなってきますと、どうもプロジェクトそのものの一番大切な過程ですね、自分がやっていく過程がおろそかになって、とかく自分がやろうとした動機に対してつねに結論を急ぎがちであるというふうに思うんです。

したがいまして、私は、この形式もまあ分科会といいましょうか、ある程度小グループに分けまして、発表の図表ということでなくて、図表そのものも見るということで、そして、私はいままで農業に従事してこういうふうな問題を親とともにやってきたんだけれども、とくにことしはこういう点にぶっかったんだと、一年間やってきたんだけれども、この問題はどうしても解決できなかった。したがってこの問題を一つ、みなさんして、きょうはお話ねがいたいということで、一つの全国的な集会もその課題解決のための集会になれば、私は非常にすばらしいんじゃないかと思いました。とかくきょうの発表を、前に私もこういう発表に出たこともありますが、とかくどうも発表のための発表という気持が非常に強いので、一年間継続的にやってきたものについては、昨年まではこうだったのだ。ことし一年こういうことについて重点的にやってきたんだけれども、こういう結果になってきたんだというありのままを、過程をですね、結果でなく過程を発表してですね。そしてお互いにその環境の中で話し合いをもっていくということが今後望ましいのではないかと思うのです。

それともう一つ、全国的なこういったもので、とくに私が大切に思っことは、やはりその地区、地区によって一つの特徴があろうかと思う。その地区の特徴をいかにして、われわれが仲間とともにその問題に取り組んでいくか、もちろん自分を中心にして話されてもいいわけですけれども、その中に自分がとかく一人では解決できない大きな問題があろうかと思います。そういう問題をもう少しほり下げて話してもらえれば、なお、みなさんの参考になろうかと思います。

位置づけを明確に
時代の厳しさの中に生きる

司会　三番目に、西川先生どうぞ。

西川　こういったプロジェクトの問題についての研究をもつ、こういう機会は実はこのかた4Hクラブが始って以来なかったわけです。

ここにも資料の中にございますように、プロジェクトということがどうもこの頃くずれてきたとか、あるいはゆがめられているとか、あるいはどうもプロジェクトという考え方が混乱している。まあこんなような見方がだいぶんあっちこっちからでてきている。この際この辺で、4Hクラブの生命とするプロジェクトとは一体どんなことだろう、そこで一つみなさんプロジェクトと称するものを持ちよって、それを見たり聞いたりして、そこで確認をしていこう—そういう意味のシンポジウム、これはたいへん貴重な機会だと思います。

なにも、わんさわんさと押しかけてやることではなくて、じっくりやって考えるという、そういう意味でたいへん貴重な機会だと思います。

そこで、プロジェクトについてはもう申すまでもございませんが、4Hクラブが始って以来この基本的な考え方については、変っておらない。ただ、こういうふうに経済なり、社会の変革で農業も当然移り変り、そういう移り変りに乗じてそのプロジェクトとして取り上げる内容がやはり変ってきている。これは当然のことだと思います。

きょうも発表を聞かせていただいたのですが、非常になつかしい昭和二十四、五年頃のプロジェクトの発表も聞かせてもらいました。と思えば、まことに厳しい市場競争、あるいは経済競争の中で経営を担当していくという激しい時代のプロジェクトと格闘しているのも聞かされました。むしろ後の、時代の農業の中でプロジェクトというものが生きてきているということがはっきりいえると思います。

そこで私は、プロジェクトというのは自体一つの目標をもたねばならないと思います。その目標というのはすでに新しい時代に対応した農業者、あるいはもっとはっきりいうと農業経営者という言葉を使っていいと思います。立派な経営者になるための学習の手段であるということがいえると思います。

そういうふうに考えますと、取り上げたプロジェクトというのも、もっと位置づけという点に、はっきりと考え方をもっていただく必要がありはしないか。

例えば、あなたの家の経営の実体はどうかということを相当厳しく質問いたしますと、高校を出た、農業高校を出た人ですら、自分の家の農業の実態はなかなか理解していない。そういう実状です。

ですから、プロジェクトもやはりそういうふうに経営の実態、あるいは診断、分析などから始めて、そしてその中で自分がどの面を取り上げるかというプロジェクトの位置づけを明確にして、それを分担していく。ただ、その分担も全く俺が独立してやるんだということだけではなくて、それは十分経営の中に広げて、いわばガラス張りにして、そういう形で分離、あるいは独立して自分でやっていくという、こういうプロジェクトそのものの位置づけをまず明確にしていただくということが必要かと思います。

それからいま一つは「何々を作りましょう」というふうなプロジェクトの取り上げ方、これはこの方二十年そういう形ですが、プロジェクトは、さっき芳賀さんがおっしゃったように課題解決が一つのねらいだとするならば「何々を作って」というよりも、その作る過程の中にどういうふうな課題があるか、それから何の課題を解決するためにこのプロジェクトをしなければならないのか、つねに課題中心の中でプロジェクトというものを組み立ててみる。という課題性に富んだ内容のものでないと、単なる実験であり、単なる生産である。それは考えるとか、創造していくとかいう一つのプロジェクトの達成がないんじゃないかと思いまして、とくに課題性を明確にした進め方をしたら、もっともっと立派な活動ができるのではないかと考えました。

司会　どうもありがとうございました。それでは次に、宍戸さんからお願いします。

宍戸　私は4Hクラブ歴、ことし十年を迎えます。

きょうみなさんの発表を聞かせてもらって一番感じたことは、いま先生からおっしゃったように、プロジェクトが大型化しているということを感じました。これも時代の波に乗ったもので、私の方のクラブ員にもそういう傾向がありますけれども、きょう感じたことはそれよりも大きいということです。

その大型化したプロジェクトが、同じクラブの中で同じ課題をテーマにしている人がいないですね。プロジェクトがクラブの中で話されるときに、一人ひとりが違うということで孤立するんじゃないかと思います。せめて二、三人の共同プロジェクトでも結構ですが共同プロジェクトの形はきょうは見なかったのですが、こういう中で果して、この春学校をおえて新しく入られる後継クラブ員がどう思うだろうと私は考えました。こんなに立派な、そして普及員の先生より知っているような、いや詳しいような発表もありましたが、そういう立派な先輩の中に入ってきた新しいクラブ員はどう感じるだろうとそれをみなさん考えてみていただきたいと私は思います。

多彩な個人プロ
年少者には学習的なものを

司会　それでは次に、中田先生どうぞ。

中田　いま、宍戸さんから、きょうの発表の中には共同プロジェクトがないというお話がありましたね。私もその通りだと思います。だいたい従来の分け方でいくと、個人プロジェクト、しかし個人プロジェクトのいろんな形が出てきていてたいへん勉強になりました。

たいへんおもしろかったんですが、例えば、個人プロジェクトの中で、茨城の日下さんの「水稲の追肥重点主義を試みて」

これは、むしろ学校を出たばかりの方が、水稲栽培を自分の自由に一つ水稲の生理を勉強して、自分の自由に水稲を作れるようになりたいという、きわめて基礎的な学習プロジェクトだと思います。ですから、水量を綿密に調査しながら追肥をやり、水稲の生理をよくトレースしていった。

それから、愛知の古川さんは電照菊に取り組んで、それにハイトランジャーを栽培に入れる。これは、新しい経営を考えるのと同時に、その花の色とPHの関係あたりを研究していく、まさに、これらは学習プロジェクトで、若い人のプロジェクトとしては非常にふさわしいものじゃないかと感じました。

次に、富山の福島さんの水稲に施設園芸。トマトやキウリを責任をもってやっているプラスアルファで、お父さんが水稲で、自分は施設園芸をプラスアルファとして、これはある部門を自分の責任において親から独立してやりましょうとそういうのがありますね。そしてトマトとキウリの収入は福島さんの収入になる。

それから、おもしろいのは、岩手の菅沼君の「農閑期における椎茸の不時栽培」

これは出稼ぎの問題とかませて考えた。非常に農村社会の深刻な課題と自分のプロジェクトをからませて考えてみた。しかも、その取り組み方は、お父さんから引き継いだものではあるが、自分の主体性で、椎茸栽培を独立して二十万円の収入をあげるという。社会の問題とからませたもの。

それから、長野の原田さんのは「開拓地にはばたく」というのですが、これはまさに経営プロジェクトですね。

お父さんがいまやっている経営全体、生活全体をひっかかえて、それをプロジェクトにしているという経営プロジェクトの構えです。大きいといえば大きいですが、そういうふうにたくましくはばたいている。

それから最後にあったのは、山梨の伊藤さんは、県連および地区連のプロジェクト。

こういうプロジェクトは、私は初めて聞いたんですが、そういう意味では、これはたいへんおもしろい。県連とか地区連は必ずプロジェクトに取り組むという問題。いま全協はプロジェクトを進めることを、全協のプロジェクトとしているんじゃないか。だから、こういう会合をもっている。

まあ、そういう感じがするんですが、県段階、地区段階におけるプロジェクト、ただ、これがなかには調査プロジェクト、だから、女子の方が家の中の生活調査なんかをやる場合の調査プロジェクトに非常に似ているんですが、家の中の生活じゃなくて地域の生活と取り組んだ、ただそのあとで、こんどは必ず実践が通じてくる。実践の前段階としての調査プロジェクト、といっていい。

そういう意味において、いろんなプロジェクトが出てきて楽しかったわけです。

司会　五人の方々から、それぞれ最初の発表をしてもらったわけですが、引き続いて、いまの順序で、補足的な発表があります場合には、発表をお願いいたします。最初に芳賀先生どうぞ。

芳賀　さきほど私は、問題とか課題を絞ったらどうだといいましたがこれは問題とか、課題をはっきりするということなんですね。はっきりするということはどんなことかというと、同じ稲を作っても、さきほど、中田先生がおっしゃったように、その生産量をあげる、あるいは稲の生理を勉強するというふうな目標をもったプロジェクトもあるし、あるいは他の作物の労働の問題があるでしょうし、あるいはさらに年令が直接経営にタッチしてくるようになると、所得の問題、あるいは水稲の占める所得構成比の問題、というふうなことがあると思います。

それから評価の問題、物差しが必要だ、物差しは計画じゃないか、ということをいいましたけれども、計画と実際との差、それが次の課題につながっていくんだと考えます。

それから最後にもう一つ。課題、計画、実施、評価という四つの段階がありますが、そういうものに取り組む方法があるのではないか、という気がするんです。

課題のとらえ方、計画のたて方、それから実施なり観察の仕方、あるいは評価の仕方というように、その辺のところを具体的にこうしたらどうだという意見が出てるし、あるいはみなさん自身も体験的にそういうものを持っておられるだろうと思います。そういうものをお互い出し合って整理していったらきっといいという気がするんです。

司会　どうもありがとうございました。それでは次に、小川さんひとつ。

小川　一言申しあげます。プロジェクトを現在指導している機関がとかくその方に力が弱っているんじゃないかと思うんです。

したがって、実際学校を終えて農業に従事する人たちが4Hクラブの中に入って、どのようにして、プロジェクトを進めていくかという取り組み方を、やがてはみなさんがその指導的な役割りを果たす人たちになってもらわなくてはならないと思います。

そして、やはり学習プロジェクトといいましょうか、生産プロジェクトといいましょうか、そういうものは、中学生なりあるいは小学生の頃から、ウサギ一匹、ニワトリ十羽というふうにして育てていくということを、みなさんもこれから大いに考えてもらはなくては、ならないんじゃないかと思います。

司会　どうもありがとうございました。それではつづいて、西川先生お願いします。

西川　全体の流れとしては、経済を無視した学習活動というのはやはり問題があろうかと思います。

そこできょうも聞いておりまして、その人の個々の経営の問題を取り上げて考えるという点では、それ相応にご研究されておるわけだけれども、一応そういう問題からある問題につき当って、いま一歩外へ出て、それをこんどは組織もいまの経済の中でどういうふうに適合した組織化をしていくか、その辺に、グループの長い将来の展望を考えながらプロジェクトというものをもっていかないと、まことにプロジェクトのためのプロジェクトというふうになりかねない。マンネリズムのプロジェクトになろうかと思います。

そういう意味で、いうならば、例えば、市場競争という、市場の問題はだいぶ出ていました。で、そういう一つの市場競争というふうな問題に対応して、その生産力としての組織化、そういうふうなことも当然クラブが発展してくれば予想できるわけです。

プロジェクトも、したがって、その辺の展望の中でどういうふうに位置づけしていくかというふうな、個人からこんどは組織へと考え方を拡めて、考えてみていただきたい。そういうふうにしてもらえば、マンネリズムから少くともプロジェクトというものは脱脚していくだろうと思います。

新人の指導に問題
組織内で分けるのも便利

司会　それでは次に宍戸さんひとつお願いします。

宍戸　さっきも申しあげたことなのですが、普及の先生以上のような技術をもったクラブ員の方が多い中に、新しく入られるクラブ員をみんなでどうもっていったらいいのか。プロジェクトを中心にしていかなければいけないこの4Hクラブをどういうふうにして引っ張っていかなくちゃいけないのか、ということを大いに考えなくちゃいかんと思います。

さっき、先生から組織のお話があったのですが、そういう意味でない組織を、きょうも発表にありましたが、茨城県の方にクラブ内を三つに分けましてうまくやっているという話も出てきました。そういう方法なども、これからは考えなくてはいけないと思います。

司会　最後に、中田先生お願いします。

中田　いま、西川先生と宍戸さんから組織の問題がでたわけなんですが、4Hクラブというのはプロジェクトのグループだといっておるわけですが、グループ活動との関連におけるそのプロジェクトがきょう濃厚に聞けなかったのが残念です。

新しい人間関係をどう確立していくかということはグループの問題ですが、それと生産との関連をどう考えていくか、これは一つ考えていくべきですね。（以下次号へつづく）

日常の農業および生活上の諸問題を解決する実践的な学習活動

◀投稿案内▶

本紙は、みなさん方の新聞として、全国のクラブ員に利用して戴きたいと考えています。それでクラブの催しや個人のプロジェクト、詩、短歌、随筆、写真、悩みや意見、村の話題、伝説、行事その他なんでも原稿にして送って下さい。

お願い ❶長さや形式は自由です ❷できれば簡単な説明をつけた写真をそえて下さい ❸送り先 東京都新宿区市ヶ谷船河原町十一 家の光会館内 日本4H新聞編集部

草の根大使の抱負

心は太平洋をこえて

民間外交官は、はばたく

◇四十三年度「草の根大使」＝北村篤君(二〇)神奈川、山本哲嗣君(二〇)鳥取、国島淑子さん(二一)＝の三人は、さる十八日大きな使命と期待を胸に秘めて羽田を出発した。三人はこれから六ケ月間の滞米の間、4Hクラブの世界大会への出席や、それぞれが分れて各州のホストハウスに入り、米国農業や農家生活の実態を知り、また4Hクラブの行事への参加を行い、名実ともに「草の根大使」として、日米間の国際親善の民間外交官として活躍するわけである。三人は出発を前にして、IFYEの代表に選ばれた抱負を次のように語っている。◇

この目でたしかめたい

国島 淑子

両親のもとを離れて、一度自分の力を試してみたいと前から思っていた。ちょうどその機会がやってきた。日本だけでなくて外国で。IFYEの代表と決まってからの毎日は、英会話の練習やらみやげ物、その他の荷物の準備、あちらこちらの歓送会などで忙殺された。

私たちの役目は、アメリカの一般家庭の中に入り、日常生活を共にしながら、アメリカの風俗、習慣、文化などを学ぶ一方、日本のそれを紹介して、日米間の親善のために尽くすということである。

外国人といえば、いままでは遠くから珍らしそうに眺めていただけ、それなのに今度は周りのすべてが、そのような人たちの中へ一人で入って行くだけにおもしろい。アメリカへ行けるということは、このうえない喜びであるが、外国生活の華となる英語が何ともたよりないので心ぼそい。しかし、いま先のことをあれこれと心配したところで仕方がない。いまはできるだけのことをしておくことにしたい。

先月末、いろいろなことを知りたくてIFYEの先輩である三重県の中井さん、小林さんに手紙や電話で伺った。とくに中井さんには、家まで押しかけて行って教えていただいた。アルバムを見せてもらったが、各地域での4Hクラブの会合やら、世界大会、ホストハウスの人々との生活などの写真が二冊のアルバムにぎっしりとはってあり、英文でスラスラと説明がしてあった。

まったくアメリカの生活になれきってしまったような中井さんの様子に、うらやましく感じてしまった。そこで「よし！私もいままでの人たちに負けないように頑張ろう」と決意を新たにした。

いまは遠く離れたアメリカに、心を馳せている。カルフォニアだけでも日本と同じ位いの広さがあるという。そんなに広大なアメリカとはどんな所だろう。映画で見るように美しい山や川や平原があるのだろうか。4Hクラブの活動状況はどうだろうか。仕事と余暇との区別はどのように考えられているのだろうか。日常、主婦は何を考え、行動しているのだろうか。

いろいろと聞いてはいるが自分のこの眼で確かめてみたい。そして日本の4Hクラブ員の代表として、また日本人としてその名に恥じないように、この重大な任務を果たしたい。

また、アメリカを見た上で日本の良い点、悪い点をみなおし、まず自分をなおしたい。つぎに家の地域へと吸収してきたもののすべてを広めていきたい。どこまで私の力を及ぼすことができるか、わからないが、それがIFYEに選ばれた私の義務であろう。これから六ヵ月間、苦しいこともあるだろうが、自分を甘やかさずに、よく自分に負けないように頑張りたい。

よい意味で大きくなる

山本 哲嗣

いよいよ羽田を発ってアメリカに行くことになりましたが、まだ実感として感じ取ることができないような状態です。たしかに、アメリカ大使館のゴードン・S・ニックス氏と話すのに言葉が通じなくて困ったように、なにかにつけて不安があります。

しかし、アメリカからの各種招待状、契約書などをみて、こんどの渡米の意義を一層強く認識することもでき、だんだん熱意をもって頑張って来たいと考えるゆとりができてきました。

アメリカでの私の行程は、シアトルでオリエンテーションを受けたあと、オレゴンからニューハンプシャーまで飛びます。その間、4Hクラブの世界大会にも出席します。この中で私は、とくに農業経営、農家生活に対する（農業者だけでなく）考え方、また4Hクラブを私の体験のもとに実情を知りたいと思っています。

こんどの渡米につきましては、けして自分一人の力でなく、地域のクラブ員の支援と、各関係機関の温かい理解があったために実現したものと考えています。くれぐれも自分を見失なうことのないように自重し、良い意味で山本は大きくなった、と自分でも感じるようになって帰りたいと思っています。

そうして、まず自分自身の向上と、地域農業発展のためにつくしたいし、私が常々願っているように社会的に広がりのあるものを収得したいと思います。

とにかく、二度とないチャンスを充分に生かしたいと思います。

4Hクラブと人間教育

北村 篤

出発を間近にして、アメリカという偉大なる国家を想像……世界だけでなく、現実にこの目、足で大地を踏みしめることは私にとって人生の重要な一ページとなると思う。

アメリカ農業を見聞し、また4[illegible]

アメリカ合衆国という言葉に私[illegible]うな影響をあたえているか。

[illegible]

春と修羅

[illegible]

東南アジアを訪問して (一)

埼玉県入間郡富士見町 南畑・南畑4Hクラブ 砂川 みさ子

五色のテープに涙

夢ははるか"東南ア"に

青年の夢と希望をのせて走る一月十九日東京港を出航し、東南アジア七ヵ国と沖縄（全日程五十三日間）を親善訪問の旅した青年の船"さくら丸"に、幸運にも全国4Hクラブ連絡協議会の推薦をいただき、乗船することができました。そして寄港地、あるいは船内においての数々の貴重な体験を積んで帰国できました。いろいろとお世話して下さったみなさま方に心から感謝いたします。

みなさんもご承知のとおり"青年の船"事業は、明治百年記念事業の一つとして、今年初めて実施されたもので、今までの海外派遣団と異なり、海外の視察、親善のみだけが目的ではなく、規律ある団体生活を通して、次代をになう中堅青年を育成する、という大きな目的が加えられています。

職業が違い、年令が違い、学歴がちがい、考え方まで大きく違う全国各地の青年が五十余日間、一つの船内において集団生活をするということに多いに学ぶ点がありました。

さて、私たち4Hクラブ推薦の七名は、それぞれがバラバラの班編成に組分けされ、その大部分は異った日程、異なった体験をして来ました。各寄港地からは、かかさず4H協会に船のようすを知らせる便りが届けられ、すでに4H新聞で読まれている方も多いと思いますが、私は帰国して自分の頭の中を整理するためにも、また、これらの体験を生かすためにも、日本を離れた時から順をおって、書いてみたいと思います。ただ、個々のできごとにすぎない内容も多くなるかと思いますが、しかし、どんなささいな小さなできごとでも、それは私にとって貴重な体験であり、青春の一ページを飾るにふさわしい想い出であることを多少理解していただきたいのです。

同じ日に同じ行動をした人でも人により感じ方、見方の違いはあるはずです。けれども文章にまとめるとなると、むずかしく、焦点のぼけた文章に終るかもしれませんが、私が実際に肌にふれ、見たまま、感じたままを書くつもりです。

今こうやって、自分の机の上に向い短かかった五十余日の船旅を思い返してみると、また夢の中をさまよっているような錯覚におち入ります。旅をしている時は、またすぐ東南アジアぐらいなら気軽るに来られる程度に考えていた海外も、やはり日本に帰り、家におちつき仕事が忙しくなると、海外は地図でみる遠い国にもどってしまいます。

あっという間にお正月がすぎ、私の居るうちに是非にと、姉の結婚式をすませ、あわただしい中を一月十六日、東京オリンピック記念青少年センターに集合し、あわただしい三日間の準備に追われ、十八日、いよいよ乗船。不安に思っていた船内生活は「さくら丸」のすばらしい美しさに消され、不安やうれしさで複雑な気持でした。

総理府講堂での結団式も夢のうちに終了し、翌十九日よいよ出航。家族に船内を見学する時間が来るのがまちどおしかったこと、みな船内の美しさ（特に女性の部屋）にはおどろきました。

私は東京に近いため大勢の方が見送りに来て下さいました。家族はもちろん4Hクラブの仲間や関係者、同級生、親せきの人と思いもよらない人ばかりから激励をうけて出航。五色のテープが色とりどりのドラがなり、見送りの人の声を身にしたとき、いつしか涙を流している自分に気がついたのです。

決してかなしいのではなく、すごく嬉しかったのです。

そして、船が岸壁をはなれました。"さよなら""がんばってこいよ""ありがとう"私は何度心の中でくりかえしたことかしれません。いまも見送りの人たちの声がきこえてくるようです。

良書の紹介

時代の底流に生きる農民描く

北国農民の物語

菊地敬一著（講談社現代新書）

「東北の自然は静かで清らかに美しい。この本は、そこに生きてきた農民たちの遠い長い物語を農民の側から語ろうとしたものである」

「農民とは何であったか。農民は常に何を志向してきたか。そのことから、人間とは何か、人間社会は何を希求すべきものがわかりはしまいか。このことを願いながら、ここに名もない農民たちの誇り高い汚辱の歴史を記そうとするのである」

こんなまえがきからわかるように、著者は、岩手県北上平野の中央部にある後藤野を舞台に時代の底流となってきた人々の悲惨な歴史を、彼らの残した民話や伝説、その他生活の中に沈んでいる資料をほりおこすことによっていきいきと描きだそうとする。むしろ人間と人間との戦いの歴史だったようである。

東北の後進性は、西日本に強大な大和朝廷がうまれたときにはじまる。

「以来、これまでの東北の歴史は、中央から押し寄せる勢力への抵抗の歴史であった」道の奥「エゾ地」として東北は殺りくされ略奪されつづけてきたのだった。

徳川幕府の二百数十年にわたる支配は、被支配者としての農民にきびしいおきてを与えて土地にしばりつけ、てってい的な弾圧の下にゴマのようにしぼりとった。しかも、キキンは前ぶれもなくおそいかかってきた。

そんな中で、農民たちはなぞをかけて大蛇を倒す娘の民話に夢たくして生きぬいていった。一見後進的で封鎖的な農村の生活様式やモラルも、生きるために彼らが生み出した智恵なのであろう。

明治維新の文明開化も、農民には光をもたらさない。国威高揚のみをめざす富国強兵政策の土台となって、経済力のとぼしい農民は、半封建的な地主制の重圧にあえがなければならなかった。泥沼のような侵略戦争で死ぬのは農民の子供たちだ。

そしていま、後藤野だけでなく、全国の農業も農民も、めくるめく転換期のただ中にある。

農民はどこへ行けばよいのか。もちろん、この本はその答を求めようとするものではない。たとえば、ここに長々と引用されるキキンと罪人処刑の陰惨な記録を、ぬくぬくとした室で読む現代とは「何」なのだろう。こう現代を問いつめることから歴史の意味をさぐり、そこに社会変革のエネルギーをみいだせないかぎり、その記録もしょせん無意味なグロにすぎないのである。（二〇〇円）

私の発言

奥行の深い人間性

（厚木市愛・青空クラブ 中野 正義）

農業という職業を基盤に、クラブ活動を推し進める私たちが一つの目的[illegible]人の声を聞き、考えを知って、それぞれの役割を分担して、広範囲にわたる活動を展開している。

最近のクラブ活動は、ややもすると視野の狭い活動を繰始し、指導機関一辺倒な活動になりやすい。私たちクラブは、個人々の自覚の上に立つ自主性を常に貫き自らが企画運営し、積極的かつ科学的なものの見方、考え方によって、奥行きの深い人間性を求めることを念頭としている。

一つの計画性ある仕事や行事を通して行動する場合、問題意識を持ち、批判するなかに改善への方向が開かれ、新しい段階へと前進して行きます。そのようなな行動のなかで反論し合い、苦しみ、感激することにクラブ活動の意義があると思う。

私たちのクラブでは、このような点を考え、クラブ員一人一人[illegible]

花づくり運動推進

富山魚津市4Hクラブ

魚津市4Hクラブでは、このほど同市農協会館において総会を開き、新年度の活動方針をきめた。主な事業として❶近代農業の推進をはかるためのプロジェクト活動の実施❷女子部の活動の充実❸花づくり運動を推進するなど、このあと新役員を選んだ。こんごの活躍が期待される。

映画

大追跡戦の迫力

インディアン狩り

（ユナイト映画）

[illegible]か、手に汗握る[illegible]あげている。

☆ ☆ ☆

ロッキー山脈[illegible]歩き回る毛皮狩[illegible]・ランカスター[illegible]を手に入れ、意[illegible]った。だが途中[illegible]アンに行く手[illegible]は、ツーという[illegible]

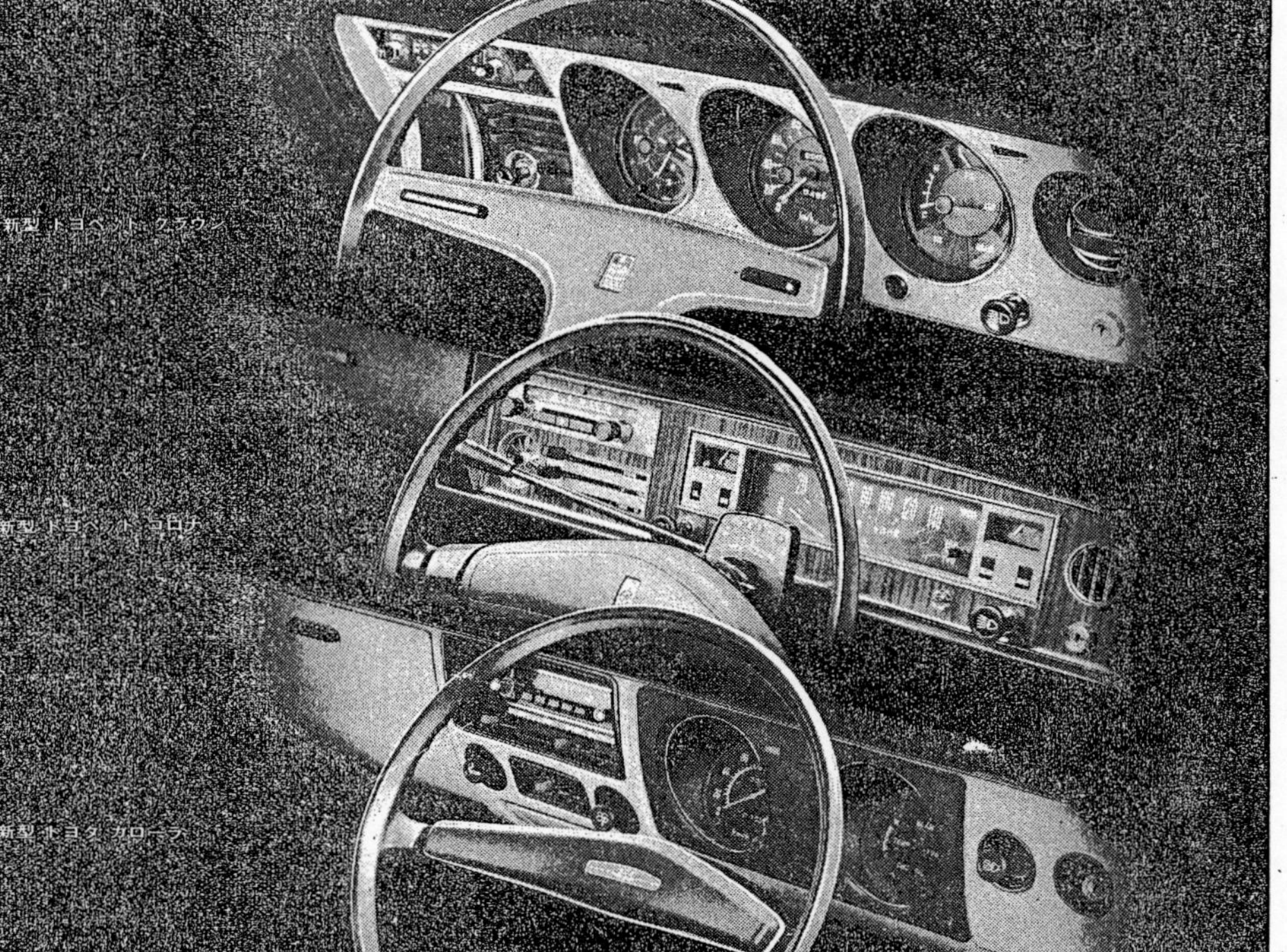

インディアンの酋長は、ジョーに取り引きを命じた。それは一人の黒人と毛皮との命令的な交換だった。

[illegible]いた。酋長は、ジョーに奇妙な取り引きを申し出た。それは、一人の黒人と引き換えに、毛皮を渡せという命的なものだった。

インディアンは、ジョーの荷物を奪って、その変りリー（オシー・デイビス）と名のる黒人を残して立ち去った。インディアンは、なんとしても苦心の結晶である毛皮を諦めることは出来なかった。

ある日リーは、脱走を計ったが、ジョーに捕えられ、一諸にカイオワ族の後を追跡しなければならなかった。奇妙なコンビの二人は、やっとインディアンに追いついた。そこえ突然、一隊の山賊が襲撃してきた。彼らは無法で残虐だった。ツーをのぞく全インディアンは、虐殺され頭の皮を剥がされた。その地方の政府が、インディアンの頭に賞金をかけていたのである。この無法者の指揮者は、ジムという猛者だった。

[illegible]がっていることを知ると、彼女にたきつけてジムを誘導し、盗賊団をメキシコ国境へと向わせた。

ジョーは単身ジムへ攻撃をかけ、ジムの隊は大損害をうけ、部下を失ったジムは、ジョーに毛皮を渡す決心をみせたが、卑法にもジョーを足におとし、遂に彼を捕えた。危うくジョーはジムの手で頭の皮を剥がされそうになったが、リーがジムにとびかかり凄惨な格闘のうえジムを射殺してしまった。

突然この時、インディアンの一隊が襲いジムの手下を一人残らず殺し、ケイトとジョーやリーの命を助けた。しかし、ツーはジョーに向って「この毛皮は俺たちのものだぞ」といってせっかく手に入った毛皮をもちさった。

毛皮への執念の鬼になったジョーは、再びカイオワ族の後を追った。今ではジョーと離れ難くなったリーも彼から馬を進めるのだった。

日本4H新聞
4Hクラブ 農事研究会 生活改善クラブ
全国弘報紙
発行所 社団法人 日本4H協会
東京都市ケ谷家の光会館内
電話（269）1675
編集発行人 玉井光
月3回・4の日発行
定価1部10円
6ヵ月180円（送料共）
一ヵ年360円
振替口座東京12055番

クラブの綱領

[illegible]

各県連 新年度へ力強いスタート

[illegible]

機構改革を図り刷新
愛知県連 会長に飯田君選出

[illegible]

（7）全国4Hクラブ中央推進会議への参加
（8）4Hクラブ幹部研修会の開催
（9）プロジェクト活動の促進と実績発表大会の開催
（10）放送利用農業グループの促進＝❶放送利用モデルグループの育成❷放送利用実践地域の拡[illegible]
（11）4Hクラブバッチの配布
（12）4Hクラブ十五周年記念誌の編集、発行

三、交換、親ぼく活動の展開
（1）県農村青少年技術交換会
（2）県農村青年会議
（3）全国農村教育青年会議
（4）第四回全国4Hクラブ員のつどい

四、他団体との連けいと連絡協調および海外派遣
（1）県青少年団体連絡協議会
（2）愛知県青少年育成県民会議
（3）愛知青少年協会
（4）海外派遣

なお、予算は百二十八万円で、昨年より四万四千円の増加となっている。

再建四年目の意欲
京都府連 村田君を会長に

[illegible]

全協会長に再選されて
会館建設に決意を
必要な幅広い階層との連けい

丸山勉

[illegible]

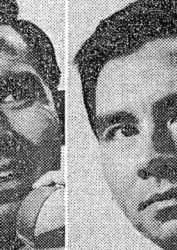

草の根大使（派米クラブ員）が出発

出発前、肉親や親せき、クラブ員などに囲まれ、杉山神奈川県農政課長（右側の人）から激励のことばを受ける派米クラブ員三人（左から北村君、国島さん、山本君）＝羽田空港ロビーで

十万余のクラブ員代表して

国際農村青年交換（IFYE）計画に基づいて社団法人日本4H協会（松下幸之助会長）が農林省の後援をえて四十三年度にアメリカに派遣する"草の根大使（派米クラブ員）"に選ばれた三人＝北村篤（三）横浜市戸塚区・大正4Hクラブ、山本哲嗣（三）鳥取県東伯郡赤碕4Hグリーンクラブ、国島淑子（三）岐阜市黒野古市場・岐阜市4Hクラブ＝の三君は、さる十八日午後九時四十五分、羽田発のノースウエスト機四便でアメリカへ向けて出発した。

春雨けぶるこの日、外人観光客などでにぎわう空港ロビーには、見送りにきた家族はじめ親せき、クラブ員などの関係者でごったがえした。新田日本4H協会事務局長と神奈川県の杉山農政課長の激励のことばを受けたあと、これに応えて三人を代表して国島さんが「日本の十万余の4Hクラブ員の代表として恥じないように頑張ってきます」と力強くあいさつ、家族との記念撮影などをそして出発ゲートへ。やがて機中の人となり、声援をあとに、暗夜に吸い込まれるようにしてシアトル空港へ向った。

涼風暖風

一度に春が……

[illegible]をたてるように消えて、東北[illegible]春が一度に訪れてくる。花も……まちかねたように野山に充[illegible]

[illegible]思いかえす。なんとか、長い長[illegible]くする方法はないのか。家の軒[illegible]重なった雪をはねかえす方法は[illegible]村で一生を送ろうとする青年[illegible]達は長い冬からの脱却である。[illegible]ている部落の農家を一ヵ所に集[illegible]が、二階建の集団アパートをつ[illegible]階は作業場、二階は"雪のうも[illegible]住宅"にしよう。耕地も広くなるし、共同で家畜もかえる…」と強く提唱しはじめたのは、S村で"ベコの糞（クソ）"といわれるN部落の青年達だった。

"ベコの糞"とは、いささかクサイ話で恐縮だが「N衆のベコの糞」といわれるにふさわしい村ぎっての戦斗的なグループからの提唱に、村のそちこちは動きはじめた。

といっても"ベコの糞"はそもそもなんだろうという人が多かろう。ベコとは牛、つまりは牛の糞のことであるが、地上に落ちた牛の糞は、しばらくたつと表面が固くなる。だがもう固くなったろうと思って、踏んでみるとアニハカラン、中はなお軟く……といったことから、"ベコの糞"といえば、悪くいえば"油断がならない"とか"一杯くわされた"とかを意味し、良い意味では"外剛内柔""智勇兼備"といった風に使われてよさそうである。

この雪深いS村のN部落は、いろんな面で"牛の糞"的だった。小学校の統合計画に反対したかと思うと、新生活運動の全国表彰をうける。村長選挙にケチをつけたかと思うと、農家簿記の全戸記帳を実現したりした。

あの部落の衆は油断がならない。しかしなかなかやるもんだ……それが"N衆のベコの糞"という呼び方になっていったが、その部落の青年達がまたまたとんでもない提唱をはじめたのだ。部落中の農家を一ヵ所に集めてしまうことが、冬を短くし、雪をはねかえすことなのだ。こうした青年の主張は、次第に高まっていった。県の農村青年会議でも"青年の主張"として訴えられていった。

やがてこの動きは、山村振興法を動かし昨年全国ただ二つの"豪雪山村開発総合センター"の指定を、このS村がうけるきっかけとなり「短かい冬」に一歩近づくことになった。

（岩手　伊藤）

研究活動の強化へ
滋賀県連 会長に金田君選ぶ

滋賀県連の総会で真剣に協議する各地区代表

[illegible]

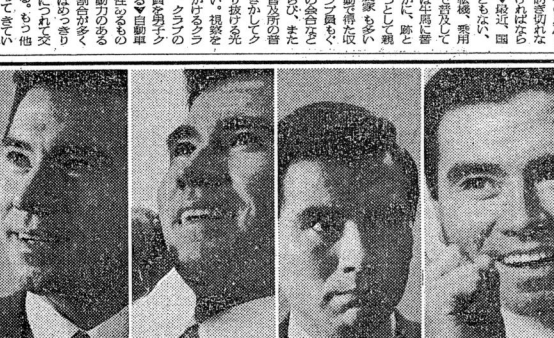

滋賀県連の43年度新執行部（向って前列左・金田会長、右・辻副会長、後列左・真山副会長、右・小島副会長）

[illegible]における各種関係団体との交流、県下クラブ員が一同に会す体力づくり運動❼普及事業二十周年記念に協賛❽仲間づくりの推進＝●農業高校生との連けい▽OB組織の基盤づくり❾県女子青年生活講座の開催（年二回）❿県農業後継者クラブ員名簿を作成し全クラブ員に配布▽知識と技術の交換会の実施と同会への積極的な参加＝▽地区、県と全国段階の農村青少年技術交換会（山形県）農村教育青年会議（東京都）▽近畿農村青少年のつどい（京都府）▽全国4Hクラブ員のつどい（奈良県）▽放送利用農業グループの組織育成▽内地留学への呼びかけと積極的参加▽近江米増収運動への積極的参加＝▽水稲増収共励会▽実績発表会の開催など。

次に収支予算案の決定のあと役員改選を行ない、次の新役員を決定した。

▽会長　金田孫吉（東浅井地区）▽副会長　辻金雄（甲賀）小島悦子（蒲生神東部）足達昭子（高島）▽会計　真山武志（蒲生神西部）

体験文募集など決る
佐賀県連 会長に坂井君

【佐賀】佐賀県農村青少年クラブ連絡協議会（会長、徳永正俊君）はこのほど総会を開き、四十三年の新役員を次のとおり決めた。

▽会長　坂井邦夫（佐賀市）▽副会長　宮原岩政（三養基郡）加茂ミサス（東松浦郡）▽事務局長　江口和彦（杵島郡）▽同次長　小ケ倉一（佐賀郡）原田保子（鹿島市）▽監事　宮崎卓（東松浦郡）前田スミエ（伊万里市）▽常任理事　鶴尾清一（唐津市）柿本豊（神埼郡）峰下勝征（藤津郡）片淵智加子（杵島郡）

また、新年度の事業計画として次の各行事と活動を決定した。

一、クループ組織の強化と主体制の確立
（1）事務局体制の確立
（2）広報活動の推進＝❶機関紙（新聞形式）年四回発行❷機関誌（前期、後期）年二回発行❸日本4H新聞の購読❹参考資料（一六ミリフィルム、しおり、パンフレットなど）の提供
（3）役員の地区連への派遣
（4）クラブ育成資金の調達

二、クラブの使命と精神の高揚
（1）クラブ意識高揚月間＝クラブ員証を会費納入者に対して発行し名簿に登録する。クラブバッチを無料配布し、クラブ意識を誇示し助長する。また登録者の中から全国大会に派遣する。❶デザイン公募（クラブバッチやユニホームのデザインを一般クラブ員から公募する。五月下旬まで）❷年間スローガンの公募❸論文募集（優秀なものは農村青少年大会で発表、表彰し、全国大会の派遣の対象とする。テーマは「クラブ活動に学んで」「私は農家に嫁ぎたい」「働きながら学ぶ私の体験」「青春の喜び」「私の訴えたいこと」「私はこんな仕事に一生を捧げたい」）❹優秀クラブとクラブ員表彰❺クラブ旗の設置
（2）農村青年大会＝佐賀県下の農村青年が一同に会し、相互の[illegible]

坂井県連会長

第1回の執行部会
全協で10日に開く

全国4Hクラブ連絡協議会（丸山勉会長）は、新年度第一回の執行部会を来る十、十一の両日東京・家の光会館内の全協事務局で開く。

議題は❶四十三年度における全協運営❷第一回評議員会と代表評議員会の開催❸日本4H会館建設（募金方法など）など。

[illegible]

心頭技健

[illegible]

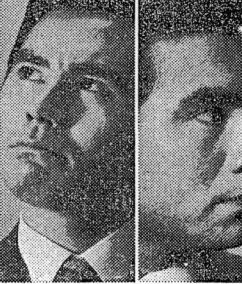

派米クラブ員から第一報

さる十八日、アメリカに向けて羽田空港から出発した四十三年度の派米4Hクラブ員"草の根大使"＝国島淑子さん（岐阜）山本哲嗣君（鳥取）北村篤君（神奈川）＝の三人から、このほど日本4H協会事務局に第一報が寄せられた。三人は、今年十月中旬までの約六ヵ月間アメリカ各地の受入れ農家で生活するが、早くも他国のIFYE（国際農村青年交換）生と親しくなって交友をかわした様子や、また受入れ農家の人たちと楽しく過ごすなど、アメリカ入りの姿を伝えてきている。また言葉は十分に通じないようだが、鋭敏な彼らの眼にアメリカがどのように映り、また身体で受けとめていかに吸収するか大いに期待がもたれる。以下は第一報の主な内容。

"まっことわからん"

国島淑子さん

アメリカへ着いて二日目。あまり異国の感じはしません。まだ近くに北村さん、山本さんがいるからかも知れません。昨日（十八日）は同室のタイ国の代表と話しをしたり、ニュージーランドの代表と食事をしたりして終わりました。十八日の夜九時四十五分（日本を出発した時間）をまた迎えるなんて、とても変な感じでした。

今日（十九日）は午後三時までいろいろな説明がありました。他国（ニュージランド、オーストラリア、タイ国、韓国）の人は英語がわかるのですが、私たちはなにもわかりません。ペラペラとしゃべっておいて「わかるか？」とかいいますが、私は、坂本竜馬じゃないけれど「まっことわからん」です。「アイアム、チンプンカン」とでも言い返してやりたい気持です。それでもなんとか話しが通じるときもあって大笑いをします。

ニュージーランドの男子代表はよく太っています。目方を聞いてみるとポンドで答えたのですが、なんと百五㌔、びっくりしました。するとそばにいた各国の代表が「キャッキャッ」と笑い始めるのです。大きな岩のような彼と小さな私がおかしかったのでしょう。

韓国の代表に漢字で私の名前を書いて韓国での発音をきくと何やら「チョンチョン」という返答。彼は少し日本語がわかるのか少ししてから「ヨシコサン」というのです。まるで日本にいるとき、林家三平にいわれているようで、ついふきだしてしまいました。

午後六時半から最初のホストファミリーへ行きました。初めてアメリカの家庭に入って家庭の楽しさを知りました。主人はものすごく背の高い人です。最初グローブのような手で握手され、電柱のてっぺんと話しをしたときは少々恐怖を感じました。やはり日本人がいいです。いま十九日の午前一時です。

空港でアメリカ4Hクの一端をみる

山本哲嗣君

十九日、アメリカでの第一夜をあかして、顔を洗って最初の筆をとりました。十八日午後きっかりにシアトルに着きましたが、まず寒いのに驚きました。最初は小雨程度だったのですが、だんだんとひどい雨になり、その大変に寒いこと、タイの代表などはなかなか困っていました。空港での税関では誰れのもすごく厳しくやっていたのに、私たちのは"日本の4Hクラブのメンバーです"と言っただけで"オー4H、OK！OK！"全然カバンを開けなくてもよかったのです。まだ知らない、アメリカの4Hクラブに対する考え方の一端をみたようで、とにかく頑張らねばと自然気持ちのひきしまるのを覚えました。

迎えに来てくれた車でYMCAに行ったのですが、今朝（十九日）はよく晴れてはおりませんが静かな天気です。目の前には運河のような入りこんだ港がひらけて、ときどき汽笛が鳴っています。食事は今のところ各自の負担で大体九五セン～一ドルくらいですが、なかなか快適です。

十九日からオリエンテーションが始まりますが、第一日目は大体の予定を聞いたあと各国の代表が紹介し合って、ホストファミリー（受入農家）との夕食が計画されています。また二十日の午後と二十一日の午前中はショッピングや教会へ行ったりして、二十二日韓国の代表とオレゴン州のポートランドまで行きます。北村君はタイの代表とミズリーに向いますが、私だけがバスで、北村君と国島さんの二人は飛行機です。

つい、言葉の失敗も……

北村篤君

天候も回復し、静かな土曜日です。YMCAの四階にある私たちの部屋の窓からは入りくんだ湾内を船が出入する光景が望めます。夜になると、ビルの屋上やショーウインドにネオンサインが輝やいて美しく見え、そのビルの大きさと並んで、いかにもアメリカ的な色彩と大きなスケールです。町なみをすこしはずれると公園があり、桜の花が満開です。傾斜を利用して建てられたビルの群、ストリートは碁盤の目のように整備されています。車のラッシュはありませんが、困るのはオーナードライバーが多過ぎるのか、タクシーをつかまえるより歩く方が早いようです。

十九日は朝九時からミーテングを持ちました。アメリカ4Hの組織や財政、活動などについての紹介やIFYE（国際農村青年交換）のスケジュールについて話しがありました。

午後、私たち三人はYMCAの近くにある領事館にあいさつに出かけ、そこで日本を紹介する数多くの文書をもらいました。三時半からはホストファミリー（受入農家）でデナーを家族と共に過ごすことになっています。言葉が十分でないので失敗もやらかします。例えば「この町は美しい町で、家に帰りたくない」というと「美しい町のある、自分の家に帰りたい」とまったく反対の意味にとられることがあります。二十二日のスケジュールは朝九時から午後三時までで、あとはショッピングの時間です。

ミーテングでは、IFYE生の行く地方の農業事情や農家について話しがありました。北部アメリカの耕作面積は二百～三百エーカー（日本式でいうと八十～百二十町）の面積をもち、気候に恵まれ酪農、果実が盛んに行なわれています。中部から南部にかけては高度に機械化され、一戸当り三百～六百エーカーの面積をもち、小麦やトーモロコシの産地とのことです。

二十二日朝から三人がばらばらになりますが、健康に気をつけお互いに頑張ります。

会長に白木君　岐阜市4Hク

【岐阜】岐阜市4Hクラブ（会長、近藤清美君）は、さる四月十日岐阜市役所で総会を開き、会長に白木義弘君を選んで新年度へ力強くスタートした。

まず四十二年度の事業経過と収支決算両報告を承認、ついで四十三年度の事業計画と予算を決定、また規約の一部を改正したあと役員改選を行ない次の新役員を決めた。

▽会長　白木義弘（岐阜市河渡）▽副会長　神山誓一（三ツ又）国島淑子（古市場）▽会計　大野博司（方県）▽書記　広瀬良夫（東改田）▽監事　古田滋（西中島）高井紫美（鵜飼）早川一夫（同）▽事務局長　村井求（山県）▽同次長　山内礼治（早田）（岐阜市4Hクラブ事務局より）

霊峰 富士山へ登ろう

静岡・北駿4Hクラブ　参加を呼びかける

【静岡】[illegible]ど約百名が参加した。

[illegible]は次のとおり。

[illegible]▽二十一日＝午前四時…八合一[illegible]改善部長は副会長が兼務する。

☆☆5月のこよみ☆☆

▽1日＝メーデー、浜松まつり▽2日＝八十八夜、東大寺聖武祭▽3日＝憲法記念日、博多どんたく、伏見稲荷祭▽4日＝愛知砥鹿祭▽5日＝こどもの日、端午の節句、府中闇祭、旧灌仏▽6日＝愛知大国霊祭▽7日＝最勝名和祭▽8日＝世界赤十字デー、米原鍋かむり祭▽10日＝愛鳥週間開き、東京下谷神社祭▽12日＝母の日、水戸常磐祭▽14日＝出雲大社祭、大垣祭、東京神田祭▽15日＝京都葵祭、七尾青柏祭▽16日＝日光東照宮祭▽17日＝三井寺千団子祭▽18日＝東京浅草三社祭▽19日＝奈良唐招提寺うちわ撒き、愛媛大山祇祭▽20＝酒田山王祭▽25日＝神戸楠公祭、東京湯島天神祭[illegible]

行なうことによって学ぶ

前号につづいて、さる十三日、東京・家の光会館でおこなわれましたプロジェクト研究会のシンポジウムの内容を紹介します。今回はその後半の部分で、質疑応答が中心です。みなさん方にも共通な問題かと思いますので、よく検討してみて下さい＝編集部

発表は順序だてて　時間は一人十五分ぐらい

司会　[illegible]

岡田（三重）　[illegible]

芳賀　[illegible]

丸山（香川）　[illegible]

芳賀　[illegible]

中田　[illegible]

高田（北海道）　宍戸さんにお願いします。さきほどのご発表によりますと、年長者のプロジェクトはなかなか立派なもので、年少者にはとっつきにくいのではないかということですが、ぼく自身考えますと、プロジェクトの種類というのがあると思います。年少者は年少者、年長者は年長者、あるいは能力によっても種類もありますけれども、それでよろしいと思います。ぼく[illegible]に、4Hクラブとしてはこの年[illegible]クトをどう指導するかという[illegible]はないかと思います。

宍戸　その問題でおとといっぱい悩みまして、私のクラブはその対策を、実はこういうふうにしているんです。

実は、私のクラブには高校生も入っています。総勢四十六名がいるんですが、それで高校生クラブ員をA組としました。そしてさっき小川さんがいわれました、ウサギとかニワトリ、そういう小さいプロジェクトを家でやっております。なかには中学生も入っています。

それから経営や生活に協力するみなさんのようなクラブ員をB組とします。この人たちはいま発表されたようなものをしております。それから私のような、もう子ども三人おるんですが、連中をC組とします。A、B、Cと三組にするわけです。

さきほど、茨城県の紹介を聞いたんですが、このようなのがありました。そういう段階でやっております。

そうでないと、こっちで、お父っあんからおこられた話をしているのに、またこっちでは金を儲かった話をしていると、さっぱり定例会がうまくゆかない。女の子は女の子で遊んできた話ばかりしていて、何だかさっぱりうまくない。

そこでそういう組み分けをして、小さい人は小さい人だけ集ってやるようにしました。

司会　なかなか適切なご指導があったんですけど、北海道の人、よろしゅうございますか。何か関連してでも。

まず実態をつかむ　次に、進め方は集団思考で

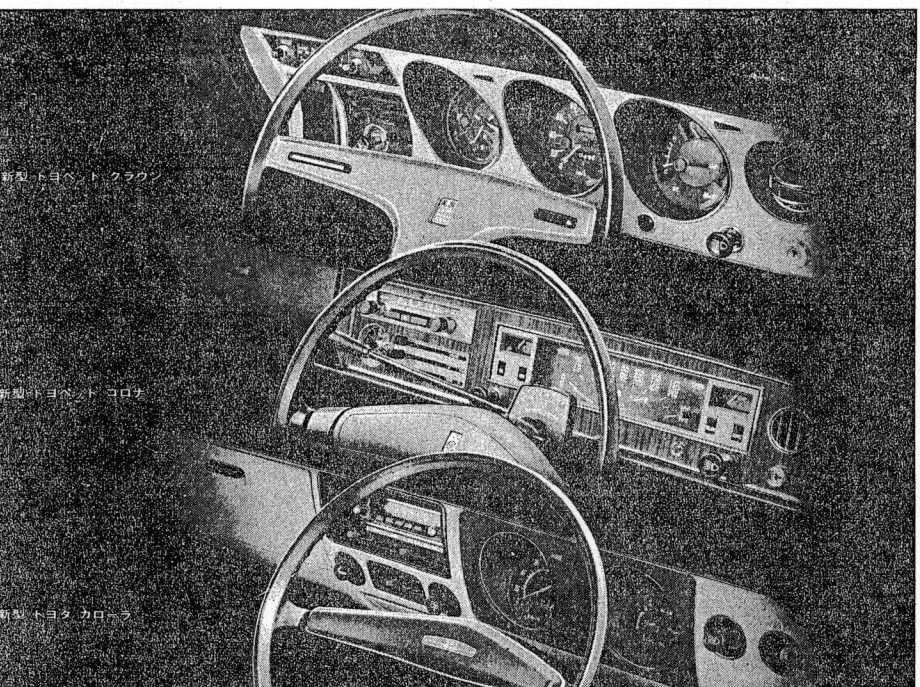

森田（香川）　[illegible]差が十八歳から二十五歳まであ[illegible]面でも、また個人的な悩みも変[illegible]のを、クラブとしてグループを[illegible]には、グループの基本的なもの[illegible]取り組もうじゃないかというこ[illegible]にくるわけなんです。

そのようなときにおいて、どういうような方法で、そのグループとしてプロジェクトにしてやっていったらよいのか。段階的に年令で切って内容を分けたり、また経験によっても変ってくると思いますが、グループとしては、そういうものをどうしたらよいのかお聞きしたいのですが。

司会　芳賀先生、どうぞ。

芳賀　課題のつかみ方、方法論の問題ですけど。さきほど西川さんのおっしゃったように、実態をつかむということが、まず第一だと思います。それから、実態をつかむということは、それらを数字にすることだと私は思うんです。

それからもう一つは、誰れでも感じというものはあるはずなんですね。例えば暗いとかおもしろくないとか、あるいはいやだとか、あるい苦しいとか、そういう感じが出てくるのはなぜだろうというふうなところから課題が出てくるんじゃないかと思います。

これは、いまの年令の問題を抜きにした課題のつかみ方ということですが。で、そういう数字にしたもの、あるいは感じとしてつかんだものを比較するというんですかね。あるいはグループで持ち寄って出し合ってみる。そんなところから、これは何とか解決しなくてはならないんじゃないかという意識がそのメンバーの中に生まれてきはしないかというような気がいたします。

それから、年令の違った者が集まっているクラブで共通のものを見出すというのは、確かに難かしいわけですね。

それからもう一つ、最近クラブ員の地域が大きくなって、広域クラブが多くなっているわけですけど、そうすると、ある人はそ菜をやりたい、ある人は豚をやりたいというように、一人ひとりその持っている関心が違うわけですね。そいつを一つにするというのは難かしいんで、その広域クラブの中に部門別の集まりというような形をとっているところがある。これは広域のクラブで多いと思うんですよ。

まあ、それも一つの行き方だと思うんですよ。ですけれども、こんどは年令が違ってくると同じ豚をやっていっても、関心の、関心のというより話が合うとか合わないという問題がでてくるわけですね。

この場合に、同じ年令層だと話が合うということになれば、同じ年令層の中で豚をやっている人、そ菜をやっている人というふうに取り組んでいる作目は違っていても、その中で、例えば計画の作り方というようなことで、豚をやっている人が豚についての計画をつくってきたとき、それをそ菜の人も普通作の人も素人なりに、「ここはこうしたらどうなんだ」「ああしたらどうなんだ」というような話し合いがもたれれば、仮りに部門が違ったとしてもいわゆるプロジェクトの進め方ということの、クラブ活動というか、学習ということができるんじゃないだろうかーというふうに私自身考えているわけなんです。

まあ、これは個人的な見解なんで、いまそういうようにやっていくようにクラブにも働きかけているんですけれども、具体的にそれをやってこうなったというような実例は持ち合わせてないんです。

まあ、そんなふうに年令によって関心が違うという中で話し合いの中から共通のものを見出してゆくというと、何というか詭弁というか、ただ単に机の上で頭の中で考えたことをしゃべっているように受け取られますけれども、みなさん自身の中からそういうふうな問題解決の思考というか、漠然とした問題意識があるときに、その問題は何だということをはっきりさせて、それに対する対策はこうじゃなかろうかとみんなで考えて、そしてそいつを考えていたことは果していいかどうかということを検討してみて、それからいいということに決まったらそれをやってみる。

こういうふうに問題を解決する。そのもとと考える順序というのがあると思うんですよ。そういうような順序に従って集団思考というか、みんなでいっしょに考えるということ、そこから、こんどは具体的な課題というものが生まれてくるんじゃないかというような気がします。

司会　まあ、厳密にいえば、興味、関心、年令、能力というものは、いかに機能集団でも違うと思いますけどね。そういうものをどういうふうにうまくもっていくかということには、かなり問題があると思いますよ。

プロジェクトの取り組み方

全国研究会　シンポジウム報告②

研究会におけるプロジェクトの実績発表

愛知県の古川喜美子さんは、電照菊に取り組み、新しい経営を考えるのと同時に、花の色とPHの関係を研究した学習プロジェクトを発表。若い人のプロジェクトとしては非常にふさわしいものであった。

出席者

中田正一　海外技術協力事業団茨城国際農業研修館長
西川哲雄　農村青少年育成研究会会長　全協参与
芳賀惣典　茨城県専門技術員
宍戸貞之　福島県安達郡　元全協役員
小川重雄　埼玉県大里郡　元全協役員
司会　星野武四郎　埼玉県立農業経営伝習場長　全協参与

共同プロは部門別で　むずかしい新人の指導

「高田　そのことに関連してなんですけれど、もう一度宍戸さんにお聞きしたいんですけど。

個人プロジェクトと共同プロジェクトの持ち方ですが、共同プロジェクトを年少者たちで行なうにはどう進めたらよいか。

ぼくも先輩たちに教えられてやってきて、いま年少者を指導する立場になって考えるといろいろの問題があります。その点についてお願いします。

宍戸　実は、私がクラブに入って十年になりますけど、五年目頃からクラブで強制的にやることになっている共同プロジェクトがあります。私たちは強制プロジェクトと呼んでいますが、一番先きにやったのが水稲の直播栽培、女の子も男の子も、小さい人も大きい人も変わりなしにやりました。失敗で終わりましたが、でも三年ほど続きました。

昨年は、おぼんに出荷しようというアスター、東菊ですね、それをやりました。そういう関係で、強制的にやらすといえば語弊がありますけれど、そういうようにしました。私も考えたんですが、そんなにまでしてもというのも、こういうところにあるんじゃないかと思います。入会するときには親たちを呼んでかなり派手な、私、得意なんですけど、キャンドルサービスで式をやるんです。ということで親たちもかなり信頼しています。水稲直播のときは二畝歩あったんですが、本当に失敗して途中でやめたんですが、とにかく共同プロジェクトがあります。

高田　それには年長者も入って一緒にやるんですか。

宍戸　そうなんです。私なんかやることもないんですが、おつき合い程度にやっています。みんなと話し合う材料がないと大変だと思って。

高田　それについて私はいろいろ疑問を感じますよ。といいますのはね。年少者にプロジェクトをしていただくと、みんなで一緒にやれば判るのはよく判かるんですね。共同プロジェクトというと、いろいろ考えます。それがだんだん成長していって、例えば事業をやっていますね。例えばトマトを一人ひとりがやっています。それを集ってみんなでやった方が共同プロジェクトとして望ましいんじゃないかと思います。

宍戸　うちのクラブの自慢ばかりになるんですが、いま五年後のことをいったんですが、実はその五年前がそうだったんです。私のところは北海道の次に緬羊の盛んな県なんです。福島県は。そこで緬羊組合から一人二頭ずつ緬羊を借りまして、いろいろな薬品会社のスポンサーもついて、飼料とかホルモン剤なども無償で頂き、いろいろ実験したんです。

そういう緬羊グループ、それから酪農グループ、養豚グループ、そ菜グループと四つあるんです。そういうグループでやっております。

司会　たいへん重要な問題だと思います。いま、宍戸さんから非常に貴い経験を通じてのお答えがあったわけですが、こんどは立場を変えて中田先生から一つ考え方を聞いてみましょう。

中田　若い人の、新入会員の指導というのはたいへん大事なんですが若い人はどちらかというと課題解決学習という、プロジェクトの中で学習という面にかなり重点がかかる。だんだん年とるに従って、学習よりも課題解決というところに非常に重点がかかっていくんだと思います。

そこでいま宍戸さんのお話があった強制プロジェクトというか、なんというか、つまり共同のプロジェクトで、初めにそれをやってだんだん興味をもつようになる人と、そういうクラブと、そうじゃなくて、個人プロジェクトを個々にやってだんだん興味をもつようになるクラブとがある。必ずしもどちらがいいとはいえないと思いますね。

農業というものは理屈では大しておもしろいもんじゃないんですが、実際やってみるとたいへんおもしろいんですね。共同プロジェクトをみんなでやっているとおもしろくなる。個人のものでも、実際にプロジェクトでやっていると非常におもしろくなる。興味をもつようになる。これは、若いクラブ員の導入の方法なんです。

実際にやると本当に農業がおもしろくなる。ですからどっちがどっちともいえませんが、共同プロジェクトは一歩前進すれば協業経営。いま世の中で盛んにいわれている協業経営ですね。

共通プロジェクトは、一歩前進すれば主産地形成の問題になります。

社会問題を学習プロに　農村のあらゆる面を学ぶ

司会　それではこの辺で、他の質問に移りましょう。

水落（福岡）　宍戸さんにお尋ねいたします。さきほどから共同プロジェクトのことが出ておりますが、なかなか少ないわけですね。そこで私のクラブでは農村社会部というのをもうけまして、農村社会の問題を、これはみんな共通する問題ですから、それを解決していこうじゃないかというのです。

実は、昼前、山梨県の方からいわゆる調査プロジェクトですか、中田先生にいわせると非常にめずらしい調査プロジェクトだとおっしゃいましたけれど、それを聞いて、自分たちのクラブにも小さいながらも似たようなものがある。

もちろん野菜を作って、その中で愛を育てるというのは重要です。だからそれは個人でやっていいと思います。しかし、いまの経済の流れについて行くためには、農業の面を明確化する農村社会の勉強というものも当然併わせてしていっていいんじゃないか。それが一番、共同プロジェクトに適当じゃないかというので、私たちのクラブでは農村社会部というのをもうけて、農村のあらゆる問題を明確化して、一つひとつ調べていこうと思っているんです。その点についてご意見がありましたらお願いします。

宍戸　さきほど中田先生からいわれたとおり、学習プロジェクトに直接関係のある村の問題、農政問題、そういうことをみんなで共通して学習プロジェクトとして取り上げることは、たいへんいいことだと思います。

司会　それではいまのお話、自然科学の勉強ばかりでなくて、社会科学の勉強もすべきだというお話がでたわけですけど、そういうお話について、西川さんからご意見なり、あったらお聞きしましょう。

無理な背伸びをさけて〝分別ある活動〟を

西川　実は4Hクラブが始って、その頃、たいへん技術を中心として学習するグループだということで青年団活動から、農村の集団の本体が4Hクラブに移り変って、これが昭和三十四、五年頃までたいへんな勢力であったわけです。

ところがその後、経済の発展で青少年の離農の傾向の中から組織する人間も減っていったり、あるいは活動自体が技術学習だけではどうも農業はよくならない。それで農村の問題は技術ばかりじゃなくてもっと広い課題を捉えて、それをしかも組織の力で解決していく運動を展開していかないかぎりどうもだめだという運動方針ができて、当時長野県でも農村の進展をはばむ壁を破る活動という、いわゆる自主化運動というのが農村の青年の中から出てきた。

これは技術の学習じゃなくて、米価なり、乳価なり、あるいは経済的な問題ばかりじゃなくて政治的にも、社会的にもすべて4Hクラブが頭をつっ込んで、どんどんアッピールしなければいかんという、たいへんな運動があったんです。

この運動も昭和三十九年頃から、具体的には農業後継者育成資金というプロジェクトの資金が生まれたり、あるいは農業構造改善という基盤整備の運動が行政的にも強く打ち出されてきて、結局、どうもそういうものを具体的に活動したり、具体的に基盤を作っては方が農村の青年としては本体だということで、当時たいへん外向きの活動をして、外向きというよりむしろ自分の経営をあっちの方に置いてきて一生懸命に県の段階にきてつめよってやってきた活動が、その頃から順にこんどはまた元に戻って、盛んに基盤、いわゆる自分の生活のため基盤整備の活動に本体が移っていった。それが最近はもう企業化されて利潤追求です。完全なはっきりとした利潤追求の中にプロジェクトを位置づけようとしている傾向が、長野県の青少年クラブの二十年の歴史だと思うんです。

その過程の中で私がいろいろ考えますが、農村の進展を拒む課題を解決していこうということは、これは当然なことです。そういう課題に目覚める活動というのは大いにしなければならない。しかしそれを解決していくということになると、方法はいろいろあっていいはずです。

その場合、やはりみなさんは生活をしているわけです。生活の基盤はやはりよくしていかなければ、作っていかなければならないという厳しい課題の中におかれているので、そういう問題を踏まえながら、そういうものに目覚めたり、あるいは解決できるものは解決していくという、そういう分別をしっかりもったものでないと、やたらに「農村を拒む問題だ、それきた」と4Hクラブの旗をもっていってみろというような分別のない背伸びがもし集団の中に出てきたとするならば、私の経験から、よくそれは考えてみて動いた方がいいだろうということですね。

中田　ひと言申し上げます。プロジェクトということの意味の中には課題解決ですが、「実践的」という意味が入っております。それから「具体性」という意味がたいへん強く入っております。

司会　なにかご質問、ご意見のありますか。

長期、継続的な活動　取り組み方は問題による

森田　中田先生にお願いします。共同プロジェクトというのはただ技術の問題だけではなく、クラブ員相互のつながりだと私は思うのです。年齢の差、また技術の上での差というものはどこのクラブにもありますけれども、お互い助け合って一つのことを仕上げるところに本当のねらいがあるんじゃないかと思います。

そしてクラブあっての自分たちクラブ員である。個人プロジェクトもまた大事ですけれど、両方兼ねそなえていると、本当のクラブ員として伸びてくるんじゃないかと思います。

中田　おっしゃる通りです。異議はありません。

森田　西川先生のおっしゃったように、あくまでも、いまの農村に一番大事なことは個人の生産意欲を燃やすことであると思います。それで、自分の生活をいかにしてよくしていくかということは前提条件だと思うんです。それを、いまのクラブ活動をやっていった場合、一番心配しなければいけないのは、ただ浮わついて自分の生活というものに根ざしていないグループ活動が多々あるということです。

香川県でもいろいろなグループができておりますけれども、実際にこれから伸びていくだろうと思われますのは、やはり産地形成をやっていくんだという、いまわれわれはこういう生産をしているんだけれども、仲間が少ないんじゃないかもっとふやそうではないかという気持でやっているグループがよく伸びていくし、個人のつながりもよくできます。

ところが、すでにいままであった個々のグループは仲間づくりだ。あくまでも人間を完成するんだということにおいて、自分の家庭の生産活動を二次的に考える。ここにいまの4H活動の問題点があるんじゃないかと思います。

それで、われわれは香川県の場合、あくまでもいまの若い者が農業というものを正当に評価できる人間になるということです。

中田　個人の経営とプロジェクトというふうなものは、やはりどちらもできるんじゃないかと私どもは思います。

司会　西川さんにも、お答え願いましょうか。

西川　私なりには、二十年のクラブ活動の経過をお話し申しあげたんですが、それではいま自分の経営をよくしていこうとか、私の利益を追求していこうという姿勢が非常に強くなってきている。

あなたの場合は、その考え方をまず基本にして、その中から組織の必要性というものを発見していくその姿勢が大事じゃないか、という発言だったと私は受け取っているんですが、私はやはり、組織というものはそんなもんだと思うんです。あくまでも自分の生活を作りあげ、その中から一つの考えが生じてくる。これが最もしっかりしたものだと思います。

ただ抽象的に組織を作っても意義がない、その後、私の利益を追求していく考え方がいいかどうかと、そういうものをやはりまた、批判しながら、私的な考え方を全体の中で位置づけていくというそういうような考え方を一方やはりもっていかなければならないと思います。

ですから、おそらく長野県の青少年クラブも、それをこんどは地域の農業振興の中へどういうふうに、そのプロジェクトを位置づけていくかという、いわゆるそういう一つのパイロット的な見方でプロジェクトというものをする。まあ、こういう考え方がやはり今後でてくると思います。

司会　それではだいぶ時間も経ってきましたので、あと一人だけ質問を聞いてこれを閉じさせていただきます。

住田（鳥取）　中田先生にお聞きしたいんですけど、われわれ農村青年は問題をもってプロジェクトに取り組むわけでありますが、その場合、何を一番最初に手掛け、どういう経過をたどっていって、最後に終ったらいいものでしょうか。その気を付けるべきことなどですか。

中田　それはですね。プロジェクトによって必ずしも一定の法則があるとはいえないと思います。ご承知のようにプロジェクトをやっていく過程というのは、その目標をまず決めて、計画して、実践して、評価する、といったようなことなんですがね。

したがって、最初どういうふうにしてそれに取り組んでいくかという取り組み方は、問題の厳しさというもの、例えば生活を合理化するという中にあるような農村の慢性的なもの、そういう慢性的な病気は慢性的に解決する。だから、調査をして、問題をはっきりさせ、それからおもむろにどういうふうにこれと取り組むかということを考えて計画し、そして実際に進めていく。生活改善の問題などそうです。じゃあ、「稲の病気がでてきた。さあ、どうするか」ということになるとまっ先きに普及所なり、試験場に飛び込んでいってやらなくちゃならない。

したがって、問題の性質にもよるんじゃないかと思いますね。いずれにしてもいえることは、プロジェクトというものは一つの長期的な継続した計画活動―そういうことがいえると思います。ですから、完全にそれが目標を達したときには、次に新しい課題が出てくるんじゃないかと思います。いわゆるプロジェクトの発展ということになります。

広い視野に立って　自分の考えを生かす場を

司会　どうもありがとうございました。たいへん司会が不馴れでございまして、十分なシンポジウムができなかったかと思いますが、時間的にはちょうどいま油が乗ってきたところで止めなければならない。なんとも残念でございますが、以上で一応シンポジウムを閉じたいと思います。

なお、私、司会をやっていましたので発言する機会がなかったわけですが、ひと言だけちょっと申しあげたいと思います。

それは、4Hクラブ活動の中で自分の考え方を生かす場を作ろうという運動をやってみたらいかがでしょうか。

これは、自分の考えが充分生かせる場、それはすなわちプロジェクト活動だ、と私は思うんです。そういうところからまた、人間の自主性の問題にもつながるわけであります。農村青年の最も悩みというのは、自分の考えを充分果すといいますか、伸ばすといいますか、行使する場がない。

職業に貴賤はございませんが、エレベーターガールには、エレベーターガールとしての自分の考えで、上ったり、下りたり、まあ、ボウフラみたいなものですが、その中にもやはり自分の考えを生かせる場というものがあるわけです。

ところが農村の青年は朝起きるとおやじに引っ張り出される。奥さんをもらっても、こんどは亭主が奥さんを引っ張り出すという形では、やっぱり自分の考えを生かす場がない。こんな味気ない社会というものは、私はないと思います。

そこでやはり、みなさんにお願いしなくてはならないことは、自分の考えを生かす場を作ろうという運動をやったらどうか―こういうことを提案申しあげたい。

それから最近、私が痛切に感じていますことは、農村の青年は自分の経営や技術のこと以外は話題がない。そういう薄っぺらな青年になってくれるなということです。

そこでやはり4Hクラブ活動の中で、技術の勉強もさることながら、幅広い勉強をやってもらって、経済のことも、社会のことも、歴史のことも、芸術のことも一応の常識としてはある青年になってもらいたい。これは、薄っぺらな週刊誌的な人間になれといっているのではありません。ぜひ一つ、無駄なようでございますけれども、そういう勉強をやってもらいたいと思います。

もう一つは、最近の青年をみていますと、非常に極端から極端、全学連の学生諸君のようにコン棒を持ってとんで歩く青年もいるかと思いますと、ベトナムでどういうことをやっているかも知らない。沖縄ではどういう言葉をつかい、どういう金をつかい、どこの領土かも知らないというような青年がいます。まったく両極端。これは青年を責めるわけにはいきませんで、社会の状態がそうだと思いますけれども、もっと広い視野に立って高い次元でものを考えるという創意豊かな青年になっていただきたい思います。そういう青年になれれば、私の経験しているところでは、農村の女性ばかりではございません。市街地から幾らでも呼んできます。私はそういう面で、市街地の娘さんをずいぶん農村にお世話しています。要するに、そういう青年がいないのでこないので、そういう青年になってもらうことをぜひお願い申しあげます。（完）

日常の農業および生活上の諸問題を解決する実践的な学習活動

わがクラブわが同志

◀投稿案内▶
本紙は、みなさん方の新聞として、全国のクラブ員に利用して戴きたいと考えています。それでクラブの催しや個人のプロジェクト、詩、短歌、随筆、写真、悩みや意見、村の話題、伝説、行事その他なんでも原稿にして送って下さい。
お願い　❶長さや形式は自由です　❷できれば簡単な説明をつけた写真をそえて下さい　❸送り先　東京都新宿区市ケ谷船河原町十一　家の光会館内　日本4H新聞編集部

農業嫌う原因追求
農家生活に創意工夫を

三重県安芸郡安濃村河内　津安芸農村青少年クラブ　阿部京子

よく耳にする対話の中に「この頃の農家の生活は、ぜいたくになった、まるで町の生活のようだ」と叫かれることがありますが、農村だからぜいたくはいけない、農村は町の生活より生活水準の低いものだという観念が農村の前進を大きくはばんでいるのではないでしょうか。

農業の労働力は、農家生活そのものを支える原動力ですから、農村こそ町の生活水準より一歩進んだ生活が必要なのです。しかし、いまの農家生活の内容はどうでしょうか。町の家庭で使用している物をそのままもちこんでいるだけでは文化的な生活とはいえません。やはり農村には農村にあった生活用品が必要なのです。そしてまた創意工夫が考えられていないのが現実なのです。

また、先祖伝来のなけなしの土地を、ただ守り続けるだけの出稼ぎ農業の姿をまのあたりにするとき、その封建性の強さが農業の未来に歩をたくし、大きくはばたこうとする若者の手足をひっぱっているのも事実です。

では新しい農村生活を営むためには、どうすればよいのでしょうか。いままでどおりの土地だけに頼っていたのでは農業の発展の道は開けません。大勢が狭い土地にしがみついて何が出来るでしょうか。それには、まず第一に規模拡大をすることです。私は農業を嫌い他産業に流動する人には、それだけの理由があると思いますからそれで良いと思いますが、農業にファイトを燃やしている人に土地を譲り自分の道を進んでほしいのです。このことについては、農地法などの問題も関係してきますので、その点の解決を急がねばなりません。

農地がふえ経営が拡大すれば、けして農業の後継者は少なくなりません。広い土地を相手に共同作業や機械化を考えれば、仕事の能率も上がり、他産業との所得格差も少なくなり、よく話しに出る農業の重労働とか不規則な就農時間など、若い人に嫌われる原因も打開することが出来るでしょう。規則正しい、ゆとりのある生活ができ、八時間労働の週休制もけして夢でないと思います。

まずここで経営を拡大する場合問題になることは資金です。農家の人も、お金を借りることを嫌いますが、こんなときこそ農業後継者資金、近代化資金などを利用することです。ここで考えなくてならないことは資金を借りる必配より、いかに計画通り利用するかということです。計画にもとづいた実践と資金、土地、労働力を合理的に組み合わせた企業的農業を営むことができれば、農村を嫌う娘さんもいなくなると思います。これでは、あまりにも他力本願すぎますが、私は前進するための前提として考えたいのです。

誰れだって、好きこのんで汗や泥にまみれる人はいないでしょう。というのは農家に嫁いだところで、夫は出稼ぎや外に勤め、農作業はみな主婦の肩にかかってしまいます。このため嫁は自分の考え方も通せず、ただひたすら家庭の犠牲となって生きるという時代は、遠い昔の話にせよ、現代の私たちは、もっと考えなければならない問題です。

女性として、ひと通りの知識、技術を身につけることも必要なことです。いままでは何の知識や技術もなく、夫と共に農作業に励み子供の養育もし、家事から家族の世話、こんなに沢山の仕事が主婦の手にかかっているのです。

最近農家生活の合理化が叫ばれながら、その裏面の悪い点ばかりが表われて生活を知らず知らずのうちにおびやかされています。その一つとして、農家にも多くなったカギッコなど、これらにしても大きな問題です。また農家が野菜を栽培しながら野菜も食べず、インスタント食品での食生活、これがあたかも生活改善かのように考えられているのが不思議です。

はたしてこんな生活で良いのでしょうか。こんな問題を解決して行く役割りが主婦にあるのではないでしょうか。したがって女性には女性としての任務があるはずです。やはり主婦には家庭という大切な仕事のあることを忘れてはなりません。家計を守り、家族の健康に気をくばり、夫の良き相談相手となり、立派な農業者としての夫の仕事を成功させ、ゆとりのある明るい家庭を築きあげることが私たち女性の役目ではないでしょうか。

また、私たち人間は、ともすれば自分の気に入る主義や考え方に溺れやすく、自分の経験だけで評価して判断するという、身勝手な面を持っています。つまり自分の意見と一致するアイディアだけを記憶するクセがあります。こうした精神的な面も新しい農業者らしく正していきたいものです。

そのためには、4Hクラブ活動を通じ農業をはじめとする生活技術の学習、仲間同志の幅広い話し合いを通じて、その歩みはおそくとも農村の生活環境を改め、目標に向って進むべき道を切り開いてゆかねばなりません。そのような考えや行動に立ったとき、自分の経営だけに目を向け、他人（社会）を返りみないということは許されなくなります。

したがって、広い視野に立った農業者として、世界経済の中の日本経済の動行を理解し、農業の将来を考える必要があります。

私の発言
目的と手段を明確に
青年活動は自己研鑽の場

今日の社会情勢の中で青年とは、何を意味しまた表現されているだろうか。青少年のいろいろな組織、団体のみで考えているように、少なくとも我々は次の世代を背負うんだという意気を持ったものでありたい。

その意味で青少年活動の場というものは、人間形成のための自己研鑽の場であって欲しいと思う。私がそれを求めてから、今日までを振り返ってみると、ある時点において浮きあがり、またかけはなれた立場にある自分を見いだした。すべてが青年の意識の高揚に結びつくと信じて行動した私は、青少年育成活動の一つのカベにつきあたり、ある意味での敗北感を感じた。

しかし、ここで安易な気持で挫折し妥協はしたくない、今一度、己れを振りかえって出直しを考えるものである。

青少年団体が、今後より以上の発展をとげるには、青年の育年たる自覚を持つための学習活動の場として、その目的を明確にし、各人が考え自覚しえるような話し合いの場を設けるようにしたい。そしてまた青年団体として、一つの組織の発展を望むなら、ただ単に仲間づくり的な同志の結合も結構だが、それ以前の問題として、寄せ集め的な団体よりも、少数でも良いから、今一度白紙の状態に戻して手段と目的を明確にした組織に再編成する必要があると思う。（佐賀県佐賀市兵庫町・兵庫4Hクラブ　真崎嘉治）

酪農に夢託して

岡山県真庭郡・八束村　美甘睦子さん

睦子さんは、酪農大学校を卒業して、人工授精師の免許をもつ娘さんである

目標は3万ドルに
文字通り〝酪農経営士〟

睦子さんは、両親と妹二人で水田五十アール、畑三十アールを耕している。

この蒜山地帯は、ニュージーランドからジャジー種の乳牛を導入して、一躍酪農と観光開発で伸展してきたところで、中国四国酪農大学校もその中核にある。その大学を第一回卒業（四十二年三月）し企業的酪農経営の知識や技術、人工授精師、トラクターの免許などを修得し、文字通り酪農経営士である。

現在、家庭では乳牛三頭、草地一ヘクタールの小規模経営であるが、将来は二十頭～三十頭搾乳へと規模の拡大をはかりたいという。そして、それにあう草地造成もやらなくてはと三万ドル〝酪農経営〟への夢は青写真となって、彼女の脳裏にきざみこまれている。

根っからの農業志望者で、勤めをする気はないの〟と聞いても「私は農業で生きたい」とにこやかに答え目をかがやかす、近代的な明るい娘さんだ。ただ、ちょびり「私と同じような友だちの少ないのが淋しい」といっている。

また4Hクラブ活動も意欲的で地元の蒜楽会に所属し、二十二名のクラブ員と共に励んでいる。

最近の酪農経営は、多頭化の傾向が急激に進められているが、八束村は、西の〝軽井沢〟と呼ばれるところだけに一帯の高原は山岳酪農にふさわしい場であるといえよう。まさに、ジャジー種を取り入れた酪農経営は、まとをえたものと思われる。

このような牧歌的な環境の中で、酪農ひとすじに生きようとする睦子さんの夢は無限にひろがる。

さとわのうた
若葉の季節

若葉の萌黄色の美しさは最高である。紅葉を讃える人も多いが、若葉が五月の陽光に映えて日々に変化して行く観は青春の躍動と生きる喜びを感じさせてくれる。馥郁（ふくいく）たる皐月（さつき）の風がさわやかで、まさに世は春であると謳歌したい今日この頃である。

とき、まさによし、飛石連休が続き、野に山に海にとレジャーを楽しむ群も多いことであろう。八十八夜、端午、立夏と暦の行事もこの五月の上旬に続く。詩や短歌や俳句などに五月をうたったものが大変多い。自然の美しさに魅せられ詩情が湧く心の衝動にかられるのであろう。君も五月の宵、すがすがしい夕べの風をうけて、遠き友に便りをする気持をおこしてほしい。連休の旅にでたら、絵葉書の一枚でも友におくるよう心がけよう。そのために住所録を忘れずにリックの片隅にでも入れておこう。

先日、全国青年会議の運営委員をやった栗田君（静岡県）から便りがきた。彼一流のユーモアあふれた便りだが、私に便りを書く気になった理由が書いてある。ある雑誌に寄稿した私の記事をみて「なんとなく便りがしたくなった」と。案外、便りなんてそんな動機から書くのかも知れない。「なんとなく便りをする気持」それだけでよいと思う。その気持をおこさせることがなかなかでてこないものである。私自身もおはづかしいことながらなかなか便りを書かない。この「さとわのうた」にしても、約束（4H新聞との）の締切日があるから書いているというのが本音かも知れない。ただ一ついえることは、全国の私を知っている農村の友人（諸君たち）や顔は知らないが、たのしみに読んでいるといって激励してくださる人達がいるので恥も外聞も捨てて文才のない頭にむちうって書き続けているのである。

あるときは締切前日に酒に酔いふらふらになりながら書くこともある。あるときは遅い帰宅で二時間ほど寝て朝四時に起きて書いたこともある。書くネタ（材料）がなくて、原稿用紙に毎回二百字詰七枚書くことになっている字を埋めてゆくのに呻吟し、原稿用紙をうらめしくみつめ、四時間位もかかってやっと書きあげることもある。一見、さらさらと書いているようだが、これでもなかなか苦労しているのである。はづかしい次第である。

もう一つ、いいことがある。今度は何を書こうかなと数日前頃から素材（モチーフ）を考える。そのため専門外の本も読まなければならないし、旅にでても、人の話にも、つねに好奇心をおこし耳を傾けるし、無観心でなく調べてやろうという気もおこし、しつこく聞くこともある。暇があれば本屋をのぞく、のぞけばおのずから本も買うしぜんに読むようになる。お陰で少しは勉強するようになったようである。目的を持つということは励みになるようである。

君たちも、本を読む努力をしているだろうが、目的や励みがないといつしか本から遠ざかってしまうものである。そのために読書会などつくることが必要である。強制的でなく義務的でなく、好きな者同志が集まって本を読もうという運動である。強制的でなくといっても、一種のノルマや目的はもたないとやっぱり読まなくなってしまう。

読書について有名な学者や先生方が、良書の紹介や推せんをしておられるが、私は「好きなもの」を読むことから始めることでよいと思う。面白いもの、やわらかいもので結構だ。しかし読了したとき、人生の糧になるものが何か一つ得られたとか教養や新知識を得たというものであってほしい。名作の小説から読みはじめることも一法であろう。（龍）

東南アジアを訪問して（二）

埼玉県入間郡富士見町南畑・青年の船派遣団員　砂川みさ子

基隆の夜店を覗く
貧困というより素朴さ

外国に第一歩をしるす

基隆特有のどんよりした空、日本を離れて早や四日目、いよいよ初めての外国、台湾に私たち青年の船団員の第一歩がしるされようとしている。

船内は早朝より、なんとなくそわそわしている。歓迎のパクチクの音が耳にひびく。

外国……、夢のようである。夢の中を歩いている錯かくに落ちるような感じだ。数十人の青年たちが私たちを迎えてくれた。入国の手続きをすませて船を降りる。制服、制帽の団員が一同に集まると、実に美しい。団員はそれぞれ班別に別れてバスに乗りこむ。私の属する班は、船内の交歓会に出席するため、約四時間ほどで故宮博物館、台湾大学などを見学して船内に帰るという日程。金山青少年センターに宿泊する班もある。

故宮博物館、台湾大学の建物は美しく、目をみはらせるものばかりであった。とくに博物館には、約二十四万点の珍品は、三ヵ月ごとに交換するとはいえ、すばらしい遺産である。建物のめずらしさにも心をひかれる。

目で見、心に感じるもののすべてが初めてのものばかりである。みな昨日までの船酔いなどはどこへやら、大いにハッスルした。

青年を船に招き交換会

船内において交歓会が開かれた。団員の居残りグループは、私たちの十一班と、一、二、三、四十二班が案内や交歓役にあたった。船の入口において、団員一名に台湾青年三名の割りあてによって案内をする。言葉が通じようが通じまいが、とにかく責任上船内の展示パネルなどを見学して、日本芸能をひろうしたり、飲物の接待やら話し相手にならなければならない。

私も三名の学生を割りあてられた。展示パネルの説明するのに、さんざんの苦労をした。なにしろ私は英語が全然できないと言った方がよいほど、ダメだったから、出航前に少し勉強したものの、いざ使うとなると言葉にならないのである。今考えると思わずふき出したくなる。

英語あり、日本語あり、中国語と、知っている言葉をチャンポンに使って話す、私たちの会話であったが、そこにはやはり青年という共通性をもっているため、すっかり心をうちとけてたのしんだ。大声をあげて日本の歌も一緒に歌った。周囲の団員たちより、私は一番はしゃいだようだった。彼らの陽気さが私をそうさせたのかもしれない。言葉の点では心配もした交歓会であったが、そんなことは問題でなく、たった数時間で結ばれた友情とは思えない強いきずながあるように思えた。強く握りあった手と手……。小さな力かもしれないが、成功だったと心でつぶやいた。

気軽にお手洗い尋ねる

見学コースの中で一番のたのしみは、やはり台北市長さん招待の昼食会であった。外国で初めての食事である。立派なホテルに案内され、盛りだくさんの中国料理をほほばる。実においしかった。日本と反対で食事が全部すんでから挨拶である。早稲田大学出身という市長さんはすばらしく上手な日本語で挨拶して下さった。親日家であり好感のもてる市長さんに深い親しみを感じうれしかった。

陽明山の私立中国文化学院日文化の学生との話しあいは、三十分という短い時間であったが、私にとっては深い思い出の一つである。団員五～六名に学生一名という割合であったため、充分話しあえず私はきき役にまわっていた。

私が気軽にお手洗いをたずねたのだがわからず、色々な英語を使っても通じず、苦労を重ねてやっと通じた言葉がなんとトイレットこんなことから、この彼と親しくなり、日本にぜひ留学し貴女の家をたずねたいと、別れを惜しんでくれた。

夜一時間ほどの外出時間であったが友だちとつれだって、基隆の町を歩く、町人が私たちに注目している。ちょうど日本の昔のお祭りの夜店をのぞきこむのににている。果物、ラーメン、シューマイなどを露店で食べている町人の顔をのぞきこむのも、おもしろいものであった。

言葉の不自由さもなんのその、青年の友情は国境をこえて（船内交歓会）

貰い体験と親善を果す

いそがしいスケージュールの中で、台湾のほんとうの姿をみることはできなかったかもしれない。農業においてももちろん、わずかの水田をバスの窓からみただけで農業について語ることはできない。

一般に暗い感じのする国であった。私たちが入港した基隆がそうであったようだ。貧しそうな家も多く目についた。交通にしてもおせじにも進んでいるとは思えない。この国は貧困というよりも、昔の日本という感じがした。町全体がどことなくのんびりして、素朴さがあり、なつかしさを感じさせた。

二日間の滞在では、わからない良さもあったと思う。私は初めての異国だけに思い出が多い。親切にしてくださったことは一生忘れないであろう。船は小雨けむる基隆を静かにはなれていった。私たちの貰い体験と親善をはたして。

映画
恋のアタック作戦
スパイダースの大騒動

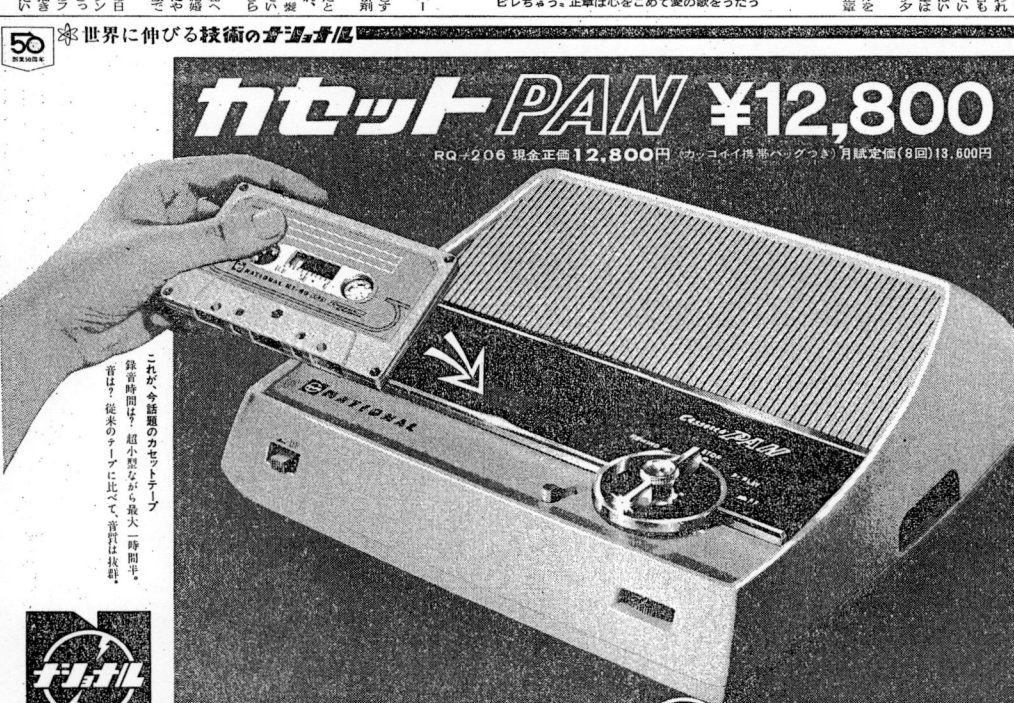

（日活カラー作品）

「ゴーゴー向う見ず作戦」「大進撃」につづく、ザ・スパイダースの爆笑喜劇!!

リサイタルをまじかにひかえたスパイダースの面々が一人の美人をめぐって恋のサヤあて!!。次々と笑いの渦をまきおこす。

☆　☆　☆

東京でのリサイタルを一ケ月後にひかえたスパイダースのメンバーの七人は、大阪巡業を終えて新幹線で東京駅へ着いた。一行は待ち構えたファンにモミクチャにされながら車へ。そして次の演奏会場へと向った。

メンバーの中で人一倍女の子に興味を持つ正章と順、ついさっきまで大阪のカワイコちゃんの想い出にひたっていたと思ったら車が走り出すと気分も一転。たちまち後方から走ってきた美人ドライバーに目移りしてしまった。

「いかしている、あの娘は俺が好きなんだ!」二人がみとれてボーとなった瞬間「ガチャン!」と三重追突。スパイダースと美人ドライバーは救急車で病院へ運びこまれた。診察の結果、スパイダースには異常がなかったが美人ドライバーは大事をとって入院するという。正章と順は、先を争って彼女の病室へ見舞に駈けつけた。彼女の名前は夕子といった。

夕子に合ったその日から、二人は恋のトリコになってしまった。ステージがひけると一目散で夕子の病室へ。だが正章は必ず順と行動した時にきまって順におカブをとられた。そして正章の日増につのる夕子への思いは、ついに夢に見るまで発展していった。

正章が甘い夢と空想にひたっている時、ライバルが一人表われた。夕子の病室には健二が今日もつきっきりで看病にあたっていた。夕子と健二、二人の間にはいつしか愛が芽ばえていた。正章はそれに気づかず、あいも変らず夕子との妄想にふけっていた。

リーダーの昭知はリサイタルを前にして練習に実が入らない正章にホトホト手をやいて、メンバーに名案をつのった。

その結果、正章を正常にもどすには逆療法でということで興奮剤を飲ませることにきまった。

正章は、トランキライザーだとだまされて馬の興奮剤を飲まされ、夕子の病室へ韋駄天走り。間一髪で夕子は婚約者健二と退院していた。それでも正章は夕子をあきらめきれなかった。

数日して、面々は夕子の別荘へ招待され、夕子は近く健二と結婚する旨打あけた。夕子の説得にやっとわれにかえった正章は笑顔で別れの握手を交していた。

いよいよ待望のリサイタルの日がやってきた。演奏会場のファンの前で堂々失恋したたといいきった正章は、頭の中に夕子とのファンタジックなラブシーンを描きながら心をこめて愛の歌をうたいまくった。

〝僕はあの子が好きなんだ、ハートがキューとシビレちゃう〟正章は心をこめて愛の歌をうたう

日本4H新聞
4Hクラブ
農事研究会
生活改善クラブ
全国弘報紙
発行所 社団法人 日本4H協会
東京都市ケ谷家の光会館内
電話（269）1675
編集発行人 玉井
月3回・4の日発行
定価 1部 10円
6ヵ月180円（送料共）
一ヵ年360円 〃
振替口座東京 12055番

クラブの綱領

私達は実践を通じて自らを磨くとともに互いに力を合わせてよりよい農村、よりよい日本を創るため四つの信条をかかげます。1、私達は農業の改良と生活の改善に役立つ腕をみがきます。1、私達は科学的に物を考えることのできる頭の訓練をします。1、私達は誠実で友情に富む心をつちかいます。1、私達は楽しく暮らし、元気で働くための健康を増進します。

各県連で通常総会開く

役員構成改め積極的姿勢
「つどい」成功に努力
奈良県連 会長に山田君を再選

【奈良県＝広井洋司連絡報道員発】奈良県4Hクラブ連絡協議会（会長、山田尚作君）は、来賓に県経済部、農業改良課、試験場など関係機関の代表者を招いて、このほど奈良県農業試験場研修室で通常総会を開き、会長に山田現会長を再選するとともに四十三年度活動の重点目標として、プロジェクトの正しい理解とその推進、「全国4Hクラブ員のつどいを成功させよう」というスローガンを掲げ、快調なスタートを切った。

総会は、午前十時から開会された。山田会長のあいさつ、来賓祝辞のあと議事審議に入り、四十二年度の事業経過と収支決算の両報告を承認、続いて四十三年度の事業計画と予算をほぼ原案どおり決定した。

ついで会則の一部改正案が出され、副会長を五名制（うち女子二名）にふやし、専任会計一名をおくように改正するとともに、監事は、これまで若干名となっていたが、これを二名制にすることに決定した。

この役員の増員は、年々拡充する諸活動に対処し、さらに多くのクラブ員によって県連組織を担って行こうとする積極的な姿勢を表わしたものである。

このあと役員改選を行ない、新役員を決定、拍手のうちに紹介があり総会を閉じた。

新役員は次のとおり。

▽会長 山田尚作（天理4Hクラブ、再選）▽副会長 石田勝巳（生駒4Hク）吉永文幸（山添4Hク）井上佳宥（桜井4Hク）北川恵美子（生駒4Hク）▽会計 吉川敏孝（同）▽事務局長 浦崎正之（天理4Hク）▽同次長 中筋弘（生駒4Hク、再選）▽監事 森本秀美（五条4Hク）米田浩康（桜井4Hク）

新年度の活動基本方針の要旨と主な事業計画は次のとおり。

活動方針 科学万能の新しい日本の農業形態の中で、農業従事者の激減と、宅地化が進む都市近郊地帯として新しいタイプの農業が要求されている。

明治百年、4Hクラブ発足二十周年と意義ある年を迎え、これら一連の社会的背景のもとに"限りなき前進と希望を願う、ものいう若者"として心頭技健を互いに磨き、調和ある組織体をつくりあげよう。また、「第四回全国4Hクラブ員のつどい」の開催を迎えた県連として、責任ある態度でクラブ員の一致団結をさらに強固なものにしよう。

事業計画 ❶プロジェクト活動の正しい理解とその推進❷地区クラブ間の連絡協調❸4H週間の展開❹全国4Hクラブ員のつどい開催❺近畿農村青少年のつどい、全国4Hクラブ中央推進会議、全国農村教育青年会議、技術交換大会への参加❻リーダー研修会の開催❼女子クラブ員研修会❽日本4H新聞の購読❾新制学卒農業自営青少年の激励会、歓迎のつどい開催❿伸びよう青少年のつどい参加──など。

奈良県連新役員の顔ぶれ 前列左から吉本副会長、中筋事務局次長、山田会長、石田副会長、後列左から山村、北川、井上各副会長、浦崎事務局長、吉川会計

幅広い能力の涵養へ
茨城県連 会長に岡崎君選ぶ

【茨城】茨城県農村青少年クラブ連絡協議会（会長、根本武昭君）では、さる四月二十三日水戸市の自治会館ホールで通常総会を開催した。

同日は、根本会長のあいさつのあと県農林水産部長、県議会農林水産委員長らから祝辞がおくられ続いて議長、書記を選出して議事審議に入った。まず四十二年度の事業経過と決算の両報告を承認、ついで四十三年度の事業計画と収支予算を原案どおり可決し、このあと役員改選を行ない、次の新役員を決めた。

▽青少年部長 岡崎忠夫（美野里地区）▽副部長 永田正治（笠間地区）中根まさ子（石岡地区）▽事務局長 葛西健三（大宮地区）

新年度の活動方針としては「青少年クラブは、単に仲間づくりをするだけでなく、それを通して課題解決活動（プロジェクト）をより前進させ、また、農業だけでなく、一般社会の諸情勢を解決する能力を養い、住みよい社会を築きあげるよう努力する」という方向で進み、これにもとづいて次の各行事を計画している。

▽クラブリーダー研修会（六月下旬）▽第八回農村青少年クラブ大会（七〜九月、県内四ヵ所）▽農村教育青年会議（二月中旬）▽プロジェクト実績発表会（二月下旬）▽はばたく集い（二月下旬、県内四ヵ所）

このほか各種行事への代表派遣として、全国農村青少年技術交換大会（八月、山形）全国農村教育青年会議（二月、東京）関東甲信静ブロック会議（十月、茨城）全国4Hクラブ中央推進会議（十二月、静岡・中央青年の家）第四回全国4Hクラブ員の集い（十月、奈良）を予定している。（県連事務局、村山文雄君より）

ブラジルで"4H"を説く

いま、ブラジルで農村青少年の育成指導に当っている栃木県の専門技術員、湯浅甲子氏から、このほど近況を伝える便りが日本4H協会に宮城孝治副会長を通じて寄せられた。同氏は、中南米技術協力計画に基づいて全国でただ二人の農村青少年指導者（専門家）として国からブラジルのサンパウロ州に派遣されたもので、さる三月二十日東京・羽田空港から出発、九月までの六ヵ月間にわたって同地で農村青少年の育成指導に努めることになっている。同氏は、日本4H協会発行の「4Hクラブの手引き」の著者であり、毎年十二月静岡県御殿場市の国立中央青年の家で開かれている全協主催「4Hクラブ中央推進会議」の講師としてなじみ深い。以下は、便りの主な内容である。

栃木県専門技術員 湯浅甲子氏

大きな使命を負う
いよいよ奥地の巡回指導へ

サンパウロへ着いて、早や一ヵ月が過ぎました。朝晩大変涼しく近頃は寒いくらいです。秋も大部深まった感じです。一年中で一番気候のよいときだそうで、私も、自分で驚くほど元気に活動をしています。

農村青少年指導協議会という私の受入れ団体は、コチア、スールブラジル、バンデランチ、中央会、モジダス・クルーゼス、4Hクラブの六団体で構成されていて、会長には、サンパウロ大学の斉藤広志博士がなっています。事務局は4H協会にありますので、私の事務所もそこにおいてあります。

三月中は、サンパウロ周辺の農業機関団体をあいさつがてら視察して歩きましたが、四月からは、サンパウロ−リオの中央線沿線の主要地を講演指導して回りました。

モジ、スザノ、イタケーラ、ピンダ、ジャカレー、ブラガンサ、アチバイヤ、カンピナース、ジュンジャイ、サンベルナード・ド・カンポ、アルージャ、イビウナなど十四ヵ所です。この間、約一千百五十人の日系人を対象に、講演をしたり、スライドをみせたり、青年と一緒にレクリエーションをやったりしてまわりました。

日本人は、協議会や各産業組合の方々がいつでも付きっきりでお世話をしてくれますので、何一つ不自由がなく、言葉の点でも通訳つきのようなものですから全く不便はありません。こんなに恵まれた外国生活は、ほかには見られないのではないかと思います。

ホテルはガルボンブエノ街（日本人街）のニテロイという日本人経営のところで、まわりは日本人ばかりです。この一ヵ月は、どうも、日本のどこかの山村をまわっているような錯覚をおこしましたが、いよいよ四月末から奥地指導が始まります。パウルを皮切りにポンペイア、バストス、アドマンティナ、プラセナ、アラサトウバ……と、マットグロワン州境まで入っていきます。これからが本当のブラジルを知ることのできる所なのでしょう。十日間ほど連続的にまわって月半ばにサンパウロへ戻ります。

私の在伯中に、サンパウロ州と一部パラナ州にまで入って約六十ヵ所の現地巡回指導地が予定されています。日本人でこんなに広く深く州内をまわる人は少ないだろうと地元の人がいっています。またとないチャンスをえることが出来て幸せだと思っています。

こちらの農業は、いま大きな転期を迎えているようです。インフレに便乗してきた農業も、インフレの安定でボロもうけが出来なくなり、ICM（流通税）という商品の取引税が二〇％もかけられ、農産物もその対象になっていますから、組合事業は大変な危機に直面しています。そして農産物はだぶつき加減ですので安く、農家の青少年はどんどんサンパウロへ集まってきてしまいます。

こういう大事なときに、私が迎えられたわけですから、私の使命は大きいといわざるを得ません。農業後継者対策を、いまこそ確立させなければならないと地元の方々は真剣です。その地ならし、ムードづくり、に私の力を求めているようです。私も、そのつもりで地元の都合のよいように、私を利用して下さいと、体と能力を預けました。関係者も大変よろこんでいて下さるようです。

私は、そういう中でも、ただ講演旅行を数多くやったというだけに止めずに、私が帰国したあとでも、しっかりした青年指導ができるような指導機構を残していきたいと考えています。

いま、各組合は、前述の税制対策で頭がいっぱいのようです。とくに、マンモスコチアは六月一日を期して連合体形式になる機構改革で大揺れしています。

私の体はブラジルに合っているのでしょうか、ブラジル料理のフェジョワーダーがうまくて、よく食べますし、ピンガーというブラジル酒もよく口にします。のめる方じゃありませんが、他のアルコール類よりいいもんですね。日本の食べものでないものは「うなぎ」と「まつたけ」と「はまぐり」だけだそうで、食べものに不自由はまったくありません。

これから五ヵ月、十分体に気をつけて頑張りたいと思います。

◇　◇　◇

涼風暖風
ハートの誓い

アメリカと北ベトナムの和平予備会談がこの十日からパリで開かれている。

アメリカという国は独立以来負けを知らず、豊かな資源と経済力で世界に君臨する巨大国であるが、ベトナム戦争ではその知力と経済力をもってしても、文字どおり悪戦苦闘の観があった。

たまりかねたジョンソン大統領は、大統領出馬を断念するかわりに北ベトナムも話し合いのテーブルにつこうじゃないかと訴え、全世界から驚きと称讃の拍手を浴びた。例のジョンソン声明である。

それから、実に一ヵ月余を費して予備会談の開催地を探しあぐね、最後にフランスのパリに落ちついたわけである。

この間、アメリカと北ベトナムの当事国間には、秘密裏に十数回にのぼる接触があった模様であるが、素人目には、ケンカの仲直りの場所を決めるぐらいにえらく時間を食ったものだ、と意外な感を抱くわけである。

思うに、アメリカの大統領選というような双方の内部事情が複雑にからんでいることも確かだが、話し合いが進まぬ一番大きい原因はそれぞれの体面と不信感であろう。

アメリカは自由主義諸国のリーダーとして、アジアの赤化を自らの犠牲で防衛してやっているのだという自負心があろう。また、北ベトナムは、独立をかちとるために流してきた民族の血が自尊心として凝結し、アメリカにやすやすと妥協を許すわけにはいかない、というわけでだろう。

一方、坊主にくけりゃ袈裟まで憎いのたぐいで、双方に根強い不信感がべっとりまとわりついて問題の処置がとれず、相手の提案は疑ってかかるのが当然のことと決めているらしい。

メンツと不信感にゆがめられた人間関係は私達の身辺でも平和を害するようである。

地方選挙で「部落推せん」を受けた候補者が落選した。部落の有力者は誰れそれが他候補に投票したのだと勝手に決めてしまい、ついに平和な部落が分裂して実行組合も別々なら、区長も別。双方道で出合ってもモノもいわない、といった如く──。

ベトナム和平交渉では、このような人間の虚構に友情の橋を架け、人類愛で装備された、人々の理性と理性の話し合いをぜひ実現してほしいものである。

4Hクラブの信条「私達は誠実で友情に富む心を培います」をぜひジョンソンとホー・チンミンに誓わせたい。

（大阪・川端）

4H20周年を打出す
宮城県連 高野君を会長に再選
4Hの旗でぬりつぶす気迫

【宮城県＝菜屋發信連絡報道員発】宮城県4Hクラブ連絡協議会（会長、高野秀策君）では、さる四月二十六日、NHK仙台中央放送局第二スタジオで通常総会を開き、四十三年度の会長に高野君を再選したほか堅固たる役員の新陣容を構えるとともに、4Hクラブ発足二十周年記念大会を活動方針に強く打ち出し、新年度へ力強くスタートした。

総会は、十七地区連の代議員それぞれ二名ずつが出席、県農政普及課長はじめ同青少年係員、各地区農政の青少年担当普及員、篤志指導者、それにNHK製作課長などの来賓を招いて、天井が高く防音装置の完備したスタジオで開会した。

4Hクラブの歌の斉唱、4Hクラブ綱領の朗唱のあと高野会長があいさつ、来賓の祝辞に続いて一般経過報告があり、ついで議長団を選出して議事審議に入った。四十二年度の事業経過と収支決算の両報告を承認、四十三年度の事業計画と収支予算を原案どおり決定し、続いて役員改選を行なった。役員選前に四十二年度の役員のあいさつがあり、そのあと各地区連から一名ずつの選考委員を出して選考委員会を構成、別室で役員人選を行ない、新役員を決定した。新役員全員のあいさつについで先輩の篤志指導者から激励のことばがおくられ、4Hクラブの歌を斉唱、県連の充実とこんごの発展を祈って高野会長の音頭で万歳を三唱し閉会した。

4Hクラブ発足二十周年記念大会を折り込んだ四十三年度の活動基本方針は次のとおり。

今年度は、4Hクラブ結成二十周年を迎えるに当り、意を新たに過去の活動を振り返えり、時代に即した活動を展開しなければならないと考える。4H活動を通じ単位クラブの発展を促すとともに、全県下に4H活動をひろめ県全体が4Hの旗でぬりつぶされたときやがてそこに新しい宮城県が生まれ、近代的農業、近代的農村が誕生するものと信ずる。二十周年の記念事業を実施して、より一層全県下にアピールし、農村における4Hクラブの重要性を明確にするとともに、われわれをとりまく諸情勢をよく考え合わせ、われわれの指導機関や放送利用などの活用によって成人になったクラブとしてそのプライドをもって今後のクラブ活動の充実と発展に、なお一層努力する必要がある。このため重点目標として次の三点をかかげる。

一、4Hクラブの本質の正しい認識と実践
二、組織の充実強化ならびにクラブ員相互の交換、交流の推進
三、放送利用によるクラブ活動の展開

具体的には、4H二十周年記念大会、4Hクラブ交流の推進、リーダー研修会、女子クラブ推進会議などを開催してクラブ員個人の向上と組織の強化を図り、明るく豊かな農村の建設に努力することを誓い合った。

この活動方針にもとづく四十三年度の主な事業計画は次のとおり。

高野県連会長

❶通常総会（四月下旬）❷第八回宮城県農村青少年技術交換大会（七月下旬〜八月上旬）❸県4H二十周年記念大会（十一月上旬）❹女子クラブ員推進会議（十二月上旬）❺県農村青少年リーダー研修会（一月中旬）❻第八回県農村教育青年会議（二月中旬）❼県4Hクラブ交流の推進（年間）❽「宮城4H」新聞発行（年二回）❾放送利用によるクラブ活動の推進（毎週日曜朝六時十五分、NHK第一放送ラジオ番組み「村の広場」を利用する）❿日本4H新聞の購読の普及

二、派遣事業

❶第八回全国農村青少年技術交換大会（山形、八月下旬）❷全国4Hクラブ員のつどい（奈良、十月）❸全国4Hクラブ中央推進会議（静岡、十二月）❹全国農村教育青年会議（東京、三月）❺4H東北ブロック推進会議（未定）❻全国4Hクラブ連絡協議会の総会（東京、四月）

また、新役員は次のとおり。

▽会長 高野秀策（仙台地区）▽副会長 千葉浩一（築館）森美美子（亘理）▽事務局長 庄司健治（仙台）▽同次長 熊谷政一郎（石巻）桜井としえ（仙台）▽理事 関重吉（大河原）大町栄信（白石）石垣信説（石巻）菅原浩子（古川）大友富江（岩沼）佐藤百合子（角田）▽監事 千葉一成（迫）門間忠（小牛田）佐藤多江（大河原）

女子が独自に研修
和歌山県連 会長に岩倉君

【和歌山県＝坂上勇男連絡報道員発】和歌山県4Hクラブ連絡協議会（会長、新井弘一君）は、さる一日和歌山市の県庁北別館で通常総会を開催し、四十三年度の事業計画や新役員を決めた。

同日は、四十二年度の県連役員と新旧郡連役員三十数名が参加し午後一時半から逢台君の開会宣言で開会された。4Hクラブの歌斉唱、新井会長のあいさつ、来賓祝辞に続いて、岡（前那賀郡会長）湯川（前日高郡会長）の両君を議長に選んで議事審議に入った。

まず、過去一年間の行事経過と決算の両報告があり、年度当初計画した以外の行事である新規就農者を励ます会（育成機関と県・郡連の共催によって三地方で開かれた）などの説明、またOBクラブ連協からの援助資金の件が報告され、質疑応答のあと承認された。

続いて、四十三年度の事業計画や全国、近畿地方段階の行事の審議、説明に移った。これらは、一応原案としてすでに執行部から提出されていたものであるが、目立ったものとしては、女子クラブ員独自の研修、体育面では例年どおり九月に開く親ぼく野球大会で新たにバレーボール試合が加えられたこと、自営者研修（クラブ員、またはOBクラブ員の若夫婦を対象にしたもの）などが予定されていることがあげられる。

とくに質的水準が比較的に高いにもかかわらず独自の活動や研修の場がなかった女子クラブ員が、女子研をもつことによって今後大きく伸びるものと期待される。

このあと予算審議に続いて役員改選に移ったが、その選任方法は各郡一名の選考委員から推せんされた新役員の承認という形をとった。

新役員決定についで新旧役員の引きつぎに移り、新井前会長が過去一年間をふり返えってあいさつ、岩倉新会長が連協と単位クラブ活動のあり方など今年度の抱負を述べ、午後五時閉会した。

新役員は次のとおり。

▽会長 岩倉洪寛▽副会長 逢台雅吾、坂田順子▽会計 富山俊樹▽書記 橋本幸作▽監事 広瀬征彦、中山博允▽アイデア理事 新井弘一▽OB理事 野村均▽女子部長 芋瀬江津子▽同副部長 浴湯愉季子、上田礼子▽近畿の集い実行委員 前坂博文、坂上勇男

四十三年度の主な事業としては▽総会（五月上旬）▽指導者研修（五月下〜六月上旬）▽技術交換大会（七月上旬）▽体育大会（九月）▽経営研修（十二月）▽青年会議（一月下旬）▽自営者冬期学校（若夫婦、二月）▽新規就農者研修（三月）などを計画している。

クラブリーダーの知識学ぶ
広島県連でリーダー研修会開く

【広島】広島県と同農村青少年クラブ連絡協議会主催の県農村青少年クラブリーダー研修会は、さる四月二十六、二十七の両日、広島市の県市町村職員共済会館会議[illegible]

これには県下各クラブのリーダー約六十名が参加、クラブの本質とグループ活動のあり方について日本4H協会、新田健吉事務局長、また「近代家族論」について広島文化女子短期大学の岩見国夫助教授から講演があったあと、それぞれ分科会を開いて話し合い、クラブリーダーとしての知識を身につけた。

同志の団結を
山梨県連でクラブ代表者会議

【山梨】山梨県4Hクラブ連絡協議会（会長、小野好道君）では、このほど二日間にわたって中巨摩郡芦安村でクラブ代表会議を開いた。これは県連が再発足してから五年目を迎えたのを機会にクラブ員の団結を固めようと開かれたもの。一日目は「これからの山梨の農業」と題する県農業技術総室、岩間室長講演があり、二日目は分科会と全体討議を行ない、こんごの努力を誓い合った。

心頭技健

ことしは、明治百年、開道（北海道）百年などとともに、4Hクラブ発足二十周年の記念すべき年に当る。このため全協（全国4Hクラブ連絡協議会）をはじめとして、新年度を迎えていっせいに開かれている各県連（道府県4Hクラブ、農村青少年クラブ連絡協議会）の総会でも、今年度の活動方針や事業計画の中に、この4H二十周年に対する考え方が盛り込まれている▼日本の4Hクラブ活動もいよいよ成人式を迎えたわけで、年令的にいって、これから大人の仲間入りをして一人歩きしなければならない時期に入った。すでに、親子二代の4Hクラブ員もみられ、4Hクラブの本当の成果、真価はこれから現われてくるものと思われる。このような機会に過去の歩みをふり返えり、将来に向って意を新たにすることは大いに意義があろう▼いま、一口に二十年といっても、試練多い年の連続だったといえる。二十三年に農業改良普及事業の一環として農村青少年の健全育成をめざし国策によって普及された4Hクラブ活動は、まず終戦直後の食糧増産を旗印としてスタート、精神的な虚脱状態から立ち上る効果をあげ、その後人数に勢いをかって盛り上げた▼だが、しばらくして経済の高度成長に伴い、農村部から他産業へ若手労働力が地すべり的に流出し、地域によっては従来のクラブ活動が続けられない状態にまで追いつめられた。そして四、五年前から使命感と農業という職業に自信と誇りをもって真剣に取り組む青少年がふえ、クラブ活動においても、自主性を強く認識する機運が盛り上ってきた▼クラブの組織においても、先輩たちが献身的な努力を重ね今日の姿を築きあげた。しかし、このような歴史的断層の中で、4H本来の姿が埋もれかけ、4Hクラブの指導体制の弱体化が現われたことは否定できなかった。いま、その反省から4Hの再認識の努力が払われているが、この二十周年を機会に探くふり返えり、今後の方向をはっきりとつかむ必要があろう▼そして、4Hクラブ員がいま、新しい人間関係をつくり、新しい農業と農村の基盤を築いていることを肝に銘ずべきであろう。

農家の新規学卒者の動向 42年8月調査

前年下回った就農者

就農率 「高卒」ふえ「中卒」減る

農林省はこのほど、四十二年における農家子弟の新規学卒者の動向（昨年三月卒業者の八月末調査結果）を発表した。この調査は、農家就業動向調査の一環として、昨年三月に新しく学校を卒業した人たちについて卒業後の動向を明らかにするために行なわれたもの。最近の農家から他産業への流出の大半は、新規学卒者で占められており、かつては毎年四十万人前後の新規就農者があったが、ここ三〜四年は毎年五〜六万人前後にとどまっている。このような動向は、必然的にわが国の農業就業構造や農業発展の方向にも大きく影響しているため、この調査は重要な資料となっている。今回の調査でも「中卒」の就農者が減り、逆に「高卒」や「大学・その他」がふえていることや、四十一年に比べて新規卒業者で就農した人が八％も下回ったことなどが明らかとなった。

卒業者数

昭和四十二年三月に中学以上の学校を卒業した農家子弟の総数は百三十二万人で、昨年より二万人（一％）下回った。これを卒業学校別にみると「中卒」は七十五万人で前年より六万人（七％）減ったのに対し、「高卒」は五十二万人で前年より三万人（五％）ふえ、「大学・その他卒」は前年より一万人多く六万人となった。

前年に引続いて「中卒」が大幅に減ったのは、戦後のベビーブームが去った二十六年度の出生数の減少に関連しており、三十九年以降の「中卒」の減少傾向が一段と強まっている。

一方「高卒」がふえたのは、ベビーブーム期の二十三年の出生者が卒業する時期にあたり、さらに三十九年三月の「中卒」の進学者が多かったことが影響している。

農業就業者

四十二年三月の卒業者で八月末現在、自家農業に従事しているもの（農業就業者）は、総数で五・七万人で前年に比べて八％下回った。

卒業者のうち、進学を除いた者に占める農業就業者の割合（農業就業率）九％となり、前年の一〇％をさらに下回る低い率となった。

「中卒」「高卒」について、その動向をみると次のとおり。

イ、「中卒」は二・一万人で前年より二三％減り、農業就業者総数に占める割合も前年の四四％から三七％となり、その比重は年々後退している。（農業就業率では一〇％となり、前年よりさらに低下した）

前年に比べて、男ではとくに「あとつぎ」が減ったのが目立っている。これは「中卒」のあとつぎの進学率が高いことが影響している。

一方「高卒」の農業就業者は三・二万人で前年に比べ三％ふえている。農業就業者総数に占める割合は、[illegible]

ロ、全国農業地域別の就農率をみると、最も高いのは前年同様に北海道の二五％で、地域によってかなりの較差がある。

比率が一〇％以上の高い地域は、北海道、東北、北関東などで東日本に集中されており、逆に、とくに低い地域は、近畿、山陽である。

前年に対する就農者の増減率をみると、南関東、北陸、近畿などと主に工業地帯において減少率は著しく高く、一方、増加率で目立ったのは東海、山陰、南九州である。

次に四十二年一月の年度初めに「農業を主とする者」に対する新卒就農者の占める割合をみると、北海道が一・七％で最も高く、ついで東北の一・〇％、北関東の〇・八％、南関東の〇・七％の順で、東日本に集中し逆に低いところでは、近畿、山陽がそれぞれ〇・一％で目立っており、就農率と大体同じ傾向を示している。

ハ、経営耕地規模別（都府県）について就農者の比率をみるとまず就農率では耕地規模が大きい農業になるにしたがって就農率は高くなり、とくに一・五紗以上とそれ以下では大きい断層がみられ、二紗以上では三割の就農率を示し、耕地規模の大きい農家は新卒労働力の補充が多くなっている。この傾向は就農者のうち、高卒の占める割合についてもほぼ同じようなことがいえよう。

さらに年度初め（四十二年一月）の「主として農業に従事するもの」に対して新卒就農者の占める割合をみても、一・五紗以上は他に比べてその占める割合が高くなっている。

就職者

(1) 卒業者総数のうち他産業（自家農業・自家農業以外の自営業を除く）に就職したものは、五十四万人（四一％）で前年同期とまったく同じ。進学を除く卒業者に対する就職者の割合は八四％を占めている。

就職者について、就職のため家から「転出」したものと、家を離れず「通勤」しているものに分けてみると「転出」の方が多く就職者の五四％を占めている。これを「中卒」についてみると「転出」が七三％で著しく高く、とくに「女子」では八〇％と高い。

「高卒」では逆に「通勤」の方が多いが、男女別にみると女子は六一％、男子は四六％である。

(2) 次に、就職先きの主な就業産業種類をみると、製造業が四一％で最も多く、ついで卸・小売業の二〇％、サービス業の一七％の順となっている。製造業のうちでは化学、金属、機械の重工業部門が三一％で製造業の半数以上を占めている。

男・女別にみると、男子では建設業、製造業、運輸通信業、女子では卸、小売業、サービス業などで高いウエイトを占めている。なお製造業では、男子は重工業、女子は繊維産業へ集中しており、男女の労働力の性格によって、その就職先の産業がはっきりと区別されている。

また学歴別では「中卒」は建設業、製造業など第二次産業のウエイトが「高卒」では概して三次産業へのウエイトが高くなっている。なかでも「中卒」の女子では繊維六三％、男子では化学、機械金属の三四％、建設業の二四％、「高卒」では女子の卸・小売業の三四％などに集中している。

農業就業者の推移（学歴別）

凡例：中卒　高卒　その他卒

年	計
37年	7.9万人
38年	7.7万人
39年	5.5万人
40年	5.9万人
41年	6.2万人
42年	5.7万人

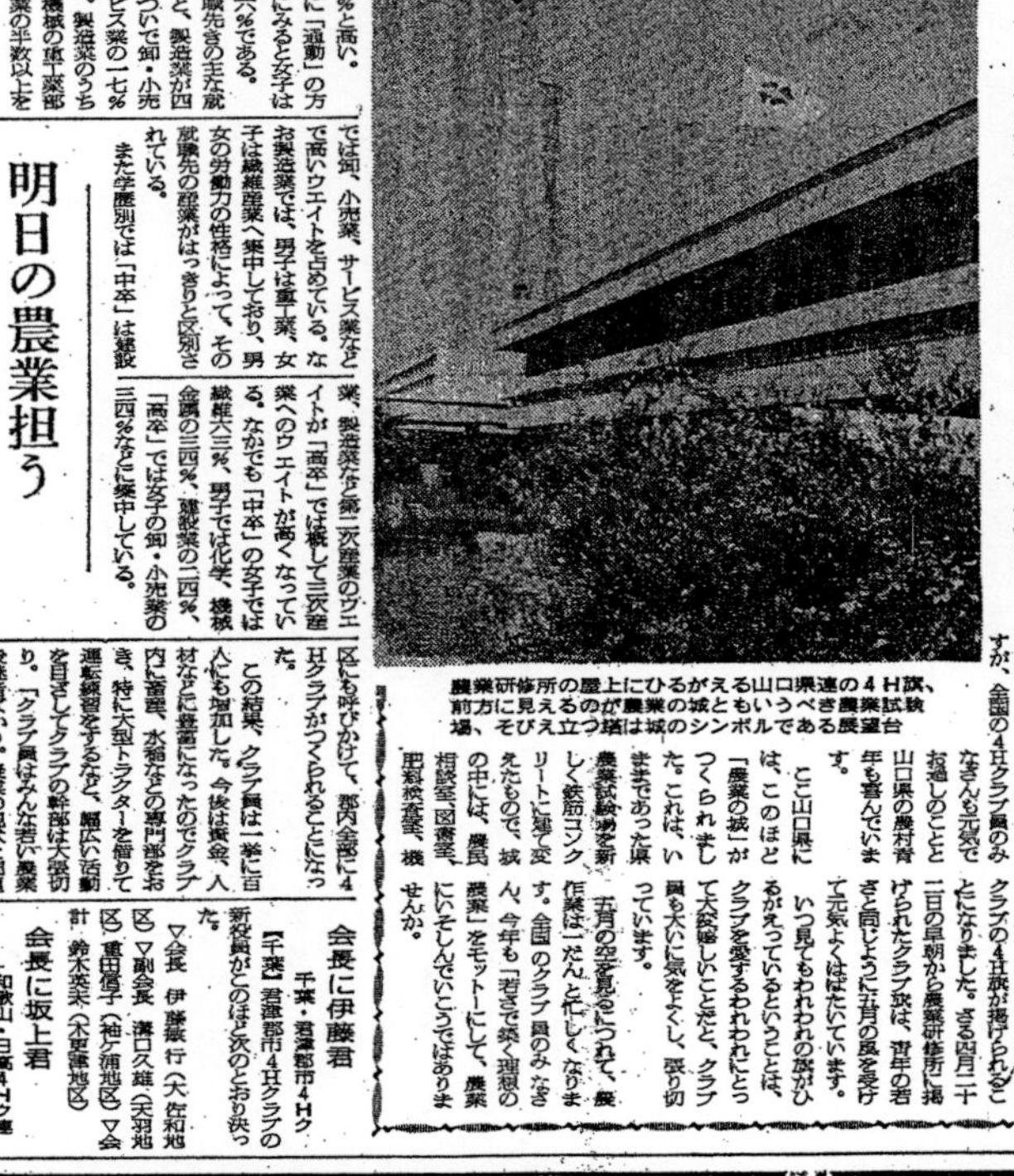

五月の風にははばたく

山口 「農業の城」屋上に県連旗

【山口県＝[illegible]】澄みきった青空に舞い上る鯉のぼりも、そして南国からやってきたツバメも五月の日ざしを体いっぱいに受けて元気にはばたいている今日このごろですが、全国の4Hクラブ員のみなさんも元気でお過しのことと山口県の農村青年も喜んでいます。

ここ山口県には、このほど「農業の城」がつくられました。これは、いままであった県農業試験場が新しく鉄筋コンクリートに建て変えたもので、城の中には、農民相談室、図書室、肥料検査室、機械室、温室などがあり、農民にとってはいうことなしの試験場です。そしてテラス続きに建てられた農業研修所があります。

このようなデラックスな建物の屋上に、われわれ農村青少年クラブの4H旗が掲げられることになりました。去る四月二十二日の早朝から農業研修所に掲げられたクラブ旗は、青年の若さと同じように五月の風を受けて元気よくはばたいています。

いつ見てもわれわれの旗がひるがえっているということは、クラブを愛するわれわれにとって大変嬉しいことだと、クラブ員も大いに気をよくし、張り切っています。

五月の空を見るにつれて、農作業は一だんと忙しくなります。全国のクラブ員のみなさん、今年も「若さで築く理想の農業」をモットーにして、農業にいそしんでいこうではありませんか。

農業研修所の屋上にひるがえる山口県連の４Ｈ旗、前方に見えるのが農業の城ともいうべき農業試験場、そびえ立つ塔は城のシンボルである展望台

明日の農業担う

福岡 三潴郡4Hクが発足

【福岡】将来の日本農業を背負[illegible]いたが、このほど地域を越えて[illegible]区にも呼びかけて、郡内全部に4Hクラブがつくられることになった。

この結果、クラブ員は一挙に百人にも増加した。今後は資金、人材などに豊富になったのでクラブ内に畜産、水稲などの専門部をおき、特に大型トラクターを借りて運転練習をするなど、幅広い活動を目ざしてクラブの幹部は大張切り。「クラブ員はみな若い農業後継者ばかり。農業の現状と問題点をとらえて解決し、お互いに腹を割って話合い、明日の農業を推進していく」と、新しく会長に選[illegible]

会長に伊藤君

千葉・君津郡市4Hク

【千葉】君津郡市4Hクラブの新役員がこのほど次のとおり決った。

▽会長 伊藤振行（大佐和地区）▽副会長 溝口久雄（天羽地区）重田信子（袖ケ浦地区）▽会計 鈴木英夫（木更津地区）

会長に坂上君

和歌山・日高4Hク連

【和歌山】日高郡4Hクラブ連絡協議会の新役員がこのほど次のとおり決まった。[illegible]

プロジェクト推進など決る

奈良・大和郡山市4Hクで総会 会長に中津(甚)君

[illegible]

「プロジェクト活動」講演 (1)

海外技術協力事業団 茨城国際農業研修館長 中田正一

実践的に問題解決

ねらいは"考える農民"

本稿は、先月東京・家の光会館で催された「プロジェクト研究会」で行われた中田先生の講演を要録したものです。先生は、4Hクラブの理論家として、わが国のクラブ育成指導にあたられた方で、この講演も、その暖かい人柄のにじみでた話しぶりのなかに、多くの示唆と感銘を参加者に与えられました。本紙では、この貴重な講演を数回にわたり連載することにしました。

みなさん方の会でプロジェクトの研究会を催されるということを4H新聞でうけたまわって私は大変敬意を表したわけであります。これは、非常に大事なことを大事な時期に始められたと大変敬意を表していた次第です。そこへ出て下さいという話が入りまして、私も行きたいとうずうずしていたところ、都合ができたので出てきたわけです。

朝から呉い分勉強させていただいたんですが、何を話すかということは、前もっては全然予定はしておりませんでした。

とにかく今朝、みなさん方のお話を伺った上で、何を話すかを考えようーそういうずるい考え方でやってきたわけです。それで今まで勉強させてもらったことを土台にして若干のことを一時間ほど申しあげてみたいと思います。

そこでプロジェクトのことなんですけれど、さきほどからも何回もお話がありましたように4Hクラブというのはプロジェクトを中心とするグループだと私たちも考え、みなさん方も考えておったようです。ですから中心課題はプロジェクト活動、そのプロジェクト活動を包んでいる活動はグループ活動、ですからプロジェクト活動とグループ活動があくまで大事な芯になっておるんだということは、昔から考えておったことであります。

そこで、私は茨城におるわけなんですが、昨晩遅く家に帰って、ずっと昔のいろんな表を取り出してみました。

一番最初に書いた、昭和二十五、六年頃に私が書いた表を探し出しました。やや、古典的なものになりますが、ちょっとお目にかけてみたいと思います。

（下図参照）そのプロジェクトの考え方ですね。これは今も昔も変わりありませんがね。

アメリカの教育学者のデューイの考えた合理的思考がここに書いてあります。

まず、思考の五段階、困難の自覚と書いてありますね。困難をまず考えること、そこで問題が起ってくるわけですね。

その次、問題点の検討、それから解決案の想定、解決をするために自分で仮説を作ってみるわけです。

それから、解決案の理論的検討、いいか悪いか理論的によく検討してみる。そうして今度は実践してみる。実践した上で、本当に良かったか、悪かったかを検討する。

これが物事を合理的に考えていく、考え方の順序です。

これを今度は教育学者のキルパトリックという人が、一九一八年に「プロジェクト・メソッド」という論文を書きまして、だれでもできるような形で、小学校の生徒でもできるような形で問題解決の方法、四つの過程を論文に書いたのが、ここにあります。目的を立てること、目的を達成するための計画を立てること、そしてその計画に基づいて実行してみること、実行の結果を反省すること、評価すること、こういう四つの、これをプロジェクトの四段展開という問題解決の四つの過程、あらゆる問題を解決する場合の必ずこの過程を通って、問題を解決していく。

私たちは事実そうしているんです。意識するとしないとに拘わらず、大きな問題だろうが小さな問題だろうが必ずこの方法でやっているわけです。

これは合理的な考え方を通して、ですからこのデューイの合理的な考え方というのと、キルパトリックの問題解決の四つの過程というのが一緒になっているわけです。だから合理的な考え方をしながら問題を解決していく、これがこの二人の先生方だけでなくたくさんの人で出来あがった一つの理論であります。実践的に問題を解決する理論であります。これを教育学上プロジェクト・メソッドといいます。この考え方はいまも変らないわけなんです。

だから、合理的にものを考えていく、そして合理的に問題を解決していこうというわけです。そして、これを繰り返し、繰り返しやっていくことによって合理的なものの考え方のできる人が生まれてくる。そういうのがその当時の昭和二十四、五年頃の考え方だったわけです。

そのときに書いたもう一枚の表がここにあります。これは古典的なものになりそうですが。（表は省略）

プロジェクト法、自主、実践とあります。自分で主体性をもって自主的に実践する。自からなすことによって学ぶ、問題を解決する。

その四段階的解決法は、問題意識、まず問題を見付けるー目標をきめるーそしてそれについて計画をするーそれから実践をするー批判をする、評価をする。したがって、そこで予想される4Hクラブのクラブ員という農民像は、問題意識をもった農民である。計画性をもった農民である。実践力をもった農民である。批判力をもった農民である。そういう農民をねらいにして初期の頃の4Hクラブのプロジェクトを進めたわけであります。

それを、プロジェクトする人とは問題と取り組む人。その当時"考える人"という言葉がありました。考える農民、困難と斗う人、運命を支配する人、問題と格闘する開拓者的な人、だからプロジェクトの発表などには格闘した跡があるわけです。そういうものでないと本当はプロジェクトといえないんです。

これはその当時、習慣、繰り返しの農民だったのに対して、知性、考える農民にしようというねらいをもって、4Hクラブを進めた。これはまさに古典的なものであります。

しかし、プロジェクトの考え方には、別に変わりないわけであります。

学習の過程

（プロジェクトの四段階）	（問題解決思想の五段階）
❶目的を立てること	❶困難の自覚
❷目的を達成するための計画をたてること	❷問題点の検討
❸計画に基づいて実行すること	❸解決案の想定
❹実行の結果を反省すること	❹解決案の理論的検討
	❺解決案の実践的検討

県連十大ニュースも

京都府連で「農青京都」11号

【京都】京都府農村青少年クラブ連絡協議会はこのほど県下のクラブ員や関係者[illegible]「農青京都」第十一号を[illegible]た。

内容は、木村前府連会長の[illegible]をはじめとして、[illegible]

「機関誌」

全体に柔らかさ

奈良・大和郡山市4Hクラブ「ともだち」3号

[illegible]

4Hくん No.123

優れた経営者たち

水稲

創意工夫で大収穫
時代の波に乗った経営拡大

鹿児島県大口市山野四六九
井手口冨雄氏

最近、経済の高度成長につれて農業に見切りをつけて離農する人が多いなかにあって、ここに紹介する井手口富雄氏は稲を立派につくっておれば間違いないという養父の言葉を忠実に守り、新しい稲作に一途に取り組み、みごと成功した気骨の人である。わずか200アールに満たない山村の不良田をもとに、新しい技術の研究と規模の拡大に注ぎ込んだ執念は若いクラブ員の手本とすべきものである

健全な経営規模の拡大

井手口さんは、戦争後、養父から営農を任されると、ただちに経営規模の拡大を目ざした。幸い戦争直後のことで、作れば何でも金になる時代であったので、井手口さんは毎日黙々と働き、それを金に換えることによって資金を貯えることに専念した。

そして昭和三十年以降、これをもとにして積極的に本田の購入をおこなった。その規模は次の通りである。

経営規模拡大の推移

二九年一九〇アール　三五年二四〇アール
三〇年一九二アール　三六年二六二アール
三一年二〇二アール　三九年二七二アール
三三年二〇四アール　四一年三一五アール

すなわち、昭和三十五年には約二五〇アール、四十一年には三一五アールと昭和二十九年の一九〇アールに比べて、短期間に急激に拡大しているが、この購入資金はすべて、自分の貯金によるもので、借金は一切していない。この点は注目すべきである。

水稲のほか井手口さんは現在和牛四頭を飼育しており、この飼料としてレンゲ一〇〇アール、オート二〇アール、裸麦二〇アールなども栽培している。井手口さんが養子に迎えられたとき、すでに二頭飼育していたのを、その後多少、増減しながら現在に至ったもので、井手口さんの収入は稲作が大部分で、それに和牛販売収入となっている。

井手口さんのもつ農機具は、動力耕耘機二台、トレーラー二台、火力乾燥機、動力脱穀機のほか、大したものはない。

これらの農機具の導入は部落にさきがけて行なったが、過剰投資を恐れる井手口さんは、現在のこれらの農機具を使い自分たち夫婦と長男の三人で耕作できる範囲を一応四〇〇アール程度と考え、その程度までの規模拡大をはかりつつある。現在は三分強であるから、なお、余力があるわけである。

土地改良と科学的栽培

井手口さんの水田は、自宅からの距離[illegible]〇〇メートル以内のところに八枚と部落外の四〇アール田一枚とからなっている。部落内の八枚はお互に比較的近い距離にあって、管理にも便利である。

しかし地形が複雑で、起伏の多いところから、土壌の条件は変化にとんでおり、灰褐色土壌の乾田、グライ土壌の湿田、粘土質、砂質など多様である。

また、伊佐盆地の中心部は相当土地改良がすすんでいるのに対し、この地区はまだ全然なされていない。井手口さんは独力で区画を広くしたり、客土や湿田には暗渠排水、漏水田にはコンクリート畦畔などを設け整備をおこなっている。

この土地改良は井手口一家の冬季閑の仕事で、そのやり方も大きな機械や大勢の人々によって一気に進めるという派手な方法ではなく、年々わずかずつ着実に進めている。

たとえば、自宅の近くにある水田は八〇アールが三一枚にわかれていたのを一七〜一八年前から着手しようやく二〇枚に整理した。

また、コンクリート畦畔も手間にあわないおよびそれがないところにはビニールシートを使っているが、これの総延長が一、四〇〇メートルに達し漏水防止のみでなく、畦ねり、雑草除の労力節約に役立っている。客土は付近の川が出水したときの堆土や排水路の泥をあてているが、これを運搬するのに井手口さんがさきに行なった農道の改修やトレーラーの導入が役立っている。

井手口さんは、毎年堆肥を一〇アール当り一トン投入している。かつて米作日本一技術部会で表彰をうけた県内末吉町の谷川さんの水田を視察したとき、良質の堆肥が多量に施されているのをみて、いたく感銘をうけ、その後一貫して堆肥の増産にはげんでいる。

巧みな管理技術
平準化図った労働ピーク

井手口さんの一〇アール当り収量は昭和三十七年から四十一年にわたる五ヵ年平均四三七キロで部落平均三九四キロに比べて約一〇％高い。

これは土地改良と地力培養のほか、センダイ、タチカラなど強稈、多肥多収品種の導入、密植化、珪カル、珪鉄の施用、施肥の増加、病害虫防除の徹底、水管理の適正化など増収のための諸技術がたくみに取り入れられており、とくにこれら諸技術の成果が結集された昭和四十一年度は、部落平均五三〇キロに対し五八六キロと比率では五ヵ年平均とほぼ同じ一〇％増であるが、絶対量では相当高まっている。

自分の試験田で新工夫

井手口さんは、新技術導入のために品種の試験田を設けているが、品種以外の諸技術についても適宜試験を行ない、普及所が行なっている展示圃の成果を自分のところに取り込む前の予備試験を行なっている。

井手口さんが取り入れたこれらの諸技術のうち、増収にもっとも効果のあったのは多収品種の採用と考えている。

昭和三十六年以降の品種の変遷と収量の動きは、センダイ、タチカラは普及所の展示圃でもよくまた自分の試験田でも農林十八号が一〇アール当り三八〇キロであるのに対し、タチカラ三四五〜三七五キロという高い収量で、また倒伏しにくいという長所をもっているところから、長男、妻が強力に支持したため、井手口さん自身は農林十八号に未練を持っていたが、一気に更新したとのことである。

これにあわせて、施肥量（一〇アール当り）も大幅に増加した。

栽培品種による施肥量の相違

農林十八号
元肥　堆肥一トン、塩加りん安三〇キロ
追肥　尿素一五キロ

センダイ、タチカラ
元肥　堆肥一トン、硅酸苦土石灰六〇キロ、塩加りん安四〇キロ、塩安一〇キロ
追肥　NK化成三〇キロ（秋落田ではさらに一〇キロ増加）

栽培密度も従来二四×二四センチであったのを、二四×二一・五センチと密植化したが、これはかって密植してよかったという経験があるのと、佐賀県で最近強稈品種を用いて多肥密植によって多収をあげているのに刺激されたものである。

水管理については、この地区は灌漑水温が低く、水口の生育が遅延するので、井手口さんは三メートル程度のビニール樋を水中から伸し、これで灌漑を行なっている。これによると、ビニール樋の方向を変えることによって低温による障害を分散し、生育の遅延を避けることができる。寒冷地では水口を生育時期によって変更することが、水口の青立ちを防止する方法として奨励されているが、水口を自由に変え得ないところでは効果ある方法と考えられる。

病害虫防除は、苗代四回、本田一一回、合計一五回の多数回となっているが、この地方の基幹防除が苗代三回、本田六回で、多くてもこれよりも二〜三回が普通であるから、井手口さんの一五回は一般より多少多い程度である。

以上、井手口さんが増収のために取り入れた諸技術について述べたが、これらの技術がただ機械的に行なわれたというのではなく、稲の生育に合わせて適切に行なわれているもののようである。というのは、井手口さんの稲は、非常によく揃っている。周囲の水田では出来おくれ、生育不良、出来すぎて倒伏などが一枚の田のなかに必ず見られるのに対し、井手口さんの田ではほとんどそういう点を見出せない。

本人の説明によると、冬季の客土の際、土を田面に均一に散布することと、追肥のときに生育の悪いところは多目に、生育の良いところには少な目に施しているためであるとのことであるが、とにかく井手口さんの管理の巧さを物語っていると思われる。

本田一〇アールに要する労働時間は次の通りである。

一〇アール当り所要労働時間の比較
（下の数字は大口市平坦部）

種子予措、苗代[illegible]	11（6）
本田耕起、整地	4（3・4）
田植	16（24）
元肥	5（3・7）
追肥	3（2）
除草	7（5）
病害虫防除	8（4・3）
灌排水	12（10）
刈取り	22（20）
脱穀調製	18（24）
合計	106（102・5）時間

大口市平坦部の一〇アール当り労働時間は、他の地方に比べると、能率的である。井手口さんの所要労力は大口市の平均よりもやや多目であるが、これを作業別にみると稲作で最も集中的に労力を必要とする田植、収穫では少なく、防除灌排水管理などの時間が多くなっており、労力の平準化への努力がうかがわれる。

なお、農繁期労力の節減への配慮として、井手口さんは播種を五月四日、十三日、十八日の三回とし、これにあわせて田植えの時期も六月十一日から二十七日までに周辺よりも一週間以上引き伸しており、また脱穀機の導入、除草剤の全面利用などを部落にさきがけて行なっている。

堅実で一貫した計画
田植機の導入にも強い関心
一見鈍重な堅実主義で

井手口さんの経営と栽培技術は一貫した計画性の上になりたっている。すなわち、戦後養父の教えを体して、水稲作に専念することを決意してから、一貫して経営規模の拡大と、栽培技術の向上を志し、経営規模拡大のための資金については、数年間にわたる自己資金の蓄積につとめ、栽培技術の向上については普及所の行なう展示圃の成果を一度自分の試験田を通してから全水田に適用している。

したがって、井手口さんの今までの経過をみると、一見鈍重な感じがしないではないが、非常に堅実で一貫した計画のもとに着々と進められている点が強く印象づけられている。

農家だけでなく、経営を発展させるのは、最初は小さいながらも自己資金だけで事業を起し、徐々に拡大して行く型と、融資などを最大限に利用し、それをさらに発展させる型とがあるが、後者に比べると前者は堅実で、井手口さんの経営はこの典型とみることができる。

井手口さんの一貫した計画性はまた時代の流れをうまくつかまえたという感じがしないでもない。戦後の混乱期に資本を蓄積し昭和三十年頃から始まった経済の高度成長期、かなりの農家が自分の田畑を放棄して都市に職を求めているときに、水田の規模を拡大し、現在に至っている。計画的一貫性が幸いしたものである。なお、井手口さんは近い将来に水田の面積を四分にするという計画をもっている。井手口さんの現在の所得と生計費とからみて、毎年二〇〜三〇アール程度購入できる力はあるものとみられる。一方、この部落の農家の階層構成は五〇アール未満、五〇〜一〇〇アールの層がいずれも三〇％をこえ、五〇アール以上の農家は一〇％に満たない。一五〇アール以下の農家は春秋の農繁期を除くと、ほとんど阪神、中京方面に出稼ぎに出ており、……

第1図　大口市の位置と概況

水稲耕種概要

項目		井手口氏	大口市
苗代	苗代様式	揚床水苗代	揚床水苗代
	苗代面積（10a当り）	52.8㎡	40〜45㎡
	播種量（㎡当り）	80g	100g
	播種期	第1回 5月4日　第2回 5月13日　第3回 5月18日	5月中〜下旬
	種子消毒	水銀剤1,000倍　8時間浸漬（ウスプルン）	水銀剤1,000倍　8時間
本田	栽植様式	22.5cm×24cm（㎡当り185株）	21cm×22.5cm（㎡当り211株）
	田植期	第1回 6月11日　第2回 6月18日　第3回 6月24日　第4回 6月27日	6月中旬〜6月下旬
	肥料 基肥（10a当り）	堆肥1000kg　塩加、燐安284号 60kg　珪カル 90kg　珪鉄 450kg	レンゲ 1,500kg　化成肥料 40〜50kg　珪鉄 300〜450kg
	追肥	N.K.C 3号25〜30kg　内訳 第1回 7月上旬 10kg　第2回 8月中旬 10kg　第3回 9月5日 5〜10kg	N.K.C 3号25kg　内訳 第1回 7月上旬 10kg　第2回 8月中旬 10kg　第3回 9月上旬 5kg
	三要素量（金肥のみ）	N 11.7〜12.6kg　P_2O_5 10.8kg　K_2O 12.4〜13.2kg	N 8〜11kg　P_2O_5 6.5〜9kg　K_2O 8〜11kg
	病害虫防除	苗代4回　本田11回　対象病害虫　ツマグロヨコバイ　イモチ病　セジロウンカ　シラハガレ病　コブノメイガ　モンガレ病	苗代3回　本田6回（基幹防除のみ）　対象病害虫　同左
	かん排水	生育中期〜後期においては、出穂開花期を除き間断かんがい	同左
	収穫時期	10月中〜下旬	10月中〜下旬
	稲乾燥	地干し	地干し
	籾乾燥	通風乾燥機	人力むしろ干し、または通風乾燥機
	脱穀	動力脱穀機	機動力脱穀機

井手口氏の略歴

井手口さんの住む大口市は鹿児島の北端、熊本県に接するところで、周囲を九州山系の山々によってとり囲まれ、隣接の菱刈町とあわせて伊佐盆地をつくっている。

標高一八〇メートル、年平均気温一五・五度で、この温度だけからはそれほど寒冷地とは思えないが、内陸盆地にあるところから、夜の冷え込みが強く、冬は積雪もあって鹿児島県の北海道と呼ばれている。

大口市は純農村地区で、しかも昔から良質な伊佐米の主産地である。国鉄山野線、宮之城線の二線が市の中央を南北に貫通し、また国道二六七号、二六八号が通って交通には比較的恵まれているとはいうものの、鹿児島へ二時間半、熊本へ三時間と大都市と絶している関係から、農産物の種類も米以外にほとんどみるべきものはない。ただ、最近市の方針によって豚、たばこ、乳牛、和牛などがやや殖えつつある程度である。

井手口富雄さんは、養子であって、元来ここの人ではない。大正十三年三月に熊本県水俣市の会社員の家庭に生まれ、昭和十九年に海軍砲術学校を卒業したのち、佐賀県で終戦を迎えて帰郷、昭和二十一年に現在の井手口家に迎えられ、はじめて農業に従事することとなった。

井手口家の養父は、現在大口市の一部になっている山野町で事業に失敗し、現在地で再出足し、粒々辛苦の結果、ようやく一八〇アールを経営する程度になっていた。

井手口さんはこの当時を想い出して「他の事業には手を出すものではない。稲を立派に作っていれば間違いない」というのが夕食後おやじの口ぐせで、耳にタコができるほど聞かされました。しかし、それが私の将来をはっきりさせたようです」と語っているが、井手口さんの今日の成果は、すでにこの頃芽生えたものとみることができる。

温厚にして不屈
次の目標は年収一万ドル

井手口さんは、きわめて寡黙な人である。昭和三十七〜三十八年に部落会長、昭和四十一年以後農協選挙管理委員長などの公職について周辺の信望を集めているが、かって鹿児島市で優秀農家の座談会があったとき、これに出席した井手口さんは、終始微笑をうかべながら、終に一言も発言しなかったとのことである。

井手口さんはまた実行の人である。朝早くから大型のオートバイを乗り回し、水田の手入れや部落全体のためにする市役所への陳情など、この寡黙、温厚な人のどこにこんな情熱があるのかと思われる活躍ぶりである。

井手口さんの部落から水田に出る途中、山野川にかかった立派な橋を渡るが、この橋も井手口さんが部落の代表として市と折衝し、昭和三十六年に完成したもので、河原を迂回したり、浅瀬を徒渉したそれまでに比べて大変便利になった。

また、井手口さんは部落内で稲作同好会を組織して、その指導者となっている。この同好会という名は、もともと構成員が全部養子であるところから、養子会ー同志会ー同好会と名付けたものである。

井手口さんは、また曲ったことの嫌いな人である。戦後、米の供出をしぶる農家が多かった中で、井手口さんは自分の割り当てを超えて供出したことによって、昭和二十五年に知事表彰をうけている。

井手口さんに対する世評は、まずこういったところである。

一方家庭内ではよいお父さんぶりを拝見することができる。家庭内の問題や稲作の計画は、もっぱら奥さんと長男の三人よりなる家庭会議の結論にしたがって進められるが、奥さんの不在中に黙って日曜大工によって台所を改善し、簡易水道をつけたという暖かい反面を見逃すことはできない。

井手口氏の言葉

復員後、昭和二十二年に私が経営を受継いだときは、農業は何もかも初めてで、水田耕起も何本もスキを折ったものです。堆肥、モミなどの運搬はすべて牛の背をかりて川を渡り、狭いあぜ道を通っていました。水田は良田ではなく、とくに屋敷の周辺は湿田で、それをクワで耕起する作業は大変な重労働でした。

電灯もなく、毎日四〜五回も遠方から飲料水を運ばねばならない不便な日常生活の中で、妻も育児や家計のやりくりに一生懸命がんばってくれました。

私が経営改善上とくに努力したことは、土づくりをはじめとする基盤整備と規模拡大で、湿田には徹底的な暗渠排水工事を行なって乾田化し、溝さらえした土や洪水で道路やたまりに堆積した泥土などを客土するとともに、大量の堆肥を投入するいっぽう、独力で区画整理やコンクリート畦畔の建設をすすめました。

また規模拡大のためには、家族全員が出費を極力きりつめ、計画的に[illegible]資金を[illegible]することに努めました。

今後は、引き続き水田の規模拡大と基盤整備を図るとともに和牛の増頭に努め、田植機、小型コンバインをはじめとする農業機械を購入して省力化をすすめ、農業所得一万ドルの目標を達成して、家族の月給制を実現するつもりです。

また、若い者に責任をもたせ経営能力を高めるため、できるだけ早く経営権を長男に委譲したいと思っています。

農業に取り組んでから今日まで、大げさにいえば毎日が苦労の連続であったにもかかわらず今ふりかえってみますと、それらの苦労はむしろ楽しい思い出にさえ変っています。

今後も、計画達成には幾々の困難がともなうでしょう。しかし、何かを行なおうとする場合は、家族全員がじっくりと話し合い、それが決定された場合はそくざに実行するという従来の方針を貫いて行けば必ずや実現できるものと確信しています。

初夏を爽やかに

NHK農業番組（5月20〜31日）

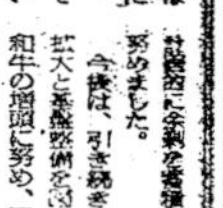

テレビ

ラジオ

兼業は生産の低下
計画性ある農業経営を

岐阜県高山市新宮町 高山市4ツ葉クラブ　田中正躬

消費生活の急速に発達した近年、私たちの部落でも、所得が消費に追いつかず、家族全員が出稼ぎをするという家庭が目立っているように感じます。現に農家戸数八十戸、耕地面積八十㌶、山林三百五十㌶の私の部落でも、農外定職を持っていたり、年間を通し出稼ぎを一日もしないという家は僅か六戸、また私たち位の年令のものが約二十名いますが、農業をしている人は八名で、その中でも農外所得ゼロという人は三名です。

このようにして、農家が兼業したり、出稼ぎをするというのは、私たちの部落に限らず、一般的な傾向ではないかと思います。

そして近年大きな社会問題となっている三ちゃん農業が、ますます深刻化して、すなわち父ちゃんまでが稼ぎに行くようになり、結局、農業労働者不在の農村に変ってきています。こんな農村の姿を見ると、こんなことでいいのかと思わずにはいられません。

結局もとをただせば、昔とちがって、所得と消費のバランスの差が大きいため、その不足金を農外に求めなくてはならないところに原因があると思います。また生活面にも、このようなことから時間的余裕がなくなり、その結果が未来の農村を担う青少年を失うばかりか、現在の農村を支えている中堅の人物さえも失なっています。

しかし不足金を農外に求める事態、それは農家の一時的な充足をはかることはできても、安定した農業を営むことは出来ません。たとえば、現在工業界の自動車産業がそうです。聞くところによるとアメリカでは、六千cc級の車が、日本の二千cc級の自動車の値段で生産されています。そうした場合、市場競走ということになると、どうしても日本は、不利な立場に立たされることになります。

農業においてもこれと同様のことが言えます。

私たちの部落でも、多くの青年が農業に対して悲観的な考えを持っていることは見のがせない事実です。このようなことになったのも政治的な批判がされる現在、それだけの批判だけに終らず、個人個人の考えが計画性のないところにあると思います。

このことから私たちの多くが、計画性のある農業経営を望むならば、その時こそ私は農業衰退どころか、大きな飛躍をし、その繁栄が約束されると思います。そのためには、自分の計画、基礎、実力を養う必要があり、農業の繁栄を願う者として、全国の農村青年に対し、もっと自信と団結をもって、農業に対処してほしいと思います。

このようなことから出稼ぎをすると、なぜ農業が衰退するのか、私の意見を述べてみます。私たちは、毎日色々なことを見たり、聞いたり、考えたりしますが、その中でいったいどういうことについて、考えたり話したりすることが多いかと言えば、牛を飼っている人であれば、自然牛のことについて考えることが多くなり、話すことが多くなります。また野菜を作る人でも同様のことが言えます。事実私も成鶏二千羽の養鶏をやっていますが、鶏のことについて考え、話すことが多くなります。

同じように、商店、工場、あるいは事務所につとめる人でしたら、おのずからその関係について考え、話すことになります。すなわち、私たちが日常考えたり、話したりすることは、日頃見たり聞いたりしたことにつながり、職場によって大きな違いがあるものです。

したがって、出稼ぎする人は、それだけ農業そのものについて、考えたり、話したりする機会が少なくなり、自分の頭の中には、農業とは関係のない、その日その日の生活になってしまいます。それが結果的には、農業の生産の低下、品質の低下を引きおこし、農業の衰退をまねくということになり、すなわち、出稼ぎをすると農業に身が入らなくなってしまいます。

それでは、どうしたら出稼ぎをしなくてはすむか、簡単に言えば、出稼ぎよりもうかる仕事を農業の中から見つけ出せば良い。しかし、日本農業の現状からみて簡単に実現出来る人は少ないと思います。だが私は、やりようによっては、すぐに実現しなくても所得二百万円もけして夢ではないと思います。

しかしそれには、私たちの若い力がなくては出来ません。耕地の多い人は出畑転換など、また少ない人はハウスによる多角経営とか、身近な問題から解決していかなければならないと思います。

その意味においても、私たちはもっと農業そのものについて考える必要があります。そして合理的な経営によって、農業特有の収入の不安定さを克服することができると思います。私は、このように計画性のある営農によって、一日も早く兼業や出稼ぎの必要のない農業を営めるよう努力していきたいと思います。

わがクラブわが同志

私の発言

"農家に嫁ぎたい"
誇りと情熱の姿が魅力

父の死で止むなく従事した農業に私は強い劣等感を持ち、農業の良さも知らなかった。しかし、4Hクラブに加入しクラブ員一人一人の農業に対する誇りと情熱、前向きの姿に打たれ、また初めて自分の手で育てた稲が豊かに実った喜びと満足感が劣等感を消した。

そして父から受けついだ農閑期の苺栽培で十五万円の収益をあげ、未熟な私でも"やれば出来る"自信が湧き、作物を作る魅力、農業の良さを発見した。自からの責任と考えで経営ができることに張合いが持て、何ごとにも真剣に取り組めるようになった。

私の家が農業で自立するには経営の改善が必要であり、今年は水稲+苺の経営を確立するため、農閑期のフルな活用と省力化を考え、苺のハウス栽培を行なった。今後は、これを二十a~三十aに拡大し、弟が高卒するまでに、自立農業の基礎をかためたい。そして、豊かでレジャーの楽しめる農家生活の担い手として、立派な後継者となるため頑張り、将来は専業農家へ嫁ぎたい。

（栃木県足利市百頭町・足利4Hクラブ　三田順子）

夢と希望を語合う
短大生と交歓会
愛知・三好4Hク

愛知県三好町・三好4Hクラブでは、さつき晴れの五月五日、愛知県にある淑徳短期大学の女学生を招き三好町役場、愛知用水の愛知池周辺を会場にして交歓会を開いた。

五日は子供の日とあって、出席者も多く、三好4Hクラブから二十名、短大生十名の参加者があり、なごやかなうちに話し合いが進められた。

話し合いの内容は「4Hクラブ員の見た短大生、短大生の見た4Hクラブ員」と「お互いの夢と希望」についてであったが、お互いに住む環境が異ることもあって、必ずしも意見の一致が見られなかったが、そこは若い者同志、池の畔で歌やゲーム、ホークダンスに興じるうちに、気持もとけあい再会を約して別れた。

娘さんと交歓会
抱負や人生を語る
青春は楽しく有意義に

宮城県亘理郡4Hクラブ連絡協議会（会長　千石一夫君）では、このほど、高校など卒業し新規就農する三十数名の新クラブ員に対し、歓迎会を開催し激励した。このあとひきつづいて、亘理町の中央にある明和女学院（洋裁、和裁、編み物）の娘さん九十数名と交歓会を行なった。

新クラブ員歓迎会は、4Hクラブ活動のあり方についての説明があり、農業に生きようとする若い後継者たちは、クラブ活動を通じて農業の改良や、よりよい人間形成を図ろうと強い励ましの言葉をうけ「日本の農業を担う立派なプロ農業マンになるよう努力します」と、4Hクラブ入会の決意をのべた。

このあと、明和女学院の学生と交歓会を行なった。「青春時代を有意義にすごすには」とのテーマで、青年らしい活発な意見の交歓がなされた。

初めに私たちが体験したことを話し合ったが、次のような話し合いや意見が出された。

何事についても中途はんぱで無責任な生活をしてきたことを後悔している。これからは、自分自身を反省し、人の意見を尊重して、よりいっそう楽しい生活を送るようにしたい。また、一日一日に目標を立てて、計画性のある生活をしたい。

若い時代の苦労は、生涯の土台となるのだから、視野を広め意欲的に活動したい。

そのためには、若い時代を有意義に過したい。たとえば、立派に役立つ社会人となるために、学習と勤労に励み、問題解決の能力を養う必要がある。それには、もっと全員がプロジェクト活動と真剣に取り組み、日常生活の中にとけこんだものにしたい。また、生涯を通して青春時代の若い情熱をもちつづけたい。など、参加者は目を輝やかせながら4Hクラブ活動に対する抱負や人生設計について話し合った。

結局、話し合われた意見を総合してみると「働く時はよく働き、楽しむ時は最高に楽しみ、自己を見失なわないよう」にすることが、青春を楽しく有意義にすごすことではないかと言うことになった。

この後、ゲームやフォークダンスに興じ、若い明るい歌声はいつまでもつづいた。

最後に、若い者同志が再会を約束し、「よりよい社会、よりよい日本をつくるため、若い力で諸問題を解決しよう」と誓い合い、"たのしく伸びゆく4H"と力強い4Hクラブの歌をうたって交歓会の幕を閉じた。

さとびとのうた
ボナール展を観て

みちのくの里にも春がきました。春がすみに煙る岩木山を囲んで一面に白いりんごの花がにおう津軽野の気の遠くなるような広大な春の眺め、名久井岳を囲んで梅、さくらんぼ、すもも、梨そしてりんごと花々で埋もれる三戸地方の春の眺め　その花の下で先生を囲んで仲間たちと共に美酒に酔いたい…」と青森の船場君からの便りである。

東北の春の花は一度に咲き実にすばらしいとはきいていたが、さぞかし美しい光景であろう。四季おりおりに異なった趣を呈して変化してゆくりんご園に立って魂をゆり動かされながら働らく船場君の顔が浮ぶ。ベトナム問題のパリ会談を喜び、一日も早く停戦になることを希求している。また、日本人である私達の現在の自由と幸福をただ黙っていてよいのかと彼は考える。国を愛すること、平和で豊かにすることが青年に与えられた責務のような気がすると彼はいう。野に立つ彼が目を大きく開いて世界の情勢に一喜一憂する姿、これがこれからの農村青年の生き方の一面であろう。

企業化、近代化、七ケタ、八ケタと農業経営の面に没頭することだけでは、これからの農村も農業もだめだと思う。政治、経済、国際問題等の勉強、文学、美術、音楽、演劇等芸術分野の勉強もおこたらないようにしたいものである。

美術といえば、連休の一日、上野の国立西洋美術館に、ボナール展を観にいった。連休のせいもあろうが、相も変らぬ長蛇の列である。三十分位並んだだろうか。やっと入場したが、場内は、人、人、人の群である。頭と頭との間から絵をのぞきみるようにして観てきたというのが実感である。

絵を画くために生れ、絵を画きながら死んでいった人という感じがする。一五一点の作品をみているとそんな感じがひしひしとおしよせてきた。観客の一人が感歎の声で、「よくこんなに沢山かいたもんだなあー」と、まったくである。館の入口にあいさつ文が書いてあった。

「現代絵画には稀れな日常的な主題を描きつづけながら、その驚くべき色彩の魔術的効果、確実な画面構成力、光や材質や動感に敏感な感受性、そして何よりも「目に見えるもの」を愛し生きることのよろこびに卒直な心によって、もっとも前衛的な絵画にも劣らぬ新鮮な詩情を生みだしたこの巨匠の作品は、早くから日本人に親しまれながらほとんど紹介される機会がなかった」と。

そして最後に「日本を愛し、日本の芸術を愛したボナールの作品が、より深く、より広く理解されることを信じる」とある。ボナールは日本の浮世絵版画が好きであったようだ。

会場のあちこちにボナールの言葉が書いてある。その言葉を真剣に書きうつしている学生を何人もみかけた。私も書きとった。一部を紹介しよう。

「ひとが一切を忘却すれば、それだけ残るのは自我だけだが、それだけでは十分ではない。どんな小っぽけなものであれ、地上に足をつけているための主題がつねに必要がある」

「真実らしくないということ　それが実はしばしば真実そのものなのだ」

「見えるものすべてが、君を喜ばすわけではない。画家がとらえ、作品の中に組み込んだきわめて快い関係に驚嘆させられるのは、あらゆるものから、美しさを抽出することができるからである」

「辛抱強くあらねばならない。待つことをおぼえなければならない。潮どきに感動がわきおこってくる」

（雅）

東南アジアを訪問して（三）

埼玉県入間郡富士見町南畑・青年の船派遣団員　砂川みさ子

小さな社会を構成
狭い乍も楽しいわが船

船の歌で一日の始まり

初めての訪問国、台湾をあとに青年の船は、第二の訪問国タイを目ざして、航海を続けております。船が大ゆれしないのには助かりますが、台湾上陸での疲労も手伝って、出航した日の午後、船よいでとうとう授業に出られなくなりベットに入ってしまいました。

食欲もわかず、いそいでかけこむトイレでの苦しさに三食ほど絶食、大切な一日をベットで寝たことになります。船よいの苦しさを味わったのも、一つのよい思い出だったかもしれません。

それにしても、船が静かになる[illegible]自分に少々腹が立ちました。船はそんなことにおかまいなく、その美しい船体を真青な海に浮べ、目ざすタイへと進路を進めています。

私たちの生活は、六時三十分（バンコク以後は六時）に、青年の船の歌の起床の合図で、一日が始まります。ねむい目をこすりな[illegible]さは、また格別で気分がさっぱりします。体操、講話、たのしい食事の時間が自分のあとから追いかけて来るようです。

夜、十時三十分の就寝時間まで、ぎっしりつまった研修日程に不平をいう団員も少なくありませんでした。自由時間は、こまぎれ[illegible]何かもの足りなく思えてなりませんでした。

ユカタ姿で立喰いデナー

船内生活の中で、素晴らしく楽しかったのは、食事でした。毎日の食事はもちろん、目新しいもので食欲をそそるものばかり。台湾を出て三日目、船においては二度目の立食デナーが甲板で開かれました。昨日の絶食分もとり返さなくてはと、調子の良くなった胃袋にまかせて食べたこと、食べたこと。

ランチ皿を片手に、楽しい話を[illegible]みながら食べる船ならではの食事[illegible]何となくうれしくなります。大きな鶏のモモやトウモロコシをかじり、デザートのパインやつめたい紅茶をガボガボ……。

もちろん、その間をみては友としゃべり、親しみを増す。私たち団員もこの時とばかりハッスルし時には素敵なドレスを装、またすずしいユカタ姿としゃれこみ、最高の夜をたのしんだものです。船だから味わえる素晴しいひと時いつまでも心に残ることでしょう。

住めば都と言うけれど

[illegible]かい一団、これが男性ベットの呼び名。まさにその通り、それに比べて、女性のベット室の美しいこと。洗面所、洋服ロッカーや机、引き出しあり、各ベットはせまいながらも、カーテンをしめれば完全なるプライベードの場所ともなります。

最初の頃は、男性から大部うらやましがられたり文句もでたようです。でも時がたつにつれ、住めば都、みなたのしくベットを活用しているようでした。結局批判はあったにせよ、結果からみて四人部屋でかたまってしまう女子団員より、体ととつきあわせて話をお[illegible]える男子団員の方が有意義な経験をしたと思います。

デッキ・ディナーが開かれる甲板、氷柱が食欲をそそる……

船という限られた中での生活は、教室と図書室、運動室だけが目につきます。自由時間を使ってスポーツをたのしむ人、本を読んでいる人、おしゃべりしている人みなそれぞれですが、小さな社会を構成しています。

他産業の青年と話合う

ここで私の部屋のメンバーを紹介することにしましょう。私の部屋は海側。丸窓から、いつも美しい海がのぞめます。

東京のSさん二十六才、Rさん二十一才、秩父のKさん二十三才それに私の四人です。東京のSさんはガールスカウト連盟より、秩父のKさんはボーイスカウト連盟より推薦された方です。みな私のお姉さんばかり、思いきり甘えてしまいました。またいろいろとおしえて下さいました。

ボーイ、ガールスカウトについてもお話をきく機会もできました。彼女たちと語りあった一言一句がよみがえって来るようです。

他産業の青年たちとの生活の中で、私は少しでも農業の良さを知ってもらおうと、機会あることに話し合いました。もちろん私も彼女たちの話しにも、ずいぶん耳をかたむけました。今までの私にはこのような人たちと話し合ったことが、あったでしょうか。

何んでも聞いてやろう、吸収してやろう、見てやろう、これが私の船内生活の収穫です。

映画
海の男の愛情描く
青春の海
（ワーナー・ブラザース映画）

チュバスコ（クリストファー・ジョーンズ）とガール・フレンドのバニー（スーザン・ストラスバーグ）は、ビーチ・パーティに興じている最中、不良グループと派手な殴り合いを演じ、あっさり警官に逮捕されてしまった。バニーの父セバスチャンは、娘に小言の連続。たまりかねたチュバスコがくってかかって、けんか騒ぎがもちあがったが、警官の仲裁でどやらことなきを得た。

チュバスコは二十才だというのに警察のブラックリストに名前がのっているほど札つきだ。そこで担当の警部は、ノース刑事に彼の身柄を引き渡した。刑事は、相も変らぬチュバスコの不遜な態度に腹を立てながらも、なんとか彼を更生させようと、マグロ漁船の船長を説きふせて、彼を雇わせるところまでこぎつけた。

そのころセバスチャンは、マグロ漁船の船長を引き受けた。娘のバニーをチュバスコから引きはなすのにチャンスだと考えたからだ。バニーは、よその港でまた会おうとチュバスコに約束した。

チュバスコの不遜な態度は、みんなの不評の的だった。マストの見張座にのぼっていた彼は、前方にマグロの大群を発見して知らせたが、船長をはじめ冗談だろうと相手にしなかった。

しかしそれはマグロの大群だった。さっそく網が投げられ魚群は包囲され、大漁は目の前だ。その時、彼の一番愛するおばさんが死んだと無電が伝えてきた。みんなの同情が彼に集まった。彼は船長に、船を近くの港へつけてくれと頼んだが、船長の返事は冷たかった。しかし乗組員が重傷を負い、どうしても港に船をつけねばならなくなったのを幸いに、彼の望みをかなえてやった。船長の好意でバニーと再会できたのも思いがけぬ感激だった。

チュバスコとバニーは結婚した。愛する妻を得て、新生活への意欲に張りきったが、その喜びもつかの間だった。セバスチャンは娘とチュバスコが結婚したと聞き激怒してチュバスコに飛びかかったが、争ううちにセバスチャンが海中に落ちた。やがて甲板に引き上げられたセバスチャンは蘇生を命じた。

途中またしてもマグロの大群にぶつかり、再び網が投げられた。その時あっという間にチュバスコは、マグロの群で銀色に泡立つ網の中に落ちてしまった。そのとき網にとびついたのはセバスチャンだった。彼はチュバスコを見事に甲板へつれもどした。

人工呼吸で息を吹き返させ、傷の手当をして、セバスチャンはチュバスコに明るく言った。「お前がこの船に乗っている限り、めったな事故は起きしゃしねえぜ。お前の女房に顔向けできねえものな……」

船がプエルト・デ・ペスカードの港についた。バニーが待っていた。ひろげたその腕へ向って、セバスチャンがチュバスコの背中をどんと威勢よく押しやった。三人の顔には明るい和解の笑いが浮んだ。

チュバスコはバニーと結婚し、新生活の意欲にはりきった

日本4H新聞
4Hクラブ 農事研究会 生活改善クラブ 全国弘報紙
発行所 社団法人 日本4H協会
東京都市ケ谷家の光会館内
電話（269）1675
編集発行人 玉井光
月3回・4の日発行
定価 1部 10円
6ヵ月180円（送料共）
一ヵ年360円 〃
振替口座東京 12055番

クラブの綱領

私達は実践を通じて自ら友愛くともに互いに力を合わせてよりよい農村、よりよい日本を創るため四つの信条をかかげます。一、私達は農業の改良と生活の改善に役立つ腕をみがきます。一、私達は科学的に物を考えることのできる頭の訓練をします。一、私達は誠実で友情に富む心をつちかいます。一、私達は楽しく暮らし、元気で働くための健康を増進します。

「つどい」の日程など具体化

全協で初の執行部会開く

十月七日に開幕 つどい

4H中央推進会議 プロジェクト研究も

全国4Hクラブ連絡協議会（会長、丸山勉君）は、さる十、十一の両日、東京・新宿区市ケ谷船河原町の家の光会館内、同協議会事務局で今年度初の執行部会を開き、今秋十月上旬奈良県で開催する「第四回全国4Hクラブ員のつどい」や、4H会館建設の推進、全国4Hクラブ中央推進会議、代表評議員会の開催など事業計画の具体化やその進展状況について協議した。

同執行部会には、丸山会長（富山）はじめ飯田（奈良）黒田（茨城）両副会長、大鹿（埼玉）事務局長、小原（岩手）久野（愛知）両事務局次長が出席、まず第四回全国4Hクラブ員のつどいについて話し合い、実施要領の大綱を次のとおり決めた。

一、主催 全国4Hクラブ連絡協議会、奈良県4Hクラブ連絡協議会、日本4H協会

一、後援 文部省、農林省、総理府、奈良県、NHK、畜産協会、全国農村青少年教育振興会、全国農協中央会、奈良県農業振興協議会、同県農業クラブ連盟、同農業クラブ、同県連OBなどを予定。

一、協賛 大和タイムス社

一、期日 来る十月七日から十日、四泊五日

一、会場 奈良県文化観光会館、若草山、奈良市庁別館、平城宮跡

一、参加者 4Hクラブ員、営農、経伝生徒、4HOBとその家族、外国クラブ員、指導者など。

一、日程

【一日目（七日）】午前八時…受付け（文化観光会館）同十時…オリエンテーション、開会式、十二時…昼食。午後一時…講演、講師に日本4H協会会長松下幸之助氏（松下電器会長）を予定、同二時半…意見・体験発表、四時…鹿寄せ（奈良公園、五時…移動（宿舎）六時…入浴、夕食、八時…話し合い（各宿舎、部屋別）十時…消灯。

【二日目（八日）】午前六時…起床、洗面、朝食、八時…移動、九時…レクリエーション（若草山、雨天の場合は体育館）十二時…昼食（弁当）午後一時…記念植樹（平城宮跡に各県の木を植える）と平城宮跡を見学、三時…話し合い（全体討議）五時…夕食（弁当）六時…キャンプファイヤー（場所は平城宮跡、雨天の場合は体育館でキャンドルサービス）八時半…宿舎へ移動、十時…消灯。

【三日目（九日）】午前八時…移動、九時…反省会（市庁別館）九時四十五分…閉会式（同）十時半…現地交歓訪問に出発。

【四日目（十日）】現地交歓訪問

新年度事業計画の具体策について検討する全協執行部＝左から久野小原両事務局次長、大鹿事務局長（後向き）丸山会長、黒田副会長

4H会館建設 募金者に「協力章」

土地問題、年内にメド 4H会館

次に、今年度から構想も新たに意欲的に取り組むことになった4H会館建設の推進について協議し募金の具体的な方法などについて次のように決めた。

一、4H会館の敷地は、約二百坪（約六百六十平方メートル）を見込み会館は三階建てを予定、土地に関しては今年度に一応メドをつけるように努力する。

一、募金方法

（1）4HOBと各道府県連の役員の協力をえて、全協役員を中心とするオルグ団を各県連へ[illegible]

[illegible]

組織の拡充を図る

静岡県連で総会 会長に高柳君

【静岡県＝栗田伸雄通信員発】静岡県農村青少年クラブ連絡協議会（会長、山城清君）では、さる四月二十六日、静岡市東草深の県職員会館で通常総会を開き、四十三年度の事業計画や新役員を決定した。

同日は、新旧理事と各地区連事務担当者、県農政課の関係者など多数が参加し、盛会のうちに行なわれた。

まず山城県連会長が「昨年、前会長からバトンタッチしたとき、私はその大任を果せるだろうかと不安でした。多くのクラブ員の期待を裏切ったかも知れませんが、これでも一生懸命にやってきたつもりです。この日を最後に県連会長を辞めるとなると感慨深いものがあります。涙があふれるような心境です。心から役員、クラブ員のみなさんに感謝します」と惜別のあいさつ。また、池ケ谷農政課長が「私は七年ぶりに農政課に戻ってきましたが、出戻りの嫁と同じです。古巣に帰った以上一生懸命仕事をしたい。そのためにも私は青少年問題を第一に取り入れて農政に当ります。第一回の全国大会が清水市の三保で行なわれた当時は農政課にいましたが、若者の手で運営されたあの大会に深い感銘を覚えます。青年のフレッシュな味があり、若い力がみなぎっていました。今年は普及員にも働きかけ青少年対策を推し進めます」と強調、このあと中山参事のあいさつがあって議事審議に入り、四十二年度の事業経過と収支決算を承認、四十三年度の事業計画と収支予算、新役員を決定した。

四十三年度の主な事業計画は次のとおり。

一、クラブ組織の拡充 クラブとクラブ員数は年々増加するが、組織化率は二五%に過ぎず、本年はさらにクラブ組織の拡張を積極的に行なう。

二、クラブ活動の推進 クラブ間の交換、研究成果の発表、クラブ意識の高揚、リーダーの確保と育成などを進めるため次の事業を行なう。

（1）県農村青少年技術交換大会の開催（県と共催）（2）県農村教育青年会議の開催（同）（3）県4H祭りの開催（4）クラブリーダー研究会（5）関東ブロック農村青少年クラブ代表者会議へ参加（6）全国4Hクラブ中央推進会議などへ参加（7）クラブ活動の広報（8）連絡会議の開催

三、他団体との連けい 次の団体と連けいし、県連活動の向上を図る。❶全国4Hクラブ連絡協議会❷静岡県青少年育成会議❸県放送利用農業集団推進協議会

新役員は次のとおり。

▽会長 高柳邦彦（西部地域）▽副会長 平田治枝（中遠地域）▽書記 佐藤利正（賀茂地域）▽松浦芸治（中遠地域）▽監事 宮沢静男（東部地域）名倉粉一（西部地域）

また、男子の副会長については次回の理事会で会長から報告があることになっている。なお、県連の顧問には前年度の正副会長と前年度の理事が任命され、六月上旬に行なわれる理事会で正式に決定する。

台湾へ元気に出発

43年度派中クラブ員 佐藤君（富山）兼子さん（愛知）

社団法人日本4H協会が日中両国の4Hクラブ員交換計画に基づいて中華民国（台湾）に派遣する四十三年度の派中クラブ員に選ばれた二人、佐藤信次君（二二）＝富山県上新川郡大沢野町加納＝と兼子しづさん（二三）＝愛知県幡豆郡吉良町大字吉田＝は、さる十日午前九時四十五分、東京・羽田発の日本航空機七〇二便で中国へ向けて出発した。

二人は、七月中旬までの約二ヵ月間、中国各地の受入れ農家に入り、その家庭の一子弟として生活し、その間、同国の4Hクラブ活動をはじめとして農業、生活様式、風俗などについて学ぶかたわら4Hクラブ員の関係者との交歓などを通じて日本の実情について紹介する。

佐藤君と兼子さんは、4Hクラブ活動でつちかわれた豊かな体験知識を生かして日中両国の相互理解と親善のために大いに活躍するものと期待される。

兼子さんから第一報届く

なお、このほど兼子さんから中国入りを伝える第一報が4H協会に寄せられた。主な内容は次のとおり。

無事に到着することが出来ました。思っていたよりはるかに台北は都会化していました。[illegible]さん（昨年度の派日中華民国クラブ員）のご家族の人たちや[illegible]さん（四十一年派日クラブ員）たちが大勢で歓迎して下さいまして、とても嬉しく感じました。

十一日の午後、ある村の祭り（満月を祝う）に出くわし、[illegible]

花束を抱いて出発ゲートに入る派中クラブ員＝佐藤君（左側）と兼子さん

4Hクラブ発足20周年記念 意見・体験文を懸賞募集

今後の活動の指針に

[illegible]

応募要領

主題 [illegible]

応募資格 [illegible]

応募方法 [illegible]

送付先 東京都新宿区市ケ谷船河原町十一 家の光会館内 社団法人日本4H協会

締切期日 [illegible]

入賞決定と発表 [illegible]

入賞および表彰 [illegible]

主催 社団法人日本4H協会・全国4Hクラブ連絡協議会

※備考 [illegible]

社団法人日本4H協会・全国4Hクラブ連絡協議会

涼風暖風

新茶の季節である。新幹線の窓外を流れる茶畑は鮮明であり、旅ゆく人の心をなぐさめるにじゅうぶんである。それにも増して、静岡近在でみられた茶摘み[illegible]みな忘れがたいふぜいである。

昔ながらのかすり模様[illegible]すぎと帯が、茶畑の新緑[illegible]ストをなしていたのであ[illegible]しまったのだろうか、と[illegible]の出合いであった。

それにひきかえ、ブラ[illegible]たちが何とぶざまに見え[illegible]出着からの転用だと思わ[illegible]は、色もあせ、形もくず[illegible]

[illegible]

五万人が手つなぐ

茨城 農村青少年が組織結成へ

[illegible]

全国クラブ員の殿堂 4H会館を建てよう

全国4Hクラブ連絡協議会

「珠石4Hクラブ」誕生 福島

[illegible]

評議員会を愛知で開く 来月6、7日

[illegible]

心頭技健

[illegible]

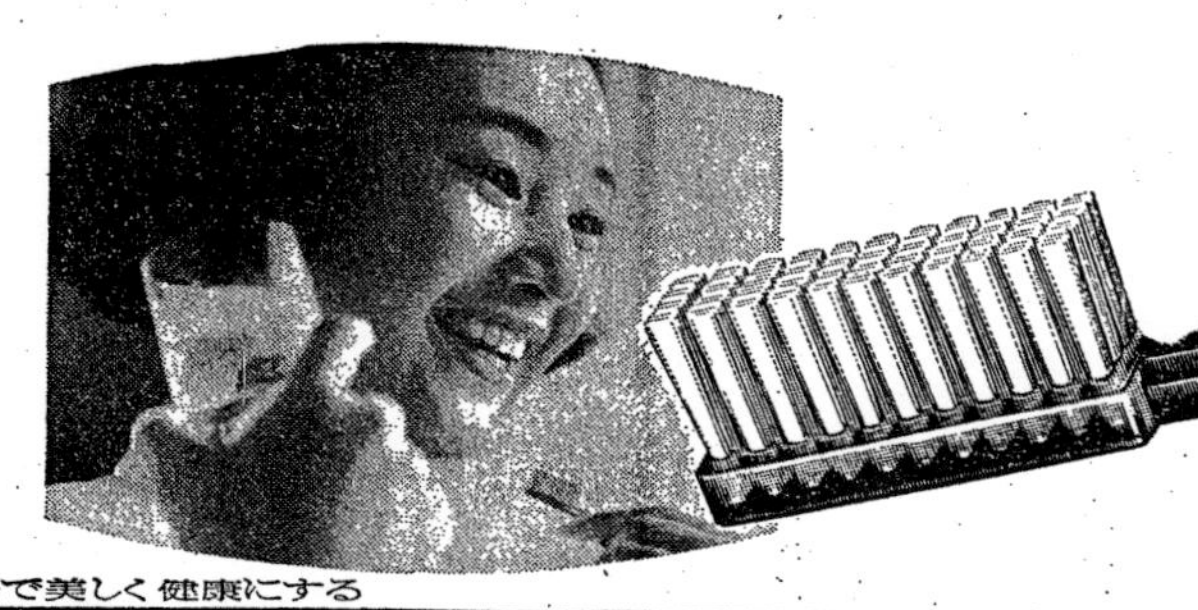

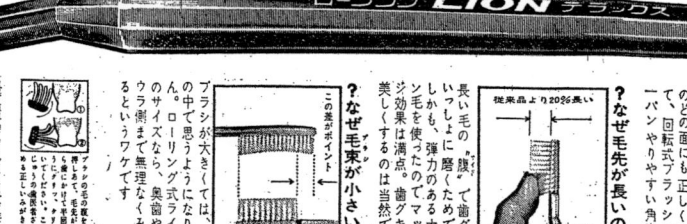

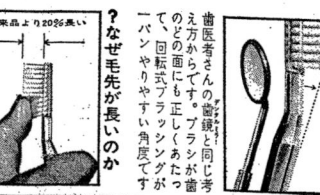

秀峰富士山を美しく

来たれ、全国の友

山梨県連 "登山と清掃の集い"計画

山梨県4Hクラブ連絡協議会（会長、小野好道君）は、富士山を美しくする運動本部、健康山梨推進会議などの後援をえて、来る七月十三日から十四日までの二日間「全国4Hクラブ員の仲間と富士登山・清掃の集い」を開く計画を立て、全国のクラブ員に参加を呼びかけている。この集いは、日本のシンボルである秀峰富士山を4Hクラブ員の手で美しくするとともに、全国の仲間と手をとり合って汗を流し、健康な体づくりと強じんな精神力を養おうというもので、多くのクラブ員の参加が期待される。

小野山梨県連会長

同県連が計画している「全国4Hクラブの仲間と富士登山・清掃の集い」の実施要領は次のとおり。

【会場】❶富士山五合目レストハウス（開会式）❷富士山八合目大陽館（宿泊）❸精進湖民宿（富士山麓の秘境西湖ノ郷）

【参加者】山梨県の4Hクラブ員、OB、関係者とこの趣旨に賛同する全国4Hクラブ員、OB、家族関係者など。参加者は全日程に参加し、期間中の個人行動は避け、集いの意義を理解して規律ある行動をとる。

【参加者の経費】参加者の自主性を高揚するため、参加者は必要経費のほか運営費の一部を負担する。一人当り二千八百円（食費、交通費、宿泊費、入場料なし）

【参加申し込み】氏名、年齢、性別、所属クラブ名、住所、河口湖駅到着時間などを明記し、来る六月十五日までに申し込むこと。連絡先は「甲府市丸の内、山梨県庁農業技術課内、山梨県4Hクラブ連絡協議会」（なお申し込みのとき、五百円を添えて下さいますようお願いします）

【携行品】登山靴、セーター、雨具、手袋、水筒、懐中電灯など必要なもの。

【日程】▽十三日＝午前から午後まで河口湖駅（富士急行）で受付け（4H県連旗で出迎え）河口湖駅からバスで富士スバルラインを通って五合目へ。五合目レストハウスで休憩、夕食。午後六時に登山を開始し同九時八合目に到着、宿泊する。

▽十四日＝午前三時に八合目を出発、同四時富士山頂に到着。グループ別に清掃しながら下山し、正午五合目に到着。休憩所前に集合し午後一時、五合目から樹海見学へ。四時、森林公園から河口湖畔へ、六時から九時まで関係地区清掃隊の交歓パーティに参加する。このあと河口湖畔の根場民宿に到着し宿舎ごとに話し合いをする。

▽十四日＝午前十時、民宿根場から河口湖駅に行きお別れパーティを開く。十二時に解散。

富士スバルライン（有料道路）の紹介

この道路は、山梨県が十七億を投じて完成した夢の雲上ハイウェイです。富士五湖の河口湖と富士五合目を結ぶ往復六〇キロの完全舗装道路で赤松林の中、あるいは千古の姿をそのまま残す原始林の大樹海の中を一直線に走り、樹間から仰ぐ秀麗な富士、雄大な南アルプス、八ヶ岳などの連峰を目前に望み海抜二千三百メートルの天地の境、五合目に行く道路です。

着実に基礎固め

広島県連で総会 会長に岡崎君選ぶ

【広島】広島県農村青少年クラブ連絡協議会（会長、村上光雄君）では、さる四月二十六日広島市上観町の県市町村職員共済会館会議室で総会を開き、次のとおり新役員を決めた。

▽会長 堀川隆夫（前副会長）▽副会長 前田晃彦、坂本清晋（安芸）▽事務局長 山本憲二（前幹事）住田正文（前幹事）福田正弘、沖原賢二、中岡一、江草和雄（安芸）▽監事 前田克典、今田 （前副会長）

また四十三年度の主な事業計画としては▽農村青少年クラブ活動のあり方について検討研修▽地区クラブ間の交換会の促進▽全国大会研修会への参加＝❶全国農村青年研修会（東京）❷全国農村青少年技術交換大会（山形県寒河江）❸全国4Hクラブ員のつどい（十月上旬、奈良県）❹全国4Hクラブ中央推進会議（十一月、静岡県）❺中四国ブロック農村青少年クラブ会議（八月中旬、徳島県）▽各種県大会への積極的参加と自主的な運営＝❶第八回県農村青少年技術交換大会（七月下旬、江田島県立青年の家）❷第八回県農村教育青年会議（二月上旬、広島市）▽「県農村少年クラブ連絡協議会のあゆみ」発行▽「広島農業」誌の活用諸記と「日本4H新聞」の購読推進などを決めた。

広島県連は、いま、飛躍への基礎固めに努力している。

同県の農村青少年をとりまく情勢は依然として激しく変化を続けており、就農青少年は以前にくらべてかなり減った。しかし、そうした動きの中にあって徐々にではあるが、さいわい真に農業を愛し農業を職業とする青少年がふえてきている。このため県下のクラブ活動も一時の停滞状態から一歩ずつは抜け出し、着実に足取りを歩き始めた。

しかし、クラブ活動の本質や意義、あり方、進め方などについてまだはっきりと把握されておらず混迷状態を続けている。一方、県連と単位クラブとの連携、クラブ員の結びつきも思うようにいかず組織的には初期の段階にあるといえる。

そこで本年度は、クラブ活動のあり方について研修し、検討を加えると同時に機会あるごとに全国大会や研修会にクラブ員を送って全国の仲間との幅広い結びつきをもつように計画し、足もとから着実に固めて飛躍への道をめざして努力する考えであり、こんごの活躍が期待される。

今後の日本農業について岩間県農業技術総室長の講演に熱心に耳を傾けるクラブ員

レクリエーションの本質と取り入れ方についての講義のあとただちに実践活動で楽しく体得するクラブ員

高まる4Hの気運

山梨県連のクラブ会長会議 出席率97%の好調

【山梨】山梨県4Hクラブ連絡協議会（会長、小野好道君）は、既報のとおりさる四月二十、二十一の両日、北巨摩郡芦安村桃の木温泉で新年度初の事業としてクラブ代表者会議を開いたが、参加者は予定の九七％の出席率を示し、県下の4Hクラブの気運が高まっていることが再確認された。

ここ数年、県下に4Hクラブ意識が著しく高揚されてきているが今回のように高い出席率をみたのは初めてであった。とくに今年度は、県連組織の機構改革によって部制を新たに設け、企画や運営面での円滑化とオートメーション化を図っており、こんごの各事業の進展にその影響が大きく現われてくるものと期待される。

パレード行進など

静岡のOB会 県"4H祭り"で検討

【静岡県＝菊田伸雄通信員】県4HOB会は、このほど浜松市の県共済組合（浜名荘）で第三回の集会を開いた。

当日は、おりから同地において汐干狩り祭りがおこなわれていたので、県下各地からやってきたOBたちは、午前中、近くの浜名湖でシーズンとあって大勢の小・中学生らも地元の山下利昌君（四十一年度静岡県連役員）の案内で、ことしも汐干狩りをしていたが、OBたちもたちにまじって汐干狩りにハッスル。中には生れて初めての人もいて収穫はまちまちだった。途中戸塚止義君（四十二年度県連会長）が奥さんと一緒に訪われ、和気あいあいとした汐干狩りとなった。

午後から浜名荘で昼食をとりながら、特別参加の県農政課の技術員をまじえて、今年の秋に予定されている"県4H祭り"についてOB会の基本的な考え方について話し合いをした。

その結果、県4H祭りに対してOB会としては❶県内を東西に分

OB会では、この祭典の実行委員会を独自に設置して、県連と一体となり八月ごろには本格的な準備に取り組みたい意向である。なお次回の集会を八月上旬に御殿場市で開くことに決定した。

農業の将来性に希望と困惑

結婚は相手しだい

岐阜・上宝村4Hで意識調査

【岐阜】吉城郡上宝村4Hクラブ（会長、岡田秀文君）はこのほど、同村内での農村青年の意識についてアンケート調査し、その結果をまとめた。

多くの青年が農業の将来にかなり明るい希望をもち、結婚相手は学歴より実力を重点していることなどがわかった。

調査結果の主な内容は次のとおり。

▽農業の将来については「明るい希望をもっている」と答えた人が男性三十九人、女子十人「希望をもてない」という答えが男性二十一人、女子六人となっている。

▽いちばん困っていることについては、男、女によってかなり差がみられ、男性では「農業の将来」が十八名で最も多く、ついで「自分の将来」十二人「結婚」六となっており、女性では「自分の将来」十人、このほかは「農業の将来」三人「結婚」二人とかなり少ない。

▽結婚の相手を選ぶと学歴を考えるかについては、男女ともに「学歴より実力」と答えた人が多く、男性四十一、女性十六人。このほか「高卒」が男性十、女性八人「中卒」男性六、女性五人「大卒」男性一、女性二人となっている。

プロジェクト活動 講演（2）

プロジェクトは父子協定

内容は時代とともに変化

中田正一

うことが非常にはっきりしてきたわけなんです。

これをプロジェクト契約、またはプロジェクト協定といいます。だから、お父さんの土地を借りて、あるいはお父さんから資本を出してもらって、あるいは改良資金を借りて、後継者資金を借りて、施設園芸をやってキウリとかトマトを作る。その収入は全部自分のものになる。その代り、責任はあくまで独立したものです。

この独立責任制というのが、プロジェクトのなかには含まれています。

親子契約のなかには、プロジェクト契約、それから部門契約、これは日本の農村なり農家を基本から変えていく、一つの新しいものなんですね。この頃になってやっと、プロジェクトというものは親子契約なんだということがはっきりしてきました。

それから、いま一つ大事なことは、プロジェクトは責任をもった企業なんだということです。プロジェクトをやっていて、レーコードブックをつけない、簿記をつけないなんてことはおかしいわけなんですね。企業なんだから、当然簿記はつけなければならないんです。青年のその年令にふさわしい企業なんだという考えですね。

それから、プロジェクトというものは一つの単位が問題のかたまりなんですね。これは大きい問題のかたまりである場合もあるし、小さい問題のかたまりの場合もあります。

たとえば、生産プロジェクトなどというのは、まさに小さな単位なんです。それから技術補助プロジェクトなども小さな単位です。ですから、挑戦のかたまりなんです。

だから、たとえばいま日本の国の挑戦しているプロジェクトはたくさんある。たとえばその一つは、八郎潟などというのがあります。秋田の八郎潟の干拓をやって大型の農業を始めております。これは日本の農林省のプロジェクトなんです。

プロジェクトとは一つの課題を解決する問題のかたまりなんです。ですから、これは青年だけではないんですね。おやじのプロジェクト、子どものプロジェクト、それぞれにおいてみな一つの問題のかたまり、一つの単位です。だから青年にとっては一つの部門、豚なら豚という部門なんですね。問題を解決しようという、タックルしようという一つの単位というわけですね。あるいは、おやじにとっては経営全体がプロジェクトなんですね。

いまいったようないろんな要素が、全部一応入っておるのがプロジェクトなんです。だから日本語でいえば簡単にはいい表わせないわけなんです。だから4Hクラブでも初めの頃ずい分議論があった「日本語で何とかいおうじゃないか」というような議論があったんですけど、結局プロジェクトということで、そういういろんな要素を集めた一つのものなんですね。それがプロジェクトなんです。

ある一つの方向からすれば、問題解決の単位だといってみたり、問題解決の学習だといってみたり、あるいは計画活動といってみたり、しかしそのどれをとってみてもその一面しかいっていない。プロジェクトというものはそういう中味をもっているものです。

プロジェクト研究会で講演される中田先生（さる4月13日家の光会館で）

県下初の農業学級開く

若い農業者を育てる

富山・入善町4Hク員が勉強

【富山】県下では初めての通年制の農業青年学級が入善町で開かれることになり、その開級式がこのほど同町中央公民館で、約七十名の学級生（うち女子十二名）のほか、町の酒田教育長、高橋入善農改普及所長、また来賓として法邑県4Hクラブ連絡協議会長ら多数の関係者が出席して開かれた。

この農業青年学級は、さる四月三十日、入善町に県農業青年研修会館が完成したのを機会に、この施設を利用して若い農業者を育てようと、年間約三十回（一回平均三時間、延べ百八十時間）にわたって農業専門の講座を開くことになったもの。同日、開級式のあとさっそく第一回の講座として「苗代管理」について大坪入善農改普及員の講義を受け勉強した。第二回目の講座も四月二十二日前後の本田管理」について勉強した。新しいセンターでフレッシュな気持で張り切るクラブ員は、身心ともにひきしまる思いで講師の話しに耳を傾け、明日の農業に活用しようと意欲をもやしている。

入善町は、県下でも田植えが早く始まるところなので、いまクラブ員は大自然を相手に行動を開始している。

なお、入善町農業青年学級の役員は次のとおり。

▽学級長 森下政昭▽副学級長 舟本恵子▽事務局長 福島孝雄▽運営委員 寺林寿作、長谷隆嗣、金森保、小路桂子▽顧問 新村幸一（入善農改普及課長）▽主事 五十里隆幸（4Hクラブ員である資格を持っているので）

◎各単位クラブ連絡員▽野中＝寺森保、前田利明▽小摺＝戸楾沢一文、寺林寿作、小路桂子▽新屋＝長谷隆嗣、稲村正男▽青木＝袋下政昭、西野雄一▽上原＝宝田和男▽福島孝雄▽飯野＝飛島弘、笹島孝夫▽入膳＝五十里国明▽椚山＝杉田章、桑原政男、島修三

入善町農業青年学級の日程表を紹介すると次のようになっています。一般課目で、カッコ内は特別課目。

▽四月一五日＝開級式及苗代管理▽二二日＝田植前後の本田管理▽五月二〇日＝本田初期中期の管理▽六月三日＝本田病虫害防除▽一〇日＝（肉牛肉豚飼養管理）▽一一日＝（養鶏乳牛飼養管理）▽一六日＝農業生産生活技術交換▽二四日＝本田後期の管理▽七月八日＝出穂前後の本田管理▽一五日＝キャンプ講習▽八月五日＝稲の収穫調整作業▽一〇月七日＝水田の地力増強▽二一日＝肥料と農業の知識▽二六～二八日＝他府県農業青年との民泊交流会（山梨県中道4Hクラブ）▽一一月一日＝農業の機械化▽二五日＝水稲の施肥設計▽一二月九日＝基盤整備後の稲作▽一八日＝（肉牛肉豚飼養管理）▽一九日＝（養鶏乳牛飼養管理）▽一月一三日＝農業経営のあり方▽一九日＝プロジェクト、意見発表会▽二七日＝水稲品種の選定▽二月一〇日＝春夏ソ菜の栽培▽二四日＝病害虫の知識▽三月一〇日＝苗代準備▽一七日＝（球根栽培管理チューリップ）▽二四日＝閉級式と農業青年学級の反省

（富山県下新川郡入善町野中・舟本恵子さんより）

物心両面の支援を

十勝沖地震による被災者に

さる十六日の朝、突如として北海道、東北地方を襲った「一九六八年十勝沖地震」によって、同地方で多くの死傷者が続出し、家屋の崩壊や田畑の流出など甚大な被害が出ました。被災者のみなさんにつつしんでお見舞申し上げますとともに、一日も早く現状からたち上がられますよう全国のクラブ員とともにお祈り申し上げます。

また全国のクラブ員に対し、この被災クラブ員に対し、物心両面にわたる暖かい支援をおくられるようお願いいたします。

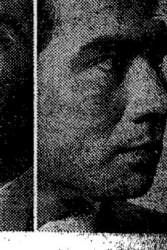

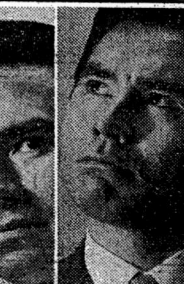

すすんでいる農業の新技術

役馬能力の簡易検定法

■意義

❶最大、あるいは持久牽引力の測定
❷長時間労役による持久力の判定
❸生理的検測による持久力の判定
の三種類になる。

ドイツのKuigerは多年これらの方法に検討を加え、数年前一方法を案出するに至った。

すなわち、二〇〇㍍の平坦な直線検定路を設置し、この上をまず一〇〇㌔の抵抗をもって牽引させ、さらに一〇〇㌔の負荷を累積していく方法であり、最終の牽引力、仕事量、所要時間、挙動、意志、生理値、労働の可能性、および生理的な能力を判定要素とした。

この方法は労働生理学的にみてもかなり進歩したものではあるが、依然として多くの時間と労力を必要とし、役馬を疲労させ、また成績も報告されたほど正確なものではないことが判明した。すなわち要求される検定法は、さらに簡単で正確なものでなければならない。

簡易で正確な測定
人や他の役畜にも応用可能

役畜の牽引力は体重にほぼ比例するものであるが、長時間の労役の遂行には持久力、すなわち、生理機能の良否が支配的であり、これを無視しえないものである。すなわち、出力の大きさは体の大きさによってほぼ推定できるが、同じ体重の馬が労役にあたり、同じ能力を示すとは限らず、個体差を示すものであり、その原因は生理的機能の優劣によると考えられる。

畜産試験場においては、馬技研究所以来家畜労働の適正化の研究を生理学的に、とりわけ、血液生理およびエネルギー代謝面から研究していたが、その結果、労働を考えるにあたり、従来の労働に対する漠然とした概念を明確にするため、それを構成する要素として労働の質、労働時間、労働量のほかに、労働の仕事量と同じという等式をもって示し、エネルギー代謝面から検討を加え、これが役畜の持久力の指標として適当であることを実証した。

の簡易化、すなわち短時間検定の可能性を見いだした。

❸ついで、同じ牽引作業に対して個体が違えば、エネルギー代謝率に若干の個体差の存在することを見いだし、これは牽引能力の優劣に基因するとの結論を得た。

そこで、作業の労働強度を純物理的なものと、生理的なものとに分割して考えることにし、生理的労働能力の指数として、生理的労働強度と物理的労働強度の比がエネルギー代謝率と単位時間当り強度の測定にはエネルギー代謝の測定を行なわず、直接、脈拍数の測定をもって置き換えられることが判明した。

しかし、労働中の家畜の脈拍数の測定はきわめて困難であったが、東京大学の野村助教授は電子工業的な脈拍数を測定できる器具ビートメーターを考案し労働中の脈拍数の測定を可能にしたので、役畜の能力検定の実施は飛躍的に進展した。

そこで、この方法を完成するため、東京大学の岡部教授、野村助教授と共同研究を行ない、東京大学付属牧場、奥羽種畜牧場、十勝種畜牧場、東北農試畜産部の協力のもとに、数度の試験を実施し、ほぼ目的を達する

■方法

❶検定路は原則として平坦な直線路二〇〇㍍とする。ただしわずかの勾配は許容し、また、ゆるいカーブをもった一周一〇〇㍍の楕円走路でもよい。終了後、検定路の輓曳抵抗を三〜四カ所測定し、得た値を平均抵抗とする。

❹馬の速度は自由歩行速度でほぼ一分当り、七〇㍍とする。ただし格別の制御、促進を行なわず自由意志にまかせる。所要

以後三〇秒ずつ計測する。

❻労働強度は、荷重(輓曳抵抗)×距離を体重×所要時間で割った値とする。

❼能力の判定は、運動中、運動後の心拍数の和と労働強度との相関図上で行ない、当分の間、優良可の三段階に分ける。

心拍数と労働強度との相関

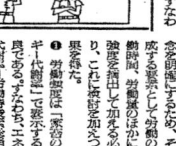

■効果

馬の能力検定法の完成は、畜法においては、特定の検定路を必要とせず、三人の技術者により、一頭当り一〇分ですみ、一日五〇頭を処理することが可能と考えられる。

なお、この方法の原理は役馬のみならず、他の役畜ならびに人間の労働能力検定への適用も可能である。

■普及

現在、この技術は奥羽牧場、十勝牧場、新得試験場において実用面への検討を加える試験段階にあり、したがってまだ一般には普及されていない。

しかし、役馬の能力をより明確に知る必要のある個所においては、必ず採用されるものと考えられ、馬の育成、調教、ならびに育種の基準技術となるものと考えられる。なお、登録制度が実施されるならば、また基準技術としての役割をもつものと考えられる。

■問題点

この技術は、長年の研究の上

私の経営実績

つつじを主にした植木栽培

大阪府池田市東山町三九八 山脇治昭

苦心した品種選択 販売対策も考慮して

私の住む東山町は、大阪の西北約二〇㌔、兵庫県の宝塚、山本などの植木地帯に接した池田市の北部で、植木用の苗木の生産地である。農家戸数二六〇戸 とんど植木の生産農家で、専業戸数一〇七戸で四〇㌶を占め、最近約七〇㌶の植木が栽培され、若い後継者も比較的多い。

私の部落は、東は五月山に接し朝の日当りが遅く、西は久安寺川に接し、その間の段丘地の水田に主に「さつき」類が栽培されている。そして、部落には植木(さつき類)を主とした熱心な人々が「さつき会」という研究会を結成し、植木の生産改善に努力している。

私は、十三年前学校を卒業し、

以後、時代の変遷もあり、つぎの事項を改善しつつ現在の経営にたち至った。

面積の増加 植木の需要増と収益拡大のため、水田五七㌃のうち水稲との輪作を考えながら水田面積の約六割にあたる三五㌃の作付けへ、また山ろくを開墾して三〇

力の面で困ることと、よい品物だけで、残る植木の処置に困ること。それから代金決済が年二〜三回で、販売してもすぐに金が入らないことなど不利な点も多かった。

一方、小売店向けの植木の卸売は、年間を通じ自分の家の労力で

ゆっくり出荷できること、仲買人よりも高く販売できること、代金の回収も早い。それで現在は、小売店への卸売りに切り替え、現在、販売の約九〇㌫がこの方法で占めるようになった。

栽培品種の拡大 父から引継い

た。

種を増加さすように努力してきた。

栽培のため施設技術の改善 部落には「さつき会」という研究会があり、私もこれに参加し、同志とともに植木栽培技術や施設の面でもみんなと研究を深め、つぎの

植木種類の整理対策 「つつじ類」には「さつき」「くるめつつじ」「ひらど」などがあるが「くるめつつじ」は水はけのよい山田に適するので、私の田は山田が多いのでこれが適していること、ま

つつじ類には、さつき、ひらど、くるめつつじなどがあるが、くるめつつじは花の構頭も多く、きれいで売店向きで、水はけのよい山田に適している。そこで私はこの品種を主に整理をはじめた。

が、面積の増加とともに、主になる「つつじ類」は田の中で、真中の生育のよい所で栽培し、まわりの部分には「かいずか」「ひば」「つげ」「かなめ」「もみじ」「さざんか」「つばき」などの苗木を作り、小売店向きに栽培の品種や種類を増加させていった。

また、売れ残りの植木をさらに養成するため、山ろく利用の樹園地に植えるとともに、中木、大木(荒木)の生産のため、「まつ」「まき」「かし」「ヒマラヤシーダー」なども山地利用の樹園地に植え、収入増加のため、種類や品

▽研究会では共同でカタログの作製や鉢などの生産資材の共同購入、先進地見学などの品質のよい他の植木産地に負けない植木作りにも努力して現在に至っている。

面積も増加し、栽培種類もふえ一部鉢物栽培も取り入れ、販売方法も小売店卸しに切り替えたが、家の労力の点もあり、これ以上栽培面積もふやさず、栽培品目もわが家に適した種類に整理し、小売店卸し向けの種類に整理すること、植木の運作害や植木の品質や生育をよくする対策をさらに進めていくことが現在の問題点である。

策 新しい種類や品種の開拓や、昨年以下一方の植木栽培田の地力維持として客土や有機物の導入対策、深耕や畝道の整備などについても地元の研究会の同志と共に普及所、農協、市役所などと連携を充分取って、先進地見学、講習会、研究会などを開き、同志とともに発展させていく方針である。

経営面積	
水田	五七a
(うち植木)	三五a
施設園芸(ビニールハウス、ガラス室)	七二㎡
植木	三〇a
耕地	八七a
草地	三a
山林	三〇四a

主要農機具	
耕うん機	一台
テイラー	一台
動力噴霧機	一台
カッター	一台

経営の実績

	面積(アール)		生産額(千円)		販売額(千円)	
主要部門	41年	42年	41年	42年	41年	42年
観賞樹	65	65	1,400	1,600	1,300	1,500
水稲	22	22	7)	90	0	0
合計	87	87	1,470	1,690	1,300	1,500

出稼ぎ解消に一役
メロン導入で活路見出す

中谷 肇

栽培を始めたが、育苗中に施設や管理に落度があって、失敗。その後、経験を生かし、失敗した踏み込み温床から全面新改良したビニールハウスに移し、その後の育苗は順調で、本畑に一五㌃ほど

以外の人は合わせて二㌶の作付が計画されています。

さらに、メロンは契約的作物でありますので、メロンの栽培ができないところに畑作水稲栽培を計画し、昨年クラブ員が試作した結果と、これまで県内で成功してい

青葉の季節に

4HクラブOB会の結成へ
佐賀・背振村

NHK農事番組 (6月1〜10日)

テレビ

1日 明るい農村 6・30〜6・55 農業新時代 農業教育センター=栃木県宇都宮市
3日 村の記録 シラスでの…発=鹿児島県吉松町
4日 くらしを考える 体力…
5日 村をむすぶ フィルム・…レー
6日 話題の広場 放送利用の…ループ活動=山口県…和子ほか
7日 産物往来 牛肉
8日 農業新時代 機械化… 埼玉県岡部村
9日 村の記録 養豚公害=…市ほか
10日 くらしを考える 相続…
農業教室 7・00〜7・30 …あすの村づくり

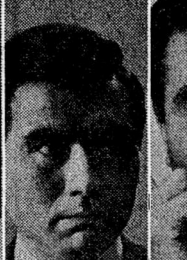

ラジオ

◀投稿案内▶
本紙は、みなさん方の新聞として、全国のクラブ員に利用して戴きたいと考えています。それでクラブの催しや個人のプロジェクト、詩、短歌、随筆、写真、悩みや意見、村の話題、伝説、行事その他なんでも原稿にして送って下さい。
お願い　❶長さや形式は自由です　❷できれば簡単な説明をつけた写真をそえて下さい　❸送り先　東京都新宿区市ケ谷船河原町十一　家の光会館内　日本4H新聞編集部

わがクラブ　わが同志

日台友交の掛橋に
「訪台」クラブ員の抱負

欲張って見聞する　兼子とし江

国境こえて音楽を　佐藤

台湾へ出発を前に羽田空港国際ロビーで記念撮影する佐藤君と兼子さん

能力に応じた奉仕
まず、自分を健全育成
増田泰男

若葉のみちのく

私の発言
目ざめよ農村婦人
幅広い視野と精神開発

これからの農業を考えるうえにおいて、農村婦人の新しいあり方を検討するのも決して筋違いではないと思う。それは他から教えられるのでなく、私たち農村を背負う者自身が、真に掘りさげて実行することにより、新農村を自然にたち上がらせる源となると思う。そういう積極的態度こそ、新しい農村婦人になる一条件であると考える。

農と自然は切り離すことは出来ない。その広大な自然と対決する農村婦人の心の狭さを、農業と取り組んで初めて見せつけられた。くやしい、くやしいがそれが現実であり、従来の農村婦人の歩み方であったのだ。

農村婦人の特徴とも言うべき封建性から生じた偏見を徹底的に除外することは、とうてい不可能である。それは農村にしぶとく根を張り尽し、農村婦人の殻となって八方を見渡すことを忘れてしまっているのだ。もうこのへんで、確固として起ちあがるべきだ。あした咲く、若い私たちの手によって。

明日の農業を起すため、特に建設的な考えをもち、かつ自然の貴さが理解できるような女性なら、新しい農業の道も理解できるだろう。心の狭さを露出するためのエネルギー発散より、精神開発へ力を投入してこそ最も意義あると思う。（滋賀県神崎郡能登川町新田・木下敬子）

良書の紹介

賀川豊彦著
「乳と密の流れる郷」（家の光協会発行）
波乱万丈の主人公
産業組合の設立に起上る

―農村の荒廃は極度に達し、都会の混沌は言葉に尽せない。それを救う道は産業組合の外に無い―。

こんな作者のことばからもわかるように、作者は「農村の復興は、農民の良心の復興より始めなければならない」という。昭和の初期第一次大戦後の農業恐慌による農産物価格の暴落による小作農民のあえぎ、そのため農民は悲惨な状況に追いこまれる。

こうした時代を背景にして、この小説は描写され、東北の貧…う青年を主人公にして、東助の波乱万丈の半生に直面しながら快むことなく、信州にあるいは東京に居を移しながら、当時の産業組合、現在の各種農業協同組合の在り方を身を以って学びとり「農村の発展には、産業組合が必要だ」として郷里に帰り、貧しい東北農村の建設に起ち上る。

さまざまな苦労や封建的な農民の妨害にもおくすことなく、人間愛にみちた東助の行動は、産業組合の必要性を村人に解らしめ、平和でりよい農村造りの土台を築きあげるというあらすじで、農民の惨状、二人の女性との恋愛問題、主体農業の研究など興味深く、農民文学としての傑作であり、近代農村建設に励む青年たちにとって学ぶべきものがある。

この小説が書かれて三十余年を経た現代、農業の変革は激しく、ある意味では農村の荒廃であり、またマンモス化されつつある農協が言々される今日、本書によって協同組合精神の意義"共存同栄"を再び理解し、農民による農民のための近代的農業協同組合のあり方を見い出したい。（定価六百円）

乳と蜜の流れる郷

東南アジアを訪問して（四）
習慣の違いに驚く
仏教国ならではの印象

埼玉県入間郡富士見町南畑・青年の船派遣団員　砂川みさ子

僧侶と寺院の町を見学

一月二十九日、全員五時三十分に起床。船は緑美しいメナム川をゆっくりさかのぼって行く。メナムの朝はすばらしい。船が進むにつれ、水のきたなさが目につく。まるで水田をかきまわしたようなにごった水の色に変ってくる。この水で人々が生活しているとは、とても信じられない。

美しい熱帯樹のかげの民家や寺院が近くなる。いよいよ、山田長政がかつて活躍した国"シャム"へ上陸である。

タイ滞在は四日間、第一日目はバス見学、バンコック市内の寺院…

…もすばらしい色彩の寺院に、ただ無中で歩いて回った。寺院のそばには、必ず学校があり、この国では、男子は一生のうち少なくとも三ケ月は仏門に入り、僧侶としてきびしい戒律のある修行をしなくてはならない、という。いかに仏教が生活に溶けこんでいるかということが伺える。寺院のいたる所…く、仏教国タイにふさわしい風景が行く先々で目にうつった。

市内を走る車は日本製

夜は、日本大使館より夕食会の招待を受け、全団員美しく"ちょうちん"で飾られた大使館の庭でごちそうになった。私はこの時とばかり、大使館の方々にタイの様子などをたずねて、めずらしい話を聞かせてもらった。館の庭に咲きほこっているブラメリヤの花がうつくしく印象的だった。

第二日目、前日同様にバスでバンコック市内見学、昨日に増して寺院の多いのにおどろく。市内を走る車の数も多い。中でも日本のブルーバード、コロナが多く活躍している。

私たちは一路、チュラルンコン大学に向う。ここは大学というより、公園と言った方がぴったりする大学であった。建物にしてみても、寺院の美しい色彩を取り入れたデザインの校舎、校内には、池があり、樹木などがきちんと配置されていて、とても校舎と運動場だけという日本の学校にはまねのできない大学であった。

この大学には、日本人留学生が一名おり、講義は全部タイ語、この学校はエリート大学ということであった。教育方法はアメリカ式で、この大学からの海外留学生は一流がアメリカ、イギリス、そして日本には三流の学生を留学させるとのことで"日本人は、それほどえらくないんだ"と言われて、私たち一同は、がっかりしてしまう。タイの大学でめずらしかった…にとまったり、氏、食は寺でめんどうをみてくれるという、仏教国ならではの学生生活と感心してしまった。

風呂場とトイレの見学

その日の宿舎は、まちにまってた、バンコックユースホステル、一刻前までの美しいバンコックの印象もこの宿舎で、ふきとんでしまったようである。

私たちの案内されたユースホステルは、…となく不安でした。がそんなことには気にせずに行動開始、団員の中には、学生を呼びとめて何やら交流している姿が見える。私は友だちと、風呂場とトイレの見学に行く、あまりの違いにびっくりした。

風呂場は、水道の下に大きなカメがあって、水をいっぱいはりつめて置いてあるだけです。トイレは手動式水洗とでもいうのでしょうか、小さなカメが側に置いてあり、そのカメの水をくみ出して流…ということでした。習慣の違いはあると聞いていたが、その違いにおどろくばかりである。

さて食事だが、きれいとは言えない食堂で、ユースホステルの会員がごちそうしてくれた。わけのわからない献立ての食物がいっぱい並べられたが、口にあわないうえに、コレラを心配して食欲が進まない。蚊が出はじめ足をバタバタしている。屋根裏には、ヤモリがチョロチョロ、今に落ちてこないかと心配であったが、やっと食事もすんだ。

女子団員は、夜間の外出禁止で、今までの疲れもあって、すぐベッドにもぐりこんで遠い異国での夜をすばらしい夢でもと考えたのは良かったのだが、むし暑い部屋の窓を開け放しておいたため、真夜中蚊の大群におそわれてしまい、一晩中、パチパチと蚊をたたく音がたえなかった。今思い出すと、ゆかいな一夜であった。

美しい色彩のタイの寺院、市内のいたる所に建てられている

映画　夢と希望に躍動
娘の季節
（日活カラー作品）

…検査をされたことに怒った小夜は会社をやめることになり、みどりたちは康子をなじった。人望の厚い古橋運転手（杉良太郎）は、そんな雰囲気を知って、みんなを説得した。康子が片腕を失ったのは古橋の車での事故であった。古橋は責任を感じて康子をいたわった。古橋を愛していたみどりは、古橋と康子の仲をねたんでいたが、誤解であることを知り古橋への慕情を深めるのだった。

みどりの兄、弘一（川地民夫）は光枝が好きであった。最近光枝が避けているため、二人の間には冷たい空気が流れ、みどりは弘一のために悩んだ。そんなおり、組合ではワンマンカーや身体検査のことが問題になった。集会終了後寮へ弘一が訪ねてきたことを知らされた。お金に困り毎晩酔いつぶれているという。弘一の悩みがわかるだけにみどりはつらかった。

みどりの唯一の救いは、慰安旅行だった。全員でゆく旅行は楽しさがいっぱいだった。だが旅行から帰った日に、突然光枝から妊娠していることを打ち明けられた。

…つかないみどりは「古橋さん、すぐに結婚して……」とプロポーズした。だが古橋は、みどりの気持はよくわかるがいまはまだ早い、と優しくいたわるようにいうのだった。

ある日、弘一が古橋を訪ね「妹はしっかりした奴です。よろしく頼みます」といって帰っていったが、弘一がアパートで心中をはかったのは、それから数時間後だった。みどりの看護のかいなく弘一は亡くなった。

やがて光枝は寮で男の子を産んだ。いままで反対していた康子は赤児の顔を見ると抱きあげて喜んだ。それ以来、康子は人が変ったように明るくなった。車掌のチャージにも、自分から弁護に立ち敵対視していたみどりにも古橋との結婚を早くするように進めるのだった。

「俺たちは、やっと結婚できるぞ」古橋の力強い言葉にみどりの瞳に涙があふれた。

古橋の運転するバスに乗ったみどりの顔は希望に輝いていた。

古橋を愛していたみどりは、ますます古橋への慕情を深めるのだった

日本4H新聞
4Hクラブ 農事研究会 生活改善クラブ 全国弘報紙
発行所 社団法人 日本4H協会
東京都市ヶ谷家の光会館内 電話（269）1675
編集発行人 玉井光
月3回・4の日発行 定価1部10円 6ヵ月180円（送料共）一ヵ年360円
振替口座東京12055番

クラブの綱領

私達は実践を通じて良心を磨くとともに互いに力を合わせよりよい日本を創るため四つの信条をかかげます。1、私達は農業の改良と生活の改善に役立つ腕をみがきます。1、私達は科学的に物を考えることのできる頭の訓練をします。1、私達は誠実で友情に富む心をつちかいます。1、私達は楽しく暮らし、元気で働くための健康を増進します。

米国から"草の根大使"三人
23日に来日、農村で生活

[illegible]

三人の主な経歴など
❶現住地❷家族❸学歴❹学歴❺団体経験❻農業と生活の体験❼趣味とスポーツ❽日本滞在中に学びたいこと。

アラン・メロー・ブリンドル君 [illegible]

ジェーン・アーター・ワイシャートさん [illegible] ❺4Hクラブ歴十年（うちリーダー三年）赤十字五年（うち地方委員二年）❻大酪農場、小麦、トウモロコシ、大豆、飼料穀物、牧草など❼読書、歌やレクリエーション資料の収集など❽A、普及事業における青少年指導＝クラブ員やリーダーの募集補充、プロジェクトのタイプ、リーダー養成。B、普及指導＝興味を起こす方法、指導の内容、資料や情報の配布伝達。C、家庭生活＝家族の役割の変遷、文化的背景とその影響、近代設備など。

キース・ジェームス・ウエスターキャンプ君 [illegible] 親、兄三人、姉一人❸ドイツ [illegible] コース三年修了❺4Hクラブ [illegible] 酪農、肉牛、豚、羊、トウモロコシ [illegible] 狩猟、水泳、ボーリング、❽A、農業について＝収穫法・種子選択、土壌検査と施肥、土地の保存法、天然資源の利用。B、畜産＝品種交配、管理や給飼法、家畜などの流通機構。C、社会＝家族構成、宗教の種類とその影響、教育制度。

[illegible] の受入れ農家に入り、農家の一員（息子）として生活する。この間第四回全国4Hクラブ員のつどい（十月上旬、奈良で）第八回全国農村青少年技術交換大会（八月下旬、山形）などへの参加をはじめとして、実習先におけるクラブ員や関係者と交歓、日本のクラブ活動や農業、農家生活、風俗などを学習するかたわら、米国のそれらについても紹介する。

派米クラブ員と同じく、来日クラブ員は"草の根大使"として日米両国の相互理解と親善のために民間外交官の役割を果してくれると期待される。

[illegible] 日中に学びたいこととしては [illegible] に4Hクラブのリーダーだけあって、クラブの指導方法から農業技術、経営、教育などかなり専門的になっている。青い目に果して日本がどう映るか大いに関心がもたれる。と同時に、全国のクラブ員も積極的に彼らに接し、日本の本当の姿を伝えてほしい。

温い励ましの手を
十勝沖地震の被災クラブ員に

[illegible]

同志に友情の見舞金　大阪のクラブ員

揺れる"りんごの園"青森

不屈のド根性を　大阪・別所 4Hクラブ員

[illegible] といえば風水害、また今度 [illegible] な災害と、自然の災害は農 [illegible] っては宿命的なものともいえる [illegible] た。

静かな北国の里に 突然襲った魔の手　青森

[illegible] がゆらゆらと大きく揺れた。りんごに人工授粉をしていた私は梯子からあわてて下りた。と同時にグラグラと強く揺れた。今まで体験したことのないタテ揺れである。これは"強いぞ"と直感的に思った。

[illegible] や二分少々だったかも知れない。しかしずい分長時間続いたように [illegible]

[illegible] なことが一瞬脳裏をかすめた。が、しかし大事に至らなかったことは [illegible] ぶまれている当地方、こんど天災に恵まれたとしても平年作には程 [illegible]

今年も東南アへ
青年の船派遣団員を募集 出航時期早まる　全協

[illegible] の訪問国は、昨年と同じく [illegible] 国、フィリピン、タイ、[illegible] ポール、マレイシア、インド、セイロンの予定で、運航期間も約五十三日であるが、実施期日が早まり九月下旬から十一月中旬までとなっている。

一般団員の募集方法は、都道府県と団体の二つの推せん方法があり、とくに団体推せんとしての資格は会員一万名以上を有するものとなっている。この資格をもつ全国4Hクラブ連絡協議会（丸山勉会長）では、県連会長の推せん制をとり、その中から厳選のうえ十名を総理府に推せんする。

＝関連記事二面にあります＝

富士山へ集おう
「登山と清掃の奉仕」計画　山梨県連

山梨県4Hクラブ連絡協議会（会長、小野好道君）は、富士山を美しくする運動本部、健康山梨推進会議などの後援をえて、来る七月十二日から十四日までの三日間「全国4Hクラブ員の仲間と富士登山・清掃の集い」を次の要領で実施することになり、いま全国のクラブ員に参加を呼びかけている。この集いは、日本のシンボルである秀峰富士山を4Hクラブ員の手で美しくするとともに、全国の仲間と助け合いながら登山し、健康な体づくりと強じんな精神力をつちかおう―というもので、多くのクラブ員の参加が期待される。

同県連が計画している「全国4Hクラブの仲間と富士登山・清掃の集い」の実施要領は次のとおり。

【会場】❶富士山五合目レストハウス（開会式）❷富士山八合目太陽館（宿泊）❸根場民宿（富士山麓の秘境西湖々畔・宿泊）

【参加者】山梨県4Hクラブ員、OB、関係者とこの趣旨に賛同する全国4Hクラブ員、OB、家族、関係者など。

※参加者は、全日程参加し、期間中の個人行動は避け、集いの意義を理解し、規律ある行動をする。

【参加者の経費】参加者の自主性を高揚するため、必要経費のほか運営費の一部を負担する。一人当り二千八百円（食費、交通費、宿泊費、入場料などを含む）

【参加申し込み】氏名、年齢、性別、所属クラブ、住所、河口湖到着時間などを明記し、六月十五日まで左記へ申し込むこと。

甲府市丸の内一丁目、山梨県庁内農業技術総室、山梨県4Hクラブ連絡協議会事務局。問い合わせは、塩山市福生里一〇五・広瀬英雅、電話＝塩山局（〇五五三三）八二三三＝へ。（申し込みの際、五百円を添えて下さい）

【携行品】登山靴、セーター、雨具、手袋、水筒、懐中電灯

【日程】

▽十二日＝正午から三時まで河口湖駅（富士急行線）で受け付け（4H県連旗で出迎える）河口湖駅から富士スバルラインを経て五合目へ。五合目レストハウスで休憩、夕食。午後六時から登山、午後九時八合目に到着宿泊する。

▽十三日＝午前三時に八合目を出発、四時半富士山頂に到着。グループ別に清掃して下山、正午に五合目着。休憩場前に集合し午後二時、五合目から公園を見学。午後四時に森林公園を出発し、五時根場民宿村に到着。夕食のあと六時から民泊別に話し合いをする。七時から歓迎キャンプファイヤーをくりひろげる。

▽十四日＝午前十時から民宿場根場から河口湖駅に行き、十一時からお別れパーティ、十二時に解散する。

事業に四本の柱
新規就農者の集いなど
岐阜県連で総会 松野会長を再選

【岐阜県＝松田正治連絡報道員発】岐阜県4Hクラブ連絡協議会（会長、松野芳正君）は、このほど岐阜市の県庁四階大会議室で総会を開き、四十三年度の事業計画や予算を決めたほか、会長に現会長の松野芳正君を再選して、決意も新たに新年度へ力強くスタートした。

総会は松野会長のあいさつ、来賓祝辞のあと議事審議に入り、四十二年度の事業経過と収支決算の両報告を承認、つづいて四十三年度の事業を次の主旨にもとづいて実施することを決めた。

農業の近代化をめざして躍進する農村社会において、われわれ4Hクラブ員の存在およびその活動は大きな関心と期待が寄せられている。

われわれ4Hクラブ員は、農業の未来に夢をもち堅く団結して会員相互の交換交流を図り、日ごろの実践活動をより充実させるとともに、地域社会の問題解決に役立つ知識と技術を高め、自信と誇りをもってクラブ活動を推進する。

事業計画

一、クラブ組織の強化と連絡協調
地区活動研修、ブロック研修、クラブ手帳の発行、機関紙の発行

二、クラブリーダーの養成
リーダー養成研修、中央推進会議に参加

三、仲間づくりの推進
新規就農者のつどい、夏のつどい、4Hクラブ大会

四、農業経営と生産技術の向上
部門別研修、農村女子研修、農村教育青年会議

五、各種全国大会への参加
4Hクラブ員のつどい、東海ブロック研修、全国農村教育青年会議、全国農村青少年技術交換会

また役員改選を行ない、次の新役員を決定した。

▽会長 松野芳正（岐阜市）▽副会長 松田正治（吉城郡）小倉洋子（大垣市）▽事務局長 早川一夫（岐阜市）▽同次長 武田信房（美濃加茂市）近藤三知代（養老郡）▽監事 浴谷与（恵那郡）近藤満美（岐阜市）岩田英雄（郡上郡）東元隆直（大野郡）和田照代（安八郡）▽書記 大島光利（恵那郡）▽会計 伊藤孝義（海津郡）

松野岐阜県連会長

活動に新たな問題
普及所の統合
山口県連で総会 岡崎会長を再選

[illegible] 名全員が出席、四十二年度の活動方針としてかかげたクラブ員の仲間意識の高揚と組織の拡充強化が徐々に実行されつつあることを喜び合い、そして今年度もこれらの実現に努力するよう誓い合った。とくに今年度は、農業改良普及所の統廃合に伴い、自分たちのクラブ活動を今後どう進めていくか大きな問題が生じてきた。

また役員改選では、岡崎会長が再選されたほか新役員を次のとおり決めた。

▽会長 岡崎秋正（玖珂郡錦町広瀬）▽副会長 福島保昭（熊毛郡平生町萩原）中村桂子（佐波郡徳地町船路）▽理事 河地邦彦（豊浦郡豊田町宇内）木原士郎（玖珂郡大畠村大畠）山田昭義（山口市名田島）山崎順之（山口市大内氷上）城市好子（阿武郡阿東町地福）秋枝恭子（豊浦郡豊北町滝部）▽監事 大野伊介（美祢郡美東町緒木）佐々木正美（柳井市阿月）

会長に三橋君
千葉・長生郡市農村青少年クラブで総会

【千葉】長生郡市農村青少年クラブ（会長、長谷川澄君）は、さる五月二十二日長生支庁会議室で総会を開き、会長に三橋弘君を選んで新年度へ力強くスタートした。

同日は、まず四十二年度の事業経過と収支決算の両報告を承認、つづいて四十三年度の事業計画と予算を決定、また規約の一部を改正し、このあと新役員を次のとおり決めた。

▽会長 三橋弘（白子地区）▽副会長 宮崎満（長南）関利正（東浪見）▽会計 林和雄（白子）石塚吉彦（長南）▽書記 関みち子（東浪見）篠崎義則（白子）▽監事 長谷川澄（東浪見）葛岡郁男（長南）▽県連理事 大田彦之（長南）鵜沢俊雄（東浪見）三橋弘（白子）

（同クラブ、宮崎満君より）

涼風暖風
悪妻と良妻の差

芸術や文学について語る資格もないし、また語ろうともしないが、このほどある雑誌に載っていた林武（画家）と松本清張（作家）の対談は、なかなか興味をひくものがあった。林武といえば東京芸大の教授で、梅原龍三郎や安井曽太郎のあとをつぐ現代の巨匠。文化勲章をもらったばかりである。

その林武が、松本清張特有のさそいによって芸術への情熱をもやす秘密をうちあけている。同氏は約三十年間、構図法について研究を重ねたうえ今日の絵を描いているようであるが、芸術に対する情熱の源はどうやら奥さんにあるようである。松本清張がその点をしつように追及しようとしているようで興味深かった。

林は奥さんを女神とまであがめる一方で奥さんとの間に、何回か、死の瀬戸際をさまよう葛藤を続けている。そのたびに、すぐれた作品を残している。いまでは、奥さんの方が演出し、ケンカのあとカンバスをもって自然と対峙する林の頭上に、日よけのパラソルをさすという。なんというほほえましい光景か。巨匠の知られざる一面をみるようで興味深かった。

るからなおさら面白い。というのも、林が自伝で奥さんを良妻として賛美していることに対し、松本清張が疑問を抱いていたからであろう。

一般的に、天才的な芸術家や文豪の妻は悪妻が多いといわれる。漱石、鴎外、トルストイしかりである。この悪妻に対する憤り、不満などが蓄積され、それが大きなエネルギーとなって爆発し、芸術や文学への情熱に転化させるためだ。そこを清張がついている。

生と死のぎりぎりの渕をさまよってこそすぐれた芸術、作品が生まれるということを再認識させてもくれた。そして芸術家にとっては、悪妻も結果において良妻となっている。

秀れた小説は、何回も練り直され、手を加えられ、書き直されて出来あがる場合が多いだろうが、反面、連載小説などは、新聞社や雑誌社の記者が待っている場合の方が秀れたものができるという作家もいる。

要は芸術家ならずとも、その問題を深く認識し、不退の立場、憤りを正しい方向にしむけて、そこにエネルギーを集中するかであろう。

クラブ活動においても同じである。ひまのとき、温泉にでもつかって相談しようというのでは切実感がなくなる。農作業と真剣に取り組んでいるときこそ、問題が生じそのために活動を活発にする必要がある。そして、そのような時にこそよいアイデアが生まれ、効果が上るはずである。

心頭技健

「やせ馬にムチうって出る田植かな」一茶。猫の手も借りたいほど多忙な農繁期を迎えた。一部の早場米地帯をのぞいて、これからが全国的に田植えの最盛期である。この田植えも昔ながらの牛馬の手綱をあやつっての情緒豊かな田植え風景は農機具の普及によって見られなくなった。それにもまして近年は、田植機の出現によって一層このことに拍車をかけている▼この現象は、農業の生産性を高めるために当然のことであってなにもここで昔ながらの情緒的な田植えを肯定するつもりはない。要は機具の利用が、労働力の節減と生産性の向上に、いかに役立っているかということである。刻一刻と発達する機械文明の中において、もちろん農家生活や経営の中に必要に応じて機械力の投入は当然すぎるくらい必要なことである▼しかし、ここで考えなくてはならないのは、あくまでも機械をあやつるのは人間であり、人間が機械の奴隷になってはいけない。したがって、精神的経済的に人間生活にプラスにならなくてはいけない。しかし、現実には機械の能力を充分に発揮させていないように思えてならない。肝心なのは高率的な利用の問題である▼昔ながらの耕作方法や経営形態の中に最新式の農機具、これでは能力を発揮できないばかりか、これほど不経済なことはない。宝の持ち腐れである。経営形態にみあった農機具の利用とその能力に応じた耕作方法を考慮しなければならない。また一方においては、能力を発揮できる場をあたえてやることである。ということは、年間を平均して利用するかどうか、また共同で利用することも考えられるからである▼昔から共同所有の農機具は、長もちしないといわれている。それは使い方と手入れが悪い以外なにものもない。いままで機械に対して無知なこともあったと思うが、とくに最近の青年は、機械の構造や性能については明るい。農機具に対する愛情さえ深ければ共同利用の道も開けるのではないか▼このへんで、そろそろ農機具の共同利用によるプロジェクトが実現してもよいと思う。これを機会に、経営にみあった農機具の利用と経済性を考えてはどうだろうか。つかれきった機械に愛情と手入れを忘れずに。

全協で十名を推せん 43年度 青年の船 実施要領

明治百年記念事業の一つとして政府が実施する四十三年度の「青年の船」の実施要領の主な点と、全国4Hクラブ連絡協議会を通じて応募する場合の規定は次のとおり。

全国4Hクラブ連絡協議会を通じて応募する場合の規定。

(1)応募資格　満十八才以上、二十六才未満の健康な4Hクラブ員であること

(2)募集人員　公募される一般団員は二百八十名であるが、全協においては十名を団体推せんしますので、各都道府県一名を推せんすること。

(3)中間選考　全応募者の中から、全協と日本4H協会で書類選考し十名以内を総理府に推せんする。

(4)応募〆切　昭和四十三年六月十日必着のこと

(5)応募提出書類　申込書、候補者推薦状、履歴書、健康診断書各一通、戸籍抄本、写真(上半身)各二通、作文、題名「青年の船に応募して」二百字詰原稿用紙(B5版)縦書五枚以内

(6)申込先　東京都新宿区市ヶ谷船河町十一番地　家の光会館内　全国4Hクラブ連絡協議会あて。

一、活動

(1)船内研修▽昼間＝語学(英語)各国事情(地理、歴史、文化、政治経済、青少年の現状など)近代日本史、一般教養(近代日本史、日本の文化と東南アジア諸国、わが国と東南アジア諸国との経済協力、技術協力関係など)リーダー養成、体育その他▽夜間＝全体行事(討論会、映画会、レクリエーションなど)班別行事、クラブ活動、寄港地活動の準備。

(2)寄港地における視察・見学＝船を拠点に現地の青少年関係施設、産業、文化などの実情の視察・見学と現地施設での宿泊訓練。

(3)寄港地における交歓＝寄港地で現地青年を船に招待し、日本の文化、スポーツ、芸能などの紹介と交歓会。

(4)事前研修＝来る七月下旬に約一週間の事前研修を国立中央青年の家(静岡県御殿場市)で行なう。

一、一般団員の資格要件

(1)年令＝満十八歳以上、二十六歳未満の男女(さる四月一日現在とする)

(2)身体条件＝長期の船上生活と団体生活に適応できる健康な人、とくに伝染性疾患のない人。

(3)規律遵守＝ア、事前研修から解団式まで、いっさい主催者の計画に従って規律ある行動のできる人。協調性に富み、団体生活に適応できる人。

(4)語学＝中学校卒業程度以上の英語会話能力のある人

(5)社会への貢献＝将来、職場や地域、青少年団体などで中堅的な活動を期待できる人

(6)欠格条件＝ア、海外渡航の経験のある者(沖縄へ渡航した者を除く)イ、原則として、大学(短期大学を含む)高等専門学校または高等学校に在学中の人、ウ、都道府県議会議員または市町村議会議員の職にある人、エ、近い将来において海外渡航をすることがほぼ確実である人

一、募集人員　一般団員の定員は、約二百八十人とし、都道府県知事から推せんされた人たちから百六十～百八十人、全国的な組織をもつ青少年団体から推せんされた人たちから百～百二十人を選考する。

一、募集方法　各都道府県および全国的な組織をもつ青少年団体を通じて募集する。

(1)都道府県の行なう中間選考

(2)青少年団体の行なう中間選考　ア、全国的な組織をもつ青少年団体の代表者は、会員中の応募者について選考のうえ、団体候補者を総理府総務長官に推せんする。イ、一団体からの団員候補者の推せん人数は十人以内とする。ウ、特別の事情がある場合を除き、青少年団体から推せんする団員候補者のうち、女子はその約三分の一とする。

ここでいう全国的な組織をもつ青少年団体とは、次の条件をそなえたものとする。❶青少年を主たる構成員とする団体またはその連合体であって、社会教育、社会福祉または社会奉仕のための活動を行なうことを主たる目的とするものであること❷会員が一万人以上であること。

(3)推せん期限　都道府県および全国的な組織をもつ青少年団体から団員候補者を総理府へ推せんする期限は、来る六月二十日とする。

一、提出書類　各都道府県および全国的な組織をもつ青少年団体は、応募者に次の書類の提出を求め、団員候補者として総理府に推せんする場合はこれら提出書類を推せん書に添付する。❶申込書　一通❷勤務先などの所属長の応募承諾書　一通(自営業の者など必要ない)❸勤務先、所属団体、地域の行政機関または卒業学校などの推せん状　一通以上❹作文　テーマ＝「『青年の船』に応募して」二百字詰め原稿用紙五枚以内、タテ書き。ア、「青年の船」団員になった場合、帰国後、参加経験をどのように生かすかという点を中心に書くこと。イ、都道府県または青少年団体は、作文の第一ページの上部に、年令、氏名、性別、最終学歴、青少年団体名などを名記した票を貼付すること。❺戸籍抄本　二通❻履歴書　一通❼健康診断書　一通(国立病院または公的医療機関の医師による四月一日以降のものであること)❽写真　二葉(上半身正面脱帽、タテ・ヨコ五㌢、さる四月一日以降に撮影のもの)

出港する青年の船＝今年1月、東京・晴海ふ頭で(デッキ中央に4H旗がみえる)

若きホープが勉強 大阪府連 リーダー研修会開く

[illegible]

美しさに磨き 美容教室開く

埼玉・入間東部4Hク連 隣接の地区連も参加

[illegible]

連絡報道員のみなさん ご苦労さんでした

記念品「金盃」と通信経費送る

編集部では、本紙が全国クラブ員の機関紙的役割を強め、さらに紙面の充実を図るため一昨年にひき続いて前年度も各道府県連から推せんされた人たちに連絡報道員をお願いして取材などに協力してもらいましたが、このほど同報道員に対し、記念品を贈呈するとともに通信に要した実費をお支払いしました。

連絡報道員の仕事は、原稿(クラブ活動、プロジェクト活動のニュースや状況、農業経営、農家生活、農政などについての意見、文芸、趣味、娯楽、写真、その他建設的なもの)の送稿をはじめとして、クラブ員に対して投稿を働きかけたり、本紙企画記事の取材に対する協力などですが、みなさん報道員が、自分たちの農業経営やクラブ活動などで忙しい時間をさいて協力下さいました。連絡報道員のみなさんに対し、この紙上を借りてお礼申し上げます。

今年度も各道府県連に連絡報道員の推せんをお願いしていますが編集部でも、さらにクラブ員のために最善の紙面を作成するよう努力したいと思いますので、愛読者の方々もどうかご協力、ご指導下さいますようお願いします。

なお、記念品は、通信回数などを考慮して「金盃」と4H協会特製のネクタイピンを贈らせていただきましたが、金盃は酒を盛ると真中が玉形に浮び上ってみえるすばらしいものです。

四十二年度連絡報道員

府県名	氏名
宮城	峯岸　義信
静岡	栗田　伸雄
三重	西村喜代司
奈良	広井　洋司
滋賀	油浦　豊一
山口	山崎　順之
山形	佐藤　章夫
茨城	永田　正治
群馬	吉沢　功
埼玉	大尾　良夫
石川	鳴戸　良一
大阪	長滝谷正行
和歌山	坂上　勇男
岡山	原田　靖雄
山梨	小野　好道
新潟	松沢栄一郎
岐阜	拓植　弘成
高知	西谷　章博
〃	高橋　直子
鹿児島	山田　勝
青森	斎藤　正行
栃木	大出　邦治
神奈川	成井サダ子
富山	横井　弘三
愛知	飯田　雅美
〃	長坂　正子
福井	山田佐久治
京都	平野　義勇
広島	中林　征三
徳島	河崎　嘉宏
長崎	大久保忠信
熊本	前田　一博

6月のこよみ 21日が夏至

[illegible]

プロジェクト活動 講演 (3)

4Hに絶大な期待 協業経営の推進者として

海外技術協力事業団 茨城国際農業研修館長　中田正一

4Hクラブというのは、プロジェクトを中心としたグループ活動であります。

したがって、プロジェクト活動というものをどうしても掘り下げる必要があります。それからグループ活動というものを大いに検討する必要があります。

プロジェクト活動は、さきほどからも議論がありましたように、だいたい個人というにおいが従来強かったのです。個人プロジェクト―自分で自分の問題なり、自分の経営、あるいは技術改良なり、いろんなものと取り組んでいく―そういうにおいが非常に強かったんです。

ところが、さきほどからも議論がありますように、協同で取り組んでいくという意味合いがこの頃ますます強くなっているということがいえるんじゃないかと思います。

というのは、みなさん方もご承知のように日本の農業の場合には、集団的な生産組織を作らないと将来の見通しがたたないのです。日本の農業の問題を解決する突破口というのは集団的な生産組織なんです。

いま、農業基本法でいう構造改善では、規模の拡大ということが非常に大きな課題です。ところがその規模拡大ができない。土地が動かないのです。これは農政の一番大きな問題です。

そこで規模拡大ができないとすれば、農業の大型化、高度化あるいは機械化というのは集団的にこれをやらなければならない。そこでできたのが協業経営。十年ぐらい前から、協業経営というのがたくさんでてきました。

ところが、協業経営というのは現在どのくらいあるかといえば、全国で六、〇〇〇ぐらい、いろんな形のものがあります。ところが五、六年ぐらい前の調査をみてもやっぱり六、〇〇〇ぐらいあります。だから、協業経営というのは、潰れたり、生れたり、潰れたり生れたりしている。たいへんこれはむずかしい。

そういう協業の組織というのが、日本の社会では新しい形の協業の組織化がまだできていない。新しい組織とは新しい人間関係なんですが、これができていない。この新しい人間関係を作りあげるというのは、日本の農業の突破口なんです。もう基本的なものなんです。これができていない。だから六、〇〇〇ぐらいが、できたり潰れたり、できたり潰れたりしている。だからいま日本の農業は、まさに苦悶の中で、日本の農業の組織化、いかにして生産の組織を作るかということで苦悶している。そういう状態の中にあるわけです。

たとえば、栽培の集団、いろんな形の集団がいたるところにできつつあります。稲作集団、栽培集団とかできつつあります。それは新しい人間関係、その新しい人間関係はどうやってできるかというと、これはもうグループ活動、そのもとはグループなんです。グループによって人間関係ができる。だからこそ、4Hクラブなんかに日本の農業は絶大な期待をかけておるわけなんです。新しい人間関係を作りあげていくのは4Hクラブなんですよね。4Hクラブはグループ活動なんだ。さきほど共同プロジェクトがないので淋しかったといったのは、そのような意味からでした。主産地形成の最も基本的な人間関係を4Hクラブの共同プロジェクトで訓練しているわけなんです。

これが一歩でれば、これが主産地形成になるわけなんです。

新しい産業をどうやって作るかということになると、複合型のグループというのがありますが、これはその地域に何を作るかということをいま診察している段階だと考えていいんじゃないかと思います。これで、トマトがいいとなれば、将来はおそらく全部トマトになります。ですから、4Hクラブのプロジェクトというのはその地域の農業の動きと密接に関連しているわけであります。だから共同プロジェクト、たとえばここで共同で豚なら豚、養豚の共同プロジェクトをやっている。これは一歩足をだせば協業経営です。

その協業経営における人間関係は、4Hクラブの共同プロジェクトというのが訓練の場なんです。新しい人間関係を作りあげていく場であります。

そういう意味からいいますとつまり日本の農業に大事な集団的生産組織を作る大事な基盤を4Hクラブの共同プロジェクトで作りあげているんです。

いま苦悩している、なかなかできない、日本の農業全体がずいぶん苦悩してどうしても伸びない、そういう組織化の問題を4Hクラブが引き受けている。そう考えていいと私は思います。

それから、さきほどプロジェクトというもののなかには、その具体性があるといいましたね。非常に具体的なんです。抽象的な議論はクラブのなかではそれは議論してもいいけれど、基本的な活動としては具体的なもの―プロジェクト、したがってこのプロジェクトからでてくるいろんな活動のなかに、たとえばいままでもいろんな活動がありましたね。

デモンストレーション―演示これは小さいプロジェクト、あるいは生産プロジェクトのなかの技能補助のプロジェクトといえばいえるでしょうね。これをみんなに知らせる。具体的にその改良したやり方を知らせる。

それから技術競技、このなかにはいくつかあります。これは何もかにも具体的に勉強しましょうということなんです。抽象的じゃないんですね。だから鑑定表に「これは何ですか」と、物があってそれを当てる。診査競技、診断競技あるいは判定競技。だいたいこの技術競技というのは日本でできあがったわけです。みなさん方の先輩が作りあげました。

審査競技だけは、たいへんうまいやり方をしておりますが、これはアメリカの4Hクラブから輸入したわけです。あとの競技はだいたい日本のみなさん方の先輩方が作りあげました。それをこんどはどんどん外国へ輸出しています。

共同プロは協業経営への突破口

4Hくん NO.125

ピュッ

短形せきによる流量測定

$Q=1.84bh^{3/2}m^3/sec$

但しQ＝流量，b＝せき幅，h＝溢流水深，（接近流速，端収縮は無視）

$h<0.4hd$の場合，hの測定位置はせき頂より$3.h$以上上流

技術

稲作生産性向上のための具体策の開発は、近来とくに重要視され、農民をはじめ関係者から強く要望されている。そこで、財団法人日本農業研究所は、昭和40、41年度において、東京大学教授・三井進午氏を代表者として「水稲に対する液体肥料（農薬を含む）の機械化流入の効果に関する研究」を委託した。これは日本農業の進歩発展に貢献する事業を行なっている同研究所が、三井氏を中心とする研究者グループが本課題について以前から研究や調査を行なってきていたので、その研究実績を土台として実用化技術を確立するために行なったものである。ここでとりあげたものは、以前から散発的に行なわれてきていた各地の研究とこの委託研究の成果の概略である。また、これで実用化に対して完全というわけではないが、その方向に力強く前進したことは確実である。

水稲に対する液体肥料の機械化流入

機械化流入法の既往の研究

慣行に劣らぬ肥効　条件によっては分布むら

水田に対する肥料、農薬の流入施用に関する研究は、きわめて新しく、昭和三十七年頃から全国各地で散発的に実施されたが、系統的、組織的な研究は少なく、その実用化もきわめて少なかった。以下はこれら既往の研究の概略である。

一、流入施用方法

追肥の流入施用方法は、灌漑水中に液肥を滴下させ、灌漑水中の肥料濃度を絶えず一定に保ち、この灌漑水を各圃場に導入すればよい。

施肥量は田圃の面積に関係なく流入水深によってきめることができる。つまり、富山県で追肥の集団流入を実施した場合、窒素濃度として三〇PPMに調節した。この濃度の灌漑水を流入すると、田圃の広さに関係なく流入水深一cmの場合、窒素を一〇a当たり〇・三kg施用することになり、一〇a当たり一・五kgの窒素を施用する場合には五cmの深さに、一・二kgの場合は四cmの深さに流入すればよいわけである。

こうして、同時に何筆もの圃場に流入が可能であり、所定の流入水深に至れば水口をとめれば終了するので、かなり省力効果が顕著に認められる。

灌漑水中の肥料濃度を一定にするためには、まず灌漑水の流量を測定する必要がある。流水路の断面積がコンクリートなどで一定の場合には、流速を測定することによって容易に流量が算定できるが、用水路の断面積が不定である場合には、「せき」や「パーシャルフリューム」などを利用するのが便利である。

つぎに、液体肥料を絶えず一定量ずつ落下させるには特殊サイフォンを利用し、サイフォンの先にはコックをつけて、適下量を調節する。また、他の方法によることもできる。

二、肥料の分布

水田に肥料を流入施用する場合肥料は水田に均等に分布されなくてはならない。

このためには、つねに一定濃度の肥料成分を含む灌漑水を流入施用するようにしなければならないことはもちろん、その他に施用前に田面水を十分に落水しておく必要がある。

田面水がある場合には、その水が新たに灌漑された肥料成分を含有する水に押されて、圃場の末端に集まり、その部分に肥料がいきわたらないことになる。

試験の結果によると、落水不完全の場合には水吐尻部の肥料成分濃度が低い傾向がみられる。しかし、施用直後にはかなりの施用量むらが認められたが、これは肥料の拡散により、短時間に解消し、水稲の生育むらは認められなかったことを報告している。

東北農試では、二haの大型水田に対し肥料の流入施用を実施し、また他の例では二カメイチュウに対し各種薬剤の水口施用（流入施用）を試み、その効果を検討しているが、その分布はいずれも不均等で実用化は困難と報告しているが、これはおそらく流入施用中、灌漑水の流量の変化、灌漑水との攪拌混合の不十分、あるいは落水が不完全であったなどのためと解される。

また、燐酸質肥料を用い、これを水田に流入施用してその分布を検討した。その結果、前述のとおり落水が不完全な場合には均等に分布されないこと、田面の高い部分では施用量が少なくなること、燐酸吸収係数の小さい沖積層水田では問題ないが、燐酸吸収係数の大きい黒ボク水田では、燐酸が田面を流れるうち土壌への吸着が起こり、均等分布に幾分の問題があることなどが判明したが、このことは流入施用の決定的な欠陥となるほどではないことを明らかにした。

三、田面の均平度

いま、集団流入を実施した地域において五カ所の深さに湛水した圃場を任意に八筆選び、一筆について九カ所の水深を測定した例によると、七二カ所の平均水深は五・〇cm、標準偏差は±一・〇cm、最大高低差は四・五cmであった。

このような均平度の条件下で追肥として、濃度三〇PPMの肥料溶液を流入したのであるが、水稲に生育むらの見えなかった点からみると、この地区における水田の高低差は、大面積にわたる凹凸や一方的な傾斜によるものでなく、水田各所にみられる小凹凸による結果とみられ、この程度の高低差では水稲の生育に大きな影響はないものとみられる。なお、流入施用に際しては、以上の点から水深の測定は数ヵ所で実施することが望ましいことを指摘している。

また、東北農試の実験にみられるように、大型水田における一方的な傾斜、あるいは大面積にわたる凹凸があるような場合の流入施用は困難と思われる。

四、肥効

流入施用した場合の液体肥料の肥効は、多くの試験の結果、同成分の固形肥料に比べて大差がないことが明らかになったものといえよう。

しかし、水田の条件によっては幾分劣るという成績もある。たとえば、乾田直播水田において実施した結果、収量は多植区に比べて減収したが、これは代かき作業が行なわれないため地下の漏水が多く、肥料の流失が多かったためと推定されている。移植栽培においても漏水田では基肥として施用した場合は肥効の劣ることが多い。

五、除草効果

除草剤の流入施用の可能性については多くの研究者によって確かめられている。PCPの水稲に対する薬害、殺草の濃度限界について検討を行ない、水稲幼苗の乾物重の増加は地上部が一五PPM、地下部が一五PPMの濃度に達すると影響を受け、草丈、茎数についてみれば薬害の限度は四〇PPMであると報告している。

乾田直播水田に対し、PCPを肥料とともに流入施用した場合も、その効果が認められている。しかし、PCPと窒肥と混合して同時流入を行なった結果、沈殿が析出し、分布むらができるばかりでなく、その施用効果にも問題があるものとしている。このことについては混合割合、混合濃度の検討が必要となろう。

六、防除効果

病害虫の防除薬剤の流入施用についても、多くの研究者によって研究が進められているが、農薬が肥料や除草剤とちがい土壌処理あるいは水面、水中処理だけでは解決し得ない特殊な事情もあり、全面的な防除を流入施用に求め得られない点が多い。したがって、研究の重点も適合薬剤および病害虫のスクリーニングにおかれている。

報告によると、ニカメイチュウ第一世代の防除試験を実施し、BHC粒剤一〇a当たり二kgの流入施用は従来のEPN一・五〇〇倍散布よりも勝っている。また、ニカメイチュウに対し、流入施用に適合する薬剤、処理量、処理濃度および処理時期などについて検討を行なった結果、もっとも実用性の高いものとしてBHC乳剤をとりあげ、一化期メイチュウを対象として七・六haの集団栽培地に対する流入施用を実施し、実用的な効果があがっている。

ニカメイチュウに対し、BHC乳剤、同水和剤、同微粉剤、バイジェット、スミチオンなどの各薬剤について試験した結果、一〇a当たりBHCの施用量は、BHC水和剤では二〇〇g以上、乳剤では三〇〇g、微粉剤では四〇〇g以上が防除必要量としている。有機燐剤の場合はBHCと同様水和剤がもっともすぐれていることを報告している。

七、その他

流入施用試験は、最近全国各地でかなり多く実施されているものとみられ、現在かなりの成果が認められている。しかし、それらのうち「実用性なし」あるいは「小面積なら可能」という結果に終った試験がかなりある。これらは圃場の水口に薬液を滴下しながら灌漑水を入れる水に施用法をとったため、水と薬剤の混合が悪く、そのため施用むらを生じ、これが原因となったようである。

以上、水田に対して、肥料、農薬や除草剤の流入施用法の試験の概略である。

機械化流入法の最新の研究

著るしい省力効果　肥料・農薬の同時施用へ

昭和四十年から二ヵ年にわたって、東大農学部、農林省四国農業試験場、岡山、愛知、富山各県農業試験場において、肥料、農薬、除草剤を灌漑水とともに流し込む流入施用法について試験が実施された。テーマは肥料に関するもの三、除草剤七、農薬一二課題であった。以下はこれらの試験結果の概略である。

液体肥料の場合

一、流入方法について

主として基肥の集団流入法について検討した。流入方法は圃場の水口に簡単な流量測定装置をつけ……る方法と、流入水深によって算出する方法を採用した。

前者については、もぐりぜき、もぐりオリフィスを利用することによってかなり正確に流入量を知ることができた。

後者については、鋤床層からの水深をはかり、……

三、肥効について

……差の不均一が問題である。大区画水田への流入結果は、かなりの施用むらを示したものもあったが、作物に対する影響は少なく、むしろ圃場内の地力差の影響の方が強く現われた。

四、乾田直播栽培への流入について

乾田直播栽培は、栽植密度が密であり、肥料とくに窒素の施用量や施用回数は多く、これに流入施……

……認められなかったが、硫安肥料でははじめの生育がわずかに勝った。

落水状態と流入液肥の拡がり方

水口　落水不完全区（幅5m、長さ15m）

70 (59)	83 (62)	86 (60)
121 (68)	121 (65)	119 (64)
117 (68)	115 (67)	122 (68)

水口　落水完全区（幅5m、長さ15m）

134 (66)	136 (67)	135 (69)
137 (62)	132 (59)	134 (55)
131 (66)	134 (61)	135 (64)

（注）図の数字は田面水濃度 Nppm。上の数字は流入1時間後、カッコ内の数字は流入24時間後。

……るので、過濃度の弊害を受けやすい地域、または稲に対しては、流入施用が稲作安全増収のため有力な手段であることを推定した。

五、省力効果について

流入施用は通常の手播施用に比べて、省力効果が顕著である。

作業時間についてみれば、この作業の主要な部分は灌漑水がおこなうため、圃場や水路が整備されるほど作業時間は短縮される。

作業の内容についてみれば、作業の大部分は圃場の流入水深の調査であり、流入準備作業にわずかの労力を要するだけである。したがって、作業はきわめて容易であり、慣行法に比べれば質的にも勝っている。

この作業は、さらに機械、除草剤の同時施用、あるいは流入施設の設置、利用によってさらに省力効果をあげることができる。

六、流入施設について

……果を高める検討が必要で、施設の内容をさらに改良、簡便化して設置費を低廉にするとともに、流入施用方法の検討をさらにすすめ、施設の稼働率を高める必要がある。

除草剤の場合

一、大型圃場へ肥料と同時流入について

NIPとMOを肥料と同時に流入したところ、除草効果についてはPCP粒剤散布と変らない効果を示した。また、これらの施用むらについては、肥料の場合とほぼ同様であった。

二、流入方法について

水稲刈取後の休閑期中におけるヒエ防除の一方法として、休眠覚醒剤の流入施用が考えられる。休眠覚醒剤として（I－B－1）（A－7）の混合剤が効果のあることを認めた。これにPCPを加えると殺種子効果があるが、この効果は未覚醒種子によりも覚醒種子に対する方が強いことを認め、またPCPの濃度や処理温度によっても影響を受けることを明らかにした。

流入施用の適用薬剤としてNIP、CNPの効果のあることを認めた。両剤の除草効果はほぼ同一であるが、前者は稲の薬害部にわずかの薬害を与える。水中MCPの除草効果は明らかであるが、処理時期がおくれてコナギが流入液中に水没しなくなると効果は著しく減退した。稲の最高分けつ時までに処理した場合は、稲の分けつを抑制し、生育を遅延せしめた。

農薬の場合

一、一世代ニカメイチュウ防除について

BHCの流入施用を集団栽培地、基盤整備された大型水田に集団的に実施した。田面の不均平、不完全な落水により、一部に施用むらをみたが、防除効果は慣行の粒剤散布に劣らなかった。

三〇haの集団流入（流量毎秒八五l）を実施したところ、一ha当り作業人員〇・五人、作業時間二時間一〇分、経費四、二六八円であった。

二、二世代ニカメイチュウ防除について

BHC乳剤の流入施用は、BHC粒剤を散布したものと同等の効果を示した。PAP乳剤、BHC水和剤、DEP乳剤の効果はBHC乳剤に比べてかなり劣った。

三、ニカメイチュウに対する流入適合剤の探索について

BHC乳剤以外の薬剤を供試して、ポットあるいは圃場試験を実施した。その結果、MPP乳剤はかなり実用見込みのあることを認めた。その他、DEP乳剤、DEP水溶剤、BHC水和剤は効果が不安定であった。

四、肥料、農薬同時流入施用について

省力効果の増大を目標とし、肥料、農薬の同時流入を実施した。ニカメイチュウに対しては、MPP乳剤、ダイアジノンが、ヒメトビウンカ、セジロウンカに対してはダイアジノン、MPP、MEPが、ツマグロヨコバイに対しては、ダイアジノン、MPPが、それぞれ効果のあることを認めた。

五、ウンカ、ヨコバイ類の防除について

ウンカ、ヨコバイ類に対する流入施用の適合薬剤として、MPP乳剤、MIPC乳剤、チオメトン乳剤、BHC水和剤、ダイアジノンなどが、それぞれ効果のあることを認めた。

新型チェンソー　レイノ現象を防ぐ　共立農機で開発

石川島芝浦機械と販売提携を結び、さきごろ新たに同社の販売会社設立構想で話題をまいた共立農機では、このほど新形チェンソー・エコー801を発表、国内の新規需要に応えるとともに、大幅な海外進出を期している。

この"エコー801"は、レイノー現象（白ろう病）の原因である連続的振動を完全に防ぐ防振ゴムを内蔵した、世界で初めての独創的な開発として大きな人気を呼ぶものと予想されている。

その特長は

❶防振ゴム内蔵によって、エンジンからハンドルに伝わる振動が完全に遮断される。

❷鋸断中の給油の手間を省く自動給油装置がとりつけられている。

❸エンジンは定評ある共立空冷二サイクルエンジンを搭載、小型で性能もすぐれている。

❹マグネシュウム合金のダイカストをクランクケースやファンカバーなど主要部分に使用して、軽量化と耐久性の向上をはかっている。また、シリンダーの内面は硬質クロームメッキがほどこされ、熱伝導効率がよく、耐摩耗にすぐれている。

❺リコイル・スタータで、始動は安全、便利。

従来のチェンソー・エコートリオCS－60、CS－80、CS－100においてすでに、国産機としての使い良さ、価格面での経済性、さらに高性能、アフターサービスの万全などで、かっては輸入品がほとんどであった林業用機械部門にあって急速な食い込みをみせ、全国に広範なシエアーを確保しているが、防振装置を完璧化したこの新製品エコー801を加えて、共立農機の林業用機械部門におけるいっそうの進出が期待されている。

仕様

本体寸法　長さ四〇二、幅二九八、高さ二八八ミリ

本体重量　七・九キロ

エンジン　排気量八〇・三CC、圧縮比七・五対一、燃料二〇対一

燃料タンク容量　一・〇l

オイルタンク容量　〇・三l

標準バー　二〇形

チエンピッチ　〇・四〇四形

NHK農事番組（6月11～20日）

テレビ

明るい農村　6・30～6・55総合

11日　くらしを考える　相続

12日　村をむすぶ　フィルム・リレー

13日　話題の広場　クズ米からお菓子を作る＝福井県農試

14日　はげ山利用の杭栽＝岐阜県中津川市

15日　産物往来　冷凍魚

17日　農薬新時代　たいを育てる＝愛媛県伯方町

18日　村の記録　酪農志願＝北海道別海村

19日　くらしを考える　交際費

20日　村をむすぶ　フィルム・リレー「保健」

20日　話題の広場　酪農家政婦＝栃木県黒磯町　三重苔の花づくり＝神奈川県小田原市

農業教室　7・00～7・30　教育

11日　病害虫の防除＝新農薬の特性

21日　〃　病害虫の農薬抵抗性

13日　〃　防除組織の運営

14日　〃　病害虫防除の経済性

15日　〃　現地訪問　秋田県由利郡由利町

17日　〃　機械化稲作への道＝稲の省力化のすすめかた

18日　〃　機械と経営条件

19日　〃　機械化と土地条件

20日　〃　機械利用と組織

あすの村づくり

日　7・00～8・00　教育

再　土　13・00～14・00　教育

16日　グループだより　名古屋　仲間とともに「集団栽培」福岡　ある青年像　東京

趣味の園芸

都新島村　植松角七

土　10・30～11・00　総合

再　火　17・00～17・30　総合

14日　花菖蒲　京都平安神宮中継録画

ラジオ

早起き鳥　5・05～6・00❶

11日　人と話題　酪農家　山本浩二

12日　通信員の手帳から　二川勝男

12日　産地訪問　西瓜　千葉県酒々井町

14日　現地報告・部落ぐるみの共同養蚕　宮城県栗駒町

15日　村のポスト　投書

16日　話題の窓　選挙とむら　明るい選挙推進全国協議会　石渡猪太郎ほか

17日　現地報告　共同田植と養蚕農家　佐賀市近郊

18日　人と話題　農業開発研修センター会長　桑原正信

19日　通信員の手帳から　長谷川一夫

20日　産地訪問　アスパラガス　北海道虻田郡喜茂別町

ラジオ農業学校

月～土　6・40～7・00❷

日　6・30～7・00❷

再　月～土　19・00～19・15❷

16日　優秀農家に学ぶ　埼玉県三郷町　大熊俊一郎　現地研修　浦和局

新しい農村　日6・00～6・30❷

ひるのいこい　12・15～12・34❶

13日　サケマスの水あげさかん　釧路

17日　伏見稲荷のお田植祭　京都

20日　美保の地引き網　米子

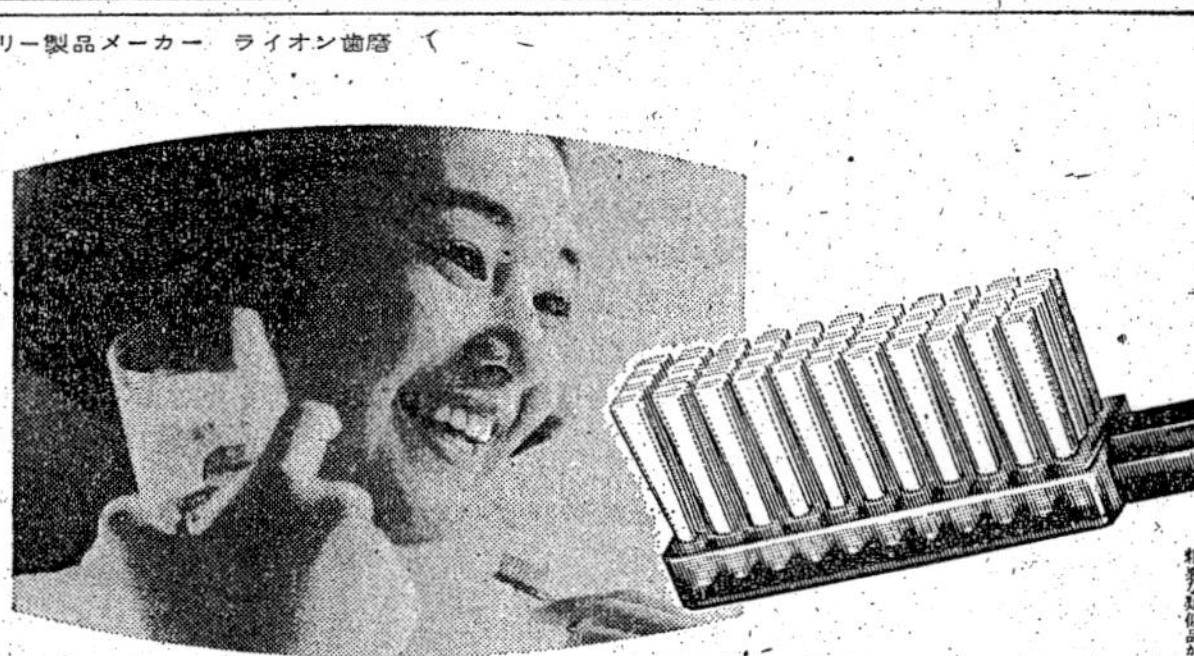

夏のおしゃれ

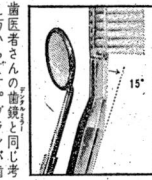

本格的な夏の訪れを前に、店頭……

土に生き、喜び知る
働く母の姿に強く感激

静岡県御殿場市小山町 竹之下・北郷4Hクラブ 鈴木 てるよ

"大きな麦わら帽子、ブカブカの長靴"田園の中で働いている私を道を通る人々は、何か変ったものでも見るように立ち止まります。

農業をやろうとする若者がいなくなり、老令化しつつある農村にちょっぴり魅力を感じはじめた、私の考えをのべていみたと思います。

私は普通科高校を今年卒業して農業に入りました。

歩きながらも参考書を手にして話をする時も参考書が手にある、こんな高校生活の中で、私は参考書から手を離さなければなりませんでした。これからの農業は高い技術と、立派な教養を身につけなければならない。私は私なりに考え、大学に進みたかったのです。獣医になりたかったのです。でも私が農業を継ぐことが、家庭のため、それ以上に私のためになるのではないかと考え、はっきりしないまま孤独と劣等感の中で卒業しました。

草取りをしながら、なぜか涙のこぼれることもありました。

九月末のことです。4Hクラブの先輩から農村女子リーダー研修会に参加をすすめられ、不安を胸に参加しました。そこで知った多くの仲間、彼女たちも私と同じように、ちょっぴり魅力を感じ、また農業の変動の不安、他産業への劣等感を抱いていました。でもこの中で、私は一人の友だちを見つけたのです。「三島から来た野田さんです」

彼女は私と同様に農業をしなければならない長女です。そして我家と同じように乳牛を飼っています。この彼女が、一女性であり一農民でもあるということ、初めは一頭だった乳牛を十頭に殖やした体験、そして私の悩みもいろいろ聞いてくれました。静岡県に、いえ私すのぐそばにも、農業に頑張りながら社会の一女性として、夢を抱いている仲間がいることがはっきりわかったのです。

宿舎のベットの中の中で、母の姿が浮び上ります。身なりもかまわず畑に出て、朝早くから夕方遅くまで真黒になって働く姿、この姿が、今までみにくい、恥ずかしいものだと思っていましたが、この研修会で「立派だ、美しい姿だ」と思えるようになったのです。今までの甘い考え、これは農業ばかりでなく、一般社会人として生きていく上にも恥ずかしいものでした。

そうだ「私も土に生きよう、農業に生きよう」こう固く心に誓いました。

4Hクラブに入って、私なりに働かされ、私なりに努めてきました。友だちと競争しながらの田植え、全国から同じ農業に励む仲間を迎えての富士登山。また夏の県大会では、友だちの考えたエプロンのモデルにもなりました。このような活動の中で、同じ苦しみを背負った仲間がいることは、私にとってもっとも心強いことでした。社会生活を営んでいく以上、一人では生活できません。とくに農業をしている農村青年は、とにかく友だちが少なくなりがちです。ですから視野もせまくなり、孤独になります。そのためにも、良い友だちをもつということは大切なことです。

私は現在、4Hクラブ、青年団と二つの団体に入っています。青年団には、多種多様、さまざまな人たちが集まっています。ですから社会人として大変勉強になります。

みんなで心から話し合う。心から話し合い、お互いに励ましになる話し合いは、これから大きく飛躍する私たちに絶対必要なものではないでしょうか。

青年活動の中から、私は多くのものを吸収し、農村に生きる一女性として、経営規模拡大や婦人の労働問題など、私たちの目の前の多くの問題を乗りこえ、合理的、近代的な農村にしたいと思います。

草の根だより

日本の実態を説明
図書館に日本の文献六冊

昭和43年度派米クラブ員 北村 篤

牧場に囲まれた白いペンキ塗りの二階建、ここは私がアメリカに来て最初のホスト・ファミリーの家庭です。[illegible]

[illegible] 二十日間あまりの最初のホスト・ファミリーの生活について [illegible] す。クラブ員は、ほんとうに楽しそうに働いています。私は4 [illegible] などが決められ、事業のための打合せは、会員の母親たちが行 [illegible]

奉仕

農繁期に労力提供
タケノコ加工で農協へ

四月から五月にかけてタケノコのシーズン。タケノコといえば宮崎村といわれるほど、福井県では有名になった。丹生郡宮崎村農協が直営で行なっているタケノコの缶詰づくりは、四月二十日から五月いっぱい続けられるが、今年は二月の寒害で親竹が被害を受けたのと、タケノコの出芽が遅れたため例年より出荷高は下まわるという。

タケノコの最盛期は、ちょうど田植えの時期と重なり、五月五日頃から二十日頃までとなるために加工の人手不足に悩んだ農協は、「みつば農村青少年クラブ（会長青山真琴君、会員二十三名）」に応援を求めて来た。

しかし、クラブ員たちにとっても農繁期の真最中であることから全員が討議した結果「忙しい時こそ活動することによって、クラブはさらに活発になるのではないか」また、今年のクラブ活動の重点課題の一つに「農協とタイアップ」ということが上げられている。し、ここが"みつば農村青少年クラブ"の真価を発揮するチャンスであるから、今日までのクラブ員の団結力と若さで積極的に協力しこれを機会にますます農協とタイアップしようときまった。

田植えの最中である五月七日から二十五日まで、自分の家の仕事の終る夕方六時半頃から十時頃まで、一日、四～六人位が交代でタケノコの缶詰加工に、若い労力を農協に提供した。

仕事の内容は、男子は主にタケノコの先を押切りで切り、それをながたんで切目を入れ箱詰をする。また女子クラブ員は、農協婦人部に混って、かまで煮て冷却したタケノコの皮を、あざやかな手さばきでむく、たちまち丸はだかになったタケノコは、ベルトコンベアでタンクへ運ばれる。

この作業に励むクラブ員の姿を見ていると、明日の農村を担う若いエネルギーが満ちあふれているようだ（福井県・みつば農村青少年クラブ報道部より）

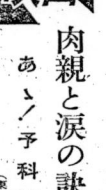

タケノコの缶詰加工に労力奉仕するクラブ員

初の4H学級
岐阜・平田町4Hクラブ

【岐阜】海津郡平田町の4Hクラブ（会員十八名）では、初の4H学級を同町役場において開催した。これは同町4Hクラブ員が石原町長を囲んで話し合いをしたさい、同クラブ員が「みんなで勉強する機会をつくってほしい」と町長に訴えた。同町では、この要望に応えて四月から月一回「4H学級」を開くことになったもの。

その第一回は"農業機械に強くなろう"と、日ごろ使用している耕運機のエンジンについての勉強。参加者は全員熱心に受講。「これからも毎月出席して勉強したい」とはりきって、初の4H学級に意欲をもやしている。

さとびとわらうた

芒種の候

六月の声をきくとまさに夏の気がむんむんとむせかえってくる。私の誕生日が六月十七日であるためか、わたしは六月をこよなく愛する。

六日は暦の二十四節気の一つ「芒種」（ぼうしゅ）である。芒（のぎ）のある穀物を稼種すべき気節と釈かれているが、一名「播秧麦秋」（そうおうばくしゅう）の時ともいい農家が最高にいそがしい時をいう。播秧とは田植のことであり、麦秋は「むぎあき」ともいい、麦を収獲する時をいう。近年、麦の作付が減少したので「播秧」だけになった地方も多いだろうが、人手不足で田植に苦労しているニュースが毎日のようにきかれる。上膳据膳でもてなし、日当千八百円という。過疎現象を如実に物語る農村の大きな問題点であろう。そのなかにあって諸君たち、有能な青年が頑張っていることは何よりも心強い。

ある地方では田植キャラバン隊をクラブ員で組織し、人手不足の農家を奉仕してあるくときいた。うれしいニュースである。わが村を一つの共同体として、わがむらの繁栄はわが家の繁栄に通じるという意識をもつとき、おのずから愛村精神に変ってゆき、奉仕の精神が生れてくるものである。しかし、その場合個人としては、なかなかむつかしい、集団となったときはじめて「やろうじゃないか」「わが村のために役にたとう」という声がでてきて「そうだ、そうだ、みんなでやろう」となる。集団のきずなは固く結ばれて、より高い次元のクラブに成長してゆくのである。ただ問題になるのは、一部のリーダーの意見に左右されないことである。全体の意識がもりあがったとき、より強大なエネルギーとなって活動が活発にはじまる。

話は変るが──

先般、東大の卒業生に、大河内一男東大総長の告辞が郵便で送られた。そのなかに「戦後の日本で人間の自我や個性の影がたいへん稀薄になってきている」昨今、諸君は今後の職業生活や自分の仕事において、また将来の家庭生活において、充分な自我と濃い個性を [illegible] るよう私は [illegible] 人が集団や「仲 [illegible] 没してしまい、[illegible] てでしか発言で [illegible] 集団に支えられ [illegible] ことができるよ [illegible] 間から抜けだし [illegible]

[illegible] もあるようだが [illegible] けとりたい。自 [illegible] なっている点は [illegible] 人が集団や仲間 [illegible] 集団によりかか [illegible] 間が多いことも [illegible] よく「今ごろ [illegible] と明治の人はい [illegible] ころのことは知らないが、何か [illegible] 間なんだろうか。（暢）

東南アジアを訪問して（五）

埼玉県入間郡富士見町 南畑・青年の船派遣団員 砂川みさ子

女性の地位は高い
一番末の女性が後つぎ

バスは白バイの先導で

バンコックのユースホステルで朝を迎えた。今日の日程は、文部大臣表敬の後、アユタヤ行き。全団員が文部省の庭に集まり表敬して古都アユタヤへ向けて出発する。

バンコックの北、約八十九キロ。十四世紀～十八世紀の間、御朱印船で貿易をしていたころの首都だった所である。私たちのバスは、アユタヤにのびる素晴しい道路を白バイと広報車の先導でノンストップでつっ走る。

「──であるから、みな歓迎の意を示すように」と、広報車は伝えている。対向車は全部、徐行するか停止して、バスを通りやすくしてくれた。

この道路ぞいに広がる田園は、まさに楽園らしい。刈り取りの終った水田が無限につづき、その中で稲の刈株を食べる水牛の群。ドロ沼で泳ぎ、魚を取る住民、水牛の背にのり、のんびり歩く農夫、無心に遊ぶ裸の子供たち、粗末な家がときどき見える。電灯なども ちろん入っていない。

この地帯の農業は、雨期に入ってから種を播き、実ってから刈り取る、すべて自然まかせなのだ。ここでも農村の貧しさを感じさせられるが、のんびりした面はうらやましい。

刈り株が高い浮稲栽培

この日の昼食は、アユタヤユースホステルでホステル関係者とその会員の手によって、心あたたかいもてなしを受けた。このホステルは、高床式の縁側をもつ簡単な建物であるが、前方に東海道揚跡、左手にボーイスカウトのキャンプ場、右手に小学校、そして周辺は田園がつづき、環境は素晴らしく恵まれた所である。

私は、農業青年数名と近くの水田において、刈り取り後の稲や土質を見た。タイ独特の"浮稲"らしく、刈り株が非常に高い。

しかし、このユースホステルについては交通機関の未発達や旅行に対する不安感、青少年が時間的経済的余裕がないことで、これからの利用についても、まだまだ問題が山積されているようである。

私たちは、青年の船の歌を合唱しながら拍子に送られ、ユースホステルに別れを告げ、バスにゆられる旅をつづけた。

史跡めぐりの最後は、山田長政ゆかりの地"日本人町跡"である。一本の墓標と石碑のみが、さみしく立っていた。線香をあげ、そっと手を合せる。かって日本人町として栄えたという所だが、余りのさびしさにそのように思えた。

アユタヤのユースホステルの前でホステルの会員と記念撮影

隠密剣士を英語で放送

ユースホステル宿泊の日、私たちの班の六名は、一般家庭に招待され、一夜の家族となった。上流階級からの招待であったため、タイの庶民の生活状態は、余り詳しくついてよくわからないが宿泊者の家庭のいくつかを述べてみよう。

宗教──一日に二回拝み、りっぱな仏壇をどの家庭でも持っている。

娯楽──映画の好きな国民である。テレビは、日本製のものが多く入っている。中でも隠密剣士が英語で放送されていて大評判だった。

家庭生活──子供のしつけがよい。どの家もメイドを使っている。人間の心があたたかい。物質的な面では不自由していない。

その他──おどろいたことだが、タイでは泥棒が多いとのこと、宗教面から考えて"与えられるものは幸せ"という考え方からくるらしい。そして一番女子団員が注意をひいたものは、女性の地位が高い、ということである。男性が女性をすごくいたわり、恋愛結婚も多いという話をいたる所で聞いた。農村においてもしかり。家の跡継は、一番末の女性が跡継となり、男性を迎え入れるという、日本とまっく逆の風習が多いのには驚いた。

自慢話に土産を値ぎる

何といっても、どこへ行っても楽しかったのはショッピングだった。観光国だけに特産物が多い。金銭単位はバーツ、日本円で約十八円。みやげ店では二～三割値ぎるのが常識だ。団員が自慢の腕に値ぎりあう。店には宝石類が多い。特産のチーク材を用いた彫刻、タイシルクなどが目だつ。店員の中には日本語の話せる人もいた。買物も、この国を知るうえに最も大切な時間であった。

メナム川に浮ぶ"さくら丸"の夜景がとても美しい。明日はいよいよ最後の日、早朝から水上マーケットの見学だ。

映画

肉親と涙の訣別
あゝ予科練（東映作品）

昭和十八年、日本海軍は、米軍の物量作戦の前に、その戦局悪化の中で、全国の少年に飛行予科練習生への志願を要請した。

同年、春─。土浦海軍航空隊に七ツボタンの軍装で集合した新入隊の練習生、和久一郎（西郷輝彦）庄司（谷隼人）藤井（大田博之）秋山（宮戸尚治）村田（長沢純）などの少年たちは、十一分隊一班に配属され、厳しい規律と訓練の生活に飛びこんだ。入隊早々、ちぢみあがらせたのは、下士官、教官たちの猛烈なしごきだった。数日遅れて、桂大尉（鶴田浩二）が着任した。この歴戦の戦斗機乗り桂は、とりわけ訓練に厳しかった。

戦局は日一日と苛烈さを加え、そうした緊迫状勢のさなかにあって、なお国語教育の必要を説く山路教官（御木本伸介）をはさんで実戦に役立つものかと庄司はけんかをふっかけた。彼の無暴な反抗は父の死、母への複雑な気持から生れたものだった。

和久のもとに、川崎素子（大原麗子）から手紙が届いた。ところがこの手紙が上官の眼に止り、外出が全員禁止となり、仲間の不満が、和久に集中した。

予科練クラブでの楽しいひととき、藤井は姉と再会。庄司には母が訪ねてきたが、母への反抗は容易にとけなかった。一方、和久は飛行場の鉄条網越しに、父母、弟妹と再会することができた。

搭乗員としての厳格な適性検査、落伍者への冷酷な退隊命令。一班から秋山が脱落し仲間を動揺させた。やがて、神の池航空隊へ転属、それを経て、南方の戦線に向うことになった。

明けて十九年、戦況はいよいよ悪化、それに伴い和久たちは、中練をうえ、飛行訓練を続けた。やがて休暇。和久家では、久しぶりに、家族全員が会し、出陣を目前に万感をこめた団らん。そして、一方、藤井は姉との最後の一日を過した。

果てしなき大空！和久たちの零戦十五機の編隊は、フィリッピン・レガスピー基地に飛ぶ。途中、グラマン機との交戦、和久たちの初陣突破である。

十九年十月、神風特攻隊の出撃、この事態に、和久たちは、全員特攻隊に志願した。一方、B24の急襲を受け、藤井が戦死し、その若い命を空に飛散させた。一面の焼野原と化した東京。和久も素子も、一度に家族全員を亡くした。二人の悲痛な別離……。そして、鹿屋基地への転属。

遂に十五機編成の零戦特攻の命令がでた。最後の夜、庄司は、母のもとに行き、やっと母子の和解を迎えた。そして永遠の離別。一方和久のもとへ素子が訪来。「死なないで」と哭く素子に、「僕が死ななければ戦争は終らない！」と和久はいうのだった。

桂隊長以下、爆音を轟かせて、沖縄に向け大空を飛び去って行く。桂の手には、庄司の姉から送られた月光菩薩像。素子たちは機影をいつまでも見送る。こうして十九年秋、少年たちは、南太平洋の海に、その短い青春を断ち切った。

七ツボタンの予科練、やがて南太平洋の戦雲の彼方に、特攻出陣していく

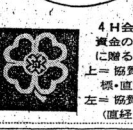

日本4H新聞
4Hクラブ 農事研究会 生活改善グラブ 全国弘報紙
発行所 社団法人 日本4H協会 東京都市ケ谷家の光会館内 電話(269)1675 編集発行人 玉井光 月3回・4の日発行 定価1部10円 6ヵ月180円(送料共) 一ヵ年360円 振替口座東京12055番

クラブの綱領

私達は実践を通じて自らを磨くとともに互いに力を合わせてよりよい農村、よりよい日本を創るため四つの信条をかかげます。
1、私達は農業の改良と生活の改善に役立つ腕をみがきます。
1、私達は科学的に物を考えることのできる頭の訓練をします。
1、私達は誠実で友情に富む心をつちかいます。
1、私達は楽しく暮らし、元気で働くための健康を増進します。

四本の柱(プロジェクト推進会議・つどい・会館建設)中心に盛上り

全協で第1回の評議員会開く

新たに実績発表 副会長に沼田さん 野帳を作成、配布

全国4Hクラブ連絡協議会(丸山勉会長)は、さる六、七の両日、愛知県豊橋市石巻本町の豊橋市青年の家で今年度第一回の評議員と代表評議員の合同会議を開催し、第四回全国4Hクラブ員のつどい、4H会館建設、プロジェクト発表、4Hクラブ推進会議など四本の柱を中心に今年度事業計画の具体策について協議した。全国的に田植え時期を迎えて出席者の出足が危ぶまれたが、全国各県連から全協評議員と代表評議員、それに執行部など四十余名が出席。この会議は、全協総会後に役員が改選された県連が多く、出席者はほとんど新しい顔ぶれのため総会で決定した事業計画の二番せんじという色合いが強いが、今年度はとくにその欠点から一歩進んで各事業の具体化について建設的な意見が多く出され、事業計画の遂行に積極的に努力することを誓い合った。

鹿よせで集る鹿の群れ=奈良公園飛火野で。円内は鹿よせラッパを吹く係員。今秋開催される第4回全国4Hクラブ員のつどいでも同じ催しがくりひろげられる=奈良県連提供

会議は、午後二時十分から青年の家関係者によるオリエンテーションなどのあと飯田喜代視副会長(奈良県)の司会で開会された。

4Hクラブの歌の斉唱に続いて丸山会長が「この会議は、総会で決議された事項について今後どう進めるかを審議する場である。全協では、プロジェクト研究、4Hクラブ推進会議、全国4Hクラブ員のつどいのこれまでの三本の柱の上に、さらに4H会館の建設を加えて四本の柱として事業を展開することになった。自分たち青年の力がどこまで伸びるか、この会館建設に力を結集してほしい」と呼びかけ、会館建設に対する情熱のほどをみせた。ついで来賓として日本4H協会の新田事務局長のあいさつのあと自己紹介を行ない大鹿良夫事務局長(埼玉)の資料説明などがあった。

ひき続いて、議長に法邑伸一(富山)岡崎秋正(山口)両君、書記に田中英子さん(栃木)と近藤三知代さん(岐阜)を選んで議事に入った。

まず、今年度の全協活動方針と活動計画について大鹿事務局長から説明があり、これに対しプロジェクト発表を中心に質疑応答をかわすと同時に、プロジェクト実績発表大会を来年二月か三月に日本4H協会と共催で開催することを決定した。

続いて、活動基本方針に基づく事業計画について大鹿事務局長から説明があり、夕べのつどいに参加するため審議を中断。入浴、夕食のあと午後七時から再び議事審議に入り、事業計画について活発に意見をかわした。

事業計画については、総会で決定した事項(別記)のほか、プロジェクト活動を積極的に推し進めるためプロジェクト野帳の見本を作成配布することなどが執行部から新たに示された。

これに対し、同野帳の配布数と時期、青年の船の推せん規定、全協未加入県、全国のクラブ員数、事務局体制、後継者の育成、中央研修会の参加者の事後追跡、4Hクラブとその他の名称のクラブとの関係、全協分担金の未収金、日本4H新聞の購読料の半額返還などについて質問が出され、とくに評議員の旅費の半額支給について誤解のないよう全協規約に明記してほしいなどの要望が出された。

これら質問や要望に対し、遂次執行部から説明があったが、そのうち丸山会長らが回答した中でとくに注目される点は次のとおり。

一、プロジェクト活動に必要な模範的な野帳のひな形を作成し、九月ごろまでに配布し末端クラブ員へ波及するように努力する。

二、青年の船団員候補は選考委員会を設けて審査し推せんする。

三、中央推進会議参加者の再研修について今後考えて行きたい。また開催時期については、全国のクラブ員が共通して都合がよいという時期を選ぶのは難しいが、一年ごとに違う時期に開催するなどを考えたい。

四、4Hクラブは農村青少年だけの私有物ではない。都会の青少年にも適応できる運動であり、幼児のうちから体験させるのがよい。そうすることによって、農業に対してよい協力者になってくれると思う。

このため他産業の人たちにも4Hクラブを理解させるという長い目で考えたい。また、農校や経伝などについても、深い連けいを保つなど積極的に進めていきたい。

このあと各部屋でブロック懇談会を開き、未決定のブロック代表評議員(女子)選出や4H会館建設などについて話し合い、十時過ぎ就寝した。

翌七日は前日の事業計画の中から、とくに、今秋十月七日から四日間にわたって奈良県で開催する「第四回全国4Hクラブ員のつどい」と日本4H会館建設の件について、別個の議題として審議された。「つどい」については飯田副会長、山田高作奈良県連会長らを中心として、また4H会館建設については大鹿事務局長の説明のあと黒田保副会長(茨城)らを中心として審議が進められ、推進の具体策について熱心に意見をかわした。

最後に、執行部の中で紅一点として総会において副会長に選ばれた砂川みさ子さん(埼玉)が、都合で辞任することになったため、その後任として、茨城県の沼田俊子さんを選んだ。沼田さんは、昨年度茨城県連の役員として活躍、また第一回の青年の船では茨城県から代表の一人として団員に選ばれ、二ヵ月間にわたって東南アジアを歴訪するなど活発な現代女性。今後の活躍が大いに期待されている。

このほか未決定だった女子の代表評議員などを決め、十二時前、閉会式を最後に二日間にわたった会議の幕を閉じた。

「4Hの木」制定か 第四回全国4Hクラブ員のつどい 各県連が協力誓う

全国4Hクラブ員の一大祭典—「全国4Hクラブ員のつどい」は今年度で第四回を迎え、名称も新たに、全国4Hクラブ連絡協議会、日本4H協会の共催によって今秋十月七日から十日までの四日間、奈良県で開催されることになり、いま地元の奈良県連を中心にその準備が進められている。

同つどいは、過去三回にわたって大分、埼玉、富山各県で開催され大きな効果をあげてきた。

今回はとくに地のりを生かして古都の情緒を盛り込み、また4Hクラブ発足二十周年、明治百年の記念植樹などを計画して、意義あるつどいをしようと地元県のクラブ員は大いに張り切っている。

また今回からキングサイズの「つどいの鍵」を作り、次回開催県連へ引き継ぐことになったほか、4H協会と全協が4Hクラブ発足二十周年を記念して全国のクラブ員と関係者から体験と意見文を懸賞募集するが、その入賞者につどいの席で発表してもらうなど、全国クラブ員の一大祭典にふさわしいつどいになるよう努力が傾けられている。

これらつどいの開催要領について原案が評議員会で執行部から示された。

それによると、会場は奈良市の県庁に隣接してこのほど完成したばかりの県文化観光会館をはじめとして、五重塔や猿沢の池で知られる奈良公園、鹿で名高い若草山、奈良市庁別館、それに古墳発掘で知られる平城宮址などを予定、参加者は4Hクラブ員をはじめとして学校、経伝生徒、4HOBとその家族、外国4Hクラブ員と篤志指導者など約五百名を見込んでいる。

日程は、一日目が開会式のあと自衛隊ブラスバンドによる歓迎レセプション、松下幸之助氏(日本4H協会々長、松下電器産業会長)の講演、意見と体験の発表、各宿舎部屋別の話しあい。二日目は、レクリエーション(若草山鹿寄せ(奈良公園)記念植樹(平城宮跡、各県の木を植樹)話し合い(全体会議)ファイヤーストーム(平城宮址)

三日目は、反省会と閉会式のあと現地交歓訪問へ出発し、二日間にわたって奈良県と大阪、京都府各地区クラブ員宅に分宿して交歓する。

参加経費は、分担金三百円やバス代、弁当代などを含めて三千円近くなることが予想されている。

これら執行部説明に対し、記念植樹として県木を植える計画であるが、定着しない木もあるため県木ではなく「4Hの木」を制定して全国各地に4Hの森を作るよう構想をたててはどうか、家族ぐるみという主旨から日程の内容にも工夫してはどうかなどの建設的な意見が述べられたほか、予算や参加者経費の内容、経費の前納制などについても活発に論議され、参加者名簿の事前報告など主催者が円滑に運営できるように協力することを申し合わせた。

4H会館建設 協賛の家

4H会館建設資金の協賛者に贈る記念品 上=協賛章(門標・直径4.5ﾁﾝ) 左=協賛バッチ(直経1.25ﾁﾝ)

"4Hの殿堂"早期実現へ

協賛章(門標)やバッチ出来上る

"募金"スタート

建設委事務局長に遠藤君(神奈川) 各県連に協力員おく

全国クラブ員の宿願である全国クラブ員の殿堂—日本4H会館の建設は、4Hクラブ発足二十周年を迎えて進展への扉が開かれ、いまテンポを早めながら実現への道を歩き始めた。

今回の評議員会で4H会館建設の具体的な構想や募金活動の方法などについて執行部から示され、各県連がこれに全面的に協力することを申し合わせるとともに、さる四月の総会にひき続いて評議員会の出席者が自発的に募金を行ない、その熱意のほどをみせた。

また埼玉県では、このほど開かれた農研連(農研、生改ク、4H部で構成)の理事会において、会館建設に関する4H部代表の主旨説明に全役員が共鳴、即座に二万余円の浄財が集められ、その募金が評議員会の席で執行部に手渡された。さらに、各県連に全国統一した募金箱が渡されるなど会館建設への機運が急速に高まり、いよいよ本格的に募金活動を展開することになった。

他の青少年団体も会館の建設は会員の夢であるが、自主的な団体にとってはやはり難事業であり、一日一円運動、あるいは一本の柱、一枚の瓦から出発している団体も多い。しかし、その会館建設に対する情熱がやがて外部の関係者を動かし、すばらしい会館を建設している例は少なくない。会館建設への最も近道はクラブ員自身がやる気をみせることであろう。

この4H会館は、全国の4Hクラブ員の心のよりどころとして、また現クラブ員とOBの結束を図る旗印として、さらにクラブ員が気軽に利用できる研修施設としてさる三十八年和歌山県で開かれた全国4Hクラブ員の高野山大会で建設が決議された。翌三十九年には全協初代会長の岩崎茂氏(静岡)を委員長とする会館建設委員会を結成、年次計画をたて準備を進めてきた。

しかしその後、クラブ員の足並みが揃わず、また、実際に動く推進母体が不明確であったことなどから計画は実行されないまま足踏み状態を続けてきた。このため建設委員会に対する風当りは強く、建設についても前進か後退かのドタン場まで追いつめられていた。

こうしたなかで、前年度当りから全協執行部がOBと接触を保ちながら事業計画の一つとしてこの会館建設と積極的に取り組む姿勢をみせ、独自な立場で検討するとともに、クラブ員に働きかけてきた。この間、広島県連などから自発的に募金が行なわれるなど、機は徐々に熟してきた。だが、クラブ員に説明できる具体的な構想—青写真を要望する声が圧倒的に多く、まずその方面に対する努力が必要になっていた。

執行部はこの声に応えるため関係筋を通じて土地問題について検討すると同時に、青写真の作成を急ぎ、さる四月の総会で会館建設の具体的な構想を発表し、募金ののろしを上げた。そして今回の評議員会では執行部から募金の具体的方法などが打ち出された。

それによると❶4HOBと各道府県連役員の協力をえて、全協役員を中心とするオルグ団を各県連へ派遣し募金について協力をあおぐ❷募金箱を作り各道府県連へ一個ずつ配布して4Hクラブの行事があるごとに協賛してもらう❸4Hクラブの手引きを販売したり、野菜、果物を即売するなどしてその利益金を資金に当てる❹4HOBに協力願うため来る六月三十日まで県連の歴代役員名簿を事務局へ送付してもらう❺会館建設資金を寄付した人に対して、全協から領収書と会館建設の協賛章を発行し協賛者名簿を永久に保存する。

協賛金三百円以上に対しては領収書、五百円以上には領収書と協賛章(門標)千円以上には領収書と協賛章、協賛バッチを贈る。

募金活動は、第一次資金カンパとして七月中旬まで全協役員の属する県と、各県で開く理事会へ全協役員が出向いて説明、第二次として九月中旬までの間全国各県連を訪問して説明、さらにと第三次として十二月末まで各地で開くブロック研修会で協力をあおぎ、そのあと募金方法の再検討と調整を図り、募金箱を来春の総会で開く。

会館建設について末端クラブ員まで知らせるため「しおり」を作成して配布しPRを図る。各県連でも会館建設の協力委員を設けて募金箱の管理とオルグ団の便宜を図る。準備資金として日本4H協会の松下会長から五十万円を借り受け、その返済については生産物販売の利益金などを当てる。

また、用地については都内の国有地などを払い下げてもらうが、その払い下げに必要な法人格が全協にないため、それをもつ日本4H協会に依頼し、その実現に努力する—などである。

会館建設の予算は約四千万円を予定しており、執行部はそのうち約二千万円を今年中に集めて建設工事に着工し、四十五年には完成をみたい意向である。

これらの案に対しそれぞれ質疑応答を行ない、各県連とも全面的に協力することを約した。

なお、4H会館建設委員会の事務局長、折原一好氏(栃木)の辞任に伴い、その後任に四十一年度の全協事務局次長、遠藤清之丞君(神奈川)を選んだ。

全協 事業の骨組み

四十三年度の全協の事業計画の骨組みは次のとおり。

一、組織の強化と主体性の確立 ❶事務局体制の確立❷全国の4Hクラブ員の実態調査❸役員派遣❹日本4H新聞(機関紙)の活用❺後継者の育成❻手びきの発行

二、4Hクラブの使命と精神の高揚 ❶ブロック4Hクラブ推進会議の開催❷全国4Hクラブ中央推進会議の開催❸第四回全国4Hクラブ員のつどいの開催❹プロジェクト全国研究会の開催❺4H週間の実施❻明治百年記念事業の実施❼奉仕活動の展開❽海外青少年との交流

三、外部団体との連けいと他団体との連絡協調 ❶中青連関係❷青少年育成国民会議関係❸青年の船関係❹官庁、団体関係❺4HクラブOB関係

四、日本4H会館建設の促進

全協の今年度第1回評議員会で事業計画について審議する各県連代表=愛知県豊橋市の青年家で

涼風暖風 ベテランの味

農村青少年を熱心に面倒みてくれる人達に青少年担当普及員がいる。夜間会合も多いし、打合せ会、事務量も多く、普及所では重要な役割の一つである。担当に専念している普及員もいれば事務的なとりまとめだけ行なっている人もいるし、年令の若い人が代りに引き継いでいる普及所もあれば年齢の人に変ってきているところもある。傾向としては、青少年担当が明確にされ、ベテランがそれを名乗る府県が増加してきたことであろう。

先日も、青少年担当普及員の近畿ブロックの連合研修会が開かれたが、広域体制の敷かれている府県はおおむね年長者が、そうでないところは若い普及員さんも数多く参加されていて、この傾向は、今はやりの普及所の広域化と関連が深いようであった。

青少年諸君はこの傾向をどう受けとめておられるだろうか。若い普及員さんの方が話し易いし、友達や兄弟のようにしてもらえるので、という人もおれば、どうも頼りないところがあって……とあまり評判良くいわないクラブリーダーもいる。

普及所が広い範囲を担当するようになり人数も一挙に倍増され、いろいろな専門家が連携して、普及指導は総合的にすすめられるようになった。私達のところでも、年とともに普及員経験の長い人達が、青少年関係を主担する方向へ移り変ってきている。

そんな場合、今の若いクラブ員との世代の差はいかんともしがたく、考え方や接し方に若干のズレが見受けられるようであるし、普及所の一方的な理由で申しわけないが、職制上の高い地位の人は、自然に行政的な感覚が強く働き、クラブ員との人間関係に、従来ほどの親密度がなくなったことも見のがせない一面である。

しかしながら、完成された技術、豊富な体験を生かすことができる。青少年の育成には何としても関係機関や地域社会を動かさねばだめだという幅のある考え方もできる。若き時代の体験談を聞かせることもできる。これらができるのは、やはりベテランの味によるところ極めて大きいといわねばなるまい。

一方、若い普及員は青少年の理解も早いし、若い情熱は彼の特技であり、ベテランを補佐して十分である。これからの青少年担当普及員は新旧世代の持味をカクテルしなければならないといえる。いま、まさにシェーカーが振られているのである。(大阪・川端)

代表評議員十二名決る

四十三年度の全協代表評議員のうち女子四名が未決定だったが、各ブロックごとの話し合いによって決定した。

今年度の全協代表評議員は次のとおり。

▽北海道ブロック=時田繁志(北海道)▽東北ブロック=佐々木剛(青森県)▽女子=戸田聖子(福島)▽関東ブロック=古川忠己(長野)▽北陸ブロック=久保博(富山)▽女子=五味はる美(山梨)▽東海ブロック=岡田常雄(三重)▽近畿ブロック=村田喜昭(京都)▽女子=近藤三知代(岐阜)▽中国、四国ブロック=森田一紀(香川)▽九州ブロック=上杉光弘(宮崎)▽女子=中島敬子(大分)

ことしは四会場で 茨城県連でクラブ大会の準備進める

【茨城】茨城県農村青少年クラブ連絡協議会では、毎年、農村青少年クラブ大会を開いているが、これまで会場や開催期日などの関係で参加できなかったクラブ員もいるため、今年度は県内四つの農林事務所管内でそれぞれ大会を開くことになり、いま準備を進めている。(県連事務局、村山文雄君より)

八頭技健

「みどりーチャリン、うるわしーチャリチャリン、わが大地ーチャリチャリン」なんのことかと首をかしげる人も多いと思うが実は「みどりー」はご存知"日本4Hクラブの歌"の歌詞であり「チャリン」は、お金の音である▼この奇妙な出来ごとは、去る六、七の両日愛知県で開催された全国4Hクラブ連絡協議会の評議員会の閉会式で"4Hクラブの歌"を唄いながら、4H会館建設募金箱が回され、各参加者が自発的に硬貨を入れた音であった。この4H会館建設については、昭和三十九年に構想がうち出され、その後、低迷の途をさまよっていたが、本年四月に開催された全協の通常総会において、新たな構想のもとに衆議一決して再び気運の盛り上りをみたものだ▼ここまで踏み切った全協の英断もさることながら、各県代表者の意識の盛り上りも見逃がせない。今度の評議員会をみても、うわべだけのものでなく、心から賛同する動きがみられた。さっそく席上において「4H会館建設募金箱」が各県連に配られた。本年いっぱい活用され、来春は"ずっしり"重くなって帰ってくるだろう。冒頭の「みどりーチャリン」も、そのひとコマである▼土地もなければ、銭もない。まさしく、4H会館建設は、ゼロからの出発である。それだけに、安易な気持でとりくめない。もうここまで進んだ以上、一歩も後退は許されない。全協や建設委員会は、この推進に命をもかける根性が必要だが、そこだけの責任問題でなく、全国の4Hクラブ員をはじめ、4H関係者すべての責任と協力によって進めなくてはならない▼埼玉県には、4H部、農研部、生活改善クラブの連合体があるが会館建設の推進が決議された。その席上で農研部の理事から募金協力の提案がなされ、理事全員が貴い浄財を募金した。これは、立派な4Hクラブ員を育てたい親心だろうが、涙なくして語れない美話である。岩手県連では、早くも今月二十日から明三月末日を募金期間とするという▼全国的な足なみも近々そろうだろう。小さくても真心のこもった4Hクラブ員の殿堂に、四ッ葉の旗がへんぽんとひるがえるのが待遠しい。

三者（4H、農研、生改ク）が一本化 大阪府連再スタート
4H強化月間など決る
大阪府4H部で総会　新部長に長滝谷君選ぶ

長滝谷4H部長

【大阪府＝松村一弥連絡報道員発】大阪府では、4Hクラブ、農研会、生活改善グループの三者が一本化し、幅広い活動を展開することになり、さる五月十五日、大阪市の府立婦人会館で合同結成総会を開催した。

これは、府下の4Hクラブ（会員約七百人）農業研究会（六千五百人）生活改善グループ（三千二百人）がそれぞれ独自の活動を尊重しながら、広い視野にたって大同団結し、農業の改良と農家生活の改善をおし進めようというもので、府下を八地区に分け、地区連絡協議会を置いている。

総会では、名称を「大阪府農業・生活研究クラブ連絡協議会」とすることを決定するとともに、新規約や四十三年度の事業計画、同予算案などを決め、また会長に高橋保夫氏を選んだ。

4H部でも、役員改選を行ない新役員を次のとおり決めた。

▽4H部長　長滝谷正行（泉佐野市西農協4Hクラブ）▽副部長　藤原常雄（南池田農協4Hク）▽書記　松村一弥（東大阪市4Hク）▽会計　浜田孝（大阪市住吉4Hク）▽監事　東幸一（富田林市4Hク）

4H部としての新年度の基本課題は❶組織の充実とクラブ活動の促進❷プロジェクトを中心とした営農活動の促進―の二つで、これに基づいて次の事業を計画している。

❶第二回4Hクラブ活動強化月間❷交歓ソフトボール大会❸リーダー研修会❹女子クラブ員のつどい❺農村教育青年会議❻技術交換会❼仲間づくりの推進❽親子教室❾放送利用によるクラブ活動の推進など。

若い息吹きを期待
愛知県連で新入クラブ員の研修　活動の基本マスター

【愛知県＝古川喜美子連絡報道員発】愛知県4Hクラブ連絡協議会（会長、飯田雅美君）は、さる五月二十九、三十の両日、名古屋市東山の名古屋ユースホステルで今年度第一回の新入クラブ員研修会を開いた。

当日は、尾張部を中心に今年4Hクラブに入会した若いクラブ員八十名が参加し「4Hクラブとは何か」「プロジェクト活動とは何か」などについて真剣な面持ちで研修を受けていた。

一日目　午前十時から開会式に入り、オリエンテーションのあと運営委員の紹介と新入クラブ員の自己紹介。ここで二日間のうちに十名以上の新しい友の名を覚え、友情を育てることを約束して、早くもなごやかな雰囲気となった。

午後から「4Hクラブとは何か」というテーマで研修した。今回はただ単に4Hクラブについて講演するというのではなく、新入クラブ員が自分で「4Hとはなんであるのか」また「4Hクラブで何をしたいか」などについて考えていることを書き、そしてグループで話し合い、発表し、助言者の意見をきいてまとめるという方法で行なった。

七時から懇親のつどいを開き、今年四月に開館したばかりの美しい東山Y・H（ユースホステル）の伊東ホステラーのレクリエーション指導とキャンドルサービス。もう以前から友だちであるかのように新入クラブ員たちは大いに楽しんだ。

二日目　午前六時三十分に起床し、名古屋の町を一望できる屋上で朝のつどいと体操を行ない、八時半から研修に入った。

「プロジェクト活動とは何か」という演習に入る前に、運営委員四名によるロールプレイニング。新入クラブ員たちに少しでもプロジェクトの意味を理解してもらおうと、運営委員一同が大熱演で、現在自分たちの間でもよくおこる父親との意見の衝突をテーマに経営の一部分をまかせてもらってプロジェクト活動に励もうとしている若い娘の姿を演じた。

このあと、プロジェクト活動について各人それぞれに課題を提起させ、その中から一つを選びプロジェクトとして取り上げるように指導、実施計画をたて自分自身で行なうという習慣をつけさせた。

午後は昨日の「4Hクラブとは何か」に続いて、とくに4Hクラブの組織について講演があった。内容は、単位クラブ、地区連、県連、全協などの協議会や、クラブ員としてのあり方などについてであった。

最後に、まとめとして前年度の会長、久野知英君はじめ、先輩四名が出席し「私たちのクラブ活

リーダーシップ学ぶ
和歌山県連でリーダー研修会　骨休めに汐干狩

【和歌山県＝坂上勇男連絡報道員発】和歌山県4Hクラブ連絡協議会（会長、岩倉常寛君）では、さる五月二十八、九の両日、磯ノ浦青年の家で四十三年度最初の行事としてクラブリーダー研修会を開いた。開催地磯の浦は大阪府に近く、いまは三三五五汐干狩り客がみられる程度だが、夏は海水浴客で賑わうところ。

このリーダー研修会は、県連役員と地域リーダーを対象に地域クラブ活動を推進する上で重要な指導性や協調性などを涵養するため年一回開かれているもの。今回は農繁期をひかえたため参加者は三十名を下回ったが、汐干狩などをとり入れた楽しい雰囲気の中でプログラムが進められた。

まず二十八日は、午後一時半から開講式を行ない、続いてクラブ活動の本質、とくにリーダーシップについて県の下田専門技術員の講義にうつり、参加者はモメをとりながら熱心に耳を傾けた。

同夜は、明るい笑い声を部屋いっぱいにひびかせて班対抗レクリエーションをくりひろげた。団体リレー、対抗かくし芸などなごやかな中で班ごとに得点を競い合った。

翌二十九日は、午前八時から[illegible]進地農家留学研修について県の[illegible]口技術員の説明、またNHK和歌山放送局の放送部長から報道と教養に関する講話があり午前中の日程を終えた。午後はおりからの[illegible]

「土佐地区連」と改称
高知・嶺西地区連で総会　和田会長を再選

【高知県＝西谷章博連絡報道員発】嶺西地区農村青少年クラブ連合会（会長、和田豊喜君）は、[illegible]館で総会を開いた。

同日は、まず和田会長が「いま[illegible]称をこれまでの「嶺西地区農村青少年クラブ連合会」から「土佐地[illegible]

（この記事は、和田会長の提供によるものです）

4Hクラブ活動などを学ぶ
長崎県連でリーダー研修

【長崎】長崎県農村青少年クラブ連絡協議会（会長、友広喜重君）は、県の後援をえてさる五月三十、三十一の両日諫早市貝津町の県総合農林センターで第一回の県4Hクラブリーダー研修会を開いた。一日目は午後一時から開会式のあと、4Hクラブの本質や運営などについて日本4H協会、新田事務局長の講義があり、参加者は熱心に耳を傾けた。入浴、夕食に続いて夜は、新田4H協会事務局長の講義の内容を中心に話し合い4Hクラブ活動について研修。

二日目は午前中レクリエーションの講習のあとNAC（新農業創造）運動について講話があった。午後は県連活動方針の説明に続いて意見をかわした。

プロジェクト活動　講演（4）
限界に挑戦しよう
「増産と高能率」へ向って

海外技術協力事業団　茨城国際農業研修館長　中田正一

さきほどのシンポジウムの一番おしまいのところで、星野先生がうまい表現をして締めくくられました。みなさん方の背景は余り狭くないのではないか――まあそういうことをいわれたわけです。

プロジェクトを選んでいる、もっ、実にそのプロジェクトの成り立っている背景が狭い。もっと広い背景をもった中でこの問題を選んでいるんだという、その問題意識がないといけませんぞ―という意味のことを申されたんじゃないかと思います。

そこで背景を広げる。視野を広める。プロジェクトにあまりこり固まっていると、本当に視野が狭くなる。その問題だけで他のことは全然関心の外になる。ですから、その問題の成り立っている背景というものをしっかりとみつめる必要があると思います。

山梨の諸君あたりは、プロジェクトの問題を設定する前にその背景をまず調べたんじゃないかと思います。そこで、その背景からくる、こういう課題をみんなで取り組もうじゃないかというふうなことが新しいプロジェクトになっているじゃないかと、そういう感じがします。それで見学だとか、視察とかいうものがでてくるわけです。

ものの真相というものは、比較してみないとわからないものです。だから、隣りの県の牛飼いをみて、その牛飼いと自分の方の牛飼いとを比較してみる。あるいはデンマークの牛飼いと自分のを比較してみる。アメリカの牛飼いと自分のを比較してみる。

だから、派米青年なんて、外国へ行って勉強するというのはそういう意味です。外国をみるというのは、本当の意味で自分の国をみるということです。したがって、日本を本当にみるために外国へ行くわけです。見学旅行というのは、本当の自分をみるためです。

そういう広い視野、背景をもったなかで自分の地域の課題、自分の課題を設定する。いわゆるそれを問題という。芳賀先生は、それをプロジェクト設定の問題意識といわれたのです。

いったいどういう意味をもったプロジェクトなのか、これに取り組んで解決するというのは自分の経営に対してはどうなのか、地域に対してはどうなのか、日本全体の農業に対してはどうなのか、そういう問題意識をもつ、それをプロジェクトの背景というわけです。

そこで、さきほど山梨の調査をおもしろいと私はいいましたけれども、全協の諸君がここに集まっていますが、全協のプロジェクトもあっていいんじゃないかと思います。つまり、日本の農村青年全体が取り組むプロジェクトもあっていいんじゃないか、私はそう思います。それでいま、きょう取り組んでいるプロジェクトは、プロジェクトをいかにすすめるかというプロジェクトであると思います。

私は外国人に話をする場合には、日本の農業の方向は2Lアグリカルチャー、二つのLの方向へすすんでいますといっております。外国人にはあまり難かしく話してもわかりませんので簡単にそう説明するのです。

2Lというのはどういうのかというと、これは土地の生産性「ランド・プロダクティビティ＝Land Productivity」と労働の生産性「レイバー・プロダクティビティ＝Labor Productivity」を同時に高めていく。これが日本の農業の課題です。その方向にすすんでいます。

つまり、増産と能率ですね。この二つの方向に同時にすすんでいます。能率だけをいえば、日本の農業はアメリカやカナダの農業にはとうてい及ばない。ところが土地の生産性になるとわれわれの先祖が、おやじやじいさんが頑張ってくれたおかげで、日本の農業は土地の生産性がたいへん高いわけです。おそらく世界一高い。稲作なんかでは、東南アジアの連中はびっくりしております。

先だっても、昨年の九月に東北、山形、秋田、青森をまわりましたが山形は昨年は日本一でした。平均五百六十何キロ採れたわけです。その稲をみて「これは日本一だ。いや世界一だ」といって、その稲の穂の垂れているのをさかんにカメラで撮り、たいへんびっくりしていました。

それからつぎに、労働の生産性、これにいまたいへん努力している。ことに農村から人口がどっと減りまして、労力が減ってきたわけです。それで、嫌でもおうでも労働の生産性に努力しなければならない段階にきました。

それでしかも、農業労働人口は、先だっての調査では二〇％を切りました。三〇％から二〇％に達したのが世界のどの国よりも早い。たいへんなスピードなんですね。おそらくこれが一〇％になるのは一〇年以内です。日本の労働人口が半分になるということです。半分になるというのはどういうことかというと、いまの生産性を倍にしなくてはいけないということです。

これあたりはまさに4Hクラブの、国全体の農業のプロジェクトなんです。この一〇年のうちに労働の能率を倍にするんだ。省力という言葉でいえば半分を省力化する。これは一つの課題ですよね。しかも土地の生産性を落さない。これは世界にない農業でしょうね。

土地の生産性と労働の生産性を極限まで高めていく農業、限界に挑戦する農業。いま稲作日本一というのをやっているわけですけれど、稲作の能率日本一、こういうのは4Hで音頭をとってやれば いいと 思いますね。

もっ、とにかく一〇年以内に倍にしなくてはならない、労働の能率をですね。これはまさに4Hクラブでの、全協あたりの一つのプロジェクトではないかと思います。まあ、そんなことを考えるわけなんです。かってなことを私は申しますけど、お許しいただきたい。

4Hで音頭とつたら

稲作能率日本一

たとえば生活、外国人にいう場合は、日本の農村の生活は2Fだと、二つのF、すなわち二つの自由（Freedom）が確保されている。

一つの自由は職業選択の自由。ですから「農家のむすこは農業をやる」なんてことはもう考えなくなった。職業の選択は自由なんだ。だから農村からどんどん人が出ていってしまう証拠ですね。

そのかわり、農業を職業として選ぶ。みなさん方は農業を職業として選んでいるというわけですね。家業ではなくなってしまっている。農業を家業として選ぶという考え方はもうなくなっている。それで、職業として選ばない人はいくらでも出ていく。これは基本的な自由です。

もう一つの自由は相手を見つける自由、恋愛の自由というか結婚の自由です。自分の意志で相手を見つける。自分の責任で相手を見つけて、決める。これはかなり基本的な自由です。

それに関連して、生活における四つの自由ができてきます。これはどういうのかというと、まず、空間の自由。自分の個室をつくる。生活空間を家の中に確立しましょう。このごろいたるところで、ちょっと普請しているかと思うと、いや、娘の部屋をつくる、若夫婦の部屋をつくるという空間の自由。

それから、時間の自由。農村でもレジャー・タイムをもちましょう、テレビを見る時間をもちましょう、農休日をもちましょう、これは当然の欲求ですね。

それから、財布の自由。これは自分の自由になる財布をもつことで、父子契約などはここからきているんですね。親子契約をして、自分の責任でやったものは自分の財布に入れましょうというんです。これはもっとも基本的な自由ですね。

それから、自由な足をもちましょうというんです。中学生は自転車をもちましょう。高校生はオートバイをもちましょう。みなさん方は四輪車をもちましょうというんですね。これも基本的な欲求ですね。

いま距離感というのは、むかしの一つの部落といまの一つの県とがだいたい同じです。むかし一つの部落の中を歩いて二、三軒訪ねた。いまは、私は茨城におりますが、自分で毎日車を運転して仕事をしていますが、県の端から端まで二、三軒訪ねるんです。これは一日で結構です。

ですから、むかしの部落といまの一つの県とが同じ距離感です。だから、そういうのは足の自由です。

こういう自由はあくまで個人の自由ですね。だから、個人の解放というのはたいがい行なわれている。問題はですね、新しい人間関係、これが問題なんです。新しい人間関係が確立していないところに日本の農村の問題がある。これの基本的な解決はグループ活動です。正しい人間関係をつくりあげるという、いままでの家の人間関係でもない、部落の人間関係でもない。いままでの地域だとか、血縁関係でもない新しい時代の職業人としての職業的な人間関係、これをつくりあげること、これは4Hクラブが日本全体から背負わされた一つのプロジェクトです。

自主的なグループ活動を
大分・宇佐4Hク連が誕生

【大分】宇佐市でこのほど4Hクラブ連絡協議会が結成された。

4Hの信条はいつの時代でも不変であるし、誰にも適応するので、これから4Hの信条を尊重し自主的なグループ活動を進めようと4Hクラブを結成したもの。

こんごの主な事業として、稲作研修会をはじめとして技術交換大会、キャンプ大会、会員相互の経営診断、研修旅行、他グループとの交歓会、農村教育青年会議、市長を囲む座談会、視察、実績発表大会、農業簿記学習などを計画。

なお役員を次のとおり決めた。

▽会長　河野洋一郎（宇佐）▽副会長　中山真智子（駅川）▽事務局長　麻生浩一（四日市）▽事務局次長　樋田敏則（宇佐）園田豊子（四日市）▽県委員　松崎正勝（四日市）

北阪4Hクラブが誕生
大阪

【大阪府＝松村一弥連絡報道員発】玉ねぎの特産地として知られる大阪府泉南地方は、またかくれたみかんの産地でもあるが、岸和田市北阪町の青年七名がこのほど4Hクラブを結成、府下で四十五番目のクラブとして誕生した。

初代会長は竹数弘治君で、全会員がみかんのほか花キと養鶏を組み合わせた経営を行ない、明日の農業と農村は自分たちで築こうとハッスルしている。

農政局長に 太田康二氏

農林省農政局長に、前農林大臣官房参事官の太田康二氏が六月一日付けで就任された。同氏は大正八年岡山県生れ。東大法学部卒後農林省に入り、農林大臣官房予算課長、畜産局参事官などを歴任した。

なお前農政局長の森本修氏は水産庁長官に就任された。

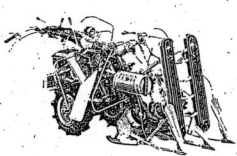

私の経営実績

ぶどうの増収と省力化

岡山県井原市青野町三〇六二、井原市農業後継者クラブ　三宅　剛

輪作体系を改める
念願かなってぶどう栽培へ

市内で最も貧しく苦しい町

近年、農業は斜陽化し、農村の嫁不足が騒がれ、若い労働力は奪われ、老人や婦女子の職業として「もうからない農業」の代名詞とされてきました。

こうした農業を「豊かな農業」にするため、政府も農業構造改善事業などの施策を講じてきましたが、農業はあい変らず苦しく、就農者は減少の一途をたどっています。

私が高校へ入学した当時、私たちの青野町はたばこや雑穀を中心とした平均一〇万円余りの収益であり市内で最も貧しく苦しい町でした。

農家に育った私は、この農業を何とかして政府の唱える豊かな農業にしてやろうと営農技術の習得に努め、三十八年三月、高校卒業と同時に大きな希望のもとに農業に就いたのです。

さいわい青野地区でも、こうした若人十名が集まり、「青野やろう会」というクラブを結成して、明るく住みよい町づくり活動を始めました。

私たちの住む井原市青野町は、海抜二〇〇〜三〇〇㍍の準高冷地で、年間平均気温一四・五度、降雨量一、〇〇〇㍉余、気候的には恵まれた地域でありますが、土質は第三紀の古世層で重く、しかも急傾斜で、農作業は困難をきわめております。

これからの経営は、少ない労力を有効に使い、しかも商品化率の高い作目を取り入れていくことだと考え、機械を導入する一方、輪作体系の改善に努め、また、卒業によって生じた私の労力を発揮するために農地の獲得も行ないました。

輪作改善で経営の安定図る

私の経営は畑中心で、ぶどう一㌶、たばこ六七㌃、その他八六㌃、それに水田三二㌃で、労力は祖父、祖母、母、私の四人、能力に換算して三・二人となっています。

輪作体系の改善は、経営の主体であるたばこに向け、従来のハッカ、除虫菊を切り替え、裏作には井原特産の秋バレイショの作付を行ない、収益の増加と経営の安定を図りました。

こうして得た収益は、かねての念願であった果樹栽培に投入しました。

まず、マスカット・ガラス室一六〇平方㍍を四〇万円の費用をかけて建築し、一〇万円の粗収入を見込みましたが、結果は半分の四〜五万円で思わしくなく、それではと地域で栽培意欲の強かった「ベーリA」に切り替えました。

「ベーリA」は土地によくマッチしたためか、ますますの成績で、将来は経営拡大の重点として取りあげることにしました。

まず三十八年、一八㌃を開園して、三十九年暮れに同じ樹令の園一八㌃を購入し、さらに四十一年には農業構造改善事業により一五㌃の作付けを行ない、現在五一㌃になっています。

「ベーリA」は地域の重要作目となり、クラブ員の中にも八人ぐらいが栽培しており、地域全体では四〇㌶と一大産地となっておりますが、当初から問題がありました。

それは、土地が粘質なため排水不良による根の痛み、これにともなう早期落葉、枝の遅伸びなどです。

これらの弊害のため、平均収量は一〇㌃当り一、二〇〇㌔、そのうえ所要労力は五〇〇時間という県平均に近い結果でした。

これでは、二、〇〇〇㌔以上の収量がないともうかる経営は成り立たないという線には、遠くかけはなれた状態でした。

「日本一」の折り紙がつく

そこで私たちクラブ員も、この問題に取り組み、研究活動を行ないました。

それは、

第一に、収量の増加
第二に、所要労力の軽減
第三に、良品の割合の増加

などを決めました。

こうした問題は県でも取りあげられ、解決策として有機質肥料の施肥と結果枝を三・三平方㍍当り一八本から二四〜二五本に増やし房数も二〇房とするよう指導されました。

私もこのように行ない葉面積の確保につとめてきました。

結果は、当初三年生の木でありましたので一〇㌃当り一、〇九三㌔でしたが、翌年には一、四二五㌔となり、成木となった本年は樹勢も強くなり、好天にも恵まれて二、四五一㌔、加工用などを含めますと二、七一四㌔という大変な増収となりました。

しかも、良品の割合も、技術の習得や貯蔵養分の増大にともないLの割合は三六・二％であったものが今年は七四・一％と進歩をとげ、また地区においても一、九〇〇㌔、六九％の平均となり、市場から日持のよい、しかも品質のすぐれた「日本一のベーリA」と折紙をつけられるまでになっています。

また、この結果を粗収益でみましても、出荷費用を除いたものが五四、〇〇〇円であったものが、今年は二二〇、〇〇〇円と増大しました。

活気あふれる共同選果場

ぶどうの出荷数量（10㌃当り）

		L	M	U	並	無印	計
四十一年	出荷数量kg	772	322	93	216	12	1415
	割合%	56.4	22.7	6.4	15.3	1.0	(53.7)
	kg当単価円	75	61	47	36		
四十二年	出荷数量kg	1817	382	187	65	—	2451
	割合%	74.1	15.5	7.7	2.7	—	(67.0)
	kg当単価円	92.5	79.3	67.8	51.8	—	

※10㌃当り出荷数量は36㌃の平均である。
※割合の合計(　)内数字は青野地区平均のLの数字である。

私の家のぶどう・たばこの所要労力

ぶどう　たばこ　田植　稲刈　棚張　芽かぎ　誘引　房づくり粒間引　収穫　苗木　植付　土寄　収穫　調整
時間　800　700　600　500　400　300　200　100
月　1　2　3　4　5　6　7　8　9　10　11　12

ぶどう作りの労力を軽減するには、誘引、房づくりと粒間引き、収穫という三つの大きな山を切りくずすことが必要である。私はたばことの複合経営であるため、五月の誘引とたばこの土寄せ、七月の房づくり粒間引きと収穫が重なる。そこで私は、まずこの誘引の省力を思いたち、棚の上にもう一本の針金を引き、この間に結果枝をはさんで所々を留めておく方法をあみだし、大きな成果を収めた。

所期の目標を達成
労力軽減には三つの障害

[illegible]

今後の経営は大面積栽培へ

[illegible]

明るく豊かな理想郷めざす

今後は、現在記帳している複式簿記によって経営分析をして、企業的な農業経営に充実させたいと思います。

いままでの農業を、自からの力で困難な条件を克服し、さらに自分の意志と計算のもとに新しい農村建設のためにクラブ員とともに頑張っております。

そして今後の農村を

一、農業構造改善事業によって整備された農村に、人間の構造改善がなわれ、若者の歓声の流れる町とする

二、豊かな、明るく住みよい理想郷を築く

ことを夢みております。

41年井原市内の所得額

所得額　町名　井原　西江原　高屋　大江　稲木　門田　木の子　野上　青野　県平均
200　150　100　50
159　120　175　169　209　160　113　107　175

私の家の経営

※数字は全体(360°)に対する角度比

42年度　ぶどう　150°　87°　たばこ　114°　176°　水稲　54°　33°

誘引の省力法及び所要労力

新しく張った針金　幹線　側線　主枝　結果枝

	従来の方法	省力方法(41年)	省力方法(42年)
10㌃当り労力	33時間	23.3時間	17.4時間
比数	100	70.6	52.7

※針金は18#を使用し10㌃当り10Kgが必要である。
※針金張りは2人で15時間位が必要。
※針金の耐用年数は4年位はあると思われる。

ナシの袋かけを改良
好評うける4Hクラブ員の考案

【長野】長野県飯田、下伊那地区は、いま二十世紀ナシの小袋かけが盛んに行なわれているが、ここは農繁期の労力不足をカバーする新しい省力技術が普及し、農民に喜ばれ、話題になっている。

それは、下伊那郡松川町の大島4Hクラブ員・大沢賢次君(二〇)が工夫した二十世紀ナシの小袋かけの技術。

ナシは五月中旬、品質向上と病虫害防除をねらってパラフィンの小袋をかぶせるが、短期間にしかも一〇㌃当たり二万枚以上をかける重労働。これは一人で一日二、三千枚をこなさねばならず、また労賃は一枚二十五銭もする。

いままでは、腰のところに小袋をつけて一枚一枚ナシにかぶせるか、手の甲に輪ゴムをつけて、これに小袋をはさんで袋をかけていた。

そこで、大沢君は昨年、これでは手が疲れるうえに取り出すのに時間がかかるので、この小袋かけを少しでも合理化しようと考え、工夫したのが手のひらに布製の袋をつけ、この中に小袋を入れ取りだすというハンド袋である。

このハンド袋は、手のひらにゴムで止められるようにした簡単なもので、従来、手の甲にゴムではさんだ場合は百枚ぐらいしか小袋をはさめなかったが、ハンド袋だと二百枚は入れることができる。

地元の普及所では、手が疲れないし、いままでより能率が二〇％アップできるうえ、費用が安く簡単につくれるといって、一般農家にも紹介、これが爆発的に普及し、農家でも「手がだるくない」と好評をうけている。

なるほど便利だ！
高知で田植機の実習会

【高知】高知県香美郡土佐山田町の土佐山田4Hクラブ（浜田博司会長）では、このほど同町山田にある同クラブの研究田で動力機械を使って田植えをした。

これは地元の土佐山田農業改良普及所の指導で行なったものであるが、集まった三十人の4Hクラブ員たちは、機械に慣れてくると「なるほど機械は便利なものだ」と省力水稲栽培に取り組んでいた。

田植機の利点は、まず省力化。手植えだと一〇㌃八時間かかるのを一時間半で仕上げる。また、密植もでき、分株もスムーズにいく。

田植機には育苗箱で育てた苗を使う。育苗箱はタテ三〇㌢、ヨコ六〇㌢の木箱。ハウスの中で発芽させ、あとは家の庭先きで成育させる。消毒した土壌なので、各種の土壌病の予防にもなるし、雑草もはえない。第一なわしろがいらない。一〇㌃の田にはこの育苗箱が一五、六もあれば十分である。

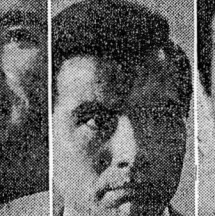

田植・刈取すべてOK
ホンダで新型＜多用途＞ティラー発売

本田技研ではこのたび汎用機部門強化のため事業部制をしき「汎用機事業部」を発足させた。周知のようにホンダの二輪車は世界一の地歩を築き、ホンダの四輪車もめざましい躍進を続けているが、このかげにあって、農業機械などの汎用機も今年度は一〇〇億円の売上げを見込むまでに成長してきた。そこで、独立採算制の事業部として発足させたもの。また、同社ではこのたび次の新製品を発表した。

ホンダ＜多用途＞ティラーF40M

広い用途と扱い易さが自慢のホンダティラーF40A型をベースに新設計の特殊減速機を装備、エンジンベッドを合理化した新機種で時代の要請に応じた高能率集束登場させたもの。

刈取機や牽引型田植機が手軽に取付けられる広い用途の新鋭機である。その特長は、

どんな作業にも適応できる巾広い用途

変速段数は前進八段、後進四段超低速の新設で稲、麦、草の刈取り、田植え作業をこなし、中速では整耕、ロータ耕、培土その他一般管理作業を、高速ではトレーラ牽引とあらゆる作業をこなす用途の広さは他に類を見ない。

扱い易さは抜群

作業に最適の速度が得られるほか、ボールタイプのパワークラッチを車軸に装備、サイドクラッチの切れは軽く確実、誰れでも楽に作業できます。また、操作はすべて手もと操作、ハンドルを握ったままのリモコン方式。

山間地では実力をフルに発揮

車体が小さく小回りがきき、傾斜地や狭い田畑の作業に大きな力を発揮する。

優れた耐久性、防塵、防水性完璧

エンジンは、ホンダの誇る[illegible]イクルG40を基本にオイルバス式エアクリーナーを採用。ポイント室は完全密閉で[illegible]ラブルは皆無、また燃料も[illegible]ターを二ヵ所に設けるなど[illegible]ルの強制潤滑とあいまって[illegible]を一段と増している。

経済的な灯油系燃料でOK

ガソリンのほか、農耕油（[illegible]当り約三五円、低オクタンガ[illegible]ン）が使える。また、吸入効[illegible]高いCVキャブレターを採用[illegible]始動性もすぐれている。

なお、本田技研では一〇馬[illegible]パワーアップした駆動型のディーゼル耕うん機F10型を同時に[illegible]した。

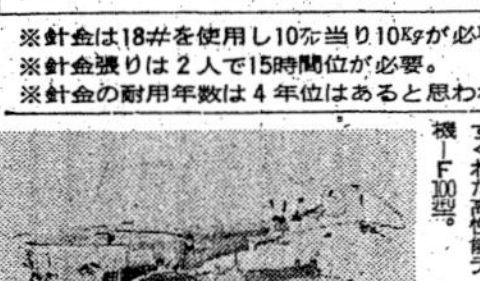

写真右は、ホンダ自慢のティラーF40M型。広い用途と使い易さが特徴。同左は、小型で耐久性のすぐれた高性能ディーゼル耕うん機F10型。

NHK農事番組（6月21日〜30日）

テレビ

明るい農村　6・30〜6・55　総合
21日　産物往来　トマト
22日　農業新時代　レンコン団地＝徳島県松茂町
〃　開田＝岩手県玉山村
24日　くらしを考える　共同炊事
25日　村をむすぶ　現地報告「米価」食糧庁長官
27日　話題の広場　農業一〇〇年「米騒動」
28日　産物往来　「米の味」
29日　農業新時代　八郎潟の共同経営＝秋田県大潟村

農業教室　7・00〜7・30　教育
21日　機械化稲作への道＝集団栽培と機械利用
22日　〃　現地訪問
24日　麦作への指針＝麦の需要と供給
25日　〃　省力栽培
26日　〃　多収穫技術と品質
27日　〃　飼料作物としての麦
28日　〃　麦作の採算点
29日　〃　現地訪問

あすの村づくり
日　7・00〜8・00　教育
再　土　13・00〜14・00　教育
23日　グループだより大阪　仲間とともに＝用水慣行を考える　香川県
30日　グループだより＝広島　仲間とともに＝指導者への注文　茨城県土浦村

ラジオ

早起き鳥　5・05〜6・00　第1
21日　現地報告　よみがえる[illegible]　山口県錦町
22日　村のポスト　投書
23日　話題の窓　はじまった産地対策＝松江—東京　厚生省人口問題研究所[illegible]
24日　現地報告[illegible]　ほか
25日　人と話題[illegible]
26日　田中　鍋　通信員の手帳から[illegible]
27日　産地訪問　桜桃＝山形県
28日　現地報告　日本で学ぶ南アジアの青年[illegible]
29日　村のポスト　投書

ラジオ農業学校　月〜土　6・40〜7・00　第2
日　6・30〜7・00　第2
再　月〜土　19・00〜19・15　第2
23日　経営手帳　島根県大東町　乗本吉郎
30日　経営手帳[illegible]　農政研　福永一夫

ひるのいこい　12・15〜12・34　第1
新しい農村　日　6・00〜6・30
24日　満濃池のゆるぬき[illegible]
27日　うなぎの出荷＝豊橋

趣味の園芸　金　10・30〜11・00　総合　再　土　17・00〜17・30　総合
21日　高山植物　北海道大学附属植物園　原秀雄
28日　梅雨どきの鉢もの管理　山梨植物園技師　坂梨一郎

あすにかける＝中央農業大学を訪ねて　東京都西多摩町

夏のおしゃれ

[illegible]

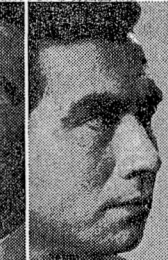

わがクラブ わが同志

青年の使命を考える

自己の殻から脱皮　青年の特権を生かそう

北海道深川市一已地区 4Hクラブ連合会会長　長野英男

明治百年、開道百年といわれ、盛大な記念行事が企画されている昭和四十三年に当り、私たち農村青年に与えられた使命について考えてみることも無意味ではないでしょう。

私たちの使命、はたして何んであろうか。それは、ただひとつ明日の農業躍進をはかるための自己研鑽でないだろうか。私たち青年は問題意識が薄いといわれる。また、それに対し私たちは甘えていなかっただろうか。

私たちは、ここで心機一転して自己を厳しく見つめてみよう。

「そして思い出すのだ、あの感激を、4Hクラブに入会した時の気持を」

あの頃の私たちは、緊張に身を包まれ「私たちは、私は……」という素晴しい意欲に満ち溢れていたはずです。それがいつしか、月日の流れと共に現状に妥協し、恵まれた環境に甘えてしまっていたのではないか。しかし、今一度眼を見開いて、社会を見た時、実に数多くの矛盾、問題が山積されていて、これらを取りのぞくことが、私たちに与えられた重大な責務であろう。

そのために、私たちは友と共に語り、共に学ばなければならない、それが4Hクラブ活動だ。

また、私たちには良い意味での無鉄砲さがないように思われる。青年の特権を忘れ、初老の紳士のように、振舞ってはいないだろうか。私たちは、ここで自分自身を自己の殻から脱皮させ、裸と裸で体ごとぶっかり合える活動をしたいものである。その意味において私たちは、4H活動によって、今一番自分に必要なものを、何んのためらいもなく前面に押し出すべきであり、自己の目標に向って、最善を尽くすべきではなかろうか。

市連協の立場、地区、単位クラブの立場、そして自分の立場を考えたとき、自分のしなければならないことは、手に取るようにわかるはずである。

このような意味からして、今年の一已地区のクラブ活動の柱は、学習活動にあります。生産活動に直接結びつくものと、人間性を養い、一般教養を身につける幅広い学習と二通りのものをあらかじめ計画を立て、その計画にのっとって実践に移して行こうと思います。

学習のないところに、プロジェクトの達成もなく、また人間としての発展性もないというのが、一已4Hクラブ員の総括した意見であります。共に語り、共に学び、共に泣き、笑って、市内の4Hクラブ員が大同団結し、ひいては明日の深川農業の礎となるよう研鑽を重ねて行きたいと思います。

4H活動に情熱を　実益と人間関係の助長

奈良県大和郡山市・大和郡山市4Hクラブ会長　中津甚之丞

4Hクラブもここ数年の間に、随分と成長したものである。己れの生活に密接になってきたが、内容そのものが充実してきたというのではない。まだまだ足から足が浮いているような気がする。

私は4Hクラブ以外のグループをあまり知らなすぎるから、こう思うかも知らない。4Hクラブというものを、その組織を通じて生まれた人間関係を、時として静かに見つめ、考え、積極的に育ててゆこうとする姿勢ができた。それでいいじゃないか。それが大きな成長ではないだろうか。

考える──考える──。考えぬいたあげくに若さをぶっつけて行動してみる。結果は解らない。猪突猛進とでも言おうか、若さは即行動だ。

汗と泥にまみれて作物の手入れをする。順調に成長してゆく姿を見つめていると実に楽しい、だが不安もある。小さなミスが作物の成育に大きな影響を与えるかも知れない。期待と不安が交差する。一日また一日の結果は……、成功だ。

この喜びは農民である限り、人間である限り、事を成し得た時の喜びは忘れることはできないだろう。その取り組んだ姿勢が真剣であればあるほど、苦労が大きければ大きいほど、歓喜は大きい。これに似た歓びは誰もが経験したことがあると思う。

私たち4Hクラブ員もこれと同じ気持だと思う。4H活動に若い情熱を傾けるのも、4Hクラブに大きな期待を寄せるといったものではなく、忙しい仕事の合い間をぬって思いきり若さをぶっつけてみる。若さをぶっつけてみることが楽しく、その中で育ちはぐくまれてゆく人間像。あちらにも、こちらにも育ち結ばれてゆく友情は、一生忘れることはないだろう。私たち若者は、こういう姿に大きな魅力を感じるのである。

4Hクラブ活動は、実益（プロジェクト）と仲間づくりという要素と人間関係の助長が、ほどよくミックスされた時、素晴らしい4Hクラブの姿が見られる。その要求度も、時代により、個人差はある。また活動を続けている時のみに与えられるものではなく、遠い将来も生き続けるものと信じてやまない。

私の発言

私は農業一年生　小さな力で何かを追求

だれでも何かをするに当っては、成功を目的にしている。農業においてもそうだ。私も最終的には、成功を目的としている。けれど今は農業を前進させる。職業として成功させるというより、私自身を前進させる、そういう気持で農業に励んでいる毎日です。

若い農業者たちは、他産業に負けぬように合理化と省力化を図ることを考えている。でも私には、どうしたら他産業に追いつき、追いこしていけるのか見当がつかない。ただ私の持っている力を精神と共に、何かに打ち込んでみたい。何かを夢中になってやってみたい。そんな気持でいっぱいです。そして、その気持を農業に向けてみたのです。

若い青年なら誰でももっている「最善を尽くせ」の精神を私だって持っている。全力をつくしても必ずしも立派な成果が得られるとは限らない。でもその小さな力で何かを追求し、そして征服して行きたいと思う。

まだかけ出しの農業一年生、私は農業と共に前進して行きたい。

（埼玉県入間郡富士見町東大久保上・南畑4Hクラブ　時田千恵子）

クラブ紹介

昭和四十二年度　農林大臣賞受賞

宮城県仙台地区　七郷4Hクラブ　佐藤新吉

内部組織に特長が　地域の結びつきを重視

私たちの4Hクラブは、昭和三十九年に十二名をもって発足し以後順調な歩みを続け、四年目を迎えた。現在では、クラブ員も三十二名をかぞえ、ますます発展途上にあるクラブです。そこで七郷4Hクラブの特色を上げてみますと、大人数であることと、地域農業後継者のほとんどが入っている。そして内部組織に特長のあることと、水田単作でクラブ員平均三・四ヘクタールの水田を持っているということです。

そういう中で発足以来、方向や考え方に三本の柱を立てて活動を進めています。

これはクラブ員はもちろん、地域青年とも手を取り合って明るい農村を築いて行こうという考えです。二つとして、実践活動です。地域農業の現状をよくみつめ、問題をみい出し、実践活動を推し進めて行こうとするものです。三つ目は、農業技術の修得です。

以上のことが基本的な考えで本年度の活動方針を次のように打ちだしました。

（1）共同プロジェクトを通じて共同精神を養い積極的に仲間づくりを行う。

（2）各委員会および分科会活動を通じて、個人専業を図るとともに、専門技術を身につけ、我家の経営改善に努める。

（3）地域活動を重視し、地域社会との結びつきを密にする。

以上のような活動方針や考えをふるに生かすために、次に上げるような組織をつくりました。

まず、四つの専問別分科会活動「作物、園芸、畜産、農経」とスライド作成、新聞発行を行う（記録広報委員会）。また、水田四十アールを借りて管理企画を行う（試験広報委員会）。それに青年学級あるいは農協青年部とも組織としての結びつきをもって行っています。そして、それらの運営に当ります。役員は約十数名をもって構成しています。

実施事業としては、大別して本部事業、共同プロジェクト事業、分科会事業の三つに別れます。まず本部事業の二〜三を紹介します。

地域問題を中心とした講演や話し合いを行い、基盤整備事業などの実践活動を行っています。また稲作技術の講習会を行い、実際に試験田などを通して技術の修得に役立っています。他に青年学級とも手を取り合って、農村青年だけでなく広範囲の青年と交流を図っています。

今年度も力を入れて行う事業である共同プロジェクトの成果と反省を申しますと、仲間の資金づくりには大変よい成果があがりましたが反面技術の未熟さを暴露したようなものでした。今後はもっと技術の勉強が必要だと痛感しています。

以上のことを参考にして、今後の活動目標が立てられたわけですが、それらを基礎にして、より豊かな農村建設のため、4Hクラブ活動を推し進めて行きたいと思います。

さとわうた

時代に挑戦する

映画

遥かな愛を描く「卒業」（ユナイト映画）

ベンジャミンは牧師や友人を押しのけて式場から花嫁を盗み出した

東南アジアを訪問して（六）

砂川みさ子

理解できぬ国民性　灰と化しメナムに帰る

水上マーケットに親み

郵便物の遅れ一〜二年

仏教を နေ王と国民

タイの新聞の一部

メナム河の両岸に建てならぶ民家

日本4H新聞
4Hクラブ 農事研究会 生活改善クラブ
全国弘報紙
発行所 社団法人 日本4H協会
東京都市ケ谷家の光会館内
電話(269)1675
編集発行人 玉井光
月3回・4の日発行
定価 1部 10円
6ヵ月180円(送料共)
一ヵ年360円
振替口座東京 12055番

クラブの綱領

一、私達は実践を通じて良き農業者となり、よりよい日本を築くための信条をかかげます。一、私達は農業の改良と生活の改善に役立つ知識と技術を身につけます。一、私達は科学的に物を考えることのできるよう心がけます。一、私達は誠実で友情に富む人になります。一、私達は楽しく暮らし、元気で働くために健康を増進します。

来月から地域4Hク推進会議

全国八会場で開く

リーダーの養成めざす

全国4Hクラブ連絡協議会（丸山光会長）は、各県連と共催で七月から十一月にかけて全国八ブロックで4Hクラブ推進会議を開催する。この推進会議は、毎年十二月、静岡県御殿場市の国立中央青年の家で開催している全国4Hクラブ中央推進会議のブロック版ともいえるもので、4Hクラブの本質に即したクラブの運営、組織強化などの知識や技術を身につけたクラブリーダーを養成するのがそのねらいである。

4Hクラブ中央推進会議は、リーダー養成の場として開催以来、参加者から高い評価を受け、その効果も徐々に現われてきているが、開催期間や参加者の制限など問題点も多く、これを補う意味でブロック推進会議が開かれることになったもの。

一、目的 この推進会議は、4Hクラブ活動の推進のため、4Hクラブの運営、組織の強化などについての基本的な知識、技術を研修させ、4Hクラブ活動の発展に役立つリーダーの養成をはかる。

一、主催 全国4Hクラブ連絡協議会、各県4Hクラブ（青少年クラブ）連絡協議会

一、後援 日本4H協会、県、その他

一、会期 全国八ブロックに分け、八会場において三泊四日の日程で行なう。

一、参加者 一ブロック約五十名で計約四百名。十八歳から三十歳までの4Hクラブ員で次期リーダーとして県連会長が推せんした者とする。

一、会議の内容 (1)4Hクラブ活動の基本方針 (2)4Hクラブ活動の実際と組織活動についての研究 (3)プロジェクトなどの手法 (4)話し合い・全体会議 (5)レクリエーション・情報交換

一、日程 第一日目午前十時受付、午後一時オリエンテーション・全体会議。第二日目午前・午後分科会。第三日目午前九時・全体会議、午後二時ー各ブロック会議。第四日目日本4H協会講義、十時ー解散

一、費用 参加費は各自負担とする。ただし、会議費として一人当り二万円以内を会場から支出する。

一、会場、期日 各ブロックごとに決定、通知する。

思い出深い幕開けに

すばらしい大ホール

古都らしいムード漂う

このほど完成した奈良県庁隣りに建てられた同県文化会館＝奈良県連提供

「つどい」の開会式場が完成

奈良県文化会館

全国4Hクラブ員の一大祭典「第四回全国4Hクラブ員のつどい」は、全国4Hクラブ連絡協議会（丸山光会長）、奈良県4Hクラブ連絡協議会（山田高司会長）と社団法人日本4H協会（松下二郎会長）の三者共催によって秋九月七日から三日間、奈良県で開催されるが、その開会式会場となる奈良県文化会館がこのほど完成しつつある。

この文化会館は、五重の塔を眼前にひかえた奈良公園の一角、県庁と並ぶ絶好の場所に建てられ、延面積一万五千平方メートル、地下一階地上五階の近代的な建物で、収容人員千五百人という大ホールを持ち、古都らしいムードを漂わせている。

建物は、奈良の伝統美と現代感覚の調和を目指して設計され、玄関の広いロビー、全館に冷暖房を完備、舞台装置も最新式のものが取り付けられている。

第四回つどいのクラブ員は、古都奈良でこのすばらしい大ホールで開会式を迎えることになり、思い出深い幕開けとなろう。

ジェクト巡回を計画

仙台地区4Hク連で会長会議

夏の大会は浜辺で

【宮城】仙台地区4Hクラブ連絡協議会（会長、佐藤宗芳君）では、さる六月九日、仙台農業改良普及所で会長会議を開き、今年度の事業計画などについて話し合った。この会議では、地区内のクラブ員の研究成果であるプロジェクトを巡回展示することや、夏の大会を浜辺で開くことなどが決まった。

4Hクラブ発足20周年記念

意見・体験文を懸賞募集

今後の活動の指針に

4Hクラブが発足してから二十年、この間4Hクラブはわが国の農村青少年の育成にいかに役立ってきたか、その歩みを振り返るとともに、今後の4Hクラブの意識を高め、今後の活動の指針とするため、体験文・意見文を募集する。

応募要領

主題 【意見文】4Hクラブ活動をさらに発展させるためにはどうすればよいか（4Hクラブの協力、リーダーの養成などについて）【体験文】4Hクラブ員（OBを含む）としての体験

応募資格 (1)4Hクラブ員（OBを含む）(2)4Hクラブ指導者

応募方法 (1)四百字詰原稿用紙十枚以内。(2)最初に体験文・意見文の別、クラブ名、住所、氏名、年令、所属クラブ・学校名を明記のこと。

送付先 東京都新宿区市ケ谷船河原町十一、家の光会館内 社団法人 日本4H協会

締切期日 昭和四十三年八月三十一日（当日消印有効）

入賞決定と発表 入選者には、本紙上で発表する。

入賞および表彰
入選 賞金一万円 クラブ員 一名 指導者 一名
佳作 賞金三千円 各二名
記念品 各一名

※主催 社団法人日本4H協会・全国4Hクラブ連絡協議会

備考 応募作品は返却いたしません。応募作品の著作権は主催者に属するものとします。

社団法人日本4H協会・全国4Hクラブ連絡協議会

見舞金を仏前に

青森

十勝沖地震 女子クラブ員が死亡

さる五月十六日に起きた十勝沖地震は、青森県下に大きな被害をもたらしたが、この地震で青森県の女子クラブ員が死亡した。全国のクラブ員の仲間として、全国4Hクラブ連絡協議会では見舞金を贈り、仏前に供えてもらった。

こうした中にも、亡き佐々木さんの仏前に全国のクラブ員の皆さんの冥福をお祈りいたします。

青森県の被害は、六十億円にのぼり、この悲しみの中にも、全国のクラブ員の心が見られ、元気で復旧に努力している姿を青森県連ではうれしく見守っている。

日本4H協会 7月5日に総会

社団法人日本4H協会（松下二郎会長）は、来る七月五日午前十時から東京都千代田区の家の光会館で第十二回の総会を開く。

総会では、四十二年度事業報告と決算、四十三年度の事業計画と予算▽第三号議案役員選任などが審議される。

いよいよ期日迫る

北駿4Hクが富士登山呼びかけ

【静岡】御殿場市の北駿4Hクラブ（会長、真田秀君）は、昨年にひき続いて、今年も来る七月二十九日から三十一日までの三日間「第二回全国4Hクラブ員富士登山のつどい」を計画し、全国のクラブ員に参加を呼びかけている。

同クラブは、いろいろの会合などで、まだ富士山に登ったことのないクラブ員が全国に大勢いることを知り、それでは、毎日富士山の裾野で仕事をしている自分たちが全国の仲間を案内しようと、昨年初めて本紙を通じて全国の仲間に呼びかけた。その結果、関東、関西、東海、中国地方の一部から九時に下山、午後一時から御殿場駅でお別れパーティを開く。

同クラブはまだ結成されて三年しか足っていないが、クラブ員の年令が若いことや女子クラブ員が約半数を占めていることなどから大いにハッスルして見事成功させた。クラブ員の中にはアルバイトである が富士山に登る人もある。そのベテランも全国の仲間を案内するのを楽しみにして待っているという。

日程は、第一日目が午後一時から五時まで御殿場駅で4Hクラブの旗で出迎え、夜は御殿場市の青少年会館でファイヤーを囲んで交歓会と歓迎会を開く。

二日目は、午前七時半からグループ別による話し合いのあと富士スピードウエイなど富士裾野の名所めぐり。午後一時に須走口から登山を開始、七時に八合目に到着し山小屋で宿泊。

三日目は、午前四時に八合目を出発し、五時、富士山頂に到着。

名）などを明記し、来る三十日まで左記へ。

静岡県御殿場市鮎沢六一八、北駿4Hクラブ、勝又敏校 電話＝御殿場（○五五○）二ー三三六

持ち物は、登山できる靴（ズック、地下足袋、登山グツ）帽子、手袋、雨具、冬着（セーター、ヤッケなど防寒に必要なもの）懐中電灯など。なお女性でも宿泊や登山について心配はいらないと語っている。

全国クラブ員の殿堂

4H会館建設に募金を

全国4Hクラブ連絡協議会

涼風暖風

先年、ヨーロッパ、アメリカの農業青年たちを招いた時の話。フランスの青年を案内したオルガー村のミッシェル君は、一五〇万の人口をもつ、ノルマンディー地方の若い農業青年で、フランスの政治、経済などに関心をもっていた。

太平洋に小石をドボンか

「フランスでも、一票は選挙に関するものだが、若い人たちの選挙に臨む態度はどうか」と質問したのがニコラス君は、「つまり、一票をドゴールに投票するのだろう」といった。

みんなドゴールに投票するだろう」

人工衛星という人類の問題をわがこととしてとらえた加藤君のように、打算的な生活態度を捨てて、何十万、何百万票の中に己れを位置づけられるような、広い視野の政治参加を期待したいものである。

（文部省・伊藤）

と叫んだことを今も忘れない。一秒弱を耕す加藤君の毎日の生活には、人工衛星は何の影響も与えない筈である。にもかかわらず、人工衛星に頬を紅潮できる次元の高さに強い感銘をうけた。

◇ ◇

ときあたかも参議院議員選挙。全国区の当落ラインは七十万票とかいわれている。七十万票に比べて、己れの一票が何と微々たるものにうつることか。太平洋にパチンコ玉を投げこむ感すらある。

しかし、ミッシエル君の生活も政治に無関係ではあり得ない。ニコラス君たちも、国境を越えてタブーの政治を議論しなければやまない正義感を発露した。世界の青年たちは政治に無関心ではなかったのである。

計画は次のとおり。

【六月】第二回執行部会、役員派遣の開始【七月】第三回執行部会、ブロック推進会議の開始【八月】第四回執行部会【九月】第五回執行部会、「青年の船」出発【十月】第四回全国4Hクラブ員のつどい、第六回執行部会、第二回代表評議員会、4H週間の実施、第一回監事会【十一月】第七回執行部会【十二月】第三回代表評議員会、全国4Hクラブ員中央推進会議、第八回執行部会【一月】第九回執行部会【二月】第十回執行部会【三月】第十一回執行部会、第四回代表評議員会、第二回監事会【四月】四十三年度全協総会

心頭技健

"先輩" "先輩" と後輩から声をかけられ、最近はいかがですかなどとお世辞の一つも言われると、つい気をよくして "まあ飲めよ" などと、なけなしの財布をはたいてしまうのは人情であろう▼4Hクラブではこの先輩、いわゆるクラブ卒業者を「OB」と呼んでいるが、そのOBと現クラブ員間の関係が果して密接であろうか。さいきん、各県で4HのOB会を結成したり、またOBが物心両面にわたって現役をバックアップする動きがみられるが、多くの県においてはまだまだその体制が出来ていないといってよい▼4Hクラブも発足してからすでに二十年、4Hクラブができた当初は、農村でプロジェクト活動を中心とするグループ活動をしていた人は殆んどが4Hクラブ員だったので、この二十年間に4HのOBは全国で百万人を上回るはずだ。それがいまだにその体制ができていないのはどこに原因があるかを知り、OB組織づくりに腰をあげてもよいのではないか▼4Hクラブはどちらかというと他の団体に比べてクラブを退くと現役との関連が薄らぐ傾向があるが、そろそろ親子二代の4Hクラブ員も誕生してきているので、ここらで4H会館の建設を足がかりにその現役に対するアドバイスにも限界があろう。4Hクラブの会合などでも先輩との関連がよく話題にのぼるが「余り口ばしをさしはさんでもらいたくない。相談をかけたときに力を貸してほしい」という意見が割合に多い。OBからみれば消極的な援助となるわけだが、相談をかけられたときは、親身になって聞き、協力できる体制をつくっておくことが必要であろう▼この春東京で全協が開いたプロジェクトの研究会には、全国各地から大勢の歴代役員がかけつけ、助言者として貴重な体験談を聞かせ、また現役を激励したが、儀礼ぬきの応援は現役を大いに力づけるものがあった▼OBもそれぞれ経営主となり、また各地で重要な地位について毎日忙しいと思われるが、4Hクラブ活動、農業の伸展、また社会の繁栄のためにも、後輩に力を貸す機運を大いに盛り上げてほしいものである。

4Hのマークと共に

クラブ活動用品の案内

品名	(単価)
4Hバッチ	50円
レコード盤（4Hクラブの歌・4H音頭）	150〃
クラブ旗 大(72cm×97cm)	330〃
クラブ旗 小(33cm×40cm)	170〃
手拭	100〃
ハンカチ	50〃
ネクタイドメ	170〃
女子用ブローチ	170〃
クラブ員専用便箋	100〃
〃 封筒	70〃

◎荷造り送料代百円です。
◎ご注文は代金を振替口座へお払込みを願います。代金着次第ご送品致します。

社団法人 日4H協会代理部
東京都千代田区外神田6丁目15〜11の705号
振替口座 東京72082番

プロジェクト活動 講演 (5)

海外技術協力事業団 茨城国際農業研修所長 中田正一

農村を若返らそう 4Hに課せられた役割

ここでグループのことをちょっと申しあげてみます。農村の中で、たいへん大事な機能を果している組織があります。

さきほどから「組織」「組織」といっておりますが、例えば農協、これは組織です。4Hクラブ、これも組織です。

農協と4Hの組織の違いはですね、農協はフォーマル・オーガニゼーションです。

カチッとした、固定した機関です。一方、4Hはインフォーマル・グループです。

このフォーマルな組織というのはたいへん大事です。これは実に大事で、農村に農協がなかったら経済活動なり、なんなりできないわけです。たいへん大事な機能を果しているわけです。

こうしたフォーマルなオーガニゼーション、組織はうっかりすると固定する。もともと固定しているんですね。そしてだんだん老化する。これはうっかりするとマンネリズムになってしまいます。大事な機能を果していますが、そういう欠点をもっています。

ところが4Hクラブなどインフォーマルなグループというのは、不安定であります。あそこの4Hクラブでは昨年は活発であったが、本年は少し低調だということがあります。来年になるとまた盛んになったということもあります。このように、インフォーマルなグループというのは、たいへん波があって不安定であります。

しかし、これはたいへん若い。「やろうじゃないか!」「よしやろう!」という連中が集っているんで、たいへん若々しい。フレッシュです。

村の中には大きく分けて、こういうフォーマルなオーガニゼーションとインフォーマルなグループと二つあります。これは村の中だけではありません。都会や役所にもあります。

このインフォーマルなグループというのは、いつもフォーマルなオーガニゼーションを若返らせていく役割をもっています。それで、インフォーマルなグループがないと、フォーマルなオーガニゼーションは老化していきます。インフォーマルなグループには、そういう機能があります。

だから、社会を若返らせ、フレッシュにしていく機能をもっているのは、インフォーマルなグループの、そのインフォーマル性なのです。このインフォーマル性が大事なんです。

4Hクラブ自体が老化したり固定化したのでは社会を若返らせるという機能、インフォーマル性がなくなってしまいます。

場合によっては、このインフォーマルなグループがフォーマルなオーガニゼーションの中にできる場合もあります。農協の青年部などというのは、もともとそういうためにできたのです。

農協の青年部、農協の婦人部が下請機関のようになってしまうと、それはもうそういう機能を果たさなくなってしまう。インフォーマルなグループである場合に、はじめて農協をリフレッシュする役割を果たす。こういうわけなのです。

だから、村によっていろいろですけれど、インフォーマルなグループとフォーマルなオーガニゼーションが重なる場合があります。いずれにしても、インフォーマルなグループというのはそういう機能を果します。

ですから、そういったインフォーマルなグループがあった方がいいだろう、といったものではない。なければだめなんですね。大事な社会機能なんです。

フォーマルなオーガニゼーションが大事な社会機能であるように、インフォーマルなグループがないと社会は低滞し、腐敗してしまいます。だから、インフォーマルなグループというのはなければだめなのです。

だから「4Hクラブなんかあった方がいいだろう。育成しましょうか」なんていうもんじゃないのです。なければ低滞してしまいます。そういった性質なのです。

だから、われわれは頑張らなくちゃならないということです。それでしかも、そういったものが村の新しい課題と正面から取り組んで、そして格闘していくもの、そういうものがプロジェクトであります。

それで、例えば共同でやっているインフォーマルなグループが固定してフォーマルな形になった。豚の共同プロジェクトをやっているものがフォーマルなものになったという場合、これは協業経営というわけです。別のものではないんですね。あるいは野菜を共通プロジェクトとしてやっていたものが、少しフォーマルなものになったというのは、産地形成です。みんながトマトならトマトを作る地域に変っていく。これはフォーマルなものです。

だから、フォーマルなものとインフォーマルなものとは、ほんとうに一足違いです。そういうものを作りあげていく集団的生産組織の芽を育てていくもの、それが4Hクラブのプロジェクト、あるいは4Hクラブのグループなのです。

フォーマル・オーガニゼーション 農協など 刺戟 4Hなど 4Hなど 4Hなど インフォーマル・グループ

インフォーマル・グループがないと、フォーマル・オーガニゼーションは老化してしまう

海外で活躍する〝草の根大使〟

今年度、国際農村青年交換(IFYE)計画に基づいて日本4H協会から米国と中華民国(台湾)に派遣された〝草の根大使〟が、現在、活躍している。〝草の根大使〟は、米国側が山本哲嗣(鳥取県西伯郡・赤崎4Hグリーンクラブ)北村篤(横浜市戸塚区・大正4Hクラブ)国島淑子さん(岐阜市黒野古市場・岐阜4Hクラブ)の三人。一方台湾は、佐藤信次君(富山県上新川郡大沢野町)と兼子とし江さん(愛知県…)の二人。派米クラブ員は十月下旬までの六カ月、派中クラブ員は七月上旬までの二カ月間にわたって各地の受入れ農家に宿泊、その家庭の一員として農業や4Hクラブ活動などについて研修するとともに、民間外交官として両国間の相互理解と親善のために活躍している。そこで、彼らの…られた手紙の中から紹介してみよう。

米国

土地も心も広い 印象的な4Hの発表会

山本哲嗣君

アメリカの印象ですが、やはり広いです(土地も人の心も)。シアトルから最初の訪問地ハリスバーグまでの八時間のバスの旅で、それこそ無限に近い可能性というものを感じました。最初のホストファミリー(受入れ農家)の農場は三千エーカーの土地に七千頭以上の羊を飼っていました。技術的に、また規模的に日本がそのまま真似ようなどという考えを起すのには日本は余りにも狭過ぎます。むしろ、あちこちに夕食などに招かれると、まず自分たちの寝室などを見せてくれますが、そういった農業経営の中の生活というものに対する考え方などについて特に学びたいと思っています。

それと、税関でどの客の荷物も厳しく調べていたのに、私たちは日本の4Hクラブの代表ですといっただけで荷物に手も触れずに通してくれました。いきなりアメリカの4Hクラブの活動に対する考え方の一端をのぞいたようで、気持ちのひきしまるのを覚えました。が、さらにあちこちのキャンプ、高校、集会などに参加したりしてその感をいっそう強くしました。

例えば、ハリスバークにいるときに4Hクラブ、FFA(農業高校クラブ)の地区大会に参加しました(これはクラブ員のプロジェクトの発表会ですが)、牛のコンテスト(調教)品評会などが行なわれるのです。判定はすべてクラブ員の代表がやり、すばらしい牛や羊などの畜舎が州の管理のもとに4Hクラブのために建てられていることなどからそれがうかがえます。そして〝次は自分の番だ〟と懸命に牛にブラシをかけていたクラブ員の姿などが今でも印象的です。

小椋さんにも会いました。相変らず元気でやっておられましたが来年帰国後の活躍が楽しみです。

六月十日からオレゴン州立大学で同州4Hクラブの集会が五日間にわたって開かれました。日本の代表とも別れて、一人で外人ばかりの中で暮してみますとときどき淋しくなることもありますが、ふだん自分でも気のつかなかった自分に気がつくことができます。これも一つ自分自身よい勉強だと思います。

とにかく自分自身〝山本は大きくなった〟(体だけでなく)と思えるようになって帰りたいです。見聞し、体験したことがらを今後の経営にもいかしたいと思い…

山本君

悲し、ケネディの死 耳にする〝貧しい国民〟の言葉

国島淑子さん

六月八日午後、三番目のホストファミリーに着きました。今度は本格的な農家で千四百四十エーカーの土地に小麦、トウモロコシを弟さんと共同で作っているようです。四人の子どもがいます。長男十四才、長女十二才、次男十一才、三男九才と、今までの家庭とはまったく違ったにぎやかさで、私にとっては急に弟や妹ができたようでうれしいことです。私について回ります。手紙を書いているときでも周囲から口をはさむので乱雑になってしまいます。

毎日のように親せきの人が来ま…

国島さん

台湾

もの凄い歓迎ぶり 実に食欲旺盛な台湾の人々

佐藤信次君

佐藤君

まだ強い家長制度 日本人のような虚栄心はない

兼子とし江さん

兼子さん

ブラジルで〝4H〟を説く

転機に立つ農業 恒久的な対策が必要

湯浅甲子氏

×××××××××

7月のこよみ

▽4日=米国独立記念日▽5日=栄西禅師忌▽7日=小暑、七夕、成田祇園会、奈良金峯山寺蛙飛び▽9日=浅草ほおづき市▽10日=浅草観音四万六千日、佐原祇園祭▽11日=小倉祇園祭▽12日=草市、福島伊佐須美田植祭、桑名石採祭▽13日=ぼん迎え火、靖国みたままつり▽14日=熊野那智祭▽15日=ぼん、福岡山笠祭、茅ヶ崎浜降祭▽16日=やぶいり、えんま詣、ぼん送り火▽17日=京都祇園祭▽19日=静岡洞慶院おかんじゃけ祭▽20日=土用、海の記念日、山口祇園祭▽23日=大暑、京都松尾田植祭▽24日=地蔵ぼん、相馬野馬追▽25日=大阪天神祭、徳島天神祭、新潟弥彦灯籠祭▽27日=神奈川大山夏祭、津島提灯祭▽30日=土用の丑、奈良綱越おんぱら祭▽31日=大阪住吉祭、宇佐嘘祭、芦ノ湖湖水祭、旧七夕。

▽8月1日=大宮氷川祭、諏訪下社祭▽2日=鬼貫忌▽3日=津軽ねぶた祭、八代宮祭▽4日=京都北野祭。

(団法人農林統計協会編、四十三年度版「新農家暦」より)

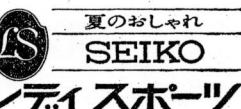

すすんでいる農業の新技術

水田排出水の再灌漑

脚光あびる再灌漑

水田排出水をその場で利用

わが国における水田の年間総用水量は五〇〇億トンであり、年間総降雨量のほぼ一〇%にあたり、活用降水量の相当部分を占めている。

今後、わが国の経済の発展とともに、工業用水や上水道など農業以外の部門での利用が飛躍的に増加し、農業内部においても畑地灌漑その他で水の需要はますます増えてくるすう勢にあり、水田に対する水の供給は水利権によっていちおう確保されていても、次第にひっぱくし、近い将来、水田における用水量の低減が強く要求されてくるものと考えられる。

一方、水稲を湛水下で栽培することは、水稲に対し潤沢に水を供給する簡易な方法であり、また水による養分供給、土壌の還元化による地力の維持、落水による雑草の抑制、落水による冷害、倒伏の克服など数多くの利点を含んでおり、水稲の無湛水栽培が早急に技術化することは困難である。

したがって、水稲の反収や労働生産性を維持しつつ、用水量の節減をはかることは重要な問題となり、この問題の解決策の一つとして水田排出水の再灌漑が脚光をあびてきた。

水田排出水の再灌漑とは、灌漑された水田用水が地下に浸透し、暗渠によって排水路に排出されたものを、再びその場で灌漑水として利用することである。

現実の用排水系統をみると、広い意味では上流の排出水が下流域では灌漑水として活用される。

ている場合が多いが、その場で利用する場合には水質の点で障害が起こることが懸念される。

すなわち、水田の排出水は還元状態の土層を通過するために有機酸類や二価鉄などを高濃度に含有し、そのまま直接灌漑すると水稲生育に悪影響をおよぼす。他方、排出水の利用は、溶脱した肥料成分を再度活用しうる利点ももっている。

そこで、水田排出水が水稲生育にいかなる影響を与えているか、またその影響は土壌型によって、どのように相違しているか、さらに排出水の障害を軽減するにはどのような対策を講ずべきかについて述べることにする。

成果

一、水田排出水の特長

水田排出水の水質は、乾田と湿田、無機質田と有機質田、あるいは土性の精粗によって異なっている。

一般的にいって、排出水は普通用水に比べて鉄やマンガンの含有量が高く、可溶性有機物質を多く含み、これらの結果として、酸素消費量は著しく大きくなっている。この傾向は乾田よりも湿田に、無機質田よりも有機質田において顕著である。石灰、苦土、カリ、リン酸の含有量には大差は認められない。

無機態窒素の含量は、粗粒質土壌の排出水中に時に著しく高くなっていることがあるが、粘土質土壌では明らかな違いはないようである。

さらに、排出水は低温な下層土を通過するために普通用水に比べて水温が二〜三度低くなっている場合が多い。

灰色土壌強粘土型水田（半乾田）における排出水の水質を普通用水と対比すれば、次表のとおりである。

排出水の水質（ppm）	排出水	普通用水
Eh_6 (mv)	二三五	三四〇
NH_4-N	〇・九	〇・九
P_2O_5	〇・〇三	〇・〇九
K_2O	二・四	三・一
CaO	二四・九	三一・三
Fe_2O_3	三五・〇	〇・九
O_2	四・七	九・二

二、排出水の再灌漑効果と土壌型の関係

排出水の再灌漑の影響は、土壌の種類によって異なる。泥炭土壌、強グライ土壌のような湿田タイプの土壌では、還元性物質や有害物が排出水に溶存する度合が大きいために、再灌漑によって水稲の生育が阻害される場合がみられる。しかし、灰色土壌、灰褐色土壌、礫質土壌などの乾田型の土壌では、排出水の再灌漑による障害はほとんど認められない。

一方、再灌漑によるプラスの効果として、溶脱した養分の再利用が考えられるが、粘土質土壌ではその効果は明らかでないが、砂質土壌においては、再灌漑による溶脱養分の還元が、水稲に対し好影響を与えているようである。

三、排出水の障害軽減法

水田の排出水には、水稲の生育を阻害する物質がしばしば含有されている。これらの物質は土壌の強還元化と関連しているものであり、有機酸や二価鉄や硫化物などが想定されている。

そして、これらの阻害物質の濃度は、泥炭土壌や強グライ土壌で、しかも夏季高温時に高くなっている。

障害軽減のための第一の方法は、排出水の還元性物質を酸化することであり、そのためには排出水を曝気するか、しばらく放置して酸化させること、あるいは間断灌漑などで、土壌内で酸化を促進することが考えられ、また無硫酸根肥料の利用も好結果をもたらす。

さらに、非酸化物質の害を少なくする意味で、排出水を普通用水で希釈し、有害濃度以下にして利用することも考えるべきである。

また、排出水の水温は、普通用水に比べて低温であるために高冷地や寒地では、水温を高める方策も講じなければならない。

四、排出水の連続利用と水稲の収量

埼玉県鴻巣市農業試験場の灰色土壌強粘土型の水田において、暗渠から集めた排出水を連年灌漑して水稲生育に及ぼす影響を調査したが、その結果は別表にみられるように、七年間の成績を平均してみると、収量にはほとんど明らかな相違はみられず、排出水の再灌漑利用は、このような半乾田的性格をもった水田では支障のないことが明らかである。

土壌型と再灌漑の効果

土壌	白子土壌（湿田砂質）		上尾土壌（湿田火山性）		東金土壌（湿田腐植質）		長野土壌（乾田洪積）		鴻巣土壌（半乾田沖積）	
区別	再灌漑区	排水区	再灌漑区	排水区	再灌漑区	排水区	再灌漑区	排水区	再灌漑区	排水区
わら重（g/pot）	193	190	250	271	234	266	247	222	233	226
精籾重（g/pot）	193	199	257	264	260	277	250	221	247	229

再灌漑の効果

場所	鴻巣市農試		富山県	
土壌	灰色土壌強粘土型		砂壌土	
区別	再灌漑区	普通用水区	再灌漑区	普通用水区
玄米収量	40.3Kg/a	39.3	50.2	45.0
比率	103	102	112	100

問題点

水稲の反収増のためには、灌漑水の縦浸透や自由なかけ引きが伴わねばならないが、このためには用排水路の完全な分離が前提となる。

そして、ある地区における用水計画を樹立する上に、用水の高度利用の立場から、排出水の再利用を考慮した揚水ポンプなどの施設を考えた総合的な計画を作るべきであろう。

また、技術的には主要土壌類型別の排出水の水質を調査する必要があり、それによって障害軽減のより具体的な対策が明らかにされるであろう。

私の経営実績

大きく伸びた収量
土地改良で三俵から九俵へ

山口県都濃郡鹿野町鹿野上二二六　安永　守

わが鹿野町は、山口県東北部にあり、島根県境に接した山間高冷地で、標高四〇〇㍍、平均気温一二・六度、降雨量二〇〇〇㍉の小さな町である。

交通の便は、周南工業地帯から約三〇キロ離れ、また、今年度から中国縦貫自動車道鹿野インターチェンジの建設が始まり、農業経営にも大きな影響が予想される。

農家一戸当りの水田面積は、七〇㌃、山林で……ところで、ことに最近は工業地帯の人手不足とあいまって、ますます兼業の度合を深めて行く状態である。

したがって、農業経営を確固たるものに発展させていくことこそ私のこれからの大きな目標であり使命であると思う。

私は昭和二十七年中学校を卒業し、山口県立経営伝習農場で一ヵ年研修して郷土に帰り、4Hクラブを結成し、同志と共に農業に取り組んだ。

当時、父は農協職員で、父が三五㌃の水田を耕作する兼業農家であった。

その年の十二月、私は先祖伝来の杉の木山を売却して、家から一五〇〇㍍離れた、しかも水害を受けた荒廃寸前の水田一一五㌃を購入した。これで、わが家の水田は一五〇㌃になったが、収量はあがらず、一〇㌃当りの平均収量は三・五俵で、政府売渡し数量は二五俵という苦しい経営を続けねばならなかった。

やがて、父も農協をやめ、みんなで農業に取り組むようになった。

昭和三十四年、労力の負担を軽くするため、家を水田の近くに移転した。そして、そのためますます遠くなった以前からの水田一八㌃を売却し、家の近くの畑一六㌃を購入した。

そして、農道の建設による生産コスト軽減と妻の労働力の余分もあり、繁殖牛二頭を購入し、堆肥の増産と土地改良を積極的に進めた。

その結果、三十七年には、一〇㌃当り平均収量は七俵になった。

しかし、三十七年に長男が生まれ、三十八年には長女が生まれ、父母も年とともに重労働ができなくなり、耕耘機を導入した。これで稲作にかかる労力は著しく減少したが、生活費は年毎に増し、生活は楽ではなく、労力的な余分や父母の年令を考えて養鶏を計画した。そして、農村青年研修所で研修までしたが、家族の反対、および資金の関係で、その年は実現できなかった。

また、農閑期は道路工事の運転手や人夫をして資金の蓄積につとめる一方、水田二五㌃を購入して合計一五四㌃になった。

四十一年には、一〇㌃当り平均収量は九俵になり、政府売渡し数量も一一四俵になり、二頭の和牛も子牛を生産し、収入も大幅に上昇した。

稲作も集団栽培が進められ、労力に余りが生じてきたので一、〇〇〇羽養鶏を目指すことにした。そこで四十二年八月、大雛六五〇羽をさしあたり導入した。それは資金面や技術の点で苦労もあるだろうが、乗り切る決心もできたからである。

鶏は、現在六三〇羽の成鶏が一日に卵五七〇個と九〇%の産卵率で、一日三一キロの卵を生産している。

現在、私が直面している経営上の問題点は、稲作の機械化にともなう水田の規模拡大が困難なことそれは売る人がまれであり、また価格が高くて手に入らないこと、養鶏および稲作増収技術を早く習得したいこと、規模拡大のための資金の借入れが容易でないこと。稲作のコストを下げるための基盤整備をいかにして進めるかということ、また、養鶏事業を両親に良く理解してもらい、協調度を高めることなどである。

これらに対して現在とりつつある、またとろうとしている対策は水田の規模を拡大したいので、長期低利資金の借入の交渉中である。

四十三年から、わずかだが両親に給料を支払う。水田の畦畔をコンクリートにしたい。

水稲集団栽培と平行して増収研究会を組織して、農業改良普及員さんに指導してもらっている。また、新しい技術をどしどし取り入れ積極的に農業に取り組んでいきたいと思っている。

経営の成果（千円）

	40年	41年	42年
農業粗生産額	1,019	1,312	1,500
農業経営費	375	522	600
農業所得	644	730	900
一人当り所得	161	182	225

部門別の実績

部門	面積（羽数）41年	42年	生産額（千円）41年	42年	販売額（千円）41年	42年
水稲	150㌃	150㌃	935	998	808	873
養鶏		650羽		154		154
和牛	2頭	2頭	84	160	84	160
合計			1,019	1,312	892	1,187

限られた土地と労力
解決は省力と生産の向上で

茨城県下館市　4Hクラブ　瀬端幸子

私の住んでいるところは、一面の水田であり、さいわいにも、水の不足は考えられないので、稲の早期栽培に重点をおいている。

経営は、水田三三〇㌃、畑作四〇㌃である。年間を通し、三三〇㌃の水田から二〇〇俵の米を収穫し、四〇㌃の畑作から二〇俵の大麦、一三俵の陸稲をあげている。

家族は五人で安定した生活しているが、労働力が両親と私の三人と、非常に少ないので頭を痛めている。稲作の場合、時期的に片寄るので、かなり無理ができてくるわけである。

これから述べるのは私が調べたことではっきりはいえないが、だいたい一〇㌃当り一五人の人手が必要である。だから、二六〇㌃だと、稲の収穫期には三九〇人の人手がいるわけでいる。

稲作の労働日数を、田植え一五日、稲刈六〇日、合計七五日間とすれば、なんと一日一三時間から一四時間労働をしなければならない。

現在では、人手を集めようにも集まらない。パートタイマーの人たちを集め、かなり実績をあげた人もいるようだけれども、私の地域ではとても無理なことである。

それでは農機具でも多く取り入れ、人手を省きたいと考えるが、資金の面で無理ができてしまう。いま盛んに後継者育成資金などとさわがれているが、なかなか思うようにはいかない。

ではどのようにしたら、限られた土地と限られた労働力で、今後の経営を進めて行けばよいか考えてみたい。

まず、土地がせまい。これには請負小作をするか、買うか、または借りるかが解決策としてあげられるが、現在では土地を手放す人が少なく、また価格はおどろくほど高くて資金がたりない。

そこで、現在の土地で、よりいっそうの増収を望める作物をつくり、せまい土地から多くの収入を得ることである。

つぎに、労働力の不足であるが自分の経営にどれだけの労働力が必要か、また現在のままの労働力で経営していくにはどのような経営があり、どのような努力をすることができるか検討する。

また、農閑期の労働力の活用を考えてみる。

それから、資金の問題であるが後継者資金などを利用し、また自分で計画的に少しずつ資金づくりすることである。

こうして、今後は普及所を通し多くの知識と技術を身につけ、一〇㌃当り一〇俵という目標で稲作にはげみ、近い将来、陸田を耕して四〇㌃の畑を有効適切に利用し、多くの収穫を夢みて、今後の経営に意欲をもやしているのである。

共同組織で好成績
生活安定に椎茸を導入

山形県鶴岡市坂山口一三六　石川宗男

私の住んでいる村は"米の庄内"といわれる山形県鶴岡市の南端にあたる山麓である。庄内といえば整然と区画された田園で米作地帯と思われるが、私の地区は農道も水利も不備で、経営面積も少なく、兼業農家の多いところである。

私の家族は妻と子ども二人に母の五人家族で、経営規模は八ヵ所に点散する二・三㌶の水田と三ヵ所で二七㌃の畑、ほだ木五、〇〇〇本をもって、椎茸栽培をやっている。

山林も二㌶ほどあるが、植林されているところが約一〇%、あと二五%くらいは利用価値があるが他はほとんど利用することのできないところである。

次に、現在にいたるまでの経営改善であるが、一つは七年前に農閑期にできる椎茸の不時栽培を取り入れたことである。その動機は、父のいない家庭のさみしさが身にしみていたので、年中家族全員がそろって明るい話し合いのできる家族を築くためであった。

この椎茸栽培は仲間六人で始めたが、農村にありがちな個人プレーをやめ、五カ年計画を立てて品種や栽培方法の統一、生産物の共同出荷ということを貫ぬき、現在では仲間も五〇〇人をこえる山形県椎茸組合連合会という大きな組織となった。

こうして生産、販売ともに順調にゆき、収入も安定し、出稼ぎ問題による家庭不和もない。また、家族に対しては、所得の向上だけが経営改善ではない、社会的にはいかに共同の力が大きな力を生み出すかをわかってもらった。

しかし、現在直面している問題となると、数多くある。

一、水田の場合、未整地で点散しているので、生産コストの引下げ、労力の節減、農道不備による土地改良、水利関係の不備によってこれ以上の生産性向上が望めない。地価の値上りで規模拡大も不可能に近いこと。

二、畑作の場合、大部分が家庭菜園ぐらいしかないため、作付品目が多く、特産的作物が育たなく、畑作収入もこれ以上望めない。

三、椎茸の場合、山林があっても前述のように利用価値のない山林であるため、ほだ木を全部購入しており、そのほだ木の労賃の値上り、栽培農家の増大でこれ以上購入本数が望めない。

したがって、現在国有林の払い下げを望んでいるが、これは大きな問題である。

これらに対して、現在一万㌶に及ぶ水利事業に合わせて、土地基盤整備が始まり、その計画では、四〜五年後には、私の耕地も一枚三〇㌃の大圃場になる予定である。

それでその時点に問題を合わせて計画をたてており、水田の場合はできるだけ早い機会に、一貫した共同体にもっていくようにしたい。

また、整備事業から外れる山合の田一五㌃と地つづきの山林二五㌃を切り開き、果樹園または採草地として、畑地は全部水田に転換し、ほかに水田が買求め得れば三㌶以上にしたい計画である。

一台で十五人分の働き
井関バインダーRB―50型

最近の農業機械の普及はめざましいばかりで、またたく間に田植から刈り取りまで機械化されてしまった。これは人手不足を補うばかりでなく、生産性の向上に大いに寄与する点が認められてのことである。

目下活躍中の田植機は、手植えだと一〇㌃八時間かかるのを、わずか一時間半ですむという。ここに紹介するバインダーは、一台で一二〜一六人分の働きをする。

日本最大の農機メーカー井関農機が誇るバインダーRB―50型は刈り取り→結束を全自動の連続作業で処理、小型ながら一〇㌃当り一〜一・五時間の高性能を発揮する。その特長は、

❶ワラくず、泥が附着しない
結束部が機体の上部に組込まれているので、故障の原因となるワラくずや泥の附着がなく、また泥水に浸ることもない。また、結束状態をつねに確認できる。

❷結束位置が三段に調節できる
結束位置が根もとから一五・一八・二一㌢と三段階に調節できるので、稲（麦）丈に合わせて結束位置を選ぶことができる。

❸割込み作業もできる
結束部の位置が高いので、束の放出が楽なうえ、圃場への割込み作業も可能である

❹独特のシゴキ装置でキッチリと結束できる
束は確実にゆるみなく結まるので、解ける心配がなく、どんな扱い方をしても平気である。

束の大きさは、直径八〇〜一三〇㍉（三段階）に調節できる。

結束部の主要部には特殊金属を使用、安定した機能に加えて、耐久性もすぐれている。

写真は、井関バインダーRB50型＝刈取り操作はクラッチ一本だから、だれでもやさしく、疲れずに作業ができる。調節個所もほとんどなく、機体の進行方向さえ規制すれば手放し運転も可能である。

4Hくん　No.126　桜井はじめ

ごせいちょうを感謝します

ごめんなさいおじさんちょっと

夏の夜を快適に

（じ）めじめした梅雨が終ると、すぐ暑い夏がやってくる。ナイティ（ねまき）も季節に合ったものを準備しましょう。汗の多い時期ですから吸汗性にとんだものが、健康の見地からいっても、健康のた……

NHK農事番組（7月1〜10日）

テレビ

明るい農村　6・30〜6・55
1〜7日　参議院選挙　経歴放送
8日　〃　開票速報
9日　くらしを考える
10日　村をむすぶ　フィルム・リレー

農業教室　7・00〜7・30　教育
1日　ぶどう生産の方向＝需要と価格
2日　〃　生産費の検討
3日　〃　熟期調節の技術
4日　〃　貯蔵と加工
5日　〃　品種の組合わせ

ラジオ

わがクラブ わが同志

努力なき人生は空虚
目標達成に無上の喜び

栃木県足利市 筑波4Hクラブ　川上　昇

今から、そう、四年ほど前になるだろうか。高校の卒業を目前に控えて、大学に進学すべきかどうかで迷っていた。それなりの受験勉強も行なっていたため、なかなかあきらめきれなかった。

でも、事情があってどうしてもあきらめねばならなかった。しかし、卒業してしまうとなかなか勉強する機会がないと思い、農業のかたわらN大学の通信教育部に学ぶ決心を固め、大学進学を断念した。また、農業にも大きな理想を託したのだった。この断念が私の人生にどのように影響しているのであろうか。

それから四年後の現在、通信教育の方もスクーリング（夏期面接授業）も四年連続出席し、試験もパスし、卒業に必要なスクーリング単位、三十単位を上回る三十五単位を修得した。残る百単位あまりのものは通信で行ない、試験もパスした。卒論も、東京中央卸売市場、農林省、国会、小売店などを歩いてまわり、資料を集めている。農業経営の方もなんとか目標に近づきつつあり、こんな現在、一番やり甲斐のある楽しい日々かも知れない。

昨年の秋ごろだったろうか、友だちからこんな手紙が来たのだった。

最高の治療、看病の甲斐もなく半年あまりで母親が亡くなった」とのことだった。とても話しの解る母だったとのこと、何も孝行してやることも出来ず、苦労ばかりの連続であった。これからという時期に、まだ若くして亡くなったことに非常にショックを受け夢も希望も失い、これからの人生をどう生きて行ったらよいか解らなくなったとのことだった。誰でも一度は考えてみるのではないだろうか。人生というものを……。

私たち農民も、労働者も、資本家も、人それぞれの人生を歩んでいる。今年の夏期スクーリングの中で、総長の講演はその意味で大変勉強になった。

「人生とは理想を持って、その実現に努力することにある。理想を失った人生、それは死んだのも同様である」と言うことである。

ここで言う理想とは、夢、希望目的などにつながるものであると思う。ゲーテの「ファスト」を思い出したのだった。その中で、ファストは悪魔のフィストフェレズから、人生の喜びのすべてを与えられ、金も、女も、権力も意のままに与えられ国家を統治する地位にさえ即かされる。

しかし、彼はそのいずれにも満足出来なかった。彼が満足したのはオランダを旅したといわれる海より低い土地、それを国民が営々孜々として開拓して、海に向って堤を築き、そこに広大な緑野を造りあげようとする努力を見てだった。努力するということに人生の緊張があり、精神の高揚があって人間として無上の生き甲斐がある。

ファストがこれに満足したことに深い意味があるのではないでしょうか。

実際努力のない人生は空虚です。病気で何も出来ずにいることも、最初の一～二日は良いが五～六日になると無為に暮すことの苦しさを痛切に感じる。生きることは、人間にとって目的を持ち、目的達成するということにほかならないと思う。

努力なくして目的達成は出来ないが、自分自身の理想、目的が着々と実現している時、そこに努力の跡が見え、無上の喜びを感じ、人生の楽しさを味わう時ではないでしょうか。

若いときの苦労は、買ってでもやれといわれています。私たち青年は、苦しさにうち勝つ試練の場として、4Hクラブの中にとびこんでいきたいものです。

私の発言

農村に必要な組織
4Hの素晴しさを知る

自然のもとで自分の頭と腕で、自分の家の農業を少しでも伸ばそうと土をにぎり、土と戦い、つねに土と共に生きている青年の集り「4Hクラブ」。真に農業で生きようとする純真な若人の結集である。

人間は、土から生産されたものを食って生きそして最後に死んで土となる。このように切っても切れぬ土と人間との関係、そのいろいろな土からの恵みをうけ、自然の恵みをうけて生きている私たち農民は、人間として最もすなおで自然に適応した生き方をしていると思う。

私は、農高を卒業してから農業のやりはじめのころは嫌いでしょうがなかった。農家の長男であることを悩んだこともあった。だが、年月が私の心を少しずつ変えて行った。現在は、農業の奥深さと、自分の計画によって自然のもとで誰れの気がねもなく働くことのできるこの農業に、私は希望を持ち、農業でなければ味わえないことをいつの日か実現させたいと、つねに心に抱いている。

私は、県連の4Hクラブの行事に参加して、いつも感じたことは、クラブ員の農業に取り組む情熱のすばらしさなどに対して、深い感動を覚えた。しかし今までの私は、4Hクラブに対して、こんなつまらないクラブはないと思っていたが、行事などに参加することによって、ほんとうに4Hクラブは良いものだ、農村の若者にはなくてはならぬ組織であると感じるようになった。

今まで先輩が築いてくれた、このクラブをよりいっそう盛り立てるために、青春時代の仲間が集まり、そして励ましあって明日の農業発展のために、立ち向って行きたいものである。

（奈良県大和郡山市・大和郡山4Hクラブ　前田栄作）

文芸

私の趣味

茨城県稲敷郡東村 稲穂サークル4H　松本和子

行く川の流れは絶えずして、またもとの水にあらず……。

青春のまっただ中にいる私たちには、未完成という無類のよさがあります。私の趣味は文芸関係であるが、書いて表現することが趣味である。今道行く人々は、何しに処故へあの詩は誰れが詠んだの?、そしてこの詩は?、そんなこと私は知りません。汗にまみれて、そうぞうしい農機具の物音、私はその中で静かなものを得たいのです。そして自分の世界を作りたい。書くために時々気ままな旅がしたくなります。

疲れで、おもしろくて愚かで傑作なピエロの役を演じてみたくなったり……。平凡な毎日の生活の中で、人の心は静かで美しいものを求めるものです。私は、単純な農家生活のくりかえしの中から、思ったことを表現出来る書く趣味を見つけ出したのです。書くことは、私にとって精神的なストレス解消の役目だったわけです。

ロマンチックで、それでいて身近に感じる小説や、声を張り上げて朗読してみたいような詩など、私の王国に書き埋めていくのが夢なのです。そんな魅力にとりつかれた私―。

〝文章〟ってむずかしいですネ!上手に書こうと思ったことはおろか、文と文をつなぐのに、やっとです。文章を書くということは、何であろうと、つねに新しい感覚で物ごとに触れることが出来るように思います。混迷と逡巡の歳ごろであり孤独との語らいのために、私は書くのです。

文学は、リルケやゲーテのものだけでなく、自分の生活の中にあるのです。小説や詩が私の息吹であり、それによって活気が溢ふれるような結果に何を得ようともこれだけ努力しているという、自覚を大切にし、人生への挑戦力とも自信ともしたいのです。一人っきりで、散文や詩をセンチメンタルな心にひたって書くのが一番楽しみです。毎日の生活の中から、いろいろな出来ごとや感じたことを書き綴るということは素晴らしいことです。私が文芸での世界にいる時は、ペンネーム〝瀬戸佐織〟に早変りして、何んでも書きなぐるのです。思ったことを自由に表現することは、素晴らしいですョ。

娘さんよ聞いてくれ
逃避せず将来の設計を

鳥取県気高郡青谷町蔵内　横川　修

農家の嫁不足は、切実な問題として、いつも社会の話題となっている。このことはあらゆる機会に論じられてきたが、この問題を本質的に考えてみよう。

農村の娘さんは、母親の考えに支配されていることが多いのではないか、母親が農家の嫁、妻、母として歩んだ道を振返ってみた場合、苦しかったことのみが頭に残り、したがって、自分の娘は農家へ嫁にやりたくないという気持が娘さんの心に素直に反映しているものと思う。

たしかに、昔、農村は封建的な面があり、嫁と姑との関係において精神的な抑圧を受け、加えて重労働などによって、嫁たちの精神的なゆとりがなかった。

しかし、今日では経済の成長と社会の近代化によって、封建的な農村の人間関係、農村生活を崩しつつ、人間が個人としての人権を尊重し、理解されていく思想が農村に浸透している。したがって、近年の農村は、嫁と姑の関係は対立したものでなく、協調的で個性のある家族の一員として、嫁の立場を理解している。

娘さんたちに魅力のある農村や家庭の建設は、私たち青年が果さなければならない責任があると思うが、娘さんたちよ、あなた方を育ててくれた農村を愛そうではないか。安易に逃避するのでなく農村の将来の設計を描いて努力しようではないか。私は、嫁不足の問題を余り深刻に考えていない。まず、自分自身の人間的、経済的充実を図ることが第一であると信じている。

雨はやさしい雨

少しでもだしてゆこうという気持です。皆さんより少々年寄にあたります私が、図々しくも、おこがましくも老婆心をだして学びえた知識をお知らせしようということです。

その中から、ぼくもわたしも読んでみよう、観てみよう、聴いてみようという心をもっていただければ、私の目的は十分にかなえられたといえますし、私は非常に嬉しいのです。貴女のような方からお便りをいただきこうして返事が書けることが、とても嬉しいのです。多くの農村の青少年の友から便りをいただきます。私は返事を余り書きません。このコラムの中で返事をしようと思っております。

前号には、佐藤君の便りを全面的にのせました。農村の青年で素晴らしい表現力をもち、実践力のある姿を私一人で私有することは勿体ないからです。ある人は「何だこの位、俺だって佐藤君なんかにゃ負けないぞ」と思った人もあるでしょう。ある人は「俺も頑張らなければ」と思ったことでしょう。私は青年たちが青年たち同志で切磋琢磨しあって成長してゆく、そんなことを期待しているのです。

貴女は悩むとき、焦燥感にかられるとき、剣道場に行き、一人坐り黙考するという。何か満されるという。いいことです。

冬でいたいという貴女の心は封鎖的です。早く春になり夏になりなさい。燃える夏の太陽の炎の下で、若さを思う存分エンジョイすることです。若さの特権を今、たった今燃焼させ、わきたたせるのです。

（龍）

映画
歴史の夜明け描く「昭和のいのち」（日活作品）

昭和のはじめ、波乱と激動の嵐に渦まく日本で、理想と情熱に燃えて生きぬく青年の姿を、五・一五、二・二六の歴史的事件に合せて描いた大作。

……ものがたり……

昭和のはじめ—。不景気、政党政治の腐敗、大飢饉、女工哀史と度重なる暗い世相に、人々は来るべき戦争の恐怖におののいていた。東京の一角では、憂国の士、沢井（佐藤慶）が七誠会を結成、政治家、財閥を狙うテロを計画した。

その中には帝大を出た日下（石原裕次郎）がいた。彼は、時の総理草薙首相（島田正吾）を斬ることになった。

日下は、首相官邸にしのびこんだが、逆に首相の未来を考え、その自分の不明を知った。一方、七誠会は特高に襲われ、日下は田舎に逃げようとして、裏切ったと誤解した四谷（中村賀津雄）に射たれた。瀕死の日下を救ったのは、佐久良（辰巳柳太郎）と娘の静（浜美枝）だった。この間、五・一五事件がおこり、草薙首相はけっ起将校に射殺された。

佐久良組で、傷の治った日下はやくざと違ったテキヤの世界を見て、自分の生きる道を考え直すのだった。そんな日下に、那美は慕情の心をもやし、息子で陸軍中尉の市郎（高橋英樹）とも、気持の通じあうものがあった。

ある日、賭場で女工の脱走騒ぎがあり、日下は対立した黒岩組たちをやっつけた。が、これは左翼運動家の秋山（浜田光夫）が、女工の静（北林早苗）と組んだ

居で静はつかまり、秋山は佐久良組に保護された。

静は、脱走の罰として、私娼窟に売られた。日下は市郎、秋山らと力を合せて、首尾よく静ともう一人の女の救い出しに成功した。もう一人の女、それはかって日下と愛を誓いあったはる（浅丘ルリ子）だった。

怒った黒岩は、佐久良組みにいやがらせをはじめ、郷田（南原宏治）も黒岩側について日下を追いはじめた。静とはるをかくまった本多の別邸には、満州に逃亡していた四谷が転りこんできた。はるは、もう日下との愛は貫ぬけないと思いこみ、日下の命をねらう

発、四谷の凶弾にたおれた。

黒岩はとうとう卑怯な手に出た佐久良を話合いに呼び出し、その帰り道に命をねらった。それを知っていても佐久良は男の意地で行かねばならなかった。こうして佐久良は死んだ。

佐久良の友人（岡田英次）や一家の者は、日下に那美と結婚して二代目を継いでくれと嘆願した。社会の邪悪をふり払おうと立上った日下は、それを受けた。日下は親の仇をうとうとする市郎をとめた。彼は、ひとり黒岩の家に向い見事に黒の芽をつんだ。

一方、市郎は中隊をひきいて、夜間訓練に熱中した。それは、かねてから周到に計画したクーデターに備えてだった。

日下は、汚濁の世を少しでも浄めんと、正義の念に燃えた。彼らの手で社会に花が咲くか、火とたきるか、かくて昭和を築く若人の命はもえる。

日下や医師の笹島らの手当をうけて快方に向う秋山

東南アジアを訪問して（七）

夢を拓く青年の姿
祖国の建設はこの手で

埼玉県入間郡富士見町 南畑・青年の船派遣団員　砂川みさ子

珍プレー続出親善試合

二月三日、私たちの第三の寄港地であり、また日本人にとって忘れがたい国、シンガポールへ入港である。

シンガポールは、淡路島とほぼ同じ大きさの島で、香港と並ぶ自由港で買物の天国であるということは言うまでもない。この国ほどコスモポリタンな都市は珍らしと予備知識をあたえられ、期待していた。

滞在は四日間。第一日目は朝から、ものすごく暑い日であった。今日は、初めてのスポーツ親善試合が行われた。バスケットボール、バレーボール、ソフトボール、サッカー、ゴルフ、卓球、柔道と団員中より選抜されたが日本チームは、船内生活の運動不足をこの時とばかり解消した。

気温三十数度という暑さの中を互に技を競い合った。私の出場したソフトボールは、午前中開始され、全力を発揮したが残念なが敗北。これは、練習不足と暑さのため汗で球がすべってしまうという悪条件の中でやむなく試合運びであった。

相手チームは、ママさんまでいる動労者チームで、ほがらかな方たちであった。スポーツを通して親善交換の珍プレーに汗を流し、笑いあった異国の友、彼女たちの目に写った私たちの姿に、ほんとうの日本青年の良さをみつけてくれたことだろう。

みんなが真黒に日やけしてしまったが、すばらしい一日であった。

夜は、スポーツ交換試合に参加した人たちを船に招き交換会を開いた。自然屋間の試合の話に変ってしまう私たち日本チーム選手には、それぞれソフトボールを形どった"バッチ"が送られた。

結局、今日の試合で勝利をえたのは、わが国らしく柔道だけで、あとは全部相手チームの勝利に終ったわけである。しかし、私たちは勝敗よりももっと大切なものを得たと思う。

私たちに送られたソフトボールのバッチ

異国の一夜踊る炭抗節

翌日は、いつものごとくバス見学。一九六十年に創立された人民協会が活躍に動いているのを学ぶ。私たちの見学コースも、この協会がスケジュールをくんでくれたものである。

人民協会は、コスモポリタンの国のため、コミニケーションを必要とし、そのためスポーツなどを通して、一つの社会をつくるのが目的という団体である。

この夜、国家青年領袖訓練学院において、親善会が開かれた。夜の町をバスにゆられて学院へ。この学院は、日本でいう職業訓練所である。生徒数百人の全寮制で義務教育を受けて入学するという。卒業後は、大学卒業者に認められるという。

めずらしいお菓子のごちそうや食べきれないほどのバナナに舌つづみをうった。日本の炭坑節をみんなで一緒に踊ったが、ライオンダンスを踊って見せてくれたのが印象に残った。

ここでおどろいたものは、ある青年が日本の歌を独唱してくれたことである。"愛国婦人会の歌"であった。私はもちろん年寄者で除く国民は、だれ一人としてこの歌を知っている者はいなかったのである。ずいぶん調子はずれの歌をうたっている、と思って聞いていた自分が恥かしくなった。

国家建設意識の強い、この国の青年ならではの歌の披露であったのかも知れない。

入場料を払うデパート

物価の安いシンガポールにおいては、自由時間がわりあい多く組まれゆとりがあった。貨幣単位はシンガポールドルで、一ドルが日本円で約百二十円である。ワニ皮屋の看板が目立つ。買物でおどろいたことは、デパートで入場料を支払うことであった。

ここでもタクシーが多く、バスもそうとう走っている。一区間が五十～二十五仙。タクシーでも値段を交渉してから乗れば、バスよりずっと安い。

シンガポールという国は理解しにくいところもあって、どこかほんとうの姿がわからない。しかし、活気のある国であった。

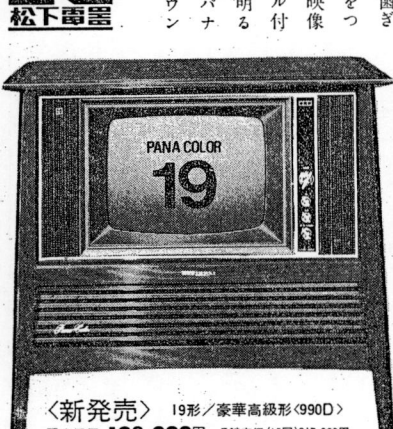

シンガポール市内の中国人商店街（洗たく物の干し方に注意）

シンガポールでの唯一の歓会での私の役割は、五人のシンガポール大学の学生を歓待することであった。私は、通じない英語ながらも、どうにか話しあったが、最後になって失敗してしまった。五人のうちの一人が日本語を話しだしたのである。彼は、数年前に日本へ来たことがあるという。私がいままで話していた言葉を考えると恥かしくてならなかった。彼らは将来、科学者になりたいと言っ言うことは、青年の国家意識が強いということからだと思う。

私たち一行のガイドをつとめてくれたのは、日本女性で華僑人と結婚して、現在この国に住んでいるという。この女性は、この国では女性の地位の高いことを最高にPRし、シンガポールに住めと、さいさん言われた。女性も男性同様に仕事を持って働き、生活をたのしみ、働くことをほこりにしているという。しかし、その裏には無教育のメイドが数多く働いていることを忘れてはならない。

独立間もないシンガポールには数多くの問題が山積されている。しかし、私たちの接した青年たちは常に未来に向って夢を抱いているように思った。"自分たちの国を青年の手でつくるのだ"という青年たちの姿を見ならいたいものである。

同年代の青年たちが、真剣になって国づくりに励む姿にくらべて日本の青年の意気のなさに、恥らしく思った。この情熱こそ日本を築く者として必要だと思う。

日本4H新聞
4Hクラブ 農事研究会 生活改善グループ
全国弘報紙
発行所 社団法人 日本4H協会
東京都市ケ谷家の光会館内
電話(269)1675
編集発行人 玉井光
月3回・4の日発行
定価 1部 10円
6ヵ月180円(送料共)
一ヵ年360円
振替口座東京 12055番

"草の根大使"来日

米国代表の4Hクラブリーダー三人

北海道を皮切りに 全国各地のクラブ員宅で生活

米国クラブ員の日程

6月29日～7月6日 千葉県木更津のマザー牧場へ滞在
7日 フリー（東京）
9日～23日 北海道の受入れ農家に滞在
30日 山形県の受入れ農家に滞在
8月20日
21日～24日 第八回全国農村青少年技術交換大会に参加（山形）
25日 フリー（東京）
26日～27日 中間懇談
……以下予定……
28日～9月16日 神奈川県の受入れ農家に滞在
17日～10月6日 大阪府の受入れ農家に滞在
7日～ 「第4回全国4Hクラブ員のつどい」参加（奈良市）
11日～11月2日 佐賀県の受入れ農家に滞在
3日 松下4H協会長の招待
5日 帰京・フリー
6日～20日 帰京・フリー
21日 帰日報告会
22日 帰国準備
23日～25日 あいさつ廻り
26日 帰国（羽田発）

羽田空港に着いた来日米国代表4Hクラブリーダー（左からウエスターキャンプ君、ウイコートさん、プリンドル君）

……と所定の手続きをおえたあと到着ロビーに姿をみせた三人は、長旅の疲れもみせずに元気。ウイコートさんはピンク色のワンピース、プリンドル、ウエスターキャンプの両君は濃紺の背広姿で、草の根大使を表わす胸につけた4Hのマークが印象的。日本4H協会の……常務理事らの歓迎をうけたあと宿舎の東京・新宿区青山のアジア会館へ向った。

翌日は旅の疲れをいやし、これからの準備をととのえるためフリー、二十五日、新宿区市ケ谷の日本4H協会事務所を訪れたあと、二十九日千葉県木更津のマザー牧場へ入った。同所で七月六日まで……したあと、北海道を皮切りに山形、神奈川、大阪、佐賀各府県のクラブ員宅に宿泊、その家庭の一員として十月下旬までの五ヵ月間日本の農村で生活する。この間、日本の農業、農村生活、4Hクラブ活動など広範囲にわたって学ぶことになっているが、訪問先におけるクラブ員をはじめとする関係者との交歓会や、十月七日から奈良で開く全協、日本4H協会共催の「第四回全国4Hクラブ員のつどい」八月下旬山形県で開かれる第八回全国農村青少年技術交換大会への参加などを通じてクラブ員と接し、民間外交官として日米両国の相互理解、友交親善に寄与するものと期待される。

"モダンな建物に奇異"の感

なお、三人は日本について第一印象を次のように語った。まず、日本の第一印象としては東洋的な建物が多いと想像していたが、モダンな建物が多いことに驚いている。交通機関、タクシーなども思っていたより素晴しく、また、東京に着いてから皇居の付近を通ることが多いためか、緑が多く、その森と近代的ビルが調和していてきれいだと良い点数をつけている。

次に、昨年度来日した代表は日本についてどんなことを語っていたかという質問に対して、ウイコートさんは昨年日本で人気を集めたバーバラさんやアリスさんから手紙をもらったが、彼女らは日本にきた誇り、ある種の特権みたいなものをもっていたそうである。

日本については、日本の4Hクラブ員たちは、アメリカでは機械化されているので婦人は余り働かないと思っているようだが、その労働の軽減はわずかだ。余剰労働力は土地の拡張などにふりむけ、農家の婦人たちは農外収入を得るため街に働きに行く人が多い。農家の生活水準は上っているが婦人は日本人が想像しているように遊んではいないと強調していた。

日本の悪い面については、やはり語るのをちゅうちょしたが、日本の農家では電気アイロンを使わないと語っていたという。しかし東南アジアなどに比べて衛生的な面、美観などがすぐれていると述べていたそうである。

日本の農業や生活については出発前、在米日本大使館で説明を聞いたり、本を読んで予備知識をもっているが、とくにウイコートさんは酪農、能、またウエスターキャンプ君らは芸者や地方色豊かな舞踊などに興味を示している。

食事では、すでに、そば、てんぷら、焼きとりなどの日本食を味っており、これから次第になれるだろうと語っているが、これから五ヵ月間日本で生活するうえで不安というか心配な点については、医者から日本に行ったらマラリヤに注意するようにと言われたということで、まずマラリヤが心配。そのほか言語の違いで自分の意思を伝達できるかどうか不安だがゼスチャーで通じるように努力すると意欲をもやしている。日本語は、いまのところウエスターキャンプ君が一番知っているようだが、彼らがこの五ヵ月間にどのような活躍ぶりをみせ、その青い目に日本がどう映るか大いに興味がもたれる。

地震による災害で田植えの遅れた農家にかけつけ田んぼの起耕に汗を流す4Hクラブ員たち

元気をとり戻す災害地

十勝沖地震

青森 4Hクラブ員が"援農隊"を組んで奉仕

他人ごとではない…

千早赤阪4Hで友情の義援金

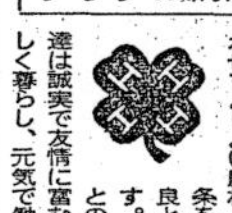

クラブの綱領

今後の方向追求

富山県連でリーダー研修会

討議に若き血もえる

分科会報告をする各代表者

【富山】富山県4Hクラブ連絡協議会（会長、法邑伸一君）ではさる六月二十四、二十五の両日、上新川郡大山町の有峰青少年の家でリーダー研修会を開き、今後のクラブ活動の進め方について真剣に討議研究した。

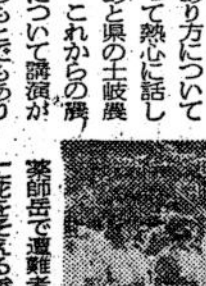

……重要な問題を四つ選んで、それを中心に討議した。

話し合いの主な内容は、クラブ活動における農業技術の学習と人間形成、仲間づくり、若年者のクラブ活動の推進など4Hクラブの目的や性格、また行事面における単位クラブ、地区連、県連の関連、農改普及所の広域化にともなう地区連のこんごのあり方などで、全体としてはそれぞれ地域の実情に合わせてよく考えてやるべきであるという意見が強かったが、活発だった分科会討議の余勢をかって熱心に意見がかわされた。

午後一時からあとかたづけなどのあと参加者に修了証を交付し、閉会式を最後に有意義だった研修会の幕を閉じた。

なお、下山に先だち、さる三十九年薬師岳で豪雪のため遭難、死亡した名古屋大学学生十三名の慰霊碑を訪ね、黙頭して冥福を祈った。

涼風暖風

何が"生き甲斐"か

……刊誌を開いてみた。現代の青年の欲求や、価値観、生き甲斐などについて、全国的に実施した調査結果をくわしく分析しているが、そのなかに「どんなことに生き甲斐を感ずるか」という調査項目が目についた。

生き甲斐の一位は「一家だんらんの時」、二位は「子供の成長」、そしてかなり離れて「仕事にうちこんでいるとき」が三位、ついで「毎日の生活」「休日や余暇」、そして最後に「社会のために働くとき」となっている。

調査対象になった年齢は、一五歳から四四歳までということもあって「マイホーム」……る。低い比率を示すのは、一般労務者、技能工、サービス員などで「農林漁業者」は中間よりやや低い方にランクされている。セールスマンや、事務員よりも、農業者は「仕事に生き甲斐」を感じていないという結果になっている。

だが、ここで考えてみると、農業という職業は、本来、自由業主で、管理職的で、専門技術者でもある。「仕事が生き甲斐」というものが、もっと高い比率を示してくるべきものと思うし、国の食糧自給という大きな社会的な使命なり、価値を背負っていると思うのだが、調査結果は、一般労務者、セールスマンよりも低い……

……「農業に夢と希望があるし、能力や性格も農業に適しているから」農業を選んだという青年が、三九年には三〇%だったが、三年後の四二年には、四五%とふえている。農業をたんに先祖代々からの家業としてとらえている「後継者」がへりつつあることを示しているが、ここから一歩ぬけ出して「農業に生き甲斐」を感ずる積極的な職業観が育たないものであろうか。マイホームも結構だし、生活の場も大事にされなければならないが、自由業主、管理技術職としての農業に、人生の生き甲斐を感ずることが、社会に胸を張って県民であることを誇れるみちにつながるものと思うが、どうであろうか。（岩手・伊藤）

夏の全国大会（第八回全国農村青少年技術交換大会）

山形県連が後援に

今年はプロジェクト発表も

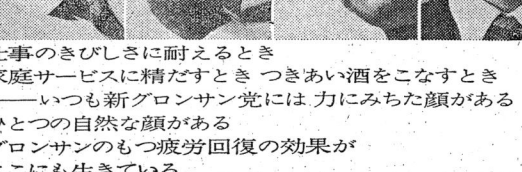

8月21日から4日間・山形で

第八回を迎えた恒例の全国農村青少年技術交換大会は、農林省、山形県、全国農村青少年教育振興会の共催、山形県農業青少年クラブ連絡協議会、山形市、NHK、山形県各種農協連合会、山形放送の後援によって、来る八月二十一日から二十四日までの四日間、山形市の県体育館、県民会館や樹氷で名高い蔵王山を会場として開催される。

この大会は、日ごろ農村で農業の改良や農村生活の改善のために努力している全国の農村青少年が実践活動を通していろいろ体験した知識や技術を多くの仲間たちと交流し、友情を深め合い、農業に対し希望と自信をもって近代農村の建設者になろうというもの。

主な行事は、プロジェクト発表（演示発表）技術競技、話し合い、体力づくり、キャンプファイヤーなど。

参加者は❶農村青少年＝各都道府県男女各五名（うち二十歳未満八名以上）山形県一千～千二百名❷篤志指導者、クラブリーダー❸青少年担当者、専門技術員、農業改良普及員、生活改良普及員など。

スケジュールは次のとおり。

▽一日目＝正午、山形市立第一小学校から霞城公園まで約二キロを入場パレード、午後一時から同公園内の県体育館で開会式、二時からオリエンテーションのあと体育づくりとして四時半まで同体育館でレクリエーション。宿舎で夕食をとり、六時半から県民会館で歓迎レセプション。九時に就床。

▽二日目＝午前六時半から朝食、八時からオリエンテーションのあと十二時まで霞城公園で技術競技。午後一時から四時半まで同公園でプロジェクト発表。夜は六時半から宿舎別に自由交歓（記念品の交換）

▽三日目＝午前中、蔵王の自然観察（刈田岳までバスで移動）午後はドッコ沼周辺でグループ別による話し合い。夜は七時から蔵王温泉でキャンプファイヤーをくりひろげる。十時に就寝。

▽四日目＝県民会館へバスで移動し、午前九時半から同会館で講演のあと閉会式を行ない正午に解散する。

宿泊は、一日目が山形市内の旅館。二、三日目は蔵王温泉旅館。

なお今回は、これまで行なってきた演示発表のかわりにプロジェクト発表が加えられたほか、これまで全国大会では認められなかった県青少年クラブの組織が認められ、山形県農村青少年クラブ連絡協議会（会長、斉藤幸彦君）が後援者の一員として迎え入れられた。このため、同県連の活躍ぶりが大いに注目される。

八頭技健

アメリカのヒッピー族から発したといわれるいま流行のアングラやサイケは、ほんの一部分ではあるが現代の若者を……していることは確かだ▼アングラとは、アンダーグラウンドの略で地下芸術、サイケはサイケデリックの略で幻覚芸術という意味だそうで、サイケはLSD（麻薬の一種）による幻覚をエネルギーとする芸術。……

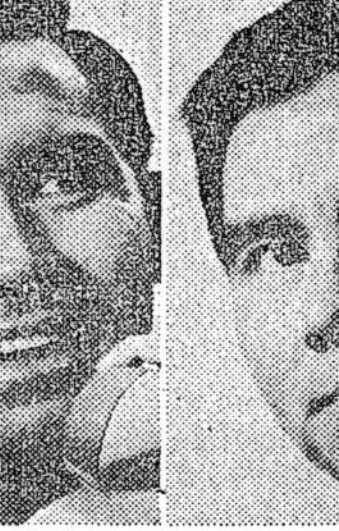

4H20周年を迎え 11月に記念大会

今年度の事業計画を具体化

宮城県連

【宮城県＝庄司重治連絡報道員】宮城県4Hクラブ連絡協議会（会長、高橋芳蔵君）は、さる六月十四日仙台市北一番丁の仙台中央会館第一会議室で、今年度の事業計画の具体化その他について協議した。

この日は、新役員十二名（三名欠席）旧役員三名と県当局から[illegible]が出席、協議に入り、次の事項について話し合い決定した。

一、宮城県4H二十周年記念大会 宮城県連が発足以来、今年で二十周年を迎えた。そこでこの意義ある年に過去の歩みを振りかえり、今後のクラブ活動の展開を図る意味から宮城県が催す明治百年記念農業祭（十一月一〜四日）と並行して開催することに決定した。開催要領は次のとおり。

▽名称＝宮城県4Hクラブ連絡協議会二十周年記念大会▽会場＝仙台市▽内容＝❶二十周年記念大会❷プロジェクト実績展示（農業祭4H会館内に設ける）❸二十周年記念誌発行❹県下各種青年団体（十五団体）を招待し、4Hクラブ員との交歓会を開く。

二、女子クラブ員推進会議について▽期日＝十二月六〜八日▽会場＝宮城県中央青年の家 この会議は、農村女子青年たち、とくに次代をになう代表的な女子青年を対象に、農家生活向上のため基礎的知識の技術研修を行なうとともに、活動が鈍りつつある女子クラブを活発にさせるため昨年にひき続いて実施するもの。

三、宮城県農村青少年リーダー研修会 次代をになう代表的な農村青少年を参加させ、農業の改良と生活の改善に関する新しい知識や技術を習得させるとともに、グループ活動の内外指導者としての資質の向上を図るもの。期日は一月十日前後を予定しているが、会場や行事内容は未定。

四、県農村教育青年会議 二月中旬に開催予定。

五、県4H交流推進 県内の他地区クラブ員との交流を図るため八月から十二月にかけて実施する。原則的にクラブ員宅に宿泊し、お互いの活動や技術を交換し合う方法で県連が仲人役を果す。

六、「宮城4H」新聞発行 第十六号は、十一月三日に予定している二十周年記念号として発行、十七号は三月一日付けで発行する。

七、「日本4H新聞」購読普及について 昨年も実施し県下のクラブ員に全国の動きや、4H活動を理解してもらったが、今年も地区連に購読者の名簿を送り、多数のクラブ員が活用するように県連で一括申し込みをする。

八、「村の広場」の活用について 毎週日曜日の朝六時十五分から三十分までNHKラジオ放送で若い青年向けの番組みがあるが、県連では役員が分担してクラブ員や県連の活動状況を放送局へ送るようにする。

九、第十七回県農村青少年技術交換大会▽期日＝来る八月七日から十日までの四日間▽場所＝玉造郡鳴子町鬼首、かむろ山麓▽主催＝宮城県連、宮城県▽後援＝鳴子町、株式会社仙台放送、河北新報、東北放送株式会社、仙台中央放送局▽参加者＝農村青少年で、現に農業に従事し、新しい農村建設に努力しようとしている堅実で品行方正な人。従来は一般クラブ員のほかに農業研修生（古川分場生徒）約二百名が参加していたが、今年は代表者（宮城農学寮生と古川分場生名三十名）を参加させることになった。主な行事は技術競技、技術研究協議、野外料理コンクール、話し合い、前夜祭、登山、キャンプファイヤー、体力づくり推進などを予定している。以上の行事運営は、県連役員と実行委員で組織し、参加者にとって思い出深い大会にしようと計画している。なお、同日はこのほか県連の派遣事業について話し合った。

「よし、俺もやるぞ」と闘志をもやしながら講演に熱心に耳を傾ける新入クラブ員＝愛知県連の研修会で

クラブに新たな精鋭

二回目の新入生研修

愛知県4Hク連協

【愛知県＝[illegible]連絡報道員】愛知県4Hクラブ連絡協議会[illegible]では、去る六月十、十一の両日、岡崎市郊外の愛知県中央青年の家で第二回の新入クラブ員研修会を開催した。今回の研修会は、[illegible]にひき続いて三河部を中心に行なわれたもので六十名の新入クラブ員が参加、4Hクラブ活動、プロジェクト活動、レクリエーション指導などを中心に話し合った。

まず第一日目の夜は、懇親のつどいを行ない、レクリエーションとキャンドルサービスの方法などを指導した。この懇親のつどいには、今年の二月に結婚したばかりの先輩、地元岡崎連協の昨年度の会長、山内隆一君が奥さんのみほ子さんを連れて出席、4Hクラブ員同志で結ばれ、幸せな新婚生活を送っているこのカップルにあてられ続けた新入クラブ員たちは「よし！われわれも…」といちだんとハッスルしていた。

翌日は、プロジェクト活動について学んでから[illegible]ら先輩を迎えてシンポジュームを行ない、午後四時半、自主的なクラブ活動への参加を約束して閉会した。

組織委設けて解決へ

「今後の方向」話合う

茨城・稲穂サークル4Hで研修会

【茨城】稲敷郡の東村稲穂サークル4H（会長、木内弘義君）はさる六月十八日から二十日までの三日間、東京・代々木のオリンピック記念青少年総合センターで昨年にひき続いて4H研修会を開いた。

一日目は、一時半から開会式、オリエンテーションに続いて新田日本4H協会事務局長、岡田前全協事務局長ら先輩を講師に迎え、稲穂サークルの現状分析のあと両講師にクラブ員四名をまじえて「年令的組織活動」と題してシンポジュウムを行なった。

新田4H協会事務局長から4Hクラブの基本的な考え方や理想的な形について、また岡田さんからは十余年にわたるクラブ活動の経験談があり、このあと活発に意見の交換が行なわれたが、討議は4Hクラブ活動から政治活動にまで発展し有意義なシンポジュームとなった。夜にはいってから自分たちのクラブの「今後の方向」というテーマで三分科会に分れて話し合いをしたが、各分科会とも活発に討議され予定を一時間もオーバーする熱の入り方であった。

このあと、全国の4Hクラブ代表の一人として第一回の青年の船に乗った埼玉県の砂川みさ子さんを囲んで、東南アジアの農業の様子や訪問中のエピソードなどを聞き、またおみやげに持ち帰った珍品を見たり、あるいは質問し、驚異と笑いのうちに何人かが海外への夢をふくらませたようである。夜はレクリエーションでみんなでゲームや歌に興じ、さらにはクラブ員一人一品ずつを出し合い、競売会でスリルを味わうなど楽しい夕べを過ごした。

三日目は、この研修会の反省、そして助言者の総評のあと閉会式を行ない、午前十一時センターを退所して明治神宮を参拝、クラブ員一同がこの研修会を実験にいっそう努力することを約束して帰路についた。（稲穂サークル4H前会長、黒田勝君より）

11日から3日間剣山で

徳島県の技術交換大会

【徳島県＝河崎嘉宏連絡報道員発】徳島県農村青少年クラブ連絡協議会（会長、河崎嘉宏君）では今年度の県農村青少年技術交換大会を、八月の中国四国ブロック会議に先がけて来る十一日から十三日までの三日間、霊峰剣山で開くことをこのほど決めた。またこの大会中、登山道の草刈りやそうじを行なうことになった。なお、七月中、日本4H新聞の購読拡張月間に定め、読者をふやすことになった。

十勝沖地震で散った

故 佐々木さん（青森県の4Hクラブ員）を悼む

五月十六日午前九時四十五分、東北、北海道一帯を突如襲った十勝沖大地震。青森県においても被害総額四百六十億余円、死者四十五人、行方不明者四名、負傷者三百六十名にのぼった。

一瞬のうちに尊い命を奪い去られた人々の中に、私たち4Hクラブ員の仲間が入っていた。

この不幸な出来ごとの犠牲者となったのは、青森県三戸郡名川町虎渡、虎渡麗岳4Hクラブ員、佐々木みや子さん（三）である。

青森県東南部に位置する三戸郡名川町。秀峰八甲田と、紺碧の湖ー十和田湖を近くにもつ名川町は農業に取り組む人々にとっては決して恵まれた環境とはいえない条件をいだいている。ヤマセと呼ばれる太平洋岸から吹き寄せる特有の季節風に襲われた年は、冷害に見舞れることが往々であった。

地方と立派に比肩し得るまでになった。そこに躍動する農村青少年のエネルギーは目を見張るものがあり、その中でも、ことに名川町におけるクラブ活動は群を抜いている。若き命を、永遠の眠りの中に嫁した佐々木みや子さんは、その名川町の栄えある4Hクラブ員として活躍し続けてきたのである。

虎渡麗岳4Hクラブが結成されたのは、さる四十一年六月であったが、結成に当ってみや子さんは積極的なまとめ役となり、男女混成のクラブの中で副会長に、そしてさらに名川地区連の役員にも選ばれ、女子クラブ員だけでなく、地区連のリーダーとして貴重な存在であった。

みや子さんの主な活動をふりかえってみると、四十一年の名川地区農村青少年技術交換大会で演示発表、同年に郡大会に、そして県大会には郡代表として参加し、技術競技の生活部門で第一位となった。また大会の分科会でも司会をつとめ、四十三年千葉県で開かれた夏の全国大会に県代表として参加するなど、目覚ましい活躍ぶりをみせ少なからず業績を残した。

家でも水田三反、りんご一反を経営、自分が主役となって義姉と二人で働き、村人から働き者として評判が高かった。

虎渡麗岳4Hクラブが、結成以来二年で標準クラブとして認証を受けたが、それにはみや子さんの功績に負うところが大きかったのである。彼女は、このように実行力があり、しかも明朗、闊達な得難い近代女性でしたが、果菜類の支柱を切り出すために裏山に行き予期せぬ地震による山津波のため土砂に埋没し死亡するという痛ましい犠牲となったのである。

現在、品種改良、農業技術の著しい進歩や涙ぐましいほどの農民の努力が報いられ、いまや米とりんごで聞こえる県南

夏の大会の話し合いで活発に発言するありし日の佐々木さん（左側の人）

ところで、県連がこのような悲しいニュースに見舞われていた六月三日、青森県庁農務課内にある県連事務局あてに一通の手紙と現金為替封筒が届いた。

開封してみると「災害によってなつかしい土地を捨て、集団離村するなどのニュースを知りました。同じ農業者として心が暗くなります。でも私たちは若い。どんな試練にも負けず、ド根性を発揮し一日も早く復旧に立ち上って下さい」という激励文と、見舞金五千円が入っていた。差し出し人は、大阪府堺市美木多、別所4Hクラブ員一同である。

県連ではさっそく緊急役員会を開き、ご厚情にあまえることにして佐々木さんのご霊前に供えたのである。

この紙面をお借りして別所4Hクラブ員一同に深く感謝申し上げると同時に、佐々木さんの生前のご活躍を讃え、心から冥福を祈りたいと思います。

（青森県連絡報道員、福田栄治）

交通安全はひとりひとりの自覚から

「プロジェクト活動」講演（6）

"役立つ知識"の修得

4Hプロジェクトの効用

海外技術協力事業団 茨城国際農業研修館長 中田正一

そこで、最後に一つのことを申しあげてみたいと思います。

私の自己紹介になるんですけれども、茨城県の内原に、国際農業研修会館というのがあるんです。外国人ばかり四十人ほど来ているんですけど、十一カ月間、日本を勉強しています。

彼らが約一年間日本で生活して、日本に対する印象はどうかということを、私はもう三年間も聞いているんですけど、彼らは日本を必ずしも誉めません。「日本という国は不安定だ」「日本は完全じゃありません」しかも、

「アンバランスの国だ。進んだところと遅れたところが、たいへんアンバランスになっている」こういいます。

そして、日本という国をどう見ているかといいますと、

「日本は激変の国だ。変化しつつある国だ。しかも、世界中で日本ぐらい変化の激しい国はない。農業はもちろんです」といいます。

激変、むちゃくちゃに変っている国、だから外国人が日本で農業の勉強をするというのは、むちゃくちゃに変っている国で勉強していることに意義があるというのです。

なぜ、こんなに日本はこう変るのだろうか、その変わる理由をつきとめることが日本で勉強する大事なねらいだというのです。

それで約一年間、日本の社会を見、日本の農業技術を勉強しています。

コースは稲作と農機具と、今年は主畜改良、来年は園芸というコースができます。各コース十二、三名ずつです。東南アジア、アフリカ、中南米、その他世界各国から来ています。

そこで、彼らが考えました。なぜこんなに変るかという理由をちょっと申しあげますと、まず、ほとんど共通していえることは、教育です。「日本の教育は、小学、中学と九年間の義務教育がほぼ完全に行なわれている。これが日本の変化して、進歩する基盤だ」といいます。

それから「日本人はよく働く」といいます。

彼らは、農家へ泊り込んで一週間ほど働くのですが「日本の農家はおやじさんもおふくろさんもずいぶんよく働く」とびっくりしております。

昨年も、インドから来ていたラス君という青年が茨城県の山村の農家へ入ったのですが、入る前に彼は「おれは、日本の農家の人たちがどれくらい働くか生活時間の調査をしよう」といって、二十四時間の時刻表を作ってもって行きました。

二、三日経ってから、私はその家を訪ねてみました。

「ラス君、どうだい。生活時間の調査はできたかい」

すると彼は、手を上げてしまっていて「だめです」という。いったい、いつ起きて、いつ寝ているのか判からないというのです。

ことに、その農家はたばこの農家です。八月の初めですから四、五時間しか寝ていないのです。それはもう、判るものではないわけですね。だから、彼はびっくりしている。ほんとうにびっくりしているわけですね。

三番目には「日本人は雑食性だ」というんですね。

というのは、回教徒の人たちは、インドネシアとかマレーシアとか、豚は絶対に食べません。豚は回教では最も卑しい動物です。それで、豚小舎の見学などに行きましても、側へ近寄らない。遠くからこうやって眺めている。

インドの人たちは、牛を食べない。牛は神の使いなんです。牛乳は、これは神からの授かりものですから飲む。それから、インドには菜食主義者の人がおります。この人たちは肉も魚も一切食べない。一年の間、パンと生野菜と果物で、あとは何にも食べない。

それで私は、土曜、日曜だけ東京の自宅へ帰りますが、あとの一週間はこの人たちと一緒に生活しています。三度、三度、一緒にめし食べています。私は何でも食べるものだから「日本人は雑食動物だ」という。

この雑食動物というのは、食べ物だけではありません。知識でも技術でも、良いものでも悪いものでも、世界中から全部吸収して消化してしまう。これは日本のバイタリティでしょうね。

だから、彼らは悪口をいうんです。「日本人は節操がない」と。そういいます。何でも、あれは嫌だ、これは嫌だとはいわない。良いものだろうが、悪いものだろうと全部取り込んで吸収してしまう雑食動物だといいます。

四番目に、日本人の貯え、貯金の多いことは、どうも世界一らしいですけれど、あまりこれは誉めたもんではない。社会保障が弱いということなんですけどね。それにしても、たいへんな貯えなんです。

こういうのが、日本人のバイタリティなんですが、働いて、食って、貯えて、そしてしかも教育が成り立つ基盤は何かといえば、日本の場合は、この頃いいことに軍備に金を使わないから重点的に金がまわる。だから、進歩するんだ、変化するんだ、というようなことをいいまして日本が激変していることを強調しています。

そこで、私がなぜこのような話をしたかといいますと、農業の必要なところに金をどんどんつぎ込む。

それから、軍備に金をかけないといいます。「私のところは毎年国の予算の七〇％から七五％を軍備に使っている」インドネシアです。「私のところは、毎年六〇％使っている」パキスタンです。だから大事なところに金がまわらないわけです。

いますと、その国の農業のレベルの変化のスピードです。

日本の農業レベルはどのくらいかといいますと、これはあらゆる分野において、おそらく世界のトップです。稲作はもちろん、そ菜だろうが、果樹だろうが、畜産だろうが、農機具だろうがあらゆる分野において技術は世界のトップです。

このレベルは高校レベルです。もう、日本の農業やる人は高校出た人たちが中学出た人たちより多くなりました。だから中学出の多い県では、その人たちをどうやってレベルアップしようかということに苦労しています。

それから変化の早さ、これは世界一です。だから、大学出ておりますと、うっかりぼやっとしておりますと、もうついていけない。変化はほんとうに早い。そんな農業なんです。

それでしかも、そういった激変の社会における農業の知識、その知識というのにもいろいろあります。学校で先生の話を聞いて頭の中に入った知識、概念ですね。こんなものはたいして役に立ちません。ところがこの知識はある程度鍛えられ、プロジェクトの鍛えられた知識、プロジェクトの知識は鍛えられた知識です。ラーニング・バイ・ドゥイング、行動によって、肌を通して得られた知識、これが4Hクラブ員の知識です。

プロジェクトを通して得られた知識というのは、学校で講義を聴いた知識ではないわけです。鍛えられているわけです。役に立つわけで、応用がきくわけです。そういう知識を諸君の後輩たちにもってもらいたい。そうでないと、これからの農業は高校出ていようが、大学出ています。

いようがついていけない。それだけの早さをもっております。

だから、知識を何で鍛えるか、行動を通して、全身の肌を通して知識を鍛える。そういう知識でないと役に立たないわけです。だから、4Hクラブ員のもっている知識は鍛えられたものです。知識は活きてはないのです。頭が問題なんです。もの知りのようにたくさん知っている人もいます。この頃、いろんなクイズ番組に出て何でも知っている人がいます。あんな知識は何の役にも立ちません。問題は知識の質です。

そういう鍛えられた知識は、プロジェクトによって自分のものにできるわけなんです。それがプロジェクトです。だから、プロジェクトによって得られる知識というのは、そういう知識です。

だから、知識にもいろんな段階があるわけです。たとえば、愛などという知識はすべての人にとって大事な知識ですが、これなどは一生涯かかっても、やっと判かったかな、判からないかなというぐらいの知識です。

だから、知識というものは鍛えられてないと、実社会では実際に役に立たないわけです。そういう知識を見出していくのがプロジェクト学習ーというふうに考えていいのではないかと思います。

日本人の「雑食性」は、食物だけでなく、知識でも技術でも、良いものも悪いものも、世界中から全部吸収して消化してしまう。これが日本人のバイタリティのもとであろう。

優れた経営者たち

熊本県飽託郡河内芳野村一〇三〇

西山勇毅氏

実を結んだ若い情熱

信念で築きあげた大経営

ここに紹介した西山勇毅氏は、みかん作りが好きで、両親の強い進学の勧めもことわり、おれは日本一のみかん作りになれるんだという信念で初志を貫き、みごとに大成した人である。経営規模の拡大や品種の研究、共同出荷への努力など、どれ一つとしてなまやさしいものではなかったはずであるが、これが自分の道だと決めてかかった西山氏は、夜の道も輝やきに満ちた夢の実現への道程でしかなかったのである。氏の業績は、いいふるされた言葉「なせば成る」ということを、あらためて教えてくれた一つの実例である。

4Hくん　No.127　桜井はじめ

みかん

「みかん」にかけた青年の夢

[illegible]

定植五年で収量三千八百キロ

[illegible]

驚異的な労働生産性あげる

[illegible]

……ので邪魔になっては困るだろうから、みかん採取のときだけは手伝うが、ふだんはほとんど田畑に出ていない。

母の益美さんは、もっぱら家事、奥さんの久美子さんは育児、そして父親と同じように、とくに多忙なときだけ手伝う程度といった状況である。

このような家族労働事情のもとで、西山氏は前記のように雇用労力などを巧みに使うことによって水田と果樹を合せた六五二アールの経営を完全にこなしているのである。

このように投入労力が少なくて済んでいる理由は、計画密植栽培であり、樹高が平均して普通人の高さぐらいであること、樹幅も樹間に余裕がある程度空していること、それに加えて園道が整備されていることから作業が非常に能率的に行ない得るためである。

したがって、個々の細かい作業……

……やすい環境をみかん園が持つということができれば、可能だと思います」とはっきり答えながら「昭和四十年から間引移植を始めました。一人一日一〇本は可能で、五人掛りでやりましたが、一日五〇本の移植ができました。場所は、この地続きで、購入するときは雑木林三・一ヘクタールということでしたが実際開墾してみますと、四ヘクタールもありそうで、そこへ移植しましたが一年ですっかり樹はできあがりました」といっている。

十分な樹幅を作りながら、働きやすい環境を作るとともに、薬剤散布もやがてスピードスプレヤーを入れる方向で研究中である。それと同時に、常雇人、伝習生、実習生のために明るい部屋を作り、そこに起居させているとのことであった。

とかく、農家で働らく人には、都会の工場や商社のような立派な住宅施設が提供されないことが当然だと考えがちであるが、西山氏は立派な洋風の二階を新築し、そこに同居者を起居させている。

経営収支の概要

	粗収入	経営費	所得
昭和37年	一円	696,100円	△696,100円
38	一	613,030	△613,030
39	644,448	693,800	△49,352
40	3,813,615	754,400	3,059,215
41	4,770,255	936,198	3,834,057

経営費の内訳（10ａ当り）

	昭和37年	38	39	40	41
防除費	3,110円	3,891円	4,808円	5,345円	5,096円
諸材料費	3,113	2,881	2,105	1,707	1,568
肥料費	15,381	9,867	10,020	10,674	10,998
労働費	3,898	4,194	4,512	6,146	10,202
農具費	1,898	2,050	1,992	1,992	1,775
建物費	―	―	73	109	98
借入金利子	3,088	3,088	4,691	4,691	4,486
計	36,061	25,971	28,201	30,664	33,918

みかんの収入の推移

成園　未成園　合計

（百万円）　年次　37　38　39　40　41

品種別の作付け状況

系統名	松山早生	興津早生	宮川早生	南柑20号	米沢温州	田之上系	磯部系	十万温州	合計
本数	434	1,091	587	105	237	748	257	83	3,542本

技術は試験場から

西山氏が、中学卒業と同時に自分のみかん園に飛び込んだ信念とそれに対する父親の追懐などについては別項で述べた通りであるがその技術、経営の根幹のすべてが果樹試験場の成果を導入しているところに特徴があると思われる。

その第一は、将来の労力配分を考えての早生温州の導入といえよう。

父親から園の全経営を一任される前に、一二三アールあった普通温州みかん園に早生温州一〇～二〇％組入れをはかるべく高接更新を始めそのほとんどを宮川早生単一にしている。

そして、馬頭地区の新植園も既成園も既成園との労力配分を考えて、早生の比率を高くしているがその試験場で優秀系統であると折紙付きの無性胚実生育成の興津早生を宮川早生とほとんど同数植付けで、早生種の比重を新植園では五九・六％とし、それに中生種を九・七％、あとの三〇％余りを普通温州としたところなどは本試験場……

……六ヘクタール弱としており、それがすべて等高線に配列されているために園全体が整然としている。

さらに各階段には桧の破風樹が植付けられている点は、昭和三十五年、試験場の先生に引率されて愛媛県の真穴地区の視察をしての結果だといわれていたが、真穴のような手入れが果してでき得るかどうかという点が気にかかったけれども、同地方の柑橘園にはほとんど皆無に等しい破風樹を思い切って植付けたのも試験場の指示によるものであった。

さらに、昭和三十七年定置配管をしたが、これはエンジンを移動する方式を採用し、旧園がすんでからこの新園へ持運んだり、あるいはその逆のことを繰り返してエンジンの効率的な利用をはかっているうえに、能率の高いスワースノズル防除方式を当地方としては最初に導入している。

そのほか、新園経営を中心としたみかん園全体に試験場の成果を巧みに汲み込んで経営と収益向上に資している面が多く、独善的なところが少しも見当らない

畑が生き生きとしている！

西山氏の技術の特徴は、前述の通り、県果樹試験場の技術を素直に受入れ、忠実に実行していることにある。

そして、そこには、どこへ行っても聞かされる労力不足の声に対する経営者の不安な姿はまったくみられない。畑が生き生きとしている感じが強い。

昨年、九州地区のみかんは干害にひどく痛めつけられ、とくにここ金峰山麓一帯のみかんベルトは九州でも最も激しい被害をうけていた。

しかし、西山氏は、他の農家よりも早く、一二馬力の揚水機を新規購入し、径四二ミリのビニールホースを一、三〇〇メートル配置して灌水を始めた。一樹一回一〇〇リットルの灌水を五回おきに実施してみごとに干害を克服している姿をみることができた。

同じように旧園の方も、水源が遠かったこと、樹型が大きい関係から一八馬力エンジンの揚水機と口径五〇ミリのビニール管一、六〇〇メートルを装備して灌水に努めた結果、ほかの園よりも際立って樹勢が良いように見うけられた。

定植後五年目にして三、八二四キロという収量をあげ、しかも一〇アール当り一六・八人という投下労力は賞賛すべきものであるが、このような大干ばつという異常事態にどのように対処しているかに注目したい。

西山氏の技術は、それほど高水準なものでなく、誰でも行ない得る技術であるが、それを効果的にしかも惜しみなくみかん園に注いでいるという点が、このように優れた成果をあげ得たというべきである。

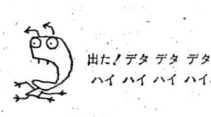

成功のかげにみんなの協力

さらに、どんな試験場の教えであり、労力の分配ということがあったとしても、早生温州は過剰生産になる危険が高いという声があがっていた当時、これだけ高率の早生温州の新植を家族の反対もなく断行し得るものがあったであろうか。

いずれにしても、西山氏の考え通りに実行させ、一言の文句も苦情もさしはさまなかったという家族の賢明さが、このような成果をあげるに至った大きな力となったことは見逃せない事実である。

この変転の激しい時代に親は子を信頼し、子は親の期待に十分にこたえているという典型的な姿をここに見出すことがでると同時にやろうと固い決心をすれば誰でもやれるということの実例である。

略歴と言葉

めざすは日本一のみかん作り　夢を追った青年期

西山氏の略歴

熊本県飽託郡河内芳野村は、隣村の玉名郡天水村と結んで、日本でも珍しい広大なみかんベルト地帯を形成している。熊本市から天水村へ通ずるバスに乗車しても、熊本市から山手廻りハイヤーを走らせても「みかんの展望所があります」と必らず案内してくれる場所があるが、ここから眺めたみかんベルトの壮大さは、日本のいかなるみかん地帯でも見ることのでき得ないものである。

さらに、この地帯のみかん園では、開墾中に多量に出土する大きな石を割って築きあげた階段状の立派な石垣が目につく。

河内芳野村は、みかん栽培の歴史も古く、小みかんの老木で樹齢一〇〇年以上にもおよぶ温州みかんの老木も見られ、そのため熊本県は、昭和七年に現在の熊本県果樹試験場を設置した。

このような環境の中にあって西山氏は昭和九年に白浜部落で生まれた。白浜部落は、有明海を干拓した水田をもつ村内唯一の自給自足可能な部落である。

西山家も八三アールの水田経営をしていたことから食うに困らないのみか、樹齢二〇年以上の温州みかん園一二三アールをも経営する部落内の中以上の農家であったから、西山氏が中学を卒業すれば高校はもちろん大学までもと考えていたらしい。それは両親の年齢、西山氏の学業成績からも当然のことと考えられていたようである。

しかし、西山氏は、中学を卒業するに当って、ガンとして進学を拒否したという。氏は当時を回顧するかのように「みかんが好きだったし、みかんと対話ができるようになれば、学問は自然に身につくと思った」と言葉少なに述べている。

「上級学校はどうしてもいやだ。いかなくても必らず日本一のみかん作りになってみせます」という氏のいいだしたら聞かぬ強い気性に「負けたですたい」という父親・俊蔵氏の話がでて初めて西山氏の今日に至った動因と西山氏の性質が判るようである。

したがって、昭和三十四年四月、中学卒業と同時に父親とともに水田、みかん畑で働くことになった。そしてそれは「日本一のみかん作り」という輝きに満ちた夢の実現へのスタートであった。

氏は、ただちに河内村柑橘研究会に会員として入会するとともに、週に一度は、現在の果樹試験場を訪ねて指導を仰いだとのことで「今週は西山君はきたかい」という声が場内で囁かれるほど、その真剣な研究態度に試験場の研究員の人々も感心させられたとのことである。

「当時、とくに可愛がってくださったのは大浜先生でした。今日、県の品評会で農林大臣賞を戴くことができたのも先生のおかげです」と三十三歳の壮年とは思われぬ童顔をほころばせながら語る口元には「まだまだ私には大きな夢があるのです」といいたげな様子がみられた。

中学を卒業して六年目、昭和二十九年から一切の経営権を父親（当時四十八歳の油の乗り切った働き盛り）から委譲され、まったく一人で切り回してきたという苦労の年輪はどこにも感じられない人である。

さらに、西山氏の地域社会への貢献に触れてみよう。

西山氏が、村の果樹研究会（といっても密柑研究会であるが）の会員になったのは、昭和二十四年であった。そして、県外のみかん産地の状況を知るため、当時の県果樹試験場研究員・大浜技師に懇請し、随行を許され、静岡、神奈川、愛媛、広島などの試験場や主産地を視察したがその時、若い青年の血は燃えたぎったということである。

さらに、昭和三十二年九月には、同志一一人とともに静岡市で一五日間の農家研修を受けた。そこで痛感したことは、共選共販の成績をあげることがみかん農家にとっていかに重要であるかということであった。

帰郷するやいなや同志一一人とともに、当時三〇％であった共販率を一挙に部落全員共販にする運動を猛烈な勢いで展開した。当時は、白浜部落には単独の農業協同組合があり、若者の情熱には反対も多かったが、ついにとりまとめに成功し、以来この部落のみかんの共販率はつねに一〇〇％に達している。

さらに、昭和三十五年には、村の研究会員とともに愛媛県真穴地区を視察し、その農道の整備された姿に驚ろき、帰郷するやただちに研究会運動として農道整備を提唱し、ついに昭和三十六年から村営事業として幹線農道整備事業が行なわれるようになった。

昭和三十八年、研究会の白浜支部長を辞し、現在、研究会顧問となっているほか、昭和四十一年から河内農協白浜支部の販売委員をして、みかんの販売に努力している。

西山氏の言葉

私が現在までに経営上で苦心または努力したことは、つぎの点です。

まず開園のときに、ブルトーザーの深耕作業にあわせて伐採した雑木類を全園に投入埋設するとともに、有明海の泥土を三輪車により運搬客土し、土壌改良を図ったことです。

つぎに、既成園の一・二三ヘクタールとあわせて約三・七ヘクタールに拡大する果樹園を自家労力中心に経営するためにいかに省力化するかということであり、このため、導入品種の組合せ、開園にあたっての道路の入れ方については設計の段階から十分検討しました。

さらに一〇アール当り一五〇本程度の計画密植栽培を行なっていますが、暖地のみかんは生育が旺盛なだけに、果実がならないうちに枝が交錯して、間伐しなければならないようになって失敗している人もありますので、このような失敗をしないように施肥と剪定にはとくに苦心しました。

すなわち、二年生までは、夏秋梢も十分利用して、樹冠の拡大を促進し、三年目に下枝中心に一部結実させて秋芽の出ないようにするとともに、四年目からの本格的な結果のための準備の年としての管理をしました。

このため三年目の春肥からチッソの割合を増やし、剪定も三年目はほとんど無剪定として樹が生殖成長のできる栄養状態になるように努力しました。

このほか、樹の生育を促進するため、苗木は全部は自家養成の純系健全苗を使い、エカキムシ防除のため四日に一回は薬剤散布を行ないもしました。

また、一般防除では能率向上のためスワースノズルを採用し、肥料は自家配合肥料を主体とするなど、果樹試験場、普及所、農協などの指導をうけながら、早期成園化実現のために研究と努力を積重ねてまいりました。

その結果は、私自身も予想しなかったほどの好成績をあげることができました。

私は、この貴重な体験を生かして、すでに鹿児島県出水市に一・七ヘクタールの甘夏園を開設し、現在五・七ヘクタールを経営していますが、さらに経営規模を拡大し、少なくとも一〇ヘクタールぐらいのみかん園を経営したいと思っています。

楽しいムウムウ　夏のおしゃれ

……ントが効いている。左は、白地に黄緑、ブルーグリーン、青、水色、オレンジの花柄。カラフルで南国ムードがいっぱい。

NHK農事番組（7月11～20日）

テレビ

明るい農村　6・30～6・55

11日　話題の広場　直播にかける村

12日　産物往来　すいか

13日　農業新時代　桃の大型……

仲間とともに　新しい農業を築く＝秋田

わがクラブ わが同志

本物の民主々義を まず精神の近代化で

静岡県御殿場市小山町 大御神・北駿4Hクラブ 天野さち子

毎朝決ったように、七時の時報を合図に、重いカバンを手にして家を出た私は、三年間の習慣から解放され、農村の一女性として生活するようになって、はや一年数ヵ月が過ぎ去りました。

この間、私の周辺に起ったさまざまの出来ごとが、私の物の見方や考え方を大いに変えさせ、また私の胸をつき動かすような社会の矛盾や、農村のもつ非近代的なものごとの実態に直面しました。

そのいくつかの中に「農村時間」という問題があります。これは、学生生活をおくった私の感覚や考えでは、およそ縁のない、今日のようにすべてが合理化、能率化とさけばれている中で、想像もつかない不愉快なものでした。

未知の世界にあこがれ、新しい自分の人生の一頁を充実させようと、毎日の不規則な生活の中に、いま一つの生甲斐を願って、その期待に胸をふくらませて参加した青年学級の開校式の日のことでした。

私は、予定された時間より、少し早めに会場である青年研修所へと出かけて行きました。

"もう何人ぐらいの人が来ているだろうか。私みたいに、学校を出たばかりの者がいるのだろうか。自分だけが遅れているのではないだろうか"

私の胸の中には、これらの不安が、自問自答となってわいてきました。しかし、私が抱いたこの期待やあこがれは、あまりにも幼稚なものであり、世間知らずであったということでした。

定刻の七時三十分になったというのに、出席者はわずかに三人でした。それから待つこと二時間。この間に、私の心の中からは、一枚一枚皮膜をはがしていくように、何ものかが消え去って行きました。

やがて、おくれて顔をのぞかせた人たちの、平然とした態度には驚かされました。

一体!こうした現実が、なぜ生まれ、平然と行なわれているのでしょうか。社会の常識とは、およそかけはなれた、時間に対する無責任さに、いきどおりさえ感じたのです。

ある人は、言いわけをいいました。

「家畜の飼料くれで……」また、ある人は言いました。「夕飯が遅くなって……」と。

こうした、言いわけに共通していることは、そのほとんどが、みんなで決めた会のことよりも、個人の理由が優先されるという、民主主義の原則のなにかもわきまえない非近代的な青年の姿でした。

農村の片隅で、同じ農村の未来を背負う仲間に、こうした非難をあびせなければならないことは、悲しいことです。

農村が今日の近代社会の複雑な動き、急激な変化の中で、ますます前進しなければならないことを考える時、あえて私は絶叫したいのです。

最近の農村は近代化されたとはいえ、みんなで決めたことを守る以前に、個人の理由が優先していることです。したがって現在の近代化は表面的なものであり、基本的な精神の近代化がなされていないのです。

私はこれまで、民主々義とは、"自分の不利益はけしてだまっていないこと。みんなできめたことは、最後まで頑張って実行していくことだ"と学んできました。

農村の形式的な進歩は、テレビ、自家用車をはじめとする消費物資の豊かさや、農業経営の機械化と、うらはらに、いつまでたっても近代化されない農村の姿こそ、この時間を守らないという現実の中に、典型的に表われていると言えるのです。

農村は今、非常に大きな転換期に来ています。近代化の荒波におしまくられています。この中で、本物の近代化を進めるために、みんなで決めた、みんなの貴重な時間を、みんなで守ることこそ、農民の心の近代化を推し進める第一歩ではないでしょうか。

さとのうた

幸福を買おう

七月の声をきくと、もう夏もたけなわである。風鈴の音にさわやかな微風を感じる。

路傍の金魚屋の前に立ちどまり、わが世を謳歌して泳ぎまわる金魚の美しい群をじっとみつめる季節である。九州で育った私には、地平線から湧きあがる入道雲の強烈にして雄大な景観を忘れることができない。夏の燃える太陽に映えたあの男性的な雲の英姿には感歎のほかないのである。昨年の八月四日に「太陽に酔へる時」と題して与謝野晶子の夏のうたを書いたが、まさに酔へる時である。青春のエネルギーをぶっつけることのできるのも夏が最高である。よき友を得、よき恋人を得、思い出の夏となることを祈る。

先日、日英親善国際公演の「オリバー」を帝国劇場に観にいった。オリバーツイストという孤児の少年を主人公にイギリス人の不屈の勇気と、一九世紀初期のビクトリア朝の優雅と悪徳、貧富の渦巻くロンドンの社会風俗を活写して、洛陽の紙価を高らしめたチャールズディッケンズの名作である。初演以来、七年六ヵ月の続演で三千回を越え、ロングランの最高記録を樹てているミュージカルである。日本でも五月五日から七月二十日までの長期公演で連日満員の盛況であるようだ。まだ日本では、ミュージカルが人口に膾炙されていないが、イギリスミュージカルの真摯さは、日本人の感覚にもマッチするのであろうか、好評のようである。

このなかで、オリバーが歌う「買ってくださいな」の歌詞がよかった。

買ってくれないかな この すばらしい朝をこんな空を 見たこともないでしょう 結んでくれないかな おひさまをリボンで そして箱にいれて ぼくにくれないかな そうすれば 心が晴れないことはない いつも それを、見ることができるよ ぼくの宝物にして死ぬまで大事にもっていよう 買ってくれないかな このすばらしい気持を 何だか うきうきして おどりたくなるような気がする すてきな この気持をなくしたくない どうすればいいかな いつまでも青空を持ちたいんだ 誰かきっと買ってくれるだろう

オリバーにかぎらず、幸福を買ってほしい。すばらしい朝、すみきった青空を買いたいものである。人生には必ず美しい明るい朝があけてくる。広々とひろがる希望の青空がある。みんなもっと夢をもって幸福を買おう。

話は変るが、米国から三人の草の根大使が今年もやってきた。プリンドル君（21歳）、ウィコート嬢（20歳）、エスターキャンプ君（20歳）。みんな諸君たちと同じ年代の青年である。彼等は全国各地を訪れるであろう。日本の青年の勤勉さやさしい友情にふれるだろう。彼等は日本を想像していた以上に素晴らしい国だといった。お世辞でなく、真実に。

彼等は日本語を少ししか知らない。しかし日本に来たからには、日本語で語る日本人の心の美しさを、人世の機微を知ってほしい。とかく、日本人は親切のあまり、下手な英語で語りかける。そうすることで自己満足する。しかし彼等には、彼等が日本語で話す位にしかわれわれの英語を理解しないのである。

日本語で「さあどうぞ」とお茶をだす農家のお母さんの真心が一番心がかよっていて、嬉しかったと今まで来日した人達は帰国の際語っていた。

彼等はカタコトで日本語を語ることでまた日本語の音韻で語られることで日本を知ってくれる。どうかそんな友情を深めていってほしい。なおスターあつかいにしないように願いたい。彼等も一農村の青少年であるのだから。

（龍）

共同プロ

新品種「春風」の採種

荒地を"緑田に"

[illegible]

写真（上）クラブ員の手によって荒地もみごとな緑田にかわっていく（下）実習田の作業もおわり一息するクラブ員。

私の発言

友情の精神を発揮 意見を聞き人を思う心

[illegible]

（栃木県足利市 オアシス4Hクラブ 小野[illegible]男）

山梨 峡西4H 新規就農者を激励 クラブ員の集い開催

峡西地区4Hクラブ連絡協議会（会長・市川勝三君）では、今年度中学、高校を卒業した、新規就農者たちを励ます会と、4Hクラブ員同士の交歓をはかるため、さる六月二十一日、中巨摩郡櫛形町の農業改良普及所櫛形支所二階で"4Hクラブ員の集い"を開催した。

現在、峡西地区4Hクラブ連絡協議会には、八つの4Hクラブ、八十人余のクラブ員がおり、それぞれ豊かな農村づくりと人間形成を目的として、技術研修や講習会などを通じて学習に励み、実践を通して近代農業の推進にとりくんでいる。

クラブ員は、ほとんど二十五歳未満の若い青年たちで、農協青年部や青年団とはちがった内容の独特な活動をつづけ、立派な人間形成と近代農業人としての人格を養うため日夜活動をつづけている。

この"4Hクラブ員の集い"は本年度新しく開催されたもので、卒業後、農業にとりくんでいる村の青年たちの友好を深め、農業にいきがいをもたせ、またこの青年たちを4Hクラブ員として、迎え入れようとするもの。

新規就農者たちは、この"集い"を機会に、4Hクラブ員として、村の農業振興に大きな貢献があるものと期待されている。

映画 父と娘の哀歓描く 花嫁の父

（日本ヘラルド映画）

一家の一人が結婚するということは、その家にとって大事件です。

妻と娘と二人の息子、という中流家庭で、まだ子供とばかり思っていた娘が結婚したい、と言い出してから、新婚旅行に出かけるまでの父親の心境と、一家の波紋を心暖まるタッチで描いた作品です。

◇ ◇ ◇

弁護士のスタンリー（スペンサー・トレイシー）は、娘のケイ（エリザベス・テイラー）の結婚披露パーティが終ったばかりの残骸の中でグッタリしていた。彼の頭の中にはあわただしかった三ヵ月が昨日のことのように思い浮んだ。

ちょうど三ヵ月前のある日―。例のごとく家族全員で食事をしているとき、突然二十才になったばかりの娘ケイがバックリー（ドン・テイラー）と結婚したいと言いだしたのだ。

スタンリーも妻のエリー（ジョーン・ベネット）もバックリーをまるで知らなかったが、エリーは賛成した。しかし、スタンリーは父親の常として、心配して夜も寝つかれなかった。

しばらくして、バックリーが一家を訪ずれた。エリーは、彼の様子を見て、一応安心したが、スタンリーは、まだ安心せず見せかけだけでは判らんと言い、エリーも心配して不眠症にかかってしまった。

スタンリーの心配も杞憂にすぎなかったことが、バックリーの両親に合って判った。ことにスタンリーは、父親と意気投合した。こうして、ケイの花婿の品定めは無事終ったが……。

父との限りない愛の思い出をウェディング・ドレスに秘め嫁いでゆく

スタンリーとケイは、結婚式を内輪にやろうと言ったが、エリーは、女が結婚衣裳を着るのは一生に一度だから、と主張した。スタンリーは、そんな贅沢なことをする必要はない、と反対したが、エリーは、自分たちの結婚式が貧弱だったからせめて娘の結婚式は立派にしてやりたい、と言い張った。

スタンリーの意志には関係なく結婚の準備は進み、エリーは毎日買物をして、家に品物を山ほどつみ、反対にスタンリーのふところは、寒くなって行った。

結婚式の予行演習も済み、式の当日になった。

スタンリーは、花嫁の父としての役割りを無事に果せるかどうか心配したが、それも終り、披露宴が始まった。

スタンリーは、ケイに一言、別れのあいさつを言いたかったが、大勢の人の前で、その機会を失なった。

ケイは新婚旅行に出かけた。披露宴が終り、誰れもいなくなった部屋で、スタンリーとエリーは黙って座っていた。

子供と思っていた娘に去られた淋しさと、別れの言葉も言えなかった悲しさで、スタンリーの心は重かった。そこへ、ケイから電話がかかってきた。ケイも別れのあいさつを言えなかったことを気にしていた。

スタンリーの心は晴れた。「やっぱり俺のケイだ」と彼は思った。

東南アジアを訪問して（八）

埼玉県入間郡富士見町 南畑・青年の船派遣団員 砂川みさ子

南の海で建国日祝う 掲がる日の丸に胸熱く

正装して君が代を齊唱

セイロン入港の二月十一日、建国記念日の朝、青年の船の団員は全員正装して、はるかな故国日本に向い甲板に整列する。インド洋で建国記念日をお祝いした。

大空に高く日の丸を掲げ、君が代を斉唱した。急に胸があつくなって日本がなつかしくなる。日本に生まれて、育ってよかったと。

この日の昼食は、赤飯に鯛の頭つきであったのはうれしかった。味をかみしめる間もなく、午後は例のごとくバス見学である。バスの行く所、行く所、まったく異った場所なのである。運転手の無責任さには、あきれてしまう。このため、日・セ合併会社などの見学予定地に一つとして満足に立ち寄れなかった。

夜は、日本大使館に招待され、セイロン料理をごちそうになり、屋外において美しく、すばらしいセイロン特有の"おどり"の披露にあずかった。

翌十二日は、かつて貿易港として栄えたことのあるゴール地方の見学である。途中の村でセイロンのおどりを見学。一日中バスにゆられる。

バス見学もよいが、交通規則のないのに驚いた。運転者は"ブレーキと動物"に気をつけろと、いうことだけらしい。ゴールに通じる道路ぞいには、どこまでも続くヤシ、パパイヤなどの熱帯樹林がおいしげり、その中にときおり民家が点在している。その家の大部分がヤシの葉ぶきの土の家である。ゴールの海岸で三十分の昼食、海が実に美しかった。

ものめずらしそうに、近くの可愛い子供たちが出て来た。そして、子供たちの言葉が"ギブ・ミー何々"であるのにはびっくりした。何から何まで、ほしがる子供たちに、どうしたら良いかとまどってしまった。

ヤシの葉かげで民族舞踊

非能率的な稲刈り方法

今日も、またバスにゆられて、"ジンハラ王朝"最後の首都"キャンディに向う。―セイロン茶の産地"キャンディ"。しかし、茶畑を見たのは、ほんのわずかである。古都キャンディで寺院を見学して帰路についた。紅茶工場と、象の水泳場、石に布をたたきつけて、川で洗濯している、人々などを真近かに見られた。

観光象には、一回一ルピー（約六十円）で乗せてくれた。

途中、農業者の団員の希望によって、バスを一時ストップさせ、稲刈りを見学した、団員の中には一緒に刈ってみた人もいた。この稲刈方法は、穂先の部分だけを刈り取るのであるが、能率的な方法でない。また働いている人は、もちろん作業着を着ているわけでもなく、上半身は裸である。

嬉しい日本びいきの店

夜の自由時間を利用して、買物に出る。日本びいきの商店の多いのにはうれしいが、あまりのひつこさに店をとび出したくなる。時間がおそくなるにつれて、フラフラと街をうろつく人が多くなる。けして、女性だけで街を歩けないように感じた。

セイロンの公式為替レートは、一ドルが五、八ルピーであるが、ヤミは、一ドルが十～十二ルピーと約倍につかえる国である。商品の価格にしても、他の国以上にマチマチであるのには驚いた。

おみやげ品は、黒檀の象や木彫りの民芸品、ヤシの実の加工品などが店先に並べられている。宝石類も数多く安いが、うっかりすると、にせものを買わされてしまう。

現地の人たちからは、お金よりも品物が喜ばれ、使いふるしたボールペンと小さい象の置物とを取りかえたのも思い出の一つである。

団員の中には、タバコ一本や使いふるした財布などをほしがられて、取りかえてしまった人もいた。

象の背にのって喜ぶ団員

牛車走るコロンボ市内

牛車の走るコロンボ市内。全然想像もしていなかった光景である。

けれどもこれが事実であり、私たちは、この目で見て来た。市内は所々牛の糞でよごれていた。時々立派な乗用車が、牛車を追い越して行く。どうも私たちは、この光景の理解に苦しんだ。

この国のほんとうの姿は、どこにあるのだろうか。イギリスのおさがりだという二階バスも多く走っていた。

道路で思い出したが、ゴール地方に行く途中、遮断機のついている線路を渡ったが、これは自動車用のものでなく、列車用のものであるという。不思議な話だが一日一本しか列車が通らないために考え出した、この国ならではのアイデアであり、日本とまったく逆なのは、おもしろい。

日本4H新聞
4Hクラブ
農事研究会
生活改善クラブ
全国弘報紙
発行所
社団法人 日本4H協会
東京都市ケ谷家の光会館内
電話（269）1675
編集発行人 玉井光
月3回・4の日発行
定価 1部 10円
6ヵ月180円（送料共）
一ヵ年360円 〃
振替口座東京 12055番

クラブの綱領

私達は実践を通じて自らを磨くとともに互いに力を合わせてよりよい農村、よりよい日本を創るため四つの信条をかかげます。1、私達は農業の改良と生活の改善に役立つ腕をみがきます。1、私達は科学的に物を考えることのできる頭の訓練をします。1、私達は誠実で友情に富む心をつちかいます。1、私達は楽しく暮らし、元気で働くための健康を増進します。

4H会館建設に"百万の援軍"

松下会長（日本4H協会）が資金面の協力約す

募金のテンポ早まる

いまこそ全国同志の奮起を

「みなさんが二千万円集めれば二千万円、一億円集めれば一億円、みなさんが集めた募金額と同額の金を私たちが集めよう」―日本4H協会の松下幸之助会長が、このほど日本4H会館建設の資金援助について全国4Hクラブ連絡協議会（会長、丸山勉君）に確約した。同会館建設を進めている全協にとっては百万の援軍をえたような力づけとなった。また、全協執行部が連帯責任で会館建設の活動資金を4H協会を通じて松下会長から借り受けるなど会館建設はいま新しい局面を展開し始めた。いまこそ全国クラブ員とOBが心を一つにして奮起し、募金活動に絶大な協力を示すことが望まれる。

日本4H協会の通常総会＝東京・港区の松下電器東京支店で

4H協会の総会に出席して会館建設について協力を訴える全協執行部＝（左から丸山会長、飯田、黒田両副会長、遠藤会館建設委事務局長、大鹿事務局長、久野事務局次長）

全協は、全国のクラブ員とOBの永年の宿願であったクラブ員の殿堂―4H会館建設の実現のため昨年度から意欲的に取り組み、いよいよ今年度募金開始に踏み切った。しかし新しい局面を迎えるに従い、その呼び水的役割を果す活動資金の不足や、国有地の払下げや、借用する場合法人格が必要であるが、その資格をもたないため、4H協会に協力を求める態度を固めていた。

そこで全協執行部は、さる五日午後一時から東京・港区芝の松下電器東京支店七階会議室で開かれた4H協会の通常総会にかけつけ協力を訴えた。

丸山会長らが、さる三十八年和歌山県の高野山で開かれた全国4Hクラブ員大会で4H会館の建設が決議され、その後同会館建設委員会を設置して準備を進めてきた今日までの経過や、今年度決意を新たに、自分たちの実力に相応した規模と構想のもとに募金活動に踏み切った事情、また募金目標と具体的な募金方法など推進計画について説明、国有地の払下げ問題について協力を熱望した。

一方、4H協会でも総会において会館建設について発言があったが、同問題に関する話し合いを中断して議事終了後に全協執行部の説明を聞くという熱の入れ方で、ムードが盛り上がっていただけに全協執行部の訴えに対し「わが国にクラブが発足した当初は全国で三万クラブ、百二十万人の会員といわれた。この二十[illegible]

[illegible]の構成メンバーは変えない方がよい。実行委員会の人たちが堅く決意し、PRしながら足を運んで募金をお願いすれば出来ないことはない。みなさんが二千万円集めれば二千万円、一億円集めれば一億円、集まった募金と同額のお金を協会の資金を使わずに集めよう。こう約束してもよいと思う」

「この会館建設は、みなさんにとって一つの大きな試金石でもある。実行して完成させることによって将来、大きな力となる。事業をやるときでも、また農村の振興を図る場合でも、あのときは出来た、こんどもまた出来ると、目に見えない力がつくと思う。あまり大きな野心をもってもらっては困るが、経験や自信が次の大きな仕事をなし遂げる力となる。いま、みんなに一つの懸案ができたわけで、それを成し遂げられるかどうか努力してほしい。われわれも募金と同額の金を求めなければならず大変だ。みんなも会館が建設するまでやめないでと言明してほしい」と熱望され、大いに激励された。

また、全協執行部は、実印を示しながら会館建設の活動資金として五十万円の借用を懇願、これに対し松下会長も「実印まで持ってこられたのでは仕方がない」と快く承諾された。

同席では、このほか4Hクラブ活動、プロジェクト活動などについても全協執行部と松下会長らの間で意見がかわされ、会館をより生かすためにクラブ活動の実践理念を生み出すように協力することを申し合わせた。

こうして、今まで予定されながら実行されなかった活動資金の借用が行なわれ、また協会に対する漠然とした期待が松下会長の発言によって確実に裏付けされたわけで、4H会館の建設はいよいよ新しい局面を迎えることになった。

この百万の援軍をえたような力強い松下発言。いまこそ建設委員会の約百五十名という構成メンバーの人たちはもちろん、全国のクラブ員とOB、それに関係者が起ち上り、心を一つにして総力を結集することが熱望される。

17日から夏季大会開く

富山県連

【富山】富山県4Hクラブ連絡協議会（会長、法邑伸一君）は、県と共催で来る十七、十八の両日西砺波郡福光町の医王山を会場として第七回県農村青少年技術交換大会（県農村教育青年会議夏季大会）を開く。

実績発表大会を開く

日本4H協会で通常総会　全役員が留任

社団法人日本4H協会（松下幸之助会長）の理事会と通常総会の合同会議は、さる五日午後一時から東京・港区芝の松下電器東京支店七階会議室で開かれ、松下会長はじめ全役員が再選されたほか、来春、全協と共催でプロジェクト実績発表全国大会を開くなど新年度事業計画が決定された。

同日は、松下会長のあいさつのあと新田事務局長（常務理事）が会議の成立を宣言、続いて第一号議案「昭和四十二年度の事業報告と決算報告承認に関する件」を上提、資料に基づく同事務局長の説明について監事を代表して藤巻監事から監査報告があり、これを万場一致で承認した。

続いて第二号議案「四十三年度の事業計画と予算決定に関する件」について同事務局長の説明のあと審議し、原案通り可決した。とくに、今年度独自に開催することに踏み切ったプロジェクト実績発表全国大会や、今秋十月七日から奈良市で開く全協と共催の「第四回全国4Hクラブ員のつどい」などについて意見が出され『自分でやるという熱意が大切であり、このように自主的な研修の場をもつことが本当の姿である。さらに年々盛んになっていくように努力すべきである』と強調された。また協会役員もできるだけこのようなクラブ員の会合に出席して、激励するように努めるべきであるとの積極的な発言があった。

また、松下会長から、とくに4Hクラブ活動について発言を求められた一般会員の梅田満雄元全協会長（富山）が篤志指導者の精神面についての研修会開催を強調するなど活発に意見がかわされた。

このほか第三号議案の役員改選を行ない、松下会長はじめ全役員の留任を決定し、議事録署名人を選んで一たん終了。このあと、4H会館建設の活動資金を借り受けるためにわざわざかけつけた全協役員と会館建設問題やクラブ活動について話し合った。

4H協会では、昨年、定款を変更してこれまでのスポンサー的性格から脱皮し、推進事業団体として4Hクラブ活動の普及啓蒙を積極的に進めていく体制を整え、活動対象を拡大、また会員構成を抜本的に改正して協会自体の強化と4H活動の普及発展に乗り出したが、今年は、その第二年度を迎えてさらに意欲的に進められるものと期待される。なお、昨年度から毎月一回以上常務理事会を開いて事務の円滑化を図り、事業展開に効果をあげている。

4H協会が独自にあるいは全協と共催で四十三年度に計画している主な事業計画は次のとおり。

▽会議の開催▽第四回全国4Hクラブ員の集いの開催▽全国4Hクラブ実績発表大会（4Hクラブプロジェクト発表全国大会）の開催▽第十一回全国4Hクラブ中央推進会議の開催▽ブロック別4Hクラブ推進会議の開催▽国際農村青少年交換事業の実施▽日本4H新聞の発行▽印刷物の作成配布▽表彰の実施▽関係機関への資金援助▽関係機関への協力―など。

新役員は次のとおり。

▽会長 松下幸之助（松下電器産業株式会社会長）▽副会長 宮城孝治（共栄火災海上保険相互会社会長）▽常務理事 窪田角一（全国農村青少年教育振興会常務理事）三宅三郎（[illegible]ガス化学工業株式会社専務取締役）新田健吉（社団法人日本4・H協会事務局長）

▽理事 伊藤末吉（伊藤建設株式会社社長）岩佐凱実（株式会社富士銀行取締役頭取）江崎利一（江崎グリコ株式会社社長）奥原潔（社団法人家の光協会副会長）笠村一雄（久保田鉄工株式会社常務取締役）小林寅次郎（ライオン油脂株式会社社長）鈴木万平（三共株式会社社長）塚田一甫（財団法人富民協会理事長）土岐定一（全国販売農業協同組合連合会常務理事）徳安健太郎（日本てん菜振興会理事長）土井正治（住友化学工業株式会社会長）大山勇（日本放送協会経営部長）真板武夫（全国購買農業協同組合連合会常務理事）町田辰次郎（財団法人新生活運動協会常任理事）安井三郎（農林中央金庫理事）柳田久（全国農業協同組合中央会常務理事）山中義教（全国共済農業協同組合連合会常務理事）吉田宏（インターナショナル・ミネラルズ・アンド・ケミカルコーポレイション日本代表）渡瀬正信（三菱重工業株式会社機器部長）

▽監事 松野幸吉（松下電器産業株式会社常務取締役）小林繁次郎（農林漁業団体職員共済組合理事長）藤巻吉生（横浜精糖株式会社常任監査役）

来月四日に常任委

4H会館建設委

つどい「4Hの木」に常緑樹を

全協は、さる四、五の両日、東京・新宿区市ヶ谷船河原町の家の光会館内全協事務局で今年度第二回目の執行部会を開き、奈良県4Hクラブ連絡協議会（会長、山田高作君）日本4H協会と共催で今秋十月七日から十日までの四日間奈良市で開催する「第四回全国4Hクラブ員のつどい」はじめブロック4Hクラブ推進会議、第十一回全国4Hクラブ中央推進会議、4Hクラブの手引き、野帳（プロジェクトレコードブック）の作成、青年の船、懸案の日本4H会館建設など今年度の主な事業計画の具体化について話し合った。

まず、つどいについては「4Hの木」として、あすなろ、椎、いちょう、つがなど常緑樹の中から選ぶことになった。

全協では、明治百年と4Hクラブ発足二十周年を記念して古墳が発掘された奈良市の平城宮址に植樹する計画をたてた。その植樹する木として各県の「県木」を植えていたが、さきに愛知県豊橋市の青年の家で開かれた評議員会で、県木の中には定着しないものもあり運搬にも問題があるので「4Hの木」を制定して、今後、つどいのたびに記念植樹するようにしてはどうかとの提案があり、地元の奈良県連を中心に検討しているもの。

また、毎回クラブ員から好評をよんでいる現地交歓訪問については奈良県連のほかに京都、大阪両府連が協力し、クラブ員を受け入れることを再確認した。

次に、ブロック4Hクラブ推進会議については、北海道、青森（東北ブロック）茨城（関東）石川（北陸）三重（東海）兵庫（近畿）徳島（中・四国）宮崎（九州）各道府県連が中心となって[illegible]月からそれぞれ開催することを確認した。また4H会館建設については活動資金（しおり、設[illegible]領収証、門標、バッチ作成費[illegible]の費用、活動資金の一部とする[illegible]の野菜、果実の即売などについて話し合ったほか、募金帳の[illegible]を決定、さらに八月四日に4H会館建設委員会の常任委員会を新宿区の全協事務局で開くことを決めた。次回の執行部会は[illegible]設常任委員会の翌日（八月[illegible]）開く。なお執行部会には4H協会の総会にかけつけた[illegible]長、飯田、黒田両副会長、大鹿事務局長、久野間次長、会館建設[illegible]の遠藤事務局長のほかに沼田副会長（茨城）小原忠孝事務局長が出席した。

京風暖風

計画と安全

[illegible]ーに裏付けされた計画的な行動こそ、能率向上に役立つものである。大平洋戦争で起死回生の神風はついに吹かなかった、柔道日本の神話は、ヘーシングの体力オールラウンドトレーニングで、ついに塗り替えねばならなくなった。

自衛隊の事故では、降雨の場合どうする、水深は踏査時と同じであるか、池底の状態からみて何人も踏み込んだあとどういう状態になるか、万一溺れたときの救命方法はどうか……など、渡河にあたっての万全の構えが十分だとはいえなかった。校庭の池という、馴れた場所であったことが不幸を倍加した。

折しも、夏のキャンプシーズン。富士登山に若さを爆発させたり、各県の技術交換がいまたけなわである。主催者は安全管理、人命尊重を第一義として、周到な計画と慎重な実施を臨みたい。命は金で買えないのだから。

（大阪・川端）

心頭技健

さる三十八年、和歌山県の高野山で開かれた4Hクラブ員の全国大会で4H会館の建設が発議されてから、クラブ員がどこまで力を出すことが出来るかその動向を見守ってきた日本4H協会の松下会長は、全協執行部の熱意に応えて、クラブ員の募金と同額の建設資金を出すことを約束した。まさに、クラブ員にとっては百万の援軍を得たと同じだ▼さる六月十四日号のこの欄で、全協の評議員会で行なわれた募金について「みどりーチャリン、うるわしーチャリン、わが大地ーチャリン…」と、4Hクラブの歌をうたいながら次々に募金箱をまわしお金を入れた様子を紹介したが、こんどは、クラブ員が鳴らす「チャリン」という音にこだまするように、もう一方で同じせん律で「チャリン」という音がするわけである▼しかし、松下会長は、あくまでも青年の自主独立の精神を強調する。厳しい経済界の中を力強く生きぬいてきた人生の教訓からかも知れないが自分たちのことは自分たちでやることによって、次の段階へ飛躍する目に見えない力がつくというのである。会館建設というものを広い視野と高い次元からみている▼会館建設に対する援助に当たっても「一つの目的を達成するために努力することによって、目にみえない力がつく。それがやがて、自分たちが、また農村の振興を図る場合に、あのときは出来た、また努力すればやれないことはないという自信がつく」という。よく"若いときには苦労は買ってもやれ"といわれるが、そこに計り知れない貴重な体験が積み重なるからであろう▼全協は、援軍をえて宿願達成のために今後さらに努力するだろうが、全国のクラブ員、OBのみなさんもそれに応えてほしい。誰れのためでもない。自分たちの研修所、殿堂建設のためなのだから。募金に絶大な協力を……。

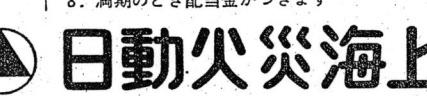

派台4Hクラブ員二人 佐藤君ら元気に帰国

各地で温かい歓待 無事に果した親善の大役

[illegible]

水牛にスキをひかせて畠を耕す台湾の農民＝兼子さん撮影

佐藤君

兼子さん

登山など楽しく

宮城・石巻地区連 "クラブ員の集い"開く

[illegible]

"ニューカルチャー"の意味から中[illegible]はずれがちになったこともあるが、今年度新たに内容の充実を図って再スタートを切った。"クラブ員の、クラブ員による、クラブ員のためのニューカルチャー"が合言葉である。

経営簿記の講習会開く

愛知・渥美4H連

[illegible]

来る19日から「牛乳週間」

[illegible]

林省、厚生省、畜産振興事業団、乳業界においても、畜産行政上、また国民栄養上の観点から全面的に賛意を示し"もう一本ミルクを飲もうよ"をスローガンに、飲用牛乳についてのキャンペーンを開始する。

このキャンペーンは、❶飲用牛乳全体の消費拡大、❷牛乳の本質、価値および衛生についての正しい認識の普及向上、❸牛乳器洗浄剤についての消費者に対する協力、❹牛乳に関する公正競走規約の周知徹底など四つを目的にしたキャンペーンとなる。

厚生省、農林省、乳業界では、このキャンペーンを実施するにあたり、七月十九日から二十五日までの一週間を"牛乳週間"とし、十九日には、東京・武道館、二十四日には大阪・厚生年金会館に、母と子を集め、厚生大臣、農林大臣出席のもとに"牛乳の集い"を開催するほか、"牛乳の歌""牛乳体操"などの創作発表を行なう。

農村青少年の就農促進にテコ

"むらぐるみ"で育成

農林省が五ヵ年計画で実施へ

農林省は来年度から五カ年計画で「新経営者むらぐるみ育成事業」を実施する計画をたて、予算を要求することになった。これは、農村青少年の地すべり的な都会への流出にブレーキをかけ、市町村あげて有能な青少年を農村にとどめて近代的農業経営者として育成しようというもので、むらぐるみ新経営者の集い、就農青少年との交歓会、先進地の視察学習、農村青少年手帳の交付などの事業を実施することになっている。これによって市町村の中に農村青少年の確保育成の機運が盛り上り、有能な若い経営者が続出するものと期待されている。

このところ高卒者の就農家がわずかながら高まっているとはいえ若手労働力の補充が低く、社会的な問題ともなっている。このため、最近、市町村あげて農村青少年の確保育成に力を入れているところがふえてきているが、全国的にみて、財政的にも、また組織的にも指導体制の面で弱い地域が多い。このため四十四年度から毎年全国の中から二百の市町村を選んで、五年がかりで一千市町村を対象に"むらぐるみ"の育成事業を進める計画である。

予算は、国と市町村が半額ずつ負担する予定。

各事業の主な内容次のとおり。

「むらぐるみ新経営者の集い」は、新規学卒者とその父兄、市町村、農業団体、農改普及所、学校などの関係者が集まり、国や郷土または自分の家の農業の将来について説明するとともに話し合いを行ない、青少年に農業への関心をおこさせようというもので、年間二回の開催を予定している。

「就農青少年交歓会」は、新規学卒就農者とクラブ活動をしている農業青少年との交歓会を開いてクラブ活動や郷土について話し合い、またレクリエーションなどを通じて就農意識を盛り上げようというもの。年間、三回開催の予定。

「先進地の視察学習」は、農業後継者育成資金などを借りて優秀な経営を進めている先進や、近代的経営を行なっている農家、また協業体などを合同視察し、農業への自信を強め経営改善の意欲の向上を図るようにするもの。年に二回開く予定。

「農村青少年手帳」は、就農青少年として市町村に登録された人に交付するもの。

手帳には、自分が計画的に、しかも系統的に各種の学習や研修を受けたことや、クラブ活動で自主的に学んだことがらを記録するようにするという。

なお、農林省では後継者育成資金などの制度資金の貸付けについて、この手帳の活動記録を重視して優先的に貸付けを行なうなどの特典を与えたい考えである。

仙台の"七夕祭"へ

8月6日から3日間花やかに

豪華競う仙台の七夕祭

夏祭りとして全市民あげて花やかにくりひろげられます。

陰暦七月七日の夜の七夕祭は、本来、諸行事の序曲でありましたが、いつしか仙台では、飾り物や手のこんだ紙細工を結びつけた笹竹が町家の軒先きに飾られるようになりました。これが、やがて七夕祭として独立するようになり年ごとに盛んになり、その後仙台商工会議所が中心となって行なうようになってからは全国的に知られるようになりました。最近では国内はもちろん外国からの観光客まで訪ずれ、三日間は見物人で繁華街は身動きができないほどの人の波で埋められます。

どうぞ全国のクラブ員のみなさんも、八月にはこの"みちのく"へ旅され、仙台の七夕祭を見学されることをお勧めいたします。（宮城県連絡報道員、庄司健治）

香川県連で技術交換大会開く

17・18日、大川郡大窪寺で

【香川】県と県農村青少年クラブ連絡協議会（会長、森田一紀君）共催の第八回県農村青少年技術交換大会は、来る十七、十八の両日大川郡長尾町多和の大窪寺で開催される。同日は県内のクラブ員約百二十名の参加が予定されている。

群馬、栃木、千葉各県合同で

24日から栃木で技術交換大会開く

群馬、栃木、千葉各県合同の農[illegible]

"近畿の同志"集う

"ぎおん(京都)"で技術交換

14日から3日間

近畿農村青少年クラブ連絡協議会（会長、村田警昭君・京都）は全国農村青少年教育振興会の協力をえて、今日十四日から十六日までの三日間、京都市の京都府農協会館、府立大学と植物園、府教育文化センター、聖護院御殿荘などを会場として「第五回近畿地方農村青少年のつどい」を開催する。

このつどいは、日ごろ農業と生活の改良について研究、実践している近畿地方各府県の農村青少年が一堂に集まり、青少年が身につけている技術の相互交流や意見の交換によって地域課題を積極的に解決する自信と誇りをつちかうとともに、仲間づくりを行なおうというもの。

参加者は、近畿地方の農業青少年約四百名を予定。主な行事は、体験と意見の発表会、技術交換会、体力づくりを中心とするレクリエーション、講演、農業クイズ、日本三大まつりの一つ"ぎおんばやし"の見学など。参加経費は一人二千五百円。

日程は次のとおり。

▽一日目＝午後一時半から農協会館でオリエンテーションのあと二時半から開会式、三時半から五時まで発表会、バスで移動し御殿荘で夕食、七時から錦林小学校でキャンドルサービスをくりひろげる。

▽二日目＝朝六時に起床、朝のつどい、朝食のあとバスで移動し午前九時から京都府立大学で技術交換会。午後は府大グランドの植物園で体力づくりとレクリエーション、夜はぎおんばやし（京都市内四条通り）を見学する。

▽三日目＝前日と同じく朝のつどいのあと午前九時から教育文化センターで講演に続いて農業クイズ、抽せん会。午後、閉会式を最後に幕を閉じる。

なお、後援は近畿農政局、京都府、滋賀県、大阪府、兵庫、奈良、和歌山各県、日本4H協会、全国4Hクラブ連絡協議会。

海外で農業の研修を

国際農友会 派遣実習青年を募集

社団法人国際農友会は、毎年、農業実習生を米国はじめ欧州、カナダなどに派遣しているが、今年度も米国に百五十名、欧州、カナダに二十三名前後、ニュージランドに五名を派遣することになり、いま派遣実習の希望者を募集している。

この米国派遣は、農業青年に海外農業先進国の農業実習と研修を通じて近代的農業を体得させ、帰国後、農業近代化の推進力となることができる人材を養成確保することをねらいとするもの。

米国派遣は今年で十八回目で、派遣先はカルフォルニア、オレゴン、ワシントン、アリゾナ、アイオワ、カンサス各州など。派遣は来年の二、三月から約一年間で、米国派遣の実施要領は次の通り。

一、農業実習生の資格

(1) 専業的農家の経営主またはその後継者と農業生産法人の構成員で、現在農業に従事し、将来も継続して農業に従事することが見込まれる人。とくに農業近代化の実践推進活動に大きな期待をかけられている中核的指導的農業者（現在、地方公共団体や農業協同組合などで直接農業者の指導を主任務とする人で帰国後もこの事業の目的や趣旨にそって直接農業者を指導することが予定されている農業技術者も含む）

(2) 年令は選考のとき、農業者は満十九歳以上、三十五歳未満。農業技術者は満二十三歳以上、三十歳未満の男子。

(3) 高等学校卒業程度かこれと同等以上の学力があり、とくに語学（英語）の素養ある人。

(4) 疾病や身体障害のない強健な人で、激しい継続的農業労働に耐えることができる体力と精神力をもつ人。とくに農業技術者では、農業労働の体験をもち、充分な体力がある人。

(5) 外国への移住申請をしていない人。

一、推せん

都道府県や国際農友会長が認めた推せん団体の長は派遣適格者を厳選し、国際農友会長に推せんする。推せんに当っては、次の推せん書類を国際農友会に提出するものとする。

(1) ❶推せん書類表紙❷推せん状❸分担金についての確約書❹志願書❺農業実習生カード❻健康診断書、体力検定書、胸部レントゲン写真（四切版以上）❼戸籍抄本❽写真（3×4㌢、無帽、上半身、正面）五葉。写真のうち二葉は農業実習生カードに貼付する。農業実習生カードは二通で、そのほかはいずれも各一通。

一、選考と派遣者の決定

選考は国際農友会に設ける選考委員会で行ない、その結果に基づいて国際農友会長が決定する。

(1) 選考 必要に応じて身体検査、体力測定、心理検査、筆記試験、面接選考を行なう❶選考日 来る九月三日から五日まで（三日間）❷受験者集合日と場所 九月三日午前九時三十分まで、東京・渋谷区代々木のオリンピック記念青少年総合センターへ。

一、講習 選考合格者に対して次の講習を行なう。

(1) 基本講習❶講習期間 九月六日から二十一日までの十六日間❷講習会場 オリンピック記念青少年総合センター

一、派遣 農業実習生は、国際農友会員として派遣される。

一、派遣先国での実習と研修。

農業実習生は、国際農友会と米国国際農友会のとの取きめに基づいて選定された農家に配属され、その農家の農作業に従事し現地農業を体験するが、実習農家の選定に当っては、前もって実習希望業種を米国国際農友会に連絡し、適当な農家を選ぶ。

派米農業研修生を募集

米国で2年間生活

農業研修生派米協会

社団法人農業研修生派米協会（堀内謙介会長）は、四十三年度に米国に派遣する農業研修生を募集することになり、来る九月十日まで希望者の申し込みを受付けている。

この農業研修生の米国派遣は、日米両国政府の援助のもとに、農村青年を米国に派遣し、二ヵ年間にわたる学習研修と農作業実習を通じて優れた経営能力と国際的視野を身につけさせるとともに、日米両国民相互の友好に役立たせようというもので、4Hクラブ員の参加が期待されている。米国の受入れ団体は米国4Hクラブ財団。

主な応募規定は次のとおり。

▽派遣期間＝二ヵ年間

▽派遣人員＝毎年二百名

▽募集期間＝毎年六月上旬から九月中旬までとし、応募者はこの期間に各都道府県庁の主管課、または海外移住事業団事務所、帰国青年組織に問い合わせて相談して下さい。

▽応募手続き＝応募の申込みは、各都道府県庁の主管課へ。提出する書類は、申込書、健康診断書と戸籍抄本。申込用紙は、各都道府県主管課に用意してあります。健康診断は、診断書に記載してある各科のある官公立病院で受けて下さい。そのときX線所見に使用した大型版レントゲンフィルムを診断書に添付して下さい。

なお詳細は同協会へ問い合わせて下さい。

4Hくん No.127　桜井はじめ

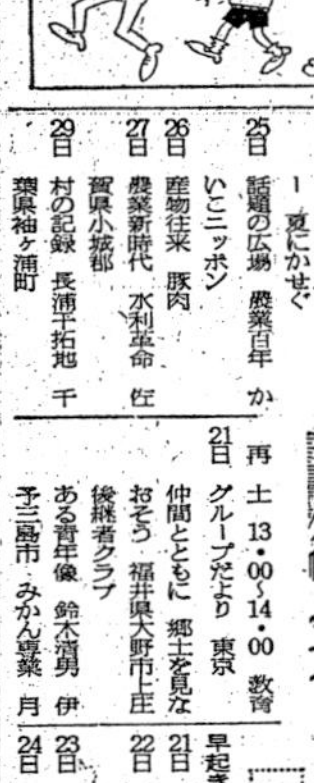

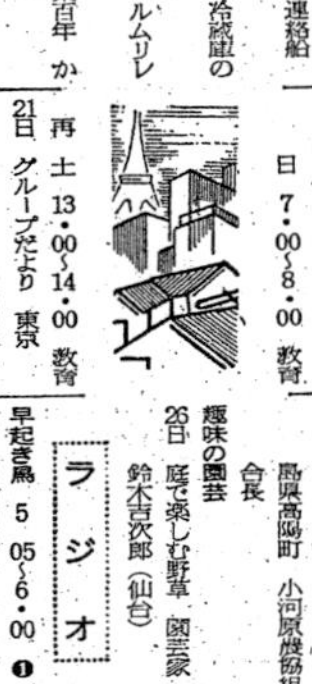
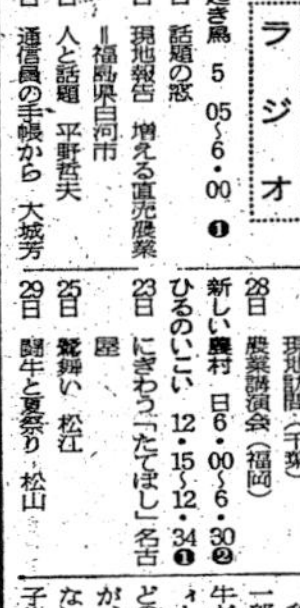

わが家の生活改善

最近、農家生活も近代化され、一部の農家では都会のサラリーマン家庭よりもモダンな生活をするようになった。明るい室内、清潔な台所、完備した電化製品、そして近代化は人間関係にも及び、家庭内の民主化も行なわれてきている。嫁の姑いびりということも耳にするようになったが、これは少し行き過ぎというもの。ともかく、地域や家庭による差異はあっても日本の農家生活が都会のそれに近づきつつあることは確かである。この近代化を可能にしたのは、一つは農家収入の向上という経済的な支えであり、もう一つは4Hクラブや生活改善クラブの活動を通しての実践であったと考えられる。とくに衣食住の問題は、これらに強い関心をもつ女子クラブ員の努力によって改善されてきた。

戦後、農業改良普及事業の一環として生れたこれらのクラブは、地区普及所の指導のもとに着実に活動をつづけ、農村から旧弊を取り除き、農村を都会に負けない立派なものにしてきた。ここに紹介した谷さんと菅原さんは、ともに生活改善クラブ員として、若い主婦の立場からわが家の台所の改善や共同炊事などに取り組んだのである。

菅原さんは、主婦労働の軽減策の一つとして、共同炊事をクラブ員に呼びかけて実施し、予想以上の成果を収めることができた。[illegible]

家族で労働を分担
台所も明るく能率的に

栃木県佐野市大古屋町　谷　和子

明るく楽しい家庭生活を営むために、私たちは今日の疲れを明日に持ち越さないようにするようクラブ活動を通じていろいろ研究を重ねてきた。

私たちの部落は、水田を主体とした経営で、一戸平均耕地面積一六〇アールと当地方では大きい方である。

まず、最初に取り上げた課題は作業能率を上げ、しかも楽しく働くことのできるように働き易い改良作業衣の改善であった。

従来の着物式の作業衣からスマートな洋服式に切り替え、共同縫製によってクラブ員全員が着用した。

また、梅雨期の田植え作業時の冷えと過労からいろいろの病気が起こる。その冷えを防ぐために作業衣に防水加工を行ない、小雨の中でも濡れずに作業ができるようにした。

それから、私たちの部落では、水田地帯であるので年間使用する燃料を購入しなければならない。その燃料の節約と風呂たてをする家事時間を軽減するために、太陽熱温水器を設置し、毎日入浴をする習慣をつけた。これで衛生観念を深めるとともに、疲労の快復に大いに役立った。

つぎに、農繁期は、つい忙しさに追われ、子どもが放りっぱなしにされがちであるが、病気や危険から子どもを守るために農繁期の保育所を部落の公民館に開設し、非農家の主婦が保母に当るなど、安心して農作業に従事できるようにした。また、農繁期には労働に追われ栄養のことなど忘れがちになるので、保存食を作っておき、疲れて帰っても、おかずの心配をしないですむような工夫もしてきた。

また、疲労快復には十分な睡眠をとることが何よりも大切であると、布団干し、ワラマットレスの利用、改良ねまきの着用など気持ちよく眠るための寝具の改善を行なってきた。

農作業については、省力のための機械化が進められて、従来よりも質的に労働が軽減されてきたが、その反面、生活水準の向上にともない、より所得を増大するため農業の営み方も従来の米麦作業中心の農業から、現在では稲作プラスイチゴ栽培が導入され、年間を通じて労働時間が増加してきた。

イチゴ収穫時の生活時間の調査の結果をみると、労働時間一二～一四時間、睡眠五～六時間、子どもと接する時間二〇分、教養・娯楽三〇分、社会活動時間はほとんどなく、身体を休める暇もない生活となってきた。したがって、よほどの努力をしなければ、家族の健康保持や育児教育などの主婦の重要な役割が十分に果せなくなってきた。

このことは、主婦の労働時間の軽減の問題だけでなく、家族の共通の問題として、労働時間を家族間に適正に配分し、家事労働の能率化、共同化、農業経営の合理化、共同化などを真剣に考えて話し合いにより研究工夫をしてきた。

まず最初に、家事労働を能率化するために、台所の改善を行なった。

古い草ぶきの屋根の大きな家であるため、台所が広く、しかも暗いので、農作業で疲れて帰ってきてからの炊事はつらく、つい簡単な食生活になりがちでしたが、図のように改善することによって、動線の短縮と時間が節約された。

また、子どもを中心に家族で話し合いを持ち、家族分担表をつくり、決めた時間に起きて実行するようになった。また、献立の研究にまで目を向けるようになり、栄養のバランスのとれた献立表を作成し、食品の共同購入なども行なってきた。田植時には給食センターを利用して、おかずを届けてもらうなど、生活の共同化も進めてきた。

つぎに、農作業を省力化するために、生改クラブの話題を夫たちの農研クラブにも働きかけ、農機センターの児童などにも出かけ、四～五人が一組になって大型トラクター、麦播き機、乾燥機などの導入をはかるとともに、田植えの共同作業、除草剤の使用、計画により仕事の組み合せをして、無理のない働き方などについて工夫してきた。

これらのことから、改善の効果として、家族の中で生活を大事にするようになり、楽しい生活を営むために労働をするのだという考え方に変ってきた。

また、生活の合理化、共同化、農作業省力化をはかることにより主婦の労働の軽減に役立ち、充分な睡眠と子どもに接する時間、教養、娯楽の時間も生み出すことができると同時に、生活が科学的になってきた。

今後の問題としては、冬期間のイチゴ栽培管理作業が、無理な姿勢で、しかも無理な労働を必要とするので腰が痛いなどと冷えからくる病気をうったえるクラブ員もでているので、寒さに備えての作業衣の工夫や、楽しく仕事ができるようハウス栽培に切りかえる。

また、イチゴの収穫と田植作業が重ならないように、水稲の早期栽培を進めるが、イチゴの収穫時期を早くするためにイチゴの株冷蔵による前進栽培の導入によって無理な作業にならないように努力して、楽しく働らき、明るい家庭生活が営まれるようにしていきたいと考えている。

台所改善の略図

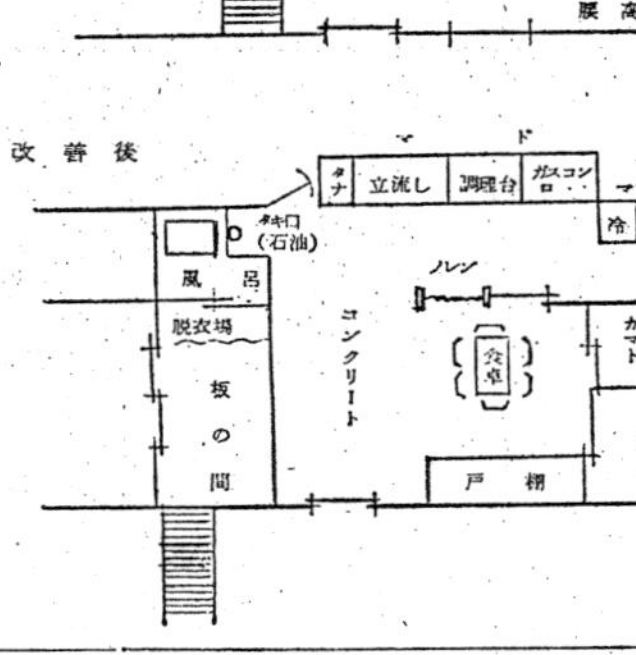

成果あげた共同炊事
生活時間に大きなゆとり

秋田県仙北郡 若葉会生活改善グループ　菅原　セツ

私たちの部落は、秋田県の南部に位置し、秋田県から岩手県に通じる国道46号線が部落の中心を走っております。

山間地でしかも未整理田のため人手が多くかかるほか、酪農をやっているので、主婦の労働は非常に苦しいところです。

そのため、農作業では水稲の集団栽培を実施しており、田植え、病害虫の防除など共同で作業しています。

生活改善グループ活動も六年前からやっており、町に遠いために買物にかける時間が非常に多いことなどから、部落ぐるみの共同購入などを実施し、成果をあげています。

そのほか、主婦労働をいくらかでも軽くするための働き方の工夫や仕事の分担などいろいろ学習してきましたが、実質的に主婦労働を楽にすることはむずかしいことでした。

ところが、この春、角館農業改良普及所を中心とした生活改善グループ連絡協議会に参加して、他のグループの活動事例がいろいろ話し合われた中で、自分たちの一番の悩みであった主婦労働の軽減の解決方法の一つとして、共同炊事を実施しているということを聞きました。

近くの村で行なわれた事例でしたので、非常に関心があり、これなら自分たちもできるのではないかと思い、部落に帰ってから、グループ員や主人たちとも話し合いました。その結果、非常に良いことだから大いに実行した方が良いと話がまとまりました。

それで、さっそく普及所の方へ連絡して、共同炊事について具体的に話し合うためにみんなに呼びかけましたが、やはり経済的なことがどの家でも問題になるらしく、賛成者は十人しかいませんでした。しかし、人数は少なくても十戸ぐらいまとまればどうにかやれるだろうということで、十人で始めることにしました。

そして、期間、場所、経費などいろいろ話し合っているうちに、一つの壁にぶつかったのです。

それは、私たちの部落には共同で利用できる場所が一つもなかったのです。どうしようかと迷ってしまいました。そのとき、グループ員の一人が「私の家の作業場は、作ったばかりでまだ利用していないから、作業場でもよかったら使ってください」といってくれました。

ところが、水もなければ、流しもカマドもないのです。作業場を借りることにし、男の人たちに相談したところ、男の人々も協力して施設を作ってもよいということで、心配しなくてもよいといってくれました。

それから毎晩、男の人たちは代かきを終えて疲れた体を休むひまもなく、トタンを買ってきては、流し、調理台を作り、カマドは使い古したブロックと土を合わせて作ってくれました。そのほかに、戸棚、机、椅子などは公民館から借り、調理器具は各家から持ち寄りました。

いよいよ共同炊事を始める期日がせまってきたので、参加者を確認したところ、十八戸の希望者がありました。

実施内容は、昼はおかず二品、晩はご飯、汁、おかず二品、午前と午後のおやつも共同でやりました。

共同作業にあわせての炊事なので、田植えをしている人の話は、毎日のおかずの話で花がさきました。給食数は、昼は六〇食、晩が八〇食、おやつは一〇七食でした。一週間の共同炊事の期間はたちまちのうちに過ぎました。

その結果、生活時間は別表の通りでした。

作業能率では、予定より一・五日早く終り、一列から二人余りました。健康状態では、体重は田植前より一・二キロ増し、田植後はいままできまって医者通いをしていた人が非常に多かったのですが、ことしは一人もいなかったのです。

そのほか、食事については、自分の家で作っていたときはいつも余分に作っていたのが、無駄もなくなり、新鮮なものが食べられました。また家族の好き嫌いをなくすることができたし、自分の家にある野菜も有効に利用できたことなど、いろいろな効果がありました。

しかし、共同炊事の結果は、すべて満足だとはいえませんでした。残された問題として、いくつかあげられます。

まず、施設のないことが、グループにとって一番の悩みです。ことしは、作業場を借りることができたのですが、来年の見通しはありません。

また、期間は田植の期間だけでなく、代かきのときから必要ではないでしょうか。それに自家生産物(野菜)の作付も計画的に行ない、経費をできるだけかけないようにしたいと考えています。越冬野菜は秋のうちにまとめ買いをして貯蔵しております。

施設の問題については、県で生活近代化パイロット事業が推し進められるとのことで、できれば部落の集会所をかねた共同炊事を設け、グループ活動の発展のためにも具体的な話し合いを行なっています。

こうした私たちの活動が、楽しいわが家をつくり、農家生活の近代化の一つの推進力になっていくものと思います。

生活時間の比較

	実施以前	共同炊事
労働時間	14.10	11.00
睡眠	6.30	8.00
食事、身じたく	2.50	0.50
休養	0.30	4.10

NHK農事番組 (7月21日～31日)

テレビ

明るい農村　6・30～6・55　②

[illegible]

ラジオ

早起き鳥　5・05～6・00　①

[illegible]

22日　現地訪問　グラジオラス　茨城県友部町

現地報告　三年たった観光農業　福岡県浮羽町

村のポスト投書

農業学校　月～土　6・40～7・00　②

6・30～7・00　②

月～土　19・00～19・15　②

優秀農家に学ぶ（名古屋）

現地訪問（千葉）

農業講演会（福岡）

新しい農村　日6・00～6・30　②

ひるのいこい　12・15～12・34　①

[illegible]「たてぼし」名古屋

[illegible]　松江

[illegible]と夏祭り　松山

農業教室　NHK

養蚕規模の拡大

7月20日（土）　現地訪問　岐阜県大野郡朝日村

乗鞍山麓の岐阜県大野郡朝日村では、昭和三十七年から四十年にかけて、構造改善事業で75ヘクタールの集団桑園を造成し、高冷地養蚕のモデル地区をめざしている。

事業費五千万円をかけて、壮蚕桑園と温湿度管理装置付稚蚕共同飼育所一棟、壮蚕共同飼育所五棟、動力防除機九台などを設置し、見渡すかぎりの桑畑の中に飼育所が点在している。

参加農家は二十七戸、省力的多回育養蚕を行ない、昨年度の実績は総収繭量三八トン、一〇アール当たり平均六〇キロと高冷地としては比較的良い成績をおさめた。

肉牛肥育の技術

牛肉の需要が激増し、これに応じて肉牛の肥育が盛んになった。

一方、子牛生産は最近の牛価の高騰、国や県の増産対策のためようやく上向きのきざしをみせはじめたとはいえ、中小家畜のように急速な増加は容易ではない。

そこで牛肉の輸入で急場をしのぎ、乳用雄子牛の肥育を推進しようとしているが、牛肉増産の本命はやはり肉牛の増産であり、肉牛肥育による肉量の増加はきわめて大切である。

以前の肉牛飼育は、農業の補助手段としてであったため、一～二頭かせいぜい数頭の飼育であった。しかし、今後米作とともに経営の支柱となるような収益を肉牛肥育に期待するならば、いきおい多頭肥育となる。

多頭飼育で農家経済の大きな支えとなるような収益を期待するとなると、飼育管理による技術を身につけ、経営に関する知恵を働かせなければ、肥育経営を有利に展開することはできない。

生産費の内訳をみると、素牛費が六〇％を越え、飼料費が三〇％に近く、飼育労働費が七～八％を占めている。この三大費目に関係する技術の修得がすなわち、生産費の低減に結びつき、販売のじょうずと相まって、経営を有利なものにする。

肉牛肥育の様式は、大きく分けて若令肥育と成牛肥育となるが、素牛の長所を生かし、肥育の効率を高めようとすれば、肉牛の品種、性、年令、資質に応じ、肥育様式とそれに伴う肥育技術が必要となる。

なお、年間二〇数万頭生産される乳用雄子牛の肥育は、食肉資源として大きな役割をもつもので、これの肉牛としての飼育管理技術の修得も大切である。

7月22日（月）　肉牛の品種と産肉能力

わが国の肉用牛のうち、和牛の頭数が九八％を占めている。和牛には黒毛和種、褐毛和種、無角和種の三種がある。

従来、用途多役肉用牛と呼ばれていたが、近年、肉用専用種として改良がすすんでおり、その肉質は世界に比類なしといわれ、その産肉能力も外国肉用種に劣らないものに向上してきている。

和牛のほかに、東北と北海道の一部に日本短角種という赤褐色の牛が少しいる。また、近頃アバディーンアンガス、ヘレフォードなどの外国肉用種も輸入されているが、その数はいずれも千頭に満たない。近頃肉資源としての乳用雄子牛の産肉能力にもふれる。

7月23日（火）　若令肥育

若令肥育とは、生後六～七ヵ月で離乳した去勢牛を約一ヵ年肥育し、体重四五〇～五〇〇キロに仕上げる肥育法である。

管理上留意すべきことは、

一、良質の草を多給すること
二、給与飼料の栄養にバランスを保つこと
三、発育（増体）を旺盛にする管理をすること
四、ホルモン剤を利用すること

体重に対する冬期の飼料給与基準（日量）

	予備期	一期	二期	三期
濃厚飼料	0.8	1.0	1.2	1.6
粗飼料	2.0	2.0	1.8	1.2

濃厚飼料の配合割合

	予備期	一期	二期	三期
大麦	30	20	25	30
とうもろこし		10	15	20
ふすま	30	30	30	30
米ぬか	20	20	15	10
大豆かす	20	20	15	10
食塩	1.0	0.5	0.5	0.5
カルシウム	1.0	0.5	0.5	0.5

7月24日（水）　成牛肥育

成牛肥育には、表に示すような四つの型がある。

雌と去勢牛の上物肥育は、理想肥育とも呼ばれ、肉質の良いものをねらう肥育法である。それだけに、素牛の選び方や肥育方法にかなり工夫を要する。

並物肥育は、雌、去勢牛とも技術的にはそう難かしくはないが、最近は素牛の入手が困難である。

それぞれの肥育様式について、そのねらいどころと飼育方法が示される。

成牛肥育の様式

	素牛の年令	肥育期間	仕上げ体重	1日平均増体重
雌　上物肥育	3才	12ヵ月	650Kg	0.7Kg
雌　並物肥育	6～7才	5～6	550	0.9
去勢牛上物肥育	6～7ヵ月	18	600	0.8
去勢牛並物肥育	2才	6	580	1.0

7月25日（木）　ホルスタイン雄の肥育技術

昨年来、ホルスタイン雄の肥育が盛んとなってきたが、その内容を大別すると、ホワイト・ヴィールの生産とデイリービーフの生産すなわち若令肥育について考えてみよう。

ホルスタイン雄の肥育形態には舎飼を主とする肥育のなかで①粗飼料少給・濃厚飼料多給の肥育方式②粗飼料多給・濃厚飼料少給の方式③粗飼料・濃厚飼料中給方式の三つの方式が考えられ、また別に舎外肥育の方式、さらに舎飼と放牧を併用する方式もある。

これらの方式のどれを採用するのが有利かは、地域や経営の事情によって決定すべきであろうし、またホルスタイン雄肥育の一般的な問題として、素牛の選び方、労力をどこまで省力化できるか、去勢は必要かどうか、肉質と出荷時体重、採算をどうおさえるかなどの問題を考えてみよう。

7月26日（金）　新しい肥育技術

和牛肥育事業による自立農家創設を目ざしている農家はたくさんあるが、これを拒んでいるものの第一は牛舎に対する投資が大きいこと。第二は多労的管理がなされていることなどである。

7月27日（土）　現地訪問　三重県松坂市柳田

高級肉の産地として古くから知られた三重県松坂市にある南豊農協では、昭和四十一年から構造改善事業で五、六〇〇万円の事業費をかけ、五〇頭収容できる牛舎三棟、草地二〇ヘクタール、運動場一〇ヘクタール、その他サイロ、管理舎、機械などを設置し、子牛から農家へ渡すまでの一年ないし一年二カ月間育成する多頭飼育を行なっている。

現在、二三〇頭の肉牛が飼育され、畜産係五名が年間放牧形式で管理している。

これからの経営者

これからの農業がすべて商品生産農業であることはまちがいない。

そこで、農業経営者は、同業である他の農業経営者と市場を通じて激しく競争していかねばならないばかりか、他産業の経営とも利益を通じて競争することになる。

したがって、他産業の経営者のもっている能力のレベルを獲得する必要があり、かつ、商品としての条件（品質の規格化、大量生産、安い品物を確実に出荷する）を満足できるような農業生産を遂行しうるような経営者でなければならない。

現在のところ、農業経営の数は五五〇万という多数であるが、商品生産農業に専念する本来の農業経営と呼びうる経営は現在も一〇〇万程度でこの数は将来もっと減少するであろう。

すなわち、少数精鋭の農業経営者が日本農業の大半を担うようになろう。言葉をかえれば、農業のエリートが将来の農業経営者であるといってよい。

したがって、これから真の農業経営者たらんという人たちは、エリートとしての考え方、能力を獲得する相当な努力を払う必要があることを十分自覚すべきであろう。

また、近代的な経営者とは、計数に強く、合理的な決断ができ、さらにお客にサービスをするといった企業者的な資格の人でなければなるまい。

7月29日（月）　経営と経営者

経営者とは、農業経営を組織し、それを運営していくという役割をもった者である。

その役割は、

❶ 主として経済的生産にかかわる役割
❷ 主として技術的生産についての役割

ということになる。

経営と経営者との関係で重要な問題の一つは、農業経営の規模と経営者能力との関係である。

これからの農業経営は経営規模を次第に拡大化していくことになろうが、経営規模が大きくなればそれに相応して経営能力もまた高度なものになっていかねばなるまい。

また、経営組織と経営者の気質や好みが調和している必要がある。動物嫌いの者が酪農経営者になるのは不向きである。ただもうかる作目ということだけでなく、自分の好みで作目を選ぶべきである。

7月30日（火）　経営者の素質と能力

一、「素質＝生まれつきのもの」の農業への適否と作目の選択
二、農業経営者としての「能力＝経営をなしうる力」が問題になる場面とその内容
❶ 技術条件の変化に対応しうる力
❷ 市場条件の変化に対応しうる力
三、条件変化に対応しうる力をみる尺度
❶ 作目選択における予測的、構造的、拡大的対応の度合
❷ 経営設計における計算観念の変化
イ　家族経営→収入－費用＝収益　企業経営→収入－収益＝費用
ロ　家族経営→労働報酬の増加をねらう　企業経営→労働費の節約をねらう
四、都市近郊ハウス経営者の具体事例

7月31日（水）　経営把握のかんどころ

一、農用地面積、とくに耕地面積の大きさ
二、家族労働力の大きさ
三、経営のかたち
四、経営の集約度

耕地規模別にみた農家経済

	1.0～1.5ヘクタール	1.5～2.0	0.5～1.0
農家所得	795.0千円	906.8	707.9
農業所得	515.6	697.7	306.6
農外所得	279.4	220.1	401.3
家族家計費	675.3	728.2	624.3
農家経済余剰	129.1	179.4	101.9

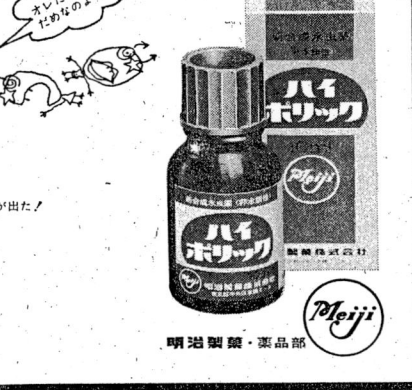

◀投稿案内▶
本紙は、みなさん方の新聞として、全国のクラブ員に利用して戴きたいと考えています。それでクラブの催しや個人のプロジェクト、詩、短歌、随筆、写真、悩みや意見、村の話題、伝説、行事その他なんでも原稿にして送って下さい。
お願い　❶長さや形式は自由です　❷できれば簡単な説明をつけた写真をそえて下さい　❸送り先　東京都新宿区市ヶ谷船河原町十一　家の光会館内　日本4H新聞編集部

わがクラブ わが同志

労働銀行は大繁昌
労力交換で手不足解消
徳島県阿南市 新野4Hクラブ

農作業の「労賃」を払わずに、"手間"不足を解消、ついでに、若者たちの悩みも解決しよう、という組織が徳島県阿南市にある。これは、新野4Hクラブの「労働銀行」である。

4Hクラブ員たちが労働の内容を預託し、毎月一回（二日、十日）の定例会で申し込みを調整して、労力の必要なところに割振って払い出すというシステムである。

労力の提供を受けた農家は、銀行の帳簿の借り方の項に「マイナス二」が記入され、また他の農家へ働きに出た場合には貸し方の欄が「プラス二」となって帳消しになる。したがって、労賃はお互いに不要という次第。

この労働銀行の窓口事務は、4Hクラブにある出納係の二人が引き受け、てきぱきときわめて合理的に運営している。

新野地区は酪農が盛んなほか、タバコ、ミカンなどの特産地であり、従来は"手間買い"と称する農家同志の労働力交換で、農繁期をカバーしていた。ところが、人手不足が深刻になるにつれ、個人的つながりだけでは労働力が補えなくなり、労賃もバカにならない。しかも、ホワイトカラーにあこがれ、農業をはなれる青年もあとを絶たない現状である。

そこで三年前の春、木元政和君（二十四歳）現4Hク会長ら、若い後継者たち七人が話しあい、仲間に呼びかけて発足させたのが、この銀行である。

これが大いにうけて、その後、会員も増加し、今の銀行利用者は三十人（男二十人、女十人）となっている。

その結果「今年は、○○さんにお世話にならねば……」とか「××さんに手伝ってもらうのは、どうも…」などと、気をつかい手間集めに苦労する、ということはなくなった。なにしろ相手が銀行なのだから、貸したり、借りたりすればいいわけで、この銀行が繁昌するのは、むしろ当然であろう。

しかし、この合理的な制度の銀行にも、悩みがないわけではない。というのは、家族が少ないため、一部には借り放しの農家が出てくることだ。それに、全農家が栽培しているタケノコの出荷時期が、かち合って、労力交換がしにくいという問題もある。

これらの解決策が、会員たちにとって、重要な課題である。

同4Hクラブの副会長で、初代の出納係を勤めていた、頭取格の谷慶弥君（二十三歳）は、「みんなで知恵をしぼりあっているところなんですよ。しかし、初めは労力交換を目的にスタートした銀行も今では地区民のあらゆる悩みごとの相談に、のれるほど発展しています」と、喜んでいる。

また「お互いに協力しあって、われわれの農業を守って行くにはかかせない組織です。中には、恋の悩みをもち込むクラブ員もあるし、キューピット役から親子ゲンカの仲裁まで、引きうける」。

いまに労働銀行じゃなくて、相談銀行と改名しなければならないかもしれません。と、繁昌する銀行にうれしい悲鳴をあげている。

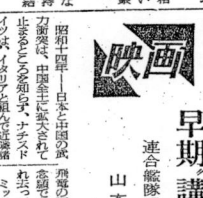

おくれがちな農作業も銀行からの労力貸し出しで能率があがる

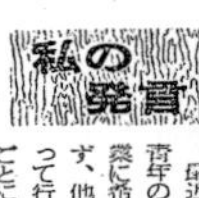

私の発言
高い知識と能力で 農村の指導者になろう

[illegible]

（[illegible] 河村4Hクラブ [illegible]）

未来に目を向けよ
青春を幅広く有意義に

埼玉県入間郡大井町 大井4Hクラブ　斎藤宣浩

[illegible]

思います。"チリも積れば山となる"という諺のとおり、この気持をもとにして、青春と農業とを結びつけていきたいと思います。

私は過去において、スランプもあり、破局もありました。しかしそれにもくじけず努力してきました。この努力ができたのはいかなる時でも、決意と行動を私と共に手をとり合った同志が、青春に情熱をぶちまけて励ましあってくれたからだと思います。このことは私たち青年だけが味わえる感激であります。

これは、過去のいかなる時期にもみられなかった、心の底からわいてくる青春の燃えた、誠実なる友情があったからです。その時の出来ごとを思い浮べながら、つぶやきました。

"ありがとう、仲間たちー"と。そして私は自分のありのままの姿に自信をもつと同時に、燃えたぎるような決意と行動を、青春の活動の中から修得できたのです。これは、ただ単に青春の思い出だけでなく、将来の基本となることは言うまでもありません。

日本の若い人

梅雨の真最中、参議院の選挙が行なわれた。七夕と時を同じうし、国民の審判は下された。社会党の敗退が今回の選挙で大きくクローズアップされたが、一方タレント候補の進出が特徴的であった。その中でも石原慎太郎氏の得票が三百万票を迎えたことに驚ろかせられた。若い青年婦人層に支持をうけたことがこれ程の得票となったのであろう。この読者諸君のなかにも、石原さんに投票された方があると思う。

私はあらためて選挙公報の石原さんのところを読んでみた。「日本の若い世代の会を創設、会長となる」とある。いわく「今こそ、明日の日本への指針を与え、確かな繁栄を築き上げていくために、独創力と情熱にあふれ、行動力をもった若い力が、政治の中に注ぎこまれなくてはなりません。すべてを投げすて、祖国への奉仕を決心した私の志を、みなさんの力でつらぬき通させて下さい」と書いてある。

全国区立候補者九十三名中、青年の力を書いた人は他に誰もいないのに驚ろいた。抱負、信念、公約、政策を書いた公報に青年のために立ちあがると書いた人がいないのはまことに残念である。

主義主張は自画自讃に終始し、誰もが大同小異の政策を羅列しており、特徴がない。これではタレント候補が当選するのが当り前である。

石原さんが若い力の代表として政治に参加されることとなった。期待に応えて活躍してくれると思うが、それ程政治は甘いものでなし、政治家の世界はそう簡単に思いのままになるものではないと思うが、それを乗り越えて青年の味方として、三百万票の重みを背負って頑張ってほしいと願う。農村の青年の友でもあってほしいと願う。

ここまで書いてふと、私は思いだした。日本の現代の青年に対して、ブラジル二世が語った言葉を。彼等は一年間日本で農業実習生として勉強し帰国するときの報告会でかく語った。

島田君は「農家の若い人びとは、農業に誇りを感じていない人が割合多いのではないかと感じた」と。宮地君は「日本の若い人は『ブラジルかブラジルに住んでいていいな』という程度で、何故いいのか、何故悪いのか、そこまで話す青年は少ないようでした」と。

木村君はもっとしんらつで、「若い人と多く話し合いましたが、はっきり言って日本人らしいところがないような気がしました。何となく外国かぶれしたような具合で、日本的な良さを失なってしまっている感じでした。中年の方も、自分たちの将来をあきらめ切ったような感じで、自分はこれだけのことしか出来ないという。もう少し活気ある気持をもってもらえないだろうか。

教育面では日本では本当の教育をやっていない感じがした。家庭内でも子供を可愛がりすぎて好きなようにさせている。

[illegible]ればならないのではなかろうか。政治の悪さを批判する前に自らをそしてその周囲をかえりみようではないか。（窪）

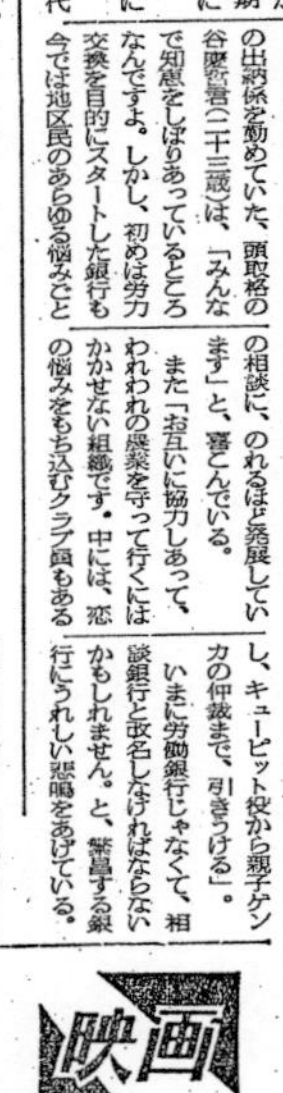

東南アジアを訪問して（九）
活気ない青年の姿
失業者は街にあふれる

埼玉県入間郡富士見町 南畑・青年の船派遣団員　砂川みさ子

働く気のない失業青年

コロンボで過した三日間は、強行軍のスケジュールながらも、より多くのものを吸収しようと努力した。

こわい夜の外出も好奇心が手伝って出かけた。ここでも私たちはほんの表面しか見ることができなかったかもしれない。が失業者（働く気のない人のようだ）が、約三十万人、それもコロンボに大部分が集中しているとのことである。

そういえば、私たちが入港した日、今までにない歓迎の人々が多く集まっており、私たちを感激させた……。が、よく考えてみるとこの人たちは、フラフラしている失業者たちが、ものめずらしげに集まって来たにすぎないのである。

シャツを着ている人も見かけるが、大部分の人は裸で、下半身に布をまいている程度である。したがって、もちろんはだしである。

セイロンの人口の約六割は家がないと聞いてびっくりした。しかし、衣食住に全然こまらないというのだから面白い。したがってまったく働く気のないというのも無理はない。

今後、五ヵ年計画で失業青年を集めて、農業を進める計画があると言っていた。

バスの案内嬢であるセイロン大学の女子学生に結婚観についてたずねてみた。

理想の男性の第一条件は、正直で、第二は教育を受けていて、そして第三は良い仕事に従事しているということである。

インド同様、カースト制度の影響によって、同等の人でないと結婚できないとのことである。

教育と医療面は無料？

彼女に農業や4Hクラブの事をもたずねてみたが、全然知らない[illegible]かもしれない。

こんなセイロンでも、教育面と医療については、無料であるという。成績の良い者は、大学までただで学ぶことができる。しかし、セイロン大学の卒業資格は、現在でもイギリスによって決められるという。

医療制度も行きとどいているというが、国立病院では、ろくな手当さえもしてくれず、結局、金持はお金を出して私立病院を利用するという。何事においても貧富の差ははげしい国である。

しかし、目がねをかけている人がいないのに気づいて不思議に思った。

美しい南の島セイロン――。たしかに、夕陽の落ちる海や熱帯樹[illegible]

美しい自然のうらには

しかし、そこに生活している人々の様子を考えると、けして、美しい島とばかりいえない。

活気のない青年たちの姿には、同年代の青年として、ものたりなさを感じ残念に思えた。

私たちは、数々の体験と思い出を残して、このセイロンに別れを告げようとしている。

お礼と感謝の気持で、思いきり船上からテープをなげた。そんな気も知らずに、テープをたぐんで持って行ってしまう失業者たちがいやでも目についてしまう。セイロンとは、こんな国なのかもしれない。

[illegible]て農業者クラブ"さくら会"が開かれた。

その話しあいの中から、おもしろい体験をひろい出してみよう。

男性のある班――。キャンディ地方へ向う途中、バスの故障で、二時間ほど思いがけない自由時間が出来、付近の農家を見て歩いて現地のほんとうの農家の姿をみたという話である。

下のさし絵は、ある農家の間どり図であるが、家族は八人（夫婦と子供）である。屋根の高さは、頭がつかえるほどでヤシの葉ぶきで家の中にはランプが一つさがっていたという。ベットは夫婦用のもので、子供たちは土間にゴザを[illegible]験をした。私をはじめ"さくら会"のメンバーに、その時の様子をくわしく説明してくれた。

裸で働くセイロンの農民にまじって稲刈りをする団員

約6～7m／物置き／ベット／炊事／土間／仏教の画／入口

セイロンの農家の間どり

無記名で愛の送りもの

二月十四日、バレンタインデーを船上で迎える。この日、私たち十一班の女性は、いつもお世話になっている一班、二班の男性へチョコレートに手紙をそえて送る計画を立て実行した。この時とばかり、いつも思っていることゝ、口で言えないことゝをハート型に切った紙に書いて、もちろん無記名であるが男性に手渡した。

にこにこ顔の男性団員の顔を見るのがとても楽しみだった。団長の横山さんのもとにも、たくさんの愛をこめたチョコレートが届いたと耳にした。

その日、さっそく返事が届いた。やはり、愛に満ちた文面が多い。私に届いた一つには、ベビーパウダーが入っていて、なんと"白くなってドさい…"とある。

大変ゆかいなバレンタインデーの一日であった。

団員の中には、ほんとうの意味でのバレンタインデーをすごした人がいたとか…。

夜は、この日のために甘い"ぜんざい"のおやつに、舌つづみをうった。

映画
早期"講和"願う
連合艦隊司令官 山本五十六
（東宝映画）

昭和十四年――日本と中国の武力衝突は、中国全土に拡大されて止まるところを知らず、ナチスドイツは、イタリアと組んで近隣諸国への武力侵入を続け、アジアとヨーロッパの戦火が燃えて一体となったとき、第二次世界大戦を誘発することは明らかであった。

ゆれ動く世界情勢の荒波は、日独伊軍事同盟をめぐって、日本国内にも押しよせ、まさにクーデター寸前であった。そして、日本は第二次世界大戦の真っただ中に突入していくのだった。

このとき皮肉にも、世界大戦突入を憂慮し、同盟を阻止せんとする山本五十六海軍次官に、連合艦隊司令長官の命がくだった。

その一年後、日本は戦争への道を大きく踏み出していった。

そして、戦争反対を終始主張していた山本司令長官も、自から対米英への戦いを余儀なくされ、早期講和の機会を望むためには、開戦初頭の大勝利のほかに道はないと、真珠湾奇襲作戦が行なわれた。この作戦は、予想以上の戦果をあげた。

そして、南方資源確保のため、西南太平洋から印度洋に[illegible]動作戦を展開、破竹の進[illegible]た。だが、秘かに日本列[illegible]上に迫った米空母から、[illegible]隊は日本本土を空襲した[illegible]動揺した軍上層部は、太[illegible]空の壁を築くべくミッド[illegible]戦を強行した。

しかし、作戦の失敗か[illegible]海戦に参加した赤城、加[illegible]飛竜の四空母を失い、山本長官の念願であった早期講和の道は、崩れ去ってしまった。

ミッドウエーの勝利から米国は猛然反撃に転じ、ガダルカナルの上陸作戦を開始した。ラバウルの第八艦隊は直ちに出撃し、敵の上陸船団に当り轟沈させた。だが山本長官は「手ぬかりも甚だしい」と怒号した。敵の艦隊の後にいる輸送船団は無傷であったからだ。

凄惨な消耗戦が展開され、[illegible]と消耗は激しく、日米両国の生産力と物量の差は大きく開いていった。

ここで山本長官は全責任を一身に集めて、作戦の中止を宣言、生き残った将兵を救うガ島撤収[illegible]を出した。

昭和十八年四月、山本長官は前線部隊激励のため、ラバウルへ飛び立った。しかし、米軍は日本軍の機密暗号電報を全て解読していた。

「如何なる犠牲を払うとも山本提督及び幕僚を撃破せよ」とワシントンからの秘命をうけた[illegible]数の米機P38は、長官一行[illegible]

戦争反対を終始主張していた山本長官（三船敏郎）も、自から対米英への戦いを余儀なくされた

日本4H新聞

4Hクラブ 農事研究会 生活改善クラブ 全国弘報紙

発行所 社団法人 日本4H協会
東京都市ケ谷家の光会館内
電話(269)1675
編集発行人 玉井光
月3回・4の日発行
定価 1部10円 6ヵ月180円(送料共) 一ヵ年360円
振替口座東京12055番

クラブの綱領

[illegible]

「青年の船」団員候補決る

宮森さんら八人 全協推せん
班長に本紙吉田記者 前回よりふえる

全国4Hクラブ連絡協議会（丸山勉会長）は、明治百年記念事業の一つとして政府が四十三年度に実施する第二回の「青年の船」派遣団員に十名の4Hクラブ員代表を総理府に推せんしていたが、このほど、その中から北海道の宮森さち子さん（二二）ら前回より一名多い八名が候補に選ばれた。また、班長候補に社団法人日本4H協会の吉田俊一広報部員（三三）＝本紙記者＝が選ばれた。団員候補は来る二十九日までの一週間、静岡県御殿場の国立中央青年の家で事前研修を受けて正式に決定され、九月中旬、東南アジア諸国歴訪の旅へ出発することになっている。

御殿場で一週間事前研修

この「青年の船」は、各種の研修や規律ある団体生活を通じて青年の心身を鍛練するとともに、巡航先における各国青年との交歓、日本文化の紹介、各地の視察見学などによって国際的視野を広めさせ、次代をになう中堅青年の育成を図ろうというもの。

今回も社団法人日本産業巡航見本市協会の「さくら丸」をチャーターして昨年と同じく中華民国、フィリピン、タイ、シンガポール、マレーシア、インド、セイロンなど東南アジア諸国を約五十三日間にわたって歴訪することになっている。とくに前回はことしの一月から三月にかけて運航されたが、今回は出発が九月下旬とかなり早くなっており、このため団員募集の期間が短く、また団員候補決定から事前研修までも約一週間というスピードぶり。

派遣一般団員は、前回と大体同じで二百八十名。都道府県知事と全国的な組織をもつ会員一万名以上の青少年団体から推せんされた人たちの中から選ばれた。

全国4Hクラブ連絡協議会でも全国各県連から推せんされてきた人たちの中から厳選のうえ、推せんワクである十名を団員として総理府に推せんしていたが、このほど、そのうち八名が候補に選ばれたもの。

団員候補に選ばれたのは、宮森さち子さん（二二）北海道、渡辺善伸（二二）埼玉県、木村登志男（二〇）宮城県、林忠義（二四）岐阜県、林治三（二四）三重県、秋光征四郎（二四）広島県、門脇慎夫（二二）高知県、広重一信（二〇）福岡県＝の名君。

前回は、全協が毎年、国立中央青年の家で開く「4Hクラブ中央推進会議」に団員に選ばれた全協推せんの4Hクラブ員七人に対して出席を求めるとともに、「この訪問が自分たちだけのものとしないためにもクラブ員のおみやげを持って行きたい」という団員の呼びかけに対し、参加者全員が資金カンパを行ない友情こもるおみやげを贈ったが、今回は現在のところ全協主催の全国的な行事に参加できないものとみられる。

候補全員が無事研修を終えて正式に団員として選ばれ、九月中旬には元気な顔をそろえて出発されることが期待される。

なお、事前研修は班長などが二十一日から、一般団員は二十二日から二十九日までの期間、国立青年の家で開かれ、連日、講義や青年の船についての説明、また体育レクリエーション、班別研修デモンストレーションなどが厳しい規律の中で行なわれ、最終日に閉講式で決定書が交付されることになっている。

吉田記者　宮森さん　林（治）君
渡辺君　秋光君
木村君　門脇君
林（忠）君　広重君

八人の略歴

八人の略歴は次のとおり。（❶住所❷所属クラブなど❸農業経営の部門❹趣味）

宮森さち子（二二）
[illegible]

渡辺 善伸（二二）
[illegible]

木村登志男（二〇）
[illegible]

林 忠義（二四）
[illegible]

林 治三（二四）
[illegible]

秋光四征郎（二四）
❶広島県豊田郡豊町大長五九一〇❷大長果樹青年同志会科学部❸柑橘❹▽ス＝柔道初段、陸上（長距離）▽他＝小型船舶操縦士免許、県ボートレース…ル、バレーボール▽芸＝盆おどり▽技＝普通自動車運転免許、新聞・機関誌などの編集

門脇 槙夫（二二）
❶高知県香美郡土佐山田町平山❷土佐山田4Hクラブ、現在、同クラブ副会長、高知県連理事❸菜作と柑橘❹▽ス＝バレーボール▽芸＝歌▽技＝普通自動車、大型特殊各免許、毒劇物取扱い資格免許

広重 一信（二〇）
❶福岡県三潴郡三潴町玉満三四三九❷三潴町地区4Hクラブ、現在地区連会長❸養鶏❹▽ス＝陸上、柔道、球技▽芸＝日本民謡、浪曲▽技＝養鶏など

「働く青年の像」建設を
高知県連 臨時総会開く 活動計画など審議

【高知】高知県農村青年連絡協議会（会長、川村雅士君）は、さる六月二十五日午後七時から[illegible]で臨時総会を開き、四十三年度の事業計画などについて審議するとともに、「働く農村青年[illegible]わせた。

議長に[illegible]一君（宿毛地区）副議長に原心一君（土佐山田地区）書記に近藤里美さん（土佐地区）と浜渦正之君（田野地区）をそれぞれ選び、議事審議に入った。

はじめに四十二年度の決算報告があり、ついで四十三年度の活動計画について討議、全協の総会と代表評議員会の報告のあと県連役員の改選方法について討議したが、これは次回の総会または会長会において決定することになった。

また、その他の議題で、県連行事について土佐地区連から提出された「働く農村青年の像」をつくり、高知県の農村青年の心を一つに結ぶわれわれのシンボルにしたいーという議題について県連役員に要望があり、これに全員が合意した。最後に、明治百年記念行事に組織参加することを決め総会を閉じた。

川村県連会長

富士へ約200名が集う
山梨県連主催 全国4Hクの登山と清掃

富士山頂を征服した全国のクラブ員

山梨県4Hクラブ連絡協議会（会長、小野好道君）が今回初めて企画し、本紙を通じて全国のクラブ員に参加を呼びかけていた「全国4Hクラブ員の仲間と富士登山・清掃の集い」は、約百九十名（県内百二十名、県外七十名）のクラブ員の参加のもとに、さる十二日から十四日の三日間にわたって行なわれた。

一日目は河口湖駅で受付け、そこからバスで富士スバルラインを経て富士五合目へ。夜六時半に山頂をめざして出発した。4Hの旗をひるがえして助け合いながら力強く富士を踏みつけて進んだ。同日は八合目の山小屋で宿をとり、翌朝、三時ごろ暗闇の中を再び山頂をめざして出発、日の出前に山頂にたどりついた。しかし、梅雨のせいもあって、残念ながら見事なご来光を仰ぐことはかなえられなかった。

お鉢めぐり、気象観測所のあるまぎれもない頂上で記念撮影などをして同所をあとにした。下山に当っては班別に袋をもって清掃。山道附近に散乱している空缶などを拾いながら砂走りへと向ったが青森や香川など遠くから参加したクラブ員も快く協力していた。

夜は、富士五湖の一つ、西湖でキャンプファイヤーがくりひろげられ、地元役員の趣向をこらした演出に全員が楽しく過ごした。

反省会では、地元クラブ員の努力に対して感謝のことばが述べられるとともに、この富士登山と清掃の集いを土台として全国クラブ員の交流が続くようにしようと強調され、また大阪の4Hクラブ員は、二年後の万国博には全国から多くのクラブ員を招くようにしたいと発言があり、注目をひいていた。

忘れがたい青春の一ページに
埼玉・一クラブ員

日本のシンボルである富士山ー一度はぜひ登ってみたいと願っていた私はじめ、この“集い”に参加したクラブ員にとって、苦しいながらも一歩一歩登り、十三日早朝、山頂に立ち、清掃をしながらの下山、そして西湖畔での一夜はおそらく忘れる事の出来ない、青春の一ページをかざってくれることと思います。

残念ながら最良の天候にはめぐまれませんでしたが、全国の仲間が手を取りあって、一つの頂上という目標に向って歩いたということ、どんなに心強いことかしれません。

こんなにすばらしい思い出を残してくれた陰には、山梨県連のみなさんの大変なご苦労があったことと思われます。私はのん気にその苦労の少しも知ることもなく、ただ楽しく三日間を過してしまったようです。何とお礼して良いかわかりません。

これを機会に、大阪のクラブ員からは万国博にはぜひ全国のクラブ員を招きたいとの声もきかれました。全国各地でこんな交流が出来たらどんなにすばらしいことでしょう。

山梨県連と自分という親しみが薄かったけれども、この三日間で急激に密接になったとも思います。今度何かの大会で山梨のクラブ員とおあいしたら、きっと何の恥ずかしさもなく、すぐ親しみが持てるように思えます。

短かかったけれども最高にたのしかった三日間でした。友だちにどんどん勧めたいと思う今の私です。それが私にとってささやかなお礼になるのかとも思います。本当にありがとうございました。

仲間を結ぶ夏の集い
岐阜県連 31日から蛭ケ野高原（郡上郡）で

【岐阜県＝松田正治連絡報道員発】岐阜県4Hクラブ連絡協議会（会長、松野芳正君）は、このほど、今年度の最も大きな事業計画ー「第三回夏のつどい」の開催場所である郡上郡高鷲村蛭ケ野高原ユースホテル周辺の現地調査を行ない、その結果にもとづいて理事会で開催要領を決定した。

同つどいは、農業の未来に夢をたくし、農業の改良と生活を推進するため、実践活動に励むクラブ員が一堂につどい、日ごろ体験した農業と生活技術、クラブ活動などについて語り合うとともに、合宿生活を通じて協同精神を養い、仲間づくりや豊かな人間性と自主性の高揚を図ろうというもの。

岐阜県と県連の共催によって来る三十一日から八月二日までの三日間、県内のほぼ中央の蛭ケ野高原ユースホステルで開くことになった。同地は標高九百㍍、湿原植物の水ばしょうの群生地もあり研修会に最適の場所。

主な行事としては講演、プロジェクト実績発表、分科会、実物鑑定、郷土芸能、現地研修、バス数室、キャンプファイヤーなどを計画しており、思い出深いつどいになるものと期待されている。

田植機の実演
奈良・大和郡山市4Hクで試験田の田植え

【奈良】大和郡山市4Hクラブ（会長、中津甚之丞君）では、このほどクラブの試験田の田植えをした。

とくに今年はクラブ員の手による田植えのほか、田植機による田植えの実演、実習も行なわれた。

さざえとりなども交えて
山口で技術交換大会

【山口】第八回山口県農村青年技術交換大会は、山口県、長門市、日置村の共催、同県農村青少年クラブ連絡協議会（会長、岡崎秋正君）などの後援によって今日二十四日から二十六日までの三日間、長門市青海島小学校、日置村の日置農業高等学校などで開かれる。

一日目は午後一時から青海島小学校グランドで開会式と記念撮影、オリエンテーションのあとキャンプ場設営、夜はレクリエーションについで班ごとの話し合い。二日目は、午前九時から日置農業[illegible]所で農業の視察と研究のあと話し合い、十二時半から農業技[illegible]に続いて海水浴、レクリエーションとしてさざえ取り競技などを行なう。ついで作目別の話し合い、夜はキャンプファイヤーをくりひろげる。

三日目は午前中、青海島[illegible]午後は青海島小学校講堂で[illegible]を行ない幕を閉じる。

涼風暖風
あばたもえくぼ

文部省が内閣総理大臣官房広報室と協力して、全国の青少年一〇、〇〇〇人を対象として行なった「青少年の意識ー価値観・愛国心を中心としてー」の調査結果を発表した。

この調査は昨年十一月に実施したもので[illegible]されたが、青少年の愛国心[illegible]いたものとして注目を集[illegible]と、日本に生まれてよか[illegible]は七四％である。また、[illegible]いるか、という問いに[illegible]愛していると答えてい[illegible]の約七割は自分の国に愛着をもっているわけである。

この調査結果をみたある年輩の方が、この報告はウソだ、と主張してガンとして自説をまげない。今の若いもんは無国籍者でサイケだとかアングラとかにうつつをぬかしているのが実態ではないか、だから、愛国の心をもつ青少年が七割を占めるなんて信用できない、というわけである。

昨夏、話題になった新宿のフーテンだって、実際は二〜三〇人でしかなかったのに全国の青少年がみんなフーテンになってしまったように考えたのは誰だったのか。マスコミの影響をもっとも強くうけて、青少年総フーテン化と思いこんでしまったのはむしろ大人たちではなかったろうか。愛国心に限らず、今度の調査結果の価値観にしてみても、今の青少年はすごく健全なのだと力説してはみたものの、くだんの年輩の方は納得がいかなかったようである。

今の若ものは駄目なんだ、という考えをもっていると、いかに客観的に、科学的に真の姿を示しても、説得が困難だとしたらこれは何と因果なことだろう。

社会心理学に「期待効果」という個有の特性があることを証明したことばがある。相手の答えを、相手の考えどおりに正しく解するのは三％にすぎず、自分の考えに都合よく解釈してしまう率が七二％だ、という驚くべき証明である。我田引水は人間のこころの中にもあったわけである。

期待効果がプラスに働けば、あばたもえくぼ式になるが、マイナスに働くと、科学的なものまで否定していまう。頑迷固陋（がんめいころう）というところか。

大人たちが先入観でもって、今の若ものたちはだらしがない、と一方的にきめつけられるのではやりきれない。先入観を徐々に変えられるような、弾力性をもって思考停止の状態を抜け出せるような生き方を大人の方々にも求めたい。（文部省・伊藤）

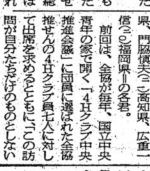

体験文など募集
4Hクラブ発足20周年記念
ふるって応募を

さる昭和二十三年に農業改良普及事業の一環として、わが国に4Hクラブが発足してから今年で二十周年を迎えました。[illegible]

応募要領

- 主題　【体験】[illegible]【意見】[illegible]
- 応募資格　①4Hクラブ員 ②[illegible]
- 応募方法　[illegible] ③本人の書いたもので未発表のものに限ります。
- 送付先　東京都新宿区市ケ谷[illegible]家の光会館内 社団法人 日本4H協会
- 締切期日　昭和四十三年八月三十一日（当日消印有効）
- 入賞決定と発表　①[illegible]日本4H新聞紙上で発表します。
- 入賞および表彰　入選 クラブ員 一名 指導者 一名／佳作 二名 二名／選外 全員
- 主催　社団法人日本4H協会・全国4Hクラブ連絡協議会
- ※備考　[illegible]

締切りまであと一月

日本4H協会・全協

心頭技健

このごろは[illegible]の家庭より農家の[illegible]がいろいろそ[illegible]いて、サラリ[illegible]家庭よりいい[illegible]しているーと[illegible]は大分前から聞かれたが[illegible]ほど経済企画庁から報告[illegible]四十二年度の「国民生活[illegible]で、そのことが裏付けさ[illegible]る▼全国の勤め人世帯の[illegible]は、四十二年には、前年[illegible]一〇・三％ふえた。物価[illegible]った分を差引いた実質で[illegible]一％の伸びで三十九年に[illegible]い水準だったが、農家の[illegible]これをさらに上回り、離[illegible]かせぎの大きな原因でも[illegible]都市との格差がぐんとせ[illegible]た▼四十二年度の全国平[illegible]当りの農家所得は百二万[illegible]と、はじめて百万円を超[illegible]年に比べて一八・七％と[illegible]増加した。この結果、都[illegible]村の収入面での差は一段[illegible]り、全国の勤め人世帯に[illegible]入の割合は九二・二％（[illegible]年度八五・七％）まで追[illegible]んど差がなくなってきて[illegible]この農家の所得の大幅な[illegible]米価を中心に農産物の値[illegible]がったことや、兼業農家[illegible]る農外収入がふえたため[illegible]こで農家の消費内容も、[illegible]入の増加を背景にして、[illegible]勤め人世帯とだんだん似[illegible]いるという▼農村では都[illegible]〜四年遅れて三十七年以[illegible]消費財の普及が進んだが[illegible]ろいまでは自動車やオー[illegible]・スクーターなどの品目[illegible]市世帯を上回る普及率と[illegible]いる。このことは、この[illegible]計を待つまでもなく、全[illegible]ラブ員がよくご存知であ[illegible]いまや物質面だけでなく[illegible]うえでも時間のうえでも[illegible]の距離が急速に縮まって[illegible]いうことができる▼農村[illegible]が抱いている農村コンプ[illegible]スなどは吐き出してしま[illegible]いが、収入面で都市勤労[illegible]を並べたことによって[illegible]しても柔らぐだろうか。[illegible]青少年の余暇の利用につ[illegible]ると、まだ都会と農村[illegible]な開きがある。そして農[illegible]増のかげには米価をは[illegible]る問題があることを見逃[illegible]はできない。また格差[illegible]のその先きは何に目標を[illegible]など考えなければならな[illegible]

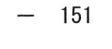

本紙の連絡報道員決る

本紙編集部では、全国クラブ員の機関紙として、さらに有意義な紙面を作成するため、一昨年から連絡報道員制度を設け、各道府県連会長から推せんされた人たちに連絡報道員として取材などに協力してもらっていますが、今年度も次の人たちが連絡報道員に各県連会長から推せんされ、これから一年間協力してもらうことになりました。連絡報道員の主な役目は、クラブ活動、プロジェクト活動の状況や実績、農業経営、生活、農政などについての意見、抱負、文芸、娯楽、趣味など建設的な記事の送稿、クラブ員に対する投稿の呼びかけ、本紙企画記事に対する取材の協力などです。読者のみなさんも、紙面を通じて連絡報道員の活躍ぶりをご承知のことと思います。こんご、この連絡報道員の人たちを中心に全国のクラブ員と手をたずさえ、クラブ員のための新聞として有益な紙面の作成に当りたいと思いますので、全国の愛読者のみなさんの力強いご協力ご支援をお願いします。どうぞよろしく。なお、7月18日現在、各県連会長から推せんされてきた連絡報道員は次のとおりです。（敬称略）

府県名	氏名	県連役職名	居住地	県連会長名
北海道	増原 晃一	事務局次長	虻田郡	高田 勲
〃	山田 一子	副会長	苫前郡	〃
青森	福田 すが	事務局長		佐々木 剛
岩手	菊池 栄治	同	稗貫郡	及川 雄一
宮城	庄司 忠男		仙台市	高野 秀策
山形	今野 健治	事務局次長	山形市	斎藤 幸彦
福島	佐藤 誠一	事務局長	安達郡	阿部 邦芳
茨城	永田 正治	副会長	西茨城郡	小嶋 芳正
埼玉	猪鼻 文明		比企郡	黒沢 一雄
栃木	戸沢 祐蔵	同	下都賀郡	高山 健司
神奈川	西山 勲	同	厚木市	小沢 勝利
山梨	掛川 篤	広報係長	東八代郡	小野 嘉平
静岡	真田 勝	同	駿東郡	高橋 邦彦
〃	松島 猛	同	浜松市	〃
新潟	[illegible]	青少年部会長	中頸城郡	[illegible]
富山	[illegible]	事務局次長	上新川郡	[illegible]
石川	[illegible]	事務局長	小松市	[illegible]
福井	山田 佐九治	同	丹生郡	[illegible]
岐阜	[illegible]	副会長	吉城郡	[illegible]
愛知	[illegible]	同	額田郡	[illegible]
三重	[illegible]	機関誌編集長	桑名郡	[illegible]
滋賀	[illegible]	副会長	甲賀郡	[illegible]
京都	[illegible]	広報委員長	綴喜郡	[illegible]
大阪	[illegible]	4H部書記	東大阪市	[illegible]
奈良	[illegible]	事務局長	天理市	[illegible]
鳥取	[illegible]	理事	倉吉市	[illegible]
岡山	[illegible]	代議員	小田郡	[illegible]
山口	[illegible]	[illegible]	[illegible]	[illegible]
徳島	河崎 嘉宏	会長	名西郡	河崎 嘉宏
香川	湯谷 孝行	果樹部長	高松市	森田 一紀
高知	西谷 章博	副会長	長岡郡	川村 雅士
〃	和田 豊喜	理事	土佐郡	〃
佐賀	鶏尾 清一	常任理事	唐津市	坂井 邦夫
長崎	松永 信義	事務局次長	北松浦郡	友広 喜重
鹿児島	堀脇 勲	常任理事	鹿児島市	諏訪 直樹

アイデアに富む発表

□ 第四回北陸ブロック技術交換大会開かる □

忘れまじ心にともした灯

【福井県＝山田佐九治連絡報道員】北陸四県（新潟・富山・石川・福井）の4Hクラブ員の祭典である第四回北陸ブロック農村青少年技術交換大会（[illegible]協議会）は、さる四日から六日までの三日間、[illegible]ロッヂを中心に開催された。

堂々と日ごろの研究成果について発表する女子クラブ員（北陸四県合同の技術交換大会で）

この大会は、クラブ員[illegible]

[illegible]果、第一位に二州ブロック、二位に奥越ブロックが入賞した。

二日目は、一人でも多くの友をみつけ話し合えるように班行動をとり、まず技術競技に入った。これまで個人の競技であったが隣りの人の答えを写し合っていたことから、今回は班単位の団体競技として、チーム内で意見を交換し合い正確な答えを記入するようにした。その結果、第一位に一班、二位に三班が入賞した。

また、プロジェクトの演示発表では"生活改善はゴミ箱から"というアイデアに満ちたものから、地元の特産物"梅酒の作り方"また"育苗センターを目ざして"などいろいろ学ぶ点が多かった。

このあと話し合いが行なわれたが、これまでは夜のキャンプファイヤーの出しものの準備や計画にほとんどの時間がつぶされ、本来の目的が達されなかったため、今回は大会の開かれる以前にキャンプファイヤーについての打ち合わせが行なわれ、中味のある意見が交換された。

このあとファイヤーの出しものが各県、普及所ごとに行なわれたが、最も人気のあったものに出しもの賞を贈ることにしたため、今回は非常にユーモアに富んだ郷土色豊かな出しものがみられた。その結果、新潟県チームに"おそろしかったで賞"、富山県チームに"アイデア賞"、石川県チームに"そろわなかったで賞"、福井県丹生地区チームに"熱演賞"、地元二州地区チームに"まとまっていたで賞"がそれぞれ贈られた。

三日目はバス教室で、郷土を知ろう、郷土を知っていただこうーーということで、日本三大ラインの一つといわれる開通したばかりの三方五湖レインボーラインや美浜原子力発電所を見学した。

このあと閉会式にうつり、東京五輪音頭のかえ歌"四年たったらまた逢いましょう"そして来年は新潟でーサヨウナラ…と三日間生活をともにし、仲良くなった三百名の友は東西南北と別れていった。

あるクラブ員は言った。キャンドルサービスの中でのローソクの灯を忘れるなーと。一人のローソクの灯が全国の手にともされた。そして、これからの農村はみんなで協力すれば明るくなるんだということを忘れてはいない、頑張ろうーと。

研究成果を実践へ

山梨県連　連けい事業で話合う

【山梨県＝掛川篤連絡報道員】山梨県4Hクラブ連絡協議会[illegible]師に新生活運動中央推進委員で共同組合経営研究所主任の築地文太[illegible]いる連けい事業の問題点、あるいは方向づけについて活発に討論が[illegible]調査や活動内容は各関係機関から高く評価されている。

[illegible]などによって理解された上で、農家一戸一戸に完全に浸透し、農業全般に行きわたることを期待したい」と語り、クラブ員にまた違った形での農村建設の指針を与えてくれた。

いま山梨地方は農作業が忙しいため、同講話会の参加者が心配されたが、各地区連とも連けい事業中央発表大会（二月中旬予定）までに、充分な活動を展開する意欲をみせて、農繁期は活動低下というジンクスを破った形であった。

連けい事業とは？

県連と地区連、地区連と単位クラブ、単位クラブと県連、4Hと各関係機関という縦横のつながりを密にし、あらゆる角度から現在の農村の実態にメスを入れ、新農業経営のビジョンを確立しようというもの。さらに農家生活の改善、農民のレベルアップなど数々の問題を若い農村青年の情熱で解決することをねらいとしている。

過去二カ年においては、各地区連（単位クラブ）とも、アンケート調査による実態の把握を主体的に進めてきたが、本年はそれを基にしての実践の年であるといわれる。

アンケート調査は、農業経営、経営の実態、経営類型の設定、栽培技術作業体系、生活実態、農村全体のモデル計画（塩山地区）農業についての考え、農業後継者関係、農村環境、教育の方向、明るい社会を築くために若い者がどんな仕事をすべきか（甲府地区連）など数えあげるときりがないほど多種多様である。

なお、連けい事業について詳しく知りたい人は、次のところまで連絡下さい。

甲府市丸の内一ノ六ノ一、県庁技術総室内、4Hクラブ事務所。

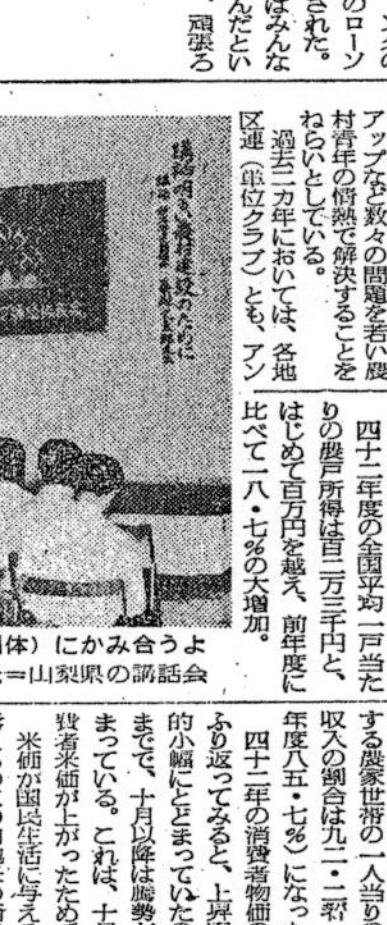

4Hの歯車をあらゆる歯車（農家、農協など各団体）にかみ合うように活動を展開すべきであると呼びかける築地氏＝山梨県の講話会

大会のもち方など学ぶ

高知県連で指導者研究協議会開く　成果を各地で発揮

【高知県＝和田豊喜連絡報道員発】高知県農村青少年クラブ連絡協議会（会長、川村雅士君）は、県農業技術課と共催で、さる六月二十五日から二十七日までの三日間、香美郡野市町西野の県立青少年センターで今年度第一回の農村青少年指導者研究協議会を開催した。

同日は、県内で行なうブロック技術交換会の運営の中心となる幹部と県連役員、それにブロック技術交換会の開催地区の担当改良普及員など六十余名が参加。

まず開会式で、県農業技術課の兼松貝課長から「この研究協議会で学んだ成果を、各地区で行なうブロック技術交換会に役立てて下さい」とあいさつがあり、また川村県連会長が「農村に生きる青年が非常に少なくなった今日、さびれていく農村を捨てきれず、ただ一人部落に残って農業に取り組んでいる青年がいる。その青年を激励するためにも技術交換大会を盛大なものにしよう」と呼びおけ、三日間にわたる研究協議に入った。

第一日目は、午後二時半から「キャンプファイヤーとレクリエーションのやり方」について高知大学、前田教授の講義を開いた。

二日目は、午前中「ブロック技術交換会のもち方と計画の樹立」について、運営の方法や日程の組み方などについて研究し、午後はブロック技術交換会の計画とその内容の発表交換を行なった。

夜間は、キャンプファイヤーの実技を、近くを流れている物部川河原で行ない楽しく過した。

三日目は「グループ活動」について、広見県技術専門員の話しを聞きながら討議し合った。ひき続いて反省会を行ない終了した。

農家　都市に追いつく

ぐんと伸びた収入

さる十六日「昭和四十二年度国民生活白書」が閣議で了承された。以下は農林関係を中心にした概要である。

四十二年度の全国平均一戸当たりの農戸所得は百二万三千円と、はじめて百万円を越え、前年度に比べて一八・七％の大増加。

これは、米価を中心に農産物価格が上ったためで、この結果、都市と農村の収入面での差は一段と縮まり、全国の勤め人世帯に対する農家世帯の一人当りの手取り収入の割合は九二・二％（四十一年度八五・七％）になった。

四十二年の消費者物価の動きをふり返ってみると、上昇率が比較的小幅にとどまっていたのは九月までで、十月以降は騰勢が再び強まっている。これは、十月から消費者米価が上がったためである。米価が国民生活に与える影響を[illegible]

[illegible]都市に三〜四年遅れ、三十七年以後、農村にも耐久消費財の普及が進んだ。いまでは自動車、オートバイなどは都市を上回る普及率となっている。

意識のうえでも時間のうえでも都市との距離が急速に縮まったことが、家事の合理化を進めるきっかけとなり、家事合理化の耐久消費財の普及が進んでいる。

討議は延長、また延長

静岡・東部地区連　花やかに夏の集い

【静岡県＝真田勝連絡報道員発】静岡県東部地区農村青少年クラブ連絡協議会（会長、宮沢静男君）では、さる三、四の両日、沼津市大岡の天理教伝東教会で地区のクラブ員約八十名の参加のもとに夏の集いを開いた。

この集いは今回で三回目を迎えたわけであるが、今回はとくに青年の自主性に重点をおき、東部農改普及所の協力をえて大会運営を協議会の役員で行なった。結果はあまり良かったとはいえないが、自主性の必要さを集まったクラブ員全員が味わった。

一日目は、午後一時から開会式のあと県大会への代表選出をかねた演示、プロジェクト発表に入り代表八名によって日ごろの研究成果が披露された。四時半から今回初の技術競技にうつった。初めての試みだけに途迷う者や他のチームの答案用紙をのぞき見する者などさまざまの光景がみられた。

八時からキャンプファイヤー。一同ファイヤーによって心の中まで溶かされ、みんな一体となって炭坑節からフォークダンスと楽しいムードの中で一夜を過ごした。

二日目は午前六時に起床、八時から九つの分科会に別れて「グループ活動をどう進めればよいか」というテーマで話し合いが進められた。グループの必要性から、現状、今後のあり方など活発に意見が出され、十時からの全体討議へ食い込むほどだった。続いて開かれた全体討議でもいろいろの問題が数多く出され三十分延長したがそれでもおさまらず、午後の講演のあとに予定している講師との討論の時間に持ち込むことにしてやっと幕となるほどだった。

このあとレクリエーションの指導を受けて昼食、午後一時から「グループ活動」について東部教育事務所の志村氏の講演があった。「これからのグループ活動はチームワークがなければいけない。それには八人から十四、五人程度の人数がよいのではないか」などについて指摘されたが、この講演のためか午前中の全体討議の問題も簡単に解決され、一泊二日の日程を楽しく終えることができた。

なお、プロジェクト・演示発表の地区代表は次の三チームである。

▽共同プロジェクト＝「結婚式簡素化への道」杉山良子（北駿4Hクラブ）

▽演示＝「手動式ダンプカーについて」渡辺誠（北駿4Hク）「忙しい時の簡単な料理」青野怜子、細井篤子（花の実会）

××××××××
××8月のこよみ××
××××××××

▽5日＝久留米水天宮夏祭▽6日＝広島原爆記念日、秋田竿灯▽7日＝立秋、仙台七夕▽8日＝旧ぼん、東京つくだ祭▽9日＝長崎原爆記念日、松島灯籠流し▽10日＝京都清水寺千日詣り▽11日＝厳島玉取祭▽13日＝堺大鳥祭、東京王子稲荷祭▽15日＝終戦記念日、函館八幡祭、奈良春日万灯籠▽16日＝京都大文字、三島祭、横手送りぼん祭▽17日＝滋賀建部夏祭、鶴岡庄内祭▽18日＝伝教大師誕生会▽20日＝鎌倉宮祭▽21日＝八戸三社大祭▽22日＝新潟祭、千葉だら祭▽23日＝処暑▽24日＝京都地蔵ぼん、大田原地蔵祭▽25日＝東京亀戸天神祭▽26日＝富士吉田火祭▽27日＝愛知一色大提灯、大曲諏訪祭。▽9月1日＝二百十日、震災記念日、茨城鹿島祭。

（団体法人農林統計協会編、四十三年度版「新農家暦」より）

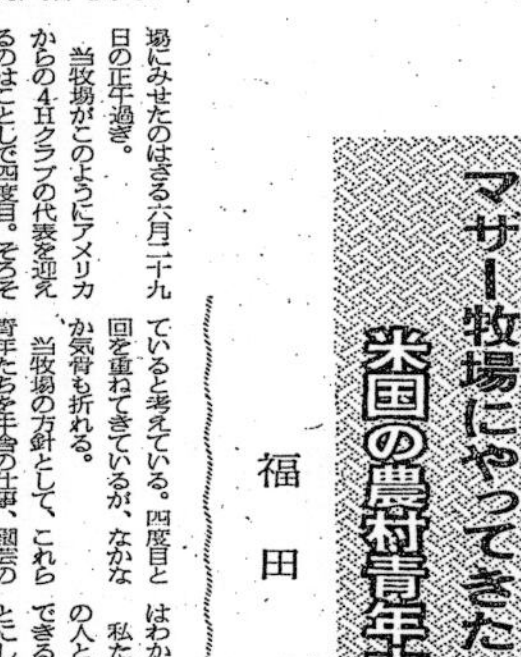

社団法人日本4H協会の招きで去る6月26日来日、現在、第1の受入れ農家である北海道の4Hクラブ員宅で生活している米国の4Hクラブリーダー代表"草の根大使"三人は、北海道に入る前、千葉県木更津のマザー牧場で約1週間生活したが、このほどそのときの様子が同牧場常務取締役、福田隆夫氏から4H協会に寄せられてきた。以下はその主な内容である。

牧草の取入れ作業に汗流す米国4Hクラブの青年たち（左から ウエスオーキャンプ、ブリンドル氏、ウイコートさん）

マザー牧場にやってきた米国の農村青年大使

福田　隆夫

[illegible]

私の経営実績

クラブで経営改善
高冷地の悪条件にいどむ

愛知県北設楽郡設根村大字坂宇場字真出一九　田辺真市

私の住む設根村は、愛知県の東北部で長野県境にある標高九〇〇Mの山間高冷地である。

部落の周囲は山に囲まれ、耕地面積はわずかに六％で、大部分が山林であります。従来から農家経営は林業で、農業収入は養蚕を除いてはとくに取り上げるものはなかった。

戦後の食糧自給から、少しずつ山間高冷地の立地条件を利用して営農の近代化が進められ、和牛の繁殖、特産物のコンニャク、高冷地そ菜の夏播きホウレンソウ、抑制イチゴの栽培などが進められ、稲作の省力近代化として、人力田植機を中心に営農集団化が進められている。

私の営農規模は、水田五〇a（一毛作）普通畑はコンニャクを主体に三〇a、桑園一五a、施設園芸としてビニールハウス〇・五aの合計一haである。家畜は、繁殖牛を一、二頭飼育し、自給飼料を主体に飼育しているので一haの牧草をもっている。

父の代から経営の特色は、林業を中心とした飯米農業で、農業収入の主なものは養蚕であった。専業農家としては規模が小さく、しかも拡大の余地がなく、区画、交通などの条件が非常に悪い環境にある。

こうした条件なので、規模拡大による自立営農はできないので、山間高冷地の気象条件を利用して私たち設根クラブ員九名の同士が、つぎのような計画でプロジェクトを行ない、経営改善を進めてきた。

一、抑制イチゴの栽培
四十年　冷凍苗による抑制イチゴの栽培を始める。
四十一年　イチゴ栽培面積の拡大と苗の自作を図るため苗養成を始める。
四十二年　冷蔵庫から出庫苗を実植栽培技術の見通しがつき、苗の自作確保のため養成を始める。

二、花
四十二年　愛知県渥美暖地園芸試験所のあっせんで、秋菊のおめ桜、新平和および夏菊の吉富、余力の親株を導入して、秋菊は切花栽培夏菊は冬至芽生産を行なった。

三、特産物のコンニャク栽培
四十一年　地元設根農協のあっせんによって、優良種子の導入。
四十二年　面積拡大と病害防除による栽培の安定。

四、畜産
豊富な野草を利用して、耕地の地力培養と有機的な関係をもたせるため、常時繁殖和牛二頭を飼育している。

目ざましい進歩を遂げたインディアンリバー種

また、食生活改善のため、山羊、にわとりの蛋白資源確保のため、飼育をしている。

前にも述べたとおり、経営規模が小さく、しかも拡大の余地がないこと、あわせて立地条件が悪いので、畑作を中心とした現金収入の面を山間高冷地の有利な条件を十分に活用しなければならない。

もともと当地の営農には、新しい作物を導入して営農改善を行なった事例が少なく、保守的な考え方が強い。新しい作物の導入による営農改善であるので、技術的、経営的諸問題が十分解決されていない。

生産物の出荷販売に当り、生産量が少ないので出荷経費がかかりしかも夏期高温時の出荷物のため荷痛みが多く、また出荷法の改善など未解決の問題をかかえている。

このため、設根村が愛知の高冷そ菜の産地として発展してゆくには、自然的、人為的阻害要因が多く、一般農家の保守的な考え方から前向きの姿勢に容易になれず、そのため思うように進まない。

経営の内容が営農林による複合経営のため、冬期は比較的暇であるが、農業労働のピークが植林、田植、コンニャクの管理など五月が最も忙しく、引続いて六、七月がそさい、菊、コンニャクの病害防除、稲作、山の下刈などと競合する。いずれの作物も栽培の初期に当る五、六月は最も大切な、しかも忙しい時期である。この解決に当っては稲作の省力化が最も大切である。

これに対して、とりつつある、またはとろうとしている対策は、

❶ 高冷地そ菜の技術的な解明は十分でないので、行政や試験研究機関や指導機関の普及と十分連絡をとりながら、私たちクラブ員も同一歩調で今一歩研究を進めなければならない。

❷ 道路事情が現在では悪いが、二〜三年後には整備される計画になっているので、生産体制を規模の拡大による産地化と集荷所など設置して流通改善を進める。

❸ 畑作による商品作物の導入によって経営が複雑になり、労働条件の改善が必要になる。その対策として稲作の省力化のため、人力田植機の共同購入、共同利用による稲作の集団化を進めている。

経営面積

水田	五〇a
園芸	〇・五a
普通畑	
牧草地	一〇〇a
桑園	一五a
草地	一〇〇a

育種改良進む インディアンリバー

最近の資料によると、肉専用種インディアンリバーの育種改良が目ざましい進歩を遂げている。ハイライン本社がこの育種に本格的に取組んでから十年になるが、その成果が見事に実を結びつつあるわけである。

本種の育種は、同血統繁殖であり、すでに多数の近交系を開発、保有しており、将来その数はさらに増加する見込みである。

産卵、生存率、ふ化率、コマーシャル・ブロイラーの体重など重要な経済形質において、本種の種鶏は他のどの競争種よりすぐれた成績を示している。

とくに、マレック氏病とコンシの条件下では本種鶏の生存率がすぐれていることが注目されている。このように優秀なオスとメスが一組として供給され、種鶏ふ化場の採算上もっとも望ましい肉用種といえよう。

また、関係者によると、日進月歩のインディアンリバー育種は、抗病性品種の開発にさらに長足の進歩をもたらすもよう。

種鶏の体を小さくし、飼料効率をよくすること、しかも生まれるコマーシャルの発育、本種は大きくすることも遠からず実現する見込み。すでに、卵用鶏とあまり大差ないインディアンリバー種鶏（いわゆるミゼット）が開発されている。

徐々に伸びた経営
耕種をすて畜産に踏切る

岩手県気仙郡三陸町越喜来字所通　及川新二郎

私たちの地域は、東を海に臨み三方を山に囲まれ、平たん部の狭小な戸数約六〇〇戸の漁業を主とした半農半漁の集落である。

耕地、養畜の規模は、水田約一〇〇ha、畑約二〇〇ha、乳牛約四〇頭、肉用牛約二五〇頭、豚三〇〇頭である。

生活の依存順位は、漁業、林業、農業（稲作）その他で、近年受る漁業から作る漁業へと浅海養殖（ノリ、ワカメ）事業が急速に伸び、労働力の投入は高率な漁業に優先され、農業は自給の米取得源として稲作にわずかに投入される程度である。養牛意欲は海に不便な地区で一〜二頭飼育が主体となっている。

私は、自家の経営規模から将来耕種で立つことの不可能を感じ、畜産を生計の中心に選定した。

さいわい、町では昭和三十九年から町内各関係機関と協力し、畜産振興協議会を設置し、繁殖牝牛を主体とした肉用牛増殖の一環として県から大窪山を借り受け、旧来の吉浜放牧場とあわせて放牧事業に乗りだした。

二年間にわたり県単事業などを取り入れ、三〇haほどの人工草地も造成し、今後町単事業でも草地改良などを推進するという。

この放牧事業による受益内容を抜すいすれば、放牧期間は春六月一日から秋十月三十一日まで、料金は子連れ牛一日当り二〇円、成牛（一八ヵ月以上）一日当り一五円、子牛一日当り一〇円と他の放牧場より安く、また種牝牛三頭を常時山上げをして、繁殖牝牛に対し、無料で交配している。

現在までに、三十五年にそれまで飼育していた農耕馬を売却し、牝の和牛を購入し、本年初めて放牧した。

現在、経営上直面している問題点として

イ　自給飼料の確保
ロ　基礎牛の確保
ハ　放牧場の整備ならびに距離
ニ　流通問題
ホ　その他

これに対して、取りつつある、または取ろうとしている対策

イ　自給飼料の確保

現在飼育中の牛は、耕地の周辺や共同採草地（約六ha）から確保している草により飼育できるが、将来放牧を中心とした多頭化を目指すには冬期間の充分な粗飼料の確保を考慮する必要を感じ、少しずつ耕地周辺の草生改良を実施し将来も続けていく、また濃厚飼料の補給源として畑地利用を行ない麦を確保している。

ロ　基礎牛の確保

家畜を飼育するのに、愛情を除いてその成果は期待できない。それで私は、初代の牛の血は将来絶やすことなく守っていきたいと思い、雑牛であるが子孫は保存している。

これは放牧場の問題とも関係があるが、ピロプラズマの耐病性を有する牛を飼育増殖するため、また導入に多額投資をさけるためである。

ハ　放牧場の整備および距離

現在、放牧場では、町予算の範囲内で危険個所への防護対策がとられているが、万全とはいえない状態である。年間一〜三頭の事故は止むを得ない事だと半ばあきらめているようだが、一まつの不安もなく放牧できる牧場に一日も早く整備するよう、私たちの力の及ばない分を県や国の力で補って欲しいものである。

また、山上げ、山下げに牛を曳いて三〜四時間もの道程が種々の支障をきたしていたが、昨年から県単事業の林道工事により、二、三年先にはだいぶこの面も解決される見通しになり、放牧飼育者の喜びとなっている。

ニ　流通問題

現状は家畜商中心の取引きで、庭先の一戸による。この実態は双方ともに根が深く、一朝一夕に共同出荷などに切替えが困難とはいえ、出荷頭数の絶対量にも問題があると思う。

それで急速な多頭化を望まず、経営に充分根を下した多頭飼育の姿を少しずつ友だちと形づくっていきたいと思っている。

ホ　その他

耕地（畑地）の荒廃は目に余るものがある。これは生産性が各自の経営の中に占める割合がごく低いことに起因すると思う。

だが、その耕地が安易に賃借できない現状にある。その理由の一つとして農地法があげられる。

このことは国家的にも大きな損失となることではないだろうか。

経営面積

普通畑	三九a
牧草地	九〇a
草地	二〇〇a
山林	一七〇a

主要農機具

耕耘機（駆動）	一台
カッター（吹上）	一台
刈払機（肩掛）	一台

経営の実績（繁殖用和牛）

	41年度	42年度
頭数	4頭	5頭

経営の成果（千円）

	41年度	42年度
生産額	一八四千円	二九三千円
販売額	一八四千円	二九三千円
粗生産	二五九	三六七
経営費	一〇六	一二四
所得	一五三	二四三
一人当り所得	一五三	二四三

4Hくん No.128　桜井はじめ

お化け大会

俵の中は あっついなあ

マコトくん、あのお化けには 考えてしまうわ

米価

プロジェクトの取り組み方　展開編（1）

北海道専門技術員　三輪勲

今回から、プロジェクト活動の具体的な取り組み方について、長年の指導で豊かな経験をもっておれる北海道の専門技術員・三輪勲先生の著により、連載することにしました。ご期待下さい―編集部

意欲と責任感のため 大切な相互理解

展開編

第一節　事前指導

青少年にプロジェクトを実施させるためには、まず、改良普及員と両親、つぎに両親と青少年、最後に青少年と改良普及員の三つの面についての相互の話し合いが必要である。さらにこれは、プロジェクトの事前指導としてつぎのような重要な役割がある。

（図：改良普及員・両親・青少年　援助・相談）
プロジェクトの事前指導

一　改良普及員と両親との話し合い

プロジェクトの開始に先だって、改良普及員が青少年の両親と話し合うのは、青少年が行なうプロジェクト活動に対する理解と関心を促し、青少年のプロジェクト実践に対する家族の協力体制をととのえるためである。

この話し合いでは、プロジェクト法による学習の意義や効果、プロジェクトの進め方の大要などについての説明が中心となる。プロジェクト発表会、展示発表会、技術競技会、展示品評会など青少年グループ行事の参観を願うとか、また、こうした機会におけるスライド、映画、展示写真などによって、プロジェクトについての理解を深めてもらうように配慮するとよい。

こうしたプロジェクトの啓発は、口頭説明や資料の配布のほか、実例を見学してもらうことが最も効果的である。

また、特別な説明会を開催できないときは、改良普及員の日常の巡回指導や部落懇談会、農業改良普及所への来訪など適当な機会を随時利用して、プロジェクトの啓蒙を行なうことが大切である。

プロジェクトの一般的な理解を得たあと、プロジェクトについて次のような具体的な話し合いをする必要がある。

a　子弟にプロジェクトの責任をもたせるため、プロジェクトによって得た収益の一部または全部を、子弟の所有として認めてやること。

b　プロジェクトの実施に必要な資材、資金、土地などは極力提供するのを避け、供与したと数量を明確にして、収支を計算させるようにすること。

c　プロジェクトの実施に要する作業時間は、営農や家事に従事すると同様に取り扱って認めてやること

d　プロジェクト実施点について評価し、その解決について助言してやること。

e　プロジェクトの成果は十分に認めてやり、その多少にかかわらず実際の経営や生活に採用すること。

改良普及員と青少年の両親との話し合いでは、以上のように、プロジェクトに対する具体的な援助と協力の方法について助言することが大切である。この場合、篤志指導者の協力を得て啓蒙を行なうと効果的である。

二　両親と青少年との話し合い

プロジェクトに対する両親の理解をもとにして、両親と青少年との間で、プロジェクトの実施についての具体的な話し合いを進めることが大切である。

この話し合いでは、プロジェクトの課題選定に関して、青少年の興味や関心から選ぼうとする課題と、両親の立場から営農や生活の現状に即して考えた課題とを調整する必要がある。プロジェクトの課題は、青少年が自主的に選定するのが望ましいが、その課題の達成が、実生活に直接の関係があるとないのとでは、プロジェクト実施の成果に影響するところが大きい。

また、プロジェクトの実施には、資金、資材、土地、労力などの準備が必要であるが、青少年の能力ではその調達が困難なものが大部分であるので、両親から提供を受けることになろう。この場合、提供を受けた資材や資金の数量や金額を明確にさせることが重要である。この点が不明確であると、実際の利益計算も不完全となり、青少年自身も、実施についての責任の所在があいまいなまま実践意欲も出ないことになる。

青少年のプロジェクトは、両親の農作業や家事作業とは別個の、青少年自身の事業であるという主体性の確立について、両親と青少年との相互理解が必要である。

つぎに、プロジェクト実施のための作業時間を、前もって両親に認めてもらう話し合いが必要である。

プロジェクトの実施には、かなりの日時がかかるし、年間を通して継続することになるので両親とともに農作業や家事作業に従事する中の一部を、青少年自身のプロジェクト作業を行うために確保しなければならない。

一日当たりの時間は、わずかなものであっても、自分の自由になる時間をもつことによって、創意工夫を生かしてプロジェクトの実施時間を合理的に使用でき、これが自家の営農や生活の改善向上をはかる意欲に結びつくことにもなる。

つぎは、プロジェクトによる生産物、製品または利益金の処理についての話し合いである。これは所有を前もって明確にしておくためである。

もちろん、プロジェクトによる生産物や所得は直ちに自家の経済につながることになるが、たとえば、両親の一〇a当たり収量よりも青少年のプロジェクトによるほうが多い場合には、その超過分を青少年の所有として渡すとか、プロジェクトによる収入金のうちから、両親から提供を受けた土地、資金、資材などの経費を差し引いた純益分を自分のものとして認めてもらうなど、プロジェクトの生産物の処理について取り決めておくことが望ましい。

こうした両親と青少年との話し合いは、青少年のプロジェクトに対する意欲と責任感を持たせる意味で、きわめて重要な事前準備である。

1日平均生活時間の構成の比較（単位・分）

	世帯主 1956 自家農業	世帯主 1956 睡眠	世帯主 1962 自家農業	世帯主 1962 睡眠	妻 1956 自家農業	妻 1956 睡眠	妻 1962 自家農業	妻 1962 睡眠
1月	319	518	356	484	216	453	314	431
2月	263	523	204	417	[illegible]	[illegible]	18	477
3月	257	482	247	454	60	468	30	430
4月	391	423	329	460	120	426	158	445
5月	493	431	463	439	378	420	281	440
6月	455	412	546	440	397	411	[illegible]	[illegible]
7月	297	435	501	425	84	419	112	442
8月	298	482	373	456	200	369	65	428
9月	[illegible]	[illegible]	[illegible]	[illegible]	237	464	[illegible]	[illegible]
10月	538	511	434	508	480	507	338	503
11月	118	562	103	512	50	526	68	497
12月	153	562	103	496	39	552	40	468
年平均	336	479	343	464	190	460	199	454

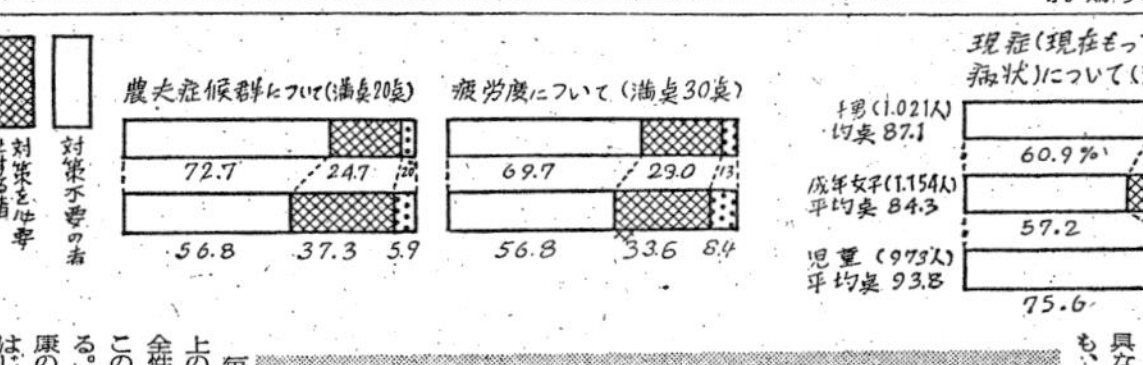

農業就業人口の減少と機械化その他の技術革新により、生産の高度化はすすんでいるが、一方、農業の近代化が誤まって人間疎外の現象を引き起こしてはいないか。

対策不要の者　対策を必要とする者　早急に対策を必要とする者

農夫症候群について（満点20点）：72.7　24.7　2.6／56.8　37.3　5.9

疲労度について（満点30点）：69.7　29.0　1.3／56.8　33.6　8.4

現在（現在もっている症状）について（満点50点）：男（1,021人）平均点87.1　60.9％　33.0／成年女子（1,154人）平均点84.3　57.2　36.5／児童（973人）平均点93.8　75.6　21.3

健康と安全

農山漁村健康生活管理特別事業を実施した全国二七ヵ所のうち二ヵ所一、〇六六戸の健康状況調査結果（昭和四十年八月調査）

これからの経営者

8月1日（木）　経営者と組織
一、組織化必要の理由　❶技術　❷市場　→規模拡大
二、属地集団から機能的集団へ　❶集団栽培の組織としての性質　❷ゆい、その他の労働慣行とその変化
三、協業経営と経営者の意志決定機能
四、静岡県大浜町の農業管理センター構想

8月2日（金）　父子契約
一、アメリカでの父子契約農業の背景と現在の問題
二、日本での父子契約の現在価値

農民の生活と健康　農作業と健康　機械利用と安全　農業利用と安全　主婦の労働を考える

NHK農事番組（8月1〜10日）　テレビ　ラジオ

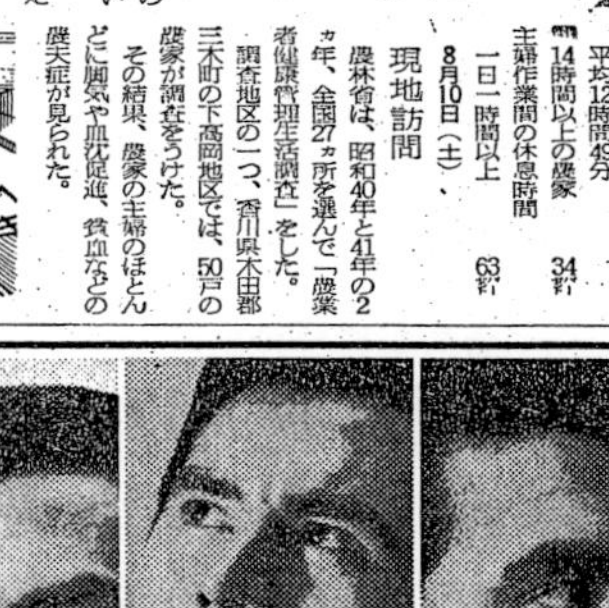

わがクラブわが同志

伝統を築く礎えに 町当局も積極的に支援

山梨県北巨摩郡双葉町竜沢・二葉4Hクラブ 柳本正徳

今年は明治百年を迎えて、全国的に多彩な記念行事が計画されています。4Hクラブも発足二十周年を迎えるという記念すべき年であります。

この意義深い年の春、私たちの「二葉4Hクラブ」は発足いたしました。発足して日も浅く、実績や伝統はもちろんありません。しかし、クラブ員全員が未来の二葉4Hクラブの伝統の基礎となるために、はりきっています。

昨年までは、地区連一本の組織で活動を進めてきましたが、活動上不便であったため、これではいけないということで普及所の指導を受けて、地区内に七つの単位クラブが発足したのです。

現在、クラブ員は二十名（うち女子五名）ですが、最近十数名の入会申しこみがあり、いちやく三十名にふくれあがる日も近いという、うれしいありさまです。将来を期待されている若者ばかりが集まり、平均年齢は二十一歳弱です。

さいわい町当局が、青少年育成には非常に力を入れており、未熟な4Hクラブにもかかわらず、活動の指導はもちろん、活動資金まで助成するという積極的態度です。これに対して、クラブ員も期待に応えるため、活動に没頭しています。

今年度の活動目標は、ごく身近な問題として、より多くの仲間と接する。学習活動には積極的に出席する。県連、全協の行事に代表を送る。という三つの目標達成のために努力しています。

第一回の行事として、五月には長野県の農業試験場に視察に行ってきました。視察後、クラブ員の意見を総合すると"百聞は一見にしかず"のごとく「今後、経営と取り組んでいくうえにプラスになった」ということに意見が一致しました。帰りには、善光寺、諏訪湖をまわって楽しく、有意義な一日でした。

全国の4Hクラブ員のみなさん私たちの二葉4Hクラブは発足して間もないクラブですが、今後ともよろしくご指導をお願いいたします。

私たちも、4Hクラブの信条に向って活動を進めていきたいと意欲をもやしています

"百聞は一見にしかず" 先進地視察で熱心に耳を傾むけるクラブ員

勇気ある青年

さとわのうた

梅雨が終りを告げた途端、強烈な盛夏の太陽が、わが意を得たりと照りつける。三〇度を超す夏の日がおとずれる。汗を拭い、風や冷を求めてのあえぎあえぎの日々をすごすことであろう。心頭滅却すれば火もまた涼しと格言にあるが、それほどでなくとも暑さを忘れて何事かにうちこんでゆく努力をしたいと思う。

先週、宮崎に出張した。SAP五周年夏期大会が二千名のSAP会員を集めて、盛大に華々しく挙行されたのである。

西村農林大臣の随行として、SAP大会にお招きをうけたが、常陸宮殿下、同華子妃殿下のご臨席をえて、式典はいやがうえにももりあがっていった。

県SAP連合会長上杉光弘君（第五回全国青年会議運営委員）は、力強くあいさつをした。その中に、七千名を超えたSAP会員が一時は四千名を割る状態になった。危機感があった。しかし、自らの手でもりかえして今日の五千名を維持し、今日の式典を迎える喜びを語った。やはりそうであったのかと私は思った。

黒木知事はじめ、県民挙っての「農業繁栄のための学習」運動であったSAPが、時代の流れに抗することができずにおし流されようとした。そこを農村青年自らの手でくいとめ、崩壊を救ったのである。いかに知事が鳴物入りでSAP、SAPととなえても、笛吹けど踊らずの意識状態ではどうしようもないし、地すべり的流出をつづける農村の実態には手のほどこす術（すべ）がない。

ここで立ちあがったのが宮崎の青年であり、SAP会員であった。誰のためのSAPでもない。しょせん自分達のSAPを自からが守り抜かなければという固い覚悟を決めて立ちあがったのである。

私は思う。大なり、小なり、単位クラブでも、地区連、県連でも、同じような現象がおきていると思う。瓦解し霧散したクラブもあったろう。苦悩しどん底から立ちなおったクラブもあったろう。現在なお苦斗を続け煩悶し、いかに処すべきやと焦首しているクラブもあろう。ここで共通していえることは、立ちなおるクラブには、必ずといっていい、立派なリーダーがいることである。

救世主（メシヤ）であるリーダーが一人ないし二人はいる。彼等が犠牲をはらって立ちあがったとき、そのクラブは再び活躍を続ける。またそこに暖かく見守る先輩のボランテァが援助し、相談に乗ってくれるとより強くより固く育ってゆくようである。宮崎SAPではそのボランテァは黒木知事といえよう。

この式典で農林大臣が講演されたが、このことはいつれ機会あればふれるとして、最後に強調されたことは「青年よ勇気を持て、青年の特権である勇気をもって立ち向うならば、苦難の道も自ら切り拓かれようし、近代的経営も自ら生れてくる」と。私はこの「勇気ある青年」という言葉が強く脳裏にこびりついた。いい言葉である。どうか諸君も、勇気をだして、頑張ってください。何事にも。

最後になったが、宮崎は美しかった。太陽とみどりの国である。ソテツ、フェニックス、バショウ、ビロウ、サボテンなどが南の国を象徴して樹つ。舗装された道路には夾竹桃やすいふようやグラジオラスやパンパスグラスが植えられ、並木道を彩る風景は素晴らしい。夾竹桃は咲きはじめであったが、グラジオラスがさかりで真紅が強烈に目に映えて忘れえない。

宮崎空港に咲いていたアメリカデイコの豆科植物特有の形をした、くれないが美しかった。

蒼空の太陽の下、南の国は情熱の美粧をこらしていやがうえにも燃えていた。（龍）

農業は新しい世代へ 何を成し得るか問い給え

栃木県足利市御厨4Hクラブ 石橋孝雄

学生生活に別れを告げて、前途に夢と希望で胸をふくらませ、社会人一年生として巣立ってから、はや七ヵ月という歳月が過ぎている今日この頃です。

思えば十二年前、母に手をとられ、小学校に入学して以来十二年間、時には泣き、笑い、時にはけんかをしたことも、今では楽しい思い出です。

私が農家の長男であり、後継ぎであることを自から自覚したのは、小学校四年生の時でした。その頃は、トラクターはもちろんのこと耕運機、刈取機、その他現在のような機械設備はほとんどなく、農業は重労働だというのが、世間の常識だったのです。したがって私の心中には農業はいやだという、一方的な観念が往々にしてあったと記憶しています。

しかし、小学校から中学校へ、中学校から高等学校へと私が大人になるにしたがって日本農業は、目を見張るばかりのめざましい発展を遂げてきたことは、農業にたずさわる人々はいうにおよばず、私たち農業後継者に農業への関心を深めさせました。

このような時代に、安心して農業が営める私たちは、むしろ喜ばしいことです。このような心境にあって、私は先輩の人たちのあたたかい指導によって御厨4Hクラブに入会しました。

以来七ヵ月間、私は4Hクラブ員としての誇りを腕に、いろいろな行事に参加して、団体行動のむずかしさや、農業に関する技術や理論を学んできました。

新しい時代に対応する、新しい農業技術、新しい農民が要求される今日、私たちこそ実践をもってこの要求に応えていかねばなりません。今や日本農業の前途は、新しい世代の人たちにひきつがれようとしています。

そこで私たちには、大きな責任と自覚が必要とされます。ただ無意味に青春を過し、無意識に4Hクラブ活動に参加していたのではその責任を果たすことはおろか、無意味な人生をすごすことになります。

そこで、4Hクラブ員のみなさん、故ケネディのあの有名な言葉を4Hクラブ員に置きかえて考えてみましょう。

「諸君のクラブが、諸君のために何をなし得るかを問い給わず、その代りに諸君が諸君のクラブのために、何をなし得るかを問い給え」また「わが友である足利の、いや栃木県の、また全国の4Hクラブが諸君のために何をなすかを問い給うな、農業発展のために、私たちが何をなしうるかを問い給え」私たちには、日本農業をささえるべき大黒柱のような使命があることは明白である。

日本農業の発展性があるか、ないかは4Hクラブ員の団結と努力いかんであろう。私は4Hクラブに入ったことを嬉しく思っています。あの四つの信条に向って、私たちの手でよりよいクラブに育てようではありませんか。

映画 戦記物の代表作 土と兵隊（日活映画）

かいせつ

「文芸春秋」所載、火野葦平原作小説の映画化で、中支各地にロケを敢行、現地軍の全面的協力を得て、その生々しさと迫力を描写注目された。昭和十四年十月、封切と同時に日本全国で多大な反響を呼び、文部大臣賞、キネマ旬報ベストテンなど数々の賞を受けたヒューマニズム溢れる戦記映画の代表作である。

ものがたり

言葉少なく酒をくみかわす者、軍歌を唄う者もあるが、張りつめた気持はかくしきれない。

第二分隊長玉井伍長（小杉勇）は部下十三名に訓示し、自分が倒れたときは坂上上等兵（井染四郎）を分隊長として戦うよう後事を託した。月もない漆黒の海を、灯火管制の輸送船は目的地に進んで行く。やがて目的地につく、「乗艇開始」の声に、銃や剣のかちあう金属的な音がひびく。

小艇に乗り移った玉井伍長は、番号を呼称させて十三人いることを闇の中に確認した。浅瀬に着いた小艇から飛び下りて突撃する。その時、激しい敵の重機関銃の音が響いた。玉井隊は直ちに応戦の火ぶたをきった。

艦砲の援護射撃、飛行機の爆撃も効果がない。中隊命令で後退して堤防線に集結せよと伝命が来たとき、乗本一等兵は敵弾に倒れた。そうした犠牲の中に主力部隊の金山衛上陸の援護任務の完了したことを知った。

土葬されるという乗本の遺体をせめて故国に骨の一片でもと願う玉井伍長の願いに、火葬することになった。怒れるように燃える焔にうつる捧げ銃の兵の眼に涙があふれている。

乗本の殺みを背負って玉井隊は行軍する。泥濘の道は続く。「小休止」の声に、将棋倒しのように倒れ、背嚢の負革を外す。戦争は苛酷であり長い休みは許されな

（井上敏正）に機銃を奪ってもらい、心ならずも後送されることになった。

玉井部隊は前進をつづける。金山の手前で玉井伍長は、石油の空罐の鳴子に足をとられてハッとしたが、それは味方のものであった。幾度の危険をおかして太股橋を渡り、濠の中に飛び込んだが、前面には無気味なトーチカの窓があり、機関銃弾が飛んできた。その中でトーチカ占領の命をうけ、第二の濠の中に進む。

そのとき敵の一弾が玉井伍長の耳朶をかすめ血が流れた。だが玉井伍長は、坂上上等兵の心配をよそに濠へ移り、窓に手榴弾を投げこみ占領した。もう嘉善城も近い。戦車隊、砲兵隊、そして歩兵が前進して行く。

またも部隊に前進命令がくだった。嘉善城に上った日の丸を見ながら、玉井伍長の隊は颯爽と勇ましく進軍して行くのだった。

泥と雨の中を玉井部隊は前進する

明治百年を顧みて 社会建設の使命感を自覚

奈良県大和郡山市長安寺町大和郡山4Hクラブ 中津隆夫

私は農村に生まれ、育ち、生活している農業青年であります。今や農村は刻々として近代化され、また、科学技術のいちじるしい発達、経済の急速な成長に伴なって重工業が大いに盛んになり、どちらかといえば農業が軽視されている状態の中で、私たち4Hクラブ員は、明日の農業を目指して日夜精進しております。

昔から農業は、国の基なりといわれているように、農業があってこそ今日の日本が繁栄したと言っても過言ではないと思います。

戦後、あの混乱した時代の食糧ききんの時をふりかえって見ても、日本の食糧ききんを救ったのは、ほかならぬ農民自身が食糧増産に励げんだからこそ、今日の繁栄の道が開かれたのではないでしょうか。

となると、重工業などが発達すればするほど農業というもののが重要になってきます。また、農業は人間に対して食を与え、住を与え、衣を与えます。しかも、人間の心に安らぎを与えるということは、いかに科学が進歩したとしても欠くことの出来ない重要なものが農業という職業だと思います。

しかし、農村にも悩みがあります。

農業といっても今日の他産業の発展によって、とり残されたような農業に後継者は魅力を感じません。だから私たち4Hクラブ員が助けあい励ましあって魅力ある農業に改善し、発展させて、私たちが真から好む農村にすることが、私たちに与えられた大きな使命ではないでしょうか。

魅力ある農業にするには、技術の高度化、機械化、流通機構の改善などの問題と、反面精神的な心の中の封建性や家族関係の近代化など、例にとっただけでもいろいろなことがあります。私たちは、これを一つ一つ解決していかなくてはなりません。

あの明治維新のことを考えてみても、新しい時代を築き上げた人は坂本竜馬にしろ高杉晋作らにしても二十代、三十代の若き青年たちであったのです。私たちもこの時代の青年に負けないように、すぎ去った百年を深く反省して、これからの百年、二百年を目指して力強いあゆみをつづけなくてはなりません。

あの時代の青年たちは、江戸時代の士農工商の身分を打ちくだき、また、あらゆる面でたちおくれていた文化などを諸外国から取り入れつつも、けして日本人たる主体性を失なわず、日本に適した民主々義の明治時代を築いたのであります。それから百年、わたしたちの体の中には、明治維新を築いた青年たちの精神が流れているのです。

今こそ、その精神に目ざめなくてはなりません。私たち農村青年も坂本竜馬、高杉晋作らに見習って、自からの手で国を、農業を築き上げるという自覚をもって、明日の社会建設のために努力していこうではありませんか。

これにより、日本農業は4Hクラブ員の手によって担うのだという使命感を自覚しなければなりません。そして現在の4Hクラブ活動も互に切磋琢磨して、人間的成長を図ることや経営の改善につとめることが4Hクラブ活動であるように、さらに自己を厳しくみがき、自分で自分を教育して、仲間をつくり、よりよい生活を営むために、明日の日本農業は、私たち4Hクラブ員でという合言葉で進みたいと思います。

東南アジアを訪問して（十） "サリー姿"に異国感 まさに牛様、様の国柄

埼玉県入間郡富士見町南畑・青年の船派遣団員 砂川みさ子

上流家庭に従うメイド

二月十六日ー。日本を離れて早や一ヵ月を迎えた。日本から一番遠く離れたとはいえ、淋しいとかホームシックだのとロマンチックな気分を味わうどころか、寄港地では、ぎっしりつまった日程に追われて、いくらがっしりとしたわが身とはいえ、こわれてしまうのではないかと、心配したくなる日々である。

食糧飢饉といわれているインドは、セイロンより貧しい町だろうという先入観をうえつけられていたが、私たちが入港した町マドラスの美しさには驚いた。

しかし、立派な屋敷のそばには原始時代を思い出させるヤシの葉ぶきの粗末な民家が立ち並んでいる風景は、やはり、ここでも貧富の差を痛感させられる。これらの家は、上流家庭に従えるメイドの家であるという。みすぼらしい姿の人々が生活している様子が手にとるように見える。

入港第一日目は、マドラス市内と舞踊学校、国際見本市などを見学する。

市内では、インド特有の美しい"サリー"姿の女性が、なおいっそう異国感をそそう。市内のいたる所には、やせた牛や山羊などの動物が行き来している。インドは、食糧難といわれながら、宗教関係から動物（牛）は食べないという国民性が、せつじつに理解できる。

マドラス大学生と交歓

翌日はバスで、パイロット万年筆の合併会社工場を見学する。午後は、船内"ディーパーティ"を開く。その後、マドラス大学の招待に出席する。

交歓会も回を重ねるごとに新鮮味を失ってくるのは残念なことである。私の英会話は相変らず上達しないが"あなたの職業は?"とたずねられたとき、少しためらった。

彼らは、エンジニアと大学生であり、この国ではカースト制度があるということが、私の頭の中から離れなかったからである。

もし、私が"農業だ"と答えたら、この青年たちはどういう態度をとるだろう。私はカースト制度がどの程度強力な制度のものか知らなかった。そこで"私は農業者だ"と答えた。すぐに彼らの表情が変ったように見えたが、さいわい言葉が良く通じなかったのか、かえって救われたように思えた。

帰国してから、お礼の手紙と写真を送ったが、いまだに返事は来ていない。

この夜、私を含む男女団員二十名は、途中で席をはずして九時近い夜のインドを車に分乗して、別の招待地へと向う。

食べ方は右手が箸代り

この招待には、橋本副団長さんが一緒だったのは心強かった。立派な大きい屋敷に案内され、家族（両親と子供四人）の出迎えをうける。この家庭でもメイドの数多いのには驚いた。

この家の一人息子のスレッシャー君が、二年前日本に派遣され、今夜はそのお礼の意味での招待というわけらしい。また大学連盟の会長としても私たちの寄港に際しては、大変働いてくださったとも聞いた。

さっそく、食事に招かれる。インド料理は初めてであるが、夕食は、すませてしまった後なので、食欲がわかない。しかし、好意を無にしてはいけないし、好奇心も手伝ってごちそうになる。

料理は、辛いスープが出された後、バナナの葉の上にきちんと並べられた盛だくさんの名前もわからないごちそうに目をうばわれた。インドはで、バナナの葉を使った料理は、最高のもてなしを意味するのだという。二階のベランダからながめる月は、ヤシの葉と調和がとれて、とても美しい。

料理の食べ方は、自分の右手が「はし」がわりになる。便利なようだが、いざ使ってみると、とてもインド人のように上手に口に運べない。

まず、炒飯にカレーこれを手でまぜ合せて口の中へ入れる。これが手にはつくし、口にはつくし、けっさくな会食である。ミルクにご飯を入れ、煮てどろどろしたものを食べろと進められたときは、非常に困ってしまった。

食後、日本の「ビワ」に似た楽器を持ってきて、日本の歌をはじめ、色々な歌をみんなで唄い、すばらしい一夜をすごした。

ヒンズー教寺院の遺跡マハパリプラムとインド人

インド滞在は短かかったが、特に感じたことは、子供の多い国であった。

結婚年令は満十三歳弱

結婚年令は、法律で定められた満十三歳である。しかし、無教育の人たちは、それ以前にみな結婚し、子供を産むという。したがって、子だくさんであり、奇型児が多い。性教育がなされていないこともあるが、インドの家庭の多くは貧乏であり、娯楽も少ないという。

子供たちは裸であり、私たちの目にうつる彼らは、とても理解できない。近親結婚が多いため、不幸を招く人も多いというが、インドでは、こんなことは、不幸のうちに入らないという。私たちの知らないインドの内面がもっとあるように思える。

こんな例もあった。「赤ちゃん」を一ルピー（約六十円）で買ってくれといわれた団員がいた。これからみてもうかがえる。

燃料になる木が少ないため、今でも、牛の糞を干した物は重要な燃料となる。これが一個、日本円にして約二円位いとのこと、まさに牛様、様の国柄である。

日本4H新聞
4Hクラブ 農事研究会 生活改善クラブ
全国弘報紙
発行所 社団法人 日本4H協会
東京都市ケ谷家の光会館内
電話（269）1675
編集発行人 玉井光
月3回・4の日発行
定価 1部 10円
6ヵ月180円（送料共）
一ヵ年360円 〃
振替口座東京 12055番

クラブの綱領

私達は実践を通じて自らを磨くとともに互いに力を合わせてよりよい農村、よりよい日本を創るため四つの信条をかかげます。1、私達は農業の改良と生活の改善に役立つ腕をみがきます。1、私達は科学的に物を考えることのできる頭の訓練をします。1、私達は誠実で友情に富む心をつちかいます。1、私達は楽しく暮らし、元気で働くための健康を増進します。

台湾から"草の根大使"二人
大分と愛知で生活
今月下旬に来日予定

国際農村青年交換（IFYE）計画に基づいて社団法人日本4H協会（松下幸之助会長）が今年度、中華民国（台湾）から招く同国4Hクラブ員代表二人は、今月下旬来日する。

この交換は、台湾の四健会協会と日本4H協会との間で四年前から実施しているもので今年で四回目。今回来日する同国クラブ員は荘秋忠君（[illegible]）と黄貴英さん（[illegible]）で、約二ヵ月間にわたって日本に滞在して、わが国の農業や農村、農業生活などについて学ぶほか、4Hクラブ員などとの交歓を通じて民間外交官"草の根大使"として両国の相互理解と親善友好に活躍することになっている。

日本から今年度は富山県の佐藤信次君と愛知県の亀子とし江さんが台湾を訪問し、青年大使としての役割を果し、さる七月九日帰国した。

なお、台湾代表4Hクラブ員は来る二十四日に来日の予定で、滞日二ヵ月間のスケジュールは次のように計画されている。

▽8月24日＝羽田空港着、来日
▽25日～29日＝東京でオリエンテーション、その他
▽30日～9月20日＝大分県の受入れ農家（4Hクラブ員宅）に滞在
▽21日～10月5日＝愛知県（中部）の受入れ農家（4Hクラブ員宅）に滞在
▽6日～10日＝奈良県、第四回全国4Hクラブ員の集いに参加
▽11日～18日＝愛知県の4Hクラブ員宅に滞在
▽19日～24日＝東京で滞日報告会に出席、帰国準備
▽25日＝羽田空港発、帰国

荘秋忠君

黄貴英さん

二人の略歴

二人の主な経歴は次のとおり。

❶家族❷宗教❸農場経験❹4Hクラブ（四健会）歴❺特技・趣味❻日本で学びたいこと。

荘君 ❶父母、弟三人、妹二人❷カトリック❸養鶏三百羽❹四年❺水泳、球技、土風舞、歌唱❻養鶏技術と施設の見学

黄さん ❶祖父母、父母、叔父母、弟、妹各三人❷仏教❸水稲、蔬菜、花卉、養豚、あひる❹五年❺籠球、音楽、民謡、水彩画❻花卉栽培法など。

組織づくりなど協議
13・14日 徳島で 中四国地区会議開く

【徳島】中国四国農村青少年クラブブロック会議は、徳島県農村青少年クラブ連絡協議会（会長、河崎嘉宏君）の主催、同県の後援によって来る十三、十四の両日、徳島県名西郡石井町山路の子安大師で開催される。

これは、全国4Hクラブ連絡協[illegible]仲間づくりや自主性の高揚、各県連の組織強化を推進しようというもの。

会議の主な議題は、各県連の現状報告、クラブの組織づくりなどについて、一日目は、午後一時からオリエンテーションに続いて開会式、二時から全協の動方針の説明、各県連活動状況の報告と討議、四時半から徳島県会議長、阿部豊氏の講演を予定、六時からレクリエーションと座談会、八時から各県連執行部会を開く。

二日目は午前六時に起床、体操のあと朝食、清掃、八時半から現地研修して午後四時に解散する。訪問先きはクラブ員、池田進君宅の池田農園。

神奈川県で技術交換大会
8～10日、足柄下郡で

【神奈川】神奈川県の農村青少年技術交換大会は、県と同県農村青少年クラブ連絡協議会（会長、小沢嘉平君）の共催によって来る八日から十日までの三日間、足柄下郡の県立箱根公園管理事務所広場と県営湖尻キャンプ場で開催される。とくに今年は農業改良普及事業二十周年目を迎えて、これを記念するため県下の農村青少年のほか農業経営研修場、農業技術講習所、園芸・畜産試験場の研修生、農業高校生代表などの参加のもとに開く。

主な行事は、技術競技をはじめ話し合い（自由交換）体力づくり、キャンプファイヤーなどで、一日目は、午後一時から開会式のあと夕食として料理コンクール、夜は自由交歓、二日目は午前中、技術競技として作物、園芸、畜産、果樹、生活各部門について審査、鑑定、診断、判定などを行なう。午後から体力づくりとレクリエーション、夜はキャンプファイヤーをくりひろげる。三日目は午前中、討論会を行ない、閉会式を最後に終了する。

涼風暖風
再びもどるまい

三十数階の威容を誇る東京虎の門の霞が関ビルにのぼった。階上からの見事な夜景にもあきて、喫茶室に入ろうとすると"ジャンパー姿での入室御遠慮ください"といった意味のことが掲示されてある。

服装で入室の差別をつけることに、いささか不愉快なものを感じながら、私は今春全国農村青年会議に参加したS青年の"再びもどるまい"という心境を思い出した。

S君と私は、国電中央線の吊かわに身をゆだねながら、雑談をかわしていたが、S君はいきなり『私から遠ざかる人もなく安心ですョ』と語りはじめた。それによると、S君は、[illegible]この辺の地下鉄工事の出[illegible]東京の飯場での生活も惨[illegible]よりも、彼を打ちのめし[illegible]ー姿で電車にのると、近[illegible]となく遠ざかってゆくこ[illegible]ートの売場にいっても同年齢の売子さんに軽くあしらわれることだった。それがいまこうしてネクタイをしめて電車にのっていると、だれひとり遠のいてゆく人もいないし、しかも晴れて全国会議の県代表でもある。胸に小さな全国会議の参加バッチをつけたS君はほんとに誇らしげな、そして安心した表情で、流れゆく車窓の景色を追っていた。『百姓を立派にしあげてみせる。あの惨めな都会でのジャンパー姿にはもどりたくない』

S君は、同志をつのって青農会を結成、さらに、この六月に県の営農大学に参加し意気ますますさかんである。

今年も、また大量の出稼ぎ者が東北から都会に流れてゆく。だが"再びもどるまい！"と意気ごむ青年もきっといるはずだし、きっとその数も多いことを期待したいものだ。

夜空にそびえたつビルの階上から、点滅するネオンの海原をみつめて、私はしばらく動かなかった。

（岩手・伊藤）

地区連にパイプ通す
山口県連で地区会長会議開く　連絡員おき密接に

【山口県＝山崎順之連絡報道員発】山口県農村青少年クラブ連絡協議会（会長、岡崎秋正君）主催の第一回地区会長会議が、さる七月十七日山口市で開催され、今後のクラブ活動のあり方について慎重に審議された。

その結果、今年度の事業計画として新たにクラブ幹部研修会が組み込まれた。この研修会は、幹部としてのあり方、会議と集会のもち方、話し合いの方法と実際などを内容として、今後各地区で活躍するリーダーを養成するのがねらい。

また、リーダー研修会、地区活動促進事業、各種青年団体との交流会議、4Hクラブ機関誌、そして青年会議、夏季技術交換大会などについて十分に話し合い大体の方向を決めた。なかでも、促進事業と4Hクラブ機関誌については地区連と県連を密接にするため地区連に連絡員をおき、その動きを4H機関誌で地区連に報道するというシステムで地区活動の促進に役立てることを申し合わせした。

最後に、北長門（ながと）国定公園の中心にある青海（おおみ）島のキャンプ村において開催される農村青少年クラブ夏季技術交換大会の内容を検討し終了した。

山口県連の地区会長会議で審議する各地区代表
（正面左から2人目が岡崎県連会長）

15年を回顧
IFYE交換 同窓生が総会

国際農村青年交換（IFYE）日本協議会（大津一太会長）は、来る八日午前九時から東京・港区新橋の共栄火災海上保険相互会社（会長、宮城孝治氏・日本4H協会副会長）で初の総会を開く。

同協議会は、国際農村青年交換（IFYE＝インターナショナル・ファーム・ユース・エクスチェンジ）計画に基づいて、これまで日本4H協会から米国と中華民国（台湾）に派遣された4Hクラブ員（派米クラブ員）がクラブ員の派遣や来日した米国クラブ員の受入れなどに積極的に協力しようと、昨年結成したばかり。

この交換生は、それぞれ訪問先きの各地で農業、農村生活、教育や芸術、風俗、4Hクラブ活動などを学ぶかたわら、4Hクラブ員や地域の人たちと交歓して自分たちの国情などについて紹介するなど両国間の相互理解と親善友好の上に大きな役割を果している。このように派米クラブ員は、民間の中に草の根のように深く広く根をはり、民間の大使的役割を果ため一名"草の根大使"（グラス・ルート）とも呼ばれている。

すでに日本から第一回の交換生が米国に派遣されてから今年で十五年目を迎えたので、これを機会に総会を開いて十五年の歴史をふりかえるとともに今後の発展について語り合うことになったもの。

なお、この総会に前後してIFYE事業についてのシンポジュームや謝恩パーティなどを開く予定である。

全国大会へ36名を動員
宮城県連で"七夕"もPR

【宮城県＝庄司健治連絡報道員発】第八回全国農村青少年技術交換大会が来る二十一日から二十四日までの四日間、山形市を中心に開催されるが、宮城県では隣接県でもある関係から高野秀穂県4Hクラブ連絡協議会々長を団長とする県連役員八名と選抜された一般クラブ員二十八名、合計三十六名が貸切りバスで乗りつける予定。それに大会中、参加者全員で仙台七夕踊りや豪華な仙台七夕を全国のクラブ員に披露しようと計画している。

県知事から感謝状受ける
ヒョウ害救済に奉仕した茨城県の4Hク員ら

【茨城】茨城県内各地の4Hクラブは、さる五月末、茨城郡内原町など県内各地でヒョウ害が発生したとき、倒伏したムギのあと始末などに勤労奉仕をしたが、この程岩上県知事から感謝状が贈られた。この感謝状を受けたのは、4Hクラブのほか経営伝習農場や水戸農業高校、日本国民高等学校、鯉淵学園の生徒など五百八十名。

当時の勤労奉仕に対して県農業水産部でも「実際、ヒョウ害をうけた農家は、ためになったムギのあと始末をする労力も気力もなく困っていた。もしクラブ員や生徒たちがやってくれなければ、ムギのあと作の収穫にも大きな影響が出たはず」と若い力の活躍をたたえていた。（江戸崎地区4Hクラブ員、村山文雄君発）

民泊研修を計画
全国大会参加者に　米作日本一も紹介　山形県連

【山形県＝今野誠一連絡報道員発】第八回全国農村青少年技術交換大会は来る二十一日から山形市と蔵王を中心として開催されるが、山形県農業青少年クラブ連絡協議会（会長、斉藤幸彦君）は、参加者を対象に民泊研修を計画している。

これは、この大会を機会に山形県の農業の真の姿を全国の仲間に理解してもらうとともに、米作り日本一の本県の技術を知ってもらいながら地元クラブ員と全国各地のクラブ員の仲間づくりを進めようというもので、県連でも、"全国大会の思い出をより強烈にする企画である"と、斉藤会長はじめ役員は自信慢々。すでに地元クラブ員による受入れ申し込みもととのい、あとは、全国クラブ員の参加申し込みを待つだけである。

大会のころ、山形地方はちょうど稲穂が出揃い、果樹王国の数多くの果物の最盛期で、すばらしい味をたんのうしてもらえると思われる。

民泊研修の期日は、大会終了日の二十四日から翌日にかけての一泊で、全国大会参加者を対象にあっせんする。経費は一人当り千二百円を予定。

場所は、米作地帯（A）庄内ブロック、米十果樹地帯（B）村山ブロック、果樹地帯（C）置賜ブロックに分かれている。

参加希望者は、県名、氏名、年令、性別、住所、希望ブロック、希望民泊日数を明記して、九日までに山形県農業青少年クラブ連絡協議事務局＝山形市旅篭町三丁目山形県庁農林部農業改良課内＝まで申し込むことになっている。

会館建設の「しおり」出来る
募金活動に拍車か

全国クラブ員の殿堂
建設のために
日本4H会館建設委員会
全国4Hクラブ連絡協議会

このほど出来上った会館建設のしおり

具体的な構想など
各県連の要望に応える

会員の自覚と誇りを
山形県連で「会員証」を発行

[illegible]山形県農業青少年クラブ連絡協議会（会長、斉藤幸彦君）では[illegible]月の総会はじめ数回の理事会を[illegible]集し、会員数の把握と名簿の作成に全力を注いできたが、このほど、県連事業の一環として会員すべての手にわたる「会員証」を発行した。

これは、発足してまだ日の浅い本会にとって、クラブ員の自覚と誇りこそが発展の何よりのエネルギーであると理事会で発案され、総会において決議されたものである。

このほど出来上った「会員証」はタテ九㌢、ヨコ五・五㌢大のものを二つに折ったもので、4Hクラブのマークを表紙に、中には、住所、氏名、生年月日、所属クラブ、綱領があり、裏には4Hクラブの歌が印刷されている。いたって簡単ではあるが、会員一人一人の手に渡ってから、いろいろの反響があるものと期待されている。

会員証
山形県農業青少年クラブ連絡協議会

県下の全クラブ員に渡される山形県連の会員証

瑞浪と大日両4Hクラブが交歓
岐阜

【岐阜】瑞浪市の瑞浪4Hクラブ（会長、安藤幸正君）と郡上郡高鷲村の大日4Hクラブ（会長、後藤貴君）との交歓会がさる七月二十日、瑞浪市で開かれた。

同日は、瑞浪市役所でお互いに紹介し合ったあと同市の農業センターを見学、その後クラブ活動や農業について話し合った。

心頭技健

いま、海や山への行楽シーズンたけなわ。七月最後の土、日曜日はあいにく、いたずらな台風のために人々は足止めをくったが、その前の日曜は、梅雨あけを首を長くして待っていた人たちが海、山へどっとくり出し、関東地方の湘南海岸は人の波で泳ぐ場所もないほどだった▼まさに天下泰平、昭和元禄の一断面を浮き彫りにして見せつけられているようである。これからは更に経済成長に伴って所得がふえ、会社の休みも多くなることが予想されるので、レジャーはますますクローズアップされるに違いない。すでにレジャー対策の必要性がさけばれ、国や都道府県などがこれと取組まなければならないといわれている。将来、レジャー担当大臣が生まれるかも知れない時代である▼4Hクラブ員の中にも、余暇を利用してレジャーを楽しむ人がふえている。本紙を通じて全国の仲間に参加を呼びかけた山梨県連主催の「全国4Hクラブ員富士登山と清掃のつどい」、静岡県・北駿4Hクラブ主催の「同富士登山のつどい」にも、全国各地から予想を上回るクラブ員が参加した▼昨年は[illegible]玉からサイクリングを兼ねて[illegible]宿しながら自転車でやってきた人がいたが、今年は九州から[illegible]でやってきたクラブ員がいた[illegible]アベックではないが、しゃれた[illegible]ドライブ旅行である。クラブ[illegible]の中にはアルピニストもいる[illegible]あちらの山、こちらの湖と全[illegible]をまたにかけて歩いている人[illegible]少なくない。農村青年の姿は[illegible]ま大きく変ってきている▼知[illegible]にもレベルアップされ、イン[illegible]リゲンチャ的な人が多くなっ[illegible]ている。「農夫のように耕し、学者のように考える人間」の[illegible]型がクラブ員の姿にみられる[illegible]また、男子クラブ員の肉体は[illegible]ばらしい。柔らかさや器用さ[illegible]少し欠けるかも知れないが、[illegible]のたくましい筋肉、赤銅色に[illegible]まった肉体のすばらしさは[illegible]人の比ではないように思う▼[illegible]Hクラブでは、プロジェクト[illegible]動を主体に、実践を通じて[illegible]のH（心、頭、技、健）を[illegible]ことを信条としているが、[illegible]ーツシーズンを迎える秋に[illegible]て大いに鍛えようではない[illegible]それは青春時代の楽しい思[illegible]として心深く影みつけよう[illegible]

新規就農者は6.1万人

高卒の「あとつぎ」ふえる

農林省はさる七月二十九日、今春学校を卒業した農家子弟のその後の動向（四月末の状況）について発表した。それによると❶出生率の低下や進学率の向上などを反映して今年三月に中学校以上の学校を卒業した農家子弟は百三十万人で、昨年より二万人減った❷新規就農者は六・一万人で前年より五㌫減った❸就農者のうち男子がふえ七一㌫（前年六一㌫）を占めた❹中卒の就農者が減り、高卒が前年より三㌫ふえ、就農者総数の六一㌫を占めた❺男子、とくに高卒の「あとつぎ」の就農者がふえ新卒農業補充労働力の中心となっている―ことなどが指摘されている。以下は新規学卒者の主な動向である。

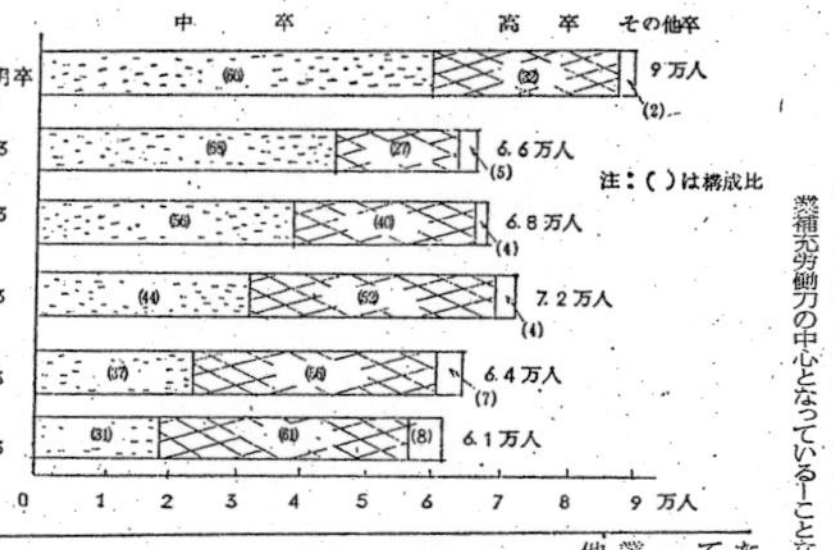

農業就業者の推移（学校別）

卒業年	計
38年3月卒	9万人
39.3	6.6万人
40.3	6.8万人
41.3	7.2万人
42.3	6.4万人
43.3	6.1万人

凡例：中卒／高卒／その他卒　注：（ ）は構成比　目盛：0～9万人

◇卒業者総数

[illegible]

学以上の学校を卒業した農家子弟（農家世帯員、農村青少年）の総数は十二万人（前年同）その他卒は七万人（前年より二万人増）となった。

（4）世帯上の地位別では、男子[illegible]百三十人となっている。

◇農業就業者

[illegible]

より二四㌫ふえて二・三万人となり、農業就業者の三八㌫を占め、新卒農業補充労働力の中心となっている。

（5）卒業者（進学者を除く）中に占める農業就業者の比率（農業就業率という）では、九・七㌫（前年九・九㌫）となった。

（6）[illegible]

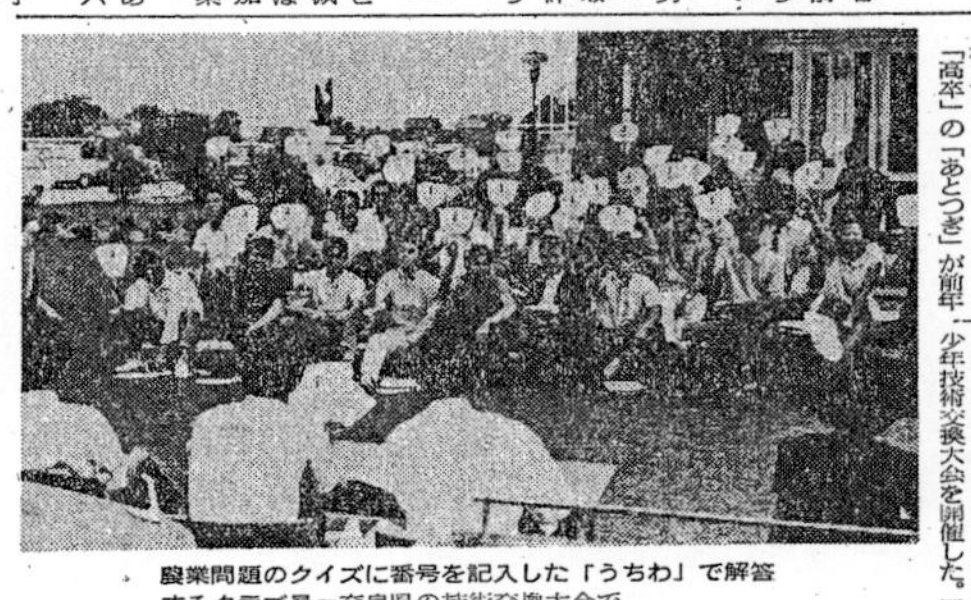

農業問題のクイズに番号を記入した「うちわ」で解答するクラブ員＝奈良県の技術交換大会で

全国4Hクラブ員 富士登山と清掃の集い

〃4H隊〃富士に挑む

ひそかに咲くロマンスの花

掛川 篤

山梨県4Hクラブ連絡協議会（会長、小野好道君）は、さる七月十二日から十四日にかけて「全国4Hクラブ員富士登山と清掃の集い」を実施した。これは、日本の象徴である富士山に登りたいという全国のクラブ員を招いて登山するとともに「集い」を通じて富士山を4Hクラブ員自らの手で美しくし、また互いに助け合いながら登山することによって健康な体力の増進と強じんな精神力を培おうというもので、これには「富士山をきれいにする運動本部」「健康山梨県民会議」が後援として助力してくれた。

県連常任委員会、地区連常任委員会で回を重ねて検討され、さる五月中旬、各県連あてに開催要綱を送付するとともに、全国4Hクラブ員の最大の機関紙である本紙を通して全国の同志に参加を呼びかけた。その結果、六月十五日のしめ切り日までに北は青森から南は香川県にいたる一府八県から七十三名にのぼる多数のクラブ員が参加を申し込んできた。

このように予想を上回る参加希望者に対して万全を期すため山梨県連では「富士登山と清掃の集い特別運営委員会」を設け、各関係機関との交渉や、県内参加者の調整、集いの運営方法などについて日夜協議を重ねて努力した。

各県参加者は次のとおり。

青森＝一、埼玉＝一、神奈川＝一、富山＝五、滋賀＝四、大阪＝三十、広島＝六、山口＝十、香川＝十三名、合計七十三名。

一方、県内の4Hクラブ員も、七月中旬は農繁期のピークであるにもかかわらず百二十名の参加希望者があり、総勢百九十三名の大部隊となったのである。

七月十二日

一番心配されたのは、まだ梅雨が明けていないこと。連日の小雨模様に県連役員はじめ参加者は祈るような気持で、十二日の朝を迎えた。しかし、この集いを祝福するかのように連日の梅雨空は、久し振りに晴天となった。

午前九時、運営委員は県庁農業技術総室に集合、異状なしを確認し、直ちに河口湖駅へと向った。午前十一時から県外参加者は河口湖駅前で、県内参加者はスバルライン入口で各々受付を開始した。三時半までの受付けに続々と各県参加者は河口湖駅に降り立った。

青森や山口など参加者はほとんど遠来者ばかりであったが、長い汽車の旅に疲れも見せず、4Hクラブ員同志として友情が早くも芽ばえていた。

河口湖駅からスバルライン入口まで県外参加者は運営委員の自家用車でピストン輸送され、一同は集結した。

ただちにバス二台に分乗、乗り切れないクラブ員は自家用車で五合目の開会式場へと霧にむせぶスバルラインを快適に飛ばした。

五時半ごろ五合目に到着、レストハウスで夕食と休憩。同五十分から開会式に入り、日程説明や登山上の注意、小野県連会長のあいさつ、運営委員の紹介が行なわれ、歓迎のことばが県農業技術総室の岩間誠道課長、青少年対策本部の鈴木主幹からおくられた。

スバルラインが霧に包まれてバスが遅れたため五合目を予定より三十分遅れて出発。いよいよ百九十三名の大部隊は富士に戦いを挑んだ。女性も約二十名いたがみんな元気いっぱいである。

夕暮れ迫る富士の大地、4H旗をなびかせながら4Hクラブ員は一歩一歩自らの足でその雄大な富士の頂上をめざして力強く踏みつけた。

先頭と最後部とは二組みのトランシーバーで絶えず交信、連絡をとった。五合目から八合目まで行けども行けども目的地は、はるかかなた。前日の旅の疲れが出てきたのか足が思うように上がらなくなってくる。八時、富士は完全に暗闇みに包まれ、クラブ員の持つ懐中電灯の光だけが長く富士の肌に輝やく。どこからともなく「緑うるわしわが大地…」と4Hクラブの歌声が大きく富士にこだましていた。

九時四十分〃待望の八合目山小屋に到着。県外県内クラブ員は、あたかも知己の友のように互いに横になり、友情がその空間を埋めていった。十時半に仮眠。疲れている。しかし、皆んななかなか寝つかれなかった。だが、そのうちにも安らかな寝息があちこちから聞えてきた。

七月十三日

午前二時半に起床。肌を刺す寒さ、温度計はマイナス二度を示した。微風。空には大きな月が梅雨を一人で受けとめているかのように満々と輝き自分たちを見守っているようであった。

ただちに登頂準備、三時に山小屋を出発。七月十日前後は富士山はまだ本格的なシーズンに入っていないので登山者もそれほど多くなく、何かと都合よく運んだ。

しかし、慣れない山登りと日本一の山のために頂上を目前にして前進を断念する女子クラブ員も現われ、富士の厳しさを改めて知らされた。それでも手を取り合い、励まし合って一歩一歩頂上に近づいた。

やがて頂上に達しようとしたとき東方の雲海から朝日が昇ってきた。雲の切れ間から放射状に幾条もの光が流れ、絵巻物のような美しさを呈した。一同は足をとめて見張った。完全な御来光ではなかったが、この頃はめったに太陽が見れないとのことで、クラブ員は喜び、あちこちでカメラのシャッターを切る音がしていた。

五時半、ついに登頂に成功。4Hクラブの旗が風に激しくゆれ、みんな苦しかったことも忘れ、肩をたたきあって感激を深くかみしめた。八合目山小屋出発のとき、山頂は雨という連絡があったが、4Hクラブ員の意気で吹き飛ばされたのか、ときどき霧がたちこめる程度であった。

さすがに頂上は寒い。十年ぶりの大雪で八合目から頂上にかけて一㍍もの残雪があり気温を下げている。七月の雪に登山道のあちこちで立ち止まり、珍しい雪の感触に感嘆の声をあげていた。

気象台のあるまぎれもない頂上で朝食をとり、記念撮影などをして六時半に頂上をあとにした。各班別に、用意した清掃袋に空きカンやゴミを拾い集めながら下山した。

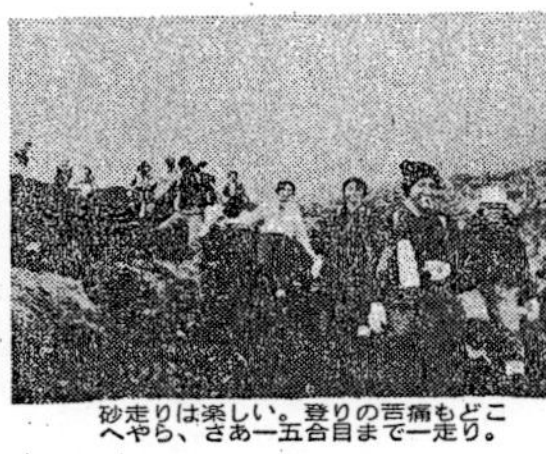

十一時五合目に到着。昼食をとり土産品などを買い求めたあと、三時半に五合目からバスでスバルラインを通り森林公園へと向った。同公園で自由に交歓し相互の親睦を図った。四時、同公園を出てバスで根場民宿村に行き、各民宿別に夕食をとり湯につかって登山と清掃の疲れをいやした。

七時から富士五湖の中で最も静寂な西湖畔でキャンプファイヤーをくりひろげた。運営委員の伊藤基君（前年度県連会長）をはじめとするレクリエーション係が早くから企画検討しただけあってその演出は素晴しいもの。クラブ員の胸に強く焼きついて一生の思い出として心に強く残されたことだろう。

大鼓の音を合図に西湖上より静かに船で運ばれたファイヤーの元火は営火長の手から四つの火＝心、頭、技、健＝に分火され、やがて火は天をこがす勢いで舞い上り、それを見上げながら二班に分れての対抗ゲーム、各県代表者の寸劇、歌などが披露され、約三時間半はまたたくまに過ぎた。

また県連歴代役員が特別にこの「集い」のために寄付して下さった十数発の打ち上げ花火が、夜霧の立ちこめる西湖上に打ち上げられ、素晴しい最後の夜を飾った。

七月十四日

疲れを充分になくすために午前七時半に起床。九時からのお別れパーティは、「もっとみんなで話し合いたい」という意見が参加者から強く出されたため急きょ変更して二班に分れて話し合いをした。主な内容は、参加した感想、次回に対する要望、また農業経営、結婚問題、恋愛問題と話しは進み、予定の時間内ではとても足らず、次回に続けることを約束した。

十時から民宿村の「やまとう」の庭で閉会式を行ない、また来年も逢おうと固い握手をかわし、県外参加者はバスで河口湖に行き、楽しかった「集い」の思い出を胸深く秘めてそれぞれ故郷へと帰っていった。

また、次回の参考にするため参加者にアンケート調査を行なったが▽また登ってみたい▽県に帰ったらクラブ員に積極的に勧める▽根場の民宿は非常によく環境も素晴しい―などの答えが多かった。

時期的な問題としては今回は運よく三日間雨は避けられたが、七月十日前後は天候不順であり、七月中・下旬は最高のシーズンに突入することなど、日どりの問題を検討する必要がある。

苦しかった登山、楽しかったキャンプファイヤー、数々の思い出は、富士に〃夜霧の立ちこめる西湖畔に〃個々の胸に残され、また人知れず咲いたロマンスもいくつかあったことであろう。こうした機会に全国の仲間と友情を深め、青春時代の素晴しい思い出として人生の一ページを美しく飾ることだろう。

最後に、参加した各県クラブ員をはじめ、ご協力下さった機関の方々にこの紙面をお借りして、改めてお礼を申し上げます。

（山梨県連絡報道員）

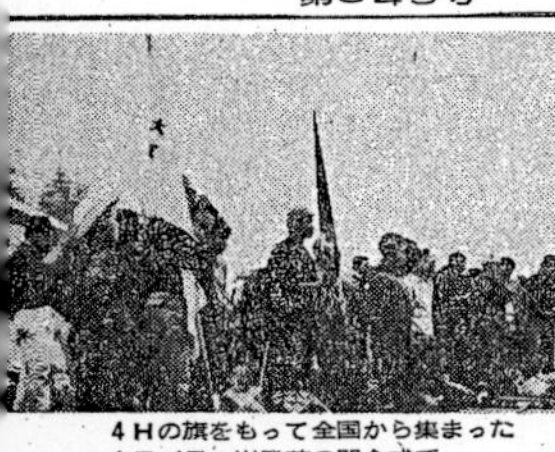

4Hの旗をもって全国から集まったクラブ員＝出発前の開会式で

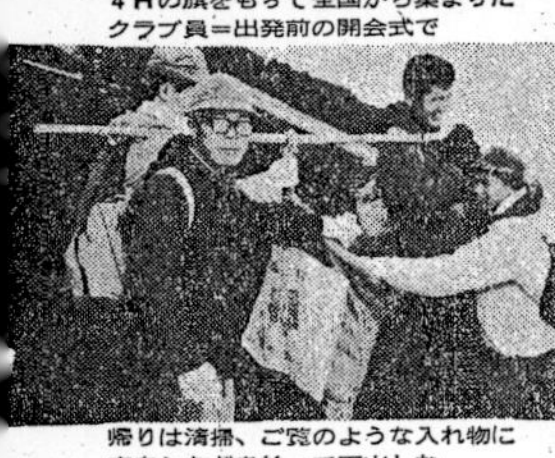

帰りは清掃、ご覧のような入れ物に空カンなどを拾って下山した。

砂走りは楽しい。登りの苦痛もどこへやら、さあ一五合目まで一走り。

アイデアで楽しく

「全国4Hクラブ員の集い」ムード上る 奈良の技術交換会

【奈良県＝浦崎正之連絡報道員】[illegible]

優良農家訪問

福井・丹生地区の技術交換会

[illegible]

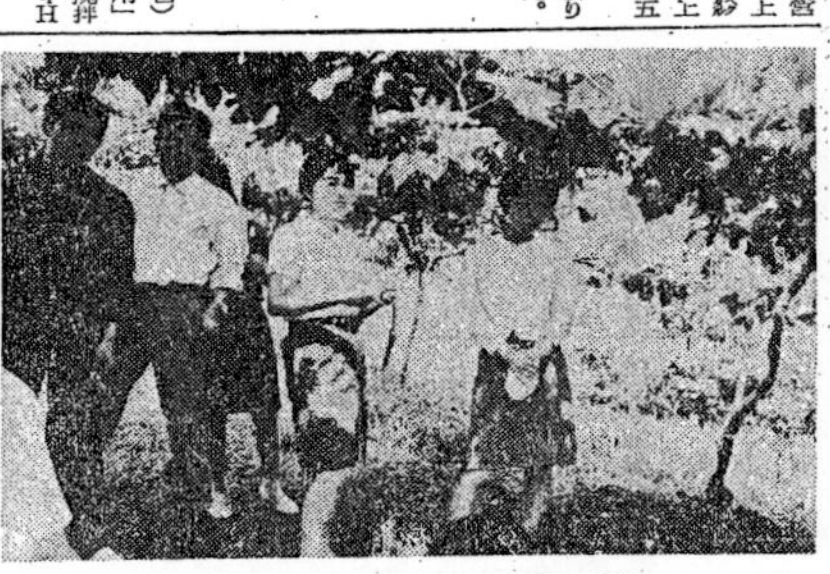

優良農家を訪問しブドウ園の下で説明を聞くクラブ員＝福井県丹生地区の技術交換会で

〃土州健児の力〃結集を

高知県連で技術交換大会 創意工夫など競う

[illegible]

ラブ）▽「海の宝文昆生種による促成栽培」＝藪内健司（大理4H）

[illegible]生、農村青少年育成指導関係者など約六百五十名が参加した。

[illegible]れて、新しいむらづくりと農業近代化のための課題意識を確立する[illegible]

[illegible]傾けた。十時から二時間にわたって技術競技と、歌やホークダンスがくりひろげられ、各地区それぞれ自慢の出し物を演じ、大会の盛り上がりが最高潮に達した。

三日目は、午前八時半から全体会議に入り、前日の分科会報告のあとこれを中心に質疑応答を行ない、また大会の反省を行なった。

十時から表彰をかねて閉会式に移り、技術競技個人の部で六位までの十名、団体の部では上位の五団体、作業着、家庭着コンクールでそれぞれ十位までが表彰された。

ついで閉会式にうつり、大会長の川村県連会長が「この大会の感激を各地区へもって帰り、いつまでも忘れずに元気で頑張って下さい」と力強く呼びかけ、また県農業技術課の米松課長から大会内容について批評があった。続いて県知事から「来年の全国大会にそなえて皆さん方のご活躍を期待します」という激励のことばがあり、最後に万歳を三唱し今大会のすべてを無事終了した。

明日の実践力養う

茨城県西部地区でクラブ大会開く

【茨城】茨城県と同県農村青少年クラブ連絡協議会（会長、岡崎忠夫君）共催の県西ブロック農村青少年クラブ大会は、さる七月十、十一の二日間、下妻市の砂沼湖畔で地区のクラブ員百四十名が参加して開かれた。

二日間という短い日程であったが各地区から選ばれたクラブ員たちは、クラブ活動のあり方についての話し合いやレクリエーションについての指導、キャンプファイヤーなど盛り沢山の行事が組まれているなかで、仲間たちと今後の農業家のあり方や自分たちの生活などについて心ゆくまで楽しく語り合っていた。

（江戸崎地区4Hクラブ員、村山文雄君より）

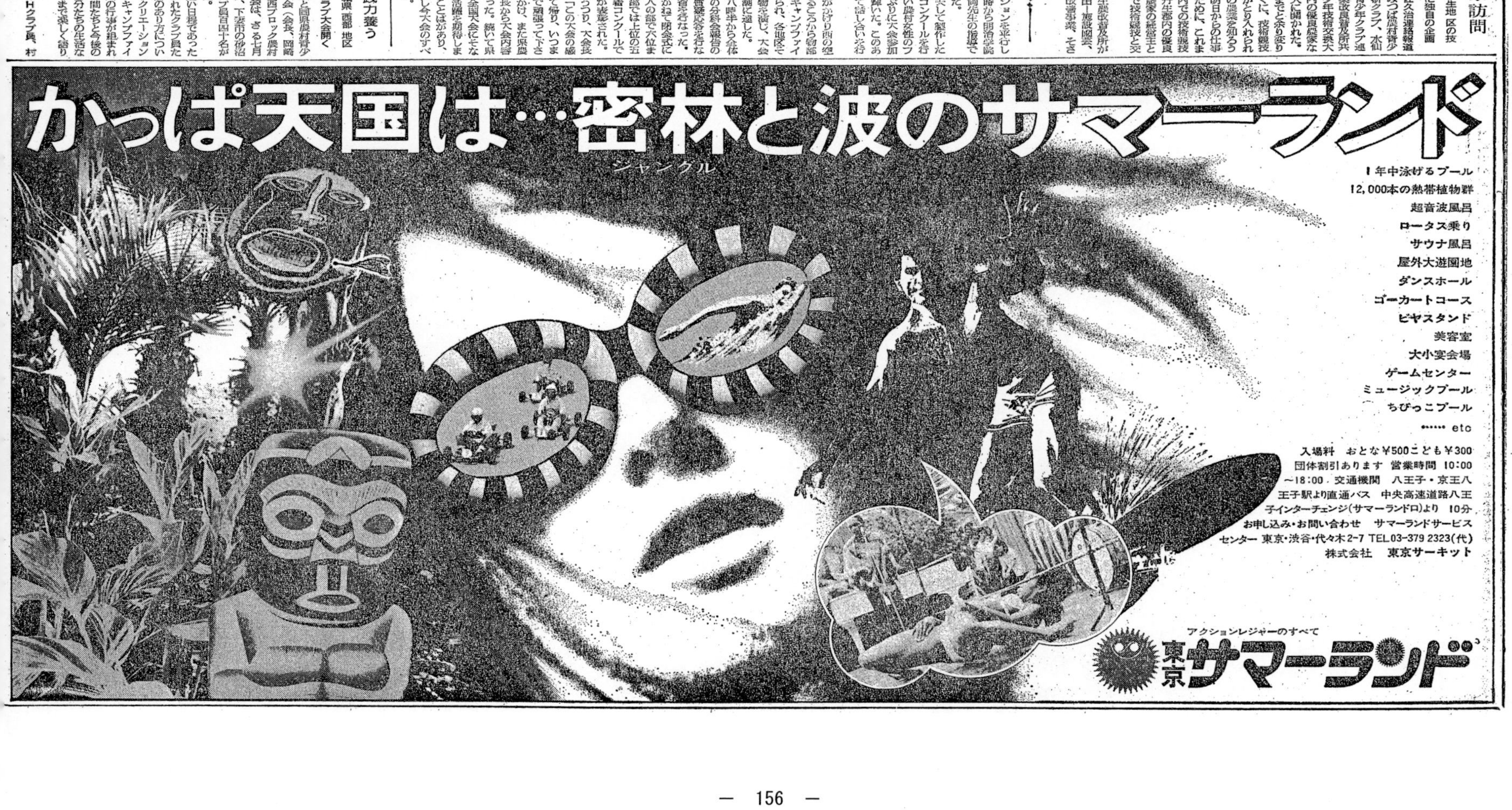

4Hくん　NO.129　桜井はじめ

体験文など募集

4Hクラブ発足20周年記念

ふるって応募を

さる昭和二十三年に農業改良普及事業の一環として、わが国に4Hクラブが発足してから今年で二十年目を迎えました。この意義ある年に当り、過去の歩みをふり返えるとともに、将来の農村を背負うものとしての責任を自覚し、さらに4Hクラブの意識を高め、今後のクラブ活動の指針とするために、全国のクラブ員と関係者から体験文・意見文を次の要領で募集いたします。どうぞふるってご応募下さい。

応募要領

主題　【体験文】4Hクラブ活動が人間形成や協同精神の涵養にいかに役立ったか。また、農業改良や生活改善、奉仕活動などを通じて地域社会の開発にいかに貢献しているか。
【意見文】4Hクラブ活動をより盛んにするためにはどうすればよいか。例えば、4Hクラブ精神の高揚、地域社会の協力、リーダーの養成、クラブ員の年令などの具体的な方策について。

応募資格　(1) 4Hクラブ員 (2) 青少年指導者（4HクラブOBを含む）

応募方法　(1) 四百字詰原稿用紙十枚程度 (2) 原稿の最初に体験文・意見文の別、クラブ員・指導者の別、住所、氏名、生年月日、所属クラブ・学校（学年）機関、団体名などを明記して下さい。(3) 本人の書いたもので未発表のものに限ります。(4) 顔写真を添付して下さい。

送付先　東京都新宿区市ケ谷船河原町十一、家の光会館内 社団法人 日本4H協会

締切期日　昭和四十三年八月三十一日（当日消印有効）

入賞決定と発表　(1) 入賞作品は全協と4H協会で決定します。(2) 入賞については、本人に通知するとともに日本4H新聞紙上で発表します。

入賞および表彰　【体験文】
◎入選　賞金一万円と副賞　クラブ員 一名　指導者 一名
◎佳作　賞金二千円と副賞　二名　二名
選外　記念品　全員
【意見文】
◎体験文に同じ。

入賞者（入選と佳作）の表彰は、第四回全国4Hクラブ員のつどいで行ないます。

主催　社団法人日本4H協会・全国4Hクラブ連絡協議会

※備考　入賞者には、十月七日から奈良県で開催する第四回全国4Hクラブ員のつどいで発表していただきます。
なお、応募作品は返却いたしません。応募作品の著作権は主催者に属するものとします。

締切り日せまる！

日本4H協会・全協

四ー六運動で増収
液肥による深層追肥法

青森県北津軽郡板柳町野中青年クラブ連絡協議会　福田栄治

青森県の農業試験場において開発された米の多収穫技術「4−6運動」は、稲の出穂三十五日前中心の深層追肥法で、増進運動が拡まったせいもあって、全国的な反響を呼び、その原理は今や多くの水稲栽培者に実施され、賞賛されている。

しかも、この方法をやれば必ず増収できるということが解っていても、リンゴの袋掛けとカチ合うために"深層追肥"の実施は労力的にみて困難のようである。

追肥の重要性は解っていても、従来の手や足を使って押し込む、固型肥料の深層追肥では、重労働でしかも能率があがらない。そこで、地区普及員の指導で、「液肥の深層追肥」を実施した。

栽培方法　出穂の三十五日前に、十アール当りチッソ成分で六キロの深層追肥を行なう。

これは尿素の二十％液を作り、その溶液を畑に使用していた土壌注入器で、湛水状態の水田に、一ヵ所（四株に一ヵ所の割合）当り五〜六ccづつ注入する方法である。

この作業は、従来の固型肥料を手で押し込む方法に比較して約二倍の能率が上がり、男子の大人で一日、四十〜五十アールはできる。しかも作業は楽にはかどり、肥料代は、固型肥料三十キロ入六百四十円、尿素二十キロ入七百四十円とするとチッソ成分当りの価格では、尿素の方が固型肥料の実に五分の一になり、その上増収できるのである。

試験区　苗は畑苗、品種 7系69号、田植 五月三十日、本田元肥 N=6キロ、P=10キロ、K=12キロ、珪酸石灰90キロ、堆肥50キロ（10アール当）追肥=七月十日、出穂=八月十四日、刈取=十月十日

固型と液肥の収量比較（十アール当り）

区	追肥量	収量
固型	五・四キロ	六一五キロ
液肥	五・四キロ	六三二キロ
固型	八・〇キロ	六六〇キロ
液肥	八・〇キロ	六四五キロ
液肥	一〇・〇キロ	七〇五キロ

以上のような結果が現われている。

これは、野中プロ会の阿保良一君が三年前から実施しているもので、三年目の今年はクラブ員七名のうち四名がこの方法をとり入れ四ー六運動に活躍している。

この施肥法についての詳しい資料を必要な方は左記に申し込んで下さい。

青森県北津軽郡板柳町野中＝阿保良一

稲の増収法として、脚光あびる液肥の深層追肥を行う青森のクラブ員

園芸と水稲両部門で
プロジェクト巡回見学
仙台地区4Hクラブ連

[illegible]

プロジェクト畑を巡回するクラブ員たち

プロジェクトの取り組み方
展開編（2）
北海道専門技術員　三輪　熙

三、改良普及員と青少年との話し合い

[illegible]

まず問題点を認識
学習と実態調査を通して

第二節　選定と指導

一、問題点の認識

[illegible]

新聞や参考書からの啓発などは経験に応じて無理のない方法を採用するとよい。実態調査の指導にあたっては次の事項に留意することが大切である。

（ア）調査目的の設定

調査の目的を明確に理解させることが先決である。何を調査するのか、何のために調査するのかが不明確であると調査のための調査に終わってしまうことが多い。

たとえば「農作業に忙しく労働が過重である」という問題の実態調査の場合、「農繁期と農閑期とでは家族の個人別労働時間にどのくらいの差異があるか調べてみよう」というように、調査目的つまり何を調査するかの課題を設定させることが重要である。

調査課題が、たとえば「わが家の生活状態」などというように広範囲にわたる場合は、問題点のあり場所を発見できても詳細な内容を把握するには困難なので、数回にわけて徐々に焦点を絞った課題を設定して行なわせるとよい。この場合地域に共通する課題については青少年グループの協力によって調査を分担実施するのが効果的である。

なお、課題によっては既に何かの形で調査済のものも少なくないので、とくに部落や市町村全体にわたるとき、過去の調査結果を活用するなど無用の重複を避けることが能率的である。

[illegible] 現状と優良事例と比較によって改善を要する点の発見や自覚など、問題意識を明確化することに効果がある。

また、明確化された問題意識は、その問題の望ましいあり方や理想の姿を学習によって理解することにより、いっそう明確な自覚が高められる。

❷ 実態調査による問題点の認識

右に述べた問題意識は、ばく然としたものから徐々に明確化されるとはいえ、それはまだ感性的な域を脱していない。そこで、感情的な問題意識を理性的なものに発展させ、問題の内容を客観的に理解させるようにする必要がある。問題点について数値的に把握する実態調査がこれである。つまり、問題内容を見きわめることによってその解決のためのプロジェクト活動が始まるわけである。これはプロジェクトの準備活動ともいえよう。

実態調査には、概括的に調べたり、一つの事項を詳細に調べるなど、調査の範囲や方法はいろいろあるが、青少年の能力や [illegible]

「やや良」
7月15日現在の水稲生育状況

[illegible] 北陸と東北の日本海側では平年に比べて「やや良」であり、その他の地方は大体「平年並み」である。

各地の水稲の生育概要は次のとおり。

▽北日本＝六月以降は、高温・多照の好気象が続いたため、おくれていた生育は急速に回復し、草たけは平年並みとなり、分けつ数は平年に比べてやや多く、現在の生育は、おおむね順調である。しかし、青森、岩手では、引き続き気温がやや低く経過したため、生育は、平年に比べてやや不良である。

なお、北海道においては、七月上・中旬に気温の低い日もあったが、低温持続時間が短かかったため、影響は少ない見込みである。

▽関東以 [illegible]

花壇作りの奉仕
りんどう4Hクラブ

[illegible] 支所正面に、全員で花壇を作り [illegible] 百日草などを植えて、町の人たちに感謝されている。

水稲の多収穫

[illegible]

……ばならないが、たんに地下水位を低下するだけではかえって減収することもある。必ず土壌改良を行なって地力の培養を図らなければならない。

このように、地下水位の低下は多収穫のための必須条件であるが、このことは一方では大型機の導入にも重要である。ことに今後の多収穫はたんなる多収穫だけでなく省力を伴わなければ価値は低い。このように考えると、土地基盤の整備、土壌改良、稲作の集団化は多収と省力を併行的に進めるためにきわめて重要である。

8月12日（月）
多収穫稲の姿
一、短稈穂数型品種で、穂数が多く、穂は短いこと
二、上位葉は短かく直立型であること
三、一茎当たりの生葉の多いこと
四、下部節間が徒長していないこと
五、株全体の受光体勢のよいこと
六、根が健全であること

稲の姿勢（直立型）（わん曲型）　節間伸長状態（望ましい節間伸長）止葉節で折ってみる

8月13日（火）
品種の特性と選びかた
一、品種の特性表の見かた
二、品種選択上の基本的重要事項
（1）熟期（2）多収性（3）倒伏抵抗性（4）耐病虫性（5）品質
三、品種と環境
（1）地域適応性（2）栽培法と品種
多収穫栽培にむく品種

8月14日（水）
生育診断と新しい施肥法
一、収量の構成ー多収穫上の問題点
二、多収穫稲がそなえるべき六条件
三、多収穫のための新しい施肥方法

8月15日（木）
生育診断と水管理
[illegible]

8月16日（金）
多収穫田の条件
一、多収穫田の実態
二、多収穫田土壌の物理性と化学性
三、多収穫田の造成と管理（文末の図表参照）

生育時期のチッ素多施が登熟歩合に及ぼす影響

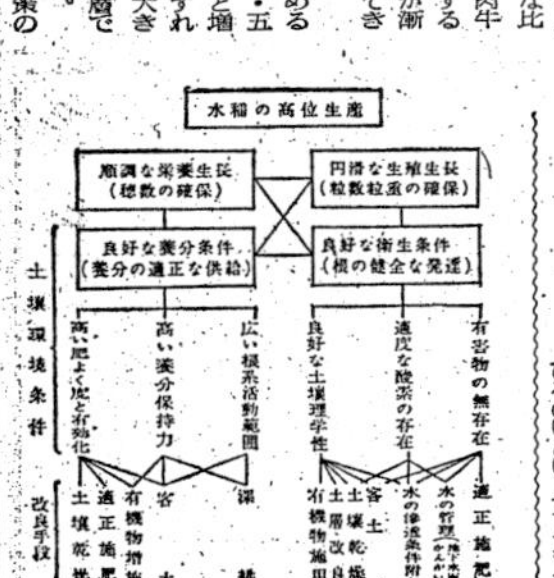

8月17日（土）
現地訪問
秋田県平鹿郡大雄村

宮田農事研究会は去年、秋田県の七五〇キロ集団ほう賞制度に参加、グループで一〇アール当たりの平均収量が七五二キロという記録を出して、初めて七五〇キロを突破、第一位になった。

飼料作の課題

このところ、わが国の飼料の海外依存度が急増して、これからの畜産の将来に大きな不安をなげかけている。

四十二年度の飼料需給計画でも濃厚飼料の約六〇％が輸入で、二十八年当時の実に三五倍となっており、国内産濃厚飼料は六〇％ふえているに過ぎない。もちろん、豚、鶏などの飼料需要が大きな比重を占めてはいるが、乳牛、肉牛などについても多頭化が進行するにつれて、濃厚飼料の依存度が漸増してきて農家経営を圧迫してきている。

たとえば、生乳生産費に占める購入飼料費は、三十五年三一・五％が四十一年には三五・五％と増大している。しかも、多頭化すればするほど購入飼料の割合は大きくなり、三十頭以上飼養の階層では五七・四％にも達している。

このような情勢の下で、対策のきめては必然的に国内自給率を高める方向になるわけで、とくに乳牛、肉牛などの濃厚飼料依存度をできる限り節減して、草食家畜本来の飼料である粗飼料の自給率をより高めるようにもっていかざるをえない。

このためには、経営耕地では飼料作物の作付を増大するくふうと単位面積当たりの多収をはかるとともに、省力化しながら、結局は生産費を下げる方向に技術的な解決を求める必要がある。

しかし、元来が狭い経営耕地だけでは自からそれにも限度があるので、未利用草資源地を牧草地に開発造成して、外延的な経営規模の拡大を推進する必要がある。

8月19日（月）
飼料作物の生産費
一、生産地におよぼす因子
二、栽培上の特徴
三、養分吸収の特徴
四、施肥設計
五、生産肥料費
六、生産費改善の今後の問題点
飼料作物中の養分含有率（生草％）＝窒素、りん酸、カリ、石灰苦土▽いね科牧草類＝

8月20日（火）
省力多収の技術
一、収量と労働時間の現況と見通し
二、年間計画としての省力多収栽培
三、青刈とうもろこしの機械化栽培
四、飼料かぶ栽培の合理化
五、イタリアンライグラスの多収栽培
六、省力多収栽培の今後の問題点

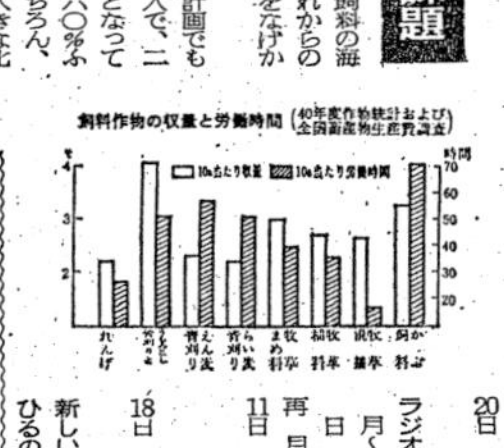

農業教室
NHK

NHK農事番組（8月11〜20日）

テレビ
明るい農村　6・30〜6・55総合
12日　夏期特集❶「情報革命」東京・静岡
13日　夏期特集❷「農民の乳業会社」鳥取県大山町
14日　夏期特集❸「オートメーション養鶏」大阪府堺市
15日　夏期特集❹「浅間山麓の開拓酪農」群馬県長野原町
16日　夏期特集❺「八郎潟の共同経営」秋田県大潟村
17日　夏期特集❻「ジャシロレー牧場」北海道森町
19日　分村の二十二年　静岡県富士宮市　長野県下条村
20日　学生の見た農村
農業教室　7・00〜7・30　教育（別項に詳載）
あすの村づくり　日 7・00〜8・00　教育　再 土 13・00〜14・00　教育
11日　グループだより　大阪　仲間とともに　協業経営　岡山県水島牧場から中継　世界の農業をみて　オランダ農業　小島重定
18日　グループだより　東京　仲間とともに　土に生きる喜び　茨木県下猿城郡松崎町から中継　先輩と語る　竹内稔　愛知県半田市
趣味の園芸　金 10・30〜11・00　総合　再 土・5・30　総合

ラジオ
早起き鳥　5・05〜6・00 ❶
11日　話題の窓　辺地の子どもたち　全国作文教育大会から
12日　現地報告　すすむ養蚕の近代化　松山
13日　人と話題　石川県川北村　中田慎一郎
13日　通信員の手帳から　森本伯　函館
15日　産地訪問　さつまいも　埼玉県狭山市
16日　現地報告　合唱の村　福島村のポスト　投書
17日　話題の窓　増える乳製品輸入　一橋大　馬場啓之助他
18日　現地報告　田植機の成果
19日　北海道上川町
20日　人と話題　農林省普及部長　富樫悦悟
ラジオ農業学校　月〜土 6・40〜7・00 ❷
日 6・30〜7・00 ❷
再 月〜土 19・00〜19・15 ❷
11日　農業ゼミナール　熊本県内で収録　東大教授　川田信一郎
18日　優秀農家に学ぶ　大阪　現地研修　長野
新しい農村　日 6・00〜6・30 ❷
ひるのいこい　12・15〜12・34 ❶

草の根だより

素晴しい経験積む　４Ｈの歴史を重点的に

鳥取県東伯郡赤碕町　四十三年度派米青年　山本哲嗣

早いもので、日本を発ってすでに三カ月が、またたくの間にすぎてしまいました。

私はこの間、いろいろな経験を積むことが出来ました。

私は特に酪農経営、農家生活の実態、４Ｈクラブ活動について勉強したいという関心をもっていましたが、自分なりにそれぞれについて勉強できたと思っています。

とくに、三番目の受入れ家庭は八〇エーカーほどの土地をもつ酪農家で、六〇頭ほどの搾乳牛を飼育していますが、その日課を充分把握して、規律正しい生活の中にも、楽しみのある農業を営む姿を見て、農業経営のあり方について知らされました。

現在の家庭は、養豚経営ですがここでは、あらゆる種類の仕事をやらせてもらいました。どの家庭にも私は充分うちとけることができたと思っています。

全般を通して、日常生活、あるいは酪農の牛舎の構造のアイデアなどや、たとえ地味であっても友だちとつきあうことの大切さ、農業経営の中の種々の考え方など、帰国してから自分の生活の中に活用できる素材を把握することができて、うれしく思っています。

残念なことには、アメリカの４Ｈクラブと交歓したのが最初の方にかた寄りすぎていたきらいがあります。しかし、私は更にアメリカの農家の主婦の勤め、兼業（現在の家庭は主婦が病院につとめている）の考え方について、中間のレポートに〝新しいインタレスツ〟と記して、オハイオでの中間会議に提出するようにしました。

これからは、アメリカの４Ｈクラブの歴史的移りかわりについてさらに重点的に勉強したいと考えています。

とにかく、北村さん（神奈川県）もアメリカに来て、はじめて良の日本をみることができたと便りを下さいましたが、私もふだん日本にいては自分自身気のつかぬ自分をみることができ、これもすばらしい経験の一つだと思っています。[illegible]

SUMMER SCHOOL O.S.U. CORVALLIS, OREGON 1968

写真＝オレゴン州４Ｈクラブのサマースクールの会場でグリーンに描き出した人文字（円内）はＩＦＹＥの代表と山本君＝（右側）

さとわのうた　夏祭の思い出

夏の風物は風鈴とすだれであろうか。東京のド真中に住むわが家にも風鈴はある。しかし「すだれ」はない。コーポラスという五階建の鉄筋建築にはそぐわないからであろう。五〇世帯が住むこのコーポには一枚のすだれもない。夏の風情も風流もなくなったのであろう。日本の古いよきものが、こうしていつしかなくなってゆくのであろうか。

私の時代まではまだ郷愁といった感情がそこはかとなくわくがわが子の時代にはもう「すだれ」という遺物は、うっとうしいものとして、いみきらわれてしまうのでないかと思うとあわれかなしい思いがする。

岡部伊都子著の「女人歳時記」に「すだれの夢」という随筆がある。そのなかに「もともと優雅とか、清楚とかいうものは、決して陰湿なものではないのである。底ぬけに明るく、晴やかであってこそ、優雅でありうるのだ。すだれも、その場によって、ずいぶん高貴な印象を他に与え、また一方ではもっと卑俗なつかわれかたをしているが、それを閉鎖的なものと思ってはなるまい。

透視の美、透視のユーモアは、元来優雅なものなのに、それを重苦しくさせたのは、使う人間の心いやしさゆえである。……」と。すだれの心象を描いて妙である。そして最後に「権威的な、人間平等を遮断するみすの必要はない。心にまだ権威のみすを垂れている人は、思い切ってすだれにひきさいては[illegible]

〝幸福〟への近道は　人生を悔いなく生きる

三田順子

[illegible]

映画　戦士は散る！！　遥かなる戦場（ユナイト映画）

かいせつ

[illegible]

クリミア半島についた軍隊は苦しい行軍をはじめた

「軽騎兵突撃」「進め！竜騎兵」など過去三本製作されているが、ロマンチックな扱い方をしたこれらの映画と違い、この作品は戦後になって栄光ある戦闘と称されるようになった悲劇的突撃を中心として史実を中実に再現している。

ものがたり

一八五〇年代の初め、ロシア熊はクリミア半島にその爪をのばし眠れる獅子イギリスは、頭をもちあげた。平安に飽きた人々は、戦勝のニュースを望んでいた。クリミア派遣軍の総司令官になったラグラン（ジョン・ギルガット）は、ルーカン（ハリー・アンドルース）を陸軍司令官に任じ、カーディガン（トレード・ハワード）を軽騎兵旅団司令官に任じた。二人は義兄弟でありながら仲が悪かった。

派遣軍の船は出発した。

クリミア半島に着いた英軍、仏軍、スコットランド軍は内陸に向けて、苦しい行進を始めた。カーディガンが陸軍司令官であるルー[illegible]た。ノーランが志願して、命令を伝えに丘を駆け下りた。ついにルーカンはカーディガンに軽騎兵旅団の突撃を命じた。

ノーランはモーリス（マーク・バーンズ）と並んでゆっくり力強い進撃を始めた。その時、彼は大声で叫びながら最前線までとび出した。しかしその時、一斉射撃が起り、ノーランは倒れた。彼は突撃進路が間違っていると伝えようとしたのだった。

ラグランは、間違った道を軽騎兵軍団がロシア兵に向って、前に前に右に左に炸裂する砲弾の中を突撃するのを呆然と見守った。敵軍も後に詩人テニソンが「気高き六百人」と呼んだこの突撃に目を見張った。

殺りくが終りカーディガンは、ノーランの間違いを責めながら戻ってきた。ノーランの死骸が横たわっていたのだ。ラグランが丘の上から降りてきた。士官たちは、この軽騎兵突撃の責任は誰にあるのか口論しはじめた。

東南アジアを訪問して（十）

埼玉県入間郡富士見町　南畑青年の船派遣団員　砂川みさ子

日本をみならえ！　いたる所で建国の槌音

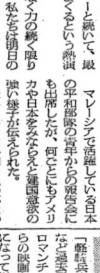

ものすごい歓迎に驚く

防衛大学生による歓迎

[illegible]

稲の二期作は日本人が

[illegible]

４Ｈクの名称は４Ｂク

[illegible]の４Ｈクラブとほぼ同様で、クラブ員の職業は限定されていない。４Ｂクラブ員が全土の約半数をしめ、残りは「ＭＡＹＣ」と称するマレーシア青年クラブ員であるという。

ちょうど私たちの宿泊した夜は、はじめて開かれた４Ｂクラブ全国大会の最終日で、盛大な催しが行なわれていた。私たち４Ｈ関係の団員は、この時とばかりバッチの交換や日本の４Ｈクラブを知ってもらおうとハッスルして、とても喜こんでもらえた。

マレーシアの４Ｂクラブ員と砂川さん（右から二人目）

催し物には、団員たちも特別出演して、マレーシアの歌と日本の歌の披露をする。

この大会は、日本のクラブ大会と大きな差のあるのを感じた。歌から踊り、空手、お笑い、そしてファッションショーと続いて、最後は会場中踊りまくるという熱演ぶりである。

いつ終るともなく力の続く限り踊るのだそうだ。私たちは明日のスケジュールや、疲労も重なっていたので夜の十二時すぎ宿舎に帰えりベットに入る。大学はちょうど夏休みにあたり、学生は帰郷中でセミナーの学生が入っていた。

発展途上のマレーシア

船内〝ディーパーティ〟の私の担当は、日本大使館の方たちであった。言葉に不自由しないのにはたすかったが、これといった強い印象が残らなかった。

マレーシアで活躍している日本の平和部隊の青年からの報告会にも出席したが、何ごとにもアメリカや日本をみならえと建国意欲の強い様子が伝えられた。

最終日の自由時間を私の部屋のメンバーの友だちである華僑の青年に、彼の家や教会などに案内してもらった。ちょうど結婚式風景を見られたのは幸運といえよう。

マレーシアは、今ものすごい勢いで発展しようとしている。マレー人のためのマレーシアを造ろうと、いたる所で建国の槌音がきこえる。

近代的な建物が建ち並んでいるが、まだまだそれらの利用率は少ないようだ。農業施設が農業者自身のものでなく指導者養成というのも残念に思える。

しかし、多くの問題はあるにしろ、年毎に急激に変る国であることはまちがいない。ちょうど日本が明治から百年、激しい変り方をしたのと同様、このマレーシアもすばらしい近代国家となる日も真近であろう。

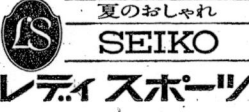

日本4H新聞
4Hクラブ 農事研究会 生活改善クラブ
全国弘報紙
発行所 社団法人 日本4H協会
東京都新宿区市ケ谷船河原町十一 家の光会館内
電話(269)1675 郵便番号162
編集発行人 玉井光
月3回・4の日発行
定価 1部10円
6ヵ月180円(送料共)
一ヵ年360円
振替口座東京 12055番

クラブの綱領

私達は実験を通じて自ら学び…ます。
…私達は誠実で友情に富む心をつちかいます。
…私達は楽しく暮らし、元気で働くための健康を増進します。

近畿の若人 平安の都に集う

第5回近畿地方農村青少年のつどい

洛北に一陣の爽風

村田会長「視野の広い若者」を強調

祇園へ自由見学

【京都府＝田宮薫連絡報道員発】近畿農村青少年クラブ連絡協議会（会長、村田喜昭君）主催の「第五回近畿地方農村青少年のつどい」は、平安の都、京都を会場として、日本三大祭の一つ、祇園祭の鉾ときおんばやしが出たさる七月十四日から十六日までの三日間、華々しく開催された。ふだんは静かな洛北の地も近畿地方各府県から訪れた約六百名の仲間を迎えて活気に満ち、参加者はこの日の感激を胸に、さらに技と知を磨き、地域社会の発展に努力することを誓い合った。

第五回近畿地方農村青少年のつどいの開会式

一日目　まず開会式が農協会館で盛大に行なわれた。若い近畿の青年の意気と情熱が会場いっぱいにふくれ上り、興奮したくす玉は開会を待たずにオリエンテーションで暴発。肝心の場面では先きの失態を恥じてか、くす玉を割るのに苦労させられる一コマも見られた。

この席上で村田会長は「われわれの先輩が困難、苦難を乗り越えて比叡の山で第一回の大会をもって本年で五年目、激動する農村の中で今回、この大会を迎える意味は大きい。私たちは、農業以外のどの職業でも通用する広い視野の人間性を養おう。そしてわれわれは、どんなことでもやってのけられるという可能性を持ちあわせた青年である。今後とも大いに勇気をもってダッシュしよう」と力強く呼びかけ、会場われんばかりの拍手につつまれた。

この日は地元、京都府の蜷川知事も顔を出し、近畿農政局長ら各関係者を迎え、大会のすさまじさを初日から物語っていた。

二日目　夜なら夕涼みをするアベックの巣となる鴨川の河原も一夜あけた十五日早朝、朝霧がたちこめる中を六百余名の白い運動服をまとった若者の列が走る。明治学院大学の高橋先生の指揮で朝の集いをする近畿の仲間たちである。小さな府県の壁を越えて一堂に集う若者たち、久しぶりに見かける初らつとした青年の姿に鴨川の流れも見とれているかのよう。

祇園ばやし（宵山）の竿灯

この日は、夕べのキャンドルサービスの感激もさめやらぬうち、農業技術の高度化に対応する科学的な知識・技能を交換し合う技術交換会。午後からは友情をふかめながら体力づくり、レクリエーションの実際を知る「若い力」に意気ごむ仲間の前に雨もようの空もちょっと遠慮気味。

午後からの雨空が気になる。「予定通り祇園祭の見学は決行いたします」宿舎を流れる執行部の声にワーッと、かん声が上る。近[illegible]

…間たちが古都の情緒を楽しみ、祇園祭の姿も本当に知ってもらった。「全員帰った」の報を聞くな…

…選ばれた抽選ガール、そろいもそろってまた美人、場内はシーンとして「…当った」という声、呼び出さ[illegible]をそろえて語っていた。

…われる。「もっともっと多く話したかった、感激した」と若者は口[illegible]

「4H月間」を展開

大阪府4H部　新クラブ結成など促進

【大阪】…府4Hクラブ強化月間」を…展開している。

これは、府下4Hクラブ員の自主的な運動の展開によって4Hクラブ活動に関する一般の認識を高めるとともに、この運動を足がかりとしてクラブ員の新規加入の促進と、活動の強化拡充を図ろうというもので「府農林部長を囲む会」など次の事業を計画、実施している。

▽月間運動のポスター二千枚を府下の要所に掲示▽十三日＝農林技術センターで府農村青少年技術交換大会▽十五日～月末＝「万国博を迎えて大阪を花と緑でいっぱいに」を合言葉に府下各地区で花と緑の運動を展開▽二十七日（予定）＝農林会館で府農林部長を囲む会を開き、これからの大阪農業について話し合う（出席者は府連役員）、また続いて月間運動の反省会を開く。

このほか各地区でも独自に新クラブ結成と交歓（豊能と北河内）野井戸の危険防止呼びかけ（泉北）施設慰問（泉南）労働奉仕（南河内）健康診断（中河内）など関連事業を積極的に展開することになっている。

なおポスターはタテ77センチ、ヨコ[illegible]

話合いテーマ決る

全協で執行部会開く　つどいなどで打合せ

全国4Hクラブ連絡協議会（丸山勉会長）は、4H会館建設委の常任委員会にひき続いて五日、同会事務局で執行部会を開き、今年度後半の事業展開について事務打合わせを行なった。

当日は、さきに開かれた…の技術交換大会はじめ、…連の評議員会、青年…の役員会の状況について[illegible]

しめ切り迫る

体験文 意見文 懸賞募集

4Hクラブ発足20周年記念

さる昭和二十三年に農業改良普及事業の一環として、わが国に4Hクラブが発足してから今年で二十年目を迎えました。この意義ある年に当り、過去の歩みをふり返えるとともに、将来の農村を背負うものとしての責任を自覚し、さらに4Hクラブの意識を高め、今後のクラブ活動の指針とするために、全国のクラブ員と関係者から体験文・意見文を次の要領で募集いたします。どうぞふるってご応募下さい。

応募要領

主題　【体験文】4Hクラブ活動が人間形成や協同精神の涵養にいかに役立ったか。また、農業改良や生活改善、奉仕活動などを通じて地域社会の開発にいかに貢献しているか。
【意見文】4Hクラブ活動をより盛んにするためにはどうすればよいか。例えば、4Hクラブ精神の高揚、地域社会の協力、リーダーの養成、クラブ員の年令などの具体的な方策について。

応募資格　(1) 4Hクラブ員 (2) 青少年指導者（4Hクラブ員OBを含む）

応募方法　(1) 四百字詰原稿用紙十枚程度 (2) 原稿の最初に体験文・意見文の別、クラブ員・指導者の別、住所、氏名、生年月日、所属クラブ・学校（学年）機関、団体名などを明記して下さい。(3) 本人の書いたもので未発表のものに限ります。(4) 顔写真を添付して下さい。

送付先　東京都新宿区市ケ谷船河原町十一、家の光会館内　社団法人 日本4H協会

締切期日　昭和四十三年八月三十一日（当日消印有効）

入賞決定と発表　(1) 入賞作品は全協と4H協会で決定します。(2) 入賞については、本人に通知するとともに日本4H新聞紙上で発表します。

入賞および表彰　【体験文】

		クラブ員	指導者
◎入選	賞金二万円と副賞	一名	一名
◎佳作	賞金二千円と副賞	二名	二名
選外	記念品	全	員

【意見文】◎体験文に同じ。
入賞者（入選と佳作）の表彰は、第四回全国4Hクラブ員のつどいで行ないます。

主催　社団法人日本4H協会・全国4Hクラブ連絡協議会

＊備考　入賞者には、十月七日から奈良県で開催する第四回全国4Hクラブ員のつどいで発表していただきます。なお、応募作品は返却いたしません。応募作品の著作権は主催者に属するものとします。

ふるって応募して下さい

日本4H協会・全協

「募金部会」設置へ

4H会館建設委常任委員会開く　書類総会を計画

全国クラブ員の殿堂＝4H会館の建設を進めている同会館建設委員会（会長、岩崎茂全協初代会長）は、さる四日、東京・新宿区市ケ谷船河原町の家の光会館内、全協事務局で常任委員会を開き、会館建設の今後の具体的な推進策について話し合った。

その結果❶九月上旬ごろ書類による委員会の総会を開く❷募金部会を設置して、募金活動に力を注ぐ❸委員会の規約を一部改正し、事務局体制の強化を図る❹今秋十月七日から奈良市で開く全協主催の「第四回全国4Hクラブ員のつどい」開催中再び常任委員会をもつ❺現役のクラブ員が募金し易いようにするため行政機関や関係団体に働きかけ、理解し協力してもらう❻ただちに会館建設の「しおり」、募金帳（用紙）を各県連へ送る―などを決定した。

なお、同委員会の活動はこれまで停滞状態を続けてきたが、これを機に動き出すものと思われる。

三重県連　会館建設の募金をスタート

【三重県＝水谷芳生連絡報道員発】三重県農村青少年クラブ連絡協議会（会長、岡田常雄君）では日本4H会館建設委員会と全国4Hクラブ連絡協議会が中心となって進めている4H会館建設の募金活動をさる七月下旬の県農村青少年技術交換大会を皮切りに開始した。

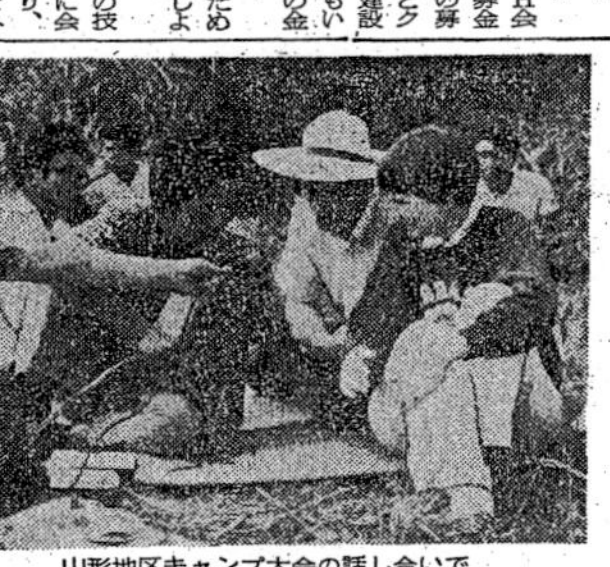

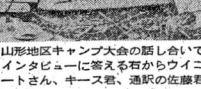

三重県の技術交換大会で4H会館建設の募金箱に金を入れるクラブ員

白地に赤とグリーンで「4H会館建設・募金箱」と書かれた募金箱が各県連に配られたが、その募金箱を受付け場所の前におくとクラブ員の目は輝く。まだ会館建設の意味のわからない新入会員もいたが、それでも予想外の沢山の金が集まったようである。

いま、県連では自分たちのためにいっそう活発な運動を展開しようと張り切っている。

なお、各都府県連でも、夏の技術交換大会やつどいを皮切りに会館建設の募金活動に入っており、今後全国的に大きな盛り上りをみせるものと期待される。

“山がとても美しい”

米国4H代表　“草の根大使”山形へ

国際農村青年交換計画に基づいて社団法人日本4H協会の招きで来日中の米国の4Hクラブリーダー代表“草の根大使”三人＝ジェーン・アーター・ウイコートさん(二〇)アラン・メロー・プリンドル君(二一)キース・ジェームス・ウエスターキャンプ君(二〇)は、第一の訪問先き、北海道での生活を終えて現在、山形に滞在しているが、このほど彼らの活躍ぶりが同県連絡報道員・今野誠一君から寄せられてきた。山形では、県農業青少年クラブ連絡協議会（会長、斉藤幸彦君）が自主的に彼らの受入れに協力し、しかも滞日中最も印象深い期間にしてみせると意欲をもやしている。

北海道での日程を終えた米国4Hクラブ代表三名は、さる七月三十日午後二時三十三分、山形駅に無事到着した。

連日三十度を越す山形の一日中で一番水銀柱の上がる時間。汗だくで出迎える県連の山沢事務局長以下五名とは対照的にネクタイ、上着で正装したキース君、アラン君らの姿が一際目立った。

一行は、ただちにNHK山形放送会館での歓迎レセプションに出[illegible]

山形地区キャンプ大会の話し合いでインタビューに答える右からウイコートさん、キース君、通訳の佐藤君

涼風暖風

本番に強くなろう

[illegible]

埼玉県の4H交換大会迫る

[illegible]

思い出深い多彩な行事で

三重県の技術交換大会開かる

[illegible]

心頭技健

[illegible]

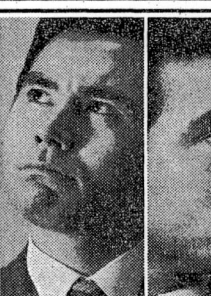

全国の仲間富士登山の集い

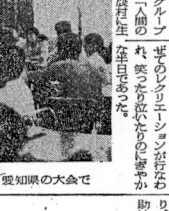

北駿4Hクラブ

4Hの精鋭富士へ

ご来光に歓びの拍手わく

静岡県御殿場市・北駿4Hクラブ（会長、勝田勝君）が計画した「全国4Hクラブ員富士登山の集い」は、去る七月二十九日から三十一日までの二泊三日にわたって開催された。京都府の福井豊、みさえさん夫妻をはじめ二府八県から五十六名、地もとクラブから二十名、北駿農業改良普及員四名、NHK記者二名が同行し、4Hの精鋭を中心に総勢八十二名が集った。終日雨に見舞れた行程であったが、参加者は話し合い、レクリエーション、また、なごやかな中にも苦しい登山を4H精神で備いながら、青春の思い出を飾るにふさわしい富士登山を行なった。以下は同行記である。

七月二十九日　おりからの台風四号の影響をうけて、富士の裾野御殿場市は雨でけむっていた。それでも駅のホームに降り立つ乗客の大半は富士への登山者である。

午後一時から御殿場駅出札所脇に北駿4Hクラブ員の手によって受付所が設けられた。頭上に掲げられた"北駿4Hクラブ旗"の下では、第一陣到着の大阪府の4Hクラブ員はじめ参加者の受付が行なわれた。

富士登山の集い事務局長の勝又徹枝さんの話では「全国からの参加希望者は、百名ちかい人員であったが台風などの影響で、その後とり消しがあり六十名くらいだろう」ということだった。

受付を終えた参加者は、クラブ員の乗用車で宿泊所の御殿場市立東山青少年会館に案内される。ここは、御殿場市の南方、箱根連峰"乙女峠"の麓で緑に囲まれた閑静な避暑地を思わせる地帯で前方に東山湖を望む。

五時三十分、会館のオリエンテーション、六時、セルフサービスの夕食のあと入浴と続き、七時三十分開会式が行なわれた。

まず、実行委員長（北駿4Hクラブ会長・真田勝君）が「昨年第一回を開催したところ、ぜひ来年もという要望に応えて検討を加えた結果、本年一月から計画を立てて準備にとりかかり、その後日本4H新聞を通じて参加者を募ったところ、全国から大勢のクラブ員が参加されたことは非常にうれしい。どうか苦しい富士への登山も4H精神を発揮して助け合い、一人の落ご者もでないよう頑張ってほしい」とあいさつ、続いて来賓として御殿場市の経済課長のあいさつのあと全員で4Hクラブの歌を高らかに合唱、ついで日程の説明、登山上の注意、役員の紹介が行なわれた。

この後、雨のためキャンプファイヤーを変更し、キャンドルサービスが行なわれた。司会者の巧なリードで、参加者の自己紹介をはさんで、コーラス、フォークダンスに興じ、なごやかな雰囲気に夜のふけるのも忘れるほどだった。午後十時三十分、雨の音を気にしながらねむりにつくー。

七月三十日　午前六時に起床。うらみの雨は今朝もふりつづいている。洗面、登山準備を整え朝食をとる。降りつづく雨を気にしてテレビの天気予報に耳を傾むけるが、静岡地方は濃雨注意報とあって一同がっかり。

八時から班別話し合いを行なった。男女混合の十名で班が編成され、北駿4Hクラブ員の司会で進められた。話し合いは、自己紹介につづいてクラブ活動、農業経営の内容、地域の特色などについて話しがあり、熱心に質疑応答がくりかえされた。

特にこの登山へ参加するために農作業のやりくりなどの裏話が披露され、日常実践活動に励む4Hクラブ員らしい一コマがあった。

この間にも実行委員長を中心に関係筋に電話連絡がとられたが、富士山頂は、下界の雨と対照的に曇り程度とのことに一同安心する。

しかし、須走口に通じるバス道路が豪雨のため切断され通交不能との報に協議の結果、川口湖口を経由して、富士スバルラインを五合目までバスで行くことに日程とコースの一部を急きょ変更する。

十時十分、一行は出発準備を整え迎えのバスに分乗し、富士スピードウエイ、富士霊園の見学に向う。

途中、御殿場市が実施した構造改善事業、水田の区画整理完了地（二十ha）をバスの窓からながめ真田君の説明に耳を傾むける。雨あしは、ひとしきり激しくなる。

十二時、須走口浅間神社に到着ー。降りしきる雨のために車外に出られず、それぞれ配ばられたべんとうを口にする。

午後一時、バスは浅間神社を後にして一路川口湖へ向う。バスの中では、雨や、旅の疲れをよそに若人の元気な歌声はつきない。

川口湖に着くころは、心もち雲間はうすれ、雨足もおとろえる。小休憩のあと、バスはエンジンの音も快調に一路スバルラインへと向う。

車窓から右に左にながめる樹海は、松、からまつなどの針葉樹、雨にぬれて木肌も美しい白カバ、さびしく紫の花をつけるシャクナゲなど、大自然の美しさを心ゆくまで堪能することができた。

スバルライン四合目に近いころ雨はやみ、夏の陽が山肌に射す。"ヤッホー"喜びの歓声があがる。

午後三時、五合目に到着。登山者でごったがえす広場へバスから降りたったクラブ員は、休憩のあと定められた班ごとに集合して人員点呼、各自班別に色分けされた麦ワラ帽を冠り整列して、女性を先頭に宿泊地八合目をめざして富士のドテッ腹に挑む。高く掲げた4Hクラブ旗が風にはためき、富士登山の成功を象徴しているかのようだ。

ザク、ザク、ザクと火山灰土を踏みしめる足音も軽ろやかな響きをかなでる。いつの日からか、はかり知れぬ自然との戦いに勝ちぬいて生い繁る白カバが美しい。絵でみる富士と違い荒涼たる雄大な富士の姿に、今さらおどろくとともに、この登山が人生への戦いにもにているかのようだ。

七合目に到着するころは、ガスが地を這うように流れ、汗ばんだ背すじに涼しい風が快い。

先陣とラストの距離の差がひらく。みんな苦しさをかみしめて無言で足を進める。

"今日はー、ガンバレヨー"と山男の友情にもにた行き交う人のあいさつに励げまされる。4H旗を先頭に、もくもくと列をなし登山する4H隊は元気いっぱいだ。

乳剤を流したようにガスが流れ雨がそぞろ降る。

七時ー、全員無事に八合目胸突小屋に到着する。到着の歓喜を味わう間もなく身体を横たえる者、炭火で温まる者、小屋の主人の温かいもてなしのお茶、みそ汁でのどをうるおし持参したにぎり飯にかぶりつく。

夕食後、係員から明日の日程の説明を聞き、上下一枚づつのふとんに疲れた身体を横たえる。

闇につつまれた石室、時おり激しくふきつける風と雨の音に耳を傾けながら深いねむりにおちる。

七月三十一日　午前三時三十分起床ー。あいかわらず無情な雨は降りつづけている。

北駿4Hの山の係は、トランシーバー片手に石室を出て山頂へと向う。山頂の天候を調べて連絡をとるらしい。

こころもち雨も小降りになった四時四十分頃"ご来光だ"との声に全員外に出て東の空をながめる厚い黒雲が白く赤味をおび、やがて待望のご来光だ。"ワッ"と歓声があがった。雨の中でのご来光に拍手さえおこる。

さすがに歓びはかくしきれず、昨晩の疲れもどこへやら、雲間から射す朝日の輝きに、みんなの顔があかるい。

4Hの旗をなびかせ、男女仲良く手をとり合って富士の横腹を力強く踏み進むクラブ員

石室の主人は言う"このご来光は一週間ぶりだ。きっとみんなの心がけがよかったのだ"と。

ご来光に、そっと手を合わす女子クラブ員の姿に"きっと、よい彼氏とめぐり合いますように"と。これは男性の陰の声ー。ぐっと雨の中に視界が開けるころ、山頂より"小雨程度、心配なし"の連絡が入る。これを励みに一同は朝食をとり、五時三十分山頂をめざす。

七時ー、夢にまでもみた富士山頂を征服する。やっと日本一の山に登った実感がこみあげる。この富士を征服した者の歓びは、経験者以外には理解できまい。

三十分ほど休憩したあと、足に自信のある者はお鉢まわりへ。女性を主に他の者は気象観測所へと急ぎ、二組は観測所でおち合い、全員が並んで記念撮影を行なう。

4H旗をなびかせ肩を組み、天下にとどろけとばかりの声でうたう4Hクラブの歌に、日本農業の夜明け近しの感がある。

九時、いよいよ下山である。各班ごと人員点呼のあと女性を先頭に、御殿場口三合目を目ざして、砂走りをいっきにかけおりようというもの。

富士の斜面を雨とガスが横ぶりする中を、ただ無心に下へ下へと足をのばす。スピードがついてこわいくらい身体がとぶ。五合目を下りるころは疲れた女性に肩をかして、二人仲よく友情あふれる姿が目につく。

さすが富士の裾野は広い。やっとの思いで雨にけむる御殿場口二合目の登山バス発着所に着く。三十分ほどして全員が無事に下山した。

雨の中にくり広げられた激しい行程であったが、富士登山のダイゴミを味わったクラブ員をのせてバスは一路、御殿場市へと富士の裾野を走る。

下界は、真夏の太陽がうそのように照り輝いていた。

公民館へ予定通り十二時に到着した。公民館では留守番役の北駿4Hクラブ員が待ちかねていて出迎えてくれた。つめたい水で汗を流し衣服をかえる。三時間前までいた富士山頂のことが夢のように思えてくる。

昼食と温いお茶で腹ごしらえのあと反省会に移る。特に参加者からは「悪天候にもかかわらず、綿密な計画のもとに全員無事登頂できたことに感謝したい。日程についても上出来であった。ぜひ、この行事を来年もつづけてほしい」など、実行委員に対する感謝の声が多かった。

また同行した勝又普及所長からは「この貴い体験を日常の実践活動に生かしてほしい」と激励のことばがあった。

この後、閉会式が行なわれ真田実行委員長は「天候の関係で迷惑をかけたが、今朝のご来光を見たとき、それも消えたと思う。山の係の適確な判断によって、悪天候にもめげず全員無事に登って、全員無事に下山するという頭初の目的は達せられた。何ごとも全員が力を合わせれば成し遂げられるという自信がついた。来年もぜひ実施するようにしたい。これからも北駿4Hを可愛がってほしい」と結んだ。

来賓祝辞につづいて参加者を代表して佐賀県から参加した大塚英昭君は「この行事は、4H新聞で知り佐賀県から車でやって来ました。信頼できるクラブ員の運営に、安心して登山することができました」と歓びを語り、最後に「来年もぜひ実施してほしい。また、多くのクラブ員が参加するよう働きかけたい」と要望した。

また、池本普及員は「苦しい時お互いが助け合う姿をみて、4Hクラブ組織の必要性を痛感した」と感想をのべた。

全員が起立して4Hの歌を合唱したあと、静岡県の飯田洋君の発案で、北駿4Hクラブに対して感謝の意をこめた拍手を全員が送り全国4Hクラブ員富士登山のつどいは無事幕をとじた。

登頂の喜びにあふれ、肩を組んで4Hクラブの歌をうたう参加クラブ員

剣岳で若人の祭典

登山道の清掃奉仕かね

徳島

山道に標柱をたてるクラブ員＝徳島県の大会で

【徳島県＝河崎嘉宏連絡報道員発】徳島県農村青少年クラブ連絡協議会（会長、河崎嘉宏君）では、さる七月十一日から十三日までの三日間、霊峰剣岳で県農村青少年技術交換会と夏山にそなえて清掃の集いを行なった。

第一日目は、あいにくの雨で参加者の出足が心配されたが、午後三時からの開会式までには、多数のクラブ員が元気な姿を会場にみせた。開会式は県農業改良課の立石課長はじめ地元町長ら関係者を迎えて行なわれ、参加クラブ員代表の力強い開会宣言で大会の幕を切って落した。このあと班別活動を行なった。

二日目は早朝三時に起床、まだ真暗い会場前広場に集合し、登山と清掃の注意を受け、清掃袋、朝食、標柱、簡易便所設置材料などを班ごとにととのえ一路山頂へ向った。出発後一時間余りたったころ東方の空がしだいに明るみ出し白ずんできた。われわれクラブ員の力によって少しずつ明るさをましている現代の農村によく似ているように思えた。

頂上へ五時半ごろ着いたが、これからが本番、いよいよ清掃である。ゴミ捨場の設置（穴掘り）簡易便所設置（数個）標柱の設置（数十本）登山道、頂上付近の清掃、ゴミ捨いなどの奉仕作業に汗を流し、昼過ぎ元気に下山して昼食をとった。

午後は「剣山の気象」と「県民の森」についてそれぞれ一時間ずつ講演を聞いたが早朝から行事を進めたので参加者の疲れが目立った。午後三時から体験発表、実物鑑定など日ごろ身につけた技術をきそった。

夕食後"大会の花"――キャンプファイヤーで楽しいひとときを過ごし、十時から役員会を開き日本4H新聞の購読やクラブ誌の件について話し合った。

最終日は午前六時に起床、標高千五百米の涼しい朝もやの中で体操を行ない、このあと営林署員の指導によってモミ、ナラ、クヌギなどの木に登り百個の小鳥の巣箱をかけた。九時から反省会を開き閉会式を最後に下山した。

「掃除機人間」も出現

愛知県の技術交換大会　長野へ"体力づくり"

【愛知県＝古川眞美子連絡報道員発】愛知県4Hクラブ連絡協議会（会長、飯田雅美君）は、県と共催で、さる七月二十四日から二十六日までの三日間、七月一日にオープンしたばかりの青少年施設、愛知県茶臼山野活動ロッジを主会場として第七回県農村青少年技術交換大会を花々しく開催した。

この大会には県下の農村青少年百五十名が参加、まず一日目は午前九時、国鉄豊橋駅前からバス三台に分乗し、開会式場へ向った。

午後一時三十分、霧雨の中での開会式、各単連旗を先頭に堂々と入場行進が行なわれ、本部席前での各単連ごとのアイデアあふれる敬礼にはこの大会参加への意気込みが感じられた。県連旗入場につづき、二宮卓子県連監事の指揮により4Hクラブの歌合唱。霧雨をついて、美しくたくましい歌声が高原にこだまし、雰囲気は盛り上った。飯田県連会長あいさつ、ロッジ所長あいさつなどにつづいて4H綱領を斉唱して開会式を終了し、演示発表へとすすんだ。

この演示発表は、各単連からの代表が日ごろのプロジェクト活動の中から考え出したアイデアなどを披露し、参加者と共にもう一度考えようというもので、電気掃除機を利用した防毒マスク〈掃除機人間〉の出現や、防水加工を演じる女子クラブ員など参加者の興味をそそっていた。

夜は映画鑑賞のあと、グループ別の話し合いが行なわれ「人間の見栄や欲望について」「農村に生きる我々若者の生き方」など映画をテーマに活発な意見交換が行なわれた。

二日目は午前六時に起床、前日の霧も晴れて爽やかな朝の高原で朝のつどいが行なわれた。午前中は技術競技。鑑定、判定、審査の三点を中心とした問題に頭をひねりながら智恵を出し合った。今年は特にグループの和を重視し、この競技もグループごとに行なった。

午後はレクリエーション委員の指導のもとに、フォークダンスや野外ゲーム、また今年の県連事業計画の一つである"体力づくり"として、体力づくり競技をおり混ぜてのレクリエーションが行なわれ、笑ったり泣いたりのにぎやかな半日であった。

夜に入って、最後の晩をかざってキャンプファイヤーがくりひろげられた。高原の空を赤々と染める4Hの灯……。点火式、歌、ゲームなどにつづいて各単連ごとの出しものがあり、大会も最高潮！ファイヤーを囲んで時間のすぎるのも忘れておおいに楽しんでいた。

最終日の二十六日は、朝から好天候に恵まれ、体力づくりとして予定どおり茶臼山ハイキングを行なうことが出来た。ロッジー茶臼山ー長野県根羽原生林ー和牛畜育成場ーロッジの三時間コースを十グループに分かれて、右回り、左回りと半分づつ反対に回り、助け合いながら、途中、技術競技や宝さがしに競った。「この木の高さは何米ありますか？」「この水の水温は何度ですか？」の質問に頭をひねるクラブ員たち。途中長野県南信濃公園では、運営委員からジュースや菓子の接待があり思いがけないプレゼントに疲れも忘れてハッスル、4つめのH"健康づくり"の一面であった。

大会三日間の評価、反省のあと午後一時からロッジ前広場で閉会式が行なわれた。参加者代表鴨下幸栄さんの「この大会での成果を各地域にもち帰り、農業生産にはけみ、今度会うときは、もっとたくましくなってお会いしましょう」という別れのことばを最後に4H旗を降下して閉会式を終了し、茶臼山をあとにした。

今回の大会での特徴は、特にグループの和を重視して計画を立てたこと。そのため、今後地区をこえての友情に花が咲くものと、県連では期待している。また大会期間中、4H会館建設の募金を行なったが、参加者全員から絶大なる協力があり、県連役員をよろこばせた。

自作の作業衣を着て研究発表する女子クラブ員＝愛知県の大会で

静岡　大自然に包まれて

アベックで技術の競技も

【静岡県＝真田勝通信員】静岡県農村青少年クラブ連絡協議会（会長、高柳邦彦君）は、さる七月十六日から十八日までの三日間、御殿場市印野の高山植物自然公園で第十三回県農村青少年技術交換大会を開いた。

参加者はクラブ員百七十名を中心に農高生十五名、県担当者十名の計約二百名、一日目午後十二時半から小雨降る中で受付け、二時から開会式に入った。

まず高柳県連会長が「ここに集まった二百名の県下のクラブ員は、村では一人かも知れない、そして農業をときにはいやになるかも知れない。でも県下にはそれ以上の若者が農業に従事している。みんなで手をとり合って明るい農業をつくろうではないか」と呼びかけ大会の幕を切って落した。

つづいて技術競技に移り、カードの組合わせによって男子二、女子一名の混成チームを編成、雨に濡れながらの者、カラフルな洋傘にチャッカリ二人で入って問題を解くアベックなどみんな夢中で日ごろ磨いた腕を競った。夜は交歓の夕べが行なわれた。

二日目は午前六時に起床、ラジオ体操などのあと八時からプロジェクト発表に移り、九人の代表が発表した（男五、女四名・演示六、プロ三題）。

午後から高柳県連会長から県連活動報告があり、昨年度の動きから今年の方針、また全協が中心となって進めている4H会館建設の募金などについて詳細に説明された。これに対しクラブ員から「リーダー研修会を開催してほしい」との要望も出された。

つづいて今回初の試みとして県の民謡講習が行なわれ、約三十分の間に「チャキリ節」などをマスターした。

三時から体力づくりに入り、天然記念物溶岩洞窟「御胎内」を一人ずつくぐりぬけたあとボール跳りやフォークダンスなどで楽しく過した。とくに洞窟ではボリュームのある女性は相当に体力を消耗したようであった。

八時から大窪のキャンプファイヤーが夜霧に包まれた林の中で行なわれ、クラブの歌や寸劇、ブラジル国の実習生による郷土民謡、北駿4Hクラブ員による"4H音頭"など次々に演じられ「この火を来年もまた灯そう」という営火長（県連会長）のあいさつで終了した。

三日目は、前二日間とは打って変り快晴、真正面に富士山を望む溶岩の上など自然を生かした特別会場で分科会を開き「青年の生き方」というテーマで話し合い、続いて全体討議が行なわれた。青年の生き方としては"根性をもって生きろ"という意見が多く出され、このほか名称変更の問題も出されたが、残念ながら時間切れで終ってしまった。

最後に閉会式に移り全国大会出場のプロジェクト・演示発表者に北駿4Hクラブの杉山良子さん「結婚式簡素化への道」広瀬4Hクの鈴木正英君「ネギの播種機について」が選ばれた。

熱気こもる話し合いを展開

いさり火映える中で

山口県で花やかに技術交換大会

【山口県＝山崎順之連絡報道員発】「心と技をみがきあい、明日への力をつちかおう」をスローガンに第八回山口県農村青少年技術交換大会は、さる七月二十四日から二十六日までの三日間、男性的な景色をもつ日本海、北長門国定公園の中心地、青海島のキャンプ村で約三百名のクラブ員を集めて盛大に開催された。

一日目は開会式のあと雰囲気を和らげるためフォークダンスで楽しみ、夜は遠くにかすんで見えるいさり火に目を向け、静かな中にも熱気こもる話し合いが行なわれた。

二日目は近代的な農業の視察と研究のため、日置（へき）農業高校の視察が行なわれた。同校は農改普及所の広域化によって県下でも一早く改良され、茶色と象牙色とよくバランスのとれた鉄筋コンクリート三階建てのすばらしいもの。それに校内には普及所を置き相互に連絡をとり農業の発展につとめるという新しいシステムをとっている。

この近代的な校内で参加青少年は農業技術競技を進めた。クラブ員たちは「日ごろ見過しているものがいざとなるとなかなかわからない」ともらしていたが、中にはかなり高い点をとった優秀なクラブ員もいた。

このあと、暑さを吹き飛ばすために日本海で水泳とサザエとりで楽しんだ。

陽が落ちて暗くなるころ、この日の最も期待されたキャンプファイヤーが海岸で行なわれた。高々と燃える火が太陽に変って夜を照らした。人の心は燃え、すべてをこのファイヤーにかけているように思えた。やがて火が弱まり、うすれていた夜空の星、かすかに聞こえてくる船のエンジンの音が強く胸を打った。

最終日は自由交歓を行なったあと遊覧船で国定公園青海島をめぐり、男性的な海と岩との美を心ゆくまでたんのうし、家路についた。

技術やレクに腕競い合う……

埼玉・春日部4Hク協

【埼玉】春日部地区4Hクラブ連絡協議会（会長、鈴木宏君）では、さる七月十五日春日部市の武里公民館で地区のクラブ員百余名の参加のもとに技術交換大会を開いた。

この日は、午前中、実物鑑定競技、午後はデモストレーションとレクリエーションにと日ごろのクラブ活動を通して磨いた腕をふるって競い合った。

その結果、県代表に実物鑑定の部では幸松4Hクラブの豊田皓一君ほか十四名、またデモストレーションでは内牧4Hクラブの尾堤昭治君が選出され県代表への意欲を燃やしている。（同協議会々員、新井はつ江さんより）

4Hくん NO.130

柔術 西瓜投ゲ

優れた経営者たち

広島県佐伯郡廿日市町　高木作一氏

ラン

創意で拓いた新天地
次々と洋ラン界に旋風起す

※適地を求めて三転

高木作一氏は、明治四十四年三月に能美島に生まれ、小学校卒業後、体が弱く、闘病生活をしながら花つくりに興味をもち、青年時代を花つくりにすごした。二十三歳の頃、市場における花の有利性に着目し、花栽培を志したという。そして、露地花であるキンセンカ、ナデシコ、キクなどをつくり、二十六歳のときに花組合を、結成した。

昭和七年には、有利性の高いカーネーションの栽培を始め、栽培技術、品種改良技術の開発に努力し、苦心の末、戦前すでに三三〇平方メートルの温室を建設して事業的栽培にふみきったが、第二次世界大戦のために中断せざるを得なかった。

戦後、再度カーネーション栽培を発展させた。しかし、海を隔てた島では運搬上の不便が大きいので、市場に近くて陸路のみで運搬できる適地を求めて、昭和二十五年、広島県五日市町に転出、ここで本格的にカーネーションの栽培にとりくみ、品種改良にも力を入れ、カーネーションの専作経営にふみきった。だが、規模拡大と、よりよい適地をもとめて、昭和二十九年に広島県の廿日市町に移転した。

昭和三十三年までカーネーションの専作経営を行ない、品種の改良、更新に努め、優良品種の"春の粧""秀峰""明星"などの登録品種を作り出してきた。

しかし、この頃から、優秀品種が外国から輸入されはじめ、他方国内での競争も激化したので価格も急速に低下しはじめた。氏は、今までの体験からカーネーションは大規模栽培し、品種改良して優品を苦心して作り出しても費用がかかり、コストダウンがむずかしく、所得の向上には限界があることに気がついた。

そこで、カーネーション栽培に見切りをつけて、国民の消費生活の向上と共に需要が増加すると考えられる洋ラン栽培に着目し、昭和三十四年に洋ラン栽培にふみきったのである。洋ランの研究家である米沢耕一氏に栽培上の指導を仰ぎ、全力を洋ラン栽培に注入し、栽培開始後三年目の昭和三十六年十二月にようやく市場出荷を始めている。

現在は、三三万鉢の洋ランの大規模栽培に成功し、二、〇〇〇万円近い販売収入と四〇〇万円近い農業所得をあげるに至った。

このように、氏は露地花→カーネーション→洋らんと作目をかえ、立地も能美島→五日市町→廿日市町と三度、適地をもとめて移動し、ついに成功することができたのである。

広島市から西へ一六キロの郊外安芸の宮島を望む佐伯郡廿日市町平良の一角にある本園には、鉄骨ガラス温室、鉄骨ビニールハウス、露地栽培圃場など、計約七、三三〇平方メートルの農場があり、ここで約三三万鉢の洋ランの大規模栽培が行なわれている。

※発展の過程と現況

露地花からカーネーション、フリージャーに作目をかえてきた高木氏は、昭和三十四年から洋ラン栽培をはじめている。

初期は、デンドロビューム専作であったが、次第にファレノプシス、シンビジュウム、カトレア、風ラン改良種などを作り出し、品種改良、育成に力を入れており、現在、デンドロビューム三万、ファレノプシス二万、シンビジューム一五万、カトレア六千、風ラン改良種八万、その他・四万鉢、計三三万鉢の洋ランを栽培している。

そのために、施設も、鉄骨ガラス温室、ビニールハウス、露地栽培圃場も逐年拡大し、その上に借入温室、委託温室も昭和四十年から逐年拡大して規模拡大をはかっている。他方、量的拡大のみでなく無菌培養室、専用作業場をつくり質的にも施設を充実して、交配品種の育成、メリクローン増殖法による優良種の改良育成に力を入れてきている。

その結果、収益も逐年増加し、昭和四十一年度ではデンドロ、ファレノプシスの切花一八、〇〇〇本一八〇万円、シンビジューム、カトレア交配種などの鉢物五・五万個一、五八五万円、計一、七六五万円の売上げに達している。

※行届いた管理技術

このように、逐年いちじるしい洋ラン栽培の規模と内容を拡大できた基礎には、経営管理の合理性をあげねばならない。まず第一は農場を一ヵ所に集中し、温室、ビニールハウス、露地栽培場、事務所、住居、作業場、無菌培養室などは作業効果があがるように配置 [illegible]

高木氏の創案した杉皮利用の立体的育苗法による育苗の全景（上）と全圃場に設置されている自動スプリンクラー装置（下）

※近代経営の好範例

[illegible]

改良→大量育成→販売開拓と一貫したラン作経営を親子一家で責任分担制のもとに、協力して打ちたて、他産業に匹敵する農業所得をあげていることである。

その経営成果は、昭和四十一年度では、粗収益で一、七六五万円農業所得で三八四万円をあげ、家族一人当たり年所得は七七万円であり、毎年経営成果はいちじるしく増加してきている。

農業経営費が多い割には粗収益や農業所得が少ないのは、いまだ育成過程の段階での経営成果だからであって、今までの経営が経済効率が低いのではない。三三万鉢の洋ランのうち、成株として商品となるものは九万鉢にすぎないのであって、二四万鉢は育成株なのである。今後、これらが逐年成株になってゆくので、粗収益、所得の増加は注目すべきものがあるといえよう。

また他方、地域的普及活動にも力を入れ、広島県農企業者クラブ、花卉園芸農協廿日市花卉園芸研究会の重要メンバーとして、各行事に参画し、つねに自己の創意工夫の成果を披瀝して、その普及に努めている。また、全国数ヵ所の地域にラン栽培依託農家を設置して、地域のラン栽培発展とラン栽培を通して農業後継者の確保と育成にも尽力している。

このように、高木氏はラン栽培において独創的技術を開発し、品種改良に力を入れ、日本原産のランをもとにして新品種をつくり出し、世界に独特のすぐれたランを創出するよろこびにもえながら、つねにつくりやすい、美しい大衆向きのランを経済的につくり出す努力をしている。

さらに、生産から販売まで一貫した経営体制を家族ぐるみでつくりあげ、市場を指値で支配できるだけの生産者の主体性をうちたてるような生産組織をつくりあげることを目標に、生産量の拡大を目指して依託栽培農家を各地に組織化しているのである。

この高木さんのラン作りにあらわれた企業的大規模経営は、わが国において今後大いに発展すべき経営の一つの萌芽であり、その先駆的経営の一つであるといえる。

高木氏の経営の特色

[illegible]

素晴しい企業感覚
鉢ものブームをリード

[illegible]

プロジェクトの取り組み方
展開編（3）

北海道専門技術員　三輪　勲

能力、負担に応じて 調査項目は最少限にする

（イ）調査項目の決定

調査課題を達成するために、具体的な調査項目を定めなければならない。調査項目は必要最少限にとどめた方が効果的である。項目が多過ぎると、単なる資料集めに終る心配があるし、多忙のまま中止するなどの危険性もあるので、過重負担は避けるべきである。

問題発見のための調査項目の一例をあげると、次の通りである。

a 農業部門の調査項目例

作付面積（種類別面積、たとえば過去五年間くらいの平均一〇アール収量、最高、最低の一〇アール収量とその年次、部落や市町村の平均収量との比較）

収量（耕深、整地の方法、施肥の三要素量、種子消毒の方法、種まきの時期と方法、覆土の厚さ、除草の時期と方法、中耕・培土の時期、追肥の時期と量、病害虫の時期・方法、収穫時期、乾燥方法、脱穀方法など）

農業資材の購入（種苗、肥料、農薬、その他資材の品名、数量、価格など）

自給肥料の生産（たいきゅう肥、緑肥の生産量など）

農業機械の整備（名称、台数、使用年数など）

土地（土質、土性など）

家畜飼育数（種類、成・子別の頭羽数、おす・めす別の頭羽数など）

飼料生産（飼料作物の作付面積、生産量、一〇アール当り収量など）

飼料給与（飼料名、給与の期間、日量・総量・FU・DTPなど）

家畜生産量（牛乳・鶏卵・肥育豚などの総生産量、一頭羽生産量など）

労働時間（月別と作業別、月別と個人別、月別と作物別など、種類別の労働時間）

b 生活部門の調査項目例

生活時間（個人別、目的別、月別など）

献立（農繁・閑期の献立、材料、分量、栄養価、カロリーなど）

野菜消費（自給野菜の種類、生産量、消費量、貯蔵量など）

作業衣（個人別・種類別の保有数など）

台所の設備（台所の見取り図、採光、食器の種類・数量、燃料の種類と量など）

住宅（間どり、広さ、室内湿度、採光など）

家族の保健（病気の有無、体重、血圧、視力、疲労度など）

家計費（月別・費目別の収入支出など）

（ウ）調査方法の決定

調査項目を定めたあとは、調査の時期・対象・方法などを決定しなければならない。

調査項目によっては時期を失すると無意味なものもあるが、時期に直接の関係がないものは農閑期に行なうのがよい。調査する田畑や作目など調査対象の範囲や数が過大であると、年少者には実施困難な場合も生ずるので、青少年の能力に即応した指導が大切である。

調査の方法としては、たとえば、作目の全部とか、年間の生活時間というように、その調査項目に関する対象全体を調べる全体調査（しっかい調査）と、総数から一定の方法によって抽出した面積や日数について調べる標本調査（抽出調査）とがある。前者の方法はグループで、後者の方法は個人で行なうなど調査の性質と青少年の能力に即応した方法を選択させるとよい。

（エ）調査の実施・まとめ

実際に調査を行なう場合、調査用紙を作成して記入、そのつどノートに記録、グラフ用紙に製図、試験や観察など、いろいろなやり方があるが、調査項目の性格に対応して実施させるとよい。調査によっては、長期の日時を要する場合や特別な用具を必要とするものもあるので、前者に対しては継続実施を、後者については用具の準備や取り扱いを、それぞれ留意して指導することが大切である。

調査によって得た資料は、記入もれや誤記がないかを検討させ、集計して統計表を作ったり、グラフ、図面、標本、写真など調査目的に従って整理させる。とかく、調査のあとの整理が不十分なまま貴重な資料を死蔵する傾向にあるので、実施にあたっては注意が必要である。

飼料作の課題

8月21日（水）　牧草地の造成

一、これからの造成地の立地条件
二、耕起造成と不耕起造成の得失
三、いろいろな不耕起造成のやり方と経費
四、牧草地造成の今後の問題点

牧草地の造成法による収量と経費

区分		収量 kg/10a	牧草率 %	造成費 円/10a	牧草 1kg/円
耕起	普通耕起	2,600	98	7,900	3.9
	粗耕起	3,200	85	7,100	2.6
放牧	（蹄耕）	3,100	63	4,100	2.0
不耕起	火入れ	2,900	64	4,000	2.2
	刈り払い	2,300	40	4,100	4.5
	殺草剤	2,900	70	9,000	3.0

（注）種苗代、肥料代、労賃単価は同一である

8月22日（木）　牧草地の採草利用

一、採草利用と放牧利用の得失
二、これからの採草利用の方向
三、採草利用の安定多収と維持管理
四、更新のめどと簡易な方法
五、採草利用における今後の問題点

更新の目標とその方法

一、状態
イ　生草一〇アール当たり三、〇〇〇キロ以下で、雑草の侵入などの著しいとき
ロ　目的とする混播割合のひどい不均衡、いね科の単純草地化、まめ科の単純草地化
ハ　全体に収量低下のとき

二、方法
イ　耕起による播き直しをする
ロ　窒素を控目にしてクロバー追播、軽い耙耕、イタリアンライグラス追播、鎮圧またはリノベーターによる追播

8月23日（金）　牧草地の放牧利用

一、放牧をとり入れるねらい
二、放牧計画のたてかた
三、放牧方法の使い分け
四、放牧時期のきめ方
五、放牧頭数のきめ方
六、放牧利用の今後の問題点

現地訪問　8月24日（土）

北海道千歳郡恵庭町

恵庭町の原田恒さんは、昭和二十七年に酪農を始めた。先進の酪農家に負けまいと、入植以来一貫して土地作り、草作り、牛作りに取り組んできた。

こうした努力とち密な計画性がみのって、昨年の草地コンクールでは、日本一の成果を上げた。一ヘクタール三頭の乳牛飼育を可能にしている技術・経営ともにすぐれた酪農家といえる。

一、経営面積一〇ヘクタール、二、乳牛頭数二八頭、三、年間粗収入約三〇〇万円

優秀経営訪問

8月26〜31日

4月6日（土）から、8月24日（土）までの「現地訪問」のなかから選び再放送

この番組でとりあげる経営事例については、みなさんから多くの問い合わせや再放送の希望が来ております。そこで、この週はご要望にこたえて各週の「現地訪問」のなかから選んでごらんいただくものです。

農業教室

見学の心得

千葉県農業改良課　農業経営専門技術員　石丸　美春

一人で見学する場合と、自分たちのグループ員でする場合と、いろいろありますが、見学の心得については、私たちは、次のように考えています。

目的をもつ

農事研究会、青少年クラブ、生活改善クラブなどの会員たちが見学旅行をしようと思いたつ場合があります。自分たちの経営や生活上に問題点があり、その解決のための努力もしているのだが、他の地域ではどうしているのか、念のために見ておきたいとの態度は、一番高度の段階でしょう。

自分たち自身は共通した問題点を感じてはいない、だが他の地域を見ることによって問題点とその解決法の二つを学ぼうとの態度もあります。「ところ変れば、しなかわる」で、思いもかけない珍しいものを見て、自分なりに自分の経営や生活の改善に役立てることができるものです。これが第二段階です。

第一段階のグループ員は、視察事項について、あらかじめ、よく研究しているわけで、見学したことの一つ一つがよくわかります。そして、自分たちの経営生活に取り入れるべきものがなにかもよくわかります。このような人びとは成長が早いものです。

リーダーは、グループ員をこのように育成すべきです。

第二段階の見学者たちが多いわけですが、学ぼうとの態度さえあれば、ある程度のものを学べます。集団の代表として、第二段階の見学をした場合に、帰郷後、全体の集会で、見学の内容を報告する約束があると、疲れに負けないで、しっかり見学できます。

だが、物見遊山の気分が相当ある集団では、見学の方は粗末になりがちです。だから、リーダーは、あらかじめ、朝の遅い出発と夕方の早い引きあげの日程を組むべきです。見学先での説明などもよく聞いていない人たちも入っているわけです。それでも、見ておくと、いざ問題にぶつかったときに、見たことを思い出して役にたつ場合もあります。

準備を要する

準備しただけの収穫があるものです。少なく準備すれば、収穫も少なくなりましょう。

（イ）日程はよく研究し、また、仲間とも相談して決めます。交通の便は、旅行社に行けば手にとるようにわかります。見学先は、農業視察便覧、その他の資料をみて予備知識を持つようにします。集団の場合には、リーダーが研究して、資料を仲間に配布するようにします。

（ロ）一人なら気らくですが、集団では、最終的な参加人員をつかむことが、たいへん困難なものです。

そこで、会費は全部、または一部をあらかじめ徴収する。また、不参加の場合には、徴収した金のある部分は返却しないなどの規程を作っておくことが必要です。宿泊人員が減っても、この申込金は、もちろん、返ってはきません。

（ハ）団体で数ヵ所を歴訪するときは、旅行社発行のクーポン券を利用すると、団体割引きで経費が安くすみます。

（ニ）見学先におみやげを準備して行くことも、最近だんだん行なわれているようです。相手方に説明役をさせて、時間的損害をかけるからとの趣旨ですが、適当な心がけというべきでしょう。受入側のほうで、規則を作っておいて、見学料を一人当たり、いくらと決定している事例も出ています。

（ホ）野菜出荷組合や農事研究会のなかには、見学旅行に行くについて、東京青果市場の某会社に寄附をしてくれと依頼に行ったのがあります。そして、ひどく叱られてきたのがあります。必要な経費は、仲間たちが平常から積みたてすべきで、取引先に寄附してくれ、などというのはまちがっています。

（ヘ）農業者は、人の言葉を書きとめる習慣を持っていません。わりあいに人の言葉を記憶しているのですが、こまかい数字などは、やはりノートに書きとめるようにしたらよいと思います。

（ト）最近は、青年たちがカメラを持ってきます。仲間の記念写真をとるだけでなく、見学先の物件や建物をとっておくと、あとからよくわかります。

（チ）地図を買うこともよいと思います。他県に行った場合など、そこがどのへんにあったか、思い出せないものです。

相手のことを考えろ

見学する場合、だれかが相手になってくれるわけです。相手は時間をつぶし、後には茶菓子や食事を提供してくれます。なぜ、そうしてくれるのか考えてみましょう。

また、みやげ物を出す機転も必要です。相手からたくさん聞こうとか、より多く見たいと思ったら問題点を用意して行って、そのことを質問しなければなりません。白紙で接しては、相手は、少ししか見聞させてくれないでしょう。

このような場合、地元の農業改良普及所や農協を通して紹介してもらうと、多少は、扱いかたがよくなるものです。自分の村の普及所から、相手方 [illegible]

テレビ　NHK農事番組

[illegible]

ラジオ

[illegible]

趣味と職業を関連 豊かな人間関係の絆に

三重県安芸郡芸濃町岩原　楠井昇

ハンティング

趣味——。これは、誰もが持っている楽しみの一つである。人間は、生活していくためには、職業（仕事）というものを持たなければならない。したがって仕事こそ一番大切な生活手段である。知能という能力をもっている人間は、その力をよく働かせ、自分自から仕事の合間（余暇）をみい出して楽しくはりあいある職業にしたいものであります。余暇をいかに有効に自分のものにし、満たしていくかということにも、人生を楽しく有意義に効果的にしていく、一つの大きな役割をはたすように思います。

余暇——これこそ趣味を十分に生かしえる大切な時間となります。

名人が各様の趣味を持っている。「釣、読書、スポーツ関係、マージャン、登山」など数えればきりがない。

よく初対面の人から「君の趣味は——」という問をうける。そして相手の趣味と合致すると、毎日付きあっている友人よりも親しく感じ、切っても切れない仲間同志の結びつきが生まれる。

これほど趣味は、日常生活にかかせないものなのである。

私が趣味を自分の職業に関連させた体験をのべてみます。

私の趣味は「油絵、動物、ハイキング」です。

現在の職業も、私が根っからの動物好きのため強引に、養豚業に飛びこんだのです。だが養豚の技術は全然持っていなかったのです。ただ好きというだけのことでありました。

最近の農業は企業的になり、私の心の中には、大きな企業的な養豚経営をしたいという意欲があふれて、夜も眠れぬほど企業的経営の計画を頭に描きファイトをもやしました。

最初二頭の繁殖豚から、半年後には、自然放牧型式で十五頭の種豚を飼育するまでになった。しかし、経験の浅い私の技術ではどうにもならない事態が起った。子豚の下痢症、皮フ病、飼料による繁殖障害などによる大打撃をうけてしまった。この時のショックは、言葉でいい表わせない精神的な苦しみでした。

ここで私は、自分自身の現実離れの考えと精神力の弱さをつくづく知らされた。社会の厳しさというものを真面からうけ、無力に等しい自分が腹立たしかった。

そこで学生時代臼井吉見先生の「青春とは、あらゆる出合に無限の可能性を信じることである」と言われた言葉を思い出した。いろいろの人と出合い、いろいろな事件に遭遇しても、それが幸、不幸の出発点を問わず、希望と発展性がある、と言っている。

これだ、希望を捨ててはいけない。この苦しい時代をのがれるのだ。

私はこの時、気をまぎらわす方策として"油絵"に熱中してとりくんだ。ナイフ、キャンバスに向って、自分の苦悩をぶっつけた。

この苦しさは誰にも話すことができず、心を励ますことが出来ない。しかし、よく考えてみると私には一人の話相手の彼女がいた。彼女——、これは愛犬のポインターである。

私は夜明けとともに彼女を連行し野山をかけめぐった。スマートな筋肉美の彼女は、朝露をけってスピーディに、次々と猟場で胸のすくような猟芸を示し突走った。

氷りついたようなポイントの姿勢もとった。金色の山鳥は雄大につらなる山々のグリーンをバックに鮮やかに映え飛び立っていく。何んと美しい自然の景勝であろう。私は夢中になって自然の中に溶けこんでいった。

こんなことがきっかけで私は再建の道をめざして養豚家をしらみつぶしに視察した。

中でも試験場のA技師は、実際に豚を飼い研究もしているので一番頼れる人であったのだが、私のような豚飼い一人に指導する暇もなければ、四十歳も違う年令の隔たりもあって、相手にしてもらえなかった。

それでも私は、試験場を往復し問題点をどこまでも追求した。そのうちあるきっかけで二人の趣味のハンティングが合致した。そこでA技師と夢中になって犬、ハンティングについて話しあった。

趣味についての話しあう中には年令の隔たりも社会的地位の上下はなかった。それからは、A技師はわざわざ私の家にまで来て指導に当ってくれる親切さであった。この時ほどありがたく思ったことはありませんでした。

その後においても販売ルートの会社、仲買人、獣医師、銀行員など次々の人たちと「趣味」がとりもつ仲間がふえて、経営と趣味を有利に結びつけることができました。

このように趣味は、人間の強い絆と和を築くものであります。農業という職業の中では得られなかった友だちが、趣味を通じていっそう親密になり、今では掛替えのない友だちとなっています。

現在は養豚経営も順調に伸びてあの時の苦労も今では、私の青春の一片であったと思っています。

また、人生最初の試練でもあったのでしょう。

こうして私は、第一の苦境を否ともいうべき趣味によって助けられ、そして趣味のもつ意義を、いまさら再認識しました。

今後は、4Hクラブ活動の中に趣味を大いにとり入れ、クラブ員相互の和をみい出し、豊かな人間関係をつくり上げて行きたいと思います。

私の発言

母と私は相談相手 この母親に負けぬよう

私は小学校一年生の時、父を亡くし、弟妹三人は母の手で育てられて今日まで無事に育ってきました。母は一人で農作業から家事、育児と一家の柱となって働いてきました。

現在は、私も農業を手使いますので作業は軽減してきましたが、当分苦労はつづきそうです。しかし私には母が、母には私がなくてはならない相談相手です。

テレビなどで農村における嫁と姑との意見の対立、立場の違いを描いたドラマがありました。なるほど、私の村でも昔ながらの「習慣」がいまだに残っています。

やはり、嫁は嫁としての位置しか与えられていないのが現状です。

この問題について、私の考えをのべてみます。

これは、嫁と姑としてでなく一人の人間同志として、また母と子としての立場にあって、双方が納得するまで話しあうことによって、楽しい嫁と姑の関係が生れてくるのではないでしょうか。

母はいつも言っています「父を亡くして苦労をしてきたが、他の母さんと違って社会（世間）のことも一応分ってきた。あなたたちが嫁に行くとき、嫁が来るときは、ほんとうに理解のある母となるよう更に努力したい」と。

この言葉を聞いて、私もこの母に負けないよう、新しい農村建設に努力したいと思っています。

（佐賀県小城郡小城町黒原　小城4Hクラブ　北島弘子）

主婦も経営に参加 近代化は家庭の中から

栃木県下都賀郡都賀町　都賀4Hクラブ　小平千代子

私の住んでいる都賀町では、約千四百戸の農家があります。主に米麦中心の農家が多く、農閑期には水田裏作を利用して、イチゴ栽培を行なう農家が多くなってきました。

近い将来は高速道路も通り、交通網が発達しますので、イチゴ、野菜などの農産物を直接消費地に出荷するということも、けして夢でない世の中になると思います。

このような近代化の時代を前に、農家の主婦となる私たちは、どのような心がけをもったらよいのでしょうか……。

ます昔はどんな状態だったのでしょうか。長男の場合には、どこまでも家を継ぐという立場にありました。したがって、その弟や妹たちは、たいはんが勤めに出て自活します。ところがその反面嫁の座にある者の場合は、小づかいはもとより、少しの自由も与えられず、得ることは気がねと過労だけという非常に恵まれぬ立場にありました。

とくに姑さんの愛情がうすく、世間話にはすぐ嫁の悪口がでるという状態です。

一年中、家の中で一番早く起き働いて、家族や近所の人たちに気をつかい、嫁さんは天からいちいち小づかい銭をもらわなければならない。ほんとうに生きがいのない無気力な生活が続いていたのです。

しかし、最近は、若夫婦に早く経営をまかせるようになり、野菜や畜産物の収入の一部を小づかいとして、自由に使えるようになってきたことは、昔の嫁にくらべるとずいぶん地位が高くなってきています。しかし、財布をあずかっている嫁がその金を自由に使えるかといえば、まだまだ家族に気がねしているというのが実情です。

ある生活改善クラブの人に聞いたところ「嫁の小づかいが一番深刻な問題」だということです。この問題が解決できたら、家庭の中に真の人間関係をつくる土台の一つができるのだと思います。

農業の近代化、近代化と人はいいます。また誰れもが努力しています。しかし、ここでいう近代化とは何を指していうのでしょうか。

私の考えている近代化は、家庭の中から始まるのです。家庭を明るく、円満にすることが近代化の第一歩であり、これが主婦の一番の役目だと思います。

また、主婦となれば大部分が家庭の中にこもりがちになり、とかく視野がせまくなりますが、婦人学級や生活改善クラブなどに大いに参加し、教養を身につけるとともに、豊かな広い視野に立つことが必要です。

このような中で、劣等感をまぎらわすためのミエをすてて、自己を確立することが農家の主婦の一番大事な課題だと思います。そして家庭においては一日一回、必ず家族との話し合いの場をもつことです。

また、これまでの農家は働くことばかりに熱心になり、家族、あるいは夫婦そろって余暇をすごすという例は非常に少ないのです。いつも仕事に追い回されていたのでは、明日の鋭気は養なわれず、考える農業経営はできません。

やはり時代の波にのり、レジャーのある楽しい農家生活を、せめて私たちの時代からでも実現させていきたいものです。

私もこれから一農村婦人として、一生懸命努力していきたいと思っています。

草の根

八月も丁度中ば、三十二度以上の炎暑の日々が続く。

その上湿度が高いので、不快指数はつねに全国不快をつげる。湿度は高くてもよいからカラッとしないものかと思う。

先日山形にいってきたが、日中は三十二度を超えていたが、乾燥していてしのぎやすかった。タイのバンコックにいった時も洗濯物が部屋の中で二時間で乾くほどカラッとしていた。日本が島国である宿命だから、ぐちをこぼしても致し方ないことである。

前号にも書いたが、鉄筋の家に住んで、感じたことだが、人が住むところではないようだ。日中熱せられたコンクリートは夜になっても冷めきれず、一晩中輻射熱を放出し、部屋を暖めてくれる。その点、日本の民家はよくできている。家の造りの中には、実によく自然の涼気をとり入れるようにしてある。数千年も昔から、祖先が日本の湿度を計算して構造した生活の知恵であろう。

その点、明治以後、全てを洋風化し、それを文化生活だとした現代の日本人は少しおかしいのではないかと疑いたくなる。祖先が残した民俗のよさを忘れ風雅も風流もなくなった日本人は、この夏の湿度と熱さに耐えられず、ささやかなレジャーを求めて、ドブ水の如き海へ行き空カンと廃物で異臭を放つ山にでかける。またなにおかいわんやである。

私はレジャーは、案外身近かなところにあるように思う。負けおしみではないが、風呂にはいっている時、私は一ばん涼しさを感じる。その後のキューと一杯が私を最高の避暑地へといざなうのである。せめて打水してしっとりとぬれた芝生の庭に筧の水がちょろちょろと流れる風情でもあれば、まさにいうことなしであろうと思うが…。

話題をかえよう。

先日、草の根外交十五年「国際農村青年交換日本協議会」第一回総会なる催しに出席した。いわゆる米国と台湾にいった交換4Hクラブ員の集りである。全国各地から集まった諸君の顔はみんな素晴らしかった。みんな「おれが日本一の農業をやってみせるんだ」という。意気に燃え、現実に着々とその歩を進めている。やっている者だけが語れる真実の声、自信そして誇りというものを、まざまざとみせつけられた。

私は仕事の関係上、よく懇談会、座談会、会議、研究会等々という会合に出席するが、今度ほど素晴らしい充実した話しあいの会にでたのは久しぶりである。みんなが素晴らしいと会合はこんなに生きてくるものだろうかとつくづくと感心したのである。

この座談会の記事は4H新聞紙上に報じられるのでここでは内容にはふれないが、アメリカを歩いてきた自信が、こんなに素晴らしく人間をつくりあげるものだろうか。もともと彼等は彼女等は派遣される前から立派なエリート青年であったわけだが、それに更に一層磨きがかかっている。

彼等はいう。私たちはアメリカを六ヶ月、広くみてきただけです。学問を勉強してきたわけではないのだから、えらくもなってないし、少しも変りないのですという。彼等は誇ろうとしない。しかし何か私たちの体験がお役にたてばご恩がえしをしたいというのが、今回この会をつくった趣旨だという。彼等は本当にこれから頑張ってゆくだろう。

それぞれの故郷から、ふるさとの味と香りをのせた土産を、われわれ来賓に趣向をこらして贈られた。私はこのシーンがうれしくてうれしくて、心のなかでいつまでも泣いた。私はこの日のことを永遠に忘れないだろう。

草の根は生きていた、強く伸びていた。枯れることを知らずに、いきいきと。（龍）

草の根だより 大農場に驚く国島さん

早くも滞米生活四ヶ月目を迎え、最初の頃のただ無我無中の毎日から、今はすべてのことに抵抗を感じなくなり、毎日元気に暮しています。

現在こちらの農家の人は、干草作りに一生懸命です。小麦もちょうど日本の秋を思わせるように、黄金色に実っています。

もし、たつまきが起ったり、ヒョウが降ったりしなければ、今年の作物は大豊作だとのことです。

私の受入農家に、何エーカーの土地を持っていますかと聞くと「約八百エーカーです」と答えましたので「私の家は五エーカーです」と言いますと「オー、大農場」とからかわれています。日本の農村のもつ何となく暗いイメージはなく、陽気な人たちです。

日本の七夕まつりの夜、出席した結婚式は最高でした。新婚の二人をからかう人々や、式後のダンスパーティーで、年寄の太ったカップルが軽々とステップを踏んでワルツやポルカを踊る姿は、見ているだけでも楽しいものです。八月からは、西バージニアに行きます。（日本4H協会副会長　宮城孝治氏に届いた便から）

映画 捨身の脱出作戦 要塞攻略戦

（ユナイト映画）

ここは北アフリカの連合軍司令部。ベルテーヌ（ウィル・クルーバ）は米英仏の作戦士官、「ラット・パトロール」のメンバー、隊長のトロイ軍曹（クリス・ジョージ）モフィット軍曹（ゲーリー・レイモンド）ヒチコック（ラリ・ケーシー）ペティグルー（ジュスティン・ター）と共に作戦の概要を聞いていた。

それは、ベルテーヌとフランスの漁船団の力を借りて、港近くの連合軍の捕虜を逃がすことだった。この港はアフリカで活躍中のドイツ軍の補給線として重要な位置にあったが、連合軍の爆撃は困難をきわめていた。

ベルテーヌのボートは、兵器や爆薬を積み、ラット・パトロールを乗せて行くが独軍のパトロールにつかまってしまい、ベルテーヌは殺されてしまった。夜の闇に乗じてラット・パトロールは、船内捜査に来た一隊をやっつけた。そっと町に入った四人は、エル・ガミル（スタンリー・アダムス）に会い、彼のおかげで隠れ家をみつけることができた。

トロイはフランス人漁師の連絡員を作らなければならなかった。エル・ガミルはベルテーヌの娘マリアンヌ（クラウディーヌ・ロンゲ）を推すが、彼女はドイツ軍のクラブで働いていた。ドイツ軍将校に変装したモフィット（ヒチコック）はクラブに潜入し、マリアンヌにベルテーヌのことを伝えた。

しかしこの時、ベルテーヌの一件を知った司令官は彼女を捕えようとしたが、うまく逃れた。

マリアンヌのアパートでモフィットは彼女に協力を頼むが彼女はとり合わなかった。

彼女はヒチコックに、父のベルテーヌに手使っていたことを打ち明けた。郊外の捕虜収容所にトロイは忍び込み、インドルース少佐（ジョン・アンダーソン）に会ったが、前の脱走に失敗し、悲観的だったが一応協力を約束した。

隠れ家に戻ったトロイはフランス人漁夫を集めた。マリアンヌはトロイのもとに戻り、漁師たちと会うが、漁師たちはマリアンヌを敵視した。しかし、彼女は一人一人の名を呼び、昔の苦しかった時、楽しかった時の思い出を語り、子供の頃の歌を歌い始めた。漁師たちもそれにつれて歌い始めた。

その夜、ラット・パトロールはドイツ軍倉庫に忍び込んで兵器の盗み出しに成功した。しかし、エル・ガミルは捕えられて死んだ。

ラット・パトロールの活躍が始まった。ドイツ軍のトーチカが爆破され、ドイツ軍兵を倒した。インドルーヌ少佐は、捕虜兵を浜辺に走らせた。海上には、フランス人漁師団が現われた。

ラット・パトロールと少佐の援護の下に、捕虜は船に泳ぎついた。マリアンヌのボートには、ラット・パトロールが乗った。ヒチコックの腕に抱かれたマリアンヌは、ちょうどその時、流れ弾に当たり死んでしまった。

海岸は破壊しつくされた。船団はラット・パトロールと数千人の捕虜を乗せ、外海に向った。

ラット・パトロールの援護で捨身の捕虜脱出が展開される

東南アジアを訪問して（十二）

信頼される"協力隊" 農民と共に社会開発

埼玉県入間郡富士見町南畑・青年の船派遣団員　砂川みさ子

"青年の船"まつり賑う

二月二十六日午前三時、希望者だけ臨時起床。甲板に集まって南十字星をながめる。

船はシンガポールに給油のため寄港する。赤道に一番近いこの地点において赤道祭こと"青年の船祭り"が計画された。

"青年の船まつり"で熱演する団員

午前中の約二時間、シンガポールについての特別講演会が催され知識を広める。

午後はお祭りも最高潮となり、赤道祭そのままに、一日船長を命じられた船員が竜宮城へあいさつにでかけるやら、演技をみせるやらめずらしいめとばかりであった。団員は久しぶりに幼稚な子供にかえり、浦島太郎を思い出した一日であった。

各班がそれぞれ趣功をこらしただし物に大笑いし、ふだんの緊張がいっぺんにふき飛んでしまう。

裸で踊る男子団員、美しい和服姿で日本女性の美しさをこの時とばかりにはりきる女子団員——。

もちろん私もほっぺを真赤にそめ、ミニゆかたを着て、可愛らしい姿で踊った。団長さんもとっておきのかくし芸を披露され拍手大喝采をうけた。報道関係者も、船員さんも、先生方も船上の人みんなで楽しみあった。

夕食はデッキにおいて特別料理のにぎり飯、シンガポール海上で口にしたおすしの味は格別だ。

夜はダンスパーティと映画会が開かれ、夜のふけるのも忘れた。

心いたむ戦場跡の見学

三月一日、マニラ入港。全団員きちんと整列してルネタ公園まで行進する。フィリピンの建国の父といわれる"リサール"の記念碑に献花する。

この国でも私たちは準国賓なみの扱いをうける。バスはデラックスな冷房とトイレ付きである。

見学地の最初はフォートサンチャゴの戦場跡。戦争のなまなましさが戦争を知らない私たちをなぜか苦しめる。「この独房の中で数百人のフィリピン人が死んだ」との説明に、何んともいい表わせない気持ちになるのは私だけではなかっただろう。戦争を知っている教官の先生方や年配の班長さんはどんな気持でいたことだろう。銃砲のあとがいつまでも私の心に焼きついている。

昼食は、フィリピン大学で歓迎会に招待され、民族舞踊があった。

4H・クラブ員と語る

この日の船内交歓会は、私にとってまことに運がよかった。案内した男性は一人であったが、これが思いがけぬ4Hクラブ員だったからである。

彼はマニラ市の4Hクラブ員である。話しによると現在マニラ市には、三つのクラブがあり、クラブ員の年令は十五歳～三十歳まで、主な活動は貧しい人たちに食糧を与えたり、衣料を送ったりという奉仕活動とのことで、政治活動とも取り組んでいると言っていた。

パッチや4Hの旗をとても喜んでくれた。持参したアルバムをめくりながら日本の4Hクラブ活動を説明しながらの有意義な交歓会であった。

夜は日本青年海外協力隊（平和部隊）を船に招き、体験談を聞く。大部分が農村に入って活動している人たちなので、何となく身近感をいだく。フィリピンの農村の貧しさをいろいろ語ってくれた。

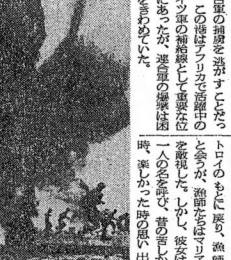

リサール記念碑へ献花する横山団長

隊員として当地に入国しながらどの機関に関係しているのか、つきあてるまでに約四ヵ月、それから自分の就職口をさがすのに六ヵ月、二年契約のうち約三分の一は何の仕事もしないまま過ぎてしまうという。

彼らは技術援助だけでなく、農民と一緒に手をとって開発し、現地人に信頼され働く、裏からみれば自分自身の教育だと語る姿に、この上ない楽しい、たくましい姿にみえた。

マニラ港に別れおしむ

第二日目も見学ー。夜、日・比青年友交祭に出席する。

最終日は、朝から家庭訪問、受入れ者がぞくぞくと船に集まる。私は女子団員一名、教官一名でアントニオさんの家庭に案内され、あたたかいもてなしを受ける。

日本人に対して何の暗さもみえなかったのはうれしかった。帰りに、おいしいとほめたら"ビーフン"の炒め物をたくさんお土産に下さった。その後、夕方の出航間近まで船内で彼らと共にすごした。

最後の異国フィリピンの出港は予定時間が変更になって夜になる。港に浮ぶ灯が美しい。

何を考えるともなく私はいつまでもいつまでも甲板に立っていた。最後にふさわしい、すばらしい出航であった。

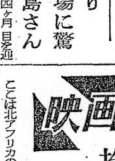

日本4H新聞
4Hクラブ 農事研究会 生活改善クラブ 全国弘報紙
発行所 社団法人 日本4H協会
東京都市ケ谷家の光会館内
電話(269)1675郵便番号162
編集発行人 玉井光
月3回・4の日発行
定価 1部 10円
6ヵ月180円（送料共）
一ヵ年360円 〃
振替口座東京 12055番

クラブの綱領

私達は実践を通じて自らを磨くとともに互いに力を合わせてよりよい農村、よりよい日本を創るため四つの信条をかかげます。1、私達は農業の改良と生活の改善に役立つ腕をみがきます。1、私達は科学的に物を考えることのできる頭の訓練をします。1、私達は誠実で友情に富む心をつちかいます。1、私達は楽しく暮らし、元気で働くための健康を増進します。

古都で4Hの一大祭典

「つどい」の開催要領決る

秋の大和へ集おう

行事 奈良公園を中心に

交換訪問は京都、大阪も

松下会長（4H協会）の講演を予定

全国4Hクラブ連絡協議会（丸山勉会長）は、今秋、奈良市で開催する全国クラブ員の一大祭典―「第四回全国4Hクラブ員のつどい」の開催要領の作成を急いでいたが、このほどそれをまとめ、全国各道府県連あてに通知した。このつどいは、農業の研修、クラブ意識と自主性の高揚、仲間づくり、地域社会から支援される家族ぐるみのクラブ活動推進などを目的として、大分を皮切りに埼玉、富山各県で開催され、回を重ねることに参加者が増加の一途を辿るとともにムードを盛り上げてきたが、今回も多くの参加者が期待される。開催要領は次のとおり。

趣旨 このつどいは、明日の日本農業の担い手として、日夜実践活動に努力している4Hクラブ員が、自からの手で企画運営し、新しい技術の研さんと活動状況の話し合いや現地交換訪問などを通じて、青少年の仲間づくりや自主性の高揚に資するほか、地域社会からよく理解された家族ぐるみの4Hクラブ活動の推進を図るため開催する。

主催 全国4Hクラブ連絡協議会、奈良県4Hクラブ連絡協議会、社団法人日本4H協会

後援（予定）文部省、農林省、総理府、奈良県、奈良市、NHK、富民協会、全国農村青少年教育振興会、奈良県連OB、全国農協中央会、奈良県青少年会館、同県農業振興協議会、同学校農業クラブ連盟

協賛 大和タイムス社

期日 来る十月七日～十日、三泊四日

会場 奈良県文化会館、奈良市庁別館、奈良公園、奈良県公会堂、平城宮跡、奈良県下一円、大阪府・京都府各一部

つどいの内容 (1)開会式 (2)オリエンテーション (3)講演＝講師、日本4H協会々長・松下幸之助氏を予定 (4)展示会＝4Hクラブ活動の写真、現物による展示 (5)シンポジュウム＝4Hクラブ員の使命について（クラブ員の代表者が出席） (6)話し合い＝テーマ①自主的な4Hクラブにするには②家族と密着した4Hクラブ活動をするには③4Hクラブ組織の充実を図るには (7)意見発表＝「4Hクラブ活動を今後より盛んにするためには」 (8)体験発表＝「4Hクラブ活動が人間形成や協同精神の涵養にいかに役立ち、また農業改良や生活改善、奉仕活動などを通じて地域社会の開発にいかに貢献しているか」 (9)鹿寄せとスケッチ大会＝奈良公園で行なう（雨天の場合は県公会堂でレクリエーション） (10)記念植樹＝平城宮跡において4Hクラブ発足二十周年、明治百年、つどいを記念して4Hの木を植樹する (11)自由交歓・レクリエーション＝郷土品の交換（一人百円程度）を行ない、話し合いを通してクラブ員の仲間づくりの推進を図る (12)キャンプファイヤー（雨天の場合はキャンドルサービス）＝儀式を通じて意識の高揚を図る (13)反省会＝三日間の反省会を開いて来年度への参考とする (14)現地交換訪問＝奈良県下一円、大阪府、京都府各一部の4Hクラブ員の家庭に全参加者が訪問して、農業研修や4Hクラブ活動について家族ぐるみの話し合いをする (15)閉会式

参加者 4Hクラブ員、学農（高校農業クラブ）経伝生徒、4HクラブOBとその家族、外国クラブ員、育成指導者、計五百名

参加者経費 参加者の自主性を高揚するため必要経費の一部を負担する。各自三千円（宿泊費、食費、市内バス料金）を受付けで納入する。

携行品 (1)洗面用具、筆記具、雨具、運動靴、懐中電灯、ビニールふろしき、その他日用品 (2)記念品の交換を行ないますので、各自百円程度の郷土品を必ず持参して下さい。

参加者申し込み (1)県連会長は参加者をとりまとめ、指定の様式によって来る九月十日までに集い事務局へ申し込むこと (2)奈良県以外は各県連とも五名以上とする。なるべく大勢参加して下さい。

つどい事務局 十月三日まで＝東京都新宿区市ヶ谷船河原町十一、家の光会館内、全国4Hクラブ連絡協議会事務局、電話(二六九)一六七五

十月四日から＝奈良市池之町、猿沢荘内、電話奈良(二二)五一七五

参加者受付け 十月七日午前八時～十時 奈良県文化会館（県庁西隣）で

会場への交通 国鉄、近鉄「奈良駅」下車

つどいの運営 全協役員、奈良県連役員と同県連OBが当る。

その他 (1)参加者は、全日程に参加し、原則として期間中の個人行動は認めない。また、つどいの意義を良く理解して規律ある行動に努めること (2)医療関係については、主催者の責任によって応急処置を取り計るが、主催者の責任と認められるもの以外の医療費用は自己負担とする (3)交換訪問の旅費は自己負担とし、その際の土産物の贈答はやめられたい。また帰りの旅券については各自で手配のこと。

つどいの日程

1日目（7日）
午前8時…受付け（奈良県文化会館）
10時…オリエンテーション 開会式
12時…昼食
午後1時…講演（松下幸之助氏） 郷土芸能
3時…体験・意見発表
4時…宿舎へ移動
5時…入浴・夕食
7時…話し合い（宿舎、部屋別）
9時…消灯

2日目（8日）
午前6時…起床、洗面、朝食
8時…奈良公園へ移動
9時…レクリエーション 鹿寄せ、スケッチ大会（雨の場合は県公会堂で）
12時…昼食 平城宮跡へ移動
午後1時半…記念植樹と見学
3時…シンポジュウム（4Hクラブ員の使命）
5時…（夕食）弁当
6時…キャンプファイヤー（雨の場合、県公会堂でキャンドルサービス）
8時半…各宿舎へ移動
9時半…消灯

3日目（9日）
午前6時…起床、洗面、朝食
8時…奈良市庁舎別館へ移動
9時…反省会
10時…閉会式
11時…現地交換訪問へ出発

4日目（10日）
午前…現地交換訪問
午後…解散

来年は鳥取でつどい

時期は七月下旬か

砂丘農業視察など計画

全国4Hクラブ連絡協議会と日本4H協会は、来年度の「全国4Hクラブ員のつどい」の開催県を鳥取県に内定、かねて同県農村青年会議連絡協議会（会長、三浦幹雄君）と非公式に接衝を重ねてきたが、その第一回の打合せがさる十日鳥取県西伯郡大山町の大山観光会館で開かれた同県農村青少年技術交換大会で行なわれた。

来年のつどいについては、早くから鳥取県連が開催を強く要望して主催者側に申し入れていたもので、まだ正式には決定されていないが、来年の開催県は鳥取になることはほぼ間違いないものとみられる。このため、同県連ではすでに受け入れ体制の準備を進めムードを盛り上げてきている。

この日の打合せ会には、全協から飯田喜代視副会長、4H協会から新田健吉事務局長、それに地元県連役員、県担当者などが出席、同県連がこれまでまとめた開催要領の原案が示された。

それによると、開催期日は七月二十五日から二十九日までの五日間を予定、また会場としては鳥取市民会館、西伯郡大山町小学校などを候補にあげている。

つどいの内容は、前四回と大体同じで、開会式、オリエンテーション、講演、クラブ活動の写真展、話し合い、意見発表、体験発表、スケッチ大会、登山、キャンプファイヤー、自由交換、芸能大会、現地交換訪問などあるが、このほか鳥取県特有の砂丘農業の視察を計画している。また、他の全国大会に比べて大きな特色である現地交換訪問は二泊三日を予定している。

今後、この原案をもとに、鳥取県連を中心に主催者で検討していくことになった。

知と技を相互に交流

精鋭、武蔵野に参集

埼玉県の4H技術交換大会

埼玉県農業研究団体連合会4H部（部長、黒沢健一君）では、さる十六日午前十時から武蔵野の面影深い県立農業経営伝習場で県4Hクラブ技術交換大会を開いた。

同日は、おりから台風七号の影響をうけて小雨降る模様だったが県下十五普及所から選出された代表クラブ員二百五十名と一般参加者、各地区の青少年担当普及員、県専門技術員約五十名が参加。

午前十時から開会式に入り、小坂豊子副部長の開会のことばのあと埼玉4Hクラブの歌を斉唱、つづいて主催者代表として矢沢県農林部長、飯田農研連会長、黒沢4H部長からあいさつが述べられた。この中で、とくに黒沢部長は「秩父の地に4Hクラブが発足して二十年を迎えた。この4Hクラブは、埼玉農業の発展に数々の貢献を残して今日まで歩みをつづけてきたが、4Hクラブは自からを教育する場として、さらに活動、研究の場として発展させていきたい」と強調した。

オリエンテーションについで、演示発表は室内、野外と二つに分れての熱演であったが、[illegible]

閉会式のあと全参加者拍手のうちに退場する千葉県4Hクラブ員

史上最大の4H大会

三千の歌声こだま

栃木、千葉、群馬合同野外集会

【栃木県＝戸沢祐蔵連絡報道員発】栃木県と同県農村青少年クラブ協議会（会長、高山勝利君）主催による千葉・群馬、栃木三県合同の農村青年野外集会が、宇都宮駐屯自衛隊、日光市の後援のもとに、さる七月二十四日から二十六日までの三日間、栃木県日光市光徳キャンプ場で華やかに開催された。

栃木県内の4Hクラブ員二千九百六十名、千葉、群馬両県のクラブ員六百四十名、合計三千六百名の参加総人数となった。これは栃木県連結成以来の大野外集会であり、日本4Hクラブ発足以来の大ジャンボリーでもあろう。

一日目は、午後一時から栃木県選出国会議員はじめ多数の来賓を迎えて、自衛隊のブラスバンド吹奏の中を、千葉を先頭に群馬、栃木クラブ員と堂々たる行進に始まった開会式。明治学院大学・山鹿先生の指導による「若い力」の体力テスト、その夜の地区内自由交歓などで思い出の一日を過した。

二日目は、快晴に恵まれ、まず刈込湖と小田代・戦場ヶ原回りの二コースに分かれてハイキングを行なった。

高山植物の百花繚乱咲き誇る中を三千名の若いたくましい声が響く。男体山も、富士山も私たちを歓迎しているようであった。

休憩の時間に行なわれた県内外の自由交歓では、一つのムスビを千葉県のクラブ員と分け合って食べる者、水筒を群馬と分け合ってのむ栃木県のクラブ員など、一人一人の山野にこだました。

このあと日魯漁業副社長・平野赳氏の農村青少年に対する激励をこめた記念講演、そしてキャンプファイヤーと多数な行事をくりひろげた。

本集会の花、キャンプファイヤーでは、三千名の適当なファイヤー場が見当らず、男体山から押し[illegible]態をとり、千葉県大原クラブ員による景気のいい「大漁節」でスタッツの開始、若人の集いらしく、はつらつとバイタリティを発揮、観衆の拍手を浴びた。

栃木県4Hクラブ員の出し物が続き、群馬の「草津湯もみ唄」とにぎやかに楽しく歌い、そして笑い、最後に栃木県の代表民踊「日光和楽踊り」を全員で楽しく踊り幕をとじた。

会場の端をよぎる逆川（さかがわ）の水面に映える神々しいファイヤーの明り、夜空を彩る連発の花火、参加者にとっていつまでも心に焼きついていることだろう。

三日目 早朝から清掃し、午前九時から閉会式を挙行した。栃木県農務部長、千葉県農業改良課長、群馬県農村青少年クラブ連絡協議会長・前原真一君の別れの言葉のあと、「蛍の光」を全員で合唱する中を、千葉、群馬両県クラブ員の退場、手を振る者、握手をする者、別れがこんなにも緊張した瞬間はない。初期の目的である仲間の交歓と資質の向上、誇りと自信の涵養は充分に果せたといえよう。

最後に、この紙上を借りて、快く参加して下さった、千葉、群馬両県の4Hクラブ員および関係者各位、また県内クラブ員に心から感謝申し上げます。

栃木県青少年クラブ協議会

京風暖風

久しぶりに実家に帰った。普通だと田舎へ帰った、というところかも知れないが、東京人がつかう田舎という言葉を私は好まない。

農薬禍が話題になっているが、川ではよく魚が釣れた。兄嫁に「天ぷら用の油を煮て待ってますから」と出かけにひやかされたが、この位の収獲ならまずまずといったところ。

夕食は、早速川魚の天ぷらでビール。ビールといえば、最近は支所的な家庭が増えたものだ。仏壇も神棚も持たない都会の家庭は、しょせんは仮住まい、いうなれば支所でしかない。おぼんや正月は寄りどころを求めて実家＝本社へ帰ってくる。気の毒なのは跡取りともいうべき長男族で、ぼんや正月にはなけなしの金をはたいて酒を買わなければならない。でも、帰るべき実家が無くなってしまったら、都会の連中はどうなってしまうだろうか。あたかも糸の切れた風船のように、心のバランスを失ってしまうに違いない。日本の社会の構造もくずれてしまう、といってもオーバーではなかろう。支所はあくまで支所で、本社あっての支所というのが現状なのだから。

本社は健在なり

"本社"のビールを飲んでいると、有線が青年団の会合を伝えていた。便利なもの、私の子どもの頃は「いいつぎ」と称して、AからB、BからCへと口頭で伝えていったものだが、有線放送は一ぺんにそれを伝えてしまう。

時間は午後七時である。この時間にまで放送しているところをみると、集りが余程悪いとみえる、などと考えながら会合をのぞいてみることとした。

会合は勉強会だった。小学校長の田中先生が、青年と教育について話され、教育長の石井先生が、非常に含蓄あるお話をしていらっしゃった。教育長や小学校長が夜遅くまで一緒に勉強会をもってくれるのは嬉しい。

足おとをききつけて出てきた内田君に、団員以外でも出席させて貰えるか、と聞くと、彼は実に礼儀正しく「どうぞ」と言ってくれた。会場は予想以上に大勢の青年たちが集っている。前団長の昇君などが中心になって、今のような青年団にたて直したのだという。集った青年たちは真剣そのもの。話合いの中の質問も、全学連、フーテン族、大学教育の意義などについてである。

役員の潮さんがいれてくださった茶をすすりながら、わがふるさとの青年は健全なり、わが本社の青年たちは健全なりと気を強くした。愛車をかって夜道を送ってくれた昇君のハンドルさばきをみながら、支所員たる都会の連中もがんばらなくては、とつくづく思った。

（文部省伊藤）

青年の意気さかん

うだる暑さの中で

大分県連の技術交換大会開かる

[illegible]

リーダーの決意新た

自主的活動を推進

茨城県連でリーダー研修会

[illegible]

24日到着 台湾の4H代表

社団法人日本4H協会の招きで今年度日本を訪ずれる台湾代表の4Hクラブ員"草の根大使"二人＝黄貢英さん（二）と荘秋忠君（二）＝は、二十四日午後三時十分着の日本航空機で来日する。

二人は、十月下旬までの二ヵ月間日本に滞在、大分と愛知両県のクラブ員宅に宿泊する。

なお、奈良市で十月七日から開く全協主催の「第四回全国4Hクラブ員のつどい」にも出席する。

心頭技健

伊勢、奈良、京都、大阪といえば修学旅行のコースといわれているように、修学旅行では関西方面を訪ずれることが多い。4Hクラブ員の中にも、この関西旅行でいろいろの思い出や強い印象を受けた人が多いと思う▼その機会を逃した人の中にも、ぜひ一度は行ってみたいと考えている人が多いに違いない。また、新婚旅行のときには奈良へ行きたいと考えている女子クラブ員もいるようだが、それほど奈良や京都は、日本人の心のふるさととして、いにしえを偲ぶ都としてわれわれの心をひきつけるものがある▼その奈良を会場として、来る十月七日[illegible]

しめ切り迫る

体験文 意見文 懸賞募集

4Hクラブ発足20周年記念

応募要領

さる昭和二十三年に農業改良普及事業の一環として、わが国に4Hクラブが発足してから今年で二十年目を迎えました。この意義ある年に当り、過去の歩みをふり返えるとともに、将来の農村を背負うものとしての責任を自覚し、さらに4Hクラブの意識を高め、今後のクラブ活動の指針とするために、全国のクラブ員と関係者から体験文・意見文を次の要領で募集しています。しめ切り日が迫りましたが、どうぞふるってご応募下さい。

主題 【体験文】4Hクラブ活動が人間形成や協同精神の涵養にいかに役立ったか。また、農業改良や生活改善、奉仕活動などを通じて地域社会の開発にいかに貢献しているか。

【意見文】4Hクラブ活動をより盛んにするためにはどうすればよいか。例えば、4Hクラブ精神の高揚、地域社会の協力、リーダーの養成、クラブ員の年令などの具体的な方策について。

応募資格 (1) 4Hクラブ員（2）青少年指導者（4Hクラブ員OBを含む）

応募方法 (1) 四百字詰原稿用紙十枚程度 (2) 原稿の最初に体験文・意見文の別、クラブ員・指導者の別、住所、氏名、生年月日、所属クラブ・学校（学年）機関、団体名などを明記して下さい。(3) 本人の書いたもので未発表のものに限ります。

[illegible]

送付先 社団法人 日本4H協会

締切期日 昭和四十三年八月三十一日

入賞決定と発表 日本4H新聞紙上で発表します。

入賞および表彰 クラブ員 一名／指導者 一名／二名／二名／会員

[illegible]

第四回全国4Hクラブ員のつどいで

主催 日本4H協会

備考 応募作品の著作権は主催者に属するものとします。

ふるって応募して下さい

日本4H協会・全協

雲仙に500の若人集う

長崎県の技術交換大会 休みなしで猛勉強

【長崎県＝松永信義連絡報道員発】新農業創造（NAC）運動を強力に推進している県下のクラブ員の祭典—第八回県農村青少年技術交換大会が、さる七月二十九日から三十一日までの三日間、国立公園として名高い霊峰雲仙の中腹にある雲仙ユースホステルにクラブ員五百余名が集まり盛大に開催された。

本大会は、農村青少年の技術、意見の交換や仲間づくり、そしてNAC運動を更に強力に推し進めることをねらいとして県下の農村青少年が一堂に会する県唯一の行事である。今年は、昨年の約三倍の七百名参加を目標に準備が進められていたが、あいにく台風四号の影響を受けて五島対州などの離島関係の参加者が少なく五百余名にとどまった。

運営も例年の県農村青少年クラブ連絡協議会（会長、友広豪重君）役員のほかに地元役員四名を加えた十五名によって行なわれたが、なにぶん五百名もの参加者のある大会であるため、運営委員は連日連夜、参加者の世話にかけずり回る姿が目に映った。

まず第一日目は、午後二時から開会式に入り、地区単位にプラカードを先頭に入場行進を行ない例年になく盛大で印象深い幕あけとなった。「若さで創ろう理想の農業」という大会スローガンを斉唱、来賓祝辞に続いて友広運営委員長が「長崎県農業発展のために皆さんがNAC運動をより活発に推進していかれることを望む。また4Hクラブも組織をあげて協力したい」と呼びかけた。

その夜は「夕べの集い」として「爆笑、頭の体操」があり、腹の [illegible]

発表する人、それを聞くクラブ員、みんな真剣なまなざしのプロジェクトの発表＝長崎県の技術交換大会で

[illegible] やってやろう」という意気込みが一だんと増した。このあと、地元クラブ員の見送る中を、さらに友情と明日への闘志を誓った仲間が名残り惜しんで南北へと散っていった。

本大会の特色として、まず参加者が平均して若かったことがあげられるが、これは農業後継者確保の点、また農業に対する若年層の意欲が高まったことの証拠として非常に喜ばしい現象であった。

参加者全員が本大会で学んだ知識を郷土へ持ち帰り、地域クラブ員との交流の中にそれを生かしNAC運動を強力に推進していくことが期待される。

NAC（ナック）運動とは

NACとは、ニュー・アグリカルチャー・クリエーチャー＝新農業創造＝の頭文字をとったもの。自主経営の確立、集団活動による主産地形成、構造改善など地域農業の近代化を実現するために、青少年の組織や研究集団の活動を活発に進めるため県が展開した運動である。このようにNACはあくまで機能集団の活動を高めることを目標にしている運動で、組織ではなく、青少年クラブと比較することはできない。むしろこれらクラブでの発展を助けるものと解釈されている。

この運動を進めるため、実践班と実践員を置き、実践員には経営伝習農場、高校、実地研修、県外研修などを終えて各機能集団で活動している人を選んでいる。

国際農村青年交換日本協議会

結成後初の総会開く

事業へ協力と親睦を図る

国際農村青年交換日本協議会（JAPAN IFYEALUMNI＝大津一大会長）の第一回総会が、さる八日九時から東京・港区新橋の共栄火災海上ビルで開かれた。この協議会は、国際農村青少年交換計画に基づいて、社団法人・日本4H協会が昭和二十八年からアメリカ、本年から中国(台湾)へ派遣した日本代表が、この交換事業への協力とお互の親睦を図るために結成したもので、総会では❶規約採択❷活動報告❸会計報告❹事業報告及予算などを審議し、ほぼ原案通り決定した。

第一回の総会で採択された規約および事業の主な点は、次の通りである。

【規約】会の目的＝国際農村青年交換計画の円滑な運営と事業の発展に寄与し、この計画の趣旨により、世界の若者との心の連携を草の根のように張りめぐらしていくことを目的とする（第二条）

事業＝会の目的を実現するために次の事業を行う。（第四条）

一、国際農村青少年交換計画事業への協力
二、会員相互の親睦
三、諸外国の国際農村青年交換契約組織との連絡提携
四、帰国報告書並に会誌の発行
五、その他

【事業計画】

一、会報発行
二、全国農村青少年技術交換大会か、または全国4Hクラブ員の集いの際を利用して、IFYE計画のPRに関する活動
三、帰国報告および滞日報告書の発行
四、派遣選考会ならびに帰国、滞日報告会への参加
五、その他、会員の親睦に関する事業—などである。

なお、この総会に先だって、七日午後一時から日本都市センターにおいて、法団法人・全国農村青少年教育振興会の主催で、また、総会後の八日午後一時から共栄火災海上ビルでそれぞれ、この交換事業についての座談会を行ない、各々帰国後の活動を紹介したり、今後の事業の進め方などについて関係者を交えて話し合った。

また、八日夜は、都市センターにおいて関係者を招いて謝恩パーティーを催し、翌九日は午前十時からNHKの「あすの村づくり」（録音）に出演した。

IFYE日本協議会の総会に集まった歴代の派米4Hクラブ員と関係者＝共栄火栄で

娘さんヤーイ！

誰れか助けて下さい

神奈川のクラブ員呼びかけ

都市近効の農村では、人手不 [illegible]

仕事は"みかんもぎ"など

私たちの地方は、右手に箱根山、左手に江ノ島湘南海岸、前に相模湾をひかえた所です。クラブも県下においては、唯一のみかん生産者が集まる集団です。

しかし、最近クラブ員にとって人手が足りないということが一つ [illegible] 経営に取り組んでいます。

現在、前羽地区では、一軒で二人ほどの数で助けてくれる人を望んでいますが、小田原農業改良クラブの各クラブ員宅では相当数の人手を欲しています（現在、会員は五十余名です）

私たちの神奈川は、農業だけでなく他産業をとってみても、ますます激しく変わろうとしています。山に取り組む"みかん作り"はとにかく、畑作、水田地区においては工業化、都市化の波がひしひしと感じられます。

どうか、小田原地方のクラブを理解していただくため、"また、若いひとときの精神的、肉体的練磨のためにも小田原地方に来られ、手伝っていただけるよう望みます。そして、交歓会などを通じて相互に理解し合い、全国の仲間と友だちになれることを期待します。仕事の内容などは左記のとおりですので、多数のクラブ員の方々のご協力をお願いします。

記

○女子に限ります
○日給などは、職業安定所、農協基準に従います（八百五十円）
○仕事の内容は、みかんもぎ、多少の炊事。雨天の場合は雑用。
○期間は、来る十一月二十日から十二月二十日ごろまで。
○東北、関東、中部、東海地方の方を望みます。

なお、連絡先きは次のとおりです。

神奈川県足柄下郡橘町前川四九〇（郵便番号 二五六）石塚昇 電話＝〇四六五・四三・〇九六七

女性の参加ふえる

鳥取県の技術交換大会 全協から説明聞く

[illegible] が出された。

このあと「全国4Hクラブ員のつどい」が来年、鳥取県で開催されることが予定されることもあり、新田4H協会事務局長と全国4Hクラブ連絡協議会副会長、飯田賢代視君（奈良）から同つどいを中心に全協の活動方針や事業計画、またクラブ活動の考え方や進め方について説明を聞いた。

夜は七時半から大山でキャンプファイヤーが行なわれ、各地区ごとに寸劇や踊りなどが披露され、大会気分も最高潮に達した。

二日目は、早朝のレクリエーションとして予定していた大山登山が悪天候のため中止となった。午前九時半から技術競技を行ない日ごろ磨いた腕を競った。午後は懇親パーティに続いて閉会式を最後に幕を閉じた。

なお今回は、女性の参加が多く約四分の一（五十四名）を占めて大会をいろどり、また夏山"大山"で行なわれることもあって大会の雰囲気に堅苦しさがなく、仲間との交流が活発に行なわれた。

来月2日から研修

農業者大学校 研修施設としてスタート

地域農業と農村振興の中核となる優れた農村青年を育てようと、農林省が今年の春に開校を予定していた農業者大学校（東京・南多摩郡多摩町の林野庁鳥獣試験場内）は、農林省設置法改正案が国会で審議未了となったため開校が遅れていたが、農林省中央青年研修施設として、いよいよ来る九月二日から研修を開始することになった。

すでに、さる二月初め四十二名の合格者（三十道府県）が決定し開校を待つばかりとなっていた。開校が遅れていたため、入学予定者はじめ関係者からしきりに問い合せがあるなど、そのなり行きが注目されていたが、優秀な農村青年の育成確保が急がれていることなどから研修施設として研修を開始することになったもの。今後ひき続いて設置法を国会に提出し、同法案が成立したときは、正式に大学校としてスタートさせることになった。

なお、同研修施設学生は来る三十日午後三時から入所する。

畜産振興事業団理事長に昌谷氏

畜産振興事業団理事長に、昌谷孝氏がさる十九日付で就任された。同氏は、関東農政局長、畜産局長などを歴任、四十年退任後、糖価安定事業団理事長に就任していた。東京生れ、東大卒。

9月のこよみ

▽10日＝横浜山手水野神社大祭 ▽11日＝二百二十日、東京芝神明しょうが市 ▽14日＝大分杵原八幡仲秋祭、白河鹿島神社祭 ▽15日＝敬老の日、宮崎宮祭、京都石清水祭 ▽19日＝子規忌 ▽20日＝彼岸入り、航空の日、動物愛護週間 ▽21日＝熊本大慈寺開山忌 ▽23日＝秋分の日、秋分、福井永平寺御征忌 ▽24日＝結核予防週間 ▽25日＝社日 ▽26日＝彼岸明け、和歌山日前・国懸祭、神奈川寒川大祭 ▽29日＝曹洞宗両祖忌 ▽10月1日＝共同募金、中共国慶節、北海道狩猟解禁 ▽4日＝北野ずいき祭、福島二本松提灯祭

（財団法人農林統計協会編、四十三度「新農家暦」から）

知っていて役に立つはなし

みんなの保健・衛生

疲労をとるには……

一日じゅうすわっていたり、前こごみになって仕事をしていると肩がこったり疲れがひどくなります。そんなときのために、一時的に直す方法を紹介すると……。

首の後に手を組んで、首をまっすぐにして両ヒジを前から思いきり後ろに引いて深呼吸、これを五〜六回くり返すと、疲れがとれます。

肩のこりをとるには、肩先に指をのせて、ひじで円をかくようにすると、ちょっと楽になり、姿勢をよくするにのにも効果的です。これは一度に十回くらいは必要です。

また、ヒジを折り、両手を頭の少し高い位置にまっすぐに伸ばし手首の力を抜いて前後にブラブラと振ります。これは手の疲れ、肩のこりを直ります。

さらに、夜ねるとき、枕を低くするか、枕をはずしてやすむと、背が伸びて気分がすぐれます。高い枕は、昼間と同じ前かがみの姿勢になるので疲れます。

汗の功罪

ふいても、ふいても流れる汗・暑い夏は「汗など出なければいい」と思いますが、汗は体温調節を行なうと同時に、素肌にうるおいを与えるというだいじな役割を果しています。

ところで、私たちはよく「汗くさい」とか「汗がつくと、黄色くなる」などといいますが、汗そのものには色や匂いはありません。ヒフの表面についているバイキンやカビの作用によってそういう現象が起きるわけです。

また、すぐ結晶となり、この結晶がレンズのようになり、多角的に光線を受けるので、日焼け、シミの原因になります。ですから、流れ出た汗は、できるだけ早くふきとるようにした方がよいわけです。しかも、ふきとる場合は、乾いた布よりも、水でぬらした布、さらにお湯を使えばよくとれます。

活発な意見続出

高松市4Hク連 市長と座談会開く

三宅高松市長（立っている人）と同市4Hクラブ員の座談会＝山陽新聞提供

【香川県＝湯谷孝行連絡報道員発】"夢のもてる農村にするにはどうすればよいか"—をテーマに高松市4Hクラブ連絡協議会（会長、下河滑君）では、このほど市役所会議室で「市長との座談会」を開き、農村の後継者問題などについて活発に意見をかわした。当日は、三宅高松市長はじめ市内のクラブ員十八人が出席、三宅市長のあいさつに続いて座談会に入った。

クラブ員から❶農業後継者の自立資金を市が積極的に融資してほしい❷香川用水計画の概要と地元負担金などについて、わかり易く広報してほしい❸市は国、県と農家のパイプ役の農政だけでなく、市独自の農業政策を積極的に進めてほしい—などクラブ員が日ごろ身近かに感じている建設的な意見が出された。

これに対し、三宅市長は「市としても農業後継者対策には力を入れている。今後ともこうした座談会を開き、農村青年の生々しい話しを聞いて行政に反映させていく」と約束、再びこのような機会を持つことを約束して散会した。

増加する婦人労働

生活は全般に都会型に接近

労働省調査

近年におけるわが国社会の変化は目ざましく、次第に高度の産業社会としての特質をもつようになってきているが、婦人の生活もこれにともなって著しく変化している。すなわち、出生率の低下と寿命の延長などの人口現象の変化、勤労者世帯の増加と小家族化、消費水準の向上などの家庭生活の構造的変化など、婦人をとりまく客観的条件の変化とともに、婦人自身についても、教育水準の上昇、生活様式および生活時間構造の変化によって余暇、余力がふえるなどの内面的な変化が進んでいる。このような婦人の生活の変革は、昭和三十八年頃から急激に顕在化しているが、農村においては労働力不足を補うため、重い責任と労働が婦人に強いられてきている。したがって農村婦人は、家庭管理者としての知識と技術の向上を期待されるとともに、職業婦人としての責任も負わされることになって、新たにその調和の問題も生じつつある。そこで、労働省婦人少年局がこのほどまとめた資料をもとに、こうした新しい農村婦人の動向をとらえてみた。

九割以上が経営に参加

第二種兼業では主婦が主体

昭和三十年以降の工業化の進展の中で、農村の変ぼうは著しく、農家戸数の減少と兼業化の進行およびこれに並行する男子労働力の他産業への流出が目立っている。

こうした背景の中で、女子の農業従事者の数は男子を上まわり、とくに基幹的従事者の割合においても男子を上まわるようになったといわれる「主婦農業」が増加している。

……が高く、兼業農家中の過半数を占め、近年農家の構造的変化が目立っている。

一方、農業従事者は、昭和三十年の一、九四四万人に対し、四一年には一、四八八万人となり、約五〇〇万人の減少をみせている。農業従事者の減少は、在宅（通勤）就転または転職の型で他産業へ流出するものの増加によってもたらされている。農家世帯員のうち、他産業に就職したものは一〇年前の五〇万人に対しここ数年間は毎年八〇万人から九〇万人の間を推移している。

このほか、家を離れて出稼ぎに行くものも多く、中でも世帯主が半数近くを占めているのが注目される。

農業従事者のうち、女子は五一……

……ちでは四〇歳以上のものが過半数を占めており、農業の担い手としての婦人の比重がきわめて大きいこと、および中心的な労働力の高年令化が注目される。

主婦の意識調査によって一日の農作業時間の平均を月別にみると、一日の労働時間が八時間を越える月は五、六、七、九、十月の各月となっており、このうちもっとも労働時間の長いものは六月の一〇時間で、ついで五、十月が九時間である。

また、各月の農作業時間の分布をみると、五、六月には農作業時間が、一二時間以上にわたるものが二〇％を越えている。

農業経営面への参加状況をみると、自分が主になってやっているもの、または相談を受けているも……

……にかけての一年間に農外就労をしたことのあるものは専業農家では一〇％、第一種兼業では三七％、第二種兼業では四六％を占め、就労形態の主なものは雇用労働（主として臨時、日雇、パートタイム）内職、農業賃労働などである。

一方、出稼ぎ家庭では、夫の出稼ぎ中八割近くの妻が農作業の中心となっており、この割合は夫の在宅中に比べて二倍以上である。

なお、このほかに地域社会における農業その他産業関係の役や、村、部落など地域集団の役を出稼ぎ中の夫に代って引き受けているものも多い。

農業における婦人の就労状況の変化にともない、近年農婦病の増加など婦人の健康問題が注目されている。

婦人少年局の調査によれば、農業に従事している主婦のうち一七％は何らかの病気をもっている。病気のあるものは第二種兼業農家……

……に比較的多い。また病気……の農業従事の程度は、……働いている者が七割、……事者は三割である。

健康な者のうちで、その……八％のものが疲労の自覚……訴え、肉体的自覚症状……「肩がこる」「足がだるい」……の訴えが多く、精神的自覚……

農家数と従事者の推移

資料：農林省統計調査部「世界農業センサス―1965年―」「農業調査」他

都市との格差縮まる

増勢つづける農家所得

農家の生活水準

近年、農家所得は、農……伸びと農産物価格の上昇……農外所得の増加が主因と……増勢をつづけている。

昭和四十一年の農家所得……

農家の所得と消費

資料：経済企画庁調査局「消費水準」、農林省統計調査部「農家経済調査」、総理府統計局「家計調査」他

まだ少ない 休養と娯楽

……きている。

耐久消費財の普及状況をみるとテレビは都市、農家がほぼ同率の普及がみられるのに対し、電気洗濯機、電気ガマ、電気掃除機など家事労働に関係のあるものの普及率は都市に比べて低い。

また、消費の内容をはじめ、教育文化面や生活環境施設、社会保障などについては今後の改善にまつところが多い。

農家主婦の生活時間

意識調査によって農家主婦の生活時間（七〜八月中）をみると、農業および農外就労に約七時間半従事しているほか、家事、育児に約四時間半、食事、入浴など生理的に必要な時間および、休養、娯楽趣味などにそれぞれ二時間半を充てている。

一方、稲刈期には労働時間が約一時間半増加し、反対に家事時間が約二時間半少ないほか休養、娯楽、趣味などの時間は約三時間半少なく、二分の一となっている。

このほか、睡眠時間は約一時間少なく、七時間を割っているが、これは既婚女子労働者の平日の睡眠時間よりも約三〇分少ない。

主婦の生活時間

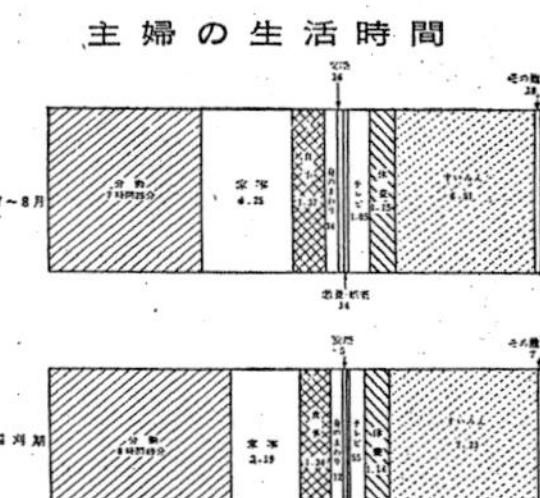

資料：労働省婦人少年局「農家婦人の労働生活に関する意識調査」

プロジェクトの取り組み方　展開編（4）

北海道専門技術員　三輪　勲

課題選定は慎重に

まず、好きな物から取組む

問題点の認識

……

青少年の能力に対して過不足のない程度の課題、努力すれば十分に達成できる課題が適当である。

ｃ、家庭の環境

青少年の能力に関連して考慮しなければならない条件は、家庭における青少年の立場である。

自分のプロジェクトを実践するための時間が確保されている、プロジェクト実践に要する資材や労力などの準備について親の理解と協力が得られるかということについて考慮が必要である。

プロジェクトの実施時間は、家庭の農作業の能率化と創意工夫で生み出し、プロジェクトの資金は、農閑期の賃労働で収益を確保するなど、プロジェクト実施のための家庭環境を整備する必要がある。

プロジェクトの議題によっては、こうした家庭環境が備わらない場合もあるので、青少年の能力に対して適小な課題の場合は、簡単過ぎて、問題解決の意義がないことになる。したがって、青少年の能力を考慮しながら助言することが望ましい。

……に実施するほか、グループの会合においてそれぞれ調査結果を発表し、これに基づく意見交換……

したがって、こうした問題点を因果関係や相互関係から整理して下のような体系図式にまとめさせると理解がしやすくなる。

……させることになりかねないし、問題解決への自主性を阻害することもあるので、実施上とくに注意が必要である。

課題の選定

一、課題選定の要件

問題点が明らかになれば、次はそのいくつかの問題点の中からプロジェクトに取り上げる課題を選定することになる。ここで、問題というのは解決すべきものをいい、課題とは達成すべきものをいう。プロジェクトの課題選定の指導に当たって……

（イ）青少年の能力に適応したもの

第二の要件は、青少年の年令経験、関心などに即応した課題を選定することである。これについて、次の三つの側面から考えてみよう。

ａ、興味・関心

その課題に対して興味と関心がなければならない。重要な課題であっても興味や関心がまったくない場合は、プロジェクト……

問題点の体系図式（例）

【例1】

- じゃがいもの収量が少ない
  - ウイルス病が多い ― 種いもの更新が不十分
  - 疫病の被害が多い ― 品種が不適当／防除が不十分
  - 湿害が多い ― 排水が悪い
  - 連作している ― 作目の配置が不適当
  - 耕土が浅い ― 深耕をしていない
  - たい肥の施用が少ない ― たい肥場が不完全

【例2】

- 乳牛飼養の収益が少ない
  - 乳量が少ない
    - 飼料の質が悪い ― 飼料調製が不適当／飼料の選択が悪い／サイロが不完全
    - 飼育管理が不十分 ― 畜舎設備が不備／牛の手入れが悪い
  - 生産費が高い
    - 乳牛頭数が少ない
    - 購入飼料が多い ― 飼料作物の収量が少ない

【例3】

- 食生活の栄養価・品質が少ない
  - 献立が不十分 ― 栄養の計算ができない／調理が不適当／たんぱく質・脂肪が不足／多忙で研究するひまがない
  - 材料が不足 ― 野菜の自給が少ない／牛乳・卵の利用が不足／食品の貯蔵が少ない
  - 栄養の知識が不足

――因果関係
---相互関係

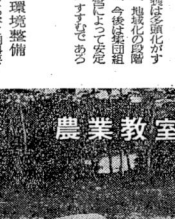

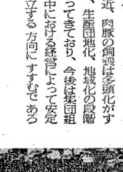

「4Hクラブ員手帳」発行

岐阜県連

【岐阜県松田正治連絡報道員発】岐阜県4Hクラブ連絡協議会（会長、松野芳正君）は、今年度の事業の一つとして、このほど「4Hクラブ員の手帳」を作成し、県下のクラブ員に配布した。

手帳には、身分証明書、クラブの四つの綱領、4Hクラブの歌、岐阜県青年信条、日別計画表、岐阜県県連会則と役員名、住所録、メモ欄などがある。

また、4Hクラブのバッチ、ネクタイピンを作成、クラブ員の中で希望者に渡す（四つ葉の中央に岐阜県の「岐」が入っている）

なお岐阜県の青年信条を紹介してみよう。

一、常に視野を広め、知識と技能をみがきます。

一、友情と信頼をもってよりよい仲間づくりにつとめます。

一、若い情熱と正しい行動力で住みよい郷土をきずきます。

一、仕事に意義と喜びを感じあくまで希望をもって前進します。

一、社会の期待に応えるたくましい心と体を養います。

農業教室

豚の生産と販売

豚肉生産のカギは、どうすれば枝肉価格の変動（相場）に対応し得る態勢ができ、そしてよい豚肉（商品価値の高い肉）を安く生産するかにかかっている。

すなわち、豚肉生産の収益は、枝肉価格、飼料価格の変動の外部的要因と、豚の能力や飼養管理、畜舎、気候風土などの環境、肉豚販売技術、経営規模などの内部要因によって支配されるものである。

その着眼点をあげれば、

一、枝肉価格の変動（相場）は、肉豚の収益に最も強く影響力を示すもので、市場の需要量に対する供給量の大きさによるものである。それで肉豚生産の方針を決めるには、可能な限り、出荷時期に期待できる価格を見とおすことであり、市場の推移についての見とおしが重要である。

二、能力のすぐれた、飼い易い肉用素豚を選び、効率的、経済的な飼料の利用をはかること。

よい豚肉は品質の悪い豚肉に比して、枝肉相場の悪化に対して、影響を受ける割合が少ないので、赤肉量の多い、肉質のよい、脂肪の少い、市場の好みに合った肉豚を生産することが肝要である。

三、その他として、じょうずな飼養管理とよい環境作りによって、健康なツブの揃った肉豚に仕上げるとともに、肉豚仕上がり判定、出荷技術を身につけることが大切である。

最近、肉豚の飼養は多頭化がすすみ、生産団地化、地域化の段階に入ってきており、今後は集団組織の中における経営によって安定が確立する方向にすすむであろう。

9月2日（月）　豚の生理と環境整備

温度と豚の発育ならびに飼料要求率との関係は、次の図のとおりである。豚の肥育の適温は一七〜二三度Cで、これより高くなると呼吸数を増加して体温の上昇を抑え、低くなると養分をたくさん燃焼して下降を防いでいる。そこで飼料を節約するには豚舎の構造を改善して、舎内温度を適温に近づける必要がある。

舎内温度と豚の産肉性（HEITMAN）

9月3日（火）　肥育豚の産肉能力

一、肉豚の改良の目標
二、品種と産肉能力の比較
三、産肉形質の遺伝力

9月4日（水）　雑種豚利用の方向

四、肉用素豚の選び方
五、民間における産肉能力の調査方法
六、欠点肉の防ぎ方

9月5日（木）　肉豚販売の現状と問題

つい一〇年ぐらい前まで豚屋さんと「棒秤り取引」をしていたことから考えると、豚取引きは確かに変わった。枝肉やカット肉で仕切るようになり公正化しつつある。だが、小売価格に対する農家手取比率は低下している。

この原因はどこにあるか、どう対応すべきか考えてみよう。

9月6日（金）　豚肉と素子豚の価格のバランス

一、豚肉価格の変動とその要因
二、子豚価格の変動とその要因
三、豚肉価格と子豚価格の関連
四、豚肉価格と子豚価格の安定対策

枝肉価格、肉豚価格および子豚価格の推移

9月7日（土）　現地訪問

愛知県刈谷市逢見

刈谷市にある農事組合法人たつみ畜産は、組合員九名の協業経営である。現在、一、五〇〇頭の肉豚を飼育し、一、八〇〇頭まで飼育できる施設がある。安城、豊橋、岡崎の市場から子豚を導入し、一〇〇日で出荷している。

出荷時期をずらし、育成期間を長くして、良い豚肉を作るために協力しているのがここの特徴で、品種はYL種。年間廃豚率三％。ふん尿処理は水洗方式を採用しているので……

部位による価値の割合

9月9日（月）　果実消費の方向

一、入荷量と価格との関係
二、出荷量の調整
三、果実消費拡大の方向❶品種・系統の問題❷うまい果実の生産❸加工需要の拡大

果実全体の東京市場平均価格および入荷数量

9月10日（火）　もも生産技術と経営

……うめ、その他多くの種類がある。りんごは、大平洋戦争後いち早く復興し、急速な増産をつづけてきたために、品種によっては価格が下落し、うまい品種に重点をおく品種更新がつづけられている。

なお、良質の果実を長期にわたって供給するためのCA貯蔵などに意欲的な努力が払われている。

なしは、二十世紀、長十郎が中心品種となっているが、需要の伸びなやみによって価格が低迷しているので、幸水、新水などを取り入れる傾向が強くなっている。また、栽培面では無袋栽培を推進するとともに、病害虫防除を効率的に行なっている。

ももは、摘果、袋掛、収穫、荷造りなどに多くの労力がかかるので、期待されるほどの新植がなされていない。したがって、価格はこれ以上に低下するとは考えられないが、時期別価格の移動のはげしいこと、品質による価格差の大きいことなどを考えて、品種の選択、栽培法に留意する。

ぶどうでは、ジベレリン処理によるデラウェアの無核果の早期出荷や、ネオマスカット、その他の高級種の比重は高まるだろう。

くり、うめの新植はなお急速のようであるが、現在の高値に誘われての不適地での栽培は厳につつしむべきであろう。

……栗は、価格が下落してもなお有利な経営をとれる方向に進むだろう。

もも栽培における作業の種類別10a当たり所要時間

落葉果実の方向

NHK農事番組（9月1日〜10日）

テレビ

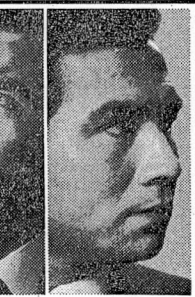

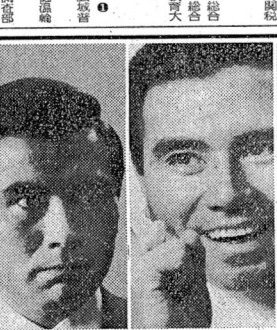

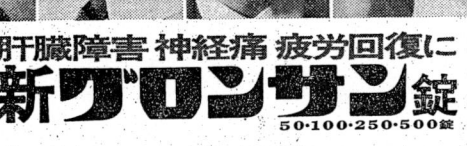

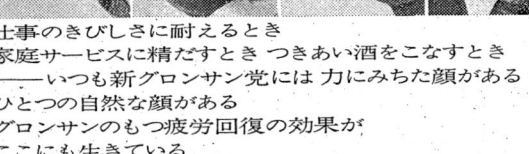

ラジオ

わがクラブ わが同志

話題 わだい 話題 わだい

会長さんは"募金中" 会館建設に夢を託して

山口県農村青少年クラブ連絡協議会　山崎順之

「会長さん、ずいぶん重くなりましたよ」と、顔をほころばせながら県連役員が一回りして帰ってきました。「そうかね、今度は私が回ってこようか」と、会長は白い小箱を持っていそいそと出かけました―。

この話はいったい何だろうと全国のみなさんには意味が理解できかねるでしょうから、その説明をいたしましょう。

これは先日、会長が全協からいただいて帰った白い"募金箱"をめぐる話題です。

山口県連では、いろいろな募金の方法を考えていますが、まずこの募金箱にお金を入れてもらおうということで、先日開催された山口県の夏期技術交換大会会場では募金箱をかかえて参加者の間を回る県連役員と募金に協力するクラブ員との心が一つになって、一円、百円といった硬貨が小さな箱の中へチャリン、チャリンという音を立てて入っていく光景は、何か祈るような微笑しい姿です。

会長はテントを一回りして「みんな抱えてごらん、ますます重くなったぞ」「ほんとだ」というやりとりのうちにも募金箱はわずかずつながら重さを増していきました。同じ日に二回も続けて募金に回れば、少しは重くなるのも当然かも知れません。

仏の顔も三度とやら申しますが三回目をというわけにはいきません。そこで考えられたのがこんな方法です。「副会長行っておいで」それから女性役員みんなで」ということになりました。

その結果、ある男性はポケットから、ある人は財布の中味を全部つまみ出してチャリ、チャリーンと小気味よい音を奏でます。ニコニコして募金箱を持つ"美女"にまんざらでもないようです。

"あー！なげかわしや、どうして日本男児はこうも女性に弱いのだろう"という一コマもあって、4H会館建設の募金運動は、クラブ員の夢を託して着実に進みました。

「どのくらい溜まったかな」―と、みんな箱の中味に興味ありそうなクラブ員の顔をよそに、相変らず"白い小箱"は、小さな口を開けてクラブ員の誠意のこもった志しを笑顔で待っています。

全国の4Hクラブ員のみなさん"白い募金箱"の様子をお知らせ下さい。楽しみにしています。

◀投稿案内▶
本紙は、みなさん方の新聞として、全国のクラブ員に利用して戴きたいと考えています。それでクラブの催しや個人のプロジェクト、詩、短歌、随筆、写真、悩みや意見、村の話題、伝説、行事その他なんでも原稿にして送って下さい。
お願い　❶長さや形式は自由です　❷できれば簡単な説明をつけた写真をそえて下さい　❸送り先　郵便番号162　東京都新宿区市ケ谷船河原町十一　日本4H協会編集部

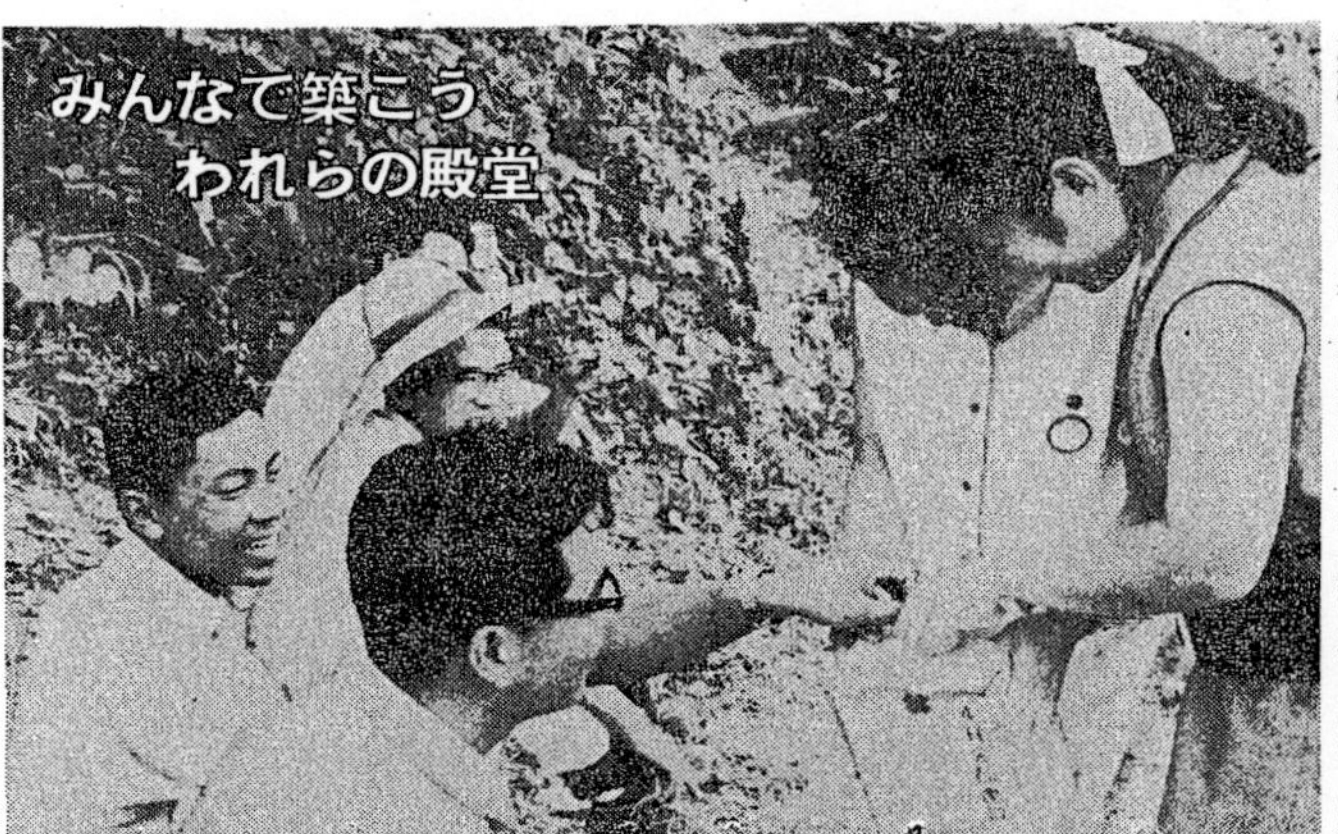

"オネガイシマース"きいろい声に弱い男子クラブ員も財布のひもをゆるめる

実績と魅力をPR 根気強く団体の意義を

埼玉県比企郡川島村 三保谷4Hクラブ　猪鼻文明

4Hクラブも、リーダー問題には、頭を痛めているようですが、私は先日、埼玉県青少年団体連絡協議会リーダー研修に参加して、各団体の特長と活動内容を知りました。

そして分科会の席において次期リーダーの養成と会員の増員について討論しましたが、いざ、どのようにこのPRとか課題を解決して行くかということになると、PRとか、話してわかってもらうなどあまりにも簡単な結論しかでないのが現状のようです。

たとえPRなどで会員が増えても、受け入れ側の体制がしっかりしていないと、あきられてしまったり、かえって団結にひびが入ってしまうなど組織が悪化することにさえなりかねません。このように各団体のいずれの意見も最後は同じところに来てしまい、厚い壁にふさがれてしまいました。それでは、なぜ、具体的な結論がだされず、それ以上の意見が、かわされなかったのでしょうか?。

それは、非常にむずかしく大切なことだからです。これを解決して行くには、各団体共に、まだまだ団体の実績と魅力が必要ではないだろうか。

そこで私はこの問題に対して、次のように思っています。次期リーダー養成には、自から活動に身を投じ実績を通し、成果を魅力あるものにするしか道がないように思っています。それは短期間にできるものではなく、根気強く団体の意義を知ってもらうしか方法がないでしょう。

それではなぜこのような結論が出されたかというと、一般社会を見ても、マスコミに刺激されてか上辺だけの楽しみにひかれ、社会の不満や自分で自分を忘れようと陽気にさわぎ、都合の悪いことはまぎらわそうとする。このように自分を見失なった人たちに、団体の良さを知ってもらうには、言葉より実績を通して以外、わかってもらえないでしょう。

そして一人でも団体の意義がわかってもらえたら、人間的な楽しみもわかってもらえるはずだと思います。そこに集まってできた団体こそ、立派な深みのある団体、いやリーダーが育つのではないでしょうか。

奉仕活動に施設の訪問　佐波、東村の4Hクラブ

群馬県佐波郡東村NK4Hクラブ（会長・関口俊雄君）では、奉仕活動として施設訪問を計画し、このほど地区内二百五十戸に、寄付金を呼びかけ二万円の金が集まったので、前橋市の上毛愛隣社などに訪問し、映画会、草とりなどの奉仕を行ない、寄付金を送り、不幸な子供たちを慰めた。

東南アジアを訪問して（十三）

深刻な農業問題！ 沖縄を守る青年の熱意

埼玉県入間郡富士見町南畑・青年の船派遣団員　砂川みさ子

船上で誕生日とひな祭

最後の異国、マニラをあとにして青年の船は南シナ海を一路日本へと向っています。

三月三日夜の自由時間を利用して、第一班の男性から"ひな祭り"の招待状が私たちの班に届きました。ひな段がかざってある談話室は美しくかざられていて、非常に楽しいひな祭りをすごすことができました。お世話になったお礼と友情の意味をこめた詩が私たちにおくられました。

君忘るるな若き日の今宵を、われ忘れえぬ美しき友情――。

と、結んであった献詩が今も強く心に焼きついています。

沖縄入港の前夜、三月五日は私にとって貴重な尊い一日でした。

これはいささか私ごとですが、二十一回目の誕生日を迎えたのです。まして船上で迎えるなんて何と幸せ者でしょう。夕方一人で、甲板に立って暮れゆく海をじっとながめながら、私のこの一年をふりかえってみました。船友は私のためにプレゼントをたくさん下さいました。

全日程が終り、みな部屋に落ちついた午後十時三十分、私の部屋の友人が誕生パーティを開いてくれました。すごく嬉しかったことを今でも忘れられません。真夜中の甲板へ、こっそりぬけ出して男性団員とパーティの続きをしたのも今はなつかしい思い出です。

戦争のかなしさは今も

翌六日は、いよいよ沖縄入港です。日本語が通用するという心安さは嬉しいのですが、まだ貨物に慣れないという不便さもありますし、また、日本でありながら日本国として通用しないという現実になにか複雑な気持になりました。

沖縄第一日目は、琉球大学、砂糖工場、健児の塔、ひめゆりの塔などの所在する南部の見学です。今は、観光地と変っていますが、戦争当時の激しさを思い出させるような気持に陥りました。

全団員は、それぞれの塔の前に整列して持参した花束を供え、国歌"君が代"を斉唱し黙祷をささげました。

激しい戦いの終りに、若い生命を絶った"ひめゆり部隊"最後の地に目がしらがあつくなるのを覚えたのは、私だけでなかったでしょう。バスのガイドさんが一生懸命「沖縄を返せ」の歌を教えてくれた。その歌を口にするとき、戦争の説明をするときの彼女の悲しそうな、そして真剣な眼差しが忘れられない。

船内では居残り組の班員が交歓会を開いていたが、青年の船に対しての批判が強く、参加者が非常に少なかったのは残念であった。

日本でない日本の現状

青年の船沖縄入港については、いろいろな方面から批判されていたようである。"莫大な国費を沖縄問題に使用してくれたら"という考え方が強かったのだと言われる。また、寄港反対のデモまで計画されたとのことであった。

第二日目、沖縄の中、北部を見学したとき、これらのことが私たちを苦しめた。到るところ米軍基地、横文字の建物などが建ち並ぶゴザ市では、これほど う土地はアメリカの所有地なのである。こんな中での生活は今まで聞いて知っていたが、実際にこの目で見ると他人ごとには思えない。

この日私たちは沖縄の最北端、辺戸岬までバスにゆられた。[illegible]

"明りをつけましょぼんぼりの"船内のひなまつり

"ひめゆりの塔"に黙祷をささげ、目がしらがあつくなった

南国土佐をゆく

[illegible]

さとわのうた

[illegible]

意識の流れ描く ユリシーズ（コロンビア映画）

一九一四年[illegible]

ユリシーズのモリー（バーバラ・ジェフォード）左と、レオポルド（ミロ・オシア）

日本4H新聞
4Hクラブ 農事研究会 生活改善クラブ
全国弘報紙
発行所 社団法人 日本4H協会

クラブの綱領

一、私達は実践を通して自らを磨くとともに互いに力を合わせてよりよい日本を創るため四つの信条をかかげます。一、私達は農業の改良と生活の改善に役立つ腕をみがきます。一、私達は科学的に物を考えることの出来る頭の訓練をします。一、私達は誠実で友情に富む心をつちかいます。一、私達は楽しく暮らし、元気で働くための健康を増進します。

「つどい」まであと一ヵ月

参加者 前年上回る予想

農林大臣の出席濃厚

全国クラブ員の祭典－全国4Hクラブ連絡協議会（丸山勉会長）奈良県4Hクラブ連絡協議会（山田高作会長）社団法人日本4H協会（松下幸之助会長）主催の「第四回全国4Hクラブ員のつどい」は、来月七日から四日間奈良県で開催されるが、このほど松下4H協会長の同つどいへの出席が決定するとともに、西村農林大臣の出席がほぼ確実となった。また、参加者は正式に申し込んできたもののほか、非公式に連絡を受けたものなどを含めると、これまでにない多人数になることが予想されている。主催者側では、さる二、三の両日奈良市で同つどいの運営委員会を開くなど、つどいは開幕まであと一月に迫り、その機運を盛り上げてきている。

本格的な準備体制に入った。

また、今回からつどいのトロフィーを作り、次回の開催県連へバトンタッチし、つどいの印として永久に保存することになった。

なお、参加希望者は各県連を通じて全協へ来る十日まで申し込むことになっているが、友だちや家族をさそって一人でも多くのクラブ員が参加されるよう望まれる。

西村農林大臣

松下4H協会長

松下会長（4H協会）の講演は確定

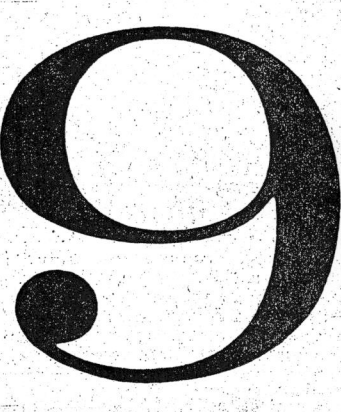

全協などつどい主催者側では、つどいをさらに有意義なものとするため、かねて西村農林大臣、松下4H協会長（松下電器産業株式会社会長）に対し、出席を強く要望していたが、現在のところ農林大臣の出席が濃厚となるとともに松下会長の出席がこのほど確定した。

しかし、農林大臣、松下会長とも多忙なため長時間にわたる滞席は不可能であるが、農林大臣は開会式で激励のことば、また松下会長は開会式に続いて約三十分にわたる講演を予定している。とくに農林大臣は、秘書官の話によると、このつどいにわざわざ出席する以上、一片のあいさつでなく内容のある話しをしたいとの意向もあり、講演の線も考えられる。

これまで、つどいは過去三回にわたって大分を皮切りに埼玉、富山各県で開かれたが、このように農林大臣と松下会長の出席が実現可能となったのは今回が初めてであり、参加者に大きな感銘を与えるものと大いに期待されている。このため、主催者側では全国から大勢のクラブ員が参加し、青年の意気を示すとともに、このつどいから明日への活力を汲みとってほしいと望んでいる。

参加者は、すでに各県連から申し込みが行なわれているが、何十名と大量参加を伝えてきている県連もあり、現在のところ昨年を上回る参加者があるものと予想されている。

また主催者側では、奈良県連を中心に、着々とその準備を進めているが、さる二、三の両日、同つどいの事務局に予定されている奈良市の猿沢池のほとりの「さるさわ荘」で運営委員会を開き、同つどいについて打合わせを行ない、

友を迎える日のために（上）

奈良県4Hクラブ連絡協議会々長　山田高作

価値ある歴史の刻み
いまこの地に4Hの花咲く

晴れわたった秋の日、なだらかな山裾が美しい若草山からの眺めは、実に素晴らしい。眼下に広がる奈良市街はもとより、遠く奈良盆地の向こうまで、一目瞭然と見わたすことが出来るのである。

うっとりするその景色は、今を去る一三〇〇年前から幾度か変遷はあったにせよ、その歴史と伝統の良否とその調和、これらが大和の地のあちこちで論議の的となりいろいろ話題に事欠かない毎日である。

このように変わりつつある奈良の地で、クラブ発足二十周年記念の意義ある年に全国のつどいを開催し、日本の津々浦々からの4H

さて、立派に花が咲くか、否かは当然、予測出来ないが"自らの手で企画運営するわれわれのためのつどい"という意識だけが、私たちにとって、唯一の支えでもある。ただひたすらに完全なものを求めて努力してきた県下クラブ員ではあるが、決して完成されたも

[illegible]

のに、なろうとは思わなかった。

私たちは、クラブ員数の少ない県連において、いかにそのハンディキャップを克服するかをつねに考えなければいけなかった。いまにして、ようやく気のついたところなのであるが、それの解決は量より質だということであろう。いろいろなことの体験の出来る

機会を与えてくだ[illegible]ラブ員の皆さん方に[illegible]ただく奈良の地にの[illegible]もわかりやすく説明[illegible]多くの皆さん方に[illegible]気持でいっぱいです。以下簡単に連載して紹介いたしますので、クラブ員揃って当地にお越し下さいますようお願い致します。

さて別記既報の通り、十月七日つどいの幕開けは、今春新築された県文化会館で行なわれるのである。この土地は旧県庁舎跡で、その昔は興福寺僧坊の跡で古今を通じて文化、行政の中心であり、市内名所のほとんどを含む、総面積五、三平方キロにもおよぶ奈良公園の入口にも当たるところである。若草山、御蓋（みかさ）山、春日山など連なる山々を背景にして、東大寺、興福寺、春日大社などが点在する社寺公園の中に、大仏殿、正倉院、二月堂、五重塔をはじめ多くの古建築が自然と調和している所である。一方その大ホールの内装も芝生を思わせる配色が生さ

[illegible]

全国4Hクラブ員のつどいを迎えて、準備に忙しい奈良県役員（前列右から二人目が山田会長）

台湾の4H代表来日

荘君 黄さん "なんでも吸収"の意欲

国際農村青年交換計画に基づいて社団法人日本4H協会が今年度、中華民国（台湾）から招く同国4Hクラブ員代表二人は、さる二十四日午後三時十分羽田空港着の日本航空機で来日した。

来日した台湾代表の4Hクラブ員は、荘秋忠（そう・あきただ）君（二）と黄貴英（こう・きえい）さん（二）で、二人は十月下旬までの二ヵ月間日本に滞在、大分と愛知両県の受入れクラブ員宅で生活し、わが国の4Hクラブ活動はじめ農業、農村生活、風俗などについて学ぶとともに、4Hクラブ員や関係者との交歓を通じて同国のそれらについて紹介、民間外交の草の根大使として両国間の相互理解と親善につくすことになっている。

当日、羽田空港には4H協会職員のほか、本年度の派中4Hクラブ員、佐藤信次君が富山からわざわざかけつけて二人を出迎えた。荘君はダークグレーの背広、黄さんは薄い空色の中国服姿で、荘君は出発前、ジープに乗っていて木[illegible]

滞日中に学びたいことについては、自分の家の経営との関連から黄さんはとくに（ことに一年中開花させる蘭照菊）栽培や園芸など、荘君は養鶏や稲作などに関心を示しているが、受入れ農家で学べるものはなんでも吸収して身につけないと意欲をみせている。

クラブ活動については、日本の4Hクラブ活動のよいところを学ぶとともに、台湾のよい点を紹介し、長所の交換をしたいと抱負を語っている。

なお、大分県の受入れ先は次のとおり。

▽受入れ団体、宇佐4Hクラブ連絡協議会
▽受入れクラブ員
【男子】射場武利君＝宇佐市駅川町大塚
【女子】蕨生活一君＝同市四日市町台の原

[illegible]二人は日本についても、雑誌などを読んだり、また台湾を訪ずれた日本代表の4Hクラブ員から聞いたりして最近の様子をだいたい知っているという。生活は台湾とは余り変らないと思うが、農村より都市が進んでいると聞いている。また農村についてはかなり機械化が進んでいるようだが、物価や人件費が高いので、鶏ふんなどのあと始末に手が回らず山と積まれているのではないかと語っていた。

のつどいに出席する。十九日から東京に帰り、滞日報告会に出席し二十四日に帰国の予定である。

黄さん　荘君

涼風暖風

知識と知恵と

先日、来日中のスペインの歴史学者ルイス・ディエス・デル・コラール博士が、帰国に先立って、ある日刊紙に、日本の企業の先端にいる人たちが、欧米の企業者とは違った哲学や思想をもっていると指摘していたことを記憶する。

コラールといえば、世界的に有名なトインビーと並んで現代ヨーロッパ思想界の双璧といわれる人。こんどで二回目の来日であるが、滞日中に松下電器会長の松下幸之助氏（日本4H協会々長）やソニーの社長井深大氏ら日本の一流の企業者と接して感じたことを述べたものであった。その対談の一つ、松下会長とコラール氏との対談の内容が「PHP」九月号で紹介されている。

その中で松下会長は、現在、知識（科学）は著しく進んできたが、その知識を使う知恵がおくれをとっている。そういうことから、文明の利器を持って戦争をするというような問題が起こってくるのではないか。知識と知恵のアンバランス、それが今日の文明の一つの弱点であるように思う、と語っている。

また、日本の教育が盛んになって、とくに知育、体育は盛んだが、徳育が比較的低調である。知恵は、知育や体育からも生れるが、この徳育から生まれることが多く、知育の母体となるものは徳育である。人間そのものの高まりともいうべきものが、知恵に結びつき知恵が培われる。過去の歴史を考えると、権力者、指導者に欠けているものは、結局は徳である。知識は放っておいても競争を重ねて進歩するので、徳も知識の進歩に並行しなければならない。そして知恵をあつめて、社会を支配する叡知としなければならない－と強調している。

これに対し、この対談で、労働問題や経営問題が出てくると予想していたコラール氏は、かえってこのように徳育的、精神的な話題になったことに驚き、同じ人間が、文化的精神的な価値と、現代に生きる工業産業技術の価値という二つを同じ人格において持ち合わせていることに感服している。おそらく、アメリカやヨーロッパの大企業の人たちにとってこの二つの世界、物質的な世界と精神的な世界を同時に生かすことは難しいと、述べている。

クラブ員の中には、技術、金儲けだけを考えている人もいるが、その技術を生かす知恵、人間の高まりにさらに磨きをかけたいものである。

山形で夏の全国大会開く

二千の精鋭みちのくに集う

[illegible]

プロジェクト演示発表
第八回全国農村青少年技術交換大会で大勢のクラブ員を前に日ごろのクラブ活動の成果を発表するクラブ員＝山形市の霞城公園で

大阪 全域にポスターを掲示

第2回「4H月間運動」

【大阪府＝松村一弥連絡報道員】大阪府農業生活研究クラブ連絡協議会4H部（部長、長滝谷正）では、八月中府下全域にわたって「4H月間運動」を展開した。この運動は、4Hクラブへの新規加入、新クラブ結成の促進とともに4H会を知ってもらおうというもので今年で二回目。とくに今回は、大阪農業を中心とした活動を第一目標に、第二目標として「花と緑の運動」をかかげた。

この運動は、現在、府下ではビルや工場が乱立して花や緑が非常に少なくなっているため、花や緑で町を埋め住みよい町を作ろうというわけ。これは、4H部員にとっては、自分たちが最も得意とするところ。4H部員は、これら二つの目標を達成するため、熱意をこめてそれぞれ力強い活動を行ない大阪人の根性をみせた。

さらに、この月間運動を強力に押し進めるため、大阪府連4H部ではポスターをつくり、府下全域に配った。ポスターはタテ77センチ、ヨコ53センチ大のもの。

来日台湾クラブ員が4H協会に寄贈した旗

合同交歓会開く

奈良・東、西葛城、天理4Hクラブ

【奈良県＝浦崎正之連絡報道員発】東葛城4Hクラブ（会長、中川和宥君）ではこのほど、天理、西葛城4Hクラブとの合同交歓会を滋賀県のマイアミビーチで開いた。

これは、レクリエーションを兼ねたもので、同日は天理4Hから六名、西葛城4Hから十二名が参加。あいにく台風四号の影響で波が荒く、雲天のため天候は期待はずれであったが、クラブ員一同楽しい一日を有意義に過ごした。

交歓会では「私はこんな農業をやってみたい」というテーマで、各地区のクラブ員が農業に対する希望を熱心に語り合った。話し合いやレクを通じてクラブ員相互の理解と親ぼくを図ることができ、今後これを機会にさらにクラブ活動を活発にしていくことを約束し合った。（東葛城4Hクラブ、吉田茂男君の提供）

心頭技健

みちのくの米どころ山形で開かれた夏の全国大会に参加してきた。この大会も今年で八回目を迎え、参加者も二千余名に達した。三千五百のバスを連ねて蔵王温泉へ向かったが、まことに壮観であった。地元山形のお国自慢の民踊「花笠おどり」の講習やドッコ沼へのハイキング、夜空をこがしたキャンプ・ファイヤーなど多くの楽しい行事もあった。

▼だが、なんといってもこの大会の圧巻は、日頃の実践記録であるプロジェクトの演示発表であった。各発表者は県の大会で優秀な成績をおさめた人たちであるだけに、道具だても内容も[illegible]発表態度もなかなか立派であった。ただ、これをプロジェクトとしてみた場合にはたいへんな思いつきであったり、地域の農作業の紹介であったりして、課題意識に欠けるものが多いように思われた。とはいえ、このプロジェクト演示発表こそが、この大会の中心になるもので、これを抜けば骨がなくなるというのであろう▼ところで四日目、山形が生んだ偉大な農業評論家・須藤克三氏は「農村文化[illegible]」という講演のなかで、今日の日本の農業は三日月農業であるといわれた。すなわち、現在、専業農家は全体の二割を下まわり、ちょうど三日月のように細っているが、これからもだんだん細っていくのか、それともこの辺で立直り、だんだん太っていくのか、それが問題であると。そこで氏は、農村青年たちに「どうしたら、三日月をもとの満月にすることができるか」と問いかけたところ、みんな「規模を拡大し、企業的農業をやればよい」と答えたそうである▼なるほど、これはもっともなことである。しかしながら、それは結論であって、具体的にはその資金も、資金も少ないなかで、どうすればよいのか。現在の問題の核心はそこにある。そこで氏は、日本の農業をめぐる諸問題について具体的に解説されたが▼そして最後に「農業も他の産業と同列に論じることはできない。農業は特有の人間関係を基にしたものである。そこで最も大切なことは、変わりゆく農業のなかで人間の位置づけをすることである」と説かれた。これを農業に直接たずさわる人はもちろんのこと、関係者もよく噛みしめてみる言葉ではなかろうか。

友情温め、技を競う
盛大だった夏の全国大会

去る八月二十一日から、山形県下で開催された第八回全国農村青少年技術交換大会は、北は北海道から南は沖縄まで、全国から選ばれた二千余人の農村青少年が一堂に集い、お互いに日頃鍛えた知識と技を交換し合い、多くの成果を収め、四日間にわたる全日程を終了した。そして、参加した二千余人の一人ひとりが、明日の農業へのファイトを燃やしながら、それぞれの地元へ帰っていった。

第一日目

正午、打ち上げ花火を合図に、霞城公園内に近代的偉容を誇る山形県立体育館において、華やかな入場パレードがくりひろげられた。高らかに響く自衛隊バンドのマーチに合わせて、バトンガールを先頭に七彩の大会旗、特別参加のアメリカ4H代表、ブラジル、インド、マレイシア、タイ、インドネシア、ブータンなどの海外組つづいて沖縄、鹿児島の順に各県連旗をなびかせて堂々と入場。正面壇上では、西村農林大臣はじめ東畑全国農村青少年教育振興会会長、安孫子山形県知事ら主催者や多くの来賓が、二階席では地元山形県の青少年がこれを拍手で迎えた。

荒木山形農林部長の開会宣言、君が代斉唱のあと、主催者のあいさつに立った西村農林大臣は「農業は一日ではならない。前途は長いが、諸君たちだけではない、故郷には仲間がいる。国のため、仲間たちのため、この大会を有意義に過され、これを機会に大いに頑張ってもらいたい」と述べ、ついで東畑会長は「現在、日本の農業は、兼業者の片手間のものになるかどうかの分かれ目にきている。もとより、兼業よりも専業のものにしたい。ここに来られた諸君たちで、片手間の農業から、本来の専業農業にして、日本の農業を建て直してもらいたい。そして、諸君が、諸君の子どもたちから〝私たちの両親は偉大な農業を築き上げてくれた〟といわれるような人になってもらいたい」と激励された。

安孫子山形県知事は「ことしは日本が近代化した明治から百年、この意義ある年にこの大会を山形で開催できたことは、たいへんうれしい。農業は、人間にいちばん大切な産業である。みなさんは、お互いの技術を交換し、ここで得た多くの収穫をくにの仲間たちにも分け与え、日本の発展のためつくしてもらいたい。山形県民あげてみなさん方を歓迎いたします」とあいさつ、斎藤県連会長は「近年、わが国農業はめざましく発展しているが、そこには幾多の問題もある。次代を担うわれわれは、この困難に対して熱意をもってあたりたい」と決意を表明、来賓の祝辞などがつづいた。

このあと、山形県の青少年代表石井政子さんのリードで、大会スローガン「手を結び、伸ばせ農業 豊かなくらし」を斉唱、さいごに全員で4Hクラブの歌を元気に歌い、井上振興会理事の閉式のことばをもって終了した。

体育館では、開会式にひきつづいて、明治学院大学の高橋先生の指導で「体力づくり運動」がおこなわれ、それぞれ、器用さ、柔らかさなどを競い合った。優勝者には西村大臣と握手をするという〝大臣賞〟がかけられたせいもあって、館内は若い熱気であふれんばかりになった。このあい間をさいて、西村大臣が青年たちの中に入り「おれはやるんだという信念でやれば、道は必ず拓ける」と再び激励、この若さ溢れる青年たちの体力に満足のようすであった。

このあと、地元山形の民踊「花笠おどり」を若柳舞踊団の指導で全員で踊った。真紅の花飾りのついたスゲ笠が全員に贈られ、場内狭しとばかり華やかな踊りがくりひろげられた。

夜は、会場を市内の中心街にある県民会館に移して、地元主催の歓迎レセプションが行なわれた。山形市長の歓迎のあいさつ、観光映画「やまがた」「蔵王を滑る」郷土芸能「歌とおどりでつづる山形の四季」などが賑やかにくりひろげられ、全国から集まった若人たちを楽しませた。

第二日目

前日とうって変って好天に恵まれた。午前中は技術競技、日頃磨いた腕の見せどころとあって、全国から集まった二千人の仲間たちは、それぞれグループに分かれ、県の先生方が知恵をしぼって出された四十問の問題と真剣に取り組んだ。会場の霞城公園は山形のお城の跡で、広々とした草原とセミの鳴く林とから成っている。技術競技はこの草原で行なわれた。問題は厳選されたとはいえ、「易しいなあ」というものと「だれも判からないかなあ」という声が方々で聞かれ、また地域のちがいもあったようである。

午後からは木立の下に設けられた八つの会場で、プロジェクトの発表が行なわれた。発表者はいずれも県の大会で優秀な成績を納めた人たちばかりで、発表態度も訓れたもの。生活部門では、作業衣の男性のモデルも現われ、会場から大きな拍手がわいていた。また、聴衆の方では、あれも聞きたい、これも聞きたいと予定表を片手に会場を渡り歩いている人も多かった。一方、道具立てもたいへんで大はトラクターや生きた牛から、炊事道具一式を持ち込んで熱演している人もあり、なかには工夫したものの使用結果について、地域の人たちの感想をテープに録音してきて、その優秀性を納得してもらっている人もあった。

プロジェクト発表のあと午後四時三十分から、全員がバス三十五台を連ねて、待望の蔵王温泉に向った。夜は、名宿舎ごとにレクリエーションなどをおり込んで、なごやかに話し合いをし、各自持ちよった記念品を交換し合った。

第三日目

山の天気は変りやすい。全国から集まった二千余名の期待もむなしく、蔵王山頂は深い雨雲に被われている。本部ではバスで山頂へ登山すべきかどうかについて緊急会議を開き、ついに決行を中止し急きょ山腹のドッコ沼まで徒歩で登ることに変更、九時三十分スタートした。

それぞれ思い思いの服装も勇ましく、けわしい山道を新しい友と旧友のように語りながら一歩一歩登り出した。にじみ出る汗に時おり襲ってくる冷たいガスが気持ちよく肌を刺す。あちらの方で、またこちらの方で、若人の歌がこだまする。標高千三百米のドッコ沼まで、若人ならではの楽しいハイキングであった。

ドッコ沼は、美しい白カバの林に囲まれて静かな湖面に山の影を写していた。湖畔はゆるやかな傾斜や平地がつづき、冬のスキー客を宿める山荘が二、三軒並んでいた。

すばらしい湖水や蔵王連峰を眺めながら、みんなで楽しい弁当を食べ、午後から六十一の班に分かれて、それぞれ適当な場所を探して話し合いを行なった。テーマは①自分や自分の地域の農業はどうやっているか②自分は農村青少年グループ活動にどのように参加し、学習しているか③自分の将来の農業経営の方向はどうか—などであったが、とくに結婚や嫁の問題になると、話に熱が入っていた。

蔵王温泉でのさいごの夜は、すばらしいキャンプファイアである。夕やみせまる総合グラウンドに、志を同じくする二千余の若人が集い、燃えさかる炎を囲んでお互の心と心を一つにして愉快に騒ぎ、また静かに明日の農業について想いをめぐらした。高橋先生の司会で次つぎに各県自慢の出し物が披露され、熱気は最高潮に達した。賑やかな騒ぎのあと、ムードランプのローソクに点火、地元山形県連の仲間たちに見送られ、蛍の光をハミングしながら静かに山道を下った。参加者の一人ひとりが感激したひとときであった。

第四日目

幾多の想い出を残して、蔵王山をバスで下り、県民会館に向う。バスの中では、すっかり友だちになった全国の仲間たちが、歌声も高らかに若人の歌をうたっていた。

県民会館では、十時から山形が生んだ偉大な文化人、作家であり歌人であり、評論家であり、農村青少年の指導者である、須藤克三氏の「農村青年の生き方」という講演が行なわれた。このほど還暦を迎えられたという銀髪の氏は、その年令よりはるかに若々しく、その話には熱意がこもっていた。氏は、最近の米価の問題から説き起こし、わが国の農業を取り巻く諸問題を解説され、さいごに、変わり行く農業の中で、人間の位置づけをすることが肝要であると説かれ、聴きいる若人に深い感銘を与えられた。

このあと、十一時から閉会式に移り、技術競技で優秀な成績を収めた山形グループなど十グループの表彰、またこの大会からプロジェクト発表で男女各一組の最優秀者に贈られるフェンガー賞が、北海道の加藤忠博君、長野県の久保田稲恵さんと熊谷正子さんに贈られた。

ついで主催者を代表して荒木山形県農林部長が「みなさんのご協力で無事にこの大会を終了することができた。また来年は高知で開かれるが、年を追うごとにますます盛大になるように祈る」とあいさつ。大会旗が山形県の青少年の手から次期開催地高知県の青少年に引渡された。高知県の浜松農業改良課長が「来年の大会は青い空と海、緑の土地の南国土佐で開かれることになったが、県ではいまから準備を整えている。土佐の坂本竜馬は明治の烈士であったが、みなさんは昭和の農業維新の竜馬になってもらいたい」と激励された。

つぎに、全員で4Hクラブの歌を斉唱、石井東北農政局長の音頭で万歳三唱、斎藤県連会長、小関大会総務部長のあいさつで四日間にわたる大会の幕を閉じた。

夏の大会 スナップ写真集

写真説明　❶若柳舞踊団による地元山形の代表的民踊「花笠おどり」＝山形市主催の歓迎レセプションで　❷みんなが楽しんだキャンプファィヤの踊り　❸生きている牛をつれてきてプロジェクトの発表をする岡山の大西君—たいへんな熱演で牛君の方はモーウ・イヤダーといった　❹華かにくりひろげられた入場行進　❺体力競技の優勝者と握手する西村農林大臣　❻農閑期を利用してのアルバイト＝山形の民芸品熊郡彫を披露するクラブ員　❼ドッコ沼めざしてハイキング＝後方は蔵王温泉

男女まじえ料理競技
宮城県の夏の大会
キャンプ生活通じて交歓

【宮城県＝庄司健司連絡員発】第十七回を迎えた宮城県青少年技術交換大会は、県4Hクラブ連絡協議会の共催で[illegible]秀岳山麓を会場として開かれた。

大会には、県下のクラブ員をはじめ未来の農業後継者ともいえる古川分場の研修生と宮城農学寮の学生など[illegible]が参加した。

一日目

午前十時から鳴子駅で誘導班七名によって受付けを開始、仙南、三陸方面からバスで三十分かかる秀高原へ移動。

午後二時、緑に包まれた何百紗もひろがる秀高原へ全員が集結した。係から簡単な説明を受けて各ブロック（蔵王、青葉、大崎、栗駒、三陸、農学寮、古川分場）ごとにテント村を設置し、村ごとに村長、各地区から区長が選び、大会の運営に当たった。

クラブ員は日ごろの農作業から解放されて秀の自然にひたり夕食の準備にハッスルするなど、なごやかな風景がみられた。夜は七時から中央広場へ全員が集合して前夜祭が開かれ、佐々木弘行実行委員長の[illegible]

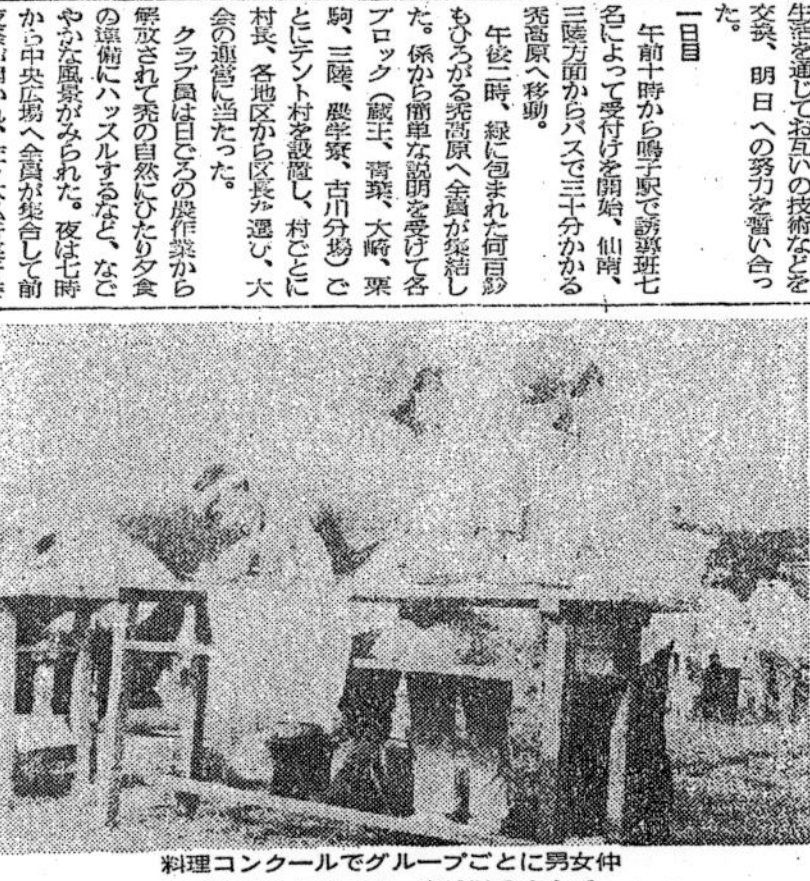

料理コンクールでグループごとに男女仲良く腕競うクラブ員＝宮城県の大会で

二日目

午前六時半に起床、六時半に全員が朝のラジオ体操し、八時半から開会式に入った。クラブ員は副知事を拍手で迎え入れ、打ち上げ花火の合図で県連旗を先頭に、仙南地区からプラカードと地区連旗を掲げて入場行進、本部前を通過[illegible]

夜はキャンプファイヤーが高原の中腹に設けられた会場で行なわれ、四つの誓いなどの儀式のあと高々と火が燃える中で若いエネルギーを燃やし続けた。

このあと火を囲んで自由な話し合いに入り、各ブロックごとに夜の明けるまで話しこんでいた。

四日目

テント撤収、環境整備のあと午前九時から表彰式をかねて閉会式に入ったが、これに先立ち県連で出題したクイズの解答者に高野会長から記念品が贈られ、また参加者全員に秀岳を刻んだキーホルダ[illegible]

花車60台でパレード
宮城・亘理地区4Hク連
盛大に15周年祝う

【宮城】亘理地区4Hクラブ連絡協議会（会長、千石一夫君）では、このほど亘理町、山元町の後援のもとに、結成十五周年記念大会を亘理小学校体育館で二百余名のクラブ員と関係者の参加のもとに行なった。

記念式典では、千石会長が「一口に十五年というが、その長い年月の中で、先輩の人たちはもちろんのこと、クラブ員一人一人の熱意ある努力と関係各位のよいご指導がこの伝統ある亘理地区4Hクラブ連絡協議会の基礎を築き、今日の十五周年記念大会を迎えた。この大会を契機としてわれわれ4Hクラブ員は、われわれの信条である四つのHをともに理解し、より一層の活躍を念願する」と力強くあいさつ、ついで事務局から経過報告があり、十五年の歩みなどが説明された。

また、この十五年間に、クラブのため指導、支援してくれた先輩はじめ亘理町、山元町、明和女学院、佐々木和裁など関係者十八名に対して千石会長から感謝状、記念品が贈られた。

このあと大会宣言文を決議し、つづいてクラブ演芸に入り、現代っ子に忘れられようとしている〝おかぐら〟など、多数の郷土芸術が各地区のクラブ員によって披露された。

ついで、自動車六十数台を連ねて記念パレードを行ない、亘理地区内を延々四時間にわたって巡回した。

色とりどりに飾りつけた花自動車を各クラブから数台ずつ出しあい、まだクラブに入っていない農村青少年に、クラブへの入会を勧め、また4Hクラブとはどういうものか—などをスピーカーで説明して廻り、「クラブでは新しい考えをもつみなさんを待っています」と書いたビラなどを配って呼びかけた。

最後に今後の発展を祝って万才を三唱し、幕を閉じた。

米国代表 草の根大使が負傷
東京で交通事故にあう　神奈川へ到着遅れる

社団法人日本4H協会の招きで来日中の米国代表4Hクラブリーダー（草の根大使）三人は、さる八月二十七日の夜、東京で交通事故にあい負傷、新橋の慈恵病院に入院した。このため、第三の受入れ先である神奈川県への到着は三十一日になる見込みである。

三人は、山形での全国大会に参加したあと東京に立ち寄り、二十八日の朝神奈川県へ向う予定であったが、二十七日午後十一時過ぎごろ、米国大使館員ニックス氏の家で夕食の招待を受けた帰りこの事故にあったもの。自動車の後部に側面から追突され、車が後向きに一転回した。このためアラン・メロー・ブリンドル君が顔面を裂傷、キース・ジェームス・ウエスターキャンプ君は腹部打撲、同乗の通訳、山田君はムチ打ち症、ニックス氏も軽い打撲を受けた。ジェーン・アーター・ウイコートさんは幸い無事だった。

ブリンドル君は、顔面を縫うほどの傷であったが、三人は当時のショックも消えて次第に快方に向っている。しかし八月三十日現在、神奈川県で予定している歓迎会に間に合うかどうかははっきりしていない。

相手の車は乗用車で、運転手の女性も隣合わせにベットに寝ているが、外人から神風タクシーとして恐れられている日本の交通地獄を草の根大使三人は自ら身をもって知ったかたちである。

三人の後遺症が心配されるが、一日も早く全快されることを願わずにはおれない。

なお三人の今後のスケジュールは、九月十六日まで神奈川、十七日から十月六日まで大阪府のクラブ員宅で生活、七日から「第四回全国4Hクラブ員のつどい」に参加し、十一日佐賀県へ出発、十一月二日まで同県で生活、そのあと大阪に戻り、松下4H協会長の招待を受ける。六日から東京に滞在し滞日報告会やあいさつ回りなどのあと、二十六日羽田から帰国の予定である。

キャンプ生活で交歓
福井　みつば・いとよ両クラブ

[illegible]キャンプ場などを会場として交歓会を開き、キャンプや海水浴を通じ[illegible]

[illegible]共同プロジェクトは持ちにくい。そこで自然とレクリエーション中心のクラブ活動になりやすい。しかし、4Hクラブの信条のもとに4Hクラブの歌をうたって活動しているのだから、もっと課題をもち技術を磨く活動に変えなければならない。いや、技術中心の活動では若い十代のクラブ員はついてこないのではないだろうかなど現在のクラブ活動の問題点が掘り下げて話し合われた。

二日目は朝六時に起床。みんな夜を徹してハッスルしたせいか目を赤くしていたが、そこは若者、越前町くりや海水浴へと向った。

4Hくん NO.131

落石注意

ガーン

横断注意

ばかっ

工事中注意

ああ！ボクは鳥になりたい

第一回 フェンガー賞授与さる 夏の大会（山形）で

全国農村青少年技術交換大会における晴れの「フェンガー賞」は、第二日目の午後霞城公園において行なわれたプロジェクト発表の最優秀発表者に決定した北海道・高丘4Hクラブの加藤忠博君と長野県・伊賀良4Hクラブの久保田稲恵さん・熊谷正子さんに贈られた。このフェンガー賞は、デンマークの酪農指導者・エミール・フェンガー氏の篤志によって生れたもので、毎年この大会の最優秀者に授与されることになったもの。フェンガー氏は、日本の酪農経営に深い関心をもたれ再三にわたり来日されて、自から模範的な酪農経営を実行し、指導に当られた。その間、日本における農村青少年の教育にも多大の貢献を残され、かつ帰国後はこれら青少年の育成指導に活用するため二万クローネ（邦貨約百万円）を社団法人・全国農村青少年教育振興会に寄贈された。同会は農林省とも協議した結果、この金をフェンガー基金として保管し、その益金をもってフェンガー賞をもうけたもので、男子一名に「エミール・フェンガー賞」女子一名に夫人の「フリーダ・フェンガー賞」を贈り、今後の精進を期待することにしたものである。以下は、授賞者たちの発表内容の要約である。（写真は授与式）

わが家の放牧方法と使用器具
集約的な草地利用 将来の放牧に明るい見通し

北海道根室支庁別海村
高丘4Hクラブ　加藤忠博

わが別海村は、酪農一色の経営内容である。現在、草地面積の増加に比べて乳牛頭数の伸びは大きいが、草地面積は飼養頭数に比較して余裕がある。

しかし、近い将来、草地利用の集約的方法が必要となる。その練習として、ストライプグレージングを試めしてみることにした。

わが家の放牧の足あとは、❶繋牧❷全面放牧❸輪換放牧と変わってきた。

ストライプ（帯状）放牧とは、草地の高度な集約的利用を目的に行なうもので、過放牧をさけ、排糞尿を少なくして不食草をなくすための、時間放牧および適当な草生状態の維持につとめる施肥管理を行なうことによって、小面積でたくさんの牛を飼い、牧草地を長持ちさせる放牧方法である。

その方法は、一日一日、帯を移動し、常に二〇～三〇㌢の草丈で採食するようにする。季節的な草の伸びの変化があるので、その都度の草生を見極め、適当に牧草地区割を変えてゆく判断が必要である。

実施計画

一、放牧地の選定は、家の近くであること、イネ科、マメ科の割合が良く草の密度が濃いこと、ラヂノクローバが多いこと、牛の出入りが容易であることなどを考慮する。

二、放牧地の面積は二・三㌶で、一日分の放牧面積は九㌃とし、放牧地の幅九〇㍍、長さ三三〇㍍、一日の進行一〇㍍（朝五㍍、夕五㍍）とする。

三、放牧頭数は一〇頭とし、一〇㌃当り八〇〇㌔㌘として一日当り七二〇㌔㌘、すなわち一頭当り七十二㌔㌘とし、利用率八〇㌫を見込むと、喰込量五八㌔㌘となる。

四、放牧計画は三週間とし、それを七月十日～八月十日、八月十一日～九月二十日、九月二十一日～十月三十一日までとする。

五、放牧時間は、朝七時から八時まで、午後三時から四時までの一日二時間とする。

実施

一、放牧実施期間　a七月十七日～八月二日　b八月五日～八月二十日　c八月二十七日～九月十一日　d九月二十一日～十月二十日

二、実施面積　一・三㌶

三、放牧実施時間　一日二回　朝七時～九時

四、使用器具・機械・費用

a　ゲートハンドル　一〇円×四本　計四二〇円

b　ポリワイヤー　一八〇〇円　計一、八〇〇円

c　ワイヤーたるみどめ金具　三〇〇円×四円　計一、二〇〇円

総計三、四二〇円

ゲートハンドル

ナスカン　バネ　パイプ　ボルト

ポリワイヤー

ワイヤーたるみどめ金具

五、牧草地内への牛の誘導 [illegible]

六、予備放牧地（遊牧地） 放牧地だけでは草が不足 [illegible] 較的草生の良い放牧地を [illegible]

七、放牧時の牛の行動 [illegible] りを往復食べる　b つぎに [illegible] 食べる　c 二時間位で非常 [illegible] 備放牧地に入ってからは [illegible] になり、再び採食する。

反省

一、放牧開始時期を誤ると [illegible]

[illegible]

実施放牧図

牛舎　家

放牧終了

進行方向

従来の放牧地

通路

① ② ③ ④ ⑤

ワイヤー

放牧開始

150m

90m

肥料用ビニール袋の利用方法
実用性に富む工夫 見た目にも美しい仕上がり

長野県飯田市
伊賀良4Hクラブ　久保田稲恵　熊谷正子

私たちの飯田市は、長野県の南部に位置し、中央アルプス、南アルプスと [illegible]

[illegible]

動機

[illegible]

製作内容

[illegible]

…、ガソリン使用　早く消える。

…の農家にもある。

…方法　薬品を湿した布でふき…洗う。

取り扱い注意　ガソリンは、毒をおびている。また手のあれを防ぐためにも、ゴム手袋を使用する。火気には、十分気をつける。

製作

一、炊事用エプロン

材料　ビニール袋　一枚　布　少々　ガソリン　八〇cc

経費　ガソリン代　四円

使用　台所の洗いもの　揚げもの

二、洗濯用エプロン

材料　ビニール袋　一枚　布　少々　マジックスナップ　二〇ヶ　ガソリン　八〇cc

経費　ガソリン代　四円　マジックスナップ　一二円　計　一六円

使用　洗濯

三、搾乳用エプロン

材料　ビニール袋　三枚　マジックスナップ　八ヶ　ガソリン　二〇〇cc

経費　ガソリン　一〇円　マジックスナップ　四八円　計　五八円

四、堆肥用エプロン

材料　ビニール袋　二枚　ビニールテープ　マジックスナップ　ガソリン　一〇〇cc

経費　ガソリン代　五円　マジックスナップ　四八円　計　五三円

使用　堆肥出し　よごれ物を持つとき

五、足おおい

材料　ビニール袋　一枚　ガソリン　八〇cc　ゴムテープ　マジックスナップ　六ヶ

経費　ガソリン代　四円　マジックスナップ　七二円　計　七六円

使用　農作業のとき

六、手さげ袋（小物入れ）

材料　ビニール袋　一枚　パイレン系　ガソリン　六〇cc

経費　パイレン系　ガソリン代　三円

使用　整理袋　買もの

七、手さげ袋

材料　ビニール袋（色ちがい）二枚　パイレン系　ガソリン　一〇〇cc　板

経費　ガソリン　五円　パイレン系

使用　お茶運び　買物　レジャー

八、野良用座布団（五枚）

材料　ビニール袋　五枚　ガソリン　三〇〇cc　スポンジ（40×40㌢）　五枚

経費　ガソリン　一五円　スポンジ　五〇〇円　計　五一五円

使用　お茶を飲むとき　休憩

九、雨帽子

材料　ビニール袋　一枚　ビニールテープ　少々　ゴムひも　九四㌢　ガソリン　四〇cc

経費　ガソリン代　二円

パイレン　六円

計　八円

十、すだれ

材料　ビニール袋　二枚　ガソリン　五〇cc

経費　ガソリン代　三円

十一、のれん

材料　ビニール袋　一枚　ガソリン　四〇cc

経費　ガソリン代　二円

炊事用エプロン　洗濯用エプロン　搾乳用エプロン　手さげ袋

冷しそうなのれん

結果

❶ マークを消したため、肥料袋とは思えない。

❷ エプロン類、足おおいは気軽に働ける。

❸ マジックスナップを用いたため、着ぬぎが容易である。

❹ 野良用座布団はどこでも気軽に休める。

❺ 袋類は持つ所が丈夫である。

考察

❶ 経済性―安価にできあがる。

❷ 実用性―簡単にできる。

❸ 普及性―見た目に良い―だれにでもできる―どこの家にもある。

晴れの授賞をした久保田さん㊨と熊谷さん

気象　[illegible]

営農状況（飯田市）　[illegible]

プロジェクトの取り組み方 展開編（5）

北海道専門技術員　三輪　勲

課題選定 青少年の欲望を考慮
手順はまず問題点の整理から

課題の選定

二、青少年の欲求と課題選定

プロジェクトは、青少年の自発的な態度が基本である。自発性は、青少年の興味や関心など基本的な欲求に対応した指導によって促進される。プロジェクト課題選定の指導に当っては、前号で述べた条件に合わせて次の青少年の欲求を考慮する必要がある。

（ア）安定欲求

青少年は一般に、「あたたかい家族関係の中で暮したい」「グループの仲間といっしょに行動したい」などというように安定感の欲求が強い。とくに年少者の場合この欲求が著しく強い。したがって、家の農作業や家事作業の改善について部分的ではあっても直接の効果をおよぼし、家族から喜ばれるようなプロジェクトが適当である。

たとえば、病害虫の防除、農機具の改良、台所の改善など、比較的短期間で成果を収めることができる改良プロジェクトがよい。家族からの信頼を得たりわが家の農業近代化に直接寄与しているという安定感が高まる。こうした、青少年の安定欲求を充足するプロジェクトに、いっそうプロジェクト実践の自発性が向上される。

なお、安定欲求とともに集団所属の欲求も強いので、青少年グループ活動に参加させ、仲間づくりの活動をもとにして共同プロジェクトの実践に方向づけることも効果的である。

（イ）充実欲求

仕事を完成して成果をあげたい」「両親や友人から認められたい」「自分の考えどおり実行したい」など、青少年には一般に、成就・独立・社会的承認などの充実欲求がある。

こうした欲求の充足には、自己の責任において実施する課題いわゆる生産プロジェクトが適している。この場合、親の経営とは別個の形態で青少年自身による経営が可能であり、しかもその収益を自分の自由にできるときは、いっそうプロジェクトの意欲が向上する。こうした意味で、直接の利益を目的とする生産プロジェクトが適当である。

また、社会的な承認の欲求に対応するものとしては、地域の農業や生活の問題点を解決するプロジェクト、たとえば、部落の土地の酸土検定・肥料の比較試験・農繁期の食生活改善などの課題が適当である。これは、個人プロジェクトよりも共同プロジェクトが効果的であるし、地域の問題解決を図るグループ活動に対しての社会的な信頼もますことになるので、青少年の充実欲求に対応するプロジェクトとなる。

（ウ）発達欲求

青少年の基本的な欲求に発達欲求がある。「新しい経験をしたい」「自分の個性を伸ばしたい」という欲求である。これは自分の興味や関心の強い課題をプロジェクトに選定することによって充足が可能となろう。

たとえば、ミルカーの取り扱い・トラクターの運転・農作業の電化・新品種の試作など、青少年にとって新しい経験となる課題や、青少年自身の得意な領域に関係する課題などを選定させると効果的である。これら、安定・充実・発達の基本的欲求は個々に現われるというよりも相互に関連して現われるのが普通である。指導に当ってはこの点に気を配る必要がある。

三、課題選定の手順

（a）問題点の整理

日常考えていた問題点や実態調査によって発見した問題点を、まず箇条書きにする。この場合、できるだけ具体的に表現することが大切である。問題点の数が多く類似する事項がある場合は、それらの因果関係や相互関係を考えて体系図式を作りそれに基づいて整理させるとよい。

（b）解決方策の樹立

整理した問題点について、その解決のための手段・方法を検討し解決策を箇条書きにする。この場合、一つの問題に対して考えられる解決策をすべて掲げるようにする。この解決策は、プロジェクト課題選定のもとになるわけである。解決策の表現は、簡潔で明確なものがよい。

（c）課題の予備選定

問題点の解決策、つまりプロジェクト課題を検討し、実施可能な課題に○印を、実施が困難なため今後に残しおくものに×印をつけて課題整理をする。この場合、できるだけ青少年の主体性において判断することが大切である。また、自分ひとりでは実施できないが数人の協力があれば解決できるものには△印をつける。

（d）課題の決定

課題の予備選定の結果をもとにして、○印をつけた課題の中からプロジェクトに取り上げるものを決定する。この場合、両親と十分に相談させるとともに、技術上の立場から改良普及員の助言が大切である。課題決定の数は規模によっても異なるが、小規模な課題については過重負担にならない範囲で二～三題を選定することが望ましい。

（e）プロジェクト種類の決定

課題が決定すると自動的にプロジェクトの種類も決められる。課題の領域が一農期にわたるようなものは、生産プロジェクトになるし、種いも消毒などのように単位技術対策の課題は技能補助プロジェクト、施肥改善などは改良プロジェクトの課題となる。

個人プロジェクトの実施が困難な年少者や初心者は、各自の選定した課題を調整して共同プロジェクトを行なわせることが効果的である。また、地域に共通する課題の場合も年少・年長者にかかわらず共同プロジェクトとして実施させるとよい。

プロジェクト課題選定の整理表（例）

部門	問題点	プロジェクト課題（解決策）	課題整理
農産	1．じゃがいもの収量が標準より少ない。	1．施肥改善	○
		2．病害虫の防除	△
		3．湿地の改良	×
		4．種いもの消毒	○
		5．たい肥の増産	○
		6．早期培土の実施	○
	2．自給飼料が不足しがちである。	1．牧草の増収	○
		2．草生の改良	×
		3．乾草の調製	○
		4．デントコーンの栽培	○

（注）○実施可能　×実施困難　△協同実施

新しい農業を考えよう

協業や請負耕作など規模拡大は切なる願い

栃木県足利市 さつき4Hクラブ 柳生昇太郎

私たちが希望を持って従事できる農業とは、いかなるものなのでしょうか。またそうするために私たちは、どのような方法を考えたらよいのでしょうか。この問題は、私たち農村青年にとって重大な課題だと思います。

社会状態が複雑化して、農村から他産業へと若い青年が急激に吸収されている昨今であります。今までのように農業も小規模経営では、安定した生活を託することは困難になります。

事実現在の経営は、無計画にも小さい土地へ多くの労力を費し、最大な利益をあげようと考えてきたのが実情です。しかしながら今日のように、人手不足による労賃のはねあがりなどから考えても、より多くの労力を投入することは不可能になります。

したがって、機械導入により労力を節約を図ってみても収入の半分は、機械類の購入費に回ってしまいます。これでは労力を節約した意味がうすれ、合理性のある農業経営とはいえません。

私のように農業一本で生活を立てようとする者にとって、農業経営の規模拡大は、機械力の合理的な利用の点から考えても切なる願いであります。

しかし、規模拡大にも沢山の問題点があります。まず資金が必要となります。現在の農地価格を例にとってもわかるように、土地を拡大するにはほとんど不可能に近い状態といえます。

他産業では、科学が進み専業化分業、企業の合併などますます改善されて年々盛んになっているというのに、私たちの農業は、どんどん時代に流されて農業はとり残されてしまうでしょう。

したがって、私たちが望む規模拡大も現在の社会状態では、実現できないと思います。資金問題を初めとして農地の流動、法律の問題など規模拡大を拒む要素がたくさんありすぎます。

しかし、現実に私たちは農業を発展させる者として、この問題と取り組んでいかなくてはなりません。

そこで私たちにできる方法として、若い仲間が話合い、考え合い[illegible]とくに共同作業を行なうことによって、複雑な人間関係にお[illegible]が生まれ、さらに計画的、科学的な農業経営が成り立つと信じています。

これらの問題をさらに検討[illegible]私は近い将来、協業やうけ負耕作などが進められ、心から望んでいる規模拡大が生れてくるのではないかと信じています。

その実現にはどうしても私たち青年の力の結集以外方法はありません。

たえず科学的な方法で新しいものを求め、改善する中に私たちが心から望んでいる新しい農業の道が開けると思います。そのために私たちは考える農民、協力する農民となるため、4Hクラブに学習と訓練の場を求めて実践活動に励んで行きたいと思います。

わがクラブわが同志

汗

青山政夫

おれは汗が好きだ
にじみ出る汗
ぼたぼたと出る汗
いろいろな汗がある
そんな汗が出るときこそ
自分のやりがいのある仕事を
やっているときだ
だから好きなのだ……
汗をかいて一休み
なんともいえないな……

（栃木県足利市 筑波4Hクラブ）

臨時総会で 名称を4Hクに

自主独立の精神を高揚

専門部制とる佐賀県唐津地区連

佐賀県下においてもっとも大家族を有する唐津地区4Hクラブ連絡協議会（会長、森武則君）は、昨年五単位クラブ六十五名のクラブから、役員と普及所が仲間づくりに努力したかいがあって、今年度続々とクラブが誕生、現在では十七クラブ、百八十名と三倍の4Hクラブの仲間が増加しました。

森会長ら役員は、活動方針として次のようなことを掲げています。

「私たち4Hクラブ員は、自からが確立したクラブ活動をより強く展開すると同時に、クラブ間の連携を密にし存在価値を高めることが必要である。その意味において、自主独立の精神による活動を展開しければならない。

自発的にクラブ活動がなされたとき、初めて4H精神が培われ、4Hの信条が果され得ると信じます。この自主的なクラブ活動こそ近代農業の担い手となる私たちの唯一の学習の場ではないでしょうか。以上の観点にたって今年度の活動を展開する—」

このために同地区連では臨時総会を開催して、従来農村青少年クラブ連絡協議会の名称を4Hクラブ連絡協議会に改称しました。

また、単位クラブに対しては、4H旗を購入し設置するなど4H精神の高揚と、クラブ意識の向上につとめています。

事業面については、去る八月七日、八日、九日の二泊三日間「クラブ員の集い」を開催しました。

これは各部落の公民館を利用して分宿しながら「あとつぎ」「青春とは」などについての話合い、スライドによる学習、スイカの甘味検定、フォークダンスなどを行ない、夜はOB会員や一般の人たちに呼びかけ二百名ほどの参加を得て、郷土芸能などでキャンプファイヤーを盛大に行ないました。

4Hクラブ旗も女子クラブ員の実習でできあがり、ソフトボール大会では優勝旗を先頭に地区連旗、各クラブ旗のもとにクラブ員の入場行進を行ないました。選手宣誓では「私たちクラブ員は4Hの信条にのっとり、4Hの誓いを新たにし、このソフトボール大会で友情を深めます」と4Hクラブならではの宣誓が行なわれた。

同クラブ執行部では4Hクラブ旗ができたことで、より正確な4Hクラブの理解が深まり、活発な活動ができるものと期待しています。

このクラブの執行部会の構成は会長、副会長（男女各一名）、書記（二名）、会計、監査、幹事となっていたものを臨時総会で、書記会計を事務局とし、連絡の徹底と事務の効率化を図りました。

また監査、幹事を監事一本にし、総務部、プロジェクト部、文化部、婦人部と専門部を設け、それぞれ部長制をしき、4Hクラブの生命であるプロジェクト活動を強力に推進しています。

なお地区連としては、先項行なわれた「全国4Hクラブ員富士登山のつどい」（主催、静岡県北駿4Hクラブ）には、森会長ら五人がはるばる乗用車で富士の裾野までのりつけるなど、対外的なクラブ活動にも積極的で、こんごの唐津地区4Hクラブ連絡協議会の活躍が期待されています。

岐阜 武儀4H連協発足

武儀県事務所管内の4Hクラブは、このほど同事務所で役員会を開き「武儀4Hクラブ連絡協議会」を結成した。これは関市、美濃市、武儀郡の4Hクラブの親睦と相互の連絡は図るため組織されたもので、役員を選出したあと、4Hクラブ研修会など今年度の事業計画などが決定された。

役員は次のみなさん。

会長＝上野正明君、副会長＝河合将雄、渡辺賢治の両君。

さとびとのうた

[illegible]

全国大会に思う

[illegible]

東南アジアを訪問して（十四）

視野を広める試練

この体験を人生航路に

埼玉県入間郡富士見町 南畑・青年の船派遣団員 砂川みさ子

帰国してからはや半年がすぎ、このレポートも十数回を数えることになりました。最初から一つ一つ思いかえしてみると、まだまだたくさんのことが浮んできます。

日本の尺度で計れない

日程の約半分をすごした船内生活の喜びや苦しみも、訪問国を中心に書いたために余りふれることができませんでした。船内で活躍した農業青年や"さくら会"のことにも、もっとふれて私の体験したことのすべてをみなさんに知っていただきたかったと思っています。

でもレポートを書くにあたって頭の中で整理することができず、文章にならないことが多く、青年の船のすべてを伝えることが出来なく心苦しい次第です。

前にも少しふれましたが、青年の船を通していろいろな体験から自分の真の姿を知り、日本のほんとうの姿をみたように思います。

私たちが訪れた東南アジアの国々において、たしかに物質的、文化的に人々は貧困かもしれません。しかし、心の中までは貧困ではないと言われたことが私の頭から消えません。だからといって東南アジアの国々が今のままで良いというわけではないのです。

しかし、彼らには彼らの生活があり、幸せがあるのだということを理解し、けしてこのことを日本人の考えや尺度で物ごとを計ってはいけないと思います。

重要視された農村青年

人間のほんとうの幸せということについて、これほど考えさせられたことは今までにありませんでした。

農村青年の私にとって何よりもうれしかったのは、他産業の青年たちが私たち農村青年を良く理解してくれたことでした。

神戸での別れのときにいわれた言葉一つをとっても、うなづけると思います。農村男性が団員の約三分の一の比率なのに対して、農村女性は団員の一割にもたりない僅か六名でした。そんな中で私たちが重要視されたのはやはり真剣に農業に生きるという熱意を認めてくれたからだと思います。船内で「農村青年はみんなしっかりしている」という声を何度も耳にしました。

農村青年にふれたことのない、大部分の女子団員が農村青年の良さをみいだしてくれたことは、けして世辞でなく、ほんとうの姿を読みとってくれたのだと信じています。

成功に終った青年の船

この"青年の船"で学んだことはたくさんありました。どれ一つをとってみても貴重な体験であり、すばらしい思い出です。帰国して、外国に行った娘ということで色めがねで見られたこともありました。私から遠のいた友もおります。非常に残念に思っています。今の私は一人の農村女性であり、一人の4Hクラブ員であり、ただ機会に恵まれて二ヶ月間友たちと少し異った花嫁修業を積んだのにすぎないのに—。

第一回の青年の船派遣事業は、大成功のうちに終りました。このレポートがみなさんの目にとまる頃、私たちにつづいて第二回の青年の船が出航すると聞いています。また今度の計画でも私たちのような幸せ者が数多くでるのが楽しみです。

この船で学んだ成果は、これからの私たちの人生航路にとって大きな励みとなり指針となりましょう。その生活の中ではっきり自分を見きわめて、この体験を充分に活用して行くことが必要です。

とかく農村の青年は視野がせまいといわれますが、事実せまい農村環境や職業観にとらわれていると、自分で気づかないうちにその環境に左右され、井の中の蛙になりがちになります。したがって環境の異った世界に自分を投げ入れて、自分自身をはじめすべてのことを反省し考えてみることによって、おのずから新しい視野が開けてきます。

その意味からしても、この青年の船は私たちに夢と希望をあたえてくれました。ますますこの事業が発展することを祈らずにはおれません。

海外は私たち日本の若者を待っています。さあ、みなさん村にとじこもっていないで、自分の試練の場を求めて飛びだしましょう。

最後にまとまらないレポートながら読んでいただいたみなさん、そしてご支持して下さった方に厚くお礼申しあげます。以上をもって十四回にわたった青年の船派遣団員としての報告を終ります。

親しい仲間と涙の別れ

青年の船最後の訪問地、沖縄を出航してから天候が悪くなり、海はひどく荒れ、船酔いに苦しめられ、荷物の整理すら思うようにできなかったのも今は懐しい思い出の一つとなってしまった。そのため、神戸には予定よりかなり遅れて帰国しました。

大歓迎のうちに二ヶ月ぶりに、日本の土をふむことができた。

解団式をおえ、お別れパーティが開かれた"相楽園"で、出迎えの父母の姿を見たとき、急に夢の中から現実の社会に引きもどされたように思いました。

二ヶ月間の生活を共にするうちに、仲良くなった友だちと笑って別れようと無理をしたが、ある東京の友だちから「貧乏を見ていると私まで農家にお嫁に行きたくなりました。ほんとうにありがとう」と、お礼を言われたとき、別れという悲しさと私たち農村青年を理解してくれたといううれしさで、彼女の肩で思いきり泣いてしまいました。

女性ばかりでなく、男性が泣いて別れを惜しむ姿が今でも思い出されます。

相楽園をあとに、二ヶ月ぶりに親子三人で静かな宿におちついて異国での話に花を咲かせて楽しい一夜をすごした。翌朝、湊川神社に参拝して家族の待つ故郷へと急いだ。

青年の船"さくら丸"のデッキに立つ砂川さん

映画 薄幸少年の人生

オリバー！（コロンビア映画）

一人の善良な女が、暗い救貧院で子供を出産したとき、母親の命は消え、オリバーが誕生した。

数年が過ぎ……オリバーは、入札で最高の値をつけられた葬儀屋のサワベリーに買いとられていった。オリバーは、毎日、こっぴどくサワベリーの助手に痛めつけられた。その果ては鎖で地下につながれる始末になった。

そんな仕打ちに耐えられなくなったオリバーは逃げ出すことに成功、ロンドンに第二の人生を求めそこで腕ききのスリ、ドッジャーの仲間になった。さらに兄貴分のフェイギンにスリの手ほどきをうけることになった。オリバーは自分でも気づかず悪の道に誘われていった。

スリの現場で、オリバーには二人の友だちができた。暴れ者のサイクスとナンシーだ。つらい毎日が続くオリバーにとって一番の慰めは、同情したナンシーが優しくいたわってくれることだった。

オリバーの初仕事だが、ツイてないオリバーは、見事捕まってしまった。被害者はブラウンロウという金持で、オリバーを悪の世界から引きとり、自由の生活をあたえてくれた。

新しい生活を始めたオリバーはサイクスやナンシーに見つかってしまった。オリバーは、ブラウンロウ氏に不信の念を残したまま、自分自身の自由を求めたのだ。

ブラウンロウ氏は、かってオリバーが身を寄せた救貧院を訪ね、オリバーの姿を探し求めた。そこで思いもよらない事実を知った。

ブラウンロウ氏は、オリバーの叔父であることが判った

オリバーの母親が、息を引きとるとき葬儀屋のサワベリーに残したロケットからブラウンロウ氏が実は"オリバーの叔父"だったことが判った。ブラウンロウは、やっと頭の霧が晴れたような気がした。今こそオリバーは救われるのだ。

しかし、サイクスはオリバーを捲きぞえにして強盗を働き、事態はますます悪くなっていった。不運と不幸が、オリバーをどこまでも追ってくるようだった。

ナンシーは、どうすればよいか分っていながらオリバーを助けることができない。また放っておいたらオリバーがだめになると気が気でない。

思いあまったナンシーは、ブラウンロウ氏を訪ね、オリバーをロンドンまでつれて来る約束をした。ナンシーは、サイクスの眼を盗んでオリバーを誘い出した。

"私の家へ行きましょう"といってオリバーを信用させたのだ。

ところが、ロンドンへ向う二人のあとを、サイクスがつけてくるのを二人とも気づかなかった。そして冷酷にも、彼女に裏切れたと誤解したサイクスは飼いならしたブルザイ犬を使ってナンシーを殺してしまった。

だが、ついにサイクスはブラウンロウ氏に探し出された。警官と市民がいっしょになりオリバーがつれ去られた隠れ家へサイクスを追いこんだ。

必死になったサイクスは、オリバーを人質にして、ロンドンの屋根づたいに逃げようとした……。

日本4H新聞

4Hクラブ 農事研究会 生活改善グループ

全国弘報紙

発行所 社団法人 日本4H協会
東京都市ケ谷家の光会館内
電話(269)1675郵便番号162
編集発行人 玉井光
月3回・4の日発行
定価 1部 10円
6ヵ月180円(送料共)
一ヵ年360円 〃
振替口座東京 12055番

クラブの綱領

私達は実践を通して自らを磨くとともに互いに力を合わせてよりよい農村、よりよい日本を創るため四つの信条をかかげます。一、私達は農業の改良と生活の改善に役立つ腕をみがきます。一、私達は科学的に物を考えることのできる頭の訓練をします。一、私達は誠実で友情に富む心をつちかいます。一、私達は楽しく暮らし、元気で働くための健康を増進します。

いよいよ27日出発
「青年の船」団員の同志

青年に夢をもたせ、幅広い視野と教養を身につけさせようーと、政府が明治百年記念事業の一つとして実施する第二回の「青年の船」は、全国の青年代表と関係者三百三十人を乗せて、いよいよ来る二十七日午後二時、東京・港区の晴海ふ頭から東南アジア諸国歴訪の旅に出発する。

この「青年の船」には、全国4Hクラブ連絡協議会（丸山勉会長）から北海道の宮森さち子さん(ニ三)ら八名の4Hクラブ員が一般派遣団員候補に選ばれ、静岡県御殿場の国立中央青年の家で約一週間にわたって開かれた事前研修を受けていたが、その結果、正式に団員として決定された。また、班長候補に選ばれた社団法人日本4H協会の吉田俊一広報部員(ニ三)＝本紙記者＝も正式に班長に決定された。

全協推せんの団員に選ばれたのは▽宮森さち子さん(ニ三)北海道美唄東栄、美唄市4Hクラブ▽渡辺善伸(ニ三)宮城県仙台市荒井字堀添一六、仙台市七郷4Hクラブ▽木村豪志男(ニ三)埼玉県児玉郡児玉町河内三四、児玉町4Hクラブ▽林忠義(ニ三)岐阜県恵那市笠置町毛呂窪、黄金4Hクラブ▽林治三(ニ三)三重県員弁郡藤原町上相馬、三重県連役員▽秋光征四郎(ニ三)広島県豊田郡瀬戸田町大長五九一〇、大長果樹青年同志会▽門脇槇夫(ニ三)高知県香美郡土佐山田町平山、土佐山田4Hクラブ▽広重一信(ニ三)福岡県三潴郡三潴町玉満三四三九、三潴町地区4Hクラブ＝の各君。

一般派遣団員、班長ともに、東南アジア諸国についての知識を養うため、出発までにそれら諸国の経済や政治などに関した多数の書物を読破する義務が課せられており、ともに稲刈りなど農産物の収穫で忙しい仕事の合い間をぬって猛勉強を重ねている。

団員は、二十四日から再びオリンピック記念青少年総合センターで事前研修を受けて最後の準備を整え、直ちに青年の船"さくら丸"に乗船することになっている。

この「青年の船」は、船内における各種の研修や規律ある団体生活を通して青年の心身を鍛錬するとともに、巡航先における各国青年との交歓、日本文化の紹介、各地の視察見学などによって国際的視野を広めさせ、次代をになう中堅青年の育成を図ろうというもの。

今回も、昨年と同じく中華民国（台湾）、フィリピン、タイ、シンガポール、マレーシア、インド、セイロンなど東南アジア七ヵ国を五十三日間にわたって巡航することになっている。

「青年の像」建設を計画　佐賀県連

【大分】大分県農村青少年クラブ連絡協議会（会長、坂井邦夫君）では「土に生きる青年像」を建設することになり、いま県内約二千のクラブ員に呼びかけて準備を進めている。土に生きる仲間たちの友情と勤労を現わした等身大の立像を計画しており、来年三月、佐賀郡川副町南里、県農試研修館に建設の予定である。

建設資金三十万円で、"米一升運動"を展開したり、マッチ三万個（一個十円）を売って集める計画。

京風暖風

結婚のシーズンである。クラブ活動や交歓会を通して知り合い、みごと彼女や彼氏のハートを射止めた者、親や知人の紹介で見合をし、一目で惚れ合った幸わせ者、その見初めやいきさつはどうであれ、当事者たちにとっては一世一代の晴れの儀式である。

当節は、何でもあちらのマネをして、二人で「誓いの言葉」なるを読みあげたりするのが流行っているようだが、天上でこれを見ているバッカスの神は、おなかをかかえて笑っているそうである。なぜならば、男も女も、もともと「誓い」を守ることなどできはしないからだそうである。

とはいえ、新婚早々は、まわりの連中を羨ましがらせるもの。"二人のために世界はあるの"などといってのぼせているのを他人が嫉んで少々水をぶっかけたところでそうたやすく熱が下がるわけはない。

ところがである。これほどまで相思相愛の仲であったものが、数年経ち、子どもが二、三人もできる頃ともなれば、ある人の例だが、つぎのようなことになりかねない。

現実は厳しい

妻ーねえ、どうして話をしないの？

夫ー（プロレスか野球の視聴に熱中していたのを妨げられて）うむ？

妻ーどうして話をしないの？

夫ー別に、話すこともないじゃないか。

妻ー愛していないからよ。

夫ー（すっかり邪魔をされ、当惑して）バカなことを言うな。おれがほかの女とつき合っているかい？　お金をごまかしているかい？　お前と子どものために骨身を削って働いとらんかい？

妻ー（理論的には納得したが、なおも満足しない）でも、何か話してもらいたいのよ。

夫ーなぜさ？

妻ーなぜでも。

この人の調査によれば、夫との雑談がいちばん楽しいという妻は、三十代でさえも四人に一人、それから年をとるにつれてだいにへってくるという。

現実は厳しいものである。この秋、式を挙げようとしている人、これから嫁（婿）探しをしようとしている人たちは、このことをよく肝に銘じて、かりそめにも、一時の感情に惑わされることなく、この人となら一生のつれとして絶対に悔いはないという人であるかどうか、もう一度よく熟慮してみるべきである。人生は長い長い二人つれの旅なのだから。

組織の強化を再確認
中四国ブロック会議開かる

全国4Hクラブ連絡協議会の大きな事業であるブロック4Hクラブ推進会議の一つー中国四国ブロック会議は、全協と徳島県農村青少年クラブ連絡協議会（会長、河崎嘉宏君）の共催によって、さる八月十三、十四の二日間徳島県名西郡石井町の子安大師で開催された。

この会議には、徳島県と県外から各二十名が出席、丸山全協会長や森田中四国ブロック代表評議員を迎えて開かれた。

一日目は、正午から開会され、自己紹介に続いて各県連（高知、香川、愛媛、徳島、島根、鳥取、広島、山口、岡山）の情報交換、全協活動方針の説明などが行なわれた。夕食は女子クラブ員による手料理ですませ、七時からレクリエーション、九時から県連会長会議を開いて、組織の強化を図ることを再確認した。

二日目は、午前八時からバスで優良農家を訪問して勉強、このあと全国的に有名な阿波踊りと鳴戸観潮を心ゆくまで楽しみ解散した。

（徳島県連事務局長、近藤官正君より）

農林大臣の講演予定
全国のつどいの運営委を奈良で開く　日程を一部変更

全国クラブ員の一大祭典ー「第四回全国4Hクラブ員のつどい」は、全国4Hクラブ連絡協議会（山田高作会長）社団法人日本4H協会（松下幸之助会長）の主催によって、来る十月七日から三泊四日の日程で奈良市を主会場として開催されるが、主催者側では、さる二、三の両日、同つどいの事務局に予定している奈良市の「猿沢荘」で運営委員会を開き、開催要領など細部にわたって検討するとともに、会場を下検分し、本格的準備体制に入った。

車による参加は遠慮を

この運営委員会には、全協から丸山会長ら執行部五名、奈良県連から山田会長ら役員十数名、4H協会から山本総務部長ら職員二名、それに奈良県から奥畑青少年担当官が出席。まず開催要領について奈良県連から示された細則をもとに検討した。

その結果、行事、日程ともすでに発表されたものと余り変らないが、西村農林大臣の出席がほぼ確実になったことから、同大臣の講演を第一日目に新たに加えることになったのをはじめとして、二日目の午後、平城宮跡における記念植樹のあとに予定していたシンポジュームを取り止め、一日目夜の話し合いをその時間に当て、一日目の夜は自由交歓の時間として都道府県ごとに郷土品の交換をすることなどを決めた。

また、興味深い呼びものとして期待されていた鹿寄せを中止し、最終日に予定していた反省会はアンケート調査に替えて、その時間は「奈良・大和」と題する映画を観賞することになった。

鹿寄せは、空腹の鹿をラッパを吹いて呼び寄せるものであるが、鹿の角切りを間近にひかえて角が相当のびていて危険であると判断したため、中止となったようである。これに替るものとして祝祭日と日曜日に行なわれる鹿の角切り見物があるが、現地交換訪問二日目の十月十日（体育の日）が初日であるため、日程の中に組み入れることは不可能である。しかし、奈良市を中心とした地域を訪問する参加者は、スケジュールのもち方によって見物することが可能である。見物料は前売が八十円、当日券は百二十円で、角切りは午前十時ごろから開始されるという。

このほか開会式では自衛隊音楽隊の演奏、開会式終了後に奈良県の農業祭に協賛して奈良県連が実施する花自動車によるパレード、松下会長の講演のあとに郷土芸能の披露などが計画されている。

雨天対策としては、奈良公園と平城宮跡を会場とする二日目だけであるが、県公会堂で二日目のスケジュールに準じて行ない、スケッチを中止し、話し合いの時間を大幅にふやして分科会と全体討議を行なうことにした。

明治百年とつどいを記念して植樹する木は「あすなろ」と奈良県木の「彩」が候補にのぼったが、結局「あすなろ」になるもよう。

現地交換訪問は、奈良県のほか京都、大阪府連でそれぞれ四十名を受け入れることになった。

また、レクリエーションの指導は、大阪府立活動センターの松田稔所長に依頼することになった。

宿泊所は、三山旅館（百十名収容）古市旅館（七十名）春日野荘（百十名）猿沢荘（五十名）万葉荘（六十名）保養センター（百名）の八ヵ所で、保養センターだけが奈良市の中心から離れているため送迎にバスを使用する。

さらに会場が全国有数の観光地であり、開催時期がちょうど観光シーズンにあたるため駐車できる場所が殆んどないので、車で参加しないよう全国クラブ員に呼びかけることになった。

最後に、会場に予定されている奈良県文化会館はじめ奈良公園、若草山、別名"三笠（みかさ）山"、飛火野、県公会堂、平城宮跡を視察した。

開会式や講演の会場となる文化会館は本紙六月二十四日号で紹介したように、この六月にオープンしたばかり。五重の塔や猿沢の池近くの県庁西側に建てられたもので、総工費十二億五千余万円をかけた施設だけに文化の殿堂にふさわしいデラックスなもの。とくに大ホールは、周囲の壁に防音つきのアル棒をはりめぐらせて音響効果を高めており、イスやじゅうたんは若草山グリーンで統一し、さながら竹林の中にいるような雰囲気である。座席は一、二階あわせて千四百八で、このほか補助席九十六があり、万国博に備えて国際会議用のイヤホーン設備も用意してあるという。

県公会堂は木造の古い建物で何十畳敷きという広さ。若草山はご存知のように芝生におおわれている有名な山。平城宮址は、本紙前号で山田奈良県連会長が紹介したように、奈良朝時代七十四年の間、都のおかれたあとで、東西約四・三キロ、南北四・七キロの広さ。数年前から史跡の発掘調査が始まり、水田地を買収しただけあって見渡す限り平坦地。その一角に二本松の立つ長方形をした芝生の小山だけが目立つ。いま建物が主だったところが植えられているが、その上に立つとき、歴史深くひきずり込まれていく。

この歴史の刻み深い古都、紅葉に染まる大和路に全国の仲間が集まり、ともに語らい、日ごろ磨いた知識、技術を交換し、友情を深めることができたらどんなにすばらしいことであろうか。高い代価を払っても参加する価値があろう。全国から一人でも多くのクラブ員と家族、関係者が参加されるよう望まれる。

なお、奈良県連では、全国の仲間を迎えるこのつどいを成功させるため、山田会長を陣頭に約六十名の役員が中心となっていま全力を注いで準備を進めている。

平城宮跡を下検分するつどいの主催者

友を迎える日のために（中）

奈良県4Hクラブ連絡協議会会長　山田高作

若い息吹きを注ぐ
先輩の築いた礎えの上に

"企画にとり組んで"

自らの手で企画、運営し、自らの経費をもって参加するーと掲げて出発した全国のつどいも、大分、埼玉、富山各県と回を重ねて第四回となる。それぞれの受入れの当番県連および近隣県連の特色を生かし、色々な雰囲気のもとに、なごやかに実施されてきた。その特色は、各県連さまざまの歴史と現状を背景に、クラブ員の総意がにじみでてきたのである。

さて、われわれ奈良県連が受入れに同意してからこのかた約一年の間、北陸のつどいからバトンを渡され、責任感と希望の両面を持ち合せて進んできた。ときには慎重にことを構え、ある時は大胆に計画を作成し、次第に意識も盛り上がるようになってきた。

それらは、ただ県連側企画委員会での計画作成が頭の中だけではなしに、これらを取りまく環境と先輩がこつこつと築いてくれた歴史を礎石として確固たる基盤の上に描かれたものである。

今回はその歴史を紐とき、歩みをふりかえってみよう。

"県連の歩んだ道"

昭和二十三年、市町村あるいは大字を単位とし、一斉にスタートした各農村青少年クラブ数は、県下において三百弱といわれている。終戦後の増産一本やりの先駆者としての活躍は、クラブ員数五千弱の記録からもうかがえる。やがて、統合整理や郡市の連絡協議会が結成され、昭和三十年九月十日には県議において四千三百人、二百余クラブのサービス機関として奈良県農村青少年研究会連絡協議会がうぶ声を上げたのである。初代浜田会長（山辺）を中心に副会長、理事約十数名の構成でのスタートである。同時に各地区での指導者研修会が開かれたり、機関紙の発行も盛んになった。県連機関紙「みどりの奈良」も情報紙として多数発行された。当時もやはり、単位クラブの充実をスローガンに自力での活動が強く望まれていたようである。全国的に拡がった"クラブの宿"運動推進も積極的にとり入れようとしていたようだ。盛大に研究会、実績発表大会が開催されたり、初のクラブ代表の渡米実習生として約八ヵ月カリフォルニアへ滞在した先輩もいたのである。総会、クラブ員大会の開催と基本的な行事も軌道にのり出し、第三回代議員大会には梅本会長（磯城）を選出し、基礎が固められた。第一回県外派遣研修生十名が特産地へと約三ヵ月間にわたって出かけたのもこの頃であり、改善結婚式や"大和カユ"追放にのり出したりもした。

しかし、クラブ結成十周年の三十三年には、増産一辺倒の技術オンリークラブ活動には、ややもすればいきづまりが多くなってきた。利己主義的な考えが頭をもたげ、目先の損得に走るクラブ員が多くなり、特に戦前"大和西瓜"として名を博した特産品も、戦後人気が落ち、検査と条例によって品質管理をするに至った事実もあり強く農民の再教育が要望される時を迎えたのである。だが、"人物をつくる"という抽象的な方向づけは、当時の農民感情からしてみるべき成果がなかったようでもある。総数三千を下り二千人、そして一千台にも減少したときは県連の実質的な活動も半ば停滞していた感もある。

その後、地区ごとに存続していた健全なクラブを総合整理し、新たな企画のもとに再出発の意欲を高らかに揚げたのは三十七年、八年頃であり、実質的な現在の県連としての基礎ともなった。

四十年度、飯田会長（郡山・[illegible]全協副会長）らを中心にリーダー[illegible]

りなき前進を願う"農業者"の意気を示した"4Hの塔"を、県下全員の米の持ちよりによって集めた資金でもって建設したのである。

全国に先がけた「4H週間、4Hの塔」と華やかさと同時に、日頃のプロジェクト活動と両立する活動をねらいとして取り組んできた。クラブ員数こそ七百名余と大規模ではないけれど、この奈良の地に息吹きを上げつつある若者の姿を、今後とも長く、続け向上させていきたいと思っている。

全国のつどいにはぜひ参加して下さい。都市化と両立させて、張切っている県下クラブ員の話し相手としてあなたをお待ちしております。

クラブ員の米の持ち寄りで出来上った「4Hの塔」の除幕式

健康診断や施設慰問
大阪の「4H月間」各地区連が活躍

【大阪府＝松村一弥連絡報道員発】大阪府農業生活研究クラブ連絡協議会4H部（部長、長滝谷正行君）では、八月中、第二回目の「4H月間運動」を府下全域にわたって花々しく展開し、多くの成果をあげた。とくに、各地区でそれぞれ独得の催しを行ない、4HのPRや奉仕活動につとめた。

泉南地区協議会では、八月十九日、車によるパレードによって、野井戸や野ツボに子どもたちが近寄らないよう呼びかけ、危険防止のパンフレットをくばって回った。

大阪・泉南地域連は、子どもの施設慰問を行ない、日かげにある人たちを元気づけ、農作物が育つように、一日も早くすこやかにのびのびと育ってもらうよう子どもたちと楽しく過ごし、有意義な一日をおくった。

南河内地区連は、こんどう山に登山し、ハイキング道に道路標識を立てるとともに、ゴミを集めて美化につとめた。

中河内地区連は、健康に関する面において農家が都市の家庭に比べて非常なハンデキャップがあるため、それを克服しようと、地区クラブ員全員が参加して健康診断を実施すると同時に、保健衛生に関する映画を上映して健康増進につとめた。

北河内地区連では、クラブ員が農産物を持ち寄り、それを市価半値で直売し、生産と消費が結びつくきっかけをつくった。

また、豊能地区連は、新加入クラブ員との親ぼくを図るため、クラブ交歓会を実施した。

このように、各地区連がそれぞれ独自に意義ある催しをくりひろげ成果をおさめた。

なお、二年後大阪で開く「万国博に花と緑でうずめる運動」をおし進めるため、各地区連がそれぞれ花の種五百個を用意して、施設、学校などの公共施設はじめ学生や主婦にくばり、一本でも花や緑を多くふやそうとクラブ員全員が頑張った。

親と子の対話など討議
埼玉　春日部と久喜地区連が交歓

【埼玉県＝猪鼻文明連絡報道員発】春日部地区連（みのり会、はげみ会＝代表・大竹茂明君）と久喜地区連（日勝4Hク、大山4Hク、篠津4Hク＝代表・大高馨君）との交歓会が、さる八月二十四日白岡町研修所で行なわれた。

交歓会は開会のことば、両会長のあいさつのあとクラブと来賓の自己紹介があり、つづいて五班に分かれて分科会を開き、「親と子の対話」「これからの4H活動」「農村生活の現状と改善」「青少年の男女交際」などをテーマにして話し合ったが、いずれも身近かな問題ばかりだけに熱心に意見がかわされた。

また昼には、同地域が埼玉梨の代表的産地とあって各品種の梨の試食会があり、クラブ員たちは一口食べては感心して舌つづみを打っていた。

午後からはレクリエーションに入りゲームやフォークダンスに心も打ちとけて交歓会は最高潮のうちに終わり、また逢う日を誓い合い、別れを惜しみながら別れた。

心頭技健

「白玉の歯にしみとおる秋の夜の酒は静かに飲むべかりけり」ー若山牧水の歌だが、[illegible]ならではの歌である。ときまさに、天高く値上げの秋。諸物価の先陣をきってビール一本五円の値上げが本決まりする模様だ▼この値上がりについて、宮沢経済企画庁長官にいわせれば、高いものは買わなければよいということになるが、生活必需品といわぬまでもビール一本五円の値上がりは、われわれ庶民にとっては大きな痛手だ。類は類を呼び、こぞってわれわれのささやかな財布の中味を狙ってくるから▼諸物価の値上がりについて、いまさら[illegible]するつもりはないが、労働者のささやかな憩いと明日の労働の活力となるものまでも、奪わないでほしいと訴えたいところだ▼訴えたいといえば、乗客を無視した交通機関の闘争もその一つだ。昨日、いつものとおり国電に乗って出勤したが、国鉄職員の順法闘争とかで時間は遅れるうえ、のろのろ運転と混雑で腹立たしい限りであった▼この運転がいわゆる順法であるというのなら、ふだん乗客に迷惑をかけないときの方が違法だというのか。それに運賃の値上げである。乗客もなれているのか、あきらめきっている姿で、まるで他人ごとのような顔をしている。そのくせ腹の中ではいらだたしさを感じているのだ。人に迷惑をかけて、何が順法だと、みんなで叫んでみてはどうか▼これに似たようなものは、あい次ぐ学園騒動である。彼らの動機やイデオロギーは何であれ、善良な市民に迷惑をかけて平気でいる。むしろ社会改革の先陣に立つ英雄気どりでさえある。そして彼らは民主々義をとなえる。最高の学府に学び、将来日本を背負って立つ人たちである。早く正常化への道を選んでほしいものである▼人は、つまらぬことは、ペースをくすぐず大いにしゃべりまくるが、ここというところでは、あんがい自分の身の安全ばかり考えてダンマリ屋になってしまう。何かを語るにはそれ相当の理論と信念が必要だが、社会の秩序をみだすもの、善良な市民を苦しめるものに対し、それはいけないんだと、大きく口を開きたいものである。

4Hのマークと共に
クラブ活動用品の案内

（単価）

品名	単価
4Hバッチ	50円
レコード盤（4Hクラブの歌・4H音頭）	150〃
クラブ旗 大（72cm×97cm）	330〃
クラブ旗 小（33cm×40cm）	170〃
手拭	100〃
ハンカチ	50〃
ネクタイピン	170〃
女子用ブローチ	170〃
クラブ員専用便箋	100〃
〃 封筒	70〃

◎荷造り送料代百円です。
◎ご注文は代金を振替口座へお払込み を願います。代金着次第ご送品致します。

社団法人 日本4H協会代理部
東京都千代田区外神田6丁目15ー11の705号
振替口座 東京72082番

意義深いキャンプ大会

話し合いでは、クラブ活動や嫁、婿について活発に意見がかわされた

物心両面に大きな効果
「全国のつどい」の成果ここに

愛知県・高豊4Hクラブ広報部長 伴 慎太郎

青い空と白い雲、果てしなく続く砂浜、キラキラとまばゆいばかりの遠州灘を控えた豊橋市伊古部町の海岸。ここで、私たち愛知の精鋭三クラブ―額田、西尾東部、高豊4Hクラブ―の合同キャンプがこのほど二日間にわたって花やかに開かれた。これには額田4Hクから七名、西尾東部4Hク十二名、高豊4Hク二十九名のクラブ員と、飯田雅美県連会長、久野県実全協事務局次長、県青少年係担当者二名、NHK事業部から一名、各クラブ関係の普及所から六名の普及員さんが参加した。テント十五張りからなる大キャンプ村をつくり、国旗と4Hクラブの旗を高く掲げ、エネルギッシュな4Hクラブ員、農村青少年として高橋英夫大会長を中心に進められた。全協と富山県連、4H協会主催で昨年富山で開かれた「全国4Hクラブ員北陸の集い」に愛知県から参加したクラブ員七名の中から、実践活動として持ち出されたこの合同キャンプは、私たち三クラブの一人ひとりにも友情の絆を作り、四つのH、心頭技健の鍛練をさせ、また、クラブ活動の楽しさ、有意義さなどを体験を通して新たに教えてくれた。

一日目 一年越しに計画されたキャンプの日はやってきた。数日前まで台風であんなに荒れていた海が、白粉を撒いたように静かで、真夏の太陽が陽炎（かげろう）を立ち昇らせ、海も空も海岸の草木も、ただ青く南海の楽園のように美しい。役員たちも夜昼、道路打ち合わせに集まったことが報いられた心地で、みんな晴れ晴れとした顔をしている。

午前十時、受付けが始まるとライトバン、乗用車が次々に集まってきた。農家も随分ゆとりができたものだと感心する。

会費を収め名札とおそろいの麦藁帽子をもらった参加者は、孤を描く水平線と砂浜と、打ち寄せる波が一点に集中する西側伊良湖岬や東側浜名湖口の楽しさにみとれていた。十時半からオリエンテーションが始まる。しかしテントが来ない。今朝まで使用していたテントを額田から一時間余の道のりを車で運んでくる。その間にも砂浜にスコップで穴を掘り、その上にベニヤ張りのトイレを建て十六の竹の掲揚塔をたて、石や木を使ってカマドをつくった。やがてテントが着き、キャンプ村をつくり出した。

十一時半からいよいよ開村式に入り、4Hクラブの歌とともに国旗と4H旗を掲揚、潮風をうけてハタハタと大空にはためく。どの顔も微笑み、合同キャンプ参加の幸せをかみしめていた。大会委員長・高橋英夫君（高豊4Hクラブ会長）のあいさつに続いて役員紹介、県の青少年係やNHK事業部の関係者、また普及員、駐在のおまわりさんからあいさつがあった。

十二時、テントの中や木陰から海を眺めながら各自に持参したオニギリにかぶりついた。遠足のように菓子まで用意してきた女子クラブ員もいた。

午後一時から自由時間の中に組まれた常識問題テストが行なわれた。スイカの頭さ、トマトの病名、肥料名、牛、鶏、豚の種類など四十六問が並べられ、クラブ員とともに畑違いの問題に普及員さんたちも首をひねっていた。解答用紙とひきかえにジュースを渡すなどテストとは思えないなごやかさであった。

四時半、待望の地引き網が始まる。金一万円也と値段は少々高いが、地元クラブ員を除いてみんな初めての地引き網である。舟が白波を切って木葉のように波を乗り越え静かな洋上に出て半円を描き舟頭衆が網を入れて帰ってくる。次は自分たちの番だ。ふた手に分かれて砂と塩と汗にまみれて、手にマメのできるほど力いっぱい網を引く。網が網に、そして袋に変ってくると魚がキラキラと光って見える。だが、期待に反して収獲は少なく、小さな魚が大バケツに四杯とカマス、キマ、小サバなどが二杯であった。しかし袋の中ではねる魚を見ると、もう収獲の多少は問題ではなかった。フグを見つけ、叩いたり投げつけて怒らせ腹をふくらませる滑稽な一コマもあった。

夕べのつどいのあと夕食の準備にとりかかる。丘の上から引いたホースから流れる水で米を洗い、ハンゴーで飯をたき、取りたての魚を焼く。中にはスコップを鍋がわりに、塩をふりかけて焼魚のシャレた風味を味う班もあり、美味しいといって喜んで舌づつみをうっていた。

八時、一刻の闇、あたりは幽[illegible]と化した。潮の香と涼風の音[illegible]薄明るく光る波の帯だけが静かな中にうごめいていた。一つの光が近づいて大会委員長の手により、歌ごえとともに四つのHに火がされた。オリンピック聖火のように、片掛けで裸の割れた純白の衣が幻のように浮き出した。火は全員の手に移され四十ものトーチが次々に円陣をなしていった。静かな灯火式だ。やがて薪に火が放され、灯油の煙とともに炎は立ち昇る。「燃えろよ、燃えろ」の歌が合唱されるにつれ明るさをまし黒天に不夜城をつくった。そして歌、ゲーム、フォークダンスなど活動的なレクリエーションがくりひろげられた。キャンプファイヤーも終りを告げて、[illegible]

二日目 [illegible]

感激と4Hの誇りと
岐阜県連の「夏の集い」開かる 熱意あふる参加者

【岐阜県＝松田正治連絡報道員発】岐阜県4Hクラブ連絡協議会（会長、松野芳正君）は、県と共催でさきごろ、郡上郡高鷲村蛭ヶ野高原の蛭ヶ野ユースホステルで県内クラブ員百五十名の参加のもとに「夏の集い」を盛大に開催した。

第一日目は、受付け、開会式、オリエンテーションのあと蛭ヶ野高原の開拓の父ともいわれる大日開拓道の山下勘次会長の講演を聞き、続いて地元クラブ員によって全国的に有名になった郡上踊り、また地元青年によるエレキバンド演奏などが披露され、遠来クラブ員をねぎらった。

夜は夕べのつどいのあと各部屋ごとに自由交歓がおそくまで行なわれた。

二日目は、朝食のあと各地区代表者によるプロジェクトの実績発表が行なわれ、これに対し参加者から質問が出されたが、あまり活発に質疑応答がかわされたため進行係をあわてさせる場面もあり、クラブ員の熱心さがうかがえた。

続いて分科会に入る前に各クラブ員が持ちよったみやげものを交換したが、中にはクラブ員が毎日たんせいこめて作った農産物も含まれていた。

このあと全参加者が九分科会に分かれて❶青年としてどんな悩みをもっているか❷仲間づくりをどのように進めるか❸関係（指導）機関に何を望むか―の三つのテーマについて話し合った。

ついで全国4Hクラブ連絡協議会の飯田副会長から4H会館建設について説明があり、このあと実物鑑定を行ない、夜は集いの呼びものであるキャンプファイヤーがくりひろげられた。四尺近く高く積まれた薪に火がつけられたときには、クラブ員は心のひきしまるのを覚えた。各分科会からスタンツが出され、演ずる者と見る者がとけあい、燃え上がる炎を前に、若人たちの情熱がほとばしり、火を囲んで全員で郡上踊りを踊るときにはクライマックスに達した。

三日目は、バスに分乗して御母衣ダムを見学し、大会の幕を閉じた。

参加者の一人一人が三日間の感激と4Hの誇りとすばらしさを胸に秘めながら、名残りも惜しくそれぞれ帰途についた。

郡上踊りを披露する地元クラブ員＝岐阜県の夏の集いで

「温い批判の声」胸に
技術交換大会の反省会開く 今後の活動へ躍進 愛知県連

【愛知県＝古川優美子連絡報道員発】愛知県4Hクラブ連絡協議会（会長、飯田雅美君）ではこのほど、先に開催した第七回県農村青少年技術交換大会についての反省会を名古屋市の中電ビルで開いた。

これは、今まで県連行事の終るたびに反省会の必要性を叫びながらも、なかなか出来なかったが、「これではいけない」との運営委員の意見から開かれたもの。大会の企画、運営などについて評価、反省することによって、来年度の技術交換大会やこれからの県連行事をより良く、意義あるものにしていこうと話し合った。

当日は、大会の運営に当った県運営委員はじめ、各県連代表の運営委員と、青少年指導係の先生二名が参加し、大会参加者からのアンケートを中心に細かく検討した。

参加者からのアンケートは❶準備について❷開催事項❸生活について❹行事について❺運営について❻その他、希望意見の六項目五十点について調査したため、多くの意見が出され、今後の行事に大変参考になるものと期待される。

クラブ歴が浅く、大会初参加のクラブ員からは大変感謝した意見や勉強になったという意見が多く、また反対にクラブ経験が多くなるにしたがって厳しい批判や意見が出されており、役員一同、参加者からの「温い批判の声」を胸に、今後の活動などについて話し合った。

大会運営にあたっては、事前二度の運営委員会をもち検討して大会に臨んだものの、思うように出来なかったことも数多く、運営委員の任務のむずかしさ、重要さなどを新たに痛感していた。

早くも新年度スタートから半年すぎたとはいえ、愛知県連ではまだ数多くの行事が計画されており、この技術交換大会での経験を生かして今後の行事がより充実したものに出来るよう頑張ることを約束して反省会を終了したが、力いっぱい頑張った運営委員の顔は明るく輝いていた。

"障害克服に団結を"
大阪府連の技術交換大会 技術研究会で強調

【大阪府＝松村一弥連絡報道員発】大阪府連4H部（部長、長滝谷正行君）は、4H月間運動の一環として、さる八月十三日、農林技術センターで府農村青少年技術交換会を開いた。

これには、府下のクラブ員百名が参加し、午前中は技術競技、午後は技術研究会をそれぞれの部会に分かれて行なった。この技術研究会は、クラブ員が近代農業の推進者となるための希望と自信をもつために、その技術をいかに習得するかということについて討議研究したもの。

現在、大阪においては、媒煙、給排水、連作による病虫害、人畜の被害など、農業経営のうえで問題が起ってきている。それらをいかに打開し、克服していくか、それにはクラブ員が手をとりあって他企業に負けないだけの力量をつけることが必要であることを自覚しなければならない、と強調された。

この話し合いによって、よりいっそう4Hクラブ員としての団結を強めるきっかけがつくられたことは、非常に大きな成果であった。

花やかにスポーツ大会開く
宮城・仙台地区連

【宮城県＝庄司健治連絡報道員発】仙台地区4Hクラブ連絡協議会（会長、佐藤浩君）では、さる一日、泉町根白石中学校でクラブ員三十六名の参加のもとに地区スポーツ大会を盛大に開いた。

この日は、さいわい晴天に恵まれ、クラブ員たちは白球に夢を託して若い情熱をみなぎらせた。

一チームに女子クラブ員を一名から二名が加わるように組み合せ、篤志指導者（二名）や農改普及員さん（三名）も入れて十五チームを編成し、午前十時から開会式に入った。

七郷4Hクラブの渡辺君が力強く選手宣誓したあとただちに、一回戦、岩切カリム会Aチーム対六郷4HクラブAチーム、岩切カリム会Bチーム対野村4Hクラブで試合を開始し、常日ごろの農作業も忘れて若さをぶつけ合った。

ソフトボールで一回戦に負けたチームはバレーの試合を行ない、ソフトボールとバレーのそれぞれの優勝チームを出した。

激戦の結果、ソフトでは七郷4HクAチームが優勝、泉町泉愛会が準優勝。バレーでは多賀城4Hクが優勝、六郷4Hクが準優勝した。

午後五時過ぎに全試合が終了、このあと同所で参加者全員が二百円の会費で反省会を開いたが、試合の珍プレーなどに話しがはずんだ。

横のつながり深める
茨城・真壁地区の四クラブ 初のクラブ員のつどい

【茨城】茨城県真壁郡真壁町地区4Hクラブ（椎尾女子クラブ、耕心のつどい、亀熊4Hクラブ、ザ・エリート、真西農事研究会、合計会員五十名）の「第一回クラブ員のつどい」が、さる八月二十一日、中央公民館会議室で開かれた。

午前九時から猪瀬君（ザ・エリート会長）の開会のことばで開会式が始まり、続いて大山君（亀熊4Hク会長）が「この二年間のうちに四つのクラブが誕生し、地区段階での大会などにはそれぞれ参加しているが町の次代の農業を担う青年としての団結が浅く横の連がりも弱い。またクラブの交流などもなされていない現状を反省し、今後は四つの4Hクラブが自分の家の農業や生活の中に生かし自分のために、みんなのために4H活動を通して青年時代を意義あるものにしよう」と力強く呼びかけた。

ついで、クラブ活動の紹介とユーモアをまじえての自己紹介のあと地区キャンプ大会参加者の報告、ついで話し合いに移り、二分科会にわかれて討議した。話し合いのテーマは自由であったが、主なものは❶親と子の話し合いについて❷結婚❸青年のよりどころ―（クラブ活動を通して）など将来の希望や生活について率直にそれぞれ常日頃考えていることなどについての意見を活発に交換し合った。昼食のときもなごやかな雰囲気の中で話題は尽きなかった。その間、一昨年、4H新聞の連絡報道員だった鈴木みかさんから4H活動の紹介と勉強の勧めがあった。

そして午後はレクリエーションを鈴木さん（椎尾女子ク相談役）のリードでゲーム、フォークダンス、民謡にと大ホール狭しと汗を流してハッスル、「つどい」のムードは最高潮に達した。

こうして午後四時、閉会式にうつり、第二回のつどい開催を全員で誓い、県民の歌を最後に楽しく意義あるつどいを終了した。

（真壁地区椎尾女子クラブ会長、大場良子さんより）

知っていて役に立つ話 みんなの保健衛生

快眠で活力を

夏の夜は、とかく寝つきが悪く、また夜ふかしする機会が多いため、睡眠不足がちになっている人も多いと思いますが、睡眠はなににもまして「疲労回復」の薬ですので、よく眠るために家族全員の工夫が必要です。

睡眠がよくとれる条件として次のことがらが考えられます。❶場所は静かで暗く無風にします。❷夜具は清潔でハダざわりよく暖かいものを。❸就寝一～二時間前にぬるめの湯に入浴するとよく眠れます。熱い湯に長く入ると、精神を興奮させ快眠できません。❹汗はきれいにふきとる。❺ハエ、カを駆除する。❻軽い娯楽は興奮を静め、気持を明るくします。❼日中には適度の運動をする。寝る前に濃い茶やコーヒーなどの興奮性の飲みものを避ける。❽規則正しく就寝するようにし、なるべく午後十一時までに床にはいるようにしましょう。

目を大切に

「目は心の窓」といわれますが、美しい目は人をひきつけます。平素から正しい、きれいな心をもつことが大切です。それと同時に、いつも目を大切にしましょう。

目の健康を保つ条件として次のことがらに心がけましょう。❶顔や手をつねにきれいにしておく。❷ハンカチなどはつねに清潔なものを使用し、共同で使わないようにする。❸読書は正しい姿勢、適当な明るさで。❹ときどき目を休ませる。❺近視、遠視など異常があれば専門医の指示を受ける。❻栄養をとり、適当な運動をする。❼光線の強い海岸や雪の上などではサングラスをかける。

4Hくん NO.132

4Hクラブで 除草剤の試験

電気伝導度計による野菜類の合理的肥培管理

高知県香美郡…羽根4Hクラブ 岡村康夫

科学があげた成果 一目で判かる土壌の状態

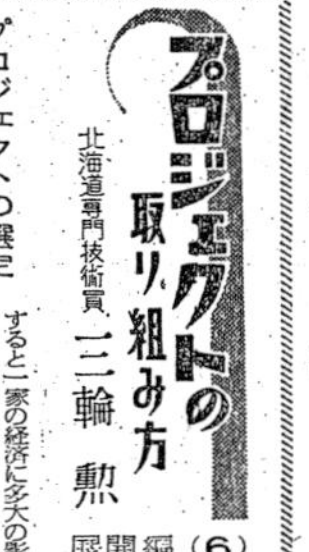

第2図 ECと収量の変化(促成ピーマン)

EC / 収量 / EC限界線

による濃度障害、ガス障害は一件も認められなかった。

このことからも、初めの目的の一つである肥料の無駄を省くという…

…芸組合の指導と協力によって達成できたが、この調査を通じ、クラブ員は、科学的な農業経営に対する認識をますます深め、研究意欲を大いに燃やすようになった。

このような調査結果をもとに、本年度もさらに、この調査を継続し、合理的肥培管理技術をいっそう向上させるとともに、地域の野菜栽培の発展に貢献したいと考えている。

プロジェクトの取り組み方

北海道専門技術員 三輪 勲

展開編(6)

動機や目的を明確に 記録帳は必ずつけておく

…や選定理由をいつも明確にさせておくことが大切である。

プロジェクト選定の理由(記載例)

私が町では、じゃがいもの作付が多いが、一〇a当たり収量は…で、そう多くない。わが家では一・五トンで町平均よりさらに少ない。これの原因は…が多いこと、施肥が不十分なこと、排水不良なことが、おもなものである。私は、これらを改善して収益の増加をはかるために、このプロジェクトを実施することにした。また、施肥…をたてることと、病害判定…技術習得もプロジェクトとしていっしょに実施する。

なお、父の経営によるじゃがいもの一〇a当たり収量に比べて、プロジェクト実施によって増収分は、私の収入にしてよいという約束ができた」

プロジェクト課題の記録(記載例)

区分	プロジェクトの名称	規模	実施期間 開始	実施期間 終了	プロジェクトの到達目標
主プロジェクト	じゃがいもの良質多収(生産プロジェクト)	20a	4月1日	10月下旬	1 生産目標 10a当たり 2,000kg …
副プロジェクト	じゃがいも畑の施肥改善(改良プロジェクト)	20a	3月1日	5月中旬	…について実施する。
副プロジェクト	じゃがいもの病害の判定(技能補助プロジェクト)		6月1日	10月末旬	じゃがいもの各種の病害を判定する技能を完全に習得する。

収穫乾燥の合理化

9月21日(土) 現地訪問 香川県大川郡大川農協

大川農協は、昭和41年3月、貯蔵サイロ六基、収容能力、玄米で一八、七〇〇俵という、規模では日本一のカントリー・エレベータを完成させた。また、構造改善事業の基盤整備事業にともなって、コンバインを購入し、脱穀から出荷まで一貫した作業の合理化を目ざしている。

大川農協管内の稲の作付け面積二、〇〇〇㌶のうち八割までが利用しているこの施設を紹介し、営農団地構想のもとにすすめている品種の統一、集団栽培の成果を紹介する。

新しい流通の形

、農産物の流通、したがって価格形成のうえで、その自然的、技術的商品価格が一つの大きな問題点である。

自然の制約で生産が不安定であり、しかも季節生産の生ものなので痛みやすい。そこで、流通上保管とか包装その他商品化計画が流通上の大きな課題となる。

また、運搬も重要問題となる。自然生産物で、規格が不揃いなので、選別、検査にも手間と金がかかる。

こうした農産物流通上の、したがって、また、価格形成上の問題点を改善するために、最近、生鮮食料品の値上りをきっかけにして、いろいろの試みが行なわれている。

だが、保管、運搬、包装ないし取り引き、値ぎめなどのうえでの技術的改善が実際に行なわれているのは、関係した業者が自分の能率を高め、自分の利益をふやすためであるという側面が必ずつきまとっている。

そこで、流通技術上の改善の動向と、それが実際に行なわれる具体条件とは区別して、そのおのおのについて、それが全体として生産者農家と消費者に、どういう影響をもたらすかを具体的にくらべてみる必要がある。

低温流通の場合は、低温倉庫へ入庫時期、品質規格、さらに消費者家庭の冷凍庫の必要とか、技術上の問題と同時に、その及ぼす経済的影響を全体としてとらえることが大切になっている。

9月23日(月) 新しい流通センター

一、流通センターの仕組みと立地とその意味(トラック・ターミナル、倉庫、荷受け会社、マンモス精米所、問屋群、その他)
二、商業資本の対応としての総合卸売りセンター、農協の対応としての集配センター(F・D・C)
三、流通センターのもたらすもの、その対策

9月24日(火)

一、現代における都市化と道路形成の進展
二、躍進する自動車輸送
三、農産物輸送に占める自動車輸送比重の増大
四、輸送革新の農産物流通機構に及ぼす影響
五、市場から農家の庭先間における輸送革新
六、輸送革新が農業生産に及ぼす影響

9月25日(水) コールドチェーン

一、コールドチェンの意義
二、その必要性
三、その効用
四、その流通体系
五、その技術と設備
六、その見通し

ゴールドチェーンの流通系統図

生産地段階 / 輸送 / 消費地段階

9月26日(木) 契約生産

一、契約生産はなぜ伸びたのか
二、どんな契約生産が行なわれているか
　a 大手加工資本との契約生産
　b 系統農協との契約生産
　c 外国資本の進出と契約生産
三、これからの契約生産の問題点はなにか

9月27日(金) 米流通の近代化

一、米の商品としての品質をめぐる問題
　A 品種による格差
　B 産地による格差
　C 米の価格差と銘柄
二、稲作技術と米の流通との関連
三、乾燥、調整、貯蔵から精米、消費までの近代化の焦点

9月28日(土) 現地訪問 大阪中央卸売市場東部市場

東部市場は狭くなった大阪市民の台所、大阪中央卸売市場の悩みを解消するため、大阪市が昭和39年建設したもので、敷地は八万平方㍍。施設、内容ともに全国の卸売市場のモデル。

とくにオートメーションによるセリ機械は、青果と鮮魚におのおの一基ずつ設置されている。

このセリ機械は、仲買人が自分で買いたいと思う値段のボタンを押すと、最高値でセリ落とした人の番号、セリ値段が自動的に電気文字盤に表示され、自動的に伝票が作られる。

また、規格が統一され、数量的にまとまったものだと、サンプルは一個だけでよく、あとは現物をみせないでセリができ、大量にさばける利点がある。

農協組織を経由した加工トマトの契約生産例

加工資本 / 系列販売 直営販売 / 直営工場 / 県契約推進 / 県経済農協連 / 地区契約推進 / 単位農協 / 単位農協 / 耕作組合 / 栽培農家 / 栽培農家 / 栽培農家 / 〈契約〉 / 〈契約〉 / 〈申込制〉 / 集荷ルート / 系列会社 / 契約生産推進グループ

農村生活を考える

ひと昔まえと、今日の農村生活はいろいろな面で変わってきた。

戦前では炉端に座わるとノミがピチピチはねるのも珍らしくなかったし、冬にはみそ汁と漬物だけの食事がつづいたものである。

そして、使わない部屋があるのに、家族は暗い万年床に雑魚寝するといった寝し方が普通とされていた。それに比べると、きょうこの頃の農村生活は、まさに隔世の感がする。

農村生活のこのような変わり方を、一般的にいうと都会化の方向といえよう。すなわち、衣食住や生活様式が都会風になってきたわけである。

たしかに、見かけのうえでは、都会生活とちがいがないといえる側面もある。農家の娘さんを街に出かける服装のままで、銀座通り放り出しても、はた目からは見分けがつかないであろう。

こうした生活様式の都会化は、たしかに合理的という長所をもっている。けれども、何分にも、一方的な真似ごとども見える面があって、農村生活の本物の近代化という点から反省すると、一概に認めるわけにはいかない。

やはり、農林業という自然を相手とする産業の場である農村は、都会とちがった環境と考えねばならない。

そこで、農村という環境を踏まえたうえでの生活の合理化について、創意と工夫を重ね、たんなる真似ごと的都会化ではなく、農村生活にふさわしい合理的な生活様式を作りだしていかなければならない。また、昔からのよさも残していく心構えも必要ではないか。

9月30日(月) 農村住宅改善の方向

一、農村生活の変ぼう
二、生活と住宅の結びつき
三、平面計画と設備の考え方
四、新しい材料と構造の問題点
五、建築技能者の育成
六、集落の再開発と生活環境の…

つぎに、農林省の標準住宅から新しい農家住宅の一例をあげる。

まず、南向きの玄関は土間になっていて、広接間兼用になっており、記帳などもここでできる。

その左が子ども部屋(洋間)、右が居間、その北側が台所で、…番奥には寝室二間がある。

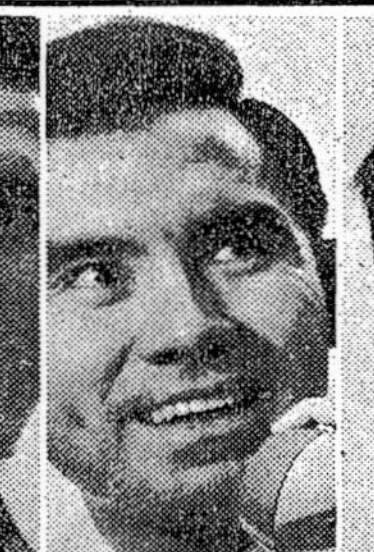

NHK農事番組(9月21日~30日)

テレビ

明るい農村 6・30~6・55 総
21日 農業新時代 植物を守る 神戸市植物防疫所
23日 村の記録 じゃがいも… 三重県藤原町
24日 くらしを考える・甘いみ…汁
25日 村をむすぶ 現地報告…害」
26日 話題の広場 農家一〇〇… 農民運動
27日 産物往来 化粧野菜
28日 農業新時代 合理化設… 場 北海道真狩町
30日 村の記録 しいたけ組合 高知県十和村
農業教室 7・00~7・30 教(前項に評…)
あすの村づくり 日 7・00~8・00 教 再 土 13・00~14・00 教
22日 グループだより 東京 仲間とともに 名古屋「…の文化活動」
29日 先輩に学ぶ 茨城県北相… 都守谷町 藤岡吉… グループだより 札幌 仲間とともに 松山「…銀行」
あすにかける「大型農業…校に学ぶ」 神奈川県中…農業高等学校
趣味の園芸 金 10・30~11・00 総 再 土 17・00~17・30 総
27日 私の花づくり 詩人 …光太郎

ラジオ

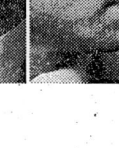

早起き鳥 5・05~6・00 ①
21日 村のポスト 投書
22日 話題の窓 曲り角の農業…校 福岡県小野町ほか
23日 現地報告、牧野改良指定…上 熊本県産山村
24日 人と話題 山形県神町 名倉弘
25日 通信員の日記から …二 大阪
26日 産地訪問 青切りミカン 愛媛県吉田町
27日 現地報告 桑畑分譲し… 島根県金城村
28日 村のポスト 投書
29日 話題の窓 稲作報告
30日 現地報告 ハウス病… 高知県芸西村
ラジオ農業学校 月~土 6・40~7・00 ② 再 日 6・30~7・00 ② 再 日~土 19・00~19・15 ②
22日 農業講演会 評論家 …たけじ
29日 経営手帳 農林省農家…場 一戸貞光
あすへの技術 東大教…戸刈義次
新しい農村 日 6・00~6・30 ②
ひるのいこい 12・15~12・34 ①
21日 ブリ漁にわく大敷網 和歌山
26日 にぎわう観光ぶどう園 甲府

青少年団体の紹介（1）

中央青少年団体連絡協議会

"二十団体"が加盟

世界青年会議など開催

> 青少年自からが自主性を養い、広い教養とたくましい実践力、協調性を培かううえで、また、人生を豊かにするよき友を得る場として青少年の団体、グループは、他に比較にならない貴重な役割りを果たしている。このような観点から、本紙では本号から他の青少年団体の活動内容を紹介し、相互の理解を深めて、4Hクラブがますます発展するよう青少年としてのあり方、組織、活動その他にいたるまでを参考にしていただきたいと思います。なお掲載団体は、中央青少年団体連絡協議会加盟団体とします。（編集部）

中央青少年団体連絡協議会（中青連）は、昭和二十六年国内青少年関係六団体をもって発足し、現在では日本の主要青少年団体の殆んどが加盟している。

加盟団体は、ボーイスカウト日本連盟、ガールスカウト日本連盟、日本キリスト教青年会連盟、日本キリスト教女子青年会、日本青年団協議会、日本青少年赤十字、日本ユースホステル協会、全国農協青年組織協議会、日本郵便友の会協会、日本健青会、友愛青年同志会、修養団青年部、日本民主社会主義青年連合、全日本労働総同盟教育局青婦対策委員会、全国4Hクラブ連絡協議会、カトリック青年労働者連盟、日本海洋少年団連盟、全日本鼓笛バンド連盟、日本青年協会、日本BBS連盟の二十団体。

その所属会員は千万名を数え、青少年組織の総合団体ともいうべきで、力の結集は大きい。

目的

本会は世界人権宣言の精神に基づき、国内および国外の青少年団体相互の連絡、提携をはかるとともに青少年活動の発展に寄与することを目的とする。

事業

❶加盟団体相互の連絡、提携およびこれらの団体の行なう事業への協力。
❷世界青年会議（WORLD ASSEMBLY OF YOUTH「略称WAY」）日本委員会に関すること。
❸国内および国外の各種青少年団体との交流に関すること。
❹国および地方公共団体その他への各種要望や社会的発言。
❺青少年活動に関する調査、研究並びに資料の収集および作成。
❻その他本会の目的達成に必要なこと。

構成

正加盟、準加盟青少年団体で構成し、次の諸条件を具備すること。
❶全国的に広く社会教育的な青少年活動を行ない、かつ中央事務所を有する青少年団体であること❷その団体の会員の加入および脱退が自由であること❸その団体が会員によって運営される自主的な組織であること❹その団体の会員の過半数が三十歳未満であること。

機関

（1）委員会＝加盟団体の代表二名をもって構成し、規約の制定および改正、役員の選出および承認、事務局人事の承認、事業および予算の決定ならびに決算の承認、加入および脱退の承認、特別委員会の設置とその委員の任免、その他運営に関する重要な決定。
（2）専門委員会＝諸活動推進のため常設し、専門分野の諸問題について委員会の委嘱をうけ調査・研究・立案・執行に当たり次の委員会がある。
❶組織委員会❷出版広報委員会❸調査研究委員会❹事業活動委員会❺国際委員会
（3）特別委員会＝委員会の決定に基づき、委嘱をうけた委員をもって構成する。

世界青年会議は、九十六ヵ国の代表を集めて東京で開催された＝メッセージをおくる皇太子御夫妻（東京プリンスホテルで）

役員

委員長 一名、副委員長 二名、常任委員 六名、監査委員 二名で正加盟団体の互選により選出し、任期は一年で再任はさまたげない。

事務局

事務局長のほか事務局員若干名。

経費

加盟団体の分担金のほか、助成金、寄付金をもってあてる。

具体的な活動

❶諸会議の開催❷指導者養成（国内セミナー開催、国際指導者研究セミナーへの派遣、参考図書出版）❸研究調査の実施（団体調査、青少年活動調査、海外青少年活動調査）❹国際活動（国際会議代表派遣、国際ワークキャンプへ参加者派遣、海外青少年指導者のうけ入れ）その他。

とくに昭和四十一年八月、世界九十六ヵ国の代表と日本青少年団体代表者五百余名の参加によって第六回世界青年会議総会を東京において開催した。

なお中青連の強化対策としての規約改正、特に中青連事業の基礎の確立と、その発展を期することを目的とした維持財団の設立が委員会の決議を経て申請の手つづきに入っている。

これらの強化策の推進によって、今後前述した加盟団体以外の多くの青少年団体の加入が期待される。（東京都千代田区永田町一ー十一ー三十五 TEL（五八一）〇四八一）

わがクラブわが自慢

◀投稿案内▶
本紙は、みなさん方の新聞として、全国のクラブ員に利用して戴きたいと考えています。それでクラブの催しや個人のプロジェクト、詩、短歌、随筆、写真、悩みや意見、村の話題、伝説、行事その他なんでも原稿にして送って下さい。
お願い　❶長さや形式は自由です　❷できれば簡単な説明をつけた写真をそえて下さい　❸送り先　郵便番号 162　東京都新宿区市ヶ谷船河原町十一　日本4H協会編集部

園児と楽しい一日

4H月間に施設訪問

大阪市住吉4Hクラブ

> 誠実で友情に富む精神を培うということは、4Hクラブの一つの目標であり、それを実践するところに意義があります。これは4Hクラブでいう奉仕の精神で、4Hの信条の一つです。4Hクラブ員は恵まれた体力、働く力がみなぎっています。そのあふれるような力をただ自分のためだけでなく、社会を明るくする、あるいは人のためにつくすというふうに使ったら、新しい4Hクラブの活動分野も開け、労働の歓びもひとしおでしょう。このような活動範囲を広めてますます奉仕の精神を高揚しましょう。

昨年から八月の一ヵ月間を「大阪府4Hクラブ強化月間」と定め仲間づくり、およびクラブ活動の強化推進を図るための行事を中心として行なってきました。

とくに昨年は、月間運動の一つとして、大阪府の南と北から二班に分れて、強化月間を強調するノボリや4Hのマークを自動車に飾り、中央にある府庁までパレードを行い、各[illegible]んで、慰問[illegible]ました。

このよう[illegible]が主体であ[illegible]一した月間の[illegible]役所、農協、[illegible]ました。

行事としては、各地区ごとに特色のある内容をもりこむことにして、大阪府住吉4Hクラブ（会長浜田弱者）では、大阪府が主催している「花と緑の運動」に協賛して、草花の種子を役所、農協、施設に、あるいは街頭に立って市民に配布しました。

また、今年は養護施設の慰問を強化月間の一環として実施しました。

[illegible]況を言、初めて内容を知るありさまでした。

ここには、精神薄弱児が五十名収容されており、六人の保母さんがついて世話をしています。園長の説明の後、園児全員が入ってきたが横を向いて座る者、歌っている者などさまざまでなかなかむづかしい仕事だと見うけました。

園児と共にホークダンスのステップをふむクラブ員の足はぎこちないが、心の中にはあたたかい愛情があふれている。

園児と共に、持ってきた菓子とジュースを食べている間に園児も落つき、初めはどうなることかと心配していたことが安心に変ってきました。いっしょになって歌いゲームをする園児たちは、新しい兄姉ができてハシャイで喜んでいます。

クラブ員たちは童心にかえって遊び、スイカを食べながら一息いれ、また歌って踊るフォークダンスなど、とても楽しい一日をすごしました。

なお、クラブ員が贈ったパンジー、デージーの種子は、九月下旬にクラブ員がでかけて播種と花だんを作ることに約束しました。

帰りには、園長さんのあいさつとして「今までに、いろいろな方や団体などが慰問に来てくれましたが、子供たちといっしょになってなごやかに、また楽しかったのは今回が初めてです」と大変喜んでいました。

このあいさつを聞いてクラブ員たちは、訪問してよかった喜びと、子供たちの中にとけこんで行動した楽しさと共に、訪問する側の私たちの恵まれたクラブ活動への自覚、だれかれなく偏見をもたずに心から付き合える若人の責任をつくづく感じました。

この恵まれた若者の集団は、私たちだけでなく、全国の4Hクラブ員のみなさんにもいえることではないでしょうか。私たちは4Hクラブの誇りである奉仕の精神を大いに発揮して、これからも機会あるごとに施設への慰問をしようと固く申しあわせました。また、このような奉仕に全国のみなさんも進んで参加して下さい。

参考までに付け加えますと、住吉4Hクラブは、以前から若い恵まれた体に感謝して、献血運動に参加したり、父兄はもちろん近所の農家の人たちをさそって保健所で行なう定期健康診断を実施しています。（大阪地区農業改良普及所　金岡正治さんより）

国島さんの踊りに人気

IFYE代表　中間会議に出席

神奈川県　北村　篤

日本では夏も終り、各地で4H大会などはなやかな話題を残して秋を迎えたことと思います。

話は前にさかのぼりますが、IFYEの中間会議は、世界三十八ヵ国九十九名の代表者で開催され、山本君、国島さんと共に参加しました。二人ともますます元気です。

大会は七月三十一日から一週間世界の食糧事情、教育、アメリカの思想、4Hクラブと盛りだくさんの内容で、アジア、ヨーロッパ、南米、アフリカ代表者が白い顔、黒い顔で精いっぱいに自分の考えをのべ、若さと活気にあふれていました。

とくに、夜のステージショーで国島さんが踊った日本舞踊は、大変な人気でした。

八月七日にミシガン州にきました。

私の滞在する家庭は、百エーカー余りの農家で、馬鈴薯、大豆、アルファルファを栽培し、三人兄弟の協業経営です。

ミズリー州の三週間の生活の中で二週間は、州の4Hショーや市の催しものに出席しました。

催しものは町の専用グランドで一週間続きます。内容は、4Hクラブのプロジェクト（牛、馬、羊、ウサギ、着物、料理）など三十種余りの展示と子供祭りの家畜がきています。他に、カーニバル形式の野外ステージの歌、サーカスなどが行なわれ、にぎやかです。

町の4Hクラブは"ピクニック"という名前でチキンバーベキューを販売し、七百羽ほど売れたとのことで、その収益をクラブの活動資金にあてるといっていました。

州の"4Hショー"は、まったくすべてがプロジェクトや展示といってよい大会で、四日間州大学で行なわれ、二千五百名のクラブ員の他に一般リーダー、4Hエージェントなどが参加しました。

この大会について少し書いてみますと、まず会場につくと受付けで自分の室の番号と食券をもらいます。その後は自分の必要と思うプログラム（同時に三つのプログラムが組まれている）を選びます。食事と夜の4Hメンバーのステージショーだけは全員参加で、開閉式ともなく、自由な形式の大会でした。

プロジェクトの種類も三十種ほどあって、その豊富さ、そして日本とは考え方の違う、広い範囲の展示プロジェクトです。全国のクラブ員のみなさん収穫の秋を迎えて忙しいことと思いますが、クラブ活動の方も力をぬかず励んで下さい。（一九六八・八・二十六日記す）

秋のうた

[illegible]

[illegible]得、思い出の夏となると思いた。私は本当[illegible]思ったからだ。あれから私も思い出の夏をすごそ[illegible]に努力した。[illegible]てみると多忙の夏であった。とうとう一日の休暇[illegible]ことができなかった。大[illegible]水泳も今年は一回もできなかった。こん[illegible]は三十年[illegible]のこと[illegible]しかし[illegible]もなかに、楽しい夏の日はよみがえったよき夏であったと心からうれしく思う。

話題をかえよう。九月二日、[illegible]の二ヵ月の間に、宮崎に[illegible]、山形に二回、高知に一回[illegible]をしていた。旧中学（高[illegible]同窓会も二回やった。[illegible]年前の学友と二十年振り[illegible]の後で旧交を暖めたこと[illegible]も忘れられない。会議も数回あった。とくに国際農村青年交換[illegible]臨席して激励の言葉をのべられた。

農林省中央青年研修施設（農業者大学校）の開所式が、東京都多摩町の施設で行なわれた。全国の最高のエリートたち四十名が、故郷の期待をになって入校した。西村農林大臣も入所式には、[illegible]

私も実はこの大学校の設立準備室に当初担当官として仕事をしただけに、そぞろ感慨無量のものがあった。入校した四十名の青年の顔をみて私は安心した。みんな実にいい顔をしている。かしこい顔をしている。選ばれたる群像ではあるが、やはり、できる男は顔だちから違うようである。彼等は二年七ヵ月、きたえにきたえられるであろう。更に顔だちが変ってより立派な人間となり、地域社会開発の中核として貢献する人となることを確信する。

卑近な例であるが、私は時折市中の大衆バーに行く。そこには、若い青年が数多く集まり、[illegible]一日の労を慰める。ところがどの顔も、どの顔もたいしたことのない顔をしている。いうなればくだらない顔をしている。まれにそこには年配の方々も訪れる。その方々の顔は素晴らしく立派にみえる。深みがあり美しささえ感じる。若い連中は、馬鹿くさく、のっぺらぼうである。これが年功の差であるのだろうと思う。

教養といおうか、人間の価値の年輪が顔にあらわれるのである。顔は三十才までは親に責任があるが三十を過ぎたら自分自身で責任をもてという。人生を努力して生き、正しく生き、勉強をかさねてゆけば、おのずから顔も美しく輝やくものである。我々もそういう人になれるよう努力しようではないか。（龍）

映画

驚ろくべき秘習

アフリカ最後の残酷（ヘラルド映画）

解説

血に飢えたアフリカの太陽にさらされた驚くべき戦慄の秘習！衝撃の迫力と詩情で暴く「残酷」最後の切り札！「アフリカ最後の残酷」。

未知の土地、暗黒の大陸として知られてきたアフリカ。そこは野獣の王国であり、野蛮と未開の非文明の地であり、ヨーロッパの植民地であった。しかし、それはかってのアフリカの表現である。いまのアフリカは、白人の支配を拒否し、自からの力で起ち上ろうとしている。外国の政治抗争にまきこまれるのを嫌い、独立と自由にめばえて、戦っている。欧米か[illegible]る黒人、その他さまざまな残酷シーンが盛りだくさんだが、アフリカの実態をナマナマしくとらえている。

主な内容

☆かってアフリカを植民地として支配していた白人たちが、いまだアフリカの権力を握っている。彼らは黒人の自由と独立を求める精神を銃殺刑によってほろぼす。今日もまた残酷な銃声がひびく。

☆アルジェリアの独立以来、アフリカから故国へ帰る白人の群が目立ってきた。

☆タンザニアに黒い大統領ニエレレが誕生した。彼を支持する勢力は中共からも代表を送り、白人[illegible]

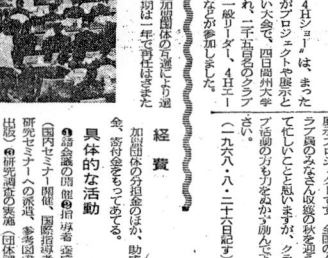

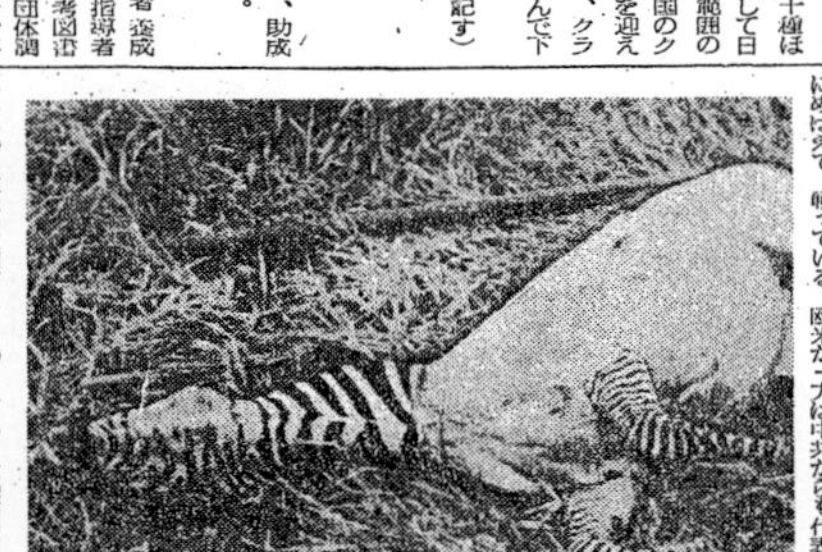
悲惨にも、大自然の中でのびのびと草をはむ"しまうま"は虐殺されたうえ、皮まではがれる

日本4H新聞
4Hクラブ 農事研究会 生活改善クラブ
全国弘報紙
発行所 社団法人 日本4H協会
東京都市ケ谷家の光会館内
電話(269)1675郵便番号162
編集発行人 玉井光
月3回・4の日発行
定価 1部 10円
6ヵ月180円(送料共)
一ヵ年360円 〃
振替口座東京 12055番

クラブの綱領

私達は実践を通じて自らを磨くとともに互いに力を合わせてよりよい農村、よりよい日本を創るため四つの信条をかかげます。一、私達は農業の改良と生活の改善に役立つ腕をみがきます。一、私達は科学的に物を考えることのできる頭の訓練をします。一、私達は誠実で友情に富む心をつちかいます。一、私達は楽しく暮らし、元気で働くための健康を増進します。

各府県連 自主性高揚の動き

青年の決意を示す

「近畿農村青少年懇談会」開く 融資などで要望

【京都府=田宮蔵連絡報道員発】近畿農村青少年クラブ連絡協議会(会長、村田喜昭君)は、さる八月三十、三十一日の両日、京都市の近畿農政局会議室で、近畿連役員と近畿農政局、各府県青少年担当者など関係者約四十名の出席のもとに、農村青少年問題懇談会議」を開催した。

村田近畿連会長

この会議では❶農村青少年からみた農業(農村)の現状と問題点❷農村青少年対策に対する意見❸期待する農業(農村)―を中心に意見がかわされた。

この席上、クラブ員側の代表者が「農業は、熱心にやれば理想の農家生活も築けるし、積極的に努力すれば儲かる農業も立派に達成することができる。しかし、恩恵のない農民たちの環境の中や、浮き足立った農民の横で農業に前向きの姿勢で取り組もうとする農業青年に対して、もっと融資を拡充すべきである」と予想以上の強い口調で発言し農政担当者に解答を求めるなど、いささかエキサイト[illegible]した質疑応答の一幕も見られた。

「大会の改革は近畿から」

融資と問題点をしぼり「われわれ農業政策については、道路、水、も政策に対して要望するだけでなく、良き忠実な実行者であるべく労働の合理化、妻の立場の向上、農村の環境の改善などをおし進めなければならない」と青少年の意気と決意のほどを示したクラブ員代表の発言が印象に残った。

夜は、さきに京都市で開いた第五回近畿農村青少年のつどいの反省をしながら「自主性あるクラブ(農業青年)大会の改革は近畿から」と力強く誓い合った。

二日目は、来る十月七日から四日間奈良市で開催される「第四回全国4Hクラブ員のつどい」に対して、人員の確保や隣接する府県連の民宿受入れなど近畿連協としての協力体制について確かめあった。

反省会で県連の今後の進むべき道について意見を述べるクラブ員=第1回の「長崎県4Hクラブ員の集い」で

団結で実を結ぶ 長崎県連

初の「4Hクラブ員の集い」開く

【長崎県=松永信務連絡報道員発】「第一回長崎県4Hクラブ員の集い」が、長崎県農村青少年クラブ連絡協議会(会長、須藤[illegible]君)、江迎地区農村青少年クラブ連絡協議会の後援によって、さる[illegible]佐々各地区[illegible]国民宿舎、歌ケ浦荘で開催された。

新たな活動展開への布石に

これは、今までの県からの指導[illegible]動を展開しようと、地元地区連か[illegible]

[illegible]田正善君に表彰状が手渡された。今後も、このように他の模範となるべきクラブが表彰され、そのクラブを中心にクラブ活動がより活発に進められていくことが望まれる。

このほかレクリエーションとしてフォークダンス、知事杯争奪のソフトボール大会(松浦地区連が優勝)、参加者全員がトーチを持ってのキャンプファイアーなどが行なわれ、クラブ員相互間の親ぼくを深めた。

研修関係では、各農業経営の専門別に分かれての分科会がもたれいずれも四時間という制限時間を越えて熱心に話し合いが行なわれた。また、県農業会議の松永先生の講演があり、ユーモアたっぷりの話しに熱心に耳を傾けた。内容は「これからの農民は視野を広め、農村のよい個性を伸ばしていく必要がある」というものであった。

つづく閉会式を最後に「来年の集いでまた会いましょう」という横だん幕を、クラブ員たちは名残りを惜しみながら見入り、団結の強さ、友情のありがたさを胸に銘記した。県北での集いの成果をたたえあいそれぞれ帰路についた。

"大会を青年の手で"

二年後めざして準備開始 大阪府連

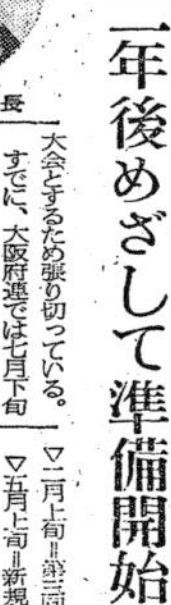

長滝谷府連会長

[illegible]とするため張り切っている。大阪府連では七月下旬に準備に入っているが、次のような計画のもとに進めている。

▽七月二十六日=各地区委員に、全国大会の準備委員を入れるよう要請する。
▽八月二十七日=準備委員四十名出そろい(うち女子委員十名)委員会を設ける。
▽九月五日=準備委員会の運営方などについて検討し、次のようにスケジュールを決めた。
▽十一月二十~二十一日=準備委員を召集して顔合せを行ない意志統一を図る(ホップの段階)
▽来年一月中旬=第二回の委員会をもち、プログラム作成などについて協議する。
▽二月上旬=第三回委員会開く。
▽五月上旬=新規に各地区委員も加わる(ジャンプの段階)
▽八月下旬=高知県の全国大会に準備委員約五十名を送りこむ。
▽九月上旬=高知大会の反省会をかねプログラムを再検討する。

こうして、大阪府連では、第十回の記念大会を目標にダッシュし始めた。なお、準備委員や現在の役員の期限は二年間有効のキップを発行することになった(一部の脱落は認めるが、全国大会を二年後にひかえて若いクラブ員が委員に当たることになった)

これからも機会あるごとに、準備委員を送りこんでPRすることになったが、来月七日から奈良で開かれる「第四回全国4Hクラブ員のつどい」にも、これらの人たちが参加することになった。どうか全国のクラブ員のみなさん、大阪大会を成功させるためにもご協力をお願いします。

涼風暖風

勉強の構造改善

[illegible]

友を迎える日のために (下)

奈良県4Hクラブ連絡協議会会長 山田高作

約1200年前の姿をとどめる古都のたたずまい

同志が待っている

古都の香、人の心を肌で…

[illegible]

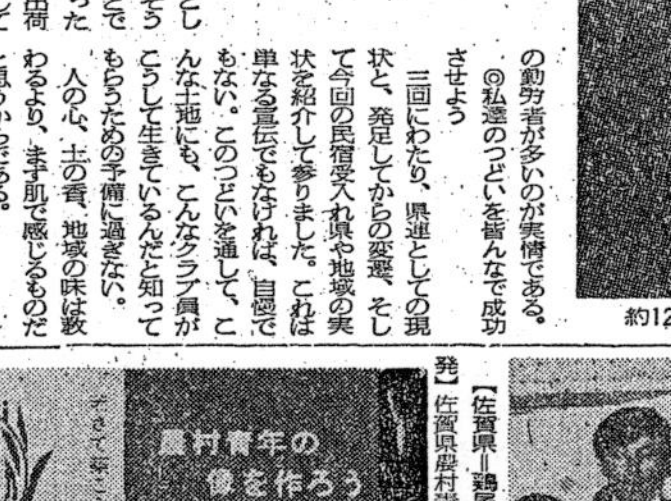

坂井県連会長

「農村青年の像」建設に乗出す

PRに広告マッチを配る

【佐賀県[illegible]】[illegible]

[illegible]マッチで協力を広く呼びかけることになり、いま、約二万個のマッチを県下の各関係方面に配って募金運動を行なっている。

この青年の像は、自分たち農村青年のためのものであり、自分たちの手によって作ることに意義があるため、像のデザインや場所の整地などすべてを自分たちクラブ員の手によって行なう方針である。完成は来年三月の予定で、建設場所は県立青年の家の前を候補にあげているが、クラブ員たちは、その像の姿を首を長くして待ちわびている。

全国のクラブ員のみなさんも、この像建設のために力添えとご協力を下さいますようお願いいたします。

"土州健児"の気吐く 高知県連

前大会以上の大会を

期日を8月19日から4日間予定

川村県連会長

[illegible]二日から四日間にわたって山形で行なわれた第八回全国大会の反省を行ない、つづいて第九回大会の日程、行事、場所などについて討議し、開催期日を八月十九日から二十二日までの四日間とすることを内定した。また、会場は高知市周辺を予定している。

大会の内容については、これから逐次打合わせて固めていくことになったが、川村会長はじめ県連役員、それに県内のクラブ員たちは、山形大会に劣らない立派な大会にして、土州健児の心意気を全国の仲間たちに見せようと張り切っている。

さあ、秋の大和路へ

「第四回全国4Hクラブ員のつどい」

全協、奈良県連、4H協会

心頭技健

澄みきった青空にイワシ雲が流れていく。穂首をたれた稲田に吹く風も快く赤トンボがすいすいと飛びかう。いつの間にか秋が訪ずれてきた。いつもいま頃に思い出すのは「全国4Hクラブ員九州のつどい」である。今年も来る十月七日から名称も新たに「第四回全国4Hクラブ員のつどい」として華々しく開催されるが、この機会に過去のあゆみをふりかえってみることは大いに意義があろう▼"青年の手による青年のための大会を持ちたい"という気運が盛り上がったのはいまをさかのぼる四年前、全協の総会の席上である。しかし、現在考えると想像もつかないと思うが、大会は開きたいが[illegible]予算が計上されていないのである。行事をもつのには金がいる、その金を自分たちで集めたり、たりないところは自分たちで出し合うことにしようということになった▼全協役員は印刷物や資料づくりに交代で奔走した。また一方、協賛会社への日参をはじめとし、この青年たちの自主的な動きに対して非協力的で快く思わない人たちもいたことはたしかだ。だが、自主的というみ旗を掲げて開催した「九州の集い」は未熟なものでこそあれ、見事成功を収めた。その感激に手をとり合って喜びの涙にむせんだことは、クラブ員の集いを語るとき忘れてはならないだろう▼いまでこそ、国庫補助金の交付や予算が計上されていて、運営委員の旅費など見積られているが、当初は自費参加であった。その後、関東の埼玉と、北陸の富山を経て今、第四回を数えるわけだが、このつどいが青少年たちにもたらした影響は計り知れないものがある。ということは、青年たちの間に自主性がめばえたことである。また、あらゆるつどいという行事が各県連でみられるのもその一つであろう▼青年たちが成長するとき、いろいろな要素が必要だが、青年の心理を良く理解した指導や教育はもちろん、それ以上に大切なものは青年自体の自主性にほかならない。青年は独立したいとか、認めてもらいたいという青年特有の心理がある。その心理を上手にのばしてやるのが指導であり教育であろう▼その現れが全国大会や県の行事の中にめばえてきたことは非常に喜ばしいが、その自主性も既成の概念や行動でなく、たえず新しい感覚や視野に立って自からがきり開いたものこそ真の自主性といえよう。

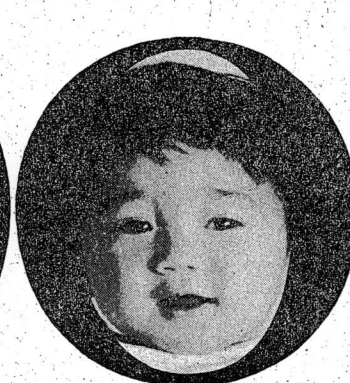

期待に胸ふくらませる「青年の船」団員

海を渡る4Hクラブ員の抱負

青年に幅広い視野と教養を身につけさせよう[illegible]いよ来る二十七日午後二時、東京の晴海ふ頭か[illegible]乗船する4Hクラブ員と、全国各都道府県から[illegible]ての抱負などを寄せてもらった。写真は全協推[illegible]

宮森さん

林(治)君

渡辺君

秋光君

木村君

門脇君

林(忠)君

広重君

高田全協監事

吉田記者

4Hクの一員として

高知 門脇槇夫

幸運にも、この意義ある第二回青年の船派遣団員に、全国4Hクラブ代表の一員として選ばれたいま、小さな町の田舎者の私が広く海外に出て、この重要な使命を立派に果すことができるかどうか、むしろ多少の不安を感じます。しかし、この若さと農業で築きあげたこの身体で困難を打ち破り、そして仲間たちに大きな期待をかけられているということを考えると、この重要な役割を果さなければならないという、強いファイトのかたまりが心の底からわき上ってくるのを感じます。

今日の世界はスピード化されました。外国といっても、すぐそこに感じられるようになりましたが私にとって、このようなチャンスは青春時代に二度と訪ずれてはこないでしょう。だから、この機会に少しでも多くのものを吸収してきたいと思います。

青年の船で訪問する七ヵ国の国々は、政治、経済、産業において激変を続けているといわれる東南アジアの一角にあります。現在、よくマスコミで動乱の東南アジア未開発の地について動きを耳ににしますが、真の東南アジアの姿を少しでも自分の目で、体で知りたいと思います。

開発された国々を見ることも本当に素晴しいことであると思います。しかし、私個人としては、これから開発されていく国々を見ることに大きな魅力を感じるのです。そして、同じアジアの民族であるわれわれ日本人が百年も前に体験した、あの大きな改革、明治維新と同じようなことが、いまアジアの一角で行なわれているのではないでしょうか。

何ごとにおいても、激しくうつり変りつつある国々に、この足で立ち、この目で見て、東南アジアの一部であると思うが少しでも多く理解したい。そして、この中にいる若者たちには、数多くの問題点が課せられているだろう。悩みも多いだろう。この問題や悩みを営農の不自由は[illegible]で、皮膚で受けとることができたら本当に素晴しいことである。

また、百年も前に、わが国で激動を起し、新日本を建設した偉大な先輩たちを再認識したい。それと同時に、そのごアジアの先進国といわれ、躍進を続ける日本、そして私たちの住む小さな町々を、海の向うから再認識し、この平和な社会に生きているわれわれ若者の姿を見つめ、五十五日間の船上での共同生活を通じ、数多くの仲間たちとともに、日本の青年としての生きる道を少しでも見い出すことができたら幸せである。

最後に、もう一度、私は個人として乗船するのではない。4Hクラブという大きなクラブの一クラブ員であるということを心において青年の船に乗船したい。

体験を今後の活動に

福岡 広重一信

「青年の船」―この事業は私の夢でもあった。農業を経営している私にとっては、世界をまたにして広い国際的な視野を自分の身に付ける、これほど嬉しいことはありません。福岡に住んでいて、福岡の良さがわからず、日本に住んでいて、日本の良さがわかない。これほど残念なことはありません。今度の「青年の船」での東南アジア旅行を前にして、本当の日本の姿というものを外から見ることができることは、私の一生を通じて、おそらく最大の思い出となることでしょう。

先進国の見学ではなくて、東南アジア後進国との比較しかできないかも知れませんが私たち若者たちにいろいろの面であたえる影響が大きいことでしょう。私たち若者が、広い世界的視野と大きい希望をもって行ったら人生にプラスになることが多いと思うのです。近頃ニュースや本などで東南アジアの実態を良く見ます。でもこの目で、自分の体で見ることは、これからの人生に大いに役立って行くことと思います。そして農業と青少年団体活動に、体験してくることを十分に生かして行く覚悟です。日本の若者、とくに4Hクラブのみなさん方も、機会がありましたら、大いに外国に出て、日本の姿、外国の姿を見てもらいたいと思うのです。

くじけず全力を尽す

広島 秋光征四郎

夢にもと思ったこのたびの応募に幸運にも「青年の船」に参加できるいま、天にも昇りたいようなうれしさでいっぱいである。

出航を目前にして外国の若人の顔を思い浮かべるとき、逢う日が待ちどおしい位のこの頃である。しかしながら限られた期日のうえに、各地の行程は短時日の中でいかに成果を上げるかについては、余地の無なこと、視野の狭さなど考えるとき、その責任の重大さを痛感し案ずることがないではない。

けれども、訪問地がわれわれ以上に悩み苦しみをもつ国々の東洋民族であることはせめてもの心の安らぎである。同系人の共通点かも知れないが、なにかしら大きな親近感をもって接することも出来そうだし、かなり深い交際が出来るのでないかと希望がもてると思う。

自然、環境、習慣、考え方、生活形態、文化を含む種々の社会状況は到底私の予想外のものであろうが、出来得る限り深く掘り下げて見たい。訪問する国々は農業主産国といって過言でないと思う。中でもタイにおける水稲栽培は、反当収量は少ないのに、輸出は世界一というような、日本では考えられない現象、反当収量の少ない原因、各国の農業技術状況、大きな面積、人口がありながら、何か寝れるゾウの如く無気味なインド、各諸国民に及ぼす仏教の状況などなるべく詳しく聞き、見、肌で感じ取りたいと思う。そして出来るだけ多くの青年と接し友交を深め同系人としての親睦に務めたい。また、船内生活により団体生活の真義を学ぶと共に外地より日本を考え、日本を見つめてみたい。

しかし現状は、私が考えているように甘くなく、いろいろと困難にぶつかり、目的の一割をも吸収出来ないかも知れないが、何事にもくじけず、4Hの精神をモットーに全力を尽したいと思います。

「青年の船」の目的は大きく分けて、船内生活を通して全体活動を行なう研修と、寄港地での交歓です。船内での研修は、英語、一般教養科目、リーダー研修と別れています。いま「青年の船」乗船を前にして何か落付かない気持でなりません。というのは、乗船する前に東南アジアの現状を知って行かなければ、漠然と行っても意味がないと思うのです。出来るだけ多くのものを見て、聞いてきて4Hクラブ、また地域青年たち一人一人に、より多く東南アジアの姿を知っていただくために大いに勉強し頑張ってきます。

百万の書物に価する旅

北海道 高田勲

私は、このたび第二回の青年の船の団員に応募し、知事、総理府の選考を受け初の外国への旅ができますことを、心から感激に浸っているところです。

いまここで、日本を離れるに当り、渡行の目的、心構えを二、三書いてみました。

まず第一に、私は視野の拡大をはかることで現在の日本の姿は果してどうであろうか、遠く離れ違った立場から正しく理解したいためです。

第二には、自分が実際農業を営んで、その農業が東南アジアと比較するとどうであろうか、一般的に低いとされている東南アジアの農業を理解、把握し、今後のわが地域の農業発展に寄与したいためです。

第三には、いままで数年間青年活動を行なってきて、その活動が諸外国においてどのような地位にあるであろうか、その現状を皮膚で感じ、今後の活動あるいは今後伸びようとする若い青年の参考になるよう学びたいためです。

このほか、はかり知れない目的、夢をもって乗船するのですが、この見てきた体験、経験を生かし、今後は理想とする農業、すなわち明るく豊かな農村建設に邁進しようと決意を新たにするのです。また、この経験が社会的にもよりすぐれ、資質に富んだ青年になるよう努力する覚悟です。

「百聞は一見にしかず」とか、こんな言葉を頼りにして、いや行くからには「一旅は百万の書物にも価いする」とあるように生きた知識を吸収し、新しい日本、豊かな農村へと頑張ろうと思うのです。

日頃ご指導下さった指導者またクラブ員をはじめとする皆様にご恩に報いるためにも、より有意義な東南アジアの旅としたいです。（北海道 上川郡愛別町字愛山）

全国の友を想い浮べて

埼玉 木村登志男

青年の船団員として、とにかく毎日責任を感じてます。ということは、日本青年の代表であり、また4Hクラブ代表であるということです。また、私たちが今後やること、知ることすべてが青年の代表で、しかも日本国と外国の親善をより一層深めることに繋がるのだと言うことも考えます。

「第二回青年の船」―この船の使命を考えた時、それは、日本の未来や派遣の重要性を強く訴えられたような気がします。つくづく団員に選ばれたことに、感謝せずにいられなくなります。本当に、4Hクラブに入っていて良かった。この4Hで育てられ、教えられた、青年の生き方、あり方、行動力が多くの大会などで、自然に体得することが出来たという実感にあふれ、一瞬心が激しくふるえます。

自分に言い聞かすのです。しっかりやれよ……そして、青年は今日が答えでなくて、明日が答えなんだ、だから必ず真剣さを失わず、素直な青年らしい気持で、闘志に燃えそうらねばならないんだ、と考える毎日です。

私は約束します。必ず4Hの根性を心に大きくかかえ、他団体代表の青年たちに、4Hクラブはすばらしい、4Hはそういったクラブだ……と、ふり返って見られるくらいに教える覚悟でいます。農村を知らない人に、これを強く表現してきたいのです。落ちつきがあり、心も晴ればれする緑のふるさと、空気がきれいで生活が楽しくなる農村を多くの環境の違った青年たちに再認識してもらいたいと願うのです。

そして後輩のために必ず青年の船の模範生として努力してきます。日本の農業の発展を約束出来る力強い、たくましい農民になることを誓います。きっとやり抜く信念です。

今後歩む人生航路で、大きな期待と不安につつまれた時でも、心の縁は一生愛し、守り抜こうと思います。世界の青年と話せることの機会に、日本の4H活動を、ぞんぶんに紹介し、多国の様子も余すことなく学んできます。そしてわがクラブ4Hの発展に協力できる資料作りに邁進してきます。

すべての自信は、私が全国クラブ員を想い出したその時に発揮できるものです。日本の4Hを無限に深したい内に一生懸命頑張ってきたいと思っています。

国造る青年の姿を

岐阜 林忠義

明治百年記念事業の一環として総理府が行なう「第二回青年の船」団員に、私がはからずも全協の推薦で乗船することになりました。現在、私は夢のような出来事を全く光栄に感じ、日々を着実に堅実に「さくら丸」につづくレールの上を歩いています。私は、踏みしめるその一歩一歩の中にどんな考えやこんな期待をもっていきます。

私は、この島国の日本にあるチャンスで生まれ、育ちました。そして数十年ののち、いずれまた、この島国の土の中に帰ることでしょう。私たち人間は、長く、また短い一生の中に、自分をあるときは満足らしき枠に埋め、またあるときは生活への不満を己に吐き、笑い苦しみ、そして一握の土になってしまいます。この繰り返しの人生が平凡であるようにと祈る者がいたり、反面波乱を期待したりする者もあるのです。私へ個人差は滞在しないその後者を私に与えました。そして「さくら丸」乗船へのチャンスを導いたかも知れません。

いま私は、東南アジアへの航海に日本人としての優越した考えは少しもありません。それは、訪問する国を少しなりとも学び、若者の国を創る姿を思えば、実質的に後進たる国は東南アジアをいうのではないかと思うからです。日本は先進国であると彼らは言っても、むしろ日本を育てることを忘れ、不満のみをぶちまける習慣がなみにく日本の若者として、そんな青年らに学ぶ部分が多くあるのではないかと思うのです。

現在、われわれは平穏に自由に暮していますが、われわれ若者がこのまま何ごともなく自国を知らずして守り切り、また育てて行くことができるでしょうか。そんな意味から、私は日本を外から観察して良く知り、自らの肌で東南アジアを体験し、そして国づくりを目指す青年をこの体で受け止めてきたいと願っています。

日本という海と山の島国日本も将来があります。若者がたくさんいます。だから若者に、日本を背負う未来の責任を持ってもらわねばなりません。この船で日本中の中堅青年が毎日厳しい教訓を得て日本中に散り、そして地域の青少年に指導的な立場で活躍しなければなりません。私には、このクラブの同志と渡航の経験をもとに、この地域を、また、ひいては日本の前進に献身する覚悟です。

4Hの誇りと責任を

三重 林治三

「青年の船」の出発を間近にひかえた今日、出発の準備や農作業に追われながら、毎日のようにクラブの仲間や地域の人たちから激励を受けるたびに青年の船に参加することの重大さに身がひきしまる思いである。

過去五年間にわたるクラブ活動も、去る四月にはクラブの役席も後進にゆずり、青年活動の中で生きる最後の体験と思って応募した「青年の船」。県連、全協の推薦を受けて幸い参加出来ることになった現在、東南アジア各国の農業事情を中心に国情の勉強をしながら同じ世代の青年代表と二ヵ月間生活を共にしながら訪問する国々について意見の交換ができる、こんな素晴らしい体験のできる自分は幸せだと思っています。

団員の中に、六十名近い自分と同じ農業に生きる青年が参加する。この仲間たちと外国から見た日本の農業、各国の農業事情などについて話し合いたいと思っています。

日本を離れて日本の立場がわかると言われているが、東南アジアを視察する中で日本の農業を考え自分の農業を、経営を、農村をふりかえってみたいと思っています。そして帰国後は、この貴重な体験を自分だけのものとせず全国の一人でも多くのクラブの仲間に分ち合いたい。

最後に、全国のクラブ員の代表として誇りと責任を持って[illegible]限り頑張ってまいります。

"草の根大使" 一人が帰国

国際農村青年交換（IFYE）計画に基づいて社団法人日本4H協会の招きで来日していた米国代表の4Hクラブリーダー（草の根大使）三人のうちの一人、キース・ジェームス・ウエスターキャンプ君は、さる八月下旬交通事故で受けた打撲による障害がその後もひどく、静養する必要があるためさる十三日午後二時半、羽田発のパンアメリカン航空機で帰国。

ウエスターキャンプ君

4H大会はフランク

外国でも緊要な農業技術

草の根大使だより 北村篤（神奈川）

国際農村青年交換（IFYE）計画に基づいて社団法人日本4H協会から米国に派遣された"草の根大使"（派米4Hクラブ員）三人は、いま同国の受入れ農家で元気に生活していますが、この文は、そのうちの一人、北村篤君（神奈川県）から神奈川県の農政課長に寄せられたものです。それを、同県農村青少年クラブ連絡協議会事務局の中野正義君が「全国の仲間たちに知らせてあげて下さい」と本紙編集部にわざわざ送ってくれました。

このため記事は少し遅くなり、また、すでに本紙で既報の部分もありますが、草の根大使の活躍ぶりと彼らの目に映った世界の姿をクラブ員のみなさんも読みとって下さい。

おそらく、この手紙が着くころは、夏の大会も終っていることと思います。アメリカに滞在していても、やはり日本のことが気になります。

私たちは、八月十九日から二十四日までミシガン州大学で開かれる同州の4Hショーに出席します。この大会には、4Hクラブ員が三千～四千人集まるとのことで楽しみです。ミシガン州大学は世界で最初にできた農業大学とのこと、世界各国から勉強に来ており、三万五千人の学生がいます。カナダやインドの学生、日本からも何十人もの人たちが学んでいるとのことです。

ミシガン州には、神奈川県から一年前に成井さんが来ており、州のエックステンション・オフィス（農業改良普及所）に、正月使う「羽根」があるのには驚きました。

私たちは明日、ホストファミリー（受入れ農家）にエックステンション・オフィスで会い、エドリン・ミシガンに行くことになります。その町は、ドイツ人の非常に多い町だと聞きました。

私の滞在する家庭を紹介すると両親と十八歳の女子大学生がいますが、彼女は4Hクラブのメンバーで九年間のクラブ歴をもっています。アメリカの4Hクラブ員は九歳ぐらいから二十歳ぐらいまでの年齢ですから一般に長いキャリアがあります。農業の経営は一五エーカー、リンゴ、モモ、馬鈴薯、小麦、コーン、大豆などたくさんの種類にわたっている。今からその家庭での生活を楽しみにしています。

IFYEの中間会議が、八月六日までの一週間、コロンブス・オハイオ、インデアナポリス・インデアナの二会場で行なわれました。参加者は三十八ヵ国の青年百名（このうち私の友人でもあるタイの青年が草刈機で足をケガして病院に入院）

広々としたコロンブスの州大、二千五百エーカー余りの広さで、私たちの学生宿舎から会場まで歩いて十五分余り、その広さがわかります。参加国で変ったところを拾ってみると、ケニヤ、モロッコ、コストリカ、ドミニカなど私たちの殆んど知識のない国からも参加しています。黒い顔、白い手、そして各国のそれぞれ文化の特長をもった着物、各国の言葉の紹介、最後の晩は各国の歌や踊り、福岡淑子さんの踊りは大変な人気でした。

会議は全体と州別とのスタイルで行ない、テーマは農業問題、食糧事情、若者のリーダシップ、アメリカの思想、アメリカの4Hクラブの紹介などがありますが、私たちのグループはアジア、オセアニアの二つからなり、アジアの平和、そして食糧不足、教育についてとりあげました。

各国の人口増加、電力の不足、日本の土地問題、セイロンの農業就業者の老令化、またベトナムの学生も特別参加して話されましたが、いま一番必要なのは、農業生産向上のための技術、そして機械が必要であるとのことでした。日本製のトラクターは優秀であると評判です。

また、現在のアメリカの思想、生活では、オハイオ州でも一〇％余りの人たちが貧しいとのこと、そして実際に講演の終了後、貧民街を見せてもらいましたが全体的にアメリカは非常に豊かですのでそのひどさはなおさら目にとまります。ペキのはげた家、裸足の子どもたち、草の茂った庭、この人たちの多くは黒人です。

話題を変えて、4Hクラブについて少し紹介したいと思います。今は夏の真盛り、何々フェア、ショーといった大会があり、4Hクラブ員たちは自分たちのプロジェクトを展示します。子どもたちには牛が大変人気があり、そのほかにも馬や羊、うさぎ、ドレス、食品などをプロジェクトの展示として展示します。クラブ員たちは、フェアが近づくと毎日、牛や馬の手入れをします。私の最後に滞在した家庭の女の子も二頭の牛を毎日洗い、ブラシをかけていました。4Hクラブのミーティング（会合）は家族づれで参加します。

ミーティングのあとは、パイ、ケーキなどの食事が出ますが、それぞれの家庭の人たちが持ち寄ります。一般に、地区の活動はプロジェクトが中心で、集会には良くプロジェクトの発表があります。

4Hの夏の大会の一つを紹介しますと、最初の日は夜の六時から始まりピクニックやダンスなどを行ない、九時ごろから開会式に入りますが、非常にフランクな大会です。まだいろいろ書きたいこともありますが、今日はこのへんで。

私たちは、十月でIFYEの日程がおわり、フィリピンに十日間ほど滞在してマニラの会議に出席したあと日本に帰ります。県連の皆様にもよろしく。

"青年像"など話合う

岐阜・下呂町4Hクラブ 洋裁学校生と交歓

魚つりに向う交歓会の参加者

【岐阜】益田郡の下呂町4Hクラブ（会長、河村正吾・クラブ員二十名）では、さる八月二十八日、クラブ員の父親が経営する神明山荘で下呂高等洋裁学校生徒との交歓会を開いた。これは、クラブ員相互間の学習活動だけにとどまらず豊かな人間性を身につけ、また、女子クラブ員も少ないことなどから、異った立場における女性と意見を交換したもの。

この日は、あいにく台風十五号の影響もあって雨模様の天候であったが、クラブ員十七名と洋裁学校から二十一名が参加した。

まず、それぞれ自己紹介したあと、クラブ員が経営する抑制トマトの栽培を見学、山荘に入って屋敷でとれたトマトを使って各グループごとにトマトジュースを作った。昼食のあと魚つりをしながら意見を交換、また、男女一組みになって実験鑑定競技で日ごろ磨いた腕を競いあった。

つづいて各グループごとに話し合いを行ない①クラブ員の経営内容の紹介や今後の抱負について②クラブ員の姿③女性の立場からの農業に対する考え方④同じ若者（平均年令十九歳）としての青春像などについて活発に意見を交換し合った。このあとレクリエーションを行ない、バスで帰途についた。

クラブ員も、この日は、いつもの研究会と異なって、朝のうちは初対面とあって固くなっていたが、しだいになごやかになり、話題も進むにつれて真剣な問題が飛び出し、反省会からも大成功との結論が出された。また、すべてクラブ員の企画運営によったことも大きな成果であった。（同クラブ、河村会長より）

私の経営実績

生産費低減をめざす 私のミカン栽培

大分県佐伯市梅崎　江藤　勲

私の郷土・佐伯市は大分県の南端に位置し、年間平均気温一六・一度、年間降水量一八五〇ミリという恵まれた気象条件のもとで、古くからミカン栽培が行なわれてきましたが、入り込んだ入江に急峻な山並みが迫り、急傾斜地でのミカン栽培は管理の省力化を妨げ、とかく生産費の高騰を招き、これからさき、増植ブームにとって起るミカンの増産攻勢にいかに対処するかという地域農業にとっては大きな課題をかかえています。

私は昭和四十一年、園芸試験場での研修を終え、それと同時に二・三反のミカン園の経営を父よりゆずり受けて現在まで一年半というわずかな日数ですが、日夜合理的な楽しい儲かる農業経営を夢みて経営改善に取り組みながら、いかにすれば安くて、きれいで、おいしいミカンが大量に生産できるか調査研究を重ねています。

そこで今回は、ミカンの生産費の節減にミカンハダニの発生消長の調査がいかに役立ち、効果を上げてきたかを紹介します。

まず、私はつぎのような経営目標のもとに栽培管理をすすめてい…

…収益の増大を目指す。

この三つの大きな目標のもとに調査研究を重ねながら経営し、複式簿記の記帳によってその成果を明らかにするとともに、昨年より今年、今年よりは来年へと進歩向上のため努力しております。

別表は、今年度の大分県の温州ミカン防除暦ですが、これをみてわかるように、年間一〇回の病害虫防除をしていますが、中でも特に注目したいのが、ハダニに対して実に九回もの回数が折り込まれていることです。このことは…

生産費低減に成功

葉ダニの防除体系つくる

（表 4）我が家の病害虫防除暦（1967）

回数	散布時期	対象病害虫	使用薬剤
1	12月下旬	ヤノネ，ハダニ，コナジラミ	機械油乳剤35倍
2	4月中旬	ソーカ病（雑柑カイヨウ病）	ダイホルタン1000倍（5—4式ボルドウ）
3	5月下旬	ソーカ病（雑柑カイヨウ病）	ダイホルタン1000倍（5—4式ボルドウ）
4	6月上旬	ヤノネカイガラムシ，	硫酸亜鉛加用石灰硫黄
5	8月下旬	ヤノネカイガラムシ，ハダニ	フツソール液剤250倍

（表 2）大分県温州ミカン防除暦（S 43 年）

……このように、父の経営当時年々上昇してきた私の家のミカン生産費を、七〇数年ぶりの大旱ばつにもめげず、四年前の生産費まで節減できたことは、私の経営上、この上えない喜びであります。

私はこれからも、明日の合理的ミカン経営を目指して、知識と技術の修得に励みながら、地域のミカン栽培に役立ちたいと念願しています。

プロジェクトの取り組み方（7）展開編

北海道農業試験場　三輪　勲

実施計画は六領域でレコードブックに項目を記入

2-6表　改良方式についての参考書の記録（記載例）

1. 雑誌「農家の友」3月号（じゃがいも特集）P40〜50
2. 農業学園テキスト「畑作物」第何章じゃがいも
3. 青少年技術研修会（40年11月）テキスト（じゃがいもの栽培）
4. 何々新聞（41年3月2日）じゃがいもの生産と新技術

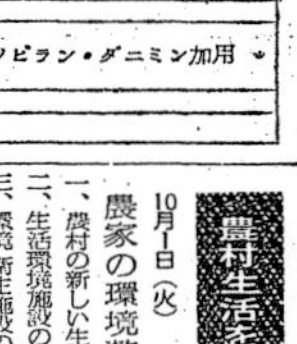

農村生活をそだてる

	施設	
4	簡易水道	四〇〇
5	結婚式場	一四〇
6	貸衣装	六〇〇
7	葬祭施設	一四〇
8	助産施設	一
9	幼稚園	一四
10	保育所（常設）	七〇
11	保育所（季節）	二八〇
12	理容施設	六七〇
13	美容施設	一九〇

10月3日（木）

食生活の現状と問題点

一、食費は上昇、体位は低下
二、都市と農村の食生活偏重の共通点
三、各家庭の食生活
四、社会の食生活—共同化の是非

①家事作業方法のくふうによる家事作業時間などの短縮の例

農家の栄養摂取状況

❶ 油の摂取量 基準（一五グラム）に達しない農家 八七％
❷ 肉、魚、卵、乳の摂取量基準（一三五グラム）に達しない農家 七〇％（乳を全然とっていない家 六一％）
❸ 大豆製品 基準量（八〇グラム）の半量以下の農家 四二％
❹ 緑黄色野菜 基準量（一〇〇グラム）に達しない農家 七五％
❺ 調理台のない農家 四八％

10月4日（金）

農家と農村計画

農村計画とは、農業生産と農家生活との向上をめざして、一定の広さをもった農村地域を対象とした総合的な計画のことである。

そして、最近の情勢では、個別の農家が単独で経営や生活の改善を実行しようとしても、そのやりうる範囲は限られてしまう。

そこで、多数の農家が集合している地域を単位とした計画をたてて、農家がいっせいに改善に努力するというやりかたをしなければならない。

そして、個別の農家はその計画にしたがった行動をとる。

農村計画として扱う生活関係の計画は、いわゆる生活環境施設の…

…生活センターが部落に完成して共同すい事、共同洗たく、つけ物や保存食などの食品加工などが、この施設を活用して、すすめられている。

このセンターの活動をとおして農業労働と家事労働のバランスとその軽減、将来の農村生活のあり方を考える。

養鶏の飼養技術

飼養規模の拡大につれて、飼養環境の悪化や管理労力の不足などにより、生産性の低下や鶏病の多発などをまねきやすい。

鶏舎内の飼養環境の改善は、養鶏の飼養技術の基本的条件である。飼養環境の鶏に対する影響を十分に理解したうえで、舎内環境条件の改善につとめることは、これからの養鶏にとって重要なことである。

最近、鶏病対策が大きな問題となり、適切な衛生管理が強く望まれている。とくにニュー・カッスル病の予防については、あらたに生ワクチンの使用が認められ、その効果についての期待が大きいだけに、生ワクチンの正しい使用法の普及徹底が急を要する事項となっている。

飼養羽数の増加は、労力不足をともない、飼養管理の粗放化、放任化による生産性の低下を生じやすい。また一面では、労力不足は飼養規模拡大の隘路ともなっている。不足労力を補うため、飼養管理用の機械類の導入による省力化が大きく取り上げられるようになった。機械類の導入については、経営全般から評価決定しなければならない。

鶏の栄養分の要求量は、鶏の年齢、産卵状態などにより異なる。これらの段階、または時期に適した養分内容の飼料を与えると、栄養分の無駄がなくなり、卵の生産…

10月8日（火）

鶏舎と環境

一、鶏舎の意義と性格
二、舎内環境に影響する条件
三、環境条件の鶏への影響
四、鶏舎設計上考慮する事項
五、防暑対策
六、防寒対策

鶏の年令別の適温と限界温度

週令	最適	最高	最低
0週	34・5	38・5	27・6
2週	28・5	34・5	17・0
4週	21・0	31・0	12・0
6週	16・0	29・5	8・5
8週	13・0	29・5	5・5
成鶏	13・0	29・5	0・0

六、段階給餌の問題点

段階給餌の一例

時期（週令）	飼料中の粗たん白質
16〜20週	14％
20〜40週	18％
40〜44週	17％
44〜48週	16％
48週以降	15・5％

10月9日（水）

多数羽飼養と衛生管理

多数羽飼育は、生物である鶏の側からみると生理の自然に反し、運動不足、日光および酸素などの不足、不良ガスの充満、ストレスの強化など、鶏の生理に不利な因子に複合して作用するので、外界および疾病に対する抵抗力が低下するものである。

したがって、自然環境下に近い粗放飼育では、全く病因とならなかったような原因が大きな病気の原因となる。

そのほか、病原菌やウイルスが侵入すると、物理的な伝播が容易であるばかりでなく、抵抗力の減退や省力的管理法に基づくメカニカルな伝播によって、疾病が急激に全群に波及し、取り返しのつか…

二、鶏痘ワクチン
三、ニューカッスル病生ワクチン

農業教室　NHK

NHK農事番組（10月1〜10日）

テレビ

明るい農村 6・30〜6・55 総合

- 1日 くらしを考える 味と米つくり
- 2日 村をむすぶ フイルムリレー
- 3日 話題の広場 洋ランのレキ耕栽培（岐阜県大垣市）内職で出稼防止（愛知県東栄町）
- 4日 産物往来 あずき
- 5日 農業新時代 新しい農協（岡山県高松町）
- 7日 村の記録 米の周辺（千葉県・石川県）
- 8日 くらしを考える 主婦はつかれている
- 9日 村をむすぶ フイルム・リレー
- 10日 話題の広場 青空体操教室

農業教室 7・00〜7・30 教育（前項で詳報）

あすの村づくり 日 7・00〜8・00 教育　再 土 13・00〜14・00 教育

- 6日 グループだより 仲間とともに "とりいれの秋" 新潟県下で中継録画

趣味の園芸 金 10・30〜11・00 総合　再 土 17・00〜17・30 総合

- 4日 今日の庭仕事 千葉大学助教授 浅山英一

ラジオ

早起き鳥 5・05〜6・00 ❶

- 1日 人と話題 全中会長 宮脇
- 2日 通信員の手帳から 山田 一 千葉
- 3日 産地訪問 栗 京都府三和町
- 4日 現地報告 半年たった乳 保育園 北海道別町
- 5日 村のポスト 投書
- 6日 話題の窓 赤字に悩む公 牧場
- 7日 現地報告 発足した農民 学 東京・多摩町
- 8日 人と話題 日本茶業中央 大石八治
- 9日 通信員の手帳から 山本
- 10日 産地訪問 柿 和歌山県 度山町

ラジオ農業学校 月〜土 6・40〜7・00 ❷　日 6・30〜7・00 ❷　再日〜土 19・00〜19・15 ❷

- 6日 グループのしおり 農文 浪江農

新しい農村 日6・00〜6・30

ひるのいこい 12・15〜12・34

- 5日 なつめの収穫 名古屋
- 10日 農民運動会 北見

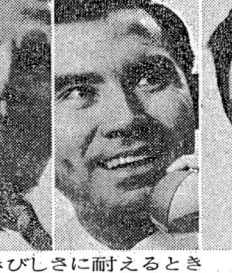

わがクラブわが同志

新しいものの意義
自からの工夫で開たく

奈良県北葛城郡新庄町山口　高松久仁子

学校を卒業して農業に従事してから、もう二年がすぎてしまいました。勤めに出ても中途半ぱだし、どうせ働くなら、一生自分の職業として続けられるものをと考えていたのと、私は「長女」だから農業の後継者にならねばという、何だか宿命だからというような気持があったからかもしれません。

その結果、現在酪農を営んでいますが、何度振り返って考えてもこの道を選んだことが良かったと思っています。

でも、この二年間にいろいろなことがありました。まず第一に、学生時代のように、いつも身の回りに話し相手や競争相手の人たちがいないことです。両親と話し合うことの内容も決まってしまい、友だちが欲しいという欲求が次第に強くなってきました。

4Hクラブには、卒業する前から加入していましたが、実際のところ話す相手は男の人たちばかりなので、私の話したいことも、ついひっこみじあんになり、うんざりしたこともありました。

しかし、二〜三カ月経ってみると、自分はいったい何をやろうとしているかが、分ってきました。"友だち友だち"といっているけれど、仲間が必要なのではないだろうか、ということに気づきました。そのうちに動揺していた気持も落ちついてきました。これは4Hクラブ活動を通じてできた仲間の人たちが、心強くしてくれたのだと思っています。

ところで次第に私の周りの人たちは、労働即ち、酪農で働くということは、どのようなものであるかということを態度や言葉で示して教えてくれました。

一方、酪農にとり組んだものの酪農とは、いったいどんな世界なのか？どのようなことを知らなければならないのか、ということに関しては、何によってどのように学べばよいのか見当がつきませんでしたが、宇陀の畜産試験場へ週一回通い、また福島県の日本酪農講習所の通信講座を受けることにしました。

試験場では、講習生たちと話し合う機会も多くなり、また乳牛の見方や病気、人工授精のことなどについて学びました。

また「新しい農業経営」という言葉を聞きますが、私たちはどのように、それを推し進め取り入れていけばよいのでしょうか。

「新しい農業、進んだ経営」とは、いったいどのようなものでしょうか。

視察や見学に行くところは、大規模で進んだ経営内容ですが、それは分るのです。それをわが家の経営と比較して非常に大きなひらきがあるとか、このような点なら自分にもやれるのではないか、とり入れてみようと思うのですが、そのままのものをとり入れることはできません。それは、経営者の経験や知識、資金などにあった一番よい方法をとっているのですから。

ということは、人のやっていることを模倣するだけでは、結局自分のものにはなりません。多くのことを実践を通して学ぶと同時に工夫を加えることが、私たちに必要ではないでしょうか。新しい進んだものといっても、それが単に目新しいものの意味でなく、私たちの手によって産れたものが必要なのです。

ですから、私の場合、機械が新しかったり、新しい牛舎だから酪農をやっているのでは、新しい進んだ経営とはいえませんし、その意味をとり違えてはいけません。勉強とか工夫と一口にいっても、そこがむずかしいのです。とくに酪農の場合、毎日同じ仕事の連続ですから、一定の決ったことさえやっていればいいという考えがこびりつき、新しいものを追求する意欲が低下してしまいます。

私の経験ですが、以前、仔牛のために運動場を作りたいと思っていたのですが、それがなかなかできないのです。次の日にやるからとか、柵をめぐらすのが大変だというので延びのびになり、良いということが分っていながら毎日の仕事の慣れというのか、押し流されてしまい、ついに実行できずに終ってしまうのです。

このことは、毎日の仕事に追われて、その慣れに押し流されないようにするためには、絶えず自分の目を光らせる以外方法はないのです。

真剣に農業に取りくむ私たちが見すごしている身近な問題や青年の義務として取りくみ、解決にあたらなくてはなりません。自からの手で、私たちの歩む道を切り開いてゆくことこそ、青年の力であり、働く者の姿なのです。

新しいものを追求し、開拓していくことは、既成の概念や知識では求められるものでなく、それ相応の努力と勇気が必要です。その勇気をもつということは、たえず前進するという意欲のほかならないのです。私も女性ではありますが意欲と勇気を結びつけて励んでいるところです。

友は精神的な支え
稀少青年として村で努力

東京都国分寺市東元町二―一七―六　小林方　長谷川和久

若い農業労働者の不在の今日この頃、三ちゃん、二ちゃん農業といわれる農村では、一層、求める人の側からは、なお村に残ると見られている労働力の稀出は激しさを増し、農村でのテレビを通じての農具は勿論のこと電化製品、自動車などで消費生活は向上する一方です。

衣食住の面でも以前とは比較できないほど、買い求めて毎日生活する、という消費生活化の色の濃い状態においこまれ、そのため、農外収入を求めなければ、村で家族の生活が維持してゆけない、いわば否応なしの兼業状態の家々が増加の一方です。

統計によると近年の総農家数のうちで、農業以外から何らかの収入を得ているものの数は九割強となっています。このようにどこの家でも誰かが必ず町へ働きに出て農業以外の仕事に従事し、それにより家計を支えているというように、大部分の人々の眼が常に煙突やビル、車に注がれています。大きな社会の流れの中で、与えられた自己の周囲の環境の中から、創造発展させることの可能な物を見い出し伸ばしていくことは実に貴重です。

郷里のA君は卒業の時、級友が殆んど白、青色族になる中で、積雪、単作地帯の村にとどまり、養豚にエネルギーを発揮して稿を求める決意をし、一年間先進地の農家で実習生として学んで帰りました。

その後、この地方では何百分の一程の稀少な青年として、農村に生きようとする友をみつけ、二人で資金を数百万借り共同で種豚の育成、豚舎の建設、子豚の育成へと、この二年の間に一から出発し、苦しい中にも笑いながら、「あと一年耐えれば、どうやら軌道に乗れる。今が寝ている資金が多いので一番苦しい時です。将来の事を考えるとサラリーマンへのあこがれなんか……」といって努力し、成長しています。

私の郷里の村は田舎ならどこでもみられるように、人々の新しいことに対する好奇心、警戒心、もうかりそうなことをしている人へのねたみからの非難などが諸々の形で投げられ、一人として、このような若い人々の目標実現に向ってのひたむきな努力に対して、声援を送る人がいないようなところです。

そんなところで健斗する彼は、彼と同様に農村に生きることを志す私には、力強い精神的支えになっています。

大抵の人は、意に合わない障害に突き当ると五十歩百歩、一寸はそれを打破するために努力しますが多くは、あえてそんなことをしなくて、楽な道は楽に通ろうと目先の安易さへ逃避し、周囲の環境に順応するのが普通です。

しかしながら、その後生活の折々に、それに由来、関連する不満が絶えず、「あの時、やっぱり努力しておけば良かった」という形で、私たちは反省します。でも時すでに多くの場合遅しです。

大きな流れに順応し、一色に塗られてしまっては、後になって欲求不満の源ともなる対象、環境が依然存在するわけですから、幾らもがいてもだめです。従ってこのような周囲の状況を乗り越え、新たに自己の意志に多少なりともあうような環境をつくろうと考えたとき、マイペースで地道に力強く、そのために行動する姿こそ、青年らしいいきいきとした姿であり、何ものにもくじけない信念の固まりとなって、村を発展させる原動力となり、自分たちの将来に可能性を与えてくれる唯一の道が開けるように思います。

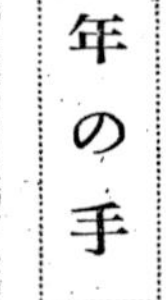

日本のど真中に高気圧がおおいかぶさり、北日本を除いては秋晴れの日が続いているという。東京はスモッグにおおわれて、晴れていてもいつも何となく灰色がかった空模様であるが、さすがに秋である。ウルトラマリンのすみきった大空が眺められて気持がよい。わが心もいつもこの秋空のごとくありたいと願う。

青年の手

九月四日号に「全国大会に思う」と題して少々手きびしい文章を書いたようだが、早速に、怒りの反駁文が二通舞いこんできた。高知の一クラブ員君の「今すごく不愉快である」に始まる大憤慨のお便り、少々頭にきておられるようだが、いいでしょう。青年の側から大いに考えていることを述べ反論し抵抗をこころみることは必要だと思います。私自身もちょっとわざきすぎたかなーと思っております。今後もっと諸君たちの気持を理解するように努力いたしましょう。しかし、反面、よく書いてくれましたと賛成してくださった方もあります。

ただあなたの手紙でカッソときたことは、さらっと書き流している言葉の一つ一つをとりあげてただ怒っておられることです。そんなことは枝葉末節なことです。第一あなたの書き言葉は非常に乱暴です。私を主催者の一員である事を知って書いておられるなら、怒りの中にも、「ないではないか」という言葉でなく「ないではないでしょうか」と書けないものでしょうか。

企画運営を我々がやると自負されるあなたにしてはいただけない言葉つかいです。少なくとも指導者側に対する礼を失っしているからです。それに誤字や誤文が多いこともどうかと思いますね。

・もう一つ「寝食を忘れて」ということばを不愉快だといい「消費者である事務局の先生方は、我々生産者がつくる食物をいくらいそがしくても食べる事を忘れてはこまる」とありますが、これには全たくあいた口がふさがらない。「寝食を忘れて」とは、一生懸命にやっているということの形容である。あなたは、純粋すぎる人であるのでしょうね。「あいた口がふさがらない」と書きましたが、あなたは、顎がはずれたのでないかと心配して病院に早く行きなさいというのではないでしょうか。少々被害妄想のきらいがあるように思います。

そうでした。来年はあなたの県である高知で全国大会が開かれます。あなたはその時の運営委員になる方かも知れませんね。そのことを心配しておられて、こんな便りをよこされたのかもしれません。

大丈夫です。高知県の主催者側である兼松課長さんはじめ、みなさんが、青年の手に運営をさせるようにしたいとおっしゃっておりました。高知では、きっと、あなた方青年が坂本竜馬や中岡慎太郎のようになって立派な大会を開催していただけると思います。いややってほしいと思います。

十月の七日から「全国4Hクラブ員の集い」が、あおによし奈良の都で開催されるようです。これこそ、全国連絡協と奈良県連の青年諸君たちが、青年による青年のための立派な大会を開催されるようです。この集いも年々参加者が増えてゆくようで、大変喜んでいます。これこそ本当の意味の農村青年大会だと思います。

今農林省や全国教育団体や県が主催し、多少の経済的援助や教育的指導をやっていますが、それらの心配も必要もなくなってくるでしょう。まったくの一本立ができたとき、はじめて、農村青少年の自主的クラブ活動ができたといえるでしょう。その日が、今諸君たちの手で拓かれようとしています。頑張ってください。

（龍）

映画
"愛の孤独"描く
風もひとりぼっち

（日本ヘラルド映画）

かいせつ

「男と女」、パリのめぐり逢いなど鬼才ぶりを発揮するクロード・ルルーシュ監督が、自己のプロダクションを結成して、プロデューサーとして製作した第一作。

ルーマニアの避暑地として知られるママイアを舞台に、婚約者と結婚を翌日にひかえた女子学生ナナと、フランスのグループ・サウンズ（レ・ジェット）のマネージャー兼運転手である青年バルタザールとの出会い。火花のような短い情熱の触れあい、そして苦渋にみちたその別離を、ルルーシュ流の新鮮で流麗な感覚で描く。

ひとりの娘と、ひとりの青年のつかの間の恋の物語だが、抜きがたいアンニュイといらだちの日常の割れ目から、刹那的なエネルギーが噴出するヨーロッパの青春の典型が見事に捉えられていて、痛ましい悲劇感に貫ぬかれた秀作。

ものがたり

ルーマニアの女子学生ナナ（アドリアーナ・ボグダン）は、婚約者のステファン（チリステア・アブラム）と一緒に、車でダニューブ河下流のデルタ地帯に向った。

彼らは、結婚式を翌日挙げることになっていた。途中まできたとき、ナナは急に美容院にいきたいといいだし一人で車を下りた。

ナナが美容院のあるママイアの町に向う途中、四人組の若者たちが彼女に近ずいてきた。彼らは、巡行にきていたフランスのグループ・サンズ（レ・ジェット）の連中で、そのマネージャー兼運転手のバルタザール（ジャン・ピエール・カルフォン）という青年の、虚無的で不思議な魅力がナナの心をとらえた。

レ・ジェットの連中が出演しているクラブで、あるいは風の吹き抜ける砂丘で、二人はとりとめのないことをしゃべりあった。

バルタザールは、不意に雄弁になったかと思うと、そのあとすぐに貝のように心の扉を閉ざしてしまうことが多かったが、ナナは、かって一度も経験したことのない情熱が自分の全身を侵してゆくのを感じ、婚約者ステファンのことを忘れた。

ナナは、自分が何をしたら良いのか、わからない、といった。一体、この人生に、この生活の先に、何があるというのか。

バルタザールは、ナナの情熱を理解していた。しかし、彼はそれを受け入れはしなかった。つかの間の情熱の時間は過ぎ去り、ナナは婚約者のもとに帰ることになった。

翌日、バルタザールとナナを乗せた車は、ママイアの浜辺を走り去り、レ・ジェットの若者は、悲しい別離の歌をうたった。

バルタザールと別れたナナは、ステファンのもとに帰り、翌週あらためて結婚式を挙げることになった。

その日は、恐らく彼女にとって何の意味もない日の始まりになるかもしれない。しかし、河口に落ちる夕陽は美しかった。

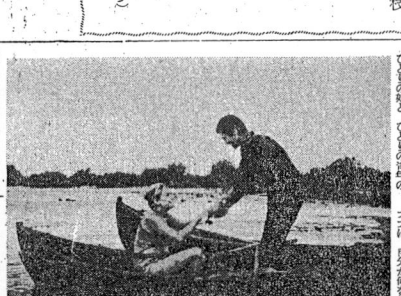

つかの間の恋は過ぎ去り、ナナは婚約者のもとに帰えっていった

私の発言
大自然に生きたい
一粒の生命力となって

（山梨県東八代郡中道町　誠進4Hクラブ　掛川篤）

一人の人間としてこの地球上に現われ、また消えたとしても、それは歴史の中の、あるいは三十億の人口の中でものの数にならぬ、ほんの一瞬のできごとにすぎない。これが人の一生である。

だからといって哀れむことはないが、その一瞬をいかに大切に、かつ意義あるものにしなければならないか知らなければ、真の青年とはいえないだろう。

私は土と緑りと太陽を愛し、たった一粒の種子から生れてくる収穫の喜びを、たとえようもなく美しいものに感じています。

砂塵のような種子から産れた蚕（かいこ）がつくりだす、あの絹の光沢と感触は、何人をも引きつけずにはおかない。また、トマトやキウリにしても、もとは吹けば飛び散る一粒の生命力からはじまり、これが収穫から、いまも変らない大自然をつくりだす使者なのです。

私は、サラリーマンになりたいとは思いません。けしてサラリーマンの良し悪しでなく、私には私の世界があります。

私は、この大自然と共に生きたいのです。

たとえ、この世が孤独な道であっても、作物をつくりだすことによって、ほんとうの悔りのない人生が開けてくると信じています。

山の朝

田中由枝

雲海に顔を出す太陽
緑さわやかな山の朝
飯をたく飯ごうの音
味噌汁をすするなごやかさ
足音も軽く山小屋を出ると
霧が流れる
山の朝―今日の一日がはじまる

（埼玉県所沢地区　入間4Hクラブ）

全国クラブ員の殿堂
4H会館建設に募金を
＝日本4H会館建設委員会、全協

青少年団体の紹介（2）
カトリック青年労働者連盟
"働く"青年の運動
自己の使命と責任を追求

本連盟は略称を「JOC」といい、千九百十九年ベルギーで創立され、現在八十カ国、三百万人の会員をもつ国際的な働く青年運動である。日本では、十八年前に北九州で始まり、全国に二百の支部をもっている。

目的

働く青年が友愛と団結によって働く青年に関することや問題を、みんなで考え、共に活動しながら自分たちの生活を向上させ、環境をよりよくし、明るく希望にみちた社会、愛と正義と平和にあふれた世界を建設することをめざしている運動で「働く青年が、働く青年のために、働く青年の中で」行なうものである。

そのために、働く青少年が、自己の使命と責任、労働の意義と価値、人格の尊厳などに気づき、自分の力で向上し、他の人に奉仕する愛の精神をもつよう、教育活動や奉仕活動を行ない、働く青年の声を世論や政府に訴えたりする。

また、他の青少年団体と連携を深めるため事業に参加している。

基本的精神

「人間はみな神の子であり、兄弟である。自由である。だからお互いに尊敬し、愛し、助けあいながら、人間にふさわしい生活をすべきである」というキリスト教の精神に基づいている。

活動

自分の生活、環境の状態、苦しみ、希望などの問題を愛の心で見る。それに対して、人間らしい生活か、愛、正義、平和に反していないかなど、キリストの教えに照らして判断し、具体的にやれることを実行としてきめ、毎日の生活の中で仲間と一緒に活動する。

会員

十五歳〜三十歳までの未婚の働く青年男女で、運動の目的、精神、活動に賛同する人はだれでも加盟できる。会員は週に一回研究会に参加し、現実の問題、職場や青年の問題を話しあっている。

活動の対象となるものは、職場の対人関係、労働条件の改善、正しい労働運動、余暇の善用、健全な男女交際や結婚観の普及、青年のあり方、責任、理想の追求など青年に関するものはすべてとりあげられる。

具体的な活動

グループ活動、青年集会、講演会、研修会、映画会、施設訪問、風水害などの募金活動など、また、働く青年向けに発行している新聞「新世界（月刊）」がある。

また毎年、全国的にひとつのテーマをきめて活動を行なっている。

今までに行なったものの主なものは、グループづくり（昭・二十七年）不良出版物・ヒロポンの追放（昭・二十九年）働く青年の結婚（昭・三十三年）健全な男女交際を広める（昭・三十八年）など。

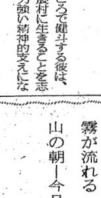

昭和43年度JOC全国大会（東京・暁星学園で）

会員数

現在活動している支部は、東京のほか二百支部であるが、会員数は男女合わせて、リーダー……千二百名、メンバー……五千名で、年令は二十〜二十四歳までが多く工員や事務員が多い。

国際関係

国際的な交流も活発に行なわれ、日本からの代表派遣や外国から青年を招き、日本での技術習得などを助けている。

世界の国々が同じ精神、同じ目的で、各国の特徴を生かしながら相互連絡、協力関係にある。本部はベルギーにあり、四年に一度、国際評議会が開かれ、四カ年の計画が決定される。また国連（ユネスコ、ILO）にも積極的に協力している。（東京都新宿区柏木三ー三九九）TEL（三七一）四三一九

日本4H新聞

4Hクラブ
農事研究会
生活改善クラブ
全国弘報紙

発行所
社団法人 日本4H協会
東京都市ケ谷家の光会館内
電話（269）1675郵便番号162
編集発行人　玉井光
月3回・4の日発行
定価　1部　10円
6ヵ月180円（送料共）
一ヵ年360円　〃
振替口座東京　12055番

クラブの綱領

私達は実践を通じて自らを磨くとともに互いに力を合わせてよりよい農村、よりよい日本を創るため四つの信条をかかげます。一、私達は農業の改良と生活の改善に役立つ腕をみがきます。一、私達は科学的に物を考えることのできる頭の訓練をします。一、私達は誠実で友情に富む心をつちかいます。一、私達は楽しく暮らし、元気で働くための健康を増進します。

FFJ 全国大会

28日から岐阜で開く

日本学校農業クラブ連盟など主催の第十九回日本学校農業クラブ全国大会は、来る二十八日から四日間、岐阜市の市民センターなどを会場として開催される。主な行事は、クラブ活動などの発表、技術競技、会合。

大和路で「4Hの祭典」

第四回全国4Hクラブ員のつどい

農林大臣、松下会長が講演

参加者大幅にふえる

いよいよ七日から奈良で開幕

全国クラブ員の一大祭典、全国4Hクラブ連絡協議会（丸山勉会長）、社団法人日本4H協会（松下幸之助会長）共催の「第四回全国4Hクラブ員のつどい」は、[illegible]

今回のつどいを大きく特色づけるものとしては、会場が古都であることはいうに及ばず、農林大臣と松下4H協会長の出席が初めて実現可能となったこと、参加者が前回に比べて飛躍的に増加したこと、今回初めて記念植樹が実施されること、今年は4Hクラブ発足二十周年の年に当り、これを記念して全協と日本4H協会が全国のクラブ員と指導者から募集したクラブ活動についての意見・体験文の発表が行なわれることなどであろう。しかも、農林大臣と松下4H協会長の講演は、参加者に深い感銘を与え、つどい自体に重みを加えるものと期待される。[illegible]

西村農林大臣

松下4H協会長

参加者は、すでに申し込みのあった分だけでも、前回の「北陸のつどい」の倍以上の人数となっている。九月一日現在、佐賀県の五十四名をトップに、大阪五十名、来年、つどい開催が予定されている鳥取から四十七名、愛知四十四、京都三十六、山梨三十一、和歌山二十四、茨城二十、岐阜十七、富山十六、新潟十五、埼玉、三重とも十四名と大量申し込みが続き、当日だけの参加も含めると開会式における参加者は約千五百名に達するのではないかとみられ、これまでにない盛り上がりをみせている。と同時に、参加者が予想をはるかに上回ったために、主催者側では嬉しい悲鳴をあげている。このつどいは、自己経費負担による自主参加が建前となっているため、[illegible]も出ている。

一方、開催県の奈良県連では、百八十二名を動員、現地交換訪問の受入れに備えるとともに、執行部・OBを含めて約五十名の準備と運営委員を構成、全国の友を迎えるこのつどいを成功させるため、準備に全力を注いでいる。

つどいの主な行事は、農林大臣、松下4H協会長の講演をはじめとして、クラブ員が大いに期待する一泊二日の現地交換訪問、4Hクラブ発足二十周年を記念して全国のクラブ員と指導者（OBを含む）から懸賞募集したクラブ活動についての意見・体験文の入賞者による発表、話し合い、記念植樹（「あすなろ」の木を各県ごとに一本ずつ植える）、大阪府総合青少年野外活動センター、松田稔所長の指導によるレクリエーション、キャンプファイヤー、スケッチ大会、自由交歓、4Hクラブ活動の写真と現物による展示会、開・閉会式などが予定されている。

会場は、奈良県文化会館はじめ奈良市庁別館、奈良公園、奈良県公会堂、平城宮跡のほか現地訪問として奈良県下一円、大阪・京都両府の各一部にまたがっている。宿泊は、三山旅館、猿沢荘、古市旅館、万葉荘、春日野荘、保養センター、奈良ドリームセンターの七ヵ所となった。

こうして歴史の刻み深く、昔の面影をとどめる古都、紅葉に染まる大和路に、4Hクラブの旗のもとに全国の仲間が集まり、ともに心ゆくまで語り合い、日ごろ磨いた知識や技術を交流し、友情を深めることはどんなにすばらしいことであろう。4Hクラブ活動への新しい息吹きと、豊かな人間性への高まりがここからも生まれるものと思われる。

涼風暖風

[illegible]

ブルの騒音のなかに

[illegible]

農政は無責任に時の流れのおもむくままにあるのではなくて、若い農民の心意気をいたずらにあげながらすすめられるべきだと、ブルの騒音を耳にしながら、しきりに思った。（岩手・伊藤）

4Hクラブ発足二十周年記念 意見・体験文懸賞募集

入賞者決る

社団法人日本4H協会（松下幸之助会長）と全国4Hクラブ連絡協議会（丸山勉会長）は、わが国における4Hクラブ発足二十周年を記念して、クラブ活動についての体験文と意見文を全国のクラブ員と指導者（OBを含む）から懸賞募集していたが、このほど、応募作品多数の中から慎重審査の結果、入賞文を次のとおり決定した。応募作品は、それぞれの立場、角度から日ごろのクラブ活動についての悩みや喜びなど貴重な体験、また体験をもとにしたビジョンなど内容の充実したものが多く、とくに上位はいずれも優劣つけがたいほどだった。入賞者については、来る七日から奈良県で開催する「第四回全国4Hクラブ員のつどい」で表彰し、続いて入選四名にその意見・体験文を発表してもらうことになっている。なお、この紙上を借りて、意見・体験文をご応募下さった全国のクラブ員と指導者に心から感謝申し上げると同時に、入賞者の発表にかえさせていただきます。（敬称略）

意見文

▽入選　クラブ員の部
「4Hクラブに入って思うこと」
福島県安達郡大玉村玉井　玉井4Hクラブ
渡辺正人

▽同　指導者の部
「幅広い4Hクラブ活動を」
新潟県村上市大欠団地　山北地区農業改良普及所
小野登茂衛

体験文

▽入選　クラブ員の部
「4Hクラブと私の段階」
山口県山口市大内字氷上　大内4Hクラブ
山崎順之

▽同　指導者の部
「4Hクラブ活動の農村社会への位置づけ」
和歌山県西牟婁郡上富田町　田辺農業改良普及所
中村武

渡辺君

山崎君

小野氏

中村氏

意見文

▽佳作　クラブ員の部
佐賀県唐津市唐の川四四〇一一　竹の子4Hクラブ
森武則

▽同
栃木県小山市立木八六〇　美田4Hクラブ
野口芳枝

▽同　指導者の部
山梨県東八代郡八代町南　農業（OB）
金井成浩

▽同
栃木県下都賀郡都賀町富張一一一六（OB、三十九年度派米生）
青木静子

体験文

▽佳作　クラブ員の部
鳥取県東伯郡赤碕町赤碕一三一　赤碕グリーン4Hクラブ
小林洋子

▽同
福井県丹生郡宮崎村円満　みつば農村青少年クラブ
山田佐九治

▽同　指導者の部
山梨県中巨摩郡敷島町吉沢三三二　農業（OB）
高橋基次

▽同
山梨県東八代郡石和田町八田一四九　笛吹農業学校副校長
滝好雄

【審査】社団法人日本4H協会・全国4Hクラブ連絡協議会

秋風に花のようにはためく惜別のテープ。甲板で手をふる「青年の船」の乗船者。その中央に4Hの旗があざやかに映えた。＝「青年の船」出港寸前、別れを惜しむ団員

「青年の船」出港

東南ア七ヵ国歴訪の旅へ

[illegible]

大勢の仲間が乗船

[illegible]

制服姿もりりしい4Hクラブの同志（全協と各道府県から推せんされたクラブ員と吉田本紙記者＝前列左端）

[illegible]かにゆれだし、見送人と乗船の間に、一瞬動揺が訪ずれる。ゆるやかに岸から船が離れ、テープが張る。二回、ドラの音が周囲をするように響き渡り、別れの騒ぎが一段と高まる。団員たちは帽子を高くかかげて別れを惜しむ。にわかに雲り出した空、その中に吸い込まれるように船は波の上を走り、訪問の旅へと向った。

青年の船は、東南アジア七ヵ国を訪問して、来る十一月二十日神戸港に帰港の予定である。

心頭技健

[illegible]

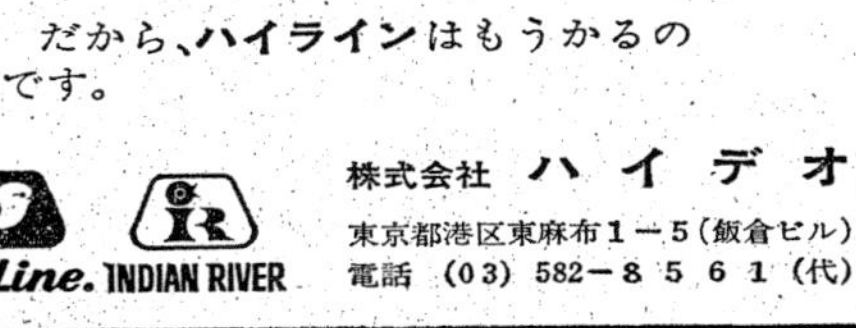

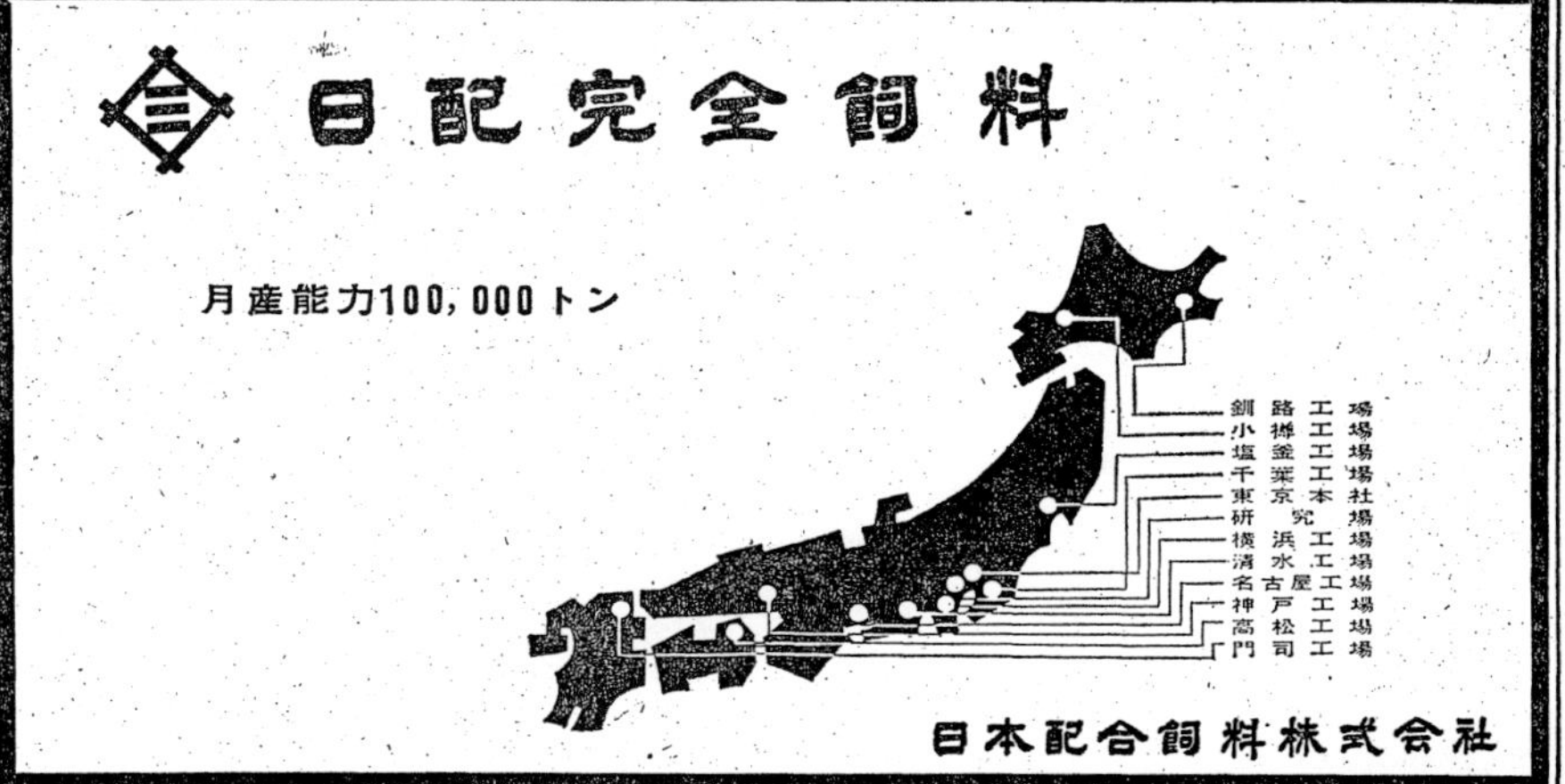

会館建設の意気高揚

関東ブロック 4Hクラブ推進会議開かる

全国4Hクラブ連絡協議会の事業の大きな柱の一本であるブロック4Hクラブ推進会議の一つ―関東ブロック4Hク推進会議は、全協と茨城県農研連青少年部（会長、岡崎忠雄君）の共催によってさる九月十一日から三日間、茨城県の県立吾国山ユースセンターで開かれた。

この会議には、関東甲信静のクラブ員五十余名と全協執行部が出席、それに各県の担当官、4H協会の新田事務局長を迎えて開かれた。

一日目は、全協活動の説明のあと質疑応答、つづいて「4Hクラブの本質と組織」について新田4H協会事務局長の講義などがあったが、クラブ員からは早くも全協執行部に対して「自主団体としての自覚をもて」「全農業者としての立場をもて（例えば、全協の共同プロジェクトとして流通機構に取り組むような姿勢を示すこと）」などの要望が出された。

二日目は、前日の新田事務局長の講義をもとに組織や本質について討議したあと、4H会館建設に対する理解を深めるための説明と質疑応答が熱心にくりかえされ、ついで、茨城県の後継者対策の特徴である「父子契約」の体験発表などが行なわれた。

中でも会館建設に対する熱意は大きく、より深い理解のために時間の延長が求められ、夜のレクリエーションのプログラムを変更して質疑応答が続けられ、会館建設に対する協力を誓った。

三日目は、関東の名峰、筑波山に登り、幕を閉じた。

また、会場となった吾国山ユースセンターは、茨城青年の勤労奉仕と募金によって建設された施設ということで、今回の会議がこけら落しだった。それに対し、参加者の意向による協力が発案され、募金を行ない、建設の一端を担った。

（全協副会長・沼田俊子さんより）

千代田湖畔に集う

山梨県連で技術交換大会

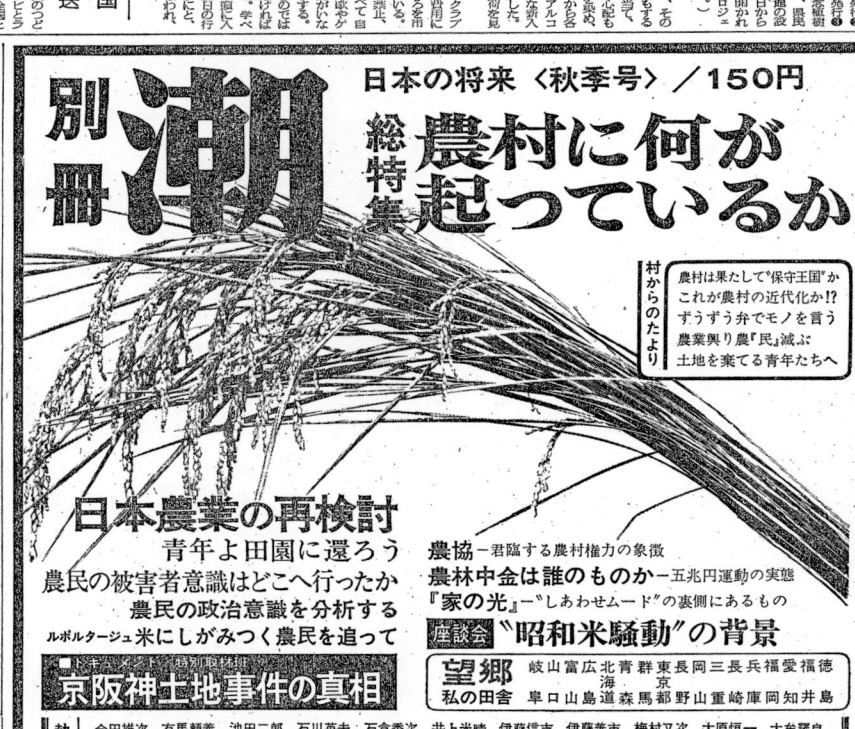

山梨県連の技術交換大会の開会式＝千代田小学校講堂で

【山梨県＝掛川鶴 連絡報道員発】山梨県4Hクラブ連絡協議会（会長、小野好道君）は、県と共催でさる八月三十一日と九月一日の両日、甲府盆地が一目で見渡すことができる和田山、千代田湖を主会場として県農村青少年技術交換大会を開催した。

一日目は、午後一時から開会式を行ない、オリエンテーションに続いて演示発表に移り、桃の黒星病、エプロンの改良などクラブ員が日ごろ研究した成果について披露され、それを参加者たちは熱心にメモしていた。

このあと奉仕作業を予定していたが、あいにくの雨のために日程を変更して分科会を開き「今後のプロジェクトの進め方について」をテーマに、プロジェクトの必要性、問題点など活発に議論がかわされた。夕食はカレーライス。女子クラブ員が盛りつけたものを男子クラブ員が運ぶなど、仲むつまじい姿がみられ、味は一だんと美味であった。

雨はどうにか小降りになったがキャンプファイヤーは不可能なためキャンドルサービスに変更し、千代田小学校講堂で地区連対抗の寸劇やゲーム、歌などがくりひろげられ、ここにも4Hの温かい友情の血潮が渦まき、クラブ員の持つ一本一本のローソクに映えたみんなの顔が印象的であった。

二日目は午前六時に起床し、ラジオ体操、朝食をとり、九時から千代田湖畔で技術競技に入った。今年の班編成は例年と異り、新しい試みとして地区連別に編成。千代田湖の近くにある白山を一周す

自主性と意識高揚に

佐賀県連 4Hクラブのバッチ出来る

このほど作られた佐賀県連の4Hバッチ

【佐賀県＝鶴尾清一連絡報道員発】佐賀県農村青少年クラブ連絡協議会では、クラブ員の自主性とクラブ意識の高揚を図り、農業という職業に誇りを持って未来を建設しようと、このほど4Hクラブのバッチを作成、さる四日県下の千五百名のクラブ員に配布した。

このバッチは、今年度中に建設される「農村青年の像」とあわせて、デザインを県下のクラブ員から募集、多数の応募の中から県連役員を中心に県農業改良課と有識者をまじえて決定した。

バッチの大きさは、直径約一・五センチで、緑色の四つ葉に白色でHを浮き出させた四つのクローバーを佐賀県の主産物である黄金色の稲穂で包み、その下にアルファベットで「SAGA」と赤色で文字を入れ、それに金色でふちどってある見事なもの。このバッチは、ねじと、ピンでつける二通りがあり大変便利。

佐賀県連では、坂井邦夫会長の熱意ある行動のもとに、今年度から事務局体制をしき、毎週水曜日に県農業改良課に置く事務局を開放して、すべての事務を自分たちクラブ員の手で行なっている。このため、自分たちは4H精神に徹し、実践活動を通じて学ぶという4Hクラブの鉄則に従い、その責務を身をもって受けとめなければならない、という信条のもとにあらゆる面で活動している。それはバッチや青年の像、またクラブ員のユニホーム作成などにも現われ意識が盛り上ってきている。

現在、県連では、坂井会長を中心に、明治維新に活躍した若者のように、夜明けから百年目へと次の段階、光を求めて前進しようと大いに張り切っている。

花咲いたような会場

愛知県連で初の「女子教養講座」 明るい家庭づくりへ

【愛知県＝古川雪英子連絡報道員発】愛知県4Hクラブ連絡協議会（会長、飯田雅美君）では、さる九月二十日、名古屋市の中電ビルで、全国でも初の試みと思われる県女子4Hクラブ員教養講座（年間コース）を開講した。

これは、県下の女子クラブ員を対象に、将来主婦として豊かな明るい家庭を築いて行くために必要な結婚生活への知識と生活技術研修をともなった「広い意味での教養」を身につけてもらおうというもので、二十日を皮切りに来春三月まで毎月一回、計十二回（うち三回は一泊二日）を開催する予定である。

この講座を開講するにあたっては、一昨年県連の副会長をつとめられた兼子とし江さん（訪中草の根大使・吉良女子4Hクラブ）をはじめ先輩クラブ員の方々がアンケート調査を行なって講座内容を検討するなど、大変お骨折りの結果実現となったもので、後輩のクラブ員たちも「先輩たちに負けないように！」と研修参加への意気込みが感じられた。

この日は、午前十時から開講式が行なわれ、県下の女子クラブ員が一堂に会し、赤や黄など色とりどりの色彩に会場は花やき、若さではちきれそう。「こんなにもまあ、美しい女性ばかり、いる所にはいるものだ」とため息をつく参加、数少い男性の一人……。五十名の定員に対し六十名の希望者があり、県連役員はうれしい悲鳴をあげていた。県青少年指導係の先生、県連飯田会長、久野全協事務局次長など数少い男性陣は少々圧倒されぎみ。飯田、久野両男性とも五十名の女性の前にずわらされつるしあげ（？）られた感じだったが、この日は大モテ……「これなら毎回出席（？）するのでは……。」とはある参加女性の弁。

午前中は、来春三月までの期間中のオリエンテーションがあり、午後は、最初の講座で「女性と文化」という題で名古屋市の徳川美術館館長、熊沢先生の講演を聞いた。

上記の表は、愛知県女子4Hクラブ員教養講座の内容です。

回数	月日	課題	課題
第一回	9/20	開講式、オリエンテーション	女性と文化
二	10/14	上手な電話のかけ方、うけ方	魅力ある言葉と表情
三	10/23	結婚のウォーミングアップ（1）	やさしい電気教室
四	11/7	ホーム・マネジメントとは	美しくなるには　家庭調理器具の上手な使い方
五	11/21	上手な洗濯と洗剤の使い方	結婚の医学知識
六	12/18	快適な住い方	訪問着、晴着の上手な着付について
泊		（夜）上手なホテルの使い方	西洋料理のテーブルマナーについて（実習）
七	12/19	結婚のウォーミングアップ（2）	考えたい食生活のあり方　スピード料理実習
八	1/23	電気器具の故障診断と修理	菓子の上手な作り方　ティーパーティーのもち方（テーブルスピーチの仕方）
九	2/13	美しい寝方と上手な寝具の使い方	結婚に伴う法律問題
泊		（夜）住いのアイデア、住いの中の整理学	見合い写真、結婚写真の上手な撮られ方
十	2/14	豊かな楽しい私の一生	
十一	3/10	上手な新婚旅行の仕方	見学
泊		（夜）反省会	
十二	3/11	結婚のウォーミングアップ（3）	修了式と懇談会

元"草の根大使" 長谷川さん逝去

熱い友情に支えられながら

故長谷川さん

国際農村青年交換（IFYE）計画に基づいて、さる四十年、日本4H協会から4Hクラブ員の代表として米国に派遣された元"草の根大使"長谷川ふみ子さん（三七）＝愛知県小牧市小針己新田一三三三＝は、じん臓と肝臓炎を併発し今年の一月初旬から名古屋大学附属病院に入院、加療していた。

しかし、それでも血液が不足の中の血液を入れ替えなければならないという難病だった。血液銀行から輸血を受けていたが、大量の血液を必要とするため、長谷川さんが所属していた小牧4Hクラブが中心となり、隣接の春日井4Hクラブの人たちがこれまで献血を続けてきた。

が、その甲斐もなくさる九月三十日同病院で若き生命を閉じられた。

長谷川さんの病気は、一週間に一度、からだため地区連が動き出し、役員会で献血運動を開始しようと決めたが長谷川さんの死はその矢先きだった。それだけにクラブ員たちから惜しまれている。

また、長谷川さんにとって、昨年、富山県で開かれた「全国4Hクラブ員北陸のつどい」への参加は、最後の行事参加となったが、このとき親しくなった多くのクラブ員が入院してから見舞いにかけつけて友情を捧げてくれた。開催県の富山県のクラブ員も仲間になったが、愛知県を訪ずれたそのクラブ員たちも、長谷川さんの病床へ足を運んだ。関係者も、この「北陸のつどい」の意義をいまさらながら高く評価し、クラブ員心温まる4Hの友情に深く感動している。

長谷川さんが輸血を受けた血は、回復後返えさなければならなかったが、長谷川さん亡き後その血液は仲間たちの手によってその約束が果されるだろう。

長谷川さんは、かつて愛知県4Hクラブ連絡協議会の副会長をつとめたこともあり、今後の活躍が期待されていただけに、その死は深く痛まれるが、このように最後まで友情に支えられながら生命を閉じたのである。そして長谷川さんが民間外交官として米国で築いた親善、平和のとりではいつまでも残ることであろう。

ここに、献血に奔走するクラブ員の努力に対し敬意を表するとともに、全国のクラブ員とともに長谷川さんのめい福をお祈りしたいと思います。

プロジェクト発表も計画

宮城県連 期日を11月10日に 20周年記念大会を具体化

【宮城県＝床司健治連絡報道員発】……これを機会に新たなクラブ活動を展……長の合同会議を仙台中央放送局第一……

同日は、県連役員十三名、地区連会長十三名（十七地区）と県から佐々木課長補佐はじめ係員三名、それにNHK、篤志指導者など三十数名が出席、午前十時から高野会長のあいさつに続いて議事に入り、約四時間にわたって真剣……

……

ブ活動（発表者は四十二年度青年会議発表者の中から選出する）❿記念講演（一般教養的な内容とし約一時間を予定）

第二部（午後）はアトラクションとして、クラブ員による民謡、郷土芸能、バンドなどを予定▽民謡＝佐藤寛一（登米郡南方町）▽八鹿踊り＜無形文化財＞（一迫町）▽小山田やすとこ踊り（大河原）▽一本つるぎ＜神楽＞（亘理町）▽バンド（エレキ）＝ザ・ジューレッツ（大和町）ザ・ハリケーン（小牛田町）

第三部は閉会式＝❶四つの綱領朗唱❷篤志指導者の激励のことば❸閉会のあいさつ❹日本4Hクラブの歌斉唱❺万才三唱❻閉会宣言

一、事業

❶「二十周年の歩み」発行❷「宮城4H新聞記念号」発行❸クラブ員の民泊実施❹記念植樹（大会参加者から募金し、県民の森に植樹する）❺4H館の設置（県農業祭が十一月九日から三日間、県農業試験所で開かれるので、この期間中、プロジェクト、教育展示を行なう。）

神奈川県でリーダー研修会

……

ビールの味と研修と

静岡・北駿4Hクラブ 愛知へ視察旅行

【静岡県＝真田勝連絡報道員発】御殿場市の北駿4Hクラブ……桜井農協、稲作の集団栽培と大型機械の利用の実態を豊協の係員か……

アルコールは絶対禁物だが、その心配もなく、温泉での研修もするため一人一本のビールの割当て、女子クラブ員も「家に帰る心配もないから少し飲むワ」と顔を染め、宴会も最高潮になったころから各部対抗の余興が始まった。アルコールも手伝って日ごろ静かな新入クラブ員も大いにハッスルした。

二日目は竹島から豊川稲荷を見学して帰途についた。

自分たちの研修旅行は、クラブの実験圃場であげた収益を費用に当て、それで足りないところを市町村から補助してもらっている。バスの中ではアルコールは禁止、旅行運営は係を決め、すべて自主行動、車中ではレク係が歌やゲームを指導し、ガイドさんがいなくてもよいようになったりする。また宴会も、ただ酒を飲むのではなく今の自分たち青年でなければできないことをやっている。……

先進地農家も表示

愛知県連 「4Hハイキングコース」設ける

爽やかな秋風とともに行楽シーズンがやってまいりました。全国のクラブ員の皆さんきっとスポーツや旅行、ハイキングなど楽しい計画をいっぱい立てられ、それとともにお仕事やクラブ活動に精を出していらっしゃることでしょう。

私たち愛知県4Hクラブ連絡協議会（会長、飯田雅美君）は、今年度の事業計画の中に"体力づくり運動の展開"を打ち出し……提出されました。

……

ブラジルから 湯浅氏帰国

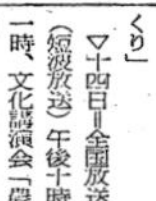

湯浅氏

全国でただ一人の農村青少年指導者（専門家）として政府からブラジルのサンパウロ州に派遣され、約六カ月間にわたって同国で4Hクラブの育成指導に当っていた栃木県の専門技術員、湯浅甲子氏はさる九月二十五日夕刻帰国した。

NHKで全国と近畿に放送

……

▽十七日＝近畿地方向け、……テレビ、午前六時三十分〜同……分「明るい農村（あすの農村）」……

【おことわり】次号十四日……「つどい」開催のため、発行が……れますのでご了承下さい。

4Hくん No.134

私の経営実績

ぶどうの枝梢キャップ栽培

山梨市上岩下　五味 了美

私の地域は、山梨県の中心甲府盆地の東方に位置し、国鉄・中央線山梨市駅を中心として広がり、標高二百七十メートル～六百メートルで、洪積層と沖積層の土質です。このため、ほとんどの田畑が極めて肥沃な生産性の高い地域で、果樹を中心に一部促成・抑制野菜が栽培されています。

とくにG・Bデラ（ぶどうの薬剤処理法）が盛んで、年々増植されています。

私の家では、現在、果樹栽培を経営の中心に桃四〇・八アール、ブドウ四十アール、その他一〇・二アール合計一ヘクタールを行なっています。とくに、G・B処理の時期は、桃の摘果と重なり、労働力を集中的に必要とします。父と母と私の三人では、とうていこの時期の労働を克服することができず、これは緊急の課題となりました。それに対応するには、第一回のG・B処理時期の労働ピークをくずす工夫を必要とします。

私は、いろいろ検討した結果、東山梨農業改良普及所の指導のもとに、枝梢キャップ栽培をプロジェクトとして設定しました。

目的

❶労働力の配分——栽培面積の拡大から労力の配分

❷労力の配分から規模拡大（長期出荷）

❸収益の増大——ハウスぶどうと露地ぶどうとの中間をねらった栽培

方法

結果母枝にビニール袋を被覆し、半促成栽培を行なう。

苦心した点

枝梢において、切り方が揃っていなかったため、ビニール袋を二つかぶせたり、長いものにはビニール袋を二つかぶせたり、短いものにはそえ木をしてかぶせた。

立地条件

南向きで日当りが良く、埴土質の土地でデラウェアに適した土地

資材

十アール当り十五本植、十五年生成木を使用、面積十アール。

十アール当り袋の使用量は、一般に二千四百～二千八百枚位使用しているため、二千四百枚使用する。

試験方法

ポリエチレン無孔フィルムをX形整枝の木で、第一主枝と第三主枝に被覆し、第二・第四主枝には被覆しないもの、また、これと逆のものを十五本とした。特殊な試みとして、ノービーエス、有孔フィルムを使用して行なってみた。

これは、キャップ栽培調査における調査を明らかにするために行なったもので、また、数多く使用した目的は、樹勢の関係から調査平均を出すためである。

作業内容

被覆　三月二十五日～二十八日

被覆の際、乾燥防止と萌芽を揃えるために袋内に水を入れる（この水量は、一袋十cc位でよい）

袋の半開　四月十九日～二十二日

この半開で注意したいことは、枝が軟弱に育っているため高温障害を受けやすい。まず、デラウェアの成育適温は20C～25Cといわれています。ちょうどこの時期は高温の日が周期的にあります。しかし、ルックスの面でいえば同化作用が盛んに行なわれているため、あまり心配はありませんが二十日～二十八日頃、このころは高温の日が続きました。とくに、30C以上になりますと完全に高温障害の恐れがあります。

この高温障害にかかりますと、新梢の伸びが悪く、房は小さく、収量の面で減収が現われます。花振い適期としては、本葉八～九枚が適期です。

除袋　四月二十六日～二十九日

半開作業を行なってから一週間位おいて行なう。この除袋を早く行ないすぎると凍害を受ける恐れがあります。

摘芽・摘房・房作り　五月一日～三日

枝梢の数を固定させる。また房を揃える。ジベレリン処理期を揃える。

第一回ジベレリン処理　六月九日

このとき房数を多少多めにしておく。

結論

キャップ栽培、露地物に比較して伸びが短かく、収穫期は七日～十日早い。

五月一日～三日に処理期を揃えるため摘房、摘芽を行なったがあまり効果は現われなかった。また、ジベレリン処理については早いものから順に数回にわたって行なう方がよい結果が現われる。ジベレリン処理は、露地栽培ジベレリン処理品種よりも若目に行なった方が安全だと思います。

労力面においては、ジベレリン処理が重ならずに行なえるので、規模拡大の可能性も十分考えられます。

収入面については、昨年度収入の二十八万円が約二倍の四十六万円を上げることができたので、頭初の目標は達成できました。

改善点

キャップ（袋）の半開作業を、新しいビニール（有孔）を使用して能率的にして労力を節減したい。また、高温障害の防止を考えていくことやジベレリン処理を揃えるために、摘房、摘芯を早めに行ないたい。

最後に、私から見た枝梢キャップ栽培の将来性は、現在山梨県はハウスぶどうと露地ぶどうを中心に栽培されております。しかし現在ハウスものと露地もののあい間に出荷量が非常に少ない時期があります。この時期に出荷可能な栽培をしていく以上、市場においても安全な価格で取引きされると思います。また、ハウスぶどう（ハウス資材費約三十万円）を栽培するよりもはるかに安く、管理技術も容易であるため、本県のぶどう栽培体型に新しい分野として将来性あるものと思います。

規模拡大も可能　ぶどう栽培に新分野

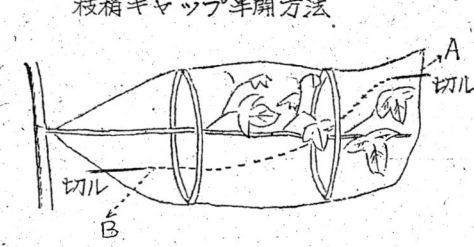

枝梢キャップ半開方法

ビニール袋の被覆方法

プロジェクトの取り組み方　展開篇（8）

北海道専門技術員　三輪 勲

実施前に細部計画　参考資料の活用や助言を

計画と指導

（ウ）年間の実施計画

プロジェクトの作業分析に基づいて、単位作業ごとに実施予定時期、準備資材、必要労力、作業時間または日数などを計画する。この実施計画書は、一定の様式（月・旬、作業名、必要資材、自己と自己以外に分けた必要労力時間）によって、作業開始から終了に至るまでの順に従って作成する。

実施計画の「月旬」は、作業実施予定の時期を記入する。「旬」は、上、中、下にわける。「作業名」は、おもな作業たとえば種子の消毒、耕うん整地、元肥施用などというように記入する。

「必要資材」は、その作業に必要な種子、肥料、農薬など、資材名称と数量を記入する。

「必要労力」は、自己労力と自己以外（家族の協力、機械力や畜力の利用）の労力とにわけて、その作業に必要な時間を記入する。この場合「自己以外」の労力については家族、機械、家畜などの区分を付記して明らかにしておくとよい。

（エ）資材などの準備計画

プロジェクトの年間実施計画をもとにして、実施に必要な種苗、肥料、農薬、飼料、機械、経費など、諸資材、資金、労力の調達について、具体的な計画を立てる。

この場合、プロジェクトの年間実施計画の「必要資材」と、「必要労力」の記載事項をとりまとめて作成すればよい。

準備計画表には、区分、名称、数量・金額、使用時期、準備方法などに分けて記入する。

この「区分」は、土地、種苗、肥料、農薬、機械、労力などの区分を記入する。「名称」は、土地については田畑の別を、その他の資材や機具は名称を、労力は自己労力、自己以外労力（家族、畜力、機械力）の別をそれぞれ記入する。

「数量・金額」は、具体的な数字を記入する。この場合、金額が、明らかでないもの（たとえば、両親から現物借用する場合）は金額記入を省略してよい。

（オ）収支計画

プロジェクトの年間実施計画と資材等の準備計画をもとにして、プロジェクトの実施に伴う経費の収支の見通しを計算する。

収支計画は一応の予算であるから概算額の算出でもよい。しかし、年長者の場合、できるだけ詳細に算出して収支計画を立てることが望ましい。収支計画は、二一〇表の様式によって作成する。

収支計画における「収入」は、父からの借金・自分のこづかいより・農業後継者資金などの入金のほか、生産物の販売代金・労働賃金などの諸収入の見込み額を記入する。

「支出」は、プロジェクト実施に必要な資材等の購入経費や借入金の返済など、支出の見込みものがある。

「差引」は、収入総額から支出総額を差し引いた残額を記入する。これらの収支は、技能補助プロジェクトのように経費を特別に要しない場合、とくに収支計画を立てる必要はない。

「利益金の処理法」は、たとえば「利益金の三分の一は先進地視……

（カ）部門細部計画

プロジェクトの年間実施計画のうち、重要な単位作業については詳細な実施計画が必要である。これは、プロジェクトの実施過程の進行に従って作成することとし、必ずしもプロジェクト実施前にすべての部門細部計画を立てなくてもよい。

部門細部計画の樹立指導に当っては、採用決定した改良方式の実施計画に重点をおき、その具体的な内容について念入りに指導することがたいせつである。改良方式の実施の成否は、プロジェクトの成果を左右することにもなるので、参考資料を十分に活用させたり両親の助言をうけさせるなど、実施上の配慮が必要である。

部門細部計画を必要とするおもな単位作業は、おおむね次のものがある。

a　施肥設計……肥料の種類、使用量、三要素量、施肥時期、回数など

b　病害虫防除計画……農薬の種類、濃度、使用量、散布方法、時期、回数など

c　飼料給与計画……月別の飼料単位、可消化たんぱく質の量、飼料の種類、給与量、飼料生産量など

d　施設の設計……平面図、側面図など

e　衣服の型紙・裁ち合わせ図など

指導上の留意事項

（ア）計画の検討

プロジェクト実施計画を作成した場合、改良普及員はその技術内容を検討して必要な助言を行なうことが重要である。また両親とも十分に相談させ、資金・資材・労力などの調達が家族の理解と協力とで実施できるように、その体制を整えることが必要である。

さらに、青少年グループの会合で相互に計画を発表し、研究協議させるのも効果が大きい。

こうした実施計画の検討をとおして、不備な点の補正や変更を行なう。全体を通じて実施上の困難が予測される場合は、計画を廃棄して他の課題を再選定させるようにする。

（イ）実施中の計画変更

プロジェクトの実施中に、異常気象に伴う生育障害・病害の発生・機具の故障・家畜の病気など、各種の異常発生によってプロジェクトが計画どおりに実施できない場合がある。こうしたときは当初の計画を異変に対応して大幅に修正させる必要がある。異常事態の内容を十分に調査し理解させたうえで、その対策をたててプロジェクト計画の必要部分を修正させるとよい。

（ウ）参考資料の利用

プロジェクトの計画樹立に必要な参考書や資料類は、できるだけ利用させるとよい。参考書には、ラジオ農業学校テキストのほか、農業雑誌や先進青少年のプロジェクト実績資料など、入手の容易なものの利用を中心とし、必要に応じて専門書の紹介を行なうとよい。

☆　☆　☆

プロジェクトの収支計画（様式例）

おしゃれ　季節のコート

（10月のこよみ）

……▽19日＝東京日本橋べったら市、京都……▽20日＝……▽22日＝京都平安神宮時代祭、……▽23日＝霜降、明治……▽24日＝国連の日▽27日＝読書週間　財団法人農林統計協会編「新農家暦」四十三年度版

NHK 農業教室

りんご生産の方向

りんごの栽培面積は昭和三十八年に六五、三百㌶となって以来、その栽培面積は増加していない。これは一部に新増植があっても、工場・住宅敷地、または荒廃地によって、相殺されていることを意味しているが、いずれにしてもこのことはりんご栽培についての面積拡大という意欲が低調となっていることを示している。

さらにまた、生産費についても横ばい状態であって、みかんの増勢と比較すべくもない。このような状況は今後も続くであろうか。

一部では現在の食管制度が維持され、米価対策が今日までたどってきた姿で進む限り、残念ながら現況を続けるだろうといわれる。

また一方では、消費者の嗜好に応じた品種を選択し、消費者のもつ時代的な消費感覚にマッチさせ得るような品質のものを市場に供給し、流通させることによって、りんごの新生面は開拓され、りんご農民の栄光への道を築き上げることができるであろうから、それへの努力をすべきだとし、さらに加えて生産費を徹底的に切下げるといった経営面の改善を計るべきだと強調している。

また流通面からするならば、流通業者の目をごまかすような、等級呼称と質の変化は自ら墓穴を掘るに等しい行為だとし、市場取引における「筋売り」は、りんごにのみ残る慣習的観念的売方法であって、これによってりんごははなはだしく害され、産地と消費者の価格の較差を広くしていると同時に、このために適正価格の誕生を阻止していると主張している業者もいる。

いずれにしてもりんごの生産方向を考えるとき問題事項が多く、解決への道は非常に遠い状態である。

10月14日（月）　需要と価格

一、果実総需要の増加傾向と、りんご需要の低迷

費の構成を分析しながら、生産費構成の主要部分をなしている労働費の節約を中心に取り上げ、次に生産を高めて生産費を下げるための工夫について考えることにしよう。

生産費を下げるためには、一つには生産技術を高めて収益を増加することを考えねばならない。とともに、他方では投入労働資本の効率化をつねに考えなければならない。とくに労働を節約する作業の能率化、機械化が今後生産費低下のためには必要なことになる。

10月16日（水）　無袋栽培の技術

一、無袋栽培の必要性

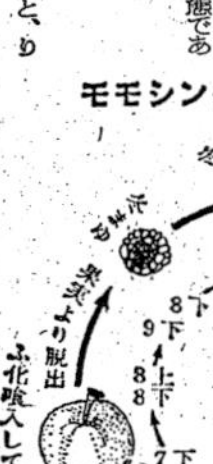
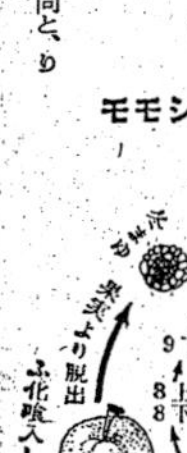
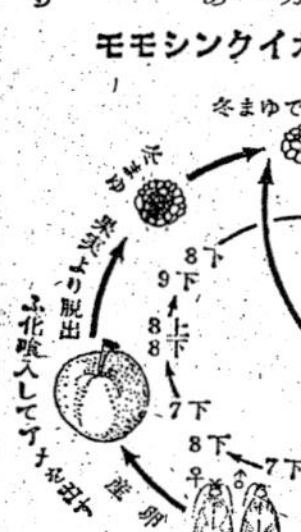

モモシンクイガの発生経過図

10月18日（金）　品種と品質を考える

果物の市場競争が激しさを増している。一方では、消費の内容が高度化する中にあって、りんごの消費を拡大するには、消費者の好む、うまい果実を長期にわたって供給することである。

それには、消費性向上に合った品種への転換・導入がその基本となる。

10月19日（土）　現地訪問

青森県南津軽郡藤崎町の太田昭一さんは、一、五㌶のりんご園をもつりんご専業農家である。働き……

養鶏の飼養技術

10月11日（金）　機械の導入と利用

6．今後の方向

種　類	機　械　名
労力削減機械	自動給餌機、自動給水機、自動集卵機、除糞機
環境調節機械	自動点灯装置、自動換気装置、自動温度調節装置
衛生（その他）関係機械	消毒、洗じょう機械、スチームクリーナー、噴霧器その他

給餌、給水、温度調節、湿度、換気がすべて自動的に行なわれ、これだけの管理がわずか二人ですむ。施設費が高くついても、長い目でみれば、十分採算がとれるという。

NHK農事番組（10月11日～20日）

テレビ

16日　村をむすぶ　フィルム・リレー

17日　話題の広場　私設ライス・センター（栃木県西那須野町）

18日　産地往来　柿

19日　農業新時代　大規模リンゴ園（青森県弘前市）

農業教室　7・00～7・30　教育（前項で詳報）

あすの村づくり　日　7・00～8・00　教育　再　土　13・00～14・00　教育

13日　グループだより　仲間とともに“全国4Hクラブ員の集いから”奈良市で中継録画

20日　山村農業を考える（高知県土佐郡土佐村）　ある青年像（広島県双三郡三和町）村上光雄全協監事

趣味の園芸　金　10・30～11・00　総合　再　土　17・00～17・30　総合

11日　私の花づくり　小原流家元　小原豊雲

18日　バラづくり　京成バラ園芸研究所長　鈴木省三

ラジオ

早起き鳥　5・05～6・00　❶

11日　現地報告　砂地の稲づくり

12日　村のポスト　投書

13日　話題の窓　どうなる総合農政

14日　現地報告　主婦が築いた花木団地　千葉県富浦町

15日　人と話題　山形県行政総合対策室長　稲村久伝

16日　通信員の手帳から　渡辺富夫

17日　産地訪問　アザレア　新潟県新津市

18日　現地報告　どこへゆく開拓酪農　岐阜県

19日　村のポスト　投書

20日　話題の窓　農村医学会から

ラジオ農業学校　月～土　6・40～7・00　❷　日　6・30～7・00　❷　再　月～土　19・00～19・15　❷

13日　農業ゼミナール（帯広市民会館）

20日　優秀農家に学ぶ（岡山県上道町）　現地研修（新潟）

新しい農村　日　6・00～6・30　❷

ひるのいこい　12・15～12・34　❶

12日　はじまった新酒の仕込み

17日　帝釈峡の紅葉がり

わがクラブ わが同志

◀投稿案内▶

本紙は、みなさん方の新聞として、全国のクラブ員に利用して戴きたいと考えています。それでクラブの催しや個人のプロジェクト、詩、短歌、随筆、写真、悩みや意見、村の話題、伝説、行事その他なんでも原稿にして送って下さい。

お願い　❶長さや形式は自由です　❷できれば簡単な説明をつけた写真をそえて下さい　❸送り先　郵便番号162　東京都新宿区市ケ谷船河原町十一　日本4H協会編集部

綿密な計画により 高い人間性を目ざして

山梨県東八代郡中道町 曽根4Hクラブ　長田逸男

「何とかなるだろう」これが私の口ぐせであり、性分だと思う。

高校生時代だったろうか、ある青年が若者らしい旺盛な好奇心と勇気で、単身世界各国を無銭旅行同様の旅をし、帰国後、その経験をもとに書いた「何とかなるやろう」という本を読んだことがあった。

この手記を書いた青年の「何とか・・・」は綿密な計画をたて、最善を尽したうえでの「何とかなるやろう」だったであろう。だが私の「何とか・・・」はこれとは少々異なり、好奇心はこの若者にも劣らない位あるのですが、綿密な計画もたてなければ、自分自身で納得のいく努力をはらってきたかも疑問であります。

こんな私を人は楽天家などというが、ものごとがめんどうで、あきっぽい性格なのか、あるいは人間がなまけものなのだろうと、へんなところで自負しています。でもこんな性格の私がときには好きになることもあるのですから不思議です。

私も後継者として農業に従事してから六年ほどになります。「4Hクラブ」この名称は、私も高校卒業後何度か聞いたことがありましたし、同級生がクラブをつくって活動していることも知っていました。しかし、初めのうちは、どうせ遊び仲間としてのクラブだろう位にしか考えず、あまり深い関心を持っていませんでした。

しかし実際に農業に従事してみると、いろいろな問題にぶつかったり、何度か失敗を重ねてみると農業というものが、机の上で学んだ知識位ではどうしようもないことを、いやというほど思い知らされました。

いままで安易に考えた農業という職業に対しての勉強不足を補える場がほしいと思い、いやそれよりも、もっと大きな理由だったのは、農業後継者として同じ立場にある仲間たちと農業問題、将来の夢、社会問題などいろいろなことを話し合って、より高い人間性を養うための活動をしたいという理由で去年の十月、4Hクラブへ加入しました。

加入して間もなく県連主催の教育会議および推進会議に参加したときのことです。

先輩クラブ員のプロジェクト発表を聞いたり、分科会でみんなと意見を交換してみて、各々の経営概況や環境は異なっていても農業に一生懸命とり組んで、同じ目標に向って励んでいるクラブ員の姿をみたとき、若い仲間がこんなにも大勢いることを知りました。

また、これらの仲間たちと一緒に活動することによって「4Hクラブ」とは何か、ということに対して自分なりに理解できて、これからのクラブ活動に新しい方向づけができました。

また、4H活動にとり組んで一年にも満たない私には、未知な問題が数多くありますが、今後の活動の中から実践を通して身につけていきたいと思います。

また、農業という職業に従事して自然に覚えるいわゆる"カン"に頼る農業でなく、仲間と共に学習し会得した知識をプラスし、これからの農業経営者の中堅として「科学的な農業」をやっていくために、また、わが愛することば「何とかなるだろう…」を何んとしても「やりぬく…」と、こんな意欲的なことばと実行に変えていくためにも、今後の4Hクラブ活動に励んでいきたいと思います。

幸せを

大久保俊男

高い青い空が夕やけ空に変るころ
秋風に混ざり赤とんぼは飛んでいる
高く低く、消えゆく太陽の方へ
陽を求めて飛んでいる
陽が消えないうち
赤とんぼに着せてあげたい花嫁衣裳
秋深く、ポプラの葉、色あせ枯葉となる
その姿、さびしい
夏風に緑を流した季節と別に
悲しみの思いがする
これが自然の流れかも知れない
木枯しに岩の姿を変えられないうち
着せてあげます花嫁衣裳
秋思にある生命あるものに
恋に涙に見せてやりたい花嫁衣裳
着せてやります手紙の人に…

（栃木県栃木市・寄居4Hクラブ）

人間、心の美しさは 友情と奉仕する精神で

栃木県足利市 オアシス4Hクラブ　小野重男

「友情ー」私はこのことばが大好きです。なぜならば、私たち人間が生きて生活していくために絶対必要なことだと思うからです。このことば、行ないがなければこの世はやみになってしまいます。

人間社会は共同の社会ですから、自己主張ばかりでなく、他人の意志を尊重したり、また、人を思う心がなければなりません。最近は経済的にも忙しくなってきたため、どちらかといえば他人のことなどかまっていられない、というような時代になってきたように思われがちですが、決してそんなことではなく、いつの時代でも「友情」という精神をもって人に接し、世の中を渡っていくことが大切です。

人間は万事が成功というわけにはいきませんし、いつ自分の身に不幸が起らないとも限りません。そんなときに、慰めや励ましのことばをかけてくれる友人がいたら、その人がたとえ他人であっても、きっと勇気が湧いてものごとに当っていけると思います。

また、自分が大きな災害などにあったとき、心から見舞のことばをいただいたときには、とくに「友情」の温たかさが心の底からわかってきます。すなわち、自分の苦労があってこそ他人の苦しみがよくわかるのです。

"苦あれば、楽ある"といいますが、人間だれしも苦境に立ってはじめて、その人の価値が現われます。その苦境をのりこえていくためには、普段から苦しさに耐えられる精神面を養っておくこととそれ以上に人に対して温たかい心をもって接することが大切だと思います。

友だちと手を取り合って語りあい、涙を流して抱き合う姿、これこそ真の人間だけにあたえられた心と心の美しさだと思います。ややもすると精神不在のクラブ活動の中に、友情とか人に奉仕する精神を育てていきましょう。

尾花さく八ヶ岳

秋の野に咲きたる花を指折りかき数うれば七くさの花

萩が花、尾花、葛花、撫子の花、女郎花（おみなえし）、また藤袴、朝顔の花

この歌は、「秋の野の歌」と題する山上憶良の作と記憶する。

また万葉集の巻一〇には「人皆は萩を秋といふよし吾は尾花が末（うれ）を秋とは云はむ」とある。尾花とはススキである。薄とも芒とも書く、花穂をオバナというそうだが、秋の野の壮観はすすき野に織りなす群生が秋の陽に映えて、きらきらとしろがね色に輝やくにまさるものはないと思う。とき、まさによし、私は長野県の茅野にある八ヶ岳中央農場に所用あり、中央線の車中の人となった。

沿線にゆれるススキが、つきることなくさき誇って旅情をいやがうえにもなぐさめてくれる。とかく、われわれは、ススキの素朴さと多さに無情に見過すようであるが、秋の野の秀逸は、仲秋の名月を配し秋風にゆらぐすすき野の景観が最高であると思う。欧米にはこのススキがないと聞く、われわれの誇るべきこの秋の野の草をもう一度みなおしてみよう。

山は暮れ野は黄昏の芒かな　蕪村

今度の旅でもう一つ私の心をとらえたのは、コスモスの花が淡くやわらかく高原の風になびいてむらがり咲いている姿に接したことだ。私はどうしてか自分でもよくわからないがコスモスに魅せられるのである。初恋の日のあの甘ずっぱいときめきが感じられるのである。この花が好きで好きで仕方ないのである。

人は、単純で叢生するこの花のどこがよいかという。しかし私は、あのやわらかい桃色の単純さが清らかでやさしくて好きだ。この花は、日本古来から咲いていた日本の花だと思っていた。まことに日本の風土に環境にマッチした花だからである。

ところが、この花は、今年オリンピックが開かれるメキシコの原産で明治時代に渡来したという。日本に土着して百年を経ていない花だが、すでに日本人の心をとらえ、秋をかざり親しまれているのである。

色淡くみだるる花の花々が虚なり咲きて暮らコスモス　尾山篤二郎

八ヶ岳旅情はつづく、私が八ヶ岳にいったのは、丁度、七年前、諏訪八剣神社の御柱（おんばしら）の秋祭りのときであった。この祭は、甲・寅の年七年目に行なわれるが、ぐしくも七年目に再びこの祭日にあったのである。八ヶ岳山中の神林から曳き下す御柱の祭は春に行なわれるようだが、木遣に合せてのホイサホイサのかけ声でひく姿は勇ましく、日本三奇祭の一つといわれ喧嘩祭の称のとおり、負傷者や死者がでるという。

余興に道中長持という十数余の杉の木の前に長持をつけ、御幣をたて、その中にお多福面を飾ったものを、前二人、うしろ一人でかつぎ、街々をねり歩く。四十棹（さお）ほどでるそうだが、まさに壮観である。いわゆる御輿と同じものであろう。ただ店々を訪れ祝儀ねだりの様があり、市民の顰蹙（ひんしゅく）を買っていることなきにしもあらずという。かついでいる青年達に問うてみたが、あっさりと「そうですね、祭の酒代かせぎですよ」と割切った答をしていた。

さもあれ、平和なのであろう。近年村々にもお祭行事が復活し盛んになってきているようである。まことに結構なことである。伝統あるよき祭が農村青年の手でより栄えゆくことを祈るものである。（龍）

青少年団体の紹介（3）
修養団青年部

「愛、汗」精神の高揚 実行、実働の献身奉仕

歴史　修養団青年部は、綜合社会教育団体・財団法人修養団の青年組織である。

現在、日本の有数の社会教育団体として「愛と汗」の二大綱領のもとに、総親和、総努力、総調和の理想世界実現のために明るい社会建設運動を活発に展開している財団法人修養団は、明治三十九年二月十一日、当時東京師範に学んでいた蓮沼門三現主幹を中心とする全く白面の青年によって創立されたものである。

修養団青年部は「全国の青年層に修養団精神を普及徹底せしめ、それを組織化し明るい社会建設運動の推進力たらしめる」ことを目的として、昭和二十八年に発足したのであるが修養団そのものが、青年によって創立され、青年運動としての発展をつづけてきたのであるから、青年部の創立も明治三十九年二月十一日としている。

特色　明治、大正、昭和と三代にわたって、修養団運動が日本の青少年活動のパイオニアとして、つねに新たな新機軸を開きながら躍進をつづけ、青年を中心に幾百万人の心をとらえることができたのは、その創造性と実行・実働にあったといってもよい。

ここで創立時のエピソードを紹介しよう。

蓮沼主幹は、東京師範に入学して、まず住んでいる寄宿舎を美しくと、毎朝人よりも一時間も早く起き、居室の廊下の雑布がけをはじめた。同級生の嘲笑、妨害の中に一日も欠かさず美化作業はつづけられた。

やがて冬が来た。厳寒のある日のこと、剣道の寒稽古に毎日打たれて腫れ上り、アカギレにただれた手の甲から流れ出る血はバケツの水を染め、鮮血をしたたらせながらも黙々と磨きつづける主幹の姿を、一人の室友がふと見たとき彼は泣いて掃除に加わった。

やがて二人となり、三人となって、ついに全舎生を動かして寄宿舎を美化したのが、修養団の萌芽である。いまも「実行・実働」は修養団青年部のスローガンである。

つぎに、大きな特色は、多くの青少年がその起源を諸外国にもつことを特色としている中で、修養団青年部は、日本の歴史と風土の中に生れ育った純国産の青少年団体であるといえる。日本の歴史と伝統を大切にしながら、国際的な活動をも行ない、現代ブラジルに支部をもつ他、韓国、中華民国に同志を有している。

理念　青年こそは新しい時代をつくり新しい世界を創造する大きな原動力とならなくてはならないという信念のもとに、時代に育くまれ、時代につくられながらも、それを越えて自らの練磨修養により、明日の次代を担うにふさわしい有為な青年になるよう努力を重ねると共に、若きもてる力のすべてをささげて、修養団の愛と汗の精神の実行実働に献身奉仕し、明るい社会建設の推進力になることを基本理念としている。

活動

社会開発青年奉仕キャラバン　「青年の手で明るい社会、美しい日本」、「若い力でまず実践」をスローガンに、昭和三十七年度より、主として公衆道徳高揚、国土美化を中心とした社会奉仕活動を全国的に展開している。

当初は、国土美化キャラバンの名称のもとに実施してきたが、昭和四十一年度より標記名に改称した。これまでキャラバン隊の足跡は全国四十都道府県をはじめ沖縄にまでおよび国土を美しくする運動を一大国民運動に盛りあげることに大きく貢献した。

また、東京オリンピック記念「若人の森」建設運動も、この国土美化実践の教訓から積極的な美化方策として青年部が提唱したものである。

青少年キャンプ　大正四年に、わが国最初の組織的計画的プログラムにもとずく大規模な大講習会を開催して以来の経験と実績にもとづき、昭和二十七年度より、主として夏期に全国各地の景勝地で開催している。

東京青年ホーム　昭和三十三年、都市に働く勤労青少年の問題がようやく関心をもたれ出すにいたったとき、働く青少年の憩の家として、とくに住み込みの青少年のために、修養団本部の施設を開放し、活動の場を提供すると共に、その育成、指導にあたったのが東京青年ホームである。現在、東京をはじめ大阪、広島等にも開設され活動を行なっている。

明るい職場づくり運動　現在、財団法人修養団のいわゆる修養団式講習を新入社員教育、中堅幹部社員教育等に採用している企業体は六百社を数えるにいたっている。その修養団講習を通じて、団精神に共鳴した青年層を中心に職域において、明るい職場づくりの活動を展開している。また東京女性教室等もその一環として開催している。

修養団愛汗青年実践隊　修養団青年部の中核組織として青年実践隊の組織化を全国の職域地域において行なっている。この実践隊は、青年の創造的組織的実践力を発揮しながら、明るい社会建設運動の中核として、あらゆる社会的実践奉仕活動をすると共に明日の日本を担うにふさわしい有為な青年となるよう相互の修養研さんをはかっている。

青年指導者研修　毎年数十回にわたり、青年指導者の養成を目的とした講習会を中央において、五日間の日程で開催するとともに、研究協議会を同じく五日間実施し、青年指導者の養成ならびに資質の向上をはかっている。

施設　修養団の所有する、東京青年文化会館、修養団神都国民道場（伊勢市）、修養団関西会館（大阪市）、岡山県青年会館、修養団九州ホーム（福岡県）等の施設を活用して諸研修、実践活動を行なっている。（東京都渋谷区千駄ケ谷四ー二十五ー一　TEL（四〇三）五二一一（大代表））

愛、汗精神による献身的な奉仕作業（美化運動）に汗を流す団員（沖縄・守礼の門周辺にて）

映画　壮烈な大海戦！ 潜水艦X−1号（ユナイト映画）

一九四三年。英国の海岸に五人の海軍士官が荒れた海の中から這い上ってきた。彼らはドイツ軍の不沈戦艦「リンデンドルフ」と戦い撃沈された英国の潜水艦「ゴージトレット」の生き残りだった。リーダーは海軍少佐ジョン（ジェームズ・カーン）で後の四人はディビーズ大尉（ディビッド・サマー）、ペニングトン中尉（ノーマン・ボウラー）、パーキスト上等兵曹（ブライアン・グレス）、水兵のクェンティン（ポール・ヤング）であった。

任はジョンにあると激しく責めた。しかし、ジョンは査問会議で無罪になり、新たに三隻の新型潜水艦の極秘訓練を指導するよう命じられた。ジョンが特別訓練の説明をする間にも、彼に敵意をもつディビーズは噛ついたが、ジョンは冷静に訓練の厳しさを説明し、秘密が洩れるのを防ぐため、基地の外へ出ることも禁じた。訓練は厳しさを極めていった。ジョンはみなにX1、X2、X3という三隻の小型潜水艦を初めて見せた。これは大型の爆薬を積むことができ、どんな戦艦でも爆破できるというものであった。訓練の大部分は防潜網を切断することと、X潜水艦の生活に堪えることだった。訓練は一段と強化された。作戦ティンが切断器を落してしまったので、ディビーズが網にひっかか

ってしまった。このため有毒ガスが洩れ始めたが、ジョンの機敏な処置によってことなきを得た。

そんなある日、突如空襲警報が鳴り、ドイツ軍のパラシュート兵が降下してきた。その中の一人にX潜水艦を見つけられてしまったが、秘密は保たれた。しかし、この事件のために海軍省は予定を繰り上げることにした。そしてここで初めて目標を教えた。目標は、あの不沈戦艦リンデンドルフだった。

ドイツ軍に基地を知られた以上

命じた。この作戦を目前にして、過去の個人的ないさかいが全く少さなものであると気がついた二人は友情を取り戻した。潜水艦は入江に向けて出撃した。途中の水雷原でX1はケーブルに引っかかるが、ケーブルを切りうまく逃げることができた。一方、リンデンドルフでは、防潜網の監視を怠らないように命令していた。X潜水艦は目標に接近するが、X2は撃沈された。一隻の潜水艦は水圧に圧し潰されそうになりながらも侵入に成功した。X1のジョンは負傷して、意識を失い、またゴーガン（ウイリアム・ディサート）ら三人は、リンデンドルフに捕えられてしまった。しかし、艦長たちが彼らの口を割らせようとしているとき、X3が爆薬を発射し、乗っていた人間もろともリンデンドルフを撃沈したのであった。

X号潜水艦の秘密訓練は厳しさを極めた

日本4H新聞
4Hクラブ 農事研究会 生活改善クラブ 全国弘報紙
発行所 社団法人 日本4H協会
東京都市ケ谷寄の光会館内
電話（269）1675郵便番号162
編集発行人 玉井光
月3回・4の日発行
定価 1部 10円
6ヵ月180円（送料共）
一ヵ年360円
振替口座東京 12055番

クラブの綱領

私達は実践を通じて自らを磨くとともに互いに力を合わせてよりよい農村、よりよい日本を創るため四つの信条をかかげます。1、私達は農業の改良と生活の改善に役立つ腕をみがきます。1、私達は科学的に物を考えることのできる頭の訓練をします。1、私達は誠実で友情に富む心をつちかいます。1、私達は楽しく暮らし、元気で働くための健康を増進します。

花やかに4Hの祭典ひらく

第四回全国4Hクラブ員のつどい

古都に若い息吹き

青年、来賓の参加ふえる

全国4Hクラブ連絡協議会（会長、丸山勉君）奈良県4Hクラブ連絡協議会（会長、山田高作君）社団法人日本4H協会（会長、松下幸之助氏）の共催、文部・農林両省、総理府、奈良県などの後援による全国クラブ員の一大祭典「第四回全国4Hクラブ員のつどい」は、西村農林大臣、松下4H協会長、奥田奈良県知事ら関係者多数を迎えて、さる七日から四日間、秋の大和路・奈良市の県文化会館、奈良公園、平城宮祉などを主会場として、大阪・京都両府にまたがって盛大に開催された。

（関連記事二、三面にあります）

感銘与えた講演

（西村農林大臣　松下4H協会長）

このつどいは、4Hクラブ員の、4Hクラブ員のための催しであり、青年自らが企画、運営したもので、参加者は、全国各地から4Hクラブ員を中心に、OBや家族、篤志指導者、県庁、普及所、農業団体の各関係者、4H協会の招きで来日中のアメリカ、台湾両国代表の4Hクラブ員、ブラジルのクラブ員、農業高校生徒など、同つどいでは最大の約千五百名に達した（開会式）。とくに、農林大臣、松下4H協会長が今回初めて出席されたため、これまでにない盛り上りをみせ、農林省はじめ奈良県、農業団体、国会議員、4H協会々員、アメリカ大使館主席農務官など五十名に近い来賓が出席、クラブ員の活躍ぶりを見守った。地元の奈良県連では四十名を上回る運営委員を動員、県連あげて、つどいを成功へ導き、一方、参加者も、自からの意志と費用で参加したという意識と自覚のもとに行動し、つどいを盛り上げていった。このつどいで得た成果は、やがて各人、各地域で徐々に表われていくものと期待される。

一日目　ついに、全国のクラブ員が待ち望んでいた日がやってきた。午前九時の受付けと同時に、古都、奈良はときならぬ全国の4Hクラブ員の訪ずれでざわめきたった。遠くに、なだらかな尚を落す若草山、近くに、周囲から頭角を表わし、いにしえの都をしのばせる興福寺の五重の塔。それを見守るような県庁に隣接して近代的偉容を誇る県文化会館。若草グリーンに彩られたその会館大ホールは、午前十時の開会式までに、一千五百名の参加者をのみこんでいた。

十時過ぎ、黒田全協副会長（茨城県）の司会、飯田副会長（奈良）の開会のことばによって、つどいの幕が切って落された。ひときわ高まる自衛隊音楽隊の吹奏するファンファーレ。マーチの演奏とともに、全協旗を先頭に全国各県連旗の堂々たる入場行進がくりひろげられた。わき起る拍手。参加者の若い血をわかせ、感激の渦が流れた。

国歌斉唱のあと、主催者あいさつとして、まず丸山全協会長が、このつどいが、農村青少年の自主独立精神の高揚、家族ぐるみのクラブ活動推進などを目的としている。それをこの祭典を通じて成し遂げようと呼びかけるとともに現在、4H会館建設委員会と全協が中心となって進めている4H会館建設について「これを成し遂げることは農業の将来を方向づけるような重大な意味を含んでいる」と強調。

続いて山田奈良県連会長は、詩情豊かに語りかけ、「ひたいに汗がにじみ出るほど語勢が大きかっただけに、この日の感激は忘れられないだろう。いまや4Hクラブは二十歳を迎えた。いよいよ青年期を迎えて、さらに伸びようとしている。ここ奈良は古い歴史があるが、そこに私たちは新しい息吹きを注ごうとしている」と伝統を守りながら一歩一歩前進する4Hクラブ員の意気を示した。

ついで、宮城4H協会副会長は、この四日間を通じてのテーマは「4Hクラブとは何か」ということにあると強調。また、4Hクラブはプロジェクトを通じてお互いに切磋琢磨することによって仲間づくり、技術の向上、人格の完成ができることを述べ、ここでの成果を地域社会の発展のために生かそうと呼びかけた。

このあと、奥田奈良県知事から「科学の進歩した今日でも忘れられないような日本民族の偉大な遺産を見つめ、日本人のすぐれた点を改めて見直して帰えるなら意義はさらに大きい」と歓迎のことばが贈られた。

さらに、来賓祝辞として、西村農林大臣から「これからの農村は若い諸君に期待するところが大きい。いま農業は"自らやろうという農業"に変ってきている。みなさんは四つのHを信条として努力しているが、さらに自信と国際的視野をもって、よりよい農村を築くため頑張ってほしい」と激励のことばが述べられ、また、奈良県高等学校農業クラブ代表、薮内成興君（奈良）が自分たちも社会性、指導性、科学性などをもって先輩に負けないように頑張りたいと述べ、拍手を浴びた。

このあと、国会議員はじめ来賓と主催者関係の出席者が紹介され、ついで、内閣総理大臣、参議院議員・石原慎太郎氏、ボーイスカウト理事長・久留島秀三郎氏、全協OB、いま東南アジア諸国を歴訪中の「青年の船」団員の4Hクラブ員一同などからの祝電が披露され、そのつど会場からどよめきが起こった。

奈良県連が毎年、県の農業祭に呼応して開催している「4H週間」の一行事である花自動車によるパレードの出発式に移り、奈良県のクラブ員たちは主催者から贈られたレイを胸に、参加者の拍手に送られて出発。各地域の特産物などで飾りつけた十数台の花自動車をつらねて県内を巡回した。奈良県連副会長の山村澄子さんの閉会のことばで終了。

ひき続いて西村農業政策の新しい方向を打ち出した「総合農政」を中心に、農林大臣の特別講演があった（内容は二面に掲載）。

パンと牛乳で昼食をすませたあと大鹿全協事務局長（埼玉）によるオリエンテーション、午後一時から松下4H協会長の講演があった。内容は、青少年の自主性、日本人の伝統的な精神、協業などについて強調したものであった（内容は三面に掲載）が、参加者に深い感銘を与えた。

ついで、わが国における4Hクラブ発足を記念して全協と4H協会が全国から懸賞募集したクラブ活動についての体験文と意見文の入賞者の表彰があり、松下会長から入賞者に表彰状と記念品が授与された。田原本農高農業クラブの女生徒による郷土芸能、舞踊などの披露のあとクラブ活動の意見・体験発表に入り、懸賞募集入選者ら五名が4Hクラブ活動のあるべき姿やクラブ活動上の貴重な体験を発表した。

夜は、三山旅館、猿沢荘、万葉荘など七つの宿舎でそれぞれ自由交歓を行ない、郷土品の交換をしながら自分たちのクラブ活動や地域の事情などについて紹介し合った。外では秋雨が大地をけっていた。

開会式　壇上正面に並ぶ四つ葉のマークも鮮やかな県連旗を前に、全員起立して国歌の斉唱＝正面前列左側は西村農林大臣、その右が奥田奈良県知事・奈良県文化会館で

宮祉の上で意見交す

三笠山に満月冴える　キャンプファイヤー

二日目　心配された雨も宵のうちにあがり朝から陽光照りつける、さわやかな秋晴れを迎えた。昨夜の雨で、レクリエーション会場として予定していた若草山（飛火野）が濡れているため、急きょ春日野グランドに会場を移して午前九時から大阪府総合青少年野外活動センターの松田稔所長の指導によってレクリエーションを行なった。県連旗が秋風にはためく横で、チーム対抗をおりまぜながら歌やゲーム、フォークダンスなどで楽しく過ごし、秋空に歓声をこだまさせた。十一時から同グランド周辺、奈良公園で鹿や東大寺などのスケッチをした。

弁当による昼食のあと、バスで平城宮祉に移動し、宝物館を見学、各県一本づつの割合いであすなろと杉の木を記念植樹した。

続いて、千二百年前の都の跡、芝生できれいに整地された大地にどっかと腰を下して話し合いをした。「自主的な4Hクラブにするには」「家族と密着した4Hクラブにするには」「4Hクラブの組織の充実を図るには」の三つをテーマに意見を交換し合った。

レクリエーションでは汗ばむほどだった気温も、話し合いが進むにつれてぐんぐん下り、晩秋の寒さがせまっていた。陽がかげり、星が輝き出すころ、松田活動センター所長の指導でキャンプファイヤーに入った。

昨年のつどいの開催県、富山県クラブ員代表による火の入場、営火長・宮城4H協会副会長のあいさつのあと四つのHに分火、かがり火に点火された。同所が宮祉のためかがり火になったもので、古都にふさわしく、春日大社の雑楽披露のあとクラブ員たちは出し物を競演し合った。

暗闇の中に、周囲を取り巻く山波が空と隔てて浮び、いかにも奈良盆地を思わせたが、いつしか三笠山の上に登った満月が、秋冷とともに一だんと冴えて参加者を万葉の世界へと誘った。やがて火は参加者のもつ、たいまつに移され4Hクラブの歌の大合唱を最後に火の行列をなして宿舎へ向った。

友情結んだ現地訪問

三日目　午前九時過ぎから猿沢の池近くの奈良市庁別館で映画「奈良・大和」を観賞したあと、閉会式に入った。

全協副会長、沼田悦子さん（茨城）の開会のことばに続いて、丸山全協会長が、自主性、つどいの精神を汲みとって各地域で、努力してほしいと訴え、また新田4H協会事務局長はこのつどいはみんなが資金を出して参加したみんなのつどいである。成功、不成功か [illegible]

奈良県連会長から来年の開催地、鳥取県連の三浦会長に手渡され、これに応えて同会長が「今回のつどいにも勝るとも劣らないつどいにしたい」と決意を述べた。

日本国際農村青年連盟の萩原会長の祝辞について同氏の音頭で高らかに万才を三唱、4Hクラブの歌斉唱、吉本奈良県連副会長の閉会のことばで幕を閉じた。

全協旗、県連旗の退場に続いて県外参加者は、拍手で見送る県内クラブ員の間を通って興福寺へ。そこには、このつどいでつちかわれた友情、心が一つに結ばれた姿、顔があった。

このあと、それぞれ、奈良県、大阪・京都の現地交換訪問先へと向った。この日は、奈良市内を見物したあとクラブ員宅を訪問した人たち、また草さに現地を訪ずれ、その地域の特産物や先進地帯を視察したあとクラブ員宅を訪問、自分たちの地域の事情やクラブ活動などを紹介し合うなど翌日にかけてそれぞれ特色ある交歓が行なわれた。

涼風暖風

ヤングパワー

第四回を迎えた「全国4Hクラブ員のつどい」に初めて参加して、私は、夏の全国農村青少年技術交換大会とはまた異なった感激を味うことができてよかった。

最近、技交大会と4Hのつどいとを同一系列視することから、いろいろなところからいろいろな声があがっている。その根源を探ってみると、技交大会は各種団体から農業青年を平等に参加さる立前だが、絶対多数は4Hクラブ員であり、県連が県大会で共催したりしている。

一方、4Hのつどいは、4Hクラブ員だけが参加資格であるはずなのに、現実には明確な識別ができず、いろいろな名称の団体から集まるし、もともと年令層も職業も問いませんという。普遍性高いはずなのに個性化し、個性的なはずなのに普遍的であるところに、同一視の原因の一端がのぞかれるのである。

しかし、詳細に見ると前者は官製的、研修的、団体的色彩が強く、後者は民間的、レクリエーション的、家庭的である。なかんずく、決定的な相異は青少年の主体的参加の程度である。

4Hのつどい中は、県職員や普及員の動き回る姿は全くなく、青年がのびのびと運営している。少なくともここ二年の技交大会には見られなかった風景である。そのため、統率力を欠く場面や計画通り運ばないもどかしさは随所に見うけられるが参加者はそのことを責めようともしていないし非常に協力的でさえあった。

昼食を受けとるため長い時間整列させられたり、肌身にこたえる夜寒むの中でファイヤー開始を待ったり、印象的な苦労もあったが、誰一人文句をいわなかった。われわれの仲間が、眼の前で頑張ってくれているのだから、がまんするわけなのだろう。

全国規模で行なわれる技術交換大会や青年会議はもっと青少年の手に近づけるべきである。規模が大きいから、それは出来ないなら、程度の差においてそれはやむを得まい。しかし、それらが研修の一環であり、青少年は全べて、平等に参加すべきであるとする原則ならば、いま各府県や地域で行なっている方法が間違っているとしかいいようがない。

私たちは、これらの機会を通じて青年の自信とエネルギーを加速度的に付加したいと考える。そして、完全なものへの接近をめざすために、厳しい修練の場を通過させたいと思う。そういう意味での自主運営を心がけている。今やヤングパワーを信ずべき時代である。

（大阪・川端）

クラブハウス建設

静岡・浮島4Hクが独力で

【静岡】富士市の浮島4Hクラブ（会長、望月照田君）は、このほど浮島の東農協わきにクラブハウスを建設した。東名高速道路の古いプレハブを貰い改造したもので、農協から借りた費用十万円は労力奉仕で返済する。

心頭技健

国興す意志　われわれの胸にも　若人がつどいて明日を語り合う「第四回全国4Hクラブ員のつどい」が古都、奈良市を主会場に花々しく開催された。今回はとくに、西村農林大臣、松下日本4H協会長のご列席があり、いやがうえにも盛況を極めた。このつどいも前三回と比較して両先生の記念講演があり、また会場が奈良という知名度の高い所であっただけに参加者もこれまでになく多かった。▼4Hクラブ員が自主的につどい、自主的に運営するこのつどいは、他に類をみない農村青年の全国的大会であるだけに、その自主性について云々されてきたが、まず、今回のつどいをみる限り、自主的にという一つの目標は八分通り達成されたとみてよいと思う▼もちろん、この計画遂行にあたっては、各方面から限りない支持と援助をいただいたことはいうまでもない。しかし、青年は、知恵も浅ければ力が弱く、とうぜん最初から成功とか達成は望むべくもない。どうしても後ろからのあと押しが必要である。青年の行動はあくまで、正義感に満ちた勇気ある自立心が基本でなければならないが、その力を養い、目ざめさせる過程において教育があり、指導が行なわれるのである▼自主性に目覚めた青年に対して、彼らの自尊心を傷つけることなく、正しく育てていくのが、先輩としての、また教育者としてのとるべき態度であるように思う。したがって、今回のつどいの成功いかんを云々するのでなく、その過程いかんを問うのが正しかろう▼血のにじむような努力の積み重ねこそ意義があり、その意義と努力が成功へも導こう。とにかく、今回のつどいは社会的にも大きく認められるものとなった。早くも来年の開催地、鳥取県連で下準備が進められているようだが、過去四回のつどいの歴史を省えり毎年一つづつでも努力とアイデアの積み重ねを行ない、実のあるつどいを4Hクラブ員自身の手で展開したいものである。また自主的はもちろんだが、組織的にということを強調したい。

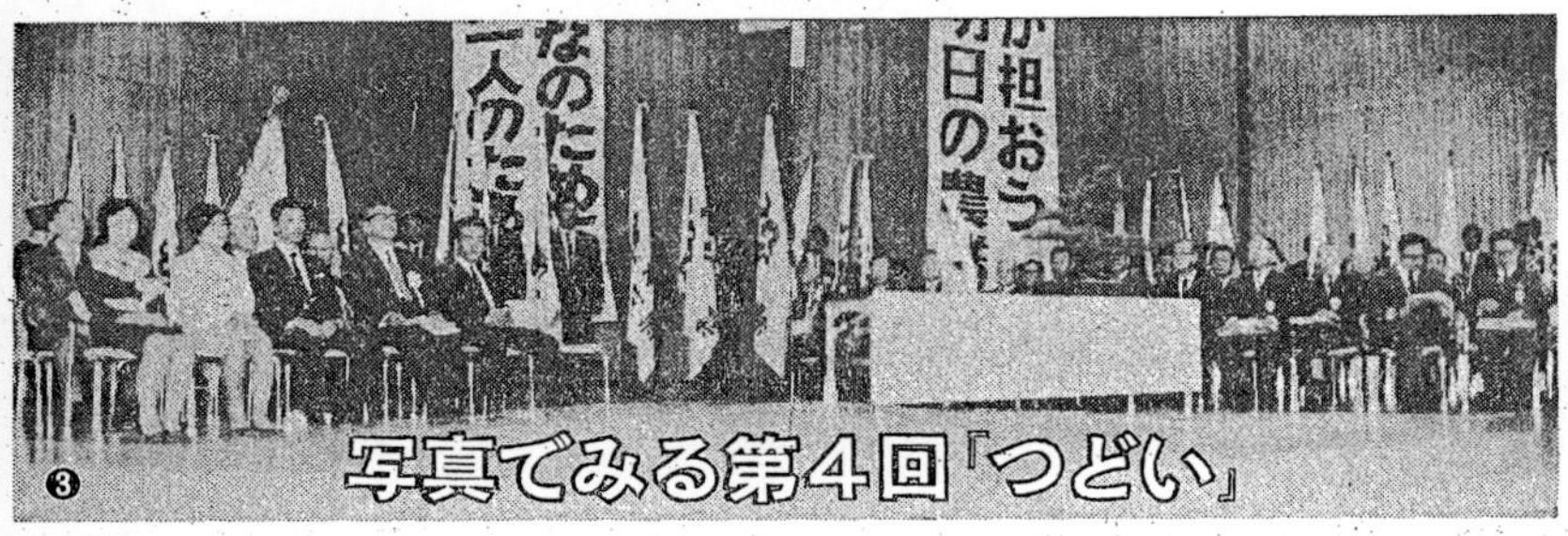

写真でみる第4回「つどい」

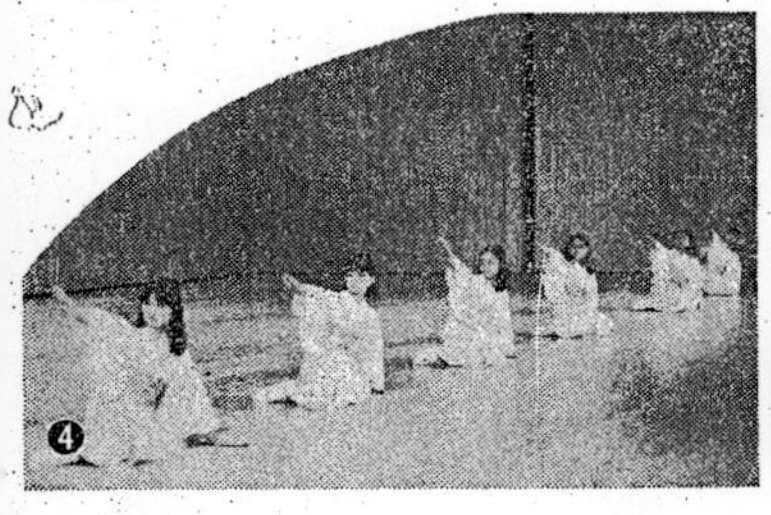

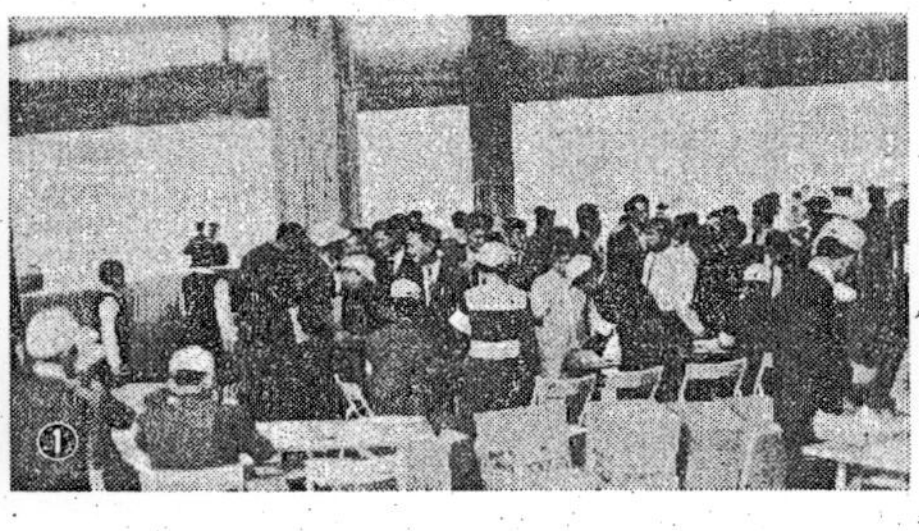

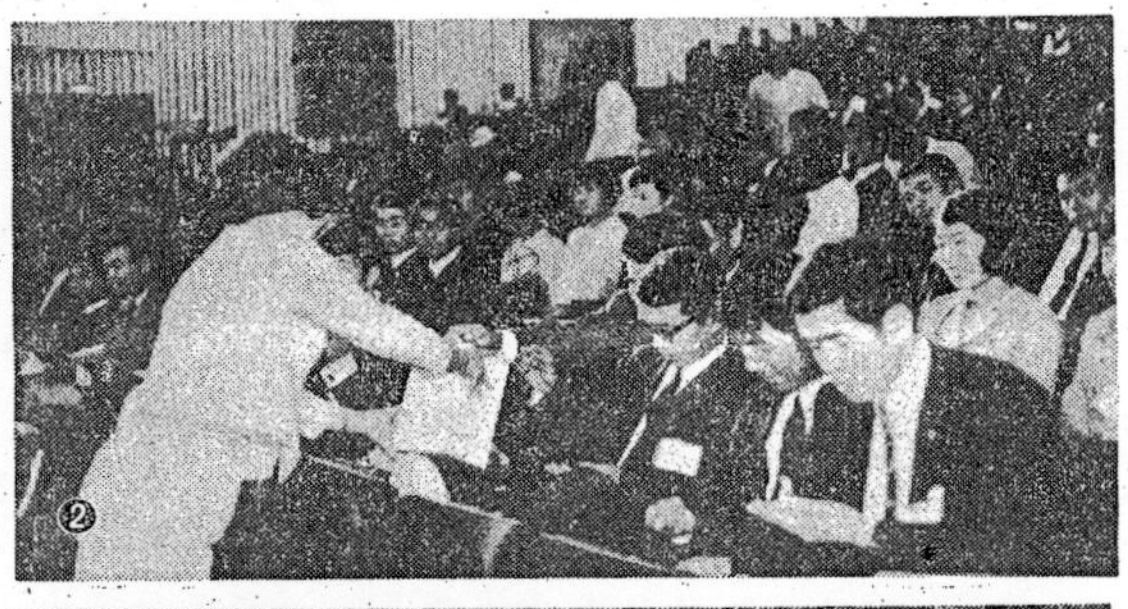

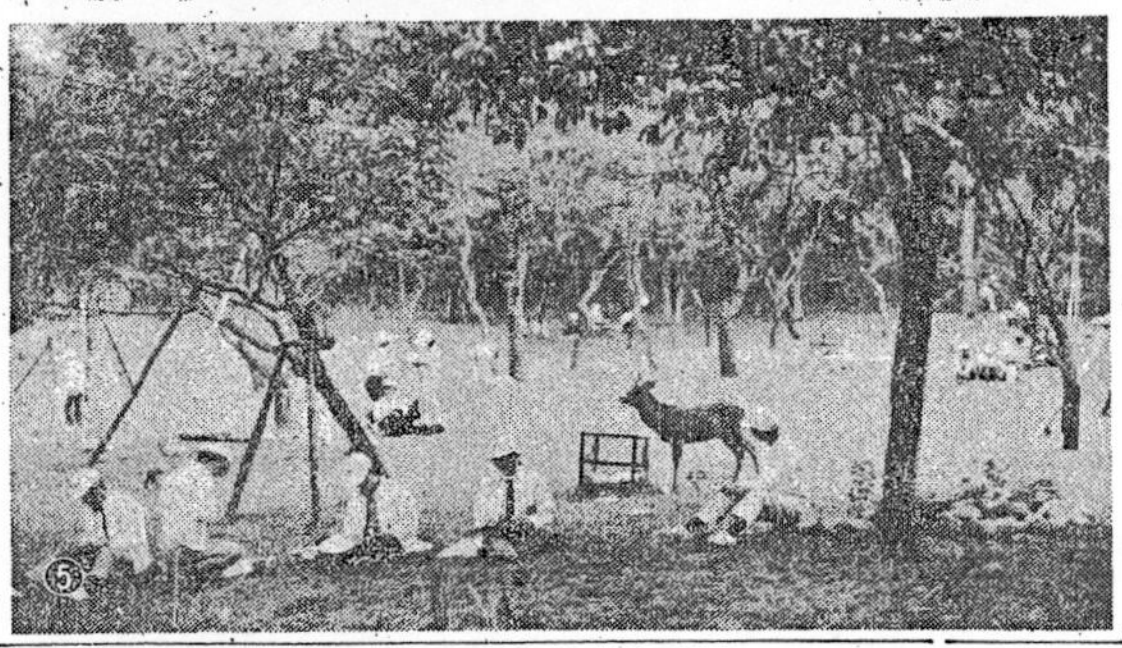

❶ ❷ ❸ ❹ ❺

写真説明

[illegible]

西村農林大臣の特別講演　上

「総合農政」への道

"米"偏重から脱皮する時

■零細な規模に悩み

[illegible]

■変ってきた国民の好み

[illegible]

■だぶつき出した米

[illegible]

[illegible]いろいろな科学的な方法によ[illegible]つつある。言い換えれば、需給[illegible]たてつつある。大体一千二百[illegible]ら一千二百三十万トン前後とい[illegible]国民需要、言い換えれば食べ[illegible]方というか、食べるだけでな[illegible]あるでしょうから。[illegible]まの米の力でいきますと、現[illegible]て、少なくとも平年作は一千[illegible]すでに、そこでもって五十万[illegible]れ以上の余力をもっている。[illegible]の間に、豊作、やや豊作など[illegible]

す。まあ少なくとも四百万トンから四百五十万トンか、ないしは、それを越えるものを持ち越すと思うんです。

これは、少なくとも国民消費量の十カ月ぐらいのものを持ち越す、こういうように需給のバランスというものに米をみましても非常な変化がきている。

■頭を使う時代に入る

一方、国民の食べる姿、われわれの若いときには米をうんと食いました。われわれの先輩はもっと米を食っている。しかし最近、国民の生活が上ってくると、米ももちろん大事なものであるが、米以[illegible]

[illegible]姿をみるということ、なかなかこまかな農家経営が集まってきているということ。歴史、風土条件、例えば、東北、あるいは北陸などでは米一本やりのところもある。そう理屈だけでは簡単にはいかない。

■急カーブ切れぬ農業

いま一つ、大事なことは、農業というものは、工業生産と違って一日や二日、一年や二年、簡単に急激なカーブをきって切り変えるということは、形は仮りに無理やりに出来たとしても、実質の効果が上らない。いわんや農民には、やはり生産しようという意欲が流れないように気をつけていかなくてはならない。こういうところに、キメのこまかいというか経済の実態をそういう実態に誘導するような努力のもとに政策が動いていかないと、政策なり考え方だけが先行してつんのめってしまう。

ここが難しいところなのである。そういうこと言ったって間に合わないじゃないか、難しいじゃないかというが、私は従ってこの需給の状況を考え、国民の需要と供給を考え、これからの全体の農業というものは、やはり出来る限り、そういう動向をみながらやっていかなくてはならないと思う。

だから例えば、今日、野菜の問題でもまだまだ産地と消費との需給調整がうまくいっていない。いっていないからそこ[illegible]子計算機を使ったデーター通信を全国に送り出しております。各方面のその日の市場の価格というものを即座に種類別に分け、そして電送を電子計算機によりわけて、このような市況である、ということを全国的に流しています。今度は同時に、どこの地域ではどういう状況で出荷されてきているかという態勢はまた電子計算機で集めて、これを逆に流すというようなこともやっているが、これをさらに、単位農協などでち密にやりあうことも必要でしょう。

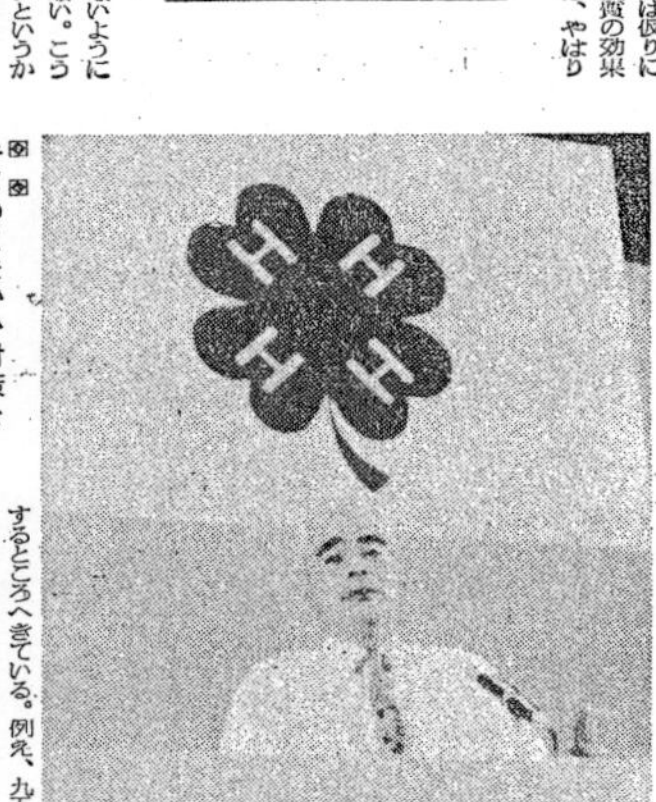

■キメのこまかい対策を

あるいは、農業団体自体が、いま少しいろいろな工夫を凝らしていただいて出荷の問に立って統計をしていただき、農民に安定的な生産と安定的な収入を得るようなご努力もしていただかなければならない日も近づいたのではないか。元来農政というものは、農林省だけ、役人の力だけで、できるものではありません。その間にある各種の団体が、生産指導に、あるいは流通の指導に、いろいろ当っていただいて初めて円滑に推進できると思う。こういうことも工夫されていかなければならないのです。

従って、私が、この七月ごろに「総合[illegible]民の最大公約数をとった正しい姿勢だと思う。ただ、これを具体的に実践に移して行く場合に、その間にお米の多少の不足もあったから、米の増産にぐーっと拍車がかかった。これは結構なことです。

しかし、同時に、一方で経済は高度成長してくる。農業の零細というものはなかなか是正できないということから米の増産運動に移ってきた。

■米偏重から脱皮を

そこで、量は、むしろ需要がオーバーするところへきている。例えば、九五%程度の不良作が仮りに二回や三回続いても現在の推測なら、米作については食べる量は当分の持ち越し量があるのでそんなに心配はない。そうなると、ここしばらくは、米だけを中心にした、あるいは米を偏重しすぎた農業ではいけない。言い換えれば、調和のとれる需要と見合ったような農業へ、すなわち、他角的な農業ないし他の方面へも農政の姿勢、ウエイトがかかっていかなければならない時代へ入ってきている。これが「総合農政」です。

例えば、農林省の予算自体を調べましても現在六千億円の中で、約三割八分から四割が米の赤字に一応補てんされてい[illegible]われているということになると、少しバランスがくずれているのではないかということになる。そういう中で、私どもは、需要供給のバランスを考えて国民が迎える生産物を考えて、足りないものは全部海外から輸入したらよいどいうだけの考えに追いつめられてはいけない。

■国民の好みに合う生産

ご存知の通り、今日、農林物資、とくに農産物関係で輸入されているのが、ドル換算で二十二、三億ドルでしょう。これ以外に材木関係が十億ドル。農林物資が海外から買っているものが約三十五億ドルと言われている。これをむちゃくちゃに野放図に野放していったらいけない。むしろ、国内の需給度をバランスをとって、上げていくことである。

もちろん、作物によって、例えば、小麦というものを日本で大幅低れんでできるかというと、なかなか気候風土条件の関係でできないでしょう。汗して努力しなくてはならないでしょう。しかし、飼料のごときは、もっと自給態勢を上げる方法がありうるのではないか。濃厚飼料だけではない、いわゆる自給飼料体制としては、耕地の造成など、まだ工夫する方法があるのではないか。その基盤の上にのって、畜産、牛などの国民の欲する肉類の増産というものを、これから年月はかかるだろうけれども、方法をもっと追及してよいのではないかと思う。

酪農においてもしかりである。例えば北海道の現状はどうかというと、日本一の米産地になってしまっている。しかも国民は必ずしも北海道のお米は喜んで食べません。そういうような農政の姿というものに対して、むしろ北海道は、どちらかというと、やはり酪農を中心に栄えていただくような方向づけというものを、出来る限り強力に打ち出すようにしていかなくてはならないのではないかと思う。

（次号につづく）

永遠に忘れえぬ感激
先輩の意欲的姿に

奈良県学校農業クラブ連盟会長　籔内成興

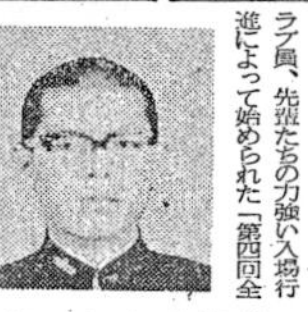

全国から集って来られた4Hクラブ員、先輩たちの力強い入場行進によって始められた「第四回全国4Hクラブ員のつどい」に参加させていただきお祝いのことばを述べさせていただいたことは、私にとって永遠に忘れることができない感激の一つであり、胸深く残ることでしょう。

そして今日、この良き日に次代の[illegible]ることと思います。

それは、このつどいのためにわざわざおいで下さった西村農林大臣のお話しや、また、日本4H協会の松下幸之助先生のお話しの中より感じ得ることができました。

私もこれから一人の農村青年として人生を踏み出していくのでありますが、私の前途には、たえず不安と苦しさという壁が立ちはだかっています。しかし、農村には多くの仲間がおり、その仲間の組織は全国的なものとなり、互いに助け合い知識の交換を行ない、一歩一歩理想の農業へと前向きの姿勢で押し進めておられる先輩たちの[illegible]

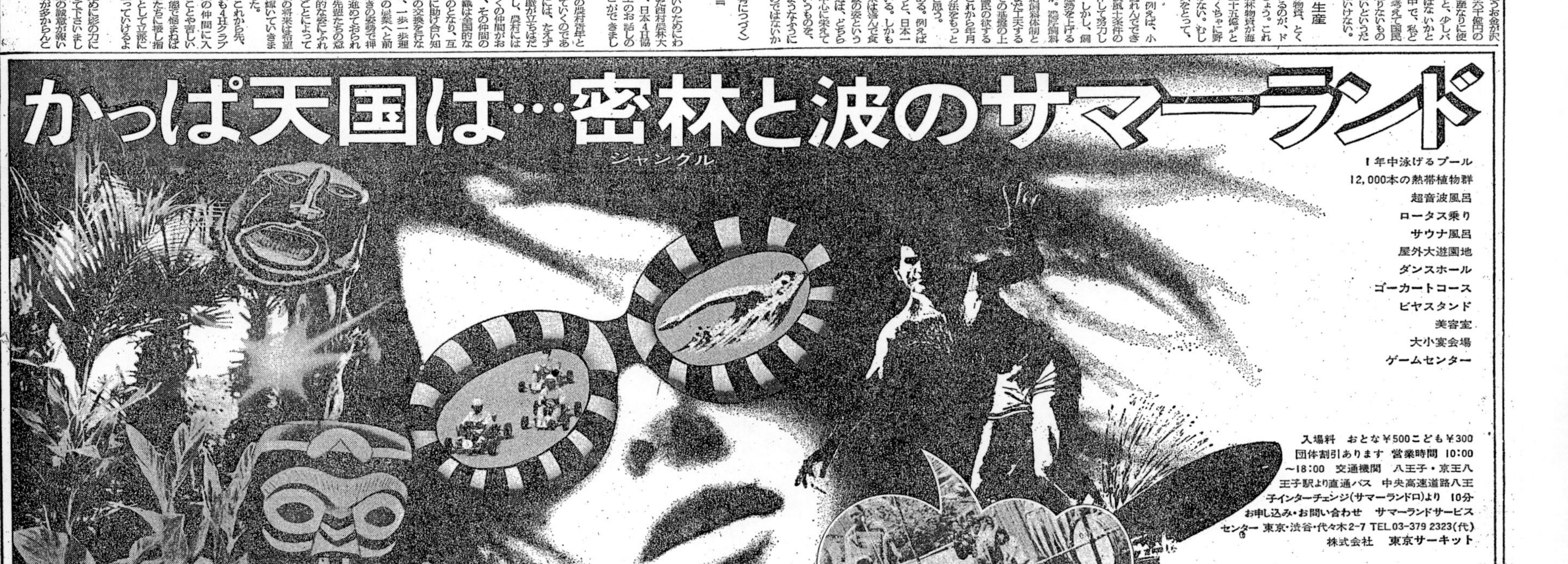

松下4H協会長の記念講演

—1—

日本の伝統精神を
必要な自主独立の気迫

◎◎自主独立の精神を

みなさんの、みなさんのための大会を、みなさんの手によってもおもちになられたことは、大変意義深いことだと存ずる次第であります。

今日は、私、4H協会の会長といたしまして、大会のあいさつを申し上げる予定でおりましたが、よんどころない事情で遅れまして、まことに申し訳なかったことをおわび申します。

ところで、本日は非常な盛会で、農林大臣もご出席され、かつてないような催しになったということで、私も大変感銘を覚えた次第でございます。ことに、今日は、例年と違いまして非常に沢山の人たちが全国から参加されましたことも、非常に心強いことだと存ずる次第であります。また、今日、この会場に入りまして、いま瞬間的に感じたことでありますが、非常に立派な会場であるということを感じまして、これはやはり、今日の日本の一つの発展する姿を表わしているものなだという感じがいたしました。これは農村といわず、都会と言わず、日本全体がいま非常に一歩一歩力強く向上発展しつつある状態を、この会場の姿にもみることができます。

私は日本人の一人として、本当に嬉しく存ずる次第でございます。今日、大臣がどういう話しをしたかを、先程ちょっと大臣にうかがいまして、お礼を申し上げると同時に、お話しを聞いたのでありますが、みなさんは大臣のお話しを聞いたので、いろいろとそれについてお考えになっていると思うのでありますが、私、そのお話しの内容を少しうかがいいたしまして、今日といたしましては、非常に適切な話しをされたという感じがいたします。

これからの日本、とくに、これからの農村の青年の方々は、何を考え、何をなさんかということについて、みなさんは、みなさんで非常に真剣にお考えになっておられる。ことに、4Hクラブの諸君は、農村青年の中にあっても、模範的と申してよろしいか、率先的な立場に立って新しい時代を造らんとしつつある。新しい農村を造らんとするような形を情熱をもって追求している。そういうことを考えてみますと、今日の大臣の話しは、ひとしを感銘深いものであったのではないかという感じがします。

私は、直接聞いたわけでありませんがとにかく自主独立の精神をもって、これからの農村は建設していかなければならない、ということを話されたと聞いておりましたが、私は今日の農村の方々に対し、とくに明日の農村を担うところの青年諸君に対しましては、最も感銘の深い話しだったという感じがいたします。

◎◎戦後の発展に誇りを

ご承知のように、今日の日本は、非常な発展と申しますか、国家、国民はあげて向上発展してまいります。そして、諸外国からも非常なる日本の進歩の状態に対しまして、驚異の目をもってこれを迎えられているというような状態にあります。

むろん、ここまでまいりました日本、戦後荒廃いたしました日本を立ち上らせるにつきまして、これは外国の方々の非常なえん助というものがあったこと、これは忘れてはならないと思うんです。非常に荒廃し、あらゆるものが破壊されたという状態にありました。それを修復しまた建て直しをいたしまして新しい日本を造っていくというときに対しまして、われわれ日本人自らの力においてそれをやるということは容易でなかったものが沢山あったと思うのです。

そういうようなときに対しまして、当時の連合軍と申しますか、そういう国々の人々が、日本の立ち上りに対して、大きな力を注いで下さったということは、これはわれわれとしても忘れてはならないと思います。

そういうような援助の力を得ましたけれども、しかしそれを充分に生かして今日の日本を造ったということは、これはわれわれ日本人である。われわれはやはりそういう援助を受けることはありましたけれども、その援助を十二分にとにかく生かしまして、そして、今日の日本を造ったということは、これは外国の方々に感謝する反面、われわれ自身で一人ひとりがこれを誇っていいと思うのであります。

そういうような状態にありまして、こういう発展復興を遂げてまいりました。これは、大変、お互い日本人が手を取り合って祝い合ってもいい、「よかったなあ」「よくやったなあ」ということをお互いに話し合ってもよいと思うのです。

私は、そういう好ましい姿が、この日本に非常にみなぎっていなければならないと思うのです。しかし、そういう点もございますが、反面に必ずしもそうだとはいえないものがあります。こういうように発展復興し、各人各人が働いている。お互いに祝い合ってよいと思う。そのような状態が考えられるにもかかわらず、一面には、今日の状態に対していろいろ不満をもっている。そして不平をもっている、というような面も私は一面にあることを知っているわけです。これはこれとして、人々はそれなりにいろいろな言い分はございましょう。また、その中に一面の真理はございましょう。それはそれとして、われわれはこれを温く見守っていかなくてはならない。そういうことは、けしからんといってただ排撃することは、私はよくないことだと思います。

そういうような情勢に対しましては、われわれはかなり深い理解をもちましてその言い分に耳を傾けてやれば、充分これにこたえる。そしてまた、そうでない者があれば親切に熱意をもって手をとり合っていこうではありませんか、あなたはそう話しますけれども、そう腹をたてるばかりではいけませんよ、こうしてやったらどうですか、というような誘いをしなくてはならない、そうして今日の日本を更に良くしていくということが極めて大切ではないかという感じがします。

◎◎困難を乗り越えて

いま、ここにお集まりのみなさんは、何と申しましても若い方ばかりである。そして戦後にお生まれの方も相当沢山いられると思うのであります。そして今日は、大人の列に入られ、一人前になられたという方も相当いると思います。

そういうみなさんがお生れになった当時というものを私はよく知っている。私は本年七十三歳ですから、今から二十三年前というと私は五十歳です。五十歳の年に敗戦という状態に直面いたしまして そして日本の復興をなさなくてはならないと立ち上った私もそのうちの一人であります。その当時のことを考えると、いろいろ問題があったわけです。よくここまでやってきたなあという感じがするのでありますが、こんなことをみなさんに申し上げても、まあ時間をとるだけでなんにもなりませんから私は申し上げません。当時は非常に悲惨な状態でありましたが、しかし、そういう悲惨な状態に、当時の日本人、その当時の日本の人たちその当時の大人と申しますか、その大人たちはそれに対しまして、へきえきしなかった。非常に困ったという感じはしました。感じましたけれども、これはいたし方のないことである。このことを変えるよりも明日のことを考えよう、明日の再建を考えるということで、われわれは努力したと思うのであります。

◎◎息づく伝統の精神

まあ、顧りみますと、二千六百年の昔から日本は日本として終始一貫変らざる発展努力してまいりました。そういう伝統の日本、伝統の精神というものを考えてみますとそういう歴史的な大きな変動に対しまして、精神をぐらつかさせてはいけない、くじけてはいけない、こういうことこそ、伝統の日本精神というものを呼びおこしまして、そして困難にぶつかっていこう。そしてこの困難を新しい日本、繁栄の日本に結びつけていこう。それを築いていこうというところに私は決意をしたものだと思うのです。

画期的かどうかということは、多くの人がいろいろ考えられましょうが、今日の成果というものは、こういうことを決意せずには生まれてこなかったと思うのです。

これをなんとはなしに、その日の困難を困難としてやってきたならば、今日の日本は生れなかったと思います。

しかし、そのときに、言葉に出すか出さないかは別といたしまして、心の底にあるところの伝統の精神、秀れた日本の精神というものを、また日本人のこしというものをずっと身にすましで、われわれはやろう、われわれは、もう一ぺん再建しようと考えて、言葉に出さなくてもお互いに心の底で通じ合わせて、そして再建に努力したと思うのです。その結果今日、このようになったのですから、私は今日、こういうような〝繁栄の日本〟とはまだ言いません。〝繁栄の過程にある日本であります〟けれども、ここまでできましたのも、その当時の大人が困難に直面して、それにくじけずにやってきたという、その人々の功績だろうと思うのです。私もそのうちの一人だと申し上げてもよいかと思います。

◎◎若い世代が引き継げ

そのことをみなさんが、まず、知っていただきたい。私どもは、このようにやってきたのだから、みなさんもこうだということをいうのではありませんが、そういうようなことをやってきたという事実をみなさんに知っていただきたい。そして、今日まで辿ってきた日本の状態をみなさんはひき継いでいただきたい。そして、みなさんはこの困難な二十三年間というものをやってきたのかと「大変ご苦労さんでした」と。しかし「安心してもらいたい。これからは私たちが変ってやりますよ」と、そして「更に立派な国にいたしますよ」。同時に、立派になった日本の力をもって世界の繁栄と平和のために貢献いたします。だから安心して下さい。というようなことを先輩の諸君といいますか、今日の大人、老人の人々に言ってもらいたい。

これを私はみなさんにお願いしたいと思うのです。そういうところに、みなさんの一つの務めというものがあろうかという感じがするのであります。

戦後の日本について、個々にみた場合はいろいろの問題はありましょうが、全体的にみると、やはり大人たちが立ち上ってやってきたということは言えると思います。そのことをみなさんに知ってもらわなくてはならないということです。なかには、私は知っているとおっしゃる方もいるかも知れませんが、これはやはり、なおかつ知ってもらう方がよいでしょう。なおかつ知ってもらうことによってみなさんの力が倍加するのです。自分の力というものは、自分で生み出しているんだということですね、私はちょっと間違っていると私は思うのです。自分の力というものは数千年前からずーと伝わってきているんだと、その力の累積がいま今日、自分の上にきているんだと思います。

だから、みなさんの力は非常に倍加するものだと思うのです。自分の一個の力であると考えるより、数千年の昔から伝わってきた力の累積がいまここに現われているのだと考えるか、それによって大変な違いが出てくると思うのです。

◎◎大きな糸が互いを繋ぐ

私は、少年のとき相当苦労いたしました。また青年のときも相変らず苦労いたしました。私自身は苦労とは考えません。当然あるべきことをやらなければならないということで、やったのでありますが、しかし、どちらかといえばやはり苦労だったといえると思うのです。

しかし、そのときに私は、自分の力を支えとして父のことを考えました。父は不幸にして実をつぶした人であります。そのことを非常にくやんでおりました。私が子どもの当時でありますが、ときどきくやんで申しますことに「お父さんは、非常に申しわけないことをした。先祖から受け継いだものをなくした。まことに申しわけないことをしたが、お前がしっかりやってそれを建て直してもらいたい」ということを、ときどきぽつりぽつりと話したことが耳の底に残っております。(次号につづく)

埼玉堀兼4H 手芸講習会開く
地もと中学校の協力で

【埼玉】立派な社会人として、また農村婦人になるため、学習に励んでいる女子クラブ員に「どんなことを習いたいか」と尋ねたら「訪問着が縫える位の和裁技術を身につけたい」というファイトウーマンの集まりである堀兼4Hクラブ女子部(部長、佐野照子さん)では、去る、九月二十二日「アンダリア手芸糸」を使用しての手芸講習会を開催した。

お花や料理の講習には度々参加しているクラブ員も、初めての手芸とあって出席率も非常に良く、クッション、フルーツカゴ、バックなど個性に富んだものを手がけていた。

熱心に糸をあやつり編み上げる姿は、毎日農作業に取り組むクラブ員のぎこちなさはなく、見ている間に糸を型ちづくっていった。

あざやかな糸さばきでクッションなどが編みあがる

この講習会は、地もと中学の校長先生の協力で、会場には中学校の裁縫室の提供を受け、講師も同中学の須釜先生の指導をいただいた。

次回には、可愛いいぬいぐるみのお人形を作る予定。

(狭山市上赤坂・県連理事、村田久子さんより)

つどい 意見・体験文の発表者

第四回全国4Hクラブ員のつどいで、クラブ活動についての意見・体験文を発表した人たちは次のとおり。

【意見文】▽クラブ員の部=「4Hクラブに入って思うこと」渡辺正人(福島県安達郡・玉井4Hクラブ)▽指導者の部=「幅広い4Hクラブ活動を」小野登茂衛(新潟県村上市・山北農改普及所)

【体験文】▽クラブ員の部=「4Hクラブと私の段階」山崎順之(山口市・大内4Hクラブ)▽指導者の部=中村武(和歌山県西牟婁郡・田辺農改普及所)

【特別発表】「思考して可能に」毛利哲二(富山県負婦郡八尾町立杉原中学校4Hクラブ、同校二年)

4H会館建設に五万円募金

4H会館建設に対して、第四回全国4Hクラブ員のつどい期間中参加者から約五万円にのぼる募金があった。

つどいでは、同会館建設委員会の遠藤事務局長(神奈川)が出席して会館建設に協力を呼びかけるとともに、松下4H協会長、宮城同副会長も積極的に支援、募金箱を各所に設けるなどしてムードを盛り上げた。中には一万円を募金した4H協会役員、二千円を無造作にたたんで募金箱に入れたクラブ員もいた。

埼玉・浦和地区連 自ら問題求め
都市化農業対策を研修

【埼玉県】浦和地区4Hクラブ連絡協議会では、九月二十五日県立長静青年の家を会場に、一泊二日の研修会を開催した。

この研修会は、都市化される農村の中でも、その度合が最も著しい浦和地区管内において、今後農村青年はいかに対処していくべきか。また、その中でどのようにクラブ活動を進めていけば良いか。という課題解決を目的として、同時に寝食を共にした協同生活を通して規律ある協同精神の高揚と、クラブ員相互の親睦をはかる、という構想のもとに開催した。

秋の収穫期を迎え、また台風十六号の影響で参加者の減少が心配されていたが、参加申込者の五十九名を上回る六十一名の参加者があり、研修会に対するクラブ員の意気込みがみられた。

この研修会は、クラブ員自らの盛り上りで開催されたものだけに、その内容についても与えられたものを学ぶというのでなく、自らが問題を求め、自からの手で解決しようと努力する姿がみられ、とかく上部からの命令でのみ動くこれまでの研修会と異なり、クラブ員の研修態度は、実に自主的で且つ積極的であった。

なお、研修会にはクラブ員の他に浦和普及所長以下六名、県4H部長並びに理事四名が参加し指導を願った。

講師には、県立農業経営研修センターの星野武四郎所長を招き、「都市農業と青少年」というテーマで講義していただいた。

和歌山県連 野球大会開く
伊都チームに知事杯

【和歌山県=新井弘一連絡報道員発】和歌山県4Hクラブ連絡協議会(会長、岩倉常寛君)が主催した「第4回県連、野球大会」が和歌山県営球場と関西電力球場の二会場で九月十一日行なわれた。

この日の参加チームは、各地方で行なわれた予戦を勝ち抜いてきたチームと、4HOBチーム。それに普及所チーム代表の合計八チームで戦かった。

各選手たちは、日頃はきなれた地下タビをスパイクに、ミカンの手入れできたえた腕をバット・グローブに持ち替えて、4Hクラブの歌の流れるあこがれの県営球場で元気いっぱいのプレーを展開。

戦いは、伊都対有田、4HOB対普及所、海草対那賀、日高対西牟婁。準決勝戦は、海草対日高、伊都対4HOB。決勝戦は、伊都対海草が対決した。

その結果、伊都チームがチームワークの良さで快勝し、見事知事杯を獲得した。

4Hク員とお母さんの体力づくり

激励大会開かれる

西村農林大臣迎え 就農青年の門出を祝福

四千人の農林就業者を激励される西村農林大臣

【山口県＝山崎順之連絡報道員発】山口県農村青少年激励大会が九月二十六日午前十時から、山口市内にある県立体育館で西村農林大臣や橋本県知事を迎え、新規就農青年、農林業従事者、農業高校生ら約四千名が参加した中で、盛大に開催された。

この大会は、新しく農林業に就いた青年たちの門出を、多くの人々が一堂に会して心から"おめでとう"と祝福すると共に、青年には、農林業に取り組む希望と意欲を燃やし、お互いに励まし合い、磨き合う友だち作りをし、さらにこれを契機として青年、壮年、主婦も、また指導者もともどもに家づくり、村づくりに努力しようということで開催されたもので、今年で三回目を迎えた。

初めに新規農林業就農者二百五十四人が、県民の歌に合わせて入場、西村農林大臣から「日本農林業の将来は、好きな人が頭を使って、近代的な経営を行ない、日本だけでなく世界にも目を開いて幅のある農林業者になってください」と激励のことばをいただいた。

このあと、青年の代表として岡崎山口県連会長が「日本農業を発展させるために努力しよう」と固い決意を述べ、続いて「豊かな農林業を行なうために努力したい。そして、先輩の温かいご指導をお願いします」と新規就農青年代表、山口市の内田君が意欲のほどをみせた。

明治百年を記念して作られた「のぞみあらたに」の歌を唄う中、新規就農青年たちは、水稲、畜産、花キ、そ菜の四班に別れて先進地の視察に出発した。

夜は市内において「仲間づくり」というテーマで話し合いを行なった。

翌日は、山口県の「農業の城」ともいわれる山口県農業試験場の見学をしたあと帰途についた。この激励大会を契機に、就農青年は意欲的になるものと思われる。

女子ク員の集い開く 大阪 バスツアーで大台ヶ原へ

大阪・女子4Hクラブ員の集い参加者（大台ケ原山上で）

【大阪府＝村松一弥連絡報道員発】大阪府農業生活研究連絡協議会4H部（部長、長滝谷正行君）と東大阪市4Hクラブの共催による「第二回女子4Hクラブ員のつどい」がこのほど、バスツアーによって開催された。

会場の大和・伊勢の国境にある大台ケ原は、吉野熊野国立公園の一大連峰であり、周辺に散在する幾多の景観は他に類をみず、自然に親しむ機会の少ない大阪人にとって大自然の新鮮さを満喫したつどいであった。

午前七時三十分、大阪天王寺駅をスタートして、車中は女子クラブ員同士の親睦をはかるため、歌やゲームに興じ、片道四時間の長い車中を有意義に楽しく過した。

十二時から大台ケ原のハイキングコースを三時間半を費やして歩いた。大台ケ原は、日本で一番雨量が多く"コケ"の宝庫である。また、古くから修験者による信仰の場である大峰山に近なり、スケールの大きい断崖は、クラブ員の目を楽しませてくれた。

帰りの車中では、クラブ員の身近な問題を取り上げ「女性からみた男性像・結婚問題、女子クラブ員としてのあり方」、などいろいろと活発な話し合いができた。

その結果、大阪の環境の中で農業を行なうということは非常に強い意志が要求される。大阪女子4Hクラブ員は、強力な意志と信念をもっていることをクラブ員自身が再確認し、クラブ員全員が農業をこれからもやっていきたいということで意見が一致した。

このつどいの成功が、今後の女子クラブ活動に対して成果が表われるものと期待される。

エプロン姿の男性 埼玉・騎西町連合4H テーブルマナー講習

【埼玉県＝猪股文明連絡報道員発】加須農改普及所管内の騎西町連合4Hクラブ（会長、新井一郎君）はこのほど三日間にわたって加須青年の家で研修会を開いた。

この日は受付けのあと入所式、調理実習、テーブルマナー、午後はバレーボールを行なったが、クラブ員たちは技術活動だけでなく一般教養も身につけようと大張り切りであった。

調理実習では、いつもは見られないエプロン姿で腕ふるう男性の姿もみられる。お互いにテーブルごとにクラブ員がもちつもたれつで最後まで仲良く、しかも楽しく作り上げた。しかし味の方がちょっぴり心配である。

テーブルにはナイフ、フォークなど一式が準備され、いよいよテーブルマナーに入る。先生の指導によって馴れない手つきでナイフとフォークを動かす。みんな真剣な態度で、時には無口になるときもある。フルコースの献立、オードブル、ポスタージュ…と次から次へと料理が運ばれ、説明に従って手を動す。自分たちで調理し、テーブルマナーも学び一石二鳥である。次第に最初のうちのかたさもほぐれ、最後にはゆったりとした気持で自由に両手をうまく動かしていた。クラブ員は大いに自信をつけ、これから大いに役立てようと張り切っていた。

午後はバレーボール。すっきりと澄みきった秋空の下で大声をはりあげ、バレーボールを高々と打ち上げる姿は生き生きしていた。少しは苦痛もあったが、無事日程を終了し、加須青年の家をあとにした。

大原4Hク キノコ狩り

【千葉県】夷隅郡大原町4Hクラブ（会長、小守幸一君）では、このほどレクリエーションの一環として、キノコ狩りを行なった。

同クラブは発足して一年半、近代農業に取り組むクラブとして、各方面から期待されている。

一夜交歓会開く 徳島のなでしこ4Hクと農継ク

【徳島県＝河崎猛宏連絡報道員発】美馬郡脇町なでしこ4Hクラブ（会長、金崎栄子さん）と勝浦郡勝浦町の農継クラブ（会長、中田康雄君）は、このほど二日間にわたって脇町大谷の大滝山（標高九四四メートル）大滝神社を会場として一夜交歓会を開いた。

当日、なでしこクラブは、勝浦町から約二時間半かかって着いた農継クラブの十六名を迎え、みんな汗びっしょりになって一時間かかって大滝山へ登った。澄んだ空気、そして静かな山。ちょうど満開になっていたあじさいの花がほのかな匂いを漂わせる会場へと着いた。

午後一時に開会、お互いにクラブ活動の内容を紹介、記念講演のあと今後の農村生活について活発に意見を交換した。また、室内ゲームや野外レクリエーションなどを行ない、山頂とあって暑さも知らず楽しい交歓会であった。参加者は全員で三十名であったが、お互いに農業人同志という親しみからすぐ友だちになり、心ゆくまで語り合った。

青年の船から一報 フィリッピンを訪ずねて

木村登志男

若者に国境はない 大切な相互理解と尊敬の念

全国の4Hクラブ員のみなさん、私たち青年の船派遣団員は、元気で青年の船のカラーにとけ込み、毎日の研修に励んでおります。

青年の船"さくら丸"は、九月二十七日4H関係者ら多数の方に見送られて、東京晴海港を出港してから早や四日になります。台湾沖を通過し、十月一日第一回寄港地フィリッピンに近づき、フィリッピン群島を見ることができました。

初めて経験する船旅に、私たちはより大きな責任と希望を胸に秘めて、この船に乗りこみました。

途中、さくら丸は、台湾沖で台風の影響を受けゆれにゆれて、ファイトと若さに溢れた私たち団員も船酔いに苦しめられました。

しかし、さくら丸は、どんなに海が荒れてもゆっくり船体をゆるがすことなく進路をとり、船体は白と水色のペンキにぬられて大海原を進む巨体は、一路フィリッピンのセブ島に目標を定め休むことなく、弾丸のように走り続けています。

そのスマートな走り方は、素晴らしく、これから訪れる国々の青年たちの心の友になっていただけそうで、強い自信をもって喜び勇んでいます。

フィリッピンとは、どんな国なのかと期待と不安にかられていた私たちの目前に、水平線上に雨雲のようにフィリッピン本土を正しく見ることができたのです。

私は思わず"万才"と叫びました。そしてより充実した研修を修得して帰国するぞと、青く澄んだ大空に両手を合わせて願ったのでした。

フィリッピンの政体は共和国であり、元首はマルコス大統領で、首都はケソン市（政体機関はマニラ市）です。主産物は、砂糖きび、ココナッツ、マニラ麻、木材（ラワン材）、鉄鉱石などです。

私たちは十月二日の八時にセブ港に接岸し上陸しました。近くの広場で両国のメッセージの交換を行ない、足立団長が汗をいっぱい流して親善のことばをのべました。

私たち団員は、船のタラップを降りる時、ふ頭に待ち並んだ多くの人々から、ウエルカム・ウエルカムと盛大な歓迎を受けました。

第一日目は、セブ市長と州知事のところへあいさつに行き、その後、政府のバスで市内を案内してもらいました。

主な見学コースは、マゼランクロス。これはスペイン人フェルナンド・マゼランがセブに上陸して多くのフィリッピン人に、生活の安定と社会の開発に努力してくれたことを記念して建造されたものです。そして、マゼランが建てた最も古いキリスト教の礼拝堂を見学し、カリサイビーチという海岸で昼食をとりました。

この海岸は、現地の人に聞くと太平洋戦争の時、日本兵が最後に上陸した所らしく、なつかしさに思わず目頭が熱くなりました。

第二日目は、スポーツ交換会です。フィリッピン側の選手団はセブ市でもより抜きの選手です。これは、日本選手は強いということで、このような選手団をつくったらしいのです。

サッカー、バレーボール、バスケット、ソフトボール、水泳を行ないましたが、日本側が勝ったのは水泳だけでした。でも負けることに意義があるスポーツ大会だったような気がします。これらの競技を通じて、両国の親善のために役立ったように思います。

その夜、村の祭りに私たちは招待され、フィリッピンの夜をフィリッピンの人々と共に踊り、歌う私たち若者に国境はないことをしみじみ教えられました。心と心が通じ合った一時でした。ことばも大切ですが、それと共に、お互いが正しく理解し、尊敬する心が必要だと知らされたのもこの時でした。

数々の想い出を残し、フィリッピンに別れを告げ、さくら丸は十月四日午後六時に出港しました。現地の人たちが見知らぬ私たちを港までましと大勢見送りに来てくれました。なれない日本語で"さようなら―"と何回も繰りかえしている人たちが印象的でした。

港の灯が見えなくなるころ、私たちは全員甲板に集まって、第二の寄港地に思いをはせ意識を新たにしました。

最後に、フィリッピンの農業についてですが、セブ島は、ほとんど火山灰土のやせ地でわずかの作目のトウモロコシ、サトウキビが作られている程度です。畑がセブ島の九十％を占めていますが、畑の耕運は水牛を使ってスキ起しする農法でした。

次は、青年の船寄港地、タイからお便りします。

芋名月

今年の仲秋の名月は皆既月食と一緒になったためずらしい満月の夜であった。昨年の仲秋の名月は、丁度万国博覧会の現地調査のため京都に宿をとっている時であった。

昨年の十月十四日号に「午後からの雨で案じられた空も午後八時頃から雲がきれて、中天に青白色に輝やく真円の名月がくっきりと浮んでいた。京の都の静寂のハーモニーのなかに、比叡の山なみと五重の塔をシルエットにした姿を、加茂川のほとりに立って眺めたが、一幅の墨水をみるおもいでまったく冥利につきた。京都ならではの風雅なおもむきであった」と書いた。

あれから丁度一年、くしくも再び仲秋の名月を、ところも全たく同じ京都の加茂の大橋から眺めることができた。東京は昨年も今年も雨で見れなかったそうだが、京の都は、すっきりと晴れて刻々欠けてゆく月食と、皆既の満月を、更けゆく真夜中まで堪能できた。二年連続風流をたのしむことのできた私は、まことに果報者といわざるをえない。

下鴨茶寮という宿に泊ったが果物の御膳に、すすきを立て、栗と里芋を混ぜたおこわ（強飯）と、おだんごと皮をむいた里芋を十個位盛りこんだ皿をおいたお飾りを我々の部屋にも飾っていただいた。栗名月、芋名月といい、月見の芋を食う風習が昔からあったから京都ではこのような飾り方をするのであろう。楽しき一夜であった。

京の旅は、実は、そのあくる日十月七日から奈良で開かれた「第四回全国4Hクラブ員の集い」に出席のための前夜の一泊である。

翌日、奈良に行き、集いの開会式に列席した。集いについては、本紙上に詳細に書かれるので私はふれない。

青年が企画し、青年が運営するこの集いの意義は大きいようだが、私のみるところ、まだまだ自主独立ができていないようにみえる。地元奈良県の奥畑専務をはじめ県側の縁の下の力持ちの苦労に対しては、心から感謝の意を表することを忘れないでほしい。

全協が運営するといっても、半月も前からきて準備するわけにも行かない。やはり、大会二日前に集るのが常識だろう。そうするとこまかい下準備は誰がやるのか、奈良県連も骨身を惜しまずやってくれていたが、二日前に乗り込んできた全協が、全支配権を握ってしまうために何となく双方にギャップができる。

全協は、奈良県連とお互いに相談しあい、協力しあって、スムーズな運営を進めているという。勿論そうであろうと思うが私が感じたところでは、何となく奈良県連の方々が遠慮がちであり、淋しそうであり、どうもすっきりしない気持をもっておられるようにみえた。

とかく、このような全国段階の大会はむづかしいものである。青年の手でやればやるほど同格の人間関係だけに、上部機関と下部機関とのコミュニケーションがうまくゆかないものである。今後、諸君たちの力で、より立派に、よりスムーズに進めてゆかなければならないだけにもっとよい運営の方策を考えてみる必要があるように思う。

七日、帰京のつもりであったが久しぶりに、全協の諸君や、奈良県連の諸君と話す機会がもてた。午前三時頃まで語りあったが、非常に勉強になった。もっともっと君たちと膝をつき合せて語る機会をもちたいものだ。

五年前の青年会議の運営委員でその時最年少であった、京都の村田君ともその夜会った。近畿連の会長をやっているそうだ。

見違えるほど立派に成長していた。「私は運営委員で学んだことがクラブ組織化の原動力になったとはっきりいえる。また運営委員は二十才位の低年令層の時、運営を勉強するという気持ででると大変勉強になる、歳をとると批判的になりますよ」と村田君は語っていた。（麗）

農業教室

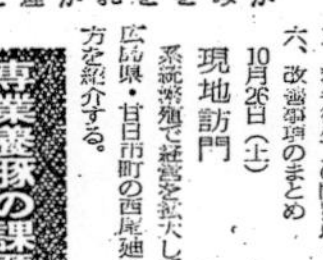

乳牛の飼養管理

わが国の酪農は、農業の成長部門として発展しており、また牛乳乳製品の需要も急速に伸びている。しかし、最近の乳牛飼養頭数や牛乳生産の伸び率の鈍化など、現在の酪農経営は、規模拡大と多頭化に対応する飼養管理技術変革の段階に直面している。

多頭化に伴う省力管理を旨とした施設、および飼養技術の近代化は、スタンチョンバーンとルーズバンとの二つの方向で進められており、この線にそった技術体系の確立が第一である。

一方、草地開発により、育牛の共同育成施設や搾乳牛共同飼育施設の設立、放牧牛群の集団管理技術の確立も重要な課題である。とくに、放牧牛の適切な管理は、草地の生産性の維持・改良ともつながる問題である。

乳牛の多頭飼育、省力管理は、労働生産性の向上を納めても、群能力の低下、生産乳の低下をさけられないと考えるのは誤りである。

10月21日（月）生理と飼養技術

牛乳生産費の五割を占めるのが飼料費で、適切な飼料の選択組み合せ給与が、能率的な牛乳生産を導く。乳牛は特殊な消化器構造をもつ反すう獣であり、適度な泌乳を行なう関係上、繁殖との関係が複雑となってくる。これらの生理をふまえた合理的飼養を行なうことが大切である。

10月22日（火）スタンチョン牛舎の乳牛管理

牛は個別に繋留され、そこで給飼、給水、搾乳を行ない、同じ場所で休息し、排ふん、排尿が行なわれる。

このように自由を束縛され、運動不足となり、換気が不十分の場合は空気が汚れ、湿度が高くなり非衛生的な状態になりやすい。

乳牛の管理作業は、給水、給飼、搾乳牛乳処理の三つの作業が全体の八十％を占める。これらの作業はいずれも作業員が移動して物を運搬するものである。作業効率を高めるための作業手順、施設の配置、作業動線の改善、設備の整備、機械の採用を考える必要がある。

10月23日（水）ルーズバン牛舎の乳牛管理

乳牛を放牧飼育する場合と同じ状態で舎飼いする管理方式であって、群単位で管理することを前提とする。

作業員はなるべく移動せず、省力することにより、多数の乳牛を飼養することを目的とする牛舎である。粗飼料と水は乳牛が自由に摂取できるように、乾草舎、サイロに付設した給飼場や運動場に水槽をもうける。搾乳とふん尿処理は機械化して能率のよい作業をする。

群管理では、ボス牛や臨角による被害を防止することが重要で、それには全牛除角、搾乳牛、乾乳牛、育成牛は分離して飼養する。

一、搾乳時、濃厚飼料を給与できる搾乳場と乳室
二、牛群ごとに自由採取できる粗飼料、水の給与場
三、牛群別に自由に出入りできる休息舎と運動場
四、分べん牛、病牛、幼牛用の牛房
五、ふん尿処理、清掃はトラクターを使用する。

10月24日（木）放牧牛の管理

一、放牧牛の管理の目標
二、放牧の方法と管理上の特質
三、乳牛の健康と生産性向上のための管理
四、土地生産性向上のための管理
五、省力的、経済的立場からの管理
六、集団放牧管理

10月25日（金）搾乳機利用の問題点

一、機械搾乳普及の現状
二、機械搾乳にはどんな方式があるか
三、使用の要点と問題点
四、乳質上の問題点
五、乳牛衛生上の問題点
六、改善事項のまとめ

10月26日（土）現地訪問

系統繁殖で経営を拡大してきた広島県・甘日市町の西尾廸夫さん方を紹介する。

専業養豚の課題

専業というからには、豚でめしが食えるだけの規模が必要である。最近では豚舎構造が改善されただけでなく、自動配餌装置の普及などもあって、作業の省力化は著しくすすみ、一人で管理できる規模としては、肉豚で五百頭、繁殖豚で五十頭は楽になった。

しかし、頭数が増化すれば、それだけふん尿量も多くなり、当然その処理方法が問題になり、場所によっては公害問題を起こしている。

また、肉豚生産費の九割を占める子豚費と飼料費が節減できれば収益に及ぼす影響は極めて大きい。そして、子豚費節減は子豚自給以外に道はなく、飼料費節減は安い単味飼料を入手して自家配合する以外に方法は考えられない。

以上のことから専業養豚の進路として❶完全配合飼料、子豚完全自給の一貫経営❷残飯その他、単味飼料の自家配合、導入子豚依存の肥育経営、という二つの方向を提案したい。

10月28日（月）多頭化に見合った省力施設

一、ふん尿処理に問題がなければすのこ式豚舎
二、ボロ出し作業のやり易い豚舎構造
三、自動給餌器と自動配餌装置を組み合わせる。
四、流動飼料のパイプライン給餌方式
五、無畜舎分べんを前提とした分べん豚舎
六、繁殖豚の群飼施設

10月29日（火）多頭化とふん尿処理

多量に排泄されるふん尿は頭痛のたねである。ふん尿処理問題は現在のところ、処理方式は確立されていない。

まず、処理方法を考える場合❶立地条件として地形、面積、周囲の環境、水が十分得られるか、廃水ができるか、運搬ができるか❷養豚規模、給与形態❸建設費、維持管理費

10月30日（水）多頭化にともなう病気と対策

経済的な損害からみて、第一に伝染病、とくに豚コレラ発生防止が多頭飼育の基礎となる。第二は下痢と肺炎の予防である。第三は豚丹毒やインフルエンザなどの予防である。

10月31日（木）群飼放牧のかんどころ

省力的で、施設費がかからず、しかもふん尿処理の手間が省ける面から、放し飼いのもつ意義が大きい。

NHK農事番組（10月21日～22日）

テレビ

明るい農村 6・30～6・55総合
21日 村の記録 からいも農民（鹿児島県鹿屋市）
22日 くらしを考える 新聞と私
23日 村をむすぶ フイルム・リレー
24日 話題の広場 農民の健康会議（山口県小郡町）
25日 産物往来 こんにゃく
26日 農業新時代 近代化養豚をめざして（鹿児島末吉町）
28日 村の記録 はじめての稔り（秋田県大潟村）
29日 くらしを考える 出かせぎから午へ
30日 村をむすぶ 現地報告
31日 話題の広場 農業百年、馬育
農業教室 7・00～7・30、教育（前回で詳報）
あすの村づくり
日 7・00～14・00 教育
再 土13・～14・00教育
グループだより（松江）
仲間とともに"規模拡大にどうとりくむか（岩手県花泉町）
趣味の園芸
金 10・30～11・00 総合
再 土 17・00～17・30 総合
25日 冬越しと温室 東山植物園技師 坂梨一郎

ラジオ

早起き鳥 5・05～6・00 ❶
21日 現地報告 赤信号の大形和牛経営（広島県芸北町）
22日 人と話題 農業機械化研究所 渡辺鉄四郎
23日 通信員の手帳から 富樫博
24日 じゃがいも（北海道狩太郡下）
25日 現地報告 搾乳ひきうけます（群馬県太田市）
26日 村のポスト 投書
27日 話題の窓 稲作報告
28日 現地報告 たばこと農夫症
29日 人と話題 福島県コンニャク試験場 渡辺弘三
30日 通信員の手帳から 長尾智代
31日 産地訪問 ほうれん草（愛知県渥州町）
ラジオ農業学校
月～土6・40～7・00 ❷
日 6・30～7・00 ❷
再日～土 19・00～19・15 ❷
27日 農業講演会（高松市）
新しい農村 日6・00～6・30❷
ひるのいこい 12・15～12・34❶
21日 落あゆとり（鹿児島）
24日 秋祭りの稚児競馬（松山）
28日 モリアオガエルをまもる（いわき）
31日 ヒルの稲刈り（東京）

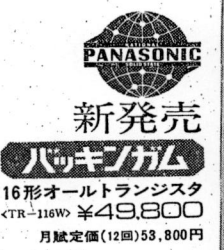

日本4H新聞
4Hクラブ 農事研究会 生活改善グループ 全国弘報紙
発行所 社団法人 日本4H協会
東京都市ケ谷家の光会館内 電話（269）1675 郵便番号162
編集発行人 玉井光
月3回・4の日発行 定価 1部10円 6カ月180円（送料共） 1カ年360円
振替口座東京12055番

クラブの綱領

私達は農業を通じて自らを磨くとともに互いに力を合わせてよりよい日本を創るため四つの信条をかかげます。
一、私達は農業の改善と生活の改善に役立つ腕をみがきます。
一、私達は科学的に物を考えることのできる頭の訓練をします。
一、私達は楽しく暮らし、元気で働くための健康を増進します。

帰国控え滞日報告会開く

台湾の"草の根大使"二人

4H協会の伊藤理事の質問に答える台湾の"草の根大使"。（右側が荘君、左側は黄さん）＝家の光会館で

農業に学ぶ点多い

子供の躾けに厳しい目

国際農村青年交換計画に基づいて、社団法人日本4H協会の招きで来日し、クラブ員宅で生活していた中華民国（台湾）代表の4Hクラブ員"草の根大使"荘秋忠（そう・あきただ）君（二〇）と黄貴英（こう・きえい）さん（二〇）は、二カ月間にわたる日本での生活の全日程を終えて二十五日帰国することになった。これに先立ちさる二十一日、東京・新宿区市ケ谷の家の光会館二階会議室で二人の滞日報告会が開かれた。

滞在期間はもっと長く

荘君と黄さんは、さる八月二十四日来日し、東京で来日のあいさつやオリエンテーションを受けたあと三十一日から九月二十日までの約三週間、大分県の4Hクラブ員宅で、続いて今月十八日まで愛知県の4Hクラブ員宅で生活、その間さる七日から奈良で開かれた第四回全国4Hクラブ員のつどいに参加し、日本の農業、農家生活、習慣、風俗などについて学ぶとともに、4Hクラブ員を中心とする関係者と交歓、民間外交官"草の根大使"として日台両国間の相互理解と親善友交に大きな役割を果した。

この日の滞日報告会で二人が語った要点は次のとおり。

農業について 自分たちが体験した範囲だけでいうと、養鶏では病気を予防するための注射や餌などの面、養豚の完全飼料、水稲における機械化、半自動などいろいろの面で参考になる点が多かった。帰ってからみんなにも奨励したいと思う。また、愛知県では温室による花卉栽培をみた。台湾では日本ほど温室を必要としないが花壇や植え方など自分たちが関心をもっていた点について学ぶところがあった。

農家の生活について 台湾に比べるとテレビや冷蔵庫など電化製品が普及していて、疲労を感じたときなど家で楽しめるので大変良いと思う。トイレや浴室なども一般的によいようだが、中には余り衛生的でないトイレもあった。お風呂についても、日本の伝統として家族ぐるみで入るわけだが、体をよく洗ってから入るように心がけるのがよいと思う。

家族関係では、夏休みで帰省した大学生や近くの学校に通学する高校生も、みんないわれなくとも率先してせっせと働いていた。仕事の面ではみんな仲良く、よく働くように感じた。しかし、仕事以外の面に目を向けると、子どもたちは自由にさせられているためか親に対する言葉使いは余りよくなかったし、青少年と年寄者の間に隔りがあるように感じられた。地域の奥さんたちも年の若い人たちのことで大変苦労しているようだった。

食生活の面では、農繁期は労働が激しいので、もう少し食事のカロリーを上げた方がよいのではないかと思う。また朝食のあと、忙しいためか、食べたままにして出かける農家もあるようだが、衛生面からも、あと片付けしてから出かける方がよいのではないだろうか。冷蔵庫があることはよいが、物を二、三週間も入れておいて、出して初めて痛んでいることに気がつくなどマイナスの面もみられた。

青少年について 4Hクラブ活動は台湾に比べると活発で、帰ってから大いに参考にしたいと思う。しかし、子どもたち一人ひとりについてみると、学校では厳しく教育されているのだろうが、家に帰ってからは余り注意をきかない。自由になり過ぎているような気がする。

第四回全国4Hクラブ員のつどいについて 大勢仲間ができた。帰ってから手紙を出したい。夜の交歓会では全国のクラブ員たちが自分たちの農業経営や地域の事情などについて紹介し合ったが、いろいろの話し合いが聞けてとても良かった。大変成功したと思うし、4Hクラブ活動にプラスになる大会だということを感じた（黄さんら二人は、つどいの中で、4H会館建設の募金に積極的に協力し、激励した）

交換計画について 滞在期間は二カ月では短かく、三カ月ぐらいがよいと思う。また日本の北の方の農業や農家、水準の高いところと低い両方の農家を見たかった。日本の農村では、台湾のことについてよく理解されていないし、自分たちも日本を訪れる前にもっと日本の習慣や風俗について勉強してくる必要を感じた。この交流が続けば両国の相互理解と親善に役立つと思うのでこの交換を続けてほしい。

7月27日から5日間

来年のつどいは砂丘農業の鳥取県で 名士など招く予定

来年開催される「第五回全国4Hクラブ員のつどい」は、七月二十七日から三十一日までの五日間砂丘農業や二十世紀梨で名高い鳥取県を主会場として開催されることが確定的となった。さる七日から奈良で開かれた第四回のつどいの閉会式において、今回から作成したつどいのトロフィーが山田奈良県連会長から三浦鳥取県連会長に引き継がれたことによってつどいは事実上鳥取県連の手に移った。

これに先立ち、全協、鳥取県連と日本4H協会など主催側関係者は、つどい開催中の八日、会場で来年のつどいについての打ち合わせを行ない、これまで鳥取県連を中心に進めてきた開催要領案をもとに話し合いをした。

まず、来年は、現地交換訪問を今回の一泊二日から二泊三日に伸ばすことになった。このため、開催日数を今回の四日間から五日間に延長することになった。開催期日は、さきに予定していた七月二十五日から二十九日までを、同月二十七日から三十一日までの五日間に変更することになった。

また会場は、米子（よなご）と大山（だいせん）などが候補地として考えられている。はじめ鳥取市や砂丘なども予定していたが時間や経費などの面から二カ所にしぼられてきたようである。このため砂丘での歓迎レセプション、砂丘地農業の視察や山陰海岸での海水浴などを計画、同県の特色を強く打ち出す予定であったが、現在のところ不可能に近くなった。しかし、同県連では出来るだけ砂丘農業のPRや案内をしたいと語っている。

現地交換訪問の受け入れは、鳥取県連が中心となるが、さらに隣接の島根県連にも応援を求めることになった。このため会場は米子、大山と鳥取県下一円、それに島根県の一部になる模様である。

主な行事としては、今回と同様に開・閉会式、講演、話し合い、クラブ活動についての意見・体験文の発表、スケッチ、キャンプファイヤー、散策、現地訪問などを予定している。とくに開会式に招待する来賓として常陸の宮ご夫妻や総理大臣の名前が上げられるとともに、講演の講師には作家の石原慎太郎氏（参議院議員）を迎えてはどうかという意見も出され、つどいをさらに盛り上げようという意気込みが示された。また散策は、つどいにはクラブ員のOBや家族も参加するので、お寺や伝説めぐり、登山など三コースに分けて、それぞれ参加者の希望にそって行なうなどの案が出された。

現地交換訪問では、クラブ員宅を訪問するのに相当時間がかかる地域もあるので、閉会式をできるだけ早く切り上げて午後一時ごろ出発することになった。

これら開催要領については、まだ流動的で、良いアイデアがあればそれを盛り込みながら、クラブ員のためのクラブ員のつどいとするため今後さらに検討を加え具体化を図っていくことになっている。

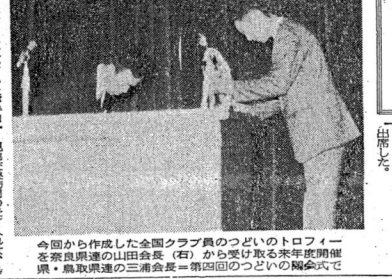

今回から作成した全国クラブ員のつどいのトロフィーを奈良県連の山田会長（右）から受け取る来年度開催県・鳥取県連の三浦会長＝第四回のつどいの閉会式で

涼風暖風

余暇の選択的拡大

生活時間の中に占める余暇の割合は、今日では五％位であるといわれている。しかし、二十一世紀を待たずに、これが三五％位になるだろうと予測される。

いろんな調査結果をみても、青少年の余暇のすごし方は「ゴロ寝」や「テレビ」というのが圧倒的に多い。いうなれば、休息をとるのが精一ぱい、というところ。見方をかえれば、生活時間の中に五％しか余暇が無いということであれば「ヘソ天ーゴロリッ」と横になり、ヘソを天井にむけている以外に方法がないだろう。でも、これが三五％の時代になったらどうするのだろう。そうは「ヘソ天」ばかりしてはいられないはずである。

例えば、農繁期は家にあがれば体を横にしてテレビをみる位が積の山。農休日などは一日中ゴロゴロしていてもあきてしまう。絵を画く、まとまった本を読む、友だちとだべる、楽器をいじる、といった具合に余暇をすごすに違いない。これが農閑期などにまとまった暇ができると、友だちとだべるだけではあきたらず、一緒に旅に出たり、クラブ員と演劇の発表会をもったり、社会奉仕に精出す、ということになるだろう。

農繁期のゴロ寝こそ、五％時代の余暇のすごし方の見本であって、休息的余暇とも呼ばれるものである。このような余暇のすごし方には特別の知識や技術は必要としない。

農休日の趣味的な活動による余暇のすごし方は、調整的余暇ともいわれるものである。この位になると、絵を画く素養を必要とするとか、友だちとの話題を欠かさないとか、楽器がいじれるとかいう技術や知識が求められてくるので、無芸大食的な人は余暇をもてあましてしまうだろう。

農閑期にみられる余暇のすごし方こそ、三五％時代の余暇のあり方を示すものであって、このような余暇を自的余暇という。こうなると、単に趣味的なものだけでは役立たない。自分が人間であることの喜びを味えるようなものでないと満足しない。楽団を編成し、老人ホームを慰問して年寄りを喜ばせるとか、とにかく、社会奉仕をしてみんなに感謝されるとか、自分が社会の重要なメンバーであることをみんなからも確認されることが必要となってくる。

北欧の老人たちが自殺するのは、この確認の喜びを知る方法をもたないからである。経済的、時間的に余ゆうのできた人たちが社会奉仕にうちこむのは、この確認を求めているからである。

二十一世紀まであと二万時間。余暇のあり方について、そろそろ真剣に考えるべきときがきているようである。

（文部省・伊藤）

全協執行部が明治百年記念式典に出席

全国4Hクラブ連絡協議会（会長、丸山勉君）は、さる二十三日東京都千代田区北の丸公園の日本武道館に天皇、皇后両陛下と常陸宮ご夫妻を迎えて開かれた政府主催の明治百年記念式典に執行部が出席した。

西村農林大臣の特別講演

〈中〉

量から質へ転換を

改正に傾く土地問題

私は、こういうようなことを一つは考える。農業というものは、なんといっても消費者と手を組んで、消費者の理解の中で農業の所得をふやしていこう、という仕組みにある。それには、どうしてもお米はお米なりに大事だが、お米以外のものにもウエイトをかけなくてはならないという考え方を進めたい。

"喜ばれる米"の生産へ

一方、お米の問題につきましても、ただ作れば同じ値段で買うという時代から、いい味の米、喜ばれる米は、やはり高く売れるというような工夫が入る方法論というものをだんだんに考えていかなくてはならない。なんでもかんでも形が米であれば、高く買ってもらえるんだという時代はもう過ぎるのではないか。

一番こっけいな例が、砂丘にビニールをひいてそして米を作り、これも米ですから買い上げろという。そうなればデパートの屋上で作っても、これも米でございますから買い上げろと。味はありません。私どもはそういう点から考えますと、米政策でも、質というものを相当裏わしうるような方向へ工夫していかなければならない。

なかなかこういうような結論をとるには、各方面のご理解を求めなければなりませんけれども、従って、私は、いまあわてて米の買いつけ制限だとか、そういうようなことを打ち出す積りはございませんけれども、少なくとも、出来た米は大事に保管できるように、やはり倉庫対策というものを急いだり、強化したりすることは第一でしょうが、第二は、これから、余り適格でないところや、それから生産性の低いところでやたらに田んぼさえ作れば、米さえ作ればということはもうやめていただく時代に入っていると思う。

必要な魚は作る時代

いま一つは、国土が狭いのでありますから、出来るだけ日本の国土を広く使うには、雑木林というものに対して、畑作なりその他をふやしていくということが必要ではないかと思うのです。

こういうような中でもって、農政というもののあり方を立てる。水産についても同じです。今の水産はただとりさえすればよい、という考えは少し国際的にも難があります。遠洋漁業でも、ただとりさえすればいいんだということだから資源を調査し、お互い同士が資源をどう次の時代にふやすかということをかみ合わせ国際協調しながら必要なものはとるような時代に入ってきた。

これは、新規開田は抑制するという方針です。同時に、今度は、量から質への転換になれば、ある者は高く売れる仕組みをどう工夫したらいいかということについて考える。今日の段階では、まだそれをご説明するには早いからいたしませんけれども、そういう工夫を加える時代に入ってくる。と同時に、大事なことは、出来るだけそういう姿勢の中で、他の作物に少しずつウエイトをかけまして、来年の予算にも少しでもそういう姿勢が出るようにする。

同時に、今度は、遠海、近海を問わずただとりさえすればよいんだというよりは、海の中でも適格な場所があれば海の中に田んぼづくり、いい換えれば、必要な魚をつくるという時代に変ってきていると思う。農政ではありませんが、これも時代的に変革している、こう思うのです。

農地制度の改革へ

で、最後に一番問題になるのは、日本の農業は自立ができるような土地の方向へ行く。これは一挙にはいきませんけれども、私どもは、いま国会を通して農地法の改正をやろうとしているのがこれであります。

農地を放せば取られてしまう、だから三反でも五反でもやる、あるいは年寄りにまかせて番をさせる。これでは生産性が上らない。それならどうしたらよいか。国家が急に買い上げようとしたって簡単な財政ではそう多くは買えない。かつて管理事業団という考えをもったけれどもこれもうまくいかない。そこで、私どもは出来る限り貸し借りを緩和していこうとしている。いま、請け負い小作なりヤミ小作なりある、こういうものを緩和し出来るだけ表面化していくならば、あるいは不在地主制度がそこに現われてもいいじゃないか、ということです。自分は都会へ出る。そして土地は農協なり、あるいは組合に貸して地代をもらう。そして農業をやりたい人のところへ土地が集まるという仕組み―このくらいのことをやっていかなければ日本の農業の土地というものは大型化しない。こうして土地制度というものを農業をやりたい人のところへある程度集まるような仕組み、それでも、その間に小さい土地が残るのはできるだけ協業なりで、農業のやりたい人のところへ集め協業のような工夫をしていくならば、やや全体の農業そのものの所得、あるいは農業の生産というものが上っていく。

適地適作の方向に

もう一つ大事なのは、先程のように私どもは国として主産地というものを出来るだけ考えていきます。お米についてならば、お米の主産地というものは自らあるわけです。良質の米を歴史的に作ってきた気候風土を生かす、近郊の農家におきましては、花キ、園芸、くだもの、野菜など近郊にふさわしい農業の方向へもっていく。例えば、東海道ベルト地帯のごときは私は米づくりはもう減っていっていいと思う。こういう中で、みなさんが今度はそれぞれの農業の担当者として自立をしていくのでありますから、みなさんにも工夫をしていただく、農業団体にもご理解を求める。米の値段を上げたい、これもいいことですけれども、米の値段だけを上げていけば解決するという時代は、私は去ったと思う。こうなれば消費者の値段もあげなければならないという財政のぐるぐるめぐりの中に巻き込まれてしまう。これではいけないのです。もう恐らく来年は、消費者米価を上げるのは困難であります。

量から質に転換を

そういう観点から考えますと、米というものに対しても、私が申し上げたような方向をだんだんにご理解を願いつつ、農政の、いわゆる総合農政を出していく。そして、それぞれの産地自体が、いわゆる量から質へと転換していただく工夫を凝らしていくならば、やはり本来の農業のよさを発揮できる。こんなように私は「総合農政」というものについて考えておりますが、ただ今は、また、いろいろの方面とこれから工夫、相談しながらいく段階でありますから、やや具体的に申し上げたわけです。

好きな人が農業を

それから次に、今度は、農業一般に対する心がまえですが、これはいまさら私が申し上げるまでもなく、みなさんにご理解願っていると思うのですが、私はこういうことを考えております。農業をやろうという人は、農業が好きでなくてはダメだ。従来は、親が農業をやっていて、まあ、あれだから、しょうがないやという気持で受ける。これは私は余り感心いたしません。もう、これからの農業は、農業を好きな者がやるべきだ。従って、農業の就業人口は減ってよろしいと、私ははっきり言って歩いている。嫌いなものは、農業をやめた方がいいんだ、こういう考えです。恐らく、今日ここにお集まりになる青年諸君は"俺は農業は好きなんだ、農業のエリートになるんだ"このくらいの堅い決意をもっていなくてはいけません。

これからの農業というものは、考える農業、工夫する農業、努力する農業、いわんや日本の外側には、低開発国の諸君が、なかなか農産物を作り出しておる。価格も低廉な時代である。これでも、ある段階には、物によっては、多少競争しなくてはならないところへも入ってくる。次代のみなさんの時代には迎えるかも知れません。私はそういう時代だと思う。だから、農業は可哀相だから保護してくれ、ということでは消極主義で、農業は後退してしまいます。むしろ農業自体が、いいものなんだ、大事なものだ、俺はやるんだ、と、その中で必要なものは国家としてやらせようと、こういうような姿に切り替えて行く時代に変っていくのではないかと思う。（次号につづく）

心頭技健

さる二十一日夜の新宿駅周辺は、異様な暗黒のムードに包まれていた。商店街のシャッターは早くから閉ざされ、薄暗く、赤い灯がともるいつもの夜の花やかさとは違っていた▼東口広場には身動きも出来ないほどの黒い人垣で埋まり、出入口の屋根、街路樹などもぎっしりだった。地下鉄の主な出入口は封鎖され、タテをもった機動隊がその通路のわきで、じっと息をころしていた。このような中であのような騒ぎが起った▼歴史の中で、青年の力が社会改革の原動力となった例が多いのは確かな事実であり、また戦争を肯定するわけではないが、あの夜の一部学生の動きは、好意的にみても弁護の余地がない。▼警察当局を騒乱罪の適用に追い込んだのは成功だったというが、反戦をさけびながら、なお、法律と善良な市民との戦いをエスカレートしようとする挑発行為に誰れがついていくというのだろうか▼多くの平和主義者、進歩派でさえ眉をひそめているではないか。この暴力を容認することは、民主主義さえ否定し、暴力革命を是認することになってしまう。それにも拘らず、再び英雄的なヒロイズムで行こうとかなり立てる。その半面、「いま防衛庁に侵入しました」といちいち新聞社に電話で連絡するという幼稚さとの関連をどう結びつけて解釈したらよいのか。社会的に責任のない者だけができるという批判さえある▼そしてそこに、もっと人間的なもの、本質的なものを追求しようとしているのだろうかという疑問がおきてくる。例えば、毎日の生活の中で、苦しみもがえている人をみて、われを忘れ、救けようとする、真に勇気のある人が何人いるか。よいことをみんなでやろうと、何人が努力して語りかけているのか。自己の名声を高めるために人の食べ物に細菌をかけるような態度は否定されるべきだ▼このようなとき、二十一日において明治百年記念式典が開かれ、そこで同じ世代の青年が、社会、国、世界の平和、繁栄を築くことを誓っている。クラブ員の中には、これから国を指導する青年は農村から出ると強調する人もいるが、そのようになることを望みたい。

「全国のつどい」を終えて

みなぎる大きな自信と喜び

教えてほしい「素晴らしい」と　いま、新たなスタート点に立つ

奈良県4Hクラブ連絡協議会会長　山田高作

"万歳!万歳!"と手を高く上げて"さようなら、さようなら"と大きく振る手、"元気でなあ"と声を張りあげて……本当に心からの見送りである。今別れてしまうと、もう二度と会えないかも知れない。おそらく会えないだろうと思うと、ジーンと胸にくるのである。短く親しい友との別れである。

しかし、大きく振る手、張り上げる声などおかまいなく列車はプラットホームを遠ざかって行った。多くの名残りと思い出を運んでいった。

しばらくして見送りの者はわれに帰って、さあ、これから頑張るのだと心に誓ったのである。つどいは終ったけれど、新しい友を得た自信と喜びを持った若者の歩みが、今まさに始まったのである。

つどいがもたらした素晴らしい感激あふるる出発だ。奈良近辺のあちこちの駅で、このような感動が繰りひろげられたのである。時は昭和四十三年十月十日昼すぎであった。

"無駄にしたくない反省"

「友を迎える日のために」を合言葉に、この一年間つどいのために取り組んできたわたくしたちは、今になっても本当にこれで終ったのかなあと思うような時がある。

じっと顧みるといろいろのことがあった。正直言って失敗したいろいろのことがあまりにも多すぎたので、大きなことは言えないが、右往左往の今までの歩みを決して無駄にはしたくない。また、反省を通していろいろなことを今後の人生に生かして行くようクラブ員が互いに誓い合いました。重ねて幾多の経験をわれわれのみならず後輩にも引継ぎ、大いに参考にしてもらおうとも考えております。せめてもそうすることが、重大な責任を負いながらも充分な運営が出来なかったことのなんらかの償いにもなるだろうと思います。

成功して満足感にひたるより失敗を参考にして今後とも初心を忘れず、実質的なクラブ活動に専心して行きたい気持で一ぱいである。十月十日はそういう意味で、出発の日でもあったのである。

"楽しみは苦の結晶"

今まで幾度となく京都奈良の地を紹介し、全国の友に目で確かめてもらったけれど、平々凡々と歩んできた奈良の歴史も、その折々の歴史を加えながら発展してきたのである。決して、奈良朝時代そのままの形の伝統だけではないのである。

同様にして、農村においても農業者の考えにおいても、生き方においても、時代に合った歩み方と方向が必要である。そして、ある時は地味な活動を通して着実にのばす時、ある時は盛大に花を咲かせる時も必要だろう。いずれにせよ、人生は楽しむためにあるのに違いない。一瞬の楽しみ(感激)のため、いろいろと苦労することの楽しみを味わうことがうっすらわかってきたわれわれである。

われわれに、こういう得がたい機会を与えて下さった全国のクラブ員の皆さんに、紙上ではありますが心より御礼申し上げます。

青春の一コマを共に過した、つどい参加のみなさん、どうかあなたのご活躍を祈るとともに、今後とも末長くおつきあい下さいますようお願いいたします。

夾竹桃かれるつどいのため、次々と続く若者に青春を与えるために、そっと教えてやって下さい、「全国のつどいって本当に素晴らしいんだよ」と。

（天理市田町、ふとわれにかえった男より）

第四回全国のつどい「4H活動」で話合う

深刻な女子の減少

信用や実績で親の協力を得よう

全国4Hクラブ員のつどい第二日目に行なわれた話し合いは、秋の日射しをいっぱい背にうけて、平城宮祉のグリーンフィールドの上にグループごとに車座になって熱心に進められた。それぞれ与えられたテーマは、4Hクラブ活動の基本をなしているものだけに、その悩みや問題点は根深く、解決策をしぼり出すのに四苦八苦しているクラブ員の姿が印象的であった。以下は三つのテーマに対する話し合いの主な内容である。

自主的な4Hクラブにするには

❶会員について

クラブ員の減少問題もところどころみられたが一般的にみて、男子よりも女子クラブ員の減少が深刻で、女子クラブ員の加入促進対策として農業従事者以外の女子青年との交歓会などによって4Hクラブの存在を理解してもらい、料理講習会などを通じて活動に参加してもらっている。

また、組織活動という観点から会員数の把握が必要である。

❷クラブ員の自覚について

自覚のあるクラブ員が、目的のある活動を進めるために、クラブ意識(4H精神)を理解させる。

また、自主的なクラブ活動を進める意味から、自主独立の精神の高揚が必要で、青年時代によりよい人間形成を行なうために広い視野を求めるための活動を行ない、とくに遵法心を育てる。そのための活動としては、技術オンリーというか営利面にだけ走るような活動をさけ、他団体や地域との連携を深める活動を行なう。

❸会費について

自分たちの活動資金は自分たちの手でという自覚が以前に比べて高まっており、十分とはいえないまでも、月々、あるいは年間にわたる会費の拠出や、労力奉仕による賃金の報酬、あるいは共同プロジェクトの収入などを当て、かなりの金額を予算としている。

また一方では、市町村や育成団体に対しての助成を望む声も高い。これに対して補助金に頼らない活動をという声も強い。

❹プロジェクトについて

4Hクラブ員の本分として、当然プロジェクトを通しての学習が必要で、現場においての指導とプロジェクト発表の場をもつことを望んでいる。

❺行事について

計画的な年間のプログラムが必要で、行事には積極的に参加し学習の場とする。またクラブ員の自覚と責任感を促すために役務の分担が必要である。

魅力あるクラブ活動を行なうためにクラブ員の総意によってプログラムを組み、健全なレクリエーションを取り入れる。また、4Hクラブの存在を明らかにするために機関紙(誌)を発行して理解を求める。など。

❻指導性について

[illegible]

4Hクラブ組織の充実をはかるには

❶未加入者対策

[illegible]

家族と密着した4H活動をするには

[illegible]

早くも青年会議開く

大阪府連4H部　泉北地区連の手で運営

早くも開かれた大阪府の青年会議

【大阪府=松村一弥連絡報道員発】さる十一、十二の両日、大阪府と府農業・生活・研究クラブ連絡協議会4H部(部長、長滝谷正行君)共催の府農村青年会議が、浜寺公園内の浜寺青少年の家で開かれた。

この大会は、青年のための会議を強調するため「青少年の大会は青少年の手で」ということで、"われわれ青少年の手で"とのことを呼びかけ、今年度開催地区の泉北地区連の手によって会議が進められた。参加者は百十余名。まず秋空の下で分科会を開き、クラブ員の顔が綻ったり綻やいだりする中で熱心に意見を交換した。

また、キャンドルサービスでは、[illegible]

[illegible]……は、大阪府内のクラブ員宅で生活[illegible]無事大会をおえた。

交通安全はひとりひとりの自覚から

松下4H協会長の記念講演（2）

理想的な4H活動

広く世にその姿を叫ぼう

◎◎◎◎ 共同の繁栄の道を

[illegible]

◎◎◎◎ 4H協会は側面支援

[illegible]者あいさつ)ように、みなさんの上部団体ではございません。みなさんの側面にあって、みなさんに何かお世話できることができたならば、みなさんの自主・独立性を失なわないようにして、そしてお世話することがあれば、ささやかであってもお世話したいということで4H協会が生まれている次第であります。

そうでありますから、4Hクラブ員のみなさんは、どこまでも、自主独立の立場に立って行動しておられるのである。そこに、4H協会の本当の意義があるのではないかと思うのであります。

すでに、いま、いろいろの会や協会がございます。その一つには、協会というものが中心団体になる、そして上部団体である、指導団体である、そういうような行き方をとっているものもたくさんございます。これは、これで意義があろうかと思うのであります。

しかし、4H協会は、そうではございません。みなさんの上部団体であるとかあるいは指導団体であるとか、そういうものではございません。側面から、みなさんの活動を何らかの形でお手伝いする。そういうことがあればお手伝い申し上げるものがあればお手伝いする。そしてまた、何か意見を求められれば、何か意見を申し上げてみたいということであります。そこに、4H協会の一つの姿というものがあると思うのであります。それは、それで非常に面白いと私は思います。

どこまでも、4Hクラブ員の独自の考え、自主的な考えというものを少しも傷つけることなく、それをすくすくとみなさんがお伸ばしになっていかれるという状態を見守って、そして側面から援助することができたならば結構だというような状態におるわけであります。

◎◎◎◎ 理想的な4H活動

これが4H協会の仕事でございますが、クラブ員のみなさんは、まったく自主独立のグループをつくっておられて、そしていろいろのものを考え工夫されている。そうして、そういうような一グループで考え発案したもの、創意工夫したものが是とするならば、その是とするものを決して一人じめしない、それを他のクラブ員に知らそう、喜んでそれを提供しよう、そして共同の発展をしていこうということでありますから、私は、クラブ員の今日の姿、今日の活動、また今日までの活動というものは、いわば、まったく理想的な姿という感じがするのであります。

今日、いろいろの団体がございます。そういう団体はとかくすると利益団体となって活動してみたりします。これはこれとして、それなりに意義があるのだと思うのでありますが、4Hクラブはそういう利益団体ではないと思うのです。自ら物を生み出している、生み出したものを他に提供していこう、こういうものだと思うのです。

考えてみれば、これこそ本当の繁栄を生み出すものの姿である、実はこういうような感じがするのであります。そういうクラブ活動というものは、いつまでたっても衰えるということがあってはならない。どうしてもそれを盛んにしてもらいたい。これは日本国民全体の念願だと考えてよいと思うのであります。

◎◎◎◎ 広く世間に訴えを

しかし、4Hクラブ員がそういう小グループをもって、物を考案し、そしてそれを他に提供している、まことに崇高な活動をしているということを、全国民にはまだ知ってもらっていないのです。農村の人々がそういう崇高いクラブ活動をしているということは全国民に認識してもらっていません。これは一面において非常に残念なことと思うが、もし、そういう姿というものを青年の姿として活用していることを国民が知ったならば、非常に大き[illegible]与えるのではないかと思うのです。

われわれもそうしなくてはい[illegible]われわれも場所は違うけれども[illegible]いこう、そうしていったならば[illegible]

各面の発展というものは築くべきものがあろうと思うのであります。

しかし、農村の4Hクラブ員のような活動は、まだ全国的にはありません。むしろ、そういうような活動ではなくして違った意味の活動が起っているわけであります。そういうことを考えてみますとどうしても、4Hクラブ員のみなさんがひとり農村のためではなくして、農村を将来よくするという、本来の仕事のほかに、その考え方、そういうものを、都会[illegible]

日は、一つ、もう少し具体的にみなさんに私の意見を申し上げたいと思うのであります。

◎◎◎◎ 重視される農村問題

それはどういうことかと申しますと、いま、農村の問題というものが非常に大きく社会に取り上げられるようになってまいりました。これは、昔もそうでありました。昔も「農は国の大本である」というような考え方、そういう思想がわが国にありました。そうでありますから農業立国といたしまして永く努力してまいりました。

あらゆるものに優先いたしまして、農村の活動というものが認められておったのであります。瑞穂の国ともいい、農は国の大本であるともいってまいりました。これは、本質的には変っていまいと私は思うのであります。本質的に変っていないだけではなくして、むしろ、その意味が深くなってきていると思うのです。しかし、時代とともに形は変ってきたと思います。

◎◎◎◎ 農村にも新しい波

[illegible]

（次号につづく）

わが価値ある体験

4Hクラブ発足20周年記念懸賞募集入選作

4Hクラブと私の階段

山口市・大内4Hクラブ　山崎順之

進路決定の源泉に
経営との両立に途迷う
〈4H活動は永久性、確実性、審美性をもって〉

有る道を無意識に歩む

私は、昭和二十年八月五日、原家の長男として、この世に生を受けました。私の生まれ故郷、徳山市は、戦争のあおりを受け、ほぼ全滅になったそうです。私の家ももちろんのことでした。

父は早人でしたので、時代の流れにしたがって、現在住んでいる山口市大内におじをたよって引っ越してきました。それから二十年間、父はおじの家で一生懸命農業をやり、私たち兄弟四人を何不自由なく、伸々と、明かるく、そしてきびしく、正しく育ててくれました。だから、私の家には田も畑もありません。一介のサラリーマンの家庭と全く同じでした。

こんな環境の中で育った私は、農業のことなど何も考えず過しておりました。なんとなく、ただある道を歩んできました。そして自然のうちに、山口農業高等学校畜産科に入学しました。そのころはなぜ実業高校に入ったのだろうか、まあいい、まじめにやれば何か良いことがあるだろう、といった無責任な考えでした。だから小学生のころの私と、その当時の私とはたいした差がありませんでした。

そういった考えの中で、私は、農業高校を卒業し、おじの家で父といっしょに仕事を手伝っておりました。それから一年間、私の周辺には若者は一人もおりませんので、ただ一人でこつこつと仕事だけをやり生活をしておりました。

そして、一ヶ年が過ぎ去ろうとしているころ、地元の農業改良普及員の方が大内4Hクラブに出席してみないかといわれたので、早速参加してみました。するとどうでしょう、農業をやっている青年男女が沢山いたのです。

私はたいへんうれしくなり、改めて農業というものの認識を新たにしました。今まで、ただなんとなく歩いてきた私の道、いや階段は、少年の時の階段と同じで、私に与えられた一回目の階段であるということに気づきました。

自分で開拓を決心する

私は、これから、私自身が切り拓いていく階段をつくることに決心しました。

このように決心してから、地区農村青少年クラブの理事になり、4Hクラブ活動に力を入れることにしました。もちろん、農業にも力を入れ、この二つが両立するよう努力もしてきました。それから一ケ年後、県連の理事になり、いよいよ力を打ち込むことにしたのです。

私は、農業高校卒業後一ケ年は全く4Hクラブがあるということを知りませんでしたので、今後は、後輩にこのようなことのないように4HクラブのPRにつとめることにしました。

農業を行なっている人やサラリーマンなどいろいろな人に4HクラブについてPRしましたが、中には4Hクラブ活動に魅力をもってやってくる青年団の人もいました。この時、私は、農業者だけでなく他のグループの人も4Hクラブ活動の中に入ってもらうことも大切なことだと感じました。

私は、4Hクラブに入り、そして4Hクラブで勉強して初めて私自身がこれから進むべき道を勉強させられたのです。一段目の階段の時の私より新しく切り拓いてきた二段目の階段の方が私にとっては、かなりの進歩でした。しかし、田畑のない私の家ではどうにもなりません。そこで思い切って新しい親をつくることを考え、はたちになった時をきっかけに、後つぎのいないおじの家と養子の話がまとまりました。

養子に入り新たな決意

昭和四十年八月五日をさかいに私は三段目の階段を登ることに決め、原順之から山崎順之として、一生を農業に力を入れてみよう、そして四人の親を大切に守り、また4Hクラブに力をそそぎ込んでみようとかたく心に決めました。

昭和四十年、県連の役員になった私は、「4H山口」という県連の機関誌を編集し発行する役を受け持ち少しでも多くの人に4Hクラブを知ってもらうように努力をしてきたつもりであります。

現在、私の県では新しく農業に就業した青年を激励し仲間づくりをするための「農村青年激励大会」が年に一度行なわれ、新しく農業についた青年と私たち先輩との話し合いの場がもたれておりますので、おそらくこれから農業につく青少年には、4Hクラブを知らない人はないと思っております。

私は、私自身大人になったつもりで、4Hクラブ活動を通じて、自分の考えを世の中に反映し、新しい社会をつくろうと考えてみました。ところが、この階段は今までとちがって思うがままにならないということがわかりました。

そこで、これでは少し的が大きすぎると思い、手始めに4Hクラブ活動の精神を私の家庭生活に取り入れて、徐々に進歩させようと考えております。

私たち県連の役員はもちろんのこと、県下の農村青年みんなが、自分をみがき、4Hクラブを盛り上げるために努力しております。単位クラブや地区協議会においては、プロジェクト活動はもちろんのこと、社会奉仕を行なっているところもあれば、親子の話し合いを行なっているところもあります。このように地域の課題にもとづいて、それぞれ特色のある活動を展開しておりますが、これはみな4Hクラブ活動がより盛んになるために努力しているあらわれだと思います。

しかしながら、4Hクラブ活動ばかりに力を入れてはおられません。私たちには農業というものがあります。4Hクラブばかりに力を入れていると、水田は病害虫の巣になりかねません。だからといって逆のことをやっていると、4Hクラブがおろそかになってきます。このことが私たちにとって大きな問題点であります。少なくとも私には、現在一番重要な問題になっております。私には毎日毎日一五〇アールの水田と、五〇アールの畑と、二百頭の豚が待っております。農業と4Hクラブをうまく両立させるにはどうしたら良いのだろうかと、毎日考え続けております。全国の皆さんに良い方法がありましたらお教え下さい。

先日、地区の同僚から「おい、中央ばかりやってないで地区の方にも力を入れろよ」と言われました。私にとって最大のショックでありました。私自身そういうつもりではなかったのですが、やはり他のクラブ員にとっては、そうみえたのだろうと反省しております。しかし、これからは、こうした問題が起らないようできるかぎりの力を注ぎたいと思います。そして私の家庭をしっかりと守って行こうと思います。

強い集団に育てる努力

このように三段目の階段のむずかしさが、次第しだいにはっきりしてくるように思えます。そして、この階段はまだまだ続きそうであります。これから先、四段、五段と新しくやっかいな階段を求めても進んで行こうと思っております。そうすることによって私自身も家も4Hクラブも、次第にしっかりしたものができると信じております。

私は、このごろ4Hクラブについてこんなことを考え始めました。私の農業経営と4Hクラブ活動の推進と生存競争ということです。人間は、だれしも自分が可愛いいものです。幸せで安心して毎日が過ごせるようにと考えています。そのためにわれわれは、努力し苦労し汗を流して働いております。もちろん私もそうなのです。

今後の4Hクラブは、次のような考えで進むべきだと思います。地球上の生物は、みんな自分が一番可愛いいと思っております。そのためにわれわれは、他のだれにも邪魔されないように、自分を守るために苦労をおしまず努力しております。4Hクラブも、すべて自分たちを自然から守るためにつくられた集団であると考えます。その団体（4Hクラブ）がこれから先どうあるべきか、どうすればよいのかが現在の4Hクラブ活動について頭をつかわされるところかと思います。

4Hクラブ員の中には、みんなが幸せになるために4Hクラブ活動を進めている人もあれば、自分が幸せになればよいといった考えのもとにクラブ活動をしている人などいろいろちがった考え方をもっていると思いますが、その中で共通していえることは、4Hクラブを強い集団に育てて行きたいと努力していることではないでしょうか。

4Hクラブが強い集団になりました。今後より盛んにして行くためには、先ず人間社会の生存競争において勝利者とならなければならないと思います。その勝利者となるためにはいろいろな方法があると思います。人間は、地球上の主になるために自然に対してうまく頭を用いて無理をせず流れ流されてきました。そうするうちに地球上の王者になったと考えます。この世から姿を消した大昔の動物は、自然に対して無理をしたから、滅亡したのだと思います。火山が噴火をしたらそれに向って行かず逃げなければいけません。これが自然に対して無理をしないということです。

永久性、確実性、審美性を

こんなことを考えているうちに、私はこれから先の4Hクラブの発展のしかたを考えてみました。多人数が結集して力に訴え、第三者である国や社会に迷惑をかけてまでも無理に利益や権利を取得したり、智力、労力、体力、権力、金力のような力で押したりして生存競争の勝利者となる方法です。こんな方法だと、おそらく社会から後指をさされることになると思います。

私は次のようなことを考えております。先ほど申しましたように、この実社会に逆かないで、静かにゆっくりと4Hクラブ活動を進めて行き、われわれがみとめさせるのではなく、社会からわれわれの4Hクラブをみとめてもらうことが一番よいのではないかと思います。と言っても、まずどうすればよいのか具体的にはわからないのですが、ここで4H精神をフルに生かしてみるのも一つの手立てだと思います。

私は、4Hクラブ活動はパッパッとやるそんなものでなく、人間がこの世の王者になったように努力に努力を重ねて、永久性と、確実性と、審美性との三つがそなわってほしいと考えます。そうすることによってわれわれは、4Hクラブ活動を通じてこの世の勝利者となることができると思います。

私は、人に後指をさされない明かるい楽しい4Hクラブができることを望んでおります。

4Hクラブ活動をより盛んにおし進め勝利者になるために、まず家庭内にも4H精神を取り入れ、青年だけでなく老若男女すべてが楽しく明かるく過すことのできるようにしなければいけないと思います。

4Hクラブ活動においても、また家庭内でも先ほどの永久性、確実性、審美性の三つがそなわってこそ、より発展し幸せに毎日が過ごせるのだと思います。

全国の4Hクラブ員の皆さん、力を合わせて4Hクラブ活動をよりよくしようではありませんか。

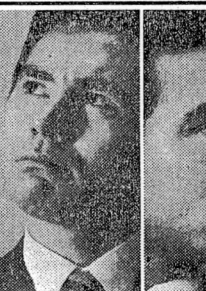

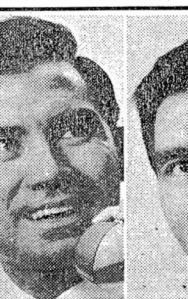

奈良市で開かれた全国4Hクラブ員のつどいで発表する山崎君

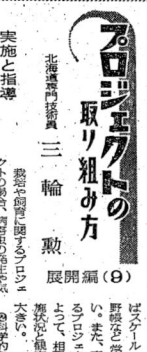

プロジェクトの取り組み方　展開編（9）

北海道専門技術員　三輪勲

状況を巡回視察で
観察は学習促進の基礎

実施と指導

（ア）実施指導の基本的事項

プロジェクトの計画樹立によって、本格的な実施の段階に入る。この段階は、プロジェクトの過程のうちで最も興味をもって実践されるが、それだけに具体的な指導が必要である。

指導に当っての基本的な留意事項をあげると次のとおりである。

❶観察を十分に行なわせる

作物や家畜の生育、機械の状態などプロジェクト実施において十分に観察させ、その状態を野帳に記録させるようにする。栽培や飼育に関するプロジェクトの場合、病害虫の発生や気温の影響などによる生育異常が発生することがあるが、実践中の変化については内容を詳細に調査させることがたいせつである。

こうした観察は学習を進める基礎となり、プロジェクトを単なる作業に終わらせることなく、日常、プロジェクトほ場や家畜の状態に注意するようになるし、作物や家畜に対する愛情も高まってくる。

なお、プロジェクト実施中の観察活動を促進させるためには、観察に必要な用具、たとえばスケール・拡大鏡・温度計・野帳など常時携帯させるとよい。また、青少年グループによるプロジェクト巡回視察などによって、相互のプロジェクト実施状況と観察し合うのも効果が大きい。

❷科学的な技術を使用させる

実施中の作業は、科学的な技術に基づいて合理的に行なわせる。たとえば、作業手順は能率的に組み立てる。適期に実施する。肥料や農薬は正確に実施する。疑問は参考書で調べたり両親や改良普及員に質問して解明する。資材はむだなく使用するなど、合理的な作業になるように心がけさせる。

こうした態度は、青少年グループにおけるプロジェクト中間発表会やプロジェクト巡回視察などを通して、青少年相互の研究交換を行なうことから促進される。

❸プロジェクト実施時間を確保させる

プロジェクトは作業だけでなく、観察やその結果のとりまとめ、単位作業の細部計画、疑問点の学習、記録の整理など、いろいろな活動がある。毎日わずかの時間でもよいから、農作業の時間のほかにプロジェクトの学習のための時間を確保させる必要がある。

プロジェクトは一般に長時間にわたる場合が多いので、プロジェクトの日課的な習慣をつけさせることがたいせつである。

❹自分の力で実践させる

プロジェクトは自主的な実践が重要である。家畜の飼育や作物の栽培などのプロジェクトでは毎日作業があるため、つい家族に依頼することが多くなったり、わずかな障害や問題が生ずると途中でやめてしまうことも少なくない。したがって、絶えず励まし力づけて自分の責任で実践させるように助言する必要

プロジェクトの実施は計画に基づいて行なうことになるが、その実施作業の順に従って概要を記録する。

これは、2－11表のようなプロジェクト日記帳に記帳させるとよい。

2－11表　プロジェクト日記帳（記載例）

月	日	気象			実施したことがら	労働時間（時）自己	自己以外
						時間	時間
3	11	天気		晴	きゅうり　は種床準備（たい肥7kg，下肥9ℓ，硫安40g，過石80g，魚かす30g）ビニール障子作成（改良普及員からビニールの張り方の指導をうけた）	5	父 1
		気温	最高	7℃			
			最低	1℃			
			平均	4℃			

を記入する。「気象」のうち「天気」は、当日の天気を晴とか曇とかいうように記入するが記号を用いると便利である。「気温」は、最高・最低・平均の三回にわけて作業当日の観測値を記入する。観測が困難な場合は、新聞・ラジオ放送による気象の発表に基づいて記入してもよい。

「実施したことがら」は、作業名・作業内容・資材の使用などのほか、重要な観察事項や指導者の助言内容なども併記するとよい。

作業名は、「てん菜のかっ斑病防除」「鶏舎の窓修理」「ワンピースの仮縫い」というように、プロジェクトの実施作業名を具体的に表現する。

作業内容は、「ボルドー液（八－八式）散布二十リットル」というように、使用した資材を含めて記入する。また、「開花はじまる」「本葉五～六枚になる」

間については、家族の協力・畜力や機械の利用などの区分を明記する。

❺プロジェクトの現金現物日記帳

プロジェクトの実施に際しては、プロジェクト日記帳とともにプロジェクト現金・現物日記帳をつける必要がある。

「月日」は、現金・現物の出入のあった期日を記入する。

「摘要」は、農協から配合肥料購入とか卵を販売というように収支の事項名を記入する。「区分」は種苗・農薬・各種材料などと農業簿記の科目に従って記入する。「数量」は、収支の数量を記入する。

現金は、収支のつど「残」の欄に計算記入する。現物は、「入」の場合、生産したものや肥料・農薬など両親から提供を受けたもの、また購入したものについて記入する。「出」は、生産物返済、その他現物の消費

4Hくん　NO.135　桜井はじめ

MEXICO オリンピック

専業養豚の課題

11月1日（金）　一貫経営を成功させるには

子豚生産と肥育との関係は、原則的には一貫経営の方向にすすむのが本筋だが、これを成功させるにはいくつかの問題がある。

一、繁殖豚飼育農家が一貫経営にうつる場合、子豚価格の変動によって、子取り経営と一貫経営との間をゆれ動いて不安定になりやすい

二、肥育中心の多頭飼育農家が、子豚を自給しようとすると、とかく不妊、流産、黒子、白痢などの事故がおこりやすい

三、繁殖豚は飼育に労力がいるため、肥育をへらしたり、規模の拡大をやめざるをえなくなるおそれがある

以上のような問題点があるが、とくに二と三は重大な隘路となっている。しかし、これを解決しない以上は、一貫経営は机上の空論に終ってしまう。

11月2日（土）　現地訪問

旭川市江丹別の養豚団地……建、完全防寒の畜舎が並……

農業教室　NHK

ブロイラー 経営の問題点

……たは肉用鶏の意味である。このブロイラー養鶏は最近の食肉需要の増大により、ここ十年来急速な伸びで、豚肉に次ぐ生産量をあげるにいたった。しかし、生産の伸びにもかかわらず、ブロイラーの品種改良、飼養管理、衛生技術、取引流通の諸面において立ちおくれがあるのは否定できない。これらの分野の早急な改善をはかることが今後のブロイラー経営を健全に伸ばすための最も基本的なことである。おもな問題点をあげると、

一、ブロイラー先進国の例をみて……

……点が多い

四、ブロイラーの生産取引は、特定の会社や組合と年間契約（数量、価格、規格など）して行なう契約生産出荷方式が大部分になりつつあり、このため適正な契約条件とその履行が重要になること、海外冷凍ブロイラーの輸入がかなりあることから、良品質ブロイラーの出荷・生産コストの低減などがさらに重要になる

11月4日（月）　ブロイラー養鶏の現状と問題点

採卵養鶏の古い歴史に比べて、ブロイラー養鶏が発展し始めたのは十年前頃からである。同じ養鶏でも採卵と採肉（ブロイラー）では経営面でも飼養技術面でもかなり異質のものであることから、早急に研究・改良などを促進してブロイラーの生産性向上などの改善をはかってゆくことが緊急事とされている。

一、わが国のブロイラー養鶏の経緯、現状および将来性

二、ブロイラー鶏がそなえるべき形質と条件

三、ブロイラー鶏改良の現状と目標、優良鶏種の普及方法

四、今後のブロイラー経営のあり方

11月5日（火）　ひなの種類と性能

ブロイラーひなの種類には、専用種、準専用種、抜雄などが用いられてきていたが、最近は雄・雌ともに肉用に供される専用、準専用種の生産が九〇％を占め、今後は八～十週令時に一・八～二・〇kgのブロイラー生産がふえることが予想されるが、地域によっては、一・三～一・五kgの小びなの生産も行なわれよう。

11月6日（水）　育成技術と飼料

一、ブロイラーの育成方式とその得失

❶立体飼い方式（バタリーまたはケージ飼育）小資本ではじめられ、コクシジウムなどの病気の予防はしやすいが、労力を要する

❷平飼い方式（とくに大規模の平飼い方式）省力的であるが、設備資本を要し、小まわりがきかな……

NHK農事番組（11月1日～10日）

テレビ

ラジオ

◀投稿案内▶

本紙は、みなさん方の新聞として、全国のクラブ員に利用して戴きたいと考えています。それでクラブの催しや個人のプロジェクト、詩、短歌、随筆、写真、悩みや意見、村の話題、伝説、行事その他なんでも原稿にして送って下さい。

お願い ❶長さや形式は自由です ❷できれば簡単な説明をつけた写真をそえて下さい ❸送り先 郵便番号 162 東京都新宿区市ケ谷船河原町十一 日本4H協会編集部

わがクラブ わが同志

青年は強く求める 家庭と地域の温い理解を

岐阜県海津郡南濃町 南濃町4Hクラブ 伊藤光明

近年、世界の経済成長は目ざましいものがあり、日進月歩はおろか、ハイスピードで変化しています。最近まで東京・大阪間を電車は特急で、六時間以上もかかっていたものが、新幹線では三時間余りで走るようになり、また、宇宙開発が進められ、月世界への旅行も夢ではなくなってきました。

確かに世界はハイスピードで変化していますが、一方、農業についてはどうでしょうか。

「農業は、そんなものとは無関係で、遅々と停滞しているだけだ」という人もいます。なるほどスピードという点ではそうかもしれないが、しかし、内面をみれば相当な変化をしているのが事実です。

昔は農機具といえば、鎌と鍬に代表されていたものが、ドラクター、コンバインに代わり、ヘリコプターによる空中防除まで行なわれ、農村の風物がガラット変わりました。そこで、この時代に生きる農村青年として、村づくりや生産活動について深く考える必要があると思います。

個々の農家生活が豊かになり、経済的にゆとりをもつことが必要で、それには私たち自身の努力と政治力に期待するところが大きいのです。

現在のような小規模経営では生活にゆとりをもつことは不可能に近く、規模拡大を図らなくてはいけません。そのために農地の流動化促進、離農者対策など進めてほしいものです。

しかし、農地の流動化を阻害する最大の要因は、農地法にあることは、万人の知るところで、農地法の目的としている「耕作者の地位の安定と、農業生産力の増進とを図る」の保障がしえないのみか現在問題になっている自立経営農家育成の理念とも合致していないため、法の改正を行なう必要があると思います。

次に、農村に深く根をおろしている封建性の打破と家庭環境の整備があります。

とくに人間関係の民主化。これについては、後継者不足問題とも関連が多く、家庭内の人間関係によるケースも案外多いのではないかと考えられます。感受性の強い私たち青年には、家庭内あるいは地域の温かい理解と積極的な助言が必要で、青年は強くそれを求めているのです。

また、農業という特質から、家族ぐるみで生活をたのしむという意味でレクリエーションを楽しむといったことが必要です。働くことと生活を楽しむことは表裏一体であってこそ、生産性も上り、楽しさも倍加するのではないでしょうか。

以上のことから、近代的農村生活を築き上げるためには農業の生産性を高めて経済的にゆとりをもち、精神的には、封建性や利己的な態度を自制し、家族をはじめとする人間関係を是正して、社会のために農業を通して貢献できるよう努力するならば、住みよい農村環境が必ず実現すると確信しています。

自然の恩恵を受け、四季によって異なる風物詩、こんな美しい環境の中で、愛する動物に囲まれ、近代化農業の経営を励むことこそ魅力ある農村の姿であると思います。

農村青年のみなさん、同じ仲間同志が常に前向きの姿勢で、どんな時代になっても、それに負けないだけの能力と体力を養って立ち向おうではありませんか。いや、私たちが理想とする時代を私たちが築いていくことこそ前向きの姿であり、そこに青年の力を結集し、毎日の4Hクラブ活動の中で実現に向って努力しなくてはいけません。

(農林省中央青年研修施設内)

「つどいのスケッチ」から 古都の秋

ときおり秋を呼ぶ鹿の鳴声が聞こえる。松の緑を通して、やわらかい秋の陽ざしは若い二人の面影を明るく照らす。

静かなたたずまいの中にも古都の秋は深まる。

古都の秋を描く若人の群、農機具を筆にもちかえ、画用紙に描きだす姿は芸術家気どりで、ちょっぴりセンチにひたる。

「第四回全国4Hクラブ員のつどい・スケッチ集より」上＝鳥取県・渡辺暁人君＝下＝愛知県・伴慎太郎君の作品

ふるさとだより

……りにコースを変えはじめ……という。並台風というが本土に影響がなければよいがと思う。東京の空模様は現在平静である。

それにしても一方、「国際反戦デー」で東京の地上は、反代々木系全学連各派の激しいデモに混乱をきたしている。とくに新宿駅東口附近は大変なデモ群衆に占領され、国電の山手・中央線は完全にストップである。

私は、夜九時すぎ、新宿行の地下鉄に乗った。幸い、地下鉄は正常に運行していた。東出口はシャッターを降しており、出ることができなかった。同じ新宿でも西口は、まことに……

学生の暴挙に思う

良書の紹介

「出稼ぎ」少年伐採夫の記録 (野添憲治・著)

矛盾を止揚して未来を築く

今日、出稼ぎ人口の7割近くは東北・北陸の人々によってしめられているが、これがただでさえ暗いこの地方にとって深刻な社会問題となっていることは、今さら述べるまでもないだろう。

この本は副題にあるように、中学をおえるや伐採夫として北海道の山奥へ入り、その後六年間各地の飯場で底辺労働者として働かなければならなかった著者がしるした、出稼ぎ者自身の手記である。

ケンカとバクチ、酒と女に明けくれる飯場生活。時にはマイナス四十度にもおよぶ雪の中の伐採作業。それは文字通り命のかけられた毎日なのだが、仲間の生命を失ったあげくに待っているのは賃金不払いだったりするのである。

だが、なにもまして、農民に出稼ぎをよぎなくされる農政がほどこされる一方では、大都市建設工事が出稼ぎ農民の低賃労働なしには不可能であり、日本の国威を世界に示すべく行なわれる万博も、その土台はこうした人々によってささえられるという社会機構の矛盾に目をつぶることはゆるされないであろう。

その意味でこの本は村で働く若い農民たちにぜひ読まれてほしいと思う。

現在あるさまざまな矛盾を止揚することによってしか、諸君の未来は築かれないのだから。

(三省堂新書 二〇〇円)

(青森県三戸地区農改普及所・伊藤国彦)

映画 野性の愛憎描く 野獣の抱擁 (ウォルト・ディズニー)

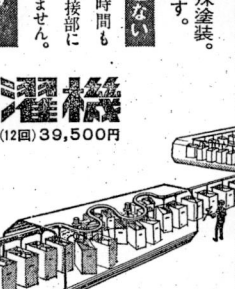

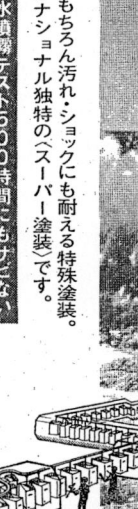

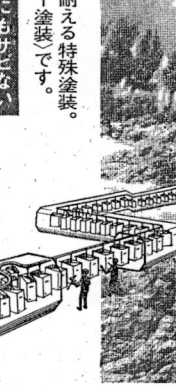

十九世紀中ごろカナダ、ブリティッシュ・コロンビアは、未開で移住者たちは危険な毎日を送っていた。

ラベート(オリバー・リード)は熊のような大男で、未開の大自然と戦うために生まれてきたような逞しさと、不屈の闘志をもつ猟師だった。久しぶりに毛皮をカヌーに山ほど積み、開拓村へ帰ってきた。極北の山奥で三度の冬を越し、猟をし続けていたのである。三年も音信がないままに、開拓村の人たちは彼は死んだと思っていた。

その日はちょうど、年に二回の貨物船が着く日であった。船は開拓村の必要物資とドレイ女たちを乗せていた。

独り寂しのラベートは妻をほしがっていた。しかし、ドレイ女を買い損ねた彼は、村の雑貨商が女中代りに使っていたイブ(リタ・トゥシンハム)に目をとめた。両親をインディアンに殺され、そのときの恐怖で唖になったイブを雑貨商夫婦が引き取っていたのである。金に困っていた妻は、ラベートにイブを売ってしまった。イブはいやがったが力の強いラベートにむりやりカヌーに乗せられてしまった。

野獣のようなラベートは遡上れない川に来るとイブに岸づたいにカヌーを綱でひかせ、あげくの果ては逃げ出さないように皮紐でイブをつないでしまった。

死ぬ思いで、やっと着いたラベートの家は丸太づくりの小屋で、中には獣を捕える罠と毛皮しかな……

ラベートはイブに猟のやり方を教えた

青少年団体の紹介 (4) 日本健青会

青年の責任を追求 同志の磨き合いが特徴

日本健青会とは

日本健青会は発足して十九年目を迎える青年団体です。

われわれは、「だれが正しいか」でなく「何が正しいか」を追求し、名前のとおり、自ら心身ともに健全な青年になろうと努力し、その働きを自分の周囲にひろげることによって、もっと明るい、もっと立派な社会や国をつくり上げよう、そして世界の平和に進んで役立とう。と志願する全国の青年たちによって組織されている会です。

健青会はいろいろな運動を国の内外に巾広く推し進めていますが、これを貫ぬく運動の合ことばは「人づくりをつみ上げて、社会づくり、国づくりを！」です。

周囲は、社会は、国は……「一体これでいいのか」と悩み考える青年たち、「これではいけない」と目覚めた青年たち、このような全国にわたる青年たちの若い逞ましい力を結集しつつ、画期的な青年運動をめざしているのが青会健です。

日本健青会綱領

一、われわれは日本青年の誇りと責任に生き、同志とともにきびしく鍛えあい、常に国家、社会に有為な人たるべく努力する

一、われわれは互いに団結を固くし、進んで苦難に当り、社会正義と友愛互助の豊かな社会づくりに献進する

一、われわれは正しい国民思想を啓発し、道義の昂揚、政治の廉正に努め、経済を開発して国民福祉を進め、歴史と伝統に根ざす新しい国づくりに奮闘する

一、われわれはあらゆる暴力から祖国を守り、アジアの諸民族と相携えて真の世界民主主義と人類平和の実現に邁進する

幅広い健青会の活動

健青会は特定の職業を通じたり、利益を求めたりして組織されたものではありませんから、農村はもちろん都市の企業や工場、役所や学校にも十八歳〜三十五歳までの会員がいます。

そして市町村単位に支部をつくり、北海道から沖縄まで各県に組織されており、活動は幅広く進められています。従ってそのおかれている状況により、活動の内容もそれぞれ異なっていますが、次のような活動が平均して進められています。

文化・レクリエーション活動

支部の例会や各種の錬成会では、中央本部編纂の歌集で合唱したり、各種ゲームも多く取り入れていますが、ハイキング、野外キャンプ、運動会も重要な活動として行なわれ、一般人を対象とする健全な歌声運動として"歌まつり"なども開催しています。

学習活動

活動の原動力をつくるのは学習活動で、会員個人で、また支部の例会活動で盛んに行なわれています。学習の場として、各種の錬成会を開催し、同志のきびしい磨き合いは健青会の特徴ともなってきました。主なものは全国を対象とした「農村青年指導者錬成会」と「勤労青年指導者錬成会」。地区を対象とした「地区青年指導者錬成会」と県内の支部が行なう「県錬成会」が開かれます。

社会奉任活動

青年の若い力がすすんで社会開発に注がれるようになることが念願です。われわれは政治の力の及ばぬ所、気づかぬ所に若い力を組織的に投入し、明るい互助の空気に満ちた社会を築きたいと思います。また、全国的な規模で青少年施設や、社会福祉施設等を中心にワーク・キャンプを行ない、冷害や台風の救済募金を行なっています。

社会活動

青年自身が正義感に照らし、勇気を持って改善に取り組まなければならない問題が、現在の日本には山積しております。それは日本を愛するが故に自然に盛り上ってくるべき建設への努力でありますが、われわれは現実の不正義・不条理を正すために次の問題と取り組んでいます。

国民道義の昂揚、明るく正しい選挙の推進と腐敗選挙の摘発粛正、国民の政治意識の啓蒙、沖縄の祖国復帰と北方領土問題についての啓蒙、核兵器禁止の国民運動促進など。

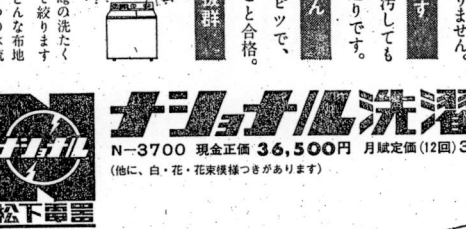

アジアの友をむかえてなごやかに友情と平和の輪は広がる（東京・全共連ビルマツヤサロン）

青少年対策の推進

社会環境の急激な変化から青年の動向や青年団体の様相も変化が現われています。このような事態に対処するためには、政府や自治体の総合的、統一的見解に基づく青少年対策が必要です。このため機会を捉えては、政府や自治体にさまざまの献策をおこなっています。さらに「動く青少年の人生教室」を開催し、グループ化を図る努力を行なっています。

国際活動

海外との交流はめざましく、現在の海外派遣は毎年六十名を数え、中でもアラブ連合の国際青年ワークキャンプ派遣をはじめ、東南アジア各国の友交国青年団体との交流、政府の各種海外派遣事業、WAYへの参加が主で、また、日本版平和部隊といわれる日本青年奉仕隊へも懸命の努力を払っています。

組織

会員は、会の目的に賛同する人の男女・職業を問わず入会できます。会員になると支部の例会に出席し、機関誌「さきがけ」や資料の学習に励み、県本部・中央本部の諸研修会に参加します。

会の性格は、研究団体や思想団体、文化団体でなく、日常活動を重んじる青年団体です。

会員は、市町村単位に十五名〜三十名で支部を組織し、三名以上で班をつくります。県本部は、県内に三つ以上の支部で組織され、東京に中央本部があります。

〈東京都台東区東上野一−二六−三 TEL(八三二)九四〇九〉

◇ ◇ ◇

日本4H新聞

4Hクラブ
農事研究会
生活改善クラブ
全国弘報紙

発行所
社団法人 日本4H協会
東京都市ケ谷家の光会館内
電話(269)1675郵便番号162
編集発行人 玉井光
月3回・4の日発行
定価 1部 10円
6ヵ月180円（送料共）
一ヵ年360円 〃
振替口座東京 12055番

クラブの綱領

私達は実践を通じて自らを磨くとともに互いに力を合わせてよりよい農村、よりよい日本を創るため四つの信条をかかげます。1、私達は農業の改良と生活の改善に役立つ腕をみがきます。1、私達は科学的に物を考えることのできる頭の訓練をします。1、私達は誠実で友情に富む心をつちかいます。1、私達は楽しく暮らし、元気で働くための健康を増進します。

東南アへ、早くも一ヵ月 青年の船

"愛は海を越えて" いまその実感かみしめる

全国代表の青年男女を乗せた「青年の船」さくら丸が日本を出発してから早くも一ヵ月以上がたち、巡航日数五十三日間の半分を過ぎた。訪問国も東南アジア七ヵ国のうち、すでにタイ、シンガポール、ボンベイと三ヵ国に寄港して各国の青年たちと交歓しているが、その模様をこのほど同船に乗船している4Hクラブ員から伝えられてきた。その中から、北海道から推せんされた全国4Hクラブ連絡協議会の監事、高田勲君と、全協推せんの団員、門脇槙夫君（高知県）らの便りを紹介してみよう。彼らは仲間との生活に自己を鍛え、そして自分の目で異邦の地を見、国境を越えた愛を素肌で感じとっているようである。

青年の船だより

親切心に頭の下る思い

全国4Hクラブ連絡協議会監事　高田勲君

高田君

船内の生活は、朝六時にねむい目をこすりながら起床、と同時に洗面所に走り、六時半から朝のつどいに出て、これが終ると朝食です。

最初は、慣れない船旅にみんな船酔いして食欲が全然なく、この先きの航海がどうなるであろうかと真剣に考えたほどでした。しかし今は船旅も慣れ、元気に毎日を送っています。

八時半から船内学習が始まり、寄港地における経済、政治情勢、歴史などを学びます。そして、晴海を出発してから五日目、待望のフィリピンのセブ港に到着しました。

セブ港では、市長をはじめ各市民が熱狂的にわれわれを大歓迎して下さいました。そして市内見学ですが、この見学に使用したバスが、またすごく良かった。市長の声がかりのバスで、この地一番のバスだということでしたが、日本では到底見ることも出来ない「木のバス」です。また、住んでいる家は、ガラスのないすき透った建物で、まさに日本の戦後を思わせる感じです。

しかし、ここで注意しなければならないのは、すべての人が貧乏かというと決してそうではありません。物凄い豪華な住宅に住み、女中や召使いを何人も使用している、日本でも余り見られない立派な生活を営んでいる人もいるということです。

また、このフィリピンの人は日本人に対して物凄く好意的で、われわれに温い志を差し向けて下さいました。例えば、逢ったばかりの人がわれわれの買い物に一緒に町へ連れていって下さったりしてまことに頭の下がる思いです。

本当に、私たちは見知らぬ国で手厚い好意を受けた状態を考えると、果して日本人がこの人たちが来たとき、このような態度ができるかと思うと疑問です。先進国とか文明国といって鼻を高くしているが、考えなければならないと教えられた感じです。

そして五色のテープの乱れる中を、もう二度と逢うことができないのに、いつの日かの再会を約束して名残り惜しくフィリピンを離れ、第二の寄港地、タイに到着しました。

タイに着きますと、やはり大陸国の感じが著しく、赤道に近いだけあって南国の情緒が豊かです。ヤシの実が一面に、そして稲が平坦な広大な土地に広がり、見るものすべてが興味をひくものばかりです。

このタイでは、第一日目が政府の首相官邸を訪ね、到着のあいさつをしたあと一緒に昼食をとり、親しくわれわれと懇談に応じて下さいました。私たちの訪問を国をあげて歓迎して下され、感謝の念でいっぱいです。

このタイ国は、昔からの独立国で植民地化されず、古い文化・芸術が沢山あり見るべきものがありました。例えば、有名なエメラルドの伝説のエメラルド寺院、昔、山田長政がこの地に来て活躍した史蹟、アユタヤ朝史蹟など日本では見ることのできない古く、しかも偉大な建物が数多く、古い歴史を学ぶことができました。

また忘れてならないのは仏教です。この地位は相当高く、絶対君主の王様でさえ僧侶には一目を置くのですから、その地位のほどが理解できると思います。

このように宗教観念が強い国の近代化は如何というと、決してそれほど遅れているとは思われません。フィリピンとは数段の差があります。例えば、交通にしても車がラッシュで混乱し、日本の大阪を少し古くした感じです。工場もここへ来て、このような立派なものが見られようとは夢にも思えないほどのものが沢山あります。

農業に関してはどうかというとすごく遅れているという感じです。原始的な経営をやっているところも沢山あります。というのは、牛を使用して耕し、そのあとを棒で突いて植えるという耕作方法で、生きた歴史の本を読んでいるようです。水稲にしても播種して刈り取るまで何もしないという至って原始的な方法です。

いま二ヵ国の訪問を終えて感じたことは、言葉が通じなくても心は通じるということです。お互いが誠実な気持で語り合う、そしてその求めるものは同じである。私は、いま本当に来て良かったと思っています。

左右のわからないわれわれに、心からのもてなしをして下さった各国の方に感謝の念でいっぱいです。「愛は国境を越えても通じる」―との実感を、私は初めて素肌で感じたようです。

シャム湾にて（南シナ海）

宮森サチ子さん

シンガポールには、四ヵ国の人たちが住んでいて、外人にも慣れているためか、これまでの寄港地のように、私たちが町を歩いていても余り珍らしげに見ません。

言葉も四種類ぐらいあり、プラカードなどにも四種類の言葉で書いてあるような状態です。（北海道）

↓下の写真は、シンガポールのマデカ橋

"青年の国"シンガポール

全協推せん　門脇槙夫君

門脇君

十月十四日午後六時、第三の寄港地、シンガポールの第二ゲートに接岸した。夕方のシンガポール港はわれわれ青年の船を静かに迎えてくれた。

十五日午前八時"青年の国"シンガポールに一歩を踏み入れました。シンガポールの人口は約二百万人で、そのうち華僑が約七五％を占めているといわれ、政治・経済的に彼らがほとんど主導権を握っているといってもよい。日本人も約七百五十名いるということです。

そして平均年令が十八～十九歳という非常に若い国です。世界各国の、とくにアジアの船の中間港として重要な位置を占めている。

第一日目は学校、日本人墓地、ラン園、脳性マヒ収容施設の見学のあと夕方からソフト交歓試合、青少年指導者センターでの交歓会とスケジュールがいっぱいです。

まずバスで通って目につくのは町を清潔にする運動が広まっていることです。町のあちこちに中国語や英語でその意味のことを書き国民に呼びかけています。

二日目は市内見学。ジュロン工業地帯、水道、ゴム園の見学、そして大望の自由時間が約二時間とれました。ゴム園を見学したときのことですが、写真を撮ろうとすると子どもたちが来て撮るなといって、小さなナイフのようなものでゴムの木を傷つけゴムを採取するような格好をする。それを撮ると子どもたちは"お金をくれ"といって日本の五円などをせがむのです。買い物のときもそうでしたが、シンガポールは中間港でもあり、古くから外国人に接していて商売がうまく、自由港なので物が安いと思っていた自分たちは、なんだか少しがっかりしたような気もしました。

翌日は午前九時から船内公開。セブ、バンコックと違って見学に来る人たちが余り多くない。これもやはり外国人なれしているせいかも知れない。しかし、多くの日本人が来てくれたのには嬉しかった。私のような英語のにが手な者は大歓迎である。このときほど日本語を使う嬉しさを味わったときはなかった。

昼から自由見学で、夜は初めて自由外出が認められた。町には中国系の人たちばかりである。そしてレコード店が多い。歩いていると懐しい日本の歌を耳にする。日本が思い出され、恋しささえ感じた。

次の日午前八時、三日間にわたった寄港地生活に別れを告げ、"さくら丸"は、次の寄港地ボンベイに向ってスタートした。

シンガポールは、いま、本当に大事な時期にきていると思われます。第一次産業である農・林業の発展は望めません。工業においても材料は全部輸入し、加工して輸出しているような状態ですから、何ごとにおいてもこれからという気がしました。（高知県）

張り切る4Hクラブ員

広重一信君

【福岡県三潴郡農村青少年クラブ、後藤収君発】さる九月二十七日、希望に胸ふくらませて、東京・晴海ふ頭から東南アジアに向けて出発した第二回青年の船の団員、全協推せんの4Hクラブ員・広重一信君から次のような絵葉書による第一報が入りました。

「乗船者全員が元気で十月九日タイのバンコックに着き、当地で四日間にわたって交歓、見学、視察などを行ないました。十三日、シンガポールに向けて航行中。何でも見てやろう、聞いてやろうの精神でファイト充分、張り切っています」

見知らぬ地で張り切っている乗船団員みなさんの健康と安全を祈りつつ、詳しい次の便りを待ちたいと思います。

西村農林大臣の特別講演〈下〉

青年よ、勇敢に進め
仲間とともに悩み解決へ

◆社会主義国の農業

私は、ソビエトや中国の農業、大農業主義をはじめとして人民公社、コルホーズ、ソホーズなどを拝見しました。各党が一緒に、今から十数年前に、まだ日本人がいかない時代に行ったのです。

しかし、戦後の反省会においての結論はなんであったかというと、どうしても農業生産が社会主義国家で上らないということであった。資本が国家のものなら農機具や種子まで国家のもので、農民はただ労力を提供し、労働者として働いている。そうしてノルマを与えられて、それに応じて賃金報酬を貰う。

しかし、農業生産全体に悩みがある。なぜか、自分と農業が密着していない。権力が介在し、統制が介在してそれでただ報酬を貰えるというだけである。だから報酬の限度しか意欲がわかない。自分のものではないから。

だから、ソビエトにおいても、中共においても、わずかばかり自家菜園、利留地、このような名前でもってやらせると、そこだけは目の色を変えていいものを作る。

農業というもの、広い意味の農業は、相手が生きものであります。工場でもって物を作るのとは全然性格が違う。一つひとつのものに生命力がある。米一粒が、あれは生きているんだ。生きているから米の変質問題が起こる。あれが死んでいるものなら農林大臣は悩みません。放り込んでおけば何年でも変質はしないわけだが、呼吸をしているからこそ味が変るとか変質問題が起こる。生きものでございます。

鶏、豚、牛など、自分が好きだ、可愛いいというものがあってこそ初めて、よくなると思う。今度は、結果を感謝する、稔りの感謝の思想が出てくると思う。相手が生き物だから可愛いい、それが稔る、感謝する。この生命力の根源を拡大発展させていくのが農業でしょう。

◆考え、工夫する農業

だから、そこに愛情、好きだというものがない農業ならば、農業は衰える。私は農業人口が減っていって結構だという。農家に住む人はあってしかるべきでしょう。あってもいいでしょうが、農業を専業でやる人はこれからはエリートでなくてはならない。それだけに考える農業、工夫する、努力する農業であるということが大事であると私は思います。

われわれは、これから、いろんな困難な問題にぶつかりますけれども、農業の諸制度というものが、かなりキメこまかに今日は発達しておりますから、いろいろな災害、その他に対しては、応急などの手がうてると思います。今のような一つの流れの中でもって、これから諸君が育ってまいります。

そうして諸君が二十年、三十年、四十年と、恐らく諸君の中の代表者がいろんな集会で壇上に上って、次の世代をまたリードするときには、諸君自体が、あの昭和の四十年、万博の前後にやっておった農業からみると、すばらしい、いわゆる近代化した、という、俺はやっていてよかったんだと、こういうような農業の道を発見し、それに向って努力していかなければならないと私は思うのです。

◆大いに仲間づくりを

ただ私は、実は、こういう集会が好きで、ほとんどよばれております。今年も五回ぐらい出席しました。みなさんの中には数回顔を合わせた方もあると思います。私は諸君に希望をもつが、同時に諸君は考える農業、工夫する農業といっても、一人で考えて、工夫しているだけでは伸びがない。

よく、運が悪いという言葉がある。私はある占いの人にも、本当に聞いた。運、不運というものがあるのかと。しかし、人生において運が悪いとかいうことの大部分は、一人で小さく考え、一人で小さく迷い、一人で小さく行動しているから解決できないのが多いという。

私は、運を開くためには、大勢でなくてはなかなか運が開けないと思っている。自分の力が数倍になる。悩みが大勢の力で支えられる。その意味でいい友だちを出来るだけ作りなさいといっている。農業に従事する諸君は、業者として、経営者としては、自分あるいは自分を中心とした少数でやれるかも知れないけれども、横の広がりは仲間づくりを大いにやりなさい。このクラブの活動もまことに結構である。

◆若い時代は勇敢に

それに第二に、諸君のような集会でいつも申し上げるのは諸君の大部分ははたち代でしょう、はたち代のときには勇敢にやんなさいとこういっている。失敗はかまわないから勇敢にやんなさいといっている。みなさん、木を一本植えてごらんなさい。若木に傷をつけても、その木が生長するときず跡は残りません。ある程度の壮年になって失敗すると傷跡が残る。年をとってから失敗すると木は枯れる。人生も私は同じようなものではないかと思う。

だから、若い時代にいろいろの失敗があるでしょう。よく、諸君の間に失恋して悲観する人があるかも知れないが、日本には女性が沢山いるんだと思いかえせばよいでしょう。女の人は男が沢山いるんだと思いかえすくらいの、要するに仲間というものをもっていると、ここでみんなが悩みを負担してくれることで明るいところへ入れるからよいんだ。どうぞ積極的に生きるということ、それから時代がそのように変ってくる中で、まず農業者は"俺がやるんだ"と、農業が好きだからやるんだ、可愛いいからやるんだという、この精神の中で、われわれの考えと、諸君の考え、また先輩と後輩の考えとをよく練り合わせるならば、日本農業の前途というものは、洋々としたものであり、興味をもっていいと考えています。諸君のご健闘をお祈りしたいと思います。（おわり）

台湾の"草の根大使"が帰国

黄さん

荘君

国際農村青年交換計画に基づいて社団法人日本4H協会の招きで来日し、二ヵ月間にわたって農家で生活していた中華民国（台湾）代表の4Hクラブ員"草の根大使"二人＝荘忠秋君（[illegible]）と黄賞英さん（[illegible]）＝は、日本での生活の全日程を終えて、さる二十五日午前八時、羽田発の日本航空機で帰国した。

涼風暖風

猿沢の池、午前二時

奈良の猿沢の池に着いたのは、真夜中の午前二時過ぎであった。

車の中で寝て、明るくなるのを待つしかないと一緒に行った三人で観念していた。そして池の淵を通りかかると、肩をすくめるようにしながら注意深くこちらを睨むようにして見入っている人たちがいる。多分酔っぱらいだろうと思って近づくと全協副会長の黒田君といつも文句を言っている上役だった。

今度のつどい事務局に当てられた旅館は県の職員寮のようなもので、門限の時間は厳しい。十時を過ぎると外で寝るしかない。このため秋冷が迫り始めた猿沢の池のほとりで、約四時間も、気の小さい小犬のような神経を使いながら待っていてくれたのである。旅館から締め出されたので、悲惑の場、全協副会長の飯田君（大和郡山市）の家に泊めてもらおうということで、飯田君も車の中で待機していてくれた。

さいわい、なんとか近くの旅館に泊ることができた。外は寝静まった部屋の中で語り続け旅館の女主人の好意で一風呂あびて寝たときは、五時を過ぎていた。

実は、東京から奈良まで車でそんなに時間がかかるとは思っていなかったのである。つどいの資料を積み込み、前日の午前十時過ぎに東京を発った。完成したばかりの東名高速道路を点々と乗り継ぎ、国道一号線を通り、名神高速道路をとばしたのであるが、時間は予定より遅れるばかりであった。もちろん、途中、沼津の知人の家へ寄ったり、静岡駅では新幹線に乗り替えるために一人を降したあと道に迷い、東京方面に逆戻りするなどはあったが、初めからドライブウェイのレストハウスなどに立ち寄る時間を許容に入れて、これだった。

同乗者の方では、この辺にはどのクラブ員がいるなどと話し合い、地理にも少しは明るくなるが、運転手の方は大変である。一人でこう長時間運転を続け、車の数も少ない同じような暗い道を何時間も眺めていると、ねむ気といや気がさす。同乗していることちらも、気が気でならなかった。

奈良見物をかねていた取引先きのその運転手さんは、またその日の午前十時ごろ二人を乗せて同じ道を帰えっていった。

荷物の到着だけを待っていたかと思っていたが、自分たちが事故で亡くなったときつどいで線香くらいあげてやろうと彼らは考えていたという。いまもその厚意に感激しているのである。

心頭技健

本紙で、たびたび報道している「日本4H会館」の建設について、去る十月に開催した「第四回全国4Hクラブ員のつどい」参加者のアンケートの結果からみると、ごく一部の人を除いて、会館建設を知っているか、聞いてはいるようである。

また、つどいの会場での建設資金の募金も大分集まったようだ。

▼しかし、アンケートにみられるように、会館建設について知っていると答えたクラブ員の中で"建設委員会や全協が考えている会館建設の意図まで理解しているのかというと、けして、そうだといいきれないところに大きな問題があるように思える▼ということは、それだけのPRが全国的に行き届いていないことも一因と考えられるが、クラブ員自身に建設の意図を理解して、それを力強く推し進めようとする建設的な受け取り方と行動が弱いのをみても解かる。その原因はどこにあるのだろうか？ このへんを究明してみることが、今後、会館建設の推進に役立つ要因が秘められているのではないだろうか▼その証拠には、大部分のクラブ員が会館建設に対しては賛成しているが、それを自らが進んでやろうとする気も少ないし、まして農林省がどうの、県庁がどうのと言い表し―。まったく他力本願の青年の姿とみたり―。もっとも最初から、人の力を当てにして始めたものならば、いまごろは建っていたかもしれない。

しかし、この問題に限っては、けして人の力に頼らず、自らの力によって建てるということに意義があることを理解しなくてはならない▼誰れかの言葉の中に「会館建設を成せるか、成せないかで、将来の農業のあり方を占う。この会館建設はその試金石だ」とあるが、これはけして、無謀な言葉でなく、まったく当を得た言葉である▼この言葉をくだいてみると「会館建設は、単に建物を築くだけでなく併せて4Hクラブ活動の充実といかに農村青年の実力を会館建設に結集するか」ということであり、もし、成せないようでは、日本農業の将来も築きあげられないだろう。そういう予言である。いま、世の人の注目はここに集まっている。

茨城、神奈川、岩手県 会館建設のオルグ重点地に

全国4Hクラブ連絡協議会（会長、丸山勉君）では、さる二十三日、東京都千代田区北の丸公園の日本武道館で開かれた政府主催の明治百年記念式典に執行部が出席したあと、新宿区市ヶ谷の家の光会館内、全協事務局で執行部会を開き、全国4Hクラブ中央推進会議や4H会館建設の推進などについて打ち合わせた。

中央推進会議は、クラブの次期リーダーの養成と4Hクラブの積極的な推進策の探究などを目的として、今年も十二月三日から七日までの五日間、静岡県御殿場市の国立中央青年の家で開催することになっているが、その開催要領を決定するとともに、早急に資料を作成して各道府県連に発送することになった。

今回はとくに、プロジェクト研究会を組み入れ、4Hクラブの生命でもあるプロジェクト活動についてクラブ員代表による成果発表をもとにシンポジュームなどを行ない、プロジェクトの進め方、あり方などについて検討していく計画を立てている。

4H会館建設に関しては、さきに「しおり」を作成して全国各県連に配布し、PRに効果をあげてきたが、さらにクラブ員から会館の青写真（設計図）を要望する声が高まってきているため、見取図を中央推進会議までに作成することになった。

また、かねて会館建設のPRと募金のためのオルグ（役員派遣）を計画していたが、その重点地域を決め、いよいよ本腰をあげることになった。重点地域としては、手はじめに全協役員と4H会館建設委員会役員のいる茨城、神奈川、岩手各県があげられ、十一月から来年の一月にかけて会館建設委と全協役員が出かけてクラブ員に積極的に働きかけることになった。

農林省 全国から50名募集 中央農民大学校の入学生

農林省は、地域農業と農村振興の中核となる優れた農村青年を育成しようと、今年度から開設した中央農業者大学校（農林省中央青年研修施設＝東京都南多摩郡多摩町連光寺二二〇七・林野庁の鳥獣試験場内）の四十四年度の学生を募集する。募集人員は約五十人で各都道府県から推せんされた人に対して、今年十二月十二日から三日間、同研修施設で入学試験を実施することになっている。

応募要領の主な点は次の通り。

【応募資格】（１）高等学校卒業またはそれと同等以上の学力があると認められる人で、都道府県知事が推せんしたもの（２）昭和十九年四月二日以降生まれた男子で学校教育、または経営伝習農場、農業専修学園もしくは地域営農研修施設などにおける実務研修教育を修了後、昭和四十四年四月一日までにおおむね二年以上農業経営の実務に従事し、研修終了後も引き続いて自営の見込みが確実なもの。

【応募手続き】（１）都道府県農業改良主務課は、応募者の請求に応じて入所願書など関係書類の用紙を配布するものとする（２）応募者は、次の関係書類を都道府県知事に来る十一月二十日までに提出するものとする。ア 入所願書一部、イ 身上調書二部、ウ 最終学校の成績証明書一部、エ 受験者の身上などに関する所見二部

【都道府県知事の推せんなど】（１）都道府県知事は、応募資格について書類審査のうえ都道府県における選考の日時、場所および選考方法などについて応募者に通知するものとする（２）都道府県における選考の方法は、都道府県知事が定めるものとする（３）都道府県知事は、選考の結果に基づいて三人（ただし北海道は五人）を越えない範囲内で、今年の十二月五日までに地方農政局長を経由して（北海道は直接）農政局長に推せんするものとし、推せん書に入所願書など関係書類（各一部）と都道府県における選考の概要書（応募者数、選考方法などについて記載したもの）を添付するものとする（４）都道府県知事は、農政局長に推せんすると同時に、被推せん者に対してこの旨を通知するものとする。

【選考】農政局長は都道府県知事が推せんした者に対して選考を行なうが、その選考には、農政局長の委嘱する学識経験者十人以上をもって構成する選考委員会で行なう。

試験は、十二月十二、十三、十四の三日間（第一日は筆記試験と身体検査、第二日、第三日面接）農林省中央青年研修施設で実施する。

選考は❶書類審査❷筆記試験（入所後の学習のため必要な高等学校卒業程度の知識、判断力について総合的に行なう）❸面接（将来、自立経営の担い手となるとともに、農業を通じて地域社会の発展に寄与できるような素質の有無について行なう）❹身体検査（学習に必要な健康度を有するか否かをみるために行なうもので、とくに胸部疾患などの伝染性疾患の有無について行なう）

この農業者大学校は、学校や実務研修教育を終了後大体二年以上農業に従事している優秀な農村青年を入学させ、講義、演習、派遣などによる学習方法と、合宿生活によって農業経営に対する自信と応用能力を身につけさせるとともに、地域社会開発の中核者になってもらおうというもので、三ヵ年制。

大学での学習は、一年目は集合教育として合宿による学習、二年目は七ヵ月集合教育、あとの五ヵ月は農業試験所や先進地視察、農家への派遣実習、三年目は、初めの八ヵ月は在宅学習、そして最後の四ヵ月間集合教育を行ない終了する。

集合教育は全寮制で、一年生の部屋は個室、二年目から二人一部屋になる。

教育の方針としては、農業を広い視野から考え、判断して行動するような人材を育成するため、自分の経営と生活、地域社会の開発などについての応用能力と自学自習の精神を涵養することをねらいとしており、教課も自然科学をはじめとして社会、人文科学など各分野にわたる基本的知識の学習、課題解決の学習（講義と演習）を中心とするほか研究実績発表、派遣実習、在宅学習など専門的に探求することになっている。

とくに講義や演習では、東京大学など教育、研究、指導機関の一流の学識経験者、専門家を講師に招いている。

東京都南多摩郡多摩町の林野庁・鳥獣試験場内にある農林省中央農業者大学校（中央青年研修施設）

宣言文の決議など 10日に4Hク20周年記念大会 宮城県連

【宮城】宮城県4Hクラブ連絡協議会（会長、高野秀策君）は、4Hクラブが宮城に発足してから今年で二十年目を迎えたのを機会に、県4Hクラブ二十周年記念大会を計画し、準備を進めてきたが、県、全協、県町村長会、同農協、河北新報社、仙台中央放送局、東北放送などの後援をえて、いよいよ来る十日仙台市の農協会館で盛大に開くことになった。

当日は、県下の4Hクラブ員と農村青少年約五百名のほか農業高校、各種研修施設研究生代表の参加を予定している。

主な行事は、表彰式、県連二十周年の歩み、一般経過報告、代表者発表（4Hクラブ員研究発表）記念講演 アトラクション、大会スローガン、宣言文の承認などを計画している。

当日は、午前九時から受付け、十時から第一部として記念大会に入る。開会宣言のあと、4Hクラブの歌斉唱、高野会長のあいさつ、感謝状贈呈、祝辞、県連二十周年の歩み、一般経過報告などを行ない、続いて議長団を選出し、議事として、大会スローガンと宣言文を承認、昼食について記念講演がある。

第二部として午後一時半からアトラクションに移り、郷土芸能、民謡、バンド演奏などをくりひろげ、三時半から閉会式を行ない今後の発展を誓い合い幕を閉じる。

花やかに農業の祭典ひらく 7・8日、富山県連で第17回4Hク実績展示会

【富山】富山県4Hクラブ連絡協議会（会長、法島伸一君）主催の恒例の県4Hクラブ実績展示会は、今年で第十七回を迎え、富山県、高岡市農業まつり実行委員会の共催によって来る七、八の両日高岡市民体育館で開かれる。

とくに今年は趣向も新たに"農業フェスティバル"として、農村青少年の課題解決の結晶である研究実績発表展、農産物品評会、青果物大廉売、また農業電化展、肥料展示なども加え、高岡市農業まつりと併行して盛大に開催することになった。

農業祭典の主な催しは次のとおり。

一、実績展示

▽教育展示（クラブ員が共同でとりあげた課題の解決に当ったものの展示。例えばビニールハウスの作り方について、経費の安上りや風に強い工夫、成果の上ったものなど）▽工夫展示（農作業を省力または能率よくできるように工夫した農機具や、生活改善のために役立つことを工夫したもの）▽写真展示（クラブ活動の記録写真で地域の特色と活動内容を説明したもの）▽衣展示（女子クラブ員が、ふだん着、作業着、下着などの改良したもの展示で、清潔さ、働き易さなど実用性の高いもの）

二、一般展示

農産物の外観、品質ともに優秀さを競う農産物品評会。野菜、果物、卵、米などすべてを展示し、非売品を除いては全品即売する。

三、特産展示

県下全域にわたっての特産物の展示。例えば大根百本、白菜百株という大型展示に説明図表をつけたもの。非売品以外は全品即売する。

四、参考展示

4Hクラブ員で、これまで展示会、品評会、発表会で秀位賞（一位）を受けたものと、大型共同プロジェクトの成績などの展示。

知っていて役に立つ話 みんなの保健衛生

☆☆ 皮ぐつの手入

皮ぐつが雨でぬれたときは帰ったらすぐに新聞紙を丸めて中につめ、風通しのよい日陰に干しましょう。干すときは、底を表にだし、かかとを上にしてたてかけるのがコツです。かかとを下にすると、かかとの部分に湿気がたまって、くつをいためます。とくに男子のくつは、かかとが厚いので気をつけましょう。

中の新聞紙はときどきとりかえます。完全に乾燥したら、くつクリームをぬりますが、良質のコールドクリームを少量やわらかい布につけてこすっておいても効果があります。

くつクリームをつけるときは、やたらにブラシを使うと皮を傷めますから、できるだけ布を使ってください。

また、ぬれたくつは、型がくずれやすいのでくつ型（婦人用百二十円、男子用二百二十円から）などを使って整えましょう。ぬれたままのくつをはいていると、型がくずれ早く皮がいたむばかりでなく足の健康上からも感心できません。

☆☆ からだのメモ

頭を使って疲れたときは、熱めのお湯をバケツか洗面器に入れ、足首から下を暖めますと、頭から血液がひくので疲れやコウフンがなおり、よく眠れます。

アルコール分の多いものから少ないものへと、つまり、ウイスキー、酒、ビールというぐあいに飲むと、よけい悪酔いします。

たべた食物の効果が毛髪にあらわれるのは、四十八時間から一週間ぐらいといわれ、荒れた髪には落花生、貧血症にはほうれん草、こわい毛にはゴマ油の料理、白髪には海草類とくにひじき、抜毛にはきけの頭や鮫の軟骨などがよいとされていますが、長く続けなければもちろん効果がありません。

乗物に弱い人は、自分で運転しているのだと思うようにすると、あんがい酔いません。バスの座席は前から三列目あたりがいちばん乗り心地がよいようです。

カスリ姿の娘さんに 稲穂も一歩ゆずる！ 茨城・樟穂女子クラブ 資金稼ぎに農家の稲刈り

【茨城】真壁郡真壁町の樟穂女子クラブ（会長、大場良子さん）では、さる十月十八日、大場会長以下十三名のクラブ員全員が揃って、農家の稲刈り作業に精を出した。

自家用車で稲刈りを提供してくれた圃場に集合。朝露が光り、重く [illegible]

これは、共同プロジェクトを実施するに当って現在のクラブ運営 [illegible]

[illegible] ろして一服の茶を心ゆくまで味わいながら、家族の皆さんを混じえて歓談した。そして男体山、女体山の寄りそう筑波嶺を近くに仰ぎながら、ひとりひとりの胸は将来の姿を思い浮かべ、今日の収穫を明日への糧として意義深い一日を終えた。

（樟穂女子クラブ相談役、鈴木みかさんより）

稲刈りで資金稼ぎ 栃木・城山4Hクラブ

【栃木】宇都宮市城山4Hクラブでは、クラブ活動資金調達のため野尻収士会長はじめ四十人のクラブ員が、十アール当たり千五百円で請け負い、夜の稲刈り作業を行なっている。

××× 11月のこよみ ×××

▽7日＝立冬、ソ連革命記念日△8日＝ふいご祭、京都伏見稲荷火焚祭▽10日＝京都嵐山もみじ祭▽11日＝世界平和記念日、一の酉浅草鷲神社祭▽12日＝大阪能勢妙見御会式▽13日＝京都空也堂開山忌▽15日＝七五三、京都真如堂十夜結願法要▽17日＝市川法華経寺御会式、奈良談山紅葉祭▽18日＝八代妙見祭▽19日＝宇都宮二荒山神社菊水祭、一茶忌▽20日＝高崎えびす講▽21日＝近松忌、京都東本願寺報恩講▽22日＝小雪、豊川稲荷秋祭▽23日＝勤労感謝の日、大阪神農祭、二の酉▽25日＝旧亥の子餅、炉開き▽26日＝火災予防運動▽27日＝神奈川道了尊鎮火大祭▽28日＝親鸞上人忌、東京品川千体荒神祭▽29日＝とおかんや 12月▽1日＝映画の日▽3日＝秩父夜祭、古河提灯もみ、若松戎秋祭▽4日＝人権週間、防府天満祭。

松下4H協会長の記念講演 (3)

要求さる「適任経営」 若人が農業に創意工夫を

◎◎◎◎ 発展は自主独立で

[illegible]

◎◎◎◎ 共通の繁栄に貢献

[illegible]

ということは、どういうことかというと、その漁業に従事している人たちの発展、その繁栄というだけでなくして、そういう発展、繁栄を通じて世に貢献することが重大であるということであります。お互いが貢献し合って初めて、共通の繁栄というものがそこに生み出されることができるのでありますが、そういう意味の発展がなければ、共通の繁栄に貢献することができないということになろうと思うのです。従いまして、漁業は漁業として近代的漁業はどうあるべきかということを真剣に考えてもらわねばならないと思うのです。これは、あらゆる業界においてみなそうだと思うのであります。

◎◎◎◎ 創意工夫を若い人が

最近は、一つの産業と申しましても、一つの産業は、世界的にみたときに、非常に厳しい競争がございます。そのために、必死の努力と申しますと、非常に扱われるように思うのですが、そうではございません。真剣な努力をしている。その真剣な努力をしていることに醍醐味を感ずると、真剣にやっているから生き甲斐があるんだということです。そういうことを好むと好まずと、いま、われわれは要求されつつありますから、われわれはそれに取り組んでやっているわけであります。そうしないと日本は非常に遅れてくることになると思います。

これは、すべての業界、すべての産業、すべての業種にわたってそういうことが要求されている。農業におきましても、同じことだろうと思うのです。私は今日の農業のより以上の発展は、どうして生み出せるかということを考えてみますと、これは、みなさんはみなさんでお考えになっていられますし、また、みなさんの先輩、父兄の方々もお考えになっておられると思うのでありますが、しかし最近は日進月歩ですから、本当は若い青年の人々において、その創意を生み出してもらわなければならないと思います。

◎◎◎◎ 恐いほど伸びる若人

いま、私の会社についてみましても、もう創業五十周年になりまして、会社として相当年いったわけでありますが、しかし、若い社員も相当います。その若い人々が、最近は意欲が非常に旺盛であります。物の開発などに対しても非常に意欲が旺盛です。会社には相当年をとった人もおりますが、そういう年いった人はいった人で相当の責任をもっているのであります。

しかし、その人たちは、若い人に働いてもらうことをどうするかということを考える。自分が働いてやるということより、若い人に働いてもらい易いように、われわれが配慮しなければならないと、そうしなければ若い人の伸び盛りの知恵、才能というものが伸びないようになってはいけない。それが大きなことになるんだ、それを伸ばすようにわれわれが配慮する、われわれは座をあけなくてはならないということを私の会社ではやかましくいっているのであります。

そういうことで、若い人たちはどんどん伸びてきていますが、どんどん伸びる若い人たちの姿をみていますと、恐しいというと少しオーバーな言い方でありますけれども、実際、恐しいほど若い人は伸びるのですね。すくすくと伸びるような状況を与えてやると九分九厘伸びていくのですね。これは、私は自分で実験をしたというとおかしいですけれども、そういう体験を強く感じているのですが、農村の青年また然りと思うのです。

◎◎◎◎ 要求さる「適任経営」

農村は、みなさんの力によって次第に今後発展していくんだということを、まずみなさんがはっきりとお考えいただきたいと思うのでありますが、その具体的な方法として、こういうことが考えられはしないかと思うのです。もちろん私は農村のことについては知識が乏しいのでありますから、あるいは認識不足で何を云うかとおっしゃるかも知れませんが、それはそれで結構だと思います。

これからの農業の規模というものは、やはり、農業といいましても、適任経営というものが要求されるだろうと思うのです。われわれの事業にいたしましても、いま真剣に考えていますのは、適任経営、適当な大きさ、適当な限度というものをやかましくいっているのであります。大きくしたからといって決して良くならない。といって小さくても困る。一番能率の上るような適任経営というものをわれわれは探し求めようと、そしてその適任経営というものに魂をぶち込んでいこうと、そうすると、そこに画期的な成果が生まれるものだと、いま考えてやっているのでありますが、農村においても適任経営ということが非常に大事ではないかと思うのです。

今日の農村の収入というもの、あるいは現状というものを考えてみますと、ことごとく適任経営にかなっているかどうかというと、私はそうでないだろうと思うのです。これは長年のしきたりで自然に生まれたものですから、それはそれでまた立派な姿だと思いますが、しかし非常に急激に世の中が動きつつある。あらゆるものが非常に急変しつつあります。

（次号につづく）

4Hくん NO.136 本堂平四郎

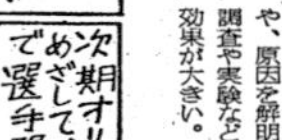
陸上日本振わず
ガクリ
役員会議
次期オリンピックめざしてアフリカで選手強化
ケニヤ草原での必死のモー練習

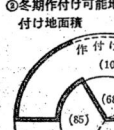

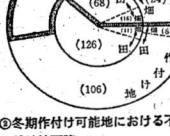

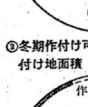

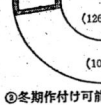

プロジェクトの取り組み方

展開編 (10)

北海道専門技術員　三　輪　勲

観察は要点に認識を　いつ、どこで、どのように

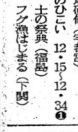

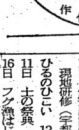

実施経過における観察方法

青少年が自らのプロジェクト経過について観察することは、注意力・思考力・判断力など、いわゆる問題解決能力の向上に重要な役割を果たす。

作物や家畜の生育や家事の処理などの過程を十分に観察・調査し、変化の事実や原因を究明することによって合理的なものの考え方、見方が身につくことになる。

こうした観察についての指導は、プロジェクトの発展を促すうえにきわめて重要である。

（ア）観察指導の留意事項

プロジェクト実施中の観察について指導する場合は、およそ次の基本的な事項に気をつけるとよい。

a　作物や家畜の生育・機械の機能など、事物や現象を動態的に理解させるようにする。

b　実施中に、病害虫の発生・生育障害・気象の変化・機具の故障・資材の変質・食品の腐敗・生産量の激減など、異状が生じたときは、その現象を詳細に観察させる。

c　観察の目的を明確にさせ、何を、いつ、どこで、どのように、というように観察の要点を認識させる。とくに、事物によっては観察適期を失すると無意味になる場合があるので注意が必要である。

d　観察は、視覚的な事物の変化に注意が集中しやすいが、その変化や現象をひき起こした原因を探究させたり、数量的に実測させることが重要である。このため、観察結果をもとにして青少年グループでの話し合いや、原因を解明するための共同調査や実験などを行なわせると効果が大きい。

e　観察に基づく検討は、比較検討（正常苗と病苗との比較など）、相互関係の検討（気温の変化と病害虫発生との関係など）、因果関係の検討（飼料配合率の変化は産卵数にどんな影響をおよぼしたかなど）、実験などによって行なわせると効果的である

f　観察結果は、写真・図画・絵・グラフ・標本・スライド・レポート・所見メモなど、適切な方法によってまとめさせる。

観察項目の例

a　視聴覚による観察……発芽の良否・病害虫の被害程度・生育の状態・生産物の品質・色択・症状・農機具の故障・天気など

b　検査・測定・算出による観察……発芽日数・草たけ・葉数・茎数・分けつ数・生育日数・一穂粒数・結実歩合・温度・風力・降水量・乳量・産卵数・体重・生産数・生産量・生活時間など

観察の記録

プロジェクト実施中における観察・測定・調査などは、そのつど要点を記録することが大切である。

評価と指導

反省・評価の意義

プロジェクトが終了したときは、その実績を取りまとめて反省・評価を行なう。評価には、青少年自身による自己評価と改良普及員などによる評価がある。青少年の自己評価は、プロジェクト最終段階における結果についての反省・評価と、プロジェクトの過程全体についての反省・評価との二種がある。

一般に、前者の自己評価を実績評価といい、後者を全体評価といって、指導上の区別をしている。実績評価や全体評価は、ともに次のようなねらいがある。

・第一は、プロジェクトの達成度合を知ることにある。目標に対する到達程度の認識が弱いときは、その後の改善方向を検討するうえに障害となる。プロジェクト実施結果については、当初の目標に照らして、その適否を検討させる。

第二は、プロジェクトの経過と実績の反省を行なって、長所と短所を確認する必要がある。長所はさらに伸ばし、短所は是正することによって、プロジェクトの発展をはかることができる。

こうした反省・評価は、プロジェクトが完全の場合だけでなく、途中で失敗に終わった場合についても必ず行なわせることがたいせつである。プロジェクトが成功したあとの反省・評価よりも、失敗したあとの反省・評価に重要性があるので、指導に当たってはこの点に気をつけなければならない。

実績の反省・評価

プロジェクト実績の整理

プロジェクトの実績評価は、プロジェクトの結果をとりまとめて分析して行なう。

一般に、プロジェクト作業終了後における整理が不十分なことがある。

b　十アール（一頭羽）当たり生産量・収益金

c　十アール（一頭羽）当たり生産費

d　生産物単位当たり（一キロ・一頭）の収益または損失

e　自己労働時間・労働費

f　資材費の全支出金額に対する比率（農薬・肥料・原材料など）

g　労力費の全支出金額に対する比率

h　自己労力の全労力に対する比率

前述の整理項目例は、生産プロジェクトの場合であるが、改良・技能補助プロジェクトについても重要な事項のまとめがたいせつである。

また、プロジェクト実施中に記録した諸資料も分類整理すると効果的である。これはプロジェクトの反省評価を行なう場合の基礎資料として重要な価値がある。

私の経営実績

・私・の・新・技・術・　ブドウのビニール　ハウス栽培

山梨県東八代郡一宮町坪井　斎　藤　明　男

露地栽培より多い利点　重要な温度管理と収量調節

山梨県といえば、ブドウの産地としてあまりにも有名です。山梨県は他の県と比較し、盆地であるため、日中は暑く、夜は涼しいというブドウのみならず桃・リンゴその他の果樹には最適な条件をもっております。

ブドウは、他の果樹に比べ、その栽培歴は古く、その中でも甲州種が一番古くから栽培されており遠くは千百八十六年に勝沼の人が同村（今の勝沼町）の山の中で発見して、家の庭に移植したのが初めとされております。それから約七百八十年たった今日、山梨県は勿論、県外でも多く栽培されるようになりました。

山梨県においても最近急激にブドウの栽培者が増加し、今では県樹の六〇％を占め、他の果樹の栽培面積から見ても大きくリードしております。

栽培品種別に見ますとデラウェア種が一番多く、それに次いでネオマス（ネオマスカット）甲州、巨峰、その他の順になっておりま

とんどで、ハウス全体の九割に達し、他の一割がネオマス、巨峰などであります。

ネオマスにおいても昨年試験的に栽培されて、ハウス内でのネオマスの栽培が可能になったわけであります。

私がネオマスのハウス栽培を計画したのは、ネオマスの早期出荷と労力の配分から思いついたのですが、私の家では、家族労働で父母それに私と三人で行なっております。家では、桃が六十アールとブド

それに日本は台風国でありますので、果樹王国山梨としても台風を一番恐れており、その点ハウス栽培では、台風の来ない時期に収穫を終りますので、台風の被害を受けないですむという点も見のがせません。

以上のようなことから、私はハウス栽培を自分自身なりに研究し、また改良普及所の指導のもとに始めたわけです。これから私が経験したことを説明しますが、その前に、私が栽培上苦労した点をあげてみました。

まず、一番気を使ったのが温度管理です。この温度管理ではビニールを被覆して、順次温度を上げて行く法により、萌芽までは漸昇した訳ですが、被覆して一ヵ月で萌芽します。この萌芽の時期と開花の時期が神経を使うところで、その時期に急激に温度を上昇させたり

に利点が多く、単棟式の方を選びました。山梨のハウスはほとんど単棟式のようです。

私は二月二十日に被覆する予定でしたが、大雪のため作業ができず、結局二十八日に被覆しました。被覆してからは、十日間おきぐらいに漸昇方法によって温度を上げるようにしました。ハウス栽培で最も重要な温度調節でありますから三十度以上には温度を上げないように心がけました。

三月下旬でもハウス内は、三十度を越えることがありますので、天窓は早朝より開放し、新鮮な空気をハウス内に入れ、合せてハウス内の温度とにらみ合わせて換気を行なうのが良いでしょう。この時期に萌芽を早めようと温度を急上昇させると萌芽は早くなりますが、芽が不揃いで平均に伸びず、後の作業がやりにくく、失敗の原

ないます。灌水は出来るだけ控えた方が私の経験上失敗が少ないように思いました。

また、晩霜の予防のことですが晩霜を防ぐのに、いろいろな物を使用しますが、煉炭はなるべく使用しない方が良いと思います。この時期は萌芽して間もない時であり、葉が軟弱ですので、煉炭から発生するガスによって害を受けることがありますので注意したいものです。

〃ハウス栽培では、早く収穫するのが目的ですので、規定より多すぎると熟期が遅れるため、露地の早出しのものと出荷が同時期になり、ハウス栽培の価値がなくなるような結果になるので、収量調節だけは規定どうりになった方が安全ではないかと思います。

以上、私の浅い経験からポイントだけをひろってみたわけですが

のポイントではないかと思います。

副業に花栽培の試験　山梨　武川村の4Hク員

水田の高度利用

二毛作田再検討

11月11日（月）

一、水田二毛作の動向

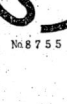

農業教室　NHK

わがクラブわが同志

◀投稿案内▶

本紙は、みなさん方の新聞として、全国のクラブ員に利用して戴きたいと考えています。それでクラブの催しや個人のプロジェクト、詩、短歌、随筆、写真、悩みや意見、村の話題、伝説、行事その他なんでも原稿にして送って下さい。

お願い　❶長さや形式は自由です　❷できれば簡単な説明をつけた写真をそえて下さい　❸送り先　郵便番号162　東京都新宿区市ケ谷船河原町十一　日本４Ｈ協会編集部

理想の農村女性は　若く、美しく、教養を身に

埼玉県狭山市堀兼　所沢地区狭山4Hクラブ　飯島絹代

農家の長女として生まれた私は、[illegible]

ありません。私の農村女性の理想像は違います。[illegible] 分に農作業、家事に振り回されていくに違いありません。私の知っている人も希望と熱意を持って農家に嫁いだのは良いのですが、[illegible] 然です。少しでも経済的にメドがついたならプライベートな時間を持ち、[illegible] いつまでも心身共に美しい若さある女性でありたいと思います。

理想の女性に近ずくには視野を広め、知識を高めることだと思います。私はまだかけだしで、何が理想に近ずく早道なのかわかりませんが、自分なりに良く見、考え、行動しようと思います。現代の若者は考える前に行動に走ると非難されますが考えることがいかに大切かということです。また考えることのほかに友だちの影響も大きいものです。

私も卒業後、農業に入ってしまい、話し相手のない淋しさを痛感致しました。そこで4Hクラブを知り入会し、集い語る喜びを知りました。農作業の苦しさを忘れ、孤独な心に安らぎさえ感じるのです。入会したばかりで未熟な者ですが、より多くの友だちからの知識を得ようと努力をしています。そして若人の集いにできるだけ参加しようと思います。そこから少しでも自分にプラスになる面がみいだせたら、良いのではないかと信じます。農業をしているのは私一人ではないことを忘れず、より多くの友と語り、意見を交換したいと思います。[illegible] 誰からも愛される農村女性になることが私の夢です。[illegible]

（入間郡連協主催「三峰の集い」発表より）

生活の中に音楽を　心を潤おす一滴の油が

神奈川県横浜市戸塚区　宮沢町・宮沢4Hクラブ　上杉政五郎

人間が毎日の生活を楽しく送れて、仕事も能率良くできるならば、こんな幸せなことはないと思います。それには家庭的な雰囲気を職場に、職場の雰囲気を家庭にと、ある程度調和のとれた生活ならば毎日が明るい気持で暮らせるのではないでしょうか。さて、ここにとりあげようとしている古びたラジオも、私にとっては、雰囲気を明るくし、仕事の能率を高めるための一つの道具なのです。

今どこの繁華街を歩いてみても聞えてくるのが歌謡曲、ゴーゴー、軽音楽のリズムなどで、日本が平和で市民の生活が向上しつつあるということは、だれもが一応うなずけることです。

さて、話しは違いますが、過日あの何十年ぶりかの大雪に見舞われたときのことです。当然、野菜の値上りが予想されましたので普段の二倍近い量のホウレン草を雪の中で収穫してきました。父母姉が枯葉とりで、私が束ね役です。普段ならば昼間のうちに荷造りは終りますが、量が多かったため夜までかかっての荷造りでした。

さてここに登場するのが、古びた一台のラジオです。このラジオは、今から二十年前頃のラジオで、座敷の天井の片隅で眠り続けていたものです。スイッチをひねると、ピーピー、ガーガーとNHKはじめどこの民放も入りません。ぐるぐるダイアルを回しているうちに、かすかに軽音楽が聞えてきました。どのつまみがなんの役目をするのかわかりませんが、三つのつまみを調節しているうちに聞える音量がでるようになりました。

どうでしょうか、普段ならつまらないことを考えながら、能率のあがらない作業をしているのに、この夜ばかりは、足のつめたさもつまらないことも考えずに、喫茶店でお茶でものんでいるような気持で、歌謡曲、ポピュラーなダンス・ミュージックなどをロマンチックに聞きながら仕事を続けることができました。もちろん手の方も器用に動いて能率もあがり、時間あたりの束数もグンと多くなったことはいうまでもありません。

そこで私は考えました。今アジアの一角で悲惨な泥沼の戦いが、いつ終るとなく続いています。新聞、テレビなどで毎日のように拡大されていく戦争の行くえを刻々と報道していますが、旧正月やクリスマス停戦のときなどに、爆撃機が空からステレオ音楽などを流したらどうでしょうか。普段陽気なアメリカ兵などは、武装した北ベトナム兵と戦いを忘れてダンスでも踊りだすかもしれません。そしたら戦争も縮少されて、平和が訪ずれてくるかもしれません。

突然、野菜の荷造りから、音楽の平和利用に進んでしまいましたが、音楽によって心をやわらげ、作業の能率も向上するという、何気ない古びたラジオ一台が、生産の喜びと、生活の喜びを私に与えてくれる潤滑油の一滴でした。

結成十周年祝い　静岡・豊岡4Hク　耕運機パレード

磐田郡豊岡村4Hクラブ（会長・藤森康行君）では、同4Hクラブ結成十周年記念大会を、さる十三日、同村中学校で開催した。4Hクラブ員三十五人による生産性向上研究座談会のあと、静岡市の仁藤敏江さんの体験発表、掛川市4Hクラブ員のバンド演奏会が花をそえた。なお、十周年を記念して耕運機三十台を連ねての村内パレードで気えんを上げた。

青少年団体の紹介（5）

自分の決意で加盟　平和を理想とし奉仕を実践

日本青少年赤十字

青少年赤十字は―赤十字の子供で、小学校、中学校、高等学校の児童、生徒のための赤十字である。

沿革と親赤十字との関係

赤十字は一八六三年スイスのジュネーブでアンリー・デュナンによって起り、血と涙に国境なしという精神のもとに、善意の組織として条約されたものである。

青少年赤十字は一九一七～一九二二年にカナダ、北米、濠州の学校の先生と生徒の間に起り、知育プラス徳育という目的で学校と赤十字の提携によって活動が行なわれている。

すなわち、青少年赤十字は、第一次世界大戦中、カナダ、アメリカ、オーストラリアの学校の先生がたが生徒児童の作品を、赤十字に依頼して、戦争犠牲者の慰問や救済に送った活動に始まる。

戦後、その教育的、道徳的効果に燃えた教育者の要望に応えて赤十字の中に青少年のための一分野として位置づけられJUNIOR・RED・CROSS（JRC）と呼ばれ、一九二二年のことである。

性格と目的

一九二二年の赤十字社連盟（各国赤十字社の連合体で平時活動の中心機関、在ジュネーブ）の評議会で、その性格を次のように規定した。

「JRCは、青少年をして平和を理想とし、奉仕を実践することを教えこむ目的をもって組織する

とくに

一、自他の健康の増進―健康

二、社会的、人道的、責任の理解と遂行―奉仕

三、各国青少年に対する友好的扶助精神の涵養と保持―国際親善―をとおして、その目的の遂行を期するものである。

なお組織に関する二条件としては❶親団体の原則を原則とする❷学校との不可分の関係―学校の先生を補導者とし、学校を組織の場とする」

親団体の原則からきたJRCの特長は

A　男女の別なく加盟できる

B　特定の宗教をかかげない

C　政治的イデオロギーの区別なく加盟する

学校との不可分との関係は、JRC発生の歴史が性格づけたものに他ならない。

A　小学校、中学校、高等学校の生徒児童を対象とし

B　学校の先生を補導者、校長を補導責任者として

C　授業をするクラスを単位に校内で組織される学校青少年団体である

という、性格上の大きな特長を生むことになった。

この校内組織と活動ということが、一般に理解が困難のようだが、とかく、学校教育の上に余分に張りつけた構図で考えられ、なにか荷厄介なものと受け取りがちで、学校が赤十字の下うけしごとをさせられる心配をする向きもあるが決して加盟したからといって、なにひとつ「やらねばならない」しごとの押しつけがあるわけではない。

むしろ一学級という単独の場では不可能だったり、とかく見逃しがちの教育的、人道的機会を、世界最大、最強の福祉団体である赤十字組織の可能性の中で、ひかえめに提示することに甘んじているのであるから、それをとるかとらないか、またどれだけ利用するかしないかは、あくまで学校側の自由意志と工夫にまかされている。

こうして、JRCは他の青少年団体が余暇の善用を本来の目的としているのに対し、学校教育の補強を本分としているわけである。

日本のJRCと団員数

日本のJRCは世界にJRCが発足すると同時に、一九二二年の五月に発足した。以来加盟校は激増し、団員は三百七十万人に及んだが、戦後は学校制度の変革に添って、毎年登録を更新する制度にするなど、ゼロから再出発したのが、一九四七年には百万人に近い団員を数えている。

ちかい―加盟、登録

「私たちは……自分の決心で青少年赤十字の一員として……加盟し

心気を強健にし……健康をまもり

人のためと郷土社会のため……

自他の区別なく

国家と世界のために……国境を越えて

つくすことをちかいます……奉仕する約束」

と一人一人が決意したら、先生に相談する。

奉仕を行なうためには、善意ばかりでなく体力や能力を必要とする。この能力・体力・善意の一致は、学校教育のねらいでもあるので、その効果をあげるためには、学校長の判断により、父兄の諒解を得て、校内で、児童・生徒が加盟することができるものである。

一人一人の決意はクラス毎に集めて、登録用紙に記名する。同時に些少ながら登録料を収める。これは自分の決心の証拠となる。

各学校の登録は、支部、本社を経てジュネーブに送られ、世界の団員に数えられる。現在世界の団員数は七千五百万の巨大な数である。

「一人がみんなのために、みんなが一人のために」活動しています。

活動と指導

教科・特活・道徳・行事のどの領域でも、教師の指導と配慮のもとに、赤十字の人道の理想と世界的組織や機能の提供するものを、教材として活用できる。

例として図工……見舞カードの作成、作文……親善文、家庭科……災害救護や新興国の援助物資の作成、保健・体育……救急法・水泳・看護法、各科……作品交換、特活・行事……諸会合や施設訪問、道徳……道徳的判断力や反省力の養成、など

訓練研修のプログラム

自主団体の運営は、それを構成する人間の問題であるから、一番だいじな仕事は「人づくり」のプログラムである。

一、団員対象のものをトレーニング・センターといって（二泊三日から一週間の宿泊）

二、先生対象のものには、初心者向、経験者向、支部、ブロック、本社主催の各種がある

三、担当赤十字職員向けは、年一回、責任教師の総会と併行して行なう（三泊四日）

四、教育行政官の理解を得るため指導主事研究会（三泊四日）を行なっている

〈東京都港区芝公園五号地　TEL（四三一）一一〇四〉

哲学するこころ

[illegible]

映画　罠におとされる

「殺意」（ユニヴァーサル映画）

[illegible]

この会社は、もともとポールの亡父の持ち物だったが、共同経営者のクリスティーヌの父にとられ息子のポールは商標権だけをもって、つつましやかに暮していた。

クリスティーヌは、会社とブドウ園と邸宅を含めて、アメリカの事業団に売ろうとしていた。だが買手は、商標権も同時に譲り受けるのでなければ、取り引きできないという態度だった。そこで夫のクリストファーを通じて、ポールに商標権を譲るように交渉するが、なかなか承知しなかった。

アメリカ人との取り引きがいきづまって、クリスティーヌはあせった。彼女は、ポールがハンブルクに旅行することを知って、夫に同行を進めて、その旅行中に夫の口からポールを説き伏せ、要求を承諾させるようにはかる。

ハンブルクに着いたポールとクリストファーは、仕事の話しなどせず、もっぱら遊び歩いた。

…い意識を失う。やがて正気にかえったポールは、エベリンが絞殺死体となっているのを見て、非常なショックをうける。彼は無意識のうちに殺人を犯したのではないかと強迫観におそわれた。

ポールは、決して自分が犯人ではないといい、クリスティーヌに警察へは知らせないでくれとたのむ。彼女は、条件をだして承知した。そしてポールは、商標権の譲渡書に署名して帰っていった。

その夜中に、再びクリスティーヌのところにやってきた。そして彼は、絞殺死体となっているクリスティーヌを発見する。驚いたポールがクリストファーのところに行くと、そこにはハンブルクにいた謎の女性もいた。

ポールは初めて、彼がなにものかに、殺人の罠におとされようとしていることを気づく。彼は命がけで真犯人を捕えようと決心した。

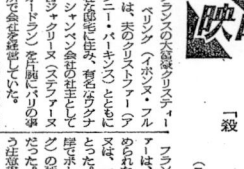

商標権をめぐって複雑な争いがつづく

日本4H新聞
4Hクラブ 農事研究会 生活改善クラブ 全国弘報紙
発行所 社団法人 日本4H協会
東京都市ケ谷家の光会館内 電話(269)1675 郵便番号162
編集発行人 玉井光
月3回・4の日発行
定価 1部10円 6ヵ月180円(送料共) 一ヵ年360円
振替口座東京 12055番

クラブの綱領

[illegible]

4H活動展開を討議

全国4Hクラブ中央推進会議

12月3日から5日間 御殿場市の中央青年の家で

新たにプロ研究会 参加者は各県連ふやす

全国4Hクラブ連絡協議会（丸山勉会長）と社団法人日本4H協会（松下幸之助会長）が、静岡県御殿場市中畑の国立中央青年の家で開催する四十三年度の「全国4Hクラブ中央推進会議」の開催要領がこのほど決定した。それによると、開催期間は来る十二月三日から七日までの五日間で、今回はとくに、これまでの4Hクラブの本質、リーダー、組織などのほかプロジェクト研究会や4H会館建設のための話し合いなどが新たに加えられるとともに、各県連の4H会館建設推進委員一名も参加することになり、各県連参加者は前回までの五名から六名になっている。このため増加の一途をたどってきた参加者が今回さらにふえることになったばかりでなく、全協が現在かかえている重要な問題を組み入れて全国代表者の会議としての性格を強めている。

4H会館建設推進も討議

昨年開かれた4Hクラブ中央推進会議の討議風景

この推進会議は、4Hクラブ活動の推進を図るため、次期リーダーに対し4Hクラブの本質、クラブづくりとその運営、組織の強化などについての知識や技術の研修を行なうと同時に、クラブ員の資質の向上を図ることをねらいとしている。

開催要領は次のとおり。

参加者 各県連六名 ❶県連会長（または代理）❷4H会館建設推進委員一名❸男子クラブ員二名、女子クラブ員二名とし、過去において中央推進会議に未参加で次期リーダーとして活動が期待される者。

参加者の報告 県連会長は来る二十五日までに参加者の住所、氏名、年令、クラブ名、役職名を左記まで報告すること。

東京都新宿区市ケ谷船河原町十一、全国4Hクラブ連絡協議会事務局 電話（二六九）一六七五

参加者経費 一人二千円（食費、写真、一部運営費）

携行品 ねまき、運動靴、トレパン、筆記用具、洗面用具

参加者受付 十二月三日正午から午後二時まで、国立中央青年の家オリエンテーション室（昼食は各自にすませて入所すること）

推進会議の内容 ❶全協活動状況の説明❷4Hクラブの本質とリーダーについて❸4Hクラブの組織について❹プロジェクト研究会（プロジェクト発表とシンポジューム）❺派米・中（台）クラブ員（草の根大使）帰国報告❻日本4H会館建設について❼県連会長会議（全協運営について、4H会館の件）❽レクリエーション、キャンドルサービス❾青年の家に対する奉仕事業（記念植樹）❿運営委員会⓫イスラエルの産業共同体（キブツ）について

説明者と講師 ❶丸山全協会長（全協活動の説明）❷栃木県専門技術員、湯浅甲子氏（4Hクの本質とリーダーについて）❸日本4H協会副会長、宮城孝治氏（4Hクラブの組織について）❹日本キブツ会代表者、手塚信吉氏（イスラエルの産業共同体について）

日程

一日目 正午…受付け、午後二時…オリエンテーション、開会式、四時半…夕べのつどい、五時…夕食、入浴、七時…懇親会、八時四十分…自由時間、十時…消灯。

二日目 午前六時半…起床、朝のつどい、朝食、八時半…全協活動状況説明、九時半…分科会（全協活動）十二時…昼食。午後一時…4Hクラブの本質とリーダーについて（講演）三時…分科会（本質とリーダー）四時半…夕べのつどい、五時…夕食、入浴、七時…自由時間、十時…消灯。

三日目 六時半…起床、朝のつどい、朝食、八時半…全体討議（本質とリーダー）十時…レクリエーション（軽スポーツ）十二時…昼食。午後一時…プロジェクト発表（クラブ員四人）二時…シンポジューム（プロジェクトのあり方・助言者による）三時半…クラブ員の発言、四時…プロジェクトのまとめ、四時半…夕べのつどい、五時…夕食、入浴、七時…県連会長会議、八時四十分…自由時間、十時…消灯。

四日目 六時半…起床、朝のつどい、朝食、八時半…キブツについて（講演）九時半…4Hクラブの組織について（同）十時半…分科会（組織）十二時…昼食。午後一時…全体討議（組織）二時半…草の根大使（派米・中クラブ員）帰国報告会、四時半…夕べのつどい、五時…夕食、入浴、七時…キャンドルサービス、八時四十分…自由時間、十時…消灯。

五日目 午前六時半…起床、朝のつどい、朝食、八時半…4H会館建設のためのブロック別会議、十時…反省、閉会式、十二時…解散。

その他 ❶所内においての行動は、青年の家の生活規律に従うこと❷酒類は、各自の責任において所内に持ち込まぬこと❸研修中は生活班を定め、運営委員会を構成し自主的で規律ある行動をする❹推進会議の目的をよく理解し、各自の考えをあらかじめ整理して参加願いたい。

涼風暖風 鉄は熱くとも打て

[illegible]…に厳しい他律的指導を受けると、環境への適応力や自己規制力が高まるといわれている。

全学連諸君の最近の異常な行動は何に起因するのだろうか。理由の一つとして、彼らが中・高校時代どういう生活を経過したのか調べてみれば、決して現在の行動とは無縁ではあるまい。おそらく彼らは親や教師から人間としての教育を受けていまい。きわめて自己中心的な行動は、その間の事情を物語る一要因ではなかろうか。

ひるがえって、われらクラブ員諸君は、同じ年代に生きながら外観はまことに健全、頼もしい限りである。どうやら学生時代は充分に自由をおう歌したためなのだろう。

ところが、我が仮な青年の多いのはどうしたことだろう。例えば、研修会でのあのざわつき、開会式あいさつどきなどのゆるみっぱなしの態度、など、どうやら他人の立場を尊重するという社会生活の基礎を学んでいないらしい。自分たちの行動するのはいい。しかし、あわせて他人の立場を十分しんしゃくしなければ（忍耐と責任）自主性は生かされない。

全学連の如き過激な無秩序は困るが、ピリッとしたところのない甘えん坊も困る。

私たち普及事業で接する青年の年代は、一般の社会人としての完成寸前、人生では段階の鍛錬期である。

鉄材（青年）はいま灼熱のままである。おっかなびっくりでさわってはやけどをするだけだ。鉄は熱くとも打たねばならない。勇気と愛情のハンマー（指導）を思い切ってぶっつけることだ。青年はそのことをむしろ欲している一面もある。自主性という言葉で指導者の無能力さを合理化してはならない。

（大阪・川端）

来年一月初旬、青森で

4Hクラブ推進会議 東北ブロック会議

全国4Hクラブ連絡協議会の事業の大きな柱であるブロック4Hクラブ推進会議の一つ、東北ブロック4Hクラブ推進会議は、青森県連（会長、佐々木剛君）の共催、青森県、社団法人日本4H協会の後援によって来年の一月七、八の二日間、青森市雲谷（もや）の青森県青年の家で開催されることになった。

同会議の開催要領案は次のとおり。

一、参加者 東北ブロック（福島、宮城、山形、岩手、秋田、青森）の十九～二十三歳までの4Hクラブ員で、次期リーダーとしてふさわしい農村青少年。各県連とも男子四名（県連会長を含む）女子二名の計六名で県連会長の推せん制とする。

一、経費 宿泊と資料代の半額は推進本部で助成する。参加者負担として旅費のほか一人約七百円。

一、携行品 筆記用具、日用品など。

一、交通 青森駅下車、駅前から雲谷スキー場行きに乗車、所要時間四十分。

一、参加者の報告 来る十二月十日までに全協事務局（東京都新宿区市ケ谷船河原町十一、家の光会館内）に。

一、会議運営 全協役員と代表評議員が当る。

一、会議の主な内容 ❶推進会議の意義について（全協執行部の説明）❷4Hクラブ活動の情勢分析（同）❸4Hクラブの本質について（講演、4H協会・新田事務局長）❹同（分科会）❺同（全体討議）❻実践活動の推進（座談会）❼4Hクラブ活動のビジョン（全協会長）

一日目は、正午から受付け、午後一時から開会式に続いて同会議の意義についての説明、二時から4Hの本質についての講演、四時からフリータイム、五時から夕食と入浴、夜七時から分科会を開き、4Hの本質について話し合う。九時から東北ブロック連絡会議の打合せをする。

二日目は、午前七時に起床、朝のつどい、朝食のあと九時から全体討議を開いて前日の分科会討議の内容を中心に話し合う。十時過ぎから実践活動の推進をテーマに座談会を開き、昼食のあと午後一時から閉会式を行ない終了する。

松下4H協会長の記念講演（4）

十年先き想定して 適任経営に踏切る決意を

◎◎◎◎ 時代に応じた経営を

[illegible]

◎◎◎◎ 日本では五町前後

[illegible]

◎◎◎◎ 適任経営は実現可能

[illegible]…かりに一町歩もっておられるところの農家が五軒あい寄って共同の農場をおつくりになる。そして、最も農業に適した人が誰であるかということをお互いに研究してみる。

山本君であるならば山本君に五町歩の経営を担当してもらう。むろん、山本君一人では間にあわなければ、あるいは、上野君がそれを手伝う。そして二人で、五町歩の適任経営をやってもらう。五町…[illegible]…いか、そして三軒の方々は他に適職を求めるというようなことも考えられましょう。

◎◎◎◎ 踏み切る決意を

これは直ぐにやるということはできませんが、十年なら十年を期して、そういうような方向にもっていくということは農家の適任経営ということになりはしないかと思うのです。これは、単に、水田…[illegible]…適当な経営者というものが合致して、素晴らしい成果が上るものだと思うのです。それは、なかなか難しいことだと思います。難しいことだと思いますけれども、好むと好まないとにかかわらずそうなると思うのです。そうならざるを得ない情勢に世界が動いているのです。

その世界の動きなら動きに、われわれは反抗することは許されない、反抗できないということであります。そういうことを考えてみます…[illegible]

◎◎◎◎ 世界の動きに対処

[illegible]

（つづく）

三好地区連協が誕生

徳島県連

相互連絡と営農改善に努力

【徳島】農業後継者クラブ三好地区連絡協議会の結成大会が、さる十月十九日午前十時から三好郡池田町の県合同庁舎に郡内十三クラブの代表者が集まって開かれた。

この会は、郡内の単位クラブが互いに連絡をとり合って、営農改善などの研究に取り組むため結成したもの。

主な事業として❶地域の農業振興❷グループ活動の情報交換❸他地区でのグループづくりへの協力や呼びかけ❹各種事業や研修会の開催、研究発表などを決めた。

また、役員を次の通りきめた。

▽会長 近藤武十郎▽副会長 竹谷昌明、森清二、長尾満子▽書記 近藤正昭▽会計 松田守弘▽監事 大西秀樹、北原勇吉

なお、この日は結成大会のあと午後から三好中学校でクラブ対抗の球技大会を開きクラブ員相互の親ぼくを深めた。（徳島県連事務局長、近藤正昭君より）

心頭技健

秋の味覚が店頭を彩り、滋味豊かな山の幸、海の幸が食膳をにぎわしているが、これらの食物と日本人の知能の関係を探ってみると…[illegible]

神奈川県の農業を研修へ

富山県連で9日間

【富山】富山県4Hクラブ連絡協議会（会長、法島伸一君）では毎年、県外クラブへの研修視察を行ない成果をあげているが、今年は、来る十六日から二十六日までの九日間、神奈川県へ研修視察をする。

訪問先は、厚木市の青年クラブで、派遣するクラブ員は二十名。

十七日に富山を出発し、十八日に神奈川県の平塚駅に集合、平塚の農業普及所や農業試験場を見学したあと厚木市の合同庁舎で歓迎会に臨み、青年クラブ員宅に分宿する。十九日からそれぞれの家庭で研修、その間二十一日に厚木市の収穫感謝祭に参加する。二十五日は合同庁舎に集合し、畜産試験場と農業経営研修館を見学したあと小田原に行き、みかん狩りを楽しみ二十六日に帰る。

「青年の船」団員 相次いで帰国へ 草の根大使(派米4Hクラブ員)

国際農村青年交換(IFYE)計画に基づいて日本4H協会から米国に派遣されていた"草の根大使"(第十三次派米4Hクラブ員)三人は、[illegible]後になった。

人気あるドイツ式 "ニューヨークの休日"楽しむ

神奈川県　北村　篤

【第一便】コーン、ビートの収穫、毎日の乳牛の世話と多忙をきわめています。

この辺一帯はドイツからの移民が最も多く、驚くことに、道標や店の名前も英語とドイツ語で書かれており、教会でも英語とドイツ語の二ヵ国語が話されています。そして、スェーデン、スイス、オランダからの人々と多彩です。私の滞在する家庭で交わされるドイツ会話、結婚式もドイツ式にもっぱら人気があるとのことです。大体アメリカ型と同様ですが、レセプションには多量のビール、そして友人はもちろん誰れもが自由に参加し、夜の一時過ぎまでポルカを楽しくみんなで踊ります。友人も他人も同様にバンドに合わせて踊り花嫁を祝福し、そして生涯二人が離れることのないように、二人の頭をクリップで結ぶのです。本当に素晴らしい結婚式です。

話しを私の滞在する家庭にもどすと、四人の姉妹は4Hクラブ員で、ドレスやケーキを作ったり庭の手入れなどをしています。この家庭に滞在して感ずることは、生活と農業が結びついているということです。一般に、アメリカの家庭は、働くのは男性で、婦人たちは割合仕事には無関心ですが、ここではみんなが一生懸命働き、ともに楽しみます。

経営は非常に合理的で、アメリカ的というよりは、日本的なきめのこまかさで、すきまのないほど合理化されています。例えば、三十二頭のさく乳牛の管理は、一人で一日に三時間余り仕事をするだけです。いかに生産性が高いかわかります。

今日は日曜日、急激な寒さで、私も少し風邪気味。ミシガンインフルエンザにやられ、みんななんとなく元気がない様子。サイロも満され、明日からはビートの収穫です。そして月曜日には、学校に行き日本を紹介します。

ふとった山本君と国島さん

【第二便】私たち三人は、現在ニューヨークに来ています。いま本当に自由な時間で、二十四日にバッファローのバスステーションで山本君、国島さんに会い、ワシントンDCまで共に旅を続けました。

話しをもどすと、山本君はニューハンプシャーから、国島さんはウエストバージニア、私はデトロイトから、それぞれ一人旅を続けてきたのです。二人とも体重がふえた感じで、[illegible]

北村君

毎日38度以上の猛暑

福岡県　広重一信

"さくら会"で活躍する4H

自分たちは、課せられた使命達成のため最善を尽しております。

また、4H関係者は他の団員に負けないよういろいろの面に活躍しております。

今日まで四ヵ国で寄港地活動を行ないましたが、どの国の人々も日本に対する関心が非常に強く、私たち団員はこれではいけないと意を新たにしました。

中でも、インドでは多くの問題をかかえながら、同国の発展のため人が頑張っているのに驚きました。

船内生活では、少ない自由時間を、農業者や農業関係者を集め、農業の問題点や発展などについて話し合っています。その農業者のつどいを"さくら会"と呼び、4Hクラブ員たちが中心となっています。

この"さくら会"をつくるためには、管理部や団長、船長にも話しましたが、しかし、管理部からグループをつくることは反対であると言われましたが、さらによく話し合った結果、農業者だけではなく農業に関心のある方も集まって話し合うということで許可を受けました。

だが、その中でも全協推せん関係者は、ときどき集まっては農業の発展や4Hクラブ活動の問題点などについて良く話し合っています。これからも、少ない時間の中でも集まりの機会を多くもって、話し合っていきたいと思っています。

"さくら会"を開いても心強いのは吉田班長(本紙記者)の力です。本当によくめんどう見て下さいますので有難く思っています。

私は、この青年の船に乗船して本当に良かったと思います。

全国の青年たちと知り合い、青少年問題について語り、また4Hクラブの友だちと一緒に生活し話し合い、さらに寄港地の海外の青少年たちと話し合うなど多くの知識を吸収、体験し、そして日本の本当の姿、東南アジアの姿をこの目ではっきり見ました。

帰国して、私がこの目で見たことを一人でも多くの人たちに聞かせ、写真などを通じて見せ、日本の姿を知っていただきたいと今さら思う次第です。これは全協、4Hクラブのみなさんのお陰です。この貴重な体験をムダにしないよう今後も一生懸命頑張っていく覚悟です。

これからも残り少ない日々を他の団員の人たちに負けないよう頑張っていきます。いまも、船内での活動で多くの役を引き受けて夜遅くまで仕事をしています。

聞くところによりますと、日本は大変寒いとのこと、みなさんのご健康をお祈りしております。こちらは毎日三十八度(摂氏)以上の猛暑が続いています。

広重君

カマ取上げて稲刈り 結論ないインドの国興

三重県　林　治三

日本では十一月といえば、晩秋に入っていることと思います。青年の船が東南アジアの旅に出発して早や一ヵ月余が過ぎました。訪問国もフィリピン、タイ、シンガポールと寄港地活動を無事にすませ、現在、丁度訪問国七カ国の真ん中に当る第四の寄港地、インドの寄港地活動が終ったところです。私たちの訪問する国々の中で日本から一番離れた国です。

青年の船"さくら丸"が接岸した港にボンベイ。

インドの寄港地活動の第一日目は、市内見学、インド総領事館招宴がありましたが、市内を二日間バスで見学しただけで、インドの貧しさに今までの想像をはるかにこえた強い印象を受けました。

夜、領事館での招宴のあと政治、文化、農業などについてグループ別の話し合いが行なわれました。

その中で、インドは九割までが農業人口で占めており、今まで寄港した東南アジアの国々以上に遅れていることを聞きました。

第二日目は、これまで行なわれなかったグループ別による視察見学が行なわれました。農業コースは二つに分かれ、私は第二コースに参加、バス一台に三十二名が乗って港を出発しました。ボンベイ市内を出て目的地のコポリ目印、模範農場へ向った。市内をぬけると両側は緑草地帯が広がる。水田ははてどこにとよく見ると草々の間に稲らしきものが見え、いま、この地方の収穫期で老人、女性などの稲刈をしている姿が見える。

インドの農業の一番問題は、水不足であるということを昨夜のグループ討議を思い出しながら農村風景を眺めて約三時間、百キロ余を過ぎたところ目的地のコポリ模範農場に到着した。ここは、日本の経済援助(技術、機械)とインド側の土地によって、経営され、丁度日本の農業試験場といったところ。現在日本の技術者はいないが近いうちに、また入るとのことだった。

二十エーカーほどの土地に水田だけがあるだけで、ほかに機械小屋や技術者の宿舎がある。

久しぶりに農業機械を目にし、土の上に立った団員は、機械室に並ぶ日本製耕耘機、脱穀機に見入る。とうとう田の中に置いてある耕耘機を動かしたり、丁度稲刈りをしていた現地の人のカマを取り上げて稲刈りをした。稲は背丈がものすごく長いもの、また短かいものがあったり、いろいろと試験的に作られていた。

青年の船団員としてインドをふりかえったとき、想像なんて問題ではない。街を見ようが農村に行こうが、あの貧しい人たちの生活は頭の中から離れようとしない。

この国がどんな方法で、あの貧しさから抜け出せるか、また何年かかるか、団員同士が話し合っても結論は出なかった。

あと三カ国、残りの日数も少なくなりましたが、全国4H代表としての自覚をもって頑張ってまいります。(インド洋上より)

林(治)君

シンガポールでの雑感

埼玉県　木村登志男

シンガポールの土地に、一歩足を入れたとき、私たちは、喜びと感激に胸が鳴りました。

世界地図では、国の形さえわからないこの国だが、すばらしい国土と、文化社会をもった国でありました。私たち日本人は、本当に幸せだ日本をすごく珍敬している。

と思いました。

われら青年が、この目でしっかりみたとき、そこには、先達者の限りない努力と信頼が結晶していることを知りました。

われわれは、ここに強い使命を痛感した。

新しいアジアは、新しい日本を求めている。新しい日本人をもとめている。近代社会(国家)建設途上のシンガポール。国民は、日本の温い好意を待っている。

想像以上の現実に

全協監事　高田　勲

フィリピン、タイ(バンコック)、シンガポールを経てインドに参りました。今ここまできて感ずることは、東南アジア一連して大変貧富の差が大きいということです。

例えば、インドでは沢山の女中を使用している豪華な家があると思えばその反面、道路で寝起きをして野良犬と同様な生活をしている人が沢山います。

いま、この現実をみて想像以上の姿に驚くとともに、日本という国がすばらしく、そして、もっと前進すべき条件が備わっている感じがします。(北海道)

やはり"結婚"に興味 着物、ゲタに拍手かっさい

岐阜県　国島淑子

ついに、最後のホストファミリー(受入農家)となってしまいました。私のスケジュールをぎっしりとたてて待っていてくれました。エフィー(IFYE)として[illegible]

国島さん

素晴しかった六ヵ月 米国人が深い理解と親切心

鳥取県　山本哲嗣

[illegible]明二十四日、そこで北村さん、[illegible]

いまさらながら、なんと時間の[illegible]にとって本当に素晴らしかった六[illegible]理しますーということ[illegible]

山本君

青年会議

「農業者会議」で出発

農業者研究集会と合同へ

農林省、NHK、社団法人全国農村青少年教育振興会、同日本4H協会の共催で従年毎に開かれてきた全国農村教育青年会議は、今年度から全国農業者研究集会と合同、名称も新たに「全国青年農業者会議」として農林省、NHK、振興会の三者共催によって開催される計画である。研究集会の主催者であった日本農林漁業振興会と全国農業改良普及協会は後援になる予定。

この青年会議と農業者研究集会の合同は、年少、年長を問わず年令のひろがりをもって明日の農業と農村、グループ活動などについて お互いに話し合いをすることによってより大きな成果が期待できるとして以前から考えられていたもので、いよいよ今回から実施に踏み切る模様である。

このため参加者の年令は、青年会議に比べてかなり高くなる見込みである。青年会議の参加者は二十歳以下と二十一歳以上~二十五歳以下が半数ずつ、研究集会の方は三十歳前後の農業経営者夫婦であったが、青年農業者会議では、正式参加者として各都道府県とも❶農村青少年の発言に二十歳以下の青少年代表二名(男女各一名)❷農村教育青年会議に二十一歳~二十五歳以下の代表六名(男女各三名)❸農業者研究集会に三十五歳以下の農業経営者夫婦四~六人(二~三組)とする方針で、青年会議のうち二十歳以下の参加者が三名減少し、平均して年令はアップされている。

このような関係から青年会議の参加者数は前回より減るが、全体としては相当ふえるものとみられる。

一道府県当り正式参加者は十二名から十四名になるが、ほかに特別参加者としてクラブリーダー、篤志指導者、農村青少年担当普及員と生活改良普及員、都道府県青成担当者と専門技術員など各県とも五名前後加わるため二十名以上になることも予想される。しかし主催者側では一都道府県当り二十名を限度として参加者を押さえたい考え。

一方、内容の面では分科会と全体討議、青少年の発言、シンポジュームなど前回の青年会議と大差ないが、新たに農林大臣の講演、農業研究者集会のシンポジュームなどが加えられる予定である。

また会議は、正式参加者は、農村青少年の発言、農村教育青年会議、農業者研究集会の三部門、特別参加者は、農村青少年指導者会議、農業改良普及員会議、都道府県担当者会議の各部門に分け、部門ごとに行なわれる計画。

青年会議の討議議題は、前回まで四議題の中にさらに十二の小議題に分かれていたが、今回は議題をしぼり、「豊かな農村を築くためには、放送をどのようにしたらよいか」という共通議題のほかに選択議題として次の二議題を設けている。

▽第一議題=「わたくしたちはどうして部門経営にとりくんだ」▽第二議題=「わたくしたちは農村環境や農業生活をこう改善してゆきたい」

開催日は、来年三月二日から五日までの四日間で、場所は前二回と同じく東京都渋谷区代々木のオリンピック記念青少年総合センターと千代田区内幸町のNHKホールが予定されている。

独自に品評会開く

埼玉・堀兼4Hクラブ

女子も腕によりかけて

【埼玉】狭山市の堀兼4Hクラブは、来る二十日、堀兼中学校で農産物品評会を開く。

4Hクラブ主催の品評会や農業祭は珍しくないが、同地区では、この品評会は一昨年まで他の団体によって開催され、昨年は4Hクラブが共催して開いてきた。それがことしはいよいよ同クラブが主催して開くことになったもので、地道な努力によって着実に歩み続ける4Hクラブがクローズアップされるものと予想される。

出品物は、同地区が畑作地帯であるため多くの種類になるが、中でもごぼう、長短にんじん、甘藷といった特産物に優秀な出品があるものと期待されている。

また、会場に彩どりをそえるために、女子クラブ員は花や手芸品など を飾り、食堂では4Hクラブ活動での日ごろの料理講習会の成果を披露しようと、男子に劣らないほどのハッスルぶりである。

また、女子クラブ員の日ごろの努力から農産物の方でも、男子に劣らない優秀なものが出品されることも予想される。

(堀兼4Hクラブ、村田久子さんより)

わが価値ある体験
4Hクラブ発足20周年記念懸賞募集入選作

4Hクラブと農村青年活動
=4Hクラブ活動の農村社会への位置づけ=

和歌山県西牟婁郡上富町 田辺地区農業改良普及所　中村 武

真の人間形成を
青年期は試行錯誤の場

責任と自覚が成長の道

人は、それぞれに目標を定めているからこそ、社会の歯車の一つとして絶えまなく活動している。

こと農業に関しては、生産と生活とは関連が強い。したがって、その両面の場に変化に富んだ機知とアイディアを織り込むことにより潤いをもたせ、青年としての責任と自覚を掌握して日常活動に対処することが人間的成長への途であり、個々の青春期の謳歌と悩みが隣り合い、さらに将来への道程のその中で、互いに切磋琢磨しながら問題点を見い出し、解決する努力が必要である。

若人の連帯と限りない前進が、世にいう頼もしさ、期待される人間像であると思う。また、真剣に農業を担う青年が、農村社会構成の中核体であることに誇りと自覚をもつことにつとめたいものである。

学校生活の基礎学習が、実社会での応用の場である。青年はその抱負と共に未知の世界での行動にかける期待は大きい。その実現には、一種の不確実性が伴うが、実生活や実践活動の中から体験していく。そしてはじめは暗中模索である場合は、その価値判断が必ずしも正しく受け取られない場合もある。

この貴重な体験を正しく理解させる社会教育の必要度は大きいが、これは、学校教育との一連のものがあるべきで、断層があってはならない。

以上のことから、4Hクラブ活動の目標設定には

一、青少年の存在価値を認め、関心と興味を起させる
二、複数による研修と批判
三、体験から生れた価値の尊重
四、学術、技術を体系づける
五、個々の相談(マン・ツー・マン)

を掲げてみた。

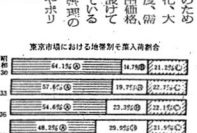

二年間にわたる4Hクラブ員とのつき合いを語る中村氏

4Hクと歩んだ二年間

普及事業の一つに、青少年育成がある。クラブ活動においても人間の日々の成長と同じく、その過程がさまざまな表現や体験によって形成されるのである。

私は"土に生き、農業を創りあげよう"とする意欲的な普及地区に赴任した。前任者から受け継いだM町4Hクラブの活動記録や台帳をもとに、育成指導の構想などを浮べた。

そんなある夜、クラブ員二名が自宅へ訪ねてきた。そんな彼らと私の呼吸が合った。初対面のあいさつから、よもやま話、仲間の状況などを旧知のごとく語らい、夜の更けるのも忘れるほど、定例会にはクラブ員と顔を合せる夜が続いた。

定例会、研修会を重ね、時にはクラブ員から教えられることもあった。また、公民館主事(篤志指導者)、農協、町役場との連携を深めながら、4Hクラブの指導に当たり、またたく間に二年の歳月は経過した。この4Hクラブ員と共に歩んだ二ヵ年は、私にとって印象深い期間でもあった。

ここに当4Hクラブ活動の紹介をしてみると、青年団と共催の農林産物品評会、先進地視察、農業生産研修、郡・県連協の技術交換会、青年教育会議、キャンプ大会参加など積極的に行ない交友を深め、さらに映画鑑賞、座禅、社会奉仕事業なども併せて行ない、健全な心身の鍛練を行なっている。

教育の狙いは考察力に

プロジェクト活動の指導にあたっては課題設定や課題解決手段を順序よく組み立て、四段展開法、五要素の基礎をよく理解させ、個人プロジェクト・共同プロジェクトの実践によってクラブ員間の相互作用を高め、自立経営農業者への準備段階を体得させる教育の場としている。

したがって、この段階としてプロジェクト活動による教育の価値は、クラブ員自身に教えることでなく、考える力を養なわせることを狙いとして、日常活動の体験の中から考察し、解決策をみいだすよう助言してきた。

プロジェクトを行なうことによって、底辺の広い考察力と関心をもたせ、興味を起させるに十分であった。

以上は、4Hクラブ活動の断片である。さらに地区内には各傘下の青年団体が存在するが、それらと4Hクラブの関係をのぞいてみよう。

視野の広い4H活動を

社会教育の一つとして、青年学級があり、青少年団体へも指導や働きかけがなされている。地区内の当4Hクラブ員も青年学級生であり、青年団のメンバーでもある。

当然、狭い地域内のこと、クラブ員は4Hクラブ活動のみの活動では成立しない場合がある。ということは農協青年部に参画し、事業の運営の責任を果している。

各種団体および組織に参画して教育なり、活動を続けることは、大いに見聞を広めるために必要である。したがってクラブ員自体に負担のかからない範囲において、できる限り参加するように奨めている。

青年学級で時事問題を研究し、青年団のコンパで討論を重ね、4Hクラブでは農業技術を研鑽するなど、数多くの人と接することで視野を広く深くした。

青年団活動と4Hクラブの行事がダブルようなときには、クラブ員の最大公約数の活動を優先させ、4Hクラブ活動も決してヒケをとっているのでないことを強調したい。

地域研究会も活動の場

各戸の経営主体が梅、柑きつなどの果樹地帯では、その九十%の農業者はもちろん、OBやクラブ員は果樹研究会に加入している。当然クラブ員も会員とともに営農技術を学び、相互の研究の場として重要な位置をしめている。

その例の一つとして、果樹研究会主催の梅剪定競技会でのこと。会員三名ずつのグループで各々が二樹を受けもち制限時間内で剪定競技を行なった。その審査の結果は、4Hグループが上位に入賞した。

このことは、彼らに自信と勇気を与えたこと以外に、研究会員は彼らの成長に目を細めて、4Hクラブ員の存在を認めている。

このように4Hクラブの域以外に活動の場を求め、他団体との協調性と和をもつことが必要であることを知らされた。

社会人として人間性を

私の担当地区M町4Hクラブ内の構成員は、専業農家の子弟によって組織されている。

後継者育成問題は、農業と否とにかかわらず中小企業までも関心をもたれることであるが、社会状勢が複雑化するにつれ深刻になり、前述のように果樹園を主体としている当地区内にとっても対岸の火事として見のがせない問題である。とくに、一紗以上を所有する農家にとっては、新しい技術と若手の労働力を必要としているし、クラブ員自身も、そのへんを十分理解して積極的に経営参加を志していることがうかがえる。

私の担当地区内にも農村青少年を育成指導するそれぞれの機関があるが、いずれの機関も次代の農村社会を担う青年の育成を目ざしているに何ら変りない。当然、農業改良普及所としても、そこに目標を置き、各機関、団体と常に接し、地域農村青少年に対して、真の人間形成の場を与え、その教育指導に全力を傾けている。

私自身、いろいろな試行錯誤を経て今日に至ったが、この青年期における4Hクラブ活動こそ、その人の将来を決するものとして貴重な体験の場であると思われる。

重量、マス目競う
福岡県稲築町4Hク　稲の坪刈り品評会

嘉穂郡稲築町の4Hクラブ(会長、中村政義君)主催の"坪刈品評会"が十月二十六日、クラブ員やOBら三十人が参加して行なわれた。

稲づくりを競うこの行事は、ことしで十三年目。いずれも収量増と、稲作技術の向上を目的にはじめられたもの。

この日は、まず午前中クラブ員たちが、三班に分かれ、町内のクラブ員所有の田んぼを回り、各田から三・三平方㍍の稲を刈り取った。午後から、その稲を脱穀機にかけ、重量とマス目の二点について審査した。

この作業は、中部農業改良普及所営農普及員の指導で進められた。

関係者の話しでは、ことしは、育苗期間から田植え期にかけて雨が降りつづいたため、全般的に予想を下回り出来は悪く、昨年の平ばつに比べ一割りの減収だという。

プロジェクトの取り組み方
展開編(11)

北海道専門技術員　三輪 勲

反省・評価の方法

こうしてプロジェクト実績の整理ができたら、まず、各事項を総合して当初の目標と対比させ、長所と短所を明らかにし、短所についてはその原因を考えさせる。

この場合、実践中の記録を活用して照合し、またその地域における過去の実績例との対比研究、青少年グループの相互反省などが効果的である。

なお、検討に当っては、次の点に注意するよう助言することがたいせつである。

a わずかな事実だけで結果を断定したり、すべての結論を無理に引き出さないこと

b 結論は、その証明のないものからは引き出さないこと

c 比較が不適当なものを対象にして考察しないこと

D 相関関係と因果関係とを混同しないこと

前述によって、プロジェクトの結果についての長所と短所を箇条書きにさせる。この記録は2—13表のように作成するとよい。これは、プロジェクト・レコードブックを利用するとよい。

この記録は2—13表のように、プロジェクトの実績について成功したことがらとその内容を箇条書きにする。プロジェクト到達目標に対してどの程度達成できたか、改良方式の項目ごとに記入する。表現はなるべく具体的なものとし、成功の要因も合せて記入するとよい。また、プロジェクトをとおして習得した知識や技術の内容についても記入する。

次は短所についての反省記録である。計画どおり実施できなかったり、失敗したり、思わぬ障害のため行きづまったことなど、その状況を具体的に記入する。プロジェクトの反省は、一般に生産物や製品などの結果に集中しやすいが、実践過程と結果とを関連させて反省することがたいせつである。

記入に当たっては、短所や欠点を箇条書きに明確に表現しておくとよい。また、短所や欠点の内容は、プロジェクト日記帳を照合し、実践中に生じた問題点と処理状況を参考にして記入することが重要である。

2-13表　プロジェクトの総合反省 (1) (記載例)

① 成功したことがらと、その内容
ア じゃがいも輪腐病・ヴイルス病の防除に重点をおいたが、だいたいよい成果を得た。従来の被害50%を10%までに減少できた。これは、優良種いもの選定・有機水銀剤による浸消毒・病害虫の早期防除を実施したためと思う。
イ じゃがいもの病害の兆候を、明確に見わけることができるようになった。
ウ 目標収量2,000kgに対して1,920kgまで到達できた。父の経営による収量1,680kgに比較して14.3%の増収である。これは、プロジェクトにおける改良方式が成功したためと思われる。

2-14表　プロジェクトの総合反省 (2) (記載例)

② 実践の途中で行きづまったり、失敗したり、計画どおりできなかったことがらと、その内容
ア 施肥設計が不十分であった。
施肥量の計算は正確であったが、土の状態の調査が不十分なため成果が上がらなかった。収量は増加したが、でんぷん含量は父の栽培したじゃがいもに比較してかなり低率であった。
イ 早期培土が計画どおり実施できなかった。
ほう芽後○日目に実施したが、このとき根をかなり切断してしまった。
ウ 除草作業が遅れ、ほう芽前に相当に雑草を伸ばしてしまった。

実践記録を活用し 長所と短所を明らかに

次は、プロジェクト実践結果の問題点の反省を行なう。

まず、2—14表の記録から短所つまり問題点を抜き出して「問題点」に記入する。「原因」には、この問題点を生じた理由を考察して記入する。「解決の試案」には、原因を基礎にして問題点の解決案を記入する。

これらの記入は、簡潔で内容を十分に表現するように注意するとよい。「原因」の記入に当たっては、独善的な判断を避け客観的な要因を記入させることが重要である。この場合、プロジェクトの観察記録を十分に照合させると効果的である。

最後にプロジェクトの反省の締めくくりとして、翌年のプロジェクト実施について一応の見通しを立てる。(2—16表参照)

「明年のプロジェクト課題案」は、前掲の反省記録における「解決の試案」と成功したことがらと、その内容」の記録に基づいて、プロジェクトとして実施しようとする課題案を記入する。

二つ以上の課題を取り上げる場合は、プロジェクトの種類名を併記して相互の関連を明らかにしておくとよい。

「およその内容」は、課題の規模や到達目標・重点実施事項や取り上げた理由などを簡潔に記入し、まとめておくとよい。

2-15表　プロジェクトの総合反省 (3) (記載例)

問題点	原因	解決の試案
ア 施肥設計が不十分である	土性・土質についての研究が不足のため、土に適合した施肥設計とはならなかった。	土地の調査の実施
イ じゃがいものでんぷん含量が低い	収量増加をはかるため肥料を増量したが、カリが多すぎた。	施肥設計の確立
ウ 培土のときに根切りが多い	作業適期を失し、培土が遅れた。	早期培土の完全実施
エ ほう芽前に雑草が伸びた	「めくちかけ」を行なう予定が、つい時期を失してしまった。	作業の適期実施

2-16表　プロジェクトの総合反省 (4) (記載例)

明年のプロジェクト課題案	およその内容
じゃがいもの栽培(生産プロジェクト)	本年に継続して実施する。本年よい成果のあった病害虫防除のほか、早期培土・施肥設計・適期作業の三つに重点をおき、目標収量10a当たり2,200kgとする。
土じょう調査(技能習得プロジェクト)	じゃがいも畑の土質・土性の調査を行ない研究する。
施肥設計(改良プロジェクト)	土の状態に対応した施肥設計を完成する。このプロジェクトの成果を生産プロジェクトに活用する。

全体の反省・評価

全体評価は、その実績をもとにしてプロジェクト過程全体を対象にして実施する。

つまり、実績評価が問題解決の結果そのものを反省するのに対し、全体評価はプロジェクトの過程について学習の観点から反省することに重点をおくものである。したがって、全体の反省・評価はプロジェクトの四段階の順によって行なうのが普通である。

評価項目

全体評価は、プロジェクトの選定(問題の発見、主題の選定)・計画・実施・結果・記録・発表の領域にわけ、次の項目について自己評価を行なう(2—17表参照)

2-17表　全体評価の項目例

領域	項目
プロジェクトの結果・反省	① 問題解決の手順や考え方を理解したか。 ② プロジェクトの成果は、生産や生活の改善に役だったか。 ③ 反省の話合を十分に行なったか。
プロジェクトの記録	① 記録は正確に行ったか。 ② きれいに見やすく記録したか。 ③ 野帳や補助簿を利用したか。 ④ 記録は継続して行なったか。
プロジェクトの発表	① プロジェクトの実績発表を行なったか。 ② プロジェクトの展示発表を行なったか。

NHK農業教室

みかん生産の方向

……した実験農場での成果をとおして、みかん生産の将来の姿を求める。

11月21日(木)　生産とマーケッティング

一、みかん流通機構の現状と問題点
二、みかんマーケッティングの必要性

三、マーケッティングの主体・目的・手段
四、みかんマーケッティングのポイント
五、みかんマーケッティングと生産
六、結び

11月22日(金)　貯蔵の技術と問題点

一、貯蔵に適したみかん、適しないみかん
二、貯蔵庫の温度、湿度及び換気、貯蔵中の腐敗、目減り、品質の変化
三、今後の問題点

11月23日(土)　現地訪問

愛媛県菊間町は松山市と今治市のほぼ中間にあり、平坦地の水田と周辺の傾斜地にひらけたみかん園が中心である。

果樹総合実験農場は、この町のみかん園およそ六十紗を対象に設けられているもので、今後のみかん専業農家のあり方を考えてつぎのことを目標に実験がすすめられている。

一、大規模なかん水、防除施設および作業機械を導入する。
二、みかんの集団生産体制、協業の方式を作る。
三、労力を大幅に節減した栽培技術体系を確立する。この目標にそって、集団でのテラス式農園道路理、機械化のための樹形改造など、新しいみかん生産の技術が確立されつつある。こう

野菜生産の安定

わが国の野菜の生産供給には、季節的に夏期七~九月(梅雨—高温乾燥—台風のため)と冬期一~四月(厳寒のため)の端境期が過去にあったが、輸送機関の発達で、夏期は寒冷地や高冷地が、冬期は暖地の産地が開発されて、いわゆる近郊産地と出荷時を分担していた。

しかし、戦後のやさい不足と一方ではビニール、新農薬、新品種の開発利用で近郊産地の出荷期幅がのびて、この分担が戦前ほど画然としなくなった。

さて、近年における人口の都市への集中、経済の高度成長とそれに伴う食生活の向上とは、野菜の需要を増大するとともに、市場への大口供給と周年安定した計画生産の必要とが決定的なものとしてきた。

このため、国は大口流通のための都市市場の整備拡充近代化、大口供給のための指定産地制度、需要と供給によって決まる自由価格に対する安定補償制度など設けてこの四~五年来対処してきている。

新鮮野菜の品質保持の流通管理のためのコールド・チェーンやポリ包装も大いに推進されてきた。

生産者はすでにこの事態をよく認識して、都市近郊と輸送産地がふたたび適地適作と出荷期の分担を明らかにして、責任のある生産確保と大口協同出荷に産地を集結しつつある。

ただ、この根底となる生産安定技術は今日のものであるが、明日の課題でもある。

つねに先進地に学び、自らの産地技術を根強い経験のうえに、新しい科学を積上げ確立していかねばならない。かくして、全国的に綿密な生産計画がみのり、ゆるぎない野菜産業が築かれる。

11月25日(月)　野菜の需給と価格

一、野菜の種類別需要度の四大別
二、四大別野菜の時期別供給と価格
三、計画生産
四、需要の開拓、拡大
五、生産安定の技術

野菜の需要度からみた四大別

四大別	1人1日当たり最大需要量	種類
A生食果菜	100g	きゅうり，トマト，ピーマン
B生食葉菜	100g	かんらん，レタス，セルリー
Cでんぷん菜	150g	いも，にんじん，ごぼう，れんこん，まめ アスパラガス
D漬煮菜	150g	白菜，つけな，大根，かぶ，ほうれん草，たまねぎ，なす，花野菜，ブロッコリー

11月26日(火)　近郊地帯の野菜生産

近年、都市の膨張、道路網の整備などで都市近効の野菜産地は大きな変革を受けている。

東京の世田ヶ谷、練馬、松戸、江戸川一帯の野菜産地がそうで、山手は住宅地に、港湾・河川流域は工場用地に変わっている。

輸送地帯の野菜生産

一、大消費地の野菜供給は、近郊園芸地域と輸送園芸地域からの生産でまかなわれている。輸送園芸すなわち、荷はかなり遠距離のトラック、鉄道、船などの輸送による生産を称している。

二、輸送地帯の野菜の種類はたまねぎ、じゃがいもなどの輸送に耐えうるものが主体であるが、輸送法の改善により、季節によっては……

東京市場における地帯別そ菜入荷割合

昭和	(A)	(B)	(C)
30	64.1%	14.7%	21.2%
33	57.6%	19.7%	22.7%
36	54.6%	23.3%	22.1%
39	48.2%	29.9%	21.9%

(A) 近郊そ菜地帯(埼玉, 千葉, 東京, 神奈川)
(B) 中距離そ菜地帯(茨城, 栃木, 群馬, 長野, 静岡)
(C) その他遠距離地帯

11月29日(金)　野菜の価格安定

一、価格を不安定にする諸事情
農業生産側に起因するもの。流通過程に起因するもの。需要側に起因するもの
二、価格安定のための諸条件と可能性
産地形成と生産調整、流通組織の整備など
三、商品生産の確立と価格維持

コールド・チェーンと野菜

一、コールド・チェーン構想とその期待
二、野菜の品質劣化と温度
三、野菜の冷蔵と冷凍

11月30日(土)　現地訪問

兵庫県日高町の神鍋高原はスキー場を中心に広がる畑地帯。段近運商冷地の果菜産地として大幅に伸び、大阪神戸の市場の注目をあびている。現在、夏出しカンランニ十六紗、抑制すいか二十六紗、この新興産地が、さらに農協合併後、農協の積極的な指導により五十紗の指定産地をめざしている。

共販体制もととのい、農協の手も借りずに出荷組合の団結で育ててきた。

また、すいかなど産地を長く続けるため一戸で栽培限度を定め、二十紗、三年更新などの申し合わせ栽培指導から検査制度まで徹底し、品質をもっとも重視しているので市場の人気も高い。

普及事業20周年の記念式典
22日・九段会館

わが国に農業改良普及事業が発足してから今年で二十周年を迎えたのを記念する式典が、十一月二十二日東京都千代田区の九段会館で協同農業普及事業二十周年記念会(野原正勝会長)の主催によって挙行される。

同日は、午前中に……二十周年を記念して全国から募集した「記録」として体験論文の入選者三……あり、午後から農林大臣、……術会議会長・小倉……演のあと式典に移り……行なわれる。

なお、記念論文の……とおり。

▽坂本純一氏(……活動専門技術員)「……道」

▽坂本義博氏(……)師、よき友に援け……

幸子氏(熊本県生……員)「考える人々……

NHK農事番組 (11月21日~30日)

テレビ

ラジオ

早起き鳥　5・05~6・00
21日　産地訪問(香川県観音寺……)
22日　現地報告……かんの摘果運動……町)
23日　村のポスト……
24日　話題の窓
25日　現地報告……共同酪農(北海……)
26日　人と話題……中農協)
27日　通信員の……入選者にきく
28日　産地訪問……城県波崎町)
29日　現地報告……婦たち(愛媛……)
30日　村のポスト……

ラジオ農業学校
月~土　6・40~7・00
日　6・30~……
再月~土　19・00~19・15
24日　農業講演……
ひるのいこい……
21日　漁村の女……
25日　みかん列……
28日　佐渡の寒つ……

あすの村づくり
日　7・00~……
再土　1・00~……
24日　私のめざす……
農業青年大会……

農業教室　7・00~……
30日　農業新時代……つくる(新潟……)

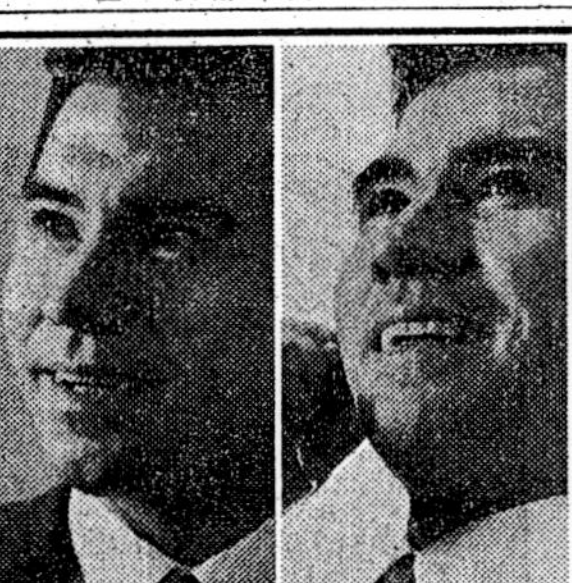

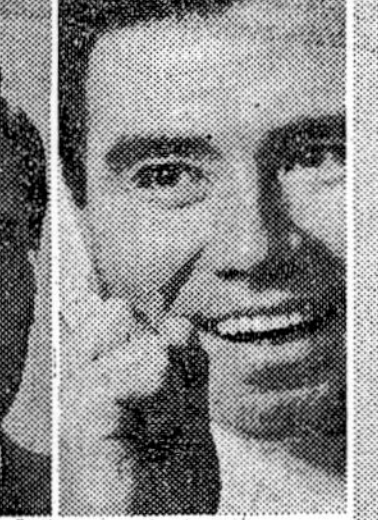

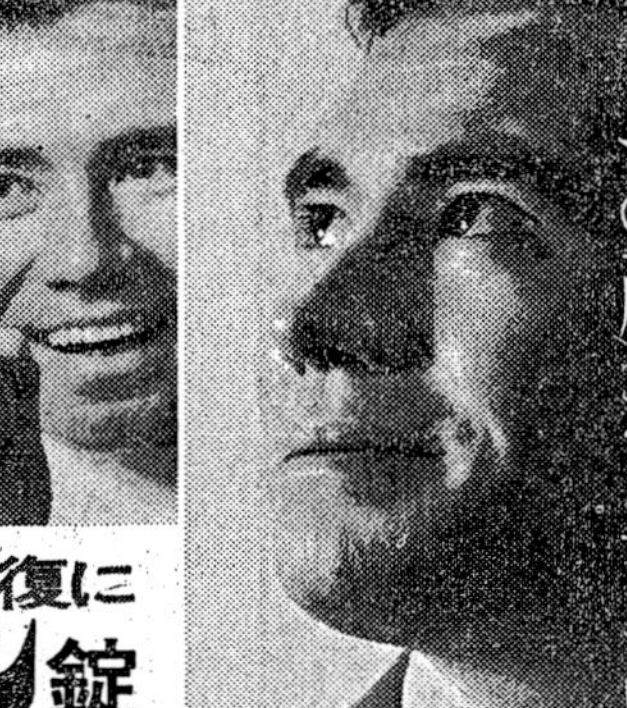

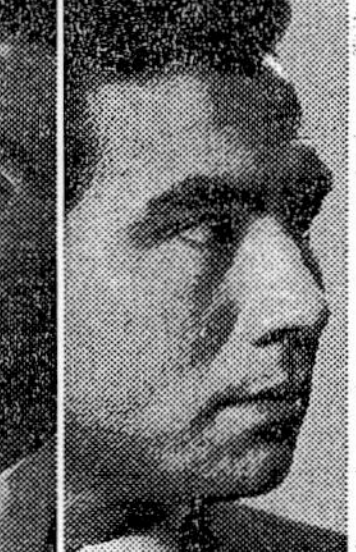
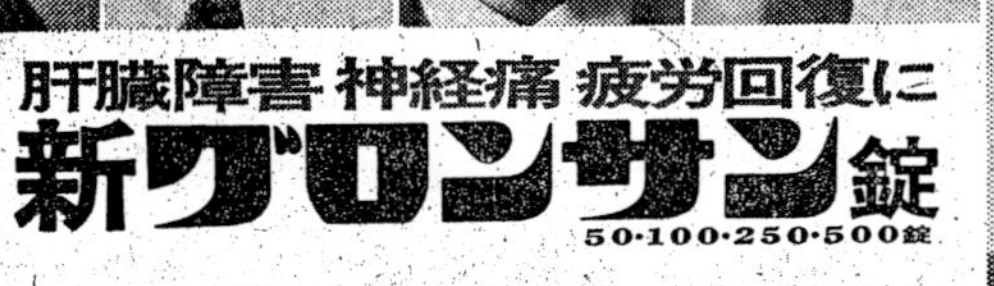

わがクラブわが同志

―投稿案内―

本紙は、みなさん方の新聞として、全国のクラブ員に利用して戴きたいと考えています。それでクラブの催しや個人のプロジェクト、詩、短歌、随筆、写真、悩みや意見、村の話題、伝説、行事その他なんでも原稿にして送って下さい。

お願い　❶長さや形式は自由です　❷できれば簡単な説明をつけた写真をそえて下さい　❸送り先　郵便番号162　東京都新宿区市ケ谷船河原町十一　日本４Ｈ協会編集部

友情の稲刈り奉仕

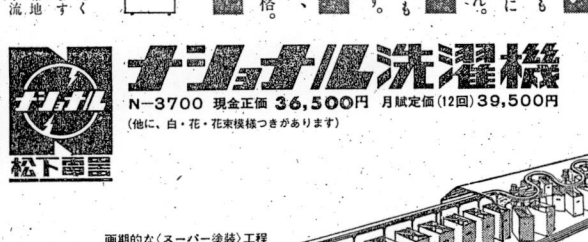

工場の娘さんら　毎週、日曜に鎌をもって

岐阜県大垣市　大垣４Ｈクラブ会長　森谷　勲

交歓会で知り合った紡績工場の女子従業員との友情がみのり、農繁期の手伝いをかって出て、さる十月十三日から十一月十七日までの毎週日曜日に奉仕を続けたい、との申し入れがあり、４Ｈクラブでは、この友情から生れた奉仕を喜こんで受け入れた。

奉仕をかって出たのは、大垣市装和町・大垣紡績第一工場の女子従業員たちで、昨年らい４Ｈクラブ員と交歓会を開催し、お互いの悩みについて話し合ったり、レクリエーションなどを通じて知り合ったのがきっかけで、その後交流が深まり、今年は大垣紡績生産グループ（通称ＯＢＫクラブ会長、小瀬木公子さん）から、大垣４Ｈクラブを訪ずれようと同社の自治会を通じて申し入れがあった。

そして、毎日曜日には十名ぐらいずつが二～四グループに別れて稲刈など猫の手も借りたいほどのクラブ員宅の稲刈り作業を手伝うことになった。

この作業を買って出た娘さんの殆んどが、九州などの遠隔地より集団就職した人たちで、この内五十％ぐらいは農家の出身で「久しぶりに自然の中で働けるのは気持がよい」となれた手つきで鎌を手に働いていただいた。

大垣４Ｈクラブでは、これを機会に、娘さんたちがとかく農村にソッポを向いていた昔と変り、機械化された新しい農業経営を知ってもらい、また、家族の人たちとも親しんでもらうことによって、農村や農業に対して理解を深めてくれることを望んでいる。

また、娘さんたちも遠い故郷をはなれて淋しい思いもありいろいろと悩みも多い年頃であるが、４Ｈクラブ員との友情がみのって結婚問題にまで発展することもあるだろうし、さらに紡績工場の求人開拓の面からも非常に有意義なことであると、工場側をはじめ周囲の人たちから、注目されているので、是非ともこの交流を最後まで成功させたいとクラブ員一同張りきっている。

久しぶりに野良で働く喜びをかみしめて稲刈りに精を出す娘さん（大垣４Ｈクラブ・松岡一行君宅）

人間形成にプラス　組織活動で仲間づくりを

山梨県北巨摩郡双葉町　滝沢・二葉４Ｈクラブ　柳本正徳

私たちが日常、生活していく過程において、友だちや仲間ほど信頼でき、親友ほど稀少価値のあるものはないと私は確信しています。

とかく、時代の流れがそうさせたのか農村の青年は、孤独になりがちです。そうした中で、各地域では青年たちが組織する青年団、４Ｈクラブ、友の会、その他各サークルや団体があり、各自団体の一員として加入し、友交関係を広めています。そうした組織の中でお互いに喜怒哀楽を共にし、分ち合うことによって人間は自然の中で磨かれ、人間形成のうえで大いにプラスになると思います。また、合わせて組織活動によって各自の能力が向上し、それを結集して一つの力となったとき、無限の力が広がり、何物にもかえがたい若者らしい姿があると思います。

このように仲間づくりは、青年が自然に求める心理である限り、各組織、集団活動の中で学び共に行動することによって求めるのが自然であり、かつ貴重な姿であります。また、その体験の一つひとつが勉強ではないでしょうか。

また、自分をとりまく仲間がただ単に多いということも必要なことだと思いますが、しかし、組織活動を行なう以上、そこには団結力がなくてはなりません。このことは"量よりも質"とでもいえましょうか。

この文章を読まれるみなさんはもちろん４Ｈクラブに籍をおいていると思いますが、仲間づくりについて、どのように考えているのでしょうか。

いつの時代でも同じだと思いますが、とくに、これからの日本農業を背負って立つ青年にとって必要なものは、広い視野と行動力だと思います。やはりこの力は組織活動の中から求められるものだと思います。したがって、組織で行なう各種行事には積極的に参加し視野を広めると共に、より多くの仲間に接し、その活動を通して互いに磨き合い、クラブ員相互の資質の向上を図るようにしたいものです。

これらの体験が励みとなり、支えになって、各自の職業（農業経営）が発展すると思います。何年か過ぎて組織活動を共に行なった仲間との再会、想い出話しに花を咲かせる時の喜び―、これは察する以上のものがあると思います。

二十周年を記念し　近く機関誌発行

山梨県韮崎４Ｈク連

韮崎地区４Ｈクラブ連絡協議会（会長、大柴正直君）では、十二月中旬に機関誌第一号を発刊する。

同連絡協議会は、４Ｈクラブ創立二十周年記念をかね、クラブの意見交換の場として発刊するもの。すでに、さる九月に編集委員会を組織し、土に生きるクラブ員百五十人から寄せられた原稿のほか、各単位クラブの活動内容などの原稿整理を終わり、印刷にまわしている。

このほか創刊号には市町村長、教育委員長、普及所長、４ＨクラブＯＢの激励のことばなども掲載されており発刊が待たれている。

龍馬の友愛

いちょう並木の街路樹も黄葉し、ばらばらと枯葉となって落ちてゆくさまが、東京でも多く見られる今日この頃となった。

落葉焚く淡きむらさきのけむりが、そぞろ秋深しの感をただよわせる。晩秋のあわれの慾いをかきたてる日々でもある。

柿の木に柿の実一つ、朱紅に色染めて、夕陽に映えている風情は、故郷の思い出につながる。郷愁をさそう秋深しの感慨は、今宵もわたくしを故里へといざなうのである。

この号が出るのは十一月十四日である。その翌日、すなわち十一月十五日は坂本龍馬の命日にあたる。丁度百年忌にあたるのかも知れない。「竜馬はゆく」のテレビ映像（最近は映画とはいわないで映像という言葉をつかう）で、龍馬の活躍はご存じのことだが、五尺八寸（一七六㌢）の大兵で、でっぷり肥って筋骨たくましく、ひたいは広く顔色は鉄の如く、始終衣服のえりをだらりとあけて胸をむきだしており、どんな暑い日でも肌脱ぎしたことはなかったという。

顔に黒子（ほくろ）が多く、眼光けいけいとして一見こわい顔つきだった。平生は無口だが、一度国事を談ずるとどうとうたる雄弁をふるった。また小事にあくせくせず、みなりをかざらず、人々の交際はまことに温厚で、一点のいや味がなく、女も子供もよく親しんだ。相手の話をだまってきき、うんともすんとも言わず、さんざん人にしゃべらしておいてきておれの考えはと説き出し、時々面白おかしい話を交えてカラカラと笑う。まことに愛嬌があったという。

一口にいえば、彼は海洋たる自然児であり、曠野の猛獣であった。彼は単なる志士論客でなく、海外開拓をめざす遠大な志の持主で、一面は策略家、一面は戦士（千葉道場に剣を学ぶ）一面は海運業者であり、貿易商という多角的な人物で、人間のスケールが違っていたようだ。

龍馬の成しとげた大きな仕事の一つは、薩長同盟である。明治維新は、薩長土肥でなしとげられたとよくいわれるが、特に薩長の功が大きいのは衆知の事実であり、その薩長を結びつけたのが龍馬であり、中岡慎太郎であったのである。その慎太郎も龍馬と共に難をうけこの世を去るのである。

時、慶応三年十一月十五日夜龍馬のかくれ家、京都四条河原町の近江屋という醤油屋の二階に慎太郎が訪ねてきた。久しぶりに一献盃を傾けようということになった。そこに大和十津川の浪士山田五郎右衛門と名乗る男が才谷先生にお会いしたいとやってきた。才谷梅太郎は龍馬の変名であった。刀を抜くひまもなく白刃はかわす間もあらばこそ、慎太郎の肩先深くと龍馬の頭をしたたか切られた。

不覚とはいえ、一瞬のできごとであった。兇徒は見回組の佐々木唯三郎、今井信郎の七人の刺客であった。鮮血は室内を血の海にし惨たる有様であった。その時、龍馬は「君はどうか、俺は頭をやられた」といった。瀕死の中でのこの一言は沈着にして、悲痛、そして友愛の深さを如実に語っている。龍馬ならでは語れない言葉である。

龍馬はこの言葉を最後にあたら三十才の反骨風雲児の生涯を閉じた。まさに維新の成らんとする一ヶ月前であったことも劇的であった。中岡慎太郎は二日生きのびたが、これも龍馬の後を追った。三十才、海南の竜虎は、維新の曙光の全貌をみることなく嗚呼、その雄姿を地上から永遠に消したのである。

もし、両雄が生きていたら、明治はもっと素晴らしい発展をしたであろうという惜情の余韻が心の底に残るのは私だけだろうか。（龍）

映画　幸せの日求めて　夜空に星のあるように

（ヘラルド映画）

産れたばかりの赤ン坊を抱いてジョイ（キャロル・ホワイト）はアパートに帰ってきた。夫のトムは、彼女を迎えてはくれなかった。トム（ジョン・ビンドン）は、いつもブラブラ日を送っていた。ジョイは、そんなトムと十八歳のとき結婚した。

身勝手で横暴なトムとの生活を時々後悔することもあったが、親子三人が食べてゆける間は、さして深刻にならず、ジョニイと名づけた赤ン坊をつれて、公園に散歩に出かけたりもした。

だが、数人の仲間を集めてトムが計画した金庫強奪は失敗に終り彼らのほとんどが捕えられた。

ジョイは、ジョニイを連れてエム叔母（クイニー・ワッツ）の汚いアパートにころがり込んだ。ある日、トムの仲間のデイブ（テレンス・スタンプ）という若い男がジョイを訪ねてきた。ジョイは、デイブに好感を持った。彼はトムと違ってジョニイと遊んでくれるような優しさがあった。

ジョイはデイブと一緒に暮らすようになった。彼女は、これまでの生活のうちで、最も幸せな日々になった。とりわけ、三人でウェルズの美しい田園にキャンプに出かけたときなどは、ジョイは生涯のうちで最高の幸福を感じた。ゴミゴミした風景しか見たことのないジョイの目に、名も知らない滝はうっとりとするほど素晴らしいものに見え、その滝にうたれながら彼女は幸せを感じるのだった。だが、その生活も長くは続かなかった。

実際、ジョイはトムとの離婚を決心して、そのことで弁護士に相談に行ったりした。デイブの出所を待って結婚し、立派な妻になり立派な母になろう。ジョイは、いつもそう決心した。でも、ジョイは一人ではどうしても生きてゆけない女だった。

クリスマスが近づいたある日、不意にトムが現われた。トムとジョイは、また以前の生活にもどって、日々を送るようになった。

ジョイは、「私の生きがいはジョニイ。心のなかで愛しているのは、デイブだけ」と口に出してつぶやいてみることもあった。しかし、ジョイはトムとの生活を続けた。ジョイは、驚くほど清らかに、環境に適応してしまう特性を生れつき持ち合わせた女だった。

ジョイは、キャンプに出かけたとき、生涯のうちで最高の幸せを感じた

青少年団体の紹介 (6)

ガールスカウト日本連盟

三つの掟と十の信条

大自然こそ精神修養の場

「これまでに見たこともないような、規律正しい、しかし、温たかい友情につつまれた、すばらしい会議」と、国際会議をいくつも経験してきた部外者から評されたのが、昨年秋、東京で開催された、ガール・ガイド、ガール・スカウト世界連盟「第十九回世界会議」であった。

日本では、ボーイ・スカウトとならんで、ガール・スカウトという名で親しまれているこの運動にたずさわる成人指導者たちが、三年に一度会して、その世界組織である世界連盟の方針について討議し、将来の計画を決定する会議である。

どの団体でも、定期的に行なう一種の総会にすぎないこの会議が五十八カ国から二百五十名という、人種、国籍、宗教の異なる人の集まりでありながら、何故、このように、スムーズ、和気あいあいと行なわれたのか「知るは理解を、理解は愛を」という、この会議のために掲げられたテーマもさることながら、この運動をかたく結ぶ「目的の統一」ということが、その秘密であろう。

ガール・スカウト運動の特徴

ガール・ガイド、ガール・スカウト運動の創始者は、ボーイ・スカウト運動をはじめられたイギリスのベーデン・ポウエル卿である。

創始以来、年を経ずして、英国以外の数多くの国に、この運動が拡がったのは、ベーデン・ポウエル卿によって作られた教育方針がすぐれていたことによる。

現に、世界で八十一カ国が、ガール・ガイド、ガール・スカウト世界連盟に加盟し、それぞれの国が、自国の必要にも適したプログラムを作って、この運動をすすめているが、どの国のプログラムにも、原則として守られなければならない五つの方針がある。それは

一、やくそくとおきて
二、パトロール制（組制）
三、国際友好
四、戸外生活
五、進級制度―である

やくそく
私は名誉にかけて
神と国とに対するつとめを行ない
いつも他の人を助け
ガール・スカウトのおきてを守るようにいたします

およびおきてに盛られた「信頼」「忠実」「奉仕」「友情」「礼儀」「博愛」「規律」「快活」「倹約」「純潔」の十の信条は、この運動にたずさわる世界中の会員が、実践の目標としてかかげている指針である。

また、どの国のガール・ガイド、ガール・スカウトも、やくそくの三つのポイント、つまり「神と国とに対するつとめを行なうこと」と、「他人を助けること」それに「おきてを守ること」をあらわす三つ葉のデザインを基調にした会員章をつけている。

パトロール制とは、少女たちを六～八名の小グループに分け、それぞれの組で、組長をつくり、団のリーダーの指導は、すべてこの組長を通して、組員に至るよう、組員の意見や希望も組長がまとめてリーダーに通ずるという、いわゆる代議員制のような運営方法のことで、ベーデン・ポウエル卿によって考えられたすばらしい教育方法である。

パトロール・システムには、世界中のガール・ガイド、ガール・スカウトが、少女の段階はもちろん、指導者のみの会合にも広く用いている。

プログラムの内容には、知識、健康はもちろん、技能を覚えると、他人のために奉仕することを目的として、しかも、少女たちが、ハリをもって学ぶことができるように、一定の段階ごとに進級する方式をとっている。

国際友交のためには、毎年、ベーデン・ポウエル卿夫妻の誕生日二月二十二日を国際友交日として世界中のガール・ガイド、ガール・スカウトは、他の国のガイド、スカウトのことを考え、手紙を交換し、あるいは、国際友愛基金の献金を通して、めぐまれない外国の少女たちを助け、この運動の経験の浅い国への指導者派遣を助けたりしている。

ガール・スカウトといえば、すぐ、キャンプを考える人が多い。

これは、この運動の中で、戸外活動が重視されていることによる。これもまた、幼ない時から、自然に親しんで生活してきた、ベーデン・ポウエル卿の、大自然こそすぐれた精神教育と忍耐深い観察眼を訓練する場、創意工夫、勇気、忍耐などを培かう最上の場であるという考え方からきている。

日本におけるガール・スカウト運動

この運動が、はじめて日本に紹介されたのは、大正九年のことである。女子補導団という名で、あちこちに団が結成されていたが、戦争中、解団。

現在のガール・スカウトは、戦後、かっての女子補導団のメンバーが占領軍の協力を得て復活したものである。現在、会員数は、約二万名、十六の都道府県に支部が結成されている。

日本におけるガール・スカウトの組織

少女たちの年令によって、次の部門に分かれている。

ブラウニー・七～九歳
ガール・スカウト・十～十五歳、上級スカウト・十五～十八歳、レンジャー・十八～二十二歳

一団の人数は、三十二名程度を限度とし、各団にリーダーが一名と副リーダーが二名つくことになっており、各団には、リーダーを助けるための団委員会がある。

別に、団のため、主として物的援助をする「育成会」、または援助会をおくこともできる。

〈東京都渋谷区代々木山谷町三四六　オリンピック記念青少年総合センター内　TEL（四六〇）〇七〇一〉

信条の一つに「礼儀」があるがガールスカウトたちは茶道も心得なければならない

日本4H新聞
4Hクラブ 農事研究会 生活改善クラブ
全国弘報紙
発行所 社団法人 日本4H協会
電話(269)1675 郵便番号162
編集発行人 玉井光
月3回・4の日発行
定価1部10円 6ヵ月180円(送料共) 一ヵ年360円
振替口座東京12055番

クラブの綱領

私達は農業を愛し自ら楽しく働くとともに互いに力を合わせてよりよい日本を創るため四つの信条をかかげます。一、私達は農業の改善に役立つ腕をみがきます。一、私達は科学的に物を考える心を培かいます。一、私達は楽しく働き元気で働くために体の健康を増進します。

4H会館建設委の書類総会開く

事務局の強化図る
募金活動の展開に備え

全国クラブ員の殿堂―4H会館の建設を進めている日本4H会館建設委員会（委員長、岩崎茂全協初代会長）と全国4Hクラブ連絡協議会（会長、丸山勉君）は、会館建設の進展に伴い事務局体制の強化を図る必要性に迫られてきたため、規約改正などをめぐって書類総会を開く計画を進めてきたが、このほど建設委員会の全委員に関係書類を配布して、賛否の回答を求めることになった。

岩崎委員長

書類総会の議案は、規約の一部改正と事務局長の選任についての二件で、委員は賛成、反対のいずれかを同封のハガキに記入して来る三十日まで委員会事務局あてに返送することになっている。

規約の一部改正は、募金活動の本格化に伴い事務量が増大してきているため現在四名である建設委員会の事務局次長を若干ふやし、事務局体制の強化を図ろうというもの。

現行規約によると委員会の役員は、委員長一名、副委員長四名（全協会長と副会長）、事務局長一名、事務局次長四名（うち全協事務局長と同次長を含む）となっているが、この改正によって事務局次長が若干名となるわけである。

また、事務局長の選任については、事務局長の折原一好君（栃木県）が辞任したためその承認を求めるとともに、その後任を次回の常任委員会で互選するというもの。

この事務局長については、折原君の辞任に伴い、その後任に、さる六月愛知県で開かれた全協の代表評議員会と代表評議員会の合同会議で元全協事務局次長の遠藤清之丞君（神奈川県）が選ばれたが次回の常任委員会で互選されることは間違いないものとみられる。

書類総会の回答ハガキが三十日までに到着しない場合は、賛成であるとみなしてこれらの議案を決定することになっているが、これによって事務が円滑に、しかも意欲的に進行されるものと期待される。

なお、来る十二月三日から静岡県御殿場市の国立中央青年の家で開く全国4Hクラブ中央推進会議において、クラブ員からかねて強い要望のあった土地問題、設計図など会館建設に関する重要問題について発表されるものと予想される。

また一方、各県連で着々と募金活動が続けられ、募金額も相当ふえているものと予想されるが、会館建設委員会では、この会館建設に対してクラブ員自身が深い関心と意欲を示そうと、別記のように全国のクラブ員に強く呼びかけている。

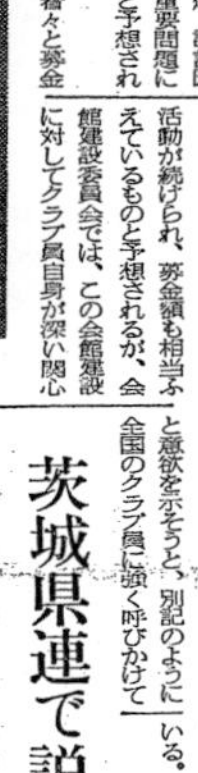

4H会館建設への道は長い　だが始めようではないか

今日、私たちクラブ員は、将来に関心の眼を向けなくてはならない。それは、日本の社会が大きく変貌しつつあるからである。古い時代は終りつつあり、もはや古い方法は通用しない。

4H会館の問題を今後順調に展開させていくためには、クラブ員自身が深い関心と意欲を示さなければならないことは、申し上げるまでもありません。

誰れかがあせよ、こうせよと言うから仕方なくついていくということでは会館建設は進まない。クラブ員自ら立ちあがる態度、クラブ員自ら深い関心と意欲を示す態度、この態度が過去にあったであろうか。

クラブ員みんなでもう一度考え、早急にこの体制を作り出さなければならない。そこで、この4H会館をクラブ員自らの手でうちたてようとする意気を、私たちクラブ員は現代の農村青年らしく、態度で示そうではないか。

建設委員会といたしましても、今後本格化する募金活動にそなえ、書類総会（十一月三十日）を開催するなどしてクラブ員の皆様方が円滑に募金活動ができるように努力いたしております。また、十二月の中央推進会議には、皆様方から、かねがね要望のあった土地問題、設計図などの重要問題について発表できる予定です。

事務局

4H会館建設委員会

民間外交官の大役を果して元気に帰国した"草の根大使"左から北村君、国島さん、山本君（後向きは新田4H協会事務局長）＝羽田空港到着ロビーで

国島さんら（派米4Hクラブ員）帰国
"草の根大使"の大役果して

国際農村青年交換（IFYE）計画に基づいて、社団法人日本4H協会が米国に派遣していた日本代表の4Hクラブ員"草の根大使"＝北村篤君（[illegible]）神奈川県・大正4Hクラブ、山本哲嗣君（[illegible]）鳥取県・赤碕4Hグリーンクラブ、国島淑子さん（[illegible]）岐阜県・岐阜市4Hクラブ＝の三人は、六ヵ月余にわたる米国での実習と民間外交官としての生活を終えて、さる十七日午後八時二十五分、羽田着のフランス航空機で無事帰国した。

泥棒にも会う貴重?な体験

三人の帰国は、はじめ十五日が予定されていたが、急に二十一日に、そして三たび日曜日の十七日に変更されたもの。それにもかかわらず空港には家族や親せき、4Hクラブ員、県、普及所の担当者、知人、友人、協会職員など大勢の関係者が出迎えた。

空港ロビーに姿をみせた三人はともに元気、久しぶりに肉親と手を取り合って再会を喜んだ。米国の家庭で作ってもらったというミニスカート姿の国島さん。ゼスチャーもたっぷりの男性。みんな出発前に比べて一まわりも二まわりも大きく成長した感じである。

神奈川県連の小沢嘉平会長の司会で、三人を代表して北村君が帰国のあいさつ、また新田4H協会事務局長のあいさつのあと北村君は自宅に、山本君と国島さんは東京・新宿区の4H協会事務所そばの宿に向った。

翌日、協会事務所を訪ずれたあと関係機関、団体を訪問し、帰国のあいさつをして回った。

なお、三人は、アメリカでの生活六ヵ月余にわたる期間中、泥棒に入られて追いかけたり、キャンプでお金をすったり、また、踊りの途中ころんで笑われたり、フィリピンではカキを食べて中毒して苦しむなど、いろいろ貴重（?）な体験を短期間に味わったようである。国島さんだけの話しによると、特に感じたことは、日本とアメリカの4Hクラブの違い（アメリカは九歳からスタートし、みんながプロジェクトをもっていて人間をつくることに力が注がれている。また都市部でも4H活動が行なわれている）アメリカでは都市と農村の家庭の生活水準が平均し、単に場所が移ったという感じが強いこと、農村婦人が教会や各家庭で会合を開いて新しい服やケーキの作り方を学ぶなど、家にひっ込んでいないで、常によく勉強していること―など女性らしい観点から批評していた。

懐しい思い出に
山本哲嗣君

お陰様で元気で日本に帰って来ました。まだ本当に日本に帰ったのだと実感として感じとることができないのですが、今更ながらなんと早くすぎてしまった半年間だったことかと感じ入っています。

この間をふり返ってみて、私はまずアメリカのホストファミリー（受入れ農家）をはじめ多くの4Hのメンバーなどの親切な指導に対してもう一度ありがとうと言いたいです。あっというまにすぎてしまった六ヵ月間、このアメリカでのいろいろの思い出は多くありますが、やはり八月上旬にオハイオ州大で世界三十六ヵ国の代表とお互いの国、農業の様子などについて話しあったこと、そして例えば、農業の他産業に比べてまだ改善する余地のあること、若い農業者の少ないことなどの共通の問題について手をとりあって頑張ろうと決意しあったこと。多くのホストファミリーがそこをはなれる時に涙を流して悲しんでくれたことの思い出や、最初のうち慣れぬベッドから落ちたり、オレゴンからオハイオの世界大会にむかう途中にワイオミング州のホテルで朝鮮の代表とドロボウをおっかけたことなどが本当に今なつかしく思い出されます。

これからまだまだこの六ヵ月間を整理しなければなりませんが、私はなん年かかるかは別として、まず私自身の生活、農業経営の中から生かす努力をしたいと思っております。そして最後にいろいろお世話になった4H協会、また絶えず貴重なアドバイスを下さった県連、県、普及所の皆様方に厚く御礼申しあげます。

茨城県連で説明会開く

【茨城】茨城県農業研究クラブ連絡協議会青少年部（部長、岡崎忠雄君）は、二十五日前十時から水戸市のときわ会館（県農業協同宿泊所）に地区連青少年部委員を招集し、4H会館建設についての説明会を開くことになった。

これは、同県が会館建設のオルグ重点地域として全協から岩手、神奈川両県とともに選ばれたため、会館建設について資金の募金方法や構想、施設について協議するもの。

米国クラブ員来月2日帰国

国際農村青年交換計画に基づいて日本4H協会の招きで来日、約六ヵ月間にわたって日本各地の4Hクラブ員宅で生活していた米国代表の4Hクラブ員（草の根大使）二人＝アラン・メロー・ブリンドル君（[illegible]）とジェーン・アーター・ウイコートさん（[illegible]）＝は、日本での生活の全日程を終えて、来月二日に帰国の予定である。なお、二十一日東京・港区新橋の共栄火災海上保険相互会社で懇話会が開かれた。

涼風暖風
?マークの恋文

先日、あるレポートを書いた。青年教育で飯を食っている人たちに回覧させる目的の報告書である。ところが、一般の人たちが読むわけでもなし、専門家相手だからと考えていたのがまずかった。そのレポートの中で使っていた言葉に、この道十年のベテランを自負している人が、いちいち?マークをつけた。演示、態度変容的、標準化、等々、?マークの数は少なくなかったのである。

最初は、文章が間違っていたので?マークをつけたのかな、とも考えた。何故なら、一般的でないマーケット・セグメンテーションとか、ふだんに使っていた横文字には?マークがついていなかったので、言葉の意味がわからないとは思いつかなかった。あるいは、演示という言葉は4Hクラブ員なら誰だって知っているし、社会教育の関係者なら学習テクニックの基本型として、当然知っているだろう、という位にしか考えていなかったのだから。

ところが、文章の間違いではなく、言葉そのものの解釈ができなくて?マークをつけて返してきたのである。さすがに横文字に?マークをつけることは、インテリとしてのプライドが許さなかったらしい。

態度変容的なんて言葉を使わないで、ATTITUDIALと書いたら、あるいは?マークをつけなかったろう、と皮肉な考えが頭の中をよぎったのだが、でもこれはとんでもないことをしたわけである。こちらの意思を正確に伝えようと思って、うまい訳語のみつからない横文字は、専門家相手なのだからと原語のままで使っていたために、むしろこちらの意思は、ぜんぜん相手に伝わっていなかった。

横文字にこそ?マークをつけたかったのだろうが、学がないと思われるのがこわくてそれは果せなかったと考える。有名な「裸の王様」の話にでてくる大人たちの心境にしてしまったわけである。相手も、自分をみじめに思ったに違いない。申し訳ないことをした。

ともかく、自分の考えを相手に正確に伝えるために、言葉を吟味することは大切なことである。ただ、吟味した言葉はますます限定した意味しか表現できない。タネといわないで種子とか蚕種とか、マクといわないで施肥とか播種とかいうのもこの部類だろう。若しそうだとすると、吟味されきった言葉が相手の理解できる言葉（ボキャブラリー）の中にないとしたら、とりかえしのつかないことになる。

丁度、年賀状を書くシーズンである。お互いに相手を考えて言葉を選びたいもの。?マークをつけたラブレターが舞いもどってきたら、これ程あわれなことはない。

（文部省・伊藤）

4Hのマークと共に
クラブ活動用品の案内

品目	（単価）
4Hバッチ	50円
レコード盤（4Hクラブの歌・4H音頭）	150〃
クラブ旗　大（72cm×97cm）	330〃
クラブ旗　小（33cm×40cm）	170〃
手拭	100〃
ハンカチ	50〃
ネクタイピン	170〃
女子用ブローチ	170〃
クラブ員専用便箋	100〃
〃　封筒	70〃

◎荷造り送料代百円です。
◎ご注文は代金を振替口座へお払込みを願います。代金着次第ご送品致します。

社団法人 日本4H協会代理部
東京都千代田区外神田6丁目15～11の705号
振替口座 東京72082番

心頭技健

新婚旅行の二人づれや、手みやげをもった結婚式帰りの晴れやかな姿に毎日といってよいほどめぐりあう昨今であるが、その花やかな世界の裏に、ことしもまた、嫁のきてがないのを苦にして農家の長男が自殺した▼昨年も同じように農家の長男が自殺して話題になり、十二月に静岡県御殿場市の国立中央青年の家で開かれた全国4Hクラブ中央推進会議（全協と日本4H協会の共催）でもこのことが取り上げられ、真剣に討議されたことを記憶している▼その自殺者はクラブ員ではなかったようであるが、このときの話し合いでは、確か、嫁のきてがないのは農家の長男という理由だけでなく、自分がしっかりしていないからだという意見が多かった。反面、この事実は見逃すことができず、われわれの力でなんとか解決できないものかと、みんなが熱心に意見をかわし合ったと思う▼農家が若い娘さんに敬遠されるのは、労働の集中的な過重、しゅうとの関係、封建性、他職業に比べての所得の低さ、生活様式の旧態などでクラブの会合でも、男性は必ずといってよいほど、女子クラブ員に「農家に嫁に来るか」と聞くのが常だった。それが最近では、女子クラブ員も耳にタコができるようになり「私たちは職業と結婚するのではない、そんなことを聞く方がおかしい」と逆に矢を向けてくることが多くなっていた▼しかも、婿にきてがなくて悩んでいる女性がかなり多い。それに今では、勤めに出ている娘さんを迎えるケースも目立ってふえてきている。それなのに、嫁のきてがないだけで自殺するとはどうしたことか。彼らの環境は、クラブ員のように悩みをうちあけ、助け合う状態になかったのではないか▼死者に追い打ちをかけるわけではないが、ある著名な作家は自分の存在意義と仕事の価値を見い出さないうちは結婚などするなといっている。それほどまででなくとも、男は男としての生き方があると思う。都会には相手がいなくて三十過ぎまで独身でいる男、女性はさらにいる。私もその例にもれない▼嫁のきてがなくて悩んでいる人たちよ、嫁がほしいと世界中を大きな声で叫んで歩いたらどうか。その方が男らしいと思うのだが…

松下4H協会長の記念講演（5）

◎◎◎◎米国は日本の六倍

これは、みなさんにもお考え願いたいと思うのでありますが、本年の日本の国家予算というものは五兆八千億円です。みんなが働いて、そしてそこに成果を生む、その成果から税金というものを国家に納める。その納めた税金の総額というものが五兆八千億円です。五兆八千億の予算の中には税金でないものも多少加わっていますが、しかし、それらにいたしましても国民の活動の成果であることは間違いありません。

国民活動の成果が五兆八千億円として政府予算に盛られるわけであります。これは、国民が支出しているわけです。その五兆八千億というものが日本国民一億人の活動によって生まれた成果であります。

ところが、アメリカは、人口が一億八千万人です。そしてアメリカの本年の予算というものは、なんと六十八兆円であります。これは日本の十二倍です。人口が約八千万人多いのでありますから、一人当り六倍強の成果であります。

アメリカは国も大きいし、蓄積もあるから税金も多少集め易い、また成果もあるだろうと思いますけれども、一人当り六倍の成果があるということは、私は不思議でならないのです。アメリカ人も考えてみますとわれわれと余り変りない。個人と個人の差はない、大体において同じだろうと思います。アメリカにも秀れた人もいますけれども日本にも秀れた人がいる。平均しますとそう大差ない。そう大差ないにも拘らず、一方の共同の活動から生むところの成果というものは五兆八千億円の予算しか組めない。一方のアメリカは六十八兆円の予算を組める。税金の質も本質的には余り変りません。

そうするとわれわれは、一人と二人との間に余り差がないにも拘らず、全体の活動として生み出す成果というものは、六分の一になってしまうということはなぜでしょうか。私は不思議にたえないのであります。

これにメスを入れて、われわれは考えていかなければならないと思うのです。

それは多少の差があって、五割の差があるとか、せいぜい倍ということはあっても、六倍も変る。われわれの共同の活動によって生み出すところの成果が六分の一になってしまうということは、どこかに大きなロスをやっているのではないかという感じがするのであります。

◎◎◎◎差異の原因追求を

これを、農業といわず漁業といわず、また、一般産業といわず、どうしてだろうということを考えなければ、いつの日か、本当の意味の安定的な繁栄というものが生まれないだろうと思うのであります。私どもが担当しております仕事には、そういうことを考えて追求していかなくてはならないと思います。自分を追求し、同僚を追求し、そして、そういうものを生み出していくことを決意いたしする次第であります。また、他産業の人に対してもそういうことを訴えねばならない、そして、お互いに考えようではないかということを訴えねばならないと思っています。

必要な相互の援助
生産性の差異にメスを

農村のみなさんにも、そういうことを訴えねばならない。ことに青年、明日をになうみなさんには、とくにこのことをお願いしたいと思うのであります。いますぐにやれることではありません。非常に難しいことでございますけれども農村の方々に適任経営というものに踏み切ってもらう。そして、それに成功してもらう、そこに初めて農村は自らの力によって偉大な成果を生み出すものであるということを考えなければなりません。

◎◎◎◎相互に援助が必要

それをするためには、実際に働いている人々が正しい形においてお互いに助成し合うということは、これは必要でございます。みなさんのお立場において都会で働いてる人、あるいは都会にありますいろいろな事業をも、みなさんはみなさんで助成してやらなくてはいけない。農村の力をもって助成してやらなくてはならない。これは共同の責任でございます。と同じように、農業の方々に対しても、他業者が、やはりいろいろな形において助成していくということは当然であります。あるいは政府を通してそれを助成するとか、またお互いがお互いの立場において援助し合うとか、これをすることは正しいことだと思うのであります。

しかし、それを進めていく中心、原動力は、みなさん自身でならなくてはならないと思うのです。みなさん自身がそういうものを考えて、十年先きに日本のすべての農家、農業は、適任経営に全部成功しようと、ある地区では十町歩（十㌶）をもって適任経営とする、ある地区では三町歩（三㌶）をもって適任とする、そして、それにお互いに話し合って、徐々に、談笑のうちにそういうことができるような心を養わなくてはならないのではないかという感じがするのであります。

◎◎◎◎あかぬけた考え方で

そういうことをいたしますと、やがて立派な農村というものがわが国に生まれてくると思うのです。自主独立の形において、国家に貢献するというようなものを生むのではないかという感じがします。そういう適任経営というものをやらずして今日の状態において努力しておられるといいましても、私は、そこに多少無理があると思います。それは時代とともに生きるような姿ではないというような感じがするのであります。

そういう、あかぬけたといわれ叱られるかも知れないのですが、あかぬけたような考え方をパッともたなくてはいけないと思います。だからは、農業に適性をもった人は、より高い農業に志して、そして頑張っていただく。じっと考えてみて、自分は農業もある程度適性あると思うがやはり自分は他に適性があるかも知れない、あるいはそう考えなくとも、グループの五人の中に自分よりも以上に適性の人があれば、喜んでその人に経営を依頼する。そして、その人が喜んで働き甲斐のあるような便宜をして上げる。そしてその人に預けて自分は他に適職を求めるというようなことですね、そういうことを断乎として行なうというようなことをやらなくてはならないと思うのです。

（つづく）

お詫び

本紙十一月十四日号の新聞に関し、業者（帯封かけ及び発送を委託）の手違いにより、ごく一部の地域ではありますが、他社の機関紙がまぎれ込みましたことを深くお詫びいたします。

なお、この該当の方はお申し出ください。至急、同号の新聞をお送りいたします。

日本4H協会

発足十五周年を祝う

神奈川・戸塚地区連　盛大にクラブ大会開く

歴代会長から4H旗贈らる

都市化の波に対処

戸塚地区連会長　宮崎　信雄君

「全国4Hクラブ員のつどい」が結ぶハート

現地訪問（京都）

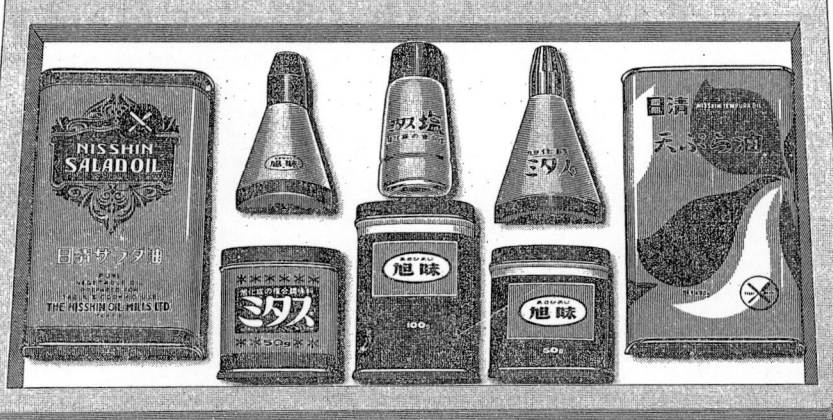

民宿（現地交換訪問）で交歓する愛知県と京都府のクラブ員たち

友情の灯よ、永遠に!!

姉妹グループの誓いもかわす

有形無形の収穫

戸塚4Hクラブ　金子　公一君

十五年間、積極的な活動を続けて意義ある実績をあげられたことは、われわれ現クラブ員としても心強く、安心してクラブ活動ができることを先輩クラブ員のみなさんに深く感謝いたします。

4H精神にのっとり、各自が課題をきめたプロジェクトをもち、互いに経営の改善や技術の改良、生活の工夫などを考え合っていくことは意義があり、他の団体にはみられない良さがあって、私たちが今後農業を続けてゆく上になくてはならない組織だと思います。

しかしながら、三十五年ごろをピークに農地転換が目立ち、都市化の波が関を切ったように押し寄せてきて、私たちの今後に大きな不安を抱かせるようになりました。

現在のクラブ活動は、とかく目的を見失いがちですが、農村青年の集まりである以上、農業経営の安定、農家生活の向上に目を向けて、ただ移りゆく農業情勢を見守るだけでなく、全員が真剣に、われわれの生き方を考え、勉強してゆき、県連の仲間とも協調を図り、広く知識を深め、仲間づくりや人間づくりをするクラブであることが望ましいと思いますが、私たちを取りまく周囲の環境が日ごと悪化していく状態です。

今年に入り、新都市計画法案が制定されましたが、これはわれわれの今後に重要な意味をもち、微妙にひびくと思いますが、このような中でクラブ活動を進めていくには、単位クラブ、地区連で常に、いま、何を勉強したらよいかを考え、経営の改善、生活の向上に役立つかを見きわめて、4Hクラブの組織を強化する活動をする覚悟です。

私たちが現在のクラブをやめた場合にも、OB会の組織に参加できるような形にあって恵まれていてしあわせですが、各関係指導機関のより一層の、一貫した指導体制を強力に推進していただくことをお願いいたします。

「もし私がクラブに加入していなかったら」—こんな仮説をすることがあります。仮説ゆえに、考えは届かぬほど私が、戸惑ってしまいますが、まず友たち関係が少なく狭いはずです。

友とは、鍛え合う同志であり、良きライバルであり、良き友を多く持つことは、それだけ成長の糧を多く与えてくれるものと考えます。

そして、私の本来の性格はなまけ者だと思います。それゆえに、課題を与えられることが必要です。勉強する気になっても、夜など気持だけで終ってしまいます。もし夜間大学に通っていたら多分勉強したことでしょう。

クラブ活動の中で多く聞き、見ることによって農業的、人間的な限りない問題が提起されました。ある人生論に「よき師、友人、書物などに邂逅することが大事」と記されていましたが、今の私とは相当かけ離れた人間となっていたことでしょう。こう考えたときクラブ活動への感謝の気持があふれます。

農業観を書くことはむずかしいが、農業人口が減ることのみを考察しても、残った者が有利にとの考えも理解できますし、また反面その産業人口が減少することは、斜陽石炭産業に見られるように、斜陽産業であるとの意見にも同調できます。言い換えれば、農業の前途は暗くもなければ、またバラ色でもないと考えます。

大事なのは、農業そのものを把握し、特異性を充分に理解し、経済的、社会的側面から、また政治的な背景などからさらに肉付けした農業観、生活観に立脚して進むことだと認識します。

私なりに農業観、社会観を確立できましたこと、クラブ活動から得たものは、有形、無形を含めて実に大きな収穫だったと思います。

今こそ農村青少年クラブは、全県的に組織されていますが、私の加入当時は、他地区連は二〜三しかなかったと覚えています。農業を始めると同時に充実した活動に加入できたことも幸いでした。このような良い環境を作っていただけた先輩方々に感謝の気持がつのります。

ある大会で「発心、決心、継続心」の三心の教えを聞かされましたが、十五年の道程を歩み続けられたことは立派な業績であり、素晴らしい事実だと思います。とともに、この機会に、私たち現役のクラブ員はこの業績を内容的にとらえ理解することが大事です。そうすれば、今日的課題が提起されることでしょう。そして先輩が私たちになして下さったように、今後加入する人たちに、より良き活動の場を与えることができるように、さらに高揚しなければと強く認識いたします。

創立15周年記念クラブ大会　戸塚区農村青少年クラブ連絡協議会

15周年の記念式典終了後、全員での記念撮影＝戸塚地区連

県青年議会で活躍

茨城の4Hクラブ員　県政などを学ぶ

【茨城】県と県教育委員会主催による県青年議会の学習が、さる四日から三日間、筑波山麓にある県立中央青年の家で開かれ、4Hクラブ員も多数参加し活躍した。

この学習会は、県内の市町村と各青少年団体から推せんされた青年議員七十四名が出席し、議会のあり方、地方自治のあり方などを学び、青年議員としての知識などを身につけようというもの。

第一日目は、県会議、地方自治のあり方、議会の進め方など……

……▽土木委員会　飯塚菊江（下妻4Hク）▽厚生経済委員会　飯泉あい子（牛久地区4Hク）小吏悦子（大宮4Hク）

（江戸崎4Hクラブ、村山文雄君発）

徳島県で実績発表大会開く

……ープ振興の記念祭典としようというもの。

大会の内容は、実績発表と研究の二つで、実績発表は青少年、農事研究会、生活改善、若妻大学、各種生産組織などの代表（ブロック大会で選抜された人）六名が日ごろの研究の成果を発表する。

当日は午前九時半に開会、知事のあいさつに続いて来賓の祝辞があり、十時から体験発表に入り、このあと十一時半から表彰式を行ない、正午に閉会する。

クラブ結婚式（京都）

披露宴に友情いっぱい

☆☆　☆　☆☆

おめでとう　京都の山岡君!!　熊本の末広さん!!

文通によって愛が実り、このほど、めでたく結婚にゴールインした仲間に、クラブ員たちは地域連協あげて心から祝福した。

新郎は、京都府相楽郡木津町（木津農業青年クラブ）の山岡義平君（二〇）。昨年二月、自分の家を火事で全焼、失意のドン底から酪農経営に活路を見い出し、たくましく立ち上ったこのクラブ員を新聞で知った熊本県の女性から一通の手紙が舞い込んだのが縁結びのきっかけとなった。この日から夢多き幸福な愛のカップルが生まれたのである。

式は、相楽郡連協（会長、山下勝則君）が発起人になって、さる十一月二十四日午前十時から木津町民センターで行なわれ、百名のクラブ員たちの祝福を受けた。

会場では、府連協の村田四郎会長はじめ、友情いっぱいのテーブルスピーチが連発。明日のふるさとを力を合わせてともに支える若い仲間たちに囲まれた新郎新婦は、羽織りハカマ、文金高島田姿。

会場の正面に張られた4Hの旗が、山岡君と静江さんの新しい人生の門出に、また、夢多きクラブ員にとって、この日ほど友情の旗印に見えたことはなかったであろう。

自分たちのまず身近かなことから心を結び合う仲間づくりとして、クラブ結婚式に取り組んでいる相楽地区連はこんどの山岡君で四回目。五度目も、もう仲間の喜びが内定したという。

友情の輪づくりと、新しい時代への新しい感覚の結婚式典に大いに期待したいものである。

（京都府連絡報道員、田宮鐵君発）

普及指導官に　矢野氏（香川県課長）

農林省農政局普及教育課の普及指導官・中尾重巳氏の逝去に伴い、その後任に、香川県農林部農業改良課長の矢野昌男氏が就任された。

裏作にイチゴ

高知・斗賀町4Hクが地元で初の試み

【高知】高岡郡佐川町の斗賀野4Hクラブ（会長、森政彦君）は、このほど共同プロジェクトの一つとして、水田裏作研究にイチゴとフキの共同ほ場を設け一〇アールに植えつけた。

同クラブは、これまで裏作の研究を進めてきたが、イチゴなどが有望であるとの結論がでたため、長岡郡介良村農協のあっせんで宝交早生種のイチゴ苗三千本を取りよせて植えたもの。この裏作のイチゴ栽培は同地区では初の試みで、期待が寄せられている。

中尾指導官（農林省）逝去

農林省農政局普及教育課の普及指導官・中尾重巳氏は、胃癌のため、かねて加療静養中であったが、その甲斐もなく、さる十六日午前九時三十分逝去された。享年五十三歳。兵庫県出身。

なお、告別式は、十八日午後一時から杉並区下井草五—十三—三の自宅で関係者多数の参列をえてしめやかに執り行なわれた。

故中尾氏は、さる三十六年四月から四十年五月末まで普及教育課の青少年班長（前普及教育班長）として農村青少年教育に大きな力を与えた。同六月に普及指導官に就任後は、とくに今年度から開校した中央農業者大学校（中央青年研修施設）に力を注いでこられた。

また、昨年の三月までの三年有余、本紙一面の「涼風颼風」を執筆していただき、多くの読者の心をひいてこられた。

12月のこよみ

▽3日＝秩父夜祭、古高堤灯もみ、若松我秋祭▽4日＝人指道開、防府天満宮祭▽5日＝納めの水天宮▽6日＝島根出雲大社神在祭▽7日＝大雪▽8日＝納めの薬師、針供養▽9日＝京都了徳寺大根焚き、数も忌、旧えびす縄、大宮大湯祭▽12日＝暴政大師たこに会▽14日＝泉岳寺義士祭▽15日＝年賀郵便特別扱、岡山最上稲荷火焚祭▽17日＝伊勢神宮月次祭、浅草観音羽子板市、奈良若宮おん祭▽18日＝納めの観音▽21日＝納めの大師▽22日＝冬至▽23日＝皇太子誕生日▽24日＝クリスマスイブ、納めの地蔵▽25日＝クリスマス、終い天神、蕪村忌▽28日＝官庁御用納め、納めの不動▽29日＝浅草鳥越神社年の市▽31日＝年越し、大はらい、男鹿なまはげ

〈財団法人農林統計協会編、四十三年版「新農家暦」（東畑精一氏監修）より〉

新年号の原稿を募集します

あと約一週間で師走。秋の収穫期も去り、早くも各地から冬の訪ずれを告げる便りが届くころとなり、いよいよ"年の瀬近し"という感じを深めます。

本紙の発行も、年末まであと三回になりました。十二月二十四日号は、来年一月四日号と合併し、新年号として増頁のうえ、企画も新たに、新年の門出にふさわしい関係記事で編集して、愛読者のお手もとにお届けしようと計画しています。

つきましては、愛読者はじめ関係者のみなさんのご協力によって、さらに内容豊かでバラエティに富む紙面を作成させていただくため、次の要領で新年号の原稿を募集いたします。どうぞふるってご応募下さいますようお願いいたします。

有意義で面白いもの

〈応募要領〉

【原稿の内容】（1）「4Hクラブ発足二十周年に思う」、イ＝「親子二代4Hクラブ員の紹介」、ロ＝「4Hクラブの生みの親、育ての親」、ハ＝「クラブ活動の思い出」など（2）「成人の年に思う」（3）「新年に描く私の夢」（4）「新春に思う」（5）「私もひと言」—など。

▽自由　新年への抱負、年頭所感、雑感、意見、詩、俳句、随筆、その他建設的なもの。

◎できるだけ顔写真、関係写真と絵図を添えて下さい。

【原稿の長さ】四百字詰め原稿用紙五枚（二千字）以内

【応募資格】制限なし

【原稿のしめ切り日】十二月十五日

【送り先】東京都新宿区市ヶ谷船河原町十一、家の光会館内、日本4H新聞新年特集号係　郵便番号＝一六二

◎なお、掲載分には謝礼を差し上げます。

4H活動の指針に

4Hクラブ発足20周年記念懸賞募集入選作

意見文・クラブ員の部

4H活動に思うこと

福島県安達郡大玉村玉井　宇中山・玉井4Hクラブ　渡辺正人

リーダーの心構えは　後に立って牛を追うように

集団の中の一人として

[illegible]の歴代会長が実社会で活躍してい

ます。私が入会してから[illegible]かと探求してみたいと思いました。その原因について[illegible]場の中で人よりも責任のある立場にたたされたいという人も少なくないことと思います。[illegible]

リーダーと発展の要素

サークルまたは、クラブというものは、それらの集団の中で、とくに一定の目的[illegible]まうといった悩みを感じる人が少なくないと思います。私のクラブでも二年前にクラブ員十名でしたが、新会長は責任の重大さに心配してか、行なうこともさっぱりで、クラブ員から意気をかけられることもありましたが、いま思うには、会長は一歩さがった考えをもっていたのだと思います。何をやるにも控えめで、クラブ員には強引にさせなかったということも、入ってからの初めてのことでした。私の家では、現在、牛を四頭飼っていますが、外に出す時等は、なかなか出ない、ところが牛の後に回って立っただけで歩きだすということが、ごくあたり前のようであります。クラブに入り、会長の行なったこと、それは牛を追うごとくクラブ員の後に回り、控えめの態度を取ってきたこと、それを入会して何年も経て、やっと、教えられたということで、人生の、または、グループ活動にあっての発展の要素ではないかということです。クラブ活動は低下ぎみの時もあったけども、今では他のクラブに劣らぬ位に成長し、クラブ員も十六名とまとまりの良い人数だと思っています。共同プロジェクトも行ない、地味ですが、確実な発展をたどっています。

渡辺正人君

同じ立場で苦労を共に

私のクラブでも交歓会等も行なってきましたが、リーダーの良さというか、会の持ち方の上手な交歓会は今も思い出されますが、中には特定の人だけの意見とか、リーダーの自分勝手なことばかりとか、感情的になる人たちいろいろです。こういう会のリーダーの集まりには、まとまる話もまとまらず、会の空気も陰気になりがちになるし、このような会にも時々出合せた時がありましたが、これでは、進歩も発展もないと思います。また、リーダーとしての心構えは常にみんなと同じ立場に立って苦労を共にするということが必要ではないかということです。私は以前にある本を読みましたが、その中でのことは、私たちリーダーにも、一寸あてはまるようなことがありますので書いてみます。「着物は木綿で自分の体に着ることができれば良いとして、使えなくならなければ別のものを新調せず、食事は一汁以外のものを食べず、村に出て食事する時は、ひや飯に水を注ぎ、みそをなめて食べるだけで、みんながすすめてくれるものは、少しも食べなかった。そして、みんなが農事をなまけたために、こんなに困窮するようになったのだ。だからみんなのくらしが安定し、衣食が十分になる時がくるまでは、私も着物も食物も満足にとらない。といった」とあります。これを一般の人にあてはめるには、合点がいかぬところもありましょうが、ぜいたくするな、そまつな生活水準でがまんしろというように解釈したのでは、この人の教えもそれよりも本当の気持が分からないと思います。さて、このことを、我々にあてはめてみた場合、おそらくリーダーといわれる人であっても、働くものの立場として、とりたてて普通の人とかけはなれぜいたくな生活をしているわけではないと思う。だからとくに着物や食物やいま持っている道具をどうすべきだという面からでなく、別の角度から見ることが必要と思います。たとえば、気どった態度をとったり、むずかしいことば使いをしたりしているようなことがないかということです。つまり、精神的に着かざり、みんなとかけ離れた位置に自分が立っていないかということです。

我々が研究会等でクラブ活動、実践活動をどうすべきか等という話し合いになると、リーダーの人たちがよくいうことは、「みんながついてこない、自分のいうことを分かってくれない」といった悩みが発言されます。そんな場合は、知らず、知らずのうちに、みんなから精神的に離れた高い所に自分を置いていることが多いものです。そして、このかけ離れた精神的な考えが、クラブ格差、ひいては分裂の状態に落いってしまうのではないかということです。

リーダーはまず行動力

クラブには、幾らかの年令差があるものが大部分だと思います。私のクラブでも、六歳位の年令差がありますから、むずかしい話になると、高年令と低年令とに分かれてしまい、どうしようもない時が時おりあります。ましてや、大きなクラブともなれば、立派なリーダーが必要ともなることも必然だと思います。また、私もいろいろな集団の活動に関係してきたというより、入って肌で感じたことは、みんなから信頼されるリーダーをみて、共通していえる条件は、実行力があることです。

余りことばは上手でなくとも、とにかくみんなの先頭に立って良く行動することが大切なのではないでしょうか。むしろ、話が上手で、立派なことをいう人であっても、肝心の行動がそれにともなわなかったら、逆に信用がなくなりしまいには、何をいっても本気にされないし、行動すら行さないと思います。

私の頭にあるものとしては「鶏晨同邑」ということを覚えています。鶏が鳴き出す程朝早く、村を回るという意味で、何よりもみんなに率先して実行すべきだということで、実践に移すことが原則になっていると思います。私たちの活動にあてはめてみるとどうでしょうか？

私のクラブで三年前、会合の時間が守れないということが多かったことを覚えています。このような状態をみると、リーダーが遅れてきて、申し訳をいっている時がしばしばありました。時間のことに限らず、リーダーがどんな行動を取るかということによって、その集団の行動が違ってきます。だから、一つの方向に向って、その集団の活動を進めたいと思うならまずそう思う人が、その方向に向って行動を起こすことです。リーダーが率先して行動を起し、しまいにはみんなも、そのように行動するようになります。

能力や特長を生す喜び

このようなことは私たちの身近な例として、それは「箸で洗面器の中の水を回すのと同じだと思います。回し始めには、箸と水は別々であって、水は箸の力で回らない。しかし、長い間回しているうちに、水は箸と共に回って止めどがなくなり、しまいには箸から手を離せば、箸は水によって回されるようになる」ということ。初めは、リーダー一人だけで努力していたのが、しまいには集団のみんなが立ちあがって動きだし、うっかりすると、下のクラブ員からはっぱをかけられるし、突き上げられるようにさえなる。そういうグループの動きを良く表わしている話であると思います。

まだ、私のクラブもすべて万点といったクラブではなく、これからもリーダーとみんなが別々な段階が時々あり、もっと積極的に行動したいと思います。また、一つの集団をみると十人十色というように、実にさまざまな人がいるものです。その人たちが同じ気持ちで活動できるようになるということは、考えによっては大変むずかしいことです。

中には、リーダーの人のやり方に反発するような人も現われて来ます。リーダーの仕事に反発していて、案外知恵の回る人が居るものです。その人に役を任せたりして責任を持って仕事をしてもらうことなど、その人その人の特長をつかむことなどが必要ではないでしょうか。

すべての人の価値を認め、発揮させるというグループ活動の根本的な考え方を、人々の集まりにあてはめてみれば、当然なことといえることですが、どんな人にも何らかの能力、特長があります。それを集団の中で生かすことができることは、その人自身の喜びであり、生甲斐になると思います。もし、リーダーといわれる人が自分の才能に任せて、何から何まで自分がうけおって仕事をしてしまうことになれば、一時はうまくいくようでも、長続きしないと思う。そして、そのことは多くの人たちが味わうことのできる喜び、生甲斐を一人で横取りしてしまうことにもなると思います。

だから、集団の活動[illegible]け多くの人が役割を受[illegible]分けして行なう方が良[illegible]られると思う。一つの[illegible]はいつも隅の方にいる[illegible]ゆる目立たない存在の[illegible]うっかりすると忘れら[illegible]ものです。

そういう人が案外、[illegible]すばらしい能力を発揮[illegible]あるので、リーダーも[illegible]も大切にするという当[illegible]なことが案外忘れら[illegible]で、これらのことを忘[illegible]ーダーとして失格では[illegible]うか。

プロジェクトの取り組み方　展開編（12）

北海道専門技術員　三輪勲

評価の方法

全体評価は、配点法と尺度法のいずれかを行なうとよい。[illegible]

ア、配点法　[illegible]

2-18表　基準配点の例

プロジェクトの選定	20点
プロジェクトの計画	20点
プロジェクトの実施	20点
プロジェクトの結果	20点
プロジェクトの記録	10点
プロジェクトの発表	10点
（計）	100点

プロの評価方法は　尺度「五段階法」と配点法記録で

イ、尺度法（五段階法）と絵図表　2-19表に示す五段階の尺度により評定する方法である。

この方法は、評価項目ごとに[illegible]定理由や目標がはっきりしているか（前号2-17表）」のように選定理由と目標の二項目が含[illegible]

ウ、感想記述法　感想記述法は、評価項目ごとに評定せず一括してとらえ、総体的な反省を[illegible]

2-19表　5段階の尺度

5	きわめて十分に達成した。
4	十分に達成した。
3	おおむね達成した。
2	達成は不十分である。
1	達成はきわめて不十分である。

[illegible]

記録と指導

記録の意義

[illegible]

プロジェクトは、目的・計画・実施・反省の四段階の過程があるが、プロジェクトの記録は、この全過程を通じて必要である。

プロジェクトの実施状況を明確につかんで発展の手がかりとするところに記録の価値がある。目的・計画・実施・反省のプロジェクト四段階に、全段階における「記録」を加えて、とくにこれを「プロジェクトの五要素」と呼ぶことがあるのは、こうした理由によるものである。

プロジェクト記録は、次のような効果がある。

a　計画を明確化する。プロ[illegible]

[illegible]おして合理的にものごとを判断する力が養われ、農業簿記や家[illegible]

g　年間作業計画の記録

h　資材・資金の準備計画の記録

i　重要作業の細部計画の記録

j　プロジェクト日記

k　現金・現物の出納記録

l　実績の記録

m　収支計算の記録

n　プロジェクト反省・評価の記録

イ　観察記録　これは、プロジェクトの実践中における観察・実験・調査等の記録で、たとえば、作物の生育状態、病害虫の生態観察・家畜の体重測定・肥料効果の調査の実験など、できるだけ記録する。これらの記録は、実践中の苦心や努力のなまの活動の足跡を示すものとなる。[illegible]処理に関する考察は重要となる。[illegible]観察に付帯して行なった内容についても記録すると、いっそう効果が上がるし、実践記録を裏づける貴重な役割を果たす。

ウ　参考記録　これは、実践記録や観察の記録に関連する参考資料、写真などをまとめたものである。たとえば、プロジェクトの実施に関する新聞や雑誌の切り抜き、青少年グループ集会におけるプロジェクトの協議事項、プロジェクト発表会の配布資料など、書いたり、のりで張ったり、とじ込んだりしてまとめるとよい。

2-4図　プロジェクト全体評価図表

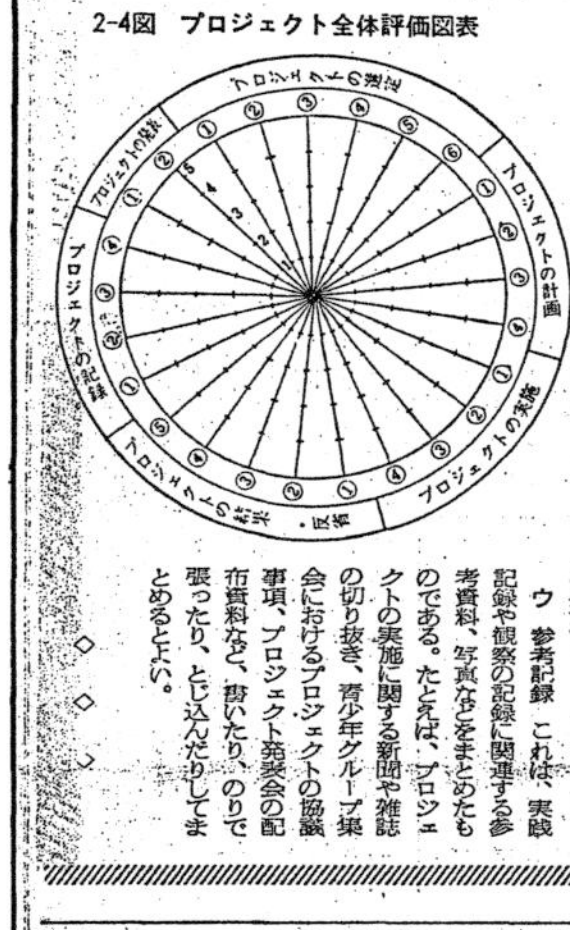

（図中：プロジェクトの選定・プロジェクトの計画・プロジェクトの実施・プロジェクトの結果・反省・プロジェクトの記録・プロジェクトの発表）

要請に応じて活躍　コンバインを共同購入

山梨大泉4H

【山梨】大泉村大泉4Hクラブ（会長、篠原昭和君）では、4Hクラブ員が大型コンバインを共同購入。交代で運転しては稲刈りのおくれた農家を助けている。

この4Hクラブのメンバーは、山田哲夫、伏見桂一、藤森竜夫、三井正隆、藤森良一、北原義忠、小池明智君の七人で、三十二年にクラブを結成して以来、一時は花栽培などで大活躍を示した。

その後、クラブ員の減少などで活発な活動ができず頭を痛めていた。そこで、農繁期の労働力解消を目的にコンバイン購入を思いつき、構造改善事業費の一部の補助金をもとに購入したもの。

このコンバインは、刈り取りと脱穀を同時に行ない、〇・一㌶当たり二時間で片づけてしまう。作業は二人ずつ交代で運転、農家の要請に応じて大活躍している。農家からは、作業の報酬として〇・一㌶当たり五千円をもらうことにしているが、この金はクラブの活動資金に当てられる。

農業教室　NHK

畑作経営をどうする

昭和三十年の代になって経済の安定がすすむにつれ、馬が減り、食生活の改善がすすみ、ひえ、あわ、大豆の作柄け面積が減ってきた。また三十年の後半になって、農業基本法が制定され、貿易の自由化が進展するにつれ、一般作物の価格が抑えられたために、大豆、麦類、さつまいもの作付け面積が減ってきた。

そして、本来が広い規模のうえで成り立つべき畑作経営が、規模拡大もできないままで重大な岐路に立たされているといってよい。

そこで今回は畑作振興の担い手となるはずであったビートの栽培が昨年製糖工場の閉鎖に伴い、その姿を消さざるを得なくなった北東北と、収量水準がより向上し、機械化のめどもつきながら価段がさえないため伸びなやんでいるさつまいも中心の南九州とにおける畑作問題を経営の面を中心にとりあげることにした。

12月2日（月）　北東北の畑作をどう考える（一）

北東北の畑作経営は、りんご、ホップ、タバコ、飼料作物、雑穀などとわずかな水田作の複合畑作経営である。

しかし、畑作地帯は土地資源が豊富なだけに、農業土木、生産、流通、金融などに関する施策の進歩に伴って、経営規模を拡大し、生産性の高い土地利用に編成替えし、生産性を高め、収益性を増大する可能性は高い。

12月3日（火）　北東北の畑作をどう考える（二）

北東北畑作地帯は、土地資源に恵まれ、畑、草地などの開発余地も多く、こうした立地条件を生かした大規模多頭酪農経営の展開がみられるようになってきている。

しかし、このような目ざましい発展をとげる過程では、❶労働利用の合理化❷施設機械利用の合理化❸生産安定化のための生産技術、土地利用の合理化❹資本の調達などの諸点で多くの困難を克服してきているのである。

12月4日（水）　北東北の畑作をどう考える（三）

畑作経営の多くは、土地規模零細で所有は分散し、拡大再生産の投資余力が乏しい。こうした条件の下で、地帯内部にある多くの低利用資源を農家の生産に結びつけて活用し、自立の推進をするためには、❶地域の土地利用の計画化と合理化❷農道の整備、区画の整理❸土壌の改造❹共同的生産組織の強化❺賃金条件の合理化❻流通条件の整備、などの畑作経営をとりまく条件整備が必要である

12月5日（木）　南九州の畑作をどう考える（一）

南九州の農業地域は畑地経営がやや大きい地域と、零細規模農家が圧倒的に多い地域に分けられる。畑地経営規模がやや大きい地域は広い台地に立地する。両地域に共通していえることは、耕地が分散し、農道が整っていない。やせた土と風にも耐えるさつまいもを主体とする人力農法が基本で、家畜はわずか一～二頭の肉用牛と少数の豚を飼う程度に留まっている者が多い。地域によって煙草作や養蚕など行なわれているが、耕地条件の悪さと資本装備の貧しさから多くの労働を要する割合に所得が少なく、青壮年男子は出稼ぎに出、農業は婦人や老人にまかせられている。

12月6日（金）　南九州の畑作をどう考える（二）

南九州畑作の問題を考えると、第一に問題になることは水である。もともと畑になっているところはこれまでの技術では水田にならぬものとしてあきらめてきたといっていいのだが、「天からのもらい水」にたよっている状態では、農業の発展はない。

今日、水利開発の技術的可能性は大きく開けている。水利開発をふくんだ基盤整備を真剣にとりあげるべきだろう。

第二に南九州全体を考えても地場市場が小さいことは、市場を遠隔地に求めなければならなくしているが、その傾向は将来ますます強くなるであろう。

輸送問題をつねに考えた作物選択、流通機構の整備が、他地域以上に、ここでは重要な問題になる。とくに流通機構の整備は、おくれているだけに急務としなければならない。豊富な情報に適確に対処する機構を商業的農業は必要としている。

12月7日（土）　南九州の畑作をどう考える（三）

南九州農業を規制している三つの条件がある。

一、自然的条件　台風が度々おそい、場所により降水量が三千㍉をこえ、土壌がやせている。これを個々の農家が克服できるもの（例えば水稲早期栽培）と大規模の公共投資によらねば克服できないもの（例えば畑地かんがい）がある。

二、経済的条件　大市場に遠いというが外国より近い。問題は❶品質にすぐれた品質のものができぬ❷海上輸送も含めて輸送施設や方法が未発達❸商人取引が根をはっていて、大市場と農家の関係が断ち切られている。これらの改善が必要である。

三、社会的条件　農家がのんびりしていて生き馬の目をぬく商品生産、取引になれていない。もっと望みを大きくし、技術的、経済的に努力するよう農民教育が必要。

これからの水田経営

稲は作付面積、農業総生産額、農業所得に占める割合いからいっても、わが国の農業において最も重要な作物であるということができる。

このことは、わが国におかれている夏季の高温、多雨という地理的な位置を考えるならば、極めて自然なことと考えられるであろう。

12月9日（月）　稲作の現状と問題点

一、稲生産の現状

二、稲作技術の現状

三、稲作経営の現状

四、稲作の当面する諸問題

❶技術問題　水管理と機械化❷経営問題　水田の高度利用と組織化

12月10日（火）　米の需要と供給

一、米の需給バランスは、昭和四十二年産米の大豊作によって大幅に緩和されたが、このような内地米の供給力が、今後においてさらに増大していくかどうかは、大きな問題である。

二、米の需給の長期みとおしによると、一人当たり消費量の減少に伴って、十年後には、かなり供給余力ができることになっている。

水稲生産の推移

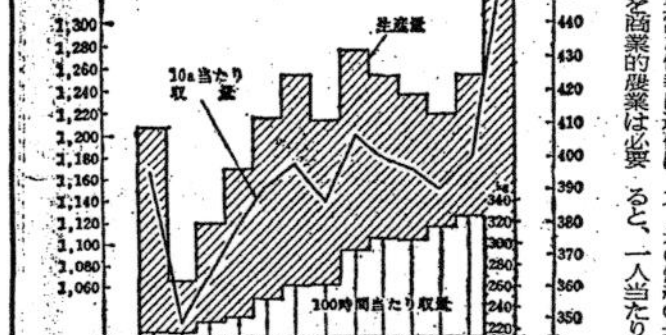

（図中：万t　1,420　1,400　1,300　1,280　1,260　1,240　1,220　1,200　1,180　1,160　1,140　1,120　1,100　1,080　1,060／kg　450　440　430　420　410　400　390　380　370　360　350／生産量　10a当たり収量　100時間当たり収量　1,412／昭和30　31　32　33　34　35　36　37　38　39　40　41　42年（見込み））

昭和30年～41年における水稲生産量10a当たり収量、および時間当生産量の動き（全国平均）

NHK農事番組（12月1日～10日）

テレビ

明るい農村　6・30～6・55［総合］

2日　村の記録、南大[illegible]国（オーストラリア）

3日　くらしを考える　[illegible]

4日　村をむすぶ　フォルム・リレー

5日　話題の広場　[illegible]野菜作り（大阪農業[illegible]ー）、ミカンの栽培[illegible]

6日　産地往来　高い肉[illegible]山県有田4Hクラブ

7日　農業新時代　あすの[illegible]作る（新潟県巻町農[illegible]）

9日　村の記録　南大[illegible]国（ニュージーランド）

10日　くらしを考える　こどものあそび場

農業教室　7・00～8・00（前週で詳報）

あすの村づくり　日　7・00～8・00　教育　再　土　1・00～2・00　教育

1日　グループだより　われらの手で（福島県伊達郡梁川町）

8日　グループだより　生活改善グループ[illegible]

ラジオ

早起き鳥　5・05～6・00　❶

1日　話題の窓　産地[illegible]

2日　現地報告　公害[illegible]かん出荷作戦」（愛媛県西条市）

3日　人と話題「ブラジル[illegible]をみて」三浦昭人

4日　通信員の手帳から（福岡県吉井町）

5日　産地訪問　わけ[illegible]彦[illegible]

6日　現地報告　軌道[illegible]農業（浜松市）

7日　村のポスト　投[illegible]

8日　話題の窓　どうなる[illegible]健康制度

9日　現地報告　動き出す再編成（新十津川[illegible]）

10日　人と話題　みかん[illegible]くって三十年　岡野[illegible]県因島市）

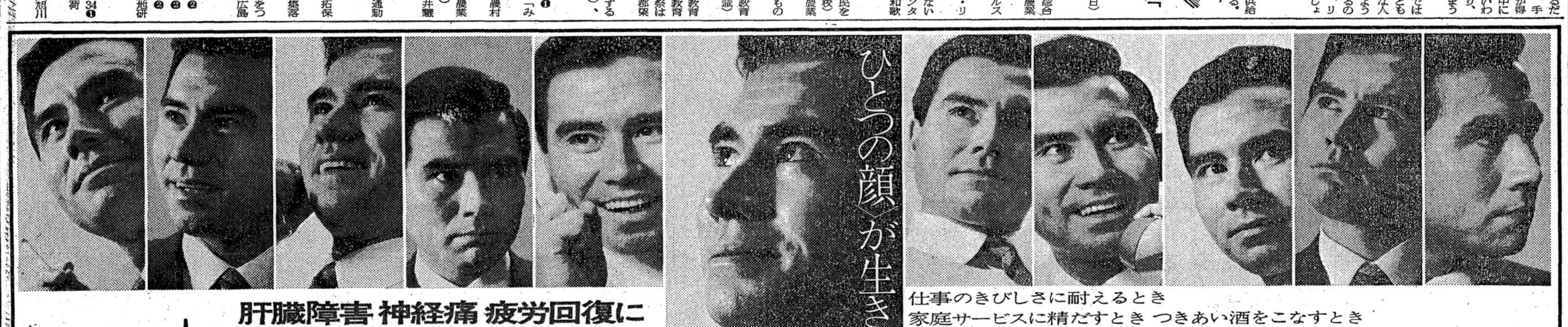

ラジオ農業学校　月～土　6・40～6・[illegible]　日　6・30～7・00　❷　再月～土　19・00～19・15　❷

1日　グループのしおり　現地研修（千葉県）

8日　農業セミナール　ひろのいこい　12・15～12・[illegible]

2日　はじまったイチ[illegible]（熊本県）

9日　クッチャロ湖の[illegible]市）

◀投稿案内▶

本紙は、みなさん方の新聞として、全国のクラブ員に利用して戴きたいと考えています。それでクラブの催しや個人のプロジェクト、詩、短歌、随筆、写真、悩みや意見、村の話題、伝説、行事その他なんでも原稿にして送って下さい。

お願い　❶長さや形式は自由です　❷できれば簡単な説明をつけた写真をそえて下さい　❸送り先　郵便番号 162 東京都新宿区市ヶ谷船河原町十一　日本4H協会編集部

わがクラブわが同志

お母さん聞いて下さい

諦が肝心というが…

私は真実と信念を貫く

ときに嬉しい母のことば

埼玉県狭山市堀兼
所沢地区堀兼4Hクラブ　豊泉富子

いつ頃からだろうか？母の忠告が大げさなように思え束縛のように感じられて、母と心の対立がはじまったのは—。

私の父が亡くなったのは八年前だが、その後は、私も自覚して日曜日には畑仕事を手伝いました。高校卒業後は、家の仕事をすることに決めていましたが、正直いって私は進学したい、という気持をどうしても捨てることができませんでした。毎晩のように母に相談しても、いっこうに取り扱ってくれません。

母は父のいない私には進学など無理な話だと、頭ごなしに決めてしまっていたのです。そして、二言目には「なんでもあきらめが肝心だ」というのです。私もそれ以上わがままを通す勇気もわかず再び家の仕事をすることに決めたのです。今では、すっかり畑仕事にも慣れて、過ぎ去ったことは忘れています。

でも、私がなにかをしたい。「何か」ということを具体的に書かなくてはいけないが、勝手ながら省略させていただくが」と、いうことを母に相談すると「そんなにうまくいくわけがない。あきらめなさい」と、いつも答えることが私には納得がいかず、時には腹立しくなることさえありました。

こうして知らず知らずのうちに心のわだかまりができてしまったのです。何度も母のいいつけにそむこうとしましたが、それは、わがままのような気がして行動に移せないのです。

私はこの紙上を借りて、母へ訴えたい私の気持をありのまま書きたいと思います。

「お母さん自身は、人生の半分以上を終ってしまったんだから、無理なことは諦められる、そのことばで気が済むでしょうけれど、そして、何が無理で、何が無理でないかも判断できるでしょうが、私には、体験しなければ分らないし、決心したことは、とうていあきらめることができません。

お母さんが納得できないことでも、私がどうしてもやりたいときには、それが間違っていない限りやらせて下さい。もし、失敗してもそれで気が済むし、その責任も私に取らせて下さい」私は、こうお母さんに訴えたいのです。

私は一生懸命考えました。時には必要なこと以外話さないこともありました。そうすることで私の気持をさっしてくれると思っていたからです。

卒業して数ヵ月しかたっていない私には、世の中のことなど分るはずはありません。分らないからこそ何事も積極的にやりたいのです。この私の気持を母に分ってもらえるために、こんなことまで試みているのに解決の糸口さえつかめないのです。

このような毎日の続いたある日私はふと高校時代を思い出しました。私は運動クラブに入りたかったのに母はその時もやはり「家が忙しいから」といいました。その時私は、家のことなど考えるだけの気持を持ち合せていませんでしたので、自分のしたいようにふるまっていました。

三年生になる頃まで、毎日遅く帰るたびに叱られました。三年生の夏休みに半月ずつ、毎日畑に出て働いていると母は「クラブ活動で疲れているだろう」とか「試合は、どうだった？」などと私に聞いてくれました。その時の喜びは、今でも忘れられません。その時の母のことばを改めて思い出しました。

私の考えが間違っていなければいつの日にか母に分ってもらえるのだと気がつきました。だから今までのように弱気であった私は、一時は叱られても「無理だからあきらめろ」といわれても真実をまげず信念をつらぬきとおそうと考えるようになりました。そして、一日も早く、母と私の心のわだかまりを解いてすっきりとした親子になりたいと思います。

正直いって、現在の私は母からいわれたことをやっている程度なので、農業がどういうものなのかは、よく分りません。でも何年か熱心に続けていけば、それとなく理解できる日がくると思います。ですから、同じ仕事をしていく以上、楽しく、しかも充実したものにしていくように、私の心の対立をなくすことが、私にとって何よりの先決問題だと思います。

悩み、考え、そして成長する乙女の胸には真実と信念がもえたぎる

研修から得たもの
無形の財産を身につける

横浜市戸塚区下飯田
飯田4Hクラブ　大川武夫

私が農業に従事する決心をしたのは高校一年生の後半でした。決心したといっても半分はあきらめといっても過言ではありません。

農家の長男として生れ、……

諸行無常

「祇園精舎の鐘の声、諸行無常の響あり。沙羅双樹の花の色、盛者必衰のことわりをあらわす。おごれる人も久しからず、ただ春の夜の夢のごとし。たけき者もついにはほろびぬ、ひとへに風の前の塵に同じ…」

ふとこの平家物語の巻一「祇園精舎」のくだりが思い出された。……

映画　恋愛映画の秀作
雨の朝パリに死す
（日本ヘラルド配給）

……・マーティン」に会った。彼には女性の連れがいた。アメリカを捨ててパリで暮らしているマリオン（ドナ・リード）で、さそわれるままに祝賀パーティにでかけた。そこでめぐりあったのが、昼間会った娘で、マリオンの妹ヘレン（エリザベス・テーラー）で、派手好きで気のむくままふるまう女だった。

チャールズとヘレンは、凱旋門の広場で会い、戦争の苦しみから解放されたよろこびの中で、いつしか二人は愛しあう仲となった。

チャールズとヘレンは結婚した。チャールズは、通信社につとめ、夜は念願だった小説を書くという毎日を送った。

"その日その日が最後であるかのような毎日を過したい"ヘレンはそういう女だった。やがて女の子ビッキーが生れた。一方、マリオンはクロードと結婚していたが、彼女もこんな生活にあきはじめ、家庭生活に疲れたんさきたすことをうれいだした。チャールズとヘレンは愛しあいながらも、反発しあっていたのであった。

夫からしめだされたと思ったヘレンは、降りしきる雨に耐えて姉夫婦の家を起こしたが応対がなく、そのまま玄関に倒れて気を失ってしまった。

翌朝、ヘレンはかけつけたチャールズに見守られながら、娘ビッキーの将来を頼み、息を引き取った。後悔と愛情に身を切られる思いのチャールズは、妻のなきがらのそばをはなれることができなかった。

悲しみの涙に暮れたチャールズは、アメリカへ帰って、ついに作家として世にでた。しかし、チャールズはビッキーのことが忘れられず、マリオンから引き取ろうとしてパリを訪れたのであった。

チィールズとヘレンは愛しあいながらも反発しあっていた

青少年団体の紹介（7）

日本ユース・ホステル協会

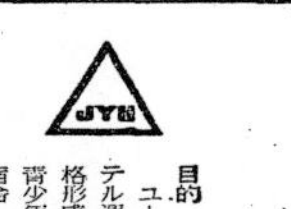

簡素な旅行活動で身心共に健全な成長を

目的

ユース・ホステル運動は、人格形成期にある青少年に対し、宿舎（ユース・ホステル）を中心とした旅行活動（ホステリング）を通して「健全育成」を目的としている。

すなわち、安い費用で宿泊できる宿舎を提供して、青少年が自力による簡素な旅行活動を行なうことによって、国内はもちろん外国の地理、風物、文化、歴史および産業の知識を深め、視野をひろめると共に、規律ある活動、共同生活の中から良い習慣を体得せしめ、青少年をして身心共に健全な社会人として成長させることを目的とする運動である。

沿革と現状

一九〇九年ドイツのルール工業地方で、小学校の教師をしていたリヒアルト・シルマンが「青少年を緑の自然の中につれ出して、身心共に健全な人間にしよう。そのためには宿舎が必要である」と思いついたのが、この運動のはじまりである。したがってドイツからヨーロッパを中心にこの運動は広まり、一九三二年になって国際ユース・ホステル連盟（略称IYHF）の設立がなされ、国際運動としての基礎が確立された。

その後、アメリカ、アフリカ、アジアの諸地域にも運動が進展し、今日では国際ユース・ホステル連盟の正式会員国が四十一ヵ国、通信会員国十七ヵ国で、その会員数は約二百万人に達し、世界を結ぶ青少年運動として推進されている。

日本のユース・ホステル運動は、一九五一年、戦後海外渡航が自由でなかった頃、日本ユース・ホステル協会理事長・横山祐吉氏が、日本の青年団代表として渡米した際、当時アメリカのユース・ホステル協会長J・D・ロックフェラー三世に会い、また、アメリカ各地のユース・ホステルを実際に見学し、この運動が日本の青少年の求めているものであることを確信。帰国後、現会長・中山正男氏と協力し、運動の推進に奔走した。

そして、一九五一年九月第一回発起人会を開き、同年十一月第一回ホステリングを山梨県の川口湖山中湖を中心にして実行した。

こうして発足した日本のユース・ホステル運動は、一九五四年国際ユース・ホステル連盟総会で通信会員として、さらに、一九五六年に正式会員国として承認され、日本の協会も各国共通の会員証である。現在は、全国各都道府県に支部が発足し、会員数四十五万人。また、全国に点在するホステル数は、五百二十ヵ所を数えている。

特徴とその活動

ユース・ホステル運動の特徴は、その活動が民主的、平和的で、つねに中立の精神で貫ぬかれ、しかも国際性を持ったもので、この運動にあっては、政治、思想、人種、宗教、男女等その他いっさいの差別的偏見をせず、すべての会員が自由で平等の立場に立って活動する。また、運動の基本精神であるホスピタリティ（厚遇精神）を基調にし、奉仕と友愛の心を持って、会員は団体あるいはグループを構成して、未知なるものを求めて自発的に活発なホステリングを行ない、やがて健全な社会人としての良識を学びとるのである。

ホステルでの生活

ユース・ホステル運動は、ホステルを基盤として、青少年の健全育成—教育的効果—を目指すものであるから、ホステルの生活には秩序と規律がある。ホステルにはペアレントと称する管理者がいて旅をする会員の親代りとして指導助言をしてくれる。

会員は、ペアレントを中心にホステル生活の秩序や規律を守って「自分のことは自分でする」「他人に迷惑をかけない」「帰るときは来た時よりもきれいに」などをモットーに、ミーティングなどを通して、会員間の友交を深め、楽しい生活を味わうことにしている。

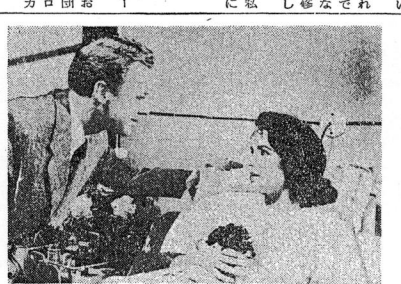

コース・ホステルのミーティング夕食の終った後で、ペアレント管理者の司会で開かれる。

事業

一、ホステルの設置および運営
二、ホステリング・コースの選定
三、ホステリング指導者の養成
四、ホステルの管理者講習会・ペアレント教室・ユース・ラリーの開催
五、国際ユース・ホステル連盟および外国の同一目的を有する団体との連絡および提携、ヨーロッパ・ホステリング、アメリカ・ホステリング
六、機関紙、パンフレットの刊行
七、ホステリングに必要な用具の研究・改良および斡旋
八、その他目的を達成するために必要な事業の実施

会員になるには

会員には❶満四歳以上の者であればだれでもなれる❷協会の本部および全国の各支部協会に所定の申込書が用意され、その申込書に所定事項を記入し、会費と写真と印鑑をそえて申込む❸会費は申込んだときから年の末まで有効❹協会では、申込み順に登録して、その年のイヤースタンプを貼った会員証を交付する

会員証は、個人パス、家族パス、リーダーパスの三種類にわかれており、個人パスは年令により、さらに少年パス・青年パス・成人パスにわかれている。

〈東京都新宿区市ヶ谷砂土原町一ー二　保健会館内　TEL（二六九）五八三一〉

日本4H新聞
4Hクラブ 農事研究会 生活改善クラブ
全国弘報紙
発行所 社団法人 日本4H協会
東京都市ケ谷家の光会館内
電話（269）1675郵便番号162
編集発行人 玉井光
月3回・4の日発行
定価 1部 10円
6ヵ月180円（送料共）
一ヵ年360円 〃
振替口座東京 12055番

クラブの綱領

私達は実践を通じて自らを磨くとともに互いに力を合わせてよりよい農村、よりよい日本を創るため四つの信条をかかげます。一、私達は農業の改良と生活の改善に役立つ腕をみがきます。一、私達は科学的に物を考えることのできる頭の訓練をします。一、私達は誠実で友情に富む心をつちかいます。一、私達は楽しく暮らし、元気で働くための健康を増進します。

盛大に二十周年記念大会

宮城県連　4H活動に誓い新た

【宮城県＝佐司徳治連絡報道員発】宮城県4Hクラブ連絡協議会（会長、高野秀喜君）は、宮城県に4Hクラブが誕生してから二十周年を迎えたのを記念し、過去の業績を回顧するとともに自他ともに認められた4Hクラブをさらに一層発展させるため、去る十一月十日、仙台市の県農協会館に県内の4Hクラブ員や関係者六百五十名を集めて盛大に記念大会を開催、二十周年を祝うとともに、今後への努力をお互いに誓い合った。

この日、午前九時ごろからクラブ員が続々集まり、開会式の始まる前には会場のロビーにまであ [illegible]

[illegible] 条のもとで若さと希望にみちて努力されていることは喜ばしいことである。この4Hクラブを農村青少年だけに終らせず、全国民的な運動にまで盛り上げていく必要がある」とクラブ員を激励された。

ついで感謝状の贈呈に移り、過去二十年間に4Hクラブ活動に対 [illegible] と県下の十七の普及所、関係者四名に記念品と感謝状が高野会長から贈られた。このあと、祝辞として、丸山全協会長が全協の動きや4H会館建設について述べ、つづいて来賓の紹介があった。

宮城県4Hクラブ二十周年の歩みについて事務局から一般経過報告があり、ひき続いて議長団を選出して議事に入った。事務局から議事の提案理由について説明があり、大会スローガンと宣言文を決議した。

十一時半からクラブ員のプロジェクト発表（水稲、クラブ活動）を行ない、このあと休憩。この間、県指導者と県選奨者の紹介があり、午後から記念講演とアトラクションに入った。

記念講演の講師は労働省宮城婦人少年室長、馬場三千代さんで [illegible]

アトラクションはクラブ員が中心に、常にけいこしている郷土芸能、大同原の踊り「小山田やっとこ」、無形文化財「八幡踊り」、神楽「一本つるぎ」、上郡4Hクラブ員による民謡、それに、大郷生友会員によるエレキバンドなど約二時間にわたって披露され、[illegible]

このあと閉会式が行なわれ、篤志指導者の今泉徳義氏の激励のことば、泰県連副会長のあいさつ、4Hクラブの綱領を全員で朗唱、4Hクラブの歌を合唱し永野初代会長の音頭で万歳を三唱、閉会宣言を最後に幕を閉じた。

今大会の企画、運営はすべて高野会長を中心に県連役員が一丸と [illegible] して今後、「宮城4H二十年の歩み」「宮城4H新聞十六号」の発行と大会参加者の募金で記念植樹を行なう計画である。この記念大会は過去にみられなかったほどスムーズに企画、運営され、大会参加者はいうにおよばず関係者からも、成人になった本県4Hクラブの今後の活動が大いに期待された。

宮城県4Hクラブ20周年記念大会

宮城県連の4Hクラブ発足20周年記念大会の開会式であいさつする高野県連会長

涼風暖風

十年、ひと昔と云うが、4Hクラブ活動を終えて、十年になろうとしている。クラブ活動を通して、数多くの方々に接し、教えを戴いたが、なかでも中田正一先生から受けた助言は鮮烈で、高遠であった。慈父の様に、いつもほほえみかけ、語りかけて下さったお顔が、昨日のことの様に甦って来るのは私だけであろうか……。

4Hクラブ活動の目標を達成するために、クラブ活動を通しての相互教育と、実践活動を通して学ぶプロジェクト活動が、4Hクラブ活動の両輪であることは今更申し上げるまでもない。民主的な人間関係の交流と実践の積み重ねによって養われる若い力は、「創り出す力」「考え出す力」「見つけ出す力」と万能力で、中田先生は知識の死蔵を嫌われ、この三つの力を強調された。これらは私達の人間形成に、農業は勿論のこと、他の業務の中に於いても素晴しい力となっていった。

農業と三つのこと

“良いもの”を“安く”つくり出すことの原則は、自由経済の中で、今更いうまでもないことだが、これに“計画生産”を加えた三つのうち、どれが欠けても今日、落後するのは当然のようにいわれている。

こうした時、米論議に思うことは、制約された条件はあるとしても、この三つのうち、どれ一つとして、満足な評点が得られないのはどうしたことであろうか。政治性に頼り、経済性を越え、消費を直視しないで歩んだことの、反省の要はあるまいか。これは米だけではなく、他作物においても然りであり、またひとり農業だけのものではないと思うからである。

戦後から今日まで、農民の勤勉と創意が果した役割りと実績は大きく、世界に数少ない米余剰国となった。この評価は誰れにも異存はあるまい。しかし、だからといって現実に前を向けた米論議は、農業を小さくするのみで、そこには、米問題と合せて、食糧（飼料・畜産（エサも）・果実など）の安定と調和のとれた日本農業への命題がある、と思う。うしろ向きにならないで、右往左往しないで、この課題の解決を新たな目標として一歩一歩進めて行き度いものである。

今、日本農業は、混迷と期待の錯交する中にある。難しいときではあるが、やりがいのあるときでもある。

未来をひらく若い4Hクラブの「三つの力」を、今こそ必要としている様に思う。（山口・沢野）〈農業〉

松下4H協会長の記念講演（6）

4H会館の建設を　今後の活動に大きな影響

充分働ける舞台を

適任者認める世論に

偉大な成果は適任で

4H会館建設に賛意

4H協会も手伝いを

成功のために力を

[illegible]

…（おわり）

この記念講演は、さる十月七日から四日間、秋の大和路・奈良を主会場として開かれた「第四回全国4Hクラブ員の集い」（全国4Hクラブ連絡協議会、日本4Hクラブ協議会主催）で開会式のあと西村農林大臣に続いて行なわれたものです。

第二回「青年の船」帰国

4Hクラブ員ら元気で　東南ア親善の旅終えて

異国の熱狂的な歓迎に興奮

[illegible] ポリスの植民地であったところで街にはその名残りが多く見受けられた。

マレイシアは、回教を国教とする国で、その首都クアラルンプールには、立派なイスラムの寺院があった。駅なども尖塔を戴くアラビア風の建物で、団員の目をひいた。

さいごの訪問国台湾は、戦時体制下で厳しい表情をみせていた。

「青年の船」団員は、これら寄港地活動のほかに、巡航中は規律ある団体生活を行なうとともに、一般教養、リーダーシップ、訪問各国の実情などを研修し、幅広い教養を身につけることに努めた。

なお、今回の「青年の船」に乗船した北海道の宮森サチ子さんはじめ九人の全協推せんの団員（4Hクラブ員）・班長も、農業者の集い「さくら会」を結成し、その中心となって働くとともに、他の団員と広く交歓し大きな成果を収めて帰国した。

3日から静岡で開幕

4Hの中央推進会議

次期クラブリーダーの養成と4Hクラブ活動の推進を目的とする全国4Hクラブ連絡協議会（丸山勉会長）と社団法人日本4H協会（松下幸之助会長）共催の四十三年度「全国4Hクラブ中央推進会議」は、四泊五日間の日程で三日から静岡県御殿場市の国立中央青年の家で開催されている。

この会議は、4Hクラブの本質をはじめとしてクラブリーダー、組織などについて講義のあと分科会と全体会議を開いて討議研究することを主体としているが、今回はとくに、4H会館建設について話し合うことになっているほか、4Hクラブ活動の生命であるプロジェクトの研究会が組まれ、内容的に多彩となっている。

初の研修会に意欲

埼玉・東松山地区4Hク連　活発に意見交換

【埼玉県＝猪鼻文明連絡報道員発】東松山地区4Hクラブ連絡協議会（会長、小高明也君）では、来る七、八の両日、東松山青年の家でリーダー研修会を開く。

普及所が広域化されてから二年目。やっと新しい方向に道が開けてきた同4Hクラブ連協の史上初の研修会だけにクラブ員の熱の入れ方もふだんとは違っている。

この研修会には、各単位クラブから五名ずつの計六十名が参加、「クラブ活動について」と題して、悩みが多くなってきたクラブ活動にポイントをおいた市川専技の講義を聞き、そのあと講義の内容を中心に質疑応答し話し合いをしたり、❶農業と他産業❷農村青年の男女交際❸クラブ活動の問題点などについて意見を交換する。

8日に女子クラブ員放談会

富山県連

【富山県＝佐藤信次連絡報道員発】富山県4Hクラブ連絡協議会女子部では、来る八日午前十時から富山市奥田の銀嶺荘で県4Hクラブ員女子放談会を開き、（1）女子クラブ員はなぜ必要か（2）農村女性の現状と問題点（3）女子クラブ員と結婚問題などについて話し合う。

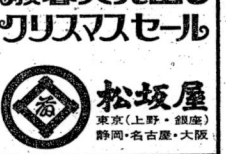

4Hク20周年記念号を発行

【徳島県＝河崎嘉宏連絡報道員発】徳島県4Hクラブ連絡協議会（会長、河崎嘉宏君）では、4Hクラブが発足してから今年で二十周年を迎えたのを記念して、このほど機関誌「みどりの仲間」を発刊した。

心頭技健

いよいよ厳しい冬がやってきた。詩人・高村光太郎は、冬を愛し、青年を愛し、そして冬の厳しさを讃えた。冬の厳しさが人間を鍛えてくれることを、よく知っていたのである▼筆者は、今回の青年の船に乗って東南アジア七ヵ国を歴訪し、このほど帰国したのであるが、旅のつれづれになつかしく想い出したのは、日本の冬のことであった。朝日をうけて輝く雪景色は、たとえようもなく美しい。だがそれよりも、凍りつく冷気は人の魂をふるいたたせてくれる。厳しさに直面したとき、人は立ちあがり、身構えるものなのに、南の国々にはこの厳しさがないように思われた▼街角にたむろする貧しい人々の群れ、男も女も粗末な服をまとい、ものうげである。四、五歳の男の子が乳児を小脇に抱いて物を乞いにくる。「物を乞われても決して与えないでもらいたい。それは、この人々を立ちあがらせるためなのだから」といわれていても、幼な子の顔をみると惑わずにはいられなかった▼こんなところで冬に遭ったなら、彼らは生きていけないであろう。厳しい冬の訪ずれる国では、みんながその寒さと飢えから身を守ることをする。そしてその習慣が寒い国の人々の生活を向上させているのである。ヤシの木が家のまわりに五本もあれば、その実を売って生きていかれるということも聞いた▼これは、恵まれているといえばいえそうだが、それだけに勤労の意欲が湧かないようで、財を貯え、生活を向上させようという気を起こさせないということであった。もちろん、勤労意欲が湧かないのは、なんとか食えるからばかりではない。容赦なく照りつける太陽のせいでもあり、また、働いても、それだけの稼ぎができない社会の仕組みにも原因があるようだ▼しかしながら、心強いことに、どこの国にも、祖国の将来を真剣に考えて努力している多くの若者たちがいた。そしていつの日か、彼らの夢みる豊かな社会が生まれるであろうことを確信させたのである。とまれ、厳しい冬の試練をうけるということはありがたいことである。南の国に雪が降ったならば、彼らの生活はもっと急速に向上することだけは間違いあるまい。なんとこの人たちの祖先は不幸な土地に住みついたことだろう—と異国の地で想ったものである。

ジェクト活動

特集

師走に入り、4H新聞も次号を残すのみとなりました。全協ではことしの活動テーマの一つとしてプロジェクト活動の推進をかかげてまいりましたが、昨日から霊峰富士を仰ぐ御殿場の国立中央青年の家で開かれている中央推進会議でもこの問題をとりあげることになっています。そこで、多くの方々の参考のために、再び、プロジェクトの概念について特集しました。

特質と効果

自主的に行う活動　生活や営農の技術を習得

プロジェクトの特質

プロジェクト活動は、日常の農業や生活についての問題解決をとおした実践的学習に特色がある。したがって、他の学習のしかたとは異った教育的な特徴がある。

(ア) 青少年の自主的な活動

プロジェクトは、実践をとおして知識技術を身につけることが中核となっているので、青少年の自主性に基づく活動がたてまえである。したがって、自らの必要性と興味とによって実施する問題解決の過程は、青少年の責任において行なわれることが必要である。

自らの意志によって行なう目的のはっきりした活動は、積極性が生まれ、学習の意欲も高まり、創意性も伸びる。成功すれば大きな満足感が得られ、さらに高度な活動へと進んでいく。これは受け身の学習態度ではない。青少年の興味と関心によって自主的、自発的に行なわれるところにプロジェクトの特質がある。したがって、指導にあたっては、青少年の主体性を尊重して、その活動が効果的に進められるように方向づけを行なうことが重要である。

(イ) 営農と生活に直結した学習

プロジェクトは生活そのものであり、物的な処理と身体的活動をともなうところに第二の特徴がある。収量が減少したのはこれが原因だから、こう改善すればよいというように、生産や生活の問題を理論的に解明するだけでなく、その解決案に従って目標を定め、計画をたて実行し、実際の生産や生活を新しいものに改めていく活動でなければならない。プロジェクトはこのように営農と生活と直接結びついた学習である。

(ウ) 普及員・両親・青少年の協力

プロジェクトは青少年が主体となって実践されるべきものであるが、とくに、改良普及員の指導と両親の協力が必要である。

プロジェクトそのものの進め方や、それに必要な知識、技術については改良普及員が指導し、プロジェクト実施に必要な資材、資金、土地の提供やプロジェクト実施の時間の確保などについては、両親の理解に基づく承諾と援助が大切である。またプロジェクトは実際の生産や生活についての問題が中心となるため、実践にあたっては自家の経営や生活、さらに地域社会における農業とも直接つながりがある。したがって、青少年のプロジェクトがこれらの関連において効果的に実施できるように、その条件整備と激励が重要である。

このように改良普及員・両親・青少年の互いの協力によって学習や実践の効果を上げようとするところに、プロジェクトの第三の教育的な特徴がある。

プロジェクトの効果

プロジェクト活動の効果は、前項で述べた特質と関連するが、そのおもなものは次のとおりである。

(ア) 問題解決の能力が高まる

実際の営農や生活の中から問題を探り、その解決のために目標をたて、計画し、実施し、反省するという四過程を反復することとによって、合理的な思考力が高まる。問題解決のための注意力、観察力、判断力、想像力、理解力、実践力などが養われ、習得した知識や技術を実生活に応じて活用できるようになる。

プロジェクトは青少年自身の興味や関心から出発しているので、実践に対する積極的な態度、自立心、責任感を向上させるなど、自主的に問題の解決をはらおうとする態度の形成に大きな役割を果たす。

(イ) 農業や生活の知識、技術が習得できる

実践を通じて学習することから知識や技術は完全に自分のものとして消化され、さらに一段と高度な学習を進めようとする意欲が高まってくる。しかも、断片的な知識や技術ではなく、一貫した作業を行なうことによって経営と技術との関連を理解でき、経営能力が養われる。

(ウ) 協同の精神が高まる

青少年グループは、プロジェクトを主とするグループであるから、プロジェクトの実践をとおして研究の交換や話し合いなどの協力が高まる。また、家庭においても、改良普及員の指導のもとに、両親の協力と援助を得て実施するわけであるから、家族の話し合いが行なわれ、家庭における人間関係の改善にも役立つ。さらに、プロジェクトの実践を通じた資材の共同購入や生産物の共同出荷などによって、農業の協業化の態度や協同精神を養うことができる。

(エ) 地域社会の発展に寄与する

プロジェクトは、自家の農業や生活の改善を直接のねらいとして行なわれるが、その成果は、青少年グループの実績発表会や展示発表会などの諸行事によって農家に普及され、地域における農業改良の推進力的な役割を果たすことになる。

また、プロジェクトの実践によって青少年自身も農業に対する関心がいっそう高まり、将来への希望や実践意欲も養われるなど、地域社会のすぐれた農業後継者として活動が期待される。

プロジェクトとは

実践的な学習活動　農業や生活上の問題を解決

農村青少年グループは、プロジェクト活動を中心とするグループであるといわれているように、プロジェクト法（Project-Method）は、農村青少年指導の重要な柱となっている。

プロジェクトとは「投げ出す・突き出す・射出する・投影する・具体化する・思いめぐらす・計画・設計・案」などの意味がある。したがって「自分の考えていることを計画して、実際に行なってみる」という意味に理解してよい。

わが国では、プロジェクトを訳して「設計方法」「家庭農業設計」「家庭作業案」「構案法」など、いろいろな名称が用いられてきたが、文部省では昭和二十三年、高等学校の農業課程における「総合農業」の科目増設に伴って「家庭実習」の訳語で統一し、農業改良普及事業においては、一般に「計画実業」という訳語を用いた。

しかし、いずれも普遍化するに至らず、現在「プロジェクト」の原語がそのまま用いられている。

学校教育では、生徒が家庭で行なう活動の意味からホーム(Home)の語を附してホームプロジェクトと称し、また、4Hクラブや経営伝習農場など農業改良普及事業における青少年教育では、単にプロジェクトと称している。

プロジェクトによる学習指導法をプロジェクトメソードといっている。プロジェクトメソードは、知識偏重の伝統的な教育に対する反省から生まれたものである。

過去における教育は、教師が生徒に対してできるだけ多くのことを教えこみ、生徒はその知識をただ記憶するということに指導の重点がおかれていた。したがって、学習によって得た知識は観念的なものにとどまりやすく、実際の生活に反映するのには弱いという難点があった。

こうした教養主義、注入主義の教育に反対したルソー（一七一二～一七七八）、ペスタロッチ（一七四六～一八二七）、フローベル（一七八二～一八五二）などは、与えられた知識を実際に利用するための活動、想像、思考、観察などの能力育成を強調し、さらにデューイ（一八五九～一九五二）は生活経験における問題解決の過程をとおして思考が働き、知識や技能が習得されるという考え方に立って「生活による、また生活との関連における学習」が主要であると主張した。

デューイの「生活による学習」とは、生徒の日常生活における思考を主体として、その学習効果をあげようとするもので、日常生活経験における疑問や不安の問題を解決していく過程において、行動と思考をとおして知識や技能が実際に習得されるという問題解決思考を強調したわけである。

たとえば「じゃがいもの収穫をしたところ、収量が意外に少ない。これはどうしたわけだろうと疑問をもち、土の状態、種いもの植えつけ、施肥の方法、病害虫の防除など、いずれかに欠点がなかったか調査してみた。その結果、種いも消毒の不完全が原因らしいことを発見した。

さっそく種いも選別と消毒法を研究し、翌年この方法を採用してみると、収量は平年よりも上回った。これによって種いもの処理が収量に大きな影響のあることを認識し、この学習をさらに進めて、技術の改善を行なった」という場合、具体的な生活（じゃがいもの生産）の中で、その生活の必要性（収量の増加）にせまられて、問題（病害による減収）を解決（種いも消毒など）することが、デューイのいう「行なうことによって学ぶ」(Learning by doing) という問題解決的思考である。

アメリカの教育哲学者キルパトリック（一七七一～）は、このデューイの教育理論をもとにして具体的な学習指導の方法をまとめ、これをプロジェクトメソードと呼び「社会的環境の中で専心従事するところの目的の明確な活動」であると規定した。つまり青少年自身が興味をもって行なう自発的な活動を中心にして指導することを学習指導の本筋としたわけである。

このため、プロジェクトメソードでは学習者の主体的な活動に重点をおくことからキルパトリックは、デューイによる問題解決の思考についての五段階に従って、プロジェクトメソードの学習過程は次表の四段階をもつものであるとした。

学習の過程

プロジェクト（の四段階）	思想の五段階（問題解決）
❶目的を立てること	❶困難の自覚　❷問題点の検討
❷目的を達成するための計画をたてること	❸解決案の想定　❹解決案の理論的検討
❸計画に基づいて実行すること　❹実行の結果を反省すること	❺解決案の実践的検討

つまり、デューイの五段階説の「困難の自覚・問題点の検討」はプロジェクトメソードの第一段階「目的の確立」に、「解決案の想定・解決案の理論的検討」は、第二段階「計画の作成」に、また、「解決案の実践的検討」は、第三段階「実施」と第四段階「反省・評価」に、それぞれ結びついたわけである。

プロジェクトメソードは、学習と生活とを結びつけ実際の経験をとおして学習効果を上げようとするところに特長がある。いわゆる青少年自ら目的を定め、その達成をはかるための計画を立て、その計画に従って実行し、その結果を反省評価するという過程をとおして、知識、技能、態度の習得と達成を図ろうとするものである。

さらに、キルパトリックは、プロジェクトは「目的をもった活動」に基づくものであるとして、プロジェクトの範囲を大幅に広げ、次の四種を含むものであるとした。

(a) 一つの計画を形のあるものに構成することを目的とするもの（例　鶏の給水器を作る。手紙を書く。農繁期の献立をつくる）

(b) 生活上の問題を解くことを目的とするもの（例　追肥はなぜ必要か。温床育苗は収量に影響があるか。農婦症はなぜ起きるか）

(c) 知識や技能の習得を目的とするもの（例　トラクターの運転を覚える。じゃがいもの料理方法を身につける。簿記のつけ方を練習する）

(d) 楽しみの経験を目的とするもの（例　音楽を聞く。映画を見る。ダンスをする）

キルパトリックは、プロジェクトメソードの適用範囲をこのように広義にとらえているが、わが国における農村青少年指導では、プロジェクトメソードの理念を基本としながら、その範囲を行動的な実生活そのものにしぼり、農業改良と生活改善の立場から、おもに構成的なプロジェクトを中心としている。

こうした立場において、わが国では、一般に「プロジェクトとは、日常の農業や生活上の諸問題を解決する実践的な学習活動」と理解されている。いわゆる、日常の営農や生活における問題を認識し、その問題を解決する必要性に基づいて目標を定め、自発的な関心と興味をもって問題の解決を計画し、自分の責任において合理的に実施し、これをとおして農業改良や生活改善に関する知識と技術とを身につける実践的な学習活動である。

このような理解のもとに、目的・計画・実践・反省の四過程と、これをとおした記録とによってプロジェクト活動が行なわれている。

なお、キルパトリックによるプロジェクト分類の第二「問題を解くことを目的とするもの」は、問題法（Problem Method）と呼んでいる。たとえば「なぜ冷害が起きるのか」「農繁期の食事はどのくらいの栄養があればよいか」というように、問題解決の過程における知的な解決そのものが目的である。このため、プロジェクトと別に、青少年グループの話し合いや調査研究などの共同学習の分野で取り扱うことにされている。

また、第三「知識や技能の習得を目的とするもの」は、学習プロジェクトとして行なわれることもあるが、一般には農業学園、ラジオ農業学校、青年学級などにおける系統的な学習領域で行なわれる。さらに第四の「楽しみの経験を目的とするもの」は、青少年グループにおけるレクリエーションや教養行事として実施されている。

このように、第二から第四までのものはいわゆるプロジェクトから切り放して扱い、プロジェクトの促進をはかる学習活動として指導上の位置づけがされている。

プロジェクトに関する主要参考文献

プロジェクトに関する総合的な著書・論文

❶「ホームプロジェクト」（厚沢留次郎・昭31・文教書院）

❷「プロジェクト活動の理論と実践」（森本宮雄・昭32・東京第一図書）

いずれも農業高等学校生徒のホームプロジェクトについて解説したものであるが、農村青少年指導によい参考となる。❶は、基礎編と応用編にわけてプロジェクトを体系的に述べてある。❷は、北海道における農業高等学校生徒について教科、科目の指導に即応したプロジェクト指導事例を中心に説明してある。

❸「H・PとF・H・Jを指導するために」（仙波千代・昭38・家政教育社）

この著書も高等学校生徒のホームプロジェクトについて説明したものであるが、とくに女子について家庭教科や学校家庭クラブなどの指導と関連して解説してある。農村女子青年のプロジェクト指導に参考となる。

❹「農村青年少クラブのプロジェクト」（岸田益雄・昭27・北海道農業改良普及協会）

農村青少年クラブ員のプロジェクトについて、北海道の実態に即して詳細かつ体系的に解説してある。とくに、改良普及員の活動との関連において具体的に説明しており、プロジェクトリスト、プロジェクト学習例などの所収がある。

この書は版こそ古いが、現在でも北海道における農村青少年のプロジェクト指導の原典として広く活用されている。

❺「青年の生産活動」（梶田利治・昭31・東京第一図書）

この著書の副題に「プロジェクトの手引」と表示されているとおり、年少者と年長者にわけて、プロジェクトの具体的な活動方法を説明してある。とくに、プロジェクトに関連した生産活動も述べてあるので、総合的な理解が容易である。

❻「プロジェクト活動の意義と実際」（藤井正弘〈青少年クラブ活動の理念と実際〉所収・昭29・長野県農村文化協会）

プロジェクト活動の意義と進め方について、生産、改良、調査プロジェクトを中心に、平易に説明してあり、青少年クラブ活動に関する他章との参照ができるので理解しやすい。とくに、プロジェクトの作業分析の事例が参考になる。

プロジェクトの概念・種類に関するもの

プロジェクトの理念を取り扱った総合的な著作については、前項に例示したとおりであるが、なお次の専門書がある。

❶「問題解決学習」（梅根悟・昭29・誠文堂新光社）

❷「普及方法の原理」（浜田陽太郎・昭40・全国農業改良普及協会）

❸「新しい農村教育」（高橋・厚沢・野村・昭27・文教書院）

諸外国における農村青少年のプロジェクトやそのグループ活動の実態などを紹介したものに、次の著作がある。

❹「アメリカ4Hクラブのおいたちと現況」（近藤亮一〈集団活動第4号〉所収・昭38・文教書院）

❺「アジア農村青少年交流会議報告」（星野武四郎〈集団活動第4号〉所収・文教書院）

プロジェクトの展開に関するもの

プロジェクトの課題選定に伴う問題点の把握（はあく）については、次の調査に関する専門書がある。

❶「部落基本調査のやり方」（農林省振興局・昭34）

❷「社会調査の方法」（福武直編・昭29・有斐閣）

プロジェクトの課題選定と計画に関しての指導には次の論文がある。

❸「プロジェクト主題の決定とその展開に関する試論」（梶田利治〈集団活動第一号〉所収・昭33・東京第一出版）

❹「プロジェクトの計画とその進め方」（石丸美春〈農業教育と農民教育第4号〉所収・昭30・文教書院）

❺「プロジェクト・レコードブック」（北海道農業改良課監修・北海道4Hクラブ連絡協議会発行）

❻「畜大式レコードブック」（帯広畜産大学農村教育研究会発行・農産、畜産、生活の各編がある）

プロジェクト演示発表についての解説者は少いが、❼は事例を中心に平易に編集してあり、❽は演示指導の要点を解説してある。

❼「演示の手引集　第1集　第2集」（農村青少年クラブ研究会編・昭30・文教書院）

❽「農村青少年の演示とその問題点」（三輪勲〈改良普及員資料第4巻第6号〉所収・昭30・北海道農業改良課）

プロジェクトの促進に関するもの

年少者、女子のプロジェクト指導については、次の論文が参考になる。

❶「低年次クラブのプロジェクト指導」（飯塚節夫〈農業教育と農民教育第5集〉所収・昭30・文教書院）

❷「女子4Hクラブのプロジェクトの考え方と進め方」（葛原四津男〈農業教育と農民教育第4集〉所収・昭30・文教書院）

プロジェクトを中心とするグループ活動とその組織についての参考書に、次のものがある。❸は実際の進め方を、❹は理論を扱っている。

❸「4Hクラブ行事のやり方」（野村逵二・昭27・長野県農村文化協会）

❹「農村の仲間づくりはどう動いているか」（中田正一〈農民〉所収・昭和34・明文堂）

プロジェクト指導の組織と運用に関するもの

次の資料は、学校生徒に関する理解の手びき書であるが、農村青少年の理解方法について示唆が多い。

❶「生徒指導の手びき」（文部省・昭40・大蔵省印刷局）

次の論文は、プロジェクト巡回指導について高校教師の立場から説明したものである。

❷「ホームプロジェクトの巡回指導」（江部乙高等学校〈総合農業研究会報26号〉所収・昭34・北海道地区総合農業研究会）

プロジェクト指導をめぐって、農業改良普及事業と学校教育との連けいについての著作に、次のものがある。

❸「中学校の農芸クラブと4Hクラブ」（厚沢留次郎、中田正一・昭30・文教書院）

❹「農業教育と普及事業との連けい実験活動報告」（昭32〈農業技術普及資料第1巻第2号〉所収・北海道農業改良課）

❺「農村青少年教育をめぐる教育機能の相関性」（三輪勲〈農業技術普及資料第4巻第2号〉所収・昭35・北海道農業改良課）

プロジェクト活動の限界と補充に関するもの

プロジェクトに関連して、農村青少年の知識、技術の実態を分析したものに、次の論文がある。

❶「日本農業のあとりたち」（久保田辰雄〈農業技術資料第6巻第5号〉所収・昭38・北海道農業改良課）

プロジェクトの問題点について専門的に分析した著作に、次のものがある。

❷「問題解決学習過程の再評価」（昭39〈現代教育科学No.82〉所収・明治書院）

❸「農村青少年の指導においてプロジェクト法の効用と限界」（牧野忠明〈集団活動第3号〉所収・昭和38・文教書院）

共同プロジェクトの実施に関するもの

❶「共同プロジェクトの展開構造」（三輪勲〈集団活動第3号〉所収・前掲）

❷「青年の手による協業経営」（中田正一監修・昭36・文教書院）

共同プロジェクトに関連した協業について参考になる。

プロジェクトの取り組み方
展開編(13)

北海道専門技術員　三輪　勲

自らの学習促進
成果を地域に広く普及

記録指導上の要点

実践記録、観察記録、参考記録の三つの記録は、プロジェクト記録簿として一冊にまとめて記帳する場合と、それぞれ分冊して記帳する場合とがある。

年少者は、前者の方式によって編集された「プロジェクト・レコードブック」（北海道農業改良課監修・北海道4Hクラブ連絡協議会発行）を利用させるのが便利である。年長者に対しては、上記のプロジェクト・レコードブックを利用する以外に農業労働日記帳や乳牛経済検定日誌や家計簿を併用させることが望ましい。

なお、プロジェクト記録の指導についての一般的な留意事項をあげると、およそ次のとおりである。

a　正確に漏れなく記帳させる。抽象的な表現の記述を避け、できるだけ数字を使用して明記させるようにする。とくに、観察内容について詳細に記帳されることがたいせつである。また、記帳は途中で放置する傾向にあるので継続させる必要がある。

b　毎日定例的に記帳する場合は、野帳・補助簿・黒板などを利用させて記帳能率をあげるとよい。とくに、飼料給与のような定例作業の記録は、週・旬などにまとめて記帳させるなど、記帳方法の創意工夫について指導する。

c　プロジェクトの四段階（目的・計画・実施・反省）ごとに区切って記録を整理させ、青少年グループの集会においても、記帳の相互研究やこれに対する指導を行なう必要がある。

d　プロジェクト巡回指導の際は、プロジェクト記録について具体的に助言する。とくに、観察記録は十分点検して、その後の学習方向と記帳要領を指導するとともに、プロジェクトの進行に即した記帳の実際について助言することがたいせつである。

e　記録が完了したときは、集計・統計作成など取りまとめ方法について指導し、その記録の保存と活用につき助言する。また、プロジェクトに関する諸行事に青少年が出席する場合は記録簿を携行させ、青少年相互の研究資料として利用させるなどの配慮が必要である。

発表と指導

発表の意義

プロジェクトが完了したときは、青少年が自ら進んでプロジェクト発表を行なうよう奨励する必要がある。プロジェクト発表会には、青少年グループが行なう研究会的性格のものと、市町村・地区・都道府県の段階で系統的に公開して行なう大会的性格のものとがある。

いずれの発表にしても、プロジェクトの実績内容を聴取者に紹介し、プロジェクトの成果を地域に広く普及するとともに、青少年自らも学習促進の糧とし、これらを通じてプロジェクト活動に対する地域社会からの理解と協力とを高めるなど、その効果はきわめて大きいものがある。

プロジェクトの発表は、その発表形式によって口頭発表・文書発表・演示発表・展示発表の四種類にわけられる。一般には、口頭発表と演示発表とが主体をなしており、これに文書発表の形式を加味して行なわれるのが普通である。

口頭発表は、口頭で発表することを中心とし、補助材料として発表資料を配布する方法である。一般に、この形式の発表をプロジェクト実績発表と呼んでいる。文書発表は、プロジェクトの実績を文書にまとめて印刷し、または機関誌（紙）などに掲載して、地域農家に配布する方法である。ときには有線放送で発表することもある。

演示発表は、プロジェクトの実際の一部を実際に行なって見せる方法で、実演が中心となっているため理解が容易である。

展示発表は、プロジェクトほ場の公開や展示ほ場の運営をとおして常時見学に供する方法と、プロジェクトの生産物や製品の実物・模型などを展示紹介する方法とがある。

実践発表

りっぱなプロジェクトの成果を上げても、発表のしかたや発表内容の取りまとめが不十分なため、成果の活用に障害となっている場合が多い。また、発表の意識が過剰なために発表のためのプロジェクトになることもある。いずれの場合も、プロジェクトの正しい発表のしかたや内容のまとめ方を理解していないことが原因である。ここでは、プロジェクトの口頭発表について実施上の要点を考えてみよう。

発表内容のまとめ方

プロジェクト発表の要点は、聴取者に理解しやすく説明することにある。このため、発表内容の取りまとめに当っては、次の点に気をつけなければならない。

ア　事前の心構え　発表準備に先だって、発表会の目的、出席者の範囲と人数、発表会場などについて十分に理解しておく必要がある。発表会のプログラムや会場内の拡声機の有無、図表掲示の装置、発表時間など、発表会のしくみを知っておくと事前の心構えもできる。とくに発表時間は発表内容の取りまとめに関係するので確かめておくとよい。

イ　発表内容の整理　制限の時間内で効果的な発表を行なうためには、プロジェクトの重要事項に焦点を合わせて発表内容を整理しなければならない。実践状況のすべてを発表しようとすれば説明は具体性を欠き、聴取者の理解が困難となるので、そのプロジェクトの特徴、たとえば改良方式の実施と成果などの説明を中心として内容を整理し、あまり必要でない部分は説明を省略するとよい。

今春、家の光会館で行なわれたプロジェクト研究会の代表発表

農業教育の主流へ
米国で発祥、世界に普及

その沿革

アメリカの場合

プロジェクトという言葉を教育上の用語として初めて用いたのはアメリカのコロンビア大学のリチャードであるといわれている。アメリカでは、これ以前にも土木事業などの測量に関して技師の間ではプロジェクトという言葉が用いられていたが、教育用語としては使用されていなかった。コロンビア大学では一九〇〇年（明治三十三年）工作教育において、模倣による製作から生徒自身の計画による製作への新しい教育方法を提唱したが、この方法をプロジェクトと呼んだ。

工作教育に用いられたプロジェクトの呼称は、やがて農業教育にも使用されはじめた。マサチューセッツ州ノーサンプトンのスミス農業学校（高校）の校長スチムソンは、一九〇八年（明治四十一年）農業教育の効果を上げるため、学校で学習したことがらをもとに家庭における農場、家畜、生活などの実習により、問題の解決を通して学習させる方法を採用し、この家庭実習をホームプロジェクトと名づけた。

この成果に基づいて一九一一年（明治四十四年）マサチューセッツ州教育局では、学習指導の促進のためにホームプロジェクトをとり上げ、一九一四年（大正三年）にアメリカ合衆国教育局から「職業農業教育におけるマサチューセッツのホームプロジェクト・プラン」が発表されるなどして、プロジェクト法の普及の糸口となった。

その後、一九一四年の第一次世界大戦を機として、アメリカにおいても食糧増産をはじめとする産業の振興が要請され、農業教育など職業教育を意図したスミス・ヒューズ法を一九一七年（大正六年）に制定、州職業教育局および連邦職業教育局を設置した。農業教育の面では、中等農業教育を行なう学校とその教師を養成する学校とに対して国の財政的援助を行ない、生徒に対しては年六ヵ月の農業実習を課するなどの措置がとられた。

また、一方において、一九一四年制定のスミス・レバー・エクステンション法によって、農業と家政に関する教育と研究と普及を意図した協同農業普及事業を実施し、その一環として改良普及員の助言指導による4Hクラブの育成がはじめられたが、この4Hクラブの自主的な活動としてプロジェクトが行なわれた。こうした農業教育の方法として、アメリカ全国にホームプロジェクトの急速な普及をみるに至った。

さらに一九一八年（大正七年）には、連邦職業教育局から、ヒールドによって「職業農業教育の形態としてのホームプロジェクト」が報告され、また、同年、キルパトリックの論文「プロジェクト法」やチャールズマクマリーの著作「プロジェクトによる学習指導」などによって、新教育の基本的な方法として、プロジェクト法がますます重視された。こうして日常の生活における問題解決を通した学習がきわめて効果的であるという考えが支配的となり、農業学校と4Hクラブとにおいて広くプロジェクトが行なわれ、発展をとげてきたわけである。

日本の場合

わが国においては、明治四十一年に織田利三郎が静岡県浜松近在の小学校長と協力して、生徒にヘチマ、トウガラシを家庭で栽培させ、輸出用として買上げる方法を行なった。当時これを「一坪農業」と称したが、これがわが国におけるプロジェクトの原型とみなされている。

このあと大正三年、北海道大学の高岡熊雄がその著作「米国の農業教育」また大正五年、佐藤寛次が「アメリカにおけるホームプロジェクト」をそれぞれ紹介した。

これを糸口として、小学校における「一坪農業」や実業補習学校、農学校の一部における「家庭実習」などが農業教育の一分野として実施され、また青年団における「一人一研究」などによってプロジェクト法による学習が試みられたが、発展するに至らなかった。

戦後、昭和二十三年に来日したアメリカコロラド農工大学のカナ教授によって、東京農業教育専門学校において初めてホームプロジェクトの講演が行なわれた。これを皮切りに、アメリカにおけるプロジェクト法の各種文献が続々と紹介された。

また、連合国軍総司令部の民間情報教育部の職業教育官ネルソンは、日本政府に対して農業高等学校の教育においてホームプロジェクトを採用するよう勧告した。文部省では、これに基づいて昭和二三年六月三日に「農業高等学校家庭実習実験学校設置」について各都道府県に通達し、北海道の空知農業学校（現在、岩見沢農高）と十勝農業学校（現在、帯広農高）など全国十二校をホームプロジェクト実験校に指定した。

さらに翌二十四年、高等学校学習指導要領において、農業自営者養成の科目「総合農業」の学習指導法としてホームプロジェクトを採用した。

このあと、昭和二十六年まで四年間にわたって実験指定校が増加され、翌二十七年からは産業教育振興法による研究指定校に拡大されるなど、学校農業クラブの活動とともに農業高等学校教育におけるホームプロジェクトは充実発展をみるに至った。

この間、昭和二十三年に公布の農業改良助長法によって、国と都道府県との協同による農業改良普及事業が発足した。

農林省では昭和二十四年、連合国軍総司令部の青少年担当官ローズの助言を得て、4Hクラブ活動の育成にプロジェクトを採用し、農業改良普及員と生活改良普及員の指導および篤志指導者との協力によって、プロジェクトを中心とする4Hクラブ活動の育成が全国的にはじめられた。

このため、農村青少年によるプロジェクト活動は急速な発展をとげ、全国農村青少年クラブプロジェクト発表大会の開催、全国4Hクラブ連絡協議会の結成などにより、4Hクラブだけでなく、青年団にも自主的なプロジェクト活動が促進されるまでになった。さらに、各都道府県経営伝習農場における教育においてもプロジェクト法が高く評価されるなど、プロジェクト活動は農業後継者の育成に大きな役割を果たすまでに進展した。

このように、わが国におけるプロジェクト法の農業教育は、農業高等学校における自営者養成と農業改良普及事業における農業後継者養成に、それぞれ大きな地位を占めるまでに発展している。

これからの水田経営

12月11日（水）　安定多収への課題

稲の収量は面積当たり花数と登熟歩合で決まる。両者は稲の栄養状態で変るので、その変化をみると初期栄養のよいほど花数は増え、逆に後期栄養がよいほど登熟に関係の深い体内でん粉量がふえる。この原則に着目して稲の栄養を調節すれば、目標収量を期待できる。

12月12日（木）　稲作省力化の展望

一、稲作省力化のねらい
二、省力化のための条件整備
三、省力化のための栽培技術
四、田植の省力化
五、収穫、乾燥の省力化
六、省力化のみとおし

12月13日（金）　米作り運動とその問題点

一、単位面積当たりの増収のみに比重がかかりすぎている
二、労働力の節減が軽視されている場合が多い
三、基盤整備が不十分である
四、集団化の促進を図ることがたいせつである
五、米の増産のために他の作目がぎせいになっている場合が多い
六、行政機関、農業団体、普及所、農民の間の話し合いが不十分である
七、大型機の共同利用組織に工夫を要する
八、徹底した構造政策が必要で、これをともなわない米作り運動は壁につき当たる

12月14日（土）　現地訪問

有明海は潮の干満の差が日本で一番大きい。有明海に注ぐ大河が運ぶ泥土が浮泥となって一年間におよそ千㍉の泥土が堆積し、自然の陸地化がはげしい。こうした自然条件から昔から干拓地がつくられてきた。現在も干拓地はつぎつぎに造成されている。

佐賀県の芦川副干拓地は広さ百五十㌶で、個別経営農家三十戸が一戸二㌶の米作りをやっている。また、四十㌶を四人で共同経営しているところもある。干拓地の米作りは肥沃地であるということ、また、広い耕地を利用できることなどの有利性があるが、海水の影響や水不足などの問題点もある。ここでは、コンバインなど大型機械による干拓地の米作りを紹介する。

経営と記録

一、およそ近代的な農業経営者であるかぎり、経営の計画、その運営、実施、結果の取りまとめの必要から記録が行なわれていないものはない。しかし、農業経営は、いろいろな点で他の経営とちがった面をもっているので、記録の仕方もそれなりの工夫を要する。

二、農業経営がどんな点で他の経営とちがうか。商業とくらべると農業は生産が中心である点でまず異なる。工業とくらべると、生産が中心である点は同じだが、農業は有機的生産であり、かつ季節的生産であり、またいくつかの生産部門を組み合わせて行なわれているのが普通であって、しかも多くは個人経営であるところから工業ともまたちがう面が多い。

三、そこで農業経営では、その正しい発展の土台となるべき記録には、独自の工夫をこらさなければならぬ点が多いが、記録の種類としては現金、現物の取り引きの農業簿記、作業労働合理化のための労働日記、新しい技術体系を生み出すもとになる細かい技術上の記録、さらに財産台帳など考えられる。

四、このような記録によって、農業経営の合理化をはかる場合、もっとも大事な着眼点は、一つは、収量をあげ、あるいはコストをさげて、農産物単位量当たりのコストの低下をはかることと、農業経営として年間の所得をできるだけ大きくすることと、どのように調整するかのポイントをとらえることである。

五、組合簿記は農家簿記とちがう点が多いので、別個に考えなければならない。

12月16日（月）　記録の方法と活用

農業経営の記録には、会計的記録と、技術に関する事実の記録の二つがある。前者は農業経営を金額で統一的にとらえ、組織的に整理し、貸借対照表や損益計算書によって表示し、さらに経営を分析して改善した計画、つまり予算樹立に役立つ。

技術的記録は部分的にその基礎となる。適切な簿記の記帳は会計的記録の根本である。簿記様式には、単式と複式があり、自分で記帳して計算しつつ、記録の誤りを正しながら、農業経営の会計的運行を知るには複式簿記をえらぶことが望ましい。

しかし、整理計算に電子計算機を利用すれば記録は簡単な伝票へ判別的に記入するだけで十分となる。いずれにしても、農業経営を近代化していくためには農業経営会計を家事会計と分離し、経営の資本勘定を確立すること、管理労働と作業部門別労働を区別する必要がある。

12月17日（火）　生産費と経営費

一、「もうけ」の種類
二、赤字、黒字の意味
三、競争と生産費の関係
四、私経済と経営費
五、経営費と生産費の両者の関係

12月18日（水）

一、経営分析のねらいと手順
二、経営の資源と環境を明らかにする
三、分析のもととなるおもな指標（規模指標・能率指標・部門編成指標な）など
四、農家経済（兼業の所得、家計費を含む）の分析
五、農家経営の分析
六、基幹部門の分析

12月19日（木）　簿記決算のかんどころ

最近、農業近代化が叫ばれるようになって、農業の近代化は農業の企業化、農業の企業化は単式簿記に代えて複式簿記でなければという声がある。しかし、農業がどんなに大きく商業的になろうと、一般的には、それは家族経営として営まれるであろうから、それは多分に幻想でしかない。

わが国には、すでに、複式簿記を農家によくあてはまるように編み直し、農家経済・農業経営・各部門の経済計算ができるようにし、さらに土地・資本・労働の各種能率計算が組織的にできるようになっている京大農家経済簿記といわれる農業簿記がある。

12月20日（金）　共同経営と簿記

一、簿記記帳の目的
二、共同経営と簿記様式
三、備える帳簿と勘定科目の設定
四、簿記記帳
五、記帳の
六、決算上

帳簿と記帳順序

伝票（入・出金伝票）（振替伝票）→ 仕訳帳 → 元帳 → 月別試算表 → 決算（決算前試算表・修正記入・修正後試算表・勘定締切り）→ 貸借対照表／損益計算書

固定資産台帳・棚卸し表

売上帳・仕入帳・借入金台帳

現金出納簿

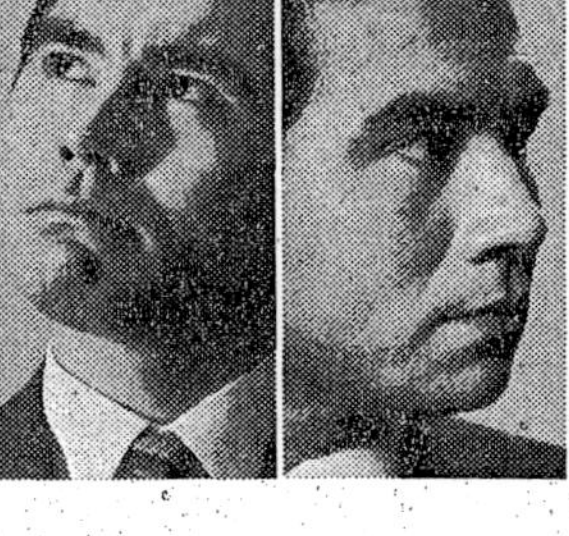

NHK農事番組（12月11日～20日）

テレビ

明るい農村　6:30～6:55　総合

ラジオ

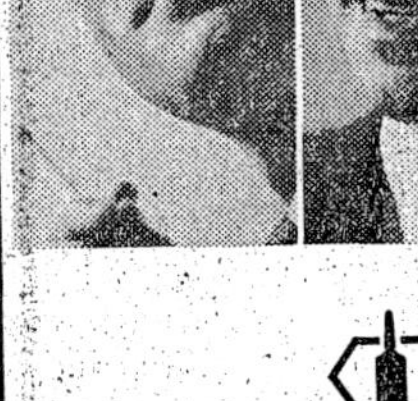

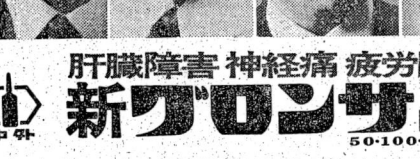

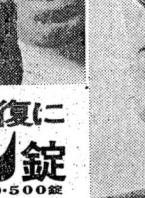

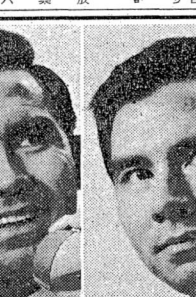

クラブ員の実績展示会開く　富山県連

力作がいっぱい
安売コーナーに人気

【富山県＝佐藤県連絡報道員発】第十回富山県4Hクラブ連絡協議会（会長、[illegible]）の主催による恒例の4Hクラブ実績展示会"農業フェスティバル"は、県と高岡市民祭実行委員会の共催によって去る十一月六、八の両日、高岡市民体育館で開催され、両日、会期中はクラブ員はもちろん一般の人たちもつめかけてにぎわいを見せた。

この展示会は、4Hクラブ員が日ごろのプロジェクト[illegible]を一堂に集めて展示して、そして技術の向上をはかると同時に、[illegible]ことをねらいとしたもの。

とくに、クラブ員全員が参加[illegible]、広い体育館は一人一品をめざして出品された千三百点余[illegible]大会ムードを盛り上げた。

さらに、今大会初めての試みとなった「即売コーナー」は、[illegible]

出品展示の内容は次のとおり。

一、一般展示の部（千百五十三点）農産物の品評、農業や農家生活の中において創意をこらした物品展示

二、写真展示（十八点）クラブ活動やプロジェクト活動の一貫作業体系など、活動の[illegible]

三、特産展示の部（五十八点）[illegible]

四、参考展示の部（八点）4Hクラブ員が今までの展示会、演示会、発表会で秀位（一位）賞を受けたものや、大型共同プロジェクトの成績などを参考展示品とした一般公開した。

子どもづれのおじいちゃんやおばあちゃんなどで賑わう大廉売コーナー。クラブ員たちはお揃いのハッピ姿で手ぎわよく応待した。

秋空に4Hの旗が鮮かに映えるドーム型の会場（高岡市民体育館）

クラブ員が精根こめて作った千三百点の力作で埋められた展示場

初冬の訪れ

さとわのうた

初冬の訪れである。寒冷前線を先頭に「冬はやて」が押しよせてきた。雨なしの続いている東京は、無降雨の新記録をつくった。実効湿度も五四％まで下がっており、カラカラのいがらっぽい日々がつづく。銀杏の落葉が路上を黄色一面に敷きつめているが、一枚一枚ひろってみると哀も哀しもずすだらけで真黒にょごれている。東京の木の葉は可哀そうである。本当に都心は人間も植物も住むところでないのかも知れない。人間がつくった都会、文明、機械、そんな都会のメカニズムの中で人間は自らを滅ぼしてゆくのではないだろうか。

日本レクリエーション協会専務理事の坪内嘉雄さんが「レクリエーションはただ単に余暇の利用の範囲を越え、今や生きるためにかくべからざるものとなってきた。今日のごとき生活環境は自然から次第に遠ざかる傾向にある。従って今後のレクリエーションは、自然を求めるというか、自然に還る方向に進むものと思われる。自然を緑をいかに上手にレクにとり入れ利用するかが将来の課題となる」といっておられる。その通りだと思う。

都市生活は人間性の喪失を招くと同時に、精神的、肉体的疲労をもたらしてストレスを高める一方である。その点、諸君たちの田園生活はまさにオアシスでありエデンの園であると思う。うらやましい限りである。

山形の佐藤章夫君から、切手三〇円も貼った便箋十二枚の長文のお便りをいただいた。彼一流な流暢な文がさらさらととめどもなく流れてゆく。一気に書き綴ったのであろう。

書きだしの始めのところに「昨日、一昨日ととてもよい体験をしました。感動が冷えないうちにご報告したいと思います」に始まる。

それは山形の米沢から新潟県に抜ける米坂線の山奥の宗のように開けた盆地にある「キリスト教独立学園高校」を訪問した印象を感動をもって書き綴ってある。

彼の高校時代の同級生が、大学卒後五年間、月給一万一千円で奉職している。ふと訪ねてみたくなりおとづれたようである。生徒数七十八人、先生十人前後、教室三つ、男女共学。建物などお粗末でおよそ高校の観念から全たくはずれた外観であるが、そこに住む人たち、先生、生徒たちがいかにも幸福そうでありかつすばらしい人間教育が行なわれているのに心打たれたという。神に祈り、讃美歌の美しいハーモニーに満された勉学生活。それは鈴木校長の人間素晴らしさであり、鈴木校長の人となりを尊敬の念で書いてあった。"全校生徒のひとりひとりの個性をしっかり全人格的につかんでいなくてはならない。その限界は私にとっては七十五人である"というが鈴木校長の信念であると。

佐藤君は、まさしく心酔している。十二枚に書き綴った。私も佐藤君の名文に引き込まれてしまった。

私一人がこの便りを読むのは勿体ない。4H新聞紙上にでも掲載させていただいたらと思っている。教育の問題はむつかしい。現に東大、日大等をピークに全国的に大学問題は、一部の極左狂信者共の渦巻の中に巻きこまれてなすすべを知らなくなっている。マスプロ教育の成果が、鉄カブトと角棒で表現されようとは滑稽の極みである。

学生運動は一度は学生がかかるハシカだと前に書いたが、最近のは狂犬病である。理性も良識もない、キチガイ部落の暴力の府である。大学は学問するところではないのだろうか。鈴木校長ならどうされるだろうか。七十五人に減しなさいといわれるだろうか。（細）

ムンムンする熱気
＝愛知県連で4Hの体育大会開く＝
日ごろの同志も試合では敵

【愛知県】愛知県4Hクラブ連絡協議会（会長、飯田[illegible]）では、このほど名古屋市の名城公園野球場と県スポーツ会館で、「第[illegible]回愛知県4Hクラブ体育大会」を開催した。（連絡報道員 吉川喜美子記）

この大会は、国民体力づくり運動の一つとして、日ごろ農業と生[illegible]ている県下のクラブ員が一堂に集まり、体力づくり運動を通じて4Hの機能のうちの健康（ヘルス）の増進を図り、相互の親睦度を深めるとともに、農業のにない手としてのたくましい身体と正しい健康観にもとづく労働のあり方を自覚、友情を深めることを目的として、愛知県と県連の共催で開かれたもの。

当日は、県下のクラブ員と改良普及員など約三[illegible]し、秋空のもとに若[illegible]ていた。

前日　数日間続いていた秋晴れの天気が午後からあやしくなってきた。もう一日晴れてほしいと願いつつ、県連運営委員のうちの総務委員は、明日の大会準備のために県庁農業技術課に集合した。会場案内図の製作からはじまり資料の袋づめ、大会会場での連絡進行の再検討など、去る九月三十日に行なわれた運営委員会の打合せにもとづいて準備がすすめられた。

どんより曇った名古屋の空にネオンが輝やきはじめ、空模様を心配しながら準備も総仕上げ、午後八時、ぜひとも晴れてほしいと願いながら、一同帰宅。

——午後九時ごろから雷とともに、愛知県下いたるところ雨に見舞れた——

当日　昨夜来降り続いた雨も、われわれ4Hクラブ員の行ないが良かったためか、明け方すっかり上り、爽やかな秋晴れのスポーツ日より。午前八時から総務委員、体力テスト班、ソフトボール班、卓球班に分かれた各単連代表の運営委員の手によってコートの整備、受付け準備がはじめられた。

午前九時、名城公園において開催予定の開会式も雨のためグランドコンディションが悪く、急きょ予定を変更してスポーツ会館内で行なわれた。

各単連旗とプラカードを先頭に入場行進が行なわれ、大会の幕が切っておとされた。飯田県連会長あいさつのあと、前年度優勝の知多地区連代表の力づよい選手宣誓があり、来賓祝詞を最後に開会式を終了。さっそく行事に移った。

いつも耕耘機や鍬を握っている男性は得意げに力づよさを発揮。でも少々器用さに欠けるとか？、年を忘れて頑張る農業改良普及員さんなどスポーツ会館は、はちきれそうな若さと、熱気でムンムンしていた。

心配された野球場のグランドコンディションも、午前中の晴天に使用可能となり、十二時から名城公園とスポーツ会館に別れて、ソフトボールと卓球の各単連対抗試合がトーナメントで開始された。常日ごろのクラブのまとまりを見せようと、このときばかりは他の地域はすべて敵方?、ソフトボールに卓球に選手たちは単連の期待を背に、農作業から解放され、力一ぱい頑張っていた。

また、会場の一角に健康、栄養相談所が設置され、愛知県生活改善専門技術員の石黒和子先生が[illegible]

4Hクラブの20周年を中心に
新年号の原稿を募る

いよいよ師走。年の瀬が近づき、全国の愛読者のみなさんも何かとお忙がしい毎日を送っていることと思います。

本紙の発行も、年末まで本号のほかあと一回となりました。十二月二十四日号は、来年一月四日号と合併し、新年号として増頁のうえ、企画も新たに、新年の門出にふさわしい関係記事で編集して、愛読者のみなさんのお手もとに届けようと計画しています。

とくに、今年は4Hクラブがわが国に発足してから二十周年を迎えましたので、この、はたちになった4Hクラブに焦点を合わせて編集したいと考えています。内容豊かでバラエティに富む新年号をみなさんのお手元にお届けするため、クラブ員と関係者の方々もどうぞふるってご寄稿下さいますようお願いします。

◎応募要領

【原稿の内容】一、「4Hクラブ発足二十周年に思う」＝わがクラブ二十年の歩み、この人（4Hクラブ員）の二十年、親子二代4Hクラブ員、4Hクラブの生みの親・育ての親、クラブ活動の思い出、クラブ活動への提言、4Hクラブの過去と将来—など。二、「成人の年に思う」＝はたちに思う—など。三、「新春に思う」＝新春に描く私の夢、新年への抱負、年頭所感・雑感—など。

▽その他＝意見、詩、俳句、随筆など新春にふさわしく建設的なもの。

◎できるだけ、顔写真、関係写真・絵図を添えて下さい。

【原稿の長さ】四百字詰め原稿用紙五枚（二千字）以内

【原稿のしめ切り日】十二月十六日

【送り先】東京都新宿区市ケ谷船河原町十一、家の光会館内　日本4H新聞新年特集号係　郵便番号＝一六二

◆なお、掲載文には謝礼または記念品を差し上げます。

4H会館建設への意見
灯そう建設の灯を
全国同志の結束と意気を示すために

奈良県4Hクラブ連絡協議会副会長　吉本文孝

全国4Hクラブ員"奈良のつどい"から早やくも二カ月。全国のクラブ員のみなさんいかがお過しですか。

私たち奈良県連においては、いま4H会館建設の募金活動を県下十五地区のすみずみにまでわたって展開しています。

今年五月の奈良県連役員会（十五地区から各二名の理事と県連役員によって構成）で募金の推進を決定したものの、十月の「全国のつどい」までは推進困難との判断から、運動の実施は「全国のつどい」以後としたのです。

十月の末、全国のつどいの反省会を兼ねた役員会において募金運動実施を決議、役員会構成メンバーを推進委員と定め、私たちクラブ員の殿堂建設に、奈良県連の会員全員がそろってその一助をなしえるようにと願いつつ、今年度末日を目指して努力しています。

奈良県連は、昨年度、米一升の持ち寄り運動で"4Hの塔"を建設、小さいけれど、まとまりある県連との自負を持っています。

しかし、問題がないわけではありません。この会館建設募金の推進に当るリーダーは別としても、一般クラブ員の中には、4H会館は「雲の上のもの」として映るという現実。いかにしてクラブ員すべての胸に会館建設の火をともすか—という問題に直面しているのが、いまの奈良県連の募金運動のいつわらざる姿といえましょう。

私自身は、奈良のつどいを通じて全協はじめ関係者方の会館建設への情熱を、努力をお見受けし、深く感激し、感謝いたしておりますが、ここで思い出されますことは、いまから五年前、私がまだ4Hクラブ員ではなく、村の青年団の幹部であった頃のことです。"日本青年館"の建設運動を推進したものの、同館は全く私たちに縁なき"雲の上の塔"であり、その完成になんら感激を持つこともなかった経験があるのです。

しかし、4H会館の建設にはまた違った大きな意義が蔵されていると思います。「4H会館の建設は、建設そのものに意義があることはもちろん、全国十幾万のクラブ員の結束を図り、将来の農業と農村を背負って立つ4Hクラブ員、農村青年の意気と魂を打ち込む印である」—声に度を決める前に、クラブ員に会館建設の意義を知らしめることだよ」

—「よくわかる、でも会館建設を打ち出したのは、もう数年も前なんだ、全国にまたがる十幾万のクラブ員を結集し運営するには今の方法をとらざるを得ないと思う。ただ目標を定めるよりも、クラブ員一人一人の胸に、会館建設の火をともすことが何より大切だと僕は思う。そのときこそ、会館は、もう建設されたことになるだろ……」

そうです。

この間、私は村のクラブ員と次のような会話をしました。

A君「クラブ員の力と心を結集するのなら、もっと気長な五年、十年の運動が必要じゃないのか、全協はあせりすぎるよ」

B君「そうだよ、目標額や目標年限りなく前進する若い農業者の殿堂として、全国クラブ員の精神的な支柱としても、この会館建設について、私は十二月の中央推進会議に出席して、全国の友人たちと意見を交換したいと願っております。

（奈良県連会館建設推進委員長）

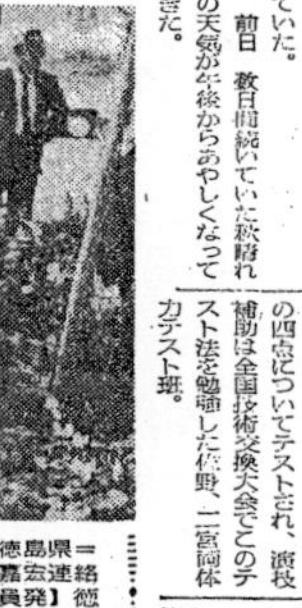

歳末助け合いに協力
徳島市4Hクラブ

【徳島県＝河崎農協連絡報道員発】徳島市4Hクラブは、このほど市内の中心部で植木市を開き＝写真＝その売り上げ金の一部を新聞社を通して歳末助け合い運動に寄金した。

この植木市には、クラブ員たちが日ごろ丹精をこめて育てた盆栽や、花木、苗木など数千本を持ち寄り、一般市民に安くでもろったが、クラブ員が精根をこめてつくり上げただけあって、いい人気をよんで飛ぶように売れ、その売り上げ金[illegible]

好評よんだ植木市

日本4H新聞
4Hクラブ 農事研究会 生活改善クラブ
全国弘報紙
発行所 社団法人 日本4H協会
東京都市ケ谷家の光会館内
電話(269)1675 郵便番号162
編集発行人 玉井光
月3回・4の日発行
定価 1部 10円
6ヵ月180円(送料共)
一ヵ年360円
振替口座東京 12055番

クラブの綱領

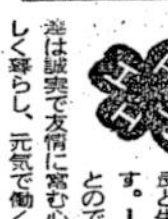
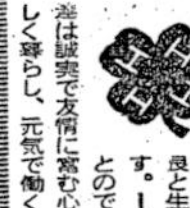

私達は実践を通じて自らを磨くとともに互いに力を合わせてよりよい農村、よりよい日本を創るため四つの信条をかかげます。一、私達は農業の改良と生活の改善に役立つ腕をみがきます。一、私達は科学的に物を考えることのできる頭の訓練をします。一、私達は誠実で友情に富む心をつちかいます。一、私達は楽しく暮らし、元気で働くための健康を増進します。

全国4Hクラブ中央推進会議開く

国立中央青年の家で

成果を全国の友に　4H会館推進委員も出席

全国4Hクラブ連絡協議会（会長、丸山勉滋）と社団法人日本4H協会（会長、松下幸之助氏）共催の「全国4Hクラブ中央推進会議」は、さる三日から七日までの五日間、頂上に白雪をいただいた富士の裾野、静岡県御殿場市中畑の国立中央青年の家で開催された。

この中央推進会議は、4Hクラブ活動を充実発展するために次期リーダーの養成と日本4H会館建設の推進を目的としたもので、全国から一道二府三十四県連の現役と次期リーダー約百五十名が参加、4Hクラブの本質、プロジェクト、リーダーのあり方、組織などについて研修した。

今回は、とくに各県連の4H会館建設推進委員も出席し、会期を通じて話し合いが進められ、参加者自身から建設的な意見と行動が盛り上った。

この会議は、本年で二回目であるが、過去九回にわたって同所で「全国4Hクラブ中央研修会」と称して開催されてきたものであるが、実質的には通算して十一回目を数える。

とくに今回の特色としては、4Hクラブの本髄であるプロジェクトの研究会と、かねてより提唱されている「日本4H会館建設」についての話し合いが行なわれ、具体的な会館建設の構想と設計の提示がされ、これらを中心に会館建設に対する参加者の自らの手で成しとげようという切実な願いが波紋のよう[illegible]

[illegible]けに、この4Hクラブ推進会議の果す役割りは大きく、ここで培われたリーダーの資いかんによっ[illegible]

[illegible]会議で忠実に与えられた議題を中心に問題点をみいだし解決策を話[illegible]数回にわたって築会が行なわれるほどであった。

全体会議＝分科会の報告をする山本君（鳥取）

中央推進会議に参加して

奈良県山辺郡都祁村荻　吉本文孝

友人を知り自分が成長

この世に生をうけ、25歳の現在まで、今日の私があるのは、両親・隣人・友人・または、書物で読んだ先人のためである。

人は総て善し悪しの判断から、知識の総てを他の人から教わるのだが、人の中にはそれを教えだと思わない人もいる。また、反対に懸命に学ぼうとする人もいる。

私は、さして努力家ではないが、いまここにある自分が、私一人の力ででき上ったものでないことは知っている。多くの友や人を知ることが、自分の成長に役立つことも。そしていま、農業への誇りと自信と意欲をいままでにも増して持たせてくれたのは、全国の隅々で、たゆまぬ努力を続ける4Hクラブの友である。

富士の裾野・御殿場での全国4Hクラブ中央推進会議を終えたいま、私は、4Hクラブ員の相互の学習・練磨、いわゆる切磋琢磨の精神を、からだ全体で受けとめた充実感にひたっている。

4Hクラブ員はひとつ

ピシッ、ピシッとからだにくいこむような青年の家での規律ある生活、朝の集いは初冬の冷気をついて掲揚される日の丸、全国の代表百五十余名が空の一点を注視し声も無い。"日本の4Hクラブ員はひとつ"自分はそう感じ、これから直面する問題、苦しみも忘れて「明日の日本農業は我々で」の精神的背景をくっきりと胸に焼きつけたのである。

三日から七日まで開催されたこの会議を、私は大まかに四つに分類してみた。

一、講義―シンポジウム―分科会―全体討議の方式で行なわれた4Hクラブの本質とリーダーシップ

一、会館建設につながる全国十三万クラブ員結集の問題、4Hクラブの本質と組織の意味を理解しない、否、しようとしない行政機関との問題

一、レクリエーションを通じ[illegible]自由時間を通し、いや全日程を通して全国の友と交わした励みあい

一、先にものべた青年の家での生活、そのもの

いまさら、未熟な私がいうまでもないが、自分の思うままを書いて見たい。

第一の問題については、自分が主役になって動く場、研究する場「プロジェクトとクラブ活動の両立」なくして、4Hクラブの目的は達成されない。4Hクラブは、一人ひとりの問題をみんなの力で解決する場である。

リーダーは、なれる人をリーダーにするのではなく、なれない人をリーダーにするのである。この精神を反復して、4H[illegible]の思想が人間形成のうえで生涯必要なものであることをあらためて知ったのである。

青年の力を会館建設へ

第二の問題については、ものべたように、会館建[illegible]本の農村青年の力を結集[illegible]がかりであり、我々の力[illegible]である。難しいと思えばそれ[illegible]みんなが、建てようと[illegible]なれば、必ず建つ。[illegible]たのは私ひとりではない[illegible]ある。

行政機関との問題は、[illegible]っていた。しかし、来年[illegible]

精神の支柱を得た

4H思想は一生涯必要

おれだって敗けないぞ

[illegible]

"若い力"で成功導く

大阪府連・リーダー研修会

[illegible]

新春早々に研修会

4H部　東京でリーダー研修会

[illegible]

この研修会は、リーダーを一堂に集めて研修、情報交換や意見を通して地域における課題解決の方途を発明し、これを通じて4Hと指導理念を体得することを目的として行なわれるもの。部長をはじめ運営の意気込みは大変なもの、昨年にもまして大きな成果がみられるものと期待される。

ブロック実績発表大会開かる

徳島の県西地区で

【徳島】徳島県西地区（阿波、美馬、三好四郡）ブロック実績発表大会が、さる十一月二[illegible]日、池田町の県合同庁舎で開[illegible]のグループ代表者百人余が出席し、農業経営やクラブの歩み、生活の知恵などについて代表者による発表が行なわれたあと、レクリエーションとして三好郡山城町の人たちによって郷踊「祖谷甚句」などが披露された。

また、会場には生活作品展も開かれ、各グループから出品された衣食住の作品五十五点の中から優秀作として六点が選ばれた。（徳島県連事務局長、近藤宣正君）

徳島県合同実績発表会開く

【徳島県＝河崎嘉宏通信員発】徳島県の4Hクラブ、生活改善クラブ、農研三者合同の実績発表大会が三日、県医師会館で開かれたが、これに先だち地区連や普及所単位で発表大会の各地区予選がにぎやかに行なわれた。

好評うけた展示会

地域農業の発展に刺激

【埼玉】入間郡大井町4Hクラブ（会長・船津三郎君、クラブ員男子三一名、女子一五名）では、さる十一月二十二、二十三の両日、大井町公民館において恒例の農産物品評会を催した。

これは、クラブ員が心をこめて作った優秀な農産物を出品し、多くの人々に見てもらい、地域農業の発展に寄与しようという目的で毎年秋に行なわれているもの。

ことしも、白菜、人参、里いも、大根、カブナ、カリフラワ、ほうきなど合計一六四点が陳列され、普及員、農協のコンサルタント、役場の農務課職員によって慎重に審査された。

会場には、町長をはじめ、各農家の人々が大勢見学にきたが、遠く地方からきたある人は「川越いもの有名なのは知っていたが、こんなに良いものが穫れるとは思っていなかった」と賛賞の声をおくっていた。また、出品物は一般の人々に即売された。

同クラブでは、このように熱心な見学者に報い、農村発展のために、このような会をたびたび催したいといっていた。（大井町4Hクラブ・内田和子さん発）

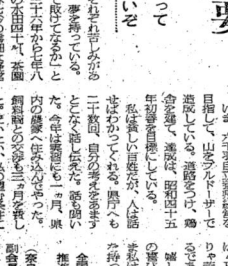

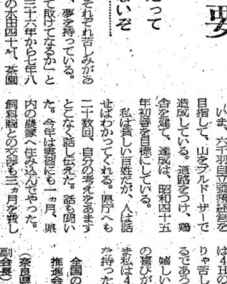

みごとなクラブ員の出品物の山に地区の人々は感嘆の声をあげていた

涼風暖風

計画の前に反省を

「一年の計は、元旦にあり」と昔から諺にいわれている。今ここで来年のことをいうと鬼に笑われるという人もいるかもしれないがあえて私はいいたいのである。

ものごとを能率的に行なうために計画を樹てて、それを実行に移していくが、まして一年の計はたいへんなものである。年間の農業経営、生活家事全般から公私事にいたるまでのことを数えるときりがない。4Hクラブ員が行なっているプロジェクトなどは、ごくその一部でしかない。

ここで考えられるのは、年間の諸事の計画のたて方、遂行の方法も大きな意味での"プロジェクト"であるといえる。

プロジェクトの展開法には、周知のとおり四段階方式といって目標を定め、計画を樹て、実践し、反省して一つの課題解決をしていく方法をいうのだが、目標（課題）を定め、計画を樹てる以前に考えなくてはならないことがあるのではないか。と私は思うのである。

ものごとをなしとげる、一つの事業を行なうということは、あたかも富士山のように、広い裾野があって山頂があるように、また一、二があって十があるように、基から、以前からの積重ねがたいせつなのである。この積重ねがあって、ものごとは今年から来年へ来年から将来へと成長し、発展していくのである。

このものごとの積重ねの"けじめ"として反省ということが行なわれなければならない。どんなに立派なものごとを成し遂げても反省がなくては次への発展性も少ないし、私のいう積重ねがなく単発に終ってしまうおそれがあるのである。

時はまさに、一年の諸事を終えた時、諸君が一年間の計画に汗みどろになって実践した成果だけを云々するのでなくその結果の裏にひそんでいる諸因について、ここでじっくりと反省を企ててはいかが。

もちろん、4Hクラブ員でプロジェクトする人なら当然に行なっていられると思うが、ややもすると忘れられてしまうのがことの後仕末である。

この後仕末が私のいう反省であり、この反省することによって、新しい計画への基礎が生れるのである。

今年も余日を残して希望に輝く新年を迎える。「一年の計は、元旦にあり」その元旦を迎える前に「一年の反省」を忘れずに。

愛の植樹奉仕

愛知・春日井農業クラブ4H部

みんなの手で緑の町に

緑と太陽をスローガンに植樹の奉仕をするクラブ員

【愛知】さる十一月二十日、春日井農業クラブ4H部は、市役所前広場に植樹の奉仕を行なった。

春日井地区は、名古屋の新生都市として人口の増加がいちじるしく、住宅造成のため、年々緑は影をひそめて殺風景になるばかりである。このため昨年、「緑と太陽」をスローガンに、市民の手による緑化推進運動が全市をあげて展開された。

なかでも、九州出身で市内の病院に就職している看護婦さんでつくっている「つくし会」では、春日井市の生んだ小野道風にちなんでヤナギの木を植樹し、市民の注目となっていた。ところが、今年になって数本が枯れあがっていることをクラブ員が知り、「ようし、われわれの手で改植し、市役所を訪ずれる人々に楽しんでもらおう」とみんなが立ち上り、愛情深い陰の奉仕となったもの。

春日井4Hクラブと「つくし会」とは、昨年度にクラブ交歓会、また十二月にはクリスマスパーティなどを行ない、お互いに心のかよった仲間で、市民の話題となっている。

（春日井農業クラブ4H部、安田勝君発）

心頭技健

「全国4Hクラブ中央推進会議」と名称変更をしてから、二度目の中央推進会議が開催された。この会議も年々参加者がふえ、内容も充実してきていることは非常に喜ばしいことであるが、もう一度、この中央推進会議の性格を考えるとともにその成果をいかにするかについて考えてみたい▼以前「全国4Hクラブ中央研修会」といったのをあえて名称変更した当時の全協執行部の意図として、4Hクラブのリーダー研修の場としての目的はもちろんであるが、それよりも、このなかから4Hクラブの真理と進むべき道をみいだして、地域のクラブ活動に対していかに成果を波及させるかということから考えられたのが"推進会議"という名称であった▼ここで会議の性格について説明しなければならないが、簡単にいえば、考え・生みだし・決めることであり、それを推し進めることである。であるから推進会議は、地域の4Hクラブ活動をよりよく展開するために、その中核となるリーダーの養成を目的とし、そのリーダーが地域のクラブのために、その成果を及ぼすことに、この会議の性格がある▼しかし、ややもすればこの種の会議は、参加者個人の研修の場に終ってしまう場合が多いが、とくに今回感じられたのは、全協で4Hの本質を究明しだしてから三〜四年ではあるが、十分でないにしても参加者たちは理解してきていることである。このことからも"中央推進会議"の重要性をみいだすことができるのである▼だから当然この推進会議は、会議の性格からして参加者個人のものでは決してなく、全国の4Hクラブ員すべてのために開催されたこの会議において究明したもろもろの結果・成果を仲間のすべてに周知徹底させることを忘れてはならない。毎年の成果が地域のクラブ活動の中に山積されて、そこから新しい活動力がみなぎる。そこから生れた問題点を持ちよって会議し、リーダーが地域活動にもちかえる▼このくりかえしの歩みはのろくともとめどもなく歩みつづける限り4Hの灯はキャンドルの灯りのように燃え広がり、自らの心を地域社会を明るく照していくであろう。

事務局体制の確立へ
全国4Hクラブ中央推進会議の報告

一日目　午後二時から、青年の家職員と全協事務局によるオリエンテーション、つづいて開会式に入り、日本4Hクラブの歌斉唱のあと、丸山全協会長と新田日本4H協会事務局長による主催者あいさつ、足立青年の家所長の来賓のあいさつがあって開会式を終了。

とくに丸山会長は、「この中央推進会議を通して、4Hクラブ活動の目的を探究し、名実ともに立派なリーダーになってほしい」と力説した。

夕べのつどい、夕食・入浴のあと七時から黒田全協副会長の司会で懇親会を開き、全国各地から集まった参加者は、初めての仲間たちとともにユーモアをまじえて自己紹介をしあい、友情を温ためた。

二日目　午前六時三十分起床。七時から朝の冷気をついて朝のつどい。国歌"君が代"にあわせて国旗、所旗の掲揚、つづいてラジオ体操を行なう。

八時三十分から研修開始。まず「全協活動状況」と題して丸山全協会長が説明した。丸山会長は「私たちの先輩たちは、国策として取り入れた4Hクラブを自分たちの使命としてうけとめ、数多くの問題と取り組み、農村社会の発展に大きな功績をのこしてきた。

しかし、最近のクラブ員は、組織員としての意識が低い。もう一度"過去"をふりかえろう」と全協結成の動機についてふれたあと、プロジェクト活動の重要性、主体制（事務局体制）の確立を説き、自からの教育のため、財政的にも確立された事務局体制に押し進めようと力説した。

このあと、全協の活動方針に基づいた、四十三年度の全協事業の説明を行なった。これに対し、男女混合の六分科会による話し合いが行なわれ、つづいて一堂に会して全体会議がもたれた。

この分科会の報告から問題点をあげると、❶各県連は行政機関に依存しすぎている、財政的にも事務的にも確立した事務局体制を自ら確立しなければならない❷全協と県連の事務的な連絡と連携を密に❸農林省との関係❹政治運動に対する全協の考え、政治学習の場を作ってほしい―など全協に対する意見と要望がでた。このあと、全協の態度について、執行部との質疑応答がとりかわされた。

午後は「4Hクラブの本質とリーダー」と題して栃木県専門技術員の湯浅甲子氏の講義のあと分科会に入る。湯浅氏は、六ヵ月間にわたるブラジルでの普及教育の指導の話のうちから、4Hクラブの理念とリーダーの正しい心がまえを説き、大勢の人のために自分が役立つような人になってほしい――と強調された。

夜は、日本4H会館建設について、会議が行なわれた。まず、建設委員会遠藤事務局長（神奈川）が、現在の進行状況を説明したあと、久しく待ち望んでいた会館の設計図が初めて明示された。

この説明によると、会館の一階は展示室、二階は事務室・研修室、三階は宿泊室に大別され、建坪延面積は九三三㎡。敷地面積は約六五〇㎡を必要とするが、一応事務局では千㎡くらいを望んでいる。建設用地については具体的でないが、価格、交通、環境など広い見地から考えたいとしている。また、建設資金として必要な予算の説明があった。

このあと、参加者から質疑があったが「もう賛否をうんぬんしているときでない。目標額の募金活動に向って行動を起すときにきている。4Hクラブ員の力を結集して会館建設に向っていこう」と全員一致誓い合った。

三日目　前日の分科会報告のあと全体会議。とくに、リーダーの犠牲が問題の中心となったが「4Hクラブ活動は自分自身を切瑳琢磨するところである。したがって役員などの犠牲をなくするような活動に取り組むとしている。また4Hクラブの本質は充分に理解されつくしていない。このため推進会議などを通して積極的に取り組みたい」などの意見がでた。

つづいてのレクリエーションは、おりからの雨のため体育館を使用してバレー、バスケット、ドッチボールに汗を流した。

午後は「プロジェクト研究会」初めに三人による実績発表があり、これに基づいて、シンポジュームが行なわれた。

実績発表者＝園芸部門＝ビニールハウスによるいちご栽培、牧田範男（神奈川）畜産部門＝大規模経営をめざす酪農、大柿安雄（栃木）生活部門＝私たちの工夫した切干し台、名倉敏子（愛知）の三名。

シンポジューム出席者、湯浅甲子氏（栃木県専門技術員）星野武四郎氏（埼玉県立農業経営伝習場長・全協参与）峰島伸夫氏（4HクラブOB＝千葉）新田健吉氏（日本4H協会事務局長）の四氏。

夜は、県連会長会議が行なわれたが、これは全協と県連の連携を密接にするためのほか全協の事業、会館建設などについて説明と質疑があった。

とくに「第五回全国4Hクラブ員のつどい」開催地の鳥取県連会長・三浦幹雄君から、つどいの実施計画について。また、明年度の全国農村青少年技術交換会開催県の高知県連会長・川村雅士君からは県連の立場を説明した。

また、この会長会議と時間を同じくして、キャンドルサービスの出し物の準備が、各ブロック別に行なわれていた。

四日目　午前中は「キブツ（農業構造共業体）について」と題した講義が、日本キブツ代表者・手塚信吉氏によって行なわれた。このあと「4Hクラブの組織」について宮城孝治氏（日本4H協会副会長）の講義があった。

これは、組織とは何か――、4Hクラブは組織か――、組織の意義について――4Hクラブの目的――などであった。

このあと、昼食をはさんで組織についての分科会、全体会議が行なわれたが、全般に組織（県連）強化問題が中心となり、関連して事務局体制の確立と独立した事務局をもちたい――などについて話し合った。

「草の根大使」報告会は、社団法人日本4H協会が米国と中華民国に派遣した、北村篤君＝米国（神奈川）、兼子としえさん＝中華民国（愛知）の二人の代表によって行なわれた。

夜はキャンドルサービスが催され、丸山全協会長の元火の入場「一日の幸」のファーミングに合せて、元火は営火長＝新田4H協会事務局長に手わたされ、営火長あいさつ、つづいて石垣信悦君（宮城）、老川早苗さん（富山）森馬敏夫君（奈良）永池京子さん（鹿児島）らによる"四つのローソク"に灯は移され、それぞれ4Hクラブの信条を誓い合った。

灯は参加者全員の手にともり、情熱と友情と団結を表わす灯の輪に広がった。つづいてコーラス、各ブロックごとに趣好をこらした寸劇等が披露され、笑いと拍手が渦まいた。なごやかな雰囲気のうちに、友情と団結と明日への活動を誓い合い、灯は参加者各自の胸の中にも燃え移り、4Hクラブの歌を最後に中央推進会議の最終夜の幕をとじた。

五日目　いよいよ最終日。午前中の前半は、「4H会館建設」のためのブロック別分科会。各ブロックとも自主的に話し合いが進められたが、再度にわたる話し合いが効果的だったのか"会館を自分たちの手で建てよう"という意気ごみにもえていた。

つづいて日本4H協会理事伊藤末吉氏の特別講話があった。これは「4H会館建設のすすめ」と題したもので、氏の"人生経験"の中から「物ごとをすすんで行なう努力・根性」を説き、みんなが決定した会館建設を全国のクラブ員が一体となって推進してほしい、と力強く激励された。

このあと閉会式に移り、4Hの歌斉唱、主催者あいさつ、来賓祝辞が行なわれ、四泊五日にわたった中央推進会議の幕を閉じ、参加者は、それぞれ仲間の待つふる里のクラブ活動に夢をはせて、中央青年の家を後にし、家路へと急いだ。

大役果した草の根大使
国際農村青年交換報告会

手を振って別れを惜しむ来日クラブ員＝羽田空港で

言葉は問題でない　人と人との理解こそ大切

国際農村青年交換（IFYE）計画に基づいて、社団法人日本4H協会（松下幸之助会長）の招きで来日していた米国4Hクラブ代表・ジェーン・アーター・ウイコートさんとアラン・メロー・ブリンドル君は、約五ヵ月間にわたる日本での実習を終えて、さる二日午前十時三十分発のパンアメリカン機で帰国した。この帰国にさきだち、同協会ではさる十一月二十一日、東京新橋・共栄火災海上保険相互会社会議室において、関係者を招いて滞日報告会を開いた。また、日本代表として米国へ派遣されていて、さる十一月十七日帰国した北村篤君＝神奈川・大正4Hクラブ、山本富嗣君＝鳥取県・赤碕4Hグリーンクラブ、国島淑子さん＝岐阜県・岐阜市4Hクラブの三人の報告会も翌二十二日、同ビル会長室で行なわれた。滞日報告会は、新田4H協会事務局長が「アメリカから三人の代表が来日したが、そのうちの一人・キース・ジェームス・ウエスターキャンプ君は、残念なことに事故に遭うという不運はあったが、残る二人の代表が無事に日程を終えてくれたことが大変うれしい」とあいさつしたあと、同氏の司会で、滞米報告会は、山本同協会総務部長の司会で、それぞれなごやかに進められた。以下はその要約である。

滞日報告

「日本の農業について」

日本では、農家の長男があとを継いでいるが、アメリカからみた場合、本人が自主性に欠けるように思う。例えば日本では、農高卒業後農業にたずさわるが、それが単なる高校での勉強だけで終わっている感がある。

アメリカでは、卒業後も親子で教えあっていくし、アメリカの4H活動は九才の時から技術的なことなど自主的に勉強しているし、それが将来大いに役立っているように思う。

日本とアメリカのちがいをさがし出すことができた。例えば、機械化と時間の関係、時間節約的なアメリカに対して、日本では手仕事が多く、時間を見つけるような習慣がないのではないか。しかし経営については理解することが大切で、その努力はした。

「日本は小面積で農業を営んでいるが以前にこれについて勉強してきたか」

小さい土地から高い生産をあげていることは知っていたし、これは、人口の多い、土地のせまいところにとって当然必要なことでおどろきはしなかった。むしろ手仕事の多い方におどろいた。例えば九州で稲刈りをして背ぼねがいたくなった。しかし、これは自分自身なれていなかったためで、つらいと思ったことはない。

「農家生活について」

一番のちがいはやはり家。アメリカで本を読んできたがそれとはちがっていた。しかし、はじめての家庭に行く前に房総農場で練習したのがよかった。

靴をぬがなければいけないことなど慣れてみればなんとかやれた。食べものは問題なかった。食べものについては、周囲の方々が心配して下さった。

家族と生活できることは、IFYEのすばらしいところだ。そして、ハシ、フトン、タタミで彼らの生活、習慣を勉強できたことはほんとうにすばらしい。

「農村社会について」

生活様式がちがう。たとえば、日本では一ヵ所に多くの農家がある。そして、農協が、農業者たちをまとめていくうえで、非常に大きな役割をはたしている。

祖父母と一緒の生活など大家族である。家の長とおばあさんのちょっとしたまさつが感じられた。さらに、農協の方、市長さんなどに会ったり、花笠踊りをおどったり、結婚式などにも参加し、家族だけでなく、広い社会の中で生活できたと思っている。

その中でとくに、各団体のリーダーの市民性が高く、新聞、テレビなどによって教養も高かったようだ。

「日本の農村青年活動」

構成員は、アメリカに比べ年長者が多い。アメリカでは、年長者もいるが若い人が主体で、年長者は指導にあたる。

また、日本では限られた人だけの4H活動だが、アメリカでは、あらゆる人にそれを示すことができる。アメリカの場合、自由にプロジェクトを選ぶことができ、経験の長いほど、それをこれからの生活の中に生かすことができると思う。

日本の場合、4Hの精神は一緒だし、たとえば、技術競技などはすばらしく、構成員に貢献しているが、日本では農業者だけがメンバーで、とくに女性が少ない。また、女子のための活動も限られている。

北海道で、他のグラブの活動もみたが、その中には、農家だけでなく都市部の人もいた。このように農家の人だけでなく、都市の人もふくめ、おたがい理解しあうようにしたらいいと思った。

また、若いうちから活動をやるべきかどうかについては、実際的な活動を通して学ぶ経験が長ければ長いほど、それをふりかえって改善点をみいだすことができる。学校とちがって、教えるところではなく、自主的に勉強するところだからである。

「国際交換について」

一週間に一ヵ所に滞在したこともあったが、これは短かすぎる。また、多くの人が、私たちの次の予定をたずねてくれたが半分しかわからなかった。4H協会はできるなら、私たちのすべてのスケジュール、せめて、県、村ぐらいの名は知らせてほしい。また、できれば都市部の家にも入りたい。

しかし、平均一ヵ所に三週間滞在したが、これはちょうどよい。集会や、大会に参加し、理解しあうことはすばらしい。

私たちも多くの会に参加し、充分に理解しあえたと思うし、これはIFYEのもっともすばらしいところ。私たちのプログラムは大変よかった。北海道から九州まで充分にたのしみ、いろいろの習慣のちがいなど見出すことができたと思っている。

ことばは問題でない。私たちは宗教や政治だけを勉強にきたのではない。ことばは、人と人のあいだで理解しあうのにそれほど重要でない。4Hの大会などとくによかったし、私たちは日本の人たちと友だちになれたことがうれしい。人と人の理解こそ、大切である。

そして、帰国後は、さらにおたがい理解しあうため、日本の人の生活について我が国の人たちに示したい。

テーブルを囲んで関係者に報告をする派米クラブ員たち＝共栄火災会長室で

4Hの評価に驚く
知られていない農業日本

滞米報告

楽しい4Hクラブ
国島淑子さん

私が最初訪れたのはサウスダコタ州で、ここで初めの受入家庭は、主人を亡くした一人ぐらしの婦人のところであった。ここは百戸ぐらいの小さな町で婦人はドラッグストアを経営していた。

私が着いた夜、教会で彼女の司会でバンケットが催された。子どもたちが母親と歌をうたったりして、明るく楽しいものであった。

ここでは、土曜日の夜チャーチスクールで聖書の暗記をやったり、インディアンスクールを訪ね、その歴史について教わったり、服装を見せてもらった。彼らは日本人によく似ていた。

ここを発つ前の日、4Hクラブの会合に出席した。日本とちがい九才ぐらいの子どもがたくさんいて、アメリカの4Hクラブの実情をはじめてみた。内容は歌や踊りなどをやり楽しいものであった。

つぎに訪れたのは、八百エーカーの農場主であったが、農業は隣の青年にまかせ、主人は電話会社の役員をしていた。

それから、4Hクラブのジャッジング・スクール（判定競技）に参加した。これは年令によってやさしいものから難かしいものまでいろいろな種類があり、テーブルの上に皿やフォーク、ナイフなどの置き方、ボタンのつけ方、肉の見分け方などである。

また、養老院を訪ね、スライドをみせたり、歌をうたったりして慰問した。

三番目の家は、三百エーカーの農場だけではやっていけないので、郡の委託で老人ホームをやっていた。ここの夫婦は三十三歳と三十歳という若い人たちで、奥さんは私と年令があまりに離れていないので、夫を獲得したときの話などをして聞かせたりした。

それから四、五、六、七番目の家庭に入ったが、最後の家庭は、奥さんが熱心なクリスチャンで、近ごろは教会へ行くのが少なくなったと嘆いていた。

未熟な自分を知る
山本富嗣君

私ははじめオレゴン州に三ヵ月間滞在し、四つの家庭に入った。バスの窓からみたアメリカの広大さにまず驚いた。また、オレゴンの税関で4Hクラブ員だといったらフリーパスで通してくれた。これはアメリカにおける4Hクラブの評価の高いことを物語るもので、いまさらながら感心した。

また、ある家では、親と三人の息子が協業をやっており、チームワークがよく気持のつながりがあった。

4Hクラブ活動については、一九一四年スミス・レバー・エクテンション法によって始められ、四つの段階の解決法をとって、最低五人がクラブをつくり、一人の指導者がおり、4Hの徹底した活動をしている。

オンタリオでは、日本人の移民が摂氏約四十度の暑さの中で水を買って散水し、農業に前向きの努力をしていたのをみて感銘をうけた。

七月三十一日から一週間、オハイオの州立大学で、三十七ヵ国、九十九人の代表によって世界大会が開かれた。

テーマは、世界の食糧不足と農業人の心構えで、世界では毎日餓死している人があることの認識を深め、世界が助け合わなければならないことを学んだ。また大会では、世界の民族舞踊や衣類を紹介したりした。

つぎは、ニューハンプシャー州に行き、六つの家庭に入った。

ここでは酪農について学んだ。酪農は三〇頭以下の飼育では赤字で、三〇から六五頭まではたいへんだということであった。農家では四五〇〇から五〇〇〇ドルが欲しいのに三〇頭では、二五〇〇ドルぐらいの収入で苦しいとのことであった。

また、初めの三ヵ月間は英語がだめで、それを通して自分自身もっと勉強しなければだめだと思った。

六ヵ月間の滞在を通して、アメリカ人の親切に心から感謝している。

中味は硬い米国人
北村篤君

シアトルで、農業や普及事業、4Hクラブなどについてオリエンテーションを受け、最初の訪問地ミズリー州へ飛行機で向った。ロッキー山脈を越え、八時間も広い大陸の上を飛んだ。

第一の受入家庭は、農地一六〇エーカーで肉牛三五頭という小さい規模で、主人はほかに家畜輸送の仕事をしていた。奥さんは4Hクラブのリーダーで、家には二人の子どもを里親として引きとっていた。

学校は小さいが立派であった。日本のような農業専門の学校はなく、農業クラスというのが、一学年一クラスあった。私は日本のスライドをみせて説明したが、アメリカでは日本の工業は知っていても、日本の農業は知らなかった。

つぎの家は、地方の裁判官のところで、肉牛五〇頭を飼育していた。他にスーパーマッケットをもっていたが、管理はまかせきりとのことであった。

私は仕事を手伝うこともなく、4Hクラブのミーティングに出たりした。

日曜日の午前中は教会へ行った。牧師は、アメリカの習慣の中で親と子、戦争、性教育など中途的で、学校で学べないようなものを話し、親子で聞いていた。私の感じでは、アメリカ人は外観はフランクだが中味は案外硬いようである。

食べ物は、パンとジャガイモ、肉、フルーツ、パイなどで、これらは農村も他のところも変りはないようである。

子どもたちは親と協業して金を貯めておき、結婚すると家を建て、一エーカー二〇〇から五〇〇ドルぐらいで土地を買い、また、老いた人は土地を売って町でくらす。

帰路は、フィリピンで行なわれたアジア会議に全員で出席した。4Hオフィスの人とクラブ員の出迎えを受けてマニラに着いた。大統領官邸に大統領を訪問し、一人ひとり握手を交した。

会議は十一人の人が講演をし、学校外の教育、農業と家庭生活、4Hクラブ活動、普及事業などをテーマに話し合いをした。

知っていて役に立つ話　みんなの保健衛生

☆☆寝る前の飲食

昔から、夜寝る前にものを食べたり飲んだりすると、からだのためによくないといわれていますが、これは、次の三つの理由によるものです。

まず第一に、胃に余分の負担をかけることになり、その結果、消化が悪くなるということ。

すなわち、私たちは眠っている間に、内臓、とくに胃を休ませることが大切なのですが、眠る前にものを食べますと、胃は眠っている間も休みなく働き続けなければなりません。これでは健康な胃でも余分の負担から働きがどうしてもにぶくなってしまいます。

つぎに、眠りにもっとも必要な自律神経の休息がさまたげられ、完全に身心が休まらないということ。

からだの疲れは休息によってとることができますが、頭の疲れは眠りによってはじめてとれるものです。

ところが、寝る前の飲食によって、頭の疲れをつかさどる自律神経は、たえず胃に命令を発しなければなりませんから、じゅうぶん休むことができません。それだけに疲れがとれないまま翌日に持ち込まれるわけです。

三つ目の理由は、もし水分の多いものをとりますと、年寄りは小水が近くなって、たびたび目がさめ、じゅうぶんな睡眠がとれませんし、こどもですと、おねしょの癖がつくこともあるからです。

☆☆ふとりすぎに注意

ふとりすぎの害は、余分な皮下脂肪をかついで一日数時間も歩きまわらなければならない重荷がかかると同時に、その皮下脂肪を養なわなければならない心臓の苦労が大変です。なぜなら皮下脂肪は、たんなる脂肪分のかたまりではなく神経も血管も通っている"生きた組織"だからです。

ふとりすぎると、糖尿病をはじめ、狭心症、動脈硬化、痛風などいろいろな病気にかかり易くなります。

身長のセンチ数から百を引いたキロ数の上下一〇％が安全圏です。たとえば、身長百六十㌢の人なら六十六㌔をこえるとふとりすぎといえます。とくに、男性は少しやせ気味のほうが健康体です。

ふとるのは、食べすぎより運動不足が原因の場合が多く、減食よりまず運動を心がけてください。もちろん、いくら食べなくてもふとる場合があり、これはホルモン分泌の異常ですから、医師の診断が必要です。

4Hくん No.139　桜井はじめ

ヤア マコトくん
高校時代の国語の先生だ
どうだ元気でやっとるか
ウッ
ミヤ さからって 師の影を踏まず
パッ
えらい 師弟の礼 いまだすたれず
とても近くじゃはなせないよ ニンニクの愛用者だからな

4Hクラブ発足20周年記念懸賞募集入選作

幅広い4H活動を

小野登茂衛
新潟県村上市大欠団地

私は、新潟県の最北端、県で一番小さい地区に、普及員として勤務しております。現在、青少年係を担当しており、仕事を通して感じておることを述べてみます。

当地区は典型的な「かあちゃん農業」で、働き盛りの男手は、大半が大工として北海道、関西方面に出稼ぎに出ております。

それでも、食糧増産時代はかなりの者が村に残っており、クラブ活動も盛んでしたが、昭和三十年頃から、世の中が落着くにつれて耐久消費財が農村に流れ込み、現金を求めての出稼ぎが増えてきました。

とくに、他地区と異なり、手職を持った者が多いので、収入も多く、村に残ったのではとてもこれだけのものは望めそうにもないので、山を持っているとか、特別の者以外はおらないわけです。

このような所でも、最近残る者がぼつぼつと出てきました。

これらの者は、比較的経営内容が豊かな家庭の者で、それも、農業後継者養成の農業高校や地元高校と高校卒が多くなって来ていることです。

今年の高校卒で農業後継者は七人おり、これらの者は町内五十ヵ部落に分散しております。

こんな環境の中で、すぐ近くに話し相手のいない彼らが一番強く求めているのが、同じ農業と言う職業の仲間なのです。

これは、何も彼等だけでなく、私が普及員になりたての頃を想い出しても、近くに同年輩の仲間がおらないのが非常に寂しかったことでも、彼らの気持がいたい程わかります。とにかく集まれば、なにか得るものがあります。

学校という温室から、社会という畑に出された彼らには、未知なものが多すぎ、これらを自分一人で理解するには非常な困難があるし、また、まちがって解釈するかも分かりません。こんな時に、ぶつかってくる問題を仲間と共に考えることにより、強いものの見方と方法が、会得されるはずです。

このような彼らの要求に、私どもは応えてゆかねばなりません。

地区が小さい、人数が少ない、という理由での、あいまいな態度は許されません。

私どもの地区に似た条件の所は日本国内でかなりの数にのぼるものと考えられ、これらの所は、みなそれぞれ同じような悩みを持っておるでしょうが、共通していえることは、クラブ員の絶対数が少ないことがなにごとにおいても影響するということでしょう。

要請される新活動
技術教育から社会教育へ

このような立場から、僻地において「4Hクラブ活動」に期待しまた、望むところは、4Hクラブの「たて」と「よこ」の組織をうまく利用するということでしょう。

最近の傾向として、郡、県段階の行事がかなりありますが、私どもとしては、できうる限りクラブ員に出席するように呼びかけております。

そして、出席したクラブ員が異口同音に、「仲間が出来てうれしかった、元気が出てきた」ということで、自分を、広い視野と空間において見つめつつあるということです。

また、このような積みかさねが人間形成上重要であることは、誰しもが認めるところです。

そして、人生における最も重要な時期に彼らが当っておることで、4Hクラブ活動の重要性を叫ばなければなりません。

私は、4Hクラブ活動が「社会教育」の一つであると思っておりますし、それだからこそ「すべての国民があらゆる機会、あらゆる場所を利用して、自ら実際生活に即する文化的教養を高めうるような環境を醸成する」という教育行政でいわれていることが、4Hクラブ活動にも生かされねばならないと思っています。

しかし、一般にはどういう訳か4Hクラブ活動を「社会教育」などといってはおりません。

だから「青年学級」とか「婦人学級」とかは、公民館を中心に、教育委員会、社会教育課がかなりの財政援助を行っております。

ところが、4Hクラブ活動の場合、この辺があいまいなため、公民館を自分たちのものとは考えず、他人のものを借りるような気持で利用し、集る場所にすらことかくありさまです。

この辺が、教育行政にたずさわる人の、4Hクラブ活動への理解が欠けている点だと思います。

私は、こんなことより、できる限り、公民館を利用するよう働きかけているつもりです。

そして、公民館のどんな片隅でもよいから、4Hクラブ員の室があり、そこに行けば、4Hクラブ関係の資料などが揃えられているようにしたいのです。

このことが、二十四〜二十五歳になると、4Hクラブを卒業し、いわゆるOBになるともう後は関係ないと、プッツリ縁が切れてしまうことが多く、4Hクラブ活動が常に不安定なものとなっているのではないでしょうか？

これを避ける意味でも、また4Hクラブと普及、生活改善クラブとの接触点ということからも4Hクラブ室が必要です。

しかし、この室は、できたら独立していた方がよい。なぜならば文芸活動、登山計画、ドライブの計画などのいろいろな活動にも利用するため、かたくるしいことをいったのでは、伸び伸びと計画を練ることができないからです。

これからは、ますます、自動車を利用しての視察などが全国的にはやってくると思うが、昼働いて夜計画を練る場合、時として十一時を過ぎるかも知れない、こんなことも若い時の思い出として、また、一つのことにみんなが参画する貴重な経験として重要であるがあまり時間的に制約されると、きゅうくつな点も出てくる。

この辺のことは、年数が経るに従い、ちゃんとルールができるものである。こんなルールも自分たちできめればよいので、他から制約されるのがよろしくない、と私はいっているのです。

要するに、勉強の場であり、ダベリの場であり、会合の場であり趣味の場であり、4Hクラブの溜場であり、そして、この運営をクラブ員がやるのだという所がほしいのです。

都会の青年は、仕事を終えると帰りに居酒屋で一杯ひっかけるといった、憩の場所があるが、農村青年が集る場所は、農村内ではないのです。結局、町に出てパチンコなどをするのがオチです。

集る場所がないから、町に出ざるを得ないのです。

それに、4Hクラブは、他職業の人たちと交流をすることが非常に少ないが、これからはどんどん他職業の連中と交流をしなければならない。とくに、農村をとりまいている環境の中から、中小企業に働いている連中が一番良いと思っています。

恵まれない環境で、汗みどろといった共通性があるからで、これらが実現すると、農村青年の考えもそうとう変ってくると思います。そして、なんとなしに、いやいややっている農業も、彼らのきびしい立場に、農業のよさ、悪さがわかり、必ずもりもりと仕事をやる勇気が出てくると思います。

そして、我家の明るい農業経営のビジョンができ、実行されると、嫁がこないなどという泣きごとも出なくなろうし、反対に町から農村に嫁に行きたいという人が大勢出てくるはずである。

ここで外面より、内面にふれると、農村は町と異り、農業という同職業の集りで、なにごとにおいてもみんなと行動を共にしなければならない面が多く、このことが生活面にも影響していることです。

そして、あまりにも無神経に他人の生活に干渉しすぎることです。

たとえば、体が工合悪く横になっていても、「この日中にいいもんだのう」などと、いとも気易くいわれると、おちおち横になってもおられないと無理をすることになる。

こんなことが農村を住みにくいと思わせているのでしょうか。このような農村の住みにくさ、改善を要するものは、一人で思っていたのでは、いつまでたっても明るくなりません。そこで、4Hクラブ活動の中で継続して意識改良を計り、農村の生活環境も次第に改善されるでしょう。

こんなことから、農業技術以外の社会教育的なことも、どんどん活動に取り入れなければいけません。このためにも、社会教育関係者の御協力を得ないと4Hクラブ活動がゆきづまってきます。

4Hクラブ活動も、もはや農業技術の勉強をやればよいといった時代から、社会教育、趣味、スポーツと、あらゆる分野にわたり行動しなければならない時代に入ってきましたし、交通事情がよくなるにつれ、一町村だけを対象としたものから、数ヵ市町村という広がりの中での4Hクラブ活動をどうするかということになってきていると思います。

新潟県では「仲間づくり運動」を通して、広域における4Hクラブ活動を推し進めており、日も浅く、まだ軌道にのっておりませんが、明日につづく4Hクラブ活動のため、みんなと一緒に頑張ることを約束して筆を擱きます。

4Hクラブ推進 中央集会開く
山梨県4Hクラブ連絡協議会

【山梨】県4Hクラブ連絡協議会（会長・小野好道君）では、さる十一月二十四日、県立農林高校で4Hクラブ推進中央集会を開き、各地区代表による意見発表を行なった。

このあと、4Hクラブ発足二十周年を記念して、三十台の車を連ねて甲府市内をパレードした。

プロジェクトの取り組み方　展開編(14)

北海道専門技術員　三輪　勲

内容編成は三段に
工夫すべき発表の方法

発表と指導

ウ　発表内容の構成

（a）前おき　この部分では、プロジェクトを選定した理由、目標・計画の概要など、本論への導入的な説明を行なう。

（b）本論　前おきに続いてプロジェクト実施経過と実績を説明する。この段階は、プロジェクト発表の中心部分であるから発表時間のうちの二分の一程度を充当して詳細に説明する必要がある。とくに、プロジェクト実践中における問題点の処理、失敗の事例と原因、改良方式と慣行方式との比較、実施中の視察事項と結果など、成果を上げるまでの経過について具体的に説明することが大切である。

（c）結論　この段階は締めくくりの部分である。成功と失敗の内容や原因、実践中の学習事項など、プロジェクト結果の要点を明確に反復説明して重点を強調し、自家や地域の生産や生活の改善向上への影響、将来の方針などを述べる。

発表内容は、以上のような構成を基本として、そのプロジェクトの特徴を生かした編成を行なう。実際の編成はいろいろな方法があるが、その事例は別表のようである。

エ　発表原稿作成

まず、発表のおよその内容を箇条書きにする。図表を補助材料として使用する部分についても、前もって決めておく。

箇条書きにした各項目を前おき・本論・結論に区分し、だいたいの所要時間を配当する。このメモは、実際のときに説明順序や時間割のメモとして活用する。つぎに、このメモに従って発表説明を文章にまとめる。頭で考えたことを実際に文章で表現することによって意味が明確になるし、強調する部分や省略してよい箇所や効果的な表現などの検討、不十分な内容の補正などができる。この原稿は十分に読みなおしてプリントできるように浄書する。

発表の準備

ア　発表の練習　完成した原稿を十分に読んで、発表の練習を行なう。

原稿に頼らなくても項目の箇条書きメモを見る程度で説明できるまで練習する。細かい数字は暗記するより別紙にメモしておき、これを見て正確に説明する。発表練習をとおして原稿に不備の点を発見したときは、すぐ補正しておく必要がある。

イ　発表補助材料の作成　口頭説明だけでは十分な理解が困難な場合には、図表・図解・写真・標本（実物見本）などの発表補助材料を準備する。

図表は、統計表よりも統計図表のほうが見やすい。数の比較を容易にし、時間の推移に伴う数量変化や、ある数値の変化に伴う他の数値への影響など、数字を説明する場合に効果的である。棒グラフ・パイグラフなど適宜作成するとよい。

図解は、ある経過や構成を説明する場合に使用する。たとえば、事業計画の一覧・改良方式の体系図・病害虫の生態・住居図面・衣服の製図など、その利用範囲は広い。

これらの図表や図解は、配色や図形に工夫し、聴取者が遠くからでも見える程度の大きさにするとよい。また、文字表現が多過ぎると、かえって見づらくなるので注意が大切である。

このほか、プロジェクトの実施状況の写真やスライド、プロジェクト生産物の見本や製品の模型なども、発表補助材料として効果が大きい。

発表の方法

実際に発表するときは、話し方・態度・図表の使い方などに留意しなければならない。こうした発表方法の良否は、発表の内容を聴取者に理解してもらううえに大きな影響がある。

ア　話し方　正しいことばや理解しやすい表現は、発表効果を高める基本的な要素である。

早口では理解が困難であり、おそい話し方では時間がかかる。一般に聞きやすい速さは一分間に二〇〇〜三〇〇字くらいといわれている。声の調子は、終始同じであるよりも、重要な部分の説明は力強い話し方が効果がある。また、アクセントは標準語の発音が聞きやすく、話の中に適当に休止（ま）をおくとよい。

このほか、つぎの諸点に注意する必要がある。

（a）難解な専門用語をやたらに使わないこと

（b）やさしいわかりやすい表現にすること

（c）聞きまちがいやすいことばは、いいかえて使うこと

（d）抽象的表現や美辞麗句は過度に使わないこと

（e）外国語は、日本語化しているもの以外はできるだけ使わないこと

イ　発表の態度　発表においては、見苦しくない服装とし、おおげさなジェスチュアは避け、真剣に発表し、質問には明確に答えるなど、青年としてふさわしい態度が必要である。

発表の不安をなくするように前もって会場の状態を見ておくとか、発表材料の点検を行なうなどの準備が大切である。

ウ　図表などの使用　図表などの補助材料は、聴取者によく見えるように掲示図表の片側に立って説明する。

図表などに表現した重要事項は明確に説明する必要がある。図表などの枚数が多い場合は掛図式に張り、枚数が少ない場合は全部を一度に掲示するなど、聴取者の便を考慮する。

写真、標本など、小さくて遠くから見ずらいものは、聴取者に回覧するとよい。

プロジェクト実績発表の内容構成例

【例1】
（前おき）目的→計画
（本論）→改良方式→実施状況→改良方式の成果→反省
（結論）→むすび

【例2】
（前おき）動機→計画（目標）
（本論）→実施計画と結果→考察
（むすび）→実生活への影響→今後の方針

【例3】
（前おき）選定理由と目標
（本論）→計画→実施→収支状況→反省→
（結論）次年度の計画

カーネーション330㎡（100坪）当たりの年間所要労力の一例

人 10〜70／1月〜12月
土の入れ換え　定植
土の入れ換えをしない場合
半自動のかん水装置を利用した場合

花ものの生産と経営

花ものの需要は、国民経済の成長および国民生活の洋風化などによって、近年急速に増加している。

これに伴って、その生産もまた急速に増加しつつあって、生産金額においては、年率二〇％という高度な成長ぶりを続けているが、最近においては、その市況が時期により、地方によって、相当に軟化する傾向が見られるに至っている。

一方、花ものの生産、出荷をとりまく諸情勢は次第にきびしさを増しており、とくに労力事情の悪化あるいは設備投資の増加などは、従来の花もの経営を根本からゆるがすに至っており、その傾向は都市近郊においてとくにいちじるしい。

このような事態に対処して、その経営を近代化するためには、これまで一般にみられたような個々の零細な生産、出荷から脱却して、その生産基盤の大型化を目ざした省力技術の修得と、省力施設の導入を図る必要がある。

そしてさらに、その生産、出荷の一部または全部の共同化から、進んで地域特産としての発展を図るように進めることを考慮してゆく必要がある。

この場合には、それに関係する生産者が❶花もの生産、出荷の近代化への意識統一を図り❷全員の生産と出荷（荷造り）について

……術水準の向上に努め、かつ❺それらに関する新技術および新施設の積極的な導入活用を図ることが必要となるものである。

なお、今後の高速道路網の整備とトラック輸送の発展は、需要の多い花ものの生産について、生産基盤の大型化による量産と規格荷造り品の大量出荷を前提として、都市から遠隔な生産適地にいったら発展をもたらすものと考えられる。

農業教室　NHK

経営と記録

12月21日（土）　現地訪問

農業経営は継続的に維持拡大してゆかねばならない。自分の経営的行為の適正さを判断するために自分の経営の記録をつくることが大切である。

経営の記録は経営の鏡だともいわれている。この記録をみて自分の経営の全体の姿をはっきりと把握し、生産力の上がってないところ、収益性の低いところは改善して、新しい経営を設計し経営成果を上げねばならない。

大場越平さんは愛知県渥美半島の中位にある赤羽根町で先生→カンラン作農家→養鶏農家→電照菊農家と農業の中心作目を改善し発展してきた人である。

農業記録には多種類があるが、大場さんは自分の経営に適した記録様式を考え出して、この記録をつけつづけ、ここ十数年つぎつぎに経営を発展させてきている。

その間、簿記ならびに経営の優秀さがみとめられて表彰されたこともたびたびある。"よい経営はよい記録から"というのが大場さんの場合ぴったりする。

12月23日（月）　花ものの需要と供給

一、花類の需要と消費構造
二、花類総生産の成長
三、主要生産府県の動向

花類総生産の推移（億円　50〜200／昭和35〜40）

12月25日（水）　カーネーション栽培

一、カーネーション栽培は、専業栽培に適する。その理由は、一年中つねに一定の労力を要する。大面積ほど労力が節約できる。したがって、施設化が容易である。

二、カーネーション栽培の施設化の方向は、自動点火ボイラー、夏の冷房装置、自動（半自動）かん水（施肥）装置、自動換気装置、土じょう消毒などである。

三、無病苗の生産と増殖、配布

12月26日（木）　鉢物経営

一、鉢物における生産と需要の傾向
二、鉢物経営の特色
三、適正な生産規模
四、施設の活用度と収益性
五、専業自立経営の分析
六、経営合理化の今後の問題点

12月27日（金）　花木の栽培

一、適地適作であること
二、市場の動向に注意すること
三、市場との距離を考えて種類を選ぶこと
四、なるべく地価の安いところを利用すること
五、促成する場合には開花生理を研究すること
六、荷造り出荷方法の研究改善を行なうこと

歴史に学ぶ

12月30日（月）　百年の教訓

NHK農事番組（12月21日〜31日）

テレビ　明るい農村　6・30〜

ラジオ

わがクラブわが同志

◀投稿案内▶

本紙は、みなさん方の新聞として、全国のクラブ員に利用して戴きたいと考えています。それでクラブの催しや個人のプロジェクト、詩、短歌、随筆、写真、悩みや意見、村の話題、伝説、行事その他なんでも原稿にして送って下さい。

お願い　❶長さや形式は自由です　❷できれば簡単な説明をつけた写真をそえて下さい　❸送り先　郵便番号162　東京都新宿区市ケ谷船河原町十一　日本4H協会編集部

共同プロで団結　収穫は施設の園児の中で

大阪府連絡報道員　東大阪市4Hクラブ　松村一弥

「東大阪市4Hクラブ」このクラブは、大阪近郊農業を力強く推進する"ヤング・パワー"です。それぞれ大阪農業を背負って立つ実力はめざましいものがあり、菊、軟弱ソ菜、養鶏部門に新しい技術とセンスとをもって励んでいますが、近郊農業という特殊性から4Hクラブ自身もいろいろな問題をかかえています。この問題を適確にとらえ、解決に励んでいるクラブ活動の一端を紹介しましょう。

大阪人のセンスの"ガメツサ"これは他方のクラブにない東大阪市4Hクラブ員の特色です。

何を行なうにしても、その"切れのよさ"と金銭への執着心…。これは儲けるときは大いに儲ける。その反面、お金に関してはスッキリしています。この点においても、クラブ員たちはすべて洗練されています。

このような、私たちのクラブへも、都市化の波はひしひしと押し寄せ、必然的にクラブ活動に対しても少なからず影響をおよぼしています。しかし、4Hクラブ員たちは、この問題と真剣に取り組み、このような非常に悪い環境の中で確実に近郊農業に取り組んでいる熱意と闘志を見てもらいたいと思います。

私たちの4Hクラブは、市の人口が五十万人という広域内にあるため、クラブ員の団結が非常に急務とされていますが、クラブ員の経営内容が多彩であるため、4Hクラブとしても、その団結のためにいろいろな手段を講じています。

その方法として、共同プロジェクトを実施することによってクラブ員たちの意志の統一と、お互いの心の和を密接にするよう図っています。

今年は、クラブ員たちの団結心を涵養するために、共同プロジェクトとして"サツマイモ栽培"を行ない、できたサツマイモを施設の園児たちに掘り取ってもらいました。

この共同プロジェクト実施の目的は、第一にクラブ員の団結の強化、第二に社会奉仕活動を行なうことでありましたが、このサツマイモ栽培の共同作業を通して、クラブ員相互の和、それを作る喜びをともに味わい"共同・団結"の尊さが少なからずクラブ員たちに理解されたと思います。

このサツマイモ栽培の共同プロ[illegible]も非常によく仕上りました。この収穫は、養護施設「生駒学園」の三歳〜十歳の園児たち約百名の幼い手によって、サツマイモ掘りをしてもらいました。

黒い土の中から紅色のサツマイモを掘り出す園児たちの顔は、喜びに溢れています。

掘り出された"イモ"を、園児たちのためにクラブ員が上手に調理して食べてもらいました。その時の子供たちの喜んではしゃいでいた姿は、いまでも私たちクラブ員の脳裏に浮んできて忘れることはできません。

こんな小さなことでも、私たちクラブ員自身の手によって行なったことは、園児たち以上に私たちクラブ員の喜びであり、この活動を通して得た、クラブ員相互の和と団結力は、これから近郊農業に真険に取り組もうとしている東大阪市4Hクラブ員に対して、力強い自信をもたらしました。

秋の陽をあびて園児たちは喜んでいも掘りをする

行事がすべてでない　4Hの本質を考えよう

埼玉県浦和地区4Hクラブ連絡協議会会長　加藤良明

ある日、新聞のスポーツ欄に「プロ野球において最も大切なこと」というテーマで次のような記事がのっていた。

それは「ファインプレーをすることやホームランを華々しく放ったりするものでなく、常に基本に忠実にプレーを行う、これが最もたいせつで、しかも難しいものである」と書かれている。

確かに常に基本に徹することは難かしい。平凡なゴロがくれば、つい横着にさばこうとし、常に体の正面で腰をおとしてガッチリ取らなければならない球をこうすることによりエラーが生まれる。このただ一つのミスが試合の勝敗を決めることも珍らしくない。

4Hクラブについても、その活動方法はもっと基本を考えるべきだと思う。現在のクラブは余りにも行事に追われ、レクリエーションにうつつをぬかし過ぎてはいないだろうか？。それでは4Hの基本とは何か。こう考えてみると、四つのH、つまり頭脳、心、技術、健康といった四本の柱を思い起すが、これはクラブ活動で磨こうとする対象であり、活動方法の基本はなんといってもプロジェクトの遂行にあると思う。

私たちのクラブを発足させた先輩の話を聞くと、こういう話をしてくれた。

「誰しもが、家で父親の後について農業を始めれば欲というものが出てくる。そこで、これまで以上の収量を得るため、あるいはより有利な作物の導入ということを考える。そこで相談相手が欲しいし、具体的な指導も、こういう人たちが集り、4Hの礎を造った」ということである。

したがって、それは全てプロジェクトを持った人たちの集りであり、このプロジェクトを円滑に、しかも確実に遂行するため集会が持たれていたという。そのため、たまのレクリエーションは楽しく、行事はより高度なプロジェクトを行なうための手段であったという。

このようにして生まれたクラブが、現在のようにプロジェクトが軽視され、行事がクラブの全てのような状態では、4Hクラブの名称は返上すべきで、単なる農村青年の集いといったほうがピッタリであると思う。

クラブの活動を活発にしようと行事やレクリエーションばかりを追う。これは平凡なゴロを軽くみてエラーをし、ホームランやファインプレーばかりを狙うプレーと同様、チームを勝利に導くにはあまり必要のない結果を招くであろう。

私たち4Hクラブ員は、この大せつな時期にもっと4Hクラブの本質・理念を理解して、名実ともに立派なクラブ活動をみいだそう。

生け花講習始める　女子間の友愛と洗練さ求め

埼玉・鴻巣地区女子4Hク

【埼玉】桶川連協の鴻巣地区女子4Hクラブは、このほど同クラブとしては初の試みである生け花の講習会を開始した。

これは、若者たちとの交流によって、いつまでも身心ともに若くありたいと願う先生（無[illegible]指導者）の全面的な協力によって開いたもの。先生は以前、地域婦人会の役員を経験されたことがあり、ときにはクラブ員の良き相談相手になってくれる人。

この行事を始めてから未だ日は浅いが、毎回クラブ員の集まりがよく、最近では男子からも希望者が出るなど関係者は、いまあわてて検討中といったところである。

この生け花講習会を新たに設けた理由は次の通りである。

一、まず第一は、女子だけの集いがほしいということである。

単位クラブでの活動、また地区連での催し物などでは、男女間の親ぼくを深めるための集いは数多いが、女子だけで集まって話し合える機会は案外忘れられているのではないかということである。男女間の親ぼくも必要であるが、それ以前に、女子同士の話し合い、心のふれ合いが必要と思われる。それを行なってこそ4Hクラブの一員である喜びを心から感じるのではないだろうか。

二、次に、より洗練された女性でありたいということである。といっても単にお花を生けることだけによって人間を磨くのではなく、この生け花の会を利用していろいろの活動を行ない一歩でも洗練された女性に近ずこうということである。

以上のような理由で、女子クラブ員たちは、今日も明るい雰囲気の中で生け花に、話し合いにと活躍している。そして、会場の前は女子クラブ員が乗ってきた車でいっぱいである。しかし、一つだけ関係者が頭を痛めていることがある。それは、適当な場所がないことである。

（鴻巣地区副会長、今井喜代子さん発）

さとわのうた　惜別のうた

別れといえば　昔より
この人の世の　常なるを
流るる水を　ながむれば
夢はつかしき　涙かな

この詩は、島崎藤村の若菜集の「高楼」の一節である。この歌は別題を「惜別のうた」として若人の愛唱歌としてうたわれている。

今、私はこのうたを心からかみしめて歌ったのである。別離はやはりさびしいものである。

私は、この号限りで「さとわのうた」の稿を折ることにした。本年最後の号であり、時まさによしである。理由は単純で、十年余、農村青少年教育の仕事に当ってきたが、十二月一日付で仕事が変ったからである。今度は試験研究の企画調整をやることとなった。担当は園芸部門であり、まさに、百八十度の転換である。

総合農政を推進するうえに、大きくクローズアップされる園芸だけに、仕事に対する情熱も湧く。新らしく開発されてくる技術を紹介し、豊かな園芸王国にしたい夢を描いて、新らしい仕事に精をだしたいと思う。

華やかな農村青年諸君との交りを絶って、アカデミックな研究者とのつきあいである。ひたむきに真理の探求を進める科学者の一面に接することによって私の人生観も多少変るかも知れない。未知への憧憬が、今、私の前に大きく展開されてきて、胸のふくらむのをおぼえる。

編集部からは、このコラムをつづけることを頼まれた。しばらく考えたが、やはり、ここで終止符をうつことが、今の私には最善のように思う。農村青年のことを忘れるのではない。沈黙のなかで、別の角度から、諸君たちの行動を見守っていることが、かえって私にとっては大切なことではないかと思う。

想えば、昭和三十九年三月四日号から「クラブを楽しく」と題して、レクリエーションを中心にクラブ活動と農村文化の進め方を書いてきた。四十一年三月二十四日号からは、稿を改めて「さとわのうた」と題して、農村青少年への便りを書いてきた。以来、四年十ケ月がすぎた。百五十稿にもなったし、原稿用紙四〇〇字詰にして五三〇枚の量の文章を書き綴ってきた。

とくに「さとわのうた」以後、多くの読者から温かい激励をうけてきたし、また、二〜三のお叱りもうけた。私はいつのまにか、「さとわのうた」の中に自分の行動も、感情も全て吐露してしまい、私有化していたようにも思える。私はこのコラムをロマンとポエムで綴なすラブレターとしたかった。農村の青年達に語りかけ、語りかけられながら、農村青少年の進むべき道を考え、そして人生を美しく生きてゆこうという意図をもっていた。詩情があったかどうか知らぬが、少なくとも詩心をもって書くよう努力してきた。

「さとわ」は田園である。「うた」は詩（うた）である。諸君たちが住む美しい豊かな明るい自然の農村の詩をうたいたかった。不幸、ちから足らず空振りに終ったことをおわび申しあげたい。

これで終りだと思うと、思うようにペンが進まない。今まで一気に書き流して、二度書きは一度もなかったが、この回だけはとうとう三度書き直しをした。喜び、うれい、悲しみ、怒り等が私の胸中を錯綜してかけめぐるのである。十年の歳月の機微は複雑であり、万感交々である。それをみんな胸に収めて、私は、いま、静かに「さようなら」という。（龍）

映画　女優の半生描く　ファニー・ガール

（コロンビア映画）

だれもいない劇場の舞台。一世の名優ファニー・ブライス（バーブラ・ストライザンド）は一人、ぽつんと座っていた。彼女の頭の中には、過ぎさった日々のことが次々と思いめぐっていた。

ブロードウェイの最大の魅力は何んといっても美しい踊り子たちだ。その中の一人、ファニーは何とかして、スターになりたかった。

ファニーは失敗ばかりしていた。観客には、この失敗が受け、劇場主は、彼女を雇わなければならなかった。しかし、ニック（オマー・シャリフ）が、ひっぱろうとしていた。彼女は一応断わったものの、ニックを忘れることができなかった。ファニーのショーの[illegible]は、話題を呼び、彼女はコメディアン・シンガーとして雇われることになった。

ファニーに一度は断わられたニックが、初日の舞台をみていて、彼は夕食にファニーを呼んだが、ファニーは母親や友人たちと共に彼を呼んでパーティーを開いた。

パーティーが終って、二人きりになったとき、お互いに好き合っていたことに気がつく。

だが、再び二人が会えたのは、一年もたってだった。

「ヨーロッパへ旅にでよう！」

二人は愛し始めるが、不幸にもニックのギャンブルについて回った幸運の女神が、離れてしまい、ファニーは、不安でならなかった。ニックはファニーの応援もあって船中のバクチに成功。二人は船上で結婚式をあげ、ヨーロッパへハネムーンとしゃれこむ。

ニックもバクチから手をひいたし、娘のフランシスが生れたと当のファニーは最高にしあわせだった。

しばらくの間ファニーは、妻と母としての新しい仕事に満足していたが、一家の柱としてのニックの仕事が失敗し、ファニーは再び歌をうたいたくて仕方がなかったが、ニックは、彼女が舞台に立つことを許さなかった。

ファニーがニックに気を使えばつかうだけ、彼の自尊心は傷つき二人の間も以前のようにいかなくなった。

ファニーは自分の成功が、ニックにどんな思いをさせているか判らず、舞台に夢中になった。ファニーは彼の自尊心をすてさせ、共同出資してレストランを経営しようとするが、ニックは、やみ商売に手を出す。それにも失敗し、二ヵ月間の獄中生活を送らねばならなかった。

舞台の上で一人もの思いにふけっていたファニーに、付人が時間だと知らせてきた。今日はニックが出獄する日である。化粧室に入り、メーク・アップするファニーの鏡にニックの姿が映った。ファニーは、ニックにとびついていったが、ニックは静かにいった。

「別れるのが、一番良さそうだねー」

出番がきた。ファニーは、目に涙をいっぱいうかべて、静かに口ずさむのだった。

"ニックー、二度とあなたに会えないだろうー"

ファニーが気を使えばつかうだけ、ニックの自尊心は傷ついていった

青少年団体の紹介（8）

日本青年団協議会

青年の生活高める　全国青年団の統一組織

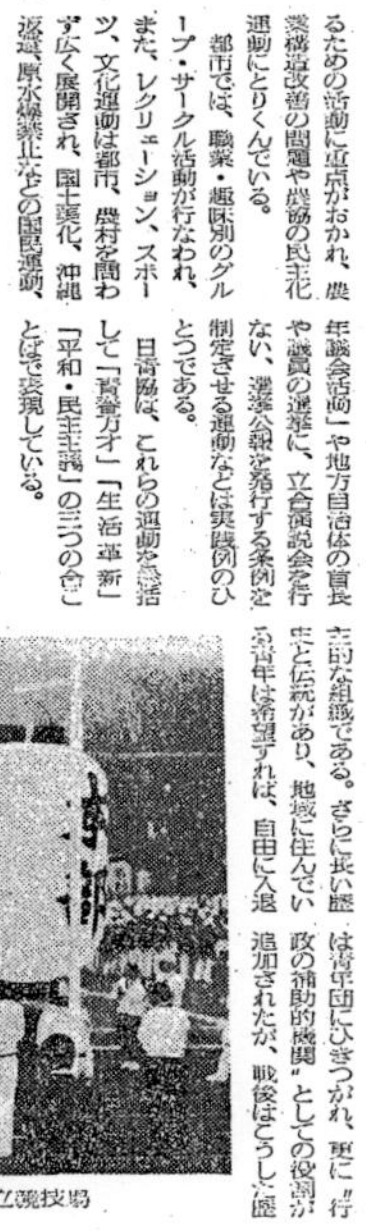

その構成　日本青年団協議会（日青協）は、"青年団"の全国組織で、全国道府県連合青年団で構成されている。構成人員は百五十万名。青年団は長い歴史と伝統をもち、それぞれの地域を基盤にして、活動を続けているが、日青協は、敗戦後の虚脱状態の中から青年の生活を高め、平和と民主々義の確立を目ざして立上った全国各地の青年団の統一組織として、昭和二十六年に発足した。

目的・性格・活動内容

青年団は、地域を基盤にした青年の大衆組織で、市町村や校区に住んでいる青年が、職業・思想・宗派・趣味・性別などにかかわりなく「青年の生活を高める」ことを目的として、自主的に結成された組織である。

日青協綱領

一、私たちは心身を修練し、よりよき個人の完成につとめます

一、私たちは友愛と行動を信条とし団結します

一、私たちは住みよい郷土社会の建設につとめます

一、私たちは人類愛と正義を以て世界平和につとめます

青年団の活動の重点は、地域にあり、地域の要請によって活動の範囲はきわめて広く、多岐にわたっている。封建性の強い地域では古い習慣を打破し、合理的な生活を築くことが中心課題になり、「青年団結婚憲章」の制定や結婚セミナールの開催もその一例である。

農村では、農業を[illegible]発展させるための活動に重点がおかれ、農業構造改善の問題や農協の民主化運動にとりくんでいる。

都市では、職業・趣味別のグループ・サークル活動が行なわれ、また、レクリエーション、スポーツ、文化運動は都市、農村を問わず広く展開され、国土美化、沖縄返還、原水爆禁止などの国民運動、平和運動も幅広くとりくんでいる。

しかし、青年団運動の中軸は地域課題、とりわけ地方自治体へのとりくみです。これを青年の立場から住民の生活と権利を守るために、力を注いでいることは、日本の民主主義を守るうえに重要なことで、全国的に展開している「青年議会活動」や地方自治体の首長や議員の選挙に、立会演説会を行ない、選挙公報を発行する条例を制定させる運動なども実践例のひとつである。

日青協は、これらの運動を総括して「青春万才」「生活革新」「平和・民主主義」の三つの合ことばで表現している。

特色と歴史

青年団に入団することは自由で、年令はとくに制限されていないが義務教育を終えてから二十五歳位までの青年が中心。

青年団の特色は、殆んどの市町村に組織があり、それが郡や県の青年団を構成し、さらに全国的組織に連けいしていること、全[illegible]主的な組織である。さらに長い歴史と伝統があり、地域に住んでいる青年は希望すれば、自由に入退団できる大衆的組織である。

青年団の前身は数百年前に発生した「若衆組」だといわれ、明治以降、むらの生活集団という性格は青年団にひきつがれ、更に"行政の補助的機関"としての役割が追加されたが、戦後はこうした歴史の中に反省を加え、平和と民主々義を守る組織として再出発し、共同学習型の自主的な青年組織に脱皮した。

全国青年大会における前夜祭＝国立競技場

役割と活動内容

日青協の任務は、全国青年団の連絡協調をはかり、その助成発展につとめるとともに、世界の青年運動と提携して平和な民主日本の発展を期している。

中央幹部研修会の開催や手引発行を通じて活動家の養成。地域におけるスポーツや文化芸能活動を中心とする青年の一大祭典。全国青年大会や全国青少年問題研究集会の開催。国土美化、明るく正しい選挙などの青年の要求を結集して、政府や社会に対し働きかけをしている。

また、国際的には世界青年会議（WAY）に加盟し、世界青年同盟（WFDY）にオブザーバー加盟をし、広く世界の青年と交流をしている。

また、組織対策、農業問題、勤労青年教育、沖縄対策、北方領土対策、財務対策などの特別委員会を設け積極的にとりくみを行なっている。（東京都新宿区霞ヶ丘十　日本青年会館内　TEL 二六九－〇一〇一～九）

１９６９年（第５５９号～第５７６号）

日本4H新聞

4Hクラブ
農事研究会
生活改善クラブ
全国弘報紙

発行所
社団法人 日本4H協会
東京都市ケ谷家の光会館内
電話(269)1675郵便番号162
編集発行人　玉井光
月3回・4の日発行
定価　1部　10円
6ヵ月180円(送料共)
一ヵ年360円　〃
振替口座東京　12055番

クラブの綱領

私達は実践を通じて自らを磨くとともに互いに力を合わせてよりよい農村、よりよい日本を創るため四つの信条をかかげます。1、私達は農業の改良と生活の改善に役立つ腕をみがきます。1、私達は科学的に物を考えることのできる頭の訓練をします。1、私達は誠実で友情に富む心をつちかいます。1、私達は楽しく暮らし、元気で働くための健康を増進します。

新年特集号

四十三年十二月二十四日号と四十四年一月四日号を合併しました

大山の夜明け

ここ大山（だいせん）の裾野で今年の七月「第五回・全国4Hクラブ員のつどい」が華々しく開催される。耳をすますと、この山のふもとから、全国の同志の歌声が聞こえてくるようだ。（鳥取県）

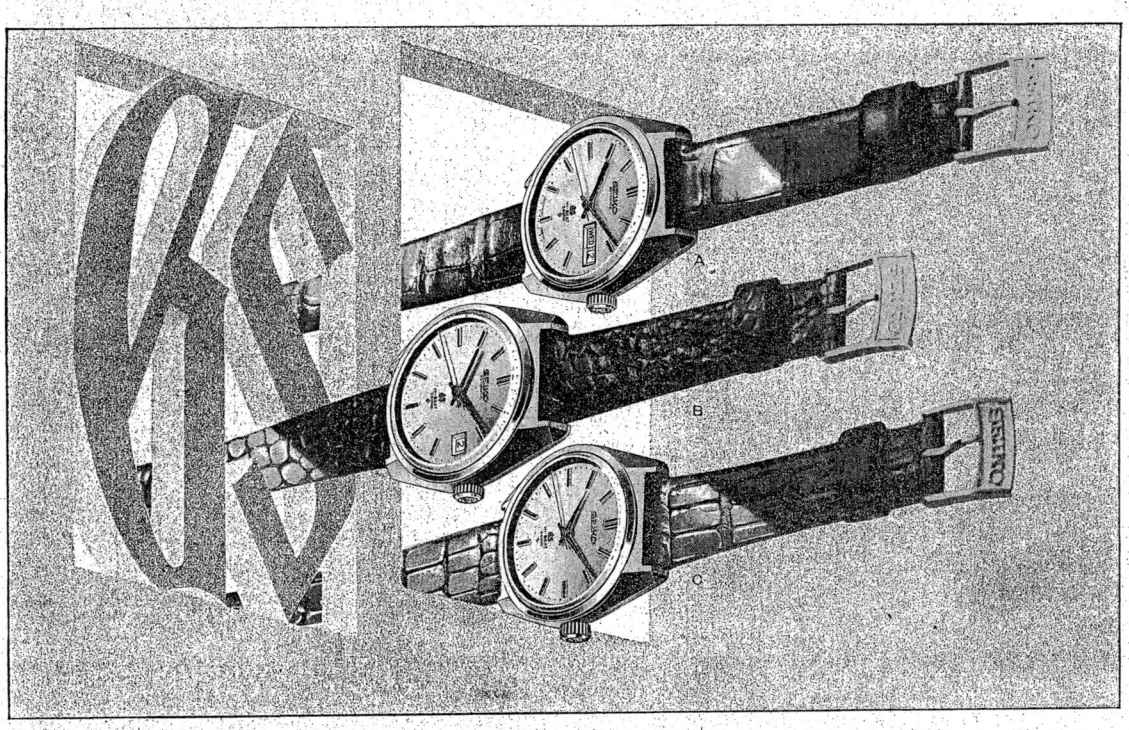

《共同P提供》

大山のこと

大山は鳥取県の東伯、西伯、日野の三郡にまたがる大山連峰の総称である。主峰大山は標高一七二九㍍。剣ガ峰の最高峰から天狗が峰にいたる主稜と烏ガ山、三鈷峰、船上山、蒜円山、高缶などの諸峰をめぐらして広大な裾野を広げ雄大である。

仏教渡来前の大山は「大神岳」と呼ばれて地方民に崇められ、奈良時代、山伏の修練道場として開かれ平安時代大いに栄えた。

大山一帯における植物群落、野鳥類、気象、地質、歴史などは学術上重要であり、観光的にも高い価値をもっている。

また大山は米子、皆生温泉方面から遠望すると秀麗そのものであるが、北面は峻険な荒々しさが充溢している。削りとられ崩かいした岩肌に大自然の猛威の恐怖感さえうける。

なお、全国4Hクラブ員のつどいの会場は、大山のほかに米子公会堂、鏡ケ成などが予定されているが、ここ大山は宿泊やレクリエーション会場に当てられる。

私は青年が好きだ

高村光太郎

私は青年が好きだ
私の好きな青年は麦のやうに
踏まれるほど根を張って起きあがる
私の好きな青年は玉菜のように
霜にあうほどいきいきとしてまろく育つ

私は青年が好きだ
私の好きな青年は木曽の檜の柾目のやうに
まっすぐで　やわらかで香りがいい
私の好きな青年は鋼（はがね）のバネのように
しなやかで、つよくて弾みがいい

私は青年が好きだ
私の好きな青年は朝日に輝く山のやうに
晴れやかで　きれいで天につづく
私の好きな青年は燃え上る焚火（たきび）のように
熱烈で　新鮮であたりを照す

私は青年が好きだ
私の好きな青年は真正面から人を見て
まともにこの世の真理をまもる
私の好きな青年はみづみづしい愛情で
ひとりでに人生をたのしくさせる

新春によせて

期待される"若い力"

主体者の自覚を

農林大臣　長谷川四郎

明けましておめでとうございます。農村青少年の諸君に、この紙上を通じ新年のごあいさつを申し上げます。

昨年は、一部に災害に見舞われた地域もありましたが、全般的には天候にも恵まれ、稲作が一昨年にひきつづく大豊作になるなど農業生産が全般的に順調な伸びを示したことは喜ばしい限りであります。諸君も、昨年の成果を踏まえさらに一層の飛躍を目ざして、新たな決意に燃えておられることでしょう。

申すまでもなく、最近の農村では、生産面においては機械化が進み経営の近代化も進展しているとともに、生活面においても逐次改善をみているなどかなり明るい面がみられるのであります。

しかしながら、その反面、今わが国の農業はかつてないような種々の困難な問題に直面していることも事実でありまして、それに対処して、農政も新たな飛躍を図るべき転換期を迎えていると覚悟を新たにしております。

その中でも、とくに私の心にかかっておりますことは、農村に若い人々が少なくなっていることであります。新しい飛躍には、若い、失敗をも恐れない勇気と清新なエネルギーが何より必要であると考えるからであります。

幸い、諸君たちのように、同じ農業を志ざす仲間がグループをつくり、その活動を通じて互いに人間としての成長に努めるとともに、農業や生活の改善、さらには地域社会の発展を目ざして問題ととりくみ努力しておられるのを見るとき、大変頼もしく、今後一層活動を活発にしていかれることを期待しています。

さて、つぎに農産物の需給についてみますと、国民所得の上昇に伴ない需要は高度化しつつ増大しておりますが、これに対し生産はかなり伸びてはいるものの十分対応できず、とくに米の需給が大幅に緩和してきた反面、かなりの農産物について価格の上昇と輸入の増大がみられるのであります。このような現状から、国民にその必要とする食糧を安定的に供給するという農業に課せられた使命を達成するためには、米ばかりでなく畜産物、野菜、果実等総合食糧の安定的供給の確保を図っていかねばなりません。このためには、需要に即応した生産をすすめることが重要ですので、先般公表した農産物の需要と生産の長期見通しに基づき、今後生産対策の充実強化を図ってまいりたいと考えております。

農業の生産性につきましても、近年農家の所得は増加してきておりますが、その相当部分は兼業に依存し、農業所得の増加についても価格の上昇に負うところが大きいのであります。しかし、国民生活の安定、さらにはわが国農業をめぐる国際環境が一段と厳しくなっていること等から考えますと、今後は価格政策の適切な運用とともに生産性の向上を基本として農業所得の増大を図っていくことが

[illegible]

何をなすべきか

日本4H協会会長　松下幸之助

全国の皆さま、明けましておめでとうございます。

4Hクラブ員の皆さまには、御気嫌うるわしく新春を迎えられましたことを心からお慶び申し上げます。

毎年のことですが、私は新しい年を迎えるたびに、やはり心に何か新たなものを感じ、今年もまたしっかりしなければという気持がわいてまいります。

皆さまも新春を迎えられ、すがすがしい気分の中で、今年こそわと希望に胸をふくらませておられることと思います。

このように年があらたまったのを機会に、気分を一新して昨日より今日、今日より明日と一層の前進を決意するところに新春の意義があるというもので、昔から「一年の計は元旦にあり」と申しますのもこのようなことをさしたものだろうと推察いたしております。

さて、皆さまもご承知の通り、本年は明治百一年、またわが国の4Hクラブも発足以来二十一年目を迎えることになり今年は、この反省の上に立った再出発第一年目ということになり、皆さまにもそれぞれの立場で意義深い年であってほしいと願っております。

過去二十年間、わが国の4Hクラブは、全国農村青少年活動の母体として一応順調な歩みをたどり、年々着実な成果も収めてまいりました。しかし、今日までの活動を静かに顧えりみますとき、諸外国との比較においていろいろな面でまだまだ充分とはいえないものも多いのではないかと感じられます。

そもそも4Hクラブが目指す本来の目的は、皆さまも充分ご認識いただいておりますように、地域や社会の発展に貢献する有為な人材を創り出すことであり、活動のあり方も、単に親睦の

いながら仲間に奉仕する尊い精神を養わねばなりません。

およそ、何事をなすにも、最も重要なことは、その事を処するに当って適当な人を得るか、否かにあり、私は、農業におきましても、同じことがいえると考えております。

今や、わが国の農業は食生活の多様化、高度化に伴い、従来の米作中心農業から脱皮して果実や蔬菜の栽培、あるいは畜産など多作目農業への転換、そして体質の面では経営規模の拡大や外国農業との競争など、いろいろな難しい状態に対処

[illegible]

心頭技健

[illegible]

謹賀新年

社団法人　日本4H協会

会長　松下幸之助（松下電器産業株式会社会長）
副会長　宮城孝治（共栄火災海上保険相互会社会長）
〃　三宅三郎（社団法人中央畜産会副会長）
常務理事　窪田角一（東洋ガス化学工業株式会社取締役）
〃　新田健吉（社団法人日本4H協会事務局長）
理事　伊藤末吉（伊藤建設株式会社社長）
〃　岩佐凱実（株式会社富士銀行取締役頭取）
〃　江崎利一（江崎グリコ株式会社社長）
〃　奥原潔（社団法人家の光協会副会長）
〃　笠村一雄（久保田鉄工株式会社常務取締役）
〃　小林寅次郎（ライオン油脂株式会社社長）
〃　鈴木万平（三共株式会社社長）
〃　塚田一甫（社団法人農民協会理事長）
〃　土岐定一（全国販売農業協同組合連合会常務理事）
〃　徳安健太郎（日本てん菜振興会理事）
〃　土井正治（住友化学工業株式会社会長）
〃　大山勇（日本放送協会農林水産部長）
〃　真板武夫（全国購買農業協同組合連合会常務理事）
〃　町田辰次郎（財団法人新生活運動協会常務理事）
〃　安井三郎（農林中央金庫理事）
〃　柳田久（全国農業協同組合中央会常務理事）
〃　山中義教（全国共済農業協同組合中央会専務理事）
〃　吉田宏（インターナショナル・ミネラルズ・エンド・ケミカル・コーポレイション日本代表）
〃　渡瀬正信（三菱重工業株式会社機器部長）

謹賀新年

全国4Hクラブ連絡協議会

会長　丸山勉（富山県上新川郡大沢野町万願寺）
副会長　飯田喜代視（奈良県大和郡山市上三橋町）
〃　黒田保（茨城県稲敷郡東村新川）
〃　沼田俊子（茨城県鹿島郡神栖村奥の谷二、五三九）
事務局長　大鹿良夫（埼玉県北葛飾郡栗橋町大字高柳）
事務局次長　小原忠孝（岩手県稗貫郡石鳥谷町東中島）
〃　久野知英（愛知県西加茂郡三好町大字莇生）
監事　坂井邦夫（佐賀県佐賀市本庄町大井樋四二）
〃　村上光雄（広島県双三郡三和町上山）
〃　高田勲（北海道上川郡愛別町字愛山二五八）
代表評議員　時田繁志（北海道上磯郡上磯町清川三九五）
〃　佐々木剛（青森県西津軽郡車力村牛潟）
〃　手代木タマ子
〃　古川忠己（長野県松本市今井区上新田）
〃　久保博（富山県中新川郡立山町牛鼠）
〃　五味はる美（山梨県韮崎市穂坂町三之蔵）
〃　岡田常雄（三重県一志郡白山町川口）
〃　村田喜昭（京都府綴喜郡井出町多賀）
〃　近藤三知代（岐阜県養老郡養老町大巻）
〃　森田一紀（香川県三豊郡三野町吉津）
〃　上杉光弘（宮崎県西都市平郷三、三三七）
〃　中島敬子

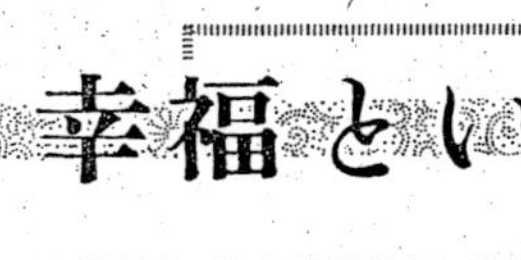

幸福ということ

総理府・青少年対策本部次長　福原国彦

新年おめでとうございます。お正月ですから、幸福ということについて考えてみましょう。

昭和四十二年の十一月に総理府の広報室で「国民の意識」について調査を行ないましたが、その質問の中に、自分の幸福と他人の幸福との比重についてたずねているところがあります。回答しているのは全国の二十歳以上の男女ですが、それによると、次のような結果が出ています。

1、さしあたって自分の幸福だけを考え、余裕ができたら他人の幸福についても考えたい —一五%—

2、自分の幸福を中心に考えるが、他人の幸福も考えたい —四二%—

3、自分の幸福についても他人の幸福についても考えたい —三六%—

4、自分の幸福より他人の幸福を中心に考えたい —三%—

5、諸答えない、不明 —四%—

回答者に対してこの質問をしたら、あなたならどれを選ぶでしょう。というのは、この場合の「自分の幸福」「他人の幸福」という言葉の意味をどう受けとったかがわからないからです。……と、ほとんどの人が受けとったにちがいありません。

しかし、さて、ゆっくり考えはじめると、「幸福」とは何だろうかという疑問が起ってきて、こうした質問に対して答えるのがこわくなってきます。「幸福」というのはそう簡単に割り切れるものでないことがわかってくるからです。

健康で、経済的にゆとりがあって、仕事に将来の希望があって、心配ごとがすくなくて……などというようなことが、幸福の要素としてすぐ目に浮んできます。なるほど「他人の幸福」について考えるときには、これら外見上の幸福をそのまま幸福として考えるようです。親が娘の幸福を考えるときにも、娘の縁談の相手としてはすぐこのようなことを考えてしまうのです。

しかし、自分が「自分の幸福」について考えるときには、必ずしもそうではありません。身体のどこかに故障があっても幸福だということがありはしないでしょうか。貧しくても幸福だということがありはしないでしょうか。人間には自分の心の持ち方で外見上の不幸を内面での幸福に切りかえる力があるからです。

自分がどんなに努力していても仕事が行きづまることがあります。大きな心配ごとの出てくることがあります。しかし、そうしたことに負けずに、明るく堪えている人は、不幸な人だとはいえないでしょう。一般的にいって、どんなに外見的に不幸であっても、人間は「自分の幸福」をつかまえることができるように思うのです。

そうだとすると、他人だからといって外見上の幸福だけを考えることは片手落ちになります。他人でも、内面での幸福を外見上の幸福より大事にしている人がいるからです。その場合には、「他人の幸福」について考えるとは、その人の内面をよく理解することをいうのでしょう。さっきの娘の親の例でいえば、親として娘の内面の幸福をわかってやるということになります。

むかし読んだ三木清の「人生論ノート」の中にこんな言葉があったのを思い出します。

……もちろん、他人の幸福について考えねばならないというのは正しい。しかし、われわれはわれわれの愛する者に対して、自分が幸福であることよりなお以上の善いことをなしうるであろうか。

この言葉を眺めていると「自分の幸福」「他人の幸福」ということが対立したものではなく、仲良く共存できるものであることが心に泌みてきて、大きな安らぎを覚えるのです。

年頭に当って

世阿弥(ぜあみ)の心をいかす

文部省・社会教育局長　木田宏

あけましておめでとうございます。

お正月になりますと、テレビやラジオ番組に謡曲がふえて、ああ新春だなあ、という感じが強まります。荘重さの中にも、人間の心のふるさとを告げるようなふしまわしは、初春のよろこびを交換し合う茶の間のバックグランド・ミュジックとして、まさにうってつけのものだ、といえるからです。

あるいは、毎年、ラジオやテレビの新春番組に謡曲が多いことから知らず知らずのうちに、こんな考えをもったのかも知れません。

謡曲といえば、いつも思い出されるのが世阿弥の花伝書です。世阿弥は、室町初期に活躍した能役者、謡曲作家であって能楽を幽雅に洗練するとともに、これに芸術論の基礎を与えた人として有名です。この世阿弥の能楽に関する考え方を集大成したのが花伝書です。

花伝書の中には、今日の日常生活でも役にたつ含蓄あることばが少なくありません。その一つに、次のような意味のことを述べているところがあります。

「能の舞台にたとうとする人は人に笑われてもかまわないから、最初から人まえで練習しなさい。人に笑われることや恥をかくことを恐れているようでは、いつまでたっても上手にならない。また、かげでこっそり練習して、上手になってから人まえに出て皆をアッといわせよう、というような心がけでは、なかなか上手になるものではない」

世阿弥がいっている「能の舞台にたとうとする人」を、いろんな場面におきかえてみるとどうでしょうか。「農業技術を習得しようとする人」としても「英会話を身につけようとする人」としても「楽器を演奏しようとする人」としても、とにかく何でもあてはまります。ものごとに関しての基本的な心がまえを説いているわけであります。

ところで、今年は明治百一年にあたります。明治の諸改革からの百年は、わが国が近代国家としての基礎を固めるための吸収の時代でありました。しかし、今年から始まる新しい時代は、世界のひとびとと手をとりあい、日本の力を世界の平和と繁栄に役立てる時代でもあると考えられます。

ご存知のように、青少年の諸活動にも国際的なものがすでに数多くみられるようになりました。4Hクラブの「草の根大使」事業もその一つでしょう。あるいは、4Hクラブ員からも沢山の代表が参加した「青年の船」もそうです。

メキシコオリンピック世界青少年キャンプには、日本の青少年を含めた世界各国の青少年が集い、友情の輪を世界にひろげました。東南アジアの諸国からも、日本の農業技術を勉強するために大勢の青少年がみえておりますし、日本からもすぐれた農業技術をたずさえて、多くの若ものたちが東南アジアの国々へ出かけていっております。

新しい時代は、活動の場が国際的なものとしてひろがったわけです。

このようにひろがっていく国際舞台では、ひっこみ思案の生活態度は通用しません。恥をかくことも恐れず、正々堂々と、誠意をもってのぞむことこそ大切であると考えられます。また、このような心がまえが、民族間にある考え方や生活態度の違いをのりこえるものだといえましょう。

ともあれ、急激な進展をつづける今日の社会にあっては、世阿弥の主張する学習態度が改めて求められているわけです。

新春のバックグランド・ミュジックともいうべき謡曲にのせて、新しい時代に生きる青年諸君のご健闘をお祈りいたします。

4H会館建設に決意を

全国4Hクラブ連絡協議会々長　丸山勉

全国のクラブ員の皆さん、あけましておめでとうございます。

明治百年にあたる昨年は、全国各地において、これにちなんだ催ものがありました。皆さん方の中にも、それぞれの立場でこれらの行事に参加された人が多いことと思います。そしてその中から、過去のわが国の歴史を省えったり、また参加された行事を通して将来への思いを新たにされたことでしょう。

今年(昭和四十四年)は、皆さん方が新たにされた構想なり人生の設計図をいよいよ実際に行動に移される年であります。「初心貫徹」の言葉を忘れず、目標に向って邁進され、当初の目的を達成されるよう祈念いたします。

全国協議会といたしましても、過去の活動を省えり、その上に立って取り組んでいる大きなものが二つあります。

一つは、4H会館建設であり、またの一つはプロジェクト活動の推進であります。いずれも私たちの4Hクラブ活動には欠くことの出来ない重要なものであります。

昭和三十八年九月、和歌山県高野山で開催されたクラブ大会で決議された、4H会館建設の歩みは昨年の前半まで「私たち4Hクラブ員の殿堂を、私たちクラブ員の手で建てよう」ということの願いを全国津々浦々の一人一人のクラブ員まで知らせ、その気運を盛り上げるための宣伝啓もうの段階として努してまいりました。

ところが、建設のための第一段階であるPR活動も一応の目的を果し、更にその上に立った建設への具体性が要求されるようになってきました。そこで、昨年の後半より土地の選定や建物の大きさ、あるいは建設予定年度をいつにし募金をどのように推し進めるかの諸問題を評議員会や推進会議などで協議してまいりました。

その結果、大略、昭和四十五年度中に会館建設を終り、それに要する費用のうち約四千万円を私たちクラブ員の手で募金を行なうということになりました。詳細なことはまた別の機会をみてお知らせすることとして、とかく来年度中には会館の完成を見るというプログラムのもとに、本格的な募金活動に入ったわけであります。

私たちがこの会館を建設する最大の狙いは、全国のクラブ員一人一人の方から募金を行なう活動の中にあります。募金活動を展開する中で組織の強化をはかったり、また友情のきずなを深めたりする中で味わった苦しみや楽しみを、会館建設後も持ち続け、社会や国のために生かし、よりよい人類のための社会を建設することにあります。

したがいまして、労せずして大人の方々から寄付金をあおぎ、会館を建ることは、会館の完成を早める近道であるかもしれません。

しかし、これでは建物が出来てもその建物には魂が入りません。前述致しましたように私たちは建物を建てることが最終の目的ではありません。建物を建てることは方法であり手段であります。全国のクラブ員の皆さん、より多くの苦しみの中から私たちの手で私たちの会館を建てようではありませんか。

昨今、4Hクラブは、レクリエーションクラブになった、という批判をよく耳にいたします。これは、4Hクラブの本来の目的であるプロジェクト活動をクラブ員が軽視していることを指摘しているのだ、と思います。

事実、昨年十二月国立中央青年の家で開催いたしました中央推進会議の時も、共同プロジェクトは大半のクラブでは持っているが、4Hクラブの生命であるともいうべき、個人プロジェクトを持っているクラブ員が年々減少しているということが報告されております。

4Hクラブがプロジェクト活動を忘れた時、もはやそこには4Hクラブの存在する理由はありません。プロジェクト活動に個々のクラブ員が取り組み、推し進めてこそ4Hクラブの存在意義があります。

全国のクラブ員の皆さん、歌を忘れたカナリヤのようにならないよう、決意を新たにプロジェクト活動にとりくみ、あわせてその情熱を4H会館建設に結集し、稔り豊かな昭和四十四年に私たちの手で成し遂げようではありませんか。

年の初めにあたり、いささか所感を申しのべ、新年のあいさつといたします。

人間の復権をめざす

↑↑↑戦闘的4H活動論・序論↓↓↓

いとう・くにひこ

反戦デモの列の中でシュプレヒコールを叫ぶのも、EPNのノズルをにぎるのも、いずれも等価な現代の青春の相にちがいなかろう。

二〇〇万年そこそこの歴史の果てに人類が造りあげた、この現代文明という奇怪なものの中に、われわれは生存している。それは巨大で、冷酷な人工の美に満ち、白銀の宇宙船と飢えた子供が同居する、そんな時代なのだ。

かつていつか、それが砲煙と爆音の中にあったように、われわれの青春はこういう時代に始まる。ここでは農村と都市との古代以来の対立は廃止されるどころか、むしろおおいかくされた、より激しくどす黒いものとなって続いている。宇宙船と飢餓こそ、農村(国家)と都市(国家)の対立をあきらかにする一つのシンボルにほかならない。

現代マス・コミの造成する、ぶ厚い安易なイメージのベールをとりはらった時、君はそこにどんな自己を見い出すだろうか。4H活動もまた世界と自己との関係をあきらかにし、確かなものとしていく人間の営為の一つだともいえるであろう。

4H活動は、いうまでもなく四つのHに象徴されるような人格の形成を目ざす学習活動だったはずである。だが、活動主体たる君たちにとって、その綱領の意味はどんなように理解されてきたものか。

いま「科学的に考えられるhead」というが、では科学とは何か、と質問してみよう。おそらく4H活動家の十人に六人も答えられまい。「健康」や誠実で友情に富む「心」についても同じだろう。健康とはからだがじょうぶであることをさすものではないし、またこれまでの日本の農村には個人的な友情というものは生まれ得ないようになっていた。だからこそ4H活動は、科学を排除してきた農村に科学を導き、生産を高めることのみならず、新しい友情をも確立しようとするものでなければならなかったのである。

4H活動論を論じようとするとき、すべてこういう原理をふまえていなければ、それが成りたたないことはあきらかであろう。この原理による不断の自己点検をおこたったとき、そのクラブは、かの悪しき技術主義におちいりて、はては打破すべき旧秩序と妥協し、もしくは単なる仲良しサークルとなり、いずれにせよ4Hの精神は死ぬのである。

「思想が堅実になる」といって息子を4Hクラブにいれる親もあるというが、4Hクラブは本来そんな"無害思想"とは無縁なのだ。すでにみたように、それは農村の古い原理とまっこうから対立する性質なのだから。むしろ、真の4H活動は、ある意味で、そういう物いえぬ農民をつくりだしてきたしくみを内側から確実に切りくずしていくべきものなのであろう。

そしてさらに、いま4H活動によって獲得した科学的精神は、クラブ員の一生を通してかれの人生哲学とならなければならない。"さとり"や古い世知ではない、新たな科学的人生観がその上に築かれていくべきなのである。

およそ理論と実践のたえまないフィード・バックがあらゆる意味で人生のすべてなのだから、4H活動こそその回路を確立しようとする大胆な試みなのだ。それなしに単なる「イネつくり」や「ブタつくり」として一生をおえることを、しいたげられた者としての農民史をえんえんと演ずることをだれも望みはしないだろう。

人々に絶えざる困苦をもたらす因果法則をも、きっと君はみつけるだろう。物質万能の現代に人間の復権をめざそうとする仕事は、むしろ若き農民たちによってなしとげられうるものなのかもしれない。

(青森県三戸郡三戸町川守田関根　二七)

自分を鍛えよう!

豊田喜治
京都市右京区樫原石畑町・西山4Hクラブ

"光陰矢の如し"とはよくいったもの。長いようで短いもの、すぎてしまえばそれきりのもの、それが時間、歳月である。

私たちは歳月に追われては何も出来ない。追わなければならない。現在というものは二度と再び帰っては来ない。やりたいことはやる。少々のいきすぎはあってもそれは若さというものがもみ消してくれる。

小生、二年程前から何を思ったのか、手帳の一頁目に年頭所感というものを書き始めた。「今年はこういうことをしたい」ということを、簡潔明瞭に書くことにしている。例えば『自己の主張』とか。毎日毎日どうしてもその一頁をみると、その日その日は別に変化はないようであるが、年の初めと終りとでは、ずいぶん、そのことについての考え方が変っていることに驚く。今年は何を書くか?

会合などがあって帰りが非常に遅くなる。少しでも早く帰りたい。その時のスピードメーターを見る。必らず普通の時の十キロや二十キロはオーバーしている。

また、バスに乗る時などでも、時間が十分にあれば順序よくならぶが、時間がなく余裕のない場合は、どうしても、わりこみがちになる。今、そういった時の自分をとても恥しく感じる時がある。人間というものはどんなものだ、経済的に精神的に、いろいろの面で余裕というものが無い時にはどうしても、こういった主観的な我欲の入った自分本位の利己主義的な態度をとる。

おひとよしといわれてもかまわない。今年の年頭所感には客観的見解、態度を太く大きく書こうと思っている。

諸君、金もうけが能ではない。女のケツばかりおいまわしているのも能ではない。

ひとつ自分というものを鍛えようではないか。

ちょっと一言

埼玉県入間郡富士見町・南畑4Hク　水村房子

朝早くからものすごい機械の音、農地が宅地へとかわっていく。じっと見ていると悔しさで胸がいっぱいになる。"なぜ、農地をつぶすの。"なぜ若人の気持をふみにじるの?"何かというと"今の若い者はしょうがない"とか"時代の波にのって子供のため孫のためと考えないで自分だけ良ければ"という話を大人は平気でしている。

こういう人たちが農地を簡単に手放す。それも農地としてでなく住宅として。だから田園の美しさはなくなってしまうんだ。みんなお金に目がくらんでしまったんだ。

そういうところへもってきて、"農家へくるという娘もいない。これからは自分の食糧だけでいい、子供はみんな勤め(だから農家の嫁さんがいないんだよ!)家にばかりいては社会勉強ができない"といっている。

とんでもない、私だって、いろいろ勉強(4Hクラブ活動)していますよ!私は農家へすすんでお嫁にいきます。

私も、この三月で二十歳。農村の美しさをこわす機械の騒音になんか敗けないで、美しい豊かな農村の建設者として頑張りたい。

20年の歩み

日本に4Hクラブが誕生してから二十年の歳月が流れた。この間、日本は敗戦の混乱と食糧の不足から立ち直り、国民総生産は米国に次ぐという往時をしのぐ繁栄を取り戻した。だが、ここまでの道程には多くの曲折があり、国民一人ひとりの努力が積みあげられてきたのである。とくに、国民の食糧を確保するという使命を果した農民の努力は、大変なものであった。国全体が混乱と疲労にあえいでいたとき、新しい農業の担い手として発足した4Hクラブにかけられた国民の期待は大きかった。それから二十年、全国の若い仲間たちは、4Hの精神を体して、この国家的要望に応えてきたのである。またこれを側面から援助した普及事業関係者の温かい指導も、大きな励みになってきた。昭和二十三年に施行された協同農業普及事業には、三つの大きな特色があった。一つは、指導の重点を物から人に移したことである。次に、農家の生活改善を取り上げたことである。そして第三は、農村の青少年の育成を取り上げたことである。新しい農業と新しい農村の建設をめざして、農村の青少年が同志と自主的にクラブをつくり、「なすことによって学ぶ」という4Hクラブ活動を助長することになったのである。昭和四十四年の年頭にあたり、本欄ではこの輝かしい4Hクラブの歴史を顧みて、これからの活動の参考に供するため、4Hクラブの生いたち、農業情勢とクラブ活動の移り変わり、全国4Hクラブ連絡協議会の歩み、それに単位クラブとして、日本で最も早く結成された埼玉・吉田4Hクラブの歴史を特集した。主な資料は協同農業普及事業二十周年記念会編の「普及事業の二十年」をもとにした。

富士登山　全国の仲間が4Hの旗をなびかせて、日本一の富士山に登りながら交歓をしようという地元静岡県御殿場市北駿4Hクラブの呼びかけに応じて、一昨年の夏から富士登山が始まった＝写真は山頂での記念撮影

4Hクラブの生いたち

当初は米国の紹介
農林・文部両省で基本決る

普及事業では、農業改良、生活改善と並んで農村青少年のクラブ活動の育成を三つの柱としたが、当初はもっぱら米国の4Hクラブの紹介から仕事が始められた。

ガルトルード・ウレン女史著「4Hクラブ活動の組織」というパンフレットを二万部印刷、全国に配布し、指導者ならびに青少年に4Hクラブの何ものかを理解させることにつとめた。

青少年のクラブの育成に当って、日本では年少者側は学校教育との関係もあって、米国のような一四才ぐらいまでを中心層とする4Hクラブの育成は、ただちには実施できない事情にあったので、まず農村の青少年に関する実態調査をおこなうこととし、全国三〇数ヵ村を選定し、その村の農村青少年団体について、組織、活動内容などを調査した。調査後、青少年クラブ連絡協議会を開催し、翌二十四年には文部省と打合会をもち、農村青少年クラブ育成についての基本的な考え方の確立につとめた。

二十四年に入って「農山漁村青少年クラブ活動育成に関する基本方針」が農林、文部両省の共同次官通達（二四・八・二六）で出され、農村青少年の自主的なクラブ活動の助長のために農業改良普及組織、学校教育普及組織および社会教育組織は緊密な連けいのもとに協力して援助することが明確化され、また農林省から都道府県を通じて現地の改良普及員に「クラブ育成上の基準」が示され、本格的なクラブ育成の段階に入った。

これらの指導方針の骨子は、

一、青少年クラブの組織および運営は、青少年の自主性を尊重し、それぞれの地方の事情に適応する実践活動に導くこと

二、現に農業や生活問題で研究討議している青年グループを育成の手がかりとすること

三、まず、青年の組織から指導し、その後、少年の組織をつくる。この育成には青年の協力や民間の篤志指導者、学校の教官などの援助を得ること

四、男女いっしょに一つのことを研究し、実践してゆくための話し合いの場や機会を作り、次第に男女共同のクラブ活動に導いてゆくこと

五、クラブ集会の運営には、自由にのびのびと発言できるようにすること。また、とりあげる問題がクラブ員の興味をもつものであること、会議のもち方、進め方を楽しいものにすること―などであった。

昭和二十五年になって、ひきつづいて具体的なクラブ育成事業がすすめられたが、とくにこの年の十月、一八日間にわたって米国テネシー州青少年専門官ポール・W・ローズ氏を中心に都道府県青少年担当者講習会が東京・小金井の浴恩館で開催された。

この講習会で、各県の指導方向が統一されてすすむようになった。すなわち、青少年クラブ本来の原則で、組織的でないこと、政治に関与してはならないなどの結論を得た。なお、この年、農林省ならびに県の普及事業関係者四名が二回に分かれて渡米し、米国の農村青少年の育成状況について視察した。

昭和二十六年以降は、クラブ育成の主眼が農業や生活に関する各種技術や知識を指導しながら、クラブの組織や形態をととのえ、自主的なクラブ活動に育成するといった指導活動から、プロジェクトをもち、自主的に参加したクラブ員の集まるグループの育成といった指導活動に移ってきた。

この年度から、農林省、日本4H協会の主催で、クラブ活動およびプロジェクト活動の実績を発表する全国農村青少年実績発表大会が東大農学部、日比谷公会堂を会場として盛大に開催された。この大会は三十六年まで続いたが、各地のクラブの活動の大きな推進力となったといえよう。

なお、この大会を機会に、模範農村青少年クラブを表彰する制度を設け、第二回大会から農林大臣賞が授与され、現在まで続いている。

昭和二十八年から、米国との間に、4Hクラブ員の「国際農村青年交換計画」が始まり、相互に男女各一名が交換され、両国の農村事情、クラブ活動の実際について勉強する機会が与えられた。

また、この年には、日本4H協会が農林省および日本放送協会の後援を得て、全国から「日本4Hクラブの歌」を募集し、百編余りの応募の中から選ばれた「緑つるわしわが大地」という歌が当選した。この歌は、第二回の大会において華々しく発表された。

農業情勢とクラブ活動の経過

情勢の変化に対処
普及事業の一環として発足

草創期（昭和二十三〜二十五年）

戦後、農村の最大の社会改革であった農地改革がほぼ完了し、小作地は農民に解放され、耕作者の間に生産意欲は急激に高まった。

一方、敗戦による領土の喪失と引き揚げによる人口増、並びに生産の停滞は、食糧需給のバランスを著しく崩し、食糧の増産は急務であった。

このような情勢のもとに農業再建と食糧の増産を緊急な課題として、農業生産の増大と農民生活の改善を目ざして協同農業普及事業が発足した。

◆　◆　◆

科学的なものの考え方は、若い時代から養うことが重要であり、普及事業では農業の改良、農民生活の改善と並んで、農村青少年の育成助長が大きく取り上げられた。

当初は、米国の4Hクラブ活動の紹介が盛んに行なわれたが、日本では年令層の若い青少年は学校教育との関係もあって、農林省が手をつけることは困難な問題があり、まず、日本に適合する青少年の組織や活動のあり方についての検討や実態調査から始められた。

二十四年には、青少年クラブ活動の育成について農林、文部両省の間に基本的な方針が定められ両次官名で通達された。

その内容は、組織運営について[illegible]

小地区期（昭和二十六〜[illegible]）

[illegible]

新しい経営めざす
今後は総合農政の推進へ

中地域期（昭和三十二〜三十九年）

食糧の需給もようやく安定し、国民経済は技術革新を背景に飛躍的な発展の段階に入った。

このことは、農村や農業に大きな変化をもたらした。農村の労働力は都市に多量に吸収され、とくに若年層の流出ははなはだしく、農業労働の老令化、女性化の傾向を深め、また、兼業化も年々進行していった。

農林省は三十三年農業白書を発表し、農業と他産業の間の生産性ないし所得の不均衡を指摘した。農業部門では、適地適産が奨励され、畜産、園芸など商品的作目の成長が目立ってきた。

一方、市町村合併が非常な速度で進行し、地方行政の様相に大きな変化をもたらした。

三十六年、農業の生産性向上、農業従事者の所得の増大による他産業従事者と均衡する生活の維持を農政の目標として農業基本法が制定され、農業構造改善事業も開始された。

このような社会、経済の変化の中で中地区制の農業改良普及所が三十三年、法律に基づく機関として誕生したのである。普及員の行なう活動の連絡調整を強化し、地域の特性に応ずる普及活動の総合性と計画性を高め、あわせて市町村や農協などとの連けいを密にしていくことを目的としていた。

◆　◆　◆

日本経済の高度成長は、新規学卒者の就農減少、若年労働者の都会への集中となってあらわれ、農村青少年のクラブ数も地すべり的に減少していった。

農業後継者の確保が農政の大きな課題としてクローズアップされ、農村における青少年を近代的な農業経営者として育成することが普及事業の大きな命題となった。

三十五年に普及部所管となった農村青年建設班などは、三十六年から農村青年活動促進事業と改称してラジオ農業学校、農村教育青年会議などの事業をふくめて行なわれるようになった。

さらに三十七年からメニュー方式に切り換えられ、各種の研修が行なわれるようになった。

三十七年には、全国段階の農民教育関係団体と都道府県が会員となった社団法人全国農村青少年教育振興会が設立され、全国段階の青年会議、技術交換会の開催、先進地留学研修の実施などが農林省の助成をうけて実施されるようになった。

この年、クラブ活動推進の指導要領が制定され、クラブは原則として三つの年令区分ごとに結成されるようにする、クラブリーダーを中心に自主的な組織化をはかる、普及所に青少年担当普及員を定めるなどがきめられた。

三十九年から、農業改良資金の[illegible]

広域期（昭和四十〜四十三年）

[illegible]者の数は四十年には六万一千人と史上最低を数え、四十一年には六万六千人となり、中卒者三万二千人、高卒者三万四千人と高校進学率の向上もあって、はじめて中、高卒者の数が逆転し、今後の農業経営者の構成が新しい方向に歩みはじめたことを示した。

農村に若い人の数が減り、農業後継者対策が脚光をあび、青少年対策の予算も拡大の方向にむかい、まちづくりの促進、特別研修事業など、青少年の活動促進費は年々二千万円前後増額された。

また、研修教育施設も、高卒者を対象とする地域営農研修施設、短期研修の充実のため専修学園、研修施設、宿泊研修をうけることの困難な経営を営む青年を研修し、かつ、青年に自由な集会の場を提供する農村青年活動促進施設（農民センター）など種々な施設が建設され、青少年の教育に活用されるようになった。

私たちのクラブ

埼玉県秩父郡吉田町　吉田4Hクラブ員　新井庄太郎

吉田4Hクラブ誕生以来、二十[illegible]流されることなく、地域農業の推[illegible]の技術を地域の農家が意欲的に取[illegible]らない。[illegible]

4Hクラブ

村を興した4Hクラブ

◇◇◇埼玉県秩父郡　吉田4Hクラブの輝かしき歴史◇◇◇

国鉄・高崎線の熊谷駅から私鉄秩父線に乗り換え、荒川の上流に沿って西へ一時間走ると〝秩父夜祭り〟で有名な秩父市にたどりつく。この秩父盆地の中心・秩父市から北方へ十五キロに吉田町がある。吉田町は四方を山でかこまれた人口約一万人の小さな町である。この町に4Hクラブが産声をあげたのが、いまから二十年前の昭和二十四年。もちろん、埼玉県下で初めて結成された4Hクラブである。このクラブは、胎動する社会の荒波を受けながらも、4Hクラブの理念を忠実に実行にうつしながら、絶えず村づくりの中核となって今日の町の繁栄を築く礎えとなってきた。ここに過ぎ去ったクラブの足どりを顧りみて、こんごの4Hクラブ活動の参考に資したい。

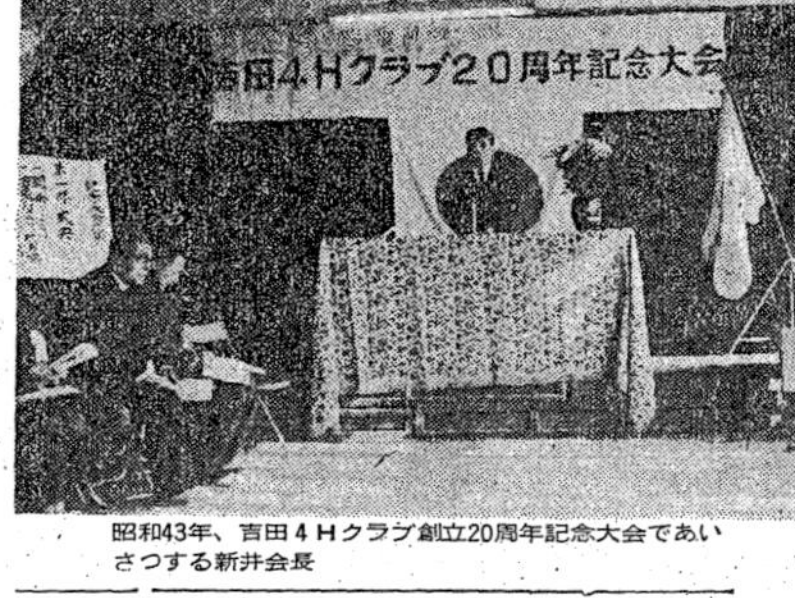

昭和43年、吉田4Hクラブ創立20周年記念大会であいさつする新井会長

地域農業をリード
〝プロジェクト〟の成果を広く普及して

農業改良普及事業の制定に伴ない、吉田町に普及員が駐在になったのは昭和二十四年一月、弱冠二十一歳の坂本純一氏（現埼玉県専門技術員）である。坂本氏は中学校教師時代から、青年団や盟友会のメンバーとして青年運動をしていたこともあって、普及員としての仕事は、農事研究会をねらいとするグループづくりであった。

これが4Hクラブの胎動であり昭和二十四年九月七日、秋雨けむる町の小学校を会場に九十七名による吉田4Hクラブとして県下で初めての産声をあげたのである。

この時代は、いわゆる4Hクラブの〝ゆりかご時代〟で、活動内容はもっぱら食糧増産運動に力を注ぎ、当時の肥料、とくに加里不足を補うために「ゴミ焼き カマド」の設置が盛んに行なわれた。

ゆりかご時代の後半にあたる昭和二十五年には、初めて女子クラブ員が加入し、総勢百五人と史上最高のクラブ員数を示した。

こうして歩み出した4Hクラブへ〝横文字〟が導入されたのが昭和二十六年、いわゆるレクリエーション、デモンストレーション、プロジェクトだ。

このころ中学校でも、普及員や先覚クラブ員の指導で4Hクラブが誕生した。産業教育指導という名のもとに、4Hの信条やプロジェクトの指導が行なわれ、初生ヒナの共同育すうや、先覚クラブ員と町有林へ杉の植林などがあった。

この〝横文字〟導入が効をなして、昭和二十七～二十八年にかけて〝表彰状獲得時代〟に入る。これは、県下初の農林大臣賞受賞をはじめ、プロジェクト、デモンストレーションの県大会の総てと全国大会に出場した。

こうしてクラブ活動も華々しく軌道にのり、県下の各地に数々のクラブが生まれ、県下に「吉田4H」の名をとどろかせた。

このようなクラブ活動は表向きのものであって、ほんとうの活動は〝まず実行〟のスローガンにあるように、その土俵は各部落内であり、たえず地域社会と結びついた技術振興の活動にあった。

クラブ結成以来、満五年を経た昭和二十九年〝退会者恐怖時代〟が訪ずれた。これは前年九十名もいたのがいっきょに七十名にもなったのだ。この原因は簡単で、結成以来のクラブ員が一家の中心となる年令がきて退会していったもので、いわば4Hクラブという小さな温室の中から実社会へ巣立っていったわけである。

これで4Hと地域社会の結びつきが一層深くなるのだが苦楽をともにした仲間や先輩と別れることは計り知れない淋しさと、これからの活動に対する一沫の恐怖が伴ったのである。

このころ営農指導も多角経営が唱えられ、米麦一辺到の農業形態から畜産、園芸部門がクラブ員のプロジェクトにとり入れられた。

その一つに「エゾ菊とみょうが」の栽培などがあるが、いずれも販売面で失敗している。しかし、いつも前向きでものを考え行動を続けるクラブ員たちの若さと情熱は、この失敗にもめげなかった。

クラブ活動には、グループ制（作物、園芸、畜産、女子）がいち早く取り入れられ、とくに園芸グループにおいては抑制そ菜の東京出荷の糸口をつくった。

これは、米（稲作）マユ（養蚕）しか換金の方法を知らない地域農業者にとって、驚くべきことであった。

この発端となったのは、園芸グループで試作的に栽培した「抑制いんげん」であり「蜂屋柿」の東京出荷であった。

この快挙に気をよくしたクラブ員は、普及員宅で毎水週の夜、開く〝水曜会〟に出席して、いんげんづくりや文学を論じ、青年の悩みを語り合いながら希望に胸をふくらませた。この水曜会を通して〝仲間づくり時代〟に入った。

一方、地域においては町村合併（昭和三十一年、上吉田村）が、国においては新農村建設運動が起った。

この新農村建設運動に伴ない、4Hクラブ活動も仲間づくり時代から昭和三十二年〝村づくり時代〟へとうつる。

このころになると、園芸グループではじめた抑制野菜栽培（いんげん、きうり）も軌道にのり、農協を中心として出荷体制も整い、栽培面積も一挙に増加し、次第に周辺の農家から町外へ、また、秩父郡一帯へと普及していった。

また、この普及に伴ない、4Hクラブでは、栽培技術の研究とその普及に努めた。

このように園芸作物の導入により、各農家は換金作物を得て、町全体が活気をおびてきた。

町当局も新農村建設事業の一端として、有線放送と町内六ヵ所の共同出荷所の新設を行なった。とくに4Hクラブでは有線放送の利用には積極的で、クラブ行事の連絡の他「4Hクラブの時間」を設け、クラブ活動内容を町内にPRし、農業技術などの普及に活用した。

このような吉田4Hクラブの活動の一こまひとこまが、柿の出荷や、いんげん、きうりの栽培を秩父山峡に普及させ、東京市場での名声をとどろかせた「秩父園芸連」を組織する礎えとなったのだ。

このようにクラブ員のエネルギーと共同の力は、吉田町ばかりでなく、秩父農業のパイオニア的役割を演じたといえよう。

昭和三十三年、吉田4Hクラブも結成以来十年を迎え、十周年記念大会が華々しく開催された。これには、町の有志、先覚クラブ員の志によって豪華な〝クラブ旗〟が寄贈され、その席上、クラブ員の手によって作られた〝吉田4Hクラブの歌〟が披露された。

このように留まるところを知らず発展の一途をたどっていたクラブにも、農業の曲り角は、いやおうなしに突きあたってきた。女子クラブ員の急激な減少に伴ない〝嫁ききん時代〟である。

しかし、この現象はそれほど深刻なものでなく、むしろ吉田4Hクラブにいえることは、町内のクラブ員同士の結婚をとり上げるべきだろう。これは、当時他のクラブ間でもかなり話題をさらっていた。

町当局では、相変らず農村青少年教育に力を注ぎ、昭和三十五年「農村青年建設班」を編成、これには4Hクラブ員が多数参加して二ヵ月間の教育を受けた。

また、社交ダンスをはじめとするレクリエーションも活発に行なわれ、男女クラブ員共同の料理講習会も度々開かれた。

昭和三十七年、農業構造改善事業の運動が起こった。4Hクラブ活動は相変らず展開され、4Hクラブ活動を通しての〝人づくり〟が唱えられた。これはプロジェクト活動を通して行なわれたもので共同作業などがあげられる。

また、以前から参加してきた各種の駅伝大会には、秩父駅伝第二位（三十九年）西秩駅伝第一位（三十八年）と、この方面でも吉田4Hクラブは実力を示した。

昭和三十九年〝農業近代化促進時代〟に移るが、クラブ員の出稼ぎやサラリーマン化がすすんだ。

一方、クラブでは、その対策として〝移動集会〟を行なった。これはクラブの会合をクラブ員宅で巡回して開き、家族を混えての〝家族ぐるみ〟の活動を行ない、またクラブ員による巡回ノートなども作られた。

このほか、とくにプロジェクトの必要性とその実践を説き、共同プロジェクトとして「桑苗の接木」を行なう。また、地域農業に対しては、以前から実施されてきた水田苗代の消毒が毎年続けられた。

第二十二回埼玉国体開催（昭和四十二年）には、国体旗リレーへの協力、国体花いっぱい運動、このころ、年輩クラブ員の退会が目だち中堅クラブ員による〝新体制〟の4Hクラブにかわった。

農業の曲り角から推進の時代へとこれで直線コースに飛びこんだともいえる。

このように、結成以来二十年を経た吉田4Hクラブは、昨年十一月二十三日、栄えある創立満二十周年記念大会を挙行した。

このように、二十年間たゆまず歩み続けられた4Hクラブ活動のその要因は、良き指導者を得て、「まず、実行」とクラブ員自身が率先して4Hの理念を理解し、実践したこと、次に町当局がこれを理解し、協力してくれたこと、また、現役とOBが常に一体となっていたことなどがあげられる。

これを内面からみれば、常に地域農業と結びついたプロジェクト活動を通して、人づくりに専念したことにあるだろう。

昭和26年、プロジェクト・デモンストレーションの活動開始。馬鈴薯の共同消毒

全国4Hクラブ連絡協議会

早や十五年の星霜
全国同志の結束強め、着実に

新しい感覚で青少年の育成

終戦直後わが国の国内事情は、各般にわたって一大改革が断行されたが、農村においても、その封建性を抜本的に打破する目的で農地の開放が行なわれ、これを基盤として新しい農業の発展をめざして昭和二十三年農業改良助長法が制定された。

この法律は農業生産を増大し、社会福祉に貢献することをねらうと同時に、農村の民主化、農業や農家生活の科学性を実現しようとしたもので、これに基づいて農業改良普及事業が、やはり同じ年に発足した。農業改良普及事業は農業技術の改良、農家生活の改善、農村青少年の育成を三大目標として、国と都道府県の協同事業として実施されたことは周知の通りである。

さて、このような背景で生まれた農業改良普及事業であったので、青少年の育成についても、全く新しい感覚のもとに、これを実施することになり、農村青少年クラブの呼称のもとに4Hクラブの指導が、国と都道府県の手によって昭和二十四年から全国いっせいに開始された。

時あたかも終戦直後であったので、国内の食糧事情は極度にひっ迫し、主要食糧の増産は国をあげての最重要事項であった。このため農業改良普及員は新しい増産技術をたずさえて農家の指導にあたったが、何分にも習慣技術を重んずる農家には直ちに受け入れられない場合も多かった。

しかし、4Hクラブ員は年齢も若く、新知識や新技術の吸収に積極的であり、かつ、家計の直接責任者でない立場にあるので、普及員の主要食糧増産の新技術は、4Hクラブ員のプロジェクトの主題として、どしどし取り入れられ、現地における増産技術の展示者として、数々の立派な業績をおさめた。

このことは農家生活の改善にもあてはまることで、4Hクラブのこのような目ざましい活動は、関係方面から高く評価され、農林省の調査によれば、昭和二十四年末には全国で二万三千クラブを数えるまでに発展した。

クラブ員から全協結成の声

以上のような経過をたどって発展した4Hクラブは、以後順調に伸長し、これを民間の立場で援助しようとする日本4H協会も昭和二十六年の秋に設立され、翌二十七年三月、農林省と日本4H協会の共催のもとに第一回全国農村青少年クラブ実績発表大会が東京で開催された。

また、二十八年、大会参加の代表者の一部に「クラブ員自体で全国の協議会を結成し、各都道府県連の連絡を密にし、指導者や援助者の期待に対応して、青少年自らの力で4Hクラブ活動を発展させるべきだ」との動きが起るようになった。

この動きが具体化したのは昭和二十九年十月、日本4H協会の肝入りで、京都市東山大本山勧修寺の好意と近府県青少年担当者の協力で同時に開催された大会（技術交換、キャンプ大会の前身）においてであった。この大会で、全国協議会設立準備委員会として、全国代表者会議が正式に発足した。

その後昭和三十年八月、福島県猪苗代湖畔で開催された農林省、日本4H協会共催の第一回全国農村青少年クラブ技術交換大会において、初めて「全国農村青少年クラブ連絡協議会」＝全協＝が設立され、初代会長に静岡県・岩崎茂、副会長に栃木県・八木沢育夫、島根県・浅野俊雄の諸氏が選任された。

以上のような過程を経て、全協は昭和三十年八月に、創立されたのであったが、ここにいたるまでには幾多の困難な問題が山積し、全協創立に対する当時の環境は、むしろ極めてけわしいものであったといえよう。

すなわち、全協設立の動きが出始めた頃は、占領軍である米国側にも、また、指導の元締である農林省においても、この種の全国組織は往々にして行政機関に対する圧力団体か、あるいは、陳情団体に堕するおそれがあるとしても、その創立に反対であって、都道府県も日本4H協会も農林省のこの意を介して消極的な態度であった。

しかし、これが創立に極めて熱心であった一部の有志クラブ員の中には、これらの反対を押し切って直ちに創立すべしとする急進派と、関係方面の了解を得てその目的に達しようとする漸進派があった。これら両派の有志クラブ員が数度の会合をもって、ようやく前記の結果となったのであって、この間における先輩有志の血のにじむ努力は全く感激あたわざるところである。

使命達成のため名称の変更

その後、歴代役員の努力と各都道府県の協力により漸次発展し、その会員も四十三道府県連協（昭和四十年）に成長したが、昭和三十六年七月に農業研修団体全国協議会が結成され、この会が農林省の補助金を得て従来春・夏の大会を農林省と共催で開催することとなり、大会の名称も農村青少年大会のように〝クラブ〟の字句を削除し、参加者も従来のクラブ中心から一般農村青少年へと、その範囲を拡大することになった。

そこで4Hクラブ活動の推進を目的とする全協は、名称を改め、会の性格を明らかにするとともに全国の同志的結合を一段と強化し、会本来の使命を達成すべく、昭和三十七年五月の通常総会において「全国4Hクラブ連絡協議会」と改名し現在にいたっている。

この間、農業研修団体全国協議会は間もなく発展的に解消し、昭和三十七年七月農林省から一層強力な補助金を得て全国農村青少年教育振興会が設立され、春・夏の両大会はそれぞれ全国農村教育青年会議、全国農村青少年技術交換大会の呼称のもとに農林省、全国農村青少年教育振興会、日本4H協会を中心に開催されることになった。

従来、大会主催者の一員であった全協としては、この分野においては一歩後退の観があるが、昭和三十九年四月の通常総会において全琉（沖縄）4Hクラブ連絡協議会の全協加入の承認、その他未加入県連協の加入の動きなど発展のきざしもみえてきた。

「つどい」で全協の主体制を示す

この間、全協の通常総会などにおいては、各種の全国大会などにおける全協の主体制が全国クラブ員の間に問題になったが、そこで打ち出されたのが「全国4Hクラブ員のつどい」である。

この「つどい」は、明日の日本農業の担い手として、日夜実践活動に努力している4Hクラブ員が自らの手で企画運営し、新しい技術の研さんと活動状況の話し合いや現地交換訪問を通して、クラブ員の仲間づくりや自主性の高揚、また、地域社会からよく理解された〝家族ぐるみ〟の4Hクラブ活動の推進を図るために開催するもので、昭和四十年・大分（城島）四十一年・埼玉（三峰）四十二年・富山（立山）四十三年には、奈良県（奈良市）において開催された。

このような意図で開催されてきた全国4Hクラブ員のつどいは、全国のクラブ員の盛り上げによって年ごとに発展し、とくに昨年の第四回全国4Hクラブ員のつどいには農林大臣、松下日本4H協会長をはじめとする関係機関・団体から多数の来賓を迎え、つどいの内容自体も最高の盛りあがりをみせた。

このほか、全協の主な事業の一つである全国4Hクラブ中央研修会は、昭和三十三年から四十一年まで、リーダー育成を目的として4Hクラブの本質、青少年の心理、リーダーの心得、レクリエーション、会議の持ち方などについて研修し、多大の成果をおさめ、全国のクラブ活動に貢献してきた。

しかし、全協ではさらにこの研修会を意義あるものにするため、名称を全国4Hクラブ中央推進会議と改め、その性格を広くし、次代のリーダーに対して、4Hクラブの本質、クラブづくりと運営、組織などについての知識、技術の修得と併せて、全国を八ブロックに分けたブロック4Hクラブ推進会議を開催し、4Hクラブ活動の推進を図っている。

これらの主な事業を通して、停滞気味であった4Hクラブ活動に活を入れるとともに、クラブ員の自主性と全協の主体性が培かわれるようになってきた。

青年が自ら企画、運営する「全国4Hクラブ員のつどい」は、回を重ねるごとに盛大になってきた。写真は昨年の奈良の大会の開会式（中央は西村農林大臣）

また、4Hクラブ活動と切っても切れないものにクラブ員が行なうプロジェクト活動があるが、このプロジェクト活動も指導力の低下にともない当初の認識と意義がうすれた。このため全協では、率先してプロジェクト活動の正しいあり方を究明し、その指導方法の徹底を期する目的で、昭和四十三年四月と十二月に「全国4Hクラブプロジェクト研究会」を開催し

〝会館〟建設募金活動展開

一方、昭和三十九年度全協総会において、全国4Hクラブ関係者の心のよりどころとなる殿堂がほしいという切なる声の盛り上りが起り「日本4H会館」の建設が決議された。これにともない、4H会館建設委員会（委員長、岩崎茂全協初代会長）が設立された。

この殿堂建設のあかつきには、全国クラブ員の各種研修、交流、親睦の場に供するほか、一般社会にも公開し、4Hクラブに対する一層の理解と認識を深めることを目的として、広く全国クラブ員にPRを重ね、構想を練ってきたが、全協ではとくに建設委員会に協力して、昭和四十三年には本格的な募金活動にとり組むとともに、会館の青写真（設計図）をクラブ員の声に応えて明示した。

さらに、これにともない各県連においては県下各クラブ員に会館建設の趣旨徹底を図る一方、本格的な募金活動にとり組み、会館の早期建設に立ちあがった。

他の団体とも積極的に協力

また、全協ではこれらの事業の円滑な推進と連絡業務の徹底を図るため、事務局体制の確立を目ざし、昭和四十年に事務局員の一部の専任制をもうけた。これによって、全協事務局体制も徐々に本来の目的にそって確立される兆がみえてきている。

全協ではこれらの内部問題を充実しつつ、外部に対しては青少年の社会教育団体としての性格を強めるため中央青少年団体連絡協議会に加盟し、第六回世界青年会議（WAY）へ参加したほか、各種の青少年対策問題についての会議に出席し、国内の青少年団体と連携を深めている。

また、青少年の健全育成のため昭和四十一年に結成された「青少年育成国民会議」には、その構成員として参加、青少年の健全育成に対する諸々の問題と積極的に取り組み、これに呼応して全協傘下の各県連でも地方組織に加盟している。

さらに、これらと関係して、政府が明治百年を記念して始めた「青年の船」には、団体推薦として第一回に八名、第二回に九名の団員を派遣して、東南アジア諸国との親善に寄与するなど、地道な[illegible]

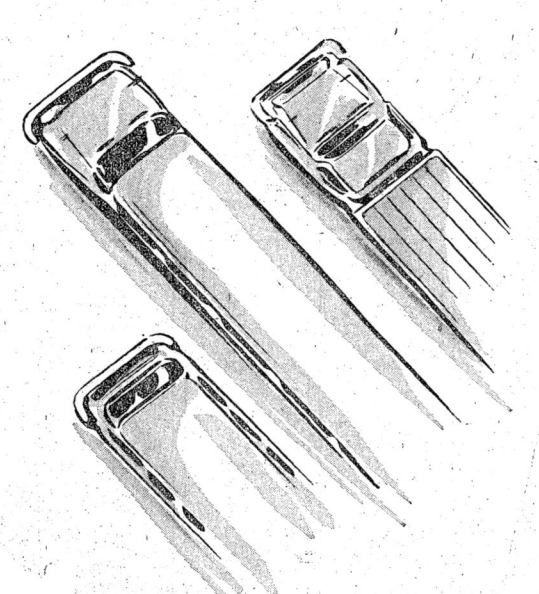

「青年の船」に乗船して

座談会

「青年の船」は、ご承知の通り明治百年記念事業の一環として総理府が四十二年度から実施しているもので、すでに二回を数えました。この青年の船は、船内活動と寄港地活動を通じて、次代をになう青年に視野を広めさせ、幅広い教養を身につけさせるとともに、国際親善を図ることをねらいとしています。

訪問国は、フイリッピン、タイ、シンガポール、インド、セイロン、マレイシア、中華民国（台湾、第一回はこのほか沖縄）の東南アジア七カ国で、青年の船には、毎回全国の青年代表など約三百五十人が乗船しましたが、この中には全国4Hクラブ連絡協議会から推せんされた4Hクラブ員はじめ都道府県代表として選ばれた多くの同志が乗船して活躍しました。

そこで、第一回と第二回の青年の船に乗船した4Hクラブ員三人に東南アジア諸国の印象や船内活動、全体としての感想などについて語っていただきました。

▼左から二宮君、門脇君、宮森さん、新田4H協会事務局長

語る人（敬称略）

第2回派遣団員（北海道）　宮森さち子
第2回派遣団員（高知県）　門脇槇夫
第1回派遣団員（神奈川県）　二宮高見
日本4H協会事務局長　新田健吉

"やらねばならぬ"
青年の使命は世界共通

青年の船への魅力

新田　みなさんは、まず「青年の船」の団員募集をみて、この船に対してどんな期待を持ちましたか。

二宮　期待というより、不安もありましたが、外国へ行ってみたいという欲望ですか、そういう気持で応募したわけです。

宮森　私も学生の時から外国へ行ってみたいという気持があって、チャンスをねらっていたのです。青年の船は全国の青年が集まるというので魅力を感じました。また、同じ青年同士の話し合いの場が持たれるので、そこに魅力をもちました。

門脇　僕は、五十五日間という日程の中で、どれだけの力が出せるかという期待と、身近かに考えていない外国ということに魅力を感じました。

新田　今の若い人の共通点だと思うが、外国とはどういう所かということに憧れをもっているのだね。各国を訪問してどんなことをしたのですか。

門脇　専門的に見られなかったのですが観光施設や公共物施設とか農業、工業の一部を見学できました。なにしろ日程が短かいので十分でなかったんです。

新田　一カ国の滞在日数は―

二宮　だいたい三～四日です。

新田　みなさんは農村青年で農業についても関心が深いわけだが、東南アジアの農業については十分に勉強できたわけではないですね。

二宮・宮森　向うの港について二～三十分車で走ると水田があって見られるのですが、農業の内面についてはあまり見られなかったんです。

新田　おもに寄港地において、普通の家庭に訪問するとか、あるいは名所旧跡を見学するとか、その国の団体や官庁から招待をうけるとかいう行事が多かったわけですか。

二宮　ほとんど交歓会をやる場合でも、その関係が多かったようです。

新田　とくに印象に残ったものは。

門脇　僕たち一番最初に訪問したフイリッピンはですね。セブという小さな島でしたが、そこの若い人たちの歓迎ぶりに強い印象をうけました。青年同士のつきあいが、とくに残っています。

新田　二宮君の場合、行った国の政府から第一回ということで注目されていたと思うが―

二宮　僕らが最初に行った台湾では、台北市長に招待されて、そのとき昼食を共にして民族舞踊を見ましたが、台北市長というのが早稲田大学を卒業した関係で、日本を非常に良く知っていたので親しみを感じました。

新田　宮森さんは、どこか家庭に招待を受けましたか。

宮森　ええ、インドで民泊しました。足を踏み入れたと言から他の国とも民族も違っているし、カースト制度（身分制度）がひどいということも聞いていましたが、私が民泊した家庭は、身分の低い人はとても立ち入れないような貿易商の家庭でした。

それで、日本でいえば女中さんが五人もいまして、主人は、水にもふれず、箸も持たないような生活をしていました。日本では見られないような生活です。しかし、一歩外に出ると家のない人が毛布一枚でねているというように上下の差が激しく、太陽とおぐらのような差のある生活で、インドという国は表面だけでは解りませんが、中間がなくて上下の差が著しいということを感じました。

一泊したのですが食事がおもしろくてねえ。右手で食べるのです。左手は絶対使ってはいけないんです。私たちもこの家族に馴染むということで、手でいろいろの食事を食べました。私の行った家庭は、菜食主義者で野菜ばかりの食事だったのですが、味つけなどとても工夫してありまして日本風にできていて、とてもおいしかったです。

遅れている農業

新田　いろいろおもしろいこともあったんですね。さっきも話しにふれましたが、東南アジアの農業について印象を語ってください。

二宮　米を主体にした農業が盛んであるし、タイですとあまり米の生産をあげないようにというのが政策ですが、タイに行って機械化された米づくりをしてみたいと思いました。

門脇　日本の農業と比較したら、話にならないくらいの較差があるのです。その裏に大きな問題、たとえば政治的、民族性など一時に解決できないものがあるように思いました。しかし、その中で一生懸命努力している姿をみたとき、日本の青年として何かしてやらなければいけない、というふうに思いました。

新田　東南アジアの農業の発展のためにですか。

門脇　ええ、僕たちが直接できないかも知れないけれど、少しでも期待されていることに応えていきたいと思いました。

新田　農業経営の形態は―

二宮　水田単作で単純といえば単純で、野菜を作っていますが、それも微々たるもので、米を主食にしているけれど野性のものもかなり利用しているようです。宗教面の関係から進歩性がないようですね。

新田　宗教と農業の関連は―

二宮　回教と仏教の問題です。宗教など利用しないということから農業についても関係しているのです。

宮森　私がマレイシアで農業［illegible］へ行ったとき、施設など国立ですが［illegible］ても良くて、生徒は男子が多く女［illegible］

農村青年よ頑張れ

［illegible］

目を輝やかす若者

［illegible］

何か学ばなければいけないんだという生きた目の輝きというのが見られました。

門脇　やっぱり同じなのですが、限られた環境の中で「おれたちは生きて行かねばならないんだ」というせっぱ詰ったような若者もいるのです。そういう困難な環境の中でも力強く生きていこうという若者がいます。

新田　このごろ日本でも青年の活動に対して非常に良い面と悪い面があるが問題になっているが、これに関連して向うの青年諸君は熱意にもえているのかな。

門脇　船で交歓をした中でいえば、熱意にもえている青年が多かったように思いました。

二宮　向うの青年は愛国心にもえているような感じで、自分たちの手で近い将来、日本以上になるんだと考えているようでした。

新田　愛国心とか民族意識が強いのですね。

二宮　封建制度というか民族制度から脱皮しようという考えが強いようですね。

外国にも友情の手を

新田　いずれにせよ、東南アジアの国々の発展性があると認めたわけだね。

門脇　それには、もっともっと日本の青年が真剣にならなければいけないわけですね。

新田　真剣になるということは、自分の姿勢を正して、援助してやるとか協力してやることですか。

門脇　そう、援助ということは第二の問題で、自分のまわりの問題をまず解決することによって援助ということができるのじゃないかと感じました。

新田　結局こういうことかな、日本も発展しているといわれているけど、向うの国を見れば日本以上に［illegible］

［illegible］が湧いて、これを契機として、また、これを利用して何かやろうという気持が起きましたか。

二宮　この間、奈良県で全国4Hクラブ員のつどいが行なわれたとき、来日中の台湾のクラブ員たちと話したのですが、向こうの農業は農民自身ずいぶん力を入れているらしいのですが、国として防衛費が国家予算の大半をしめていると聞きました。そういう面でもう少し日本から援助してやって、自分の国だけの力で食える生産力をつけてやる必要があるし、若い者同志が中華民国との交流を深めていく会をつくりたいと思いました。

最初は話し合いからすすめて、向うにも4Hクラブがあるのですから、できるかぎりのことをしたいと思います。

新田　宮森［illegible］何か新しい青年［illegible］ものがありましたか。

宮森　農業［illegible］農業の知識が非［illegible］うな気がしま［illegible］知りたいと思［illegible］

新田　門脇［illegible］のクラブ員に話［illegible］

門脇　僕は［illegible］に選ばれたこと［illegible］それ以上に、全［illegible］任をもって行っ［illegible］

俺たちがやろう

［illegible］

（おわり）

若者よ情熱を燃やして全力を

4Hクラブ発足20周年記念懸賞募集入賞文

まえがき

日本4H新聞は、創刊から今日まで十六年八カ月の永きにわたって継続している。[illegible]

草分け時代

[illegible]

実践の時代

[illegible]

(A) Y会社　太田　社長付顧問
(B) K農業高校　校長　副校長
(C) Y学院短大　学長　教授
(D) Y県庁会　課長　副会長

[illegible]

心の燈

4H精神は工場や学校でも生きている

滝　好雄

[illegible]

（A）工業の場合 [illegible]

あとがき

[illegible] 4H精神は生き、かつ伸 [illegible] 現在十三名が在米し [illegible]

（山梨県東八代郡石和町八田一四九、清里農業学校副校長、山梨化成工業（株）社長付顧問、山梨学院教授）

4Hくん　No.139　桜井はじめ

アッ　マコトくんだ
やあ　おめでとう

4Hくんは初まいりになにをおねがいしたの

お年玉がたくさんくるようにって！
な、なるほどね

つまらないこときいちゃった
お年玉
ありがとわるいね！

13・14日、加古川（兵庫）で　近畿ブロック推進会議開く

全国4Hクラブ連絡協議会の事業の大きな柱であるブロック4Hクラブ推進会議の一つ－近畿農村青少年クラブ推進会議は、全協と近畿農村青少年クラブ連絡協議会（会長、村田富昭君・京都）の主催、近畿農政局、兵庫県、同県農業青年クラブ連絡協議会の後援によって、来る十三、十四の両日、兵庫県加古川市加古川町のOAAはりまハイツで開催される。

農村青少年が近代的農業の担い手としての素地を築くためには、4Hクラブなどのクラブ活動が極めて有効であるが、このクラブ活動をさらに助長するため、クラブの次期リーダーを主な対象としてクラブ活動についての研さんを行なうとともに積極的なクラブ活動の推進を図ろうというもの。

一日目は、午後一時からオリエンテーション、開会式のあと分科会を開き「農村青少年クラブの組織と活動」について討議研究し、夜は、レクリエーションを行なう。

二日目は、散歩などのあと午前八時半から前日に続いて分科会を開き「リーダーシップとメンバーシップ」について討議研究し、十一時から分科会で討議した内容を報告、話し合う。

クラブ員の自覚を促す　埼玉・春部地区連でリーダー研修会

【埼玉】春日部地区4Hクラブ連絡協議会（会長、鈴木宏君）では、昨年十二月十、十一の両日、地区内にある岩槻青年の家でリーダー研修会を盛大に開いた。

現在、春日部地区連は、十三の単位クラブからなっているが、この中には市選が結成されているクラブもある。これらクラブの中から、将来、4Hクラブを背負って立つという意欲に燃えるクラブ員三十名が参加、[illegible]

[illegible] 点目標として行なわれ、第一日目は県から講師を招いて「リーダー [illegible] 分かれて「クラブ活動の現状と今後のあり方」について討議研究し [illegible] の和が保たれる－など。また、今後のあり方については [illegible]

（春日部地区連、新井はつ江さん発）

4H活動など話合う　山口県連　初の幹部研修会開く

【山口県＝山崎順之連絡報道員発】第一回の山口県農村青少年クラブ幹部研修会が、さる十二月十一日から三日間、山口県熊毛郡岩田の石城青少年宿泊訓練所で県下農村青年の幹部クラスの二十五名が集って開催された。

一日目は「会議と集会の進め方について」というテーマで、実技をまじえて社会教育課・山崎克己先生の講義があった。ついで山口県連合青年団長・玉木講師の「幹部役員のあり方」と題した講話があって終了。

二日目は「こんどの4Hクラブ活動をどう進めればよいか」という課題で分科会と全体討議がもたれた。分科会討議で提出された問題点の主なものは❶4Hクラブ活動の特色と目的は何か❷役員の積極的な任務とは❸OBクラブ員との連携などであった。このあと、全体会議を開いてこれらの問題について討議を加えた。

夜は、レクリエーションをまじえたキャンドルサービスを行ない楽しいひとときを過した。

三日目は、全国4Hクラブ発足二十周年記念の体験文懸賞募集入選作「4Hクラブと私の階段」の発表が山崎順之君によって行なわれた。また、山口県新生活運動協議会・岩瀬先生の「根性について」と題する講話を聞いた。

今回の研修会は、いままでかつてない内容に富み、青年自体も意欲的でこんごのクラブ活動に大きな成果が現われるものと期待される。

分科会で討議するクラブ員

涼風暖風　知識は金になる

昨年九月二十四日付けのこの欄に「勉強の構造改善」を書いたところ、多くの読者から質問が寄せられた。質問の多くは、情報社会になると、「かたちのないものが価値をもつ」ということに対しての説明を求めたものである。

ご存知のように、昔は労働といえば肉体的な労働だけを指していた。だから、肉体労働には報酬を払ったが、知的、精神的労働には払わなかった。寺小屋の先生は、お礼心の盆暮のつけとどけ以上は請求できなかったし、長屋の熊さんは隠居に知恵をつけてもらってもお金を払ったという話しをきかないようなものである。こんなことだから、部落の役職につくのをだんだん敬遠するようになった。

水利組合の役員、農家の世話人、あるいは区長や組長になっても、自分の農作業をぎせいにするだけで一銭にもならない。頭をつかうこと、いいかえれば役職についての知的な労働が正当に評価されない不満は組合や部落の金でのタダ酒を呑む悪習をはびこらせるだけである。

アメリカの小ばなしにこんなのがある。一人の男が友人の医師に、茶呑み話で、近頃からだの具合が悪くて、と話したところ、そんなの何でもないよ、といわれて安心した。翌日、くだんの友人から診察料を請求されてびっくりしたその男は、たまたま通りかかった弁護士の友人に不満をうちあけたところ、金を払うべきだね、といわれてわかれた。次の日、その男のところへ、昨日の友人の弁護士から弁護料の請求が届いた。

ところで、ビッグサイクルという知識を身につけている人は養豚経営に成功する率が高い。また、AよりBの市場の方が今日は白菜が高いという確実な情報をいち早くキャッチできれば、白菜の出荷もうまくいくだろう。この場合、ビッグサイクルという知識や市場に関する情報は、もうけと結びついている。

知識や情報が金に換算できるということはすでに身のまわりに沢山おきているといえる。つまり、需要が生産をうながすのではなく、生産が経済を生み出す世の中になっているように、社会や経済のしくみが複雑になってくると、すぐれた情報の多寡が死命を制するようになる。

また、有機的に組み合わされた情報は、巨大化した機構を効率的に動かし、むしろ新しい方向を導き出す。ここにおいて、知識や情報、いうなれば「かたちのないもの」が大きな価値をもつわけである。

この意味から、農業の諸分野においても、地域別あるいは農産物別の情報管理システムの整備が早晩求められるに違いない。

（文部省・伊藤）

女子4Hを活発に　宮城県連　女子ク推進会議開く

【宮城県＝庄司健治連絡報道員発】宮城県4Hクラブ連絡協議会（会長、高野秀俊君）では、かねて計画していた女子クラブ推進会議を、昨年十二月八日から十日までの三日間、日本三景の一つ、風光明媚な松島町の松州荘で開催した。

この会議は、女子4Hクラブを活発にさせるために開かれたもので、これには女子クラブ員五十三名が参加した。

一日目は、午前十時から受付け、同十一時半からオリエンテーションに続いて4Hクラブの歌で開会式、高野県連会長などのあいさつがあった。

午後二時から「婦人の保健衛生」について県医務課の佐藤係長、同三時半から「クラブ活動の理論」と題して県の芦専門技術員の講義を開き、夜は各自にレクリエーションをくりひろげたり、話し合いをした。

二日目は、午前六時半に起床、午前中「上手な装い」という題で実演をまじえて明和学院の田山副院長の話しがあり、午後は「個性を生かした美容法」について三島学園美容科の柴田由里子先生の講義があった。

このあと「女子クラブ活動」をテーマに、県の大友専門技術員を迎えて女性だけで話し合ったが、活発な意見が出され時間のたつのも忘れるほどであった。

夜は、篤志指導者、寺島氏の指導のもとでキャンドルサービスを行った。

三日目は、午前中「無駄のない生活をするために」と題して、宮城県消費コンサルタントの佐藤技師が二時間にわたって話された。午後一時から閉会式を行ない三日間にわたる会議を閉じた。

なお、この会議の計画と運営はすべて女子六名の県連役員が担当した。

？？？　独身青年に吉報

チョンガーいわく「ぼくがいまだに独身でいるのはねえ。ベビーブームで産れた赤ちゃんがことし二十歳で年ごろになるし、これでムコ六人に嫁十人。より取り見どりだよ!!」

ことしは、農家の嫁ききんもこれで解消と、春から"えんぎ"がいいわい。

「青年の役割」などを討議　埼玉・東松山地区連でリーダー研修会

【埼玉県＝猪鼻文明連絡報道員発】東松山地区4Hクラブ連絡協議会（会長、小高明也君）では、東松山農業改良普及所の協力をえて、さる十二月七、八の両日、東松山青年の家でリーダー研修会を開いた。

出席者は予想外に少なかったが、これは同地区連が、全国に誇る苺"ダナー"の特産地のクラブだけに、苺管理「保温準備」を前にしたクラブ員が多く、研修会に影響をおよぼしたものと思われる。しかし、それにもかかわらず出席者は真剣に研修に身を打ち込んだ。

一日目は、開会式、オリエンテーションに続いて「青年の役割」と題して県普及課、関発係長の講義があり、そのあと質疑応答と話し合いを行なったが、参加者は真剣な態度で意見を述べていた。夜は、レクリエーションをくりひろげ、昼間の疲れをいやすかのようにたえまない笑え声が夜空に響いていた。

二日目は、お互いの心がうちとけたところでクラブ紹介が行なわれ、そのあと「クラブ活動について」と題して県農業普及課の市川農芸専門技術員の講義を開いた。続いて同専技をまじえて話し合いが行なわれたが、身近かな問題とあって活発な意見の交流があった。

午後は分科会を開き、研修会で各自がいだいた問題をもとにして話し合いをしたが、単位クラブのリーダーにはじない建設的な意見が出された。こうして少数の人数とも思えないほどの盛り上がりをみせるなかで地区連初の研修会が閉じられた。

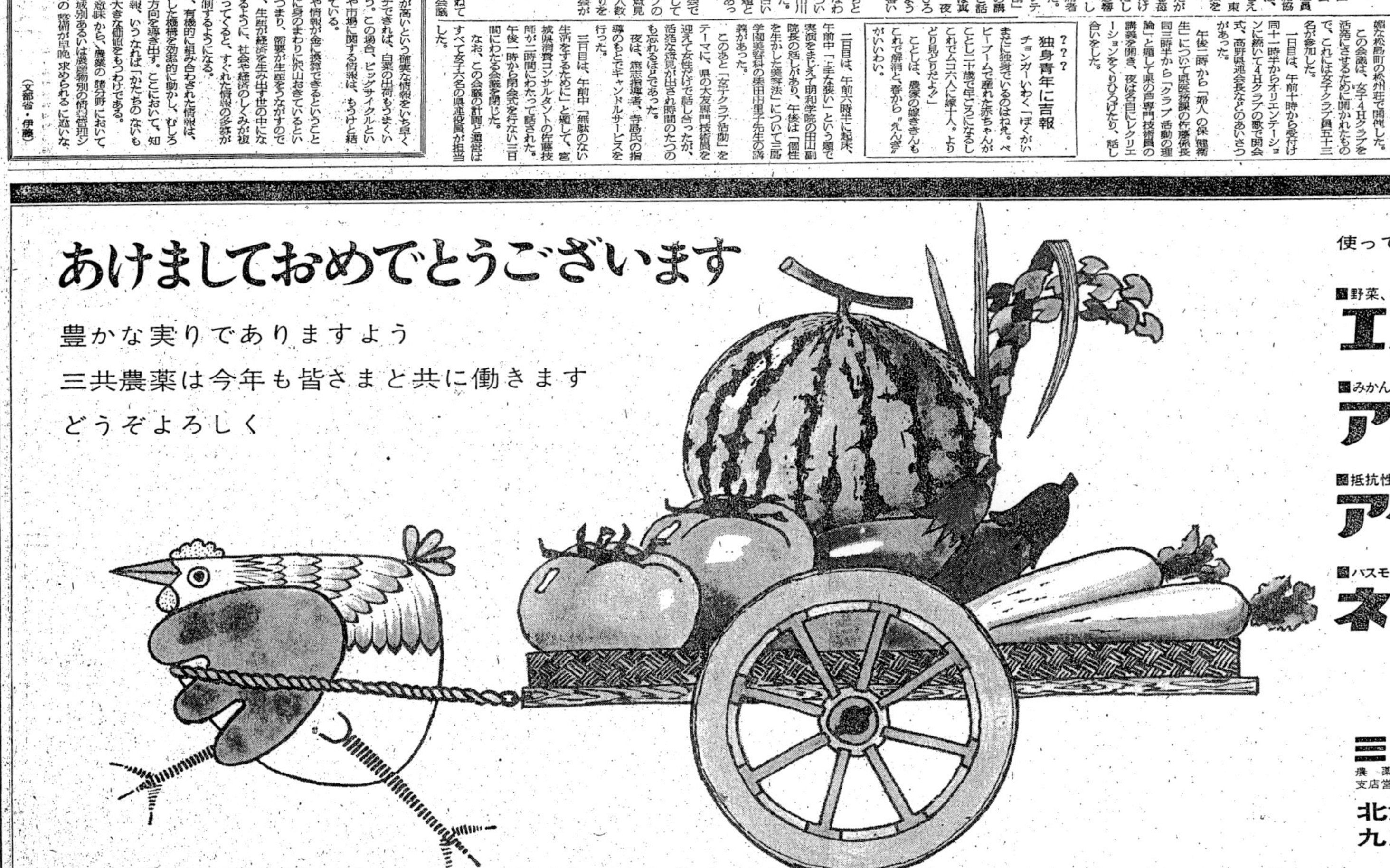

あなたに必要なものは

経営者としての鋭さと
若者としての行動力です

日本農業の
若きエリートであるクラブ員に
要求されているものは
鋭い経営センスと新しい技術
そして　若々しい行動力です
家の光協会は過去45年
日本農業とともに歩んできました
そしていま
実りの多い経営と
豊かな生活を築くための
最新の情報を提供し
若きエリートであるあなたとともに
厳しい日本農業に
立ち向かおうとしています

一家に一冊みんなの雑誌

家の光

定価 130円

- 新しい生活技術、豊かな暮らしづくりの相談相手
- 生産と生活活動の先進事例を豊富に紹介
- カラフルな写真ページ、読みごたえのある楽しい読み物

新しい農村指導者の雑誌

地上

定価 120円

- 日本農業・農政問題の焦点をつく重点特集
- 農協のあるべき姿を追求する
- 生産と販売戦略の方向を探る
- 全農協役職員、農協青年部員、4Hクラブ員必読の学習テキスト

おかあさんの心でつくるよい子の雑誌

こどもの光

定価 80円

- 次代をになう後継者学童に、広い知識と豊かな情操を育てる児童雑誌
- おもしろい読み物・マンガがいっぱい

家の光の本　　図書目録送呈

カラー版・家畜の病気

農林省家畜衛生試験場監修
A5刷/160ページ　各巻 600円 〒70

原色・ウシの病気
原色・ブタの病気
原色・ニワトリの病気

ウシ、ブタ、ニワトリの疾病の中で、最も広く発生し、被害額の多いものを選び、その症状、病原菌、患部、寄生虫などをカラー写真で示し、症状診断の手がかりを与えるとともに、感染径路、診断法、予防・治療法を解説。

お申し込みはあなたの農協へ

家の光協会

写真・田中光常

日本4H新聞
4Hクラブ　農事研究会　生活改善グループ　全国弘報紙
発行所　社団法人 日本4H協会
東京都市ケ谷家の光会館内
電話(269)1675郵便番号162
編集発行人　玉井光
月3回・4の日発行
定価　1部　10円
6ヵ月180円(送料共)
一ヵ年360円　〃
振替口座東京　12055番

クラブの綱領

私達は実践を通じて自らを磨くとともに互いに力を合わせてよりよい農村、よりよい日本を創るため四つの信条をかかげます。1、私達は農業の改良と生活の改善に役立つ腕をみがきます。1、私達は科学的に物を考えることのできる頭の訓練をします。1、私達は誠実で友情に富む心をつちかいます。1、私達は楽しく暮らし、元気で働くための健康を増進します。

「全国のつどい」の大綱決る

7月27日から鳥取で

全国クラブ員の一大祭典―第五回全国4Hクラブ員のつどい（全国4Hクラブ連絡協議会（丸山勉会長）鳥取県農村青少年クラブ連絡協議会（三浦幹雄会長）社団法人日本4H協会（松下幸之助会長）主催）は、今年の夏、鳥取県で開催されるが、その開催要領の大綱がこのほど決定した。それによると、開催期日は七月二十七日から三十一日までの五日間で、前回の奈良のつどいより一日長く、また、前回一泊二日であった現地交換訪問は二泊三日に延長され、つどい行事における比重が大きくなっている。内容的には前回に比べて大差ないが、大山や砂丘農業など鳥取県の特色が強く持ち出されるものと予想される。このつどいは、4Hクラブ活動の発表の場、仲間づくり、家族ぐるみのクラブ活動の推進などを大きなねらいとしているが、参加者が毎年増加するとともに、前回は大きな反響を呼んできており、今回はさらに輪をかけて内容が充実し、盛大になるものと期待される。なお申し込み期日を早めにする予定である。つどい開催要領の主な点は次のとおり。

砂丘農業で有名な鳥取の大砂丘、風紋〈鳥取県連の提供〉

現地訪問は三日間
参加申込み期日早める

趣旨　このつどいは、明日の日本農業のにない手として日夜実践活動に努力している4Hクラブ員が、自からの手で企画運営し、新しい技術の研さんと、活動状況の話し合いや現地交換訪問などを通じて青少年の仲間つくり、自主性の高揚を図るほか、地域社会からよく理解され、支援される家族ぐるみの4Hクラブ活動を推進しようというものである。

主催　全国4Hクラブ連絡協議会、鳥取県農村青少年クラブ連絡協議会、社団法人日本4H協会

後援　（予定）文部省、農林省、総理府、鳥取県、NHK、畜民協会、全国農村青少年教育振興会、鳥取県連OBのほか多数の関係、機関、団体、学校などを予定。

期日　今夏七月二十七日～三十一日

会場　米子公会堂（受付、開会式、講演、クラブ活動についての意見・体験発表、閉会式）大山寺（宿泊）鏡ヶ成（レクリエーション、話し合い、スケッチ、キャンプファイヤー）大山、大山寺（早朝レクリエーション）

つどいの内容　(1)開会式 (2)オリエンテーション (3)講演 (4)会館建設についての説明 (5)歓迎レセプション (6)自由交換・郷土品の交換 (7)早朝レクリエーション (8)記念植樹 (9)話し合い (10)スケッチ (11)キャンプファイヤー (12)クラブ活動についての意見発表 (13)体験発表 (14)現地交換訪問 (15)閉会式

参加者　4Hクラブ員、学農（高校農業クラブ）経大生、4HクラブOBクラブ員とその家族、外国クラブ員、育成指導者、主催と後援団体、機関の関係者など千五百余名を予定。

参加者経費　参加者の自主性を高揚するため必要経費の一部を負担する。各自三千四百円（二泊四食、弁当一食、バス代、参加費などを含む）

参加者の申し込み　❶参加希望者は各県連の事務局に申し込むこと❷県連会長は参加者をとりまとめ、指定の様式によって、つどい事務局へ申し込むこと（しめ切り日は後日連絡する）❸鳥取県連以外は各県連とも五名以上としますが、なるべく大勢参加して下さい。

参加者受付け　七月二十七日午前八時～十時、米子公会堂で

交換訪問受入れ体制　主目的は鳥取県クラブ員のありのままの生活を知ってもらうこととし、ただ単に儀礼的な歓迎会に終らないように努める。このため、受入れ農家で実際の労働に従事することもある。

その他　(1)参加者は、全日程に参加し、原則として期間中の個人行動は認めない。また、つどいの意義を良く理解して規律ある行動に努めること。(2)医療関係については、応急処置をとるが、費用は自己負担とする。(3)交換訪問の旅費は自己負担とし、その際のみやげ物の贈答はやめて下さい。また、帰りの旅券については各自に手配して下さい。

このつどいは、クラブ員による、クラブ員のため、いや、日本の農業、社会発展のための、クラブ員の大会である。さる四十年、クラブ員の情熱が結晶し、大分県の城島高原で初めてのろしを上げて以来、埼玉県の三峰、富山県の立山、奈良県奈良市で華々しく開催され、回を重ねることに、クラブ員の自主的な精神が高まり盛大になってきている。今回はとくに、鳥取県連の強い要望もあって同県に決定したこともあり、過去以上の内容の充実したつどいになるものと期待されている。主催者側では大勢のクラブ員の参加を望んでいる。

つどい事務局　つどい開催日以前は、東京都新宿区市ケ谷船河原町十一、家の光会館内、全国4Hクラブ連絡協議会。電話（二六九）一六七五（二六…

携行品　❶洗面用具、筆記具、雨具、運動靴、懐中電灯、その他日用品❷記念品の交換を行ないますので参加者は各自百円程度の郷土品などを必ず持参して下さい。

つどいの日程

1日目（27日）
- 午前8時……受付け　米子公会堂
- 10時……開会式
- 11時30分……オリエンテーション
- 12時……昼食
- 12時30分……講演
- 午後3時……4H会館建設について説明
- 3時40分……歓迎レセプション
- 4時40分……宿舎へ移動　大山寺
- 6時……夕食・入浴
- 8時……自由交歓（郷土品の交換）
- 10時……就床

2日目（28日）
- 午前5時……起床・早朝レクリエーション　大山（Aコースは2時起床）
- 朝食　会場移動　鏡ヶ成
- 11時30分……昼食
- 12時30分……記念植樹
- 午後1時30分……レクリエーション・話し合い・スケッチ
- 6時……夕食
- 7時……キャンプファイヤー
- 9時30分……宿舎へ移動
- 10時30分……入浴・起床

3日目（29日）
- 午前6時……起床・洗面・朝食
- 8時……会場移動　米子公会堂
- 9時……意見発表・体験発表
- 11時……閉会式
- 12時……現地交換訪問へ出発

4日目（30日）
- 現地交換訪問

5日目（31日）
- 現地交換訪問
- 正午……解散

希望は恋愛だが、現実には見合い
結婚論などで白熱
富山県連で初の女子放談会開く
ムコ対策に快気炎

[illegible]

…は見合となる場合が多い、クラブ員同志の恋愛はむずかしい―などの悩みが訴えられた。

結婚の相手を選ぶ場合の職業としては、農家は生活が安定するが、サラリーマンは不安定で兼業は婦人労働がきついので、出来るなら専業がよい。

結婚の条件としては、本人同志の理解と愛情は当然であるが経営内容なども対象とする。姑や兄弟など家族の人たちとは意見を述べあうようにする。

深刻なムコききんについては自分たちは、相手を選びすぎてはいないだろうかということを反省しなければならないが、世間に農業についてもっとよく理解してもらうように努力する、勤めと農業を両立させ、経済を助けるなどの意見が出された。

この大会は、終始なごやかなムードの中で行なわれ、女性だけという楽な気持から、参加者はそれぞれ意見を活発にだしていた。

分科会も、お茶やお菓子をつまみながら、しかも昼食をはさんで行なわれ、また会場が和室であったためにおちついたムードがあり雰囲気が非常によかった。そして、この大会を機会として、富山県下の女子クラブ員がいっそう結束をかため、団結していこうと誓い合った。

また、各行事の間にアンケートを行なったが、ほとんど全員が積極的に協力してくれた。

放談会を通じて、女子クラブ員の間には、農業をやろうというかたい決意がうかがわれ、何事にも信念がこもっていた。そして、このような会は初めてであったので多少の不安もあったが、みんなが協力的であったために成功をおさめ、参加者からも、このような会合をもっと多くもってほしいという要望が強く、みんなが今後にファイトをもやした。

中間つくり大会開く
福井　丹生と南越両地区連

【福井県＝山田佐九治連絡報道員発】福井県の丹生地区農村青少年クラブ連絡協議会と南越地区同連絡協議会の仲間つくり大会が昨年十二月十五日、完成したばかりの武生市青年センターで開かれた。

これは、どのクラブにも当てはまることであるが、行事がマンネリ化してきたことと、地区連といっても会員が少なく、その行事にも顔見知りの者ばかりが集まるために、なんとなく新鮮さに欠けるので、隣りどうしの地区連が合同で開いたもの。

当日は両地区連から五十名のクラブ員が参加、日ごろ逢ったこともないクラブ員が多かったせいもあって最初から新鮮味が出る大会となった。

午前十時から県農業後継者センター・武田所長の「世界の動向と農村青年」と題する講演が行なわれた。午後は、班別による話し合いに続いて二時から女子クラブ員の作ったケーキを囲んでクリスマスパーティを行なった。日ごろ孤独になりがちな農村青年であるが今日ばかりは歌ったり踊ったり、ゲームをして楽しいひとときを過した。

また同大会では、福井県連協の役員が4H会館建設の募金箱を持ってかけつけ、クラブ員に説明するとともに、募金を広く呼びかけた結果、クラブ員の積極的な協力によって相当額の募金が集まった。

兵庫県連で友情のカンパ
行事の途中、交通事故おこした同志に

【兵庫】クラブ行事の途中、交通事故をおこしてしまい、その賠償金で自家経営が破滅の危機に直面していたクラブ員に、兵庫県農業青年クラブ連絡協議会（会長、天羽竜文君）では、このほど友情の資金カンパを贈り、彼を激励した。

朝来郡農業自立青年会議会長の須藤厳君は、昨年の七月二十日、但馬地区農業技術交換大会の副委員長として、トラックでテントなどを会場に運んで行く途中、県道で交通事故をおこしてしまった。その示談賠償金は四百万円という巨額であった。このため同君の家の経営（種鶏二千羽、タバコ三〇アール、水田八〇アール）は、破局のふちに立たされ、同君は大きな打撃を受けた。

この事情を伝え聞いた県連ではさっそく八月の評議員会で"須藤君支援の資金カンパ"を決議し、全県下のクラブ員に協力を呼びかけた。その結果、友情の声援が相次いで寄せられ、総額十七万円にのぼった。

そこで県連では、昨年の暮、朝来郡農業自立青年会議副会長、昌山徹君に委託してそのカンパ資金を贈り、同君を激励した。

宮城県で青年大会開かる

【宮城県＝庄司健治連絡報道員発】宮城県4Hクラブ連絡協議会

獲得賞金を4H会館建設に
体験・意見文の懸賞募集入賞者

全国クラブ員の殿堂―日本4H会館建設の募金運動が現在、各県連で着実に進められているが、昨年、日本4H協会と全国4Hクラブ連絡協議会が、わが国における4Hクラブ発足二十周年を記念して全国から懸賞募集したクラブ活動についての体験文と意見文の入賞者二人からそれぞれ獲得賞金の一部、あるいは全額を会館建設費に当ててほしいと申し出があった。

体験文・クラブ員の部で入選した山崎順之君（山口市、賞金一万円と記念品を獲得、本紙連絡報道員）と意見文・指導者の部で佳作に選ばれた金井成治氏（山梨県東八代郡、賞金二千円と記念品を獲得）がその人たちで、会館建設委員会事務局ではその賞金をさっそく納金するとともに、バッチや門標、領収書などを二人に送った。

民泊で家族ぐるみの交歓
福島県連で盛大に「4Hの集い」開く

【福島】福島県4Hクラブ連盟（会長・阿部邦芳君）では、より

涼風暖風
よりよいものを求めて

新しい年を迎え、茅誠司先生（元東京大学学長）を思い浮べる。「くらしを科学するということは、日々のくらしに計画と疑問を持つことである……」と簡潔に申された言葉が鮮かに甦って来る。よりよいものを求めて、日々のくらしの中に疑問をなげかけ、仕事をプロジェクトして行く謙虚な姿勢はすばらしいと思う。

これは、一人一人のくらしをよりよく変えるとともに、一人の小さなくらしの姿勢が、多くの人々の生活にも密着し、国全体の経済にも運ってゆくことを教えてくれる。

自己を主張する余り、他をかえりみず、また自分を生かすために、闘争を求めることではなく、クラブの心のように、「一人はみんなのために、みんなは一人のために」より連帯性のある、より普遍性のある心と道を求めたいとのぞむのは私だけではあるまい。

よりよいものを求めてやまない人の心は、人間のもつ特性の一つであろう。そこには、ゆめと理想があり、現実に対する前向きの姿勢がある。よりよいものは一つでなく複数のもので、無限のものでもあると思う。それは、努力と創意を必要とし、調和のとれた心を求められている。たゆまぬ努力と積重ねが、よりよいものへの条件ではあるが、人のもつ〈創意〉を加えたものでありたいと思う。

農業に於いても、企業体に於いても、よりすぐれたものになるためには、また、現存の自由競争に勝ち抜くためにも、"他のなし得ないこと（努力）""他のしたことのないようなこと（創意）"をなすことに成功への道があるように思える。

一般企業体の平均寿命が、三十年位といわれるのに比べて、農家が何代も何代もねばり強く、重ねた伝統と歴史の中には、いぶし銀の様な静かな光を放つ、くらしの安らかさと重厚さが感じられる。

この「努力」「創意」「調和」は、農民のもつすぐれたものであり、背骨をなしている農民の姿であるといっても過言ではあるまい。だからこそ、厳しい風雪にも耐え抜き、新しい道を切り拓き、いつの時代にもほんとうの主柱となり得たのだと思うのである。不備ではあるが、年頭に当り今年も諸兄姉とともによりよいものを求めて行き度いと希っている。

（山口〈農業〉・沢野）

初の中・四国若人のつどい

【山口県＝山口県連報道員】"新しい百姓"をスローガンに第一回中・四国若い農業者のつどいが、昨年の十二月…二日間にわたって山口市にある農業の城、山口県農業試験場に中・四国の農業青年約百二十名を集めて盛大に開かれた。

一日目は専業農家の若い六組の夫婦による農業経営と生活設計など希望に満ちた発表と三人の農村青年代表の発表のあと分科会を開いて、集団活動や農業経営、生活改善などについて話し合った。

二日目は、全体会議を開き、前日の分科会報告をもとに討議し、このあと希望者は秋芳洞の観光めぐりをした。

心頭技健

[illegible]…うより、寒さとともに、あたたかさが同居する。また、花が咲き、鳥が啼き、月が冴え、山あいに流れる清らな小川のようにノーベル賞作家、川端康成作の「雪国」ではないが、美の世界がある▼昨年の暮は雪がなく、毎年、雪の中でお正月を迎える地方では"お正月のような気がしない"と話している人が多かった。タクシーの運転手も"チェーンは用意しているのですが"と、少し期待はずれというところだった。暖冬異変といわれるが、自分の小さかったころは、もっと寒さが厳しかったように記憶する▼竹で作ったスケートで道路を滑ることもできたし、自分で作ったカジのきくそりで坂道を急降下することもできた。いまは、匂いもかぐことのできない"黄色いダイヤ"かずのこも、氷の中にあった。そして、ゲタの緒が切れて、裸足で雪の上を学校から涙を流しながら帰った思い出である。いまから十二、三年前のことである。こう毎年暖かくなってきているのは、人口がふえてきたためだと本気で言う人もいる▼ところが、大晦日になってやっと雪が降り、白い薄化粧の中で新年を迎えた。東京から車できた"おいやめい"は、初めての雪道の運転に少々、めんくらったようであった。少し雪が溶けるのを待ってやっと帰っていったが、その後大雪となった。出かけ先で二時間も遊んでいる間に、二十センチ以上もの雪が車に積り、帰りは文字通り雪自動車である▼この正月は、珍しく大雪の中で正月を過した。このような気象のせいで、今年は、冬山にとじこめられ、そう難した人がふえたのであろう。汽車が立往生したり、大部遅れたりで、てんやわんやである。それにしても汽車の出発を待ち切れずに、雪の中を、行列をつくって出稼ぎに向う農家の人たちの姿を見るにつけ、身につまされるとともに、心の中をほっとすき間風が通り抜けるのを覚える▼出稼ぎは、その人たちの農外収入がふえて生活を豊かにするかも知れない。が、やはり淋しさがある。出稼ぎがなくなるのは世代交代を待つほかないのだろうか。

プロジェクトとは何か

―研究会のシンポジュームから(1)―

出席者

栃木県専門技術員　湯浅甲子
埼玉県農業経営伝習農場長　星野武四郎
4HクラブOB(千葉県)　峰島伝夫
日本4H協会事務局長　新田健吉
司会　全国4Hクラブ連絡協議会幹事　村上光雄

「プロジェクトとは何か」―4Hクラブ活動の生命であるプロジェクトについての正しい認識が最近、一部のクラブ員や指導者の間に薄くなってきている。このような状況から、全国4Hクラブ連絡協議会では、その姿勢を正すため、昨年の春に続いて十二月静岡県御殿場の国立中央青年の家で日本4H協会と共催で開いた「全国4Hクラブ中央推進会議」の中でプロジェクト研究会を開き、クラブ員の発表内容をもとにしてプロジェクトのシンポジュームを行なった。プロジェクト発表者は、牧田滝男君(21)神奈川県厚木市愛甲、青空4Hクラブ、発表のテーマ＝「私のハウスイチゴ栽培」、大柿嘉雄君(23)栃木県鹿沼市高谷、T・Kクラブ、テーマ＝「大規模経営をめざす酪農」、名倉敬子さん(23)愛知県西尾市尾崎町、西尾東部クラブ、テーマ＝「私達の工夫した便利な物干し台」の三人で、この発表をもとに、別記の四氏が討議研究された。その内容はクラブ員が実際プロジェクトを実施していくときの良い道標、指針となるものと思われますので、連載し全国のクラブ員に紹介することにしました。

「問題の発見」が重大　"なぜ、そうしたか"の認識を

司会　いま、三人の代表者にプロジェクトの成果について発表していただきました。これをもとにして、先生方に「プロジェクトとは何か」についてご討議願いたいと思います。まず湯浅先生からお願いいたします。

湯浅　今、三人の方の発表を聞かせていただきましたが、たいへん内容の充実したものであります。しかし、完全だというものがないという前提に立って、これを有意義にするためにはどうするかということで話しをすすめて行きたいと考え、その意味での私の意見を述べたいと思います。

男性の発表の場合ですと全国的にそうですが、やったことをずーっと発表しないと始まらないというか、終らないというか、そういうくせがあるようですね。これは、聞いている方にとっては、全体の様子が分ることは必要なのですが、問題は何を訴えたいのか、そして、自分はどういうところに苦心し、工夫をこらしたのかと、そういう私の技術とでもいうのでしょうか、そういうものを、うーんと強く出してみる必要があると思います。

もちろん、その技術を発見したことは、自分だけでなくお父さんやお母さんから助言があったり、あるいは普及員から助言があったでしょう。それらを含めてひとつの動機となって、そこで僕はこういうところに気がついたんだという、そういうことが非常に大事なことで、つまり、プロジェクトの最初のスタート、問題の発見、どういうところに、その人の問題意識があったかということ、これが実は非常に大事なことなんです。

みなさん方も、よく見学なり視察に行くでしょうが、同じところに行って帰って来て話しを聞いてみると「やっぱりほんとうに良いところを見た」と「これは自分たちの経営には合っていない状態なんだが、しかしああいう考え方、すすめ方はいい」という人と、同じところを見ても「なあんで、たいしたことはねえ、あんなのはあそこだからできたんだ。おれたちには役に立たねえ」と、こういうふうに報告する人がありますね。同じ所を見ながら、なぜそういう違いができるかというと、いわゆるプロジェクトという考え方からみると、たとえば、ぜんぜん違うような経営地帯の中にでも、自分の経営に役に立つことはないかというような、するどい目つきで、相手の経営をたしかめて来ると、まるで自分の経営と違っていてもその中に学ぶものがある。

ですから、極端にいったら工場の視察の中から、農業技術を発見し、あるいは、街の青年、サラリーマンの青年たちの話しの中から、農業青年としての生き方を発見する、そういうことができなければならないと思う。それは、やはり問題の発見の仕方というところに重大なことがあるのですね。

そういうことですから、みなさんの発表の中にも"なぜそうしたんだ"という趣旨が軽くあつかわれているところに残念だなあという感じがいたします。たとえば、牧田さんの場合は、たいへん工夫されたふん務口のアイデアが生きている。それらがどうして、そういうものになったかということが、みなさん方に非常に影響力がある。ふん務口なども、あういうふうに工夫したと見せないでしまうと、コロンブスの卵と同じで、やってしまうと簡単なんです。"なるほどね"という印象にしかならない。だから、どうして曲げなければならなかったということを、話していくと、そうなんだよと、みなさん方の胸におちることがある。そういうようなところに問題を見つけてもらったらどうだろう。

それから大柿さんの場合も、醗酵に専心していくという動機はしっかりしているけれど、何年かかけて牛をふやして行った過程の中には、これは並たいていでないものがあったに違いない。そういうところは、みなさん牛を飼っている人は同じ悩みを持っているだろうと思うんです。そういうところが、技術なり、経営の進め方なりに聞きたいところがあるんです。私はこういうところが聞きたかったんだというものが残ってしまわなかっただろうか、そんなふうに思います。

それから名倉さんはたいへん身近かな問題をとらえていただきましたが、初めに八人のグループの人たちが、いままでは何もやっていなかったけれども、今年からみっちりやろうということが、ちらっとでた。このへんのところが、実は今日ここにご出席の女性クラブ員の方々は聞きたいでしょうね。

やりたいんだけど、何をやったらいいんだー。ところが名倉さんの八人の人たちは、今年からみっちりやろうと考えて、この「物干し台」の問題ととり組んだんだが、みっちりやろうーという気持になってきた、ところが、どうしてなんだろうという、みんな一人ひとりがそう考えているんだが、なかなか行動に移せない、その行動に結びつけた過程を、どうしてそうなったんだろうーと、そういうところを聞きたかっただろうと思うんですね。

このへんが、でてきますと非常に聞きごたえのあるものになったのではないかと思います。なるほどなあと、うなずくのが一回、二回余計になったと思います。

最後に名倉さんの場合ですが、これは簡単な問題ですけども、私は日常生活の中から問題をつかんだというところに価値が非常にある。毎日毎日私たちが生活している日常の生活のなかには、調べてみたらたいへん問題になるものがあるのですね。こういう問題を解決したということを私は高く評価したいと思います。

ただ物干をつくる場合は、改善のねらいというのがもう少しはっきりしなくてはいけないのではないかという気もします。これは、ひとつは、高さを決定する場合、なぜ一・四五米にしたのか。それは、シーツを干す場合はこれくらいの高さが必要なんだという根拠がなければいけないと思うんです。なぜ、その高さを決定したかということについて具体的に聞きたかったと思います。

これは、最後に総括的に申し上げるところなのですが、やはり私はプロジェクトというのは、独立した活動、独立した仕事だと思うのです。そういう意味で三人の方々がそれぞれ、そのプロジェクトの中で自分の考え方を十分に生かせる場所を持っているということですね。これは非常にいいことだと思うのです。

なぜ、プロジェクト活動をするかということになれば、将来の農業経営をよりよくするということも、あるひとつの目的だとも思いますが、そういった場合に、農業の目的もなし、自分で自分の考えを十分に生かせる場所も持っていないと、親父から、今は農協の役員会だからおまえ餌をくれておけと、こういわれて餌をくれる場合は、ええい、めんどくさいなあー、ごまかしてやれーということになります。ところが大柿君のように自分の牛になっていたらとんでもないことでありまして、親父が今日はデイトでもしてこいといってもそれどころではない。やはり自分で牛に餌をくれなければならない。そこに自分の考えを十分に生かせる場所を持っているわけですね。そういう意味で自分の考えを十分に生かせる場所を見つけるのだったら、どうあってもプロジェクトをやらなければならないと思いますね。

それから、いちごの栽培の牧田君ですが、計算が弱いということですね。これからの農家というのは、計算する力がなければ絶対だめです。計算する技術、能力、いくら、簿記をつけなさいといっても簿記の中には必ず計算がある。少なくても、少数点のついた公数、実数とも三桁や四桁の掛算割算が自由にできなければ、プロジェクトなんていったところで、それはできっこないんです。農業経営簿もつけられっこありません。ですから、私たちはそういう技術をこの中で勉強することですね。

これは、そろばん塾に行って勉強することもよいでしょうけれども、クラブ員同士がこんどの例会は、そろばんの練習をしようということで勉強できるのです。こういうやり方でいくらでも勉強する方法はあると思うのですね。

もう一つは、全体を通じて感じましたのは、どこでいちばん苦労をしたか、自分はこういう点で失敗したんですよというものがなかったんですね。今日のような研究会におきまして、そういうものにちょっとふれますと、もっと良かったなあと思いました。

四段階による訓練　上手な処理の能力養う

司会　それでは、続いて星野先生にお願いします。

星野　農業や生活の問題を上手に処理していく活動、これを私はプロジェクト活動だと思っています。「プロジェクトとは何ぞや」ということになりますと、概念を話すだけでも一時間くらいはかかります。しかし、私は、日常における農業や生活の問題を上手に処理していく、この処理の仕方が非常に上手な人と下手な人とがいると思います。たとえば、みなさんの身近かな問題からしますと、領収書のしまい場所がばらばらである。ある人は領収書のしまい場所がきちんとしている。こういうことになりますと、どちらが日常生活を合理的に処理する方法であろうかとなりますと、もちろんこれは後者ですね。

こういうことを勉強するのが、私はプロジェクト学習だと思うんです。そういう観点からしますと、ものごとには一つの順序がありまして、プロジェクトの四段階というのがあるわけですね。目標、計画、実行、それを評価する―。こういうルールをふまえて、私たちの日常生活をいかに上手にとり組むかということの訓練が、私はプロジェクト活動だと思っています。

こういう観点から、三人の方のプロジェクト発表について私なりの考えを申し上げたいと思います。まず最初の牧田君のですが、動機がはっきりしていなかったと私は聞いたのです。たとえば「私の父はいちご栽培歴が二十年あります、ハウス栽培は私が三年やりました」というところから、すぐ入ってしまったのですね。いったい、なぜ二十年もやったというお父さんの栽培というものを、なぜ自分はハウスに切りかえたのか。その動機がはっきりしませんと、なにをなすべきかが不明瞭になり、たとえば、みなさんが4Hクラブに入った動機なり、目的がはっきりしませんとクラブでなにをやるべきかが分らなくなる。そういうことで動機、目的がはっきりしなければいけない。それにもうひとつ"なぜか"というつっこみがたりないことですね。

私はハウス栽培をはじめました―なぜか、栽培設計の根拠は―なにか、本年は十二月が私のいちごの最盛期になります―なぜそうしたのか、化成肥料をかん水といっしょにやります―なぜそうするのか。これらをもう少しつっこまないといけないような気がします。

次に大柿君ですが、これは私は上出来だと思うんです。と申しますのは、わが家の経営の中における自分のプロジェクト、つまり酪農ですね、この酪農の位置づけというのが、かなり明瞭になっていますね。これは自分の酪農なり経営分析を十分にやっているということですね。

大柿君は農業高校を卒業して、派米実習生として広い目で高いところからアメリカの農業を見たという、そういうことがかなり参考になっていると思いますが、非常に広い視野を持っていると感じました。

それからプロジェクトには、いろいろな形がありますが、たとえば酪農ですと、かなり長期の計画が必要ですね。将来はフリーバソの牛舎にするんだと―これが非常にたいせつだと思うんですね。ビジョンということをとくにいっていましたが、いわなくても農業という仕事は年期のかかる仕事なのです。ですから長期計画をもって、そのうちの一年、計画を実践するんだという計画が必要ではないかと思います。

ただ残念なことには、経営の内容について話されなかったということであります。これがもう少し経営内容にふれていますと、私たちが聞いていても

因習を乗り越えて　ほしい、村ゆり動かす熱意

司会　続きまして峰島さんお願いします。

峰島　みなさん方のOBということで千葉県から参りました。こちらの先生方は専門的な立場で指導された方でありますが、私の方は指導を受けた立場の4Hクラブの卒業生であります。はたしてみなさん方にプロジェクトの持ち方、すすめ方ということで適切な答えができるか分りませんが、今年で4Hクラブ活動も二十年目であり、二十年間みなさん方とおつき合いしたわけであります。

4Hクラブというものはそもそも、プロジェクトを持った組織であるということは、すでに分っていられると思います。プロジェクトを持たないクラブの集まりはないわけでありまして、これがみなさんの活動の基本だと思います。その中で農業経営ととり組んでいながらプロジェクトをどう持つか、あるいは農業経営の中での三要素といいますか、それは土地と労力と資本というものが三つに区別されると思いますが、その三つに対してとり組み方、これはやはり重要だと思います。

そういう点で、三名の方の発表をうかがいまして、その発表の中から研究して行きたいと思います。それをみなさんのプロジェクト活動の指針にしていただきたいと考えます。

プロジェクトは、やはり目的、とりあげた経過、結果、これについての反省、これがプロジェクトの順序ですね。

こういうことで最初に発表された方は、図表を非常によく書いていますが、まだまだ不十分な点がある。図表を完全に自分のものにしていない―、こういう点をもっと勉強した方が良いと思います。全体的に見ますと発表の順序が一連化していないといえます。順序立てて発表するという技術が必要ですね。

それからプロジェクトをやっている方は、プロジェクト・レコードブックに、おそらく記録していると思いますが、プロジェクトを行なう場合は必ず記録が必要なのです。

いちご栽培に対する動機が非常にあいまいな点がありました。その地域の環境が、はたしていちごが適しているのか、地域農業に対していちごがどの程度普及され、市場性がどのくらい確保される可能性があるのか。それにとりくむクラブが個人プロジェクトをすすめるために、グループ、あるいはクラブプロジェクトとして、どの程度まで個人プロジェクトに共通してとりくんでいかれるか。これはクラブ活動の状況などと併せて、自分のプロジェクトの完成のためにすすめたならば、もっと効果が上るのではないかと思います。

二番目の大柿君は、実に順序を立てて発表しています。米作単作地帯だという環境状況をとり上げ、これはプロジェクトをとり上げた動機を明確につかんでいます。

また、酪農に対する基本学習を完全に身につけている。やはりプロジェクトというものは、おそらくみなさんのこれからの農業は、学習なくてはだめだということです。やはり勉強が必要なのです。学習活動のその中で自己の持っているプロジェクトをすすめていく、そしてプロジェクトが、やはり地域環境、農業環境を良くしていく、そういうものでなければいけないと思います。

最後の発表は、もっとも理想的な共同プロジェクトで、私は拍手を送りたい気持です。こういうとり組み方がクラブ本来の生き方ではないかと思います。あくまでも自分だけの力でものごとを解決しようとしてもだめだと思います。「一人はみんなのために、みんなは一人のために」ということばがありますが、クラブ全体でもっているものが、共通した個人プロジェクトにも影響して、こういう中でお互いが伸びていく、こういうプロジェクト活動、クラブ活動であるべきではないでしょうか。

こういう意味から名倉さんがとり組んだプロジェクトは良かったと思います。

このプロジェクト実施にあたっては、いろいろと農家の調査をされたようですが、その後、自分たちの工夫したものが、地域社会の中で、どれだけ利用されたか、とり上げられたかという点を、もう少し強調されれば良かったと思います。やはり、クラブ活動は自分だけが良くなればいいという考え方でなく、地域社会におよぼす影響というものも大きなねらいであります。

クラブ活動は、自分よがりではいけないわけですね。プロジェクト活動もやはり同じです。自分たちの地域、町、大きくいえば国へと、農業の基本構造を自分たちの力でゆり動かして、よりよい農業にするという熱意がなければいけないと思います。

もう一つ強調したいことは、プロジェクト活動ととり組む上で、いろいろな因習、慣例などがありますが、それらをのり越えていかなければなりません。したがって4Hクラブの人たちは、科学的にものを考えて解決していく態度が必要で、進歩的なクラブ活動をすすめてほしいと考えています。

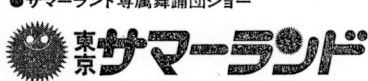

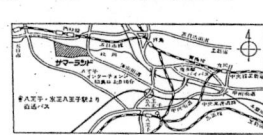

プロジェクトはクラブ活動の生命である

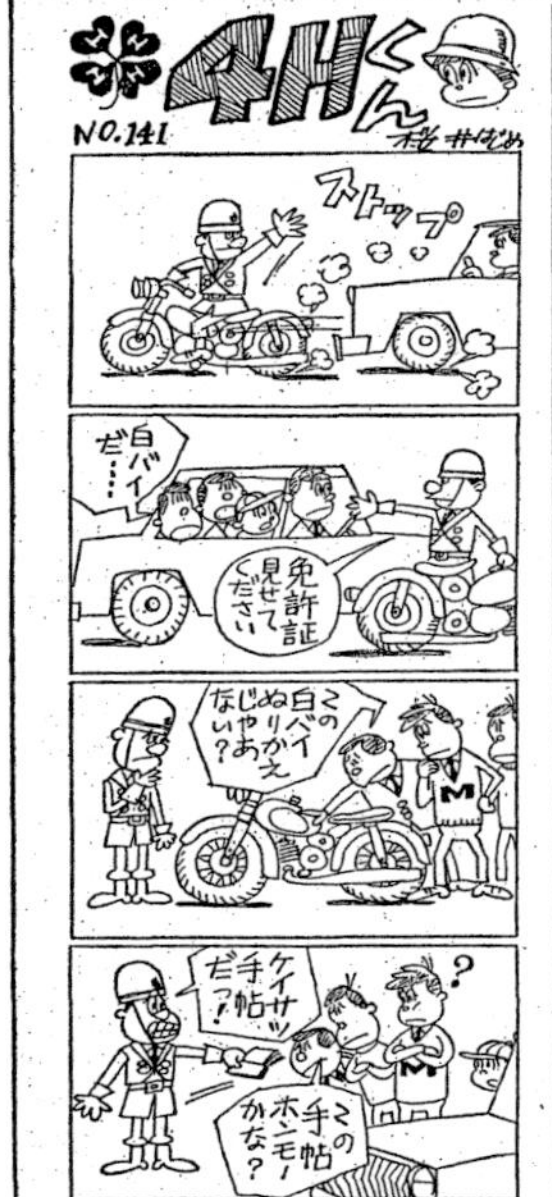

2-21表　プロジェクト実績発表評価基準（例）

区分		評価項目	評点
発表の内容	動機目的	1 プロジェクトの選定の理由は適切か。 2 プロジェクトの目的は明確か。 3 そのプロジェクトは、わが家または地域の農業や生活の改善に役だつか。 4 そのプロジェクトは、実施者にふさわしいものか。	10
	実施	1 計画は合理的であるか。また、改良方式を採用したか。 2 熱心に実施されたか。 3 実施中に観察・創意くふう・学習が行なわれたか。 4 参考資料を活用したか。	30
	結果	1 そのプロジェクトは、科学性をもって貫かれているか。 2 目標達成ができたか。 3 結果は実用性・普及性があるか。 4 将来の方針は明確にされているか。	20
発表の方法	準備	1 発表内容の整理はよいか。 2 図表等の補助材料の準備はよいか。	10
	表現	1 話し方や態度はよいか。 2 発表方法が効果的で、内容を聴取者に理解させたか。 3 図表等の補助材料は活用されたか。 4 おおむね制限時間内に発表されたか。 5 質問に対する応答はよいか。	10
記録簿		1 計画段階の記録はよいか。 2 実施段階の記録はよいか。 3 実績まとめの記録や評価の記録はよいか。 4 全体をとおして正確にきれいに怠りなく記録されたか。	20
合計			100

プロジェクトの取り組み方　展開編（15）

北海道専門技術員　三輪　勲

成果を地域に普及　主題は実用性・普及性で

評価と助言

プロジェクト実績発表について、指導者がその内容を評価して将来の指導上の参考としたり、また、発表者の表彰を行なうために発表内容の評価を行なうなど、一定の基準を設定して、プロジェクトの評価を実施する場合がある。指導するための評価は、発表内容・発表方法・記録簿の三点について行なうのが普通である。評価基準は別表を参考にするとよい。

発表が終ったら、発表者・聴取者・助言者など参加者全員によるプロジェクト研究協議を行なうと効果的である。発表内容を中心として意見交換・質疑応答・事例研究など相互の研究を行なう。助言者は、発表されたプロジェクトが聴取者に十分理解され、その内容に対する相互の研究が十分に行なわれるように助言しなければならない。このためには、次の点に留意する必要がある。

（a）発表内容の欠点の指摘よりも、その具体的な改善方法の指導を行ない、すぐれた事項の賞賛を加えた助言とする

（b）発表内容が聴取者に十分理解されるように、必要に応じて聴取者の質問に対して発表者に代わって回答する

（c）助言者と参加者との間での質疑応答に集中することを避け、参加者相互で問題点をめぐる意見交換が十分に行なわれるように方向づけの助言を行なう

（d）研究協議の取りまとめにおいては、総合的な助言を行ない、発表者と聴取者とが、将来のプロジェクト活動の発展方向をそれぞれ見出すことができるように配慮する

演示発表

演示発表の意義

演示とは、農業改良や生活改善の技術をことばで説明しながら実際に行なって見せることをいい、デモンストレーション（demonstration）と呼んでいる。たとえば、ミルカーの取り扱い・牧草の乾燥方法・酪農食の作り方など、プロジェクト発表は主として結果に重きがおかれているのに対し、演示発表は方法を示すことに重点がある。この意味から、青少年グループで行なわれる演示を「方法演示」ともいっている。プロジェクト演示発表は、次のような目的と効果がある。

（A）農業や生活についての知識・技術を正確に身につける

プロジェクトの実践過程において習得した技術を聴取者の前で実演することによって、自分もまた学習することになる。演示を行なうためには事前に練習を積み重ねる必要があるが、これによって、その技術を正確に身につけ熟練することができる

（B）思考力や表現力を養うことに役立つ

演示は、聴取者にわかりやすく実演しなければならないので説明のしかたや能率的な動作、資材の準備や使用などの工夫によって、思考力や表現力などが養なわれる

（C）農業や生活についてのプロジェクトの成果を地域に普及し、その発展に寄与できる

演示の聴取者は、実際にその技術のやり方を見ることによって、自らもその技術を経営や生活に活用しようとする意欲が喚起されるなど、演示発表は技術の普及に大きな役割を果たす。とくに、実際のほ場や家畜や機械などを使って本格的に実演する野外演示は効果が大きい

演示とプロジェクトの関係

プロジェクトが問題解決学習であるのに対して、演示はそのプロジェクトの発表方法の一種である。プロジェクトの実践経過における単位作業（技術）を実際に動作で示す発表が主体となるので、演示の主題とプロジェクト課題と密接な関係がある。

ア　演示主題　演示の主題はプロジェクト実施に伴う単位作業（技術）の中から選定する。プロジェクト計画作成において作業分析が行なわれるが、このうち、自らその技術を習熟した作業分析結果における単位作業のもので実用性・普及性が大きく、聴取者にとっても学習上の関心が強いと思われるものを選定することがたいせつである。

たとえば養鶏プロジェクトの場合「毎日の産卵や飼料の記録を正確に行なう必要から黒板の使用を考え、黒板の作り方を学習して実際に製作し、鶏舎にかけて利用したところ非常に記録が便利になった。「このため台所や作業場にも黒板をかけて簡単な記録に応用している」という実践過程の一例において「黒板の作り方」の技術は、実用性・普及性からみてもよい演示主題となる。

この事例は年少者の演示であるが、養鶏プロジェクトの作業分析からは、育すうの方法・だ鶏とうたの方法・飼料給与のしかた・点灯飼育の方法・換羽期の管理法・採ふん装置の考案・ビニール簡易鶏舎の作り方・鶏の解体方法・鶏のくん製のしかたなど、各種の演示主題を選ぶことができる。

つまり、演示主題の積み重ねがプロジェクトの実践過程であり、プロジェクト実践過程を単位作業にわけたのが演示主題となる。したがって、そのプロジェクトが自家や地域の農業改良や生活改善の問題解決に結びついている限り、そのプロジェクトの演示主題は当然に実用性と普及性とがあることになる。

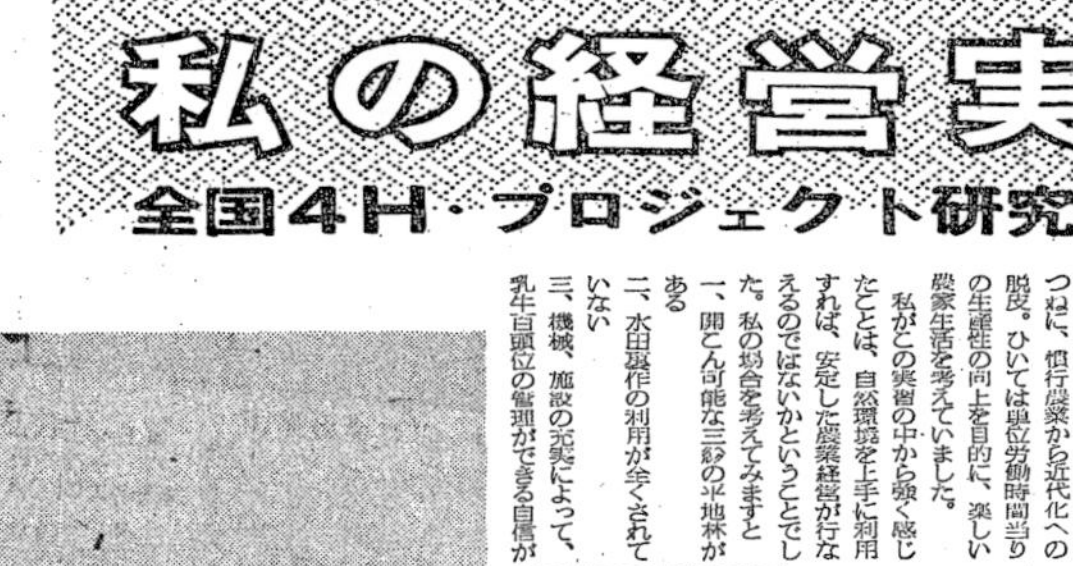

畜産部門　大規模経営をめざす酪農

栃木県鹿沼市高谷 T・Kクラブ　大柿豪雄

自然環境を生かし　粗飼料確保で大規模経営に

私の住む栃木県鹿沼市は、近年「日光いちご」の生産で全国に知られている前日光高原にあります。

私が高校卒業当時、わが家の経営は、水田二・五㌶、畑一・五㌶の米麦中心の平凡な経営でありました。

その後、私は八ケ岳中央伝習農場、米国のカリフォルニアの大規模農場での一年間の実習生活中、つねに、慣行農業から近代化への脱皮。ひいては単位労働時間当りの生産性の向上を目的に、楽しい農家生活を考えていました。

私がこの実習の中から強く感じたことは、自然環境を上手に利用すれば、安定した農業経営が行なえるのではないかということでした。私の場合を考えてみますと、

一、開こん可能な三㌶の平地林がある

二、水田裏作の利用が全くされていない

三、機械、施設の充実によって、乳牛百頭位の管理ができる自信がある

以上のような諸条件を検討した結果、もっとも有利と思われる酪農経営に進むことが自分の技術を生かす道であると考えました。酪農経営に踏み切る上での一大難問であった労働力の面でもカリフォルニア実習においての体験が、少しの苦労は何とも思わない精神力と自信を与え、難なく解決しました。

しかし、母が「何も好きこのんで苦労することはないだろう」と強く反対しましたが、私のファイトに圧迫され、家族一同がそれぞれの立場で協力することを約束してくれました。

帰国後一年間は、準備期間をとりましたが、昭和四十一年四月から地区の普及所、農協、市役所、先輩クラブ員のみなさま方のアドバイスを受けながら、農業近代化資金を九十五万円借り入れ、家から七百㍍位離れた山林三㌶を開こんし、十二頭収容のスタンチョン牛舎および牛乳処理室、飼料配合室、住宅を新築して、八頭の成牛を導入。日本的大規模酪農経営の確立を目ざして出発しました。

以上のような過程において私としましては、自分なりにバイタリティーに富んだ、労働力の節減、ひいては生産費のコストダウンに励んできました。その例として、牧草地への地下配管による尿の撒布設備、牧草の夏枯れを防ぐためのかん水設備。また、飼養管理の合理化については、乳牛は搾乳時間と冬期の夜間のみ舎内飼養とし、このほかは、二・五㌶ほどの運動場で自由な運動をさせる。この方法ですと畜舎内の掃除も簡単にすみ、また牛体におよぼす影響も分娩後の体力回復などをみてもたいへん良い成果が現われたと思いました。

なお、育成の過程においても、離れたその日からフリーバン方式を用い、自然に近い粗放な飼育に慣らすとともに育成労力の節減を図っています。

しかし、問題がないわけではありません。現在のような青刈給与主体の経営では、これが人間の生活かと思えぬほど農繁期には働かなくてはなりません。これらを克服し、私のビジョンに向って一歩前進させるためにはどうしたら良いのでしょうか。それには打解策として、

一、通年貯蔵型のサイロ作成とサイレージ利用

二、輪換放牧による牧草の利用—これらを上手に組み合わせ、労力を節減することによってのみ実現が可能だと思います。

まず、サイレージ給与の利点としては、年間を通じて粗飼料の計画給与ができ、少ない耕地から青刈飼料と異なり最高の収量を狙って一時に収穫できる飼料の作付けができ、専用機械の利用で省力的になり、生産性の向上が期待できる。また、飼料給与も天候や他の作業に左右されることなく、一定の量が給与できるので泌乳量が安定していくことが考えられます。

ただこの場合、問題は牛に対するサイレージ多用の障害でありますが品質に十分注意し、低水分にすることによって一日四十㌔の給与量では何らの障害もないことが過去の経験で証明されました。

次に輪換放牧では、牛舎前の三㌶の牧草地を五十㌃ずつ六区画に電牧で仕切って、一日二〜三時間の制限時間給与による輪換放牧を考えています。また、粗飼料の確保については、水田裏作の二㌶には、デントコーン、レンゲの混播で一五〇㌧。飼料畑の二㌶には、デントコーンとライ麦で二二〇㌧の収量を上げ、それをサイレージにして給与します。

また牧草地三㌶には、四種混播の牧草二五〇㌧を輪換放牧用として利用します。このように粗飼料六二〇㌧を確保することによって、成牛三十頭、育成牛五頭の飼育が可能になります。

しかし、これには大型トラクターや作業機の導入、フリーバン牛舎の建築、二二〇㌧収容能力のトレンチサイロの建設など資金面、労力の面など、一沫の不安はありますが、それは若さでカバーし、青春の総決算の意味で、成功するにしろ失敗するにしろ自分の考えと経験の中から割り出して、地についた経営を行ないたいと思います。

最後に国や県では、現在酪農振興について盛り沢山の施策が行なわれていますが、私は次の点に力を入れてほしいと思います。

—なぜ、日本農業が先進国農業に対抗できないか—。よくいわれることですが「日本農業は、基盤が弱体である」と、全くその通りです。だからこそ、私たちはその根底にある問題点を見い出し、その観点から永く不動の農業政策を望むわけです。春になれば、青々と草の茂る草地や雑木林が全国いたる所に六〇〇万㌶もあるということです。水田裏作可能地の殆んどが休閑地となっています。

世界一の農業生産を上げているアメリカですら、焼けつく太陽の下で草も生えないやせ地に立派な牛が成育し、オレンジの畑が何万㌶と実を結んでいます。また、世界一の酪農国とされているデンマーク、スイスでも悪条件と闘いながら山の中腹まで、素晴しい放牧地が広がっています。このように考えてみると狭い日本でも、まだまだ、方法と次第では農業の基盤を増大する可能性は大きいと思います。

国有林の牧草地への開発、集団利用の乾草場設備、水田裏作への牧草作付の奨励など抜根的な総合農政を強く酪農民は望んでいるのです。

以上のように考えてみますと、なおさらに私は、通年貯蔵型のサイレージの利用と輪換放牧を組み合わせ、自然環境を上手に利用した日本的大規模酪農確立のために、いいかえれば私のビジョン実現のために若い命を燃し、努力していきたいと思います。

過去四年間の実績を通して大規模経営酪農のビジョンを語る大柿君

所得一万㌦を目標に　省力経営を研究

千葉県・松丸4Hク

夷隅郡夷隅町・松丸4Hクラブ（会長、田口登夫君）では、五人の女性を含む二十人の会員が集まり、—みんなで協力して技術をみがき、立派な営農者になろう—と、さる三十四年にクラブを結成して数々の成果を上げている。

同クラブ員は、いずれも十八歳から二十五歳までの独身者ばかりで、地域内のクラブでも古い歴史をもっている。一クラブ員当たりの平均耕作面積も一・五㌶の中農クラス。しかも、全員が米作を中心とした二本立て経営をしているのが特色となっている。たとえば米＋酪農、また養豚、さらにハウス園芸というように農業改良普及所、町産業化の指導を受けて真剣に取り組んでいる。

酪農経営もクラブ員の平均飼養頭数は七頭だが、一人で最高二十頭も飼養しているクラブ員もいる。さらに養豚経営者も増加の一途をたどっており、一人で五十頭の肉・種豚を飼育するものもいる。だが、何といっても多いのが酪農経営で、会員の三分の一にあたる七人が乳牛飼いだ。

このほかシイタケ栽培、養蚕、タバコ耕作などで、米作との両立経営で平均、一人、百三十万円の所得。将来は年間所得は一万㌦を目標にしている。この目標に向って毎月開く定例集会には、専門講師などを呼んで技術の修得に余念がない。

しかし、希望に燃えるクラブ員にも悩みがある—。それは嫁不足だ。近代化された農業経営とはいえ、女性側からみれば休日、おこづかいがほしいというアンケートの結果でもわかるように、今後、農業形態を変え、重労働を解消していきたいと研究に励んでおり、クラブ員の共同によって労力不足を補っている。

また、クラブ活動においても、各種の研修会をはじめ、農閑期を利用しての交換会、親善スポーツ大会など開き、健康づくりに役立てている。

酪農と立地条件

1月21日（火）

水田酪農

ふつう水田地帯は低地の肥沃土壌が多く、水利や交通の便が良好で、市場条件にも恵まれている地域が大半を占めている。また「水田酪農」といっても、畑地、里山、奥山を持たない純水田地帯での酪農経営と、背後地に飼料基地をもった経営とは、自ら性格の異なったものである。これらの水田酪農は、粗飼料を自給しにくいが、しかし、水稲のわらや畦畔草が豊富に入手できること、水田裏作の集団利用と機械化によるイタリアンライグラス、赤クローバー、れんげ、かぶなどの輪作や間混作でかなり自給できる。

また、水田の一部を転換畑にして、集約的な粗飼料の自給をはかるとともに、田畑の輪換方式の採用によって水田土壌を改良し、水稲の倒伏防止と多収の効果をあげることができる。

1月22日（水）

草地酪農

一、草地酪農の特徴

二、草地酪農の計画のたてかた

三、草地酪農と放牧計画

四、草地酪農と越冬飼料の準備

五、草地酪農の諸障害の防除方法

1月23日（木）

近郊酪農

都市近郊酪農はいろいろ問題をかかえながらも、多頭化、専業化をすすめ、他の地帯に較べて酪農の比重を高めてきている。その背景と問題点をあげると次のとおりである。

一、経済地帯別にみた都市近郊酪農の位置

二、多頭化、専業化の背景❶都市近郊酪農と乳業会社の集約対策❷高乳価—専業牧場との関連—❸食品工業副産物利用❹搾乳素牛導入のうまみ

三、都市近郊酪農の特長—高収益のひみつ—

四、都市近郊酪農の問題点❶環境衛生からみた、ふん尿処理対策❷労働力確保問題❸飼料と素牛確保問題

五、都市近郊酪農の将来—地域間分業の検討—

1月24日（金）

山村酪農

ふつう立場条件からみて、地代（地価）の低い地域、すなわち山村、開拓地などの山岳地帯に立地するのがのぞましい。しかし、これらの地帯は冷涼であり、火山灰土その他の劣悪な土壌が多く、交通不便で、市場から離れている場合が多い。一方これらの地帯には山林原野が多く、採草または放牧地に恵まれ、林業と結びついた、いわゆる混牧林利用の山村酪農が成立する条件をもっているので、むしろ乳牛の生産と育成に適している。

今後、畑地や里山の利用はもとより、奥山の草地開発による、計画的な山腹中心の「夏山、冬里方式」の採用がのぞましい。これらの地帯では、青草期には良質粗飼料が得られやすいが、冬季間における越冬用の粗飼料の加工、貯蔵、利用の技術の確立と、給与飼料の年間を通じての栄養の均衡が主要な問題である。

1月25日（土）

現地訪問

岩手県・玉山村の富山与八さんは、昭和二十三年岩手山麓の好摩に入植。雑穀畑を除々に牧草畑に切り換え、三十五年には、乳牛五頭に増えたのを機会に、畑全面積に牧草と飼料作物を植えつけた。現在牧草畑四八〇㌃、自給率は七〇㌫。成年一五頭、トラクター一台、年間粗収入二百五〇万円。

これからの農家林業

わが国の林業生産の過半をになっている私有林経営においては、その経営規模は零細なものがきわめて多い。（二㌶以下の中小規模経営者が全体の九八㌫余りを占めている）

これら森林所有者は一般に農業を営むものが多く、農家の経営の一環として林業が行なわれている場合が多い。

最近の農山村をめぐる社会経済情勢の変化はまことにきびしいものがある。このような環境下において、農家の所得の高上をはかるためには、森林の積極的な活用をはかることを考えなければならない。

そこで今週は、まずこれからの農家林業の改善を考える場合、基本的に考えなければならないことがらを学ぶ。次に、林業経営改善を考える場合、もっとも重要な農家林の経営改善計画をしっかりと学ぶ。次いで、その改善計画で考えられる造林技術、林業の機械化、特殊林産物の取り入れかたなどを学ぶことにする。

1月27日（月）

農家林業の方向

わが国の林家は、零細なものが多く、経営基盤もぜい弱で、生産活動も一般に停滞的である。しかも農林家族者の他産業への流出がいちじるしく、林業労働力は量的にも、質的にも劣弱化の傾向となっている。

このようなときに、自己の山林を有効に活用して、森林の生産性をあげ、所得を向上するにはどのような考えかたをもたなければならないか。

一、農家林業の特色

二、経営改善の考えかた（経営規模、地域の特色）

三、新しい技術導入

四、今後の農家林業

1月28日（火）

農家林の経営改善計画

農家林業の経営改善の基本的な考えかたと、経営改善計画の具体的な作りかた。

一、経営改善計画の基本的な考えかた

二、計画を作る手順と基本線

三、経営改善計画の作りかた

四、計画実行と記録簿

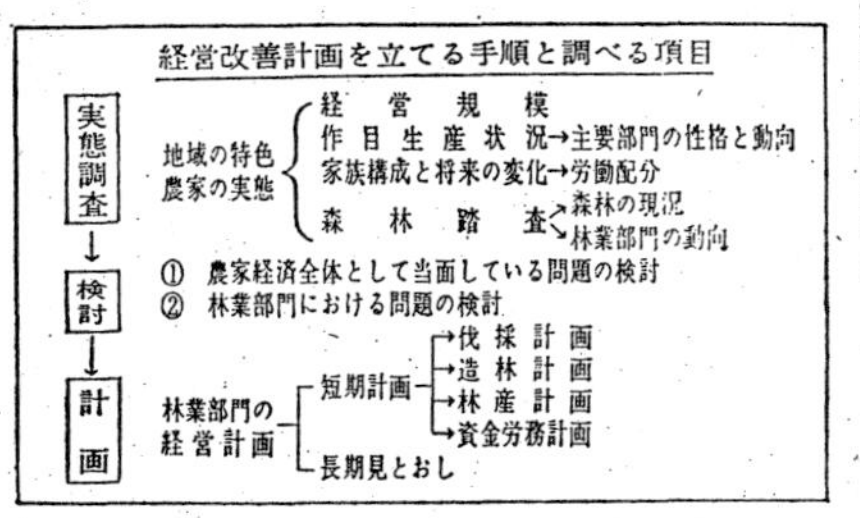

1月29日（水）

農家林の機械化

一般に、農家林の経営では、仕事量、資本が零細のものが多いので、労力不足の割りには機械化が行なわれていない。そこで、このような機械化の行ないにくい農家で、うまく機械化をすすめるには次の方法があげられる。

一、共同化、協業化

二、農業機械の活用

三、農家林に適する機械の開発

以上のうちとくに農山村に広く普及しているハンドトラクターの林業的活用に重点をおいて説明する。

1月30日（木）

農家の苗木作り

一、どのような苗木を目標にして作るか

二、苗木作りの基礎知識

三、苗畑の選定

四、みしょう苗の作りかた

五、さし苗の作りかた

六、苗畑の管理

1月31日（金）

農家林としいたけ作り

一、適正な生産計画

二、原木の買いかた、選びかた

三、品種の選びかた

四、ほだ場の管理

五、発生管理

六、出荷技術

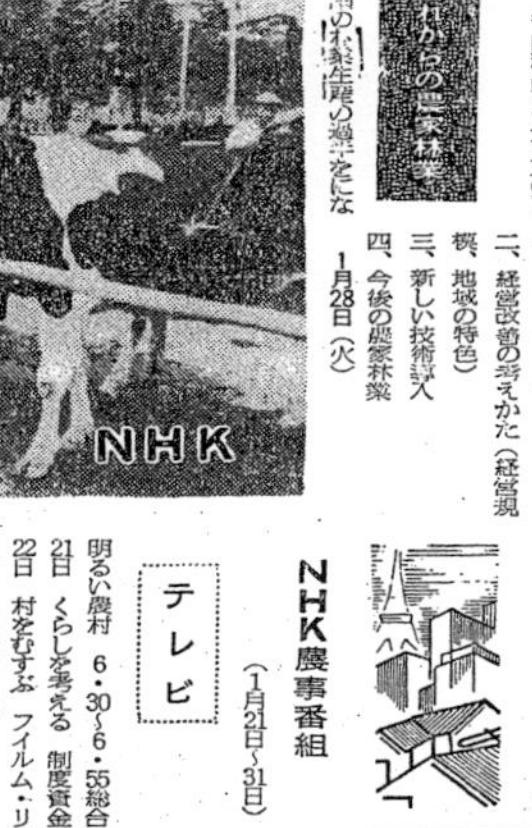

生しいたけの全国統一規格

呼称区分	かさの直径	品等区分 秀（A）	優（B）
L	6〜8cm	7分開以内、色沢・形状良好、厚肉・水分少なく、汚染・病虫害のないもの	秀（A）につぐもの
M	4〜6cm未満		
S	3〜4cm未満		
LS	3〜8cm	同上	同上

NHK農事番組（1月21日〜31日）

テレビ

明るい農村　6・30〜6・55　総合

21日　くらしを考える　制度資金

22日　村をむすぶ　フィルム・リレー　郷土の文化財

23日　話題の広場　うなぎの養殖組合

24日　産物往来　牛乳のなかみ

25日　農業新時代　和牛産地をさす　兵庫県立種畜場

27日　村の記録　パイロット・ファーム12年　北海道別海村

28日　くらしを考える　アメリカ農業に学ぶ

29日　現地報告　農業白書

30日　農業百年　大学・試験場

31日　産物往来　産地仲買人

すの村づくり

日　7・00〜8・00　教育

再　土　1・00〜2・00　教育

26日　われら農業士　長野県霧ケ峰　茅野武久ほか

農業教育　7・30〜8・00　（詳細は前掲）

ラジオ

早起き鳥　5・05〜6・00　❶

21日　人と話題　傾斜地農業（長崎県総合農林センター）杉島淳子

22日　通信員の手帳から　新保こい子

23日　産地訪問　はっさく

24日　現地報告　動き出した野菜産地　鳥取県弓浜半島

25日　村のポスト　投書

26日　話題の窓　スタート・配センター、

27日　現地報告　山村の宿舎（愛媛県津島町）

28日　人と話題　農民験… 会長　鈴木武雄

29日　通信員の手帳から　菜たまね…

30日　産地訪問　…

31日　現地報告　農村の消…

ラジオ農業学校　佐賀県下…ム

月〜土　6・40〜7・00

日　6・30〜7・00

再　月〜土　19・00〜19・15

26日　農業講演会「新しい…への課題」東京教育大学　浜田陽太郎

ひるのいこい　12・15〜12・34

23日　子牛の初ぜり（水戸

27日　手すき和紙の村（下

わがクラブ わが同志

◀投稿案内▶

本紙は、みなさん方の新聞として、全国のクラブ員に利用して戴きたいと考えています。それでクラブの催しや個人のプロジェクト、詩、短歌、随想、写真、悩みや意見、村の話題、伝説、行事その他なんでも原稿にして送って下さい。

お願い　❶長さや形式は自由です　❷できれば簡単な説明をつけた写真をそえて下さい　❸送り先　郵便番号162　東京都新宿区市ヶ谷船河原町十一　日本4H協会編集部

全協組織を強力に
我らの問題は我らの手で

宮崎県東臼杵郡北郷村大字宇納間二九六八　泉田貴敬

去る十二月三日～七日に、静岡県・御殿場市の国立中央青年の家において開催された、全国4Hクラブ中央推進会議に参加しましたので、その研修内容と、私の所感を述べたいと思います。

私はこうした全国的な研修には初参加ですので、いろいろと解らないところもありましたけれども私にとっては大変貴重な体験であったと思っております。

まず、全協の活動状況のことについて、私たちは今まで全く無知であったのですけれども、私たち農業者にとって最も弱いとされている団結心を培い、自分たちの問題を自分たちの手で解決してゆくためには、全協の組織を自他ともに認める強力なものにしてゆかなければならないと思います。

私たちが良く考えておかねばならないことは、学習活動を充分に行なわずして、将来の、農業なり農政を語ることはできないということです。

各県連における活動が、4Hなり、農村青年連絡協議会なり、私たちの宮崎県のSAP運動のように、その名称は異るけれども、それにこだわることなく、一つの全国的なつながりを持って、全協を築き上げているのだ、という自覚を持つことが大切だと思います。

それは私たち農村青年一人一人の責任だと思いますし、将来の日本農業を担う者の使命のように思います。

私がなぜ、このように感じたかと申しますと、井の中の蛙が大海を知ったようなものだと思います。一県の中でのことしか知らずに、今まで活動して参りましたけれども、やはり、より広く、より多くの仲間と語り合うことが、広い視野に立って、今後の農業を考える基礎をつくるものだと信ずるからです。

もっと、もっと、全協の皆さんと語り合う機会が欲しいと思います。全国の仲間にできるだけ、そうした機会を与えるよう努力して欲しいと思います。4Hの集いは、こうした意味から、良い集会だと思いますので、全国の仲間にその開催の通知をできるだけ広く行なって欲しいと思います。

4Hの本質、リーダーのあり方についての湯浅先生の講演や、話し合いは、今までの私の考えの正しかったことを確認できたと同時に、ばくぜんとしていたいくつかのことをはっきりと教えてくれました。

その中でも、組織は個人のためにあるのだ、そのために犠牲になるとする考え方は間違っている。人の世話をし、皆んなの力になることが、自分を高める上に大いに役立つのだ。私たちは、ものごとを判断する上に、最も必要な経験領域を広めてゆかなければならない、ということです。組織の中の個人として、人のために役立つよう人格を高めなければならないと思います。

リーダーについての考え方も、私たちは、ともすれば、スーパーマン的なリーダーを、自分に比較して考え、苦しまなければならないことがあるのですけれども、リーダーとは、最も平凡な仲間としての自覚を持つことが大切であることを知りました。自分を知り、仲間を知る、それがスーパーマンでない本当のリーダーの要素だと思います。

話しは変りますけれども、湯浅先生の話しの中に、ブラジルの青年には、誰が何をやってくれなくても、俺はやらなければならないというひたむきな自主性があることを話されました。

私たち日本の青年には、多くの制度による手がさしのべられていると思います。こうした中で、失なわれがちな自主性を、いま一度考え直し、私たちは自らの手で、力で、明日に立ち向ってゆきたいと思います。

春を告げる花

[illegible]えば、桜よりも梅であった。

貴族たちは、その邸内の庭に梅を植えて愛好したものである。桓武帝が都を平安京に遷されたときも、紫宸殿の前に、まず、梅を植えられたということである。そして、宮廷では、しばしば梅見の宴を催し、花を詠みあったのである。

また、梅は昔から物語や伝説などにも登場してくるが、なかでも、源平盛衰[illegible]惜しみ、

東風（こち）吹かば　匂ひおこせよ梅の花　あるじなしとて　春な忘れそ

と別れの一首を詠んだところ梅の片枝が空を飛んで、大宰府に根をおろしたという。梅にも主人の心が通じたのである。

真偽のほどはともあれ、いま私たちが失いかけているほのぼのとした詩情のある話ではないか。当節は何事も実利が重んじられ、心の故郷が忘れられようとしている。

智に働らけば角が立ち、情に棹させば流される、せめてつかの間を非人情の世界に遊ぼうではないかーと漱石はいった。私たちも、この庭先に咲いた梅の花を眺め、しばらくの間でも、俗世界のことを忘れ、風流の世界に遊ぼうではないか。（写真は東京新宿区・家の光会館の庭に咲いた梅の花）

富士の姿に学ぼう
もっと広く大きな気持に

兵庫県佐用郡佐用町大木谷　東口基武

[illegible]私には総べて新しい物事ばかりで、少々上がり気味でしたが、大変勉強になりました。その反面、いままで、自分が、いかに無能で不勉強であったかということが思い知らされました。

全協活動状況や4H会館建設、それに全協が組織として見られていない現状など、いろいろ多くの問題を含んでいるなど、まったくといって良いほど知らず、とくに会館の件などは大変誤解していました。

私の聞いた話では「資金が集まらなくとも、出して下さる人がいるので半分でも……」なんて、じょう談じゃない！　まるで違っている。なんて自分は人が良いのかなって考えさせられました。

しかし、バカはバカなりに少しでも知ろうと努力し聞いて来たつもりです。なのにあの時の聞く態度、全体討議でした。途中で何だかんだと分からないときがしばしばでした。本当に自分ながらカッと頭にきました。少なくとも各県連の会長、副会長、次期リーダーと県の代表でしょう。あれでは幼稚園以下だね！　幼稚園の方が扱いやすいかな？

リーダーでもないクラブ員の端くれで、県の代表の代理のそのまた代理である自分でも、何んとかして聞きのがすまいと思っているのに、あんな調子ではね！　なぜもっと広く大きな気持でやれないものでしょうか？　生意気にもこんなふうに感じました。

この他に会議とは無関係ですが、どうしてこのような重大ともいえる会議、少なくとも私のようなバカでもそう感じたんですからね！　県組織はおろか会長、副会長も知らない、県の意向はもちろんのこと、まったく何も知っていない。私に、それも一人きりでほり出して知らぬ顔している。この態度がどうなのか分からない。

そんなこんなで、頭の中がずっとモヤモヤしていました。でも、そんな私を心からなぐさめてくれるのは、富士の山でした。

帰途につく私の背後から、その美しく雄大な山肌が、何かしら、やさしく強く、大きく、生きて行けと見送ってくれてるようでした。バカな私も、少し分かってきたように思うのでした。

会議の成果を何んとか無にしたくないと思いました。

青少年団体の紹介（9）
ボーイスカウト日本連盟
高い評価もつ組織
ちかいとおきてを実践

ボーイスカウト運動は、健全な青少年の育成を目的とした、青少年のための社会教育運動で、その組織は、全国的、国際的なつながりをもつ社会教育団体のひとつです。

この運動が英国で創始されてから六〇年、日本で行なわれてから五〇年たち、世界各国でなお発展を続けており、その訓育方法と成果は高く評価され、ひとしく各国の社会で理解され認められております。

目的

ボーイスカウト運動は、あすをになう健全な青少年を育成するため、正しい社会生活の基礎を身につけさせ、心身共にりっぱな公民を養成する公民教育です。

少年の育成に、最もたいせつな年ごろの小学校三年生から大学年令までの青少年たちを正しく導き、よい品性を身につけさせ、強健な身体に鍛錬し、種々の技能を習得させ、進んで社会にたいし奉仕ができる、有用な社会人に育てあげることが、ボーイスカウト運動のねらいです。

この運動の基本方針は"ちかい"と"おきて"実せんを基盤として、創始者ベーデン・パウエル卿の提唱する「班制」教育と、各種の「進歩制度」とを、主として野外活動を通じて、幼年期から青年期までの各年令層に適応するように、各部門にわけ、それぞれに則した、しかも一貫したプログラムに基づいて教育することです。

ちかい

私は、名誉にかけて、次の三条の実行を誓います

一　神（仏）と国とに誠を尽しおきてを守ります
一　いつも、他の人々を援けます
一　体を強くし、心をすこやかに徳を養います

おきて

一　スカウトは、誠実である
二　スカウトは、忠節をつくす
三　スカウトは、人の力になる
四　スカウトは、友誼に厚い
五　スカウトは、礼儀正しい
六　スカウトは、親切である
七　スカウトは、従順である
八　スカウトは、快活である
九　スカウトは、質素である
十　スカウトは、勇敢である
十一　スカウトは、純潔である
十二　スカウトは、つつしみ深い

訓育法

訓育は、"ちかい"と"おきて"を基盤として、次の三つの制度によって行なわれ、しかも組織を通じ、少年たちの自発的な活動を、おとなの指導者が側面から援助しながら"個別"の訓育が行なわれます。

❶ "ちかい"と"おきて"

ちかいは、スカウト自らの、生活信条であり、おきては、スカウトが、当然やるべき毎日の行動のものさしで、これを守るよう心がけています。

❷ 班制度

少年の心理に適した、小さい自発的なグループ（六～八人）が班となり、そのグループワークによって、協力心、責任感、指導力などが養われます。

成人指導者の隊長は、少年たちのそれぞれの個性をいかし、よく見て指導していきます。

❸ 進級制度

少年たちは、いろいろ定められた課目をなしとげることに、初級、二級、一級、菊、隼、富士と進歩し、記章をつけます。

それによって、向上心が養われ、また、社会生活に有用な技能を身につけていくのです。

❹ 技能章制度

少年たちが、社会に対しても自分自身に対しても、役立つ各種の技能を、自分で選んで、習得するように定められており、しかも、興味をもって行なえるように仕組まれています。

現在、少年部には三七種、長部には四五種の技能章があります。

以上、三つの制度のなかに"ちかい"と"おきて"の精神と、少年の本能である遊び（ゲーム）をとり入れて、これを実施するものです。

教育組織

ボーイスカウト訓育を行なうために、次のように、学年または年令によって、それぞれの隊を組織し、その年令に適した訓育プログラムを実施します。

年少隊（カブスカウト）一隊一〇～二四名　小学校三年生～五年生まで
少年隊（ボーイスカウト）一隊一二～三二名　小学校六年生～一五歳または中学卒業まで
年長隊（シニアースカウト）一隊八～二八名　一五歳または中学卒業～一八歳未満
青年隊（ローバースカウト）一隊八～二四名　一八歳以上～二四歳までの青年

これら四つの部門別の組織でボーイスカウトの団を組織し、運営されています。

なお、年少隊（カブスカウト）で、ボーイスカウトの"ちかい"と"おきて"にあたるものとして"やくそく"と"さだめ"があります。

カブスカウトのやくそく

僕は、まじめにしっかりやります
年少隊のさだめをまもります

年少隊のさだめ

一　カブスカウトは、すなおであります
二　カブスカウトは、自分のことは自分でします
三　カブスカウトは、たがいに助けあいます
四　カブスカウトは、幼いものをいたわります
五　カブストは、進んでよいことをします

ボーイスカウトの加盟は、全国都道府県ごとに県連盟を組織して、この活動を推進しています。ボーイスカウトでは、登録制度をとっており、一年ごとに更新します。

登録状況は、次のとおりです

団	二、二三九
隊	四、〇五六
スカウト	九二、七二七
団委員	一八、四四五
指導者	一五、九八一
加盟員総数	一二七、一五三

県連盟の所在地は、各都道府県市町村の教育委員会社会教育課または青少年教育課に照会すれば、知ることができます。

（台東区西浅草一－五－五　東京本願寺内　TEL　八四二一－六〇五一）

返し橋の訓練をするシニアスカウト

映画　爆笑の大渦
黒ひげ大旋風（W・デズニー作品）

トラック競技の名コーチを自認するスティーブが夢と希望に胸ふくらませて着任したのはゴドルフィン大学。昔は陸上競技で鳴らしたが、いまや地上最弱チームでコーチが着任してもノイローゼになって蒸発するほど弱く、解散寸前というありさまであった。

「海賊黒ひげ旅館」難破船の破片の寄せ集めで作ったオンボロ旅館。悪名高い海賊黒ひげのゆかりの島に在り、子孫の婆さんたちが経営している。

州境にあるが、八十年前の洪水以来いつの間にか島になったもので、どちらの州に属するかわからないという場所。それに目をつけた賭博場のボスのシルキーは婆さんたちが借金で四苦八苦しているのにつけこみ、旅館を乗っ取って大賭博場にしようと策謀中。

この策謀を封じ、借金を返そうと婆さんたちが資金獲得海賊バザーを開いているところへ、泊りにきたのがスティーブ。同宿したというより、バザー委員長で大学の美人教授のジョーの魅力に参り、二百ドルの大金で海賊黒ひげ十番目の妻アルデザ愛用の柄つき湯たんぽを買わされてしまった。

海賊黒ひげの幽霊によって、突然トラックには大珍事が続発した

うっかりしてへし折ったこの柄から「アルデザの呪文と書いたボロボロの紙片が出てきたのでびっくり。"クリークルー……[illegible]を出して呪文を読んだ途端、雷鳴がひびき、こつ然現われたのが海賊黒ひげの幽霊である。

黒ひげが焼殺したアルデ[illegible]いで人間らしい良いことを[illegible]で浮かばれないことや、こ[illegible]を称えた人しか黒ひげの姿[illegible]ないことが解った。黒ひげ[illegible]同居では居心地悪いのでス[illegible]ブは自動車で逃げ出した。

「これは陸を走る船かね…[illegible]つの間にか乗り込んでいた[illegible]が酒瓶を抱いたまま話しか[illegible]にも舵をとらせろとハンド[illegible]をかけ、やたらにいじるの[illegible]車はジグザグ運転になり、[illegible]ち白バイにつかまってしま[illegible]自動車が酒くさい留置場にステ[illegible]には飲んだ形跡はなく、既[illegible]かりの白バイが無人で走り出したり、腰からひとりでに拳銃が空中に舞い上りパンパン弾丸が飛び出す突発事件が続くので呆気にとられた警官は、黒ひげの姿が見えぬままスティーブの仕業だと思いこみ留置場に放り込んでしまった。

スティーブは翌朝、証拠不十分で釈放されたが、彼が夜通し誰かとしゃべっているかのように独り言を続けていたと警察から知らされた大学の学長は、てっきり気違いになったと思いこみ、心理学専門のジョーに監視を頼んだ。

一方、もし旅館の婆さんたちが明夜十二時までに三万七千ドル払えないと抵当流れで旅館を取上げられるというジョーの話を盗み聞いた賭博好きの黒ひげは、ジョーのハンドバックからバザーの売上げ九百ドルを失敬し、五十対一の賭け率になっている明日の陸上競技大会に最低チームのゴドルフィン大学優勝に全額賭けてしまった。

競技大会開始！　ゴドルフィン大の負けっぷりの凄まじさは目をおおいたくなるほど。バザーの売上金をちょろまかし賭けをしたのはてっきりスティーブの仕業と思いこんだジョーは、この惨敗ぶりに青くなり、シルキーに賭けの取消を懇願したが、取り合うようなシルキーではない。この二人のやりと[illegible]

日本4H新聞

4Hクラブ
農事研究会
生活改善クラブ
全国弘報紙

発行所
社団法人 日本4H協会
東京都市ケ谷家の光会館内
電話（269）1675郵便番号162
編集発行人　玉井光
月3回・4の日発行
定価 1部 10円
6ヵ月180円（送料共）
一ヵ年360円 〃
振替口座東京 12055番

クラブの綱領

東北地方で4H推進会議開く

4Hの本質など討議

新春早々、雪の青森市で

クラブ、県連の問題に策

お正月気分の漂う去る七、八の両日、雪に包まれた青森市雲谷の「青森県青年の家」で東北ブロック4Hクラブ推進会議が全国4Hクラブ連絡協議会の主催、社団法人日本4H協会、青森県の後援によって開かれた。この推進会議は、全協事業の大きな柱の一つで、クラブリーダー養成とクラブ活動の推進を目的とする中央推進会議のブロック版。福島、宮城、山形、岩手、秋田、青森六県連から会長はじめ次期リーダー、全協役員、4H協会、青森県関係者など五十余名が参加、4Hの本質、クラブ活動の進め方などについて熱心に討議研究した。

まず一日目は、午後一時から開会式、全協執行部による推進会議の意義についての説明のあと、二時から「4Hの本質」について4H協会・新田事務局長の講義を聞いた。続いて代表者会議、夕食・入浴などのあと夜は分科会を開き新田事務局長の講義の内容を中心に「4Hの本質」について討議研究した。九時から「東北ブロック4Hクラブ連絡協議会」について打合せをした。

二日目は、朝のつどい、朝食などのあと午前九時から全体会議を開いて前日の分科会報告をもとに話し合い、続いて実践活動についての座談会を行なった。最後に「東北ブロック4Hクラブ連絡協議会」の結成を決め、規約などを審議して閉会した。

なお、分科会や全体会議では、県連の悩み、クラブの大型化によって生ずる問題、女子活動、4Hの本質と実際の活動面における問題などが話し合われた。

クラブ大型化における問題では人数がふえると、どうしても実際の活動上において、年令や中卒・高卒など学歴によって技術のレベル、意識などの面に高低の差が生ずるが、これらの問題をどう解決するかについての意見がかわされた。

これに対し年令の問題では、年令を制限すると組織としての実績が上らないので、低い方が高い方に、高い方が低い方にレベルを合わせるように努力している、4Hクラブは乗り合いバス型であるが部門、課題別に分ける、いわゆる機能的な4H活動にすれば問題が解決できるのではないか—という意見に同調者が多かった。

クラブ活動における女子活動のあり方については、いつも話題にのぼるが、男子クラブ員が女子クラブ員にアドバイスしたり、宮城県連のように女子だけのクラブ推進会議を実施して効果を上げてきているところもある。また、共同プロジェクトをもつことによってクラブ員の緊密化に効果を上げている例などが出された。

4Hの本質については、実際の活動と照し合わせた場合、本質に合った活動をしているクラブもあるが、この本質論を初めて聞くクラブ員も多いようである。しかし本質にそいながら地域の実情に合わせて活動を進めて行こうという意見が大勢を占めた。

名称については、4Hの本質にそう活動をしていながら、4H以外の名称をつけているクラブがあるが、これに対しては、4Hの精神に基づいて学習しているならば、4Hクラブと名称をつけるべきであるとの意見が述べられたが県などの補助が青少年クラブでないと出ない場合もあるので難しいという声もあった。しかし自分たちのクラブは自分たちと地域発展のためのクラブであるので、信念をもって活動していれば周囲がついてくるとの結論めいた意見が注目された。

さらに県連活動に関しては、結成後まだ日が浅い（青森、山形など）ので、県連と地区連のつながりが薄い点や、農改普及所の統廃合がはっきりしないためクラブ活動を進める上で混迷している（岩手）、県自体が県連と違う方向に動こうとしている（福島）などの悩みが訴えられた。これに対し県連と地区連の関係では、県連の役員が地区を巡回（オルグ）して地区連の意見を聞くとともに、県連の方針を説明したり、また研修会や農業祭などの行事で県連と地区連役員が意見の交換を図ればその悩みも解決できるのではないか—など日頃の実践活動を通じて体験した問題解決の対策論がとりかわされた。

会館建設委員会開く

全協も今春初の執行部会

全国クラブ員の殿堂—4H会館建設推進の中心母体である日本4H会館建設委員会（委員長、[illegible]全協初代会長）では、さる二十一、二十二の両日、東京・新宿区市ケ谷船河原町の家の光会館内全協事務局で会合を開き、建設資金の募金状況や今後の対策などについて協議する。

会館建設委員会では、昨年、前事務局長・折原一近元全協会長（栃木県）の辞任に伴う新事務局長の選任と同時に、事務局次長の増員など規約の一部を改正する案に関して委員総会を開いたが、その結果が報告、承認されるものと予想される。

この事務局次長の増員は、募金活動の進展など会館建設の推進に伴って大幅に増加してきた事務量を処理するため事務局体制の強化を図るものである。

この委員総会によって折原前事務局長の辞任が承認され、今回の会合で、さきに新しい事務局長に内定されていた遠藤清之丞元全協事務局次長（神奈川県）が正式に選任されるものと思われる。

また、全国4Hクラブ連絡協議会（会長、丸山勉君）でも同日、全協事務局で今春初の執行部会を開き、「第五回全国4Hクラブ員のつどい」などについて意見をかわすことになっている。

涼風暖風

密植ぎみの大学生

……的になるに違いない。つまり、大学生と同じ年令層の青年のうち、一九・四%が大学……うに五段階成績を用いている。五がいくつあるとか、二が増えちゃった、とか、学校時……

（文部省・伊藤）

草の根大使を募る

男女一名ずつを派遣

六ヵ月間米国の家庭で生活

社団法人日本4H協会（松下幸之助会長）は、国際農村青年交換（IFYE）計画に基づいて四十四年度も4Hクラブ員二名（男女各一名）を米国に派遣することになり、広く全国から希望者を募集する。この派米4Hクラブ員は、各都道府県関係担当課から推せんされた人たちの中から選ぶことになっているが、多くのクラブ員の応募が望まれる。

この4Hクラブ員の米国派遣は、今度で十五回目で、派遣された4Hクラブ員は、約六ヵ月間米国に滞在、二州の指定された受入れ農家に入り、その家庭の一員として生活、農業や農家生活を体験すると同時に、同国の風俗や文化などについて学ぶかたわら、関係地域のクラブ行事、小・中学校、教会などの会合に出席して日本のそれらについても紹介する。またこの間、毎年八月米国で開かれる世界4Hクラブ大会に参加して約六十ヵ国の4Hクラブ員代表と交歓する。

このように派米クラブ員は、日・米両国の相互理解と親善のうえに大きな役割を果し、民間人の中に草の根のように広く根を張ることから別名"草の根大使""民間外交官"とも呼ばれている。また滞米日程の終了後、約十日間の自由時間があり、各地を見学旅行することになっている。

応募要領は次のとおり。

▽実施機関　日本側＝社団法人日本4H協会、米国側＝米国4Hクラブ財団

▽派遣員数　男子一名、女子一名

▽派遣の時期および期間　今春四月中旬から約六ヵ月間の予定

▽派遣される者の資格

一、現在、4Hクラブ員であって、クラブ活動の経歴が三ヵ年以上の者。

二、年令は、四十四年二月一日現在、満二十歳以上・二十三歳までの者で、未婚者であること。

三、健康で人柄などがこの計画にふさわしい者。

四、中学校卒業程度の英語を習得している者

▽派遣に要する経費

（1）日米間の往復旅費は、日本4H協会で負担する。（2）米国滞在中の経費は、個人的経費（自由時間の見学費、みやげ物購入費など）を除き、一切米国側で負担する。（3）出発前の研修、諸手続料などで若干の経費を徴収する。

▽派遣される者の選び方

派遣される者は、第一次、第二次の審査を経て決定する。

一、第一次審査（一月中に実施予定）

第一次審査は書類審査とする。審査を受ける者は、次の書類を提出すること。

❶履歴書（本人自筆のもの）二通❷戸籍謄本一通❸健康診断書一通❹写真（最近三ヵ月以内に撮影した無帽上面上半身のタテ・ヨコ五枚大で背景白で無台紙のもの）五葉❺両親（またはこれに代る者）の同意書一通❻クラブ歴に対する知事の証明書一通

二、第二次審査（三月上旬に実施予定）

第二次審査は英語試験を含む面接審査とする。

▽出発前の研修

派遣される者に対しては、出発前約十日間の事前研修を行なう。

▽推せん状の提出期限

推せん状は第一次審査に必要な書類を添えて来る二月二十日までに提出願いたい。

相互の連絡協調へ

東北（六県連）で「協議会」結成

雪国、青森市雲谷の「青森県青年の家」で開催された東北ブロック4Hクラブ推進会議の二日目のさる八日、「東北ブロック4Hクラブ連絡協議会」の結成について協議され、万場一致で可決された。

この協議会は、東北六県（青森、岩手、秋田、宮城、山形、福島）の4Hクラブ連絡協議会によって組織、東北ブロック4Hクラブ（農村青少年クラブ）員の連絡提けいを図るとともに、東北ブロック4Hクラブの健全な発展を目ざそうというものである。昨年八月、山形県で開かれた「第八回全国農村青少年技術交換大会」において協議会結成の話しが持ち上がったのを契機として、昨年の暮、静岡県御殿場市の国立中央青年の家で開かれた「全国4Hクラブ中央推進会議」の期間中に話し合われ、その後準備を進めていたもの。

今後、年に二、三回会合を開いて各県連の連絡協調を図ることになっているが、このブロック協議会の結成によって、東北六県連のクラブ活動、県連組織が充実、強化されるとともに、全協に対して東北地方クラブ員の意見がさらに反映されるものと思われる。

なお、当日決定した規約の主な内容は次の通り。

第一条　総則

▽第一条　本会は、東北ブロック4Hクラブ連絡協議会（以下本会と称す）といい、その事務所を会長所在県、県連事務局内に置く。

▽第二条　本会は、東北ブロック4Hクラブなど農村青少年クラブ（以下4Hクラブという）員の連絡提携を図り、4Hクラブの健全な発展を図ることを目的とする。

▽第三条　本会は、前条の目的を達成するため、次の事業を行なう。

一、4Hクラブの連絡協調に関する事項

二、4Hクラブの活動に関する資料の蒐集および紹介

三、4Hクラブ員相互の研さんに関する事項

四、関係官庁および友好団体との連けいに関する事項

五、4H会館建設推進に関する事業

六、その他本会の目的を達成するために必要な事項

第二章　会員

▽第四条　本会は、青森、岩手、秋田、宮城、山形、福島の各4Hクラブ連絡協議会をもって組織する。

第三章　役員

▽第五条　本会に次の役員を置く。

会長一名、副会長二名、事務局長一名、委員十一名、監事三名

▽第六条　役員の選出は次のとおりとする。

一、会長、副会長、監事は総会において委員の中から選出する。事務局長は委員の中から総会の承認を得て会長がこれを委嘱する。

二、委員は会員の中から各県連ごとに原則として男二、女一名を選出する。

▽第七条　会長は本会を代表し会務を総理する（以下略）

▽第八条　役員の任期は一ヵ年とし再選をさまたげない。

▽第九条　本会は、顧問および参与を若干名置くことができる（以下略）

第四章　機関

▽第十条　本会の業務を執行するため事務局を置く。

▽第十一条　本会は次の会議をもつ。

一、総会　二、委員会

▽第十二条　総会は本会の最高議決機関とし、各委員をもって構成する。

以下第十三条から第十七条まで省略。

なお、役員として会長と事務局長は岩手、副会長は青森（男）宮城（女）監事には山形、秋田、福島各県連から選出されることになっている。

知事ご夫妻を囲み

「クラブ員の集い」計画

兵庫県連

【兵庫】兵庫県農業青年クラブ連絡協議会（会長、天羽竜文君）は、知事ご夫妻を囲むクラブ員の集いを二月中旬に開催する計画をたて、現在その具体案の作成を急いでいる。

このクラブ員の集いは、知事ご夫妻に、日夜農業と生活の改善に努力しているクラブ員の卒直な意見を聞いてもらい、それを県政に反映してもらおうというもので、この集いには男女クラブ員のほか父兄やクラブOBなどにも出席してもらう予定である。

4Hクラブ員が表面に出る

静岡県の農業祭

【静岡】県と県農林水産振興会の共催による第七回県農業祭が、来る二十八、二十九の両日、静岡市で開催されるが、今回はとくに農林水産後継者を激励するため4Hクラブ員と高校生による研究発表が予定されている。また二十八日午後[illegible]時から農業祭パレードがおこなわれるが、このパレードには静岡農業高校のブラスバンド……

新春に思う

16億3,000万

（大阪・川端）

東八代4Hク連絡協議会の新役員

須賀川4Hクラブで創立五周年記念式

心頭技健

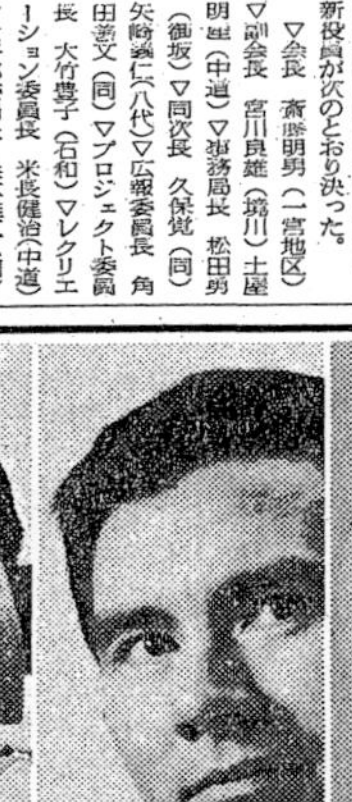

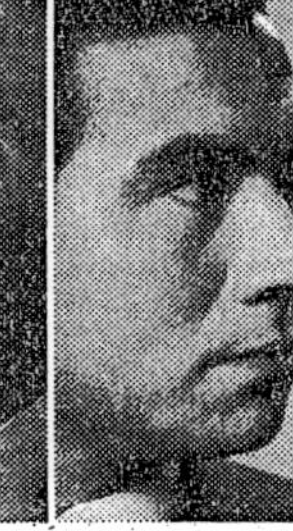

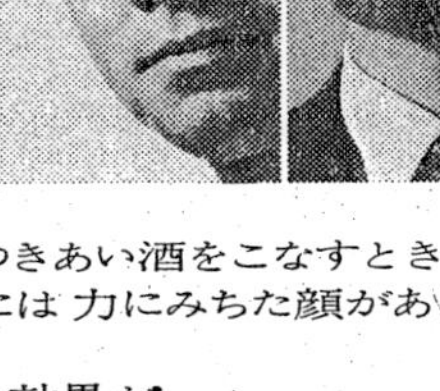

プロジェクトとは何か

——研究会のシンポジュームから（2）——

出席者〈発言順〉

栃木県専門技術員　湯浅甲子
埼玉県農業経営伝習農場長　星野武四郎
4HクラブOB（千葉）　峰島伝夫
日本4H協会事務局長　新田健吉
司会・全国4Hクラブ連絡協議会監事　村上光雄

このプロジェクトについてのシンポジュームは、昨年の春、静岡県御殿場市の国立・中央青年の家で開催された全国4Hクラブ連絡協議会と日本4H協会主催の「全国4Hクラブ中央推進会議」で行なわれたものです。（文中・敬称略）

司会　どうもありがとうございました。では新田先生お願いします。

新田　私は、基本的な問題を申し上げてみたいと思います。

ただいま、三人の先生方から実際に発表しました、そのサンプルを中心にしまして、プロジェクトに関する考え方、ということでいろいろご批判を加えてお話しいただきましたが、私は少し観点をかえまして基本的な考え方から「プロジェクトとは何ぞや」ということを申し上げたいと思います。

4Hクラブは、みなさんがご承知のとおりに将来立派な人間になるための青少年の間における勉強の場である、教育の場である、こういうことなのです。それでは、将来立派な人間になるためには、自分の持っている能力のどの部分を伸ばしていけばよいか、ということなのです。それで4Hクラブでは、長年の研究の結果、個人が持っている頭の訓練、腕の訓練、心の訓練、それから健康の訓練、この四つの個人の能力とか働きというか、そういうものを伸ばしたならば、一人ひとりが自然のうちに社会の発展に貢献できるような立派な人間になると、こういう考え方が4Hクラブの考え方なのです。

しからば、この四つの能力を伸ばしていくには、どういう方法をとるか、自分の頭、技術、心、健康を訓練するにはどういう手段をとるか、こう考えました時に、4Hクラブでは、その手段として絶対のものを二つ考えているのです。一つはプロジェクト活動、一つはクラブ活動です。

したがって、この手段をさらに分けて考えてみますとこれはすべての活動が全く有機的に活動しているのです。有機的に効果を表わしているわけでございますけれど、一応解りやすく申し上げますと、主として頭と腕の訓練はプロジェクト活動によってなされるのです。それから次のクラブ活動によっては、主として人間のハートの訓練を身につけていくんだという、こういうふうな考え方です。健康はプロジェクト活動やクラブ活動をやることによって身につけていくんだということです。これは、はっきり分れたものではございませんが、解りやすくいってみればこういうことなのです。

主に頭と腕の訓練
まず自分をしっかりと

こういう点から考えてみますと、プロジェクト活動というものは、これを絶対に手段としてやらなければ、頭の訓練もできないということなのです。ですから、こういう点からプロジェクト活動を考えていきたいと思います。

そうなってきますと、それではどういう頭を要求されているかといいますと、科学的にものを判断して、科学的に行動することを、命令を下せるような頭脳を訓練しようとしているわけです。したがって、プロジェクト活動というのは頭の訓練であり、そのやり方は問題点の発見であるとか、改良点に対して計画を立てるとか、それに基づいて実践して、その結果に反省を加えてみる、というように一つのものを解決していく過程において訓練されるわけです。

私は、今日ここへ来る時に一つのプロジェクトを持ってやって来ましたが私のプロジェクトは見事失敗したのです。なぜかと申しますと、私は朝、東京を発って十一時頃ここへ着く予定だったのです。私があさ東京を発って十一時にここへ来るというのは、一つの課題、プロジェクトなのです。

ところが私は失敗したのです。どういう失敗をしたかと申しますと、十一時に着けなかったのです。これは、この課題を解決するための調査が足りなかった。電車の時間表を見たのですが、見ましたところが私は横浜に住んでいますが、横浜駅を九時すぎに発って、ここへ十一時に着く急行電車があるのです。ところが駅に行ってみますと、この電車は休日だけしか運転しないんです。したがって次の電車まで待った。いわゆるプロジェクトを解決するための調査が足りなかったわけです。そういうことなんです。

こんど私は御殿場へ十一時に来る時には、けしてそんな間違いはしません。いわゆるそういうふうなことを、くりかえしくりかえしやっていくことによって科学的に判断できる頭の訓練ができるわけなんです。これがいわゆる4Hクラブ活動でいうところのプロジェクト活動であります。

それでみなさんたちは、その課題をですね、将来は農業にたずさわる、あるいは農家の主婦になるという目的のために、もっとも関心の深い農作業、あるいは生活の問題を自分の課題として取り組んでいるわけです。しかも、それが将来の職業に、はっきりと生かされるということですから、農業者としてこれほど良い勉強の方法はないと思うわけです。ですからプロジェクトというものは何も農業者だからといって農業のテーマを選ばなくてはならないという性格のものではないわけです。

とにかく、頭の訓練に役立つような問題を解決する時のとり組み方、その一連のシステムのことを総称して、これをプロジェクトと呼んでいるわけです。

それからもう一つ申し上げたいことは、4H新聞にも書いてありますように、プロジェクトということばの語源は、前向きの姿勢なのです。物を投げ出すとか、自分でぶつかっていくとか前に飛び出すとか非常に前向きなのです。

したがって、プロジェクトというものは、きわめて積極的なのです。現状を一歩でも前進するための課題の解決法なのです。プロジェクトの性格は、そういうものなのです。そういう点から考えてみますと、みなさんの発表を聞いていまして、なるほどそういう気持でやっていますけれども、私の申し上げましたような観点からいたしますとその発表の中で「これはこうであったけれど、こういうふうにしたら、こういうようなプラス、前進があった」という発表が必要ではないかと思います。

司会　どうも先生方ありがとうございました。それでは四人の先生方にただいまお話しいただきましたことに対して、一人二分ずつの補足をお願いします。

湯浅　こんどは基本的な問題にふれたいと思いますが、分科会などで話し合いになった中で"友だちを得たい"ということでクラブに入って、クラブ活動をやった後で友だちができて良かったという、こういう実感がみなさん方にあるようですが、いわゆるクラブ活動は友だちを求めて入って、友だちを得て出ていくという、友だちと友だちの間にあるのがクラブ活動であるようです。

その間にあるクラブ活動は、いったいどういうことなのかというと、たとえば、ほんとうの友だちを求めることができることは、どうしてできるかというと、やっぱり私はこう思うのだということを持っていないと親友というものはできてこない。みなさん方は友だちを持っているでしょうが、ほんとうに頼りがいのある親友というのは、そう多くはないでしょう。

ほんとうに頼れる友だちというのは、こっちが何かいうと「きみ、それはそうじゃない、こうじゃないか」といってくれる。そういう相手の方が友だちがいがあるものなのです。つまり、ほんとうの友だちになれるということは、お互いに自分というものをしっかり持っている人たちであって、いつも賛成したり、いつも反対するような人は頼りがいのない人なのです。そういうふうに考えてみると、やはり、自分というものをはっきり握っていくということが、クラブ活動のすべてだろうと思うのです。

それが実は、プロジェクトというものの手段を通して自分というものをしっかりと握っていくことなのだろうと私は思うのです。ですから毎日プロジェクト、プロジェクトというと、何か難かしいもののように思うでしょうが初めの計画は極論をいったら、計画を持たなくてもプロジェクトは始められる、つまりプロジェクトの前提として毎日の生活なり、自分のやっていることを記録していけばいいのです。記録から始まるとその中から、ほんとうの問題がつかまえられる、こういうことだと思います。

ですからクラブに入ったらプロジェクトを始めなくてもいいですから、まず、生活の記録を始める、それが自然にプロジェクトに入っていく近道だと私は思います。そういう点で記録から生まれてくるプロジェクトというのはたくさん種類があります。そういう点さきほどいわれた四つのHがありますから、心をテーマにしたプロジェクト、あるいは頭をテーマにしたプロジェクト、腕、健康をテーマにしたプロジェクト、こういうものがあっていいと思います。そう考えますと何んでもプロジェクトになりそうですね。

司会　ありがとうございました。次に星野先生お願いします。

星野　いま、プロジェクトの導入の仕方ということでお話しだったわけですが、みなさんはエリート中のエリートだと思います。えらばれる青年であるわけです。ですから私がこれからいうことは、みなさんにはあてはまらないことだとも思います。まず、私どもが農家と二十年来接触してきましたが、痛切に感じますことは、農家は計画性が非常に弱い。

（つづく）

プロジェクトはクラブ活動の生命である

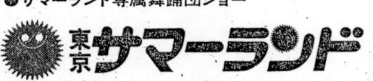

4Hクラブ発足20周年記念懸賞募集入賞文

ほしい、活動の教材

プロジェクトの体質改善について

全国大会やスポンサーの開発も

4HクラブOB（三十八年度派米生）　青木静子

私は、昭和三十五年、[illegible]化農業の夢を実現させてくれました。

また自家用車の購入に伴い生活のスピード化、生産、消費の合理化が進んできました。かつてうらやましいと思って見てきたアメリカの生活が、今、私たちの目の前に次々と現われてきます。

現在のクラブ活動においては集会時には自家用車でのりつけ、会合の後には社交ダンスをすることなどは、かつて私が滞在中うらやましく思えた一面でした。

いったい、このすばらしい波は、私たちの前にいつ波及してきたのでしょう。私は帰国後、五年間のクラブ活動をかえりみながら、今、プロジェクト活動の進展の遅れを感じずにはおられません。私は、この機会にのぞみ、プロジェクト活動の体質改善の必要性と私の考えを述べたいと思います。

私は、これまで何度かプロジェクト課題の選定に困っているクラブ員に相談をかけられたことがあります。そしてその時、彼女らはきまってこういいました。

「食生活の改善や作業衣の工夫じゃなくて最新鮮味のあるもの」と。一口に女子むきのプロジェクトと称されるものは先入観的に魅力を失っている事実をはっきり示しています。私はそんな時、アメリカから持ち帰った資料を与えたり、プロジェクトのとりあげ方について話しましたが、これは大変大きな問題であると感じました。

元来、私たちのプロジェクトは必ずといってよいくらい、プロジェクト発表会に結びつき、その発表会の採点法になんらかの影響を受け、共同で工夫したもの、あるいは地域の人々にどのくらいそれが役立ったかなど、実に指導共に膨大なものを想像させてきました。その結果課題の選定に迷うような結果をもたらしたのではないかと思います。

私は、ここにプロジェクト体質改善の一端として、第一にプロジェクト指導法の改善と教材の必要性を強調したいのです。

プロジェクト指導法の一例として米国の室内装飾のプロジェクトをとりあげてみますと、初心者が何から始めたら良いかという次のような教材があります。

第一に、室内に小さな変化をつけること。例えば、自分の部屋にごみ箱、黒板、小物入れを作る。

次に、カーテン、マットカバー。

第二段階　自分の部屋と隣接部屋の装飾、そのほか家中の室内装飾

第三段階になると興味と意欲にもえて、家族や普及員さんなどの指導を得て本格的な研究に入りプロジェクトが専門化して行きます。

次の段階ではプロジェクトがカーテンの工夫、マットカバーの工夫、などというように具体的になって行きます。初心者にプロジェクト活動をむずかしいものではないという先入観を与えるためにもよい教材が必要であることを感じました。

私は帰国の際数々の資材を持ち帰りました。それらはさながら米国の百年の歴史を物語っています。

しかしいつか、今日もたらした近代の波と同様に、米国の数多い資料も遅かれ私たちの間に波及してくるものと思います。出来ればこの際、わが国に適した教材を選択して、プロジェクト活動に一層の拍車をかけて欲しいと思います。

"小さな工夫がやがて大きな仕事を創造させる"という信念のもとに初心者のプロジェクト活動を大事に育てて欲しいと思います。

第二に、プロジェクト活動を中心とした全国大会の開催です。

私は滞在中、多くのプロジェクト大会に参加し、その規模の大きいことにたびたびおどろかされました。同時にその時プロジェクトの成果をみたような気持がしました。

プロジェクト発表会、デモンストレーション、農産物、食品加工、[illegible]会、木工、手工芸品、[illegible]会、盲導犬の[illegible]、弓道の競技会、ファッションショー、かくし芸大会、ダンスパーティーなど[illegible]ティーに富み、[illegible]参加しても感嘆させられるものばかりでした。

クラブ員は、毎年行なわれるこの大会をめざし精進しているといわれましたが、わが国における高校野球の如く、同志が一つの目的に向って奮闘していることを知らされた時、一層その価値を強く感じさせられました。また参加出来るということは最高の栄誉であるとともに、次期プロジェクトリーダーとしての意識を高揚させるという大きな働きをもっているといわれています。

出来ればわが国の大会も、プロジェクトごとに多くの参加資格を与え、自然にプロジェクト活動の意欲を盛り上げ、そしてまた有能なプロジェクトリーダーの育成に活躍出来るような全国の大会を開催して欲しいと思います。

第三、プロジェクト活動とスポンサーの開発

私たちの活動は、単に農村地帯にのみ孤立し育つべきものではないと思います。世の中の広範囲に根をおろし、多くの指導機関から適切な指導をあおぐべきだと思います。

その指導機関、つまり、農機具会社、食品加工会社、電気器具会社、ミシン会社その他プロジェクト活動を助長させると思われる機関をスポンサーとし、プロジェクトの成果の交流をはかって4Hクラブ活動のバックボーンとし、プロジェクトの最優秀者には多額の資金や賞品が与えられたら、これまで以上にその魅力に活発な活動がなされるのではないかと思います。

国情といえばそうかもしれませんが、米国における4Hクラブのスポンサーは多額の4H基金を与え、プロジェクト活動になんらかの進けいをして、大きな地位をしめているといわれています。私たちもさらに活動意欲を倍増させるためにも、多くのスポンサーを開発して行く努力をしたいものだと思います。

とにかく、現在の段階では指導機関もごく限られ、また資金面でもなかなか思うように行かないと思いますが、少なくともプロジェクト全国大会に出場出来たようなクラブ員に対してはプロジェクトの篤指導者としてなんらかの地位を与え、指導をあおぐべきだと思います。

私の過去の体験とからみあわせて、以上のような三点をあげました。この実現は決して安易なものとは思いませんが、プロジェクトの問題を語り合うとき、話題のきっかけとなっていただければ幸いと思います。

私は、クラブ活動を終えて四年、今は水田酪農を営みながら一児の母となりました。日本4H新聞などを通して年々進展して行くクラブ員の成長を知るとき、限りない喜びを感じずにはおられません。

しかし、時代の流れはたゆむところなく一層歩調を早めてきます。私たちは単に農村にだけ通用する人間であってはならないのです。日本の青年として最もすぐれた働きを要求されているのです。農業は米来の工業国家においても最大の礎（いしずえ）に他ならないからです。

私はここに4HクラブOBとし、何らかの責任を感じ得るのであります。

嫁という立場上、そう思うようにお役に立てませんが、これからもクラブ員の皆様と共に4H精神を持ち続け、自からの幸せ、皆んなの幸せのために努力して行きたいと思います。最後になりましたが、常々ご指導下さいます4H協会の皆様、また関係諸機関の先生方お骨折りに心から感謝し、4Hクラブの一層の発展をお祈り致します。

（栃木県下都賀郡都賀町富張）

知っていて役に立つ話　みんなの保健衛生

ガス中毒に注意

寒い冬。やはり暖房でぬくぬくとしていたい今日このごろですが、ちょとの不注意でガス中毒にならないとも限りません。

一酸化炭素中毒症は軽いと頭痛程度ですが、ひどくなると吐気、めまい、けいれんを起し、さては死に至らぬとも限りません。

いま、かりに部屋の中の空気に〇・〇四％のガスが含まれていると約一時間くらいで頭痛がします。そして〇・三％になれば約五分で頭痛がして、三十分で死亡します。

原因は、ガスの元センのしめ忘れやゴム管のはずれ、いたみ、燃料の不完全燃焼による場合のほか最近では建物の洋式化で密室となり、換気が十分に行なわれないことも忘れてはなりません。

一酸化炭素中毒にかかって意識ははっきりしていても、体が思うように動かない時は一刻も早く大声で人を呼ぶこと。自分で体を動かせる場合でも、そうとう頭痛がするときは静かに外に出て、新鮮な空気を十分に呼吸すること。

意識不明になっている重症者の場合は、新鮮な空気のところに運び出し、衣服をゆるめ、呼吸が楽にできるようにします。そして相手の鼻をつまみ、口に口をあてて息を何度もふきこみ人工呼吸を続けます。と同時に、一刻も早く医師に連絡しましょう。都市でしたら、一一九番に連絡すれば救急車がきてくれます。

私の生活改善
全国4Hプロジェクト研究会から

私たちが工夫した 便利な物干し台
愛知県西尾市尾花町 西尾東部4Hクラブ　名倉敏子　生活部門

身近かな問題から改善の重点をみいだす

私たちが家庭生活を営む場合にいろいろな問題にぶつかると思います。衣生活の問題、食生活の問題、住いの問題など。このそれぞれの問題が私たちの毎日の生活の中に存在し、気づかないまま残されているのではないでしょうか。

私たち西尾東部4Hクラブの女子クラブ員は、八名おりますが、昨年あたりまでは、あまりプロジェクトらしい生活部門の研究をしていませんでしたが、今年からはプロジェクト活動をみっちりやろうと思い、私たちは、プロジェクト活動の課題の中で、まず、身じかな問題から毎日の生活をよりよく、楽しいものにしたいという目的で、改善していこうではないか、ということで話し合いました。

まず、私たち一人ひとりの家庭内の改善の重点をみい出し、自分じぶんの家庭の中でいろいろ問題点をさぐってみました。その中で日常生活でかかすことのできない「洗濯」ということに目を向けてみました。

洗濯をすれば、その物を干す場所と物干し台が必要です。そこで私たちは、プロジェクトの課題として"物干し台"の改善に重点をしぼってみることにしました。

みなさんの家庭では、どのような物干し台を使用していられるのでしょうか。私たちの西尾地区では、またまだ昔ながらの物干し台が多く使用され、いろいろな型のものが利用されているのが現状のようです。

私たちはプロジェクト実施に先立って、家庭の主婦の意見を聞いてみました。従来の物干し台を例に上げますと、不便な点は、移動することができない、不安定である、また、固定している関係で干す分量もある程度の量に制限されてしまうということです。仮に改良して移動できるようにしても、土台などをしっかりとしたものにしなければなりません。ということは移動するのはたいへん不便です。

この他に、私たちが家々を歩き回ってみて、このような欠点が少しでも改良された物干し台があるのに気づき、その物干し台について調べてみました。

私たちは、この物干し台を機能面からみた、アンケート調査をした結果、第一に安定感がある。第二に簡単にどこへでも移動できる。第三には干す分量によって自由に間隔がとれるようにできます。また、四ヵ所使用できる点など非常に便利です。第四には雨が降った時や邪魔な時などは、たたんで軒下などの少しの場所に保管できる。第五に軽くて移動に便利である。という以上のような利点が上げられました。

ではこの物干し台が、西尾地区でどの位普及しているのだろうかと調査しましたところ約二十軒の普及率でした。私たちは、この物干し台を家庭から借用して実際に、いろいろな型や利点などを調べるために使用してみました。

図案の①②型は一部改良した物干し台ですが、この型は、高さは、イが一・七五メートル、ロが一・六四メートル、ハが一・一〇メートルで、この高さの決定については、着物の丈から割り出されています。したがいましてロは大人用、ハは小人用に工夫されています。この物干し台は安定感が一段とあり、取りはずしが自由になっていますので、邪魔な時は、取りはずして狭いところに置くことができるという便利な点もあります。

この物干し台に使用した材料は [illegible]

べき点があります。一つは、足をとりはずして移動を便利にするとか、また、ふとん、毛布などを干す場合にも邪魔にならないように干せるようにする。とくにふとんはすべりやすい欠点があります。私たちはこの二点について研究して工夫してみました。第一に、パイプとパイプをさしこみ、ネジで止めます。第二に、生竹を使って洗濯バサミを作成しました。この大きさは、ふとん用として竹の直径が二・五センチ。毛布用は直径一・五～二センチで、作り方は簡単で、市販の洗濯バサミをヒントにしました。このハサミで干し物をはさんで落ちないようにするわけです。

この物干し台ですと、ある程度のお金がかかりますので、家庭の廃品を利用して便利な物干し台ができないものかと研究した結果、第③図のような物干し台であります。

主な材料は、タイヤ、ビニールパイプ（二十ミリ）、ベルト、セメント、柱（枝のあるもの）を使用します。作り方は、タイヤの底にビニール袋を敷き、中央にパイプをさしこんでセメントでかため、パイプに柱をさしこんで出来上りです。

移動させたい時は、ビニールパイプから柱を抜いて、タイヤをころがしていきます。この利点は、安定感があり、移動できることです。また、この物干し台は一本柱ですので、たくさんの洗濯物を干す場合は、洗濯バサミの利用で、何段か縦に連げて干すこともできます。

この物干し台は非常に安価で簡単に廃品を使用して作成できますので、みなさんも一度家庭で試して下さい。私たちのプロジェクトは、このような物干し台の [illegible] た工夫の研究でしたが、この [illegible] をあしがかりに、生活上の問題をみいだして、プロジェクトを通して改善していきたいと思います。

①図　改良した物干し台

友だちとともに、物干し台の改善の研究に取り組んだ結果を発表する名倉さん

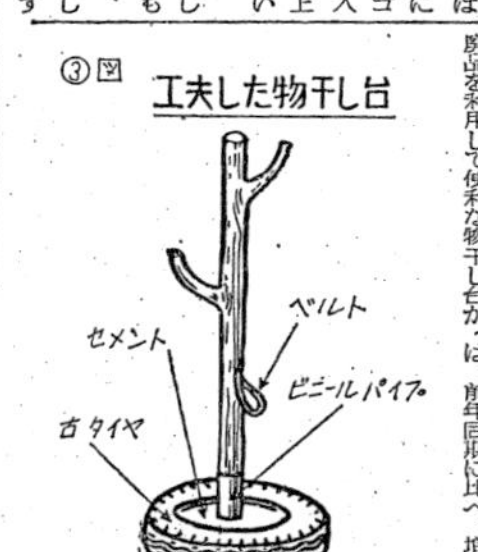

プロジェクトの取り組み方　展開編（16）
北海道専門技術員　三輪勲

演示主題の着目はプロに結びついた技術

[illegible]

出稼ぎ　前年同期より十パーセント減
農家世帯員の就業動向

農林省統計調査部では、昨年十二月二十五日現在における農家就業動向調査として、昭和四十三年九月から十月における農家世帯員の就業動向を発表した。

これによると人口の異動では、この二カ月における農家世帯の増加人口は六・八万人。一方、減少人口は八・〇万人で、差引き純減人口は一・二万人であった。これは、前年同期に比べ、増加人口、減少人口とも大差はないが、[illegible]

農政の研究（1）
総合農政の背景

（1）農業生産の基調

[illegible]

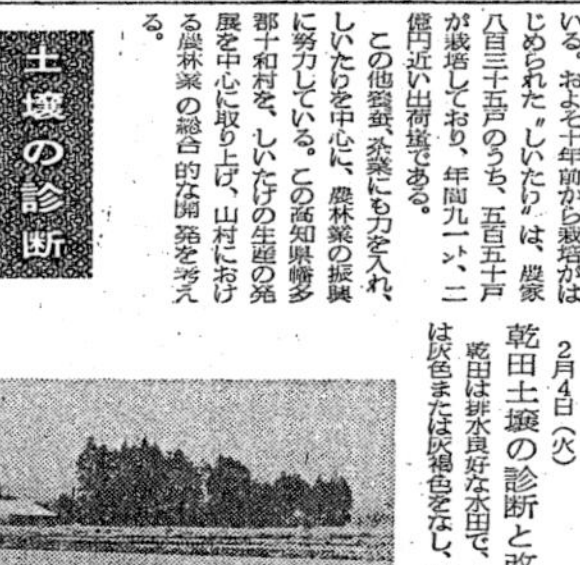

農業教室　NHK

土壌の診断

経営発展の課題

NHK農事番組（2月1日～10日）
テレビ　ラジオ

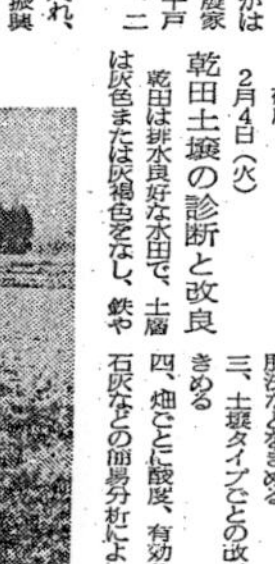

[illegible]

わがクラブわが同志

◀投稿案内▶
本紙は、みなさん方の新聞として、全国のクラブ員に利用して戴きたいと考えています。それでクラブの催しや個人のプロジェクト、詩、短歌、随筆、写真、悩みや意見、村の話題、伝説、行事その他なんでも原稿にして送って下さい。
お願い　❶長さや形式は自由です　❷できれば簡単な説明をつけた写真をそえて下さい　❸送り先　郵便番号162　東京都新宿区市ケ谷船河原町十一　日本4H協会編集部

可能性に立向おう
心の中に「悪魔」を住わして

山口県熊毛郡平生町荻原　山口県連副会長　福島保昭

現代の青年のことを「心の中に悪魔が住んでいる若者が少ない」といった人がいる。この悪魔とは何をしでかすかわからない不気味さとか、可能性とかを期待できる何かをもっているということだそうだ。

自分はどうなんだろうか—と考えてみるとき、ややもすると自分の城の中に閉じこもり、利己的な考えにとりかたまっていることがあるのに気付くのである。

私は、この「悪魔」という言葉で表現された何かをもたねばならないのだと思う。可能性を秘めた「何か」が現代では見当のつかないものであることは仕方ないことしても。

私はいま、みかん作りに一生懸命であるが、将来立派な果樹園主になるかも知れないし、あるいは、たわむれに画く絵が有名になって画家になるかも知れない。また、父の跡をついで僧侶になるかも知れない。何もかもうまくいかずに、のたれ死にするかも知れない。

その他にいろいろと可能性を秘めているかも知れないが、現在の私は、心の中に納得したつまらない考えを打破し、自分をもっと見つめ、自分自身に妥協することなく、あらゆる可能性をためしてみたい。と同時に、互いに悩み、苦しみを話し合える友を一人でも多く得て、お互いの心の中に共同精神、助け合いの精神を養うことが大切であると思う。

これに若さをプラスして、自分の住んでいる農村社会、日本、そして世界の情勢を客観的に見、考えることのできるよう勉強する努力が必要であるように思う。

昨年「竜馬が行く」のドラマの中で、若い日の竜馬が「俺は有名人になりたいとは思わない。ただ後世の人に思い出してもらえるような男になりたい」といっていた。自分のことより、まず地域、そして日本を見つめて考える。彼の若いときのこの考えが、明治の朝を迎えさせたのだろう。

私たちがいまの社会を見るとき、あまりにも多くの問題がありはしないだろうか。私たちがしっかりしなければ、つい、ずるずると引き込まれていきそうな気がする。将来の地域社会、そして日本をいや世界を左右するのだと思うとき、私たち一人ひとりが良質の土となって作物である明るい住みよい社会が一番育ちやすい状態にしなければならないと思う。

適地適作ということを考えてみても、土が良くなければ良い作物はできないのである。私たちが作りあげた土台の上に花をつけ、実を結ぶことによって、私たちの本当の社会、そして日本が建設されるのではなかろうか、そうでありたい。

若いときの失敗は決して恥ずかしいものではないはず、雪だるまはころぶたびに大きくなるのではないか。その失敗を基にして、また上達するものである。若いうちに何でもしておこう。それがすぐに自分の利益に結びつかなくてもいいではないか。自分の経営だけがすべてではないはず、まだまだ大きな問題に取り組み、ぶちあたってみる必要を感じる。

私も別に有名にならなくてもいい、後の人に思い出してもらえるような青年になりたいと思う。また、そんな仕事のできる青年になりたいものである。

初冬の空の下で

[illegible]本雅江

初冬のあたたかい日射しを受けながら
田んぼの畔に腰をおろしたら
そよ風が私の髪を撫でた
初冬の空の下は静かだ
まわりを見回しても誰れもいない
私の影だけが動く
ふと見上げた白い雲に
母の顔が浮ぶ……
お母さんとそっと呼んで見た
返事がない
やはり母はもうこの世にはいなかった
ただ水の音だけが空しく
いつまでもいつまでも心に響く
初冬の空の下で
悲しみをそっと水に流した
いつの日かきっと幸わせが来ることを
祈りながら……

（山梨県東八代郡中道町中畑　せせらぎ4Hクラブ女子部委員長）

再び日本を訪れたい
ジェロム君（元来日米ク員）から便り

日米両国の友好と相互理解のため、昭和四十年、農村青少年交換計画に基づき、米国4Hクラブ員代表として来日した、ジェロム・セバースン君から、近況を知らせる便りが愛知県春日井市明知町の鵜飼敏さんあてに届いた。

ジェロム君は当時二十一歳で、キャロル・ハッサさん、グロリア・パサラミュさん、アニー・バス君とともに、約六ヵ月間日本各地に滞在した。

その間、八月三十日から約二十日間、鵜飼さん宅に滞在し、帰国後も毎年同氏あてお便りが続いている。

なかでも、春日井市に滞在中、4Hクラブのメンバーや中学校の生徒たちによくいいきかせていた言葉のなかに

「私は、あなたたちのお国を訪問することができて、どんなに幸せであり、たいへん誇りとしています。なぜなら、祖国では私たちの同志の大半は、軍隊に徴用され、全世界の安全と平和のため守り続けています。私もおそらく大学を卒業すると同時、あるいは在学中でも徴用され、ベトナムに派遣されることでしょう。あなたたちのように両親はじめ家族と一緒に生活ができ、立派な農業経営ができることを大変うらやましく思っています」というのがありました。

この言葉が特に私の胸を強くうち「ジェロム君も、やはりそうなったのだなあー」と思い、あえて鵜飼さんあてのお便りを紹介し、全国の4Hクラブ員、そして日本から草の根大使として米国を訪問した諸君の温かい友情と激励を願う次第です。以下は、ジェロム君のお便りです。（愛知県・愛日農業改良普及所・石黒武彦記）

いまはベトナム派遣中　早く終らせたいこの戦さ

月日の流れの早さよ！先にお手紙を差しあげて以来、もう殆んど一年が過ぎ去りました。あれ以来いろいろなことが起りました。それで、それらのことをみんなにお知らせしましょう。

一年前、父の牛舎が焼失しました。電灯線に何か故障があって、漏電に引火して火事となり、それを消すことができなかったのです。しかし、幸運にも乳牛は外に出ていたときで、一頭も失わずにすみました。

父は、再建をするかわりに引退することに決め、乳牛は全部売りはらいました。

そして、いまは乾草やトウモロコシやオート麦の収穫中です。この作業でも、父はなかなか多忙ですが、乳牛を飼っていたときのように毎朝毎晩の作業はなくなりました。それで、両親とも生活を楽しんで、かなりの旅行をしたりしています。

私は、一年前卒業するまで大学に行っていました。卒業直後、陸軍に徴兵されて、その結果、現在の生活に入った次第です。

最初、南カロライナに派遣されましたが、一ヵ月前にベトナムに来たわけです。この戦争やここベトナムにいることを是認するわけではありません。米国が極東で戦うことがこれ以上継続しないように希望します。

私は除隊すると同時に、即ち、一年後に結婚する予定で、美しく好ましい一女性と婚約いたしました。ここへくるために、両親や婚約者と別れるのは非常な苦痛でした。

しかし、安全地帯で、いい仕事をしております。Nha Trangというところに駐屯しています。サイゴン北方、約一六〇マイルの海岸に沿ったフランス植民地時代の保養地です。週刊雑誌に物語りを書いているので、一日の大半を事務所で過しています。

ご家族のみなさま、ごきげんいかがですか。おじいさんやおばあさんもお元気ですか、息子さんは結婚されましたか。

台風がなく豊年であったことと推察します。貴家滞在中に襲われた台風をおぼえておいでですか。私は決して忘れません。

私は、貴家滞在中のいろいろのすばらしい思い出を持っております。そして、くつろいだときには何べんも写真をながめます。

ベトナム滞在中に貴家を訪問したいと思っています。六月か七月には日本へ行くことができますがまた後でお知らせします。

私は、あなたのお国が好きですから、どんなにしても、日本へ行こうと思いますが、どれだけ日本で滞在時間があるかわかりません。日本へ着いたら、私は最初にあなたのお家へお訪ねしたいと思います。あなたの家に滞在中にお目にかかった皆さんによろしくお伝え下さい。

ウイスコンシンでは、一九六八年の初めから春までは非常に寒く雪はたいして降りませんでしたが雨が降ってよく氷ったものです。二月に母親が氷の上で転んで、手首を折りました。右の手首でしたので仕事をすることができませんでしたが、いまでは完全になおりました。

ことしはすごい雪が降り、いまは非常に寒いです。この夏は雨が多く、全穀物の作柄は良好でした。ここ数年間での最良の年でした。

さて、筆をおかねばなりませんが、またすぐにお便りをしましょう。

（SP/4 J. Severson US56460788 5th PID. HQ. IFFV APO SF96350）

青少年団体の紹介 (10)

友愛青年同志会

自己の尊厳を自覚
人間性を根本とした三原則

[illegible]

……月刊発行され、本会の主……するとともに、各種の……究の結果を発表し、世……る広報活動の大きな力……おります。また、各支……い機関誌、文集など……地方色豊かな主張を……会員相互の親睦を深め……大きく役立っております。

友愛山荘建設運動

……創立以来、青少年の部……を重視し、昭和三十二年……荘」の建設を決定して……て各地に、青森友愛……沢友愛山荘、尾道友愛……友愛山荘、那須友愛……完成し、さらに建設運……進めています。

入会案内

……趣旨に賛同する青少年……でも入会できます。……くは同会の事務所に……せ下さい。（東京都文京区音羽一—七—一　TEL 九四一—二六……三一—八八八）

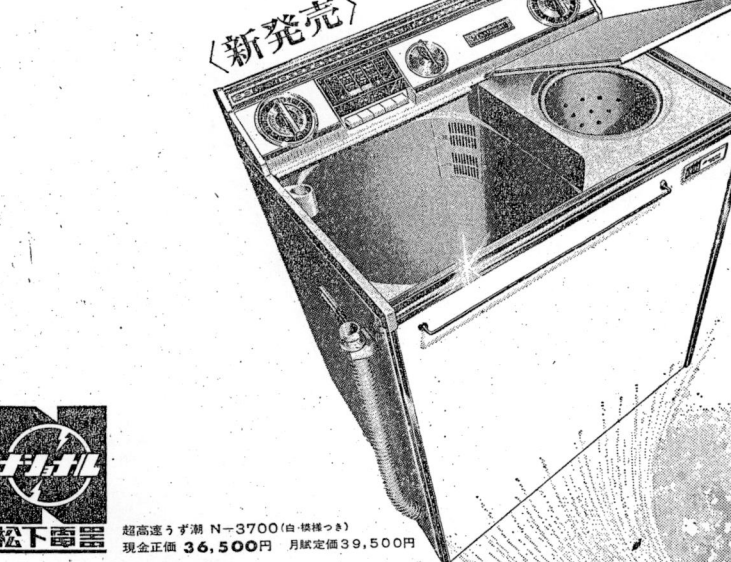

第15回大会であいさつを述べる鳩山薫子会長（昨年4月29日尾崎記念館で）

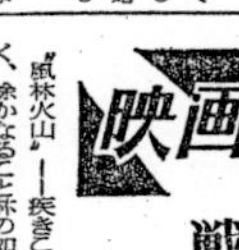

戦国の軍師描く
風林火山（三船プロ製作）

"風林火山"——疾きこと風の如く、徐かなること林の如く、侵掠すること火の如く、動かざること山の如し——。この旗印を押し立て、戦国の世を席捲した英雄武田信玄のもとに一人の神の如き奇才を持つ軍師がいた。山本勘助という。

井上靖は、この智謀の士勘助を主人公に名作「風林火山」を創り、井上文学不朽の一点とした。それを三船敏郎が情熱とファイトで製作、日本映画史上最高の陣容でのぞんだ本格時代劇である。

☆　☆　☆

群雄割拠する戦国時代—一介の軍師に過ぎない山本勘助（三船敏郎）には、大きな夢があった。名君とうたわれる甲斐の武田信玄（中村錦之助）に仕官して、自己の持つ鋭く豊富な軍略を駆使し、やがては武田一門によって天下を平定せんとする、それはまことに壮大な野望であった。

山本勘助(三船敏郎)は、神の如き奇才をもって武田信玄に仕える軍師であった。

しかし尋常な手段では仕官は叶わない。勘助は一計を案じた。武田家の家老板垣信方に刺客を向け板垣が危機に瀕した際、助勢に飛び出して刺客を追い払い、板垣に恩を売り、武田家への推挙を依頼しようというのがその計画であった。この"暗殺劇"は成功し、勘助は武田の家臣となった。

天文十三年、信濃の諏訪頼茂はわずかな伴を連れ、武田の居城を訪ずれた際、勘助は頼茂殺害を主君信玄に進言、能楽舞の最中、部下に命じて頼茂を斬った。頼茂の正室弥々は信玄の妹であったが、昨春死亡、もはや義兄弟でも姻戚でもないというのが勘助の冷酷な主張であった。

目的のためには冷酷非情な手段をもいとわぬ勘助を、信玄は頼もしいとも思う反面、底知れぬ怖しさを感ずるのであった。

主を失った諏訪高島城は難なく武田の手におちた。全滅の城内で勘助は自害をはかる由布姫（佐久間良子）を救った。「父を欺し討ちにした人非人」と姫から罵倒されながらも、かえってそれが快よい。勘助は無意識のうちに姫を愛しはじめた。

信玄は由布姫を側室に欲しいといいだした。度重なる説得で、由布姫は遂に血を吐く思いで父の仇信玄の側室になった。勘助の表情は暗く沈む。

武田の軍旗"風林火山"の進む所、近隣の敵はことごとく征服されて行った。残る当面の敵は更級郡を支配する村上義清のみ。

天文十五年、武田勢は村上義清の居城信州戸石城を包囲、勘助の策略で戦わずしてこの城を手中に収めた。

その年、由布姫に男子出生、名を勝頼と命名された。父の仇の側室となり、その人の優しさに包まれ今またその人の子を生んだ我が身、由布姫は愛と憎しみとの相剋の炎の中に我が身を焼いていた。

永禄四年八月十五日、上杉謙信（石原裕次郎）は一万三千の大軍を率いて川中島に戦陣を布いた。一方、武田信玄も一万八千の軍勢を指揮して川中島にある海津城に進出した。

宿命の決戦は刻一刻近づきつつあった。やが戦いの火蓋は切って落された。勘助は謙信の背後の妻女山から攻撃を仕掛け敵を追い落すという作戦を信玄に提案した。

しかし、謙信は武田方のこの作戦を事前に察知し、前夜のうちに妻女山から軍勢を移動し、一気に武田の本営に襲いかかってきた。この一大危機に武田方は防戦一方に追い込まれた。この上は自ら決死隊を率いて上杉の本営に突撃する—勘助はそう決意した。

「勘助、必らず死ぬなよ」信玄の言葉を背に土煙りを巻き上げ、敵陣の真っ只中へ突っ走る山本勘助の一隊。決死の奮戦で敵の一陣を突破したそのとき、雑兵の槍が勘助の脇腹に深々と突きささった。

アブミを踏張って立ち上る勘助その眸が味方の大集団を捉えた。妻女山の背後に回っていた板垣信里（中村賀津雄）の軍勢がようやく到着したのだ。なおも右から左から無数の刃が勘助を襲いつづけた……。

日本4H新聞
4Hクラブ
農事研究会
生活改善クラブ
全国弘報紙
発行所 社団法人 日本4H協会
東京都市ケ谷家の光会館内
電話(269)1675郵便番号162
編集発行人 玉井光
月3回・4の日発行
定価 1部 10円
6ヵ月180円(送料共)
一ヵ年360円 〃
振替口座東京 12055番

クラブの綱領

私達は実践を通じて自らを磨くとともに互いに力を合わせてよりよい農村、よりよい日本を創るため四つの信条をかかげます。一、私達は農業の改良と生活の改善に役立つ腕をみがきます。一、私達は科学的に物を考えることのできる頭の訓練をします。一、私達は誠実で友情に富む心をつちかいます。一、私達は楽しく暮らし、元気で働くための健康を増進します。

総会の期日など決る
全協で今春初の執行部会開く

四月四、五日
注目される募金の成果
東京・家の光会館で

全国4Hクラブ連絡協議会（会長、丸山勉君）は、さる二十一、二の両日、東京・新宿区市ケ谷船河原町の家の光会館内、同協議会事務局で今春初の執行部会を開き、四十三年度の通常総会の期日などを決定した。

「全国のつどい」を協議

全協執行部会には沿田副会長を除く全役員が出席、四十三年度の通常総会について協議した結果、来る四月四（金）五（土）の両日、東京・新宿区市ケ谷船河原町の家の光会館で開催することを決定した。この総会には、評議員（各県連代表者男女各一名）と代表評議員（各ブロック代表者、計十二名）執行部、それに顧問、参与が出席する。

上提される主な議案は、四十三年度の事業経過と収支決算の報告の承認、四十四年度の事業計画と予算両案の審議、4H会館の建設についてなどである。

とくに4H会館建設については昨年の総会において募金活動に入ることを決定するとともに、この一年間展開した募金の成果を今回の総会に持ち寄って披露することを申し合わせているため大いに注目される。またこの会館建設に関しては、事業経過や四十四年度の事業計画案の中でも真剣に意見の交換が行なわれることが予想されると同時に、次代を担う全国クラブ員の決意と勇気を誇示し、現役とOBを結ぶ旗印として、来年度は今年度よりさらに関心を高め、この大事業と取組む積極的な姿勢を示すものと思われる。なお総会は、四日午後一時から開会する。

次に、今年の七月鳥取県で開催する全協、鳥取県連、日本4H協会共催の「第五回全国4Hクラブ員のつどい」について協議し、さきに鳥取県連の原案にそってまとめた大綱に基づいて開催することを決めた。参加者の申し込みについては、鳥取県連の強い要望もあり、参加者数の早期把握、運営の円滑化などを図るため、四月の総会までに取りまとめることになった。

なお、つどいの開催要領の決定に当り、さる二十六日、鳥取県連の三浦幹雄会長を招いて最終的な打合わせを行ない、細部にわたって検討を加えた。とくに、講師として前回（奈良県で開催）は西村前農林大臣、松下幸之助日本4H協会長を招き、クラブ員に深い感銘を与えると同時に、内外ともに大きな反響を呼んだが、今回は、作家の石原慎太郎氏（新しい世代の会々長、参議院議員）を招く計画を立てているようである。

また、四十五年度に開催するつどい（第六回）について話し合い第一の候補地として東北地方について検討していくことになった。

さらに、全協事業の中でも大きな比重を占めるブロック4Hクラブ推進会議について協議し、その性格を明確にするとともに会議の成果を一段高めるため、全協で開催要領の案を示し、それにそって各ブロックで検討して決定する方向に進めるよう申し合わせた。

候補に東北地方
次期「つどい」の開催地に

みちのく東北が四十五年度に開催する「第六回全国4Hクラブ員のつどい」の有力な候補地としてあげられている。

つどいは、これまで大分県（九州）を皮切りに、埼玉（関東）富山（北陸）奈良（近畿）ですでに開催され、そして今年の七月に鳥取（中国）で開かれることになっていて、地域的な関係から東北地方が次期つどいの第一の候補地として上げられている大きな理由である。とくに同地方では、今春早々、東北ブロック4Hクラブ連絡協議会（福島、宮城、山形、秋田、岩手、青森各県連で構成）を結成して意気を高揚しており、その成果をつどいでみせてくれるものと期待される。

東北六県の中でも、岩手、宮城県あたりが開催地として候補に上げられ、非公式に県連の意向が打診されている。

岩手県の場合は、宮沢賢治や獅子踊りなどで名高い、花巻市が会場として予定されているようで、クラブ員が丹精こめて作った農作物を参加者に賞味してもらうような考えもあると伝えられる。

しかし、来年、岩手県では国体が開かれるので、これとの調整などの問題が残されている。

開催期日については、東北地方のいずれの県で開く場合でも、鳥取のつどいと同様に農閑期の七月下旬になるものと予想される。

各県連で百万円目標
東北ブロック4Hクラブ連絡協議会
4H会館建設の募金

全国クラブ員の殿堂―4H会館建設資金の募金活動が現在、全国各県連で展開されているが、先月結成した東北ブロック4Hクラブ連絡協議会（福島、山形、秋田、宮城、岩手、青森各県連で構成）では、会館建設の資金として各県連ごとに百万円を目標に募金活動を展開することを決めた。

東北地方では、これまで募金活動についてなりをひそめてきたが、この申し合わせによって各県連の活動が本格化するとともに、東北以外の県連にも刺激を与えるものと予想されている。

また、この目標額百万円は、全国平均からみても、かなり意欲的であり、今後の募金活動展開の成り行きが大いに注目される。

募金活動、本格化　宮城

【宮城県＝庄司健治連絡報道員発】宮城県4Hクラブ連絡協議会（会長、高野秀雄君）では、かねて会館建設の推進母体である4H会館建設委員会と全国4Hクラブ連絡協議会から募金の協力要請があり、徐々にそのムードを盛り上げてきたが、いよいよ募金活動に踏み切ることになった。

このためさる一月十日、宮城農学寮で地区連会長会議を開き、さし当り県連として四十三年度中に五十万円を集めることに決め、県下のクラブ員はもちろん4HOBクラブ員や篤志指導者、また関係者へ積極的に働きかけることになった。

募金活動展開の具体的な方法としては❶全地区連会長に4H会館建設の推進員になってもらう❷募金目標額の五十万円をクラブ員数で分ける❸各地区連で募金の割当分額を来る三月三十一日まで集めて、県連で一担して建設委員会へ送る❹四十五年度まで百万円募金することを目標として努力する―などである。

事務局体制の強化を図る
4H会館建設委

日本4H会館建設委員会（委員長、岩崎茂全協初代会長）は、さる二十二日、東京・新宿区市ケ谷船河原町の家の光会館内、全協事務局で役員会を開き、さきに行なった書類総会の結果について協議するとともに、一部役員を選任し委嘱を行なった。

書類総会には、前事務局長・折原一好元全協会長の辞任と、募金活動の伸展に伴う事務局体制の強化を図るための事務局次長の増員などが上提されたが、ともに承認された。このため同日の役員会では、副委員長五名、事務局長一名、事務局次長八名、常任委員十八名を新たに選任し、さっそく委嘱の手続きをとった。

なお、募金活動に当っては、現役クラブ員と同時に、今後、OBクラブ員関係に力を注いでいくことを申し合わせた。

鉄筋造りの三階建て
4H会館の青写真
メーカーの展示場も

4H会館建設委員会と全国4Hクラブ連絡協議会は、現在、会館建設の募金活動と同時に、会館の具体的な構想をまとめているが、昨年十二月、静岡県御殿場市の国立中央青年の家で開催された全国4Hクラブ中央推進会議で発表されたところによると、会館は鉄筋コンクリート造りの三階建てで、一階は農業関係メーカーの展示場、管理人室、二階に研修室と事務所、三階は宿泊室をかねた研修室などを計画している。

敷地面積は百九十九・五坪（約六百五十八平方㍍）各階が九十六坪（三百十一平方㍍）で、延べ面積二百八十八坪（九百三十三平方㍍）となっている。

なお同委員会と全協が計画している土地、資金など次のとおり。

会館建設の構想

一、用地　青少年の教育施設という観点から、環境のよい、交通の便利な東京都内の公有地などを払下げ、あるいは借用する。

二、資金　全国のクラブ員、OBからの寄付金、賛助金、その他。目標額は四千万円。

三、施設　全国の4Hクラブ員、OB、その他一般の人々が、研修、交歓宿泊できるものとし、全協の事務所をおく。

必要な施設として次のものが考えられる。

▽大研修室▽中研修室▽小研修室▽事務室▽展示場▽談話室（応接室）▽倉庫▽管理室▽宿泊室▽食堂▽その他、風呂場、便所、ロッカーなど。

会館の主な用途

一、クラブ員の各種研修会と会合

二、クラブ員の宿泊と交歓の場

三、全国4Hクラブ連絡協議会の事務所の設置

四、クラブ活動の資料および作品展示、保管

五、その他、世界各国のクラブ員との交流の場など。

募金について

一、募金額は、クラブ員は三百円以上、OB五百円以上、団体千円以上とする。

二、建設資金を寄付した人に対しては、次の要領で全協から領収書を発行するとともに、協賛章と協賛バッチをおくり、名簿は永久に保存する。

▽協賛金、三百円以上＝領収書▽同　五百円以上＝領収書と協賛章（円標）▽同　千円以上＝領収書と協賛章（円標）と協賛バッチ

活動の方向つかむ
近畿ブロック　クラブ推進会議開く

全国4Hクラブ連絡協議会と近畿農村青少年クラブ連絡協議会（会長、村田喜昭君）の主催、近畿農政局、兵庫県、同県農業青年クラブ連絡協議会の後援による近畿農村青少年クラブ推進協議会が、さる一月十三、十四の両日、兵庫県加古川市加古川町のAAはりまハイツで開催された。

この推進会議は、クラブの次期リーダーの養成とともに積極的なクラブ活動を展開するために討議研究したもので、全協事業の大きな柱の一つ。県下から百余名のクラブリーダーが参加、二日間にわたって熱心に意見を交換し、リーダーとしての心構えなどについて学んだ。この会議に対する感想についてアンケート調査したが、それによると、殆んどの参加者が「今後のクラブ活動になんらかの形で役立つ」と答えている。

また、最も印象に残ったことは何かという質問に対しては「レクリエーションの実際を身をもって経験したことがよかった」（三七％）「分科会においてクラブ員と意見交換ができ、リーダーとしての心構えができた」（三一％）「活動の方向がわかった」（一八％）と答えている。これをみても参加者がクラブ活動の進め方について真剣に学びとろうという姿勢がうかがえる。

これに対し「充分でない」「内容がわからない」と答えた人は一～二名で、推進会議の成果が大きいものであると思われる。

次に、会議のもち方については「分科会の時間をもっと長く」という希望も多く（二三％）なかなか意欲的。一方「単位クラブの身近かな問題、やさしい実践的な内容を」と望む人も少なくない（二〇％）これは、県（府）やブロックなど上部組織活動の問題と同時に、単位クラブ活動の充実に重点を置いた会議内容を考えなければならないことを示している。

会期については、一泊二日と二泊三日の希望意見が同数であるが、やはり会議の効果をいっそう高めるためには長い方がよいようである。人数は今回通り百名前後を望む声が半数以上（五七％）であるが、各府県二名ずつの六十名を望む意見も少なくなかった（一七％）ことは見逃せない。これは分科会での発言の機会とも関連しているもので、多人数になると意見を述べる機会が少なくなるため。

このほか全般的な感想としては「議題に対する理解を十分行なうための事前通知やオリエンテーションに時間をかけてほしかった」（四名）、「夜は自由な時間にして、各自がクラブ活動の情報を交換する時間がほしかった」（三名）、「時間を厳守しスケジュール通り会議を進めてほしかった」（同）、「女性をもっと多く参加させてほしい」（五名）、「各府県単位クラブの活動状況が知りたかった」「分科会のあとに全体討議があるとよかった」「参加者にクラブ経験の差があり過ぎた」など、今後の会議運営についての参考意見が多かった。

しかし全体として施設・環境が大変良く、役員や兵庫県連に対する感謝の意見が数多くみられた。

クラブ活動の進め方などについて熱心に学ぶ埼玉県のリーダー＝東京・渋谷区の東京オリンピック記念青少年総合センターで

リーダーは引受けた
埼玉県連4H部　東京（青少年センター）で幹部研修

【埼玉県＝猪鼻文明連絡報道員発】埼玉県農業研究団体連合会4H部（部長、黒沢健一君）は、埼玉県と共催でさる一月十六日から十八日までの三日間、明治神宮の森に包まれた東京・渋谷区の東京オリンピック記念青少年総合センターで県連三大行事の一つ、リーダー研修会を各地区連リーダー百二十余名の参加のもとに開催した。

一日目は、午後一時から開会式のあとオリエンテーション、記念撮影を行ない、続いて全国4Hクラブ連絡協議会の大鹿事務局長から4Hクラブ中央情勢報告があり、ついで埼玉県農林部農業普及課・中西新一課長補佐の「ヨーロッパの農業事情について」と題する講演を聞いた。

二日目は、朝のつどいで一日の行事が始まり、午前は「リーダーの役割について」と題して自分たちの先輩である県農研連の近藤豊事務局長の経験豊かな講義、続いて同じ題について県農林部普及課専門技術員の市川昌彦先生の講義があった。このあとこった肩をレクリエーションでほぐし、ついで五地区連（春日部、浦和、桶川、深谷、秩父）代表によって「私たちのクラブ活動」と題する発表が行なわれた。

午後は、午前の講義と発表の内容をテーマにして六分科会に分かれて討議が行なわれ、地区リーダーらしい意見がかわされた。

夜は、呼び物でもあるキャンドルサービスが行なわれ、唄や寸劇などによって緊張をほぐす笑い声が星降る東京の夜空にこだましていた。そのあと自由交歓では地区ごとの話題に花を咲かせていた。

三日目は、屋根の白銀が朝日に光る寒い朝のつどいで始まった。まず黒沢4H部長から県4Hクラブ活動の情勢報告があり、これに対して質疑応答が行なわれた。

続いて全体討議に入り、前日行なわれた各分科会ごとにそれぞれ特徴ある討議の内容が報告されたあと、これに対して質疑応答が行なわれたがすべて切実な問題だけに参加者は身を乗り出して意見を述べていた。

こうして県4Hクラブに一つの燃え来るあかりを残して閉会式が行なわれ、午後一時、短かかった楽しく過したリーダー研修会の幕を閉じ、友と別れを惜しみながらセンターを後にした。

京都府連でクラブ員大会
6・7日、御殿荘で

【京都】京都府農村青少年クラブ連絡協議会（会長、村田喜昭君）は、京都府と共催で、来る六、七の両日、京都市左京区聖護院の御殿荘を会場として県下の農村青少年クラブ員百三十名と農村青少年育成担当普及員二十四名の参加のもとに府農村青少年クラブ員大会を開く。

大会の主な内容は❶クラブ員の意見発表（農村に生きる青少年が日ごろ考えていることや未来に対する夢、希望、抱負などを主張し発表する）❷先進地派遣研修の結果報告（各ブロックごとに代表四名が研修の結果を発表する）❸分散会（十班に分かれて農村青少年としての悩み、地域社会の悩みなどクラブの運営について、青少年について話し合う）❹経営部門別討議（経営部門に分かれて、日ごろのプロジェクト活動によって得た技術を交流する）❺パネル討議（生産者、団体、市場、小売業者、消費者、学識経験者などが出席し農産物の流通上の問題点を探る）❻クラブ活動展（クラブ活動の実態を写真入りで紹介する）など。

日程は、一日目午前十一時から開会式、オリエンテーション、昼食のあと午後一時から意見発表、三時からレクリエーション、四時から先進地派遣研修会の結果報告、夕食・入浴に続いて夜は六時から九時まで分散会討議をする。

二日目は、午前九時から経営部門別討議、十時半からパネル討議を行ない、午後一時から総括のあと閉会式、記念撮影を最後に終了する。

大分県連で青年会議開く

【大分県＝末綱藤美連絡報道員発】大分県農村青年クラブ連絡協議会（会長、松崎正勝君）は、大分県と県農業振興運動協議会、NHK大分放送局と共催でさる一月二十九、三十の両日、大野郡三重町赤嶺の県農業実践大学校で第九回県農村教育青年会議を開催した。

愛知県連でも

【愛知県＝古川喜美子連絡報道員発】愛知県4Hクラブ連絡協議会（会長、飯田雅英君）では、さる一月二十八日から三十日までの三日間、岡崎市にある県青年の家と八光寮・農民文化館で第九回県農村教育青年会議（青年農業者会議）を開催した。

今回は、これまで最終日に行なってきたプロジェクト発表会を第一日にくり上げてその発表の中から問題を提起して分科会のテーマにするなどの試みが行なわれた。

涼風暖風
女性に物申す

世界平和が必ず実現する方法があるという。それは、世界中の男性がその主導権を女性に譲り渡すことだそうである。女性は本来カケ事や戦争を好まないので、地上から戦争はなくなるはずだという卓見である。そのような時代がくればまことに結構なことであるが、私のみたところ、まだ当分先きのことのようである。

とはいえ、かっては柳のように手弱にみえた女性たちが、近頃では孟宗竹のように強靭になり、その威たるや、しばしば男性どもの胆を冷やしている。天下の政事においても〝女子と小人は関知せず〟などといった旧き時代はとうに去り、いまでは男女同権になり、彼女らの代表を堂々と議会にまで送り込む世の中になった。

ところで、このほど東京都知事の美濃部さんが行なった「公営ギャンブル廃止声明」は、各方面に盛んな反響を呼び、政府も検討することになった。たしかに、美濃部さんが指摘されるように、ギャンブルには害悪がある。とくに、いまの状態はよろしくない点が多い。ご婦人方がまっさきになって賛成されるのも当然である。

しかし、世の女性方よ、よく考えてもらいたい。あなた方がいわれるように世の中からすべてのカケ事を廃止したら、男性どもはなにやらかすか判かりません。界性どもは生来カケ事を好むもの、あなた方が想像もつかないでっかいカケ事を始めるかも知れません―私がもっと怖れるのは、このことです。

公営ギャンブルがなくなったら、世の中はそれだけきれいになるというものではないと思います。なぜならば、青空の下でカケ事ができなくなった男どもは、地下にもぐってやらかすでしょうから。それさえできなくなったとき、真面目になってとてつもない大バクチを考えるに違いありません。世の中で、私はなにがいちばん怖いかというと、国全体が真面目になり、一つの指導理念が厳しく統制された状態だと思います。この前の戦争を想い出してごらんなさい。

そこで私は、女性の方々に申しあげたいのです。男性どもには、青空の下でフェアにカケ事をやらせてもらいたい。八百長を厳しく監視するとか、休日以外は開催しないとか、もっと施設をよくするとか、いまの公営ギャンブルの改善すべき点は改善して、中央競馬会のキャッチフレーズ「一家そろって楽しい競馬」を女性の方々にも楽しんでいただきたい。人類が創り出した傑作の一つ、サラブレッドが爽快にかける姿は、まさに一幅の芸術画ですよ。（S・Y生）

心頭技健

このところ「全国4Hクラブ員のつどい」に対して各県連が強い関心を示し、自分たちの力でそれを成功させるために積極的な姿勢で取り組もうとしていることは大きな前進である▼昨年、奈良県連がつどいに対してみせた、あの意欲的な活躍ぶりはまだ記憶に新しいが、今年の鳥取県連もそれに劣らない力の入れようだという。県の面積も小さく、クラブ員数も少ないという条件は、奈良、鳥取ともに似ているがそのハッスルぶりも似ている▼もちろん、それ以前の各県連が努力しなかったというわけではないが、とにかく第一回の大分の場合、準備期間なしのぶっつけ本番だった。自分たちが精いっぱいやれる大会を持とうという情熱が、どっと湧き出した泉のような勢いで尻込みする環境の中で火ぶたを切った。大分県連の苦労は忘れられまい▼そして二回目の埼玉続く富山と、県連の行事とかち合う中で進められてきており、その努力は高く評価される。しかも徐々に参加人数がふえ、花やかさをましてきた。昨年の奈良は、古都という地のりと、西村農林大臣、松下4H協会長の出席ということもあって内外ともに大きな反響を呼び、参加者数、花やかさにおいても一大躍進を遂げ、その予想を上回る出費のために今なおあとをひいているほどである▼今回の鳥取では、作家の石原慎太郎氏（新しい世代の会々長、参議院議員）を招く計画をたて接衝を進めている。一時は常盤宮ご夫妻や佐藤総理も話題にのぼったことがある。参加者数においても前回を上回るとは断定できないが、その意気込みからしてすばらしいつどいをみせてくれよう▼また、四十五年度のつどいの開催地として早くも東北地方が候補に上げられ、岩手、宮城県連あたりの意向が打診されているようだ。岩手といえばキャンプで名高く、二年後に予定されている全国技術交換大会でもキャンプ生活を考えていると聞く。つどいでもクラブ員の希望があればキャンプ生活も一日くらいはやろうとしているそうである。▼花やかさ、形式だけに走ることはやめるべきだが、このようにつどいに対して各県連が気りしてきていることは、確かに嬉ばしい動きである。

プロジェクトとは何か
―研究会のシンポジュームから(3)―

出席者〈発言順〉
栃木県専門技術員 湯浅甲子
埼玉県農業経営伝習農場長 星野武四郎
4HクラブOB(千葉) 峰島伝夫
日本4H協会事務局長 新田健吉
司会・全国4Hクラブ連絡協議会監事 村上光雄

このプロジェクトについてのシンポジュームは、昨年の秋、静岡県御殿場市の国立中央青年の家で開催された全国4Hクラブ連絡協議会と日本4H協会主催の「全国4Hクラブ中央推進会議」でクラブ員の発表をもとにして行なわれたものです。(文中・敬称略)

人づくりに効果大
計画性や自発性をもっと強く

星野 いま、私どもが農家と二十年来接触してきて痛切に感じることは「農家は計画性が非常に弱い」といいましたが、次のようなことに表われているわけです。

たとえば、今年は、稲作地域にはそうとうのバインダーが入りましたが、あのバインダーを四十三万円出して買ってですよ、自分の経営にどこがプラスになるのか、十人で共同で買って共同で使った方が良いのか悪いのか、共同で使えばどこにマイナスがあるのかこういうことを判断なしにバインダーを買った人が大部あったようです。使ってみたら十一時間で一町一反やってしまいました、今年はこれでおしまいです、と。こういう農家があると思うのです。それでいて、五十円銀貨が落ちていればもったいないといって拾うんです。それで四十万円からのものはどんどん捨てているんですね。これは何かというと計画性が弱いということだと思うのですね。その訓練は、私はプロジェクト以外にないと思う。

それから実践力が足りない。ということは、これはいいと決ったら敢然としてやる勇気が足らないんですよ。みなさんはそうでないが、今の農家には足らないんですよ。そういう依存心が非常に高いのですね。普及員に聞けばよいなどという考え方が非常に強い。自分でよいと判断が決ったら思い切ってやっていく決断力がやはり欲しいですね。友だちが何会社のスポーツカーを買ったというと、すぐそれをまねして買ってしまう。もっとそのほかの個性に合った車があるんですよ。そういうことができないんではなく、弱い。

それからオリジナルというか、プランニングのオリジナル―自発性というものをもっと生かさなくてはならない。これが農村の一番弱い点だと思うんです。

さらに、やったことを鵜みたいにみんな蹴散らかしてしまう。これを必ずまとめるということが大切ですね。これをどこで習うかというと、私はプロジェクトで習うのだと思うのです。

最後に一つだけ申しあげたいのですが、なぜプロジェクトをやるのだといえば、今私が言ったことなのですが、それでは、なぜプロジェクト発表をやるのかということを申し上げたい。

それは、自分がやった成果をみなさんに訴える。それによって自分のやったことをみなさんに知ってもらって技術の波及効果ということも一つはありますが、自分の考えを決められた時間の中で思う存分発表するという訓練、[illegible]

これは他にありますか、こういう発表以外にはないでしょう。ですから、どこかの誰れかが岩波新書で書いていますよ。「物言わぬ農民」というんですよ。そういう人間が出来上るんです。そういう意味で発表ということが必要なんです。人の前でとにかく率直に伝える能力、これはやはり発表の技術といえば技術ですが、それが必要なのです。

それでは、発表する場合にどういう発表にしたらよいかといいますと、みなさんは図表を用いて発表されましたが、それでは、なぜ図表を使うかということをもう少しみなさんに考えてもらいたい。

なぜ図表を使うのかといえば、県の[illegible]…表します。ですが、もう少しきれいに書くということ、それから訴える中心は何か、ということを考えて書くこと、そうですから言葉で足りないものを図表で補完するんだ、それには、どういう図表にすればみんなの胸にピンと響くか、なーるほどというようにいくか―ということを勉強するのは図表だと思うんですね。

ですから図表を粗末にしないで、一つの図表を書くにも円グラフがよいのか帯グラフがよいのか、あるいは赤を使うべきか、原色の黄色を使うべきかということになると思うのですね。そういう訓練は図表だけでなく、私たちの日常生活の全部が影響しているわけですね。そういうことを、ぜひ、クラブ活動、プロジェクト活動を通じて勉強してもらうということが、非常に大切ではないかという気がいたします。

司会 それでは続いて峰島さんにお願いします。

峰島 まあ4Hクラブ活動というのは、確かに生産活動が主体となりがちですから、プロジェクト、プロジェクトといいますと、どうしても1Hになりがちです。そこで、あとの三つのHをどういうふうに組み合わせて4Hにうまくしていくか。やはり、それを補足する文化活動なり、いろいろなレクリエーションなどがあると思います。

それは、1Hといっても、必ずしも1Hではないとも思いますけれども、プロジェクト偏重になりますと、どうしても1Hになりがちになります。そこで、それを補うものがクラブ活動だと思います。クラブ活動というものは、やはり1Hにならないように、そして自分のもっている個人個人のプロジェクトがクラブ活動では解決できないものを補足する、これがクラブ活動だと思います。そういうものが寄り集まって作ったものが4Hグループであるわけですから、ひとつみなさんが力を合わせて立派なプロジェクトに取り組んでいただきたい。

また、共同ということをよく言うんですけれども、共同プロジェクト、今日まで共同経営、共同経営共同化などがなされてきました。われわれの先輩がやりましたけれども、成功したのはごくわずかです。失敗したのが殆んどではないかと思いますけれども、これはやはり、自分たちの家庭内にあっても恐らくそうだと思いますが、財布がみんな一つにならないということですね。

家庭内にあっても、親父とおふくろと、せがれとみんな財布が別々になっている。これではやはりダメです。財布がビニールか何かになっていて中味が見えるような経済状態に産業経営を確立していかなければダメと思います。

これは、私が今から九年前ですが、全国大会のときに模範発表をやらされまして、そのとき話したのですけれども、そのためにはやはり親子の話し合いが一番大切である。親父に話しをするには非常に勇気がいる、恐らくみなさんそうではないかと思います。クラブ員と話しをするときは本当にうちとけて何時間も話し続けますけれども、親父やおふくろと話しするときは、恐らくみなさんは十を言いたいのに一つを言うのに非常に勇気をもって話さなければ出来ないのではないかと思います。

そういう点はやはり、家庭内における話し合いの確立と財布を一つにし、経済状態を一つにすることによって共同経営、共同生活、また共同プロジェクトで発展させていく、こういう原動力がクラブ活動であり、みなさんがもっているプロジェクトだと思います。

司会 それでは、最後に新田先生お願いいたします。

新田 みなさんもご承知のとおり、4Hクラブは実践を通じて学ぶというのですが、どうしてそういうかといいますと、私たちが得ますところの知識や技術にはいろいろな方法があるわけです。それは人の話しを聞いたり、書物を読んだり、映画を観たり、現地にいっていろいろなものを見る、こういうように視聴覚から得るところの知識も大切です。

そこでさらに、お互いがよく話し合う、集団思考ですね、分科会などで話し合うことによって得るところの知識も非常に大切です。私たちは、勉強するためには必要学課の知識とか、あるいは集団思考で得るところの知識とかいろいろでございますが、それは、やはりいずれも自分の頭の中で理解、判断する知識なのです。

ところが、プロジェクト活動というのは、たびたび申し上げております通り、実際自分が手を下してやってみるわけですね。体験を通して、自分のからだの全体、頭、手、足、皮膚を通じ、全体を通じて体験して得る知識なのです。従って視聴覚とか集団思考とかで得ました知識と同じ知識でも質が異なります。いわゆるプロジェクト活動によって得ました知識というものは、自分のからだ全体で得た知識でございまして知識の質が違う。

本当に、これからの人間づくりに対しまして効果の大きい勉強方法であるということを申し上げておきます。

司会 どうもありがとうございました。

先生方のこれまでのお話しで「プロジェクトとは何か」ということについてみなさんは大体おわかりになられたのではないかと思います。

以上で先生方のお話しを終りまして、参加者のみなさん方からご意見を出していただきたいと思います。(つづく)

プロジェクトはクラブ活動の生命である

4Hクラブ発足20周年 記念懸賞募集入賞文

成長し愛の芽も ぜひクラブに入会を

鳥取県東伯郡赤碕町 赤碕グリーンクラブ 小林洋子

■■ 心打つ若者の心意気

農業という名の仕事をもった私は、その名に深い内容がひめられていることに魅力を感じ、夢を実現させたいと思います。また、そこで働く若者のたくましく健全な精神に心打たれます。

私はこの職についてよかったと思う。こんな喜びを私におしえてくれたのはクラブ員でした。

最初は、興味半分でクラブに顔出しした私です。もっとも友を求める心も少なからずありましたが…。ところがクラブ員は私が考えている様なまはんかでなく、「われわれは上からの命令でクラブを結成したのでなく、われわれ青年に必要だからわれわれの同志で作りあげたのだ。まだ生まれたばかりの赤んぼだから未熟だが、やがて他のクラブのレベルまでこぎつけ追い越したい。それには一人ひとりが成長することだ」と自信にみちあふれていました。

そうか! 必要であるから…私の心も友を必要としている。一つ私もクラブ員となって土に取り組んでみよう! 今までの私は何かが欠けていた。互いに助け合う精神だったのかもわからぬ、いやまだ他のことかも…、とにかく何かがつかめるだろう、何かをつかむまでがんばろうと、仲間入りしたわけです。

■■ 人前で語れる自分に

先輩はどうどうと意見をはく。聞いていても実にたのもしい。人前でしゃべることがにがてだった私は、まず自分の思っていること、考えていることが話せるように努力してみよう、どうしたらうまくなるか、それには大いに会合に出席して、友は何を考え、何を求めているか、自分自身も知る必要があると考えました。

入会当時は、参加する会も少なし、家族も何の不平もなく、心よく出してくれましたが、あちこちも出歩くようになると、女の子だからどうこうしろとか、家の仕事も出歩く程すればもっと良くなるとか、うるさくなってきましたが私自身、出来る限りの時間を節約し出てるつもりだから、さっさと片ずけて出かけました。そして一つでも何かを自分にプラスになれば、いつか家族もわかってくれると信じていたからです。クラブもクラブ員ばかりの協力ではよりよい運営は出来ない。家族の理解がなくてはよりよいクラブは出来ず、やがては努力のかいもなくさびれ、かなしくも姿をなくすことさえある。

さいわい、年々わがクラブは盛んになり、十名ばかりの同志から四十名、五十名もの多人数になってきました。もちろん、私も人前でちょっぴりだけど話せるようになったことは言うまでもない。

■■ クラブ員として誇り

われわれクラブ員はクラブ員であることを誇りに思っている。自らまちがいないと胸をはって歩くと、必らず他の人もわかってくるもので、大人の方々から私のうちの息子が今年卒業するからぜひ入れてやってほしい」と言われると本当にうれしい。この日の来るのを今は嫁いだ彼女や、彼ら先輩はどんなに待ったことだろうか。もし先輩がOBクラブをもっていたら、いつまでもつながりがあるのにと思わずにはいられなかった。現在のところ特殊な団体をのぞいて一般的なものはない。ぜひ作ってくれればいいと願っている。

認められるということは、すばらしい。ただ、大人はある特別な機関から賞をいただくと、今までふりむきもしてくれなかったのに、さも感心したような顔してくれるのはあまりうれしくない。何か妙な気になる。何もしなくてもいい、心から"がんばれ!"と一こと声援さえしてくれれば、われわれも心を持っている者のあつまりだから感じるはずである。心と心のふれ合いは誠でなくては感激しない。真であるから通じるのだと思っている。愛にしてもそうであると信じている。クラブ員一人ひとりに愛がなければ、互いに助け合う精神もうすらぎ、丸くおさまらない。クラブとは愛を育てる場所でもあると思う。

■■ より高いもの求めて

人間少し大人になると、より高いものを求める。それと同じように、クラブ員も定例会だけではつまらなくなる。より深い勉強がしたくなる。県外研修、合宿研修はそこから生まれました。井戸の中のかわずではつまらない。たえず世の流れを感じながらクラブも成長しなくてはならない。

リーダーの難かしさも感じる。リーダー研修会も一人でも多くの人に参加させること。一口にリーダーといっても、リーダーの方は大変である。人についていくことは批判しながら行けるから自分の思いどおりに行ける。一人ひとり性格も異なるから、そのことも頭の中に入れて計画をたてる。役員だけに負担がかからないように、何らかの分野を担当させ、責任をもたせるのもいい方法であるが、自分で気づいたらやることがなくなる。あの仕事はだれがやる、と何か事務的になる傾向がある。が、大切な時間をさいての会だからこの場合やむをえないが、合宿研修あたりでは、役をあまり分担せず思い思いにやるのもいいのかもしれない。この点はまだ考え中である。

クラブも出歩くところに出かけると、自分らの住む町をより美しくしたくなる。われわれも"船上山"という山の清掃奉仕に出かたり、山を美しくする"花いっぱい運動"につつじ植えを手伝ったり、そこで共同作業のたのしさを味わいながら汗を流す。めぐまれない子供と一日を共にしたり、まだまだ奉仕活動は活発ではないが、少しづつ取り入れて、他人のことでばなく、いつか自分のことのように思えるようになるよう努力したい。

クラブで学ぶことは非常に深いもので、すべて生活する上に必要なことがらである。ずっとずっと活動していたのに、いつのまにかクラブから去って行かなければならない年令になっている。これはリーダー養成も一つであるかもしれないが、家庭の仕事もふえ、無理ないことはわかっていても何かさびしい。

今後のクラブのあり方に何か新しいものを考えたい。

■■ 助け合う精神を養う

ここで、過去四年半のクラブで得たことをぬき出してみようと思います。

まず人前で何とか思うことが話せるようになったこと。

自分の意見を出す前に他人の意見を聞き出そうとする。そして自分の意見をそのあとで話す。これと正比例して互いに助け合う精神が養なわれた。

明るい雰囲気を作ろうと、無意識のうちに冗談を言って、一つにまとめることが出来た。

またほかにもあるだろうけれども、自分のことは、あまりわからないからこれ位いにとどめよう。

とにかく、引込み思案だった私をまるっきり異った性格にクラブ員はしてくれたし、自分自身もつとめて明るくなるよう努力した。

私は、クラブのために少しでも役立つことが出来ればお礼としてお返しをしたいし、ちょこちょこ口出ししては姑根性は良くないな。と思ったり、一人苦笑いしている。

クラブで得たことは、これから自然に自分の言動に、生活に現われてくるのだと思う。長い月日のうち味が出てくるだろうと思う。

共同生活、奉仕精神、人間形成など、人は死ぬまで勉強しどうしである。一歩一歩前進し、より豊かな生活、より豊かで明るい社会を作るために、一人ひとりを向上させ健全な精神を作りあげなければならない。そのためにリーダーも必要であり、そうなれば奉仕の精神もおのずから養える。

■■ クラブに入会を叫ぶ

私がここでみんなに呼びかけたいのは、クラブに入会してほしいということである。何かがつかめるはずである。その何かがわかるのも、やはりクラブを通して学べば、思い出も多かろうし、それに何よりの友がいるからである。

わからないのなら友が手をさしのべてくれよう。先生も手をさしのべてくれる。まことにありがたいことである。まだクラブに入ってない方、ぜひ入会し、明るい豊かな精神を養ってほしいと思います。

以上、私が四年半にわたるクラブ活動を通していろいろ体験したことがらについて述べましたが、これから後に続くクラブ員のみなさんに少しでも参考になれば嬉しく思います。

(体験文・クラブ員の部 佳作)

道徳講演も加え
熊本・大津4Hクで研修

【熊本】菊池郡大津地区4Hクラブ(大津、菊陽、合志三町で構成)は、宇土市、下益城郡松橋町の4Hクラブに呼びかけて、去る一月十七日から十九日までの三日間、国立阿蘇青年の家で交歓研修会を開いた。この研修会にはクラブ員約百五十人(うち女子五十人)が参加し、道徳講演も加えて熱心に研修した。

六ヵ月間米国で生活
出発は四月中旬頃
草の根大使を募る

社団法人日本4H協会(松下幸之助会長)は、国際農村青年交換(IFYE)計画に基づいて四十四年度も4Hクラブ員二名(男女各一名)を米国に派遣することになり全国から希望者を募っている。この派米4Hクラブ員は、各都道府県から推せんされた人たちの中から選ぶことになっているが、多くのクラブ員が応募されるよう望んでいる。

この4Hクラブ員の米国派遣は、今度で十五回目で、派遣された4Hクラブ員は、約六ヵ月間米国に滞在、二州の指定された受入れ農家に入り、その家庭の一員として生活、農業や農家生活を体験すると同時に、同国の風俗や文化などについて学ぶかたわら、関係地域のクラブ行事、小・中学校、教会などの会合に出席して日本のそれらについても紹介する。またこの間、毎年八月米国で開かれる世界4Hクラブ大会に参加して約六十ヵ国の4Hクラブ員代表と交歓する。

このように派米クラブ員は、日・米両国の相互理解と親善のうえに大きな役割を果し、民間人の中に草の根のように広く根を張ることから別名"草の根大使""民間外交官"とも呼ばれている。また滞米日程の終了後約十日間の自由時間があり、各地を見学旅行することになっている。

応募要領は次のとおり。

▽実施機関 日本側=社団法人日本4H協会、米国側=米国4Hクラブ財団

▽派遣人数 男子一名、女子一名

▽派遣の時期および期間 今春四月中旬から約六ヵ月間の予定

▽派遣される者の資格 一、現在、4Hクラブ員であってクラブ活動の経歴が三ヵ年以上の者。二、年令は、四十四年二月一日現在、満二十歳以上二十三歳までの者で、未婚者であること。三、健康で人柄などがこの計画にふさわしい者。四、中学校卒業程度の英語を習得している者

▽派遣に要する経費 (1)日米間の往復旅費は、日本4H協会で負担する。(2)米国滞在中の経費は、個人的経費(自由時間の見学費、みやげ物購入費など)を除き、一切米国側で負担する。(3)出発前の研修、諸手数料などで若干の経費を徴収する。

▽派遣される者の選び方 派遣される者は、第一次、第二次の審査を経て決定する。

一、第一次審査(二月中に実施予定) 第一次審査は、書類審査とする。審査を受ける者は、次の書類を提出すること。
❶履歴書(本人自筆のもの)二通❷戸籍謄本二通❸健康診断書二通❹写真(最近三ヵ月以内に撮影した無帽上半身のタテ・ヨコ五糎大で背景白で無地紙のもの)五葉❺両親(またはこれに代る者)の同意書一通❻クラブ歴に対する知事の証明書一通

二、第二次審査(三月上旬に実施予定) 第二次審査は、英語試験および面接審査とする。

▽出発前の研修 派遣される者に対しては、出発前約十日間の事前研修を行なう。

▽推せん状の提出期限 推せん状は第一次審査に必要な書類を添えて来る二月二十日までに提出願いたい。

園芸

もみがらくん炭 育苗のやりかた

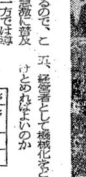

保水性、通気性富み 労力少なく増収が期待

野菜の育苗シーズン到来―。育苗といえば〝苗半作〟といわれるように、育苗期間における管理の良し悪しが、この一作の良否を決定づけるほど重要な作業である。しかし、最近労働力不足なども伴ない、床土づくりなどの準備が滞りがちになり、思わぬ失敗をまねく例も少なくない。とくに育苗中の病害の発生には細心の注意を払わなければならないが、不完全な床土（病害菌の付着）の使用などによる原因が多い。反面、この「もみがらくん炭育苗」は、従来の有機質を使った床土のように、前年から準備する必要もなく、材料は〝もみがらと川砂〟を使用するため、土壌病害の危険性はない。また育苗期間が短縮され、労働力の節減などの特徴があり、早出し、増収が期待される。

○○○ もみがらくん炭養液育苗の特徴 ○○○

（1）床土がいらない　もみがらくん炭と砂を培地に用い、養水分は培養液として与えるので床土はいらない。したがって有機質を主体とした従来の床土のように前年の夏から準備する必要がない。

（2）培地を消毒する必要がない　もみがらくん炭ときれいな川砂を用いるので、土壌病害の危険性はない。しかし、くん炭に土が混入したり、不潔な川砂を使ったり、育苗中に汚染された土などから病菌が入った場合は、やはり発病するので、育苗場所の衛生にはとくに注意しなければならない。

（3）保水性、通気性に富む　床土は保水性があって、通気性のよいものでなければならない。もみがらくん炭は通気性に富み、しかも容量の四〇％程度の水分も含む。培養液の管理が適切であれば、湿害の心配はほとんどない。

（4）均質で入手しやすい　くん炭は焼過ぎや半焼ではない限り均質である。しかもくん炭から苗の発育に有効な燐酸、加里が溶出されるので強健な苗になる。しかし、くん炭と砂をむらのないようによく混合する。

（5）苗の移動、運搬がしやすい　床土に比べて軽く、育苗鉢を用いるので苗の移動がしやすい。

（6）育苗労力が少なく育苗期間が短縮される　床土に比べて灌水労力が大幅に節減され、移植回数も少なくてすみ、苗の発育は早く育苗期間が短縮される。

（7）早出し、増収が期待される　床土に比べて苗の発育が早く、それだけに収穫も早まり、収量は同等ないしそれ以上の増収。

○○○ 育苗施設と資材 ○○○

（1）育苗ハウス　雨水をさけることがたいせつで、あるから、ハウスまたはトンネルの高張り育苗を前提とする。

ハウス構造は鉄骨またはガラス室が最もよく、光線透過のよい耐雪（風）力のあることが必要である。

（2）育苗床

（イ）は種床　普通の床土の場合と同様に、もみがらくん炭と砂を混ぜ合わせた培地を五～七㌢の厚さに入れ、電熱線はビニールシートの下に配線する。断熱層は移植床より厚くし、培養液は床面に水がたまらない程度に二～三回灌水する。電熱育苗器を用いる場合は、柵箱にポリエチレンを敷き、くん炭を入れて上から灌水する。

（ロ）移植床　幅一二〇㌢で深さ一〇～一五㌢の穴を掘り、三㌢の稲ワラ、またはもみがらを敷いて断熱層を設け、その上に三㌢程土を敷き配線する。次に三×四㌢角の杭を打ち、一五㌢幅のワク板を打ちつけ、床面を水平に均し

……て、黒色ポリシートを張る。三・三平方㍍当たりの電力容量は、作物の種類や時期によって異なるが、冬期は大体二〇〇～二五〇Wあれば十分である。

……千本の育苗ができる。砂を三五～三十㌫混合しても容量はあまり増えない。砂を混ぜたほうが微量要素の欠乏症状が出難く、育苗しやすい。ただし消潔、無菌の砂でなければならない。

鉢の大きさは、作物の種類や育苗日数によって異なるが、三十日……

○○○ 育苗管理の実際 ○○○

（1）種子まき　種子消毒は浸漬用有機水銀剤の一〇〇〇倍液にトマト・ナスは三十分、ウリ類は六十分浸漬し、よく水洗いする。薬液の温度が10℃以下になると殺菌効果が劣るので、なるべく18℃ほどに保つように心がける。

は種量と方法　は種方法は床土の場合と同じでよいが、発芽歩合がよく、生育が良好で均一な苗ができるから、ややうすまき、種子量も少なくてよい。覆土はやや厚目とし、床面を乾燥させない。ハクサイやカンランなどは育苗鉢直まきでよい。

（2）鉢上げ

……苗の生育が早いので、ともすると密植となり、光線不足、軟弱徒長気味になりやすい。したがって生育に応じて株間を十分広げることがたいせつである。

❸水分と温度　移植直後は三㌢位の深水にし、活着すれば二～一㌢とする。育苗の後半からペットの培養液がなくなってから水を補給する。水位がつねに高すぎると根ぐされを起こしたり、軟弱徒長気味になり、根が鉢の外へ出たりする。また夜間ビニール被覆をすると、トンネル内が過湿になるので、よほど天候が悪い場合以外はなるべく朝早く開放し、少しくらい日中低温であってもビニールをとり、光線にあてるようにする。

❹育苗期間中の病害防除　床土に比べて土壌病害の発生はほとんどない。しかし、汚染された土などが管理中に床内に入ると、発病することがある。とくに養液育苗では、一度発生すると被害が著しいので、外部から病原菌を絶対も……

プロジェクトの取り組み方　展開編（17）

北海道専門技術員　三輪　勲

チームによる演示　大規模な作業は分担して

エ　チームによる演示　演示内容が複雑な作業から構成されている場合や大規模な作業が中心である場合は、二名の協力によって演示発表を行なうとよい。この場合、互の分担と動作の組み合わせが重要である。チームによる演示は、2―22表の順序を基本にして行なう。

オ　演示発表の記録　演示発表は、プロジェクト実施期間中に何種も行なうことができるので、そのつど発表内容を記録してプロジェクトの発展に役だてることがたいせつである。演示発表の記録は、2―23表の記載例を参考にするとよい。

記録様式のうち「目的」には、演示主題の選定の理由やその技術の目的について、要点を明確に記入する。この場合、自分のプロジェクトとの関係を付記することがたいせつである。

「材料・用具」には、材料の名称・規格・数量・使用する機械器具や家畜の名称・数などを記入する。

また、演示発表に半製品の準備が必要な場合はその名称も付記する。「演示の順序」には、実演の手順の主要なものを順を追って箇条書きにする。「演示の中での重要な点」には、実演の過程でとくに注意を要する作業、失敗しやすい部分などについて、その内容や理由を記入する。

演示発表の評価　演示発表の評価は、プロジェクト実績発表の評価と同様に、指導的立場から行なうのが普通である。評価基準は2―24表を参考にするとよい。ただし、演示発表はプロジェクト発表の一種目であるから、基幹プロジェクトの実績発表の評価と関連して考慮することがたいせつである。

今回でもってプロジェクトの取り組み方「展開編」を終ります。……

2―24表　プロジェクト演示発表の評価基準（例）

区分	評価項目	評点
演示の内容	1 演示主題の選定理由やその技術の目的は適切か。 2 演示と基幹プロジェクトとの関係は明確か。 3 その演示は、実施者の能力にふさわしいものか。 4 演示内容は、農業改良や生活改善に役だつ普及性や実用性があるか。 5 演示内容は、科学性をもって貫かれているか。	40
演示の方法	1 演示の準備・材料や用具の配置および使用法は適切か。 2 演示の過程は秩序だち、わかりやすく示されたか。 3 動作が主体となっているか。 4 技術に習熟しているか。 5 全体をとおして時間の配分は適当か。	30
結果	1 作業の結果・製品のできぐあいは、すぐれているか。 2 作業の結果や製品は、実際に活用されているか。 3 質問に対する応答は適切か。	30
合計		100

農業教室　経営発展の課題

水田経営

2月11日（火）

一、小規模水田経営の収益性の限界

二、協業化の二つのかたちと経営発展

三、水田経営の発展方向―❶機械化、省力化による反収向上❷経営の複合化と規模拡大と農外所得

園芸経営

2月12日（水）

一、野菜経営の大規模化は、すすんでいる

二、野菜経営は労働集約的、資本粗放的な性格をもち、家族労働力を中心に運営されている

三、大規模経営を実現させるためには、経営的・技術的構造を再編成することがたいせつである

果樹経営

2月13日（木）

果樹経営は果樹が永年作物であり、未成園期間が五～十二年もあるので、成園化するまでの資金投入と食いつなぎのために果樹園の規模拡大がなかなかできないなやみがある。とくに、みかんは未成園期間が長いので、この未成園期間の短期化、成園促進化が問題になっている。

熊本県河内郡の西山氏は適地を開発して計画密植し、五年間で四㌧の収量を上げる技術と、五～七年生みかん樹を移植開園して成園の促成化を実現し、高収量高収益をあげている。また、社会資本（道路）を活用し、機動力を発揮して、通勤農業を行ない、規模拡大をすすめた。

畜産経営

一、所得追求の論理

販売価格の上昇と単位当たり生産原価の減少

酪農＝（乳価－生産原価）×平均乳量×成牛頭数

養豚＝（単価×枝肉重量）－生産費）×頭数規模×回転率

二、畜産経営発展の課題

	土地利用畜産（酪農・肉用牛）	土地離脱畜産（養鶏・養豚・搾乳業）
技術水準向上（技術革新）	平均乳量増大 繁殖障害減少 牧草反収増大 系統的育成牛	産卵率向上 肥育効率向上 群飼の標準技術 伝染病予防
規模拡大（資本蓄積）	土地面積と所得との関連頭数規模	資本と労働効率を高める頭数規模
集約化	労働・土地集約	資本集約（機械化）
資本構成	1頭当たり固定資産負担 自己資本比率大	資本回転率大 流動比率大
資金調達	自己資金・長期資金 貸付牛の利用	低利資金 運転資金
流通対策	牛の取引技術修得	市場開発と共販体制
所得増大対策	1頭当たり所得低下の防止	利幅低下の防止

現地訪問

2月15日（土）

広島県・廿日市町の高木作一さんは、瀬戸内海の能美島で露地の花栽培をしていたが収益性の増大をねらってカーネーション、次に洋ラン専門へと経営発展してきた人である。

洋ランは、その生産経営上、多年にわたって創意工夫をし、耐寒性の強い大衆的新品種の育成を行ない、他面この量生産化をねらって経営規模を拡大するとともに、委託農家を設定して各地に栽培を拡大している。親子協力して、……

……農家の関心を集めているので、これらの機械もおそらく急激に普及するだろう。しかし、一方では導入された機械が十分利用されず遊休化している例も少なくないし、機械が普及しているわりには、機械化の効果はあまり上がっていないように見うけられる。

一般的にいえば、機械が普及しても、わが国の農業の姿はあまり変っていないし、また、機械化したために農業所得が増大したという話もごくまれにしか聞かない。稲作農家などは農業所得が増大したといわれるが、それは機械化よ……

五、経営者として機械化をどう受けとめればよいのか

米150㎏当たりの生産費と所得の比較

	昭和30年	昭和40年	増加比率%
生産費	5,344円	9,847円	184.3%
基本価額	9,755	15,570	159.6
利益	4,411	5,723	129.7
所得	7,188	10,952	152.41

注　所得は労働費を自家増額とみて利益に加えたもの

機械化と生産性向上

2月18日（火）

農業ではとくに生産性の向上が必要だといわれ、そのためには機械化しなければならないといわれる。機械化すれば労働一時間当たりの生産量は増大するが、所得増大ということを前提にした生産性向上と機械化の役割をよく理解することがたいせつだ。

機械化技術の多様性

2月19日（水）

機械化は経営者が所得を増大するために用いる経営技術の一つと考えてよい性格のものである。したがって、つねに経営規模や形態に合わせて検討されなければならない。ところが、一般にはなにか一つの形にはまったもののように取り扱われているところに、いろいろの問題が生じてくるように思……

機械化の基本問題

……機械の普及は目ざましく、トラクターもどんどん利用されるようになり、珍しいものでなくなってきた。また、最近では新しい田植機や収穫機が開発され、……

機械化の問題点

2月17日（月）

機械化の問題点

一、機械利用は著しいが、どんな問題がある

二、機械化がすすんで所得は増大しているか

三、時間当たりの純益がふえているか

四、機械化はだれが考え、行なうのか

……所得を増大させるためにはどうして機械化が必要になるのか、などの点を十分理解したうえで機械化をすすめなければならない。

三、両者の相違はどこにあるのか

四、零細農家が機械化協業経営で自立するにはどのような方向にすすめばよいか

NHK農事番組（2月11日～20日）

テレビ

明るい農村　6・30～6・55総合

11日　くらしを考える九六四（クロヨン）といわれど

12日　村をむすぶ　フィルム・リレー　村で一番

13日　話題の広場　野菜のミスト栽培　高知大教授　門田寅太郎

14日　産物往来　いちご

15日　農業新時代　有用植物園（静岡県南伊豆町）

17日　村の記録　米づくり三代　小野滑吾（佐賀県福富町）

18日　くらしを考える　アイディア農業

19日　村をむすぶ　フィルム・リレー

20日　話題の広場　相模人形五十年　岩崎正英（厚木市）　養豚公害追放　農大教授　石丸啓雄

あすの村づくり　日　7・00～8・00　教育　再　土　1・00～2・00　教育

16日　国際交流を考える―見てきた農業と私の農業―

農業教室　7・30～8・00　教育（詳細は前掲）

ラジオ

早起き鳥　5・05～6・00　❶

11日　人と話題　京都大学教授　満田久輝

12日　通信員の手帳から　和田恒成

13日　産地訪問　洋らん（三重県豊里村）

14日　現地報告　国有林と肉牛経営（岩手県藤沢町）

15日　村のポスト

17日　話題の窓　農協を考える―「農協人」―

18日　人と話題

19日　通信員の手帳から

20日　産地訪問　うど（東京都八王子市）

ラジオ農業学校　月～土　6・40～7・00　❷　日　6・30～7・00　❷　再　月～土　19・00～19・15　❷

16日　優秀農家に学ぶ　猪方保幸（熊本県下益城郡松橋町）、現地研修「酪農」横浜市戸塚区・飯田4Hクラブ

ひるのいこい　12・15～12・34　❶

15日　馬の湯治場（福島県いわき市湯本）

17日　水戸の梅まつり（水戸市）

20日　山里の木偶まわし（石川県石川郡尾口村）

わがクラブ　わが同志

男性に負けぬ意欲
五年後には一万ドル農業へ

岡山県阿哲郡哲多町大野　江田好恵

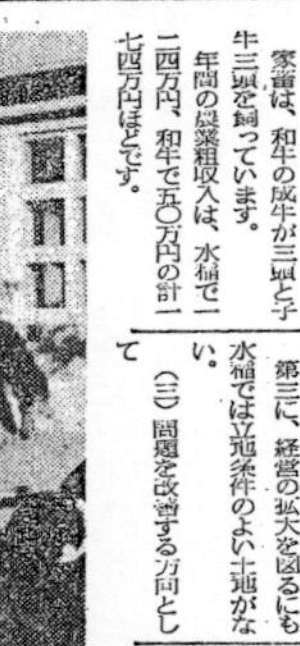

私が住んでいるところは、岡山県でも北西部に位置し、哲多町の中では、稲作を中心とした地帯です。

私も、男性といっしょに定例会に出席して、みなさん方の意見や先生方のお話しをきいていますと後継者として真にやりたい、やらなければならない、という意欲がわいてくるのを感じます。

そこで、私も我家の経営をふりかえってみますと、

（一）家族は、父母と祖母、私と妹の五人です。

水田は一八〇アール、畑三〇アール、山林は三〇〇アールです。

家畜は、和牛の成牛が三頭と子牛三頭を飼っています。

年間の農業粗収入は、水稲で一二四万円、和牛で五〇万円の計一七四万円ほどです。

（二）現在の農業経営の問題点としては

第一に、水田が一つの場所になくて肥料の運搬や、病害虫の防除取り入れに多くの労力を要している。

第二に、和牛の多頭飼育をするにも、牧草などの基礎飼料が不足している。

第三に、経営の拡大を図るにも水稲では立地条件のよい土地がない。

（三）問題を改善する方向として

はじめに、農業後継者資金や近代化資金を借入れて、利用便利なところの山林を大型機械力によって草地造成をする。そして現在の和牛を十～十五頭ぐらい飼育したい。

畜舎も家の近くというより草地の中に建築し、省力的な飼育をはかりたい。また水稲や林業、和牛および家事に対して、労力配分を合理的にするよう考えています。

水田の場合、できるだけ交換分合して一ヵ所にまとめたい。そして、現在の農道を整備して、自動車が充分通れるようにするつもりです。このようにして、年間の農業粗収入を、五年後には三百六十万円位いにしたいと思っています。

また、将来の夢といたしまして巾広く農業を愛する人々とともに手をたずさえてがんばり、年間平均三万ドル農家になるよう努力するつもりです。

現在、日本農業は文明に比例して近代化されていると思います。やればやるほど、その成果は向上すると思いますが、これ［illegible］するかのように農業経営［illegible］化し、成果も低下してい［illegible］たいへん残念に思うので［illegible］

この大きな問題点は、［illegible］っても私たちの年齢の者［illegible］への転出であると思います。農業従事者には、いろいろ［illegible］います。農業しようにも［illegible］将来の生活が望めないか［illegible］いは農村生活が好きにな［illegible］ら、また、他産業に意欲［illegible］ている人、社会勉強のつもりで二、三年でている人など、それぞれの立場があることでしょう。［illegible］村の生活をよりよくする［illegible］

明日に向って

人生における「青年期」は、心身ともに躍動する季節だ――。年令的には大人と子供との中間にあり、成長の段階である。この成長への過程では、苦しみ悩んで自らをいたずらにきずつけたりもする。反面、歌って笑うように、青年は人生の苦楽の中で自分自身を上手にあやつる魔術師だ。

あるときは孤独を求めて詩情にひたり、また、あるときは愛を求めて恋の歌をうたう。孤独を愛しながらも友だちを求める。

親たちの温かい愛情の胸もとを離れて実社会へ旅立つ、ヒナ鳥が巣だつように――。世の荒波に身をなげこんで苦しみにたえ、そしてたくましく、美しい心のもち主として成長の歩みをつづける。

青年の美しい心は、世のみにくさに反抗、反発しつづけながら新らしいものを追求しようと改革の精神がみなぎる。青年の胸は熱い血潮がたぎり、情熱となって希望と理想を求めるために勤労し、勉学に励げむ。青年は、自らの手と力によって、日本の〝新しい世代〟を築く原動力である。〝躍動〟する青年の心は明るく、身体はハガネのようにたくましい。

明日に向って躍動する青年には冬がない。

（写真は全国4Hクラブ中央推進会議の参加者たち＝国立中央青年の家で）

気になる女性の態度
お嬢さん方にひと言

福井県大館4Hクラブ　岩崎徳太郎

最近、私が町に出て一番気がつくのは女性の態度や話し方です。新しい傾向は、徐々に農村にも伝わってきているとも思えます。

そこで私は、女性にエチケットとして次のようなことを守っていただきたいのです。これは、男性諸君にもいえることかも知れません。

一口にエチケットといってもお辞儀の仕方とか、お茶の飲み方とか末梢的な〝女の心得〟ではないのです。そんな外面的なみだしなみのことではなく、本質的な問題です。

人と人とのつき合い、大げさかも知れませんが、人の世といえばまったく生きにくいものです。だれがいったか知りませんが「知に働けばカドが立ち、情にさおさせば流される」たしかにこのような言葉があったように思われます。対人関係をどうしたらよいかということです。

これは、私たちのクラブ員が集って「現在の女性諸君はエチケットとして、どういうものが足りないか」と話し合ったときのことを、簡単に個条書にしたものです。

一、あなた自身の価値！美点や長所を示すこと
一、あなたの欠点を［illegible］ザと露出しないこと
一、あなたの苦しみをむやみに他人に訴えないこと
一、あなたの幸福を大きな声でいって歩かないこと
一、卒直すぎず、同時に隠し立てしすぎないこと
一、他人の容ぼうや外見についてとやかく批判しないこと
一、話し合いには、宗教や信仰の話をかるがしくしないこと
一、いつも快活であること
一、話し合いや電話はなるべく簡単にしゃべること

［illegible］性の問題が中心となります。まったく淋しいかぎりです。

実践を通して活動
綱領のように頑張ろう

愛知県渥美町まゆう4Hクラブ　渡会稔雄

4Hクラブ員になって三年になりますが、私は今日までの考えや経過を反省し、クラブの一員として今後どのように参加して行けばよいか、私なりに考えてみました。

まず、初年は、4Hクラブに大きな希望と期待をもって入りました。

一ヵ月、二ヵ月経って、こんなものかと、自分の思ったことと違いがあることがわかりましたが、一年目のこと、そのようすを眺めようと思い、定例会そのほかの行事や活動にもできるだけ出席して、一年過ぎてしまいました。

次の年は、4Hクラブ活動はあまり多くなく、なんとなく終ってしまいました。

要するに、二年間平凡に参加するだけで過してしまったのです。これではせっかくの4Hクラブの「実践を通じて、自からを磨くと共に、互に力を合わせよりよい……HHHH」

クラブの綱領ではなく、ただのHの四つ集った4Hになってしまいます。

そういうこれまでの状態から発展するために、各々の家の経営に結びついた活動や基礎研究を行ない、年ごとに充実した4Hクラブになるようにクラブ員全体で盛りあげようではありませんか。

4Hクラブ活動は、クラブ員一人ひとりがプロジェクトを持ち、その課題解決を通して将来役立つ社会人になるための実践活動です。農業をとりまく環境は年ごとに変っていきます。私たちクラブ員はこの時代の動きを見つめながら明日の日本農業発展のために努力を続けようではありませんか。

青少年団体の紹介（11）
日本BBS連盟
非行少年を更生へ
人間愛と奉仕の精神で

東京千代田区の九段会館で行なわれたBBS運動発足20周年記念全国大会のシンポジウム＝壇上は相沢理事の発表

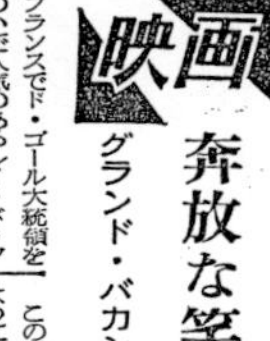

映画
奔放な笑い起る
グランド・バカンス
W・ディズニー映画配給

娘と息子にはかられ〝幸福な結婚の村〟へ駆け落ちされた二人の親父たちはあわてて軽飛行機に飛び乗り猛追した

日本4H新聞
4Hクラブ 農事研究会 生活改善クラブ
全国弘報紙
発行所 社団法人 日本4H協会
[illegible]
編集発行人 玉井光
定価 1部 10円 6ヵ月180円（送料共） 一ヵ年360円
振替口座東京 12055番

クラブの綱領

[illegible]

多くの参加を期待
鳥取のつどい 要領決る
申込みは3月末日まで

全国4Hクラブ連絡協議会（丸山勉会長）鳥取県農村青年クラブ連絡協議会（[illegible]）、社団法人日本4H協会（松下幸之助会長）は、全国クラブ員の一大祭典「第五回全国4Hクラブ員のつどい」の開催要領をこのほど決定し、各県連および[illegible]を通じて、クラブ員の参加協力を呼びかけた。このつどいは、4Hクラブ運動の高揚、仲間づくり、農業技術の学習、家族ぐるみの4Hクラブ活動の推進をねらいとして、昭和四十年秋、大分県のきじま高原で第一回が開催され、以来、埼玉、富山、奈良と回を重ねるごとに内容も充実し、とくに昨年の奈良のつどいでは、西村農林大臣や松下4H協会長も出席し盛況をきわめた。今回は、七月二十七日から三十一日までの五日間で、初日には、作家・石原慎太郎氏の講演、二日目には、早朝レクリエーションとして、大山登山などが予定されている。また、今回のつどいが鳥取で開催される運びになったのには地元県連の強い要望によるもので、鳥取県連のこのつどいに対する熱意はそうとうなもので、県下クラブ員の生まの生活と経営をみてもらい、仲間づくりと家族ぐるみの4Hクラブ活動推進に役立てようという現地交歓訪問は、前回の一泊二日を二泊三日に延長するなど、その張切りようはたいへんなものである。事務局では、参加者数の早期把握、運営の円滑化などを図るため、受付けを三月末日までにしたので、参加者は早急に各県連に申し込まれるよう希望している。

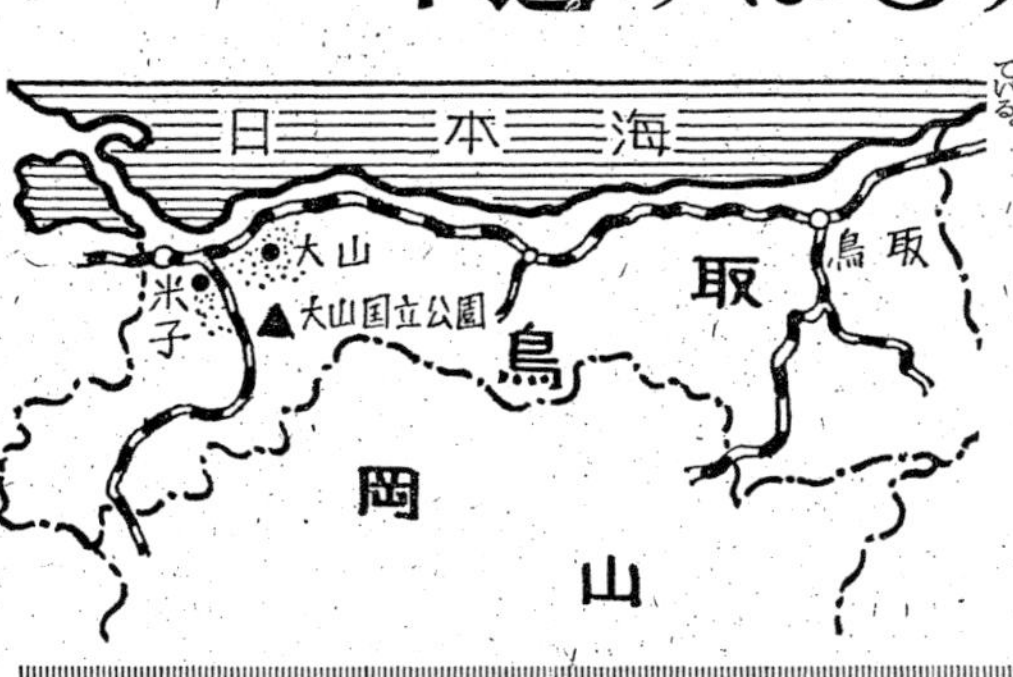

「第五回全国4Hクラブ員のつどい」開催要領

1 趣旨 このつどいは、日本農業の担い手として、[illegible]4Hクラブ員が、自らの手で企画運営して[illegible]、新しい技術の研さんやクラブ活動の[illegible]、仲間づくりや自主性の高揚を図るとともに、地域社会から期待される[illegible]4Hクラブ活動の推進を図るため開催する。

2 主催 全国4Hクラブ連絡協議会 鳥取県農村青年連絡協議会 社団法人 日本4H協会

3 後援（予定） 農林省 文部省 鳥取県 米子市 大山町 [illegible]

4 協賛 日本海新聞 日本海テレビ 山陰放送

5 期日 昭和四十四年七月二十七日から七月三十一日（四泊五日）

6 会場 米子市公会堂 大山寺周辺 鏡ケ成 鳥取県下一円

7 参加者 [illegible]

8 参加者経費 [illegible]

9 携行品 [illegible]

10 参加者申込み ❶県連登録者は、別紙の様式により昭和四十四年三月三十一日までに[illegible] ❷[illegible]

11 つどい事務局 [illegible]

12 参加者受付 日時 昭和四十四年七月二十七日 午前九時～十一時三十分 場所 米子市公会堂

13 会場への交通 [illegible]

14 つどいの運営 別に定める方法により、全協役員、鳥取県連役員が運営にあたる。

15 つどいの内容
❶オリエンテーション
❷開会式
❸日本4H会館建設について 日本4H会館建設委員会 遠藤清之丞事務局長
❹講演
❺歓迎レセプション 郷土芸能 バンド演奏（クラブ員有志、保存会）
❻自由交歓 郷土品の交換
❼早朝レクリエーション A 大山登山コース 七月二十八日午前二時起床して大山へ登山 B 大山寺散策コース 七月二十八日午前五時起床して大山寺や大山牧場を散策・クラブ員の希望により、あらかじめAコース、Bコースに分かれる
❽記念植樹 鏡ケ成において記念植樹を行なう
❾話し合い テーマ 一、自主的な4Hクラブ活動と組織の強化について 二、家族と地域社会に理解される4Hクラブ活動をするには 三、自立経営により豊かな生活をするには 以上のテーマについて分科会にわかれて話し合う
❿スケッチ つどい期間中、折にふれてスケッチをして、つどいの良い思い出となるようにする。スケッチ用具は主催者が用意する
⓫キャンプファイヤー（雨天の場合にはキャンドル サービス） 火の儀式を通した4H精神の高揚を図る（鏡ケ成）
⓬意見発表 「4Hクラブ活動を今後より盛んにするには」
⓭体験発表 「4Hクラブ活動が人間形成や協同精神の涵養にいかに役立ち、また農業改良や生活改善、奉仕活動などを通して地域社会の開発にいかに貢献しているか」
⓮現地交歓訪問 ア 目的 鳥取県下クラブ員の生のままの生活と経営状態を体験し、仲間づくりと家族ぐるみ、地域ぐるみの4Hクラブ活動を実践する イ 内容 クラブ員の生活を体験する 家族や地域の篤志指導者との話し合い クラブ活動状況の交換 現地視察見学 ウ 日程 七月二十九日 移動 歓迎会 三十日 生活体験 活動状況の話し合い 三十一日 現地視察 解散 エ 注意 生活体験をするため作業衣を用意されたい 単なる儀礼的な歓迎会に終らないように努める 歓迎はふだんのままとし、手みやげはやめられたい この交歓訪問の旅費は自己負担とする
⓯閉会式

16 その他
❶参加者は全日程参加し、期間中の個人行動は認めない
❷つどいの意義を良く理解して自主的で規律ある行動に努める
❸医療関係については、応急処置を取り計らうが、費用は自己負担とする。また各自国民健康保険証を持参されたい
❹県外参加者の車での参加は遠慮願いたい ただし、バスのみ許可する

つどいの日程

一日目（27日）
午前9時…受付 昼食
〃11時30分…オリエンテーション（米子市公会堂） 開会式
午後13時30分…4H会館建設について
〃14時30分…講演（石原慎太郎氏を予定）
〃16時30分…歓迎レセプション
〃17時30分…宿舎へ移動
〃19時…夕食 入浴
〃20時30分…自由交歓
〃22時…就寝（登山組は20時30分就寝）

二日目（28日）
午前5時…起床（登山組は2時起床）
〃6時…朝食・早朝レクリエーション Aコース…大山登山 Bコース…大山寺散歩
〃11時…バス移動（車中で昼食）
午後12時30分…記念植樹
〃13時30分…レクリエーション・話し合い・スケッチ（鏡ケ成）
〃18時…夕食
〃19時…キャンプファイヤー（鏡ケ成）
〃21時30分…宿舎へ移動
〃22時30分…入浴・就寝

三日目（29日）
午前6時…起床・朝食
〃8時…移動
〃9時…意見発表・体験発表（米子市公会堂）
〃11時…閉会式
〃12時…現地交歓訪問

四、五日目（30、31日） 現地交歓訪問

開会式であいさつする県農業技術課岸田係長

好評えたクラブ展
愛知県連で青年会議開く
プロジェクト 実績発表なども

【愛知・[illegible]】愛知県4Hクラブ連絡協議会（会長・飯田雅美君）ではさる一月二十八日から三日間、[illegible]愛知県農民文化館と愛知県青年の家を主会場に、第九回[illegible]青年会議）を開催した。

[illegible]を目的に、県下[illegible]農業改良普及員[illegible]めて盛大に開か[illegible]あわせて、プロ[illegible]表大会と、十一[illegible]H連協の先進地[illegible]も行なわれ、盛[illegible]議となった。

第一日（二十八日）
午前九時三十分から受付開始。〝花どころ農業〟のクラブ員たちが作った花で飾られた会場に、県下のあちこちから元気ハツラツとした農村青年たちが集まってきた。

十時三十分からオリエンテーション、十一時から開会式がおこな[illegible]

[illegible]ことにし、そ菜、畜産、果樹、花キ、経営、生活の六部会に分かれて行なわれ、一会場三、四名の発表で、じっくりと時間をかけた研究会になった。

また、このとき、あわせて先進地視察研修参加者の報告も行なわれ、二日目の問題提起にした。

午後四時三十分、青年の家の前庭で夕べのつどいが行なわれた。はじめて会った人の肩に手をかけて踊るジェンカ、そしてバレーボールに興じる若者たち―日頃、都市化や住宅化に悩まされ生活している都市近郊の青年たちの顔にもこの日、この時、暗い影などもみじんも感じられなかった。

[illegible]だ」―そ菜、果樹、花キ、畜産、経営の各分科会―第二議題「私達は農村環境や農家生活をこう改善してゆきたい」―クラブ活動、農村環境、家庭技術管理の各分科会―共通議題として「豊かな農村を築くためにクラブ活動の補助手段として先進地視察研修や放送をどのように活用したらよいか」のテーマのもとに八分科会に分かれて話し合いが行なわれた。

参加者提出のレポートをもとにして、前日のプロジェクト発表、先進地視察研修報告、映画などから提起された問題について、各々の分科会ごと、この日一日真剣な話し合いが展開された。

午後七時から待ちに待った懇親パーティが催された。階段を使った立体的なキャンドルサービスが行なわれ、厳粛な気持のあとは、はでやかで楽しいパーティへとすすめられた。

会場には運営委員の手で作られたすし屋（クラブ寿し）おでん屋、コーヒー店（ティールーム〝ヤング〟）肉まん店など模擬店が開かれ、運営委員たちは一日店員で、かけ声も勇ましく各店は大繁盛。今回のパーティは最初からフリーの形で、食券で自分たちの好きな所で好きな物を食べ、食事の後はゲームとダンス、コーラを飲みながらお話ししましょう―という趣向。

会場の一角に4Hスポーツランドが新装開店、入場料五十円也（ただしコーラ一本付き）ボーリング、的矢、輪投げ、お手玉入れコーナーと運営委員手作りのスポーツ用具で、クラブ員たちは童心に返って楽しんでいた。

また、このスポーツランドで高得点を上げた人には、二階のコーヒー店（ティールーム〝ヤング〟）のコーヒー券がサービスされるとあってみんな大ハッスル！彼女と二人でコーヒーを…と考えて無理した男性もいたようだ。

二階にもうけられたダンスホールでは、食後にダンスを楽しむ若者たちの楽しそうな歌声や笑い声で会場がこわれんばかりであった。

おとなりの純喫茶店〝ティールーム〝ヤング〟では、本場コロンビアのコーヒーとあって大人気、準備の際、ムード作りに力を入れただけあって、ちょっとした喫茶店なみ、ムードを楽しんで語り合う中年の指導者からクラブ員までここもまた盛況であった。

このパーティの間、会場の各所には、県下のみかん栽培クラブ員から買いあげたみかんの〝4Hみかんコーナー〟が設けられ、各々の宣伝もはでやかに味くらべなどもされていた。

こうして、夜のふけるのも忘れて楽しいパーティを過し、十時、各々の部屋で就寝。

第三日（三十日）
三日間にわたる会議も今日はいよいよ最終日、九時から昨日の分科会討議の総まとめとして、文化館ホールにおいて全体討議が行なわれた。第一、第二議題に分けて各々パネル討議が行なわれ、会場からの質問なども まじえて活発な論議がくりひろげられた。

午後に入って、第一日目のプロジェクトの実績発表の代表発表が行なわれ、そのあと、専門技術員の先生方による「新しい農業経営者について」と題したシンポジュームが行なわれた。

午後四時、三日間のすべての行事を消化し、閉会式を迎えた。忙しい中をこの会議のためにかけつけてくれた全協事務局次長の久野先輩も、この会議の成功を心より祝福してあいさつ。また、4Hクラブの先輩たちの顔も会場のあちらこちらに見えていた。

「この会議で学んだ事を一つでも地域の友に分け与え、実践につとめましょう」と飯田会長の言葉を胸に、参加者全員で会場がわれんばかりに4Hクラブの歌を斉唱して、閉会式を終了し「さよならさよなら」の歌に送られてそれぞれの地域に帰って行った。

なお、この会議の期間中、農民文化館ロビーにおいて「4Hクラブ活動紹介展示会」が催され、参加者の好評を博した。このクラブ展は、県下の4Hクラブ員の活動状況を広く参加者に紹介することによって、実践活動を理解するとともに、青年会議分科会の話し合いの材料として提供し、話し合いを充実させることを目的として、県下十四単連から日頃の活動を紹介するパネルや写真、機関誌などが提出された。

また、このクラブ展に、県連では、日本4H協会の山本さんほか他県の協力を得て、全国の各県4Hバッチやクラブ員手帳（岐阜）ネクタイ（京都）などを展示、めったに見ることのできない数多くの他県のバッチや品物に、クラブ員たちは目を丸くして見入っていた。

こうして、三日間にわたる愛知県青年農業者会議は、青少年の手によって企画し、運営され、無事終了することができた。総務委員、学習委員、生活委員とに分かれ、各々力一杯頑張った十三名の運営委員たちは、会議を終えた安心感とともに、この貴重な体験をその場限りのものに終らせてはいけないと痛切に感じていた。

みんなで会場が割れんばかりにうたう4Hクラブの歌

機関紙発行など決める
IFYE日本協会

[illegible]

凉風暖風
ある座談会から

[illegible]

[illegible]栽培と取組んでいる川[illegible]卒業した仲間のほと[illegible]たのは六人しかいな[illegible]ことを「はじめのうち[illegible]日思っていました。[illegible]仲間のほうがカッコ[illegible]らは泥まみれですすも[illegible]くしたもので、花を[illegible]涯の仕事としてやろ[illegible]という気持になって[illegible]らは、そんな感情は[illegible]と述懐している。

[illegible]りをつけて、ハウス[illegible]は「去年は二百五十[illegible]れるようになりまし[illegible]慢じゃないけど、わ[illegible]ことです。この頃で[illegible]ついて語れるように[illegible]のほど」を披露している。

普通高校卒業を目前に父親をなくした三田さんは、就職をあきらめ、母と二人でイチゴ栽培をはじめたが「なれない仕事に失敗ばかり、あせりを感じました。でも、わたしがあのとき放り出さなかったのは、クラブ員の励ましです。ほんとに親身になって教えてくださったんです（中略）女手だというハンディキャップはたしかにありますが、負けるもんか―というファイトで、また来年も頑張ろうと思っております」とクラブ員の温かい友情に感謝している。

もう一人の女子クラブ員斎藤さんも「クラブ活動に出ることはいいことですね。自分で自分のクラブをほめるわけじゃないけど、4Hクラブの人たちってすばらしい仲間ですね」と自画自賛のていである。

「日本民族発展のため、どんどんこの青年たちに結婚をお申込みください」とは、感激した司会者の弁である。

優しい男性たち
妻のために料理実習会

【山梨】山梨県東八代4Hクラブ連絡協議会（会長・斉藤明男君）では、さる一月二十四日午前九時から一宮町中央公民館で、男性クラブ員二十五人が出席して料理実習会を開いた。

これは結婚してから奥さんが妊娠したとか、農繁期などに奥さんの手が回らないときなどに、まごつかないようにというもの。

講師は女子部委員長の桑本雅江さんと長田汎子さんで、クシカツと野菜いためを作り、なかなかいけると男性たちは大喜こびで、自分たちの手作りを平らげた。

心頭技健

「懐かしきものは旧き友との語らいなり、そして汲み交す酒の味なり」さる八月から九日にかけて一泊二日で、ある懇親会を開いた。さしてこれといった目的を意図としない会ではあったが、ひと口でいえば、七年ほど前に同じく県連会長をやった者同志が、懐かしさのあまり一度逢おうというところから、懇親会の催しとなったもの。

▼当日は十人ほど参加する予定であったが結局、顔を揃えたのは七名であった。他の三人については互いに忙しい身であるため駆けつけられなかった。いずれの友もいまは、一家の中心となって家業に励んでいることは勿論であるが、かつて独身であらした連中も、いまは一家を構えて、可愛いい一児、二児のパパとして子供の成長をも語る変わりようである▼志ざしを同じくして4H活動に身を徹し、寝食を共にした仲間たちが五～六年間というもの年賀状の交換ぐらいで逢う機会も少なく、今日の日を迎えただけに懐かしさもひと潮であった。素朴なお互いの語らいの中に、ほのかな土の香が漂い、ありし日のクラブ活動の思い出や、日夜家業に精を出している姿が見受けられ、若き日の意欲的な姿そのものがあった▼友だちは懐かしいものであり、友だちは一日にしてならない。最近、クラブ活動の中に「仲間づくり」なるものが唱えられ、クラブ員自身も仲間を求めるためにクラブ活動に入ってくる。しかし友だちをつくる、友だちになるということは、仲間づくり運動を唱えたぐらいでは実現しないと思う。人と人を[illegible]

経営改善を話合う
暴落のミカン対策

熊本

[illegible]

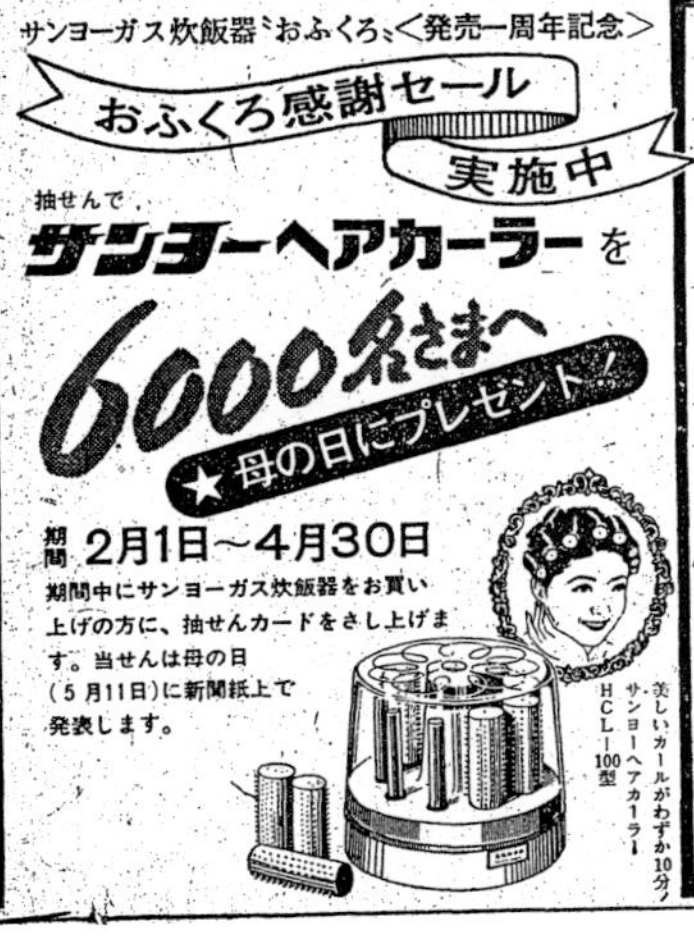

プロジェクトとは何か

——研究会のシンポジュームから（4）——

出席者〈発言順〉

栃木県専門技術員 湯浅甲子
埼玉県農業経営伝習場長 星野武四郎
4HクラブOB（千葉） 峰島伝夫
日本4H協会事務局長 新田健吉
司会・全国4Hクラブ連絡協議会監事 村上光雄

このプロジェクトについてのシンポジュームは、昨年の暮、静岡県御殿場市の国立・中央青年の家で開催された全国4Hクラブ連絡協議会と日本4H協会主催の「全国4Hクラブ中央推進会議」でクラブ員の発表をもとにして行なわれたものです。（文中・敬称略）

司会 それでは、「プロジェクトは何か」について先生方がお話になられた内容に関してや、また実際にプロジェクト活動を進める上での問題点などについてお聞きしたい方は、その聞きたい点を要領よくまとめて質問して下さい。

A 新田先生にお聞きしたいと思います。プロジェクトは頭と腕の訓練であり、それをクラブ活動でおきなっていくと話されましたが、私たちは実際には経営や生活を改善し、また技術の向上を図らなければなりません。これがすべてではないと考えますが、頭と腕だけでは何かもの足らないと思うのです。その点についてお聞かせいただきたいと思います。

新田 それではお答えします。先きほど申しましたように、4Hクラブは、とにかく自分のもっている四つのHを平均して伸ばしたい。そして数学の公式のように、その四つのHが平均して伸びてくれば、その人は十分な生活の能力と同時に社会の発展に貢献するような人になるんだという考え方です。

しからば、その四つのHを伸ばすにはどういう手段をとったらよいかということについて考えると、4Hクラブではプロジェクト活動とクラブ活動ということをあげているわけですね。その4Hで考えているような理想的なプロジェクト活動、クラブ活動をやっていればですよ、いきおいその中に四つのものが自分の身についてくる―4Hの考え方はこういうことになっているわけです。

そこで、その場合に、ひいてどうかというと、四つのものの中で、主として自分の頭と技術というものが、プロジェクトをくり返えしくり返えしやることによって少しずつ身についてくるんだということです。それからハートの問題ですが、クラブ活動についてまだ私の考えを申し上げていませんけれども、クラブ活動をすることによってハートの訓練になるんだといったわけです。そういう場になるんだといったわけです。

B 新田先生におうかがいたいと思います。

プロジェクトというと生産活動を中心にしていましたけれども、4Hの場合、趣味のプロジェクトもあるかどうかお聞かせ願いたいと思います。

新田 先きほど申し上げましたようにプロジェクトというのは課題解決活動、一つの課題を解決することによって、その人間が教育されていく、こういうものです。それをプロジェクト教育法というわけですね。ただ抽象的な本を読んだり、あるいは物を見たりするだけでなしに、実際に自分が課題を解決してみる、この課題を解決することによって自分がだんだん勉強していくというものです。

従って選ぶ課題は何でもかまわないわけです。例えば立派に出来た機械をどう使うかということでもよろしい。アメリカのクラブ員はいろいろやっています。乗馬やモーターボートのプロジェクトをやっているクラブ員もいます。何でもかまわない。とにかく先きほど言ったように科学的な頭の訓練になるような動き方をすればよいわけです。

ですから趣味なら、趣味ということについてプロジェクトをもっても結構。そしてどういうようにすれば良い趣味、終生悔いない趣味ができるにはどうすればよいか、調査し、計画し、実行し、失敗したなら反省してみる、このように頭の訓練を続けていけば、例えば仮りに農業をやめて他の商売に移っても役立つわけです。商売に成功していく。アメリカのクラブ員は必ず農業者になるためにクラブ活動やプロジェクトをやっているわけではないのです。そういう意味の感覚のプロジェクトをやっているわけです。

そこで、何でもよいのですが、4Hクラブとすれば、できるだけ好ましいものがあるわけです。物を生産する課題が好ましいわけです。しかも、その中で生き物を生産する課題が好ましい。やはり生き物を生産するということになると人間の心に愛情がわいてきます。そうするとハートの訓練にも役立つわけです。このように好ましい姿がある。プロジェクトの課題は何でもよいのですが、4Hクラブでは物の生産、とくに生き物を生産する課題が望ましいということになっている。

政治活動は是か

4Hの範囲で論議

しかも、そういうように望ましいプロジェクトは、みなさんの将来の職業―農業に直結しているわけです。農村青少年の教育の方法はいろいろありますけれども、4Hクラブはその中でとくに優秀なものであると思います。

人間形成のために勉強したことは、たまたま自分の将来の職業に直結するというこれほどよい勉強方法はないと考えています。

C 星野先生におうかがいしたいと思います。

プロジェクトというものはいろいろあると思います。生活の問題、経営あるいは技術の問題などですが、同時に考えることですけれども、日常生活において政治と農業は切っても切り離せないものだと思います。

そこで政治というものをプロジェクトの中に取り入れてやっていく場合にいったい、農業はこれからどのように変っていくだろうか、あるいは果して現在のような農政でよいのか、もっと農民自身が考えてわれわれがこのようにしなければならないことがあるのではないのか、ということを考える場合に、政治というもののプロジェクト、あるいはそれとの取り組み方ということは大変難しいことですけれども、そういうものを進めていくには、どのようにやったらよいかお聞きしたいと思います。

星野 その前にお聞きしますが、政治のプロジェクトとは具体的にどういうことを考えているのですか。

C 要するに、やはりわれわれが現在考えていること、不安なことは、二十年、三十年後、農業がどのように変っていくか、米価の問題とか市場においてもいろいろの問題がありますが、もっともわれわれ農民自身が団結して考えていかなければならない問題であると思います。そういう意味で考えているわけであります。

星野 これは非常に重要な問題ですね。われわれの日常生活というのは政治を度外視してありうるはずがない。

ただ問題は、規則とか法律にはございませんが、4Hクラブという土俵の中で政治をどう考えるかということになりますと、私は、政治研究は大いに結構、やるべきであると考えます。ただし政治活動はいけません、という。

私たちが行政指導の立場からいいますと政治活動はいけません、しかし政治研究は大いにやりなさい、ということは4Hクラブというのは、すべてを充せるグループでないということですね。4Hクラブはそれだからダメだということではないですよ。これは全部なんでも、政治のことでも恋愛のことでも生産の問題も全部それで充せるとすれば、それは万きん丹、仁丹と同じですよ。何にでも効くかわり何にも効かない。

だから4Hクラブというのは、ペニシリン的効き方をするには何をやるかということになると、自らプロジェクトというのは決まってくると思う。主として学習活動ですね。

米価が決るにも安く決っては困る。しかし安いからこうするんだとムシロ旗立てることは別の団体でやりましょう。別の団体でやるということはあなたがやってはいけませんというのではないのですよ。その団体に参加して大いにやりなさい、しかし4Hクラブの土俵の中ではやめましょうという。私はそういう信念でクラブや県連を指導しています。

新田 4Hクラブというのは、みなさんもすでにお聞きになられているように、青少年の共通の課題を解決する場ではございません。4Hクラブ員の個々の問題、4Hクラブ員が個々に真剣に取り組んでいる問題、それをクラブ員の協力によって解決され伸びていく、そういう性格のものです。そういうことが4Hクラブの基本的な考え方です。そういうことを考えると、政治活動は個人個人に関係することでございますけれども、これは共通の課題です。4Hクラブの基本的な考え方は共通の課題を解決する場ではございません。

（つづく）

4H精神で活躍を

宮城県連 リーダー研修会開く

【宮城県＝庄司健治連絡報道員発】宮城県4Hクラブ連絡協議会（会長 高野秀儀君）では、県と共催で、このほど二泊三日間にわたって、県農村青年研修館（宮城農学寮内）に、県下の各普及所と市町村役場から推薦された4Hクラブ員をはじめとする農村青少年八十五名を集め、リーダー研修会を開いた。

第一日目は、午前十時から受付開始。一時三十分からオリエンテーション、県連の一般事業報告を事務局長が報告。

午後二時、開会式、まず、高野県連会長が、この短かい三日間ではあるが充分話し合って、未来のリーダーとしての知識を身につけてほしいとあいさつ。

つづいて、山本副知事が「諸君たちをとりまく環境は非常に厳しいものがあるが、4H精神でもっておおいに活躍してほしい」と激励された。

その後「農村青少年クラブの組織とリーダー」と題する講演があり、これを中心に四分科会に分かれ、今後のクラブ活動のありかたについて真剣に話し合った。

夜は前夜祭で、各普及所ごとに自己紹介や歌の披露、映画「伸びゆく宮城」をみたり、楽しい一夜を送った。

第二日目は六時起床、広場で全員ラジオ体操、八時から研修室でNHKテレビ視聴、東北大・塚本助教授の講演を聞いた。

十一時から、4Hクラブの代表として「青年の船」に乗って東南アジア七ヵ国視察の旅をしてきた仙台市の渡辺善伸君（全国4Hクラブ連絡協議会の推せん）が、スライドをみせながら帰国報告を行なった。

午後は「これからの米づくり」について、フォーラム形式による全体討議があった。四時から、県保健体育課の桜井氏を講師としてレクリエーションの理論と実技を学び、全員リーダーとして新しいゲームや歌、踊りなどを覚えた。

夜はキャンドルサービスで、前半は歌、ゲーム、寸劇などで楽しみ、後半は儀式で、ローソクに灯がともされ神話が始まると、場内はロマンチックで厳粛な雰囲気に包まれ、感激のあまり涙のでる人さえあった。

第三日目、初日の話し合いの結果を中心にして全体討議を行ない、クラブ活動について活発な意見がかわされた。このあと、三日間の反省会が開かれて閉会式となり、参加者一同別れるのが辛いといったようすで、それぞれの村へと散っていった。

クラブリーダーのあり方について熱心に討議するクラブ員（宮城県連のリーダー研修会）

知っていて役に立つ話 みんなの保健衛生

☆☆プロパンガス

プロパンガスは都市ガスと比べて、熱量は高く、運べる点が便利ですが、正しい使い方をしないと危険なことがあります。そこでたまには点検が必要です。

❶容器（ボンベ）は、室外に出ているか。しかし直射日光が当ったり、火気が近くにあると危険です。

❷容器は安定している場所に置くことが大切。ちょっと斜めになっていたら直しておきましょう。

❸都市ガスと違い、ガス自体は一酸化炭素を含まないが、不完全燃焼をすると一酸化炭素を生じます。不完全燃焼をしている場合はなべやヤカンの底やまわりが黒くなるのでわかります。こんなときは調べてもらいましょう。

❹ビニールのガス管は、差し込み口がはずれることがあるので止め金をつけること。踏んでもつぶれないようにゴム管をつけるとよいでしょう。

4Hクラブ発足20周年 記念懸賞募集入賞文

ものいったレク体験

いまは、子供や婦人も指導

4HクラブOB 高橋基次

豊かな楽しい農村の建設は、4Hクラブで貴重な体験を積み直ねて、高度の知識と能力を養い、一人ひとりが良き指導者となり、互いに協力し合って農業を守って行かなければならない。それにはこ「4Hクラブの存在は欠くことの出来ない組織である」と、みんなそれぞれ口を揃えて言う。

農村青少年の4Hクラブに対する関心が高まり、充実した高度の活動が展開されていることを、4H新聞や県、全国のつどいや大会で、直接肌で感じることができる。今年（四十三年）で二十周年の歴史に輝く良き年に、真の4Hマンに心から拍手をおくりたいと思います。そして、この機会を契機として一層の責任感を強め、奮起し努力することを忘れてはならないと思います。

◎◎初のレク係に困惑

さて、私もOBの存在になりながらもクラブの仲間八名とともに活動しています。わがクラブの発足も今年で四年目、若いクラブですが、しかし縦や横の組織下にあって先輩諸兄が築いてくれたその成果を学び、みんな智恵をしぼりながら頑張っています。

このように私も短かいクラブ歴ではありますが、日ごろの活動を通じて、仲間の友情と自分なりの努力でレクリエーションとしてのささやかな体験談を年意気ながら発表させていただき、これからレクリーダーになられる方や、レクのもつ重要性というか、値打ちを知ってほしいというそんな気持です。みなさんの助言と指導をよろしくお願いいたします。

話しはちょうど三年前、甲府盆地の夏の夜に県連でリーダー養成の研修会が行なわれた時でした。夕食の前に幹部の人が「高橋！今夜から明日にかけてレクリエーション係をやってくれないか」と突然に言われ、困惑してしまいました。係だった人が急病で帰宅するとのことでした。もちろん、私には先だってことを運ぶなんてやったこともないし、レクの場を経験したのは数回だけで、とても自信がない。それでも先輩が協力してくれることになった。係を受けたのはいいが、ただ振りが高まるだけで時間がどんどん迫ってくる。それでもやっと気持を落ちつかせて部屋の中を見わたし、ゲームの材料を探してみた。

◎◎見つけ出した特技

灰皿とマッチ、黒板に新聞紙、スリッパ、輪ゴム、カーテンなどが目につき、さあ、これをどのように生かすか思案した。結局、男女交互に座ってもらい、マッチ棒につるして順々に横の人にリレーすることにしました。男女が顔と顔、口と口を近づけるので想像するだけでもにやにやしたくなる。

会場は爆笑とひやかしやら、顔を赤らめながらも楽しそうな男女、肩をたたきながら時間が過ぎていく。

とにかく、曲りなりにも急場を乗り切った爽やかな気持と、自分が知らずにもっていた特技を見つけ出したような気がした。よし、これからもレクリエーションを研究して自分の力をこの部門で確かめてやろうと、大げさではあるが勇気と意欲が体の中に燃えたったのも、この研究だったと記憶しております。

幸いにも、クラブ員からはその後も機会あることに、レク係をさせてもらい、多くの指導とアイデアを教えてもらいました。でも、今度は回数を重ねてくると新しいゲームや歌をより多く自分で作ったり、本から学ばなければならないはめになってきました。日常生活の作業や動作、言葉のやりとり、子供の読む漫画本や週刊誌、広告や町の歩道の中にそのヒントがころんでいないかと注意深く観察することもありました。

それによって出来上ったときの喜びは、とても爽やかさを与えてくれます。今では手持ちの資料袋も少しずつふくらんできています。

レクリエーションと一口にいっても種類はさまざまですが、私の言うこのゲームや歌などの社会的レクは、企画と実践に当ってはよほどの注意力とテクニックが要求されるので、ゲームの数だけを知っていればいいという訳にはいかない。そこに集う人たちの目的や内容を知ったり、男女の割合、年令、季節とその日の気象条件、場所の形と安全性、用具の準備からプログラムの組み立てまですべて常に検討しなければならなくなる。

諺に「経験はものをいう」といわれる通り心臆くこれにぶつかっていくならばリーダーとしての自信がつき、多種多様のレクの場をもりぬける技術が身につくと確信できました。

◎◎子供相手に体験生す

では、私のレクリエーションメモから二、三の例を披露させてもらいます。

私の部落には、八十名近い子供クラブ員が、年間を通じて中学生を中心に学習会やレクリエーション、奉仕活動を実施しておりますが、ある機関から依頼されて指導員という席につき、ここ数ヵ年、私なりの手助けをしてきました。比較的レクリエーションの行事が多く、4Hクラブで体得したゲームや歌が活用によっては意外にも効果を上げるので自分ながら大変驚いています。

それというのも、指導員は、いつも間接的指導で欲求の内容、興味の把握、楽しいムードづくりをしたり、子供の中にあるいくつかのタイプを明確にするには、レクリエーションが最もつかみ易い手段だからです。また指導めあてである素直な子供、明朗な子供、物ごとをよく考え、みんなと協力する大切さを教えたり、体を鍛えることにもレクを行なうということを、その中からくる子供の気持と私の気持が通じて、心ゆくまで会話ができ集団的暗示が間接的にできるから苦労しがいがあります。

路上で帽子をとってあいさつしてくれる。道路上で世話やくときも、すぐ素直に聞き入れてくれる。非行少年といわれる子供にも兄貴がわりに気持を聞いてやれる。夏休みをよいことに、年少にもかかわらず高校生の先輩と土方仕事に行って、小遣い稼ぎをしている子供にも労働基準に関することや、校長に許可されなければと、路上での注意も効果がある。この少年も非行に走りかけているという部落の人の見かただけに、私も就ならなかった。やっとその仕事をやめて家庭で手伝うようになったからです。

またときには、家庭の問題を話し合う親と子供のパネルデスカッションで司会役をしたり、その運営方法などについて解説したり、キャンプファイヤーなどレク関係ではリーダーに教えたり、そして言語をとりながら小さな正しい愛情を、私なりの力でさし出しています。

◎◎「もの好き」の声も

家庭や学校でも体験できない教育的経験を数多く子供に与えてくれると、楽天的な気の中に喜びを感じている青年が少なく、村人の中には「変り者」とか「もの好き」などと陰口も聞かれる。しかし、その反面には「犠牲になる場合も多いでしょうが、子供が楽しまれる機会をつくってくれることは本当に嬉しいことです。子供が帰ってきては、そのときの様子を生き生きと話してくれます」と激励されたり、資金面にも進んで協力して下さるようになった。そうすると、4H活動や大人の組織に積極的に参加したりして、より多くの教養と体験をしっかりと自分のものにし、資料を充分揃えておかなければと思っています。

以上、子供とのつながりでしたが、レクリエーションが取りもつ縁となり、地域の青年集団にも活動の一部分を手助けできる機会が多くなってきました。

夏はキャンプファイヤーの方法や模擬ファイヤーの進め方、ゲーム、歌のやり方などを指導して気づいたことですが、意外に驚いたことは、ゲームなどを実際に体験している青年が少なく、実技指導の場合みんな真剣に学んでくれます。また、ある時は「春の観光地の清掃奉仕するので、その後にレクリエーションを計画しているのですがお願いします」と、畑の仕事をしながらも依頼を受けることもあります。

当日、その会場に行くともう全員揃っていました。芝生のある広場と清流の音、美しい自然環境を利用するレクリエーションのはじまりです。まず、簡単な演習のあと歌とゲームをしたのだが、なんとなく物足りないようです。そうだ、ダンスをと思ったがレコードを準備してないのです。このとき、全国の4Hクラブ員のつどいで覚えた「歌いながら踊るフォークダンス」を思い出し、さっそく行なってみると、これがまたたいへん喜ばれたのです。

◎◎青空に“奉仕”誓う

この体験から今までのレクリエーションの内容や考え方のあまさに反省させられ、私自身がもっと創作に励まなければと気づきました。また最近、新しい4Hクラブが誕生しますが、必ずレクリエーションの行ない方やリーダーの養成について問題が起きてきます。こんなとき気軽に先頭として十分意見を述べたり、指導できるリーダーになる人に対して資料の提供をしたり、助言をして応援しています。

このようにクラブ員に足を運ぶことによって、知らず知らずのうちに心から話し合える友だちが多くなってくることは、私自身ほんとうに嬉しく思っています。

また、時どき婦人会の集会に出席することがあります。昨年（四十三年）の冬のことでしたが「青年から親に望む」と題して話をしてくれと頼まれた時でした。前に立ってみるとなにかみんなつかれた様子です。緊張しすぎて会場の雰囲気が固苦しく感じられたので私は咄嗟に、肩ほぐしのゲームを試みました。初めはみんなびっくりしていましたが、やがて笑い声が起り雰囲気がなごやかになってきました。私はこのとき、家庭内における親と子の対話が少ない問題にふれて、親と子の気持がもっと密接になるためには、家庭内でのレクリエーションが重要だと話を結びました。

以上、一例にすぎませんが、レクリエーションは場合によっては劣等感を与えたり、まったく予期せぬ問題が起ることもあります。これらの対策といいますか処置方法を十分に心得ておく必要があるとしみじみ感じました。

体験だけを頼りに実社会へ飛び込んだだけに、非常に苦労もしましたが、これを克服することが自分を磨き、社会のために貢献できることだと信じています。今後もっとレクリエーションを研究して、内容の充実を図り、広範囲に自分の力が生かされるような指導性を体得しようと、自分にそういい聞かせています。私はそのためにも4Hクラブの将来に恥じないよう責任を自覚して、奉仕活動を通じて村の人たちのために、精いっぱい頑張ろうと青空に向って誓っています。

（山梨県中巨摩郡敷島町竜沢、一心会4HクラブOB）

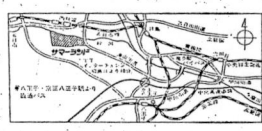

（体験文・指導者の部、佳作）

自立経営への道

鉢物園芸経営

石川県金沢市四十万町　金沢市園芸青少年グループ　矢木弘良

動機

私の住んでいる地域は、金沢市の中心より南へ四キロ余りで、現在農地がどんどん宅地化し、各農家の経営形態は稲作中心から都市近郊農業へと変化しています。

私の家の経営は、水田一ヘクタール、畑三十アールで作目は水稲、大根、カンラン、いちご、ネギなどで、いわゆる水稲プラスそ菜の専業農家です。

毎年周囲の環境が変っていく中で、私は中学生の頃から花栽培に興味をもち、農業高校卒業後、すぐ花卉栽培の技術を習得するため兵庫県農業試験場花卉科に研究生として入所し、約一年半にわたり鉢物について勉強しました。

私は試験場で得た技術と経験を基礎にして、花卉の鉢物栽培を北陸農業の一つとして確立させようと、自分の家の経営に取り入れました。

鉢物の導入

施設を造り、鉢物栽培を始めるにあたって、温室の設計、資金調達、栽培体系と技術の組立て、販売方法の調査を行ないました。

さいわい、金沢市場でも鉢物の需要が増加していることと、農業後継者育成資金の借り入れが可能であったこと、また、両親の反対もなかったので昭和四十二年夏、ガラス張り温室の完成と同時に試験場から帰り、現在の経営を始めました。

初年度は時期的にシクラメンの出荷ができませんでしたが、促成アザレア一・〇〇〇鉢、普通栽培八〇〇鉢、サイネリア二・〇〇〇鉢を栽培しました。本年度（四十三年）は、第一図のような栽培体系に準じて、現在温室にはシクラメン一・二〇〇鉢、サクラソウ二〇〇〇鉢、九月に入ってから来年度用のシクラメン、サイネリア、カルセオラリアなどを播き、パンジー、デージーの春花壇用苗も播種する予定です。

図1　栽培体系　（ガラス室）加温

図2　販売価格

管理の重点は灌水
鉢の"乾燥具合"に注意

栽培管理の重点としましては、"水やり三年"ともいわれている灌水作業です。これは一見、平凡な作業のようにみえますが、鉢の乾燥具合に注意し、ていねいにやらなくてはなりません。これについては、温室内の通風、温度管理も研修地と大部違いましたので最初はとまどってしまいました。

また、病害虫防除は灌水作業同様鉢物栽培の要なので、防除の薬剤散布は週一回行ないます。病気の発生は室内ですので個体への伝染が早く、発見しだい除去して、ずいじ薬剤散布を実施します。肥料については追肥主義とし、液肥としてハイポネックスを使用しています。

反省

図表2を見てもわかるように、近年の市場はシクラメンが最高に人気があり、価格も比較的安定していますので、栽培期間が長くても鉢物の中では一番有利ですので今後集中的に栽培していきたいと思います。

サイネリアは、一～二月の価格が高く、図1の八月下旬播種、一～二月出荷と極めて栽培期間が短いのでこれも有利です。また、アザレアは十月に苗を購入、十二月出荷のため温室利用期間が短く、資金回転が早く有利性はありますが、苗の購入価格が一本六〇円前後であって、さらに促成栽培には高温（22度）が必要なため暖房費がかさみます。また、シクラメン、サイネリアは比較的に市場であまり知られていないという欠点があります。

しかし、地もとでさし木による苗の自家生産ができるようになると、促成時の十一～十二月にはベンチ下へ入れて時々光線を当ててやれば、比較的生産数も少なく栽培が可能になると考えられます。

一般にシクラメン、サイネリアなどは、花数の多い豪華なもので、しかも、花もちのよいものが喜ばれているようです。プリムラ類も花もちはよいのですが花数が少ないので、ガロキシニアと同様に不人気でした。

また、市場が小さく五〇鉢位の出荷量で飽和状態となりますので、いきおい出荷量は制限されます。

このことは、将来大規模経営になったときに難点があります。小売店との契約栽培、直販店などの市場開拓について、さらに研究していかなければならない問題です。なお本年の販売経路は、市場五〇％、小売店四〇％、直販一〇％でした。

今後の計画

この鉢物栽培は、四十二年に農業近代化資金、農業後継者資金を借り受け、ガラス温室二六四平方メートル、作業場一一八平方メートルを建設し温湯ボイラー六六〇平方メートルを設置して始めましたが、粗収益一〇〇万円、純所得四〇万円を本年度の目標にして努力しています。今後、ガラス室の回転をよくするために、ビニールハウス六六平方メートルを建てる計画です。

現在、私が一人で温室作業に従事して、両親は水稲、そ菜部門を担当し、それぞれの経営や記録については家族みんなで検討して行なっています。

将来はガラス室三三〇平方メートル、ビニールハウス一六五平方メートルを増設し、鉢物（シクラメン、サイネリア）を主体としてストック、金魚草、キクなどの比較的簡単な温室切花を取り入れて、完全な近郊農業として耐えられるようにしたいと思っています。

さいわい金沢市では、私と同じく花卉栽培の仲間が十二名おり、このグループ員とともに、月一回の会合の他にたえず連絡、激励しあい、お互いに切磋琢磨しあいながら技術、経営、流通面について改善し、アイデアを生かして新しい農業を築くために努力する覚悟です。

4Hぐん　No.144

プロジェクトの取り組み方　実施編（1）

北海道専門技術員　三輪勲

四種の構造と特性　生産・研究・技術習得など

3-1図　同種型共同プロジェクト

3-2図　協同型共同プロジェクト

全員が年収百万円をめざす

農政の研究（3）
総合農政の背景

技術の発展

これまでの技術の高位水準化とともにより高度な機械化技術体系への変革が進むであろう。期待されるおもな技術は

（1）田の普通畑作では、地域条件に適した良質多収安定品種の育成と普及、水田の水管理・土壌管理と施肥技術、水稲直播栽培と高性能機械化栽培法、畑作の地力増強と適性作付け様式・土壌管理方式・高能率機械・新農薬の開発利用、以上の技術の進展を可能にする土地基盤整備技術など。

（2）畜産では人工授精による優良系統の作出（肉牛・豚・鶏）の交雑利用や系統組合せによる能力改良）多頭羽飼養における機械施設、飼養省力技術、保育飼料を含む濃厚飼料の開発、集団育成技術、寄生虫・疾病の予防診断治療技術、牧草・飼料の耐病・多収品種の育成、地帯別の多収省力的な生産利用技術体系、放牧中心の草地生産力増強と利用管理技術、良質貯蔵粗飼料の省力大量調整技術。

（3）果樹では、果樹園管理の機械化・摘果・袋かけなどの新化学資材利用による省力技術、果樹園造成、改造方式と土壌管理・施肥、防除技術の改善と優良品種の育成普及、以上の機械化・省力技術の導入、集団形成と併行する大型選果・低温貯蔵・加工・輸送技術など一連の利用流通技術。

（4）野菜では、露地野菜のための機械・施設利用技術、新化学資材の応用、防除の能率化、かん水施肥などの簡易化、施設栽培における育苗・かん水・施肥・防除・新資材利用、およびそれらの機械化・省力技術、加工品種の育成、低温貯蔵・加工・輸送技術など一連の利用流通技術が展開するだろう。

機械化の基本問題

まれていたが、畑作地帯で気象条件も悪く、労働手段も貧弱で、せっかくの規模を生かしきれずにいた。

ところが最近開田され、一戸当たり約七ヘクタールの水田をもつ全国まれにみる大規模水田作農家集団に生まれ変わった。ここで、目下盛んに機械化がすすめられている。注目すべき点は大型機械や防除機の共同利用方式であり、これと個人所有の機械とをうまく組み合わせている点である。

田植えと収穫には大規模なだけに苦労をしているが、流行のコンバインにとびつかず、慎重に合理化を検討しているのも見習うべき点だろう。

これからの肉牛経営

昭和三十一年を頂点として、減少しつづけたわが国の肉用牛の数も、ようやくその減少がとまった感がある。

昭和四十二年の子牛生産数のごときは明らかに前年度を上回り、昭和四十一年の三六九・三七三頭の子牛生産が昭和四十二年は三九一・五二三頭となっている。これらは子牛価格の高騰、農林省の肉用牛政策の実施などによるところが大きいであろう。

他方、わが国の食肉の需要量は漸増の傾向がつづいており、そのなかでも牛肉の占める割合は、いまだに資源がとぼしくて、むしろ漸減の傾向をたどっている。したがって、相変わらず牛肉の価格は高騰し、牛肉輸入を増加するべきだとする声が高い。

この背景においても、これからの肉牛経営は専業的よりは、むしろ、当分の間は、やはり複合経営形態を取らざるをえないだろう。

農家のこれからの肉牛経営を考えた場合、大きく分けて二つの形態がある。一つは子牛生産を主体とする繁殖経営であり、他は肥育とする経営である。育成だけを行なう育成経営はいまではない。その他、子牛生産から肥育までを一人の農家が行なう、いわゆる一貫経営も少数はある。

これらの経営形態には、おのおのそれにふさわしい環境条件が必要であり、また、経営上の利、不利も存在する。

いずれにしても、これからの肉牛経営は、その組営部門だけで年間所得四〇～五〇万円を上げうるようなものでなければならないであろう。

そして、年間農業所得一〇〇万～一二〇万円ぐらいになる農家経営でないといけない。そして、これらの所得に大いに関係あるものとして肉牛の流通問題がある。今週はこれらについて考えてみることにしょう。

2月24日（月）　牛肉の需要と供給

一、肉牛生産の動向
二、牛肉消費の動向
三、牛肉価格の動向
四、牛肉輸入の現状と今後の見通し

牛肉需給の動向（単位千t）

年次	生産量	輸入量	計
昭35	一四三	六	一四九
36	一四三	五	一四八
37	一四六	五	一五一
38	一八六	五	一九一
39	二二四	六	二三〇
40	二〇八	一一	二一九
41	一五六	一三	一六九

2月25日（火）　これからの子牛生産経営

一、年間所得三〇～四〇万円を上げ

2月26日（水）　これからの肥育経営

肥育経営には雌の理想肥育、雄のふつう肥育、去勢牛の壮令肥育、去勢牛の若令肥育など各種の類型がある。現在、わが国でもっともさかんなのは去勢牛の若令肥育経営である。この場合、年間所得三〇～四〇万円を得んとすれば、一五頭の若令肥育牛を出荷しなければならないだろう。

去勢牛若令肥育15頭を出荷した場合の収支試算

項目	金額
1. 収入　計	3,114,000
2. 支出　計	2,670,513
3. 純収益	443,487

2月27日（木）　多頭化の条件

ひとしく多頭化といっても子牛生産経営と肥育経営とでは、かなり異質な経営経済的条件を背負っている。前者は粗飼料の豊富な立地条件が必要であり、後者は濃厚飼料を安く買いうる条件が必要である。また子牛生産では、冬期間の飼料確保がもっともたいせつな問題であるが、肥育経営ではこれはそう大きな問題ではない。

2月28日（金）　肉牛の流通を考えよう

一、肉牛流通の現状と問題点

多頭飼育規模別農家数（昭42.2.1現在）

地域	子牛生産を主体とした経営 3～4頭	5～7	8～9	10頭以上	肥育を主体とした経営 5～7頭	8～10	11～20	21頭以上
北海道	104	43	29	16	9	2	6	9
東北	766	164	39	22	349	91	32	23
関東東山	78	52	15	4	3,212	885	207	68
北陸	421	37	30	13	132	87	62	21
東海	142	37	7	11	532	214	156	90
近畿	81	7	2	9	240	126	86	28
中国四国	7,986	547	74	38	736	163	177	43
九州	12,522	2,192	592	73	1,384	311	108	33
計	22,099	3,079	788	186	6,594	1,879	834	312

農業教室　HNK

NHK農事番組（2月21日～28日）

テレビ

明るい農村　6・30～6・55総合

21日　産地往来　寒冷地の野菜
22日　農業新時代　紙筒栽培（北海道上川郡清水町）
24日　村の記録　畑の中の砂利ブーム（神奈川県厚木市）
25日　くらしを考える　演劇活動
26日　村をむすぶ　山村開発
27日　話題の広場【農業白書】
28日　産物往来　輸送園芸　法政大教授　大島清

あすの村づくり　日　7・00～8・00　教育　再　土　1・00～2・00　教育

23日　グループだより"電波が結ぶ仲間たち"仙台市若切4Hクラブ、仲間とともに"村のリーダーを育てる"

趣味の園芸　10・30～11・00総合

28日　鉢と鉢植え　名古屋市植物園技師　坂梨一郎

農業教室　7・30～8・00　教育（詳細は前掲）

ラジオ

早起き鳥　5・50～6・00 ❶

21日　現地報告　山の寄宿舎
22日　村のポスト
23日　話題の窓　農業白書の中味　東大教授　大内力ほか
24日　現地報告　町ぐるみの共同出荷（石川県松任町）
25日　人と話題　九大教授　江原薫
26日　通信員の手帳から　島崎稔一郎
27日　産地訪問　アイスランドポピー（千葉県館山市）
28日　現地報告（山梨県下）

ラジオ農業学校　月～土　6・40～7・00 ❷　日　6・30～7・00 ❷　再　月～土　19・00～19・15 ❷

23日　農業講演会

ひるのいこい　12・15～12・34 ❶

22日　雪の中の土づくり（北海道女満別町）
24日　あさり漁はじまる（愛知県渥美郡姫島）
27日　春を呼ぶつばきさん（愛媛県松山市）

語の広場　6・15～6・30 ❶

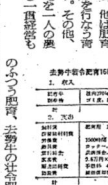

21～22日　NHK優秀農家にきく（宇都宮・前橋）
23日　村の健康を守る
24日　曲り角にきたミカン栽培（神奈川県足柄上郡）
25日　乳牛の女性相談員（千葉県館山市）
26・27日　雪国から来たイチゴ留学生（栃木県安蘇郡田沼町）
28日　有線放送がとりもったブラスバンド（茨城県西茨城郡）

新しい村造りと生産活動

ゆとりある生活を

手鍋さげて娘も殺倒しよう

岐阜・南濃町4Hクラブ　伊藤光明

近年、世界の経済成長は目ざましく、日進月歩はおろか、ハイスピードで変化している。最近まで東京、大阪間を汽車は特急で六時間以上もかかっていたものが、新幹線では、三時間余りで走るようになり、また宇宙開発が進められ、月世界の旅行も夢ではなくなってきた。

確かに、世界はハイスピードで変化しているが、農業はどうか。「農業は、そんなものとは無関係で、遅々と停滞しているだけだ」という人もある。なるほど、スピードという点ではそうかもしれない。しかし、内部を詳細に分析してみれば、相当な変化をなしとげている。

××経済的にゆとりを

昔は、農機具といえば、カマとクワに代表されていたものが、トラックターに代わり、コンバインに代わり、またヘリコプターによる空中防除まで行なわれるようになり、農村の風景が、ガラットかわってしまった。

ここでわれわれは、町づくり、村づくりのため、生産活動をおし進めるにはどうしたらよいかを考えてみる必要があります。そのためにに、第一に、個々の農家の生活が豊かになり、われわれは、経済的にゆとりをもつ必要があります。それには、私たち自身の努力と、政治に期待するところが非常に大きいのです。現在のような小規模経営で、生活にゆとりをもつことは不可能なため規模拡大を図らなくてはいけない。そのためには農地の流動化促進、離農の促進などを図らなくてはいけない。

しかし、農地の流動化を阻害する最大の要因は、農地法にあるとは、万人の知るところで、農地法の目的となっている「耕作者の地位の安定と、農業生産力の増進とを図る」の保証をし得ないのみか、今日、問題になっている、自立経営農家育成の理念とも合致していないため、法の改正を行なう必要があります。そして、増収に結びつけ、労働力の節約をする。ひいては、いま盛んに行なわれている土地基盤の整備を、一日も早く実現しなければいけない。

××家庭の環境をよく

第二に、農村にはびこる封建性の打破です。

また、男尊女卑の平然としている農村、冠婚葬祭の派手な農村など、昔からの古いしきたりなどが数多く残っている。こうした慣行的規制を一挙に排除する。

第三に、家庭環境、とくに、家庭内の人間関係をよくする。

家庭内では、お互いの愛情と、理解が必要です。現在、各方面で問題になっている嫁と姑の問題なども、お互いに、相手の欠点を注意しあい、素直に自分の欠点を認めるという、ゆとりのある人間形成であれば、問題は起こらないと思う。

また最近、後継者の不足がやかましく言われているが、原因として、他産業の急激な発展にもよるだろう。しかし、家庭内の人間関係によるケースも、案外多いのではないか。周囲の環境に負け、自分の主管力、考え方が束縛され、学校を出た時の情熱が失われ、夢も希望も消え、保守的、退歩的な態度となって表われ、感受性の強いわれわれ青年期には、家庭内の温かい理解と積極的な助言を求めているのではないか。

××農閑期はレジャーで

第四に、農閑期には、家族ぐるみでレクリエーションを楽しむといった、生活にゆとりをもつことが大切です。農業という特質から農繁期は、重労働になりますが、仕事が一段落したならば、精神的肉体的にも休養することが必要になります。

以上のことをまとめてみると、近代的農業を推進し、経済的、労働的にゆとりをもち、農閑期には家族ぐるみのレジャーを楽しむといった、農家生活を築き上げ、農村の封建性、慣行的な規制を排除し、利己的な考えを自制し、みんなのため、社会のために貢献できるよう努力するならば、明るい町、住み良い農村は必ず実現すると確信します。

××牛臭くとも嫁は来る

自然の恩恵を受け、四季によって異なる風物、そんな美しい環境の中で、愛する動物に囲まれ、近代化農業の経営を営むことこそ、魅力ある農村の姿であると思います。農村青年は嫁キキンだということも、われわれ青年が、真剣に農業に取り組み、家庭生活を良くするため生産活動に努力するならば「狗くさくても、牛臭くても、馬のような長い顔のあなたでも、好いて好かれた仲じゃもの、手なべさげて私しゃ行く」という女性が、殺到するのではないでしょうか。この時こそ、われわれは、二つの腕でしっかりとだきしめようではないか。

農村青年の諸君、同じ農村青年の一人として「今どき、農業は嫌いだという女性なんか、こちらから背を向けてやる」という意気込みで、常に前向きの姿勢で、どんな時代になっても、それに負けないだけの能力と、体力を十二分に蓄って立ち向かおうではないか。また、われわれ青年が農政のもとに、力を合わせ、問題解決の努力を続け、住みよい環境の明るい町を一日も早く築き上げようではないか。

（岐阜県海津郡南濃町羽沢　農林省・中央農業者大学校に在学中）

川柳

○ダンプカー　通るたびに穴一つ
○耕耘機　ダンプの穴でジャンプする
○刈ぎもせず　築田牧布の砂ぼこり

（「4Hやまぐち」より）

わがクラブ　わが同志

近くアメリカへ飛んで 開拓魂と"合理"学ぶ

山口県豊浦郡豊田町4Hクラブ　藤田哲弥

藤田君

山口県の西部、四方を山で囲まれた山間部、そこが私の住む豊田町である。

それだけに、農業を主業として、とくに酪農に力を入れており、畜産を中心とする構造改善事業も盛んで、農業の近代化が進んでいるところである。

また、農業に従事する青少年も [illegible]

このような土地を今日の先進国にしたのは、彼らの努力に他ならない。また、民主主義の根本といわれる共同の利益の尊重に、彼らは努めたのである。

これらのことを念頭にして、農業における合理主義という見地から、彼らの勤勉さ、行動力、経営センスなどを学ぶとともに、体力の増強を目標にアメリカの農業実習に臨みたいと思っている。

私は農業一年生

体で農業を覚える

宮城県古川市 [illegible]4Hクラブ　佐々木栄一

私は、昨年から農業に従事している一クラブ員です。

私が農業をつぐ動機となったのは、別に [illegible]

[illegible] がなくてはならないことで [illegible] た仕事の計画の立て方や方 [illegible] 知らない私にとって、仕事 [illegible] 系的にとらえることが大切 [illegible] 思いました。そうすれば、[illegible] や計画がスムーズに行くの [illegible]

[illegible] ないかと思っています。

そんなわけで、一年目の今年 [illegible] 無理をしないで、父や母のやってきた農業を早く自分のものにするよう頑張っています。現在、労働日記を記帳しているのも、それを来年の計画の参考にするつもりでいます。

現在、私の家では、米作が主体ですが、将来は、米作だけでは安定性がないので、従来から飼育している養豚の二本柱の経営にしたいと思っています。さいわい、養豚＝規模繁殖（4）雌（1）頭の管理方は一切を私にまかされているので、その方の夢もわいています。そして出稼ぎをしないでもやれる農業にするつもりでいます。

まだ未熟な私には、今後困難なことが数多くあると思いますが、それに負けないくらいの努力でもって切りぬけるつもりです。そして4Hクラブのみなさんのご指導をよろしくお願いいたします。

青少年団体の紹介 （12）

若い根っこの会

心の根をまっすぐに

加藤、町田さんと共に 町の片隅から発生

[illegible]

[illegible] はすべて"会費を払う"という原則をつらぬき通すことであり、これによって自らの財政は、自らの手によってつくり出すという決意が会員のすみずみにゆきわたったのである。

美しい花をみて根っこを思う人は少ない

「やれば出来る」―どこでも言われる言葉である。

しかしある日、町の片隅で、湧き水のようにちょろちょろと流れ出した根っこ運動が、全国の同志の間を縫って、満十四年の歳月をひたひたと流れつづけるには、なにかがあった。それは、素朴な"やれば出来る"という信念の伝達運動であった。

「美しい花をみて、根っこを思う人は少ない」―これは二十八年の早春、経堂の町をゆくご用ききの青少年に配られたガリ版刷りの文句であった。

美しい花をみて根っこを思う人は少ない。暗い地の中にある根っこのことを考える人は少ない。ひとりぼっちの根っこ、悲しんでばかりいる根っこ、俺には希望がないという根っこ、だれも俺たち根っこのことをわかってくれないとねじれる根っこよ。お互いに苦しいことを語り合おう。そして暗がりで、ひとりぼっちで悲しんだり、ねじれたりすることをやめよう。小さな力でも出し合って助け合おう。お互いにねじれた根っこをすっきりと地の中に伸ばそう。

月刊『友情』と会報『若い根っこ』

北海道に、そして沖縄にも支部と、各地の支部、グループの数が百八十六グループに達した。

現在、われわれは次の新しい運動に目標をかかげて前進している。

関西に根っこの家を完成することと、全国を巡航しながら集会や合同研修をかさねる『若い根っこ』丸の建造である。

そして、これらをむすぶ広報機関の拡充である。三十六年以来、全国の書店に出ていた月刊『若い根っこ・友情』は、昨年から月刊『友情』と月刊『若い根っこ』の二本立てとなり、『友情』は主として創作、文芸娯楽、生活記録、漫画、グラビアなどを中心に、社会講座、歴史講座、人生相談などひろく青少年の健全な教養雑誌としてのかたちをとり、その中に、根っこ運動をちりばめている。

また、月刊『若い根っこ』は文字どおり、根っこ運動の機関誌会報で、毎月三百を越える本部、地方支部のスケジュール（集会）と、各地の運動模様で埋められ、これは書店をとおさず全会員に配布されている。

以上のような沿革と現状であるが、たえず「どうやってきたかではない！どうやってゆくかだ」ということを念頭に、この運動をつづけているという。

〈東京都港区北青山三―十六―十八、青山共同ビル（東京事務所）TEL 四〇七―八二六一～三〉

今年のお正月、新潟県白根市から贈られてきた大ダコ、小ダコを手にして喜ぶ若い根っこの会員たち（埼玉県川越市の根っこの家で）

人気集めた 展示即売会

【静岡】静岡県農村青少年クラブ連絡協議会（会長・高柳邦彦）では、さる二十八、二十九の両日、静岡市の県民会館、商工会議所の両会場で開かれた「県農業祭」に農産物の展示即売会を行ない"これは安い"と好評をうけた。

会場には引佐、奥山4Hクラブ員でつくったミカンと花木類をはじめ、浜松、浜北4Hクラブの庄内ハクサイ、カンラン、レタス、セロリ、静岡4Hクラブの茶、ミカン、磐田、小笠4Hクラブの白ネギ、カンショ、掛川の茶、富士のカンラン、伊豆のキヌサヤなどが展示され、市価より平均二、三割安、ものによっては半額以下のものもあって人気を集めていた。

映画　面白さと豪快さと

ナバロンの要塞（コロンビア映画配給）

面白さ、豪快さ、スケールなどを誇る戦争映画。第二次大戦で緒戦からドイツ軍に圧倒されていた連合軍が一挙に態勢をばん回し、勝利のきっかけを作った特筆すべき作戦のうち、海戦として有名なエーゲ海ナバロン島要塞爆破作戦を映画化したもの。

ものがたり

一九四三年、エーゲ海方面の連合軍は苦境に立っていた。ただ一つドイツ・イタリア軍から残されたケーロス島にいる二千のイギリス軍を救出する試みはすべて失敗に終った。その原因は、ケーロス島の南にある小島ナバロンの断崖の洞穴に据えられたドイツ軍の砲台であった。天然の要塞を形づくり、巨大な二本の砲身が海上をにらんでいる。海からも空からも難攻不落という砲台。これで、ドイツ軍は海峡を支配していた。

このため新たな作戦が計画された。落傘であるフランクリン少佐（アンソニー・クエイル）が一つの提言をした。ナバロン島の防衛線には一ヵ所弱点がある。島の南の断崖が四百㍍の絶壁なので警戒が省かれている。専門の登山家をリーダーとして少数の決死隊で攻撃を加えれば砲台爆砕も不可能ではない―と。

この提案によって、五人の男たちがフランクリンの部下として集結を命じられた。マロリー（グレゴリー・ペック）は登山家として有名、クレタで勇名をとどろかせた士官。アンドレア（アンソニー・クイン）はかつてギリシャ軍大佐、妻子をドイツ軍に殺されて、クレタ以来のマロリーの協力者。ミラー（デビッド・ニブン）は爆破の専門家で軍隊嫌い。ブラウン（スタンリー・クイン）は無線連絡兵でナイフの名人。パパディモス（ジェームス・ダーレン）はナバロン島の生れで、父はレジスタンスのリーダー、アメリカでは名を知られた殺し屋だった。ともに漁夫に変装し、ナバロン島を目指した。しかし、作戦が余りにも緊急を要したことや、個人的な怨恨など不安がつきまとっていた。

途中でドイツの警戒艇をやっつけた一同は間もなくすさまじい嵐にあった。やっとナバロン島に上陸したものの船は流され、少佐は足に重傷を負った。

アレキシスの古城で、一行はゲリラ隊の二人の女に出会った。そのうちの一人マリアは十年近く会っていないパパディモスの姉であった。マンドラコスの町で一行はゲシュタポに捕えられたが、アンドレアの狂言で救われ、制服を着用して脱出に成功。いよいよ最後の時が迫った。

マロリーは、アンドレアとパパディモスに要塞兵力を牽制させ、マロリーとミラーが要塞に近づいた。町に故意に残してきたフランクリン少佐が拷問で虚偽の英軍上陸地点を白状した通りドイツ軍は海岸線に兵力を集中していた。二人は要塞に入ると鉄扉を下して砲台に向った。町ではパパディモスは戦死し、アンドレアは傷ついて海岸へ逃げた。ブラウンはランチを奪うとき、ドイツ兵と刺し違えて死んだ。砲座に爆発の発火装置をとりつけたマロリーとミラーは海に飛込んだ。

水平線の彼方から味方の駆逐艦隊が現われたが、砲台は爆発しない。マロリー、ミラー、アンドレアはマリアの運転するランチに救われた。そのとき、天地も裂けるような爆発が起った、ものすごい閃光と轟音、連続爆発、砲台の断崖は崩れ、海中に没した。

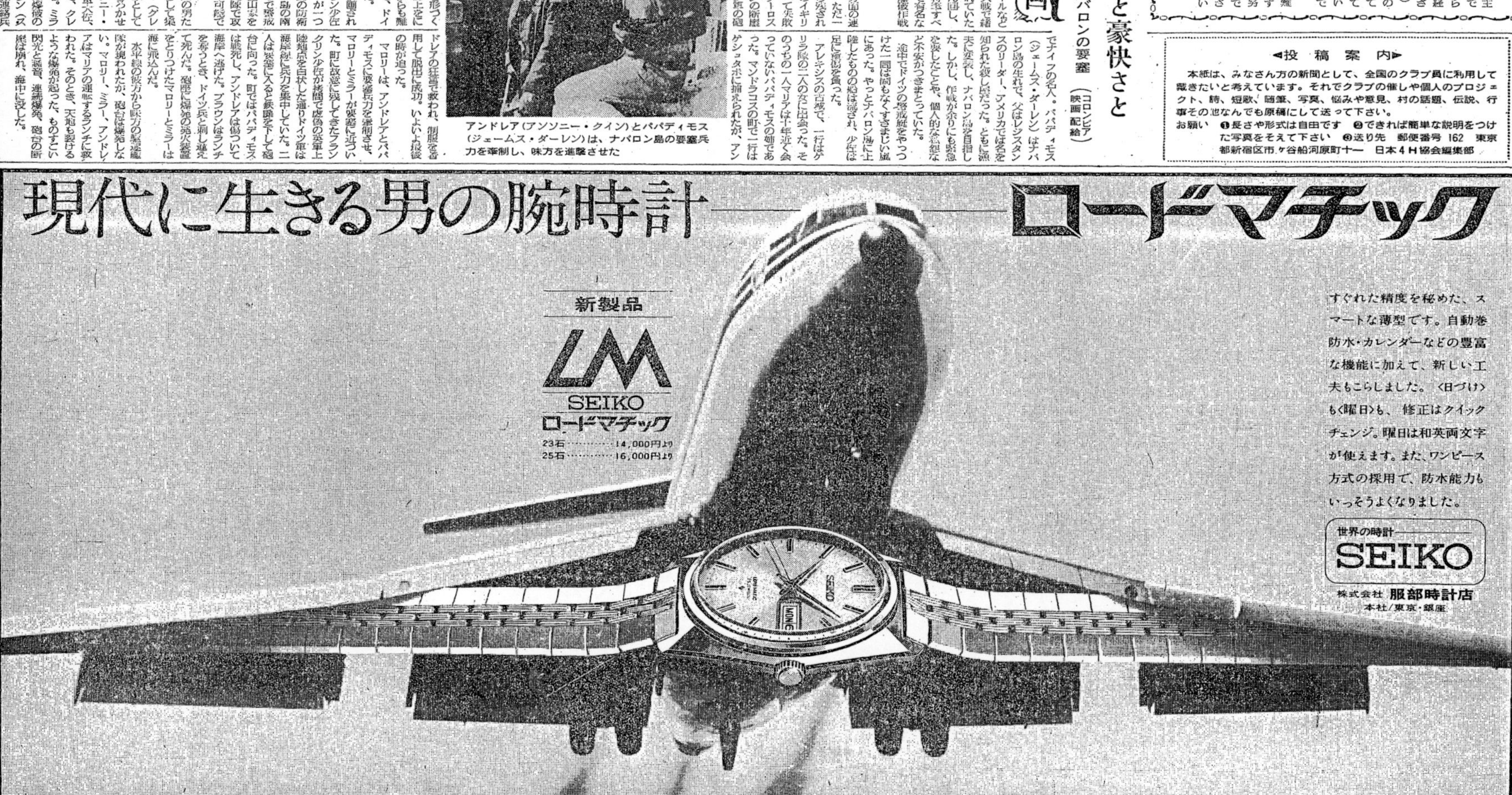

現代に生きる男の腕時計――ロードマチック
新製品
LM
SEIKO
ロードマチック
23石……14,000円より
25石……16,000円より
すぐれた精度を秘めた、スマートな薄型です。自動巻防水・カレンダーなどの豊富な機能に加えて、新しい工夫もこらしました。〈日づけ〉も〈曜日〉も、修正はクイックチェンジ。曜日は和英両文字が使えます。また、ワンピース方式の採用で、防水能力もいっそうよくなりました。
世界の時計
SEIKO
株式会社服部時計店
本社/東京・銀座

アンドレア（アンソニー・クイン）とパパディモス（ジェームス・ダーレン）は、ナバロン島の要塞兵力を牽制し、味方を進撃させた

◀投稿案内▶

本紙は、みなさん方の新聞として、全国のクラブ員に利用して戴きたいと考えています。それでクラブの催しや個人のプロジェクト、詩、短歌、随筆、写真、悩みや意見、村の話題、伝説、行事その他なんでも原稿にして送って下さい。

お願い　❶長さや形式は自由です　❷できれば簡単な説明をつけた写真をそえて下さい　❸送り先　郵便番号 162　東京都新宿区市ヶ谷船河原町十一　日本4H協会編集部

日本4H新聞
4Hクラブ 農事研究会 生活改善クラブ
全国弘報紙
発行所 社団法人 日本4H協会
東京都市ケ谷家の光会館内 電話(269)1675 郵便番号162
編集発行人 玉井光
月3回・4の日発行 定価1部10円 6ヵ月180円(送料共) 一ヵ年360円
振替口座東京12055番

「第3回青年の船」訪問国を内定

三度び東南アジアへ

ビルマなど六ヵ国を訪問

次代の日本を担う青年の視野を広め、幅広い教養を身につけさせようと、政府が明治百年記念事業の一つとして開始した「青年の船」は、一昨年、昨年と二回にわたって東南アジア諸国を訪問し、多大の成果を収めて帰国したが、政府は今後もこの事業を継続することに決め、このほど第三回「青年の船」の時期および訪問国を内定した。

九月下旬から二ヵ月間の旅

この「青年の船」事業は、その意義と過去二回にわたる成果が世間からも高く評価されてきたので政府は、皇太子御成婚記念事業として始めた青年海外派遣団と同じく、今後は記念事業としてでなく、毎年継続して実施することにしたもので、ことしも九月下旬から十一月中旬にかけて、東南アジア諸国へ派遣することにし、いまその準備をすすめている。

こんどの訪問国は、中華民国、タイ、シンガポール、インドネシア、マレイシア、ビルマの六ヵ国で、第一、二回の訪問に比べてインド、セイロン、フィリッピンが除かれ、新たにインドネシアとビルマが加えられた。

実施要領は、これまでとほぼ同じであるが、外国の青年も一緒に乗船させようという意向もあり、その他細目については総理府青少年対策本部において目下検討中である。

したがって、具体的な募集方法などはまだ明らかにされていないが、例年のように、各都道府県および全国4Hクラブ連絡協議会など全国的な組織をもつ青少年団体を通じて募集される見込み。

全国4Hクラブ連絡協議会ではこれまで募集依頼によって、各県連に推薦を求め、それに応じて各県連から推薦されてきた人の中から十名を総理府へ推薦してきたが、そのうち第一回七人、第二回八人（他に班長一人）が団員として選ばれてきた。

青年の船の活動は、航海中の船内活動と訪問国での寄港地活動の二つに分けられる。どちらも期間は同じ程度であるが「青年の船」の目的にそって、規律ある行動と生活が要求される。

船内活動は主として研修で、語学、各国事情、一般教養、リーダー養成、体育、レクリエーション、討論会、映画会、クラブ活動などで、寄港地活動のようなはなやかさはないが、長い航海の間、みっちり勉強できる。

寄港地活動は、船を拠点にして現地の青少年関係、産業、文化などの視察や見学、現地の青年や関係者を船に招いて、交歓会を開き日本の文化、芸能、スポーツを紹介したり、意見の交換をしたりする。

「青年の船」さくら丸が港につくたびに、現地青年たちの盛んな歓迎を受けた＝マレイシアのポート・スエッテンハムで（第二回青年の船）

参加者全員が民泊

家族ぐるみの大会開く

佐賀県連

【佐賀県】佐賀県農村青少年クラブ連絡協議会（会長、坂井邦夫君）は、県およびNHK佐賀放送局と共催で、さる二月六日から三日間、川副町の県農業研修学園で佐賀県青年会議を開催した。

この会議は、発展していく県農業の中核として、実践活動を推進している農業後継者が一堂に会し日ごろの体験を発表し、当面する問題について話し合い、互いに切磋琢磨しあいながら交流を深めて近代的農業および農村の建設に資することを目的としたもの。

会議の運営は、参加青少年が主体となって運営し、部門ごとに分科会を設けてすすめられた。

今回の特徴は、従来プロジェクトおよび活動実績発表大会が別に開かれていたが、それらが脚色されたり、ショー的な傾向があって、真の意味のクラブ活動、またはクラブ員の姿として欠陥があったとして、今回はとくに分科会の人数を二十名程度とし、レポートを配布し、参加者全員がプロジェクトとして取り組んだままを交換し合い、それらをもとに討議した。

この間、とくに注目されたものは「青年は可能性を無限にもっていて次代を創造する使命をもっている。物事をきびしく見つめ、広い視野に立った人格形成に励もう。そして正しい価値評価をし、4Hクラブ員および農業青年としての仲間の輪を広げて頑張ろう」という参加者の意見であった。

レポートの内容も、4Hクラブ活動が盛んになっていることが確認された。

企画運営については、青年の声を反映するよう県当局に申し入れ、運営委員（委員長、坂井邦夫君）も、この会議は青年自身のためのものだから、議題にとだわらず、なまの意見が出されるよう努力し、大会の成功に尽力した。

夜は、宿泊設備が整っていないこと、家族ぐるみの4H活動をすすめることなどのため、地元クラブ員の家に全員が民泊し、農協、公民館などの指導者を迎えて交歓会を開き、好評をうけた。

また、会期中に県連理事会が開かれ、総会のあり方、プロジェクトのすすめ方、女子クラブ員研修会などが話し合われた。

（佐賀県唐津市唐房の川森武則君発）

春の全国大会開く

第八回全国青年農業者会議

クラブ員など九百名が参加

農林省、NHK（前田義徳会長）社団法人全国農村青少年教育振興会（東畑精一会長）共催の「第八回全国青年農業者会議」は、全国のクラブ員、クラブリーダー、農業経営の若い夫婦、指導関係者など約九百人が参加して、いよいよ三月二日から四日間、東京・渋谷区のオリンピック記念青少年総合センターと千代田区のNHKホールで開催される。

この会議は「全国農村教育青年会議」「全国農業者研究集会」として昨年まで開催されてきたものを発展的に統合したもので、発展していく日本農業の中核者として実践活動を推進している青年農業者たちが、年令のひらきをもって全国から参集し、日ごろの体験を発表し、当面する問題について話し合い、年少、年長を問わずお互いに切磋琢磨しあいながら交流を深め、近代的農業および農村の建設に資することをねらいとして開かれるものである。

会議の主な内容は、年令、経営、経験によって、正式参加者について三部会と他に特別参加者の部会が設置され、分科会討議が行なわれる。

A 農村青少年の発言部会 発言するテーマは自由課題であるが、からだでプロジェクトを通じて体験したことを中心に発表するもので、参加者は二十才以下で現在4Hクラブなどの自主的な農業研究集団員であり、プロジェクトの実践者によって行なわれる。

B 農村青年会議部会 選択議題 現実的な農村の環境整備や生活のあり方を考えてみる。（選択）

共通議題「豊かな農村を築くためには放送をどのように活用したらよいか」グループ活動を活発にし、農業技術や農業経営の知識を習得し、農業生活を改善していきあわせて教養や情操を豊かにするために放送を利用する効果は大きいが、今までどのように活用してきたか、また、どんな番組が望ましいか、みんなで話し合う。

参加者は、二十一歳以上二十五歳以下で、現在自主的な農業研究集団員であり、男子については、できる限り農業後継者育成資金の借受者または部門経営をはじめている者。

C 農業者研究集会部会 この部会は、参加者の主要経営部門に応じて、水稲作（東日本）水稲作（西日本）普通作およびやさい作（畑地）やさい作（施設園芸）果樹作（落葉）果樹作（常緑）酪農（和牛を含む）養豚、養鶏の各分科会を設置し、参加者は、三十五才未満で農業経営の研究心が旺盛で実行力のある新進の農業者であって、原則として自営者、冬期学校（農業部門）に参加した者で各都道府県二〜三組の夫婦とする。

D 農村青少年指導者部会 二つの議題に分かれて話し合う。

第一議題「農村青少年のなかまづくりを進めるため、育成および指導はどうすればよいか」年少グループ、女子グループ育成の問題、プロジェクトの取り組ませ方、指導者として留意すべきこと、放送利用とその指導方法な具体的に指導の問題を話し合う。

第二議題「普及所における青少年育成と農村青年研修施設の研修教育との連けい強化はどうあるべきか」現在の仕事の内容を考えながら、普及活動全体の中での…ること。

これらの各分科会は、第二日の午後と第三日の午前に討議され、そのあと第三日の午後、各分科会ごとに分科会報告、全体討議を行なう。この全体会議は、単なる分科会の報告をうけるという形式的なものでなく、問題点を集約して重点議題を十分討議するもの。

第四日も、代表発表および討議を行なう。

一、農村青少年の発言部会の代表発表および討議

発表内容が明日の農村に生きていくための問題提起となり、今後の青少年活動に反映し、助長されると考えられるものを三名選出し発表。

二、農村青年会議部会の代表討議

農村青年会議の参加者のなかから六名の代表を選出し、司会者、助言者を加え、今後の農村青年の進むべき道についてパネル討議を行なう。

三、農業者研究集会部会の代表討議

農業者研究集会部会の参加者のなかから、四組の夫婦を代表者として選出し、司会者、助言者を加え自立経営を築き発展させていくためにどうすればよいかについてパネル討議を行なう。

これらの発表討議の他に、つぎのような行事を行なう。

農業経営懇談会（第三日夕） 正式参加代表と農林大臣および農林省行政担当者との懇談会を行なう。

前夜のつどい（第一日夜） 参加者同志の親睦と友情を深め、旅の疲れをいやすため、音楽とフォークダンスの夕べを開催し、あわせてキャンドル サービスを行なう。

自由交歓会（第二日夜） 各部屋ごとに参加者同志の自由交歓を行ない、同宿のよしみを深くする。

村のはなし懇談会（第三日夜） わが村に伝わる民話、民踊、伝説、歴史や地理を語り合い、あわせて村のよもやまの話を通して村の文化の伝統と発展に寄与する。このさい、郷土色豊かなプレゼント交換を行なう。

また、この期間、若い農業者のなかまたちが寝食をともにし、共同生活を通じて人間的な交流と同志的な結合を深め、夜のつどいや交歓、懇談を通じて親睦をはかり集団生活を通して健全な生活態度や協調精神、自治能力を養うため、全員オリンピック記念青少年総合センターに合宿する。

分科会ではいろいろの問題が熱心に討議される（全国青年会議から）

「語り合いの会」開く

元・埼玉県連役員たちで

埼玉県連役員の有志たちが、昭和三十六年度以降四十年度までの元県連役員を対象に、さる一月十六日午後一時から県会館において「語り合いの会」を開いた。

これは、志を同じくし、埼玉県の4Hクラブ活動の推進に努力した仲間たちが一堂に会して、むかしの思い出や埼玉農業の夢を語ろうということで開かれたもの。

発起人には三十六〜三十七年度県連会長・小川重雄君、三十八年度同・岡田右京正君、三十九年度同・関根弘光君、四十年度同・近藤豊君があたった。

当日はおりからの雪で、出席者の出足が心配されていたが、申込者を上まわる出席。出席者は、内野悠夫・定子さん夫妻をはじめ二十五人。うち子供づれ三人と家族的雰囲気。お互い同志、ふだん気にかけながらもご無沙汰ーといった具合で、なつかしい顔合せであった。

開会に先だち小川重雄君から、この会の目的と出席者へのお礼のことばが述べられたあと、この日出席できなかった人たちの近況などが報告された。このあと話し合いに入り、元県連副会長関根勝男さんの音頭による乾杯がなされた。

つづいて出席者一同の自己紹介。各地で活動している現況や結婚の話、なかには可愛いい子供の成長に目を細め、農家の主婦として貫禄十分の女性に成長したの変ぶりが印象的。現役を離れて早い人で七年という歳月に、再会の喜びもひとしおであったが、お互いに"変らないなあ"と、過ぎし日のクラブ活動の思い出話に花をさかせていた。

この会は「語り合いの会」として[illegible]気軽に出席できるようにしたため、とくに女性が多く出席したが、こんどこれを機会に親睦と交流を深め、来年度開催予定の県4Hクラブ二十周年記念大会、4H会館の建設の推進に協力し、全員その立場で協力していけるような体制づくりを進めたいとしている。なごやかな交流のうちに会を終わり、また再会を約して帰途についた。

四月から装いも新たに

本紙購読料を改定

愛読者のみなさん、…心から感謝いたしております。

ご承知の通り、本紙は…全国紙として、昭和二…担い手として日夜、農…組んでいる全国の4H…年のみなさんの熱烈な…た。

この間、全国4Hクラブ連絡協議会が農村青少…た。本紙はそれら組織…機関紙的存在となるとともに、全国各地の志を同じくする仲間たちの意見や情報交換の場、また創作…して、クラブ活動推進…ります。

ところで、近年、諸…はじめとして十年前、…高騰をきたしておりま…同様でありまして、印…どの値上がりにより、…も相次いで、販売価格…

こういう情勢下にあ…の使命である農村青少…から、定価の値上げを極力避けるため、新聞発行費の高…

一部 二十円 年間購読料 二百円

昭和四十四年二月二十四日
社団法人 日本4H協会

日本4H新聞

涼風暖風

友をえらぶ

心頭技健

富山県連で青年会議開く

和歌山県連でも会議を開く

クラブの綱領

経営改善など話合う

高知県の青年農業者会議開かる　溝渕知事迎えて

【高知県＝西谷章博通信員発】高知県農村青少年クラブ連絡協議会（会長、川村雅士君）では、県と共催で、さる一月二十一日から三日間、香美郡野市町の県立青少年センターで「第八回高知県青年農業者会議」を開いた。

これは次代の農業を担う青少年たちが、日頃の実践活動の体験を発表したり、意見を交換しあって住みよい農村をつくるために開かれたもので、県下各地から百三十六名の青少年が参加した。

第一日（21日）午後二時から、溝渕知事を迎えて開会式。

つづいて、二十才未満の青少年による「農村青少年の発言」を行ない、知事も熱心に聞き、青少年も張切って発表した。

夜は県連主催の「夕べのつどい」を開き、楽しくすごした。

第二日（22日）二十一才以上による研究実績発表。それぞれ正確なデータをとり、若い農業者として立派な発表であった。

つぎに研究討議に移り、広見専門技術員による「全国農村青少年技術交換大会」について、その取り組み方などの説明があり、質疑応答を行なった。

午後は分科会で、❶これからのグループ活動をどうすすめるか❷これからの農業経営をどうすすめるか❸農村の環境や農村生活をどう改善していくか、「放送利用」ならびに「第九回全国農村青少年技術交換大会を成功させるにはどうすればよいか」など、議題ごとに分かれて話し合いを行なった。

夜は、県連執行部とクラブ員との意見交換が行われ、働く青年の像建設についての資金の集め方などを話し合い、建設委員会をつくり、会員が一丸となって取り組むことになった。

第三日（23日）午前八時三十分から全体会議を開き、分科会報告を中心に活発に意見をかわしたあと反省会を行なった。

十時三十分から、昭和四十三年度、若い農業者農業経営コンクール入賞者、優良農林業後継者集団および農村青少年の発言、研究実績発表の優秀者の知事表彰を行なった。

夏の全国大会開催への意気込みをみせるクラブ員（高知県連の青年会議で）

初の地区連大会を開く

長崎県南有馬地区連

【長崎】長崎県南高来郡南有馬地区農村青少年連絡協議会（会長・馬場一君）では"一人はみんなのために、みんなは一人のために"のスローガンのもとに、このほど二日間にわたって原城の乱で有名な原城の下にある国民宿舎「原城荘」において初の地区連大会を開いた。

第一回目は、午後一時から八名の代表による実績発表を行ない、夜は田口映、陣川みやと両副会長の司会で夕べの集いを行ない、余りの楽しさに参加者一同夜のふけるのも忘れるほどであった。

第二日目は、七名の代表による青少年の発言、南有馬町連合婦人会との意見交換会❶嫁と姑との問題❷今後の農村青年の在り方などを話し合い、第一回としては盛会過ぎるようなできばえであった。（長崎県南高来郡北有馬村　北有馬4Hクラブ　佐藤秀明君より）

4Hクラブ発足20周年　記念懸賞募集入賞文

楽しいクラブ活動をするために

栃木県小山市立木　[illegible]田4Hクラブ　野口芳枝

私たちのクラブは、東北本線の小山駅から西へ位置した水田単作地帯にあります。さいきん急激な都市化の波に道路が整備され、また大工場の進出に伴い農村地帯の生活も大きく変ってきました。私は、高校在学当時からこの影響について少なからず関心をもっていましたが、いざ高校を卒業してみますと、都市化と農家生活の変動をいっそう強く感じました。

近年まで裏作可能な水田には麦を作っていましたのに、現在では裏作を最少限にして工場につとめています。また、これからは男性のみでなく、子守りや留守のいる家は若夫婦そろって、あるいは年寄者でも働ける者は、みなそれぞれ出稼ぎに行きます。

こうした中で、若い私たちの同志も、やはり農閑期には町工場で働いています。いままで活発であった4Hクラブ活動や青年団活動も次第にその存在がうすれ、もはや、そのクラブ員の意識すら疑いたいくらいでした。

☆（）☆ 新しい知識をえる

ある日私は、友だちに誘われて4Hクラブの会合に出席しました。外面からではなく、このとき初めてクラブ活動を知ったのです。そして広い市の行事でもあったせいか、管外に同志の多いことに驚き、なにかしら開放感を覚えました。そして、それとなく勧められるごとに会合に出るようになりました。

いままで高校生活という型の中にいた私にとって、ここで知った事柄は、実社会に出て知る新しい知識となりうるものが沢山ありました。中でも、球技大会やキャンプ、会合のあとの二次会は実に愉快でした。また、フォークダンスから社交ダンスと意欲的な活動は停滞した活動と思えた一面を大きくゆるがし、クラブ員の興味をそそる結果になりました。

キャンプ―それも最高に楽しいプログラムでした。若い力を大自然にぶっつけ、はね返えってくるような夏の山を歩いて、体のすみずみまで清らかに生まれ変ったような衝動にかられて……。

☆（）☆ 活動内容が問題に

やがて、会を重ねるごとに冬を迎えました。今度はクラブ活動の頭の問題になってきました。とたんにみんなは元気がなくなりまし

みた。農村青年会議やプロジェクトの発表会が迫ったからです。しかし、予選には誰れかを出さなければならないという義務感に、リーダーは四苦八苦。でも私は思いました。「このプロジェクト活動も他の行事のように楽しくできれば良いのではないか」と。

だが、この年のプロジェクトは結局私にあまり興味を感じさせてくれませんでした。もちろんプロジェクトはクラブ経歴年数に関係なくオープンで行なわれました。私は、なにか、やりきれない気持になりました。それは経歴年数の多いクラブ員と少ない者との差があり過ぎることであり、それを一様に評価、審査していることでした。

また、女子のプロジェクトにおいて、これまで検討されてきた食生活の改善、作業衣の工夫で、なにかそれ自身、ものたりなさを感じました。私の期待していたものは、もっと新しい時代感覚のあるものでした。そこで私は、楽しいクラブ活動をするには、どうしたらよいか考えてみました。ここに友だちの話しまでも含めて次のような意見をまとめました。

クラブ歴で区別を　組織的なつながりをもとう

☆（）☆ クラブ歴で区別を

第一に、クラブ活動をして行くうえで、ある程度、経歴年数と内容を決めたらよいのではないか、ということです。活動内容によっては、全員で一つのことをするのもよいことだと思いますが、プロジェクト活動や意見交換などのときは、どうしても年長者の声にはばまれて、年少者の意見が反映されず、がっかりすることがありました。プロジェクト活動にしても、年長者はやはりお手本になるようなものを作り上げられるように、なんらかの工夫してほしいと思います。私たちクラブ歴の浅い者は、なかなか県内の同志と交歓する機会はありません。発表会などで選ばれて初めて県内の同志を知るのです。こういうとき、私はどんなに勇気づけられたかわかりません。できれば、多くの同志にこの味をかみしめさせてあげたいと思いました。広範囲に同志を知ることは大変すばらしい体験だと思いますし、またプロジェクト、あるいは意見なり、共通の話題をもって話し合える機会がほしいと思います。こんなところにプロジェクトを楽しく、また競ってとりあげようとする意欲がでてくるのではないでしょうか。

☆（）☆ 課題選定に工夫

第二に、プロジェクトの課題選定をもっと楽にできるような工夫がほしいということです。外国の書物を見ると、これが4Hクラブのプロジェクトか、と思うようなものが沢山あります。一口にいって、もっと幅をせばめてそのものずばり、つまり、その一部でいうなら野菜全般の技術でなくて、キュウリ、トマト、イチゴなど。畜産なら、乳牛の育成、肥育牛、豚、鶏といったもの。また女子は、ビン詰、カン詰、ケーキ、ピクニックの料理、バーベキューの工夫。住まいについてなら、花びん作り、室内装飾、カーテンの作り方、手芸、生花、趣味とコレクションなど、楽しいものが沢山あります。ちょっとりっぱな私の知識で、それらをいかに進めていくかはわかりません。しかし、これをいかに進めていくかについて、なんらかの指導がなされるような状態になったら、いままで以上にその目的に向かっていっそう努力できるのではないかと思います。

☆（）☆ つながりを密接に

第三に、組織的なつながりを、もっと密接にしようということです。

単位のことだけは、わかっているけれども、地区や県のことは全然わからないという日の浅いクラブ員、地区役員をしているから、地区のことならわかるという役員、これではなにかちぐはぐな感じです。そして、こういうことがクラブ員間の問題をひき起こす原因になる場合があります。同じクラブの出来事は、役員ではないからということでなしに、誰れもが知らなければいけないと思います。

私の県では、月刊の農業雑誌に「ようばだより」のページをもうけています。わずか二頁というせまい欄にもかかわらず、ファイトある同志の意見を知り、私は何回か励まされました。また全国的な広報紙としては、日本4H新聞が発行されています。私は、地区、県、全国というように、タテのつながりを円滑に密接するために、前にあげた新聞や雑誌はよい手段であると思います。

私は、全国の4Hクラブ活動を身近かに知るために、また、各分野の出来事を知るために大いに利用し、それらを通じて、クラブ間の交流をしたり、信頼できる友だちを見つけることができたら、より一層クラブ活動が楽しくなるのではないかと思います。

私は、過去二年間のクラブ活動を通じて感じたことを述べましたが、私は限られた青年時代に、より豊かな体験を積むために、この4Hクラブ活動を足場とし、同志とともに楽しい活動を進めて行きたいと思います。

寒い台所を暖かく

知っていて役に立つ話　みんなの保健衛生

急に暖かくなったかと思うと雪が降って冬に逆戻りするなど不順な天候に見舞われていますが、東北、北海道、北陸地方などでは、まだまだ寒い日が続きそうです。

そこで、女子クラブ員の受け持ちである台所仕事を、冬の日も暖かく、楽しく過ごすための知恵を二つ三つ。

冬の台所仕事は寒くて、おっくうになりがちですが、ちょっとした工夫であんがい働き易くなります。

まず台所のスリッパです。台所は水を使うから…というので一年中ビニールのスリッパを使っている家や、夏用のものをそのままなにげなく使っている家もあると思いますが、それをフェルトやウールのものに替えてみると、足裏の感触はもちろん、暖かさも驚くほど違いがあります。

つぎに、土間の多い台所にはスノコ板を敷くとよい。土間に立って働いていると、想像以上に冷え込んで体のためによくありません。

さらに、農家や旧家のように広い台所の場合は、冬の間だけでも家具や器具の配置を変えてなるべく働く面積を狭くすると能率もよく、寒さもそれほど感じなくなります。そして、残りのスペースを別の用途に使うこともできます。

また、台所で寒いのは、床下から吹き上げてくるすき間風です。このすき間から部屋の熱の約二〇％が逃げてゆきます。ビニールの敷物を敷いてもそれを防ぎ、働き易くなります。

それから身仕度ですが、下半身を暖かくすると、ぐっと違います。スラックスにしたことはありませんが、たけの長い巻きスカートを一枚作っておくと便利です。スカートや着物の上から、さらにこれを巻きつけると、足もとや腰がずいぶん暖かくなります。

プロジェクトとは何か

―研究会のシンポジュームから（5）―

政治「研究」と「活動」は別

4Hでは"活動できる人"を創る

出席者＜発言順＞

栃木県専門技術員　湯浅甲子

埼玉県農業経営伝習場長　星野武四郎

4HクラブOB（千葉）　峰島伝夫

日本4H協会事務局長　新田健吉

司会・全国4Hクラブ連絡協議会監事（広島）　村上光雄

このプロジェクトについてのシンポジュームは、昨年の暮、静岡県御殿場市の国立・中央青年の家で開催された全国4Hクラブ連絡協議会と日本4H協会主催の「全国4Hクラブ中央推進会議」でクラブ員の発表をもとにして行なわれたものです。（文中・敬称略）

新田　政治活動は個人個人に関係することですが、これは共通の課題です。政治学習することはあってもよいが、4Hクラブの基本的な考え方は、4Hクラブ員個人個人が真剣に取り組んでいる問題、いわゆるプロジェクトについてみんなの助け合いによって解決し、伸ばしていこうとする。そこでハートが出てくる。助け合いによって伸びていくという性格のものです。

D　私はクラブ活動をやって五年になりますが、それをながめてみますと今までの行政的な指導は物を作れということだったわけで、そのほかの影響力を軽視してきたわけです。しかし、農家は農家、農業だけにとどまってよいかという疑問があります。そしてこれから4Hクラブ活動をやっていく上で、ますます政治が身近かになってくり、生活の中に入ってくると思います。

行政的には政治活動はダメだといいますが、これから政治問題はますます重要になってくると思われ、政治もプロジェクト、クラブ活動でやってよいのではないかと思いますが、その点につきまして星野先生にお聞きしたいと思います。

星野　私がさっき言った通りなんですがね。政治活動はいけません、おやめなさいというのが私の思想なんです。ただし、政治の問題は勉強しなさいと、だから政治活動と政治学習を分けましょうと云っているわけです。

ただし、4Hクラブ員だからあなたやってはいけませんよといっても、個人の立場ならば他の団体でいくらでもやりなさいよ。しかし政治活動をクラブの中に持ち込んでやるのは問題でしょうと云っているわけです。

E　どうでしょうか、同じ目標に向っている4Hクラブ員でありながら、4Hクラブでは政治活動はいけないという考え方は？

星野　それはね、先きほど云っているように法律や規則で決めたのではありません。ただ私の考えなので、それをはき違いないようにね。或いは他の県では違う指導をしているかも知れませんよ、私の県ではそういう指導をしているわけです。

司会　新田先生、その問題に関連してお願いします。

新田　私が先きほどいったのは、4Hクラブというのは個人の本質から考えて、4Hクラブというのは個人個人の問題を解決するんだということですね。従って政治活動といっても具体的な問題に入ってこないとお互いによく解らないと思います。具体的な問題を出して下さい。

F　4Hクラブは政治活動はいけないといいますが、私はみなさんにお聞きしたいと思うのです。私としては、政治活動は嫌いですけれども、ただ星野先生が言われるように「私はそういう形で指導してきた」ということ、そこに問題があるのではないかと思います。これは、われわれ自身、われわれの職業にとって重要な問題だと思うんです。われわれがクラブ活動の中では必要でないという意見ですが、しかしみんなはどう考えるかで、やはりわれわれ自身で決めていくべきだと思うんです。

ともすると行政の中で指導していくんだというが、私自身としては、行政というものはクラブ活動を育てる上で思想的な指導というより、活動面の指導なりアイデアなり、スムーズに行なわれるような形でやっていただきたいと思うんです。それが思想的にも指導するというのではやはり問題が生じてくるのではないかと思うんです。クラブ員自身充分考えていただきたいと思うのですが、その点どうですか。

G　4Hクラブは、さきほど先生方がお話しされたように技術を磨き、われわれの日常生活と離れていくことなく、また人間性を高めていくということで、このクラブ活動を進めていくのだと思います。

先きほど言われましたように、政治活動をやりたければ他の団体に入ってやれというが、出来るものならやると思うのです。4Hクラブはそのような政治活動をしない方が、妥当なのではないかと思います。

H　先きほどからおききしていますと、政治研究はよいが、政治活動はいけないというお話しでしたが、政治研究をしているとどうしても政治活動に走りがちになります。たとえば、私たちが酪農を行なう場合、事前に技術面あるいは経営面について研究を行ないますが、政治問題についても農業面でいえば、農産物の流通機構の研究などの問題から入っていったほうが良いのではないかと思います。

司会　それでは、この問題についてみなさん方の中からもうひとつ、ご意見を伺ったうえで先生方にお話をしていただきたいと思います。

I　4Hクラブ員の政治活動に関することで討議されていますが、先きほどの女性の方からのご意見ですと、政治研究から政治活動に移っていくということですが、これはもっともだと思います。しかし、そこで私たちは頭を働かせて、その研究と活動との切りかえをするのが、私たちの仕事だと思います。それが必要だと思います。

司会　みなさんのご意見も大部につまってきたようですので、ここで、先生のお考えをおききしたいと思います。

湯浅　きのうからクラブの本質論を話して参りましてみなさんにほぼご理解していただいたものと思いますが、政治活動の問題につきましても、一言でいえば、立派な政治活動ができるような人を4Hクラブ活動の中で創っていきたいと思うのです。そういう意味で政治研究もあるし、政治の面についてふれてほしいと思います。ですから、いわゆる一般論でいうところの政治活動に入る場合には、4Hクラブを卒業したぐらいの人に加わってほしい。よい意味での政治活動ができる人が4Hクラブの五〜六年の間に大いに勉強していただきたいと思うのです。

それから、この間までブラジルに行っていましたが、向うでも実はこの問題がありましてね。ブラジルの4Hクラブでは、いっさい政治活動はやりません。ところが4Sクラブ、これは4Hクラブと同じなんですが、ブラジルの半官半民の指導機関が育成している組織です。世界的には4Hと同じですが、そこでは政治活動に青年が入ったんです。そうしましたら結果的にたいへんな問題が起きています。結局、青年たちの力を政治の中に反映させるということの中で、青年がいつの間にか自分たちの人間的成長をするという努力を忘れてしまって、そういう方向に走ってしまったわけです。それでグループ活動が派閥に分れてこわれてしまったのです。

そういうことで、4Sクラブの実態が非常にあいまいになってしまったということがブラジルの場合、実際に起きているのです。そこで4Sクラブでは、そういうような人になるようではまだ政治研究が足りないという解釈でもっと正しい意味で政治研究を青少年の時代に行なわなくてはいけないのだといっていました。そういう意味から私は、こういう形で政治研究に取り組んではほしいと思っています。

星野　もういい尽くされていますし、みなさんの意見の通りなのです。ただ「指導」という発言がでましたが、これは重要だと思います。

ご承知のように人間にはやはり指導されたいという欲求と、とにかく指導はされたくないんだという信念があるわけです。そういう矛盾するものが私たち大人はもっているわけなんです。ただ、ここで問題は指導というものが民主的な意味の指導が、おいそらではなくてね、相手の人格というものを理解したうえで、長い経験をした人が指導していくという親切さがないといけないのではないかと思います。

峰島　私が4Hの県連会長をした時に、各郡を回りましてクラブ員にこういうことをいったことがありました。「みなさんは、プロジェクトを実践していく過程で、おそらく農政問題につき当たるだろう。私たちをとりまく農政というものは、経済的にも政治的にもいろいろな壁にとりかこまれているわけで、私たちが卵一個、牛乳一合なにを生産しても農民が損をしているというのがしくみです。これをやはりクラブの中で大いに学習していただきたい。」

（つづく）

4Hくん NO.145 桜井はじめ

わが国に数少ない、4Hクラブが結成されている中学校。富山県婦負郡八尾町立・杉原中学校＝では約60人のヤング・クラブ員が活躍している。このクラブは古い歴史をもち、郷土特産の白菜や水稲栽培などの共同プロジェクト活動を通して少年たちの情操教育、産業教育に成果を高めている。

ここに紹介する杉原中学校2年生、毛利哲二君は昨秋奈良市で開催された第4回全国4Hクラブ員のつどいにおいて「思考して可能に!!」と題し特別発表を行なった。

農業後継者が減少の途をたどる昨今、情操教育の一貫として少年たちに勤労の喜びを教えるということは尊い価値がある。また、近代農業の推進者として欠くべからざる条件。それは、科学する人、いわゆる明せきな頭脳を持ち合わせていなければならない。それを支えるための健康も必要な条件になる。また農業という職業をまっとうするための技術の熟練、立派な社会人となるための精神の訓練、いずれも欠くべからざる条件だ。こういう意味から次代の日本を担う少年たちに、この種の4Hクラブ活動が全国各地に、再び誕生し、新しい教育像の一つとして人づくりのために役立つことを願わずにはいられない。

思考して可能に!!

伸びる4Hの芽

富山県婦負郡八尾町立・杉原中学校4Hクラブ　毛利哲二

失敗でも尊い体験　原因の究明は科学的に

第4回全国4Hクラブ員のつどいの席上で特別発表を行なう＝イガグリ頭も可愛いい＝毛利君

働くよろこび知る

ぼくが去年の四月4Hクラブへ入って間もないときでした。どんな作物を栽培してもよいというので、狭い土地をもらって、プロジェクトや水稲栽培に決めて、稲の一生を観察してみることにしました。

まず、苗床を作り、十分給水して種をまき、ビニールをかぶせて「どうかうまく生育するように」と心から祈りながら状況をみていたら、三日目にポツポツ芽を出し五日目に見事に発芽が完了。その淡青色の小さな苗床を見た時、それはことばにも表わせないほど嬉しく、働くものの喜びがよくわかりました。

五月に入ってよい気候がつづき気温も二十度以上に昇ったので、一応ビニールを取り除くことにしました。その後、次第に気温が下りはじめ、もの凄い寒気の晩もあったようです。しかし、苗も伸びていたようだし、この程度なら別に心配することもなかろうと、そのままにしておきました。ところが五～六日目から苗が黄色くなり出したので、もしや肥料不足かと思って硫安を施したが全然反応がなく、苗も伸びません。

先生にみてもらったら"もうだめだ"とおっしゃる。その時のショック、スーッと体から力が抜け出たことを覚えています。その時は、やり直しをするにも時期が遅いし、農業というもののむずかしさをしみじみと身に感じました。

しかし、ここで折れてはだめだ。それよりどんな原因で失敗したのか、その原因究明が先決問題だと考え、友だちと力を合せて原因の解明に当ったのでした。原因の追求は、科学するクラブ員として当然のことと思います。

穴に入りたい思い

また去年の秋、農場の白菜にアブラ虫が大発生したので、ぼくが駆虫剤を散布していたら後方で「かけかたを知らんなあ！そんなむだなかけかたってあるもんか」という声がしたので、びっくりしてふり返ると、どこかで見たような人が笑いながら近づき「かけるときは、そんなに噴霧器をくっつけるもんじゃない。作物から30㌢～40㌢へだててやるも

の会長をされたという方だと聞いて「あっ、よかった。関係のある人だったのか」といくらか心もほぐれて参りました。しかし、OBのいわれた30㌢～40㌢については、なぜ、それだけの間隔が必要なのか、物理的にみてほんとうに最適なのか。ぼくは、この疑問を解くために一生懸命でした。

ついでにもう一つ。去年の夏、ぼくの家へ服装の正しいお客さんが訪ずれ「4Hクラブとは、どんなクラブか」と突っこんで問われるので答えに困り、次第に体中が熱くなり、とうとうたまりかねてその場を逃げ出したことがありました。

"なぜ"ということ

ぼくたちが農場で働いていると、いろいろの問題が生まれてきます。去年の夏、日照りがつづいたとき夏野菜にアブラ虫が大発生しました。高温多湿ならいざ知らず、乾燥日照りに大発生するとは理解できず、一晩中考えあぐねたがいにわからぬまま眠りこんでしまいました。翌日ふと、生物生存条件に気づいて、アブラ虫だと水分が必要だ。高温繁殖が生んだ必死の姿であり、不思議でも何でもないと思った時、瞬間、心が明るくなりました。

また、白菜のねり床を作ったし、ねり込みをで きるだけていねいにし、肥料設計も普及所の指導をうけて、成功を夢見ながら世話をしていましたが、たいへん生育が悪く、手入れをすればするほど悪くなりました。友だちとも話し合いましたが、原因がわからないので先生の意見を聞こうとした時、となりの先輩がきて「それは断然

"精神面、道徳面"も

このように悪くなれば、なぜ

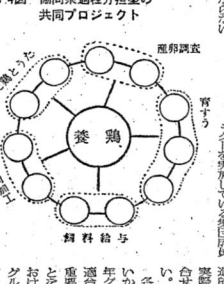

プロジェクトの取り組み方　実施編(2)

北海道専門技術員　三輪　勲

実践、学習の重点は関心や能力に応じ分担

過程分担型

このタイプの共同プロジェクトは、問題解決や学習において、その実践の過程を数人で分担して行なう方式である。実践過程の分担方式は二種類あり、一つは同種型共同プロジェクトから転移したものと、他の一つは協同型共同プロジェクトから進展したものがある。ここでは、前者を同種系過程分担型、後者を協同系過程分担型と便宜上区別しておく。

同種系の過程分担型共同プロジェクトは、会員がそれぞれ同種課題のプロジェクトを持ち、その実践過程を個人の能力や関心などに応じて単独もしくは数人で分担し、その分担領域に重点をおいて実践する方式（3―3図参照）である。たとえば、てん菜栽培のプロジェクトを各自それぞれ実践する場合に、施肥・病害虫防除・移植や間引き・増収研究など、実践と学習の重点事項を個人の関心や能力に応じて分担実践するわけである。

こうした同種系の過程分担型共同プロジェクトは、個人の能力・経験・年令・関心などの相違に応じた実践領域の分担により、実践の意欲と責任感が高まりグループ活動への参画・貢献の欲求や集団帰属感も充足できるので、積極的な学習態度を養うのに役立つ。したがって、この型の協力構造は問題解決の性格の強いプロジェクトに採用した場合に効果が大きい。しかし、個人がそれぞれ独立したプロジェクトを実施することが基調であるだけに、各人の能力や経験にある程度の等質性が必要である。

協同系の過程分担型共同プロジェクトは、会員の協力で一つの課題のプロジェクトを行ない、その実践過程を同種系過程分担型と同様な方式で分担するしくみ（3―4図参照）である。たとえば、会員で数十羽の鶏を飼育する場合、育すう・管理・飼料給与・だ鶏とうた・産卵調査・卵や肉の利用などの重点事項を、それぞれ分担実践する協力方式のプロジェクトである。

協同系の過程分担型共同プロジェクトは、グループの成員の資質に若干の差があるとか、性別人員にアンバランスがある場合などでも、個人が独立したプ

合の運営にはかなり高度な経験が必要となるので、グループ活動が盛んな状態でなければ十分な効果が発揮できない。

実施に当っては、グループ員の欲求や関心の方向が共同プロジェクトの課題に沿っているかどうかに留意することがたいせつである。ともすれば、単なる共同作業か、あるいは一部の者だけで実施され、他の人は関心や興味が充足できないまま従属や脱落しやすいので注意しなければならない。

3―3図　同種系過程分担型の共同プロジェクト

3―4図　協同系過程分担型の共同プロジェクト

複合型

この型は、課題を異にする共同プロジェクトのグループが、同一集団内に二つ以上編成され

たとえば、きゅうり・トマト・はくさい・などの個人プロジェクトを実践している成員によって野菜プロジェクトグループとして凝集位置づけたもの。つまり同種または同系列課題の個人プロジェクト実施者をもって小集団を組織化したものと、個人の関心や興味をもとにして、いくつかの課題別小集団を母集団の中に新たに編成するものと二種類の成因にわけられる。

前者は、すでに各種のプロジェクトを実施している集団成員の活動を意図的に促進させる効果があり、後者は、新たにプロジェクト活動を開始しようとする場合に適した方策である。

こうした複合型共同プロジェクトは、それと取り組む成員の能力や経験の増大、共同学習の発展にも伴なって機能分化が起こり、いくつかの専門化した課題に集中する傾向を持っている。この場合、一つの母集団における小グループ活動から、やがて独立した形態を整えて一つの集団としての活動に発展する。

以上、共同プロジェクトの構造的類型とその特徴を述べたが、実際にはいろいろな特徴を組み合せた構造のものが少なくない。

各類型のうち、いずれがよいかは一概にいえないが、青少年グループの性格や環境に最も適合した活動構造であることが重要である。しいて原則的なことを述べるならば、その地域における農業の発展方向と青少年グループの成員の経験や関心などを勘案して、共同プロジェクトの構造を考慮すればよいと思う。

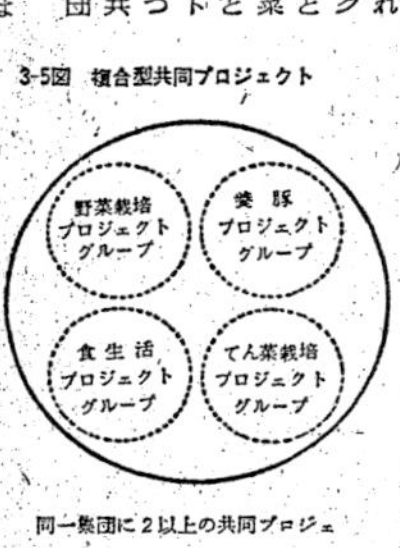

3―5図　複合型共同プロジェクト

同一集団に2以上の共同プロジェクトのグループが編成されている

プロジェクトの一例

地域の注目集める

不時栽培の研究

稲作三法式の研究

ビニールハウス半促成きゅうり栽培におけるかん水の費用と労力（1,320㎡当たり）

かん水設備	平均1日当たりのかん水費 減価償却費	経常費	計	平均1日当たり所要労力
水道ゴムホースかん水(A)	円 16.70	円 46.20	円 62.90	6時33分
動力硬質パイプかん水(B)	339.50	47.70	387.20	26
比較(A)―(B)	(－)322.80	(－)1.60	(－)324.30	(＋)6時07分

これからの農業経営

施設園芸経営の問題点

農業所感

NHK農事番組

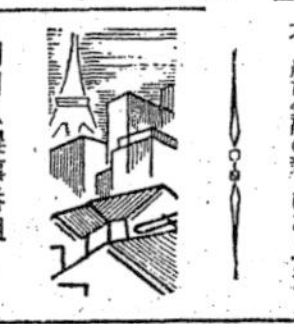

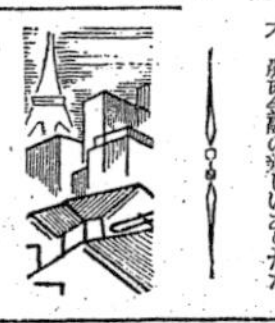

テレビ

ラジオ

これからの農村女性は スーパーレディ

兵庫県連副会長　楠　小恵子

あるとき「農家へ嫁ぎます」と話している農高卒後まもない女性に、「なぜ農業を選んだのですか」とたずねたことがありました。

それに答えて彼女いわく。「私には他に才能もないから、農業をするのです」と—。若い目で、農業と農家生活に、どのようなすばらしい夢を描いているのだろうかと、彼女の返事に期待していた私は、呆然としました。

それより少し前、男子クラブ員の一人に「農家へ嫁いだ女性は、しょせん、ぬけガラばあさんになってしまう」と、農村女性の欠点を指摘されたばかりだったのです。

農作業と家事に追われて、新しい知識を吸収する意欲をもたず、井の中の蛙となり、嫁いびりや井戸端会議が生きがいとなった悲しい姿を"ぬけガラばあさん"というのだそうな。

農家所得が都市勤労者所得と肩をならべたいま、大自然の中に生きる私たちこそ、都会の人よりも、心や生活のゆとりがあっていいはず。激しい農作業に従事しながらも、やさしい母としての心づかいをもち、理解ある妻、社会性に富んだ女性こそ、これからの明るい農村をつくる原動力となるでしょう。まさしく農村女性はスーパーレディでなければならないと思うのです。

男性がその仕事に一生を賭け、それをもって生きがいだというように、女性も、いくつになっても、どんな苦しい運命に出会ったときでも、強く自分を支えてくれる生涯の目標をもつべきだと思うのです。（兵庫県連会報より）

農業所感　都市近郊に生きる　農業に精根を傾けて

仙台市・岩切カリム会　横田　幸次

私は、農業に対して関心がなかった。というのも、私は三男なのでおのずから農業という職業に縁がなかったのです。

私が農業高校に入る前までは、兄が農業をしていましたが、私が中学三年のとき兄が病気のため亡くなりました。二男が結婚をしていなければ、二男が農業をするのでしょうけれど、二男は結婚をして別に暮していたので、私なりに家を自分がつがなくてはならないと思いました。

しかし私は、農業高校に入ってみたものの農業をやる気がしませんでした。というのは、外見からかっこが悪い、仕事は朝早くから出て遅くまでやっているので実際ひどいと感じていた。そのためか学校の授業にも余り熱が入らず成績も余りよくありませんでした。そんな学校生活も終りに近づいてきて、自分の進路を決めなくてはならなくなりました。私は、三年になっても、まだ、はっきり農業をやる気がなくて家には内緒で就職試験を受けに行きました。

一週間ぐらいして合格通知が家にきました。私は合格通知を父に見せたところ、父は「自分もだいぶ年をとっていることだし、これから働いても二〜三年だから家で働いてくれないか」といわれました。しかし、私もすぐには返事をすることはできなくて、自分なりに二、三日考えた末、農業への道を歩むことにした。だが、私はすぐ農業の中に溶け込むことができなかった。というのも、学生時代の気分がまだ抜け切れなかったのも原因している。また何よりも自分が農業を継ぐ立場でなかったせいかもしれない。

そんなとき、同じ農業に志ざしている農村青年のサークル活動の存在を知りました。それが4Hクラブです。同級生のすすめもあり入りましたが、自分から積極的に4Hクラブに入会しました。

初めての定例会において、私はクラブ員の農業に対する真剣なまなざしをみて非常に動揺しました。そこで思いました。なぜ自分は中途半端な考えでいたのだろうかと。そこで私は新たなファイトがわいてきたのです。同時に、これからの農業に対して新たな自信と不安が入りまじったそんな考えで現在にいたったわけです。私は農業に従事してから早いもので、もう三年にもなります。いまに考えてみると、農業を始めたばかりのときはいやな仕事だと思った。しかし年月がたつにつれて、そんなにいやな仕事のようにも思えなくなった。というのは、農業は自分の思うようにできるという気楽さがあったからです。

現在でも、農家は冬になると、殆んど出稼ぎに行きます。そのとき感じたことは、人に使われるということは本当にいやなことだと思いました。家で仕事をしているときは、自分の好きなことをしていられるからだと思います。

朝はきめられた時間までに出勤して、きめられた時間に帰され、そのあいだ仕事があってもなくても時間をつぶさなくてはなりません。雨が降ったからといって休むわけにはいかないし、頭が少々痛いからといって休むこともできない窮屈さがあります。

私は、農閑期をこんな利用の仕方をしていてはいけないと、この頃思うようになりました。でも現在、農家の冬の仕事はそんなにあるものではありません。しかし私は、冬にできる仕事、シイタケのハウス栽培とか、花の温室による栽培などにして農閑期の過ごし方を考えていますが、なかなか実行することができません。

さいきん、私たちの地域にバイパスが通されるため農地が大部分つぶされ、転職者もふえる一方です。

この状態でいくと、私はどうすればよいか不安になります。したがって、これからは余り土地にこだわることなく、施設園芸とか都市近郊農村の特色を生かした農業にもっていかなければならないと思います。

私は、今日を機に、いままでの安易な気持を改め、農業に対して心から精根を傾けることのできる青年になりたいと思います。

わがクラブ宣言

ゴーイング マイウェイ

福島県・菅野寿広

自分の進むべき道は、ただ一つ酪農経営に専念し、全力をつくすことです。

秋の取り入れが終ると、若人たち、それに一家の柱である主人が都会の工事現場をめがけて、どっと繰り出し、出稼ぎ旋風は農村を大きくゆさぶっています。

そんな環境の中で、私は「自分の職業は、立派な、そして尊い職業だ」と信じて、酪農経営、すなわち自分の進むべき道をまっすぐにつっ走るつもりです。

農業経営は登山にたとえられると思います。

私は酪農経営を三段階に計画をたてていますが、その登頂に成功するまでの道程は苦難の連続だと思う。しかし、それを若さ、ファイトで吹き飛ばし、企業的酪農経営にしなければならないと自信満々です。

私は思う。職業というもの、とくに酪農経営は一年中無休でなければならない、と。無休といっても一日の中で、自分の時間をつくってゆくのです。自分で考える時間、そして仲間づくりをすることも大切であると思う。

前に述べたように十年、二十年そして三十年の計画を描き、その目標を達成するために努力する。計画のない経営では、いつになっても進歩しないばかりでなく、人生に劣等感さえ感じられます。

農業は、自分の腕をためす点では他産業ではできない唯一の価値ある職業だと思う。

私の前進には、幾多にも苦難の壁が待っていることを思う。それを若いファイトで乗り越えてこそ私の念願する。企業的酪農経営のスタートを確保するのです。私はそれに向って常に歩んで行きたいと思います。（福島県連発行の機関誌「4Hふくしま」より）

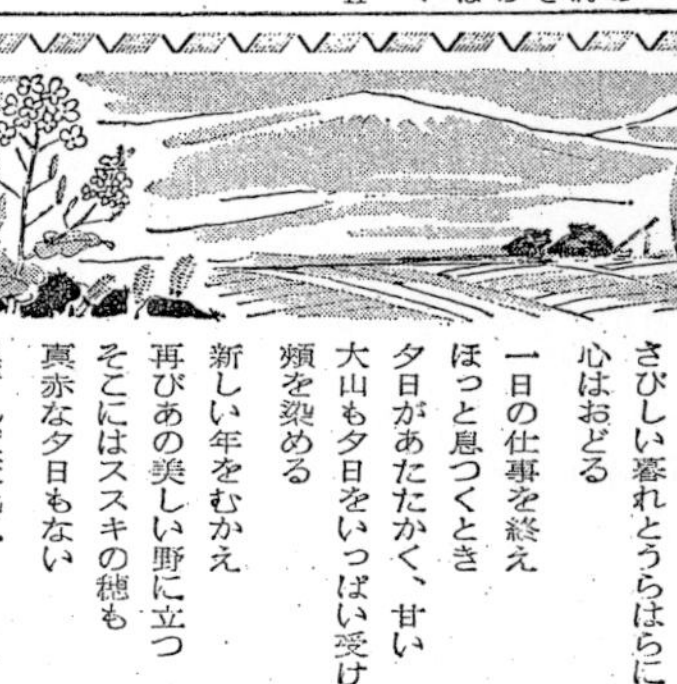

やがて春が……

小林洋子

あなたと眺めた野に
ススキの穂はやさしく揺れ
さびしい暮れとうらはらに
心はおどる
一日の仕事を終え
ほっと息つくとき
夕日があたたかく、甘い
大山も夕日をいっぱい受け
頬を染める
新しい年をむかえ
再びあの美しい野に立つ
そこにはススキの穂も
真赤な夕日もない
黒ずんだ灰色に
くっきりと浮んだ白い大山
やがて、春が訪ずれる
あのあたたかな春が
そしてあなたも……

（鳥取県東伯郡・赤碕グリーンクラブ）

ある考察　若者よ冒険の自覚を　企業農業への転換迎え

人間たるもの、どうも冒険というものには憧れながら、自分のこととなるとなかなか思い切って行動にうつれぬものらしい。

ある学者が日本農業の未来像という著書の中で「将来の日本農業を背負う者は、農村に生まれ育って農業を営む者ではなくむしろ都会人にその中心が移っていくのではないか」と言っている。つまり、農業が自営農業から企業へと転換していく上において、今までの技術や経営感覚というものは、益よりはむしろ害になっているということ、現在食っていける者がその経営を捨ててさらに企業的に発展させるということは、相当の冒険がともなって非常に難しいということを指摘しているのである。

このことは、現在すでに優秀な農業経営者と言われている人が昔のような農家ではなく、戦後裸一貫で開拓に入った人や他産業から転職した人に多いことでもかなり証明されていることであろう。われわれ農村青年は、この言葉に大いに反発しなければならない。著者が、だから現在の農村青年はだめだと言っているのではなく、企業的センスを身につけ、古い農業経営や生活から脱却する努力と勇敢な行動を望んでいることは明らかであろう。

他人の話の引用ばかりで恐縮だが、アメリカのある経済学者の説によると「企業というものは、小企業から中小企業へ、そして大企業へと段階的につながっているものではなく、小、中企業と大企業は全く別のものである」といっているそうだ。

これをわれわれの農業にあてはめてみると、牛馬で耕す農業と耕耘機による農業、さらにはトラクターによる農業とは全く別のものだということになる。トラクターでも十馬力台のものと三十馬力のものとでは全くアタッチメントが異る。三十馬力のトラクターを買えば十五馬力のアタッチメントはすべて使いものにならない。経営規模や技術も全く別のものとなろう。

現在、農業だけでやっていける者にとって、耕耘機からトラクターへの転換はかなりの冒険であろうし、共同あるいは協業経営への道にしてもその通りである。しかしながら、それを行なう者はわれわれ若い者をおいてほかにないのである。

綿密な計画とたゆまぬ努力は、決して冒険を冒険の位置にとどめぬことをわれわれ若者は大いに自覚すべきである。（鳥取県連会報のコラム「晴耕雨読」より）

青少年団体の紹介（13）

PFC

日本郵便友の会協会

文通によって交歓　教養高め、平和を願う

会のおいたち

昭和二十四年六月、第二次世界大戦が終って四年目、社会全体が敗戦のもたらした混迷状態からまだじゅうぶん立ちあがることができず、人びとが毎日の生活に追われ、他を顧みる余裕もなかったころ「郵便友の会」という、国内にも外国にも例のない青少年団体が、名古屋の中学生たちの手で発足した。

彼らがこの団体をつくった直接の動機は、その年の春、犬山市で開かれた「子ども博覧会」の見学からだが、彼らはここで郵便という制度のもつ社会的機能を学んだ。当時の郵便事業が戦争による打撃で半身不随のものの多かった政府事業のなかで比較的早く本来の機能をとりもどしていたことも幸いした。

彼らは郵便の「しくみ」を調べ、学んでいるうちに、文通のもつ効用ということに気づいた。そこで最初に思いついたのが、九州と北海道の中学生たちへの文通の呼びかけだった。文通でお互いの生活ぶりや、住んでいる土地の風俗を知らせあおう、と呼びかけた。もちろん、彼らをこういう行動にかりたてた裏面には、戦時中閉ざされていた知識に対するひたむきな欲求と、戦争を憎悪し、平和を願う純真な若い魂の発露があったものと思われる。こうして「郵便友の会」の第一歩が、終戦後まもない日本の土壌に芽ばえた。

現況

文通で知識を吸収するというアイデアの卓抜さ、未知の土地の人間とも結びあえるという好奇的な魅力も手つだって、会の組織がまたたくまに全国に波及した。「郵便友の会」が短時日のうちに発展したもうひとつの背景は、郵政省とその地方機関である地方郵政局、郵便局の存在である。これらの機関は、各地の実情に照応させながら、側面から有形無形の援助の手をさしのべた。

現在「郵便友の会」には、全国では約三千の小、中、高校が加盟し、約一千の地域組織がつくられている。校内組織は「学校グループ」といわれ、五人以上のメンバーと二名以上の顧問教師によって結成されている。地域組織は、この「学校グループ」の一定地域における集合体である「単位郵便友の会」「単位友の会」の連合である「地区連合」または「都府県連合」その上部に「地方連合」最後に「全国連合」がある。

活動信条

「郵便友の会」には、そのバックボーンともいうべき、三つの活動信条がある。一、私たちは文通により、世界の人びとと親しみを深めて、平和な世界を築きます。一、私たちは文通により、広く知識を求めて、教養を高めます。一、私たちは文通により、気の毒な人びとを慰めて、あたたかい社会をつくります。

活動と種類と位置づけ

「郵便友の会」の文通活動は分類の基準によって、さまざまに分けられる。個人文通と集団文通、国内文通と海外文通などであるが、そのほか福祉施設や災害地の人たちを対象とする慰問激励文通、特定の船の乗組員を対象とする船親子文通、交通不便な辺地相手の辺地文通、などがある。自然や文化に関することがらを知らせあう文通などは、学習文通といってよい。

こういう文通を、主な活動手段にするところに、この会の特色があるが、もう一つの特色は集団活動に基調をおいていることである。

こういう特色をもつ活動が、そのふさわしい活動の場を小、中、高校に、そのふさわしい活動の位置づけを「校内クラブ活動」にそれぞれ求めるのは当然である。また「郵便友の会」には地域の活動もあるが、それもそれぞれの地域段階に照応して作られている組織を背景に、集団活動を主体とする点では「学校グループ」活動と本質的に同じである。

関係組織

「郵便友の会」の関係組織のうち代表的なものは、財団法人「日本郵便友の会協会」と「全国郵便友の会文通教育研究協議会」である。前者は昭和三十年、朝野の名士によって設立され、後援団体として「郵便友の会」の指導育成に当るだけでなく「全国郵便友の会連合」の事務代行者である。

後者は、昭和三十八年「郵便友の会」活動の系統的研究と指導を目的に、加盟校の顧問教師によって作られたもの。また地域的には幾つかの市、地区、府県、地方に同じ目的の組織が作られている。

この二つの団体のほか、郵政省と文部省が常に深い理解と支持を会の活動に与えているが、「郵便友の会」自体が加盟している団体として国際的には、青少年の文通による国際理解、親善につとめる団体の集まりである国際学生文通交換団体連盟（略称フィオセ）に三十三年に加盟して今日に至っている。

会員の資格

「郵便友の会」には、同じ小、中、高校で五名以上の生徒がグループをつくり、顧問教師の指導のもとで活動する正会員、その正会員とは違い、校内でグループを結成するにいたらない立場にいる準会員、満二十五歳未満で社会人または大学生である特別会員の三種類の会員がある。

〈東京都港区麻布飯倉六十三、郵政省内、郵便番号一〇六、TEL五八二—一一一一（内）八七五〉

全国の会員が集まって盛大に開かれた第19回の全国大会（さる42年8月、名古屋で）

映画　ミステリー西部劇　5板のカード（パラマウント映画配給）

ミステリーの手法をとり入れた異色西部劇である。原題の「5枚のカード・スタッド」は原作小説と同名で、トランプ遊びの一種であり、ドラマもこのトランプ遊びにちなんで進行する。

ものがたり

一八八〇年、コロラド州リンコン町のある酒場で、七人の男たちが"5枚カード・スタッド"のゲームに熱中していた。

賭博で世間を渡り歩いているパン・モーガン（ディーン・マーチン）は負けることを知らない男だった。パンは一息入れようとしてゲームを一回おりて外に出た。残ったのは六人。それらの男たちは、この土地の牧場主の一人息子、ニック・エバース（ロディ・マクドウェル）と、そのとりまきの四人、残る一人は、流れ者の若い男だった。

パンが降りた次のゲームで、ニックは流れ者の若い男のイカサマを見破った。怒った五人の男は流れ者にリンチを加えるのだといって外へ連れ出した。

酒場に戻ったパンは、このてんまつを黒人のバーテンから聞いていた。流れ者の男は町はずれの川にかかっている橋に吊されて、いまにも縛り首のリンチを受けようとしてた。パンはそれをとめようとして、逆に鈍器で頭を打たれ気絶してしまった。

翌朝、酒場のバーテンなどに介抱されて助かったパンは、この町から旅立つ決心をしたが、長い旅路につく前に逢う人間があった。パンはエバース牧場に立ちよって、牧場の娘ノーラ（キャサリン・ジャスティス）に逢った。ノーラはパンを慕っている。

やがて、リンコンの町にゴールド・ラッシュが訪れ、町は渡り者で賑わっていた。金を求める渡り者にまじって、片手に拳銃、片手に聖書をもった牧師、ジョナサン・ラッド（ロバート・ミッチャム）や、派手なおしゃべり女たちをつれたリリー・ランフォード（インガー・スティーブンス）などが町に住みついた。ちょうどその頃、リンチを加えた二人が、無残に絞殺されていた。

デンバーの町で陽気に暮していたパンは、黒人のバーテンの訪問を受け、以前"スタッド・ゲーム"でリンチした連中が誰かから狙われているのではないかということを聞いた。そして黒人は危険だから町へ戻らないようにといった。しかし、これを聞いたパンは狙われた以上は待っていることはないといって黒人と共にリンコンの町へ舞い戻り、あの時のゲームの仲間で残っている三人に会見を申し込んだ。

そして真夜中の三時ごろ、この三人のうちの一人が、教会のつり鐘のロープにしばられて殺され、また、この事件のあと間もなく、今度は一人が馬小屋の中で殺された。犯人が投げたと思われるランプが馬小屋のワラに引火して火事になったのを発見したパンが駆けつけると、逃げて行く犯人の後姿が見えたが、激しい射ち合いのあと惜しくも見失ってしまった。町は不穏な空気に包まれ、男という男は拳銃をとって武装した。こうした状況の中で騒動が起った。町の保安官を助けようとして危機にひんしたパンを救ったのは牧師だった。

いよいよ五番目の男が殺される時が来た。しかし、殺されたのはゲームに加わったメンバーではなかった。殺された男は、犯人捜査の上で証拠となる謎めいた印を残して死んでいた。いよいよ五人目の男の身辺が黒い死の影を漂わせ、パンも狙われている。

やがて、この殺人事件はクライマックスを迎えるのだが、意外な結末を告げる。

パン・モーガン（ディーン・マーティン）は、町から旅立つときエバース牧場に立ちよって牧場の娘ノーラ・エバース（キャサリン・ジャスティス）に逢った

日本4H新聞
4Hクラブ 農事研究会 生活改善クラブ 全国弘報紙
発行所 社団法人 日本4H協会
東京都市ケ谷家の光会館内 電話(269)1675 郵便番号162
編集発行人 玉井光
月3回・4の日発行
定価1部10円 6ヶ月180円(送料共) 1ヶ年360円
振替口座東京12055番

来年度「つどい」の開催地を内定

みちのく岩手県で

千田知事も県連役員を激励

会場は花巻温泉か網張温泉に

来年度開かれる全国の仲間たちの一大祭典＝全国4Hクラブ員のつどい＝は、回を重ねるごとにさかんな盛り上りとなってきているが、こんどの「つどい」は、来年度はみちのくの東北路、岩手県で行なわれることに内定した。

[illegible]

好評えた女子講座

「見合写真の撮り方」など学ぶ

愛知県連

[illegible]

自主性つよまる

山形県の青年会議

【山形県＝今野誠一連絡協議員発】[illegible]

開会式のあと、[illegible]クラブの認定式が行なわれ、斉藤幸彦県連会長の手に認定書がしっかりと渡され、同時に、加盟している全クラブが認定をうけたことになった。

午後は、教育委員会の木田清氏が「勤労観」と題して記念講演をした。

夜は、各地区対抗のハンドボール大会とクラブ員によるエレキバンド演奏とダンスの夕べが催され爆発するリズムに乗って、思い思いにからだを動かし、男子も女子も友だちづくりに一生懸命になり時間の短かさを嘆いていた。

二日目は、二つの分科会と二つの自由討議が行なわれた。

午前中は、議題にそって、部門経営の取り組み方や農村環境、農家生活の改善について話し合ったが、ことしはそれぞれ都市近郊、平野部、山間部とに分かれて、身近に自分たちの問題を提出し、その評判はよかった。

午後の分科会も、ことしから各部門（稲作、果樹、園芸、酪農、生活）ごとに、県内のすぐれた実践者の経験を通した力強い体験発表を中心にして進められ、クラブ員の熱のこもった討議があった。

夜は、県連独自の企画で、自由討議が行なわれた。「結婚と恋愛」「専業と兼業」「クラブ活動」など七つの部屋を設け、なごやかな雰囲気の中にも鋭い意見が出され、時間が過ぎても納得いくまで語り合うグループや別の話題に切り替えて静かに語り合うカップルなどが出現し、大会事務局員はうらめしいやら、うれしいやら、であった。

三日目は、全体討議と閉会式が行なわれ、県連主催のクラブ活動意見文、体験文の入選者三名の表彰が行なわれ、米沢農研・白石藤次君が最優秀賞を受けた。

また、県代表として全国大会に参加する八名が紹介され、山形青年の意気を示してくれるようにと激励され、拍手をうけた。

ことしは、発足した県連が県側との打合せをやりながら事実上の運営を行ない、昨年とは違い、自主的な内容がつよまった。

また、この期間中、県連の三役と、県農業課、普及員や指導者との話し合いが持たれ、互いの立場の意見交換や今後の指導方向について協議された。

涼風暖風

うれしいはなし

[illegible]

（大阪・川端）

全協執行部会を開く

会館建設など協議

「岩手のつどい」の推進はかる

全国4Hクラブ連絡協議会（会長、丸山勉君）は、さる二月二十五、六の両日、東京・新宿区の家の光会館内の事務局で執行部会を開き、来年、東北で行う「第六回全国4Hクラブ員のつどい」の開催地を岩手県に内定したほか、日本4H会館建設や来たる四月の全協総会などについて協議した。

執行部会には丸山会長ほか全員が出席、まず、小原事務局次長がかねて全協が岩手県連に交渉していた昭和四十五年の「全国4Hクラブ員のつどい」開催地を、同県連がひきうけることに決定した経過を報告、全員これを了承し、今後地元と具体策を協議しながらすすめていくことにした。

これは、全協がこれまで、九州（大分）関東（埼玉）北陸（富山）近畿（奈良）と「つどい」を開催し、ことしは山陰（鳥取）で七月二十七日から開催するので、来年度は地域的にみても東北で開催し日本の農業地帯である東北地方のクラブ員の志気を高かめ、地域に対してもクラブ活動についての認識を深めたいという意向で、地元出身の小原事務局次長を通して岩手県連に働きかけていたもの。

また、ことし開く鳥取のつどいについても協議し、各県連からの参加者の申込みを三月末日までとして、宿舎の手配や事務連絡をスムーズに運びたいのでなるべく早く各県連で参加者をとりまとめ、事務局に申込むよう働きかけることにした。

つぎに、日本4H会館建設については、さきに建設委員が連名で4H協会を通して、松下同協会長から借りた資金五十万円は、期限になったので各人が金を持ち寄りひとまず松下会長に返済した。

現在、各県連でも会館建設には意欲を燃やして傘下のクラブ員やOBに募金を働きかけているので一県で数十万円以上集めている県がかなりあるようで、ある県では三十万円すでに集めており、ある県では三月末まで五十万円集めたいと話していた。

北海道連では、先きに建設委員会から渡された募金箱が満杯になったので、こんど青年会議に上京のとき、事務局へ届けたいという連絡をしてきて、役員一同を喜こばせていた。全協では今後いっそう会館建設についてのPRに努め末端にもよく納得してもらえるよう各県連にも協力を呼びかけていくことなどを打合わせた。

また、来る四月四、五の両日行なう全協総会についても協議し、諸資料を整理し、二、三日に監事会を開き、本年度全協事業と決算の監査を行なうことにした。

「つどい」についての丸山会長談

すでにご承知のことと思いますが、私たちが、このつどいを開催する目的は、農村に在住する青少年自らが企画と運営を行ない、この活動をとおして、自主独立の精神と実践力をお互いに身につけることにあります。

つぎに、このつどいは、ただ単なる農村青少年によってのみ構成されるといった狭隘な大会ではありません。このつどいは〝家族ぐるみの大会〟であります。赤ん坊から老人にいたるまでの家族総参加の大会であります。また、このつどいの趣旨に賛同される総べての職業の人々も自由に参加できる大会であります。つまり、自主参加に大きな特徴があります。

農村の問題は農村の人々によってのみ解決できるものではありません。総ての職業や階層の人々から理解と力強い支援があってこそ解決できるものでありましょう。

そのためにも、いま私たちは何を考え、何を行なおうとしているのかを知らせ、農村に対する認識と私たちの解決すべき問題に協力を求める必要があると思います。

また、同じ農村の中に在っても家庭の中に在っても、互いの考え悩みに対する対話の機会は意外と少ないものです。そしてこのことが、農村の進歩をどれほどはばんでいるかしれません。この対話を私たちが中心となって、いろいろな人々と行ない、互いに心の中にあるわだかまりをときほぐす必要があると思います。

また、子供たちや赤ん坊は、将来必ずしも農村に留まるとは限りません。農村に留まるか否かに関係なく、この子供たちに農村の実態と必要性をいまから知らせておく必要がありましょう。長じてのち彼らは必ずや農村の良き理解者となるでありましょう。

これらのねらいを〝つどい〟という祭典をとおして果たそうというのであります。

すでに「第五回全国4Hクラブ員のつどい」は、鳥取県連と協議のうえ、参加者の取りまとめに入っております。雄大な大山をバックに、二十世紀梨、砂丘農業とまことに全国のクラブ員がつどうにふさわしい地であります。

「つどい」について協議する全協執行部役員たち＝事務局で

四月から装いも新たに

本紙購読料を改定

愛読者のみなさん、日本4H新聞をご購読いただき、心から感謝いたしております。

ご承知の通り、本紙は農村青少年を対象とした唯一の全国紙として、昭和二十七年創刊以来、日本農業の若い担い手として日夜、農業の改良と農家生活の改善に取り組んでいる全国の4Hクラブ員をはじめとする農村青少年のみなさんの熱烈なご支援をいただいてまいりました。

この間、全国4Hクラブ連絡協議会、各県および地区連絡協議会が農村青少年みずからの手で結成されました。本紙はそれら組織と一般クラブ員さらにOBを結ぶ機関紙的存在となるとともに、全国各地の志を同じくする仲間たちの意見や情報交換の場、また創作やプロジェクトなどの発表の場として、クラブ活動推進のよりどころになってまいっております。

ところで、近年、諸物価の変動をみますと、人件費をはじめとして十年前、いや五年前と比べても驚くほどの高騰をきたしております。これは新聞発行費についても同様でありまして、印刷代、用紙代、発送料、人件費などの値上がりにより、商業紙をはじめ各業界紙や機関紙も相次いで、販売価格を度々改定してきております。

こういう情勢下にありながら、本紙は、日本4H協会の使命である農村青少年活動の育成、援助の奉仕的性格から、定価の値上げを極力避けるため、新聞発行費の高騰を一般事業費からプールし、発刊以来実に十七年間の長期にわたって据置いてきました。

これは、およそ他に例をみない業績であります。とはいえ、協会も他に多くの事業を行なわねばならず、これ以上一般事業費から新聞発行費へのプールもできないところにきております。

つきましては、協会としても諸般の事情を考慮のうえ、来たる四月一日から本紙の定価を

一部二十円　年間購読料七百円

に改定のやむなきに至りました。この値上げ幅については、一挙に倍額近くになりますが、これは十七年間にわたる諸物価の高騰、ならびに他の諸紙の定価と比較いただければ、ご納得いただけるかと存じます。

また、編集部としても、今後ますます紙面の充実に努め、みなさん方の新聞として装いも新たに取り組むつもりでおりますので、事情ご賢察のうえ、引き続きご購読下さいますようお願いいたします。

▽なお、県連一括の申し込みに対する助成制度などにつきましては、協会から直接に各県連あてにご連絡いたします。

昭和四十四年二月二十四日
社団法人　日本4H協会

日本4H新聞

心頭技健

二人の人間が地球の一点に立って、二人が左右に分かれて歩いて行ったら、いつかこの二人は一緒になれるだろうか。地球は丸いというから、この人が完全に方向を誤らない限り、必ずめぐり逢えるに違いない。このたいせつなことは方角、いわゆる進路が問題なのである。この進路を人間の行動や考え方に置きかえたらどうだろう▼最近の人間の生き方一つを考えてみても、あまり人間のエゴイズムむきだしの醜い闘争と対立が展開されている。たとえば、警官と学生、労働者と使用者、生産者と消費者間などの対立があるように限りがない。もちろん日本の各政党間の対立もその限りではない。これらの対立や闘争の原因は、お互いが自分の主張を無理に通そうとして起るのである。無理が通れば道理ひっこむ―の諺のとおり、現在の人間社会は道理を忘れてしまっているのである▼日本人は開国以来諸外国の文明を上手に取り入れて生活を豊かにしてきたがあまりにも外国にかぶれ、日本人としての精神をも忘れてしまったのである。いわば日本人は、一つの方向を見失なった人間は、目標には到達できない。それは人間の行動を支える精神が狂っているからだ▼日本には日本人としての精神があった。この日本の恵まれた気候風土に育った日本人自らが培ってきた精神をも、日本人は忘れてしまったのである。この日本人の精神とは「和・親・容」であって、人と和し、人と親しみ、人を許すという精神。要するに人間同志は仲よく生きなければいけないという教えなのである▼この教えをも知らない日本人同志が対立し、闘争し合う姿を真のあたりに見るとき、もっと人間的に人を許す寛大な精神があったらと思う。この風潮は誤まった民主々義が利己主義を、人を許せない我を日本人の精神の中にはびこらせてしまったゆえである。このことに日本人一人ひとりが一日も早く気づき、日本人としての日本の心を自らの手によって心の支えとしないかぎり、日本の進路は誤り、目標に到達できないだろう。

人口減り生産は増加
農地は宅地転用などで減

生産性と生活水準

一、四十二年の農業生産は、主に米の記録的な豊作によって前年を九％上回り、さる三十一年以来の最高の伸びを示した。

一方、三十五年以降急にふえてきた農産物の輸入は、四十二、四十三年とほぼ横ばい。この結果、農産物の自給率は米に支えられて四十一年度の八〇％から四十二年度には八三％に高まった。

一、食料品価格の上昇は、生産者段階でもひときわ目立ち、四十二年度の農産物価格の水準は、前年より九％上回った。

四十二年の農業総産出額は、農業生産の増加と重なって前年を一七・五％も上回る四兆二百四十四億円に達し、増加額の五九％を米が占めた。

一、農業就業人口は引き続いて減り、四十二年度には九百三十六万人となり、総就業人口に占める割合は一八・七％に低下した。しかし、農業労働力の補充源である新規学卒の就農者は、四十三年には六万二千人（うち男子四万四千人）で、しかも専業的農家層ではあとつぎが農業に就職する割合はかなり高まっている。

一、耕地の面積は引き続き減って、四十三年八月現在で五百八十九万七千㌶となり、最近一年間に四万二千㌶減った。これは、都市化地域における宅地などへの転用や耕作放棄、遠隔地域を中心とした植林などで、普通畑を主とする農地の人為かい廃（六万二千㌶）が進んでいるためである。一方、東日本を中心に、水田の造成が四十三年八月までの一年間に四万八千㌶もあった。その六四％は畑からの転換であるが、米の需給緩和が本格的になってきているおりから、このような開田は問題にされる点である。

一、農家戸数も減り続け、四十二年十二月には五百四十一万九千戸となり、前年より八万二千戸減った。離農農家は年間八万八千戸で、都府県では九割近くが〇・五㌶未満の主として兼業農家層である。その処分耕地は約二万四千㌶と推定され、そのうち耕地として農家に移動したのは六割程度。

また、農家戸数が全体として減っているなかで、経営耕地規模別にみると、都府県では二㌶以上、北海道では十㌶以上の農家がふえている。しかし、都府県における上層の戸数増加は、東北を中心に開田によるものが多く、農地移動を通しての既耕地の取得による規模拡大の動きは活発でない。農地の値段が最近になって全国的に高まり、とくに北海道、東北、九州といった農業的地域で著しいことも注目される。

乗用車（普及率）、都市上回る
都市生活に近づく農家

一、町村に住む勤労者世帯の所得と世帯員一人当りで同じ水準以上の農業所得をあげている自立経営農家は、四十二年度には一三％程度を占め、その割合は前年度の一〇％より高まっている。

一、四十二年度の農家所得は、全国農家平均で一戸当り百三万円になり、前年度を一九・五％も上回る近年にない高い伸びで、都市勤労者世帯の実収入の伸びを大きく上回った。

このような農家所得の増大は、その五八％が農業所得の増加に負うもので、農業所得は、前年度を二一％も上回る五十二万円となった。このような農業所得の急増は、四十二年産米の増産と生産者米価の引上げによる稲作部門の大幅な収入増が主因となっているが同時に野菜、養蚕、酪農などの収入も好調であった。

農家所得の大幅な上昇にもかかわらず、農家経済の所得源として農外収入が半分以上となっている。四十二年度の農外所得は、一戸当り五十二万円で、前年度より一六％ふえ、引き続いて増加の傾向にある。就業者がふえたのに加えて、賃金の上昇が伴い、雇われ兼業による収入が着実にふえているため。

一、就業者一人当りに換算した農業部門の純生産は、二十九万七千円で前年度を三三・一％上回った。一方、製造業では七十六万九千円で前年度より一六・七％の増加で農業部門の伸びを下回った。この結果、四十二年度の就業者一人当りの純生産でみた農業の製造業と非農業に対する割合、すなわち、農業の比較生産性は、製造業に対して三八・七％（前年度三六・六％）、非農業に対しては、三七・八％（前年度三五・五％）となり前年度より上昇した。農業の比較生産性が改善されたのは、労働生産性よりも農産物の相対価格の持続的な上昇に依存している。

一、農家の消費者生活は年々向上し、その内容も都市生活者にますます接近してきている。四十二年度の農家世帯員一人当りの家計費は、十五万五千円で、その伸びは一九％と前年度（一三％）より高く、都市勤労者の増加率を引き続いて上回った。

農家と勤労者世帯との一人当り家計費水準の格差は、さる三十九年から年々目立って縮まってきたが、四十二年度はさらに縮まり、農家の水準は勤労者世帯の九一・〇％になった。

しかも勤労者世帯の世帯員一人当り家計費水準を上回っている農家は、四十一年度に三二％であったものが、四十二年には三八％に高まっている。

一、農家の家計費水準の急速な上昇に伴って消費生活の内容も都市的な生活様式に近づいてきている。費目別にみて、とくに消費の伸びの大きなものは、耐久消費財の購入を主体とする家財家具費、教育水準の向上、旅行などのレジャー消費などを内容とした教養文化関係の支出などである。なかでも、耐久消費財のうち近年急速に伸びてきた乗用車の普及率は四十二年二月現在で農家は六・六％、勤労者は七・五％であったが、四十三年二月には農家が勤労者世帯をわずかに上回る一一・四％となっている。

しかし食生活をみると農家はかなり立ち遅れて、農業者の健康にも影響している。農業者の健康問題としてとくに注目されるのは、農業労働力の女性化傾向が進むなかで、農家の主婦が農作業の負担から健全な家庭生活を営むうえでいろいろな障害をこうむっていることである。農家の主婦の七四％が主として農業に従事しているが、過労で身体に支障を生じている人がかなりいて「家事が十分できない」「子供の面倒がみられない」と訴えている。

43年度 農業白書（要旨）

農業白書（四十三年度の農業の動向に関する年次報告と四十四年度に講じようとする農業施策）がこのほど農林省から発表された。この農業白書は、三十六年に農業基本法が制定されて以来、国の農業政策の方向を示すものとして毎年国会に提出されるものである。今回の白書は四十二年から四十三年にかけて農業はかつてない"繁栄"に恵まれたが、それは主に米価などの農産物の値上りや、農業以外の収入増によるものだとしている。しかし、農産物の価格の上昇は、今後余り期待できず、農業の生産性を上げて所得を引上げるべきだ、と強調している。

旺盛な米作の意欲
東日本の生産は好調続く

農産物の需給と価格

一、米を主とするでん粉質食品は、栄養の供給源として年々比重が下がり、この穀類消費の減少傾向に対して、動物性たん白質の消費はふえ続けている。なかでも畜産物の消費量が引き続きふえ、たん白質供給量（四十二年度七四・七㌘）に占める割合は、四十二年度は一七％（三十五年当時は九％）となっている。四十二年度の食料費は前年度より八・八％ふえたが、それは肉類、鶏卵、野菜、果実、飲料などの支出と外食費の増加によるところが大きかった。

農家の飲食費も四十二年度には一二・〇％ふえ前年度の伸び（七・八％）を上回ったが、食料消費の内容は、都市世帯と同じく乳卵類、し好食料品、外食などがふえて購入依存度がさらに高まってきている。

一、四十二年の農業生産は、前年より九％ふえ、三十五～四十一年間の平均伸び率（二・五％）を大幅に上回り、四十三年も引き続いて三％程度の上昇が見込まれている。とくに四十二年は、前年冷害に見舞われた北海道の農業生産が四三％急増したのをはじめ、東北、北陸、東海も稲作が好調でそれぞれ一割前後ふえ、反面、関東、東山と近畿以西の地域は一部に干ばつの影響もあって、前年よりふえたものの、その伸びはむしろ低下した。四十三年も東日本で米作を中心に好調が続いている。

最近の農業生産の動向のなかで特筆されるのは、二年連続した米の大豊作（四十二年産米は一千四百四十五万㌧）これは、主産地域を中心に生育期の天候に恵まれ、過去に蓄積された稲作技術の成果として水稲の十㌃当り収量が四百五十㌔内外の水準に上昇したためと、東日本を中心に作付面積がふえたことによる。また、資材投入量の増加、東日本での旺盛な開田などからみても、生産者米価の引上げに伴う稲作の相対的有利性が生産者の意欲を刺激していることは見逃せない。

一、農産物の生産者価格は、ここ数年間値上がりを続けており、四十二年度も九・〇％上昇した。前年度までの五年間の年平均上昇率が七・八％であったことからみると、その上げ幅は大きく、近年では四十年度の一一・二％につぐ上昇率であった。しかし四十三年度は全体として、わずかな値上がりにとどまる見込み。

四十二年度の農産物価格の上昇は、九％強の生産者米価の引上げのほか、野菜や畜産物の値上がりに大きく影響されている。価格上昇の寄与率では、米が三七％を占めて最も大きく、ついで畜産物の三四％、野菜の一・二％が目立っている。

一、米は、四十二、四十三年の連続豊作と、消費が減ったことによって、四十四年十月末には全国配給量の十一ヵ月に当る五百七十万㌧（玄米）が余ることになった。

米の需給がゆるんだのは一時的な現象ではなく、❶米づくりはほかの作物に比べて相対的に有利すぎて、農民を米作に走らせ、食糧需給の構造をゆがめている❷財政負担の増大❸古米処理の行きづまり❹配給制度がまずい米を消費者に押しつけ、配給米がきらわれる―などの矛盾を引き起こしている。このため、需要に応じた米の生産をはかり、米から他の作物への転換を進めるとともに、量産より質の良い米に切り替える必要がある。

落着いてきた転職
"男子のあとつぎ"ふえる

農業経営の動向

一、農業世帯員の他産業への就職は、四十二年に八十二万二千人と前年より一万五千人ふえた。四十三年一月～十月には六十四万人と前年同期を四％下回っている。流出労働力の主力となっている新規学卒者の就職はほぼ前年並みであったが、新卒以外のうち女子無業者の通勤就職がふえ、これが流出総数がふえた主な原因。

しかし農家労働力の流出の動きのなかで、農業既就業者の転職が著しく減っていることは特筆される。農業者の他産業への転職は、三十八年の二十四万人から四十二年は十四万人と四割以上も減り、とくに若い男性で一㌶未満の農家の減り方が著しい。転職者が減ったのは、農業所得の水準が伸びてきていることも影響している。

出かせぎ者は前年を七％下回って二十二万九千人で近年の最低を記録した。しかし、出かせぎ者の多い東北では男子は減っているが女子の出かせぎが絶対数は少ないものの急にふえ、全体では前年とほとんど変らなかった。

一、基幹的農業従事者は、四十二年には九百二十九万人で減少基調が続いているが、そのテンポはゆるんできたが、労働力の老令化の傾向はいぜん根強く進行しており、個々の農業経営における労働力の規模は縮小している。

一、四十三年三月卒の農家の子弟は、総数百三十万人、就職者が五十九万人で、このうち六万一千人（うち男子四万四千人）が農業に就職し、ほぼ前年並みの数が確保された。とくに男子あとつぎの就業者が前年を二七％上回る三万三千人で、三十八年当時とほぼ同数となっている。

一、農業投資のうち土地造成改良などへの投資は四十二年度に二%伸びた。また農機具投資は前年度より一五％ふえた。専業農家における乗用型トラクター、農用自動車、動力刈取機などの急速な普及、小規模層における動力耕うん機などの根強い導入が農機具投資の増大を支えている。

プロジェクトとは何か
――研究会のシンポジュームから(6)――
新しい発表会の形式を
クラブ活動は 将来に向って力の貯え

出席者〈発言順〉

栃木県専門技術員 湯浅甲子
埼玉県農業経営伝習場長 星野武四郎
4Hクラブ OB（千葉） 峰島伝夫
日本4H協会事務局長 新田健吉
司会・全国4Hクラブ連絡協議会監事（広島） 村上光雄

このプロジェクトについてのシンポジュームは、昨年の暮、静岡県御殿場市の国立・中央青年の家で開催された全国4Hクラブ連絡協議会と日本4H協会主催の「全国4Hクラブ中央推進会」議でクラブ員の発表をもとにして行なわれたものです。（文中・敬称略）

峰島 みなさんが農産物を生産して販売するのに損をしないようにする、これは大いに勉強してよいと思う。

ただ言いたいのは、少なくともみなさんは4Hクラブという同志的な結合、同じ目的でやっているわけです。

しかし、みなさんが考える本当の政治活動といっても、私たちが考える本当の政治活動というものは、それぞれ政党に属して活動するものだと思います。みなさんのいわれている問題は、いわゆる農政活動の段階で、まだ政治活動の段階に入っていないのではないかと思います。

農政活動、政治活動に発展するかたは4Hクラブをそろそろ卒業して、その上でそういう活動に入っていくことが望ましいと思います。

司会 これまで政治とプロジェクトの関係でいろいろとご意見をうかがいましたが、政治活動についてはこのへんで打ち切らせていただきます。このほかに、ぜひ先生方にお聞きしたいという意見がありましたらどうぞ。

G 三人の先生方にお聞きしたいと思います。私もプロジェクトを行ないました。ですけれど、いままでプロジェクトについて指導を受けてきた内容というものは、図表を使い、一年間の実績記を整理して、それを一年間の実績として発表してきたのが自分なりのプロジェクトでした。ここで少し考えてみますと、新田先生がいわれるように、いろいろな方面でのプロジェクトがあるように、その点にも関しますが、いわゆるその問題に入る前の段階に、どうしてそうなったかということです。私の場合、しいたけ栽培を行なっていますが、どうして、しいたけの栽培をはじめたか、また、資金の借り入れをする場合も、その資金の導入があってそれをどのような方法で解決したか、ということもプロジェクトであると思います。

どんな小さな、どんな大きな問題でも、課題を解決するために四つの段階を経てやっていく、そこで反省を加える場合に必要になってくるのが記録なのです。たとえば、あの時どのくらい肥料をやったのか―、というようなことでは反省にならない。したがってすべて記録ということが伴っていく。このように、四つの段階を通して記録しこの四つの段階そのものを称してプロジェクト活動といいます。

このような活動をくり返しやっていくことによって、たとえば、農業者としてプロジェクトをやった頭の訓練がただちに商業者になっても役に立つということで、そういうような訓練がなければプロジェクト活動とはいえないのです。プロジェクトとは基本的にそういうものなのです。

これから私たちがプロジェクトをすすめていくためには、もっと身近かな問題を取り上げていって、クラブ員の中からもり上げたプロジェクトを、農業の生産面から離れますけど、そういった内容の活動もよいと思います。このようなことから、これからのプロジェクトの形についておききしたいと思います。

湯浅 私たちの関係者の間でも話題になっていますが、プロジェクトの重要性を発表会で伝えるだけで評価してしまい、間違いを起してはいないかということなんです。

発表会というのは、今日のように模範的なものがありますが、そういうものからプロジェクトを逆にみてしまって、表われやすいものが、チヤホヤされてしまう。もう一つは、社会の大きな話題に応答するような、そういうテーマがでてくると、それがよいのだという傾向がでてきてしまって、何か最近は形だとか、時代の風潮から逆にプロジェクトは、こうあるべきだというような決め方になってきているのは、大変な間違いだと思うのです。

プロジェクトは、テーマも形もいろいろあるし、場合によっては、形に表われない青年の悩みというプロジェクトだってあるのです。そういうものをどうして解決していったかということをみなさんに訴えていってよいはずなんです。

ですから、そういう意味でのプロジェクトの発表の形式というものが、もっともっと開発されて行くべきだと思います。そういう場合にも発表会という形になった場合には、やはり訴えていくという力を持たなければならないわけです。それから他の人たちに、よい影響を与えるという要素も必要ですね。

そうなりますと、たとえば、私の心の動揺、あるいは私とだれかとの関係、という展開や経過で、私はこういう体験、経験を得たのだということを訴える場合でも、できるだけ普通の心の動きを形なり、数字なり、色なりに表わすということを考えていただきたい。心の動きを、最初はこういう段階で次はどういう段階になったんだということを、できるだけ目でとらえるような、そういう方向を考えていく必要があるのではないかと思います。

私は、記録が大事だといいましたのも、あの記録も大学ノートなどに書いていきますと後でとても読めない、そうすると問題の発見に役立たない―、それを一つの問題を一枚のカードに書いていきますとカードの入れかえによって、問題の整理がしやすい、そうすると何月何日には、どういうことがあって、何月何日にどこでどういうことを教えられた、ということがカードによってでてくると、まず、何月何日という日が数字によって表われてくるわけです。そういうふうに、心の動きなども形でとらえるというようなことをみなさんの中で考えていただいて、みなさん方に訴えてもらいたいと思います。

そうなりますと、ただ、話しをしていただくよりは、むしろ補助手段ですが、そういうものがあった方がより多くの人たちに訴えられる力があると思われます。そういう面で新しい発表会の形式を4Hクラブの中から打ち出してほしいのです。これからの課題として一緒に研究していきたいものです。

星野 今の問題はプロジェクトにいうものは、さまざまな種類があると思います。しかも同じ稲や豚をやる場合でも、期間の長短があるし、規模の大少、むずかしいものやさしいものもあります。ただ、プロジェクト活動というものの中には一つの原則があると思いますね。簿記はこういう簿記をつけなさい―ということではないのですが、とにかく記録しなくてはだめだという一つの原則があるのです。こういうことは守らなければなりません。

ただ、発表の形式はですね、湯浅先生がいいまして私も痛切に考えさせられましたが、今日の発表を見ますと全部一つのパターンですね、様式が決ってしまっているのですね。これはやっぱり農家は自発性がないといいましたが、やはり、そういうようなパターンをみなさんが悪いとすれば、ぶちこわして新しい発表のパターンを創り出すということがたいせつなんですね。現在の発表が悪いというのではなく、これはこれなりの理由があるのですから、根本的に変えるということはむずかしいと思いますが、現在の時代にマッチしたような発表形式に変えることがたいせつだと思います。

峰島 プロジェクトの基本的な問題ですが、みなさんは解っているようなないような、私もその経験がありますが、プロジェクトというと非常にむずかしく思われがちですが、最近は、大資本の企業でもプロジェクトを取り上げています。プロジェクトというのは課題です。

プロジェクト活動というのは課題解決なのです、というように考えていただきたい。そうすればみなさんの肩の荷も少し軽くなるのではないかと思います。課題というのは、小学生が宿題をもらうのとおのずから違うのです。自らが自発的に取り組む宿題なのです。

私たちが小学生のころ夏休みに朝顔の観察日記をつけましたが、これは初歩的で、これを高度にして農業経営の中から生れた課題というのがあるわけです。また、同じ目的をもったグループ別、課題別のプロジェクトがあるのです。ですからプロジェクトの課題というのは無尽蔵であり、その解決のためには、いろいろなグループが生まれるわけです。

新田 プロジェクト発表というのは、課題の解決をとおして頭の訓練なり、技術の訓練をするということなのです。それには一つの段階があるのです。課題を解決するための段階、問題をみつける、課題をみつける、計画を立てる、その計画に従って実践するということです。その実践したことを評価し、反省を加えるという四つの段階を必ず通るということです。

もう一つ、プロジェクトなどというような固苦しいことをいっても、忙しくてとてもそんなことは考えられないといわれます。しかし、4Hクラブというのは、4Hクラブの本質に関係することですが、4Hクラブ活動の効果を一番期待しているのはどこかといいますと、お互いに人間が能力を発揮するのは三十歳から七十歳までですが、平均して四十から六十歳の間が、ほんとの働きができる、このほんとの働きができる時代に十分な働きができるように能力をつけるのが4Hクラブ活動なのです。

4Hクラブは、クラブ活動をやっていない人からみれば、自分に大きな力を貯えているのです。ほんとうに4Hクラブのねらいというのは、現在のみなさんの活動に対しとやかくいっているのではないのです。みなさんたちが四十歳、六十歳になったとき、立派な人間になってもらいたい、なってもらいたいから、その勉強をしてもらいたいということです。

ですから、現在の活動に直接影響を与えるという応急措置でなく、将来の人生に役立つ能力をうえつけるのが4Hクラブ活動なのです。こういうふうに考えますと、将来、大きく大成するためには、どうしてもプロジェクト活動が必要になりますし、そこで4Hクラブでいう科学的な頭、それに伴なう技術を磨くことがどのような職業についても役立つものの考え方を養う。これが4Hクラブのプロジェクト活動の性格だと思います。

司会 以上をもちましてプロジェクト研究会のシンポジュームを終らせていただきます。（おわり）

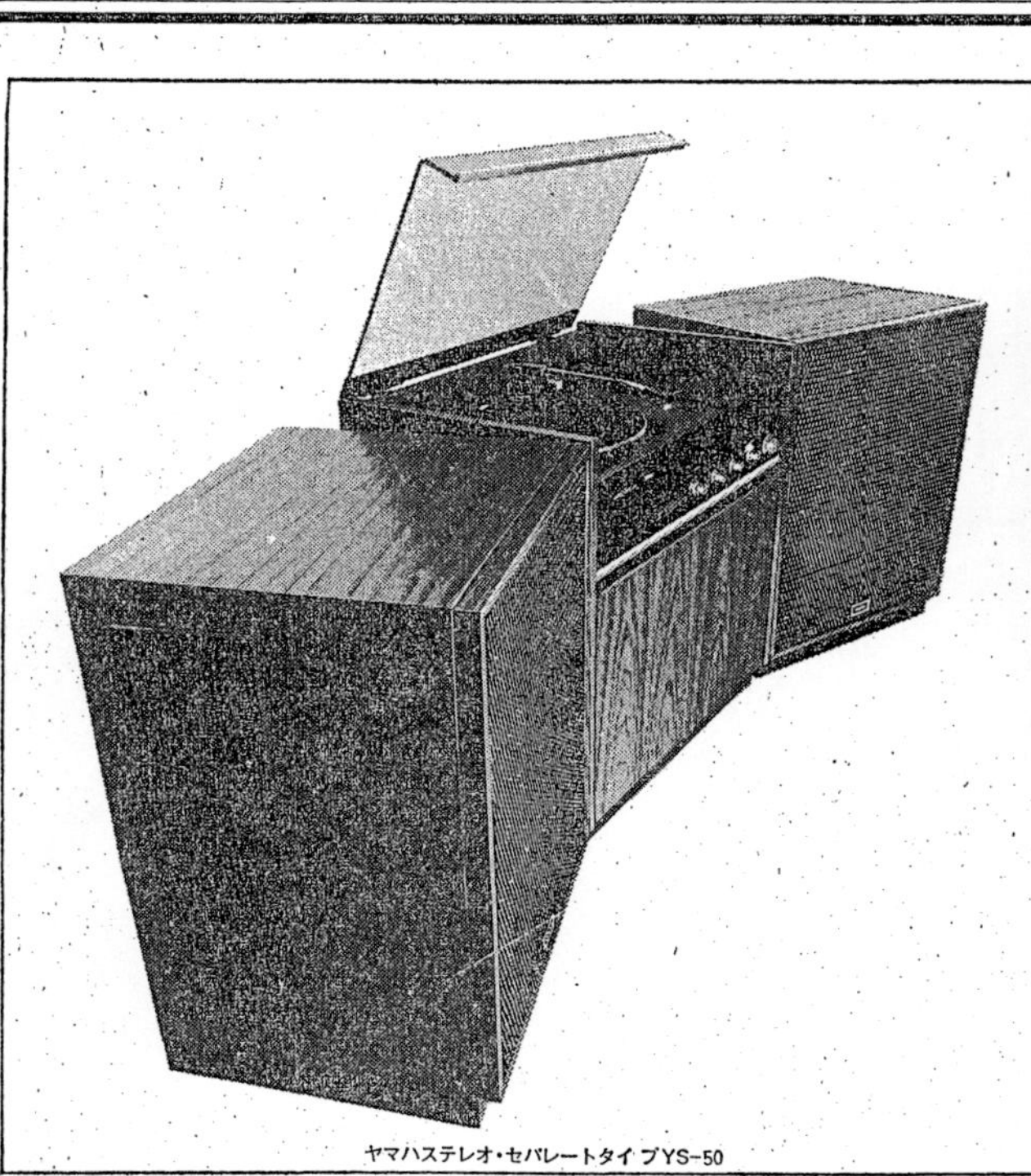

ヤマハステレオ・セパレートタイプYS-50

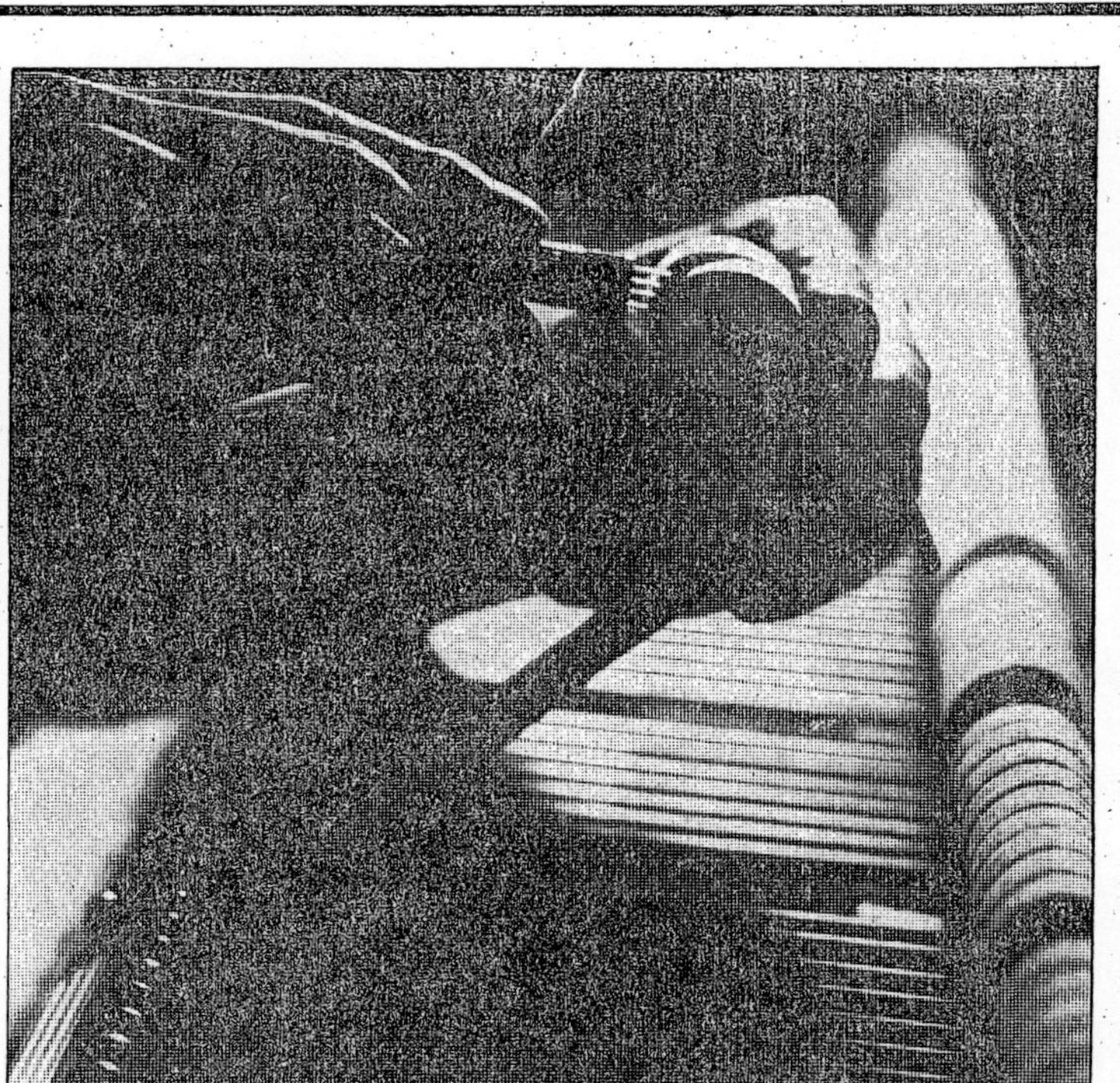

私の養豚経営

徳島県板野郡松茂町 松茂4Hクラブ 池田 進

自立経営への道

仔豚の選択が大切

糞尿処理は農家と契約

地域の概況

[illegible]

動機

[illegible]

家の概況

[illegible]

経営の改善点

[illegible]

管理

[illegible]

将来の希望

[illegible]

プロジェクトの取り組み方 実施編(8)

北海道専門技術員 三輪 勲

困難性を除く手段

単一課題は共同プロで

[illegible]

共同プロの展開と指導

[illegible]

市場の人気も上々

「奈良園芸」洋ラン一万鉢が花盛り

[illegible]

国体に花を添える

和歌山県つばさ4H 駅前に苗木植付け

[illegible]

コットンニットの新しい傾向

おしゃれコーナー

[illegible]

農協金融を考える

[illegible]

野菜栽培の新技術

[illegible]

野菜生産性の日米比較表

種類	日本 10a当たり収量	日本 10a当たり労働時間	日本	アメリカ 10a当たり収量	アメリカ	アメリカ
トマト	7,062	523.6	7.4	2,500~5,000	12.3	203~407
にんじん	3,463	260.2	13.3	1,910~4,780	7.2	265~664
キャベツ	2,921	138.9	21.0	2,500~5,000	25.8	97~194

露地における土壌生産力の低下

NHK農事番組 (3月11日~20日)

テレビ

[illegible]

ラジオ

[illegible]

4Hくん No.146 桜井はじめ

4Hクラブ発足20周年記念懸賞募集入賞文

クラブ活動と私の歩み

福井県丹生郡宮崎村 みつば農村青少年クラブ 山田佐九治

私がクラブ活動を始めてから四年目、農業高校を卒業してから四年になります。

農業高校に学んだせいか、高校時代から"4Hクラブ"ということは知っていた。日本4H新聞も何回か読んでいた。しかし、四つのHが何を意味するものか、4H理念などについては全く知らなかった。

でも、高校を卒業したら4Hクラブに入ろう――入ってどしどし活動しよう、農業の勉強を、人生の勉強を、そして仲間を作ろう、そして意義ある青春を楽しみたい――そう夢見ていた。

◎◎卒業したらただ一人

しかし、いざ卒業してみると家のまわりには農村青年が一人もいない。もちろん4Hクラブ員は一人もいなかったのです。

4Hクラブというサークルに夢と希望とあこがれで胸がいっぱいであったはずなのに、日が過ぎるにつれ次第に遠ざかって行きました。もちろん、クラブ員からも普及所からも4Hクラブに入ってほしいなどと一言も言って来ませんでした。いま思うとその当時が一番淋しく、孤独な時期でした。田のまわりを見回しても若い者は誰一人いません……。

このように感じている者は全国には数多くいるのではないでしょうか。

クラブ員の皆さん、もう一度身のまわりを振り返って見ようではありませんか。まだ入会していない若い青年が一人で淋しく働いていませんでしょうか。普及所の知らせで入会をすすめるだけではいけないと思います。積極的にすみずみまでさがして下さい。

そんなある日、卒業して四ヵ月、私にはそのチャンスが生まれてきました。

ある所へ、ある会合に卒業して初めて勇気を出して出席してみました。農村青年の研修会というのに出席者は三十、四十代の人たちばかりで、研修会に参加した私はいやでいやで仕方ありませんでした。

◎◎4Hクラブを作る

しかし、その中にただ一人若い青年がいたのです。若い者同志、その人とすぐに仲良くなりました。その人は聞くところによると意外にも近くの人だったのです。お互いにそれを知った二人は、夜を忘れてふとんの中で話し合いました。

もちろん、4Hクラブを作ろうということです。普及所の人に聞くところによると、その頃もクラブは出来ていたが、クラブ員が少なく、活動しようにも出来なかった状態だったようで、普及員に押し立てられ、仕方なしにやっていた、つまり、やらされていた状態であったようです。

そこで、クラブを作るには、先ず第一にクラブ員の勧誘をすることでした。かといって、いますぐに専従者ばかり十数名も集められるはずがありません。そのため私たちは四つに分けて構成することにしました。

それは、専従自営者、農業高校生、農協などに勤めている人を対象にした女子、農協、普及所などに勤務している二十五才までの独身青年をオブザーバーとする四つに分け、それを一つのクラブとして活動することにしました。こうして計画していると、それらに該当する者は専従者こそ少ないが、いわゆる農村の青少年が数多くいることに気付きました。

こうして二人は手分けし、クラブ員確保に全力を上げました。その当時は、4Hクラブの説明も出来なかったし、ただ、やる気が先に走ったようです。そうです。いま思うと、4Hクラブとはどんなクラブであるかということよりも自分に、クラブ員一人ひとりに、やる気を与えるのが先決であったのです。

有形、無形の財産
自ら4Hクラブ結成に奔走

つまり、自分たちがやらなければいけないのだということです。4Hクラブ活動をしているうちに、4Hクラブの意義、理論が自然に身についてくるのだと思います。現に、4Hクラブの歌一つにしても、活動しているうちにいつの間にか覚えてしまうのがそれです。

無理にクラブが出来上った一年目、私たちはクラブ員相互の親睦を深めようということで"互いに結ぼう心と心"というスローガンをかかげ、男女共同の料理実習、卓球大会などというようにレクリエーション中心で月二回集いました。半年後、仲間作りは徐々に解決して行きました。がチームワーク、協調精神はなかなか向上しにくいことに気がつき、そこで、私たちは次のようなクラブ信条をかかげたのです。

一、農業は脳業である われわれは、アグリビジネスマンになろう。

二、個人の喜びも悲しみも、すべてこのクラブで分かち合おう。

三、これから私たちは何を考え、何をなすべきか話し合おう。

四、小さなサークルから大きな運動体になろう。

一年目、すべてが最初のことでもあり、一目散でしたが、楽しい行事ばかりでした。と同時に、時間なども厳守されました。

◎◎各大会で強い感激

二年目になると、少しづつクラブ活動も軌道に乗ったようです。今度は、仲間作りのほかに、他の活動を行ないたくなりました。前にもいったように私たちのクラブは専従者、高校生、女子、オブザーバーの四つに分けたことから年令構成も十七歳から二十五歳というように幅広いもので、活動上なかなか運営も楽ではありませんでした。

そこで私たちは、男子活動と女子活動に分け、その活動や成果を例会によってお互いに報告し、問題点などを討議しようということです。女子活動は、主に食の方の研究を、男子活動は農業学級を開設して、国から指定され補助金をもらえるようになり、主に農業構造改善事業に関する学習会を行なったのです。

しかし、この時、一番問題だったのが年齢の差で、学習のポイントを高校生の初級に置くか、オブザーバーの上級に置いたらよいか苦労しました。

こうして苦労しながらも一年、この間お互いに、男子と女子の仲間意識もかたまり、一つのクラブとして強い二本柱が生まれると同時に、男子と女子のリーダーが自然と育ったようです。また、この一年に全国大会、北陸大会、県大会に積極的に派遣しました。それらに参加したクラブ員は、強い感激と興味を覚えたようです。この感激ほど大切なものはないのではないでしょうか。その感激を自分のものだけにせず、クラブに向けることが出来るのならば、そのクラブは必ず活動的になり、しかもその人はリーダーとして成長していくのだと思います。参加して得た感激、それはクラブがあったこそ味わえたのであることを自覚し[illegible]

◎◎幅広い活動を進める

[illegible]

◎◎貴重な財産が残る

[illegible]活動を充分理解し、知って頂けなかったようでした。どうしたら私たちの活動を広く世間にわかってもらえるのだろう――知って[illegible]

[illegible]を有効に利用するためにいろいろと考えました。それは、住民に知っていただき、村を明るくするためにフラワーボックスを作成し、[illegible]と、大会のため使用した花瓶、コップ、クラブ員全員にユニフォームや数々の文房具などといった目に見える有形の財産が残ったので[illegible]となどを知っていただいたこと、クラブの本質を認識していただい[illegible]

◎◎これからは成熟期へ

[illegible]

[illegible]お知らせ下さい。みなさんから愛される新聞とするためによろしくお願いします。（編集部）

春を待つ

吉田敏男

春のあたたかい
陽ざしを夢みて
じっと冬の寒さを
たえている
冬はどれほど
寒くとも
冬はどれほど
長くとも
春はかならずやって来る
そして厳しい冬を耐えたとき
春の喜びは
大きいだろう

（栃木県・御厨4Hクラブ）

青春に生きる

悔なき人生とは 悔なき青春を送ること

石井靖夫

人生、一生を通じて、数多くの思い出を残し、また、過ぎ去って、なつかしさを思い浮べる時期は果していつなのだろうか。少年期か、あるいは青年期なのか、また壮年期か、老年期なのか…

いつか、こんな言葉を何かの本で読んだのを思い出した。「悔なき人生は、悔なき青春を送ることである」と。

よく、五十歳を過ぎたオヤジさんたちとの会話の中で、いつも耳にすることは、決って自分の思い出話しの中に、戦争中のことを口にされることだ。

時の移り変りの激しさを、まざまざと見せつけられる。と同時に、それ以上に、当時の思い出が、自分たちの青春時代につながる何よりも忘れがたい、過こしてきた中での苦しさでもあり、また、楽しさでもあり、なつかしさでもあると思う。他の時期にかえがたい多くの思い出であり、深く胸に浸透されているのではなかろうか。そんなとき、今のわれわれと比較され、「今の若い者」はいいナー、と羨やましがられるが、しかし当時は、当時なりに、われわれの[illegible]ることの出来ない良さがあったと思う。

過ぎ去ってみて、苦しかった思い出を、みんな、誰一人として無駄にせず、そうした経験を生かし、何かその中で楽しさを見つけているようにうかがえる。これが青年期の良さであり、また、過去の思い出の中で、最も印象深く、胸の中に残っているのだと思う。

未熟で、未完成なわれわれの年代に、一歩一歩大きな壁に突き当たり、こわさを知らず、進むべく道を、くじけずに突入して行く。何ごとも一生懸命にやる。こんな姿は、やはり、われわれの年代だから出来るのだろう。

こうして、一歩一歩知らず知らずのうちに、以前はこんなことが、また、あんなことがあったっけナー、となつかしみを思い出される時代が来て、「若いときは良かったナー」ということになるのだと思う。だから、少しオーバーかも知れないが、法律で許される範囲の、多くの体験をして、まだまだわれわれは、目の前に多くの知らない世界があり、また、これから、それらに対して突き当たっていかねばならないと思う。

数多くの困難を乗り越え、一歩一歩前進し、人生において最も印象深く、さらに、悔なき青春時代が過ごされるように、これからもますます努力してゆきたい。（神奈川県・青空クラブ）

青少年団体の紹介 （14）

全日本鼓笛バンド連盟

明るく健やかに成長
訓練のあと憧れのパレードへ

鼓笛

ドラムをたたき、笛を吹くことがメシより好きでたまらない、こんな人たちの集まりが全日本鼓笛バンド連盟である。

幼稚園のころから、小学生時代から、ドラムの基礎打ちや、正確な笛の運指法を身につけて早くから楽器に親しむ、やがては、これが音楽教育の大発展となり、音楽人口の増加に結ばれる。パレードや、スポーツ行事などに参加して、健康で明るい健康な青少年を育成する、これが同連盟の目的である。

そして、従来からいわれる鼓笛隊を、音楽的にも運動的にも、さらに一段と進歩させて、ブラスバンドに負けない立派な鼓笛バンドとして独立させたい、これが同連盟の念願である。

三歳の幼稚園児から大学生、会社員、こども会など多種多様であるが、ほとんどのチームは、小学生時代から鼓笛バンドのメンバーで、学校を卒業してからも、職場でグループを作って演奏活動を続けている人たちばかりである。このような形で職場では著名な会社グループが加盟しているが、底辺はなんといっても小学生である。ここで基礎を作り、中学、高校、大学とのびてくる。そして会社、団体とのぼす、これが連盟の理想である。

鼓笛バンドの会員は、毎日の厳しい練習に汗を流す。とくに、日曜は大変である。会社や団体では終業後に練習する。普通の音楽の練習と違って、演奏態度や生活のシツケも指導される。そのうえに、歩行法という日常ではなんでもないことが非常に大切にされたり、特別の訓練に入ったりした変った練習もしている。バンド部などは、リズム感の養成に合わせて、スタイルなどが重視されるが、むしろ美しいスタイルを作る美容体操などと同じことが訓練される。

そして、一年間の厳しい訓練が終わると、あこがれのパレードに出場する。ただし最初はほんの二、三分の前奏か、行事の合間をもたす程度。チームも結成して二年目に入ると、堂々と銀座のパレードや、国際的な大式典に出演して、ますます技術やマナーを身につけて、やがて国内の演奏旅行に参加するようになる。先輩の人たちと合唱したり、合奏したり大変にぎやかである。進学した人も職場で働く人たちも、バッタリ会って語るのがこの友愛演奏旅行である。とくにさる四十一年の一月二日から沖縄に渡ったときの演奏旅行は、一生忘れることのできない楽しい思い出となっている。これからは、世界に伸びようと頑張っている。

バンド隊には、三信条というものがある。それは❶素直に考えて行動すること❷仲よくすること❸清く美しいことを尊ぶことである。平凡で普通のこの事柄が大変難しいことと、勇気がいることであることが加盟してからわかる。普通だと思う事柄の中に、非常に大切なことが含まれていることがわかる。連盟では、たえず、平凡と普通の事柄を粗末にするなと教えられる。素直に考えて行動する。なんでもないこの信条が、日常生活の態度に、練習の時などに一番大切なことと思うようになる。

仲よくすること、これも口々にする言葉だが、なかなか実行できない。仲よくしようということを前提に、よく考えて物事に当たると、おのずから平和なフンイキと幸福が芽をふく。清く、美しいことをたっとぶ、連盟の終局は、このことであるようだ。

鼓笛バンドの綱領は次のようになっている、

一、私たちは、鼓笛活動を通じて音楽教育の発展と正しく健やかな青少年の人格育成に努める。

二、私たちは、全国各地における鼓笛団体相互の親ぼくを図り、常に研究と実践を重ねて技術の向上に努める。

三、私たちは、公正にして不偏、一致協力して文化国家建設に寄与する。

現在の会員は二十万余名であるが、いわゆる鼓笛バンドに類した総人口の一割にも満たないものである。また、加盟はしていても、まだ出演などに参加していない準加盟団体は約三千チームある。

忘れることができない楽しい思い出となった沖縄でのパレード（さる41年1月、沖縄の国際通りで）

この連盟は、さる三十六年八月二十三日、東京・上野の文化会館でウブ声をあげた。それ以前は、二十六年から東京都をはじめ各地方で研究活動を盛んに行なっていた。

会費は、年額で一人百円。ただし、中・高校生は三十円であるが、現在は殆んどそのチームに還元されている。そして、チームの強化と楽器費に充当されている。鼓笛友の会という後援団体をもっている。賛成し協力してくれる人々を会員として、いろいろな援助や精神的にも支援してもらっている。

指導者は、教育委員会や青少年団体、地域団体の責任者の推せんのある人で、本部が主催または指定する研修会に参加して修了証を受け、将来指導するかまた現に指導している人なら年令や男女の別なくテストして認定する。

活動は、鼓笛バンドに関する調査、研究、指導、養成事項、パレード、スポーツ大会、式典への参加、映画、レコード、出版旅行、青少年交歓などであるがリズムバンドの普及もある。

服装は、男子が半ズボン、女子はヒダスカートで、年令によってベージュ色とクリーム色と赤色の上衣に分けている。ベレー帽で、ネーム、ワッペン、バッチ、飾章なども着ける。指導者以上は背広型の白色制服と特製帽をかぶる。

〈東京都千代田区神田紺屋町四六、恵比寿ビル、TEL（二五六－四九五〇）〉

夢あれば希望わく

愛知県渥美地区向新4Hクラブ 上村敏彦

夢多かりし学生時代に別れを告げ、いざ農業をやってみると問題ばかり。自分は、いま何をやっていくべきかと迷いながらすでに四年余が過ぎた。

昔から、自分たちの村は、他の土地に先がけて畑地かんがいができて、トマト、カンランと比較的集約度が高く反当収益の多い作物ばかりを作ってきたが、やがてトマトはいや地化して、だんだんと収量が落ちてきたり立枯病などの多発ですたれて、変る作物としてプリンスメロンが急速に普及してきている。

冬作はいぜんカンランが多いがこれも年々栽培面積がふえて、暴落ともなる。結局、豊川用水ができたおかげて、みんな条件が同じになったのだから、これからが本当に実力の時代になってくると思う。

しかし、農業は他産業に比べて非常に労働生産性（労働当りの利益）が低い。その労働生産性を上げるために省力化、つまり機械を利用するためにも規模の拡大、そして土地生産性よりも労働生産性を上げたいと思う。

だが、農業は生物相手であるので、いくら規模を拡大しても機械を扱うようにはいかない。決して全部が全部同じものができる訳がない。それに近くするのが生産技術だから、しっかりと勉強したり、また先進地に見学に行きたいと思う。

農業にしろ他の職業にしろ、ある程度は将来に夢がなければ面白くない。どんなに現実ばなれしていても、それに一歩一歩近づくと思っていれば自然に希望がわいてくる。

あるとき「お前は何のために生きているか」と質問されたことがあるが、そう簡単に答えがでるはずがない。冗談に「多分食うためでしょう」と答えてやったが…その答えはきっと死の寸前になるであろう。だから、その時に後悔しないように力いっぱい生きたいと思うのである。

日本4H新聞
4Hクラブ
農事研究会
生活改善クラブ
全国弘報紙
発行所
社団法人 日本4H協会
東京都市ケ谷家の光会館内
電話(269)1675郵便番号162
編集発行人 玉井光
月3回・4の日発行
定価 1部 10円
6ヵ月180円（送料共）
一ヵ年360円 〃
振替口座東京 12055番

クラブの綱領

私達は実践を通じて自らを磨くとともに互いに力を合わせてよりよい農村、よりよい日本を創るため四つの信条をかかげます。
一、私達は農業の改良と生活の改善に役立つ腕をみがきます。
一、私達は科学的に物を考えることのできる頭の訓練をします。
一、私達は誠実で友情に富む心をつちかいます。
一、私達は楽しく暮し元気で働くための健康を増進します。

第八回 全国青年農業者会議開く

明日の農村を語る

みんなが示した若人の意気

農林省、NHK（前田義徳会長）社団法人全国農村青少年教育振興会（市畑耕一会長）共催の「第八回全国青年農業者会議」は、全国からクラブ員をはじめ、クラブリーダー、農業経営者の若夫婦、指導関係者など九百余名が参加、さる三月二日から四日間、東京・渋谷区のオリンピック記念青少年総合センターに全員合宿して盛大に開かれた。

赤ちゃん抱いた若夫婦も
パネル討議で

熱心な質疑応答がくりひろげられたパネル討議＝NHKホールで（円内はあいさつを述べる東畑会長）

第一日　午後一時からセンターで受付。気の早い人たちは午前中から姿をみせ、事務局員を驚ろかせていた。そしてロビーやグリルで交歓、楽しそうに語り合っていた。

四時からオリエンテーション、宿舎の説明や共同生活上の注意などが行なわれた。

夕食後、福岡の後藤収君の司会、明治学院大学の高橋教授の指導で前夜のつどいが行なわれた。

全国から集ってきた九百人の若者たちが、旅のつかれも忘れて、歌に、ゲームに、そしてフォークダンスに若いエネルギーを発散させた。

第二日　九時から開会式。エレクトーンの演奏にあわせて、県旗、県選旗が入場、沖縄を先頭に正面に進み、壇上の来賓や主催者代表に敬礼し、左右に分かれて会場の側面に整列した。

運営委員長、市村正寿君が開会宣言を行なった。

つづいて、長谷川農林大臣があいさつに立ち「日本経済が世界第二位というように発展したのも、戦後、農業者が絶え間なく努力じた賜である。

今後の農政は、農業者自身で打開し、解決すべきもので、政府はそれを手伝うにすぎない。

食管は十七年以来、消費者と農民のために作られてきたものである。それで、いま米が余るからといってとやかくいうべきものではなく、政府はこれを堅持していくつもりである。しかし、米はつくりやすいが、それにあまんじることなく、適地適産のものをみいだす努力をしてほしい。

今後の農村は、君たちの双肩にかかっている。政府もそれに力をかしたいので、頑張っていただきたい」と激励した。

つぎに、NHK教育局長は「NHKは農業番組を通じて、みなさん方に先進や優秀農家の事例を紹介するから、みなさん方は参考にして勉強していただきたい」とあいさつ。

これらに対して、参加者を代表して、高知県の和田學君が「現在、私たちの住む農村には、流通問題、その他いろいろな問題があります。だが、これらの問題は手をこまねいて見ているだけでは解決いたしません。そうしたとき、この農村を救うのは私たち若い者だと思います。私たちは互いに力を合わせて、新らしい農村を作りましょう」と若人の決意のほどを披露した。

閉会式のあと、オリエンテーションがあって、各分科会場に移動した。

午後は、レポートを中心にして活動状況を発表した。

農村青少年部会は、二十歳以下で現在自主的な農業研究集団員であり、かつプロジェクトの実践者約二十名を単位とし、発言内容によって分科会に編成された。

……れ、夜は各自で広く交歓、……たれたどうかその成果をもって帰り、しっかり頑張ってもらいたい」とあいさつされた。

つぎに、参加者を代表して福島の金子テイ子さんが「私たちは、日頃から悩んできた問題を話し合い、仲間たちの真実の声を聞くことができ、大きな勇気が得られたことを感謝しています。緑なす田……

心頭技健

……を語り、金儲けについて話し合うのは当然のことだともいえようが、今回の会議の大半は、この金儲け話に終始していた感がある。もちろん家計を豊かにすることが、豊かな農村を築くのだという論法もあろうが、対象が青少年の場合は、これだけでよいとは思われない▼若い青年たちがひたむきに農業を語る姿には頭が下るばかりだが、この時代における青年の考えや行動が、将来の人格を決するので、この成長期の青少年にふさわしい教育、学習に結びつく会議内容とそれにとりくむ場がほしかった▼このことは、性格の異なった集会を一つにまとめたところに原因があって、会議の性格が網羅的になったのだろうと思う。また、この会議の内容に右へならえして各県下に波及していった場合、ますますこの傾向は強まり、ただでさえ困苦しい学習活動をきらう青少年に格好の好餌を与えてしまうことになりはしないか▼青少年の育成指導方法が、次代の農村社会の建設を左右することは言うまでもないが、最初から農業人として固めてしまう教育を用いるより、将来、いかに成長できるかということに重きをおくことがよかろう。その意味で、スローガンにあるように、もっと"こころをみがく"場のほしかった会議であった。

涼風暖風

さる二日から、東京・渋谷のオリンピック記念青少年センターで開かれた「第八回全国青年農業者会議」にいってきた。

この会議は、恒例の農村青少年研究集会を農業者研究集会を統合したもので、十六歳から四十六歳までの農業者九百余名を集めた会議である。なかには赤ん坊を抱いた若夫婦も幾組かいた。……

ふたつの指導理念

……

近づく全協通常総会

重要議案を審議

四月四日から家の光会館で

全国4Hクラブ連絡協議会（会長、丸山勉君）は、来る四月四、五の両日、東京・新宿区市ケ谷の家の光会館一階会議室で四十三年度の通常総会を開き❶四十三年度事業及び決算報告承認の件❷四十四年度事業及び予算案審議の件❸全協規約改正について❹4H会館建設について❺役員改選について❻顧問、参与の推議について、それぞれ審議する。

総会は、四日午前十時から受付け、全協役員と各県連から推せんされた男女各一名の代議員と代表評議員が出席、執行部から提案された議題を審議するとともに、4Hクラブ発展のため、今後の活動のあり方などについて協議する。

四日午後一時、開会のことばのあと、全員で4Hクラブの歌を斉唱、つぎに丸山会長のあいさつ、来賓のあいさつがあり、運営委員の選出、日程説明、議長団および書記の選出をして、議事の審議に入る。

まず、四十三年度の事業及び決算報告を事務局長が行ない、全員にはかって承認を求める。

ついで、四十四年度新執行部の役員選出を行なう。選出の方法は協議される予定だが、これまでの例では各ブロックから一名の推せん委員を出して、推せん委員会を開き、会長、副会長、監事の人選をして総会にはかる。総会でこの人事が承認されれば、会長が事務局長、同次長を推せん、承認を求めるという方法がとられてきた。

役員の資格はクラブ員であればだれでもいいのであるが、その見識やリーダーシップのほかに、全協の事業に精通していることが望ましいので、いつも約半数の役員は前年度執行部の中から選ばれている。

これら残留組は前年度の事業を実際に担当して、その一つひとつについて要点を心得ており、その経験をもとに新年度の事業と予算をたてた人たちで、全協活動の円滑な運営に腕をふるい、一方、新しく役員に名を連ねた新入組は、そのフレッシュな感覚で執行部のマンネリ化を防ぎ、力強い前進力となって活躍することが期待されている。

総会二日目は午前中、新執行部によって、四十四年度の事業及び予算案が上提される。この事業案では、四十二年は総会に、四十三年は中央推進会議にそれぞれ並行して、行なわれたプロジェクト研究会を発展させプロジェクト実績発表会として、時期も農閑期の三月ごろ、独立させて行なうことになっている。

これは、4Hクラブの活動の基本となるプロジェクト活動を盛りあげることをねらいとしたものである。

午後は、日本4H会館建設について協議する。会館建設については、全協はじめ各県連でも活発になる募金活動に入っており、総会までにはかなりの金が集められると推定されるが、これまでの全協や各県の状況報告、今後の募金のすすめ方などが話し合われるものとみられる。なお、会館の青写真については、さきの中央推進会議で発表されている。

このあと、全協規約の一部改定が審議される。これは、これまで各県連会長が評議員という資格であったのを、県連会長の資格そのままとし、また、各ブロックから代表評議員として出ていた十二名を評議員という資格にして、全協役員を構成させることにしたもので、実質的には以前と変らず、ただ呼称の煩雑さを避けたもの。

さいごに、顧問、参与の推薦をはかって総会を閉じる。

全協の総会は、毎年一度開かれ、人事をはじめ、事業、決算、予算などを審議する重要な行事であり、今後の4Hクラブ活動の進展に大きな影響を与えるので、全国のクラブ員をはじめ関係者の注目を集めているものである。

流通改善など討議

京都「クラブ員のつどい」開く

【京都＝田宮緊通信報道員発】京都府農村青少年クラブ連絡協議会（会長、村田憲昭君）は、さる二月六、七の両日、京都市聖護院御殿荘で四十三年度クラブ員大会を開いた。

この大会は、厳しい農業情勢の中でクラブ活動を通じ、農村の守り手として活躍している青年が、仕事や営農で得た体験や意見を話し合い、知識や技能の向上を図るとともに、相互に理解し合うことにより友情を培かい、今後の活動を充実させることを目的としたもの。

ことしはとくに、生活研究グループの婦人や集団的生産組織のリーダーである先輩、クラブのOBなども招き、農業者二五〇人がともに膝をまじえて話し合い、会場に熱気がたちこめた。

初日の意見発表では、ブロック別に九人の代表が演台に立って発表、経営規模拡大の困難な京都の農業情勢のもとでは新鮮なアイデアと旺盛な実行力が必要で、プロジェクトを中心としたクラブ活動と親切な政治施策の内容充実がいまほど望まれるときはないとの声が多く出された。

夜の分科会では、主としてクラブ活動の問題が話し合われ、今後はもっと深く掘り下げた学習活動にプラスして、この農村における歴史の変動期の混沌とした行く方をながめながら、立派な農村社会を建設するため、私たちがいまこそ力を合わせ決起しなければならないという意見がでた。

二日目は、農村婦人と先輩をまじえて経営部門別の討議をしたあと、NHKの島津アナウンサーの司会で「農産物流通上の問題点を探る」というパネル・デスカッションが行なわれた。

流通機構改善の必要性が呼ばれながらも、困難な問題が多く、生産者にとっても、消費者にとっても非常に関心があることで、生産者、消費者、流通関係者、政治施策者などの各代表八名が壇上にあがれば、会場には熱気がみなぎり、会が終ってからも、そこ、ここで討論会の延長が続いていた。

それから最後の大づめ、府連活動。四十三年度の総括一般質問に入ると、府連執行部と会場の間に……

農村をとりまく問題について活発な意見の交換が行なわれた

……は、青少年活動は教育の場であるということである。若い世代の青年が正しい人格と判断力を養い、立派な社会人になるために、『心、頭、腕、健康』を磨きあうなごやかな若者たちの広場であるということである。健全な青年の組織活動をあとに続く者にゆずり渡すのは、先輩たちの築いた礎の上に立つわれわれの任務である。とはいえ、切実な農業問題と仲間作りの向上につながることならば、今後、どんなことでもみんなとともに考えていきたい」と述べた。

さいごに、谷口副会長が「…食べても、歩いても、眺めても、たとえ飛びはねたとしても、一人ぼっちほどつまらないものはない…——」と詩を朗読すれば、場内は一同シーンとなった。

こんどの大会ほど、参加者の意気を盛りあげたことはめずらしく、知事の参加を得て行なわれた閉会式でも「知事さん、ひと言」と知事との会話が求められ、さいごまで熱気がみなぎるなかで、大会の幕をとじた。

流通機構について、生産者、消費者、流通関係者、政治施策者の各代表によるパネル討議が行なわれ、問題の本質にせまった

聖護院門前に集まった明日をになう農業者たち

全力で会館建設へ

組織あげて一気に募金　京都

【京都＝田宮緊通信報道員発】京都府農村青少年クラブ連絡協議会（会長・村田憲昭君）では、日本4H会館建設について、末端クラブ員にまで意見を求めていたが、このほど府連大会と並行して開かれた府下のクラブ会長会議で、この問題を話し合い、府連組織をあげて会館建設に取り組むことを満場一致で決議した。

京都府下の単位クラブには、4Hクラブのほかに、他の名称のクラブも数多いがそれらに共通していることは、四ッ葉のクローバの4Hマークを共に使用し、府下津々浦々にまで4H精神がクラブ員ににじんでいることである。

会長会議では、「理屈はともかく、道理がどうであれ、やはり青年である以上、理論の水かけより若さをもったおれたちにはもっと大切なものがあると思う。青年の情熱の表明として！」と積極的なクラブ員の高い声が飛べば、それに同調して、「人間形成などを勘案して消極的賛成でもするか…」のにが笑いの声もあったが、ついに満場一致で組織あげて取り組むことに決定した。

府連では、今後、この取り組みに判断をもって急速にすすめ、近く代議員会で新役員の選出をすることになっているが、その前後に4H会館、4H推進特別委員会をOBを含めて発足させ、一気に短時間のうちに進めることにした。

具体的には4H週間を通じ、その期間にクラブ員の誠意を発揮する予定。

この青年の心意気を示す情熱の行動と、農業をとりまく多くの問題に地味に取り組むという両面をそなえているのが京都府連の青年たちである。

農林省・農業者大学校 入学合格者決る

大学校の合格者一覧

農業後継者育成資金の実態をみる

"50万円では少ない"

多いクラブの役員体験者

目標は100万円以上 年間収入

国語 〈1〉

「娘さんヤーイ！」（本紙掲載）にこたえて 女子クラブ員が収穫の応援に

「娘さんヤーイ！誰か助けて下さい」―という見出しで、神奈川県のクラブ員が呼びかけた記事が、昨年、本紙の八月二十四日号に載っていたのを記憶している人もいるでしょう。これは、都市近郊で人手不足に悩む神奈川県小田原市の農業改良クラブが、十一月から十二月にかけてのみかん収穫期に手伝ってくれる女子クラブ員を探し求めたものでしたが、これに応えて関東や北陸などから五名が応援にかけつけてくれました。女子クラブ員たちは、日ごろクラブ活動で養った心や技（わざ）を生かして熱心に働き、農家の人たちから大変信頼されたようです。同クラブでは、今年もまた応援を求めたい考えですので、これから協力しようとする人たちの参考とするためにも、受入れ側からみた実態を同クラブの石塚昇君から寄せられた手紙によって紹介します。

不平言わずひと月

信頼された4Hクラブ員

神奈川県　石塚　昇

本紙に掲載された「娘さんヤーイ！」の掛け声のもとに、各県から私たちの小田原地方に十一月中旬から一ヵ月間、クラブ員が手助けに来てくれました。

みなさんから不平も出ずに約一ヵ月を過ごしたということは各自の人柄のできた温い気持と感激しております。来てくれたクラブ員は、千葉二名、栃木二名、富山一名の五名ですが、各農家によって経営反別、家族構成が違い、大いに参考になった面があると思います。女性はいつか嫁入りするかと思いますが家庭内の調和、役割が各自の心次第で自然に形づくられていくという、そういう大事な点がよくわかったと思います。

私の家庭の場合を例にとりますと、初めの十日間は、みかんの収穫に終始しました。すると、クラブ員の中にはいささか自分の家が懐しくなったように見受けられました。顔色がそうかがわれてきました。私も過に一カ月くらいの実習生活を二回やったことがありますが、そういう面もあったことを思い浮べます。私たちは最初からそうなるだろうということは想像できたし、そういうつもりでした。小田原のクラブ員は悪者が多いと思われては困りますが、第一に自分の家のありがたさがわかってくるのではと思ったしだいです。そんな風にして前半は過ぎました。

十五日は農休日で休みですが忙しいために私の家では休みを雨の日にとりました。そして家になれたところ、江之島、湘南海岸へ見物に行きました。

十二月に入り十日ごろクラブ員の交歓会を行ないました。小田原農業クラブから十五名くらい、そして手伝いの五名のほかに援農者として手伝いに来てくれていた八名ほどのクラブ員が集まって行ないました。

参加したクラブ員が年寄った考えなのか、司会が悪いのか議論は稲作の今後の方向や、みかんを取り巻く諸問題について話し合いました。

クラブ行事はどこも同じようですが、小田原は単位クラブが不活発なのに比べて各県では単位クラブの集まりが多いということでした。なぜ、もっと行事を行なわないのかという質問やレクリエーションの場をふやしたら―などと言われ、小田原のクラブ員がタジタジする一幕もありました。なにしろ都市化の激しい地域、娯楽を他に求めたりするのが一因とも考えられるのではないかということでした。

しかし、4Hクラブ員一人ひとりの研究などは熱心らしいとほめられたこともありました。また、ほめられた点で特筆したいことは、小田原のクラブ員はみんな親切であるということでした。これは、結婚したら女性に働かせない経営にしたい―といった点にあると思いますが、これはさておき、話しは家族との面白いやりとり、しぐさなど楽しく、夜の十時ごろまで話し合いました。

もう仕事を半ば過ぎると、みんな慣れて毎日が楽しくなったようです。近くからみかんもぎに来ているおばさんたちと収穫しながら話し合うのも、地域による人間の多様性などを知る上でためになったと考えます。

収穫も終りに近づくと、家族の人たちに会いたくなったクラブ員もぼつぼつ出始めたようでした。また逆に、中には"もう少しいたくなった"といった人もいました。みかんの木から黄色いみかんがもぎとられ、残り少なくなると、冬を感じさせ、クラブ員たちは"もうすぐ帰るのだ"と名残りを惜しみながらもいでいました。

実習後に反省してみて、一番よかったことは、クラブ員の仕事に対する熱意でした。受け入れ農家の中にはクラブ員のほかに一般の援農者も受け入れた農家がありましたが、人間同志のことで折り合いがうまくいかず途中で帰宅してしまった援農者が少なからずあったようです。

しかし、4Hクラブ員たちは最後まで残り頑張ってくれました。これは4Hクラブ員が明るく、しかもほがらかで、また自分なりにひかえ目でお互いにうまくやってくれたことが、受入れ農家の人たちに一番信頼された原因のように感じます。駅に迎えに行ったときの、あの緊張した顔、頑張るんだという心意気が最後まであったのだと感心しています。

各人とも、この実習は、人間形成に一番役立ったと思います。そして自分の家の良さがわかったと思います。実習に来てくれたクラブ員たちは一段と人間ができたように感じられました。今ごろは懐かしい日々を思い出されている方もあるかと思いますが、クラブ活動に、そして日常生活にこの体験を生かされることを祈ります。

今年も、この催しを企画いたしたいと思いますので、多数の方々の参加をお願いします。小田原農業改良クラブが主体となり準備を整えます。どうぞ、都市近郊である小田原地方の空気を吸いに来られることを期待しています。

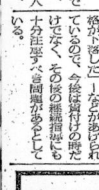

家族や援農者とともにみかん畑で記念撮影する女子４Ｈクラブ員

自立経営への道

洋ランの育苗法

岡山県上房郡有漢町 小見山義治

栽培環境になります

挿木増殖も研究中

温度、植込がポイント

植え込みは柔かく

ミズゴケを適量に

少なすぎると夏の生育期に乾きすぎ、多すぎると初期の伸びが思わしくありません。

次に、日々の管理ですが、前もって温室のガラスに操作しておきます。私の場合、切り花を目的としていますので、とくに遮光という問題が起きてきます。切り花が目的ですので、一年目に新芽を思いきり伸ばすことが大事です。普通のガラスですと最初のうちから大きい強そうな芽ができますが上へは思うように伸びてくれません。そこで遮光するわけです。寒冷紗による遮光の方法もありますが、うすく溶いたペンキか、石灰乳を塗るのが経済的です。

私の場合、白ペンキをガソリンでうすく溶してからガラス面全部に塗っていますがこのほうが成績がよいようです。

次に、暖房の問題ですが、苗の生産者が最低温度を一八～二〇度に保っていた関係で、急に温度環境が変わると苗によくありませんので、やはり温度は前と同じにし除々に下げていって四月いっぱいで打ち切りました。

自家用苗は挿木で

以上、植え込みから紹介してきましたが、今後、経営を有利にするために苗を自分で増殖する場合の挿木について研究をしています。

挿木に使うのは、一般に昨年伸びたほうの茎で、この冬花が咲き終った後、三月頃花のつかなかった部分を挿すわけです。

挿し方は、まず、鉢はパン鉢かあるいは四寸の素焼鉢を用い、小苗の植え込みの時の要領で鉢のかけら、石コロ、次にミズゴケを鉢の中で均一につめます。これを水の中から引き上げ、先のとがった竹へらでコケの面に穴を明け、茎を一節ごとに切りとり、コケの中に挿すわけです。こうして挿木したものを常に十分な水を与えて管理しますと、一ヵ月くらいで芽が出てきます。

私も高校時代、デンドロビウムの挿木や無菌培養などを体験をしましたが、実際に自分で育てるのははじめてです。

私は技術的にも未完成ですので先輩に指導を受けたいのですが、近所で洋ランを栽培している方もいません。しかし、私が選んだデンドロビウムの栽培をぜひ成功させるため、学校時代に身につけたプロジェクト学習を基礎に、クラブ活動を通じて一歩一歩この課題にとりくんでいきたいと思います。

幼苗管理がかなめ

新しい稲作技術を確立

田植機による省力化

…にイモチ病・ウンカなどの発生がありましたが、いずれも薬剤散布で防除しました。十月三十一日に刈り取りましたが、二〇株平均の草丈一〇三・八㌢、稈長七六・五㌢、穂長一九・二六㌢、穂数一六・七本、乾燥籾重二一・一㌘(三・三平方㍍)の成果でした。

この結果、最終の収量調査では五〇四㌔の玄米収量をあげることができ、まずまずの成績であったと思っていますが、なお一段と研究、努力すれば、省力はもちろんのこと増収が期待され、新しい稲作栽培技術が確立されるものと考えられます。

〈高知県土佐市新居本村・土佐市新居4Hクラブ 中村昭夫〉

プロジェクトの取り組み方

実施編(4)

北海道専門技術員 三輪 勲

分化する共同プロ

総合課題から部門課題へ

…ジェクトの発展に応じて…ーシップを分散することになってくる。つまり、指導性が集中することを…指導性を広く分散するわけ。たとえば、作物栽培のプロジェクトにおいて生育調査係・技術研究係などの係制や委員制による指導性の分担がそれである。

指導性が独占的である場合は共同プロジェクトを能率的に進め早く成果を上げることができても、実践をとおした観察・研究・共同学習など問題解決的思考を高めることは困難である。指導性の分散に…

3-6図 集団外部における機能分化と技術集団

(中田正一「農村の仲間づくりはどう動いているか」「農民」により作成)

農業経営の安定を

施設園芸をとり入れる

―岐阜・美濃市4Hクの森本、柴田両君―

農業経営の安定をはかろうと岐阜県美濃市4Hクラブの森本日出明君、柴田一美君の二人は、このほど後継者育成資金を借りうけ、本格的なビニールハウスによる野菜の栽培に乗り出した。

同地区は、中濃地方でも随一の野菜生産地と知られているが、ほとんどが露地栽培で、天候によって作柄が左右されるなど、農家の人たちを悩ませてきた。

そこで、地域の農業経営の安定と価格の安定をはかろうと、4Hクラブ員の森本、柴田両君は、今年度、県から借り受けた五十万円の農業後継者育成資金で、中有知地区の一アールの土地に、本格的な施設園芸を始めようと、鉄骨組みのビニールハウスを共同で建て、農業改良普及員の指導でキウリの栽培に乗り出した。

両君はとりあえずキウリの栽培を始めたが成育も良好で、今年三月下旬から四月にかけての出荷を目標にしており、こんご順調にいけば、さらにトマス、イチゴなどの抑制野菜を取り入れた経営にもっていきたいと勢いこんでいる。

水田車輪のいらないタイヤ

横浜ゴム 新製品〈デルタ〉発売

横浜ゴム㈱では、新たに開発した〈水田車輪〉のいらない農業用ヨコハマタイヤ〈デルタ〉をこのほど発売した。

従来の耕耘機用タイヤは、いずれも水の深い水田では、特別に水田用の補助輪を必要としたが、新製品〈デルタ〉は、これらの欠陥を完全に解消したものである。

〈デルタ〉の特徴

(1) 水田車輪を必要としない=従って一般道路から、そのまま圃場に乗り入れることができ、作業能率があがる。

(2) けん引力は抜群=〈デルタ〉プロファイルの採用によって一般タイヤより七割アップした。

(3) 排土性も良好=けん引力が増大すると、排土性が低下する傾向があるが、排土前も十分に考慮して設計されており土ばなれもきわめて良好。

(4) スリップしない=軟弱な圃場でも、独特の〈デルタ〉プロファイルによる性能で作業を行なうことができる。

(5) 走行安定性も優れている=作業時、一般走行時にかかわらず、すぐれた安定性を発揮する。

典型的な組織図

- 集団栽培推進委員会
  - 栽培計画審議会 / 資材計画〃 / 防除計画〃 / 機械作業〃 / 事務局
  - 生産組合代表 / 農協本・支所 / 農業共済 / 普及所 / 役場
- 総合農協
  - 機械化センター / カントリー・エレベーター
- 部落生産組合
  - 栽培係 / 用水係 / 作業機械係 / 防除係 / 資材係 / 経理係
  - ①全戸分担制 ②出役割当制 ③共同すい事 ④托児所

野菜栽培の新技術

3月21日(金) ホルモン剤の上手な利用

一、ケミカル・コントロール農業とホルモン剤の利用

二、ホルモン剤利用の歴史

三、ホルモン剤利用のさまざま

四、ホルモン剤利用とケミカル・コントロール農業の将来

3月22日(土) 現地訪問

高知県で温風暖房機の使用が始まったのは、五年前頃からで温水ボイラーを用いた暖房に比較して歴史は浅い。

この温風暖房機の利用状況を南国市にみる。

稲作と生産組織

戦前には地主が高い小作料を取る代りに、土地改良はじめ小作人の生活の世話までした。農地改革後は、地主小作関係は解消したがそれだけ個別間の競争意識が激しくなり、しこりもあった。農民同志が喜びと悲しみを共にするしくみをつくってゆくためには人的、物的(技術的)な媒介体が必要であった。集団栽培の動機という標題で、そのような問題を掘り下げつつ、どの事業や運動の意識を明らかにする。

3月24日(月) 集団栽培の動機

一、みんなそろって増収するために――水という共通のきずなで結ばれた水田としては、みんなが増収するためには集団栽培しかない。

二、農村内部の経済、環境に変化に対応して、兼業化とか、機械化などの動きに対応するため。

協業段階…みんなの生産向上

共同作業…労力不足の対策

技術信託…大型機械化

請負耕作…兼業化の進展

共同経営…開田・干拓・造成地

3月25日(火) 農民的集団栽培

一、地域性とねらい―純農村水田地帯の増産対策

二、性格―部落的生活共同体の新しい対応

三、今後の問題―❶兼業農家と専業農家の調整❷世話役・オペ・出役者の労働評価❸プラス・アルファ導入の手順

3月26日(水) 集団栽培と技術信託

集団栽培は生きている。桜井町東町の移り変わりをみても、毎年何らかの変化がみられる。農村内部の経済の動きに対して、集団栽培だけが同じ形で止まっていたら必ず問題としてふくれ上がってくる。問題を解決することが進歩である。

3月27日(木) 集団栽培と請負耕作

基盤整備のできていないところ…

で、急激に兼業化がすすみ、比較的農外所得の安定している刈谷市では、個人的な請負耕作が誕生し、これに反し、十四山村では部落ぐるみの集団栽培と大型機械による技術信託が発展している。

3月28日(金) 生産組織の類型と発展

一、農民的集団栽培の発展段階

二、近郊地帯の生産組織と問題

3月29日(土) 現地訪問

佐賀県では、新佐賀段階米作り運動が全県的にすすめられ、稲作生産の組織化も、この運動の中で強力に推進され、四十一年に五百ヵ所の集団が行なわれた。この組織化は、多収穫と省力的米作りと産米の改良を目的として県・市町村・農業団体が一体となって推進している。ここでは、一例として小城郡三日月村の集団栽培を取り上げる。

農業の将来

日本農業が「曲がり角」にあるといわれてから久しいにもかかわらず、いまなお農業をめぐる諸条件は、激しい変動を続けている。日本農業の将来はどうなのか、という点について、いぜんとして百家争鳴の議論が繰り返されているのである。

農業の将来を考えるにあたって、さしあたり重要なのは、次の諸点である。

第一に、日本農業を国際的、国内的に、いかに位置づけるかについて、長期的な戦略路線を確定することである。もはや、食糧の完全自給か、自由化か、という抽象的議論をむしかえしている段階ではない。その両者をふまえたうえで、日本農業の国際的位置づけと現実の諸条件に即しつつ、きめ細かく検討されなければならない。日本経済の中での農業の位置づけについても、同様である。

第二に、農業内部に生じつつある諸変化を客観的に分析し、それをいかに政策的に一定の方向に誘導していくかを定めることである。農業人口、技術、流通機構、農地制度などの諸変化が、そうした視点から改めて検討され直さなければならないし、それらは、結局において、農業生産の新しい担い手がいかにして形成して行くかという点にしぼられることになろう。

第三に、未来論は抽象的な感想や観念の領域にとどまってはならない。未来論が必要なのは、そうした目標からみて、現在なにごとがなさなければならないかを反省…

3月31日(月) 日本をめぐる国際環境

農業教室 NHK

NHK農事番組 (3月21日〜31日)

テレビ

ラジオ

4Hクラブ発足20周年記念懸賞募集入賞文

「4Hの旗」を高々と　世に広く訴える力を

4H活動をより盛んにするために

佐賀県唐津市・竹の子4Hクラブ　森　武則（21）

4Hクラブ活動を、今後より盛んにしていく必要があります。近代化された農村社会を形造する上において欠くことのできないのは集団の力であり、社会も、われわれクラブ員の力に期待していると自覚するのであります。そこで、いろいろな方策がこれまで考えられ、実践を通じてなされてきました。

□みんなが4Hの旗を

私が考え、実践してきたものはクラブ員が常時見ている四ツ葉のクローバーに、Hの頭文字が四つ入った4Hの旗を単位クラブごとにもつことであります。最も原形と思われる日本4H協会で販売されている旗に自分が所属するクラブ名を力強く書き入れ、集会ごとに掲げることが、最も4H精神の高揚とクラブ意識の促進になると思います。

私は、地区連の会長を受けもつと同時に、われわれの4Hクラブとしての組織がクラブ員一人ひとりにどのような活動とどのような目標をもてば入会している価値があり、誇りをもてるだろうかと考えました。それは、どんな団体（組織）でも同じように団結することだと思います。

団結するためには、現在自分が所属する4Hクラブについて正しく理解し、強く自覚することだと思います。そのために4H精神の高揚とクラブ員意識を助長しなければなりません。

われわれは、まず4H精神（信条）を唱え、旗を掲げることだと思います。地区連大会の中で、地区連旗を先頭に各クラブの旗が続き、その旗の下にクラブ員が若々しく力強く行進する場面を見たとき「幾多の苦難が待っている、そして未来の新しいセンスを要求される農業は、必ずや興隆の道を堂々と歩くことを信じて疑わない」という力強い気持がわいてきます。

□プロジェクトをもつ

4Hクラブ員なら4Hの旗とともに4H精神を認識することだと思う。そこで4Hクラブの生命とされるプロジェクトをもって活動を展開しなければなりません。4Hクラブ自体の信条を唱えるとともにプロジェクトの信条を掲げなければならないと思う。

プロジェクトによる訓練が、とりも直さず4Hクラブで得ることのできる特有のものであると思う。

「私はプロジェクト活動により科学的な態度と民主的訓練を身につけ、自主的な近代的農民になることを信じます」とあります。

クラブ綱領も確かに立派な信条で、常に自覚していなければなりません。ですが、このプロジェクトの信条も常に意識し、活用することが将来の生活と生産活動に大きな力となるでありましょう。プロジェクトをやることによって話題があり、仲間として末長く、また深く交友関係がなされ、友情に富む心が培（つちか）われると信じます。そしてまた、課題を次々にもつことができ、クラブ活動が継続されるでしょう。これを少し具体化した話題があります。

私は入会するとすぐ、仲間三人と抑制キュウリ栽培の共同プロジェクトをやりました。暑い中で灌水したり、早朝出荷したり、大変辛いものでした。そして毎日、夜はいろいろと村の農業、今後の農業、4Hクラブの事柄について話し合いました。話し合いしているうちに、今後どのようにして農業を近代化し、どうして住みよい農村を創っていくかなど、多くの課題を見つけました。それによって学習意欲も湧き、仲間とともに推進していくことに、大きな喜びと意義を見つけることができました。

また、もう一つは、各クラブ員仲間のプロジェクト圃場を見て回り、評価したり、質問したりしました。そこで話題を見つけ、仲間としての意識が高まってきました。

□リーダーについて

次に、クラブ活動をより盛んにするために、リーダーのあり方、リーダーとクラブ員の関係について述べさせていただきます。

リーダーにはいろいろと個人差がありイデオロギーも異り、さし当って、クラブに対して態度が違います。それらを融合し一丸となってクラブ活動を展開するために最もわれわれが自覚しなければならないことは、話し合える柔軟性（仲間意識）をもつことが必要だと思います。みんなで、一緒にやっていくという態度が必要です。一人一役というシステムをとることが得策です。

または、一つの行事ごとに役割を交代で会合なり行事を運営する方法をとることも、それが、とりも直さずリーダーの養成であり、仲間意識（クラブ意識）を助長することになります。講演を聴くのも大変いいのですが、自分たちのことは自分たちで意見を出し合って集会を盛り上げ解決していきたいのです。近代農業の推進役として期待されているわれわれは自主的姿勢こそ要求されるものだと考えます。そこで、リーダーを研修会などで養成するよりも自分がやるんだ、自分もやるんだという意志を、一人一役とか交代運営の形で、自主性を促すことが肝要だと思います。

□家族や地域との密着

それから、家族や地域社会との結びつきをやっていくことが、より活発に、また良識させるために大切であります。父と子、母と子の懇談会を開き、家庭内で発言しにくいことを懇談会という会合の中で述べて理解していただきましょう。そして親の要望を聴き、参考にしていくということ、相互に理解し合い、親との話し合いを家庭内で気軽にされるよう努力しましょう。

また、地域で行なわれる行事にはこぞって参加し、一般の方々にも理解していただくために、クラブのこと、プロジェクト、社会建設のための意見発表なども勇気をもってやれば、その結びつきも強くなると思います。

□大切な「意見の交換」

さらに、クラブ活動を盛んにするために機関紙などによる意見の交換も大切だと思います。原稿を書き合うということで仲間が理解し合い、一般の人たちや親にお願いして意見を紹介していくことは、一般社会との結びつきに欠かせないものだと思います。

それから、各クラブ員一人ひとりに意見を聞き、正しく理解してもらうために、リレー式のノートを廻すことは非常にいいと思います。これは、クラブ員の責任と自覚によって廻されるわけで、口では言いにくい意見も出てきますので、クラブの問題点、今後の課題などを知るうえにおいて大変役立つと思います。

私は、地区連絡協議会の立場で述べますが、事務局体制を整え、またプロジェクト、文化、婦人など専門部の役員をおいて専門化させる方法が必要であることを痛感します。それが自主的な意欲を促します。各役員同士の意志の疎通がしばしばありますが、意欲的になってくるのは確かであります。

クラブ員の年令構成は地域的に異なると思いますが、クラブ員が確保できていけば結婚前までが妥当と思います。というのは、プロジェクトが営利に変っていく点で、本来のプロジェクトが行なわれなくなることは否定できないと思います。それで、結婚前はやはり第二段階としてOB会という形で意見交換をやって欲しいと思います。

また、年令構成などをもう少し細分化してコースをレベルごとに分けていく方法もいいと思います。まずはじめは、意欲を高めるという段階ですが、これはクラブ員とともに行事に参加し、ともに話し合い、仲間として毎日の変動する農村社会に対してどう対処していくかなどについて意見交換をやります。さらに次の段階として、各々の経営を伸ばすための話し合いや研究をやり、アイデア交換、また共同作業、共同調査、共同経営など生活に密着した活動をやりながら、地域社会の問題点を打開する形で進めるという二つのコースがあります。レベルの差や経営内容の相違によってうまく活動がなされない実例は数多くあります。ある程度、似かよった立場の人が集まって活動を展開することが賢明なやり方だと思います。

□施策に農民の意志を

ところで、私たちは土とともにした毎日の生活があります。しかし、その土だけでは作物は育ちません。何かを与えなければ実を結ぶことは不可能です。クラブ活動も4H精神があるだけでは、立派に成長し、盛んになりません。作物に光と水が必要であるかの如く、クラブにも暖かい地域社会の支援と行政的な指導が必要です。

4Hクラブ活動を盛んにするためには、二つの面があります。今まで述べてきた、われわれのクラブの内面的なものと、育て、導く環境の外面的な面があります。日本の農業を豊かなものにするためには、後継者の望みをかなえてくれる環境づくりをしていただきたいと思います。それはよく話し合われることですが農業に対する施政です。構造改善だ！融資だ、となされていますが、その基準は常に、受ける農民の意見が反映されていないことです。

例えば、近代的に団地化とか大型化といわれるが、無理が生じている事実を見逃すことはできない。施す前に、よく農民の意見を聴いて段階的に地元の盛り上がりを促進しながらやってもらいたいと思います。それから施すための条件が揃っている地区が優先される傾向があることは否定できない。むしろ後進地域からやっていただくことが、本当の政治ではないかと思います。

□不充分な農民の教育

そしてもう一つは、農民の教育が不充分であるということです。戦前的な考え方が農村にある限り、日本農業は躍進しないと思います。その点において、4Hクラブが二十年前に導入されたことは、新しい近代農業への窓として大きな役割を果たしつつあると確信します。それで、4Hクラブの組織拡大と強化を急ぎ、世に広くアピールできる力をもちたいと思います。そのために政治を勉強することが必要です。正しく批判することのできる政治的センスをもち、内外面から4Hの組織を客観的に見ることが、クラブ活動を盛んにし、意義あるクラブにすることができる要素であると考えます。

そして、創造性を引き出す指導と、可能性に向って突進する青年のファイトこそ自覚されなければならないと考えます。

（意見文・クラブ員の部　佳作）

農業の可能性を知る

大阪府・東大阪市4Hクラブ　鶴原正枝

鶴原正枝さん

私がはじめて4Hクラブを知ったのは、ちょうど昨年の今ごろでした。

いったい何のクラブであるのかわからないまま、いくどか参加しているうちに、そのたびに農業の重要性と農業の発展の可能性をはっきりと教えられました。農村に従事する青年たちが懸命に若い力を打ち込み、将来の農業と真剣に取り組んでいる姿を見たとき、私は自分の考えの甘さに驚きました。

養鶏を営んでいる私の家をいつも離れたいと思い、サラリーマン家庭の良い面にだけひかれてきた私ですが、最近では、これが自分の仕事なのだと積極的に養鶏にとり組む考えに変ったことは、私にとって非常に進歩だと思います。

日常生活の上でも、毎日忙しい鶏の飼育、卵の整理、限りない仕事ですが、夕方、仕事を終えてからその日の産卵率や卵の相場を見ることは興味の的です。

このような中でも、いぜんとして変らない問題は沢山あります。

第一に、養鶏場はいつも仲間から除外されがちです。近隣のない野中を求めてはじめた養鶏なのにいつか両隣に家が建ち込み、風通しが悪くなり、困るのはこちらであるのにもかかわらず、いろんな面で近隣から不満の声が聞かれる有様です。

第二に、一日として家族全員そろって休日がもてないことです。いつも誰かが留守を守り、鶏の世話をしなければならず、家族の労働力だけが頼りの私たちの経営は殆んど休日がありません。将来、継続する私にとって大きな問題点です。

一日中で与えられる自由な時間はごくわずかです。いかに農村生活が改善されたといっても、これは一部にしかすぎません。合理化された台所を十分活用できるだけの時間が与えられるでしょうか。

他の職業と比較すれば、身体の疲労面においても異ります。やはり、農村女性は家庭生活だけの純粋な婦人にはなりきれず、忙がしい毎日の方が多い現状です。

最近の私

河合美津子

勤めをやめて家事を手伝っていたのですが、今までが時間に追われていた生活だっただけに、何か物足りなさ（というより、さみしさかも知れません）をしばらく感じていました。

そんなとき、友人から4Hクラブのことを聞き、加入させてもらいました。「頭」「腕」「心」「健康」―この四つのHの意味を知った今日、常に私の信条として忘れないようにしたいと思っています。私の地域では、ほんの数えるほどの女子クラブ員ではありますが一人ひとりが心を合わせてクラブを盛り上げていくつもりです。

将来はやはり、女性として家庭を守らなければならない立場にたつつもりです。家庭の健康管理はとくに私たちに課せられた大切な仕事。その重要なものにつながる料理講習も、今日の私たち女子クラブ員の共同プロジェクトであり、料理の苦手な私の楽しみでもあります。

（愛知県・渥美女子4Hクラブ）

青少年団体の紹介（15）

全国農協青年組織協議会

村造りの"前衛隊"　農協運動の先駆者に

[illegible]

盛大に開かれた第15回全国農協青年大会＜日本農業新聞提供＞

映画

陰に自然を守る心

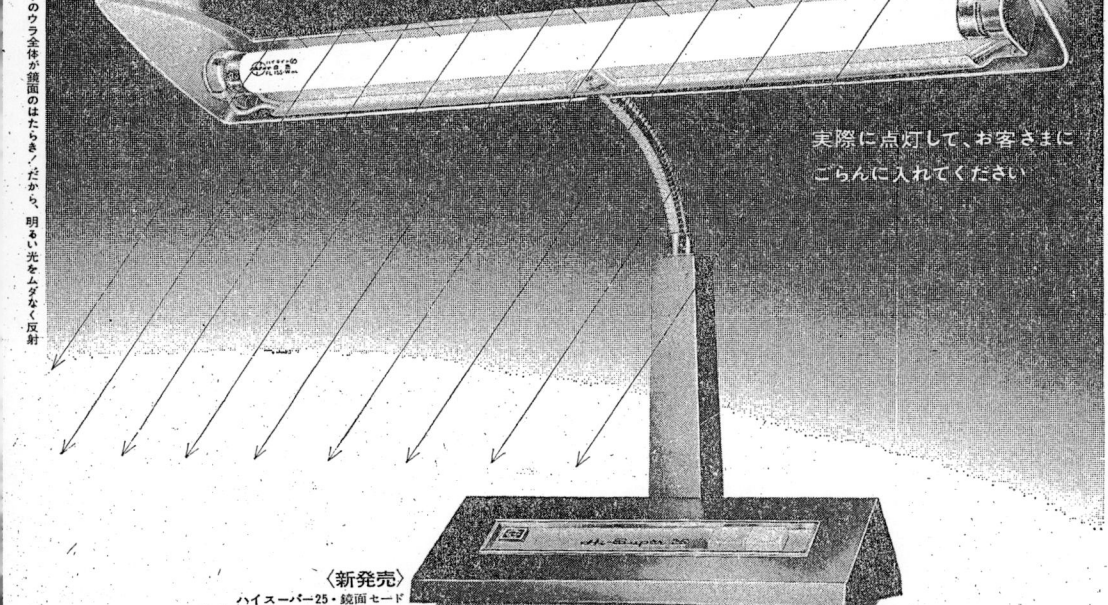

小びとの森の物語（ウォルト・ディズニー映画）

[illegible]

D・J・マルーニーの孫娘エリザベスと孤児子ロドニーは、ノーム（小びと）のジャスパーの訴えを聞いた

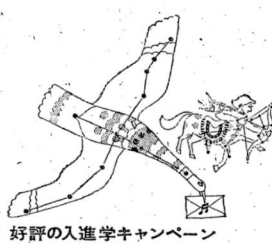

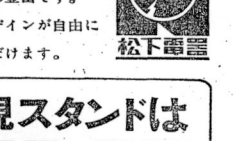

"地道な努力"を強調

佐賀県連で機関紙「四つ葉」発行

編集者の苦心語る

[illegible]

日本4H新聞

4Hクラブ
農事研究会
生活改善グループ
全国弘報紙

発行所 社団法人 日本4H協会
東京都市ヶ谷家の光会館内
電話(269)1675 郵便番号162
編集発行人 玉井光
月3回・4の日発行
定価1部 10円
6ヵ月180円(送料共)
一ヵ年360円
振替口座東京 12055番

クラブの綱領

私達は実践を通じて自らを磨くとともに互いに力を合わせてよりよい農村、よりよい日本を創るため四つの信条をかかげます。一、私達は農業の改良と生活の改善に役立つ腕をみがきます。一、私達は科学的に物を考えることのできる頭の訓練をします。一、私達は誠実で友情に富む心をつちかいます。一、私達は楽しく暮し元気で働くための健康を増進します。

第3回「青年の船」一般団員を募集

全国4Hクラブ連絡協議会

希望者は各県連へ

年令は20歳から25歳まで

全国4Hクラブ連絡協議会（会長、丸山勉君）は、第三回「青年の船」の一般団員希望者を[illegible]（関連記事二面にあります）

[illegible]訪問国は、中華民国、タイ、シンガポール、インドネシア、マレイシア、ビルマの[illegible]の予定。

とくに今回は、相手国の青年数名ずつを日本に招いて、それぞれの国に着くまで青年の船に一緒に乗船させようという構想がねられている。[illegible]た特殊な集団であるため、研修やグループ活動をやるについてむずかしい点が多いので、せめて年令だけでも近づけようとして変更されたものである。

全国4Hクラブ連絡協議会（全協）の具体的募集方法は例年と同じで、各県連に依頼して希望者を募り、県連では応募してきた人の中から一名を選んで四月二十日までに全協に推せんし、全協では、そのうち十名を選考して総理府に推せんする。

なお、団員候補者として総理府が決定した者については六月十九日から静岡県御殿場市の国立中央青年の家で事前研修が行なわれるが、全協でも、十七、十八の両日、新宿区市ヶ谷の家の光会館内、全協事務局で研修を行なう予定である。

晴やかな青年の船の出港　五色のテープが乱れ飛ぶなかを、若人の夢を乗せてさくら丸の巨体は静かに岸壁をはなれた（第二回の出帆風景）

日本4H会館建設について

ただ前進あるのみ

"必ず建つ"の信念が道を拓く

全国4Hクラブ連絡協議会会長　丸山　勉

私が全協会長に選ばれたとき会館建設について少なからず自分としての考え方はあったとはいえ、初めての経験ゆえ、いかなる信条において取りくむべきか、一、二の先輩を訪問して意見を伺ってみた。

ところが、それらの先輩が異口同音にいったことは「会館は絶対に建てるべきである。また建つんだという気構えで進んでほしい。私たちも積極的な協力はおしまないが、現在は地域において職業と役員の仕事に忙殺されており、中央での会合には出席出来ないがその点はよろしく」とのことであった。

そこで全く同感、その通りだと思って、積極姿勢をモットーにして評議員会にのぞまんとしたところ、さっそく評議員各位からつきあげをくらってしまった。その理由はというと、

「意気ごみだけでは、われわれが県連へかえってクラブ員に募金を呼びかけることは出来ない。土地や建物に関する具体案を示せ」というのである。

いわれてみると全くの話で、会協はこれまで、こと会館建設についていは、宣伝PRの面に力を注ぎ、それに要する期間にあてていた。したがって、具体的に土地や建物にたいする案は立てていなかった。それを一段飛び越して一気に募金に入ろうというのだから、考えてみると無理のないつきあげであったのである。

ところで、いつの場合でもそうであるように、建物を建るには先ず建設用地の決定を急がねばならない。

従来から会館の建設用地は、国有地の借用または払い下げをうけ、極力その面の出資を少くするという基本方針があったから、私たちもその線にそって中央推進会議や全国4Hクラブ員の集いや、各種会議の参加者のアンケートの中から二、三カ所を選んで話を進めた。

ところが、話を進めてゆくうちに、私たちがかつて予想もしなかったことが出て来たのである。

というのは、「全国4Hクラブ連絡協議会なるものは法人格を有しない任意団体であるからその種の団体には、いかなる理由があろうとも国有財産の借付けまたは払い下げはまかりならぬ」というのである。基本方針の堅持の是非はおくとして、東京近辺の民有地を求めるとなれば莫大な資金が必要である。そんな大金は現在のわれわれには相談にはならない、さりとて国有地払い下げの資格がない。一同途方に暮れる思いがした。

しかし幸なことに、われわれの支援団体に日本4H協会がある。この団体は法人格を有していることに気がついた。そこで一つ日本4H協会に国有地の借用または払い下げの件について相談をしてみたらということになり、この旨日本4H協会に申し入れをしたのである。

私たちは、その返答の一刻も早からんことを願い、同時にまた、胸中必らず「諾」の吉報であることを信じてうたがわなかった。

解答は一ヵ月余り後につたえられた。「青少年諸君が、自分たちの手で自分たちのよりどころである4H会館を建てようという考えには、全く敬服のほかはない。私たちはこの運動がより純粋で大きな実績を作り上げてくれることを願ってやまない」というのであった。分り易くいうと、「皆さん方の努力は私たちは黙ってみてはいませんぞ。しかし私たちを動かすことの出来るものは、言葉や、つくろいではなく、皆さん方の一連の活動による実績いかんにかかっていますよ」ということである。

私たちが申入れをした国有地の件については、簡潔に「諾」の返事が得られなかった。しかしまた「否」との解答でもなかった。つまりこころよい「諾」の言葉を得るには、日常の活動を高め、その活動をとおして会館を建てるに必要な募金実績を作るよりほかに道がないということである。

事態は全く一回転した。PRの段階から募金活動に入ろうとすると、「土地や建物の具体案を示せ、それが決らなければ募金に入るわけにはゆかない」・それではというので、土地の解決をしようとすれば前述のとおりである。一同、ついにくるものが来たとの感を強めざるを得なかった。

いま、会館建設のアドバルーンは高々とあがっている。これを除して私たちが後退することは絶対に許されない。ただ前進あるのみである。そしてここにおいて、何をさしおいても必要なのは、会館は絶対に建てるべきである。また建つんだという気構えで進んでほしい―この先輩の言葉を、いかに全国のクラブ員の方々に理解していただくかということである。

私たちは、この言葉の理解と並行して募金活が広がり実績が高まるならば、日本4H協会はもとよりのこと、日本全国のいかなる人々も機関も動かすことが出来ると確信している。

いま、各県において本格的な募金活動が展開されている。そして、集った金は徐々に私たちのところに納入されているが、更に会館建設への意欲と積極的活動の広まりをうながして欲しいと思う。

この活動の中において仲間をつくり、自らを磨き、組織の強化をはかっていただきたい。

これが会館建設の信条であり、また会館を建るにはこれより他に方法がなく、この方法なら必ず会館は建つと信じている。

大雪の中で研修会

県農村教育青年会議開く

埼玉県連

[illegible]と自立経営の未来像」と題して、埼玉県農業会議の小野塚功一氏の講演が行なわれた。

そのなかで同氏は「これまでの自立志向農家は自立農家に、そして将来は農家でなく経営にならなければいけない。それには、経営の近代化を前提とした〈自立経営〉すなわち、これまでの自作農経営におけるような労賃地代、利潤などの所得が一体となっているような混合所得の形態とは異なり農業所得がその要素所得に分解し、土地所有に対する地代、資本に対する利潤の実現および自家労働に対しては、社会的水準としての労賃（均衡労賃）が、その生産物のなかから実現することが可能となるような経営、いいかえれば、資本の生産性が中核となるような経営を目標におかねばいけない」と力説された。六月から新都市計画が施行になるとあってクラブ員の目は一段と輝きをましていた。

このあと、三分科会にわかれて日頃考えていることを話し合ったが、ここでも近郊農業の問題がみんなの話題になっていた。

午後は「NHKの放送利用」と題して、NHK浦和支局員の講演があり、そのあと、みんなで放送が農村社会および農業に役立っているかを話し合った。

つぎに、NHKの独唱と歌唱指導があり、歌声が白銀の武蔵野にこだましていった。

そのあと、午前に行なわれた分科会の全体討議があり、各分科会の真剣な発表に対して熱心な質疑応答が行なわれた。

つづいて、助言者による意見発表の講評が行なわれた。

最後に、全国4Hクラブ連絡協議会の大鹿事務局長が、日本4H会館建設について、これまでの経過と各県連の募金状況を報告、これについて協議した。県下では、現在までに春日部、越ケ谷、久喜、深谷の各地区で第一次分として約十二万円を募金しているが、来年度中に県下で百万円の募金が見込まれている。

午後四時半、大雪のなかで意義深い農村教育青年会議の幕は閉じられ、出席したクラブ員たちは、明日の農業への誇りと夢を抱いて白銀の中へ別れていった。

涼風暖風

片想いの役員はあわれ

いよいよ、春眠暁を覚えず、という気持のよい季節になった。このシーズンは、夜もだんだん短かくなり、おまけに心地よい気候のため、朝のおとずれも知らず、目がさめてみると、太陽が高くあがっていた、という場合が少なくない。もちろん春の朝は、元気よく夜明けを告げるにわとりの鳴き声にも気がつかない有様である。

時を告げるにわとりといえば、にわとりにまつわる寓話にこんなのがある。

あるところに一羽のおんどりがいた。このおんどりは、自分が毎朝大きな声で時を告げるので夜が明け、太陽が昇るのだと信じていた。そのため、来る日も来る日も、そのにわとりは一番どりとして、勢いよくコケコッコーと鳴いていた。自分の鳴き声によって太陽が昇るのだという自負心は、毎朝の早起きも苦にならず、むしろ、自分の早起きの苦労が世のために役立っていると考えていたわけである。

ところが、ある朝のこと、どうしたはずみか、そのおんどりは寝ぼうしてしまった。目がさめたおんどりは、しまった、私が時を告げないため、太陽も昇らず、みんなが困っているだろう、とおそるおそる窓をあけたところ、朝日は高く昇りみんなは忙しそうに働いていた。にわとりが鳴かなければ朝がこないと信じていたのはそのおんどりだけで、にわとりが鳴こうが鳴くまいが、太陽は毎朝昇っているんだというお話である。

ところで、このおんどりと同じようなことをしている人が案外多いような気がする。ひとり合点で力み、ひとり相撲で苦しんでいる人たちのことである。まして、ひとり合点の力みや、ひとり相撲の苦しみを理解し、感謝してくれないと当り散らされるとしたら、まわりの人にとっては迷惑なことである。

青少年団体の幹部の中にも、大人の指導者の中にも、ともするとおんどりと余り変らない考えをもっている人もいるのではなかろうか。自分がいるから団体がうまくいっている、自分が犠牲になっているから団体がまとまっている、といったケースである。自分がいなくても団体は順調に活動していると知ったとき、その人はがく然とし、ともするといやがらせをしたりする。

イギリスでは、無知な善意は許されない、といっている。相手の立場もわからず、善意を有効に発揮するための知識や技術をもたないで、単に善意の押し売りにすぎない行為はつつしむべきである、という意味。片想いはあくまで片想いである。四月を迎えて各団体でも役員改選が行なわれたわけだが、おんどりのような役員、いうなれば片想いの役員だけにはなりたくないものだ。

（文部省　伊藤）

小説「春の終り」を連載

テーマは若い農村男女の生き方

作者　一ノ瀬　綾氏
さし絵　多賀　愛子氏

本紙では、来る四月四日号から新しい企画のもとに紙面の刷新を図っておりますが、そのひとつとして、4HクラブOB、一ノ瀬綾氏の「春の終り」を連載することになりました。

作者の一ノ瀬氏は、本名掛川たつよ長野県小県郡武石村の生れ。同県立上田染谷丘高校中学部本業後、生家で農業に従事するとともに、女子クラブ員として4Hクラブ活動に励まれた。

その後上京され、現在は派遣販売員をされている。この間、日本農民文学会会員となり、会誌に「破談」「地下足袋」を発表、今回この「春の終り」で第十二回農民文学賞を授賞された。

「春の終り」は、農家の後継者の問題を扱った作品で、農家の主婦のほんとうの姿は夫とともに働くことであるとする女子クラブ員が、相手が狭い土地では稼けないということで兼業へ転身することで結婚を断念し、同じクラブ仲間の一人は、相手の家の家族構成の複雑さに結婚を放棄して上京する。そのような二人の若い女性の生き方を対照的に描いたもの。

さし絵を描かれる多賀愛子氏は東京都文京区の出身。東京・竹早教員養成所を卒業後、NHK放送劇団、ついで民間放送の発足と同時に四国放送に招かれ活躍された。現在は家庭の主婦。絵は趣味で始められたもので、日本画を得意とされている。

どうか、この二人の女性コンビによって描き出される、身近かな農村を舞台にした若い男女の生き方にご期待ください。

▽なお、両氏の住所は
一ノ瀬綾氏　東京都品川区小山六ー二八ー一　山本方
多賀愛子氏　東京都板橋区小茂根二ー六ー九

多賀愛子氏　一ノ瀬綾氏

日本4H新聞編集部

新・旧会長で話合い

＝福岡県連＝　夜は民宿して

【福岡県】福岡県農村青少年クラブ連絡協議会（会長、池末義光君）は、筑後市4Hクラブ連絡協議会（会長、北原元彦君）と共催で、さる十七、十八の両日、筑後市の市民館と中央公民館を主会場に、県下の新旧会長会議を開催した。

これは、日頃、農村にあって、農業の改良や農家生活の改善に努力し、実践活動をとおして体験したいろいろな問題を県内の新旧クラブ会長はじめ多くのクラブ員たちが集って、お互いに討議し合いながら解決点を求め、それをさらに今後の農業や家庭生活のなかに反映させ、近代的農業を推進させようというねらいで開かれたもの。

会議には、県下の単位クラブの新旧会長百五十名をはじめ、クラブ員および関係者、約二百五十名が出席し、熱心な会議を行なうとともに、夜は近くのクラブ員宅に分宿し、その家族と親しく懇談し、青年の考え、親の考えを相互の立場から話し合い、家族にも理解される4Hクラブ活動の推進を図った。

分科会では❶なぜ、クラブ活動は必要なのか❷自主的なクラブ活動にするには❸クラブ組織の充実を図るには❹家族と密着したクラブ活動を推進するには―などについて話し合い、夜、クラブ員宅に分宿してからは、その家の家族を囲んで❶後継者として父母に何を要望するか❷どうしたら親子が協調しあう場をつくれるか―などについて話し合った。

佐賀では農村青年大会

【佐賀県】佐賀県農村青少年クラブ連絡協議会（会長、坂井邦夫君）では、四月十三日、賀佐市民会館で、農村青年大会を開く。

これは、県下のクラブ員が一堂に参集し、新しい技術の研さんと活動状況の発表および意見の交換を通して、青少年の仲間づくりや自主性の高揚に資するとともに、地域社会から理解される近代農村建設の推進を図るため開催する。

リーダー研修会開く

【神奈川県】神奈川県戸塚農業改良普及所は、さる二十二、三の両日、高座郡海老名町の県立農業経営研修場で、クラブリーダーの研修会を開催した。

これは、クラブ活動の本質を究明するとともに、リーダーとしての役割を理解させることをねらいとして行なったもので、地区のクラブ役員三十余名が出席した。

初日は「4Hクラブ活動を活発に進めるためには」と題して、日本4H協会の新田事務局長の講話および全員での話し合い、「リーダーの役割について」と題して、県普及課の中村専門技術員の講話、全員での話し合いを行なった。

二日目は、レクリエーションのあと、十時に閉会した。

盛大に全国大会開く

あすをきずく青少年のつどい

法団法人青少年育成国民会議は総理府と共催で、三月二十三日十二時三十分から東京・渋谷区の国立代々木競技場第二体育館で「第四回、あすをきずく青少年のつどい全国大会」を開いた。

この大会は、全国の青少年代表をはじめ、都内の勤労青少年、青少年団体、青少年保護育成団体代表など関係者多数が一堂に会し、ともに励まし合い、たがいに手をつなぎ、次代のにない手としていかに生きるべきかを考え、さらに大きく成長する誓いを固め、また一般国民が青少年の問題にさらに強い関心をもつようにするために開催するもので、ことしも、4Hクラブからも多数のクラブ員が参加した。

心頭技健

このほど統計数理研究所がまとめた「日本人の国民性」をテーマにした統計調査はなかなか興味深いものがある▼この調査は同研究所が昭和二十八年以来、五年ごとに実施しているものであるが、それによるとマイホーム主義が普及し、女性上位のきざしがみられる中で、合理的な考え方が強まり、日本民族の自負心が大いに高まっているという。しかし、生活様式は洋風化が盛んだが、情緒的には日本風のものが圧倒的に好まれ、また、激しい企業競争の中でもいわゆる"人情課長"（約八〇%）は四回の調査を通じて同じであった▼「くらし方」についての希望意見についてみると、トップは「趣味に生きる」（三三%）で、次が「のんきに」（二〇%）ついで「清く正しく」（一七%）と「金持」（同）が並んでいる。以前の調査に比べて「趣味派」と「のんき派」がぐんと伸び「清く正しく」「社会のために」は大きく減っている▼また女性上位については「もう一度生まれかわるとしたら男に」という女性が、この十年間に六四%から四三%に減り、逆に二七%しかなかった「女に」が四八%にもなっている。「やっぱり女がいい」というのが六〇%以上あるというアメリカやカナダなみにはいかなくとも、女性上位時代のきざしはあるといえる▼自負心については、西洋人より日本人がすぐれていると考える人は四七%あり、二十八年の調査（二〇%）からみれば二倍以上のふえようで、劣っているというのは二八%から一一%に減って逆転した。これに関連して、日本人についての評価は、勤勉（六一%）ねばり強い（五八%）礼儀正しい（四七%）親切（四五%）で、外国人からの評価でよくみられる「ずるい」や「残忍」の自覚はあまりない▼これまでの西洋人コンプレックス（劣等感）に対する反発もあって日本人の自負心が高まっているのは興味深いが、一方で利己的傾向が強まり、こじんまりとかたまってきていることは、日本民族の将来を考えるとき、うなずいてばかりはいられない。自分たちは日本人として、また人間としてあるべき姿をつくり上げていく必要があると思う。

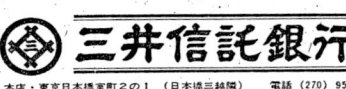

山梨県東八代郡 4Hクラブ員の意向調査結果

年収目標 五百万以上が26%

農政活動に強い関心を示す

山梨県の東八代郡4Hクラブ連絡協議会(会長、斎藤明男君)は、東八代農業改良普及所とともに、昨年の八月から九月にかけて郡下のクラブ員(百八十五人)を対象に「農業近代化推進の意向調査」を実施したが、このほどその結果をまとめた。調査は、農業経営はじめ農村青年の意識、農家生活などに関するものであったが、その結果❶農業は経営が難しくなると認めながらも、今後作業方法が改良され、"やりがいのある仕事"になるとみている人が多く、将来の目標もかなり高いところにおいて意欲的である❷農政に強い関心を示し、団結によって現在山積している問題を解決していこうという傾向が強まっている❸農家は、電化製品などが著しく普及して文化的になっているが、生活そのものに対しては不満をもっている人が多く、もっと時間の余裕をつくって楽しい生活を送りたいと望んでいる―ことなどがわかった。以下は調査結果の主な内容である。

都市化で形態が変化

経営の現況と将来

4Hクラブ員たちの家の経営耕地面積は、東部地区が九四㌃、中部地区一一〇㌃、西部地区一三三㌃で、同地域ではいずれも大規模農家群に属している。4Hクラブ員たちはもこのように恵まれた経営の中で意欲をもやし、クラブ活動を通して学習と実践活動に努力し自主経営をめざしている。

将来のビジョンとする経営の形態は、東部地区が果樹専業でぶどうと桃の組み合わせ、中部は果樹(ぶどう・桃)を基幹部門として水稲や野菜を組み合わせた複合経営、また西部地区は養蚕を基幹部門として水稲を組み合わせた複合経営である(養蚕と果樹の組み合わせを志向しているのは、境川村の一部地域と思われる)

農業収入の目標についてみると粗収入で示されている点に難があるが、二百万円以下はわずかに五%に過ぎず、二百万から四百万円が最も多く全体の六〇%あり、とくに五百万円以上をめざしている人が二六%もいることは注目される。しかし、十年後の所得目標を約百七十万円とすると、生産基盤整備(集団化、機械化、共同化など)の整備によって省力化を図り、労働配分をうまく調節することが必要であるとともに、所得補てん部門として中小家畜、施設農業の導入などによって経営規模の拡大が要求されよう―と強調している。

また、これに関連して、機械や施設についてみると、小型機械の欲求度が低い反面、大型防除機、トラクター、畑地かんがい施設、施設農業などの欲求が高い。

さらに、笛吹川沿岸の土地改良事業、中央道などの道路整備、都市近郊農業地帯の都市化などによって、今後、地域農業の形態も大きく変るものと予想され、それ……の基本的なものであって重要であるが、さらに機械化、流通の円滑化を図り、また規模拡大の困難な……

農業経営の将来についての4Hクラブ員の考え
イ、ますますやり甲斐のある仕事だ
ロ、苦しい作業が改良され楽になっていく
ハ、作業が複雑化し、経営がむずかしくなる
ニ、あまりの変りようについていけない
ホ、その他
(ロ 35% イ 30% ハ 28%)

技術革新と農村青年

……らに着目して経営の方向を考える必要があるといっている。

技術革新が進むと農作業が改良され、ますますやりがいのある仕事になる(三〇%)一方、今までの一般経営技術は、当然、営農……

しかし、こうした技術……に自分から進んで積極的……る必要があるとしている……

農業収入の現実と目標(現在の粗収入/将来の目標)

農村青年の政治活動

農家生活の現状と夢

農家の生活は、農業構……

半数が生活に不満
"楽しい余暇"づくりを望む

四十四年度 「青年の船」の実施要領

一、「青年の船」事業の目的

二、事業の概要

(一) 使用船

(二) 運航計画

(三) 活動

三、「青年の船」の団員と組織

四、参加者負担金

五、募集選考

募集要領

一、資格要件

……月一日現在とする)

(二) 身体条件 長期の船上生活および団体生活に適応できる健康な者、とくに伝染性疾患のない者。

(三) 規律遵守 ア 事前研修から解団式まで規律ある行動のできる者。 イ 協調性に富み、団体生活に適応できる者。

(四) 語学 中学校卒業程度以上の英語会話能力のある者

(五) 社会への貢献 将来において、職場、地域、青少年団体などで中堅的な活動を期待できる者

(六) 欠格条件 ア 海外渡航の経験のある者(沖縄へ渡航した者を除く) イ 原則として、大学(短期大学を含む)高等専門学校または高等学校に在学中の者 ウ 都道府県議会議員または市町村議会議員の職にある者 エ 近い将来において、海外渡航をすることがほぼ確実である者

二、募集人員

一般団員の定員は、約二八〇人とし、都道府県知事より推薦された者から一六〇〜二〇〇人、全国的な組織をもつ青少年団体より推薦された者から八〇〜一二〇人を選考する。

三、募集方法

都道府県および全国的な組織をもつ青少年団体を通じて募集する。

(一) 都道府県の行なう中間選考

ア 各都道府県知事は「青年の船」事業を周知させ、当該都道府県に住所を有する応募者につき公正に選考のうえ、別に通知する割当人数のおよそ一倍半の団員候補者を総理府総務長官に推薦する。

イ 都道府県の推薦する団員候補者のうち、女子はおおむねその三分の一とする。

ウ 都道府県の行なう選考方法は、各都道府県が定めるものとする。

(二) 青少年団体の行なう中間選考

ア 全国的な組織をもつ青少年団体の代表者は、会員中の応募者について選考のうえ、団員候補者を総理府総務長官に推薦する。

イ 一団体からの団員候補者の推薦人数は一〇人以内とする。

ウ 特別の事情がある場合を除き、青少年団体から推薦する団員候補者のうち、女子は、おおむねその三分の一とする。

(注) ここにいう全国的な組織をもつ青少年団体とは、次の条件をそなえたものとする。

❶ 青少年を主たる構成員とする団体またはその連合体であって、社会教育、社会福祉または社会奉仕のための活動を行なうことを主たる目的とするものであること。

❷ 会員が一万人以上であること。

四、提出書類

都道府県知事または青少年団体の代表者が総理府に団員候補者を推薦する場合には、男女ごとの推薦順位を付した団員候補者一覧表(様式二による)および団員候補者それぞれにつき、つぎの書類を提出するものとする。

ア 推薦書(様式3による)
イ 申込書(様式4による)
ウ 勤務先の所属長の応募承諾書(様式5による) ただし、無職、農業などの者は必要としない。
エ 勤務先、所属団体、地域の行政機関または卒業学校の推薦状(様式6による)一通以上
オ 作文 テーマ「青年の船に応募して」(青年の船団員になった場合、帰国後、参加経験をどのように生かすかという点を中心に書かせること) 二〇〇字詰原稿用紙(B5版)五枚以内、縦書、氏名明記のこと。
カ 戸籍抄本 一通
キ 履歴書(様式7による)
ク 健康診断書(様式8による) 公的医療機関の医師による昭和四十四年三月一日以降のものであること
ケ 写真 上半身正面脱帽縦5㌢×横5㌢、昭和四十四年三月一日以降に撮影のものとし、申込書に貼付すること

(四) 推薦期限 都道府県および全国的な組織をもつ青少年団体から団員候補者を総理府へ推薦する期限は、昭和四十四年四月三十日とする

五、総理府における選考

(一) 総理府は推薦された団員候補者につき、選考組織を設けて選考する

(二) 総理府における選考の際必要により団員候補者に対して面接、その他の方法による試験を行なうことがある

(三) 総理府における選考の結果は、一般団員に内定した者については、推薦者および本人に対してその旨を五月下旬に通知する

六、決定およびその取消

(一) 一般団員に内定した者が良好な成績で事前研修を修了した場合に、一般団員として正式に決定する。

(二) 一般団員として決定された後であっても、出航前または出航後において、団員として不適当と認められた場合には、一般団員としての決定を取り消すことがある。

(三) 出航後、一般団員としての決定を取り消された者は、下船させることとし、その帰国に要する経費などは本人の負担とする。

これ、できますか? 農林省・農業者大学校入試問題

国語 <2>

【四】単語のなかには二つ以上の意味をもっているものがある。次の(1)から(5)までに示されたそれぞれの単語の意味をもって使われている例文を……

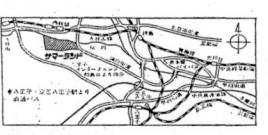

4Hくん
NO.147
桜井はじめ
こまったな お茶の道具は、そろえておいたのに
シャボン玉 とんだ〜
どうしても茶センと茶わんがない……
クローバ 姉ちゃん でっかいだろ
それどころじゃあ……あっ！
ヤネまでとんだ〜
まあ 石ケン水を茶センでかきまわしたのねっ！
茶わん
茶セン

プロジェクトの取り組み方

促進編（1）

北海道専門技術員　三輪　勲

成果は次年に活用

総合的長期計画が必要

プロジェクトの発展と長期計画

プロジェクトは単年限りで終了するものでなく、年齢や経験を経るに従って継続的に拡大され、やがて経営や生活の全領域をプロジェクトとして行なうまでに発展するものである。

将来の経営や生活のあり方を見通して数種のプロジェクトを総合的に組み合わせ、さらにそれらの規模を拡大していくためには、プロジェクトの総合的長期計画が必要である。長期計画の樹立指導に当たっては、まず、プロジェクトの基本的な発展段階を理解しておく必要がある。

プロジェクトの発展段階

プロジェクトの準備期　この段階は、プロジェクト法の理解に重点をおいて学習することが主体となる。青少年グループに入会して日も浅くプロジェクトの経験もない場合が多いので、はじめから本格的なプロジェクトを実施させるのは青少年に過重負担となる。プロジェクト研修会・プロジェクト巡回訪問・プロジェクト実績発表会の見学などによって、まず、プロジェクトの進め方を十分理解させるようにすることが重要である。

農業や生活そのものに対する問題意識も一般に低いので、青少年グループの行事に参加させて日常生活の問題に注意を向けさせることがたいせつである。

このため、地域の農業や自家の経営実態の調査、興味のある農業や生活上の問題についての資料収集など、共同プロジェクト方式によっての学習を進めさせることが効果的である。

初等期プロジェクト　この段階は、前段の準備期におけるプロジェクト法の理解と問題意識の醸成とを基礎にし、いよいよプロジェクトを実施する時期である。この時期は、中学校卒業後、十六〜十七歳から二十歳くらいまでの範囲にわたるものと考える。この時代は、年令差によって問題意識の強弱があるので、ここでは便宜上前期と後期にわける。

（ア）初等期　この段階は、十六〜十七歳くらいの範囲に相当しよう。プロジェクト法についてひととおり理解し、青少年グループの活動や農業学園・青年学級での学習をとおして日常の生産や生活の問題意識が高まり、現状に対する批判力も生まれてくる。

このため調査プロジェクトによって問題点をめぐる実態を明確に認識させることが重要である。この場合、共同プロジェクト方式が実践しやすいし、協力も高められるなどの効果がある。この時期から生産プロジェクトを実施する場合は、能力に即応した規模にするなど過重負担にならないように留意して指導するとよい。

（イ）初等後期　この段階は十七〜二十歳くらいの時代である。前期において、実態の認識に基づく問題点が明確化されるので、この関連においてプロジェクト課題を選定させ、両親の援助・篤志指導者の助言・改良普及員の指導などによって個人プロジェクトを実施させるようにする。はじめは、短期間で終了する技能補助プロジェクトや簡単な改良プロジェクトまたは小規模の生産プロジェクトなどが適当である。こうした実践によって個人プロジェクトを体験したあと、年間をとおした長期のプロジェクトに誘導する。

なお、共同プロジェクト実施の場合も、青少年の過重負担にならない範囲において、共同プロジェクトは課題に関連する個人プロジェクトを実施させることが望ましい。また、調査プロジェクトは問題の所在や内容を適確に認識し理解するうえに必要であるから、生産・改良・技能補助それぞれプロジェクトに合わせて実施するといっそう効果的である。ただし、この場合は年令や能力に応じたものがよい。

中等期プロジェクト　第三の段階は、おおむね二十〜二十三歳くらいまでで、複数のプロジェクトや高度なプロジェクトを実施する段階である。この時期は、本格的なプロジェクトを展開することになろう。たとえば自家の経営が酪農の場合、生産プロジェクトに乳牛飼育を選び牛舎改善を改良プロジェクトとして行ない、二年次には、これに牧草栽培の生産プロジェクトを加え、さらに三年次には、乳牛飼育の生産プロジェクト規模を拡大するとともに技能補助プロジェクトとしてミルカーの取り扱いを習得するというようにプロジェクトの組み合わせや拡大をはかることが望ましい。

この段階におけるプロジェクトは、地域の農業の発展方向にそって自家の農業や生活の改善に直結する問題解決を総合的に計画し実践することがたいせつである。前年は鶏の飼育、本年はきゅうり栽培、明年はてん菜栽培などのように、断片的なプロジェクトは望ましくない。

高等期プロジェクト　第四の発展段階は、おおむね二十三〜二十五歳くらいで、農業経営や家庭生活の全領域についての改善を目指す時期である。この時期のプロジェクトは、前段階における本格的なプロジェクトの規模をさらに拡大して経営の一部門をプロジェクトとして行なうとか、両親の援助や篤志指導者や改良普及員の指導によって経営の診断・設計を行ない、これに基づいて経営改善のプロジェクトを実施する。

これはもはや農業経営者としての活躍である。また、共同プロジェクトの場合も、地域の問題解決に焦点がおかれ、プロジェクトグループ活動から協業化へ発展する。

プロジェクトの総合的長期計画

プロジェクトは毎年断片的なものとせず、一つの課題を中心として単純なものから複雑なものへ、小規模から大規模へ、部分的から総合的へというように発展させ、やがて農業経営や家庭生活の改善に関する全領域の課題と取り組むように、一貫した方向づけが必要である。こうした見通しがプロジェクトの総合的長期計画である。

プロジェクトの初心者は、一般にこうした長期的な見通しを立てることが困難であるから、プロジェクトの経験二〜三年目ころから改良普及員の指導によってプロジェクトの総合的長期計画を立てさせるとよい。まず、プロジェクトの課題ごとに規模・実践の難易・緊急度など勘案して年次ごとの計画表を作成する。

この場合、課題はその性格によって生産・改良・技能補助などプロジェクト種類別にわける。また、その年の技能補助プロジェクトの成果は、次年度の改良・生産プロジェクトに活用するというように課題を配列（4−1表）すると実践上の効果が大きい。

こうした総合的長期計画は、一度に樹立できないから、五ヵ年をもって一期として計画する。第一期は生産プロジェクトの完全実施を目標に、第二期は経営や生活の一部門をプロジェクトにすることを目標に定めるのが適当である。この場合、各年次末には、その年のプロジェクトの反省に基づいて長期計画を再検討のうえ、必要な修正を行なうことがたいせつである。

4−1表　プロジェクトの総合的長期計画（例）

第1期5か年計画

年次	1年	2年	3年	4年	5年
年令	15・16才	17才	18才	19才	20才
生産プロジェクト	プロジェクトの理解			育牛1頭	成牛1頭 牧草栽培10a
改良プロジェクト			ふん出しの改善	飼料運搬作業の改善	牛舎の保温装置の改善
技能補助プロジェクト		牛の手入れ・注射	牧草の品質鑑定	牛乳脂肪検定	サイロの切込み
調査プロジェクト	農業の実態調査	乳量の調査	乳量の調査	牧草品質調査	牧草栽培調査

第2期5か年計画

年次	6年	7年	8年	9年	10年
年令	21才	22才	23才	24才	25才
生産プロジェクト	成牛2頭 牧草10a	成牛3頭 デントコーン10a	成牛4頭 子牛1頭 飼料作物30a	成牛5頭 一部門のプロジェクトにする	成牛10頭
改良プロジェクト	たい肥場改良	電牧設置	尿放布機の改良	牛舎の改善	草地造成
技能補助プロジェクト	牛の病気手当て法	発情の見わけ方	コンクリート工作	トラクター運転	多頭飼育設計
調査プロジェクト	乳量の調査	同左	同左	同左	同左

自立経営への道

私の自営二ヵ年の歩み

山口県美祢市　梶　岡　春　治

近郊農村の都市化は恐しい勢いで静かな農村をむしばんでいく。こうした中において農業を志し、農業に生きようとする青年は真剣だ。従来の安閑とした農法では、もうや社会情勢について行けないことを若い農業者は十分理解している。そこで新しい農業形態が取り入れられる。とくに果樹地帯を中心にして広がりをみせている"観光農業"もその一例である。ここに紹介する梶岡春治君もその一人で、果樹と肥育牛の経営で農園天国を築き上げようと努力しているやはり土に生きる青年である。

観光農業「朝霧牧場」の経営をめざす梶岡君と牧場の一部

三年目迎え心新たに

私が農業を志したのは、今から三年前です。自営を始めて二年になろうとしておりますが、この間私は私なりに努力したつもりです。しかし失敗もあり思い通りにいかず現在に至っております。

それでは農業を志して、現在の経営に至るまでの経過について述べてみたいと思います。

普通高校を卒業した私は両親にむりやりに進められて、山口県経営伝習農場専攻科果樹部に入場しました。経伝では、約半分以上の人が農業高校および経営伝習農場高等科卒業者で、農業について経験のある人たちでした。

私の家は農家でしたが、私はほとんど農業についての経験も興味もありませんでした。入場当時はわからないことばかりでゆううつな毎日でした。

しかし、入場して三ヵ月ほどで生活に慣れ、友人から農業に対する将来の夢など聞いているうちに"俺もひとつ大規模な農業経営をやってやるか"という気持がわいてきました。「朱に交われば赤くなる」という言葉のごとく、私の考えもだんだんと農業の方へと傾いていきました。これも先生や友人のおかげだと今では感謝しております。

その当時のわが家の経営規模は、リンゴ園・百アール、ブドウ園・十アール、栗園・百三十アール、水田・七十アールでありました。この経営では私が経伝を卒業して経営に参加するには少なすぎると考え、友人や先生に相談し、将来の経営計画を立てることにしました。帰省の時は父や普及所に相談し、視察旅行などで先輩の話を聞き、いろいろと勉強し、着々と計画を進めて卒業する三ヵ月前には、完全な私の将来の経営計画の青写真ができ上りました。

農園天国をつくる

将来の青写真に向って

ある日、農場内でのプロジェクト発表会があり、発表する機会にめぐまれました。はたして将来、計画通り実行できるだろうかと不安はありましたが、先生や友人の前で発表しました。

発表内容は、当時の経営にブドウ園三十アールと肥育牛十五頭をプラスした経営拡大をめざし、リンゴ、ブドウ、栗園を観光農園にして、都会の人が求めている自然の中で家族づれでブドウ狩り、リンゴ狩などのできる「農園天国」を作ることでした。こういうわけで私は、経伝で将来の経営計画、果樹栽培技術、良い友人を得ることができました。特に多くの友人ができたことが一番でした。

これらの友人に将来の「梶岡農園天国」の実現を約束して、なごりおしく経伝を去り、美祢市に帰って来ました。しかし、実際家に帰って農業と取り組んでみると経伝時代に考えていた通りにいかず失望し、何度か農業を止めてしまおうかと思いましたが"友人も各地でがんばっているのだから自分もがんばるんだ"と闘志を燃やしたものでした。

まず初めに後継者資金を五十万円借り、ブドウ園・三十アールを開園しました。これは以前父が十アールの開園をしていたので父に教えてもらい、わりあいと簡単に進みました。自営一年目の中頃、古い豚舎を改造して農協予託で肥牛を十五頭導入しました。

これもある程度順調に進んだので、これからの畜産は、多頭飼育だと考え、二年目の九月に父に相談し資金を八十万円出してもらい、一ヵ月間かかって鉄骨で百五十平方メートルの牛舎を建て「朝霧牧場」と名付けました。

ここで困ったのが牛の導入資金でした。金額が多いので予託はできませんでした。普及所、農協に相談し、結局リンゴ園を担保に入れ、二百万円の運転資金を農協から借り入れました。自分で直接農家に行って牛を買い、四十頭の牛をそろえました。これで規模拡大は、いちおう完成しました。

現在、わが家の総合の経営内容は、リンゴ園・百アール、ブドウ園・四十アール、水田・七十アール、栗園・百三十アール、肥育牛四十四頭になったわけです。

現在私は、ブドウ園と肥育牛の部門を受け持っています。現在の経営内容にもいろいろと問題点はありますが、経伝時代の青写真以上の規模拡大は実現できたわけです。残された課題は「朝霧牧場」の経営をいかに上手に運営し、どういう形態で果樹園を観光農園にするかです。

残された大きな目的に近ずくために、いかなる困難をも打ちくだく根性と、ファイトをもって一歩一歩確実に進んで行きたいと思います。今年で三年目を迎え心新たに経伝時代の闘志の満ちた気持にかえりがんばります。

最後に五年目までには、残された課題を実現することをみなさまに約束します。

未来の農業を語る

古殿町の仲間迎え

福島・若宮4Hク

福島県会津坂下町若宮4Hクラブ（会長、荒川君）では、東白川郡古殿町の農業青年大学生を迎えて、このほど農業後継者親善交換会を開いた。

この交歓会の主催は若宮4Hクラブ（クラブ員三十人）で、当日は、古殿町から農業青年大学専任講師の菊谷二郎氏と同学生の矢吹孝夫君（二〇）ら男女二十七人が参加し、若宮地区の各農家や4Hクラブ員の自宅に交歓訪問して民泊し、三日間にわたって意見の交換や見学を行なった。

若宮4Hクラブでは、荒川会長や地区協議会長の若菜勝さんらが中心になって、初日に各町内を案内したあと両沼地方労働会館を会場にして話し合いにはいった。

荒川会長が会津平野部の水稲栽培や加工トマト、ホップなど特用作物の導入と栽培の現況を説明、古殿町側の参加者からはコンニャクや林産資源の開発、和牛、乳牛飼育のための阿武隈山地開発の未来像などを話し、互いに近代農村青年らしい農業経営の現状分析と未来の抱負を語り合った。

また最終日には、米どころの新鶴村や新鋭機を共同で備えつけた北会津村のカントリー・エレベーター施設を見学し、近代的な水稲栽培について研究しあった。

両団体の親睦のきっかけとなったのは、昨年の夏、二本松市岳温泉で開催された福島県4H連盟主催の農村青少年のつどいで知り合ってからで、その後連絡し合い、今回の交換会の開催となったもの。次回は、若宮4Hクラブ員が古殿町を訪問することになった。

新農就業者のつどい

4Hの現状紹介

岐阜・郡上4Hク

岐阜県郡上農業改良普及所主催の"新農就業者のつどい"がこのほど開かれた。このつどいは、この春新たに農業に従事する青年を励まそうというもので、郡内から十四人の男女が招かれた。また、4Hクラブの代表なども出席し岩田郡上4Hクラブ連絡協議会長から「郡上郡の4Hクラブの現状」について紹介があった。

ミソ汁をおいしく

風味をそこなわず

好みに応じてやくみを

私の住む部落は、越後平野のまん中で、信濃川が中心を流れています。主として水稲単作農家が多く、稲作の機械化とともに男の人の出稼ぎが増加し、主婦の農作業は例外なく忙しさに追われ、炊事時間を少なく簡単にしてしまうのが実情です。

日本人の食卓に欠くことのできないのが味噌汁です。おかずなら今日何にしようかと考えますが、味噌汁は季節の野菜をとり入れますので、ついうっかりしますと同じ実が続くことがあります。一番簡単にできる料理だけに、味もみないでおろそかになりがちです。そこで私たちは毎日の味噌汁をおいしく作るよう考えてみました。

○○○味噌の種類

麹の種類によって……豆味噌、麦味噌、米味噌

色によって……白味噌、赤味噌

味によって……甘味噌、辛味噌―に分かれます。

新潟県の味噌は米麹で作られています。下の表は成人一日の栄養摂取量に対する一日の味噌に含まれる割合を表わした。

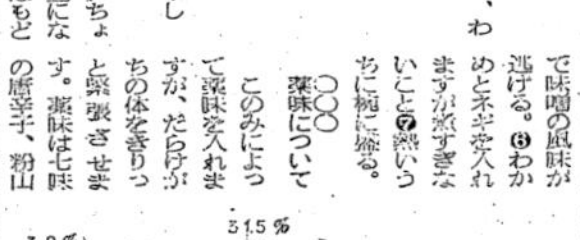
30%
20%
10%
12%
4%
31.5%
1.2%
3.7%
7.5%
7%
蛋白質
脂肪
鉄分
カルシウム
ビタミンB1
ビタミンB2
熱量

○○○だしについて

今盛んに使用されている化学調味料から簡単にだしがとれますが、昔からの煮干、鰹節から風味豊かなだしがとれますが、今回は煮干しでだしをとってみます。煮干しは十分に乾燥し、色、つやがよく、油やけしないものがよいです。前の晩に水を計り、煮干しを水の中に入れておき、これを強火、沸とうさせます。

○○○四季の組み合わせ

春……筍とわかめ、青菜と油揚げ、さやえんどうと豆腐

夏……ナスとそうめん、馬鈴薯とわかめ、しじみとネギ

秋……椎茸と豆腐、大根と里芋、白身の魚と長ネギ

冬……白菜と納豆、もやしと馬鈴薯、かきと豆腐―などの組み合わせがありますが、この中で一番簡単につくれる「馬鈴薯とわかめ」の味噌汁について述べます。

材料（四人分）

馬鈴薯一個、味噌七〇匁、わかめ適量、ネギ少々、煮干し

作り方

❶馬鈴薯は皮をむいていちょうに切ります❷ネギは適当になめに切ります❸わかめはもどしすぎないように注意し、固い部分を取り除き二センチぐらいに切ります❹なべに、だしと馬鈴薯を入れ火にかけます❺次に味噌を入れますが、味噌の量は各家庭で工夫していただくとよい。味噌を入れる時は必ず汁でといてからなべに入れます。直接入れると溶けるまでに火にかけるので味噌の風味が逃げる。❻わかめとネギを入れますが煮すぎないこと❼熱いうちに椀に盛る。

○○○薬味について

このみによって薬味を入れますが、たらけがちの体をきりっと緊張させます。薬味は七味の唐辛子、粉山椒、辛子などを用います。

○○○おいしくつくるコツ

味噌を選ぶ……味噌は二〜三種類まぜたり酒を少々加えますと一層味がよくなります。

だしを選ぶ……良質なだしを用いる。

味噌の盛減……味[illegible]えて全体に[illegible]っていっ[illegible]度がよい。

野菜の色味……野菜の種類によって煮える時間が[illegible]すが、それぞれの時間を知[illegible]適当に加えていきます。

味噌汁の[illegible]……四季に[illegible]て飲みやすい温度でいただきます。

（新潟県・つくし4Hクラブ渡辺ミツ、五和4Hクラブ[illegible]沢アイ子）

農機具に創意と工夫を

簡単で能率も六倍

熊本県鹿本郡植木町 菱形・一心クラブ　月　山　博　幸

私の住む植木町は、熊本県のほぼ中央部に位置し"西南の役"で有名な田原坂が近くにあります。自然条件は、菊地洪積台地に連なる一連の畑作地帯であり、近年深層地下水（ボーリングによる）の利用の開田事業が行なわれ、畑の約六割が水田化しています。また、交通条件としては、町の南西部に鹿児島本線が走り、縦横に分岐する国道三号線および二百八号線、将来は九州縦貫高速自動車道の開通と交通条件には恵まれ、最近輸送関係が急速に伸びてきました。

その中でも「植木西瓜」の名声のごとき西瓜栽培が盛んで、町全体の作付面積は七百十鈔にもおよんでいます。私の部落においても平均耕作面積一鈔。また、私たちのグラブ員の平均耕作面積一・四鈔で、私の家でも一・五鈔を栽培しており、省力、価格安定、多収を目標におき、日夜努力しています。

私の西瓜栽培

私は二年前、農業高校を卒業し私たち同志八名で一心クラブを結成し、将来の自立経営農家として基礎勉強をしています。

私の西瓜栽培を紹介しますと、私の家族構成は父、母、私、祖父で、家族稼働力は三人です。現在の経営規模は水田二十アール、畑（開田）百五十アール、果樹園六十五アールで昨年は西瓜を百五十アール作付けました。

主な栽培形態として二月下旬、西瓜・台木の播種、三月上旬接木、三月下旬整地、四月上旬植付準備、四月中旬植付、四月中旬〜六月中旬肥培管理、六月中旬〜七月下旬収穫（出荷）の早熟栽培です。

昨年の作柄は開花期の低温のため、その後一様に結実し、収穫期が梅雨（七月上旬）に集中し、価格も余り良くありませんでしたが十アール当り一・二〇〇〜一・五〇〇個収穫し、粗収入十七万二千円余となり、生産費が肥料代一万三千五百円、農薬代四千八百七十円、諸材料費六千二百十円、出荷経費五万四千二百円、その他（労賃、償却費）七千四百六十円で純収入約八万四千余になりました。

作業別の労働時間としては、育苗五六時間、整地定植四八時間、薬剤散布八時間、整枝十時間、収穫出荷八十時間、その他管理五五時間、合計二五七時間（三十二〜三十三日）です。以上のとおりですが、今年は、収穫の最盛期が梅雨期にならないよう大型ビニールトンネルを利用して促成栽培をしたいと思います。

ポリ・マルチの必要性

私の栽培型が早熟栽培で定植が四月中旬のため、夜間の気温が低く、小型ビニールトンネルを利用しています。しかし、気温はある程度保温できても、地温を保つことができませんので、ポリ・マルチによって地温を保つようにしています。次に、この時期に雨が少なく、土壌水分をすみやかにポリ・マルチによって保水力を増すことができ、ポリ・マルチの利用価値は大です。

マルチ機製作の動機

次に私の製作の動機として、ポリ・マルチはちょっと一見して簡単なようですが、風の強い日などはポリの中に風が入って大変ですし、雨が降り定植の適日には短時間にマルチ作業が必要ですが、マルチをするのに三人の労働力は必要になり、能率は上りません。

そこで廃品のカルチベーターの一部を利用し、ポリ・マルチ機を製作しました。

構造と要点

ポリ・マルチ機の構造はポリエチレンを巻いたものを最前におき、次にこのポリエチレンを押えて、その後上乗せしてくる。これを耕耘機に取りつけ、耕耘とマルチを同時にするものです。カルチベーターの左右の側ケタを各機具に取り付けて軸にし、定規埋ポリを押えのロープに使い、支え金調節装置は中耕ツメを利用し、これにトタンの羽根を付けて土乗せを作りました。

組立てはカルチベーターのボルトナットを利用、ボルト締めしポリをつるのと耕耘機を取り付けるパイプは、青竹パイプを利用しました。

普及の要点

このようなポリ・マルチ機を使って作業をしてみると、風の日にも簡単に作業ができるし、しかも、作業人員は一人でよく、能率も五〜六倍も上ります。また製作するのも簡単で短時間に作れますので、ちょっとの工夫で普及性は大いにあると思います。

このように私たちが日常何気なく使用している農機具も、少しの創意と工夫で、素晴しく能率を上げられる農機具に改良でき、自分の経営に直結した作業機にかえられます。こんごとも農機具の改良に創意と工夫を行ないたいと思います。

NHK農業番組

（4月1日〜10日）

テレビ

明るい農村　6・30〜6・55総合

1日　くらしを考える　村のくらし、町のくらし

2日　村をむすぶ　フイルム・リレー

3日　話題の広場　沖縄農業を語る（琉球政府農林部長）森田郁次郎

4日　産物往来　輸入乳製品

5日　農業新時代　花と緑の流通センター（大阪府豊中市）

7日　村の記録　がんばれ日本鶏（仙台市・岩谷種鶏場）

8日　きょうの話題　自由流通米をめぐって　食糧庁長官　桧垣徳太郎

9日　産物往来　春野菜異変

10日　話題の広場　水田の三毛作（宮城県小牛田市）おばこコンクール（秋田県比内農協）

あすの村づくり　日　7・00〜8・00　教育　再土　1・00〜2・00　教育

6日　グループだより　家族ぐるみのグループ活動（福岡県筑後市4Hクラブ員）

ラジオ

早起き鳥　5・05〜6・00　❶

1日　人と話題（農協中央会会長）宮脇朝男

2日　通信員の手帳から　間脇康隆

3日　産地訪問　実エンドウ（鹿児島県阿久根市）

4日　現地報告　水不足に悩む酪農地帯（北海道・弟子屈町）

5日　村のポスト

6日　話題の窓　農地法改正

7日　現地報告　主婦たちの手で林業振興（岐阜県・藤橋村）

8日　人と話題（長野県厚生連佐久総合病院小諸分院長）飯島貞司

9日　通信員の手帳から　岩根邦夫

10日　産地訪問　うずらの卵（埼玉県越ケ谷市）

ラジオ農業学校　月〜土　6・40〜7・00　❷　日　6・30〜7・00　❷　再　月〜土　19・00〜19・15　❷

6日　グループのしおり（全国農業高校クラブ会長）栗原寅市

ひるのいこい　12・15〜12・34　❶

5日　瀬戸内海の巡回図書室

7日　春駒誕生

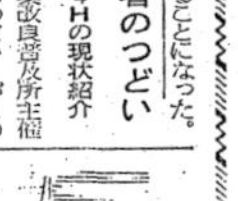

汗

青山政夫（栃木県・筑波４Ｈクラブ）

私は汗が好きだ
にじみ出る汗
ぼたぼたと出る汗
いろんな汗がある
そんな汗が出る時こそ
自分のやりがいのある仕事を
やっている時だ
だから好きなのだ
汗をかいて一休み
なんともいえないな……

４Ｈクラブ発足20周年 記念懸賞募集入賞文

４Ｈクラブ活動を盛んにするために 仲間づくり

全員が"生徒で先生"

年令の幅を三十代までに

山梨県八代町・４ＨクラブＯＢ　金井成浩

４Ｈクラブ活動を長続きさせることは、やさしいようで、実はとても難しいことです。

五年も十年もクラブがつぶれないで活動しているところは、もう続いていることだけでも立派なことです。

しかし、なかなか思うようにいかず、数年を経過すると、だんだん少人数となって、自然になくなってしまうか、残った人たちだけの活動となってしまうのが現状です。もちろん、若い人たちの流出ということも考えられますが、しかし、その時代は過ぎ去り、これからは、いかに多くの仲間が、力を合わせて楽しく活動していくかを真剣に考えなければなりません。日本中の青少年が、この素晴しい四つの精神をもつ、良き指導者のいる、地域社会の開発に貢献している４Ｈクラブ活動に参加できるよう、呼びかけていきたいものです。

そこで私は、サークル活動の体験などをもとに、楽しい４Ｈ活動、長続きする４Ｈクラブにするために意見を述べさせていただきます。

◇年令層は10～30代に◇

まず、年令ですが、年は十代から三十代までの人々で、じゅうぶんうまく活動できます。年令をある境で切ること自体が、４Ｈ活動を不活発、あるいは消滅させる大きな原因となっています。年令を切ることによって、若い人たちの意見が一致して活動がうまく進むように思われがちですが、このこと自体が４Ｈ活動の内容を淡く薄いものにしていると同時に、ゆき詰ったり、理想論だけでおわり、現実の社会に役立たないものになる可能性が大きいと思います。また、五年、十年と４Ｈ活動を行なってきた人たちが、ある年令で次々とやめていくことは、その人たちにとっても淋しいことであり、後輩にとって経験豊かな仲間を失うことになります。いま農村で、何かをするには、どうしても十代、二十代の人たちでは困難です。これに、三十代が加わってするならば、ほとんどのことが容易に実現でき、農村を明るく改善して文化を向上させることができます。

４Ｈクラブ活動に三十代が加入することは私の理想であります。では、４Ｈ活動を楽しく大きな力にするためにはどうするかについてですが、まずグループがよくまとまっていることが第一条件です。

◇信頼し合う仲間◇

お互いが信頼し合える仲間同志であることが第一です。その根本原理は「４Ｈクラブ員みんなが指導者であり、全員が生徒である」という心構えでありましょう。どんな人にも、クラブに入りたての人でも必ず誰よりもすぐれている長所、あるいは誰よりもくわしい知識、または、すぐれた技術を、一人ひとりのクラブ員がもっているはずです。これを一人ひとりからみんなが学び、また考えるはずです。その態度や、この気持の積み重ねによって、良い４Ｈクラブ員、立派な社会人、人格者となって、クラブ内はいつも明るく、おだやかで充実したものとなるのです。それによって、クラブ員全体の人間性が高まっていくとともに、この精神が団結力を強め長続きするクラブ活動へと自然に入っていけるのです。

そこで、三十代の人は結婚してからの問題点や経済のことを話してやれる指導者であり、十代の人々は"若い"悩みや苦しみを知らせる指導者であるわけです。クラブ員全員が指導者であり、クラブ員全体が生徒であるという考え方は、こうして生きてくるわけです。

◇互いに信頼し尊重を◇

集団活動を長続きさせることは大人の社会でもなかなか難しく、共同経営にしても、原水爆禁止協議会の例や国会の例をみても、あるいは、身近な出来ごとをみてもうなずけるわけです。集団活動が長続きするかしないかは、一人ひとりの心によるわけです。

人間的に人格者が集まったクラブは長続きしますが、一人でも性格の曲った者、のり出そうと野心をもつ者、欲の深いもの、あるいは、金銭、その他にルーズな人間がいるとうまくいきません。

お互いにかばい合い、助けあい、相手をひきたて、信頼し尊重する気持が大切です。みんなが指導者、みんなが生徒の心でさえいれば、そして４Ｈの精神、四つのＨを忘れずに進むならば、４Ｈ活動はますます盛んになり長続きすると信ずるものであります。

◇魅力あれば人は寄る◇

例え、三十代の人が入っていても、若い人が入りにくいようなことは自然になくなってくるのです。魅力あるクラブには、頼まなくても多くの若い人々が入ってきます。４Ｈクラブ活動をそこまで発展させなければならないと思うのです。

簡単ですが、以上は心のもち方についての私の意見です。これは空理空論ではなく、私の体験から述べたものです。疑問点、質問は責任をもってわかりやすく説明いたします。

（意見文・指導者の部　佳作）

女子研修会の反省

女性よ、もっと強く

理想の男性と結婚して良い母親となるために

佐賀県４Ｈクラブ連絡協議会・女子委員長　前田スミエ

女子クラブ員の要望によって昨年の暮、二日間にわたって第一回の女子研修会が開かれましたが、今後の女子活動に勇気と希望をもたせた意義の深いものでした。この研修会について、アンケートによる結果と私個人の反省をありのままに述べてみたいと思います。

「現代農村女性のあり方」とドクトル・チエコ先生のテープフォーラムによる「性教育」について山口クニ先生の講演がありましたが、これは時間が足りなくて最後まで聞かれなかったのは残念でした。いままで知らなかった「性」を知ることができ、今後結婚して母親となったときに、子どもについて必要な教育を身につけることができたと思います。こういうことは、男性の人も聞く必要があるかと思いますので、ぜひこの次は男性の方も、どうですか…。

班会議と自由交歓は、女子ばかりの集まりだけに、意見がよく出されていた。どこの班も共通することは、恋愛問題や女子活動についての話題に花が咲いていたことでした。このような調子で、多人数の中でも発言できる勇気を身につけてほしいものです。

二日目の着物の着付け講習会は、佐賀市内の美容院の牟田先生に来てもらいましたが、とても親しみ易く、先生というよりも友だちみたいで質問がしやすく、よく理解できました。日本の男性に言わせると、女は和服姿の方が、洋服よりも、ぐっとおしとやかで、女らしい魅力があるそうです。お嫁に行くときは、単衣の一枚でも着れるようになりたいものです。

班会議では、県連協の男子役員のみなさんにも助言者として班に入ってもらったところ、前夜の班会議に比べて半分の意見も出ない班がありました。

戦後、強くなったものは"女とくつ下"といいますが、もっともっと強くなって大いに発言してほしいものです。全体討議も静かだった。ありたい自分をめざして自己をつくるとともに、今後の女子活動に全力を尽してもらいたいと思います。

男性に「理想の女性は？」と聞くと、「女らしい女」「おしとやか」という言葉が並べられます。それではと、男の前で、やたらと上品ぶって無口になり、女らしさを見せようとするのは、かえってマイナスではないでしょうか。

自分という人間を素直に表面に出して「人のふりみて、わがふり直せ」という諺があるように、悪いところは反省して良いところはもっと伸ばし、『余情残心』の気持で、常日ごろの行動に「女らしい」という言葉が生まれるものと思います。

反対に、「理想の結婚相手は？」と女性にたずねた場合、家つき、カーつき、ババーぬきの時代は通り過ぎて、「自分の職業に誇りをもって努力し、反省して、前進する男性」―という人と苦労をともにし、よりよい家庭を作り上げたいと言います。家つき、カーつき、ババーぬきの理想も良いでしょうが、それを望むなら、望むだけの教養を身につけなくてはいけないと思います。

また、農業はいやだ、サラリーマンにと思う人も、農業以上の生活力が必要ではないでしょうか。そして、このような教養、バイタリティを身につけるのも４Ｈクラブではないでしょうか。

女性よ、もっと積極的になりましょう。理想の男性と結婚して、より良い母親となるためにも、少なくとも年に二回はこのような女子研修会が必要ではないでしょうか。今後、単位クラブ、地区の女子活動に期待します。

「百姓」と人は言うが……

収穫の喜びは"格別"

神奈川県厚木市・青空クラブ　秋山岩夫

私は、農業人として、日夜、農業への道を着々と歩んでいます。農業といえば「百姓」と、他人は簡単に、考えもなく馬鹿にしたようにいうが、私はそうとは思わない。やり方しだいで、耕地をうまく有利に利用して、自分が自由に誰にも命令されず、伸び伸びした生活が毎日送れるので、会社、工場に勤めている人は可哀そうでならない。

上役に命令され、いやいやながら仕事につくその辛い顔（その仕事が好きな人もいるだろう）が目に浮んでくる。そのような窮屈しい生活が毎日続くのだから、たまらない。おまけに安月給だとなおさらだろう。それに対し農業は伸びのびと、澄み切った青空の下で作業に打ち込む喜びは何ともいえない。

私の家は、現在一五〇アールの耕地[illegible]作業は続く。自分で栽培した物で重労働にあったにせよ、収穫までに至ったその喜びは格別。その収穫した物が高値に売れれば来年もという心の高まりと自信がつく。

今年六月施行になる新都市計画法を前に、いろいろと難しい問題が起ってくるだろう。それにもまして、私たち農業青年は、辛抱強く、そして我慢強く、大勢の人々の意見を聞いたり、話したりして明日への農業へ、希望と夢を託し、伸びのびと、明るい、豊かな農業生活を営んでゆきたい。

青少年団体の紹介（16）

日本青年協会

有用な人材を育成

実生活の体験を重視

現在は農村青少年が主体

設立と沿革　財団法人日本青年協会は、昭和三十三年、文部省社会教育局長の職にあった関屋竜吉（現顧問）氏が、その当時の青年層の険悪な状態を憂慮し、かつて視察したドイツの青年運動とデンマークの国民高等学校の制度を研究、浦金吾、宇垣一成、鈴木貫太郎、岡田良平、緒原三平郎氏らの協力によって、全国の中堅青年の錬成と結成を目的として設立された。

それ以来、他の同類の教育団体が戦後の混乱にまき込まれ、ほとんどその影をひそめてしまったが、同会は、いろいろな困難を乗り越えて、本部を千葉県船橋市に移し、黙々として今日までその使命を守り続けてきた。ここで訓育を受けた青年は、北は北海道、南は九州、さらに遠く海外（主としてブラジル）にまで進出、その数は数千にもなり、その多くの人たちはそれぞれ郷土で穏健中正、実行力ある指導者としてそれぞれ活躍している。

教育内容とその特色　同会は戦前から、農、工、商各層の中核になっている中堅的青年に対して二ヵ月あるいは三ヵ年におよぶ教育を続けていたが、現在では主として農村の青少年を対象に訓練を実施している。もともと個人的ふれあいの中に、実生活の体験を重要視した家塾的教育を進めているが、その効果が一般社会に認識され、ここ数年、入所希望者が急激にふえ、昭和四十一年度は六十余名を収容している。

いずれも全寮制度とし、職員と起居を共にしながら農業の実習を通じて生活のしつけ、社会常識、農業技術の習得に専念するが、教育を受けた人たちは性格が朗明になった、人間的に大きく変ったなどと父兄や郷党を驚かせることがしばしばある。修了後は協会の一員として生涯関係をつづけ、郷土にあって農業を継ぎ、あるいは農業の指導的役割を果して地域の発展に努めている。一方、協会運営にあたる役員は、国民の将来を憂うる財界の有力者が当初から協力、その責任を分担し、進んで農場を訪れ、話し相手となるようつとめている。要するに指導指針は、中道を歩み、家業をついで活動する国家有用の人材を物心両面から育成することを目ざしている。

一、本部事業

(A)農村中堅青年講習会　人員四十名～七十名、期間一ヵ年～二ヵ年

教育の目標　変ぼうする今日の農村にあって、視野を広め、考えを深くし、働く力を養い、近代的農業経営の知識と技術を習得し、堅実な身体と実行力をもった健全な農村青年としての素地を体得する。

❶学科　一般教養科目と専門科目、約六百時間

❷生産実習　同会付属農場において実習、約千二百時間

❸生活指導　全寮生活を行ない、職員と起居を共にし、生活態度を学び、また共同生活のうちに相互研修を行ない、人間形成の向上を図る。なお、寮内では、自治会、テレビ観賞、映画会、茶、剣道を実施している。

❹分場生活　この研修を特徴づけるもので、本人の希望、自家経営の実状に応じ全国各地にある同会の分場では生産実習を中心として各地の風土習俗に親しみ、また各地方の実態調査なども行ない、視野を広め、社会的訓練によって人間性を豊かにする。

❺農場クラブ活動　農場は果樹、そ菜、畜産、養鶏、作物の各クラブに分かれて運営される。このクラブは職員の親切な指導のもとに講習生自らが計画をたて実習にうつす。その成果について反省と批判を加えながら経営技術を身につける。

❻総合教育　以上のそれぞれの活動によって得たものをもちよって体験を語り発表会を開いて相互の研究を検討し自分のものとして会得するよう指導する。

こうして修了後は郷土の中堅としてそれぞれ努力し、また海外（ことにブラジル）で活躍しているものもある。

(B)中堅青年短期講習会　人員＝二十名ないし三十名、期間＝十日ないし一ヵ月程度。

一、教育の目標　現代の経済、文化についての識見を高め、日本人としての自覚を促し、それぞれの分野における指導性の涵養に努める。

二、支部と会員の地方活動　同会の研修をおえたものを会員としているが、これら会員は相互に連絡しあい、都、道、府、県にそれぞれ支部を結成し、本部を中心に、地域の各種活動の原動力として活動している。また研修会や講習会などを随時に開催、後進の指導に努めるとともに、地区的にブロック活動も推進している。

三、機関誌の発行　会員相互の連絡、同会事業の進展を図るため「アカツキ」を毎月発行（タブロイド版）し、会員と団体に配布している。

四、農場の経営　船橋市在　総面積一〇㌶、果樹、そ菜花卉、作物、畜産の総合農場で講習生教育の主体をなし、また都市近郊園芸地として蔬菜栽培、液肥利用の清浄蔬培など高度の技術を導入、会員をはじめ進んで地方農村の生産向上の一翼も担っている。

〈千葉県船橋市藤原町三―四二二、鎌ヶ谷　TEL（〇四七四）四三―四七七七〉

日本青年協会の勝牡庭（かしずか）農場

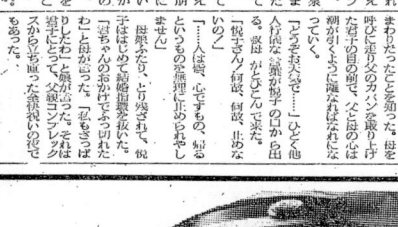

小さいとき別れた父、俊作（土屋嘉男）を探ねあてた君子（酒井和歌子）は、恋人にすがるように、父の胸に甘えて泣いた

映画

大人への脱皮描く

「恋にめざめる頃」　東宝映画

この映画は、今年の四月で二十歳になり、大人への脱皮をめざす酒井和歌子に初めて与えられた単独主演もので、異色の青春ドラマ。題材は、昭和十年、成瀬巳喜男監督によって映画化された「妻よ薔薇のように」（原作、中野実）をもとにしたもの。

☆ものがたり☆

玄関の標札には"山本俊作"と書いてはあるが、この家に山本俊作（土屋嘉男）はいない。それはもう娘の君子（酒井和歌子）が生まれたころからのことだ。母の悦子（草笛光子）との二人暮しで、この家では、父、俊作の話は今やタブーになりかけている。

明るく美しい君子は会社の男子社員の間でも注目の的。しかし年ごろでありながら、男性に友達以上のものを感じない。今は結婚して夫婦でスナックを営んでいる司子（高橋紀子）から「男性に対する関心が父親だけに向いている状態から脱出しないと、いつまでたっても恋愛や結婚は考えられないんだって、どうする？」といわれたとき、君子の胸にズシリと応えるものがあった。母娘二人のタブーを破ろうと君子に決心させた。

父の俊作は福島県の田舎で温泉芸者と一緒になり、今では子供までいるという。そして思い出したように二万か三万の金だけ送って来ていた。

きれいごとで自分をごまかしている母に、君子が違和感をおぼえたように、叔母のとみ（文野朋子）も「ハジも外聞も捨てて死にもの狂いで連れ戻してくりゃいいんだよ。私なんか何度そうしたかわからしない」といった。言葉の端ににじむ、ぬぐえぬ女の傷と、結婚生活のきびしさが君子の胸をうった。"父を連れ戻しに行こう"君子は汽車に乗った。

一人、ポツンと降りた雪国の駅。たずねあてた父の家は、その妻、雪子（市原悦子）が経営している小さな美容院だった。そこには明らかに家庭があった。父を奪うためにやって来た君子は、この平凡で幸福そうな家庭の破壊者だった。それでも君子は父を東京へ連れ戻さなければならない。

雪山で、はじめて父と二人だけになったとき、君子にも俊作にも通い合うものがあった。二人はどこまでも歩きつづけ、君子は父の胸に抱かれ、愛情むき出しにかじりついていった。

君子が父を連れて東京に帰る日、幼ない二人の子供は敵意をまる出しに君子を睨みつけ、「きっとお父さんを帰して」と云った。

君子の努力にもかかわらず、久しぶりに会った母と父の間には沈黙だけが流れて、どこかよそよそしかった。二人のおとなは君子の前ではつとめて明るく振舞っていたが、その夜、俊作は無造作に悦子に背を向けて床についた。そして悦子もまた悲しみを抑えて背を向けてしまった。

僅か三日、「今夜の汽車で帰る」と、父が黙々と洋服を着替えはじめたとき、君子は自分の努力が空まわりだったことを知った。母を呼びに走り父のカバンを取り上げた君子の目の前で、父と母の心は潮が引くように離なれはなれになっていく。

「どうぞお大事で……」ひどく他人行儀な言葉が悦子の口から出る。叔母がとびこんで来た。「悦子さん！何故、何故、止めないの！」

「……人は皆、心ですもの、帰るというものを無理に止められやしません」

母娘ふたり、とり残されて、悦子ははじめて結婚指環を抜いた。「君ちゃんのおかげでふっ切れたわ」と母が言った。「私もさっぱりしたわ」と娘が言った。それは君子にとって、父親コンプレックスから立ち直った全快祝いの夜でもあった。

◀投稿案内▶

本紙は、みなさん方の新聞として、全国のクラブ員に利用して頂きたいと考えています。それでクラブの催しや個人のプロジェクト、仕事、短歌、随筆、写真、悩みや意見、村の話題、伝説、行事その他なんでも原稿にして送って下さい。

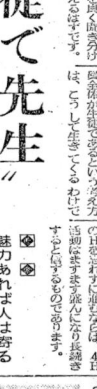

お願い　❶長さや形式は自由です。❷できるだけ記事に関連した写真をそえて下さい　❸送り先　郵便番号162　東京都新宿区市ケ谷河原町11　日本４Ｈ新聞編集部

日本4H新聞
4Hクラブ
農事研究会
生活改善クラブ
全国弘報紙
発行所　社団法人 日本4H協会
東京都市ケ谷家の光会館内
電話(269)1675郵便番号162
編集発行人　玉井光
月3回・4の日発行
定価　1部　20円
一ヵ年700円(送料共)
振替口座東京　12055番

クラブの綱領

私達は実践を通じて自らを磨くとともに互いに力を合わせてよりよい農村、よりよい日本を創るため四つの信条をかかげます。一、私達は農業の改良と生活の改善に役立つ腕をみがきます。一、私達は科学的に物を考えることのできる頭の訓練をします。一、私達は誠実で友情に富む心をつちかいます。一、私達は楽しく暮し元気で働くための健康を増進します。

本年度の派米クラブ員決る

民間外交の大使役

麻生すみ子さんと大竹忠幸君

社団法人日本4H協会（松下幸之助会長）は、国際農村青年交換（IFYE）計画に基づいてアメリカへ派遣する本年度の日本代表4Hクラブ員二人をこのほど決定した。晴れの代表に選ばれたのは、麻生すみ子さん（二〇）佐賀県・半田4Hクラブ、大竹忠幸君（二一）福島県、自営者クラブ＝の二人で、来る二十日前後に羽田空港から渡米の予定である。

大竹忠幸君

麻生すみ子さん

この4Hクラブ員の交換は、日本4H協会がアメリカ4H財団との間に、国際農村青年交換計画に基づいて毎年実施しているもので、今回も全国から広く候補者を募り、厳正な審査の結果、麻生さんと大竹君が選ばれたもの。

渡米したクラブ員は、ワシントンでオリエンテーションを受けたあと、受入れ農家に入り、その家庭の子弟の一員として生活する。

受入れは、これまで一人一州で、数戸の家に入り、なかには農業や農業以外の職業の家庭に入ることもある。それらは、すべて州の4Hクラブの関係者が世話をしてくれる。期間は約六カ月で、一戸の受入農家には十日前後入ることになる。

この間、アメリカの4Hクラブ活動や農業、家庭生活、風俗習慣などを学ぶとともに、日本のそれらについて紹介する。

このように渡米クラブ員は、農業技術の実習だけを目的とする研修生とは異なり、多くの人たちに正しい日本の姿を伝え、日米相互の理解と親善につくす民間外交の役を果し、別名"草の根大使"と呼ばれているもので、今回はその十六回目にあたる。

代表に選ばれた麻生さんは、みかん専業農家の明るいお嬢さん。三人姉妹の長女で農作業に励む一方、4Hクラブでも大活躍、現在は県連理事で生活委員をしている。趣味の焼き物鑑賞は父の影響だとのこと。ちなみに、麻生さんの住んでいる唐津は焼き物の町としても有名である。

大竹君は、水稲と養鶏を経営する農家の長男で、プラス・アルファにあたる二、〇〇〇羽の養鶏が彼の受け持ち。将来は養鶏を伸ばして経営の中心にしたい意向である。

クラブでは会長、地区連の事務局長を歴任している。写真撮影とドライブが趣味で、ことしの正月休みには、友人二人と九州まで車を飛ばしてきた。

麻生さんの話　私が草の根大使の一人として選ばれるなど、夢にも思わぬことでした。両親はじめ家族やクラブの方々など私を励ましてくださった人たちの期待にこたえるためにも、自分にできるだけのことをやってきたいとおもっています。

大竹君の話　こんど私が日本代表として、アメリカの4Hクラブ活動をこの目と耳でとらえてこられることは、仕合わせであり、また、責任重大であると感じております。現地では自分の能力のかぎり、つぶさに見てきて、帰ってからは期待してくださっている多くのクラブ員たちに会って話し伝えたいと思っております。

主な経歴

44年度派米クラブ員2人の主な経歴は下記のとおり。
❶現住所❷所属クラブ❸学歴❹クラブ歴など❺家庭の主な経営❻特技❼趣味❽訪米の抱負

麻生すみ子(20)さん

❶佐賀県唐津市半田本村3、746❷半田4Hクラブ❸佐賀県立唐津西高等学校❹半田4Hクラブ副会長、唐津地区4Hクラブ連絡協議会事務局次長、佐賀県農村青少年クラブ連絡協議会生活委員❺みかん、イチゴ（露地半促成）❻普通自動車免許❼焼き物鑑賞、琴、レコード鑑賞❽女性のあり方、日本のよさを見出すため。

大竹忠幸(21)君

❶福島県喜多方市慶徳町山科字天神塚761❷自営者クラブ❸福島県立喜多方高等学校職業科❹自営者クラブの書記、会計、副会長を経て会長、地区連絡協議会事務局長❺水稲（1.5㌶）養鶏（2,000羽）❻写真❼ドライブ、写真❽アメリカ4Hクラブの活動や組織、養鶏

「鳥取のつどい」をひかえて

山本哲嗣

着々進む受入準備
県連組織あげてやる気充分

「第五回全国4Hクラブ員のつどい」は、あと開催まで四ヵ月となった。

もうわずか百十日経てば、全国から4Hクラブ員が約千名、鳥取県の国立公園大山を中心につどって、新しい技術の研さんとクラブ活動の話しあい、あるいは鳥取県農業などの実際をみる現地交歓研修などが、若者自らの手でくりひろげられるのである。

さらには、これらを通して、青少年の仲間づくりや自主性の高揚に資するとともに、地域社会から理解される家族ぐるみの4Hクラブの活動推進をという若い意欲のつどいでもある。

鳥取県農村青年会議連絡協議会（会長・三浦幹雄君）では、以前から全国4Hクラブ連絡協議会、日本4H協会などといろいろ開催についての準備をすすめてきた。すでに開催要領など決定し、目下、全国からの参加者の申し込みを受付けており、七月をめざして着々とその計画をすすめている。

そして、鳥取県連の広報活動とあわせて、県内各市町村クラブには、われわれの手でこの大会を成功させて、これを一つのよいきっかけに、手を取り組んで、農業に、クラブ活動に頑張ろうという気迫がありありとうかがわれ出した。

これまで鳥取県連では、こんどの「全国のつどい」の主催者として、大会の運営に万全を期するために、前回の「第四回つどい」に派遣した運営委員に、さらに地元大山町、米子市などから運営委員を選出し、いっそう細かい予備調査などを進めている。

すでに鳥取県独特のアイデアを生かす意味から参加のユニフォームなどもほぼできあがり、大分、埼玉、富山、奈良の大会以上に盛りあがったものにするためにあらゆる効果的な大会運営、内容のための方法を検討中である。

そういった県連の動きとあわせて、鳥取県下の単位クラブの最近の動きは、注目に値するものがある。その最たるものは、まず、県下のクラブ員一人ひとりに、こんどの「全国のつどい」の趣旨にもうたってある地域社会から理解された家族ぐるみの4H活動の推進をはかろうという強い意欲が、このたびの全国のつどい開催によって生まれてきたことである。

さる二月には、大会の中心になる西伯郡大山町と名和町が、東伯郡東伯町農業青年会議をたずね、一泊二日の民泊交歓研修を行なった。三月に入ると、こんどは、東伯郡東伯町が西伯郡大山町と名和町青少年クラブと交歓、さらに日野郡溝口町4Hクラブが、やはり大会では現地研修の中心となる東伯郡赤碕町赤碕グリーンクラブと民泊による交歓会を催した。

これらはいずれも県内クラブ員の家庭の雰囲気を体験することにより、家庭内における家族との話しあいをわれわれの方から、われわれの活動の真の意味を認識してもらうためにもという目的で、自主的に行なったものである。

そしてたとえば、乳牛のいない日野郡の農村青年たちを赤碕グリーンクラブが、彼らの乳業農協の工場などに案内してまわるほほえましい風景は、明らかに若い彼ら自身の、そしてこんどの大会をきっかけに見え出した新しい前むきの姿勢であるようだ。

県連の方でも、こういった県下クラブ員の動きについて注目し、一般的に開催県では、単なる儀礼的な運営だけに終って、その本質がとかく忘れられがちであるのに対し、県連史上初の全国的な大会を地元でやることになって、活発に一人ひとりのクラブ員が、農業に、仲間づくりに意欲的な姿勢を表面に出してきたことは、この大会の最も基本になることであるし、さらには、このような熱意の盛りあがりが、大会の成功につながるという見方をしているようである。

事実、たとえば溝口町農村青年と赤碕グリーンクラブとの民泊研修では、夜のクラブ同士の交歓のとき、仲間づくり、農業問題、クラブ活動について、遅くまで熱心に話しあい、反省会のときには、受け入れ側、あるいはそこに入った人から「もっと家族と話した方がよい。仲間の、しかもちがったタイプの農業の勉強ができた。めずらしいアイデアを得た」などのすなおな意見が出され、非常に意義ある交歓だったと話しあった。

このような、たとえ地味な動きではあっても、これが大会に生かされることはまちがいなく、県連の方でもいっているようにその大会限りで活動が止まってしまうのではなく、それをきっかけとしてますますのびてゆくのが、大会の意義である。

そういった意味から、全国のつどいは、だんだんと本来の目的達成のために、県下クラブ員が手をとりあって頑張ろうという気持がうかがわれ、県当局などから温かい励ましをうけて、われわれの手でわれわれのためにという気迫のもとに、大きく動き出し、今やおそしと、全国からの参加を待ちうけている、といった最近の状況である。

―鳥取県東伯郡赤碕町大字大父三五七―

盛大に4H祭開く

愛知県知多地区連　新就農者招いて激励

【愛知県】愛知県の知多地区4Hクラブ連絡協議会（会長、沢田精一君）は、さきごろ、大府町公民館で、同地区連はじめての4Hクラブ祭を盛大に開催した。

これは、クラブ行事のマンネリ化に新風をおくるとともに、新規就農者激励大会をかねて行なわれたもので、新規就農者七十余名をはじめ、クラブ員、OB、関係者など約二百七十名が参加した。

このクラブ祭の発端は、年度はじめにクラブ員の間で、ややマンネリ化しつつあるクラブ行事に新風を、という声が起こり、その後の役員会で、何か大会のようなものをやろうということになり、運営委員会を構成し、検討をくわえ、時期的にも、新規就農者の人たちに4Hクラブを知ってもらうのに好都合だったので、誰れもが気楽に参加できるようにということでこんどのクラブ祭となったもの。

午前中は、まずキャンドルサービスに始まり、暗闇の中、ローソクの灯のもとで、サトー・ハチローの「ふるさとはよきかな」の詩の朗読に会場の雰囲気は最高に盛りあがった。

つづいて開会式「人生の岐路に立ったとき、進んで困難な道を選んでください。必らず、道は拓けます」と県議会の伴氏の激励の言葉は、新規就農者はもちろん、クラブ員の心にも響いた言葉であった。ついで「英知と若さを結集し努力で拓こう知多の農業」のスローガンを発表。

式のあと、このスローガンを生かすべく、各部門別に分かれてゼミナールが開かれた。時間が少なかったせいか、論議がつくせなかったところもあったが、大方はまずまずのゼミナールであった。

午後は、郡内十四の単位クラブが、それぞれ趣向を凝らしてアトラクション。つぎつぎに珍芸が続出して、クラブ員のこの祭に対する熱意のほどがうかがわれた。

また、この間、会場に設られた各クラブの紹介もなかなか好評であった。

このあと、最後の行事、フォークダンスの夕べが行なわれた。女性の参加者が割に多かったせいか人気がこちらに集中し、併設されたゲーム・コーナーは入場者さっぱりで準備した人たちは拍子抜けしていた。

七時半、すべての行事を消化し全員で後かたずけをした。そして準備、進行、模擬店の運営、会場整理などすべてクラブ員自身の手で運営したという満足感と自信を高め、また、明日からの農作業に精を出そうと誓い合いながら夕闇の中を、それぞれ家路についた。

このクラブ祭りは、クラブ活動がともすると年中行事を消化していくのに終始しがちな単位クラブにとって、大きな刺激と教訓を与え、参加クラブ員も異口同音に「みんながやる気になれば、あれだけのことができるんだ」という自信を得たと話し合っていた。

新美係長（知多農業改良普及所）の話「この祭は、新しく加入するクラブ員を招いたことと、クラブ員自身の手で企画、運営されたことに特徴がありました。プログラム編成から彼らのアイデアを生かしてやったので、たいへん盛り上がった大会になり、成功を収めたものと思います」

凉風暖風

無償の行為とは

去年、箱根の山に遊んできたのは、ちょうどいま頃であった。山の桜が満開であった。とりわけ、山肌に咲いている桜の花は、春の風情が漂っていた。

朝つとに起きて、宿のまわりを散歩したが、遠くの山々に霞がたなびいていて、頂きだけが浮んでいた。見上げれば、梢の桜が朝日をうけて輝いていた。その花の美しかったこと、いまさらながら私はみとれていた。

そのときの美しさが忘れられず、今夕また、私は箱根へ向うロマンスカーの切符を手に入れた。ことわっておくが、私が逢いに行く相手は、情けをうけた湯の町芸者ではなく、箱根の山の山桜である。

ところで、桜は日本を代表する花として私たち日本人に古くから愛されてきた花である。「ももしきの 大宮人は いとまあれや 桜かざして きょうも遊びつ」の歌からも判かるように、桜は平安貴族には、ことのほかに愛されたようである。

また、史上に名高い醍醐の花見は、戦乱の世を治めた太閤秀吉が催したもので、その豪華な宴は後の世の語り草になっている。江戸時代になると、花見はますます盛んになり上野の山には花見の幕が三百も並んだという。

花は桜木、人は武士というように、桜が日本人に愛されるのは、その開花の見事さと散り際の潔ぎよさにあるようだ。武士の風流と死への覚悟が「敷島の 大和心を 人問わば 朝日に匂ふ 山桜花」ということの花に象徴されているのである。

また「もろこしの 人に見せばや 三吉野の よし野の山の 山桜花」と詠まれているように、日本の桜はすべてこれ日本固有で、中国や西洋にはないものである。

このように、日本に育ち、私たち日本人に愛されている桜も、最近では病害虫や公害に犯され、朽ちていくのが多いと聞く。それでいて植える人が少ないという。何としても、残念なことである。

そこで、ひとつ提案であるが、4Hクラブ員の手で、この銘木を全国津々浦々に植え、日本中に花を咲かせてはいかがであろう。そうしたら、十年後、二十年後になれば、日本中の人が桜を見ては4Hクラブ員の業績を語り讃えるようになるだろう。その手はじめとして、こんどの4Hクラブ員の集いの記念植樹などには、ぜひ、桜の若木を植えたいものである。

ワシントン郊外、ポトマック河畔に毎年咲く桜の並木は、日本から贈られたものであるが、日米親善に大いにつくしている。無償の行為とは日本人が桜の木を植えていることだ、とはある著名な外国人の言葉である。

松下幸之助会長を囲んで、4H協会の事業について話し合いをする協会役員（松下電器東京支店で）

日本4H協会理事会開く

協会運営を協議

3月29日、松下電器東京支店で

社団法人日本4H協会（松下幸之助会長）は、さる三月二十九日午前十時から、東京・港区芝の松下電器東京支店役員会議室で理事会を開き、協会運営について協議した。

まず、松下会長が「協会の運営については、毎月、宮城副会長を中心に常務理事会を開いて、すすめてきおります。最近は4Hクラブの人員もふえ、クラブ活動も盛んになってきております。昨年は奈良で集いを開き、私も出席しましたが、なかなか盛会でした。それにクラブ員が自主的になってきております。これからも、みなさん方のご協力によって、協会の事業をすすめていきたいと思いますので、よろしくお願いします」とあいさつ。

つづいて、新田事務局長の説明で❶昭和四十三年度事業実施状況および収支見込に❷昭和四十四年度事業計画及び収支予算❸会費の拡充について、以上の付議事項について、協議した。

さいごに、NHKの霞堂氏（大山部長の代理）から、NHKも放送を通して4H協会の事業に協力したい。そのために、松下会長とクラブ員の対談などを企画してみたい。また、会長はできるだけ多くクラブ大会などの行事に出席して頂きたいと要望が述べられた。

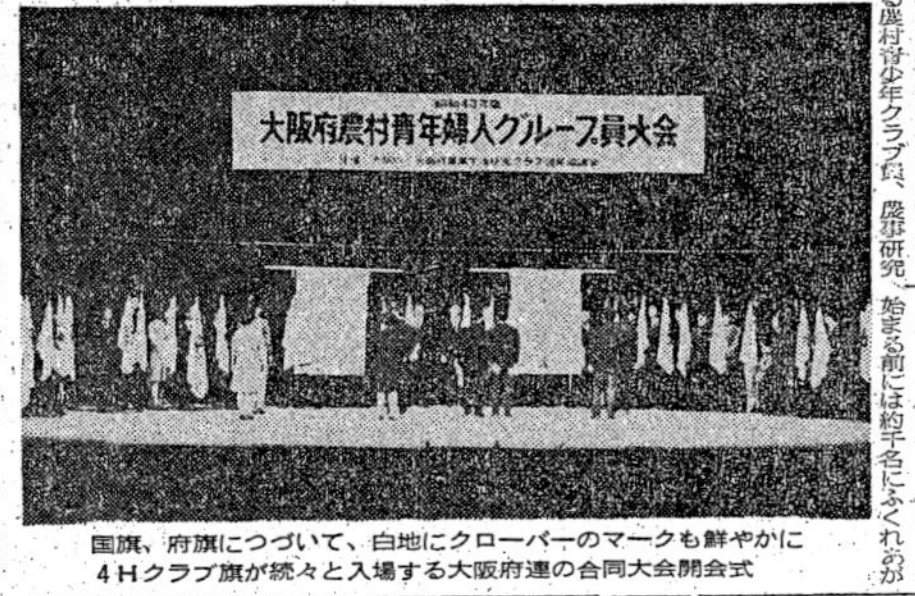

国旗、府旗につづいて、白地にクローバーのマークも鮮やかに4Hクラブ旗が続々と入場する大阪府連の合同大会開会式

大阪で合同大会開く

4H、農研、生改各クラブ員で

【大阪府＝松村一弥連絡報道員発】大阪府農業生活研究クラブ連絡協議会（高橋保美会長）は、県と共催で、さきごろ4Hクラブ（長滝谷部長）、農事研究会（森田部長）、生活改善グループ（西田部長）合同の農村青年婦人グループ員大会を開いた。

これは、日頃実践をとおして農業と農村生活の改善に努力している農村青少年クラブ員、農事研究会員、生活改善グループ員が一堂に会し、お互いの体験を発表しあうとともに、友情を交歓することによって、近代的農業と新しい村づくりの推進者としての資質を磨き、地域の課題を積極的に解決する自信と誇りをつちかうことを目的としたもの。

この日、府下各地区からクラブ員がぞくぞくと集まり、開会式の始まる前には約千名にふくれあがった。午前中は、それぞれの部会に分かれ研究集会を開いた。

4H部会では、国旗、府旗、クラブ旗が入場し、「魅力ある明日の農業 若い手で」と力強くスローガンを斉唱した。このあと、四十三年度の優秀クラブによる事例発表、全国大会参加者のスライドによる報告会が行なわれた。午後は、各部会合同で、まず、「農村の体力づくり」が行なわれた。

このあと、式典にうつり、表彰4Hクラブの認証、大阪府知事のあいさつ、各部長の決意表明などが行なわれた。

式のあと歌の交歓、ラッキーくじ、河内音頭などのアトラクションが行なわれた。

全協執行部会開く

全国4Hクラブ連絡協議会（会長、丸山勉君）は、このほど執行部会を開き、四月四日から二日間にわたって開催する通常総会にそなえて、意見の交換、事務整理などを行なった。

全協ではまた、総会にさきだち二、三の両日、監事会を開いて、事業経過ならびに決算について、監事の監査を受けた。

心頭技健

いよいよ四月。新年度へのスタートである。例年より遅れて咲きはじめた桜の花も、これから南から北へと日本全土をタテにいろどっていく。花と光と風—重苦しく閉鎖的な冬のとばりから開放されて、明るく、青春の躍動みなぎる季節へと向う。長い間たくわえてきたエネルギーがほとばしり出るようだ。今春、学校を卒業してクラブに加入し、胸をはずませている人たちも多いことだろう▼このようなとき、全国4Hクラブ連絡協議会の通常総会が四、五の二日間にわたって東京・新宿区市ケ谷船河原町の家の光会館で開催される。出席者は、各県連の代表二名（代議員）と全協代表評議員で、今年度事業の経過や新年度の事業計画を審議するが、いま全協がかかえている最も大きな課題は、なんといっても、日本4H会館建設委員会とともに進めている「4H会館」の建設である▼同会館の建設については過去何回か話題にのぼりながら実現しなかったほどの難事業である。しかし今度は違う。自分たちの力で建てようというクラブ員の熱意は、いま溶鉄のように赤々と燃えている。すでに募金が開始され、いまや一歩も退くことはできない。実現への道をたどるだけだ。ある県では、百万円を募金目標としてかかげ、ある県では、クラブ員のほか関係者が協力して募金する動きさえある▼全国クラブ員とOBの結束を旗印に掲げ、全国クラブ員の心のよりどころにしようというこの全国クラブ員の殿堂建設は、日本の農業と社会の発展を自分たちの手で進めようとする全国クラブ員の決意が示されるものだ。今回の総会席上で、昨年から募金した結果を持ち寄ることになっているが、大いに注目されよう▼いまだ会館建設に消極的なクラブ員やOBが少なくないことは否定できないが、われわれに何ができるかを周囲の人たちが注意深く見守っている。われわれは社会から何を期待できるかを問うのではなく、われわれに何ができるかを身をもって示そうではないか。現実は厳しいがそれを乗り越えてこそ、自信がわき、次の段階へと進むことができると思う。

リレー・クラブ紹介　われらのクラブ

ほ場で水稲の共同研究

成果を掲示板などで部落に広報

飯野坂4Hクラブ（宮城）

高橋 正好君 記

（上）

終戦後も間もない昭和二十二年の九月に飯野坂4Hクラブは結成された。

農村文化の向上と経営の改善について「何かよい青年活動はないものか」と十九才の同志四名が思案していたところ、たまたま部落に指導農場が設置されたので、この農場を足がかりとして農業の振興に役立つ活動をしようということに意見が一致した。

そこで直ちに同志を募り男女二十名の青年たち（平均年令十八歳）でスタート、それから今日までの二十一年間「農業技術の研究」「農村文化の向上」「仲間づくり、体力づくり」さらに「自己の修養」を目標として努力してきた。そして現在は「社会人としての勉強」と「地域社会への貢献」を第一の活動目標とした運営機構で組織し活動を進めている。

発足当時は、クラブ活動の基礎を確立することに全力を注いだ。委員会制度を設けて〝一人一役〟制とし、定例会は毎月第一と第三日曜日（夜）の二回と定めて行事や研修に取り組んできた。また、説話会を開いたりOBクラブ員との合同会議や共同水稲病害虫防除を行ない、相互間のつながりを密接にするよう運営を進めてきた。

さらに、当クラブの特色としては、水稲ほ場を借り受けて共同耕作の研究活動を行なっていることだ。これは、さる二十五年に三十アールの農地を借りたことから出発したもので、三十年度には、水田一人当たり十アールになるよう合計百五十アールを水稲共同プロジェクトほ場として借り受けることになり、今日まで品種別、肥料別、反当りの就労時間や多収穫競作などに打ち込んできた。

このほかに、各クラブ員が自分の好きな科目を担当して研究できる個人プロジェクトと「培土栽培」や保温折衷苗代、ナタネの裏作、二・四―Dの実用化などを研究する共同プロジェクトがある。現在はクラブ員が減少したので、クラブ員が研究できる労力程度の水田ほ場（五十アール）に高度化成肥料や、除草剤などを中心としたプロジェクトを実施している。

これらの技術や結果などは詳しく記入して、部落の人たちに掲示板や会合などで知らせる一方、年度末に発表し、地区や県大会などでも、この実績を他のクラブにも知ってもらうために交歓会を開いて友情を深めるとともに、技術を交換し合っている。またこれは、稲作経営技術の向上に大いに役立つばかりでなく、その収益金をクラブ活動の資金に活用しているので運営資金にはこと欠かない。いろいろの行事は一切この資金でまかない個人負担は全然ない。まったく一石三鳥の効果だ。これは当クラブが自慢の一つとするものである。

さいきんの総収入を例にとると、クラブの予算は、市や地区などの補助金を含めて、四十年度が十八万二百八十二円、四十一年度十九万八千六百二十一円そして四十二年度は二十四万六千九百四十七円と毎年ふえ続けている。これらの収入は、クラブ活動を活発にするため無駄なく使用され、培土器や背負微粉防除機など消毒に関する一切の機械や道具を備えつけた。そして三十一年度には、それらを入庫する六平方米余りの農機具倉庫を建てて管理、一般の農家の人たちにも貸し出している。

これら消毒に関する農機具は苗代消毒、水稲病害虫防除、家庭ガンマー消毒などあらゆる消毒作業に奉仕活動として利用し今日までの十六年間にわたって毎年三回から四回ずつ実施してきたが、部落の人たちから非常に感謝されている。

また、結成当時から今日まで農道の修理奉仕作業を続けているが、これも消毒と同じく周囲の人たちから大いに感謝されており、「地域社会への貢献」というクラブの運営目標を果たしている。

しかし、これらよいことばかりが続いたわけではない。（つづく）

一路、南国へ向けて

重くのしかかる責任感

湯浅氏

受験のような緊迫

見送り受けて出発

日本ブームに驚く

開放的な明るい顔

[illegible]

サンパウロ市の日本人街・ガルボンブエノ

溢れる農業への気迫

奈良・大和郡山市4Hクラブ　佐賀の実習生と交歓

【奈良】大和郡山市4Hクラブ（会長、中津甚之永君）は市内の一般農家や4Hクラブ員の家へ実習に来ている佐賀県の農業高校生二十五名と、二十日午後七時から郡山普及所で交歓会を開いた。中津会長のあいさつの [illegible]

農林省・普及部長に田所氏

普及教育課長に [illegible]

農林省は、さる一日付で異動を発令した。[illegible]

日本万国博覧会は、「人類の進歩と調和」をテーマとして、来年3月15日から9月13日までの6ヵ月間、大阪府下千里丘陵（面積約330万㎡）で開催されます。そこで、本号から連載して国内外の「展示館」を紹介することにしました。

カナダ館

テーマ……「発見」
敷地面積……9600㎡
出展費用……約15億円

カナダ館は〝鏡の殿堂〟ともいえるもので、45度に傾斜した巨大な4枚の鏡の壁でつくられます。この鏡は、広大で力強く、単純な美しさをもつカナダの自然を象徴するとともに、日本の美しい空を映しだすことでしょう。

内部には、展示場とレストランが設けられ、中庭にパラソルが立てられ、〝若い国〟カナダが強調されます。

展示は、カナダの現実を、未開部分の北極圏から近代化された都市にいたるまで、あらゆる次元において示し、広大で変化に富むカナダが、探検家によって発見され、豊かな資源がつぎつぎと開発され発展していくありさまや、未来の姿が、国土、国民、精神の三部に分けて、物語ふうにわかりやすく展示されます。

これ、できますか？

農林省・農業者大学校入試問題

これは今春行なわれた農林省・農業者大学校（農林省・中央青年研修施設）の入試問題です。前号の国語に続いて紹介しました。解答時間は五十分ですのであなたも解答してみて下さい。

理　科

1、ダイズの若い植物を、野外から暗所に移すと、葉の重量が減少する。その減りの程度は、暗所における温度によって変化する。

いろいろな温度で一定時間暗所においたのち、葉の単位面積あたりの乾燥重量の減少量をはかると、右の図の曲線Aがえられる。おなじ状態の下で、呼吸によって排出されるガスの量を測定し、呼吸による単位面積あたりの減少量を計算によって求めると曲線Bになる。

この図を参考にしながら、下の(ア)、(イ)、(ウ)から正しいと思うものを選び記入しなさい。

(1)　曲線Bの計算の基礎になったガスは〈(ア)酸素　(イ)二酸化炭素　(ウ)ちっ素〉である。

(2)　曲線Bの計算の基礎になった反応式は〈(ア) $C_6H_{12}O_6 + 6O_2 = 6CO_2 + 6H_2O$　(イ) $6CO_2 + 6H_2O = C_6H_{12}O_6 + 6O_2$　(ウ) $C_6H_{12}O_6 = 2(C_2H_5OH + 2CO_2)$〉である。

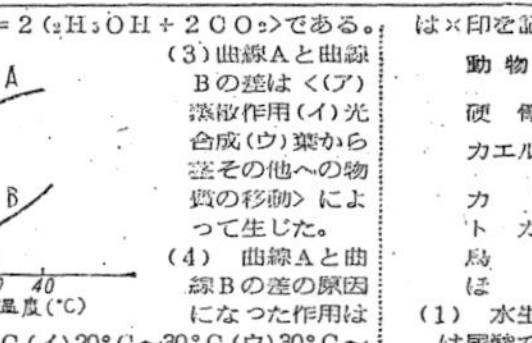

（図：縦軸「単位面積あたりの重量の減少量」、横軸「暗所の温度（℃）」10・20・30・40、曲線A・B）

(3)　曲線Aと曲線Bの差は〈(ア)蒸散作用(イ)光合成(ウ)葉から茎その他への物質の移動〉によって生じた。

(4)　曲線Aと曲線Bの差の原因になった作用は〈(ア)10°C～20°C (イ)20°C～30°C (ウ)30°C～40°C〉のときがもっともさかんである。

(5)　上記の作用に関係のある物質は〈(ア)水(イ)糖(ウ)でんぷん〉である。

2、せきつい動物が排出するちっ素化合物の中には、アンモニア、尿素、尿酸などが含まれているが、動物の種類によって排出されるちっ素化合物の主成分はちがっている。右記の表はそれを一覧表にしたものである。この表から考えて、右の結論のうち正しいと思うものには○印を、誤っていると思うものには×印を記入しなさい。

動物の種類	排出されるちっ素化合物の主成分
硬骨魚類	アンモニア
カエル類 成体	尿素
カエル類 幼生	アンモニア
カメ類	尿素または尿酸
トカゲ類	尿酸
鳥類	尿酸
ほ乳類	尿素

(1)　水生動物の排出されるちっ素化合物の主成分は尿酸である。

(2)　肺呼吸する動物の排出されるちっ素化合物の主成分は尿酸または尿素である。

(3)　表中の変温動物は、すべてアンモニアまたは尿素を排出する。

(4)　定温動物は、すべて尿酸または尿素を排出する。

(5)　動物は進化するにしたがって、排出するちっ素化合物の主成分をアンモニア→尿素→尿酸の順に変化させてきた。

3、表に示したような溶液を用いて、ある植物を水栽培したところ、よく育つことがわかった。つづいて、組成をすこし変えた溶液で栽培してみた。次の各項のうち、この植物がよく育ったと思うものには○印を、育たなかったと思うものには×印を記入しなさい。（濃度による影響は、この場合考慮しない）

水栽培に用いた溶液	
$Ca(NO_3)_2$	1g
KNO_3	0.25g
$MgSO_4$	0.25g
KH_2PO_4	0.25g
$FeCl_3$	微量
H_2O	1,000cc

(1)　$MgSO_4$の代わりに$MgCl_2$を用いた溶液

(2)　KNO_3の代わりに$NaNO_3$を用いた溶液

(3)　KH_2PO_4の代わりにKClを用いた溶液

(4)　$FeCl_3$の代わりに$FeSO_4$を用いた溶液

(5)　$Ca(NO_3)_2$の代わりに尿素$\left(O=C<{NH_2 \atop NH_2}\right)$を用いた溶液

4、次の文のうち、正しいと思うものには○印を記入し、(6)以下は簡単にその理由をつけなさい。

(1)　大きな生物は、一つ一つの細胞も大きい。

(2)　細菌のようなごくちいさい生物は、ごみやくさった水から、親なしにひとりでわく。

(3)　生物は進化するという考えは、まだ一つの学説にすぎない。

(4)　空気がはいってふくらんでいる紙袋をたたんで空気をぬいても重さは変らない。

(5)　太陽の熱や光は、太陽の内部で原子核が分裂したり、融合したりして生ずる。

(6)　真空のボンベ（鉄の容器）に水素ガスをつめると、その重さは真空のときより軽くなる。

(7)　密閉したガラスの中で、ローソクを燃やし、ローソクが自然に消えたのち、密閉したままガラス器の重さをはかったら、ローソクが燃える前とおなじ重さであった。

(8)　なめらかな水平の板の上をころがした球は、空気のていこうやまさつがなくても、球の重みでやがて止まってしまう。

(9)　現代のように科学が進歩してくれば、外からエネルギーを与えなくとも、永久に動きつづける永久機関がつくられるようになるだろう。

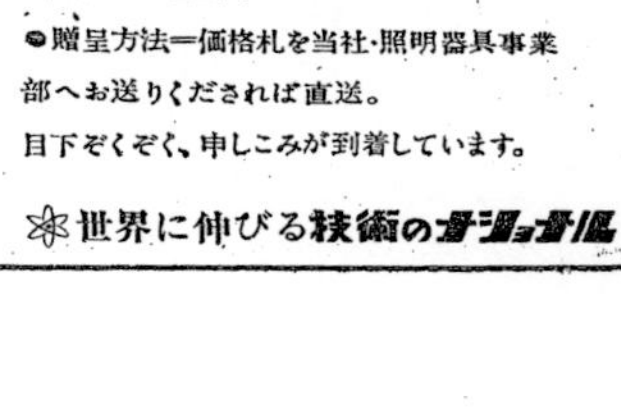

(10)　月では互いに直接話をすることができない。

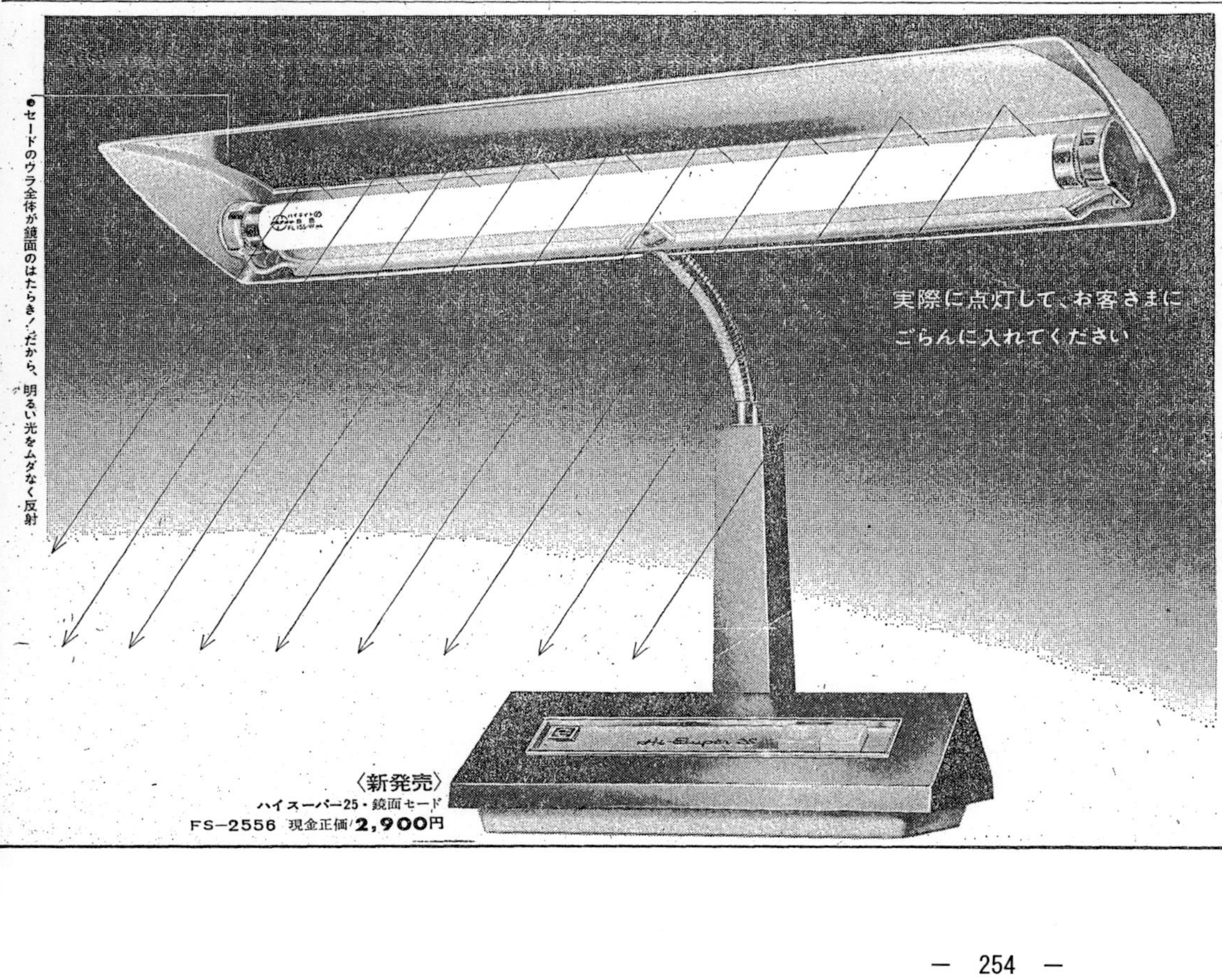

近代経営と農業簿記

◆京都大学名誉教授◆
大槻正夫

改善の可能性発見
経営上の生きた数字に

〇〇〇 分業組織の経済に発展

[illegible]

……単位としての地位に……られるに至った。今日の分化した経済社会においては、個々の農家経済はもはや、孤立した自足自給生産を行なう個別経済ではなくて全体としての経済社会の構成分子として、当然にその所属する経済社会全体のために各種の農産物を生産し、その社会的貢献に応じて価格構成を通じて所得を獲得し、その所得によって自分の選好する消費財を購入し、全経済社会が生産した各種消費財の分け前にあずかるという間接方法によって、生活充足をはかるところの仕組みとなっている。

〇〇〇 流通経済の一分子に

個別経済相互間にはいささかも経済的依存関係がなく、したがってそれらによって構成される社会は今日の意味におけるいわゆる総合経済としての経済社会をなしていなかった。各個別経済は自家の所要する物だけを生産し、それらだけを消費する自足自給の経済であった。

ところがその後、経済社会は交換を伴なうところの分業組織の経済社会へと発展し、ことに最近

もちろん、わが国の現実の農家経済は、小農経済の特殊性によりいまだ半自足自給の色彩を濃厚に保有しているとはいえ、しかも多くの関係において総合経済としての社会経済の構成分子となっており、社会経済を離れて農家経済はもはや考えられない。自足自給生産を行なう孤立経済の時代においては、農家の自家の所要に照準して各種生産を行なうというだけであって、特別にむずかしい経済上の問題はなかった。自家の所要をは

なるにおよんで、農家は変動する社会の需要を広く予測し、それに照準して生産を行なわなければならないということになり、はじめて複雑難解な社会経済上の諸問題に遭遇するに至った。

とはいうものの、わが国の農業はーきわめて組織構造の単純な主

〇〇〇 自家経営を正確に診断

[illegible]

い。こうしてこそ、いかなる種類の諸生産がいかなる組合わせにおいて、いかなる程度に導入されることを適当とするかなどを決定し合理的に運営することができるのである。

現在、問題となっている農業経営の改善を目的とした農業改良普及政策や各種融資政策なども、個々の農家に、農業経営の改善を行なう能力と、これを実施する自発的・自主的熱意とをまず持たせることが第一条件である。このためには、農業簿記ほど有効な手段はまたとない。

簿記は、その記帳・集計・決算の過程において、いや応なしに農家をして自家経済・自家経営に対する注意力・観察力・批判力・反省力を養わせ、自家経済および経営に対する欠陥とその改善の可能性とを発見させ、経営改善の意欲をしらずしらずの間に起させるのである。

また、最近においては、農家に対する課税が漸次重くなり、その上に課税法が適正を欠くことがあるため、正確な所得申告をさせる目的で、農業簿記普及の重要性が一般に認められ、この側面からの農業簿記の奨励が行なわれている。さらに、農業財産の数字均分

〇〇〇 自ら年度末に集計決算

[illegible]……きた数字となるのである。

したがって、農業経営の改善に役立つ簿記様式としては、農家自身は記帳し放しで、自分自身では集計できないような、いわゆる他計主義の簿記様式ではおよそ無意味である。記帳当初には、最小限度の記帳方法に関する簡単な習得を必要とするが、一度習得して記帳すれば、集計決算は年度末において、ほとんど自動的に農家自らが行なうことができる自計主義の簿記様式でなければならない。

ところが現実の問題としては、わが国の農家経済は、一方においては経済規模こそ小さいが、きわめて未分化な複雑多岐な構造を有しているのに対し、他方においては農業者は計理の観念が低い関係から、農家の経営改善に役立つ正式な複式簿記などは、これを習得させることも、また記帳させることも、一般的には事実上不可能である。

したがって、本紙で記述しようとする自計式簿記にあっては、複式簿記を簡易にすることに各種の工夫を払い、仕訳けは年度末の決算に必要とする最少限の程度において、農家が簡単に理解習得できるような方法で行ない、年度末の決算は、日記帳各欄の帳尻合計の加算および減算によって頭を労することなく、機械的に算出しうるようなものとなっている。そして、各種の細目な分類集計や経営改善上必要とする各種の拡張計算などは、決算後において任意の農閑期を利用して、加工計算として適宜行なうような仕組みに組み立てられている。

〇〇〇 簿記は経営の認識手段

まず、初年度は日記帳だけを記帳して簡単な決算を行なう。翌年度からは財産台帳をも記帳して完全な決算を行なうようにする。その翌年度には分類集計表も分類表示表も年度末に作成する、というような順序をとるようにすれば、有益な記帳計算に進むことができる。

要言すれば、農業簿記は自家経済と、自家経営に対する農家の認識手段であると同時に、農家経済および経営に対する農業者の自己教育の手段でなければならない。

その関係から、農業簿記は、最初は簡単容易な段階からはじめることができ、年次の進むにつれ、漸次複雑な計算に進むことができるような仕組みを理想的なものとするものである。

その間に農家は観察力・理解力を同時に高め、記帳農家をしらずしらず[illegible]めるであろう。また、農業簿記はそうした役割を果たすに適した簿記様式でなければならない。本紙[illegible]の注意を払い、重点をおいて考案作製したものである。

プロジェクトの取り組み方
促進編（2）

北海道専門技術員　三輪勲

経営診断で改良計画
活動と学習は平行して

年少者・年長者・女子のプロジェクト

年少者のプロジェクト指導　年少者（ここでは、おおむね二十歳以下をいう）は、一般に問題意識が低く農業や生活に関する知識や技術も低いので、はじめから本格的な生産プロジェクトを実施させるのは避けたほうがよい。年少者のプロジェクトは学習をねらいとするものが適当である。つまり、プロジェクトの実践をとおして農業や生活に関する基礎的な知識と技術を確実に習得することを重点にする。指導上とくに留意すべきおもな事項をあげると、次のようである。

（1）プロジェクト課題の提示　年少者は、問題発見のための実態調査を行なっても自分でプロジェクトの課題をとらえることが困難であることが多い。したがって、青少年グループで実施された過去のプロジェクトを参考にして課題例のリストを作成し、これを青少年に示して課題について理解させるのが効果的である。

（2）技能補助プロジェクトの奨励　プロジェクトの初心者には、短期間で終了する技能補助プロジェクトを実施させ、プロジェクト完成の自信をつけるとともに、問題意識の向上をはかることが重要である。この場合の技能補助プロジェクトは、年令や能力を勘案して年間二～三件程度、たとえば夏一件、冬二件というように実施させることが望ましい。

（3）共同プロジェクトの実施　個人プロジェクトの実施が困難である場合は、年少者の小グループによる共同プロジェクトを実施させるとよい。この場合、協力のしくみや資材の準備など実施計画の作成は年少者だけで立案するのは無理が多いので十分に指導しなければならない。

（4）年長青年による指導　年少者のプロジェクト指導のうえに最も身近かな存在は、そのグループの年長青年である。年長青年は、農業や生活の経験も多く自らも本格的なプロジェクトを実施しているので、年少者のよい相談相手となる。また、青少年グループOBによる年少者指導も効果が大きい。

（5）基礎学習の促進　青年学級・ラジオ農業学校・農業学園などに積極的に参加させ、農業や生活に関する基礎的な学習をとおしてプロジェクト実施に進ませることが必要である。基礎学習は、問題意識が向上しプロジェクトの実践能力を養う効果がある。したがって、プロジェクト活動と基礎学習とは平行して……

年長者のプロジェクト指導　年長者（二十一歳以上）になると、プロジェクトに対する考え方がすっかり変わってくる。年少時代のような学習中心の活動では満足できず、農業や生活の問題解決のプロジェクトに発展してくる。こうした意見から年長者のプロジェクト実施上とくに留意すべき事項をあげると、おおよそ次のとおりである。

（1）経営設計に基づくプロジェクト　自家の農業経営や家庭生活の診断によって問題点をはあくし、それを解決するための改良計画を立て、その計画に沿ってプロジェクトを実施するように指導する。プロジェクトをいくつかの改良計画……プロジェクトを組……にする。……経営診断・設……先決である。

農業高等学校生徒のプロジェクト指導　農業高等学校の養成学科（農業科・畜産科・酪農科・園芸科・生活科）卒業の農業就業青年は、学校教育においてホーム・プロジェクトを経験してきている。学校におけるプロジェクト法の学習は、三ヵ年間に三十～六十時間履修し、さらに農業（家庭）に関する科目の授業時数の二割まではホーム・プロジェクトの指導に充当できることになっている。

高等学校学習指導要領（文部省告示）によれば、たとえば、「作物」科目九単位（三ヵ年間に履修）は三百十五時間の授業時数であるが、この二割、約七十二時間以内はホーム・プロジェクトの指導に充当してよいということである。

また、卒業までには、生産・巡回によるプロジェクト指導や学校農業クラブ（通称F・F・J）や学校家庭クラブ（F・H・J）の育成、さらに進路指導に関連して、卒業者クラブの育成にともなうプロジェクト指導なども行なわれている。

このようにプロジェクトの本格的な経験を持っている農業者の種類も、生産プロジェクトを……ことが望ましい。

4-2表　農業高等学校生徒のホームプロジェクト総合的長期計画の一例
（畑作を主体とし，家畜を組み合わせた例）

プロジェクト		1年 前期	1年 後期	2年 前期	2年 後期	3年 前期	3年 後期
生産プロジェクト	作物	（ホームプロジェクトの理解）	こむぎ 2a	こむぎ 2a	飼料作物5a	飼料作物5a	（わが家の農業経営改善計画）
				さつまいも 2a	さつまいも 2a		
	家畜		鶏 10羽	鶏 10羽	乳牛 1頭	乳牛 1頭	
改良プロジェクト			鶏舎の改善		牛舎の改善	サイロの建設	
技能補助プロジェクト				温床育苗	いもの貯蔵		

NHK農事番組（4月11日～20日）

テレビ

明るい農村 6・30～6・55総合
- 11日 村をむすぶ フィルム・リレー
- 12日 農業新時代 養豚団地（茨城県玉里村玉川農協）
- 14日 村の記録 三人の子供と二人の教師（北海道幌加内町）
- 15日 きょうの話題 主婦の集団栽培（愛知県農業技術課・西尾政男）
- 16日 産物往来 ホワイト・ビール（乳用雄子牛）
- 17日 話題の広場 回転ハウス（東京都農試）主婦が綴った村の三十年（千葉県小見川町・高岡なお）
- 18日 村をむすぶ フィルム・リレー
- 19日 農業新時代 二十万羽養鶏（千葉県小櫃村）

あすの村づくり 日 7・00～8・00教育 再 土 1・00～2・00教育
- 13日 われら酪農青年 一千万酪農への道（静岡県富士宮市富士4H酪農グループ）

ラジオ

早起き鳥 5・05～6・00①
- 11日 現地報告 構造改善を現地にみる（愛知県田原町）
- 12日 村のポスト
- 13日 話題の窓 構造改善
- 14日 現地報告 値上りつづく田植労賃（千葉県松戸市）
- 15日 人と話題 ヨーロッパ農業団 野信夫
- 16日 通信員の手帳から
- 17日 産地報告 はじまったレタスの価格保障（長崎県福島町）
- 19日 村のポスト
- 20日 話題の窓 山林開発
- 20日 グループだより 赤いダイヤと五人の仲間（北海道十勝郡芽室町）先輩と語る二十六歳の農協理事（神奈川県厚木市農協・井上洋）

ひるのいこい 12・15～12・34①
- 14日 糸魚川のけんか祭り（新潟県糸魚川市）
- 17日 春を呼ぶ五市（宮城県鹿島台町）
- 19日 杏まつり（長野県）

ラジオ農業学校 月～土 6・40～7・00② 日 6・30～7・00② 再 月～土 19・00～19・15②
- 13日 グループの集い「豊かな農村を築くには」第八回全国青年農業者会議代表討議から

新製品
初めて全国標準価格
携帯テイラーF28ほか三種を発売

ホンダF28携帯テイラー

[illegible]……長を持ったF28……やお年寄りにで……規模経営や細か……日本の農業経……きく貢献するもの……・七馬力、コンパ……力源。始動性に……も快調に作動し……内蔵して「扱い……農業用として脱……、揚水ポンプ、……してベルトコン……ンプレサーなど……できる。……ンG28は、農用……C高出力エンジ……

ホンダエンジンGT50／GT65は、それぞれ四馬力、五馬力で、燃料にガソリンの四十分の一という安価な灯油が使える超経済性型エンジン。しかも、灯油エンジンにありがちな始動性とオイル劣化を、ホンダのエンジン技術が完全に解決、実用に徹した汎用エンジンである。

生産計画は、月産F28は三千台、G28は五千台、GT50／65は千台を予定している。

なお、価格は次の通りで農業機械では日本で初めて全国標準価格を明示した。

ホンダ携帯テイラーF28（標準型）五万六千円、G28（標準型）二万五千円、GT50（標準型）三万六千円、GT65（標準型）四万円―である。

農業法令の手引（1）
農業基本法　その1

農業に関する法令にはどんなものがあるか、どんなことが定められているかをわかりやすく紹介しようというのが本欄です。現在効力をもっている主な農業法令を、それぞれの法律の目的や大体の内容を説明し、農業法令に対する関心を深め、正しく理解するための手引きとしてほしいと思います。（編集部）

農業に関する法令として第一にあげなければならないのは、昭和三十六年に制定された農業基本法です。この法律はわが国の農業政策の目標と施策の基本的な方向をきめた、いわば農業の憲法というべき法律であるからです。「ここに、農業の向うべき新たなみちを明らかにし、農業に[illegible]

[illegible]……拡大して他産業従事……生活を営むこ……ことができること……標として、農業の……事者の地位の向上にある。（第一条）

……の目標を達成する……事項について必要……目的に講じなければ……（第二条）

[illegible]……営の規模の拡大、農地の集団化、家畜の導入、機械化など農地保有の合理化と農業経営の近代化

（4）農産物の流通の合理化、加工の増進及び需要の増進

（5）農産物の価格の安定及び農業所得の確保

（6）農業資材の生産及び流通の合理化と価格の安定

（7）近代的農業経営担当者の養成確保と、農業従事者及び[illegible]

春の終り（1）

一ノ瀬綾
多賀愛子画

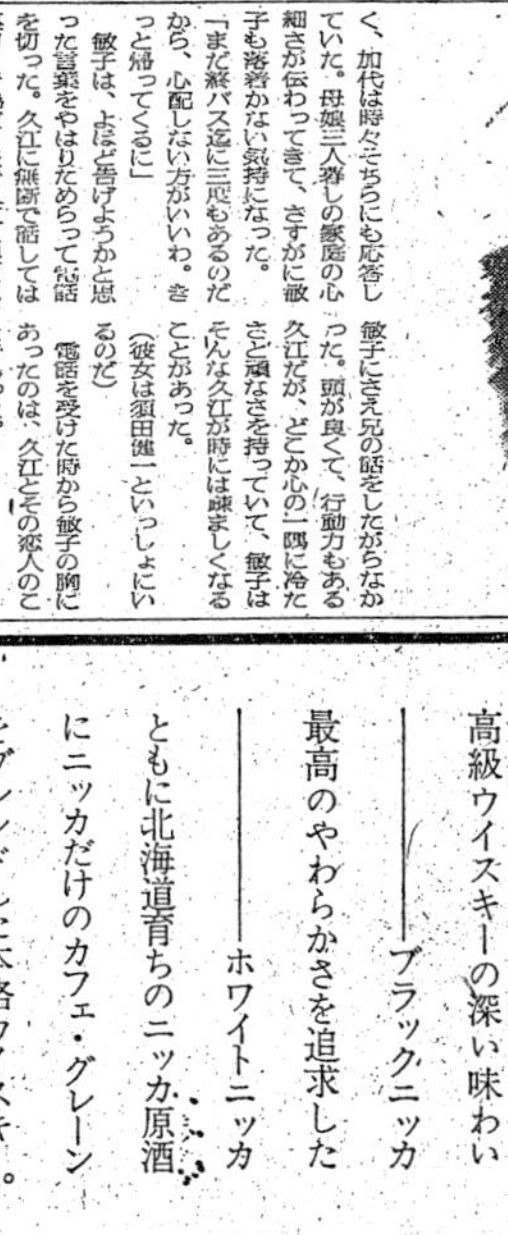

その電話があったのは、敏子が家族と共に夕食のテーブルを囲んでいた時である。有線電話の受話器を握った敏子の耳に響いてきたのは、久江の姉加代の不安をこめた小さな声音であった。

「家の久江が、昨日の午後町へ出かけたまま帰らねえけど、敏ちゃん、どこか行先に心当りはねえずらか……」

敏子は久江からなにも聞いてはいなかったが、すぐ心の奥で頷けることがあって、一瞬ぐっと返事につまった。うかつにはしゃべれない事柄であったのだ。

「洋裁の道具が欲しいと言って出たきり、連絡もしてこねえだよ」

「泊ってくる親類の心当りは？」

「あの辺には誰も居ねえし、泊るにしても電話ぐれえよこせばいいだに、馬鹿な久江！」

加代は不安と腹立ちをこめて声を張った。そばに母親が居るらし[illegible]

……もし間違いでもあれば敏子……家の者から怨まれるだけだ。……つけれや」

「あの娘は変っているだ。……くて何でもやりかねない。……引きずられているらしいが、……加減でつき合いをやめれって……

兄の幸次が尻馬に乗り敏子……じった。

「久江さんに引き回される……こっちも間抜けじゃねえよ。……電話は関係ないの！」

敏子は食事を終えると、……の悪くなったテーブルを早……れた。今夜は出かけたけれ[illegible]

ない用件があるのだ。敏子と久江は同じ年の二十三であった。小学校から町の高校迄いっしょに過ごし、卒業してからもずっと家の百姓を手伝ってきた。

千五百戸からある村の中で、部落が離れていたから家庭同士のつきあいはなかったが、娘二人は、それぞれの家族と馴染みになっていた。敏子の家は、二町歩近い農地と山林も少しは持っている村でも上位の農家であり、久江の方は七段歩そこそこの土地を姉の加代が切り回して、久江と母親がそれを手伝っている家庭であった。父親は久江が中学生の時に脳溢血で亡くなっていた。もっとも、加代の上に長男が居るのだが、数年前に東京に出稼ぎに行ったまま、家庭を持って住みついてしまっていた。久江が高校を出られたのはその兄の送金のおかげであったが、久江は家を捨てた兄を憎んでいて[illegible]

4Hくん NO.148　桜井はじめ

農村雑感

折原俊二郎

農業は誰でも出来ない

農業を語り、その問題点にふれようとする場合、その根底にあるのは農民であり、その農民を忘れて論ずることは、農業の本質から離れているといえよう。

この極めて常識的なことが実は忘れ勝ちであるといえる。

それは、農民自身の中でも、自分の立場を忘れていることが意外に多いものである。また農業に関する行政を行なうにも、教育や研究を行なうにしても、実は十分考えておるつもりでも、時には農民不在でなされることがあるのではなかろうか。

もともと、農業は誰にでも出来るという考え方が強く支配していた。しかし、それは遠い過去ではなく、極く最近までのことであり、現在でも、まだそのような考え方を持っている人が多い。それは農業をやっている人以外の人のことでなく、むしろ農業をやっている農民自からの意識から消え去っていないのである。

農民とは、第一に企業者であり、第二に資本家であり、第三に技術者であり、そして第四に労働者であるといわれている。本来、近代化された社会においては一人の人間が何役も果すという職業は殆んどないといえよう。社会は進歩すればするほど分化がはげしくなるものであり、その分化したものを、総合化するのが企業体であるといえる。企業の中における個人は一つの歯車にすぎない。

ところで農民を考えてみると、例えば会社であれば、社長の役割から、一つの鋲打ちに専念する労働者の役割までを一人で果していることになる。このように多岐にわたる分野を担当し、それをうまく組みあわせて、成功させるということは誰にでも出来るものではない。誰れでも出来るものではないことを、実はやっているのであり、農業を本当に成功させ企業として成立させるには容易なことではない。この意識を自覚したら、他の職業以上に研究と努力を重ねなければならないはずである。

最近、企業的農民という言葉がさかんに使われている。農民をとりまく社会、経済が、好むと好まざるとにかかわらず大きな影響を農業に与えている。この影響を乗り越えていくためには、農業も資本家にならなければならない。

近年、出稼ぎが農業問題としてとりあげられているが、出稼ぎ農民のアンケートによると、将来の農業にあまり不安を感じないというのが一〇％にも満たないという。あまりにも経営規模が小さいためであろう。他方、出稼ぎに出ない農家は安心して農業をやっているのだろうか。否というのが正しいだろう。農業もこれからは資本でなければやっていけない。

企業者、資本家そして技術を十分に駆使できる技術者、さらに強健な体力が農業をやる人に要求される。このように考えてくると果して誰でも農業をやれるだろうか。

（農林省・農業者大学校）

わが価値あるクラブ体験

うずをまく青春の哀歓

母の死、そして"涙の県連副会長"

滋賀県・蒲生神崎東部農業後継者クラブ　油浦豊一

忘れもせぬ昭和四十二年十一月二十五日―その日は、私に不吉を知らせるように風雨が一日中激しく続いた。初冬の嵐とでもいうのだろうか。数時間後で他界する母、ガンにおかされ苦しみ続ける母、心配ばかりかけさせた母。その母が五十九年の命をいまや絶えようとしている。いまこそ臨終を前にした母に対して最後の親孝行をしなくてはならない私、が、なぜ町のクラブ役員会へ足が向くのだろうか。自分でもわからない。

◎◎母の死を前に会合へ

もはや一ヵ月余の看病で疲れ果てた私、精神的な疲れが常識を失なわせている。他人からみれば、なんと非人道的な人間と思われるだろう。それも覚悟の上だった。どれだけ非難を浴びようとも弁解の余地はないはずだ。

しかし私の運転する自動車は、雨風の夜の田舎道を、クラブ役員会の開かれる町中央公民館へ急ぐのである。私が、もしこの役員会に行かなかったら、私のクラブ活動の生命は、これで絶えていただろう。いやクラブだけではない。私の将来においても幅の狭い、小さな人間で一生を終るであろう。それだけにこの日の役員会は、私にはもちろん、クラブのためにも非常に意義深い会合であったと言える。

当時私は地区役員をしていた。[illegible]

◎◎クラブ再建の転機に

しかし、将来を考えてくれた父の英断で、定時制という、農繁期は休ませてくれる四年制の学校へ通うことになった。私はこれだけでもありがたい気持だった。そして母の死までの間、若い青年たちが楽しんで顔を出す青年会の場へ一度も行かなかった。行かなかっ[illegible]あるはずだと確信していた。それが四十一年三月に再発足した農青クラブだった。もちろん発足と同時に入会した。これこそ私が長い間かかって、さがし求めていた組織だった。この発足と同時に水をえた魚のように私はよみがえった。私は農業青年だ。これからの人生においても、このクラブなしではとても生きてゆけない。自分を最大限に生かせるクラブ、確固たる信念をもってこのクラブを愛し、愛し続けなければならない。しかし、発足してからのクラブ員の足なみはそろわなかった。創設期当時の苦しさは、どの組織にも言えるが、わがクラブもそれにあてはまった。

激しく揺れ動く内外諸情勢の中にあって、農業青年の少なさと、伝統的に宿る青年の自主性のなさを、いかに多くして、自主性を昂揚させるか、むずかしい問題だった。そして、月一回の事業を中心に、クラブ員相互の理解を深めるとともに、プロジェクト活動を推進するよう努力してきたのだが、とかく各事業が形式的に終る傾向があり、いまの活動内容ではダメだという非難の声がちらほら聞かれた。そして、いま一度みつめ直して、再建の具体策を練る会合である十一月二十五日に至るのである。

[illegible]んという私はバカなのか、母の死に目にあえない[illegible]

[illegible]業と目がまわるほど忙しい。いままで、母にあまえて、家庭を顧りみなかった私、ただ農作業だけ考えていた私、なんと狭い人間だったのだろう。母が死んで、はじめて知った母のありがたさ、それは体験したものでないとおそらくわからないだろう。

◎◎軌道にのったクラブ

母の死から一ヵ月、身のまわりの整理も済んで、農青クラブに復帰した。もう四十二年も終りかけている。やがて来る、新たなる年四十三年度は、私にもクラブにも充実した年であるよう祈りつつ…。

クラブもその後軌道にのった。[illegible]

◎◎母の死に新生の誓い

[illegible]

◎◎県連役員そして結婚

[illegible]

青春と仲間

元井君

現実の厳しさ越えて

大阪・能勢町西能勢4Hクラブ　元井隆敏

◎◎経営の源は家庭から

[illegible]

OBは語る

・ともに頑張ろう

田中健雄氏

[illegible]

（神奈川県・戸塚地区連初代（昭和三十年）会長）

生活もの知りコーナー

ビフテキは長い

▼飲食物の滞胃時間

[illegible]

▼各物の上手な干し方

[illegible]

詩

若いんだもん

埼玉県・南畑4Hクラブ　荒井幸枝

若いんだもん
今の私たちには　いろいろな可能性があるんだ
何でも思いきって　思いきりしなければいけないよ
そうでなきゃ
人生で一番光り輝く季節を
むだにすることになる
何でも出来そうに思える時期は
本当に短いんだって!!

若いんだもん
毎日毎日を充実させて　パンクしそうなくらいに、いろいろなものをつめこむんだ
広く、深く知識を吸収し、大きく成長しなければいけないよ
その中には、仕事も、遊びも、
おしゃれも、つきあいもある
今しかそういうことって
出来ないんだって!!

若いんだもん
現実はきびしすぎるなんて
涙なんか流しちゃいけないんだ
ゆうべ見た本当の夢を
いつの日かその手で確かめるまでは、ガンバラなくちゃいけないよ
若者は夢を追う旅人なんだって!!

日本4H新聞
4Hクラブ 農事研究会 生活改善クラブ 全国弘報紙
発行所 社団法人 日本4H協会
東京都市ケ谷家の光会館内 電話（269）1675 郵便番号162
編集発行人 玉井光
月3回・4の日発行 定価 1部 20円 一ヵ年700円（送料共） 振替口座東京 12055番

クラブの綱領

私達は実践を通じて自らを磨くとともに互いに力を合わせてよりよい農村、よりよい日本を創るため四つの信条をかかげます。
1、私達は農業の改良と生活の改善に役立つ腕をみがきます。
1、私達は科学的に物を考えることのできる頭の訓練をします。
1、私達は誠実で友情に富む心をつちかいます。
1、私達は楽しく暮し元気で働くための健康を増進します。

全協通常総会開く

事業計画など決る

会長に黒田君（茨城）を選出

全国4Hクラブ連絡協議会（会長、丸山勉君）は、さる四、五の両日、東京・新宿区市ケ谷の家の光会館会議室で四十三年度の通常総会を開き、執行部提出の四十三年度事業報告及び収支決算承認の件、四十四年度事業計画及び収支予算案承認の件、全協規約の一部改正の件などを審議するとともに、会長・黒田保君（茨城）以下新年度の役員を選出した。また、来る七月鳥取で開催する全国4Hクラブ員のつどいや来年二月下旬を予定している全国4Hクラブ・プロジェクト実績発表大会の開催など4Hクラブの使命と精神の高揚、官庁や関係団体との連携や協調などが、ことしの主な事業として真剣に討議されたほか、すでに昨年から募金活動を開始した4H会館建設については、各県連から持ち寄った募金箱を開き、今後のすすめ方などについて話し合った。

全協旗を中心に記念撮影（総会を終えたあと家の光会館の玄関わきで）

全協総会は、執行部役員、代議員（各県連会長など）六十五名のほか、来賓やオブザーバーなど多数出席して、午後一時から飯田副会長の司会で開かれた。

まず、沼田副会長が開会宣言、つづいて、全員で4Hクラブの歌を合唱したあと、丸山会長が「私たちは、昨年のこの総会でみなさん方の代表により決議されたことを一年間実行してきたが、何分力不足で至らなかった点もあった。また私たち全国のクラブ員の夢である4H会館建設は、ようやく昨年から募金を始め、末端クラブ員の間にも盛り上がりがみられるようになってきた。大げさないい方をすれば、この会館建設の成否が今後の農業の行く方を示すものである。それは、今後の日本農業の中心となる4Hクラブ員の熱意と実行力がそこに表われるからである。また、奈良のつどいが大成功裏に終ったのは、つどいの意義が広く理解され、クラブ員をはじめ、職業を異にした人々からも支援されるようになってきたからである。ことしは、これらの事業をいっそう推進し、4Hクラブを発展させるために、みなさん方とともにこの総会で充分に検討したい」とあいさつ。

つぎに、新田4H協会事務局長が「これからの農業は、生産性の向上と規模の拡大を図らねばならない。それには国や県よりも、みなさん方の態度が大切である。みなさん方は、心と技術を磨く4Hクラブ員である。この総会は、みなさん方の最高の会議である。どうか新しい年度のために、輝かしい決定をされるようお願いする」と述べ、つづいて、岩崎4H会館建設委員長、長田元会長があいさつをした。

つぎに、松野資格審査委員（岐阜）が、審査結果を報告し、総会成立を宣言。つづいて、高野運営委員長（宮城）が、日程説明をしたあと、議長団に岩倉（和歌山）宗末（岩手）諏訪（鹿児島）の三名、書記に前田（広島）小坂（埼玉）の両名、議事録署名人に山本（鳥取）君を選出した。

このあと、議案審議に入り、まず、大鹿事務局長が四十三年度事業報告、久野事務局次長が同収支決算をそれぞれ資料に基づいて説明した。

ここで、農林省農政局普及教育課の課長に新任された矢野晴男氏、同課青少年班活動促進係長に新任された大沼一己氏がみえ、それぞれあいさつをされた。

そのなかで、矢野氏は「私は、これまで4Hなど青少年活動に直接たずさわったことはないが、これからはみなさんのお手伝いをしたい。青少年活動は県により異なっているが、発足当時は4Hクラブだけであった。それが社会情勢もあるが県でそれぞれやるようになった。みなさん方はいいアイデアをどんどん出してもら[illegible]そしていいものはとりあ[illegible]たい。4H精神は青少年[illegible]に通じるものであるので[illegible]らも大いに伸ばしてもら[illegible]思う」と述べられ、つづ[illegible]氏も「これからは、みな[illegible]ような若い人の力が必要[illegible]きている。大いにがんば[illegible]いたい」と激励された。

両氏のあいさつのあと[illegible]づいて、坂井監事（佐賀[illegible]報告が行なわれ、[illegible]

新年度の役員決る

会長　黒田　保　茨城県
副会長　大鹿　良夫　前事務局長 埼玉県
同　小原　忠孝　前副会長 岩手県
事務局長　久野　知英　前事務局次長 愛知県
事務局次長　坂井　邦夫　佐賀県
同　村上　光雄　前監事 広島県
同　石井　一雄　元監事 神奈川県
監事　奥村　秀次　北海道
同　山屋　裕介　新潟
同　村田　喜昭　京都

久野事務局長　小原副会長　大鹿副会長　黒田会長
村田監事　奥村監事　村上事務局次長　坂井事務局次長

新年度全協会長に選ばれて

全国4Hクラブ連絡協議会会長　黒田　保

各人が強い自覚を

困難を越えて前進しよう

全国の4Hクラブ員のみなさん、毎日を農業にクラブ活動にいそしんでいられることと存じます。

4Hクラブも、先輩諸兄はじめ、みなさん方の地道で、力強い活動のお陰を持って、二十年の歴史を飾ることができました。

この輝かしい二十年の歴史は、口では表現できない幾多の困難を乗り越えてきた歴史であります。

この困難のくりかえしの歴史こそ、現在の4Hクラブをつくったものであります。

〝輝かしい歴史〟そうです、ほんとうに輝かしい歴史です。誇り高き歴史です。

この歴史を、私たち全国のクラブ員は、よりいっそう輝やかしい歴史にしなければなりません。

そのためには、私たち全国のクラブ員一人ひとりがもっともっと4Hクラブの認識を深め、クラブ員としての強い自覚を持たなければなりません。

そして、それらを基盤とした団結の力で、誰にもわからない未来の次元を追求して行かねばなりません。

それを追求して行く者は、全協ではありません。全国のクラブ員一人ひとりが頭をしぼって考え、実践して行くことではないでしょうか。

何か、全国クラブ員のみなさんに責任を負わせるようなことを申してしまいましたが、四十三年度全協通常総会において、四十四年度役員におされた私たちは、私たちの立場において考えて行きます。そして、クラブ員の方々と〝ひざを交えて〟共に未来を考えて行こうと思います。

私たちの組織には、幾多の問題が山積していると思います。

二十三年、農業改良助長法の制定に基づき、農業改良普及事業の一環として取り上げられた4Hクラブは、全国津々浦々に結成され、当時、社会問題となっていた食糧難を救い、農村の近代化に努めてきた功績は、非常に大きいといわなければなりません。

ところが〝食糧難の時代が過ぎるのと併行し、第二次、第三次産業の発展はめざましく、その労働力の供給源として、農村の次男、三男、近年においては長男までも、都会に流れ、その急激な減少は、末端における私たちのクラブにも影響を与え、意識的にも、組織的にも本来の4Hクラブから離れ、4H活動の基盤をなすプロジェクト活動すらも忘れられようとしています。この時点において、私たちは、クラブの本質を再認識し、プロジェクト活動を本来の姿にもどすことにより、組織の強化と意識の高揚をはからねばならないと思います。

そのために、プロジェクト、組織などを真剣に考える場を持ち、クラブ員はじめ先輩諸兄、学識者などが一体となり、すみやかに一つの方向を見いださねばならないのではないでしょうか。

また、4H会館は、私たちの心のよりどころであり、その建設はクラブ員としての願いであり、全国クラブ員の共同プロジェクトであります。

しかしながら、ともすれば、私たち若い者は、地域や家庭から孤立しがちであります。地域や家庭から離れたクラブ活動は、真の活動ではないと思います。地域からも、家庭からも理解される活動を推進して、はじめて4Hクラブが日本の農村になくてはならない組織体となるのではないでしょうか。

そのため、私たちはクラブ員の集いを通して自主的に企画し参加者一人ひとりが運営に当る家族ぐるみの4Hクラブ活動を展開しようとしております。

最後に、私は、アメリカの大統領であった故ジョン・F・ケネディが〝わが同胞であるアメリカ人の諸君、諸君の国が諸君のために何をなしうるかを問う給うな、諸君が、諸君の国のために何をなしうるかを問い給え〟と声を大にして熱弁を振ったことを思い出します。そこで私は、いったい全協に、4Hクラブに何かをもとめる前に何をなしうるかを考えて欲しい。それが本来の組織でありクラブ員の自体の真の組織です。これがクラブ員の意識の向上、ひいては農村の精神改革の原動力となるのです。

農村の近代化は、技術改革より、精神改革が優先するものであると私は信じます。

本年度の役員一同、常に全国のクラブ員と〝ひざを交えて〟をスローガンに一年間微力ながらも努力するつもりでおりますので、関係行政機関、育成団体、先輩諸兄はじめ、全国の4Hクラブ員の力強いご支援をお願い申し上げ、役員一同に代りご挨拶申しあげます。

愛知県連　会長会議開く

盛上る〝私たちの県連〟意識

【愛知県＝古川普及員発】愛知県4Hクラブ連絡協議会（会長、飯田雅美君）では、このほど、四十三年度最後の締めくくりとして、[illegible]議を渥美半島の先端[illegible]休暇村において、一[illegible]で開催した。

この会議は、県下[illegible]長と副会長が集まり[illegible]回ずつ名古屋で開か[illegible]事の企画、運営や単[illegible]交換などを行なって[illegible]

ここ常春の地、渥[illegible]の松林の中に立つ伊[illegible]村には、一足さきに[illegible]ていた。「しおさい[illegible]議室において、さっ[illegible]まった。

まず、四十三年度[illegible]

涼風暖風

別れ

市民会館一階、そのパーティーには、市内の農民が大勢集って開会を待ちわびていた。老人もおれば若い4Hクラブ員もいる。なごやかに談じながら、さきほどから一人の人物を待っているのだが、それは、別れのセレモニーがこれから始まろうとしている一瞬にしては、同窓会のような雰囲気である。

普及員の松尾さんはやがて拍手で入場。胸のバラで壮健な容姿が一段とひき立つ。フラッシュ。

松尾さんは三月で退職し、岡山の実家へ帰られる。二十年間、幸運にも松尾さんはこの市の農家の人々と共に歩んだ。春播ハクサイ、早熟トマト、ハウスナス、観葉植物……と、[illegible]

心頭技健

[illegible]

ブラジル88村巡行 〈2〉

日本政府派遣農村青少年指導専門家　湯浅甲子

曲り角に立つ農業

不可避な宿命的難題に直面

三月二十二日　冬仕度の私はいきなり真夏のリオ・デ・ジャネーロに下ろされ、人前で裸になるわけにもいかず、大扇風機の前で大弱りの態であった。ここで三十分休憩し、国内機に乗り替えるため、タラップをあがっていったら、「サヨナラ」ときれいな日本語で、スチュワーデスの挨拶をうけた。金髪が海風になびいて、すずしい眼をしたブラジル娘が、こぼれるような笑顔で小頸をかしげた。異国で思いもよらぬ所での日本語は、うれしいものだ。急にブラジル人への親しみが湧き上ってくる。

出迎えの声が包む

[illegible]

早速、私のブラジル生活の拠点になる宿舎がきまる。日本人街で有名なガルボンブエノ街の中心地にある、ホテル・ニテロイである。日本人経営の気軽るな雰囲気でなじみ易く、半年間の憩いの場として、好適だ。午後早速、日本語新聞社三社を着任挨拶にまわる。サンパウロ新聞、パウリスタ新聞、日伯毎日新聞と、日刊新聞がでている。記者も、社員も全部日本人か二世で、日本語の会社である。

地酒で歓待うける

「ご苦労様でした。ちっとも疲れていないようですね、ブラジルは何度目で…」などといわれる。確かに疲れがない。見るもの聞くもの、何もかも新しいことなのだ。何か前々から知ったところにやってきたといったゆったりした気分で不思議である。

会食は、「榎本」という漢字の看板を下げたホテルの食堂だが、でたものをみて驚いた。サシミ、天ぷら、茶わんむし、ごはん、そしてお醤油もおいしい。沢あん漬もある、全くの日本食である。そしてもちろん日本語で注文している。カベには「お献立」として、日本食が「うどん」「そば」にいたるまで、ズラッと書きつらねてあった。

「湯浅さんはノメる方ですか、日本酒でも洋酒でも、イヤ、ブラジルへきてくれたんだから、一つ、地酒を一パイどうでしょうか」、私もついつられて「イヤー、ノメませんケド、地酒の味は、味わってみたいですねえ」『ピンガ』といいましたっケ」みんなは驚いた。「ヤ、くわしいんですね、これはいい、カイピリンガでいきましょう」今度は、私の方であわてた。ピンガを知っていたのは、事前準備の知識だが、とに角蒸溜酒らしい。それに、「カイピリンガ」というのは知らない。そのうちに料理が出揃い、カイピリンガがはこばれた。「これはうまいものですね、酒はイケませんが飲み口がいいなあ」とほんとに思った。サトウキビを原料にした蒸溜酒なので、すごく強いが、甘味がある。その酒に、リモン（レモンのこと）をしぼりこんであるものだ。そして地酒のよさとでもいうのか、つくっている土地で、風味が全くちがうという。日本ほど醸造がうるさくないらしい。

宿命的難題に直面

さて、会食をしたメンバーは斎藤広志サンパウロ大学教授で経済学博士と、ブラジル4H協会専務理事林茂夫先生、各産業組合の関係者たちであった。ここで、この方々のつながりと、私を招いたいきさつがチラホラ話の中にではじめてきた。斎藤博士や林先生の話を総合するとこんな話の内容だった。

いまブラジルの農村、といっても農村らしい農村は、このサンパウロ州と、隣のパラナ州だが、この農村が大変な転機に立っているという。

その原因は複雑だが、一つは国の経済の急激な近代化政策で農業者はそのあおりをうけ、青少年が、村を離れる傾向が強まってきたのである。これは世界的傾向というべきだが、その中で日系コロニヤ農村は、さらに二重、三重の難問をかかえこんでいるという。

その一つに、世帯の更新があげられる。昔、日本から渡伯した移住者先達が築いた植民地も入植六十年の年輪を数えて、様々な職業分化がすすみ、加えてブラジル生れの二、三世が、世代の中心になる時代をむかえた。ここに日本では想像のできない年代の違いから生じる考え方のちがいが、家族生活に変質をもたらしはじめたのである。

これは、農業後継者の問題といった局部の問題ではなく、もっと重大な、しかも避けられない宿命的難題に直面したといってよいものである。日本人の顔をした若いブラジル人の将来のしあわせにつながる重大問題なのである。

〈栃木県農業改良課・特別専門技術員（青少年担当）〉

リオ・デ・ジャネイロの港

プロジェクトなど発表
リーダー研修会開く　"農業国"の合言葉で
北海道連

「私はこのようにしてプロジェクトの推進にあたった」というテーマで実践経過を発表するクラブリーダー（国立大雪青年の家で）

【北海道】北海道4Hクラブ連絡協議会（会長、泉一男君）は、北海道と共催によってさる三月十九日から二十一日までの三日間、大自然に囲まれた大雪山のふもと白金温泉、国立大雪青年の家で、道連協の年間三大行事の一つである"リーダー研修会"を十四の支庁連代表者六十名の参加のもとに開催した。

第一日目は、午前九時から十四支庁連の会長を集めて会長会議を開き、現在までの事業経過報告、今後の事業展開、4Hクラブ活動の推進、各支庁連との連けいなどについて協議した。

とくに今年度は北海道4Hクラブが設立されてから十五周年目を迎えるため、十五周年記念事業について県会長から記念式典（七月下旬予定）とそれに併せて実施する新方式による単位クラブ調査について説明があり、会議を終えた。

午後一時から開会式に入り、オリエンテーションに続いて全国4Hクラブ連絡協議会のオルグ、飯田副会長から中央情勢報告と4H会館建設に関する説明があり、ついで北海道農務部改良課・三輪敢専門技術員から「目的集団におけるリーダーのあり方」について講義を受けた。

夜は、懇親会で参加者の親ぼくを深めていった。

第二日目は、朝七時の起床からはじまり、午前中は「研究協議と実践経過の発表」を行ない、十四支庁連の代表者一名ずつが「私はこのようにしてプロジェクトの推進にあたった」というテーマで発表した。

午後からは、北海道教育大学教授、藤野先生が「農村における結婚問題」と題して、心理的な立場から、恋愛論を解き、結婚への道筋などについて講演した。その後、室内スポーツ、バレーボールで汗を流した。

夜は、昨年、北海道が開道百年記念事業の一環として米国へ青少年を派遣したが、その派遣団員の一員であった本会会長の泉一男君から「米国の4Hクラブ」と題してスライドによる報告があった。

最終日は、午前九時から「北海道農業の二世紀を語る」というテーマで、持ち時間一人十分間で十人が発表を行なった。「農業国北海道!」の合言葉で研修日程を終了し、午前十一時「また、夏の大会で逢おう」と誓い合い青年の家を去った。

（北海道4Hクラブ連絡協議会事務局次長、赤松宏君発）

賑やかに交歓会

「福岡県」日頃、農村にあって農業の改良や農家生活の改善に努力している4Hクラブの仲間たちが一堂に集い、実践活動を通して体験したいろいろな問題を、お互いに討議しあいながら解決点を求め、それを県下のクラブ員にも伝えて、今後の農業や農家生活の向上を図ろう―という、福岡県連、筑後市連共催の新旧会長会議とクラブ員の集いが、このほど筑後市民会館で開かれた。午前と午後は総会や分科会などを行ない、夜はクラブ員の家に分宿して話し合いを行なった。＝写真はクラブ員の家で楽しく交歓をするクラブ員たち（筑後市4Hクラブ連絡協議会連絡報道員　中村美津雄君発）

全協の活動方針と事業　44年度

4H会館の建設に追込み

新たにプロジェクト発表も　7月には全国のつどい

全国4Hクラブ連絡協議会は、さる四、五の両日、東京・新宿区市ケ谷船河原町の家の光会館で四十三年度の通常総会を開き、第五回全国4Hクラブ員のつどい、全国4Hクラブ中央推進会議、プロジェクト実績発表大会、4H会館建設などを柱に新年度の活動方針と事業計画を次のとおり決めた。

活動方針

日本における4Hクラブ活動は昭和二十三年の農業改良助長法の制定にもとづき、農業改良普及事業の一環として、農村青少年の健全なる育成を目的としてとり入れられた。このように政府の施策としてとり入れられた4Hクラブ活動は、農業改良普及員の指導のもとに、全国津々浦々の地に結成され、全国的にクラブ活動が展開されてきた。

この農村青少年活動に対して、農村に根強く残る迷信や古い因習は、大きな障害として横たわっていた。しかし、政府の政策を使命として受けとめた全国の4Hクラブ員は、率先してプロジェクトによる実践活動を推し進め、農業の改良と生活の改善に取り組み、所期の目的である豊かな農村の建設に邁進した。その功績は非常に大きいといわなければならない。

自主独立の精神を高揚

ところが、近年、農業を含めた第一次産業の基盤の確立とともにわが国経済の高度成長に伴う仲間たちの急激な減少は、きわめて憂慮すべき問題を起こしてきている。すなわち、仲間たちの減少は、われわれの末端における組織に混乱をきたし、またこの混乱にともなって、4Hクラブ活動の基本ともいうべきプロジェクト活動が本来の姿を消しつつある。このことは、われわれ4Hクラブの存在を不明確なものにし、個々のクラブ員のクラブ員としての意識の低下をきたしている。

また、本来、この種の青少年活動は、自然発生的に芽ばえ、全国的規模に広がっていくものである。しかし、この4Hクラブ活動は、政策の一つとして行政の力によって推進されてきており、いまなお全国的に行政によりかかっているのが現状である。このように全面的に行政によりかかった青少年団体は、わが国においては、きわめてめずらしい存在といわなければならない。

このことは、農村青少年の主体性を弱め、青少年みずからの自主的な教育の場としての存在を狭くうちだせなくて、いろいろな障害にもみずからの力で解決できないものとしている。

近代農業の実現と豊かな農村の建設は、全国民の願いであり、使命である。このことは、われわれ青少年の自主独立の精神と実践力にかかっており、われわれの意識の統一と主体性の確立こそ、未来の農村社会を左右するものと考えられる。このため、4Hクラブ導入いらい二十年の歴史をふりかえり、原点に立ち返って、新時代の新鮮あるものにしなければならない。

これがため、忘れがちなプロジェクト活動の重要性を全国のクラブ員が再認識し、実践に励まなければならない。また、地域社会や家庭に広く、さらに深く根をはった家族ぐるみの4Hクラブ活動を展開するとともに、事務局体制の確立をめざし、4H会館の建設と平行した主体性のある組織の強化と充実を図らなければならない。

本年は、このような意味から、4Hクラブの再認識と本質に立脚した4Hクラブ活動の推進を図るとともに、クラブ活動をとおして青少年らしい自主独立の精神を養うため、次の事業を中心に行なう。

事業計画

一、組織の強化と主体性の確立

(1) 事務局体制の確立

4Hクラブの機能や活動を充実させ、その使命を達成させるためには、事務局体制を確立させなければならない。そのために独立した、自主的に運営される事務局が必要である。

この事務局体制の確立こそ、4Hクラブ活動の充実を図り、全協の主体性を守るうえに欠くことのできない要素であると考え、月十日間の役員の駐在を実施する。これによって事務の円滑化を図り全協と県連などの連携を密にする。

(2) 全国の4Hクラブ員の実態調査

各県連の協力をあおぎ、一連の調査を実施し、全国の単位クラブやクラブ員数および活動状況を把握するとともに、農村青少年のクラブ加入率や未加入数などを調査し、これに対して加入の呼びかけを行ない、全協、県連、単位クラブの組織の強化拡充を図るための資料とする。

(3) 役員派遣

県連組織に対して役員を派遣し、全協の方針や4H会館の建設などを理解願うとともに、地域クラブ活動上おこる問題点を把握し、解決につとめることによって一層の連けいを図る。

(4) 4H新聞（機関紙的存在）の活用

日本4H新聞は、クラブ員の機関紙的存在として、全協および地域クラブ活動（県連を含む）の状況とクラブ員の意見交換や学習の場として積極的に活用し、情報提供の徹底を図る。また、機関紙的存在として県連の協力をあおぎ購読者の倍増を図り、4H協会が行なう購読料の割引き制度を利用し、もって県連の自主財源の充実に役立てる。

(5) 後継者の育成

学校、経伝の生徒との話し合いや新規就農者の激励会などを催し4Hクラブを理解させるとともに各種の行事などに参加を呼びかけ4Hクラブへの加入を働きかける。

また、4Hクラブの性格からして、農業自営者としての活動はもとより、人間形成の自主的教育の場として、家族や一般青少年、子ども会などにも4Hクラブを理解させるようにつとめる。

(6) 手びきの発行

4Hクラブ員の参考資料（手びき）を発行し、学習活動の展開やクラブへの加入呼びかけの資料にする。

(7) 専門委員会の活用

規約に定められている各専門委員会は、従来その使命を果たしていなかったが、今後必要に応じて各委員会を活用していく。

二、4Hクラブの使命と精神の高揚

(1) ブロック4Hクラブ推進会議の開催

4Hクラブ活動の展開には、正しい問題意識と高度のクラブ運営技術をもったリーダーが必要である。このためリーダー育成の場として、ブロック4Hクラブ推進会議を開催し、中堅リーダーの養成を図る。

(2) 全国4Hクラブ中央推進会議の開催

4Hクラブの使命と組織をよく理解したリーダーの養成は急務である。このため中央推進会議は、リーダー養成の最高の場としての性格を強め、リーダーとして必要な4Hクラブ運営の知識やプロジェクト活動などの知識を身につけたリーダーの養成を図る。

(3) 第五回全国4Hクラブ員のつどいの開催

農村青少年が、とかく農業という土壌の中に閉じこもり、視野の狭さと自己認識の弱さを指摘されるとともに、若人らしい自主独立の精神をもち明日のわが国建設の担い手として期待される中にあって、われわれはこの批判と要望に応える必要がある。

また、青少年の自主的な教育の場としての4Hクラブ活動の重要性を考え、家庭や地域から浮き上がり青少年のみの孤立した組織体となろうとしている現状を正し、本来の目的とする地域に根ざした青少年団体に向う必要がある。このため、全国の4Hクラブ員や4Hクラブを理解し支援する人々、また、これらの人々の家族が自由に参加でき、青少年がみずから企画運営するつどいを開催する。

こうしたつどいの中で互いに交歓し、自主独立と祖国愛の精神を涵養するとともに、現地交歓訪問や家族ぐるみの歓談を通じて、地域社会や家庭からよく理解され、支援される幅広い底辺をもった組織体をつくり上げることをねらいとする（今夏七月二十七日から三十一日までの四泊五日、鳥取県大山周辺で）

(4) 全国4Hクラブプロジェクト実績発表大会

プロジェクトは4Hクラブ活動の生命である。しかし近年、クラブ活動においてプロジェクトの認識がうすれてきている。このことは問題解決の能力を低下させている。

このため、プロジェクトの再認識を図るとともに、科学的に課題解決に取り組む青少年を育成するとともに、全国4Hクラブ員のプロジェクトを多くの仲間に知らせプロジェクトのあり方などを習得する。

(5) 4H週間の開催

4Hクラブの意義をみずから再認識し、自覚を高めるとともに、地域社会からよく理解されるためPRをかねて開催する（本年は、全国4Hクラブ員のつどい期間中を当てる）

(6) 奉仕活動の展開

誠実で友情に富む精神を培（つちか）うことは、4Hクラブ活動の一つの目標であり、それを実践するところに意義がある。

このために、4Hクラブの特性を生かしたところの農業開発こそ建設的な奉仕活動の一つであるが、このほか情報の交換、調査などを行なう。また「青年奉仕協会」などが実施する各種奉仕活動に参加し、これらによって奉仕の精神の涵養につとめ、地域社会への貢献に資する。

(7) 海外青少年との交流

われわれ4Hクラブ員は、海外の青少年と積極的に親ぼくを深め、交流を盛んにして、海外の青少年が、いま何を考え、何を行なっているかを知り、それを理解し、共に協力し合う姿勢が必要である。

このために"草の根大使"として来日する米国、中華民国（台湾）やブラジルの4Hクラブ員はむろんのこと、わが国に研修にきている諸国の青少年と積極的に話し合いの場をもつとともに、みずからも海外に飛躍して視野の拡大を図ることを目的とし、その仲介の労をとる。

総理府の行なう「青年の船」事業は、本年も東南アジアへ向けて近航することになった。全協においては十名以内のクラブ員を団体推せんし、4Hクラブの存在を広くPRするとともに視野の広い次期リーダーを養成する。

三、外部団体との連けいと連絡協調

(1) 中青連関係

中央青少年団体連絡協議会の加盟団体の一員として、他の青少年団体との連けいを深め、幅広い階層と職業の青少年との協調を図る。

(2) 青少年育成国民会議関係

国民会議の構成団体として、青少年の健全育成に協力し、全協は中央組織に、県連は県組織の運動に対して積極的に参加する。

(3) 官庁、団体関係

農林省、文部省、総理府、全国農村青少年教育振興会、日本4H協会などのほか、各種青少年育成団体や全協の顧問、参与などと連けいを深め、4Hクラブ活動強化についての指導と助言をあおぐ。

(4) 4HクラブOB関係

4Hクラブ活動の推進には、篤志指導者などの指導助言が必要である。そのために、みずから4Hクラブの経験を体験したOBの組織体制を整え、4HクラブのPTA的役割を果たすとともに、自主的な活動体制を確立できるよう全協が率先して仲介の労をとってOBに働きかける。

四、4H会館建設の推進

全国4Hクラブ員の悲願である4H会館の建設は、全国4Hクラブ員の夢である。

しかしながら、この建設は全協をはじめ全国クラブ員の強い決意と実行力がなければ実現は不可能であるが、四十二年度あたりからなにがなんでも実現しようとするムードが高まり、四十三年度においては、「しおり」「設計図」などを作成、全国各地で本格的な募金活動に突入したところも数多くみられ、建設の機運は急上昇している。

このため、四十五年度を目標とするこの会館建設には、より意欲的に、より積極的に活動しなければならない。そしてまた、この活動を通じて多くの仲間をつくり、みずからを磨き、組織の強化を図ってゆきたい。

4Hくん No.149 桜井はじめ

お花見パーティ 仮装大会

どうしました 駐在さん

空巣どろぼうが こっちへ逃げてこなかったかな

ぼくは仮装したんだぜ

おいおいへんな目で見るなよ

三年間の酪農経験

わが進む道は酪農
技術は積極的に吸収

奈良県北葛城郡新庄町 新庄4Hクラブ　奥村喜洋

農業に従事して三年間、今や明日の農業を担う一人として、現在考えていることについて述べてみたいと思います。

最近、農村青年たちは、自分の生れ育った農村を捨て都会へ都会へと出ていく傾向にあります。これも、いろいろな原因があると思います。たとえば、農村に根強く残っている封建性や労働の問題など数多くのことによって、農村から青年が離れていく原因になっているのではないかと考えられます。しかし、私たち若者には大きな夢があるのです。たとえその内容は違っても目標に向って努力していることには変りないのです。

よく現代の青年には「根性」がないということばを聞きますが、しかし、精神的な苦労は、いつの時代でも同じことではないだろうかと考えるのです。

精神的な苦労とは何か―農業青年の立場から考えると、経営上におこる親と子の意見、考え方の相違からおこる問題、各種のクラブ活動、自分自身の仕事との関係など数多くあるのです。これらの問題をどのように解決していくかということは、今後私たちに残された課題の一つであります。このような社会情勢の中で、農業を営んでいる私たち青年は、青年として何をなすべきかと考えた時、農業後継者としての大きな自覚と責任を感じずにはいられません。

まず、初めに私の家の経営について紹介しますと、水田五十アール、酪農（成牛六頭・育成牛五頭）と牛乳販売の二本立ての経営を行なってきました。私は、農業後継者だ―という考えがありましたので高校は田原本農業高校の農業科を専攻し、在学中には酪農に対する知識、農業を行なうに対する考え方などの指導を受けて卒業しました。

そうした中にあって、同じ教室で農業教育を受けたクラスメイトは、さまざまな農業を夢みて離れていきました。その中で農業を志す仲間は二割ほどで、それぞれの農村へ帰っていきました。しかし酪農を営む者は私一人、それ以外だれ一人として自営者として残らなかったのです。そこで私は"わが行く道は酪農以外にない"と決心をして酪農に取り組んできました。

私の家で乳牛の飼育をはじめたのは十年ほど前で、当初はただ二～三頭の仔牛を飼育し、酪農家へ売渡すという状態でした。私が酪農経営を決意したころから、多頭化の方向へと進んでいきました。そして今日までに倍近くの頭数を飼育するようになったのです。学生時代に私が計画した酪農経営も計画通りに進むにつれ、牛舎の増築を考えました。そのため、取引先の会社から融資を受けて完成しました。

私たちの地域は、典型的な水田酪農地帯であるため、飼料作物といえば水田裏作五十アールにイタリアンライグラス、レンゲなどを栽培する程度で飼料の自給率は極めて低く、夏になるとあぜ草、堤防の雑草など、あまり良質の草でなくても刈り取って給与しなくてはならない状態なのです。少しでも飼料費を低減させようと思えば、これ以外に方法はないのです。

最近、酪農家は余りにも草への関心が少なくなったように思われます。草を刈ることは労力の関係などで個々の経営によって違ってきますが、私の場合、冬以外はすべて青草を給与できる状態にあります。しかし、冬期間の粗飼料には問題があり、今年中にはサイロを設置して解決したいと思っています。

これらの問題の他、数多くの失敗を経験して現在にいたりました。昨年のことですが、あぜ草を乳牛に与えたところ全部の乳牛が下痢を起し乳量は減る一方で、一週間ほどというものは、一日一日が苦しさの連続でした。といいますのは、あぜ草に二化メイ虫防除の農薬が散布されていたのを気ずかず、乳牛に給与したのが原因でした。

このようなことは、野草を刈る時はつねに注意しなければならないことに、いまさらのように考えさせられました。

酪農経営はむずかしい―。私が学生時代に受けた酪農教育と実際の経営ではかなりの違いがあります。

私自身が一番苦労したことは種付けの問題でした。乳牛の飼育の上で一番たいせつなだけに、一部の牛には十回以上も[illegible]ないました。このように受胎率が低下しますと、搾乳牛の頭数以上が初産牛という私の経営には大きな支障をきたします。

このように、多種多様の経験を積ねて現在に至りましたが、私が一すじに向ってこられたのも4Hクラブと酪農青年会議の活動と仲間があったからです。

私は本業後、4Hクラブに入会し、その後昨年発足した県酪農青年部の活動は、やはり専門的向学心に燃え青春を有意義に過す[illegible]。農業を営む若い青年は、できる限り、このようなグループ活動に参加し[illegible]。

農業簿記

京都大学名誉教授　大槻正男

（1）

農業簿記の種類

農業簿記は、農家財産の増減・変化を記録計算する[illegible]て、どんな様式を採用[illegible]かによって、また、農[illegible]いかなる程度に分析して[illegible]行なう組織を採用して[illegible]よって、種々に分類することができる。

記録計算の様式によ[illegible]農家の財産の増減・変化[illegible]

複式簿記について

[illegible]

農家経済　玄米2石　現金8,900円　現金18,000円　硫安100貫

プロジェクトの取り組み方　促進編（3）

北海道専門技術員　三輪勲

家政担当能力を開発
課題は広い分野から選ぶ

（2）プロジェクトの総合的長期計画の確立　前項（1）の経営や生活の診断・設計によって、プロジェクトの総合的長期計画を検討整備させるようにする。年少者時代の長期計画は、学習重点の編成によるものであるから、経営や生活の診断・設計に基づく問題点を、プロジェクトの総合的長期計画（五ヵ年計画程度の規模）に取り入れることが必要である。

（3）観察力・思考力の養成　年長者のプロジェクトは、問題解決に重点がおかれるあまり、プロジェクトの結果に関心が集中し、実践中の観察や反省など問題解決的思考がおろそかになりやすい傾向にある。

したがって、プロジェクトの進度に対応して、農業簿記の記帳や実践過程における観察・調査・測定などのほか、プロジェクト課題に関する社会的・経済的な分野の学習についても指導する必要がある。

（4）企業的プロジェクトの促進　年長者のプロジェクトは、自己の責任と自主性に基づいて実施させることが基本である。プロジェクトに必要な資金・資材などの親からの借り入れと、利益金からの返済、余剰金の処分などについては、青年と両親との間にはっきりとした取り決めを行なわせることが望ましい。

経済の明確化から企業としてのプロジェクトが芽ばえてくるものといえよう。家族協定農業や父子契約と呼ばれる協力方式は、こうした企業プロジェクトを体系化したものであり、青少年の精神的・経済的な主体性を伸ばす効果が著しい。

（5）協業化の母体としてのプロジェクト　年長者の共同プロジェクトは、協業化の方向づけ指導が効果的である。協業には、技術・経営・経済・農政などの幅広い分野にわたって十分な理解が前提となるので、共同プロジェクトの実践をとおしてこれらの学習を促進することが必要である。

・女子のプロジェクト課題

農村女子青年の育成方針は、従来必ずしも明確でない。しかし、現状において考えられている育成方向としては、農家生活の運営者として育成することを中核とし、あわせて女子に適する農業経営部門を担当する能力の開発をはかることにある。したがって、プロジェクトの課題についても生活改善の領域を中心として野菜・中小家畜・農業簿記の記帳などの生産分野の課題を加えたものが、女子のプロジェクトとして適当であろう。

プロジェクト課題領域の拡大

プロジェクトの課題は、興味や関心の強弱によって取り上げる比重も異なるのは当然であり、この限りでは「衣」「食」にプロジェクトが集中するものと思うが、生活改善の課題領域はきわめて広いので、家政担当能力を開発するためにも広い分野から課題選定を行なうことがたいせつである。

たとえば、住生活・保健衛生・家庭経済・家庭環境・保育・家族関係など、プロジェクト課題となるものは非常に多く潜在している。したがって、これらの分野に対する意識啓発が必要である。なお、参考までに女子の生活改善に関するプロジェクト課題を例示すると下の表のようである。

プロジェクト課題の組み合わせ

生活改善のプロジェクトは、一般に技能補助や改良プロジェクトが主体となる。このため、プロジェクトの実施に要する期間は短いもので数日、長いものでも数十日で終了する場合が多い。年少の女子はこれでもよいが、年令が進むのに従って年間二～三件程度のプロジェクトを実施することが望ましい。

この場合、個々断片的なプロジェクトにならないように関連性を持たせることが重要である。この関連性つまり課題の組み合わせには、次のような三つの場合がある。

生活改善の課題の組み合わせ

【総合的な組み合わせ例】①献立の改善（農繁期の献立・農閑期の献立・幼児の献立など）②農繁期の生活改善（栄養食の簡単な調理・能率的な改良作業服の製作・農繁期における子どもの世話・農婦症の予防・家事作業の能率化の工夫など）③婦人作業衣の改良（水田作業衣の改善・防寒作業衣の改善・農薬中毒防止の作業衣など）

【展開的な組み合わせ】①生活時間の調査→家事作業の計画化→家事作業の機械利用②既製の解体→くん製の作り方→農繁期の献立改善③食器だなの考案→台所用品の整理→台所換気装置の考案

【課題の主・副的な組み合わせ】私の個室改造…塗料の使い方・苗だなの製作・庭園の造成…草花の栽培・いけがきの作り方…能率的な家事作業の工夫…電気器具の取り扱い。

生活改善のプロジェクト課題例

部門	プロジェクト課題	部門	プロジェクト課題
家族関係	1 話し合いによる家族関係の改善 2 わが家のレクリエーションのくふう 3 近所交際の改善 4 親と子の協力 5 農休日の効果的利用	被服	1 家族の被服計画と実践 2 農薬害防止の作業衣製作 3 被服の合理的な手入れ 4 手芸を生かしたお祝品の製作 5 私に似合うホームドレスの製作
家庭経済	1 私のこづかいの合理的な使用 2 家計簿の記帳 3 生活用品の合理的な購入 4 月給制による予算生活 5 じょうずな貯金	住居	1 室内の装飾 2 能率的な台所の改良 3 私の個室改造 4 燃料の合理的な使用 5 花壇の設置
家庭管理	1 家事作業の計画化と実践 2 生活時間の調査と計画化 3 家事作業の機械化のくふう 4 室内そうじ法の改善 5 わが家の生活習慣の改善	保育	1 [illegible]のしつけ 2 おむつの合理的な取り扱い 3 赤ちゃんの入浴のさせ方 4 子どもの病気の応急手当 5 おもちゃの考案
食物	1 子どもの間食のきょう正 2 じゃがいもの調理改善 3 農繁期のべんとうのくふう 4 栄養調査による献立 5 食品貯蔵のくふう	保健・衛生	1 わが家の健康調査 2 農夫症の予防 3 けがの手当て 4 女子青年の美容 5 飲料水の浄化装置の考案

農業法令の手引（2）

農業基本法 ―その2―

一、総則的な事項

（1）地方公共団体は、国の施策に準じて各種の施策を講ずるよう努めること。

（2）政府は、必要な法制上及び財政上の措置を講じ、融資の円滑化を図ること。

（3）国及び地方公共団体は農業従事者及び農業団体の自主的努力を助長することを旨として施策を講ずること。

（4）政府は、毎年、農業の動向及び農業に関して講じた施策についての報告書（農業白書）と農業の動向を考慮して講じようとする施策を明らかにした文書を国会に提出すること。

二、農業生産に関する事項

（1）政府は、重要な農産物についての需要及び生産の長期見通しを公表すること。

（2）国は、農業生産の基盤の整備及び開発、農業技術の高度化、資本装備の増大、農業生産の調整等の施策を講ずること。

（3）国は、災害による損失の合理的な補てん等の施策を講ずること。

三、農産物等の価格及び流通に関する事項

（1）国は、生産、需給、物価等の経済事情を考慮して重要な農産物の価格安定を図るための施策を講ずること。

（2）国は、農産物の流通の合理化、加工の増進、農業資材の生産流通の合理化を図るため、農協の事業の発達改善、農産物取引の近代化、農業関連事業の振興、農協が出資者等となっている農産物の加工又は農業資材の生産の事業の発達改善等の施策を講ずること。

（3）国は、農産物の輸入により国内農産物の価格の低落の結果として生産に重大な支障を与える場合、価格安定施策によって事態の克服が困難であるか緊急に必要があるときは、関税率の調整、輸入の制限等の施策を講ずること。

（4）国は、農産物の輸出の振興のため、輸出取引の秩序の確立、市場調査の充実、普及宣伝の強化等の施策を講ずること。

四、農業構造の改善等

（1）国は、できるだけ多くの家族農業経営が「自立経営」になるように育成策を講ずること。「自立経営」とは正常な構成の家族のうちの農業従事者がほぼ完全に就業し得る規模の家族農業経営で、その農業従事者が他産業従事者と均衡する生活を営み得る所得を確保することが可能なものをいう。

（2）国は、相続の場合に、農業経営をなるべく相続人の一人が引き継いで担当することができるような施策を講ずること。

（3）国は、協業の助長策として、農協の共同利用施設の設置及び農作業の共同化の事業の発達改善等と、農業従事者が協同して農業を営むことができるよう組織の整備、農地についての権利の取得の円滑化等の施策を講ずること。

（4）国は、農地の権利、移転が農業構造の改善に資することとなるように農協の農地信託事業の充実等の施策を講ずること。

（5）国は、近代的な農業経営担当者の養成確保のため教育、研究及び普及の事業の充実等の施策を講ずること。

（6）国は、農家の家計の安定と農業従事者等の就業のため、教育訓練及び職業紹介の充実、農村における工業等の振興、社会保障の拡充等の施策を講ずること。

（7）国は、農業生産基盤の整備及び開発、環境の整備、農業経営近代化施設の導入等の農業構造改善に必要な事業が総合的に行なわれるよう指導、助成等の施策を講ずること。

（8）国は、農業構造改善を講ずるにあたり農家があわせて営む林業について考慮を払うこと。

五、農業行政機関及び農業団体に関する事項

（1）国及び地方公共団体は施策を講ずるにつき相協力し、また、行政組織の整備及び行政運営の改善に努めること。

（2）国は、農業の発展及び農業従事者の地位の向上を図ることができるよう農業団体の整備につき必要な施策を講ずること。

六、農政審議会

総理府の附属機関として農政審議会を置き、右の一の農業白書についての意見の具申その他農業基本法に基づく同審議会の事務と農業基本法の施行に関する重要事項を調査審議し、関係大臣に意見を述べることになっています。

農政審議会の委員は十五人以内とし、学識経験者のうちから内閣総理大臣が任命します。

〈全国農業会議所編「農業法令のあらまし」から〉

NHK農事番組（4月21日～30日）

テレビ

明るい農村　6・30～6・55　総合

21日　村の記録　帰農（大阪府堺市）

22日　きょうの話題　労災保険　鹿児島県指宿町

23日　産物往来　生花市場

24日　話題の広場　マッシュルームつくり二十年、野菜のミスト栽培

25日　村をむすぶ　フイルム・リレー

26日　農業新時代　林産開発（北海道旭川市）

28日　村の記録　残った若者（島根県津和野町、田原窓）

ラジオ

[illegible]

春の終り（2）

一ノ瀬綾　作　多賀愛子　画

[illegible]

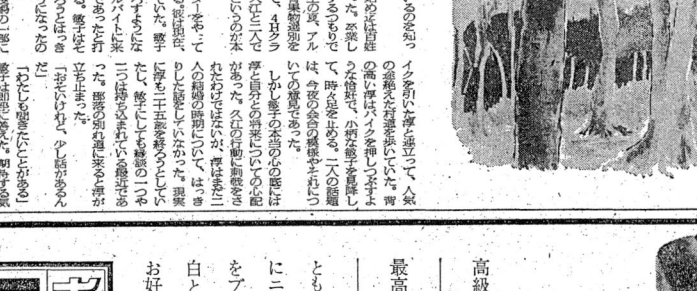

胸ふくらます〝草の根大使〟

20日に出発

国際農村青年交換（ＩＦＹＥ）計画に基づいて、日本4H協会が今年度米国に派遣する〝草の根大使〟（派米4Hクラブ員）に選ばれた麻生すみ子さん（二二）佐賀県・半田4Hクラブ員と、大竹忠幸君（二二）福島県・自営者クラブーの二人は、いよいよ来る二十日午後三時十五分、ノースウエスト機で羽田空港から出発する。約半年間にわたって米国の家庭で生活し、農業実習や4Hクラブ活動の勉強などのほか民間外交の大使役として活躍するが、この晴れの代表に選ばれた草の根大使はどんな抱負をもち、それに向ってどう努力しようとしているかなど、出発前の二人に聞いてみた。

青春と仲間

友情に支えられて　何にも替え難い宝を得る

大分県唐津市　半田４Ｈクラブ　麻生すみ子

「草の根大使」応募に際して、私なりに感じ経験した最も大きなことは、人間は一人で生きていることはできないし、また、今ここに、こうして健康で明るく生長した自分の姿があるのも、決して自分一人の力ではないということである。そして、それに対し、以前にもまして感謝するとともに強く感じたことである。

私が応募した動機は、県連会長である坂井さんの話を聞いて、また、周囲からの身に余る応援があったからでもあるが、それはそれとして次の二つの大きな理由からなのである。

一つは、昨年二月の全国農村青年会議を皮切りに一年間、いわゆる若さに任（まか）せて自分なりにいろんな研修会に参加して、仲間と語り発言をしてきた私だが、昨年のちょうど今ごろの自分を思い出し、一年間をふり返ってみると、自分のやっていることが地についていなかったのではなかろうか……と反省させられる。それに、この一年間、全国大会参加ということで皆んなに、ほいほい言われ、いささかなりとものぼせていたんじゃないか……と心の底の一面を見たとき、また、自分の愚かさに気ずかなかった愚かさに一種の腹立たしさと悲しさを覚え、これではいけない〟初めからやり直しだと思ったのである。

第二は、女性のあり方がわからなくなってきたからだ。恥かしい話だが、はっきり言って、男子クラブ員から「麻生君は女らしくないね」などとはっきり向って言われるのである。女らしいとはどういうことなのか。また、男性クラブ員はそのことをどう考え、どんな人が女らしくうつっているのか問題であるが私は発言もひかえ目にし、おしとやかにふるまい、あの人が参加するから私も……といった、いわゆる依存主義というのか、たった一人で行動することをおっくうがる女性を女らしいとは思わないしそういう女性は私はどちらかといえば嫌いなたちである。といって私自身、女らしいとはどういうことなのかな？と自問自答したとき即座に答えることは出来ない。

しかし、私は女らしいという前に人間でありたい。人間らしく生長して、そののち女らしくあってもいいと思うし、また、そういった私なりの信念によって行動し、そのことで男性クラブ員からの目に対して慰めもしてきたし、時あるごとに議論したり、理想の女性像を尋ねてみたり、本にそれを求めたりもしてきた。でも、私も年ごろの娘、やはり男性から女性として認められないことに、なんだか一種の寂しさを感じてきた今日この頃なのである。

それに、クラブでの女性の果たす役割、活動の方法ということに対しても解らなくなってしまったのである。男性のクラブリーダーはファイト、やる気を武器にクラブ員の意見を尊重しながら皆んなが、ついてくるように頑張ればよいし、行動を消化していけばいいが女性が旗印を掲げてやるわけにはいかない。それをやることが決して悪いことではないし、会長、団長などをやっている女性に会うと〝良く頑張っていらっしゃるな〟とつくづく感心するほどだが、女性として、何かもっと他に果たすべきことがあるのではなかろうか……。例えば、雰囲気づくりとか、いわゆる「縁の下の力持ち」といった具合に。

しかし、このことは抽象的な言葉で、実際にどうやっていくのがいいかというとなかなか難しい。ある先輩が「女性は内助の功として男性の気ずかぬことを指摘し、行ない、そのうえ一歩先きを見て、そのことに対して準備しておかなくてはいけない」とおっしゃったことがあるが、このことも行動に移すとなると難しいし、ピンとこないのである。

県連の役員としての女性も、理事会の席での立場もお茶くみをやるべきか否か、実に難しいものである。そういった意味で、人間としての女らしさ、クラブ活動においての女性といった両面にわたって壁にぶつかってしまったのである。そこで、良い意味のレディファーストの国、米国を見るのも何らかのプラスになろうし、解決の糸口になるかもしれないと思うのである。

ところで、この応募に際しては多くの人々の愛情や友情、励まし、応援がどれほど私に与えられたか、はかりしれないものがある。

まず両親は、草の根大使のことを言い出したら「二、三日考えておこう」ということでその返事は「いったらいかんとゆうても行くだろうもん」とのことで、いわば諦（あきら）め的ムードではあったが、許可が降りたのである。そういった中で、私の心を捕えたものに「がんばらなくちゃいけないよ」と涙まで流し応援してくれた祖父の言葉である。祖父のその涙を見たとき、合格するか否かは別として自分で悔いのないようにやらねばと励ましになったのである。

また坂井会長の応援も忘れることは出来ない。まるで、わがことのように手続きのことから持参するものなどまで日夜をとわずお世話頂いたのである。クラブの仲間は仲間で電話で励ましてくれたり神仏に念じてくれているともいうのである。

第二次審査によって私に決定したが、英語の能力はもちろん人間的にも未熟な点ばかり多い私よりも、もっと適した人がいらしたのではなかろうか。しかし、選ばれたからには多くの人の励ましの声や応援に応えるためにも頑張らなくてはと思っている。また、この吉報を聞いて多くの人がどんなに喜んでくれたか、それらの友情を感じるとき、何にもかえがたい宝を得たようだ。こういった多くの人々の温かい応援や友情によって草の根大使の一人として選ばれたのだと信じている。が、その反面かえって、そういう期待や人々の愛情が重荷になったこともたしかである。

でも、出発を目前にした私は「アメリカ人になりきることだ」とおっしゃったある先生の言葉によって、すっかりそういう重荷は取り除かれたような気がする。言葉も生活も考え方も違ったまったくの異国の生活—自分のあゆみを見つめるのにも絶好の機会だと思う。出発目前の私と、六ヵ月後の一つのことでもいいから自分なりに吸収、消化した姿を見るのが楽しみである。

最大限の力を出して　わがクラブの難局打開にも

福島県喜多方市　自営者クラブ　大竹忠幸

みちのく東北の福島県、会津磐梯山で知られる会津若松市から約二十㌔北上したところに、私の住む町があります。

私の所属する自営者クラブは、現在会員が三十五名で4H活動を続けています。しかし4Hクラブ活動といっても、満足できるほどの活動をしていない現状だと思っています。その理由の一つとしてクラブ員の構成が福島県、いや日本でも例がないくらい変則的だからです。

われわれの地域には現在十二の単位クラブがあり、その全会員数は約四百名を数えますが、クラブ数の約半数が同級生だけでクラブをつくって活動しています。このため同じ市、町、村管内の農村青少年の集まりではなく、地域全体にわたってクラブ員が散在しているわけです。会合のあるたびに、手紙か電話で通知して集まり、話し合いや文献会、共同プロジェクトなど数多くの行事を過去三年間続けてきました。

しかし、部落や町の若い農業者との交流が少ないことは、今後、大いに考えていかなくてはならないことであると思っています。このため、現在では、自分たちのクラブも今後は地域別に4Hクラブを組織しようではないかということにまとまってきました。

こういう考え方にかたまってきたのも、同じ年代の人たちで一つのクラブをつくり、プロジェクトをもって活動を進めていくことは単位クラブとして急速に伸びていくわけですが、後継者の育成や先輩からの助言などの面が少なく、視野がせばめられます。これでは現代の農業に追いつき、追い越すことが非常に困難であると思ったからです。

こういう状態のまま過去三年間にわたって地域で4Hクラブ活動を続け、単位クラブの交流や、県連主催の行事に数多く参加して友を知り、友と明日の農業を語ってきました。

しかし、それらの中で、自分たちの所属する4Hクラブの本質は何か、を知り、綱領にかかげている四つの信条—腕（Hands）頭脳（Head）心（Heart）健康（Health）—がどの程度浸透し、4H活動には不可欠のプロジェクトを理解しているか疑問です。そして、それを実行している会員が余りにもわれわれの地域には少ないように思うわけです。

そこで、4Hクラブの発生地であるアメリカにおいて、現在どのようなクラブ活動が行なわれているかに興味をもったわけです。

こんど〝草の根大使〟に選ばれ全国代表として現地に行くことになったことは、自分にとっては責任重大であり、全国クラブ員みなさんのご期待にそえるか内心不安でおります。しかしいま、私はみなさんに誓います。

「日本代表としてアメリカに行き、日本人として、4Hクラブ員として恥じないように全力を尽し現地の様子をつぶさに見聞して自分の見てきたこと、感じたことを、できるだけ多くのみなさんに知らせたい」と思っています。

実際に、アメリカの4Hクラブは九歳から十九までの未成年で構成し勉強しているわけで、日本のそれと比較はできないと思いますが、活動の内容や会員の構成、そのほかいろいろ参考になることが多くあるはずです。こういう点をとくに学んできたいと思います。

また、日本では二十五歳が4Hクラブ員の一応限界になっていますが、アメリカの同年代の農村青少年が農業に対してどのような考えをもち、家庭や地域の中でどのような仕事の役割をしているかなどについて見聞してくるつもりです。

不安なのは言葉です。初めての英語での生活で、いままであ[illegible]柄についてどの程度吸収しきれるか心配もしますが、自分のからだでもって感じ、吸収し自分の能力の範囲内で最大限の力を出して頑張り、みなさんにそれを報告したいと思います。

ＯＢは語る　若さと勇気を

篠原信夫氏

戦後の混乱した農村の復興のにない手として、郷土に新しい息吹きを注ぎ込んだ4Hクラブが、幾多の試練に会いながら今日まで受けつがれて進んできたことは、関係各位のご援助もさることながら、やはり農村社会にあって「次の時代をになうものはわれわれだ！」というクラブ員自身の強い自覚が大きな力となっていると思う。

だれにも愛されるクラブ、若さのあるクラブーになろうと努力したことを今でも忘れません。そして「最善の一歩先きをねらう」という標語を口にしながら仲間とともに語り、ゲームをたのしんだクラブ現役時代を思い浮べます。

目まぐるしく移り変る世界情勢の中にある日本農業をどうするか、住みよい郷土を築くためには自分の農業経営をどのように改善すればよいか、経営者として、みんなさんの夢と希望は胸いっぱいにふくらんでいることと信じます。

このところ「曲り角に来た日本農業」といわれましたが、最近この言葉をあまり聞かなくなりました。なぜ聞かなくなったのでしょうか。果たしてもう曲ってしまったのでしょうか。いま米が大きなカベに突き当り、ミカンやリンゴが大きな試練に立たされています。構造改善のにない手であるミカンがもうこのありさまです。動くといえば、あまりにも激しく変転する農村経済なのです。農村というと〝動かない平和郷〟みたいなものと思われてきたのですが……。

クラブ員のみなさん、このようなときこそ仲間とともに勉強し、勇気と情熱を持って自分の仕事に取り組んで進みましょう。この激動する社会を乗り切ることができるものは、若さと勇気だと信じます。それに仲間もいます。自分の歩いた道を悔いないものにするためには、一日を大切に過ごすことであり、また、精いっぱい若さを発揮してこそクラブ員の存在意義があり、封建的だといわれる農村社会を目ざめさせるエネルギーであると思います。

一人ではできないことも、仲間が力を合わせるとできることがたくさんあると思います。その意味では、同じ共通の課題をもった4Hクラブ員は幸であると自覚し、明日、いや今日からなおいっそう活躍されるよう期待いたします。

（元福岡県連会長、同全国4Hクラブ連絡協議会会長）

リレー・クラブ紹介　われらのクラブ

少数精鋭で意欲的に　豊かな農村の建設を誓い合う

飯野坂４Ｈクラブ（宮城）　高橋正好君記　（下）

二十年間の歩みの中には、よいことばかりではなく、苦心談もいろいろある。

三十六年度から始めた養豚経営では、農協から子豚を借り受けたものの、採算があわず二年目でとりやめになったり、またプロジェクト作業が多いため、親からにがい顔をされたり、いろいろな問題にぶつかった。

しかし、親との和を深めるために、部落民の慰安会を行なったのをはじめとして、部落民とクラブ員とのレクリエーション大会によって農村の健全レクリエーションの振興に努めたり、家族慰安会や親とクラブ員がひざを交えて話し合う場をもうけて理解してもらうなどして努力を続けた結果、その仲を深めることができた。これは、周辺の部落の模範となった。

また、アンケート調査（四十一年度）を実施して部落民の考えを知るとともに、クラブに対する意見や問題点をみんなで検討し、要望に応えるように努めた。

現在の一番の問題は、どこの地域にもみられるクラブ員の減少である。

われわれの住む名取市は、宮城県の県庁所在地、仙台市から約十㌔のところにある。国道四号線、東北本線、仙台バイパスが横断し、ニュータウンや工場などが進出、発展途上にある地域のため、ほとんどの農業（家）後継者は都市への通勤労働者として働いており、女子会員などは三十八年度から今日まで入会者が一人もいない。しかし、要は数だけでなく少数精鋭主義で、クラブ活動に取り組み、他の後継者の模範となるように、さらに働きかける計画です。

クラブ員の学習方法としては農事視察や研究会には必ず参加して新しい技術の導入に努力し農協や農業改良普及所の方々にも指導していただくとともに、稲作、野菜、一般に関する鑑定や判定、審査、診断などの競技も毎年くり返して行なうなどして知識の練磨に努めている。

さらに、三十三年度から毎年、農業講座を開設して、ＯＢや部落の人たちとともに勉強しているが、これはなかなか好評を博している。

これらのクラブ活動、一年間の事業の反省会を年度末に開いて、次年度への活動強化に役立てている。

以上が、わが飯野坂4Hクラブが歩んできた二十年間の実績であるが、このように活発なクラブ活動が二十年間も続いたということは、前にも紹介したように、プロジェクトによる共同作業などによって、常にクラブ員の団結と融和を図り、互いに連絡し合って積極的に事業に参加したこと、また、ＯＢや普及所の方々から指導を受けてクラブ活動の強化を図ったこと、あるいは地区や県などのキャンプ大会や交歓会、スポーツ大会、四季めぐりなどのレクリエーションを通じて友情を深めたことさらに、次年度の活動を強化するために、必ず反省会を開いて活動の成果や障害、問題点を究明し合ったことなどが、クラブ活動を活発にさせたものと思っている。

今後の目標としては「指導機関や他の団体と広範囲に交流し、クラブ活動を活発にしていくこと」「稲作一本で農業経営をやってきたわれわれの部落に、水稲プラス・アルファとして、都市近郊を利用した高価ソ菜の栽培を行ない、わが家の経営改善と地域の経営開発に努め、結びつきをさらに密にする」「ラジオ農業学校など、放送を利用した学習を検討し、仲間づくりを行なう」などをかかげている。

このような目標のもとに「農業に生きる」という信念で、豊かな農村の建設、地域社会への貢献を誓い、二十年間続いた4Hクラブ活動をさらに推し進めて行きたいと思う。

農村雑感　試験場と農民

折原俊二郎

毎年秋に開かれる農業試験場参観デーの日、私は圃場にたって、次々と列をなして見学に来た農家の人に、知っている限りの知識をもとにして説明した。夕方まで同じことを何十回くり返して説明したことだろう。夕日が西に傾いて参観者の姿がなくなった頃は、体の芯まで疲れきって、圃場に腰をおろしたいほどであった。肉体よりもなれない説明のため気疲れして心の方が参ってしまったのである。

圃場から研究室に引きあげてくる途中、水田のそばを通ったところ、参観通路に面した場所の稲穂がすり切れたようになっていた。今から十九年も前、私が県の試験場に居った頃の思い出である。

また、十一月二十三日は新穀感謝の日で、現在では農業祭が盛大に催されているが、今から十年ほど前は、明治神宮で全国農林産物品評会が開かれ、入賞者には農林大臣賞をはじめ、各種の賞が授賞され、これへの参加は全国各地から膨大な数の出品がなされた。この際も、数日間にわたり一般公開されたが、公開期間が終る頃になると、入賞したもののうち種子として使えるものは、半分以下に減ってしまうのが常でした。

この二つの例は、いずれも良い種子をそっと持ち帰り、自分の田畑に植え、翌年からふやしていこうとするもので、その心理は十分理解されるものです。この項における農民の試験場に対する考え方は、試験場は増収になったり、品質の良い系統のものをつくりあげ、これを農民に普及してくれるものであり、農民側もこの範囲で試験場に要求し、その目的が達せられ、両者の間には意識のうえで交っていたといえよう。

ところで、最近、若い農村青年と共に試験場の見学に行った。ここでも青年たちの質問は技術的な問題であり、その解答もほぼ満足に近いものであったといえよう。ところが、見学を終えて宿舎に帰ってからの話になると、試験場に対する不満が一斉に出たことである。

その内容は、試験場では、われわれ青年が一番関心をもっている農業経営面の研究が少なすぎるということである。しかし、そうした不満を持っているならば、何故、見学の際に技術面のみでなく、経営面について深く突込んだ質問をしなかったのだろうか。

確かに、ここ数年来若い青年たちの目は、経営面に大きく目を開いてきたことは事実である。それは、農業では生産をしておればよいというものでなく、流通から販売まで検討していかなければならない立場に追いこまれてきていることから生ずる問題であろう。試験場の研究態度の問題はたしかにあろう。

しかし、他方において農民側から試験場に対して研究の注文を強く出して然るべきではなかろうか。両者の間に何かぴったりしないものがある。それは存在してはならないことである。

（農林省・農業者大学校）

◀投稿案内▶

本紙は、みなさん方の新聞として、全国のクラブ員に利用して戴きたいと考えています。それでクラブの催しや個人のプロジェクト、詩、短歌、随筆、写真、悩みや意見、村の話題、伝説、行事その他なんでも原稿にして送って下さい。

お願い　❶長さや形式は自由です　❷できるだけ記事に関連した写真をそえて下さい　❸送り先　郵便番号162　東京都新宿区市ヶ谷船河原町11　日本4H新聞編集部

日本4H新聞
4Hクラブ
農事研究会
生活改善クラブ
全国弘報紙
発行所 社団法人 日本4H協会
東京都市ケ谷家の光会館内
電話（269）1675 郵便番号162
編集発行人 玉井 光
月3回・4の日発行
定価 1部 20円
一ヵ年700円（送料共）
振替口座東京 12055番

クラブの綱領

私達は実践を通じて自らを磨くとともに互いに力を合わせてよりよい農村、よりよい日本を創るため四つの信条をかかげます。一、私達は農業の改良と生活の改善に役立つ腕をみがきます。一、私達は科学的に物を考えることのできる頭の訓練をします。一、私達は誠実で友情に富む心をつちかいます。一、私達は楽しく暮し元気で働くための健康を増進します。

草の根大使元気で出発

日米間親善の途へ

大勢の人に見送られながら

社団法人日本4H協会から、国際農業青年交換（IFYE）計画に基づく本年度派米代表の4Hクラブ員に選ばれていた大竹忠善君（福島）と麻生すみ子さん（佐賀）は、さる四月二十日、家族や協会職員ら多数の関係者に見送られて、午後三時十五分、羽田空港からノースウエスト機でアメリカへ向けて出発した。

4Hの旗を囲んで、見送りにきた大勢の関係者と出発前の記念撮影（羽田空港ロビーで）

この朝、二人の出発にふさわしく、東京の空は晴れわたっていた。午前十一時すぎ、新宿区市ケ谷の家の光会館の日本4H協会事務局に集合、ちょうど当日は日曜日であったが、全協の黒田会長ほか新役員も本年度初の執行部会を開くために上京していたので、協会職員と一緒に羽田まで見送りに行くことにした。

大竹君、麻生さんはやや緊張して車に乗る。さすがに東京も休日は車が少なく、すぐに空港へ向う高速道路に入り、車はスピードをあげた。

こんどの派米代表は、選考決定から出発まで二十日あまり、その間に、旅券の申請から、関係機関へのあいさつ、オリエンテーション、買物なども行なった。とくに、これから出発する二人のために、昨年度日本代表として渡米した神奈川の北村龍君と岐阜の国島淑子さんが、協会事務局まで来て、旅の心得やアメリカでの生活について、こまかに説明してくれた。

空港のロビーには、家族や友人、県庁の担当官など多くの人が見送りに来ていた。二人は、出発までの時間、日本での最後の食事をとり、見送りの人たちと別れを惜しんだ。

さいごに、4H協会の新田事務局長が「日本の青年代表として、誇りをもってやってくるように」と激励、大竹君が二人を代表して「しっかりやってまいります」と決意のほどを披露し、みんなの拍手に送られてゲイトに入った。

三時十五分、大竹君、麻生さんを乗せたノースウエスト機は、みんなの歓声に送られながらアメリカのシアトルに向けて飛び立った。

この4Hクラブ員の交換は、日本4H協会と国際農村青年計画に基づいて、アメリカの4H財団と提携して毎年実施しているもので、渡米した代表は、ワシントンでオリエンテーションを受けたあと、約六ヵ月間、現地の受入農家に入り、その家の子弟として生活をすることになっている。

全協執行部会を開く

新事業計画を検討

"つどい"など内容を具体的に

全国4Hクラブ連絡協議会（会長、黒田保君）は、さる二十一、二十二の両日、東京・新宿区市ケ谷の家の光会館内同会事務局で新年度初の執行部会を開き、❶来る七月下旬に鳥取県で開催する第五回全国4Hクラブ員のつどい❷来月開催予定の全協評議員・県連会長会議❸例年十二月、御殿場の国立中央青年の家で開催している全国4Hクラブ中央推進会議❹来年二月、東京で開催予定の全国4Hクラブ・プロジェクト実績発表大会❺4H会館建設などそれぞれの行事内容や日程について、具体的に検討するとともに、ことしから全協の組織などについて専門委員会を設ける件などについて協議した。

二十日は、ちょうど、本年度の草の根大使として日本の4Hクラブ員を代表して、大竹忠善君（福島）と麻生すみ子さん（佐賀）の二人が羽田からアメリカへ向って出発する日に当り、全協役員も黒田会長以下全員、4H協会の職員とともに、空港まで見送りに行った。

午後三時すぎ、再び事務局にもどってから、ことし初めての執行部会を開いた。

まず、全協の一大行事である第五回全国4Hクラブ員のつどいの具体的な内容について、一つひとつ再検討を行ない、つぎの諸点を申し合わせた。

イ、全国のクラブ員の親睦と理解を深め、家族ぐるみの4H活動をすすめるため、現地交歓、訪問は原則として全員参加すること。

ロ、クラブ員の夢である4H会館建設については、つどいのときも主旨の徹底的PRと募金活動をするため、運営委員のほかに数名の会館建設委員をおき、専門的にあたらせる。

ハ、二日目の早朝レクリエーションは、大山登山のAコースと大山寺散歩のBコースに分かれるが、これまでの参加者の希望はもっぱらAコースに集中しており、五、六百人以上の人が一度に高い山に登るのには相当な準備とリードが必要である。したがって、登山者を小人数のグループに編成し、それぞれに腕章をつけたリーダーをもうけるとともに、地元の山岳会など登山専門家を依頼する。また、万一の事故や急病に備えて、医師や看護婦をつける。

Bコースは"宝さがし"を組み入れて、興を盛りあげ、Aコースと時間の調整をはかる。

ニ、スケッチの時間は"鳥取の思い出を記す"時間とし、スケッチや写真撮影、歌、話し合いなど、各自が思い、思いに過す自由な時間とし、このときは運営委員もその任務を放れて、一クラブ員としてみんなと一緒に遊ぶ。

ホ、レクリエーションの指導は、日本レクリエーション協会の専門家に依頼する。だが、キャンプ・ファイヤーの司会と進行は全協役員が行なう。また、郷土品の交換を行なうが、それには自分の住所、クラブ名、氏名を記しておき、あとでお互いに礼状を出し、友情を深めるきっかけにする。

ヘ、つどいで発表する意見文、体験文を本紙の紙上で公募する。

つぎに、評議員・県連会長会議について協議した。

この会議は全協の総会につぐ重要な会議で、総会後に選出された各県の新会長に、全協の活動内容や総会で決議されたものやその後変更されたものを発表し、各事項の徹底と確認をはかる。執行部では、この会議にさきだち、十二、十三の両日、役員を鳥取へ派遣し、つどいの開催場所の下見や現地の受入体制について調べ、出席者に報告する。

時期は来月十五、十六日で、大阪か徳島で開くことに決めた。

また、例年、御殿場の国立中央青年の家で開いている全国4Hクラブ中央推進会議は、ことしも十二月八日から四泊五日の日程で開催する予定。

出席者は、各県から県連会長、または候補者として男女各二名の4H会館建設推進委員、リーダー、クラブ員の計六名とする。

新たな内容として、4H会館建設推進員会議、女子クラブ員研修、レクリエーション講習、プロジェクトについてのパネル・ディスカッション、OBによる4Hクラブの組織についての分科会討議などを行なうことを決定した。

つぎに、全国4Hクラブ・プロジェクト実績発表大会について話し合った。

全協では、クラブ員、OB、農業高校生、経伝生徒、指導関係者など、約五百人の参加を見込んでおり、早急に会場の手配をしたい意向で、期日は来年二月、二泊三日を予定している。

執行部で協議した結果、発表者は各県から二名で、申込み〆切を来る十二月末日までとし、クラブ員の発表のほか、指導者によるシンポジューム、パーティ、アトラクションを行なうことにした。

また、ことしから、組織委員会と調査委員会という二つの専門委員会を設け、OBなどを招いて、4Hクラブの組織の強化と今後の活動のすすめ方などを研究することにした。

二日目は、4H会館建設委員会の遠藤事務局長も出席して、会館建設の募金状況やこれからの募金活動などについて協議した。

農村と結婚など語る

北海道・道南地区 合同研修会を開く

【北海道】北海道4Hクラブ連絡協議会（会長、泉一男君）に加盟している十四連協のうち、道南地区の四連協は、さきごろ、胆振青年の家で合同研修会を開き、お互いに話し合いや交歓をとおして今後のクラブ活動を盛りあげることを誓いあった。

初日は、開会式につづいて「農村と結婚について」と題して、バズセッション、パネル、ロールプレイングなどゲームを取り入れながら実践学習を行なった。

まず、見合い賛成論者と恋愛賛成論者、中立論者の三つに分かれて討論し、熱気を盛りあげた。

つぎに、いろいろの問題のなかから「恋人をどうして見つけるか」については、4Hクラブの研修会など異性が多くいて、対話ができる場所に積極的に出て、これという相手を見つける。また心理学的に選ぶべきだ」など。

「恋愛する時間をどう見出していくか」については、プロジェクト方式を採用すべきで、計画をたて、時間ねん出に努力する。両親に話し、お互の交際を認めてもらい、親の理解のもとに時間をつくる。共通の農休日をつくり、その日をデートの日にする―など。

「結婚を前にして、住居、家族関係に問題があるとしたらどうするか」については、住居は夫婦の城として、密室に近いものを嫁ぎ先で考えてもらうよう努力する。

それによって、家族との関係もうまくいく。4Hクラブ活動などで物事を正しく理解できる力を身につけ、家庭のなかに入って、家族のみんなと協力し、改革の方向へ向ける必要があるなどの意見がだされた。

さいごに、ロールプレイングでプロポーズの仕方、青年が一度は経験する姿を劇でもって研究した。笑いと真剣な眼差しの動揺のうちに二時間余りを費した。夜は、楽しい交歓会を行なった。

二日目は「放送利用学習について」をテーマに、分科会でビデオ・テープを利用して、各自の農業に対するビジョンを発表し、それについてみんなで研究討議した。

このあと、全体会議を開いて、分科会報告を行なった。

つぎに「農業青年は、何を生きがいにしているのか」について討議した。その結果、話すことに、創作することに、愛することに喜びを感ずる農業青年でありたい―の三つにまとまった。

午後からは「生産に結びついた放送利用」について話し合ったあと、久保田専門技術員の「グループ活動と放送利用」と題した講義を受けた。

夕食後は、キャンドル・サービスで最後の夜をすごした。

三日目は、小西農機の工場と伊達町のハウス農家を視察したあと反省会を開いた。

（北海道4Hクラブ連絡協議会広報担当　赤松　広君発）

涼風暖風

今年の東京の空は狂っているようである。四月も半ばなのに、七月上旬の陽気が続いたと思ったら、去る十七日は雪に見舞われる始末。

四月十七日の雪は、気象庁の観測始って以来とか。葉桜の上につもった雪は街の若ものたちをすっかりふるえあがらせてしまった。二、三日前は、早い夏の訪れにワイシャツ姿があふれ、女性の半そでブラウスのボイーン、ボイーンに目を輝かせたのに、とんだハプニングである。

ところで、この雪をみて、人びとはどんな考えをもっただろうか。

異常の事態にそう遭遇すると、不安のとりこになるのは常の人。平穏無事の生活を維持しようとしている人にとっては異常、つまり現状をくずされること、常識を否定されることは耐えられない苦痛だろう。一方異常にともなう変化への期待や、未知に対する好奇心をいだく人のいることも否定できない。

天変地異を期待し、世情不安を待ち望んでいるというわけでなく、異常の事態に直面して未知の経験に胸をときめかせ、そこに横たわった新しい障害をのりこえるエネルギーの爆発に武者ぶるいをするのは、若い人の特権でもあるような気がする。

与えられたわくの中、常識の土俵の上で最大限の努力をし、その中での最大の収穫をあげようとするのは、昔の篤農家や真面目人間の生き方である。与えられた条件や、常識の線の中では、いくら努力してもそのわくの中だけの勝負でしかない。常識の土俵を広げたら、効果は飛躍的に増大する筈である。

カッコイイ赤いシャツ

今の男の人は、赤いシャツを実に美しく着こなしている。でも、つい最近までは、赤い着物は女の人が着るものだ、というのが常識であった。この常識を破って、男の人が赤いシャツを着たときから、カッコイイ、ということになった。おかげで、女の人もむさくるしい男性を見なくてもよくなったので、メデタシ、メデタシである。これも、勇気ある一人の男が常識を破ってくれたからにほかならない。

素人百姓といわれる人、頭脳百姓といわれた人が好成績をあげているのも、この人たちが従来の農業人のこだわっていたしきたりや条件を知らないが故に、自由にふるまえたからであろう。

四月十七日の晩春の雪をみて、常識や慣習、たてまえや人なみを否定し、これを乗りこえたところに飛躍がある、と考えた。

（文部省　伊藤）

集いの体験を礎に

奈良県連で総会開く

【奈良県＝浦崎正之連絡報道員発】奈良県4Hクラブ連絡協議会（会長、山田高作君）は、この[illegible]と、県農業試験場で通常総会を[illegible]き、新年度事業計画と予算を決[illegible]するとともに、役員を選出した。

はじめに、山田会長が「本年[illegible]の中心課題となった"第四回全[illegible]4Hクラブ員のつどい"が、わ[illegible]県連に及ぼした影響は貴重な[illegible]である。この成功は、わが県連[illegible]誇りであり、いろいろな思い出[illegible]もある。しかし、いまのわれわ[illegible]に必要なのは、この体験をいか[illegible]活かしていくかの問題である。[illegible]ような総会が新しい歩みの一歩[illegible]して、今後の県連躍進の礎とし[illegible]ように」とあいさつ。つづいて[illegible]長団を選出して審議に入った。

まず、昭和四十三年度の事業[illegible]告を浦崎事務局長が、会計報[illegible]中筋弘司次長が、決算報告を[illegible]敏孝会計が、それぞれ説明、[illegible]の質疑応答のあと、これらを[illegible]した。

つづいて、新役員の選出を[illegible]い、会長、中津隆之君ほか[illegible]のように新執行部を選んだ。

新旧役員のあいさつのあと[illegible]トンを新執行に引き継ぎ、新[illegible]の基本方針、事業計画およ[illegible]を審議、可決し、会員で4H[illegible]ブの歌をうたって総会の幕を[illegible]た。

奈良県連の四十四年度新役員氏名は、つぎの通り。

[illegible]

会館募金に協力者

奈良県天理市柳本 農協婦人部の人たち

【奈良県＝浦崎[illegible]報道員発】奈良県4Hクラブ連絡協議会（会長、山田[illegible]）[illegible]

昨年十月、地元奈良で開催された"第四回全国4Hクラブ員のつどい"[illegible]

お母さんたちに感謝

[illegible]

関係者から激励をうける新規就農者たち

盛大に激励大会

新就農者の心に火を灯す

愛知県南知多地区連

【愛知】桜花らんまんのさる四月十四日、南知多町4Hクラブ連絡協議会（会長、大宮久左衛門君）と南知多町などの主催による同町新規就農者激励大会が町役場町民ホールで盛大に開かれた。

これは、今春学校を卒業して農[illegible]

[illegible]

心頭技健

[illegible]

ブラジル88村巡行

日本政府派遣農村青少年指導専門家　湯浅甲子

―〈3〉―

三月二十三日　こけし食堂二階で青少年指導協議会がひらかれ、私は初めてこの会に出席した。

構成メンバーは、同州の六つの団体からなり、農村後継者育成に関する諸団体の集まりであった。そして「青少年育成ということは、どこから、どうやって始めるのか、皆目わかっていません。ぜひ教えて下さい」と、矢つぎ早やに質問を浴びた。

不安は受入れ側も

しかし、不安は受入れ側にもあった。「湯浅という人は、一体どういう人なのか」という疑問、それが、初対面の皆さんの私を見る目に伺える。

私は質問には慎重にならざるをえない。「私は、この半年間に、私の持っている力をみんなは吐き出して帰りたいと思います。皆さんも、この私から少しでもブラジルのためになることを引き出して下さい。私は決して出しおしみはいたしません。只今、いろいろと具体的な解決策の質問がありましたが、今の私には、それにお答えする資格がありません。私は、ブラジルに着いたばかりなのです。私はブラジルの皆さんの生活をまだ知りません。とに角、足を棒にしてでも皆さんや青年たちの日常生活を訪ね歩き、一日もはやく、皆さんのありのままの生活を知り、その中でじっくり考えてから方法をみつけ出してみたいと思います。もうすでに私の奥地巡回日程案ができているようです。大変殺人的強行スケジュールだと協議会ではいっているようですが、私にとってはむしろ幸いです。殺人的かそうでないかは、やってみてから考えましょう。とにも角にも、早くこちらの実情を知るために、皆さんの中へとびこみたいと思います」―これが、私の第一声でした。

この私の考え方は、現地の人々を喜ばしたようである。にわかに私のまわりは忙しくなってきた。

"旱天の慈雨"の大役

レストランで歓迎

三月二十四日　身廻り品の整理を半日ですまし、斉藤同協会議長の車で市内見学にでた。

サンパウロ市は、人口六百万人の大都市であるが、ヨーロッパ文化を基調にして、アメリカその他各国各民族の文化が溶け合った、一種独特のムードをかもし出している町である。道ゆく人の表情には、南国の開放的な明るさがあり、しげしげといかにも話しかけたそうな目の輝きには、人なつっこいあたたかさがただよっている。

あらゆる人種が、全く差別なく肩を組んで生活する姿は、街に多彩なにぎやかさをみなぎらせて、いつも陽気である。

夕食に大きなレストランに入る。おかかえの楽団が、私達の顔をみるとすぐ曲目を変えて、支那の夜、さくら、などを演奏しはじめた。曲が終ると、お客の全員がフォークをおいて盛大に拍手をおくる。何だか、私達を心から歓迎するという雰囲気が感じられる。ほのぼのとした旅情が、私の胸に広がってゆく。

三月二十五日　サンパウロ州政府を正式訪問、エルベルト・レビー農務長官と会談する。一見、ドゴール大統領のような風貌だから、フランス系の人であるのか。

「私は二年前に日本を訪ね、その発展に驚いた。日本はすぐれた国である。どうぞブラジルのために、よろしく」と、にこやかに話された。

活躍目立つ日系人

三月二十六日　各産業組合を歴訪した。暑い。産組は旧メルカード（市場）周辺に、ひしめいている。個人の問屋街もズラーっと並んでいる。

州立博物館

農産物が氾濫する市場

奥地からの農産物が、溢り一ぱいに氾濫して複雑な臭いが、黒い石だたみの上にムンムンとはね返っている。その中を、はいまわるように、農産物のコボレものを拾い集める貧しそうな人達がいる。それらを圧するように、日系大組合の事務所の活気が伝わってくる。毎日毎日数百キロから一千キロも遠方からカミニオン（トラックのこと）が、ここに向って疾走してくるのである。

三月二十七日、二十八日　市内外の関係機関をまわる。州立生物研究所、州立農産物配給機構（セアザと呼ばれる農産物市場）、カンピーナス州立農試、ダッテという州農業普及機構など、炎天の中をとびまわった。どの機関を訪ねても日系人の活躍が目立つ。

金髪夫人の研究員が「わたしは鴻巣の国立農業試験場で稲の研究をやりました。日本はすばらしい」と目を輝かしていっていたのが印象深い。

〈栃木県普及教育課・特別専門技術員（青少年担当）〉

リレー・クラブ紹介　われらのクラブ

視野広め変化に対応

補助金の交渉も役員の任務

南畑4Hクラブ　埼玉

大沢新治君記

埼玉県の南端、城下町川越から八キロほど南に位置する富士見町内の一単位クラブ―それが私たち南畑4Hクラブです。

南畑地区は、水田地帯のため米麦が農家の主幹作物で、農閑期には出稼ぎに出るのが一般的な傾向です。わがクラブでもこの例にもれず、数名のクラブ員を残して出稼ぎに出るのが現状のようです。

しかし、一部の農家においては数年前から水田裏作として、これまでの麦からシイタケ、イチゴ、キュウリ、トマトなどの蔬菜類の導入がみられるようになり、とくに、ハウスによるイチゴ栽培などが近年多く見受けます。

このような環境の中で、クラブ員たちは、農村だけにとらわれず、あらゆる社会に対しての知識を身につけようという意欲が強く、また、視野を広げようと努力する姿が見受けられます。

最近では、水稲栽培になくてはならない水の問題、農業用水が少し軽視されているのではないかという疑問が出ているだけでなく、全国のクラブ員もご承知と思いますが、「新都市計画法」施行に対応する今後の農業のあり方が問題となっています。いわゆる大企業の進出に伴う農地の減少などですが、クラブ員はこれら新しく寄せてくる波にうち向うため、クラブ内だけでなく、青年学級の農業講座などにも進んで出席して勉強しようとしています。これなど私たちのクラブの大きな特色であるともいえるのではないかと思います。

ここで、私たちのクラブを紹介したいと思います。

この南畑地区には、以前にもクラブはあったと聞きますが、現在のクラブは七年前に新たに創立されたものです。私が入会したときには、会員も少なかったのですが、現在では三十一名にふくれあがっています。町内には三つの単位クラブがありますが、これらのクラブによって地域4Hクラブ連絡協議会が結成されていて、会員の親ぼくを深めています。

私たちのクラブの主な行事は、まず新入クラブ員歓迎会をかねた四月のハイキングを皮切りに五月は「歴史をさぐる」として南畑地区の史跡めぐり、六月にデモンストレーション大会参加、七月にクラブ交歓会、八月には野外におけるキャンプ、九月は地区連が開催する三峰の集い参加や農協の手伝いなどをします。三峰といえば全国のクラブ員の中には知っている人も多いと思いますが、三年前、全国4Hクラブ員の集いが開かれた思い出の地でもあります。

そして十月には地区体育祭への参加、十一月交歓会、十二月は恒例のクリスマスパーティ、一月には気分も新たにプロジェクト発表への参加、二月は反省会や先進地農業の見学、最後に三月に役員会を開いて役員を改選し、一年間のしめくくりをするとともに、新年度へ決意も新たにスタートします（行事としては、このほかまたいろいろありますが省略します）。

次に、プロジェクト活動についてみると、個人としては余り活発にやっていないようですが、クラブとして水田を六アールほど借り受けて栽培しています。

昨年は新品種である「若風」を作付けしましたが、残念ながら用水にチッソ分が多いために収穫を目の前にして倒れてしまいました。

しかしクラブ員全員で倒れた稲を刈って脱穀した結果、約百二十キロ収穫できましたので、町の農研団体や一般の方々などに少しずつ売却し、その収益をクラブの財源として運営費に当てました。

このような事業は、クラブ員の団結を強めるためにもいろいろと役立ち、クラブ内ではあるけれども親ぼくを深めることができました。これは4Hクラブの発展にもつながると思われますので、来年も続けようと話し合っています。

クラブの活動資金としては、町から一万三千円、農協から一万円、農研団体（4Hクラブを卒業した人たちで結成している農事研究団体）から五百円、それぞれ補助を受け、それに個人会費や、さきほどの事業収入などで四万九千円でまかなっています。

十分な活動を行なっていくためには、まだまだ資金が足りませんので、各関係機関、団体に対して補助金をふやしてほしいと交渉していくのも役員の一つの仕事となっています。

クラブの悩み、問題点はあまりありませんが、しいていえば女子クラブ員が少ないことや、入会はしたがあまり活動に参加せず、幽霊的（名目的）存在にあるクラブ員がいることで、これは現在、その解決方法を検討中です。

今後の方向としては、単に目先きだけにとらわれず"いまここで、なにが、どのようにして行なわれ、それがどのような形で表われているか"という社会の変化や流れを確実につかみ、そこで初めて、それらが農業にもたらす影響はどのようなものであるかということを考察し、勉強し、それに対応した方向へ実践してゆきたいと思っています。

なお、現在（四十三年度）の役員構成は、会長・吉川忠美(二七)、副会長・大沢新治(二二)、会計・島村喜嗣男(二二)ですが、四十四年度としては、会長に大沢新治、副会長に時田昭一(二二)、水村房子(二〇)、会計に吉川豊(二二)が新役員に予定されています。

都市近郊農家に影響

市街化区域の基準決る　農林省で発表

新都市計画法が六月から施行されるが、これに先きだち、都市近郊の農地を工場用地や住宅地などへの転用を、全く自由にするか、また、きびしくする、という二つに区分する基準がこのほど農林省から発表された。

この基準は、新都市計画法によって、原則として人口十万人以上の全国すべての都市を、都市化を進める「市街化区域」と、当分の間都市化を抑えて農地を残す「市街化調整区域」とに分けるので、その物差となるもの。

同省は、この規制によって、市街化区域に入る約十九万ヘクタールの農地を手放す形になるため、都市近郊（市街化区域）での農地の転用に、さらに拍車がかかるとみられている。

市街化区域に含まない農地を決める基準は次のとおり。

一、次の各項のどれかに当る農用地は原則として市街化区域に含めない。

❶集団的優良農用地＝団地規模がおおむね二十ヘクタール以上で、高い性能の機械で営農できる土地の条件があり、十アール当り収量がその地域の平均以上の成績をあげているところ。

❷国営か国の補助によって土地基盤整備事業を実施中か、事業が終ってから八年を経過していない地区内の農用地。

❸農林漁業の維持保安施設用地＝保安林など農林漁業の維持保安のために欠くことのできない公共施設で、その規模や立地条件などから、代替施設によってその機能を果すことが困難なところ。

一、つとめて市街化区域に含めない農用地は次のとおり。

❶集団的農用地❷土地基盤整備事業を終った地区内の農用地❸野菜生産出荷安定法に基づく野菜指定産地内の農用地❹土地基盤整備事業以外の事業が総合、集中的に行なわれている地区内の農用地❺土地基盤整備事業を調査計画中の地区内の農用地。

一、特例として、以上の農地でも、やむをえず市街化区域に含める必要がある場合は、調整措置がとられる際に限って❶つとめて含めない❷原則として含めない、の順で必要最小限度の面積を市街化区域に含めることができる。

なお、農林省では六月から実施する方針である。

大臣を迎えて入学式

農林省　農業者大学校の二期生

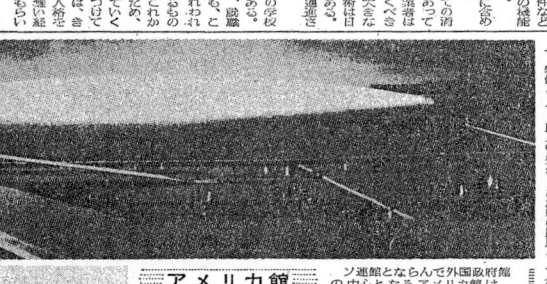

入学生を激励する長谷川農林大臣

農業者大学校（農林省中央青年研修施設）の第二期生の入学式がさる十四日、桜咲く東京多摩丘陵の同校講堂に長谷川農林大臣はじめ関係者多数を迎えて晴やかに行なわれた。

同校は、農林省が地域農業の振興と社会開発推進の中核となる優れた農村青年を育成確保するために設立したもので、農業に従事している優秀な農村青年を対象として研究教育を行ない、農業経営に対する自信と応用能力をつけようとするもの。

この日、あこがれの入学式に参列した新入生四十名は、昨年入った先輩や関係者に祝われてやや緊張気味。

午前十時四十分、開式の辞、農政局長の訓辞につづいて、長谷川農林大臣は「きょう、ここに入学した人は、日本の大事な明日を担う人である。食糧の確保なくして国の、工業の発展、繁栄はない。ただ、むかしは生産があっての消費であったが、いまは消費あっての生産である。そこで、農業者は消費者より先き回りしていくべきである。世界には、規模の大きな農業は幾らでもあるが、技術は日本が世界を指導する立場にある。みなさん方は自信をもって邁進されたい」と激励。

つぎに、東畑四郎氏が「この学校は農林省はじめての試みである。他の学校と比べてみるとき、就職のための学校でない、農業も、これから十年二十年間は、われわれの想像もできない変化が起るものと考えられる。みなさんはこれからの農業者として生きてくため、ここでその大変化に適応していくための基礎をしっかり身につけてもらいたい。また、寮生活は、きゅうくつかも知れないが、人格をつくり出すための人生の得難い経験である。しっかりやってもらいたい」とあいさつされた。

このあと、地元多摩町の富沢町長が来賓あいさつ、つづいて、新入生を代表して、北海道出身の新田一農君が「私たちは、先生がたの指導と相互の研修を通して、人間形成に励み、農業人としての自信と応用力を身につけ、社会開発のため役立つよう努力します」と力強く宣誓して、式を終った。

アメリカ館

テーマ……未発表
敷地面積……19,905平方㍍
出展費用……約36億円

ソ連館とならんで外国政府館の中心となるアメリカ館は、「空飛ぶ円盤」が地上に降りたような感じの建物。

これは、建築史上最初のケーブル屋根エア・ドーム構造と呼ばれるもので、だ円形の穴の周囲に高さ7ｍの芝張り土手を盛り上げて、その上に長径142ｍ、短径83.5ｍの屋根がかけられます。

屋根は、ワイヤーロープの網によってささえられたグラスファイバーのシートで、圧縮空気によってふくらまされ、柱は一本もありません。したがって内部は、昼は太陽光線がふりそそぎ、夜は照明で明るく輝く、公園のような大展示空間となります。

二層からなる展示部分では、アメリカ人の過去から現在にいたる文化、科学、技術の発展の過程が紹介されます。とくに期待されるのは、月面軟着陸の予想されるアポロ計画の最新の内容が展示されることでしょう。待合広場には、クスノキが植込まれて、自然の日影がつくられます。　〈日本万国博覧館「展示館」〉

あなたは解けますか

農業者大学校入試問題　数学

これは、今年度行なわれた農林省・農業者大学校（農林省・中央青年研修施設）の入試問題です。国語と理科の問題に続いて今回は数学を紹介しました。解答時間は50分ですので、あなたもどうぞ解答してみて下さい。

1、次の（　）に適当な数または式を記入せよ。

（1）$-\frac{1}{2}-(-\frac{2}{3})\times 0.5=$（　）

（2）x＝−2、y＝3のとき　$\frac{x^2+y^2}{2xy}$＝（　）

（3）5％の濃度の食塩水 a g と8％の濃度の食塩水 b g をまぜると、（　）％の濃度の食塩水が（　）g できる。

（4）横 a ｍ、縦 b ｍの長方形の横の長さが2ｍふえ、縦の長さが3ｍへると、面積は（　）㎡ふえる。

2、1時間あたりの燃料費が速度（単位：ノット……1時間に1海里進む速さ）の2乗に比例し（比例定数100円／(ノット)^2）、1時間あたり速度に関係しない雑費1万円のかかるような船がある。

（1）この船がvノットの速度でt時間航行するとき、かかる費用はいくらか。

（2）この船が500海里の距離をvノットの速度で航行するときの総費用を求めよ。

（3）この総費用を最小にするには、何ノットの速度で走ったらよいか。

ただし、積が一定の2つの正の数の和は、この2数が等しいときに最小となる、という事実を利用してもよい。

3、座標平面上で、3点A（1、2）、B（5、0）C（4、5）を結んでできる三角形について、次の問に答えよ。

（1）この三角形の3辺の長さをそれぞれ求めよ。
ＡＢ＝（　）
ＢＣ＝（　）
ＣＡ＝（　）

（2）この三角形の面積を求めよ

（3）この三角形の3辺の方程式を $ax+by+c=0$ の形で求めよ。

ただし、2点（x_1、y_1）、（x_2、y_2）を結ぶ直線の方程式は　$y-y_1=\frac{y_2-y_1}{x_2-x_1}(x-x_1)$　で与えられる事実を用いてもよい。

ＡＢの方程式：（　）
ＢＣの方程式：（　）
ＣＡの方程式：（　）

（おわり）

プロジェクトの取り組み方　促進編（4）

北海道専門技術員　三輪　勲

女子の生産活動領域
知識技術の習得が前提

女子プロジェクト促進の一般的留意事項

（1）調査プロジェクトの発展

女子プロジェクトは栄養調査・労働調査・生活時間調査など生活実態の調査を重点とするものが多い。しかし、調査のとりまとめを行なっただけで終了する事例が少なくない。調査プロジェクトによって問題点が明らかになった場合は、その解決をはかるプロジェクトに発展させることが重要である。

（2）農業部門のプロジェクト

生活改善のプロジェクトだけでなく農業部門のプロジェクトを実施することは、農村女子青年の指導理念からみて望ましいことである。とくに女子の生産活動としてふさわしい領域、たとえば鶏・豚など中小家畜の飼育、野菜や花の栽培、簿記の記帳などのプロジェクトから貯蔵・加工・調理など生活改善領域のプロジェクトに方向づけることも効果的である。

（3）基礎学習の促進

生活改善のプロジェクトを促進するには、家庭経営・食物・被服・保育など生活に関する知識と技術の習得が前提となる。とくに生活領域の問題は農業部門と異なって未分化の状態にあるので幅広い基礎学習がたいせつである。青少年グループの諸行事や研究は一般に男子重点になりやすいので、ラジオ農業学校・青年学級に積極的に参加させるなど、生活に関する共通学習の促進をはかる。

プロジェクト活動組織と行事

プロジェクトの活動と組織

農村青少年グループは、プロジェクト活動を中心とする集団であるといわれている。グループの組織はプロジェクトを促進するうえに根底とならなければならない。プロジェクト促進の内部組織としては、プロジェクト委員会・プロジェクト課題別小グループ・連絡協議会におけるプロジェクト専門部会の三つが考えられる。

（1）プロジェクト委員会

青少年グループには、運営の円滑化をはかるため一般に行事・広報・レクリエーションなどの委員会が組織されている。これらの委員会は、もちろんプロジェクトの促進をはかる役割を持っている。その機能は、プロジェクトに対して間接的である。このため、グループ員のプロジェクトについてすべての世話役を担当するプロジェクト委員会を設けることが望ましい。

プロジェクト委員会のおもな任務は、およそ次のとおりである。

❶改良普及員によるプロジェクト巡回指導の要請と日程の調整❷会員のプロジェクト・リストの整備❸プロジェクト参考資料の収集と紹介❹プロジェクト・レコードブックの購入に関する事務❺プロジェクトに関する行事の企画と実施（行事委員会と連けい）❻プロジェクトに関しての篤志指導者に対する連絡❼プロジェクト実績集の発行（広報委員会と連けい）❽各プロジェクトグループの連絡調整❾他町村青少年グループとのプロジェクト活動に関する情報交換❿連絡協議会のプロジェクト専門部会との連けい

（2）プロジェクトグループ

個人プロジェクトの課題をもとに同類または同部門ごとの小グループを編成する。たとえば水稲グループ三人・養鶏グループ二人・食生活グループ四人というような課題別編成、作物グループ五人・畜産グループ三人・経営グループ三人などの部門別編成をいう。

この場合の小グループの構成人員は、あまり多くない方が学習効果が大きい。人数が多過ぎるときは課題の細分化をはかるとよい。プロジェクトグループは、相互の意見交換などプロジェクトの促進によい影響をおよぼすことにより、また、専門事項を担当する普及員の指導も効率的に実施することが可能となる。

（3）プロジェクト専門部会

単位グループ相互の連絡協調をはかるため、市町村を単位として青少年グループの連絡協議会が結成されているのが普通である。

この連絡協議会の内部組織として、課題別または部門別のプロジェクト専門部会を設けると効果的である。この部会では、各単位グループにおけるプロジェクト活動の情報交換・研究発表に基づく討議・実践資料の交換など、広い視野からの相互学習に大きな効果がある。もちろん専門事項担当の普及員による指導も能率的に実施できる。

単位グループの組織体系（例）

会長
副会長
書記　会計
プロジェクト・グループ：生活改善グループ　畜産グループ　野菜グループ　水稲グループ
常任委員会：レクリエーション委員会　プロジェクト委員会　広報委員会　行事委員会　総務委員会

連絡協議会のプロジェクト専門部会

（連絡協議会）（単位グループ）（町）（地域）（グループ）

作業帽子の工夫

香川県仲多度郡琴南町　美濃地区青少年クラブ　西岡喜代美

多くの欠点を改良
美しく利用範囲広い

私の住んでいるところは、香川県の西部、讃岐山脈大川山（一〇四三メートル）を頂点として北部はとくに谷が深く地形も険しく、土器川の源としてその川の両岸に水田がわずかに開けており、上流は山腹の傾斜に開かれた畑が散在しています。琴南町の総面積は八十四平方キロ、そのうち八十五％が山林でしめられ、農地および農用地は八％に過ぎません。地区によって自然環境、農業の形態は相当異なっており、気温は年平均一三・四度で県平均一五・二度より冷涼で、雨量は多く、戸数千二百戸、人口五千百名という山村です。

このような立地条件の中でありますが、今日ではテレビなどの普及に伴ない、私たちの生活水準も向上してきました。しかし、私たち農家にとっては農作業時間が多いにもかかわらず、いがいと作業着や作業帽子に対する関心や工夫がおきざりにされているという実状にありますが、このことは、私たち若い娘にとってあまりにも悲しいことだと思います。

こうした生活の中で絶対に欠かすことのできない農作業着についてみてみると、ふだん着の古くなったものが作業着に早変りすることが普通となっており、従ってこの作業着は必ずしも農作業に適したものであるとはいえません。

と申しますのは、麦の取り入れをしていたときでしたが、私は三、四年前に新調して大分着古したシャツやブラウスと、学校時代に使用していたスラックス、それに町で買ってきた作業用の帽子をつけて麦刈りをしていました。この作業着ではかがみにくいし、足を前に出しにくい。また、作業帽子は誰れかに呼ばれても聞えない。風通しが悪く、ひさしが大きくてじゃまになるなどの多くの欠点があることに気づきました。

そこで私は、作業用として能率的でかぶりやすい作業用帽子について研究をしてみました。それは従来の作業帽子にプラス・アルファしたものをと考え、いろいろと工夫した結果、やっと試作品が出来あがりました。

この作業帽子の目的は、作業がしやすいこと、利用範囲の広いこと、だれでも簡単に出来ること、わずかの費用で出来ること、みた目に美しいことなどの特徴をとり入れました。

材料は綿プリント（アセテートナイロン系などもありますが、風通しが良く肌ざわりの一番良いと思われる綿を選んだ）用布は母のワンピースの残り布があったので使用しました。これは七十センチで金額にして約百円程度です。スナップ七個、ゴムテープ二十センチを用いました。

デザインは市販されているものに少し変化を加え考案しました。とくに、ひさしの内側にはほこりよけをつけてみました。こうすることによって、ひどいほこり作業の時でもよごれずにすみます。ひさしは取りはずしのできるようにファスナまたはスナップで取り付けるように工夫しています。

ひさしの内側の取りはずす部分にゴムテープを入れますと、ただ前にのびたひさしよりもひかげを多くつくるため利点であると思います。刈りこみ作業などの時、前髪がよごれて白くなることをいく度となく経験していますので、ひさしの内側にほこりよけも作りました。

この種の帽子は可愛い花柄もようなどで作っておきますと、ひさしを取り替えることによって、ピクニックやハイキングなどのお供に楽しく使用することができます。したがって、この帽子はいく通りにもかぶれて、利用価値がたいへん広いと思います。

4Hくん　No.150　桜井はじめ

農業簿記（2）

京都大学名誉教授　大槻正男

記帳計算の組織による分類

一、農家経済単一簿記
二、農家経済複式簿記
三、農業経営単式簿記
四、農業経営複式簿記
五、農業経営並びに農家経済総合簿記

農家経済単一簿記

農家経済余剰収入＝所得的収入－失費的支出

165,000円－93,500円＝71,500円

……理解を容易にするために図解をもって示せば次のとおりである。

農家経済

非所得的収入↘	収入→	支出→	非失費的支出↗
所得的収入↗			失費的支出↘

収入は非所得的収入と所得的収入とからなり、支出は非失費的支出と失費的支出とからなる。経済余剰収入のうちから所得的収入を分離・算出し、また、支出のうちから失費的支出を分離算出し、そうしたあとで前者から後者を控除するのである。（つづく）

会長に森本君

奈良県大和郡山市4Hクラブは、第十三年度の通常総会を開き、新役員を選出した。

会長　森本和司

おしゃれコーナー　初夏を粧う

IIC国際綿花振興会から「カジュアルコットン・'69」コレクションが送られて来ましたのでご紹介します。

何十年も昔から使われてきたコットンが、今なおファッションリーダーの地位を確保しているのは興味深いことです。デザイナーや衣服メーカーは通気性の面から、また、色彩・織りの豊富さからコットンを素材として推せんします。

【写真】は、白地に茶と黒の格子のコットンピケ。アクセサリーをすべて白で統一する……

農業法令の手引

農業委員会　―その1―

農業委員会及び農業協同組合の法律

（ア）設置　農業委員会は、市町村に原則として一つ置かれますが、次の例外があります。

（イ）農地のない市町村には置かれない。

（ウ）農地の面積が北海道……

市町村の区域又は農地面積が著しく大きい等、特別の事情のある市町村では、市町村長は都道府県知事の承認を受けて二以上の区域に分けて二以上の農業委員会を置くことができる。（つづく）

NHK農事番組（5月1日〜10日）

テレビ

明るい農村　6・30〜6・55総合

1日　ビルディング養蚕　蚕糸試験場九州支場、タイの農業をみて・九大教授　江原薫
2日　村をむすぶ　フィルム・リレー
3日　農業新時代　親の立場子の立場（長崎県平戸市）
5日　村の記録　こども天国（福井県大野市・農協立保育園）
6日　きょうの話題　労災保険
7日　産物往来　夏みかん
8日　話題の広場　結婚記念林（北海道中川郡池田町）　サボテン名人　高橋武市（北海道紋別郡滝上町）
9日　村をむすぶ　フィルム・リレー
10日　農業新時代　大型酪農（広島県佐伯郡湯来町・久保農場）

あすの村づくり　日　7・00〜8・00教育　再　土　1・00〜2・00教育

4日　グループ便り　放送で結ぶ仲間（秋田県平鹿郡雄物川・企業化グループ）　仲間とともに　農業法人を考える（徳島県勝浦郡勝浦町の青年たち）

ラジオ

早起き鳥　5・05〜6・00 ❶

1日　産地訪問　いちご（奈良県大和郡山市）
2日　現地報告　みんなで作った子供広場（福井県今立町）
3日　特集　健康を守る村（岩手県下）
4日　話題の窓　水利慣行を考える―現地ルポ―（香川県下）
5日　特集　こども討論会、ぼくらは村の子（千葉県下）
6日　人と話題　新米農委員長に聞く
7日　通信員の手帳から　遠山己代子
8日　産地訪問　さつき（三重県豊里村）
9日　現地報告　構造改善を現地にみる（山形県米沢市）
10日　村のポスト

ラジオ農業学校　月〜土　6・40〜7・00❷　日　6・30〜7・00❷　再　月〜土　19・00〜19・15❷

4日　グループの集い「機械化と農業」（滋賀県蒲生郡安土町びわ湖干拓地内）高等営農学園生徒

ひるのいこい　12・15〜12・34❶

1日　天童の将棋（天童市）
5日　こどもの日特集　"町の子村の子"
7日　こども歌舞伎（広島県吉田町）
9日　羽黒山の田植祭り（山形県羽黒山）

春の終り（3）

一ノ瀬　綾　作
多賀愛子　画

暮夜の薄明りの中で、淳の目が光り、太い溜息がもれた。敏子はつい身が固くなる。

「久江さんも早く家の人達に打明ければいいのにね。二人で出歩くだけでは駄目だわ」

話題を出すことで気分転換を図った。淳も久江のことは知っているので話に乗ってくる。

「うまくやっていやがるな……」

やがてつぶやくように言ったなり、淳は黙りこんでしまった。村の背後にはまだ雪の深い海抜二千米の高原が広がっているので、じっとしていると寒さが身にしみてくる。

「実はね、役場に勤めないかって誘われているんだ。四月からだそうだが」

「役場！」

唐突な淳の言葉に敏子は目を見張った。

「普及員の田代さんの助手のような仕事だそうだが、なにしろ仕事がふえてしまって大変だからと頼まれてね。今迄のつきあいもあることだし断るとは言えねえ立場さ」

敏子は自分の顔から血が引いていくのが解った。あまりにも予想外の話であった。

「話があるって、そのことだったの」

「敏子さんどう思う」

「あんた、勤めるつもりなの！」

「まあ聞けよ。計算してみると、勤める方が得なんだぜ。毎月現金が入る。家の仕事も手伝える。その上定年迄勤めれば恩給がつく」

「ちょっと待って！淳さんが勤めれば、このわたしはどうなるの」

淳が勤人になることなぞ、一度も想像したことがなかった敏子は驚きの後から突き上げてきた不安と怒りで小さくふるえ出していた。

「どうなるって？結婚するんじゃねえか。その時期も今夜決めようと思っていただ。五月になると忙しい。四月中はどうだろう」

淳は敏子の肩を引きよせた。その手を敏子は強く振り払うと立ち上がっていた。

「結婚どころの話じゃあないわ。淳さんが勤めるつもりなら、考えなけりゃあ……」

「敏子さん……」

慌てた淳は腰をうかせて敏子の手をつかんだ。なだめる口調になっていた。

「勤めると決めた訳ではねえ。怒るなよ。それより婚礼の時期を本気で考えてくれや。家の方からは叔父に仲人を頼むことになっているんだ。早い方がいい」

「そんなこと、今決められやしないわ！」

敏子は歩き出していた。送ってくれるという淳を拒んで一人になると、敏子の胸には初めて不安と腹立ちが、波紋のように広がっていった。（計算してみると、役場勤めの方が得だ……）洩して行った淳の言葉が、刺のように敏子の意識を突刺すのだ。敏子の部落でも兼業農家の数は多い。農協、役場の他に、近くの町の工場や大きな商店の荷物運搬に、自家用の小型トラックごと雇われている者、パートタイマーとして時間区切りでオートバイで出かける者さえあった。ほとんどは一家の主である。

「農作の仕事の味を覚えると以前のように百姓仕事に身を入れなくなる。敏子は、家政部のプロジェクトとして、そうした農家の実態調査をしたことがあった。その結論として敏子が得たものは、兼業農家の主婦にはなりたくないという強い思いであった。それが今我が身の問題として降りかかってきたのである。

敏子は、夜道の一人歩きであることも忘れて、時々呆然と足を留めるのであった。

―○―○―○―

翌日久江が訪ねて来た。敏子はちょうど庭先のブロイラー室の中で、兄夫婦と鶏の世話をしていた。久江は室内に入ってくると、兄夫婦を気にしながら敏子に囁いた。

「姉ちゃんが変な電話をよこして驚いたわ」

「そうさ。連絡ぐらいして行けばいいのに」

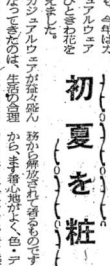

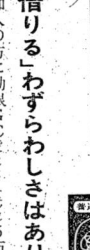

「ところが急だったんだよ。思いがけないことがあってさ、とにかく聞いておくれよ」

農村雑感

他力依存

折原俊二郎

商・工業における会社が事業を進めるうえで、障害となる条件が生じたときはまず会社自体の中で作戦計画をたてるがその作戦計画でどうしても乗り切れないときは、その障害を取り除くために他機関に働きかけ、その改善策をとってもらうよう強力に働きかけるのが常識といえよう。過日、東京で全国の優れた農業経営者を集めて表彰式を行なったが、その会合で関係者の多くから、表彰された農民に対して祝辞がなされた。この祝辞の中で一つ気になったことがある。それは、どの祝辞を述べる人も必ず総合農政にふれ、総合農政の基本的性格が極めてあいまいであり、このため、農民は今後どういう方向に進んでいけばよいかわからないという批判である。しかも祝辞を述べる多くの来賓は、農政に直接関与していない、むしろ、農業に直接関与しない立場の人から、当然のように云われたことである。私は、ここで総合農政のあり方の当否を云々するつもりはないが、要は、農業そのものに対する基本的な考え方で、農業は農民自らが進めるものであって、政府が先にたって常に農民を引きずっていくものではないということである。このような考え方にたったならば、総合農政の内容が悪いというならば、農民は力をあわせてその問題点を指摘して改めさせるよう努力すべきではなかろうか。そうした熱意と努力がなければ、これからの農業は成立し得ないという意味で激励することが、本当の意味の祝辞といえるのではなかろうか。従来、日本農業、農村のたどってきた過去の長い歴史の中には、農民自らの考えで仕事を進めてきたことは少なかったといえよう。時には権力によるひどい仕打ちを受け、或いは保護と称してあたかも自主性を伸ばすかのような態度で、実は巧妙に為政者の思う方向に仕向けてきたといえよう。こうした歴史的背景の中で、今日の新しい時代に入っても、なお農民自らの力で処理する態度は仲々生れてこない。

現在の若い青年はこうした農村の矛盾を十分知りつくしている。しかし、現実的にはどうだろうか。確かに意識的には目をさましたといえるが、現実の諸問題に相遇すると、切角の目覚めた新しい意識がどこかに忘れ去られてしまうのが実情のようである。優れた若い農業青年の中にもこのような態度がまだ多くみられる。この意識を現実に生かす、即ち、もう一歩踏み越えていくことこそ、これから大切な事ではないだろうか。それは、今の若い農村青年自らが打開すべきことであり、その実現も決して不可能ではない。他力本願では流動のはげしい今日の社会、経済に対応して、真の企業としての農業を営むことはできないといえる。（農林省・農業者大学校）

青春と仲間

諦めや妥協は禁物

「地球の皮をむく」ことは本当に恥しいか

現状打開はクラブ員の使命

山梨県東八代郡中道町・誠友4Hクラブ 角田美子

甲府から南にバスで約三十分、笛吹川ぞいの静かな山あいの村が私のふるさとです。

▼冬の出稼ぎに疑問

私は、ここに農家の三人姉妹の長女として生まれ、小さいときから、当然のごとく家のあとつぎとなるため農業の手伝いをしながら育ちました。

私の家の耕地は、田畑を合わせて一・五㌶で、この地域では普通の耕地面積です。こうした耕地は、笛吹川ぞいに並んだ田んぼや山の傾斜地に作られた畑が多く、村の主な農業は、ほとんどが養蚕と米麦だけの経営です。桑畑は年間を通して耕作するので、仕事はありますが、田んぼは麦の間の稲作だけで、その裏作としての麦は三分の一くらいのもの、そのほかはまったく手もつけてないような状態です。

これは、農家の労働力にも原因しているのでしょうが、価格の低いことも耕作の意欲を減退させる原因となっていると思います。その証拠には、冬季になると農家の人たちは土方へ行ったり、内職をしたり、また他の地方へ出稼ぎに行きます。そして、一日中身を粉にして働いて一日千円から二千円の現金収入を得ているのです。もとでもいらず、ただ労働を提供するだけでよいのですから簡単です。いろいろと手のかかる農産物を栽培して、安い値で買いたたかれる農業をやっていくより、はるかに効果的なわけです。しかし、これが本来の農業をする者の姿でしょうか。私は、いろいろと考えさせられました。耕地はある、近代化された経営方法によって労働力もある程度は確保できる。とすれば、新しい農業経営を身につけていくなら、冬季のいわゆる農閑期といわれる時期の空白がうめられ、農家にも農家独自の希望と喜びが得られるのではないかと思います。

▼園芸の技術を学ぶ

こういう考えから、私は、農林の園芸科に入り、近代化された農業経営、園芸作物の栽培技術を学び、果樹の仕立て方から収穫まで切り花、鉢花、野菜の品種などいろいろ各面にわたって勉強しました。また、友だちと自分の家の経営について二時間も三時間もあきずに、それぞれの考えや夢を話し合いました。そのうちに話し合いというより討論のようになってしまうこともありましたが、なかなか結論が出ず、次の日にまわしたこともありました。

私は、高校一年のとき甲西町南湖の水田裏作を見学しましたが、そのとき見た、田んぼいっぱいにひろがる大きなビニールハウスの中の、野菜のみごとな出きばえは頭の中から離れませんでした。それからというもの、冬になるといつも考えるのです。私もその何もない田んぼにビニールハウスを立て、外は雪でも、ハウスの中にはシャツ一枚の私が父や母といっしょに花や野菜作りに汗を流し、一生懸命働いている、こんな自分を夢見るようになりました。

▼周囲に悲しい卑屈さ

しかし、現実は昔と少しも変わらずに土方や内職に懸命になっているのです。私は、三年間、農業の新しい行き方やあり方について学んだのです。何とかしてこの知識を、この理想をこうした土地に育てなければならないことを痛感しました。でも、多くの人たちはどうしてこう逃げ腰にばかりなるのだろうか。冬期の農業はいやなのだという、あきらめを抱いてしまったのでは、暗い思いだけで希望に対して一歩も踏み出すことができないのです。悲観的な条件が横たわったとき、それを克服して行く努力がなかったならば住み良い農村にはなれないと思います。

私は、形の上の農村の封建制は改善されたと思いますが、精神的な封建制は根強いものがあることを痛感しました。何とか努力をしてみても、成功しないとあきらめの底に沈んでしまい、「むだ骨をおるだけで、どうにもならないのだ」という自嘲（ちょう）めいたことばの中に昔ながらの悲しいひくつさを感じ取りました。

あるとき、私は、妹や親戚の人たちに冗談を言われたことがありました。「地球の皮むき、むいてもむいてもきれいにならない」と。冗談、冗談、あくまでも冗談でした。でも、私の心の中には、ジーンと響きました。農業がこんなにもみじめな職業なのだろうかと。「地球の皮むき」がこんなにも恥ずかしいことなのだろうか。農業を捨てた人たちが笑う。私の選んだ職業が、私が一生続けなければならない仕事が、なぜこんなに笑われなければならないのだろう。私がこんなにやる気を出しているのに、私がこんなに、はり切っているのにと、くやし泣きに泣いたこともありました。こんな考え方が平気で口にされている間は、何をもって近代化と言って良いかという疑問に襲われます。

▼打開を考える使命

とくに、冬期における農業が土方や内職に形を変えて十年一日のごとく、何の疑問もさしはさむこともなく、農家に背おわされた宿命のごとく行なわれていて、その打開策が生まれて来ないことを考えるとき、これらについて考えるのが、農家を将来の仕事として目的としている私たち4Hクラブ員の使命なのだということを感じます。

それには、農村に一番強く残っている"あきらめ"や"だきょう"をぬぐい去ることだと思います。ともすると、個別化して行きがちな人々を結集して行くことです。そのためには、私たちの理想としている農業経営を実際にやってみることです。周囲の生活状態を考え、それに歩調を合わせて農業をして行くことです。言い換えれば、冬期の農業が花卉園芸でおぎない得るかどうかということです。こうした、経営を合理化し、希望に満ちた目標に向って生活して行ったとき、私たち若き後継者の使命が果たせるのであると信じます。

私たち誠友4Hのクラブ員は全員が「農業」というかべにむかって、それぞれの頭の中でえがいた「夢」にむかって、一歩一歩ふみしめているのです。

これまで日本の酪農ではみられなかった急傾斜の山の牧場。若い夫婦に追われて、数十頭の乳牛が、首の鈴を鳴らしながら山を下る

映画

山地酪農にいどむ

未開地拓く若者たち

〈製作・春秋映画（株）企画・貯蓄増強中央委員会〉

高知県の八十％は、農業には活用できない山地である。その険しい山々の中から、日本独特の新しい酪農が生れた。

高知市効外にある岡崎正英さんの牧場だ。ここでは、樹木も満足に育たぬヤセた急傾斜の山ーそれが見事に放牧地に変った。しかもその山を還う草は、シバやヒメヒバなど日本のどこにでもある野草である。岡崎さんは、いま、十㌶の山の放牧地と以前水田だった二㌶の採草地（冬越しの草を作る）で、三十八頭の乳牛を完全放牧という形で飼っている。

購入飼料は全体の四分の一、そして平均五千㌔の搾乳量という素晴しい酪農を築き上げた。

しかも、その山の造成の仕方が従来の場合と異なって費用をかけない方法だ。牛と人間の手で山を拓く。ブルドーザーも化学肥料も使わぬ無耕法で、いわばノコギリと鎌と牛の糞尿で造り上げる。そして、その間に牛もふとらせていく。また、この酪農は北関東の群馬県でも、立派に育つことが実証されている。清水保治さんの酪農である。十年前、養蚕農家であった清水さんも、一大転換をして山に住居を移し、井戸を掘り、雑木林の山を見事な野草の放牧地に造り変えた。

そしていまー新しい未開の地に若い世代の人々によって、それが広げられようとしている。豪雪地帯の秋田県千畑村である。

千畑村は米どころだ。だが、高度成長下で従来のままの米の単作には、みな不安を抱いている。かといって、草地をもたぬ酪農をしても、その結果は目に見えている。人々は止むなく出稼ぎ暮しを続ける。

だが、千畑村には、出稼ぎのない本格的な農業を築こうと長い間研究を続けてきた若者たちがいる。二十八歳の戸沢憲治君たちのグループだ。このグループは、東北にも山地酪農が成り立つという確信を生み出した。そして、戸沢君、高階君という二人の青年が、まずその先端を切った。雪国にはまだ、その先例はまったくない。

しかし、戸沢君たちは、一家揃って、山地酪農にいどんだ。一大転換ノ苦しい闘いが始まったのだ。だが、戸沢家には明るい活気がみちている。現在がどんなに苦しくても、東北の大地にやがて本格的な農業を建設するという大きな目標があるからだ。

戸沢君の山の向うには、秋田の山がはるかに連なる。日本の国土は狭いが、まだ山は未利用のまま沢山のこされているのである。

生活 もの知りコーナー

記憶ものは寝る前が効果的

▼能率よい勉強法

まず、自分の体の条件を知ることが大切です。もし、あなたが、ねつきに深く眠る型なら、朝早く頭が働き、朝方にぐっすり眠る型であれば、午前中は眠けが残り、午後から能率があがるはずです。

記憶するよい方法は、似たような勉強をつづけたり、激しい運動をしたりしている間より、眠っている間のほうが忘れ方が少なく、くり返しが記憶をとどめるのに効果的です。

そこで、ふつう、時間の組み合わせについて、思考ものは午前中、動作ものは午後、記憶ものは寝る前が効果的です。

勉強法としては、文章を理解するときは、偵察読みから分析読み、さらに、まとめ読みと、意識的にくり返すとよい。ことに、記憶ものは、全体を通す全習法よりも、いくつかの部分にわけ、その部分をくり返しながら、全体を自分のものにする分習法のほうがよいようです。

▼うす着と厚着

うす着・厚着のていどを表わすのに、最近「クロー」という単位が使われています。

下着は別として、合着やセーター類は一枚着ると摂氏八度の温度がたもたれます。これを一クローといいます。

人間の皮膚は、摂氏二十八度のときは、裸で長くいても平気ですが、二十度以下はカゼをひきますから、気温が十度のときは、裸でいられる場合の二十八度から十度を引いた十八度の寒さを着物で防ぐ必要があります。

合着、セーターていどの着物二枚（二クロー十六度）では二度足りませんが、人間の皮膚には抵抗力があって、一クロー近くはじゅうぶん耐えられますので、このていどでちょうどよいという計算がなりたちます。

これを基準にすると、厚着をして抵抗力をなくしたり、うす着をしすぎてカゼをひいたりすることもなく、温度の変化に応じて適当に調節できるようになるでしょう。

酪農に生きる喜び味う

流れる汗も忘れて

滋賀県神崎郡五個荘町麗村青少年クラブ 原田重之助

午前四時。けたたましい目覚し時計の音に、夢ごと叩き起こされ急いで身仕度を済ますと、そのまま畜舎に駆け込む。舎内いっぱいにミルカーの音を勇ましく響かせながら、ミルカーに口付けよろしく、今日も、一日の作業の開始である。

真白な泡をたて、みるみる缶を満たしていく牛乳、それをすばやく冷却するかたわら、病気や、怪我をしている牛はいないかと、一頭一頭調べて廻る。

休む暇もなく、ただ夢中で動き廻り、ようやく仕事が片付いてくると、東の空がほのぼのと明け始め、遠くの山々が朝もやの中に、ぼんやりと霞んで見える。「朝が来た」こんな解放感から、今まで緊張でこわばっていた顔も、思わず口もとからほころんでくる。

こんなにもあわただしい朝を迎えるようになってから、早や、三年の歳月が流れようとしています……。

思えば、無鉄砲なやり方でした。父の忠告に耳も傾けず、母の心配をよそに、ただ好きというだけで飛び込んだ酪農研修生活。でも、初めのうちはその生活にとけ込むことができず、毎日がつらい日の連続でした。採取する牛乳が腐敗し易い物だけに、絶えず冷水を使用しなければならないため、今までにできたこともないアカギレが、夏にまでできて、歩るような痛みに思わず顔をしかめたり、またある時は、乳牛に与える粗飼料が足りず、降りしきる雨の中を飼料畑へと急いだことも、幾度かありました。

しかし、私は、いつの時でも自分をみじめだと思ったことは一度もありません。それは4Hクラブを通して知り合った、若い仲間がいるからです。毎日、汗を流して働き、明日のみを信じて今日もたくましく生きる若者、そんな彼らと互いに励まし合い、助け合うことができるからなんです。そしてまた私は、この生活の中で今までにない生き甲斐を見つけることができたのです。

それは、乳牛は本当に、私の肉親とも、また、兄弟とも思えるのです。家族なのです。酪農家にとっては、乳牛は唯一無二の経済動物ですが、同時に、最も可愛いペットでもあるのです。これらの家族はまた非常に敏感な動物で、親身になって飼育すればするほど、それだけ人間の気持ちもよく悟り、事故を起こす牛もほとんどありません。万一事故でも起これば、自分が代ってやりたいくらいつらくやりきれない気持になります。

自分で手塩にかけて育てた牛が、いま、乳を出してくれるということは、言うに言えない親近感が湧いてくるだけに、そのよろこびもまた一入（ひとしお）です。山盛りにした青草を、脇目もふらず一心に食べつくす光景に、流れる汗を拭うことも忘れて、ただじっと見入る自分なのです。そこにはもう何の苦労も、疲れもありません。こんなにも好きな仕事にたずさわることができ、力いっぱい働くことができる自分を、この上もなく幸に思います。

酪農経営に取り組んでまだ日も浅く本当の酪農家の苦悩は少しもわかりませんが、それでも苦労した毎日から現実を学びとり、ラジオ農業学校から得た酪農についての知識と、その技術をマスターしながら経営の方法にも自信を持てるようになりました。研修生活も残り少なくなった今日、独立してからの父子契約、労働の機械化、土地生産性の向上、また農業の大型化へと夢を描き、現実を少しずつその理想、いや、近代化に近ずけるよう、私は若きエネルギーをもって全身でぶつかり、今日も明るく楽しく働いています。

OBは語る

4H信条は今もなお

十年の流れ

安田寿男氏

私が4Hクラブを結成して、活動に入ったのは、今から十二年前の昭和二十八年の三月のことです。

気の合った部落の仲間たちと普及員の先生を囲んで、夜の十一時、十二時頃まで語り合ったり、地区連の発表会の準備のため、みんなでポスターを作ったり、また、散在している農地の交換を進め、農道を新設するため、ひと月近くもロクロク眠らなかったことなど、今思うと夢のようです。

たしかあの頃は、有畜経営、多角経営などがさけばれ、どうしたら家内労働力を自家経営のなかで効果的に燃焼できるかがカギとなって盛んにさけばれたものでした。

それが所得倍増政策の実施によって、規模拡大となり、さらに他産業の伸びはめざましく、農村の階層分化、兼業化は進み山村では挙家離農すらもみられるようになりました。

私自身このような中で、昭和三十三年の全国技術交換大会に県代表として出席し、また三十五、三十六年の二年間は、全協（全国4Hクラブ連絡協議会）の評議員として、クラブ活動や全国大会の運営に参画もしたのでした。

忘れられないのは、三十四年（だったと思うが）軽井沢での全国大会で、テンガロー（テントとバンガローをたして二で割ったもの）に泊り、四日間も雨に降られ、ビショぬれのキャンプ生活でした。参加者がテンガローごとにキャンプ村を構成し一週間の生活を行なったわけですが、受付のとき「村長に立候補するか」と冗談をいったら、それが本当になったことや、ブラジル、台湾などから参加されたクラブ員との交流など今でも昨日の如く思い出されます。

三十五年には富山県での大会で、こんどは全協の運営委員として食事や、宿舎の手配をしたり、弥蛇ヶ原の宿舎では高冷地のため倒れるクラブ員が続出するなど、苦労も少くありませんでした。それでも夜空を焦がすキャンプファイヤーの感激や、全く見知らぬ友が4Hの輪によって結ばれ、その後も折にふれて手紙などいただけるのは本当に得難い若き日の一ページであったと思っております。

いま農業経営のかたわら、農協青年連盟の幹事長として活動しておりますが、先日、盟友代表と一緒に静岡県の庵原農協を視察し、バスを待っていたところ一緒に全協の役員をやった清水市の矢入功さん（元全協副会長）に本当に偶然お逢いでき、夜は三保の宿舎にわざわざ来ていただいて十二時過ぎまで話し込んでしまいました。

矢入さんは、清水市でみかん園を二・八㌶耕作するかたわら友人四人と南伊豆に土地を求め規模拡大をはかっているなど積極的な経営に改めて感心して参りました。

いま、私たちの地帯では、米の需給緩和による自主流通米制度の実施や、生産者米価の抑制が大きな話題を呼んでおりますが、みかん地帯の経営に対する考え方から大いに学ばねばならないと思います。

もちろん国内で生産されるものを無視して当面の経済合理性を追求しようとするが如き農政のあり方には賛成できませんが自らも真剣になって将来に対する対策を打ち出さないと、本当に日本の農業は滅亡してしまうかも知れません。私たちは自分自身の農業経営の中から、村を見、町のあり方を抑制し、その寄せられた力によって新しい村を築いて行かねばならないと思います。

いつだったか月日は忘れましたが、草の根大使として来ておられたミス沖永？のお別れパーテーが松下さんの保健センターで開かれたとき、誰からか「アメリカでは農村にお嫁さんがないというようなことはありませんか」という質問に、彼女はこう答えました。

「日本中どこへ行っても同じような話を聞きました。しかし、私は、誰に使われるのでもない自由な自分の意思によって働くことのできる、しかも美しい自然の中で、夫と二人で働ける素晴しい職場なんて外にあるでしょうか。日本の若い女性が農村を嫌うのは農業がキライなのではなく、貧乏がキライなのだと思います。アメリカでも日本でも貧乏が好きな人はいないでしょう」ーこの話に一同声なしでした。

「私たちは実践を通して自からを磨くと共に……」四つの信条は、今もなお私の生活信条となっております。クラブ活動は若い仲間たちに引き継がれ、新しい熱意に燃えた若鮎たちが力いっぱい活動しているのに接し、非常に頼もしく感じました。それによって自からも先達として、「恥しくない行動を」と意起しております。

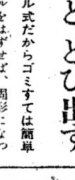

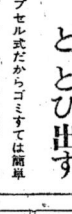

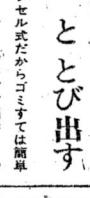

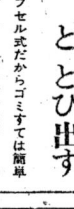

（元全国4Hクラブ連絡協議会役員・福島県二本松市原瀬）

日本4H新聞
4Hクラブ 農事研究会 生活改善クラブ 全国弘報紙
発行所 社団法人 日本4H協会
東京都市ケ谷家の光会館内
電話(269)1675番 郵便番号162
編集発行人 玉井光
月3回・4の日発行
定価1部20円
一ヵ年700円（送料共）
振替口座東京12055番

県連会長会議の日程決る

全協

15・16の両日、徳島で

具体的に新年度の活動を協議

全国4Hクラブ連絡協議会（会長、黒田保吉）は、来る十五、十六の両日、徳島市の大神子ユースセンターで今年度第一回の評議員・県連会長合同会議を開催し、第五回全国4Hクラブ員のつどい、全国4Hクラブ・プロジェクト実績発表大会、4Hクラブ中央推進会議、日本4H会館建設など、さきの総会で決定した今年度事業計画の具体策について協議する。

この合同会議は、さきに行なった全協総会に出席した各県連会長がその後ほとんど改選によって交替し、新しい顔ぶれになったので、総会で決定した今年度全協の活動方針と事業計画について、細部にわたり具体的に協議することを主なねらいとしたもので、全協では総会につぐ重要な話し合いの場である。

会場は、うず潮で名高い鳴戸の海を越えて、四国の徳島市大神子（おおみこ）の大神子ユースセンターに決定した。

なお、全協ではこの会議に先きだち、鳥取、岩手へそれぞれ役員を派遣し、両県連と打ちせを行ない、つどいの開催に関して、その結果を会議で発表する。

日程は、十五日午前十一時から午後一時まで会場で受付け、一時から会議を開く。

議事は、まず、四十四年度の全協活動の基本方針の説明。

近年、農業を含めた第一次産業の基盤の確立とともに、わが国経済の高度成長に伴なうクラブの減少が、末端組織に混乱をきたし、また、この混乱に伴って、4Hクラブの基本ともいうべきプロジェクト活動が本来の姿を忘れたものになりつつある。このことは、4Hクラブの性格を不明確なものにし、個々のクラブ員としての意識の低下をきたしている。

このような事態に対して、全協は、4Hクラブの再認識と本質に立脚した4Hクラブ活動の推進を図るとともに、クラブ活動をとおして、青年らしい自主独立の精神を養おうとしている。

全協は、この基本的な考え方をみんなで納得したうえで、つぎの事業について、一つひとつ具体的な説明と検討を行なうことにしている。

組織の強化と主体性の確立

一、事務局体制の確立ー全協の主体性を守り、事務の円滑化を図り県連などの連携を密接にするため、月に十日間の役員の駐在を実施する。

二、全国の4Hクラブ員の実態調査ー各県連の協力で実態調査をし組織網の強化、拡充を図る。

三、役員派遣ー県連に役員を派遣し、相互の理解と連携をはかる。

四、4H新聞の活用ークラブ員の機関紙的存在として積極的に活用するとともに、4H協会の助成制度を利用し、県連の自主財源の充実に資する。

五、後継者の育成ー各種の行事や機会を利用し、後継者に接し、4Hクラブへの理解と加入を図かる。

六、手びきの発行ー4Hクラブの手引きを発行し、学習活動の展望やクラブへの加入呼びかけの資料にする。

七、専門委員会の活動ー必要に応じて活用する。

4クラブの使命と精神の高揚

一、ブロック4Hクラブ推進会議の開催ー4Hクラブ活動の展開には、正しい問題意識と高度のクラブ運営技術をもったリーダーが必要である。このリーダー育成の場として開催する。

二、全国4Hクラブ中央推進会議の開催ーリーダー養成の最高の場として行なう。

三、第五回全国4Hクラブ員のつどいの開催ー4Hクラブ員が自らの手で企画運営し、新しい技術の研さんとクラブ活動状況の話し合いや現地交歓訪問などを通して、青少年の仲間づくりや自主性の高揚と、地域社会から理解された家族ぐるみの4Hクラブ活動の推進を図るため開催する。

四、全国4Hクラブ・プロジェクト実績発表大会ー4Hクラブ活動の生命であるプロジェクトの認識を深め、科学的に課題解決にとりくむ青少年を育成する。

五、4H週間の開催ー4Hクラブの意義を自らが再認識し、自覚を高めるとともに、地域社会からよく理解されるためPRをかねて開催する。

六、奉仕活動の展開ー誠実で友情に富む精神を培うことは、4Hクラブの目標である。各種の奉仕活動に参加し、社会への貢献に資する。

これらの全協の細部にわたって具体的に執行部で説明し、みんなで討議する。

このあと、未決になっていた全協の女子副会長とブロック選出の評議員の推薦と承認を行なう。女子副会長は"つどい"開催県の鳥取県連から選ばれる予定である。

つぎに、4H会館の建設について、建設委員会から、これまでの経過を報告し、各県連の募金が集計され、こんごのすすめ方をみんなで協議する。

交通案内

会場の大神子ユースホステルへの交通の便は二通りある。一つは、大阪の難波から南海電車で和歌山市へ行き、和歌山港から南海汽船で小松島港へ渡り、そこから徳島行きのバス（どれでもよい）に乗り、大神子行きバス（市バス）に乗る。もう一つは、山陽本線宇野から高松へ渡り、高松から徳島へでる。徳島から市バスに乗って終点大神子で下りる。

全協の評議員・県連会長合同会議が開かれる大神子（おおみこ）ユースホステルは阿波踊りで名高い徳島市の郊外、小松島寄りの海岸にある。また、徳島と淡路島を結ぶ鳴門海峡は、その名のように潮の流れによって物凄い渦巻きがとどろいている

クラブの綱領

私達は実践を通じて自らを磨くとともに互いに力を合わせてよりよい農村、よりよい日本を創るため四つの信条をかかげます。

1、私達は農業の改良と生活の改善に役立つ腕をみがきます。
1、私達は科学的に物を考えることのできる頭の訓練をします。
1、私達は誠実で友情に富む心をつちかいます。
1、私達は楽しく暮し元気で働くための健康を増進します。

土と人と

がめつい農民

堀越久甫

このごろは全国どこへ行ってみても、がめつい農民ばかりだが、そういう中でも一等地を抜いて、見事なばかりがめつい農民のいる地帯がある。奈良県平野部がそれだ。

数年前のこと。私は初めて奈良盆地の農村へ入ってみた。ある雑誌にたのまれた仕事でテーマは、野菜の流通過程、ということだった。私は、野菜をつくっている農家を訪ねてこういう。

「東京の〇〇社からきた者だが、お宅の野菜づくりについてお話を聞きたい」

ここで私の言う「東京から来たが……」と言うのは、もちろん真実のことだが、そう言うには特別の意味がある。「東京から来た」と言うと、たいがいの人は「そりゃあ、遠くからわざわざ来てくれて……」と言い、歓待はしてくれなくても、こちらのインタービュに快よく応じてくれるものだ。というわけで、私はインタービュの戦術にこの「東京から来た…」という言葉を使う。すこしいやらしいな、と思いながら……。

ところが、この決め手（？）の言葉にびくともしないのが奈良盆地の農民である。そう言っても、いささかなりと表情を変えない。そして「何の用か？」という顔つきをしている。あての外れた私はいささかあわてて、訪問の趣旨を述べたてる。

ところが返ってきた返事は、「忙しいんでなあ」というだけだ。そして彼はさっさと家を出て行ってしまう。

かつて……そう、二十数年に及ぶ私の農村歩きの中で、これほどそっけなく扱われた例はいちどもない。私はあわてる。変わった人にぶつかってしまったわいと。そして、その隣の農家を訪ねた。同じせりふをくり返す。と、どうだろう。この農民も隣の人と同じようなことを言うのだ。

「キュウリの支柱をたててやらにゃ、なんねえんでな……」

語尾の言葉がはっきりしない。むにゃむにゃ言いながらどこかへ行ってしまう。呆然とする私をひとり門口に残して……。

ここで私は考えた。この人たちは、仕事が忙しいのはもちろんだが、それよりも仕事を休んで一銭にもならないことをするのはいやだ、と云っているのではないかと。そこで私は次の家へ行き、トマト畑で働いている人にこう言った。

「二時間ばかり話をしてくれませんか。そうすれば千円払います。二時間で千円になるんだから損ではないでしょう」と、その人は、「そうだな。二時間で千円ならいいだろう」と言い、仕事をやめて私のインタビューに応じてくれた。

以後数日間、私は奈良平野をこうしてインタビューして歩いた。「二時間千円でどうですか」と言いながら。そして以後断れたことはない。

以上の話を、私は否定的な意味で使ったのではない。むしろ私は奈良平野の農民のこの態度を肯定する。自分の仕事ーそれは金になることだーを休んで、話をするのだから、その時間に対する報酬を要求するのは当然のことだとおもう。是非そうしなければならない、という理由もないだろうがー好意をもち無報酬で時間をつぶすのもべつに悪いことではないーまた、こうしてはいけないということもないと思うのである。

何故奈良平野の農民がそうなのか。その理由として、私はこの地の歴史を想う。古代からここには日本の首都があり、都市があったので、奈良平野には商品生産農業が発達し、その農民は"商業的"な性格をもったのであろう。

それは"土の生んだ農民"なのである。そして……そうだから、日本各地の農民は、それぞれの土地特有の性格をもっている。それを次号から一つ一つ紹介していこう。

（農村評論家）

新卒者でクラブ結成

山梨県・東山梨農業改良普及所管内

【山梨】この春、農業高校を卒業した新規就農者を励まし、4Hクラブを結成してもらおうーという会が、山梨県東山梨農業改良普及所で開かれた。

山梨市、牧丘町、春日居村ではこの三月、三十二人の農業後継者が、園芸高校、農林高校を卒業したが、同普及所では昨年八月、園芸高校と連絡をとり、新規就農予定者とその父兄で、4Hクラブづくりについて話し合った。

こんどは、実際に農業に従事した人たちを呼び、クラブを結成してもらおうというもの。

普及所では「農業経営の近代化は後継者の手で」と、後継者の自主性、主体制の確立などを説いていた。

先輩の山梨地区4Hクラブ連絡協議会の飯島会長は「お互いに手をとりあって、農業のため力を尽くそう」と励げました。

その後、新規就農者たちは、普及所に集まって、4Hクラブ結成の準備にとりかかっており、今後の活動が期待されている。

4HOB会が発足

村づくりへ立ちあがる　佐賀

【佐賀】佐賀県鹿島市内の4HクラブのOB約三十人が、このほど、かっての経験を生かし、近代農業の中核となって新しい村づくりに立ちあがるため、OB会を結成した。

鹿島市には、現在、4Hクラブが十クラブあるが、年令を二十五才までに制限している。

したがって、年令がきてクラブを退いた人たちは、所属すべき適当なクラブがなく、新しい技術についてもうとくなる。

そこで、塚島弘さん（会長）森信夫さん（副会長）ら約三十人が集って、「鹿島4HクラブOB会」を結成したもの。

OB会の会員たちは、親睦を深めながら、知識と技術を交換し合い、近代農業の者い手になるとともに、これまでの経験を生かして現役の4Hクラブの相談相手になることを申し合わせた。

また、OB会設立の指導をした鹿島普及所では「県下に相当数のOBがいるが、鹿島についてOB会がぞくぞく誕生するのでは…」と期待を寄せている。

新会長に塩島君

山梨県連・通常総会開く

【山梨】山梨県4Hクラブ連絡協議会（会長小野好道君）は、このほど、甲府市の遊亀会館で通常総会を開き、新年度事業、予算を決定し、新会長に塩島栄喜君を選出した。

新年度事業は、明るい農村建設のために❶組織の強化❷豊かな人間形成のための学習活動❸関連機関、他団体との連絡強化ーを三本の柱に研修会、オルグ活動、情報交換、機関紙・誌の発行、共同プロジェクトの研究などをする。

新役員は次の通り。

会長 塩島栄喜（西八代）
副会長 佐々木欣一（上野原）
〃 五味はる美（韮崎）
総務部長 掛川薫（東八代）
外部部長 河東哲征（甲府）
事業部長 横森宏伊（韮崎）
生活部長 堀内悦子（峡西）
監事 内藤正文（西八代）
〃 手塚公勇（峡西）
企画係長 村松剛（塩山）
広報係長 古屋巧（山梨）
財務係長 古屋始芽（山梨）

田植えの手伝いに

愛知から富山へ依頼

【富山】富山県中新川郡立山町の立山町4Hクラブのまじめな作業と研修ぶりが買われ、このほど愛知県西加茂郡三好町から、田植え作業のさおとめら農業作業員五十人の申しこみがあった。

これは、立山町4Hクラブ員が三好町へ農閑期の十月中旬から十二月上旬まで農業研修をかねて過去四年間も働きにでかけており、そのときの仕事ぶりが買われたもの。

三好町は農業の機械化がすすみ余剰労働力は近くの工場に勤めており、労働力が不足しているところからこんどの申し込みとなったもの。

なお、期間は、六月十日から二十五日まで。

4H精神の啓発など

富山県魚津市4Hクラブ総会

【富山】富山県魚津市4Hクラブはさきごろ、魚津市農協で第八回定期総会を開き、新会長に坪崎芳松君を選ぶとともに、新年度の活動計画を決定した。

新年度の事業は❶4H精神の啓発❷組織の強化❸広報活動の推進❹プロジェクト活動の推進など。

涼風暖風

病める農業

最近、フランスのブルターニュで、ある冷蔵庫が火事になった。火事の熱で、倉庫いっぱいに詰まっていたバターが融け、川を伝わって海に流れ出したので、沿岸のカキが窒息死すると養殖業者が大騒ぎしたそうである。

このように、いまヨーロッパの冷蔵庫という冷蔵庫には三十万トンに及ぶバターのストックが山と積まれ、この勢いでいけば、やがてもう収容しきれなくなるだろうとさえいわれている。

過剰はバターだけではない。程度の差はあれ、農産物のほとんどがそうなのである。いまや、ヨーロッパ農業は全般的かつ構造的過剰に病んでいる、といわれる。

これは、日本貿易振興会の滝殿氏がエコノミスト誌に発表した話である。

ひるがえって、わが国をみるに、主食である米は増産につぐ増産で、二、三年前から食管制度の改革が叫ばれている。また、構造改善事業の花形として脚光をあびたミカンも、増植を続けた結果、ついに昨年になって大暴落をきたし、ミカン農民を怖やかした。

このように、生産過剰の危機はひとりヨーロッパのみではなく、近代化を進めるわが国の農業にも、ゆっくりとではあるが確実に襲いかかってきているのである。

そこで、前車の轍を踏まないように、もう少しこの深刻なヨーロッパ農業の危機をみてみよう。

ご承知のように、ヨーロッパはEECという経済共同体を組織しているが、その農業政策と近年の技術革新による農産物の飛躍的増産によって、その需要は、域内、海外市場ともに飽和状態に達してしまったのである。

この過剰生産の原因のひとつがEECの価格支持制度で、農産物の域内自由流通を前提として、一定の共通価格を基準に、輸入課徴、輸出払戻し、市場価の買支え、そしてその費用は各国の拠出金をプールしてあてている。この共通価格は、各国間の政治的交渉によってきめられるので、需給バランスなどへの配慮を欠き、国際的にも非常に割高で、過剰生産への有力な刺激となっているものである。

それでいて、農民の生活が充たされていればよいのだが、ヨーロッパの常識からほど遠い生活を強いられ、とくに主婦たちには苛酷であるという。

わが国では、もう早場米の水田地帯では田植えが始まっている。その早場米にも、ことしから奨励金は出なくなった。もはやヨーロッパ農業の危機は、対岸の火事ではないのである。

第五回全国4Hクラブ員のつどい

意見・体験発表者を募集

晴れの舞台で発表を

4Hクラブ員の一大祭典である「全国4Hクラブ員のつどい」は、昭和四十年秋、大分県のきじま高原で第一回を開催してから、ことしで五回目を迎えようとしています。このつどいは、青年自らが企画、運営し、青年の自主性を養うとともに、多くの人に参加を呼びかけ、家族や地域社会からも理解される4Hクラブ活動の推進をねらいとしたもので、ことしは鳥取県の大山を中心に盛大に開かれようとしています。このつどいをさらに意義あるものにするため、全国のクラブ員と関係者（OBを含む）のなかから、貴重な意見と体験を発表される方を募集いたしますので、ふるって応募してください。

応募要領

主題　(1)意見文　4Hクラブ活動をより盛んにするためにはどうすればよいか。4H精神の高揚、地域社会への協力、リーダーの養成などについて、具体的に。
(2)体験文　4Hクラブ活動が人間形成や協同精神の涵養に、いかに役立ったか。また、農業改良や生活改善などを通じて地域社会にいかに貢献しているか。

応募資格　(1)4Hクラブ員　(2)指導者とOB

応募方法　(1)四百字詰原稿用紙十枚程度に発表内容を原稿にまとめて申し込んで下さい。(2)原稿には、意見発表、体験発表、クラブ員・指導者の別、住所氏名、生年月日、所属クラブ・機関・団体名などを明記して下さい。(3)原稿は本人の書いたもので、未発表のものに限ります。(4)顔写真を添付して下さい。

送付先　東京都新宿区市ケ谷船河原町十一、家の光会館内　全国4Hクラブ員のつどい事務局

締切日　昭和四十四年六月三十日

入選者決定と発表　(1)入選者は全協と4H協会で選考します。(2)入選者には、本人に通知するとともに日本4H新聞紙上で発表します。

入選および表彰

【意見文】		クラブ員	指導者とOB
発表者	賞状と記念品	一名	一名
選外	記念品	全員	全員

【体験文】		クラブ員	指導者とOB
発表者	賞状と記念品	二名	一名
選外	記念品	全員	全員

入選者には右の賞を贈り、第五回全国4Hクラブ員のつどいで発表していただきます。（旅費と参加費は支給）

主催　全国4Hクラブ連絡協議会・社団法人 日本4H協会

備考　応募作品は返却いたしません。応募原稿の著作権は主催者に属するものとします。

全国4Hクラブ連絡協議会・社団法人日本4H協会

心頭技健

連続ピストル射殺、大学生の実弟殺害、高校生の首切り落し事件、ひやかされたアベックの殺人など、どぎつい安眠画の中で、これでもかこれでもかと、嘔吐をもよおすような場面をみせつけられているようである。一方は劣等感がこうじた憎しみから起こされた最近の殺害事件である。いや、アベックを除けばいずれも個人、あるいは社会に対する劣等感、怨恨からきているともいえる▼弟殺しは、キリストの息子、カインのように古代からみられ、それは人間性の一面をのぞかせるものであるが、これら凶悪犯の増加は、疎外感がうっせきする現代の世相、物質文明の発展と無縁でないと思われる。しかも、世界一の経済成長率を誇り、昭和元禄を謳歌する社会の中で起っているだけに、ありふれた事件として見逃すことはできない。また、ヒッピーや学生騒動などによって崩された過去の秩序、権威、そこからくる無思想の社会と無関係ではないように思われる▼さいきん、イギリスで、日本人が犬を虐待するということで愛犬家たちが抗議し、日本製品の不売運動まで起こすような動きがみられるが、なにも、この残忍性は日本人特有のものではない。かつて、おろおろしたヒットラーがあれほどまでに惨忍さをまし人々を恐怖に陥れたし、探せば世界にいくらでも例はある。しかし、日本がとくに世界各国から注目されてきているときだけに、黙視できないのである。日本は、いま、フジヤマ、ゲイシャといった神秘のベールが取り除かれ、近代的な文明国家、発達した経済社会の姿をのぞかせてきている。このようなとき、さらに光を放ってくるのは、4Hクラブの綱領の一つ、ハート（心）であり、終局には人間形成をめざす4Hクラブの存在である▼緑色の汁が葉先からこぼれ落ちるような青葉、光あふれ、さわやかな五月晴れのよい季節を迎えて、なにもこのような人間の裏面にふれることもないと思うが、4Hクラブ員に深く自覚してもらいたいからである。文明の道具をどのように生かすかは、それを利用する人間に左右される。われわれは、目的と手段を錯覚させる落し穴にはまらないように注意しなければなるまい。

ブラジル88村巡行

日本政府派遣農村青少年指導専門家 湯浅甲子

―〈4〉―

[illegible]

巡回指導の旅へ

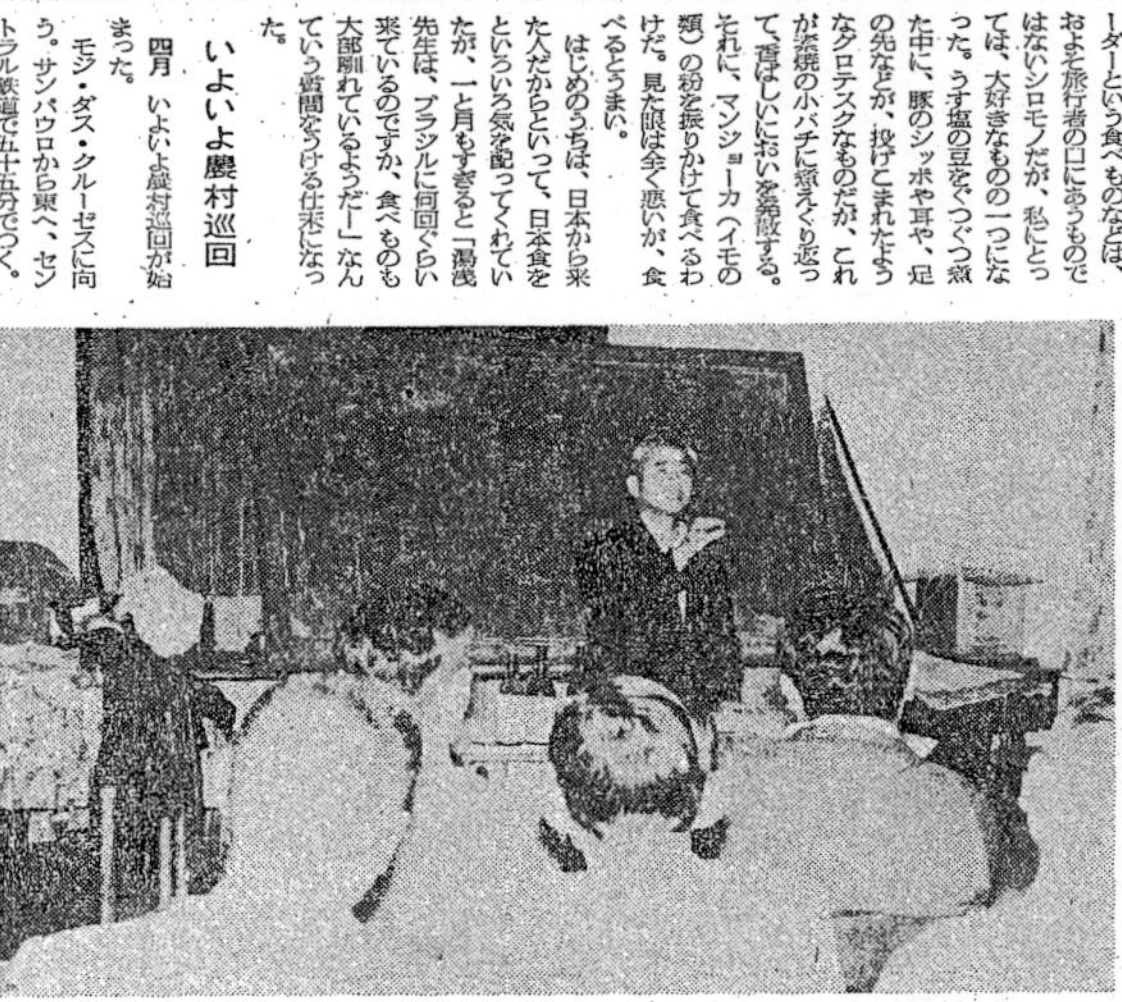

奥地からトラックで集まる人たち

モジ市で農村巡回指導の第一声をあげる湯浅氏

[illegible]

るんだろうか。私は悩んだ。

みんな立派な農家

案内される農家は、みんな、とてつもなく立派な農家ばかりである。移住三十年目で、一代でどうしてこんな素晴らしい生活ができるのだろう。

応接室には、ゆったりとしたソファーが、オンサ（ヒョウ）の皮をかぶって置かれている。食器棚には各種のグラスがピカピカ、まばゆいほどに列んでいる。広い台所は、壁面いっぱいに厨房器具がおかれ、プロパンガスで、いつでも料理ができる。子供たちは、みんな個室をあてがわれ、一つ一つ部屋に個性が伺える。トイレは勿論洋式水洗。庭には、南国の観葉植物が、所せましと繁りあい、造園は、日本庭園式である。

そして、農場では、殆んどブラジル人の労働者を使い、野菜類が、日本の近郊農家と全く同じように、整然と作付けされている。碁盤の目のようにキチンとした畑は、日本人の農家の特色である。遠くから畑を見るだけで、日系農家のあることがわかる。

私は正直いって、日本では、三代かかってもこういう農家はつくれないだろうと考えた。それが、ブラジルでは、一代で、しかも、人によっては、十二年から十八年ぐらいで、こういう生活ができるという。ほんとうだろうか。目の前にある豪勢な農家を見ながら疑問はますます深くなる一方であった。

こういう恵まれた人ばかりではないだろう。それを見たい、それを知りたい。そして、どうしてこういう差ができるのかしりたい。そういう差の中で、日系の人々は、どういう生活意識をもっているのだろうか、わからない。何もかもわからないことばかりである。

しかし、私の指導巡回はもうはじまっている。毎晩々々、百名前後の人が、何十キロも奥から、カミニヨン（トラック）の肩につかまって、私のところへ集まってくるのであった。

〈栃木県普及教育課・特別専門技術員（青少年担当）〉

リレー・クラブ紹介 われらのクラブ

竹の子4Hクラブ（佐賀）

森 武則君記

プロジェクト中心に 今後は地域に密着して

私たちのクラブは、現在、プロジェクトを中心に活動を行なっています。国内先進地留学の成果を生かし、また、農業後継者育成資金を利用して部門経営を実施しているクラブ員も多く、地区連や県連などでもリーダー的な人材が揃っているということができます。

クラブの名称である「竹の子」は、冬の間にしっかりと根を張り、やがて春の訪ずれとともに日射しが入ってくると、速く、しかも力強く芽を出し、すくすくまっ直に伸びよう、しっかりした根を張ることが重要なんだ、という意味があります。

私たちのクラブは、さる三十八年四月、一部落を単位として四名の会員で出発しました。これが他の部落にも影響して、二年後の四十年四月に五人、また四十一年三月に五人と次々に新しいクラブ員がふえてきました。

クラブ活動の中心はなんといっても個人プロジェクトですが米一俵増収運動を展開し、簿記の勉強や現地互評会などを行なっています。また、共同プロジェクトとしてトマトやキュウリの抑制栽培、秋ばれいしょ、いんげんまめなどを栽培し、これらプロジェクトの成果につきクラブ、地区、県、全国の各段階で発表しています。このほかクラブの主な事業として4H学級、機関誌「竹の子」の発行、放送利用（スライド学習やラジオ、テレビなどによる検討）地区産業振興大会、青年大会などを開催しています。このような活動が認められて、四十二年度には農林大臣賞を受賞しました。

この受賞によって、われわれ4Hクラブの存在が周囲によく知られ、その活動は地区民に共鳴されています。

しかし、クラブとして悩みがないわけではありません。それは、クラブ歴や農業技術の差など各クラブ員の間にレベル差がみえてきたことや、経営部門が異なるために共通点が少ないなどがありますが、これは、先輩、後輩がお互いに能力をカバーし合ったり、部門別活動などによって解決されると思いますが、これらは今後の課題です。

自分たちの活動資金は、自己資金によってまかなっています。

す。

クラブの今後の方向として地域の中堅層として、地域に密着した研究と活動を続けていきたいと考えています。

なお、クラブの構成、クラブ歴、個人プロジェクトなどは左表のとおりです。

クラブ員構成とプロジェクト

役務	氏名	年齢	クラブ歴	プロジェクト
	鶴田 幸市	22	6	ブロイラー、みかん
県連役員	鷲尾 満一	22	4	みかん、茶
地区連会長	森 武則	21	3	みかん、茶、椎茸
会長	野添 [illegible]	21	4	和牛
[illegible]	[illegible]	21	6	肥育牛、みかん
[illegible]	[illegible]	21	4	みかん
[illegible]	[illegible]	20	4	みかん
[illegible]	[illegible]	20	1	養豚
[illegible]	[illegible]	19	3	養豚
[illegible]	[illegible]	19	3	みかん、びわ
[illegible]	[illegible]	19	1	産卵鶏、みかん
[illegible]	[illegible]	19	1	みかん、養豚
[illegible]	[illegible]	19	1	いね
[illegible]	[illegible]	19	2	養豚
[illegible]	[illegible]	18	2	養豚
[illegible]	[illegible]	22	1	みかん、料理
[illegible]	[illegible]	19	1	みかん、料理
[illegible]	[illegible]	19	1	料理、和裁

"農業天国"をこの手で

北海道農業の2世紀を語る

6,500,000人の北海道
2,500,000人の札幌圏

「北海道農業の二世紀を語る」という4Hクラブ員の意見発表が、さきに北海道の国立大雪青年の家で開かれた道4Hクラブ連絡協議会（会長、泉一男君）と道共催の北海道4Hクラブリーダー研修会の最終日に行なわれた。発表は一人十分間で行なわれたが、クラブ員たちはこのときとばかりに、百年後の姿について夢を語り、その方向へ進むよう努力することを誓い合った。なかには空想論まで飛び出したが、これら発表の中から興味ある意見を選んで紹介してみましょう。

（北海道4Hクラブ連絡協議会広報担当、赤松宏君記）

水稲と家畜の二本立てで行く

A君 わたしのところは、留萌管内で一般に水稲地域とされています。そんな中で、わたしは、父と別に部門別の経営で牛中心の畜産をおこなっています。現在のわが家の経営は、水田四・五㌶、牛二十五頭といったところです。百年後はわかりませんが、せめて三十年後を考えてみたい。

北海道農業については、いろいろな型で表現されているが、何か他人のいうことに同調することができない。

私なりにわが家の設計をすると大稲を現在より多少は増加させるにして、畜産を大幅に伸ばしていく。現在でも四・五㌶くらいの水稲で一家族が食べていける。水稲を機械力の導入などであまり労力をかけずにやっていく。そして最高に水稲より畜産の方へ労力をまわせる方向へむけていきたい。畜産の利潤を生活をエンジョイするためのものに使って行きたい。

いま、さしあたって、私の場合、ここ五年は、そのビジョンの実現のため、荒地の開墾と土地取得作戦を開始したい。二十代という若さを生かして、今後も「北海道農業の二世紀」を語りたい。夢の中にも現実をみつめながら一歩一歩、"水稲と畜産の二本立でいくんだ"と誓いをたてたい。

"都市近効農業に強く生きる"

B君 ときどき、メトロポリスという言葉を聞くことがあります。代表的なものとしては、東海道メトロポリス、そして東北メトロポリスというふうにすすんできている。最近、道央メトロポリスといわれはじめてきたが、わたしはこれを考えた農業をやって行きたい。

昭和六十年の札幌圏、二百五十万の人口を考えに入れた農業を中心とする農業を考えて行くよう、方向づくりに当って行かなければならないと思う。

まず考えなければならないのは農業団体、組織の問題であります。わたしは、ときどき市場へ行きますが、そのときいわれる言葉に「農協ほどあてにはならない団体はない」という批判があります。団体による協同出荷によって市場価格の安定を考え、変動があまりないようにしていかなければならない。そのためにも、4Hクラブで組織の勉強もしていく。

次に、皆さんの前で提案いたしますが、北海道農業の二世紀論を交わしても仕方ないということで終るとしたら、この会合が無意味になる。そこで、ここに集まった道4Hクラブの幹部の皆さん、いまから二十年後、きっと農業組織のオルグとなって、また、大雪青年の家に集まって、農業協同組合を語ろう。そして、そのときは、独占禁止法にふれない限りにおいて農業生産物を支配していたい。農業組織が集中し農民意識の向上する百年であると思う。

わたしは、北海道農業を語るときに、道央メトロポリスと農民意識の進展をまず第一番目にあげて先頭にたって進んで行きたい。この力が結集できたときこそ、いやきっとできあがるんだ。そのとき大きな声で"農業天国北海道"とさけべるであろう。"農業天国万歳"と北海道農業の二世紀を一言で語っておこう。

"農村の生活水準は最高のものに"

C子さん わたしは、今後百年の間、何年目にどうなるかははっきりわかりません。しかし、これだけはいえると思います。「わたしの母親の歩んだ道とはまったく違う」と

たぶん、女性は野良へ出ることはなく炊事、洗たく、育児、教育に専念できると思います。生活水準は他の職業よりは高いと思う。そんなとき、わたしたちはどうなっているかというと、年令は一年一つずつ増していくが、食事によって今の楽しさはそのままである（今のままなら余り良くないね、という噂の声あり）

また、主人を最高に有効に使えるようになっていなければならないし、おのずから各自その能力がついてくる。女の特権ともいおうかな、何といっても幸福になれることだけは確かです。

"理想の農村家庭の構造改善に一力を"

D君 前世に「わたしは婦人の労働問題が専門である」（会場一同笑いだす）

C子さんに反発する訳じゃないが、これからは女の人が今以上に働くようになるし、またそうなってほしい。働くといっても、今までのような肉体労働でなく精神労働である。

女性の皆さんに悪いが、女性の能力は、農村では男性に比較し相当に劣っている（女性ふくれる）わたしが、年間三千時間働くならば、女の人、奥さんも三千時間働いてほしい。その時間は農作業ではなく、社会的な面にも男の人たちに負担を余りかけないために、役場へ行ったり、部落例会に出たり、食生活の面でわれわれがいくらでも働ける食事を考えてほしい。経営簿もつけれるようになってほしい。

北海道農業の二世紀は、今、わたしが申したことが完全にできた時点から新芽が出ると思います。ガッチリした基礎があってこそと思う。わたしは、北海道農業の二世紀の前説を語ったが、これはあえて得意がっていうのでなく、それが理想の農村家庭の姿であると思うからです。

まずは、この作業から開始したいものです。もっと本論の二世紀農業を語りたかったんだが、残念です。

"北海道二世紀農業の制は者は私だ"

E君 北海道農業の第二世紀は、機械農業の言葉で代表されると思う。現在も徐々に機械力が導入されていますが、これが未来の農業改革の上で相当なポイントになると考える。

機械におぼれる農家が出て、倒産していく。現在、日本の就業人口の二〇%を農業が示めている。近い将来、これが一〇%にへっていくと思う。その時点には規模が拡大されて、機械利用のうまい人の農業がなされていると思う。

わたしの現在もっているプロジェクトは「農業機械の効率的な使い方」で、現在経営面に入れていっている。ただ、ばく然と未来を設計するのではなく、プロジェクトをとうして築きあげて行きたい。わたしはこの前説を信じ、このプロジェクトに取り組んだし、確信をもっていえる。機械に使われるのではなく、使うことを忘れずに進んだ時に成功すると思う。二世紀の北海道農業を制はできる。その制は第一号は誰でもない私Eである。（拍手が起こる）

"教育ママになるんじゃないかしら"

F江さん わたし、今までに、こんな未来を考えようともしなかった。Eさんまでの発表の間わたしに番が来たらと思って考えてみた。

今後、生活器具にしても素晴しいものが発明され、機械化されていくのではないかと思う。でも、それは、やはり今と同じにそれを使える人と使えない人がいる。

"富貴"の代名詞である農村に農村の主婦は、ほとんど働かなくても良くなるような気がします。それらのすべてが入ってきて、何でも、移動するだけでき上り、それで、その余った時間は、育児と教育（陰の声＝メロドラマを見る）のみになり、"教育ママ"の代名詞が農村に移ってくるような気がする。

でも、私自身、余り勉強の好きな方でなかったので、子供が可哀そうな気がします。そんなところは心理学を勉強して、きっとやらせるようになるだろうね！日本の有名な〇〇農業大学を卒業しないと日本一の百姓になれないなんていうんじゃないかしら。

"北海道はわたしが作り変えます"

G君 北海道農業地図は複雑だ。近来、各機関が新しい農業図を作りかけている。私はそれに賛成する者の一人である。

水稲、畑作、果樹園芸、酪農の地帯に分けるという構想、私は釧路に住む者ですが、北海道で一番伸びるのは酪農であると思う。日高、十勝、釧路、根室などといった太平洋沿岸が酪農地帯とされている。海上交通といったところから高度に発展すると思う。

未来への発展を義務づけられる釧路酪農！これを目前にし、明日への二世紀北海道農業に向かって前進せずにはいられないのが現況である。

ただ、ばく然とした表現であるが、渡米の経験を生かし、多頭飼育、大型酪農経営に取り組み、あの米国の大農業経営が、私のところで実現する。これが、北海道農業展望二世紀の一コマである。

最後に、私は"牛と共に一生をおくる"ことを皆様の前で力説しておこう。

"みんなが語るよりもっと変ろう"

助言者 私は各種の研修会に出るが、こんなテーマははじめてである。なかなか良いことだ。

百年後の北海道農業、農村社会、農村家庭は、みんなが発言した以上に変るように思います。

まず、遠い時点でなく、近い将来を考えても、一度農村を離れた者は、簡単に戻って来ることが出来ないと思う。いま、都会、都会といって、過疎化現象が問題になっているが、逆に、今度は農村へ農村へというブームがやがてやってくるような気がします。嫁キキンなんかという問題もまったくなくなると思う。

ただ、いま一番心配なのは、いま申したことになる中間において食糧生産に従事する人口が減少し、人口に食糧がまにあわなくなることがあるのではなかろうかと思う。そうすると、あの第二次世界大戦時のような結果、いやそれ以上の暴動が起るんじゃないか。

まあ、どちらにしろ、食糧生産に取り組んでいる人たちの強い時代がもうそこまで来ています。誰か大雪青年の家で未来を語ったというよしみで私に食べさしてほしいね。まあ、これは冗談にして、今日語った歩を大切にして、また三十年後、この青年の家（その頃はボロボロ）で、老後の教育を受けて三十年を反省したら、きっと楽しいだろうね。私は墓の下かな！まあ、元気で明日に向かって大いに頑張ろう！。

いよいよ稲作転換へ

農林省 知事へ次官通達

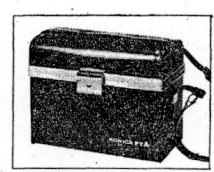

農林省はこのほど「昭和四十四年度稲作転換対策実施要綱」を決め、農林事務次官命をもって全国都道府県知事あてに通達した。

これは、さいきんの米の需給緩和に伴い、稲からとんご生産を伸ばす必要のある飼料作物や園芸作物などへの自主的な作付転換をうながすもので、四十四年度は一万㌶を対象として作付転換を進める計画である。

対策の主な内容は、転換しようとする作物の生産に必要な施設、機械の導入などを行なう稲作転換推進特別事業（「特別事業」）に対し助成するとともに、作物転換をした農業者に対して稲作転換奨励金（「奨励金」）を交付し、また各種の農業基盤整備事業など作付転換に必要な施策の実施について特別の配慮を行なうもの。

なお作付転換とは、昭和四十三年度に稲を作付けた水田について昭和四十四年度に稲に代えて、稲と栽培期間が重複する他の作物などを通常の収入が期待できるように作付け、植付けることをいう。

一、特別事業は次のとおり。

（1）特別事業の事業主体 作付転換を行なう農業者をその構成員の全部、または一部とする農業協同組合やその他の団体、その農業者のいる市町村または知事が適当と認めたもの。

（2）特別事業の種類＝ア、飼料作物作付推進事業（約十五㌶以上）、イ、園芸作物等作付推進事業（桑、野菜、真は十㌶以上、果樹、さとうきび十五㌶以上）、ウ、乾草生産流通実験事業（約四十㌶以上）

4Hくん
NO.151
桜井はじめ
実習おわり
プラスチック
さあ特設どじょうすくい場であそびましょう
ワー
キャー
あっいたぞ、
キャッにげちゃう
ゴールデンウイークに都会の団地のコドモたちを招待したの
どじょうすく

七年間の経営実績

企業的経営を実現

火災、豚コレラにめげず

福岡県筑後市長崎　筑後市4Hクラブ　北原元彦

私が農業を継いで早くも七年間が経過しました。昭和三十五年十二月に父が急死し、その頃私は、季節労務者として、大牟田市の酒造会社に働いていました。これも理由があったのです。豚舎の建設資金をうるためでした。

つらい農作業のことは、父親任せでしたから、耕起、播種、施肥、管理をどうしてよいやらわかりませんでした。しかし、わからないなりに無我夢中で働くだけでした。このため、起床五時、消灯十一時になることも度たびで、遅れがちの農作業も収穫までやっとこぎつけました。かへりみればこの一年間は皇苦しい年でした。この一年間を反省し、あまりにも作付部門の多いこと、収入が少なく、支出が多いなど、なんとか所得安定を計ることが急務であると考えました。

そこで米麦中心の作目に養豚をとりいれ、土地改良と地力増進を図りました。農業合理化を図り、昭和三十七年度は菜種、裸麦の作付を中止し、イ草栽培に切りかえました。

早くも農業の三年生になり、どうやら農作業も軌道にのり、これならいけると思いましたが、養豚の残飯を煮る釜から、火の不始末で豚舎、倉庫、豚、農機具、管理道具が火災のため、全部灰になってしまいました。農機具の耕運機、乾燥機、動力散布機は近代化資金を利用していたのです。この火災は三十七年十二月三十一日のことです。

その時火災現場に立った私はどうしてよいか途方に暮れました。元どおりに整備すれば最低設備資金百六十万円と近代化資金利用の六十万で計二百二十万円の借入金になります。

負債ができたからといって水田を他人に譲ることはできません。福沢諭吉先生の心訓の一つに「世の中で一番楽しくりっぱなことは一生涯を貫く仕事を持つことである」ということばがあります。七転び八起といわれていますが、ことはどうりにはゆきません。これが農業を継いで、第一回目の大失敗でした。一生涯を貫くということは如何に難しいかを痛感しました。

農業を継ぐ決心をした以上、農業をやめることはできません。三十八年の三月までには、火災現場の後整理を終り、火災後の古木材を利用できるだけ使用し、建設費を節約して、豚舎の建設にとりかかりました。

この時程、人々の恩恵を受けたことはありません。

これを機会に❶秋にかたよった収入❷季節的に集中している労力❸限界にきている低収入―を脱皮する為、農協営農課と普及所の先生に相談し、これを機会に多角経営を計る為に、米+養豚+イ草で昭和四十年には純収益百万円をトッパいたしました。借入金も五十万円程までに返済しました。

昭和四十一年八月、西日本地区に大発生した法定伝染病・豚コレラのために、六十頭飼育中の内、殺処分を受けた肉豚四十頭の被害を受けました。この時程、惨めな気持におちいったことはありません。これも養豚に対する基礎知識の不足と豚舎の衛生管理、手不足が原因と思われます。

この豚コレラも早期発見すれば未然にふせぐことが出来たと思います。これを機会に豚舎を改良して、換気を良くすることと豚舎内の乾燥を良くし、現在では豚の発育が順調になりました。

これらの失敗で覚えたことは次の五点です。

一、技術よりも大切なもの
二、情報を集めること
三、計画をたてて進むこと
四、基礎知識を学ぶこと
五、勇気を持つこと

以上のことが農業経営で最も大切な点だと思っております。四十二年二月には豚六十頭飼育までになりました。さらに、農業後継者育成資金を借入れ、養豚を一貫経営にすることにしました。

豚の価格安定と法定伝染病を予防するため育成資金を借り受け、農業後継者クラブ畜産部の仲間の協力で鉄骨スレート張りの豚舎四十五坪を新築しました。盛土、ブロック積、床面のコンクリートぬりまで4Hクラブの仲間の協力によって完成しました。

豚舎は、昭和四十三年一月に新築完成、その後現在にいたりますが、繁殖豚九頭と肉豚百二十頭飼育するまでになりました。この一年間の粗収入は、豚販売代金三百九十万円、米代金五十五万円、タマネギ三十二万円、イ草代金二十三万円―以上の販売代金は、昭和四十二年八月十五日から昨年の八月十五日までの販売代金です。さらに企業的農業経営を計画し、純収入二万ドル農業経営を目標に努力したいと思います。

私の一生涯をかけて貫ぬく仕事―。それは養豚経営であると思っています。苦しかったあの時、失敗してしまったあの時のことがいまでも忘れられません。若い時の失敗、苦しさは、私自身のよい経験となって、こんご身にふりかかる大きな問題に対処できる基礎が身についたと思います。

これからも4Hクラブの仲間とともに技術交換や情報交換を図り、よりよい農業者としての知識を高め、農業の発展につくしたいと思います。

プロジェクトの取り組み方

促進編(5)

行事とプロの関連

学習のねらいを明確に

北海道専門技術員　三輪勲

プロジェクト促進の諸行事

(1) 行事とプロジェクトの関連

プロジェクト活動は一般に日常活動ともいわれるように、その実践には継続的な努力が必要である。こうした努力を向上させることをとおしてプロジェクト活動を促進する直接・間接の役割を果たすのが行事である。青少年グループの年間プログラムは、少なくともこうした点の配慮によって編成されなければならない。

プロジェクトの結びつきが弱い行事は、たとえ、いかに内容が充実していても行事のための行事にとどまり、ひととおりの行事を実施してしまうと新鮮味が薄れ企画に行きずまりが生ずる。

行事には、プロジェクトの促進に直接寄与するものと、グループ員の協力や人間関係の改善をとおしてプロジェクトの実践意欲を向上させる間接的な効果を持つもの(図参照)とがある。

このうち前者が重要であることはいうまでもないが、その行事に参加することによって各自のプロジェクト活動に刺激を与え、実践に必要な知識と技術を豊富に獲得させるようにするものでなければならない。たとえば、青少年グループが行なう技術研修では、各自のプロジェクトに関連する研修科目が選定され、農事視察は、プロジェクトの課題に関する実践の先進地を主体に日程が組まれるなど、その行事の特性を生かしてプロジェクトの促進をはかる配慮がたいせつである。

これらの行事に参加することによって得られる知識・技術・能力・態度はそのまま放置せずにプロジェクトの実践に反映する必要がある。

しかし、各自のプロジェクト課題が多種多様の場合は、必ずしも行事内容との十分な結びつきができるとは限らないが、できるだけ地域の問題点に関連したプロジェクト課題を自家の経営や生活の中から選定させるように指導すればプロジェクト課題の共通性が高まり、行事内容との結びつきも容易になろう。

(2) 主要行事とプロジェクト

ここでは、プロジェクト促進に直接的な効果のある青少年グループの主要行事について、実施上とくに留意を要する諸点を述べる。

プロジェクト研究会　単位グループでの定例集会などに合わせてプロジェクト研究会を行なう。プロジェクトの課題選定・計画樹立・実施・反省評価など、実践の過程についてそのつど研究を実施すると効果的である。この研究会は次のように開催するのが望ましい。

二月……課題の決定協議
三月……実施計画の作成研究
四月……実施計画の検討
六月……実施状況の中間発表
八月……巡回研究
十月……記録簿の整理研究
十一月……プロジェクト成果のとりまとめ・反省評価

―なお指導にあたっては次の点に気をつけるとよい。

❶青少年が自由に意見を交換し合って研究を進めるように方向づけをする❷相互のプロジェクト内容について理解を深めさせるようにする❸年少者と年長者、男子と女子などの別によって興味や関心が異なる場合は、必要に応じて分科会方式で運営させる❹プロジェクト巡回研究は、自己グループ内のほか他町村におけるグループの訪問も行なわせる❺一グループの人員が少ない場合は、数グループによる共同研究会でもよい。ただし課題決定や重要計画の検討はグループ単位の分科会方式によって行なわせ、個別的な助言指導をするとよい。

研修会・講習会　生産や生活の技術研修会などは、単位グループで行なうよりも市町村単位の連絡協議会の行事として行なう場合が多い。この研修会で取り上げる科目は、青少年の欲求や関心に基づいたものであることが基本となる。とくに、プロジェクトの実践に役だつ知識と技術の系統的な学習ができるように編成すると効果が多い。また、運営指導に当っては次の点に留意するとよい。

❶対象青少年の年令階層や性別などの面にできるだけ等質性を保つように分科会方式や分轄開催を考慮する❷学習のねらいを明確にし、プロジェクト実践に関連のある学習内容を編成する❸講議のみにかたよらないようにし、実習・演習・実験・討議・見学などのほか視聴覚教材を十分に活用する❹終了後は簡単なテストを行なって学習内容の理解度をはあくし、指導上の基礎資料として利用する。

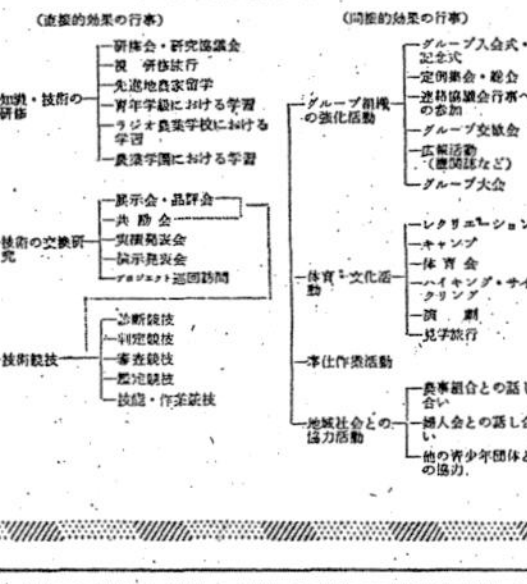
プロジェクト促進の主要行事
(直接的効果の行事)
知識・技術の研修
研修会・研究協議会
視察研修旅行
先進地農家留学
青年学級における学習
ラジオ農業学校における学習
農業学園における学習
技術の交換研究
展示会・品評会
共励会
実績発表会
展示発表会
プロジェクト巡回訪問
技術競技
診断競技
判定競技
審査競技
鑑定競技
技能・作業競技
(間接的効果の行事)
グループ組織の強化活動
グループ入会式・記念式
定例集会・総会
連絡協議会行事への参加
グループ交歓会
広報活動(機関誌など)
グループ大会
体育・文化活動
レクリエーション
キャンプ
体育会
ハイキング・サイクリング
演劇
見学旅行
奉仕作業活動
地域社会との協力活動
農事組合との話し合い
婦人会との話し合い
他の青少年団体との協力

農業簿記

京都大学名誉教授　大槻正男

……(3)……

「金額」欄を単「収入」「支出」の両欄だけに分けた大福帳を使用する農家の実際の計算においても、年度末において、多少とも前述のような修正計算を行なって、農家経済余剰収入に相当するものと算出しているのをみるのである。

決算を意味あらしめるため、年度末において少なくとも以上のように拾出し計算を行なわなければならないとするならば、下の図解表で示しているように、当初から「収入」を「所得的収入」と「非所得的収入」とに仕訳け「支出」を「失費的支出」と「非失費的支出」とに仕訳けて記入できるような欄を準備した用紙形式の日記帳が当然に考案されなければならない。なんとなれば、これによって年度末における拾出し・集計の労を節約し、決算を簡単にし、機械的にすることができるからである。

さらにこの簿記を完備したものにするためには静態的記録計算も行なわれなければならない。そのためには財産台帳を備え付け、その用紙形式としては年度始めと年度末とにおいて総財産のたな卸しをし、そのあり高を記入するとともに、固定資産(土地・建物・大植物・大動物・大機具)に関しては、供用財(たとえば建物・成牛馬・大農具など)について償却額計算が、結果財(たとえば育成中の桑樹・果樹・牛馬)について増殖額計算ができ、流動資産(米麦などの未販売現物および金肥・購入飼料などの購入現物)に関しては、供用財(購入現物)については年度末減少額計算が結果財(未販売現物)については年度末増加額計算ができるものでなければならない。

(注)　後述する理由から、非所得的収入を財産的収入、非失費約支出を財産的支出という。

農家経済単一簿記

以上のようにして、これらの台帳から算出される固定資産増殖額(固定資産台帳増殖額欄計)および流動結果財産増加額(流動資産台帳結果財欄計から)は、前述した動態的記録計算によって算出された「所得的収入」を補正して、より精確に農家の総もうけ高を表わす数字としての「粗所得」を算出する数字となる。その算式を示せば次のとおりである。

所得的収入+固定資産増殖額+流動結果財純増加額=粗所得

また、固定資産償却額(粗所得」から「農家失費」を控除すると、その農家のその年度における純余剰高を表わす農家経済余剰が算出される。

粗所得-農家失費=農家経済余剰

いうまでもなく、動態的計算から算出される所得的収入は、まだ完全の総もうけ高を表わすものでなく、その外にまだ販売されないが、その年度の間に増殖した林木や育成中の牛馬などの増殖見積り額(すなわち固定資産増殖額)も総もうけ高の一部分をなすものである。

また、米・麦などの年度末あり高の純増加額(すなわち流動結果財純増加額)もまた総もうけ高の一部分をなす―なんとなれば、その年度に生産された米とか麦が、まだその生産額だけ販売収入(すなわち所得的収入)となっていないからである―ものである。

だから、所得的収入にこれらが加算されて総もうけ高である「粗所得」が算出されるのである。同様に、失費的支出はまだ完全に農家の総失費高を表わすものでなく、その他にその年度の間に減耗した建物や役牛馬などの減耗見積り額(すなわち固定資産償却額)および金肥・購入肥料などの年度末あり高の純減少額(すなわち流動供用財純減少額)も、また、総失費高の一部分をなす―なんとなれば、純減少額はその年度の購入額(すなわち失費的支出)以上にその額だけ費消したことを意味するからである―ものである。だから、失費的支出にこれらが加算されて総失費高である「農家失費」が算出されるのである。

他方、これらの台帳の年度始め価額欄の計を合計して算出される年度始め財産額を、年度末価額欄の計を合計して算出される年度末財産額から控除することによって、その年度における農家財産の純増加額を表わすところの「農家財産純増加額」を算出することができる。

年度末財産額-年度始め財産額=農家財産純増加額

そして、この農家財産純増加額は、農家の純余剰高を表わす前述の農家経済余剰と記録計算に誤りのない限り一致しなければならない。

農家財産純増加額=農家経済余剰

ゆえに　農家財産純増加額-農家経済余剰=0

収入取引
財産的収入
所得的収入
農家経済
支出取引
財産的支出
失費的支出

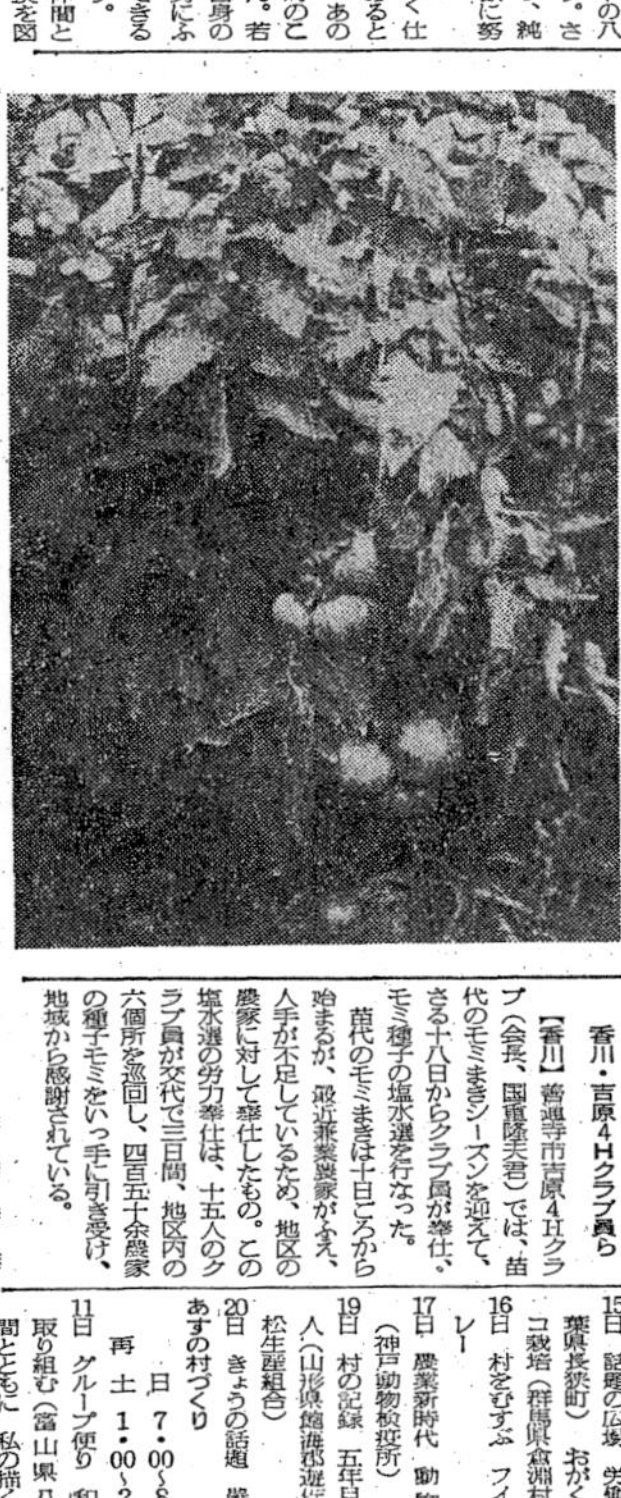

促成トマト最盛期

"大雪"にたえて色づく

二度にわたる春雪にたえぬいて促成トマトの出荷最盛期に入った。

例年にない二月、三月の異状天候に成育は約二十日ほどおくれ気味であったが、五月の陽を浴びて早くも色づき東京市場への出荷作業で栽培農家は汗だくー。

トマトの需要が増えるにしたがって、作付面積も増加し、従来の露地栽培から早期出荷をねらったハウスの促成栽培に主力が注がれてきたが、これに伴い一般栽培者の栽培技術は向上したにもかかわらず、先般の大雪にみまわれて大きな被害を受けた農家も少なくない。

とくにハウスの倒壊の被害は甚大で、被災農家の顔をくもらせた。

いまさらのように、自然の災害のおそろしさを知ったようだが、露外と自然の災害を予測してハウス(施設)を設計している人が少ないようだ。ますます、作付面積が増加し、連棟式ハウスが必要視されることを思うとき、ただ、経済的というだけで簡単に建てることは不安に思える。災害は忘れたころにやってくるというから―。

(【写真】栃木県野木町で撮影)

モミの塩水選を奉仕

香川・吉原4Hクラブ員ら

【香川】善通寺市吉原4Hクラブ(会長、国重隆夫君)では、苗代のモミまきシーズンを迎えて、さる十八日からクラブ員が奉仕、モミ種子の塩水選を行なった。

苗代のモミまきは十日ころから始まるが、最近兼業農家がふえ、人手が不足しているため、地区の農家に対して奉仕したもの。この塩水選の労力奉仕は、十五人のクラブ員が交代で三日間、地区内の六個所を巡回し、四百五十余農家の種子モミをいっ手に引き受け、地域から感謝されている。

農業法令の手引

農業委員会

―その2―

(2) 組織

(ア) 農業委員会は、選挙による委員と選任による委員で組織されます。

(イ) 選挙による委員の定数は一定の基準に従い、十人から四十人までの間で市町村の条例で定められます。

選挙による委員の選挙については、国会議員、地方公共団体の長、県会議員の選挙手続を定めた公職選挙法が準用されますが、農業委員の選挙に固有の規定としては、次のようなものがあります。

一、選挙権及び被選挙権を有するのは、二十歳以上の人で次のいずれかに該当する人です。

❶ 都府県では十アール、北海道では三十アール以上の農地を耕作する経営主

❷ 右の経営主の同居の親族又は配偶者で、年間の耕作従事日数が六十日以上の人

❸ ❶と同じ面積以上の農地を耕作する農業生産法人の組合員又は社員で年間の耕作従事日数が六十日以上の人

二、裁判官、検察官、警察官、公安委員会の委員等は、在職中農業委員の候補者となることができません。

三、農業委員の選挙は市町村の選挙管理委員会が管理し、農業委員会の区域ごとに行なわれます。ただし、市町村長は都道府県知事の承認を受けて二以上の選挙区を設けることができます。

(ウ) 選任による委員は、信用、販売及び購買の三事業をあわせて行なう農協が推せんした理事一人、農業共済組合が推せんした理事一人、市町村の議会が推せんした農業委員会の事務についての学識経験者五人以内を市町村長が任命します。

(エ) 選挙による委員の任期は三年で、一般選挙の日から起算されます。補欠委員の任期は前任者の残任期間です。

選任による委員は、一般選挙により選出された委員の任期満了の日までとします。

(オ) 農業委員会の委員の選挙権者は、選挙権者の三分の一以上の同意を得て選挙による委員の解任の請求をすることができます。

選任による委員については、その推せん者たる団体又は市町村議会から解任の請求があったときは市町村長はその委員を解任できます。　(つづく)

〈全国農業会議所編　農業法令のあらましーから〉

NHK農事番組

(5月11日~20日)

テレビ

明るい農村　6・30~6・55総合
12日　村の記録　二つの農協(埼玉県大里郡花園村)
13日　きょうの話題　どうなる米価審議会
14日　産物往来　肉牛特急
15日　話題の広場　労働銀行(千葉県長狭町)　おがくずでナメコ栽培(群馬県倉渕村)
16日　村をむすぶ　フイルム・リレー
17日　農業新時代　動物を守る(神戸動物検疫所)
19日　村の記録　五年目の米作法人(山形県飽海郡遊佐町、上小松生産組合)
20日　きょうの話題　農地と宅地

あすの村づくり　日　7・00~8・00教育　再　土　1・00~2・00教育
11日　グループ便り　和牛飼育に取り組む(富山県八尾町)仲間とともに　私の描く農家主婦(福岡県下)　先輩と話る　近郊農業にかける(東京都足立区)　増田莉一

ラジオ

早起き鳥　5・05~6・00❶
11日　話題の窓　動かぬ自動せり機―流通改善への道―現地ルポ
12日　現地報告　乳牛引き受けます(北海道別海村)
13日　人と話題、動き出したグランドグリーンプラン(広島大学中尾勉)
14日　通信員の手帳から　西山完治
15日　産地訪問　芳香かぼちゃ(高松市)
16日　現地報告　発足した私立畜産学級(福岡県宇美市)
17日　村のポスト
18日　話題の窓　新都市計画法と近郊農村　東京大学助教授(阪本楠彦)
19日　現地報告　主婦農業と耕運機(埼玉県下)
20日　人と話題　ブラジル農業に学ぶ(福島県・三浦昭人)

ラジオ農業学校
月~土　6・40~7・00❷
日　6・30~7・00❷
再　月~土　19・00~19・15❷
11日　新都市計画法(東京都農業会議事務局長　野口永治)　ハウスのリンゴ栽培(千葉大学、藤井健雄)
18日　優秀農家に学ぶ　稲・酪農複合経営(香川県　大矢重雄)

春の終り　(4)

一ノ瀬綾　多賀愛子画

二人のヒソヒソ話に振り返った幸次が、咎めるような視線を敏子に投げた。

「話があるのなら、仕事が終ってからにしろ」

仕事中の無駄話を幸次は一番嫌がった。鉄骨造りのビニールハウスの中は汗ばむような暖さである。千五百羽近い鶏を、それぞれの成長クラスによって予防注射をする仕事は、注意と根気がいる。楽ではなかった。敏子は、兄夫婦の呼吸のあった仕事ぶりを見ていると、フッと胸が波立つような羨望と焦立ちを覚える。そこには信頼し合って同じ仕事に打ち込んでいる安定した夫婦の姿があった。

兄嫁の幾代は一度の見合で幸次と結婚したのだが、うまが合ったのか二人は始めから仲むつまじかった。幸次は農学校を終るとすぐ父親の手伝いを始めて、現在では村でも屈指の営農家になっていた。幾代はそんな幸次に頼り切っていて、のどかであった。

敏子の家には農作業の機械はたいてい揃っている。必要とあらば借金をしてでも買うが、やがてそれは借金以上の収益を生んだ。野良仕事自体は、世間並以上に激かったが家庭には気分的なゆとりと安定感があった。敏子は兄夫婦のような形で農業経営をしていくことを無意識に望んでいたのである。今更のように昨夜の淳の話が思い出されて、敏子の気持は重く沈みこんでいく。

淳の家は決して楽ではない筈であった。土地は一町歩に満たないうえに、畠地が六割をしめていたから、一年間の収益は年二回行なわれる養蚕が主体で、その他は時流に乗った畜産や蔬菜類に頼っている。米は自家用の余剰米が少し売れる程度であった。敏子の家族は敏子が淳と結婚する気らしいと知った時は全員で反対をしたほどである。今は敏子の熱意と淳の人柄がわかったことで、黙認された恰好になっていた。

一時間ほどして仕事が終ると、待ちかねたように久江は、敏子を話に引っぱり込んだ。

「本当はね、昨日はじめて彼の家へ行ったんだよ。それで帰れなくなったんだ」

急用だと言う須田からの電話で久江は、村から四キロほど離れたT市迄出かけた。そこはいつも二人が落合う地点で、その時も久江は軽い気持で行ったのだが、待っていた須田の用件はそんな久江をひどく慌てさせた。須田の母親が病気で寝込んでしまって、久江に逢いたがっているので是非家迄来てくれと言われたのである。

須田の家は、T市から汽車とバスに乗りついで一時間はかかる山奥の村にあり、厭だとも言えない事情の為、半分無理をして同行したのだが、行って見て久江は驚いた。五十そこそこの母親は、疲労の上に風邪が重なって寝込んだのだが、その他に八十近い祖父が、五年越しの中風で寝ていたのである。子供は長男の須田の下に弟妹が五人あった。次男は東京の大学へ行っており、長女と三男は高校生、四男と次女は中学生である。

二町五反近い農地と、乳牛四頭を持つ村一番の農家でありながら父親は村の役職を幾つも受持っていて満足に農業を手伝わない。母親は使い切れた雑巾のように疲れ果てて寝込んだのである。

「まだ話も通していない久江さんに悪いが、この家の事情をしっかり見てもらって、一日も早くきてもらいたくてね。健一は、久江さんのことが楽しみで一生懸命働いてくれているいい息子ですに…」

母親は、久江の顔を見るなり哀願するように言った。子供達は我まま勝手な理屈ばかり並べていて初対面の久江に平気で用事を言いつけた。父親はその夜おそくに酔っぱらって帰って来たし、健一はといえば帰宅するなり牛の世話にかかり切り、久江とゆっくり話もできなかった。二人の病人の世話をしながら久江は、この家では健一と母親だけがきりきり舞をして働いているのだと思った。

「あの人は今迄家の話をあまりしたがらなかった。どうやってデートのひまを作ったのかと思うくらい。言えなかった気持は解るけどひどいよ…だまされたような気がする。あの子供達全部に希望通りの進学や結婚をさせて、二代の親の面倒を見るなんて気が遠くなる…」

農村雑感
農民社長
折原儀二郎

（農林省・農業者大学校）

青春と仲間

大切なお互いの和
クラブに溢れる"現代っ子"の意気
埼玉県川口市浦和・神根4Hクラブ　加藤吉江

友だちと二人で考えた発表。「空間を利用した衛衣室」というテーマで発表しました。ちょっと買物にいくとき、農家の人は、いちいちタビをぬいで座敷に上がって着がえていられない……

ふだんは、仲の良い友だちなのに、原稿作りのときに意見がわかれて衝突したり、練習のとき、いいかたがわるいと怒ってみたり、感情的になることがしばしばありました。でも、その文句も、お互いに発表を少しでも良くしようという気持ちからだったのです。

毎日寝不足で猛練習

毎日毎日、練習、練習で、夜十二時を回ったことがいく度もありました。発表の前の日など二、三時間ぐらいしか眠れなく「まちがえないで言えるかしら、よそのクラブでは、どんな発表をするのかしら」と、気になったり、ふだんの人気やの私とはまるでちがう神経質な私になっていました。

でも、失敗しても、その瞬間、精いっぱい努力することが私に与えられた使命なんだと思いました。そして、当日、私は、私なりにベストを尽くして発表しました。悔いはありません。とってもさわやかな気持でした。終ったとき、友だちと手を握りあって喜びました。結果などは問題ではない。無事責任を果たしたということで満足でした。

この発表を通じて感じたことは、クラブ員の協力もさることながらひとつのものにぶつかって行く精神力というものが、いかに大切かということがわかりました。それに、いろいろの面で自信がついたことや、いままでペンをもつ機会が少なく、きらいだった原稿作りが好きになったことなどプラスになる面がいろいろありました。

「楽あれば苦あり」ということわざがありますが、この場合「苦あれば楽あり」という言葉があてはまるのではないでしょうか。それと同時に、次に発表する人には時間の許す限り協力をおしまないつもりです。

お互いに話合いを

私は、入会してから三年余りになりますが、過去、三年間をふり返えって、何よりも大切なことは、クラブ員の「和」ということだと思います。これは、どのクラブでも共通することではないかと思います。それには、会長さんの努力はもちろんのこと、クラブ員全員が役員になったつもりで、動かなければいけないと思います。クラブを楽しくするのも、つまらなくするのも、私たちクラブ員の責任だと思います。それには、話し合うことが大事だと思います。会合の時などクラブ員の意見をきくことが、一番良い方法だと思います。そして、不満な点、疑問な点など、みんなで話しあうのもいいと思います。

たまには、4Hクラブに関係のない、日頃考えていることを、みんなにきいてもらうのも楽しいと思います。私のクラブでは、最近そんな時間をもつようになりました。個々の考えは、まちまちですけど、楽しそうな話しぶりを見ていると、クラブに入ってよかったとつくづく思います。

農業を継がなければいけない後とりの宿命みたいなものを感じていた私でしたけれど、その抵抗もだんだん私の脳裏から忘れていくことを感じる今日この頃です。

新鮮で素晴しい会

ひとつの問題についても、さまざまな意見がきかれる。自分だけのせまい考えでなく、いろいろな角度から物事をみることができる。私にとって、これほど新鮮ですばらしいクラブはないと思います。

時間が守れない、クラブ員が少ないなど、まだ運営上いろいろな問題があると思いますが、みんなで少しずつ改善してよりよいクラブにしていかなくてはいけないと思います。そして、このすばらしいクラブに、一人でも多くの人が入会し、発展していくことを期待します。

また、クラブだけでなく、家庭生活でも改善していく必要があると思います。今までの農村というと、どこか暗くて封建的な感じが強かったのですが、みんなで親しくしているうち、だんだんそんな感じもうすれ、かえって伸び伸びしている、現代っ子の意気がうかがえます。

自然を相手に楽しく

昔は、仕事、仕事の一点ばりでしたが、最近の若者は、仕事は仕事、遊びは遊びと、よくわきまえているようですから、休日がほしいときには、自然に仕事にも身が入ってくるのではないでしょうか。

それに、最近、農家の生活様式もだんだん変ってきて、都市生活と何らかわらなくなってきたように思います。お料理なども、今までのように、ただ間にあわせのものでなく、栄養を考えたものですから家族の者にも喜ばれます。自分で作った野菜を新鮮なままで食べられるということは、サラリーマンでは味わえない良さをもっています。

それに、空気はおいしいし、自然を相手に仕事ができるなんて、とってもしあわせだと思います。この自然をいつまでも、こわしたくない。今は、そんな気持でいっぱいです。

そして、この自然の中で、これから伸び伸びとした家庭生活を営んでいきたいと思います。

人生とは
鳥取県・日野　松本仁美

人生とは何か
この世に生れた時から　人生という道は始まった
歩くこと、勉強、遊び、話すことも人生
一生の一分一秒　川の流れる如く
決して反復されるものではない人生
人と人の交わりも　互いの立場も　行動も人生
友だち、女性、男性　互いの立場が人生となる
友情、愛情、恋愛　結婚また人生
死んでも人生を残す
今の行動、立場が、その時が　人生の一端なのだ
一生の中で
「自分は苦しい人生を送った」
「私は楽な人生だった」
それを言えるのは、死を迎える時なのだろう
人生とは何ぞや
人生とは　今の自分がそれだ
その一日が、一分一秒が……

生活もの知りコーナー
病気に抵抗力を

▽日光浴をしよう

青葉が目にしみ、光あふれるよい季節を迎えましたが、日光浴をして、元気なからだをつくり、病気に抵抗力をつけましょう。

日光浴をすると、紫外線の作用で、からだの中にあるビタミンDの母体の栄養がビタミンDに変化して、クル病を予防します。そのほか、からだ全体の機能を活発にして病気に対する抵抗力が増し、カゼなどにもかからなくなります。

ですから、発育期の子どもや妊産婦はつとめて日光浴をし、歯や骨格をじょうぶにすることはもちろんですが、そうでない人も、できるだけ紫外線にあたるように心がけましょう。

生まれたばかりの赤ちゃんも一ヵ月たったころからだんだん日光浴をさせることが望ましいのです。ビタミンDを含んだ薬もありますが、薬に頼るよりは、直射日光はからだ全体の機能も高めます。

また、紫外線には、殺菌力や消毒力もありますので、晴天の日には、ふとんなどもよく日に干すことが大切です。綿の中の水分が蒸発し、同時に繊維の間隔が広がって、保温作用を高めますし、消毒力もありますから、カゼのなおったあとのふとんは忘れず日光消毒をしたいものです。

▼婦人下着のエチケット

初夏になり、しだいに軽装になってきますが、最近のスリップは薄手のものが多いので、上に着る洋服を考えないと、すけてみえてしまいます。ピッタリしたタイトスカートなどでは、動いたとき、歩くときなどガードルや、ショーツの線がはっきり外目にわかるような人をよくみかけます。

また、夏になって白っぽい生地や、レース地の洋服などを着るときは、スリップの上にペティコートを重ねるとか、すけない裏地をスカートの部分につけておくとか工夫したいものです。

逆光線のところでは特に注意をしてください。

スカートのすそからスリップがのぞいていたり、肩からスリップやブラジャーのスリットがのぞいているのは見苦しいものです。胸もとから下着がチラチラするのもエチケットに反します。

（この記事は、貯蓄増強中央委員会発行の「奥様便利帖」から抜すいしたものです）

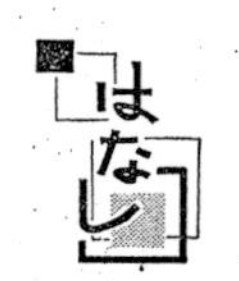

はなし

「帰ってきたヨッパライ」にせまる「夜明けのスキャット」

三月十日に発売された「夜明けのスキャット」は発売後、一ヵ月で早くも七十万枚を突破した。売行きは昨年の「帰ってきたヨッパライ」に迫る勢いで驚異的なもの。

この勢いにのって、レコード店から注文が殺到、レコード生産の方も、残業に残業を重ねるフル操業をしてもとても追いつかない状態で、嬉しい悲鳴をあげている。

（東芝レコードニュースから）

オランダ館

テーマ…未発表
敷地面積…4,000㎡

展示館は、水中にたてられた4本の柱の上に建つ立方体を重ねたような形の建物。高さ最高30m、長さ38m、幅55m。

展示は、多面スクリーンをふんだんに活用した、いわば"フィルム・ハプニング"。観客は、映画と音にかこまれ動くにつれてあらゆるサイズの水平やたての映画、あるいは、大きなスライドに向かうことになります。観客は、1枚のスクリーンだけを見ることはなく、常に多数のスクリーンにかこまれており、映画をつきぬけて歩くうちに、オランダの今日の生活がいきいきと印象づけられます。

建物の下には、2つの通路があって、観客はそこからエスカレーターで、中央ホールへ運ばれます。T字形をした3つの翼の1階には、テラスを含めて200人を収容できるレストラン、200人収容の劇場、そしてレセプション用の会場。2階には、サービスエリア、事務所などがつくられます。

さらに、エスカレーターでのぼると、それぞれ約25㎡の広さをもつ3個のキャビンがあります。このキャビンは、映画を上映し、音をきかせるために特別に設計されたもので、最上部のキャビンからは会場がパノラマのようにながめられます。

＜日本万国博覧会「展示館」＞

OBは語る
一年で「4H」を理解
＜4Hクラブは、われらの財産である＞
久保博（上）

私が4Hクラブに入会したのは、県立上市高等学校農業科を卒業した昭和三十七年三月で、それから早くも七年の歳月が経過した。

最初は、先輩の勧めでなにげなく入ったクラブであったが、年がたつと、自分の4Hクラブに対する立場、4Hクラブの社会に対する役割などを考えるようになり、それらを検討しながらクラブ員とともに研究し、一歩一歩前進するよう努力して今日に至った。

私は、昨春、4Hクラブを離れたが、自分が歩んできた足跡を静かにふりかえり、足らざる点を補いながら、若く希望に燃えた4Hクラブを育て、あとに続く人たちが明るい社会人、すぐれた農業者となるようアドバイスや援助の手をさしのべていきたいと思います。

いま、私の青春時代を年代を追ってふりかえってみたいと思います。

昭和三十七年度　この年の春、先輩の勧めで五百石4Hクラブにはいりました。

このクラブは、農家の長男ばかり十七名が集まってつくっていたが、いずれも粒ぞろいで、十八歳から二十五歳までの青年が活動の原動力であった。富山県でも有数の立派なクラブで関係者や地域の人たちから注目されていました。しかし、農業一年生の私は、先輩のいう通り4H活動に参加していたに過ぎなかった。

例えば、病害虫防除の共同作業や、動力散布機の解体実験、農協の肥料配達、米の収荷協力など、農協に4Hクラブが協力して奉仕活動を行ないました。

また、共同プロとして農協から借りた水田十アールのクラブ研究田で水稲栽培をしたり、それぞれテーマを設けて個人プロジェクトを行ないました。私は、個人プロとして「わが家の営農改善五ヵ年計画」を立て実行に移しました。

また、高校卒業と同時に「家族協定」を結んで、農業経営のスタートを切りました。そして七月に、農業の先進地視察として県教育委員会が主催する国内研修に参加し、北海道で一ヵ月間にわたって大農業経営について勉強してきました。

三十八年度　一年間かかってようやく「4H」を理解することができた。この年は、個人プロジェクトに重点をおきましたが、とくに営農改善二年目として、水稲裏作の白菜、キャベツ、玉ねぎなどを作付けして水田裏作利用の研究を行ないました。

そして、4Hクラブの研究発表大会で「水稲の直播栽培の一考察」と題した私の発表が、地区、県大会とも一位となり、県大会では県知事賞を受けました。この年には、第二回の全国農村教育青年会議にも参加しました。

三十九年度　営農改善三年目のこの年は、個人プロ研究を突行し、ソ菜栽培を大幅に取り入れました。

また、立山地区連から推せんされて、県4Hクラブ連絡協議会の理事に選出された。4Hクラブ三年目の私には、はじめての大役でめんくらった。それで全国各地の状況などを知るために、全国4Hクラブ員の機関紙的存在である日本4H新聞を購読したのもこのときでした。

また、日本4H協会が募集された「コンクリート施設体験文」に応募したところ一等になりましたが、この感激はいまだ新しい。その表彰状は、私の部屋に大事にかけてある。それに一生忘れられない思い出がある。五年前、東京オリンピックと同時に開催された東京オリンピック世界青少年キャンプに、富山県、いや日本代表として全国の青少年二百五十名とともに参加した（4Hクラブ代表六名）。そして、各国青少年とオリンピック競技を観戦しながら交流したのも楽しい思い出です。

（元全国4Hクラブ連絡協議会代表評議員、同富山県4Hクラブ連絡協議会々長）

わが家の営農改善五ヵ年計画

計画年度	年度	経営の内容
1	37	水稲の育苗試験とソ菜の導入
2	38	水稲の直播栽培とソ菜栽培
3	39	水稲の省力化と養豚の導入
4	40	ソ菜経営の充実とその機械化
5	41	水稲、ブロイラー経営

日本4H新聞

4Hクラブ 農事研究会 生活改善クラブ 全国弘報紙

発行所 社団法人 日本4H協会
東京都市ケ谷の光会館内 電話(269)1675番 郵便番号162
編集発行人 玉井光
月3回・4の日発行 定価1部20円
一ケ年700円(送料共) 振替口座東京12055番

クラブの綱領

一、私達は実践を通じて自らを磨くとともに互いに力を合わせて、より良い日本を創るため四つの信条をかかげます。一、私達は農業の改善と生活の改善に役立つ腕をみがきます。一、私達は科学的に物を考える頭の訓練をします。一、私達は誠実で友情に富む心をつちかいます。一、私達は楽しく暮し元気で働くための健康を増進します。

日中を結ぶ草の根大使

双方の代表きまる
訪問はともに七月頃の予定

日本代表

かわず つよし
河津健君
大分県日田郡大山町字大山6604、1947年生。大山青年農業研究会所属3年、区連、県連役員、趣味＝音楽、陸上競技、家族＝両親、祖母、弟1人、妹1人、県立玖珠農高卒

すがわら とし
菅原敏さん
岩手県水沢市姉体町字野中42、1948年生。水沢市農業青年クラブ所属3年、岩手県連副会長、家族＝両親、姉2人妹1人弟1人、県立水沢農高卒

中国代表

リ チェンテ
李政徳君
1949年生、4Hクラブ所属3年半 農業経営＝水稲と果樹（バナナ、ミカン、ナシなど）10ha。趣味＝ボールゲーム。家族＝両親、兄2人、弟1人妹1人。省立高校卒。

ホン イネニュ
洪玉女さん
1950年生、4Hクラブ所属4年半 この間実績発表で授賞、農業経営＝水稲とそ菜、畜産。趣味＝スポーツ音楽。家族＝両親、兄2人、弟3人妹1人。省立商業高卒。

社団法人日本4H協会（松下幸之助会長）は、国際農村青年交換（IFYE）計画に基づいて中華民国（台湾）へ派遣する本年度の日本代表4Hクラブ員二人をこのほど選考するとともに、中国からも二人の代表を受入れることに決定した。

日本代表に選ばれたのは、菅原敏さん(二〇)岩手県・水沢市農業青年クラブ、河津健君(二二)大分県・大山青年農業研究会ーの二人。中国代表として来日するのは、洪玉女さん(一九)李政徳君(二〇)の二人で、ともに七月下旬頃に訪問する予定である。

この4Hクラブ員の交換は、日本4H協会が中国の4健協会との間に、国際農村青年交換計画に基づいて毎年実施しているもので、中国からの来日は五回目、日本からの訪中は三回目にあたる。

それぞれ代表となって訪問したクラブ員たちは、オリエンテーションを受けたあと、受入れ農家に入り、その家族の一員として生活する。期間は二カ月の予定である。

この間、クラブ員たちは訪問国の4Hクラブ活動や農業、家庭生活、風俗習慣などを学ぶとともに、自国のそれらについて紹介する。

このように、交換クラブ員は両国の相互理解と親善につくすもので、別名"草の根大使"といわれ、民間外交の役を果すことになる。

中国代表として来日する洪玉女さんは、商業高校を卒業してから家業を手伝っており、水稲、サツマイモ、そ菜、豚、ニワトリ、アヒル、ガチョウとなかなか多角経営。将来も農業に従事し、農家生活の改善につくしたいという。日本で学びたいことは、果樹栽培、花卉の温室栽培、4Hクラブの組織と活動、日本の農家生活などである。

李政徳君は、高校卒業後、水稲、バナナ、ミカン、ナシ、竹の子、杉などの栽培をやっており、日本では果樹栽培、集約耕作、花卉の温室栽培、4Hクラブの組織と活動、農村生活などについて学びたいそうである。

一方、日本代表の二人は高校卒業後農業に従事しながら、4Hクラブ活動をつづけ、ともに県連役員をしており、中国の農業と4Hクラブ活動に関心をよせている。

土と人と

数字に弱いところと強いところ

堀越久甫

[illegible]

（農村評論家）

横井会長を選出
富山県で通常総会

【富山県】富山県4Hクラブ連絡協議会（会長、法邑伸一君）は、このほど四十三年度の通常総会を開き、新年度の事業計画を決定するとともに、新執行部を選出した。新役員の氏名は、つぎのとおり。会長横井弘三、副会長島久雄、同松井衛、同五十里国明、事務局長高松武

沖縄にオルグを派遣
八・九日、全協執行部会で検討

全国4Hクラブ連絡協議会（会長、黒田保君）は、さる[illegible]の両日、東京・新宿区市ケ谷の光会館内同会事務局で執行部会を開き、来る十五日から[illegible]神子ユースホステルで開催の年度第一回の評議員・県連会長会議[illegible]主として新年度事業計画について検討された。

組織については、沖縄が組織しているにもかかわらず、距離が遠くて直接に事業に参加できないでいるので、全協で[illegible]を一般から募集して現地を訪ね、お互の親善と今後の活動のすすめ方を話しあう機会をつくる。

つぎに、クラブ員の実態調査用紙一万枚を印刷し、県連と協力して実態調査を行ない、今後の活動推進の参考にする。全協では評議員をこの担当にあてたい意向。

手びきの作成にさきだち、専門委員会をもうけ、OBや学識経験者に検討してもらい、それをまとめて手びきを作成する。

中央推進会議に、プロジェクト学習会を開き、パネル討議かシンポジウムを行なう。このほかOBの参加を呼びかけ、OBだけで分科会を開き、現役への指導や協力などについて話し合ってもらう。

4H会館建設については、岩崎委員長、遠藤事務局長が出席して、これまでの経過を説明し、今後の募金活動のすすめ方を話し合うとともに、昨年のこの会議で渡した募金箱を持ちよって開封する。

このほか、会館の完成予想図三千枚を印刷し、各県に配布して会館建設のPRに努める。

涼風暖風

エルダートレーニング

兵庫県庁の大西さんから贈られた「エルダートレーニングプログラム」と称する部厚いルーズリーフ型のテキストを拝見した。二千八百円もするそのテキストは一週間コースの人事管理訓練の内容を詳細に書いてある。質問の場所や言葉、事例シートの配布場所まで記されている。表題からして「兄貴分をリーダーとする小集団訓練法」というのであろう。

折しも、私は府庁の新規採用者の講師として命令され、この種の研修に遭遇して面喰らうはめになった。職務基準のごく初歩的な心構えを教える研修だが、講師であるべき私達(三十人位の兄貴分)は実は講師に育てられると共に中堅職員としての必要事項を学ばせるために送られたのだった。私達は二班に分れ、リーダーと呼ばれる研修所職員を囲んで二日間指導された。この方式はそんなに新しくないそうだが、私には初めての経験であった。二日目終了後に部厚いテキストを渡された。なるほど、リーダーの話したこと、板書事項が全部書いてある。この通りに教えればいいのだ。

翌日から六日間、私達は順番に先生になって教え方を教えられた。生徒が意地悪な答をいうので先生は大汗である。しかし、最終日を迎えたとき、私達は、何をいつ、どのように教えたらよいか、何を黒板に書いたらよいかなどという、研修のすべてを頭に叩き込むことが出来た。頭に入れるというよりは、反射的に言葉が飛び出し黒板に向うのである。

そして、昨日から実際に新規採用者を前に実践の最中である。

思うに、これは訓練の一種なのだ。一度に何十人のリーダを養成し、さらに何百人もの人を濃密的に指導できる、効率的な研修法なのだ。

4Hクラブの理念や、プロジェクト活動の基礎概念は、先輩クラブ員から若いクラブ員へと、正しく、かつ、厳しく引き継がれるべきものだろう。ところが、理念や精神の後継が不明確なものだから、次代のクラブ員がてんで勝手な方向へクラブを引っぱっていこうとするケースも少なくない。湯浅さんはじめ立派な先生方の体系的理論が消化不良のままで、実践されていないという場面もある。

専門家の講義に頼るのもよい。しかし、クラブ員の手でテキストを作り体験的に若手クラブ員に引きつがれ、正しい4Hクラブ活動を後継してみてはいかがなものだろうか。研修の方法をもう一工夫してみたいと思うこのごろである。

（大阪・川端）

会長に飯田君を再選
愛知県連で通常総会開く

【愛知県＝古川暮美子通信員発】愛知県4Hクラブ連絡協議会（会長＝飯田雅美君）は、さる四月二十八日、名古屋市の[illegible]ル集会室で、昭和四十三年度通常総会を開催した。

午前十時、開会のことば[illegible]いて各地区連代表の新旧役[illegible]なで4Hクラブの歌を斉唱[illegible]と、飯田会長が「来年度の活動がよりいっそう充実したものになるように、きょう一日、[illegible]画案などを充分に検討していきたい」とあいさつ。

このあと、議長団に渡辺[illegible]東地区連）と鈴木君（西尾[illegible]）を、書記に山本さん（[illegible]区連）と渡辺さん（西尾地区連）を選出して、議事の審議に入った。

第一号議案＝43年度事業[illegible]第五号試案＝44年度の経費の[illegible]入れ先き決定について、の各議案がユーモアあふれる議長のリードのもとに、笑いのなかにも真剣に審議され、それぞれ承認された。

つぎに役員改選に移り、推薦投票制で新役員を選出し、会長には飯田雅美君が再選された。

なお、愛知県連の新年度の事業計画はつぎのとおり。

活動基本方針

(前文略)近代農業の実現と豊かな農村の建設には、われわれ青少年の自主独立の精神と実践力にかかっていると思います。これがた[illegible]かなければならないと思います。

本年は、このような意味から昨年度第五回会長会議の評価反省をもとに、末端の各4Hクラブが本来の活動が出来るようにすると共に県下のなかまを広く確認しあう機会をもつよう、新規事業"愛知県4H祭"を中心に、つぎの事業を展開していく考えであります。

活動基本方針に基づく事業

組織の強化、拡充と連絡活動の促進

一、単位クラブ、地区連（単位4Hクラブ連絡協議会）活動の強化 ❶新卒者など新会員の加入促進❷クラブ員名簿、役員名簿、行事計画の作成と提出❸会費の徴収制の確立。

二、連絡促進活動 ❶通常総会❷役員会、年二回開催❸会長会議、年六回❹全協参加活動

三、日本4H新聞の活用と購読運動の展開

四、地区連協（単位4Hクラブ連絡協議会）運営費の助成

4Hクラブ精神の高揚とその活動の強化

❶新入4Hクラブ員研修会三回❷女子教養講座、月一回❸農業企業化先進地視察研修❹同研修の報告会❺愛知県4H祭❻4Hクラブ体力づくり運動の展開（体力競技、4Hクラブハイキングコースの活用と設定）❼東海ブロック推進会議への参加❽全国4Hクラブ中央推進会議への参加❾4Hクラブ幹部研修会❿[illegible]

[illegible]

会長 飯田[illegible]
副会長 鈴木[illegible]
〃 二宮[illegible]
理事 杉[illegible]
監事 川[illegible]

4H会館募金状況について

全国のクラブ員のみなさん さわやかな五月の空の下、農作業にまたクラブ活動に日夜はげまれていることと思います。

ところで、私たちの夢であります4H会館の建設も、みなさん方の深いご理解によって着々と募金が進められてきております。ここに、これまでで貴い募金を寄せられた県連名を、その高額順に報告し、その絶大なご尽力に感謝の意を表します。

❶奈良❷愛知❸埼玉❹福岡❺鳥取❻岡山❼山口❽広島❾茨城❿北海道⓫香川⓬長野⓭千葉⓮沖縄、この他に、中央で募金したものと個人から寄いたものがあります。

昭和四十四年五月十四日
日本4H会館建設委員会
事務局長

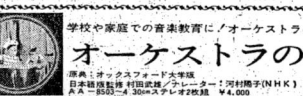

総力を会館建設に
全国に示そうわれらの結束

日本4H会館建設委員長　岩崎茂

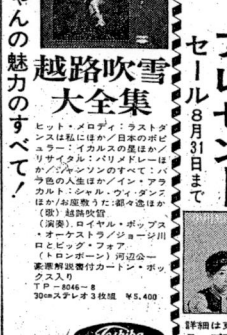

全国のクラブ員の心のよりどころとなる殿堂ー日本4H会館を建設しようという声が、昭和三十八年九月、和歌山県の高野山における全国4Hクラブ員大会の席であがってから、早くも六年の歳月が流れました。

この間、翌三十九年に、会館建設委員会が発足して以来、委員をはじめとし各県連の会長、会館建設推進委員のみなさんには、農業経営のかたわら、会館建設のためご尽力されており、深く感謝いたします。

この会館の建設は、建設そのものに意義があることはもちろん、将来の農村を背負って立つ全国十幾万のクラブ員の意気と総力を結集させるものであります。

このことについては、高野山の大会にも出席されていた4H協会の松下幸之助会長も、昨年丸山会長はじめ全協役員が協力を求めたとき、クラブ員自身の努力を強調されて、つぎのようなことを話されました。

「この会館建設は、みなさんにとって一つの大きな試金石で[illegible]や自信が次の大きな仕事をなし遂げる力となる。いま、みんなに一つの懸案ができたわけで、それを成し遂げられるかどうか努力してほしい。みなさんが二千万円集めれば二千万円、一億円集めれば一億円、みなさんが[illegible]もある。実行して完成させることによって将来、大きな力となる。事業をやるときでも、また農村の振興を図る場合でも、あのときは出来た、こんどもまた出来ると、目に見えない力がつくと思う。あまり大きな野心をもってもらっては困るが、経験[illegible]

[illegible]

（全協初代会長・[illegible]議会議員）

国体の飾りに協力

[illegible]

心頭技健

[illegible]

ハッスルする"草の根大使"

辞書片手にフウフウ

麻生すみ子さん 人気集めた"着物"

さる四月二十日、羽田から出発した今年度の"草の根大使"（社団法人日本4H協会が国際農村青年交換＝IFYE・インターナショナル、ファームユース・エクスチェンジ＝計画に基づいて米国に派遣する全国代表の4Hクラブ員）大竹忠幸君(二)福島県喜多方市、麻生すみ子さん(二)佐賀県唐津市、の二人からこのほどアメリカでの生活の第一報が届いた。それによると二人は、言葉では大変苦労しているようであるが、体当りで大いに奮闘しているようである。その手紙の主な内容は次のとおり。

さる二十四日にシアトルから飛行機でアイダホ州のモスコーに移りました。私はIFYE生としての生活に少しずつ慣れ、アメリカの習慣を理解しようと努力しております。

シアトルは、飛行機（ボーイング）と良質の木材（日本にも輸出している）、港で有名な町だそうで、坂がとても多く、また、みどりも多く、どの家庭にも、いろどりの花が咲いています。みごとな満開の八重桜もあちこちで見られ、日本のトヨタ、ニッサンの自動車も数多く見られます。

日本人や日系人と会うとうれしく、お互いに、まず最初は「日本人ですか？」という会話がかわされます。シアトルの町では、アメリカ（外国）に来ているなどとは余り感じられません。

アイダホ州のモスコーは大学の町です。この町はシアトルよりも寒く、山にはまだ雪が残っているところも見られます。郊外に出ると、広く、よく手入れされた農場が遠々と続きます。

二十四日の夜に音楽会に連れて行ってもらいました。お世話になった家の子供が出るというので見にいきましたが、とても素晴しいもので、久しぶりに心の洗たくができたような気がしました。

二十六日の夜は、日本人である林さんという人を訪問し、夕食に"おすし"をごちそうになりました。また日本のレコード（美空ひばり、島倉千代子など）を聞かせて下さり、予期せぬ日本情緒にめぐり会うことができました。

第二便

モスコーから帰ってきて四日目に入り、やっとアメリカの生活、IFYEの生活に少しずつ慣れてからだのコンディションも、もとにもどってきました。

モスコーには三日間だけいましたが、一番喜ばれたのが着物地のスクラップでした。

タテ十センチ、ヨコ二十センチぐらいの絹、ウール、ローケツ染、紬織などの布切れを約三十枚もっていったのですが、これが大変喜ばれ、とくにローケツ染や、しぼり、紬織に強い関心が示されました。名前だけを教えるのにも、辞書を片手にフウフウいっている私に、つっこんで質問するのには弱りました。「かいこは何を食べるか」「織り方は？なぜ色が出るのか」など、それに答えるのに汗だくだくになったほどです。

いま居るポテロは、大学の町で（モスコーも同じ）農業ではてんさいやじゃがいも、それに、ひつじ、牛などが多く見受けられます。シアトルでは外国に来ているとは強く感じませんでしたが、モスコーやポテロの広い土地には全く驚き、やはり外国に来ているという感じを強めます。

ポテロでの最初の二週間お世話になる家庭は農家で、てんさいと、牛やひつじを飼っており、ほかに、七面鳥、あひる、馬、うさぎなど八種類もの動物が広い庭や囲いの中を走りまわっています。

家族は、ジョンソン夫婦に、女の子三人の五人で、理知的なそして人好きのする人たちばかり。ジョンソン氏は大学のスピーチの先生、子どもたちは高校、中学校、小学校へと、それぞれスクールバスなどで通っています。

ここに来てから二日目に大学に行き、授業を聴講しましたがなかなかわかりません。

いま出まわっている薬や、選挙制度、貧乏な子どもについての対策、ロバートケネディについてのうわさ、税制などについて、学生が自分で調べたものを一人五分～十分でスピーチするものでした。

その中でも、ケネディに関することや、法律で禁じられている早産についてのスピーチが最も興味深く、私が「ケネディはいまもアメリカの人々から親しまれているか」「アメリカでは税金が高いか」「選挙権は何歳からもてるか」など、辞書を片手に片言の英語で質問しましたら、ケネディはいまも親しまれていて、彼の行動に感嘆している―、選挙権は二十一歳から―、税制については年間二〇％（三〇〇ドル）の収入に対して）を払っている…そんな答えが返ってきました。

五月一日には、私がお世話になっている家族のよき友だちであるハガシ（東）さんの一家と会うことができ、日本食をごちそうになりました。ごはん、みそしる、魚のバター焼き、なます、など、どれをみても懐しい味ばかりです。

今日は、家族の一番下の子どもが入っている小学校を訪問して、スライド、おどり、折り紙などをして日本を紹介しました。

私のへたな説明ではありましたが、おどりや折り紙はとても喜ばれ、休み時間のときもひっきりなしに子どもたちが寄ってきて私を歓迎してくれました。

朝、授業が始まる前に、アメリカの国旗に向って誓いの言葉らしきものと、国歌を合唱する光景は愛国心につながるものだと思うと日本でも始めたらいいのにと思わずにはいられませんでした。

アメリカに来てまだわずかしかなりませんが、いままで当り前だったことがいかに幸せで、ありがたかったことか、つくづく感じている私です―親と一緒に夕食のできる幸せ、友だちをもてた喜び、そして悩みなど、すぐに飛んで行って相談できたことなど―。

この気持をいつまでも持ち続けたいと思っています。

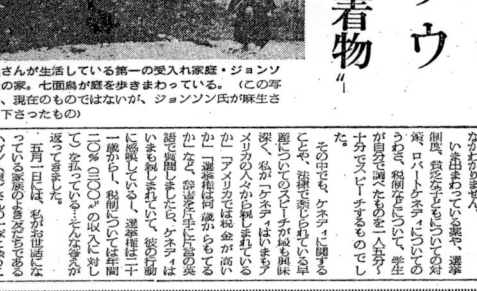

麻生さんが生活している第一の受入れ家庭・ジョンソン氏の家。七面鳥が庭を歩きまわっている。（この写真は、現在のものではないが、ジョンソン氏が麻生さんに下さったもの）

麻生さん

アメリカは広い！

大竹忠幸君

大竹君

意味のわからないシアトルでのオリエンテーションが終り、IFYEとしての一人旅が始まりました。

シアトルでの生活は、日本人に会ったりして気が強かったのですが、これからは一人だけの行動で少々不安です。しかし、からだでぶつかって体験したいと思います。

会話の通じない不便さをアメリカにきて初めて感じました。

飛行機が着陸しては発つというくりかえしを五回ぐらいして、やっとファラゴに到着しました。空港には、ホスト・ファミリー（受入れ家庭）が大勢出迎えに来てくれていましたが、その中に日本人が一人だけいました。その人は、ファラゴの大学院に通っているということで大変お世話になりました。そのほかにも二人の日本人と一晩を過ごすことができまして、ファラゴに来てまで日本語が話せるとは思ってもいなかったので大変嬉しく感じました。

だが、これからはホスト・ファミリーに入り、その家族の一員として生活、仕事を手伝いながら4Hのミーテングに出席して勉強します。

最初に入った家庭の主人は、十年前、日本を訪ずれて農業を見てきたということです。二、〇〇〇エーカーの農地の所有者で、実に感じのいい家族です。子どもは4Hクラブ員で、豚に関するプロジェクトをもっていますが、これまでに州の大会で入賞した体験があるということです。

まだ、よく見聞することができませんが、「アメリカは広い」―これが私の実感です。

農薬の害を防ごう

15日から一ヵ月間全国的に運動展開

農林省、厚生省、都道府県の主催による「農薬危害防止運動」が、ことしも来る十五日から六月十四日までの一ヵ月間、全国的にくりひろげられる。

農薬の適正な使用、管理などについての認識不足による保健衛生上の危害や、農薬を目的以外に使ったために事故を起こす例は少なくない。このため、ことしも国と地方公共団体の緊密な連けいのもとに関係諸団体の協力をえて農薬による危害防止運動を実施するもの。

期間中、中央では❶広報機関などによる啓発宣伝❷特別指定都道府県の設定❸ポスターなど印刷物の作成配布などを実施。都道府県では❶危害防止対策についての検討❷広報機関などによる啓発宣伝❸学童に対する危害防止運動の普及❹講習会の開催❺貢献団体などの表彰❻医療機関との連けい＝ア、中毒者の処置体制、イ、中毒者事故報告❼農薬の取扱いについての指導＝ア、農薬の取扱い関係者、イ、事故多発地区を重視❽散布作業従事者の健康管理❾水質検査などの励行❿特定毒物農薬の使用上の一般的注意事項の徹底⓫作業日誌への記録―などを指導、実施する。

リレー・クラブ紹介 われらのクラブ

大和郡山市4Hクラブ（奈良）

中津甚之丞君 記

日々の活動を重視

一人はみんなのために みんなは一人のために 心と技術分け合う

大和郡山市は、大阪、京都から約一時間の都市近郊地帯で、いまは、工場団地、住宅団地の造成とともに、都市化されつつある環境の中にあって、園芸の非常に盛んな地域です。京阪神市場の八～九割を[illegible]

[illegible]

クラブ構成とプロジェクト

氏名	年令	プロジェクト	住所
[illegible]	[illegible]	[illegible]	[illegible]

プロジェクト班別テーマ

トマトの部
1班 密植栽培について
2班 ハウス育苗について
3班 省力化

イチゴの部
4班 短期冷蔵について
5班 省力化
6班 奇形果について
7班 栽植密度について
8班 ホルモン剤利用について

酪農の部
9班 近代化酪農と飼料対策について

花卉の部
10班

養鶏の部
11班

ブラジル88村巡行 〈5〉

日本政府派遣農村青少年指導専門家 湯浅甲子

「オジサン」も愛嬌

"リーダーの養成こそ大切"と知る

四月二日 コケーラでの第一声の反響がこわい。

ひと晩すぎて午後一時、今度は青年たちばかり二十三人との集まりをもった。しかし、話しのきっかけがない。話しがはじまらない。

私は六×六式の分団をつくらせ、各分団から、私にむかって、何でも質問をしてくれといってみた。ところがそれでも話がはじまらない。いま皆さんの一番困っていること、関心のあることは何か、教えて下さい、といってみた。それでも、四、五人の分団のお互いは、顔を見あわせるだけであった。

口をつぐむ青年

同行してくれたブラジル4H協会の林先生が懸命に援助してくれるが、チットモ話し合いがされないし、個人の質問もとび出さない。当惑してしまった。

そこで私は、青年の中に割って入り、話しの糸口を探しまわった。日本の農村や青年の話しをして、こちらではどうですかと水をむける。すると、何かひと言、ふた言い出してくる。私の言葉は、通じることがわかった。しかし言葉は長つづきしない。すぐ前の人の顔をチラッとみて口をつぐんでしまう。

そこで私は、あなたの家は、ここからどの位離れているの、いま仕事は何が忙しいのですか、仕事の中心はあなたなのかパパイ（父親）なのか、パパイと農業のやり方などで口げんかしたことはないか…など聞いていくと、私のことを「オジサン」と呼びながら、気さくに答え始めるのであった。

ブラジル青年は、父以外の大人男子を、すべて「オジサン」と呼ぶ。はじめは奇妙な感じだったが、それになれてしまうと愛きょうがある。

少ない相互の交流

私には、何かがわかりはじめた。青年達の話しださない理由と、話せる話の内容の関係が、おぼろげにわかってきた。青年達の日頃の生活が浮び上ってきた。彼等は、お互い同士の交流が殆んどないのである。年に一度の運動会ぐらいしか、集まってさわぐことがない。お互いの間に共通した問題意識がないのだ。だから、みんなに、どんな問題があるかと聞いても答えようがなかったのである。だが、一人ひとりの生活のことに触れていくと、話しが出てくるのである。このことは日頃、青年同士の接触がないという証拠なのである。

私は、六×六式をやめて、歌をうたうことにした。「日本は今ごろ桃の花が咲いています。そして子供達には桃の節句といううひな祭があるのです。ヒナ祭りという歌を紹介しましょう」といって歌ってきかせた。ところが、青年のうちの四、五人がこの歌を知っているという。私はうれしくなってきた。

雛祭りの歌で糸口

へあかりをつけましょ、ボンボリに、おはなをあげましょ、モモの花

いつのまにか、みんながうたいだした。頭のおく底にあった日本の歌を、さがすようにして歌いだしてきたのである。ママイ（母親）さんが、遠い故国を偲びながら、ブラジル生まれの二世の赤ちゃんに歌ってきかせた子守歌なのかもしれない。四、五人いた大人の人達の眼が、キラッと光ったように見えた。

私も、青年たちも心がほぐれた。それから話しもだんだんはずむようになってきた。私は、話し合いのたのしさや、家庭の中での話し合いの大切なことを、歌や、ゲームの中で話していった。そして、月に一回ぐらいは集まってほしいと希望すると、青年たちも、前々からどういうことをやりたいと考えていたと答える。

後髪をひかれて…

同席した大人の方々からも、青年の集会のもち方、育て方の質問が飛び出してきた。大部面白くなってきた。もっと一緒にいたいという気持が、指導をしながら私の胸の中に高まっていく。こういうときの青年指導こそ、手を抜いてはいけない大事な時だと思う。それなのに、私の日程は、もう二度とここの地を踏むことはない。そして、今日も、間もなく午後四時には、次の指導地へと移動しなければならないのだ。まことに残念である。地元の人々や、青年に申し訳ないような責任を感じる。私は、今後の各会場でいつもこういう気持を味わうのかと思うと、何ともやりきれないのだった。私は、この時から、ブラジル半年の仕事は、リーダーの養成こそ大切なことだということをハッキリ認識したのだった。

33歳の日系人市長

午後四時、今夜の会場地のアケボノ植民地から出迎えをうけた。うしろ髪をひかれる思いでコケーラをあとにする。ここからほど遠くないリメージョのアケボノ植民地は、サルゾーボリス郡で、同市長は、三十三の少壮日系二世である。魚野正之氏といい、小柄だが精悍な顔に自信が満ちている。若い市長だが広くブラジル人に信頼があり、サンパウロ州知事の信任も厚いという。

夜八時からの私の講演を彼は終始聞いていたが、最後に挨拶のかわりといって、私の二時間半に及ぶ話しの要点をブラジル語に訳して、青年や、ものめずらしげにやってきたブラジル人に説明してくれた。ありがたいことである。

〈栃木県普及教育課・特別専門技術員（青少年担当）〉

リメージョ会場で、参加者と記念撮影する湯浅氏（下から二段目の中央、短靴をはいている人）

サトイモのマルチ栽培

大阪府貝塚市王子 南近畿4Hクラブ 明海儀一

省力の面から人気
農家の人たちも実験圃場へ見学に

私の居住する貝塚市は、大阪市から南へ約三十キロの地点にあり、工場や住宅の進出によって農耕地は年々減少しつつあります。その中でタマネギ、フキ、サトイモなどの野菜を中心に栽培をしている近郊農業地帯です。

こうした条件の下で、今後私たちが農業を続けていくにはどうしたらよいだろうかと、いろいろと話し合った結果、まずクラブ員の生活に密着した身近な問題のひとつであるサトイモ栽培の研究に取り組んでみようということになりました。

そこで普及員さんをまじえて現状を分析してみたところ、次のような問題点があることに気づきました。

一、出荷時期が八月中旬から下旬に集中するが、この時期は価格の安い時期である
二、収穫調整に非常に労力がかかり、一時的に労働過重となる
三、収量も少ない

これらの問題点があげられ、これらの問題点を検討した結果、早掘栽培ができないものかと考え高知県、愛媛県などで行なわれているマルチ栽培を実施してみることにしました。

さいわい十アールの休閑地があったので借地することにし、いろいろ話し合いながら次のような計画を立てました。

☆☆☆―小型トンネル併用

試験区は、慣行栽培に準じて土寄せを行なった標準区。植付け後黒ポリエチレンでマルチを行ない土寄せをしない区。黒マルチに小型トンネルを併用し、土寄せをしない区。植付け後白ビニールでマルチを行ない小型トンネルを併用した区―以上の四区で実験をしてみることにしました。

品種は石川早生を用い、四月六日植付けを行ない、畦巾一・四メートル、株間二四センチの二条植です。施肥は十アール当りはN―二十二・五キロ、P―十三・四キロ、K―二十・三キロ、苦土石灰百キロを施し、マルチ区の追肥はマルチの中央を切って施しました。

その後、五月十四日発芽数、六月一日生育状況、七月二十九日収量の調査をそれぞれ行ないました。

☆☆☆―初期の生育がよい

五月十四日の発芽数については白マルチ併用トンネル区は百％、黒マルチ併用トンネル区は七十一％、黒マルチ区六十％、標準区は十九％という成績になり、マルチをした区は発芽も早く、トンネル被ふく区は、とくに初期の生育がよかった。

しかし、白マルチ併用トンネル区は、発芽時にマルチの穴あけが遅れると高温障害が出て、芽が腐ったものが一部ありました。マルチ区は、標準区に比べて分けつ芽が少なく、このことは芽の形に影響していることもわかりました。

そのほか、種芋の大きなものを選ぶ必要があり、植付け時期をもっと早める方がよいなどマルチの効果や、問題点を解決する体験ができました。

七月二十九日の調査結果では、標準区ではS級の芋が多かったのに対し、トンネル併用マルチおよびマルチ区ではL級の芋もあり、また、収量も多かったのです。

とくに、マルチをしたいずれの区においても市場価値の高いM、S、2s級の芋が多く収穫できました。黒マルチ区はトンネルもしないで土寄せや除草もしなかったのにもかかわらず、標準区よりはるかに多く収穫できて省力の面からみても人気をよびました。

このようにマルチ栽培やトンネル併用栽培を導入すると、早掘ができ、しかも収益が多く、省力もかなりできて、収益性、労働力の配分などを考えて実施した私たちの初期の目的は一応達成できました。

☆☆☆―市の農業祭で紹介

新しい試みであるマルチ栽培に一般農家の人たちもたびたび実験圃場へ見学にみえたり、問い合わせがひっきりなしにあって関心が高かったようです。そこで私たちは、市の農業祭に成績を紹介したところ、その人気は決定的となって地区内はもとより、隣接地区の人たちも栽培をはじめて面積も約三ヘクタールに増加しました。

このごろでは共同出荷への動きもみられるようになり、私たちのこの実績に対して父兄はもちろん各農家の4Hクラブに対する理解が深まり、クラブ員自身も自信と誇りをもつようになってきました。これは、4Hクラブ員にとって、他のいかなるものにもかえがたい成果でした。

農薬散布にご注意
必ずゴム手袋マスクを

初夏に入り農作業も活発化してきたが、これに伴ない農薬の散布の最盛期を迎えた。作物を丈夫に育てるために、農薬散布は欠かせない作業の一つであるが、ややもすると不注意から人身事故を起し、とり返しのつかなくなることもある。そこで、不注意による事故を未然にふせぐために、次の諸点に注意を促したい。

この点に注意を

農薬による中毒の主な原因と注意事項は次のとおり。

一、中毒の主な原因

(1) 散布中、散布者本人の不注意によるものが多く、散布のときに素手で作業したり、また、散布の途中で喫煙したり、散布後付着の手を十分に洗わずに食事した人たちが最も多い。

(2) 不健康状態で散布に従事して中毒した人も多い。これは [illegible] 後の人、妊婦、睡眠不足の人、生理時の婦人など。

(3) 本人の服装が悪かった [illegible] 中毒を起している。丸首シャツ [illegible] 素手、素足で散布したり、マ[illegible]をせずに散布したりするため [illegible]

(4) 農薬に対する知識が [illegible] 端で、その取扱いを粗雑にし [illegible] 炎天下長時間にわたって散布した人たち。

二、注意事項

(1) まず、農薬を散布する場合は、必ずゴム手袋、マスク [illegible] をして、服装を整え、農薬の取扱いを慎重にし、不健康な人や、ひどく疲労しているときなどは作業に従事しないこと。

(2) 散布作業は、朝 [illegible] い時間を選び、長時間に [illegible] 行なう場合は、二～三時間 [illegible] すること。

(3)～(6) [illegible]

プロジェクトの取り組み方 促進編(6)

北海道専門技術員 三輪 勲

視察、問題の再発見
学習成果を相互に反映

視察研修・農家留学 視察研修旅行や農家留学研修は、経験が豊富になり広い視野に立って自らのプロジェクト活動を反省する意味で大きな効果がある。また、問題の再発見や解決方向の示唆を得るうえにも役立つ。とくに、プロジェクト実践との関連指導に当たっては、次の事項に注意する必要がある。

❶プロジェクト課題の性格からみて、その実践に最も役立つ時期を選んで実施する❷視察や留学の目標、つまり何を学習するかを事前に明確に理解させておくようにする。これが不明確であると単なる旅行や出稼ぎに終ってしまう❸視察や農家留学の目標に従って、視察の要点・実習項目・調査事項・資料収集と利用など、プロジェクト課題に応じた具体的な学習の進め方を理解させる❹終了後は、感想文や報告書にまとめさせて反省会を行ない、学習成果を相互のプロジェクトに反映させるよう方向づける。

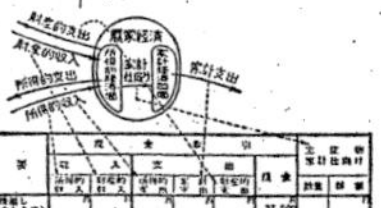

技術競技 技術競技には、審査競技・判定競技・鑑定競技・診断競技など主として技術に関する知的能力の向上をねらいとするものと、トラクター耕うん競技・鶏の解体競技など主として技能の習熟向上をねらうものとがある。

前者は、プロジェクト実践の観察能力や思考力の開発と基礎知識の習得効果が著しく、後者は、プロジェクトにおける栽培・飼育・製作などの技能の向上に果たす役割が大きい。これらの技術競技の指導に当たっては、とくに次の事項に注意する必要がある。

❶技術競技の出題内容は、プロジェクト課題に関連の強いものを重点に編成する。共同プロジェクトを実施の場合は、プロジェクト課題が共通しているので、これと結びつけた出題がとくに効果がある❷出題程度は、年少者に対しては内容をやさしく種類も少なくし、興味や関心を喚起することに重点をおくとよい。年長者に対しては競技内容・範囲ともに程度を高めるよう配慮する❸出題品目は、プロジェクト実践の時期に即応した実物・ほ場・家畜などを使用して、実際のプロジェクトとの関連性を高めるようにする❹出題は断片的なものよりも、プロジェクト課題を基礎として課題別・部門別などの一貫性をもった出題とする❺競技終了後は、成績の優劣判定のほか、評価を中心として反省研究を行ない、プロジェクトとの関連において疑問点の解明や将来の学習分野についての助言を行なう。

技術競技出題例
(プロジェクト課題に従った出題の場合)

プロジェクト課題	技術競技区分 審査競技	判定競技	鑑定競技	診断競技	技能競技
野菜技術の温床のつくり方(技能補助)	1床土の良否 2ビニールの張り方の良否	1温床の面積 2かん水の温度	1床土の種類 2材料の名称	1温床管理の状態	1床土づくり作業
乳牛の飼育(生産)	1牧草の品質 2乳房の良否 3サイレージの品質	1飼料の量 2サイロの容量 3牛の体重	1管理用具の名称 2飼料の名称	1牛の病気 2サイレージの状態	1ミルカー搾乳作業 2牛の手入れ作業

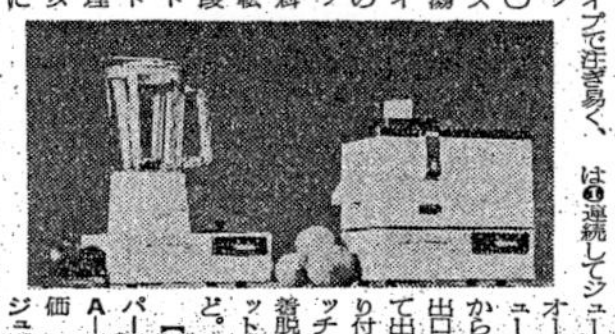

4Hくん No.152 桜井はじめ

農業法令の手引
農業委員会 ―その3―

(カ) 選挙による委員の定数が二十人をこえる農業委員会には農地部会を置き、農地法、土地改良法等による農地等の関係事務を処理するとともに、これ以外の事務を処理するため一又は二以上の部会を置くことができます。

農地部会及びその他の部会の委員の定数は条例で定め、部会に属する委員は委員の互選によります。

農地部会については、選挙による委員が互選する委員の数は十人から十五人までです。農地部会を含めそれぞれの部会については、選任による委員から互選される委員の数の合計は、選挙による委員から互選される委員の数の三分の一をこえてはなりません。

(キ) 部会長は、部会の委員のうちから農業委員会の総会で選任されます。

農業委員会に一定の資格を有する農地主事及びその他の職員を置き、その定数は条例で定めます。職員は農業委員会が任免しますが、農地主事の任免については都道府県知事の承認を必要とします。

(3) 所掌事務

(ア) 農業委員会は、次の事務を処理します。

❶ 農地法その他の法令により、農業委員会の権限に属する農地等(農地、採草放牧地又は薪炭林)の利用関係の調整及び自作農の創設維持に関する事項

農地法による農地及び採草放牧地についての使用貸借による権利又は賃借権の設定又は移転の許可、その他の権利移動又は農地の転用及び農地の賃貸借の解約等について都道府県知事が許可をする場合の申請書の進達及び意見書の添附、小作地所有制限に該当する農地又は採草放牧地の認定、公告及び通知、国からの農地又は採草放牧地の売渡に際しての買受適格者の認定及び買受申込書の進達その他農地法に基づくいろいろな事務のほか、民事調停規則による農事調停の場合の和解の仲介、調停委員会に対する意見の開陳等

❷ 土地改良法その他の法令により、農業委員会の権限に属している農地等の交換分合及び附随する事項

農業委員会の行なう交換分合計画の策定、公告縦覧及び権利者への通知その他の事務

❸ その他の法令により農業委員会の権限に属している事項

「政府に売り渡すべき米穀に関する政令」に基づく政府買入数量についての市町村長に対する意見の具申、耕土培養法に基づく耕土培養事業計画についての市町村長に対する意見の具申、土地区画整理法による換地計画についての施行者に対する意見申述などです。

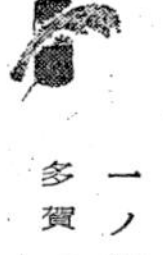

(イ) 農業委員会は、右の事項のほかに、次の事項に関する事務を行なうことができます。

❶ 農地等の利用関係についてのあっせん及び争議の防止
❷ 農地等の交換分合のあっせんその他農地事情の改善
❸ 農業及び農村に関する振興計画の樹立及び実施の推進
❹ 農業技術の改良、農作物の病虫害の防除その他農業生産の増進、農業経営の合理化及び農民生活の改善
❺ 農業生産、農業経営及び農民生活に関する調査及び研究
❻ 農業及び農民に関する事項についての啓もう及び宣伝

(ウ) 農業委員会は、その区域内の農業及び農民に関する事項について、意見を公表し、他の行政庁に建議し、又はその諮問に応じて答申することができます。

(4) 会議その他

農業委員会の総会は、会長が召集し、部会の会議は部会長が召集し、会議は在任委員の過半数の出席で開き、その議事は出席委員の過半数で決定します。部会の所掌事項については、部会の決議が農業委員会の決議となります。

右のほか、在任委員の三分の一以上による会議召集の要求、緊急の場合の都道府県知事による農地部会の開会、委員自身又は同居の親族若しくは配偶者に関する事項についての議事に参与することの制限、会議の公開、議決が法令違反又は著しく不当である場合の都道府県知事による再議命令又は議決の取消その他の規定が設けられています。

〈全国農業会議所編「農業法令のあらまし」から〉

新製品

日立製作所 スーパーミキサーVA-100 ジューサー部品J-30

[illegible]

NHK農業番組

テレビ / ラジオ

[illegible]

農業簿記

京都大学名誉教授 大槻正男

(4)

農家経済所得簿記

[illegible]

春の終り (5)

一ノ瀬綾 作 多賀愛子 画

[illegible]

農村雑感

現物と現金

折原俊二郎

かつて農村の中では、部落単位または部落の中でも昔からの交際仲間で、○○講と称して年数回の楽しい集まりがよく行なわれた。最近こうした集まりは少くなったが、この集まりは当番制になっており、順次会員の家が持ち回りとなっていたものである。

この集まりでは会員が集まり、飲み食いをして、お互いの親睦をはかるものであるが、当番になった家に集まるときはそれぞれ自分の家自慢の手料理を持ち寄って来ることが原則となっていた。現在では、このような手数のかかることはしないで、会費制とし、現金が当番の家に集められ、当番に当った家では、その現金でもって店から品物を買い、単に会場を貸す形となっている。

しかし、こうした形でも部落の仲間同志の集まりが少なくなったということであるが、この原因にはいろいろとある。

例えば、その理由としては、昔のように皆で集まって飲み食いする時間的余裕がなくなったこと。農作業が一年中にわたっているため、手が抜けなくなったこと。現金を出しあってやる位なら自分の家で買ってきて、家族の者だけでやればよいことで、昔のようなうるおいがなくなったから、面白味と本当の楽しみがなくなったことなどがあげられる。

たしかに、昔行なわれていた持ち寄りの中で得られた味わいは、なくなったといえよう。しかし、仲間が集まるという意義は、そうした郷愁とは別に大きな意義があり、今日の社会にあっては殊更に重要であるといえる。その重要さに気がついているのかいないのか。また、こうした仲間の集まりを阻害する諸条件が大きく出すぎているため、集まりが困難になったのか。

しかし、ある時こんなことを聞いた。それは、今の集まりは何でも現金で処理されるが、農家では現金はやはり貴重である。もう一度昔のように現物を持ち寄る会合であれば、あるいは皆んで皆が集まってくるのではないかと……。

現在の社会では、都市も農村も貨幣経済である。現物生産の場である農村であるから、貨幣経済でなくてよいという考え方では対処できなくなってきているといえよう。こうした動きの中にあって、なお、現物主義で物事を処理しようとすると、いろいろの弊害が出てくる。若い人間にはこうした意識は少くなったが、年をとった人にはまだまだ多い。親父と息子の意見があわないというのも、こうしたところに一つの原因がありそうに思える。

ところで、現金主義の若い人が、完全にそれに徹し切るかというと、必ずしもそうではない。農民会館でも作ろうというと、現金の寄附より、現物寄附の方を喜び、時には時価にすると何万円もする庭木や庭石を気やすく寄附することもみられる。

貨幣経済の中で、人間性を生かし、しかも合理的な生活をするため、現物と現金の使いわけを十分知っておくことが大切といえよう。

（農林省・農業者大学校）

幅広い視野をもとう
励まし合い農業の近代化を

43年度山口県連理事　秋枝恭子

山口県の農村青年会議で、クラブ活動について意見発表する秋枝さん

私は、専業農家の長女として生まれました。現在、水田一・七ヘクタールを耕作、和牛五頭を肥育していますが、より楽しい農家生活を築くためにはどうしたら良いかなど、両親と私の三人でいつも話し合いながら農業経営の改善にいっしょうけんめい取り組んでいます。

青春と農業の道に

ところで、私が中学校を卒業して高校へ進学するときのことです。自分は長女であるため、家を継いで農業をやらなければならないということを強く感じていましたし、私はどうしても農業高校へ進みたいと思っていました。しかし、両親はじめ担任の先生までがそれに反対して、地元にある普通高校へ行った方が、経済的にも、その他の面においても有利だからといって普通高校を勧められたのです。

でも、私は自分の考えを変えることはできず、最初に決意したとおり、汽車で一時間余りの所にある日置（へき）農業高等学校へ進学したのです。

そして、三年間の高校生活を経て卒業のときには、農業経営の難かしさも一通り知ることができ、他の友だちと同じように他の職業へ就職したいと思ったこともたびたびあったのです。そしてそのために洋裁学校へ一年間通いましたが、しかし、いままで学んだ農業を捨ててはならない、難しいところにこそ自分の生がいがあるのだと迷う心にむち打って農業の道に、ひたすら若い青春をぶつけることにしたのです。

4Hクに多くの仲間

私は、学校を卒業と同時に4Hクラブに入会しました。4Hクラブには、現在十八名の会員がおりますが、農業に意欲を燃やしている仲間がこんなにも沢山いることを知ってなにより心強くうれしく思いました。

そして、早くも三年目が始まろうとしていますが、ともに学び、遊び、苦しみ合った二年間、本当に意義深いことばかりです。

四十三年度は、県農村青少年クラブ連絡協議会の理事という大役を負うことになり、クラブ員の皆さんのご支援とご協力を得て、県下4Hクラブ活動のために励んでまいりました。

さて、農村青年のグループ活動について少しばかり考えを述べさせていただきたいと思います。

最近、農村に就農する青年が少なくなったことは、いまさら申し上げるまでもありませんが、少ない中にも本当に農業を真剣に考えて取り組んでいる人が多くなったことは大変嬉しいことです。

ところで、その人たちのすべてが、グループ活動に入っているかどうかは疑問です。農業や農村生活の問題を学習の中心にした4Hクラブがあることすら知らない人が多いのではないでしょうか。

また、クラブに入会したが、ただ農業の技術だけを求めて入会し、失望している青年もいるのではないかと思います。私にはその人たちは大変気の毒な人に思えるのです。

技術だけではなく

私たちの農村生活は、農業という仕事だけに生きていくのではないと思います。立派な社会人とならなければなりません。一家だんらんの中での、レクリエーションも必要であります。こうしたことから今後のグループ活動は、技術だけでなく、仲間づくりや人間関係をつくり変えていくような幅広い活動を進めていかなければいけないと思うのです。

末端の4Hクラブ活動を促進するために組織されている県連絡協議会におきましても、技術をみがきあげるだけでなく、農業に取り組む県下の農村青年が一つの和になって力強いグループ活動ができることを望んでおります。

また単位クラブでは、農業や農村生活などの技術ばかりでなく、一般の教養を高めるための活動を進めることだと思いますし、農業をやり、農村に生きている同志の積極的な活動であれば、内容にこだわることなく、目標に向って地区の中で伸びのびと活動していただきたいと思います。

自らの手で運営を

ところで、私たちには仕事があります。農業は自然を相手にした大事業なのですから、クラブ活動ばかりに力を入れたのでは本職の農業の方は大変な被害を受けることになります。

農業もやりながらグループ活動をリードしていくことは、むずかしいことですが、自らの手によって運営して行かねばなりません。しかし手のとどかないところも沢山ありますので、普及所などの援助や助言を積極的に受けるようにし、また関係機関の行事などもうまく利用しながら、クラブの行事を進めるようにすることも大切なことだと思っています。

私の所属しています豊北町農村青少年クラブでは、二年前から三十アールの水田を借り受け、共同プロジェクトとして水稲を栽培しておりますが、このほ場からの収入は、県外の視察旅行や各種行事の費用としてクラブ活動の資金の一部に使っております。しかし共同プロジェクトを進めるに当たっても多くの問題があります。それはクラブ員が次第に少なくなるにもかかわらず、田植えや稲刈りの一番忙しい時期に、より多くの労働力を必要とするからなのです。

自分たちのクラブ行事は、クラブ員みんなの力によって、進めて行かねばならないとは再三申し上げているところですが、グループ活動を進めるためには、家族の協力や理解が必要であり、また地域の人々の信用があってこそ盛り上ってくるものと思います。

基本的には、クラブ員各自が進んで社会に奉仕するといった精神を必要とし、自分だけが良ければ他人はどうなってもよいという考え方は、いかにも現代人らしいのですが、これでは、この世の中は良くなるはずがなく、進歩のない暗い社会になってしまいます。

若い力で近代化へ

最近、農村を眠りから覚まし、新しく育てなければならないはずの青年がどんどん都会へ流れてゆき、農業にたずさわっているものは、老人と婦人ばかりになろうとしております。

専業農家が減り、兼業農家が激増したのもこうした時代のうつり変りによるものではありますが、農業の近代化は、やはり若い力が中心勢力となって取り組むことが必要なのです。とは申しましても他産業へ就職しようとする青年を、なだめすかして無理に農村へしばりつけておいても、その結果はあまり良いものにはならないと思います。それよりも現在農業に進んでとりくみ、生きようとしている青年が助け合い励ましあってこれからの農業という大きな職業に力強く取り組んで行くことが必要ではないでしょうか。

これからの農業は、決して甘いものではないと思います。そのためにもあらゆることを勉強して幅広い知識と視野をもった農業者になり、力いっぱい頑張り、励まし合い、若い力によって明るく住みよい農村を築きたいものです。

（山口県豊北町農村青少年クラブ）

青春と仲間

生きた体験を後輩のために
″人づくり″の実感味う

徳島県三好郡井川町・井川4Hクラブ　近藤吉正

眼前の山々が新緑に包まれ、冬の間、赤裸だった木々の息吹きが聞こえ始めた。それは忘れもしない六年前の四月であった。学校という温室を出て、寒々とした社会に入り、人と人との荒波にもまれなければいけないのかと思うと不安な気持にさい悩まされていた。そして、いままでの仲間たちと離れてしまった孤独感、自分は農業をやって行くのだという夢と、それらの心配とが入り乱れて、足が地を離れた毎日を送っていた。

そんなとき、現在の4Hクラブを知り、農業をやる仲間たちとともに努力しようと思って入会したのであった。最初の会合のときの緊張感はいまでも忘れることができない。

会員はみんな知った人たちばかりであったが、自分もクラブの一員となると思うと、その人たちがなぜか自分より一だん上の人間に見えてきて緊張してしまい、自己紹介も満足にできなかったことを思い出す。一緒に入会した友もまた同じ気持だったのだろう。自分がいつもより小さく感じられた。それでも"自分もこれからクラブの一員である"という自負と責任感が出てきて、小さな勇気がわいてくるのを覚えた。

入会の目的というか理由は、離農する人々が多い中にあって、故郷を捨てずに愛し、困難に打ち向っていくためには、ともに手をとり合って行く友を必要としたことや専業を営むために必要な農業技術を学びとることなどであった。

自分一人でいくら意気ごんでみても、しょせん個人でしかなく、大きな力の前に立ちはだかることはできない。独学もいい、専門書を読み、研究すれば学ぶことはできようが、それも机上のもので、生きたものではない。

ともに自分の経験をしたことを話し合い、他人の失敗を自分の失敗として反省し、研究しても自分の田畑に生かしてこそ真の勉強であろう。そう思った自分は、進んでクラブの行事に参加した。定例会、技術競技、観察、共同作業などいずれの行事においても、身体の許す限り参加し、少しでも先輩たちに追いついて行こうとした。

最初の一年は、クラブの目標にそってクラブ活動を進めて行く先輩たちになかなかついて行けなかった。"人づくり"—なんと大きな課題であり、一面では抽象的な言葉だと思った。それ自体の意味がわからない自分は、先輩に聞いても"ただ自分で学ぶだけだ"としか言ってくれなかった。そこで私はよし、それなら自分で学んでみるぞと、小さな闘志を燃やし一生懸命になってついて走った。

一年の歳月は、長いようで、また短かくも感じられた。そして新入会員を迎えた。自分が一年先輩であると思うと不思議に勇気がわいてくると同時に、これからは、この人たちに教えなければいけないのだという責任感をも感じるようになった。

[illegible] て行く中にあって、われわれのクラブのある部落は、若々しい青年の町となっているのである。

ソ連館

テーマ…「人間と自然との調和」
「個人と社会との調和」
敷地面積……20,000㎡
出展費用……約72億円

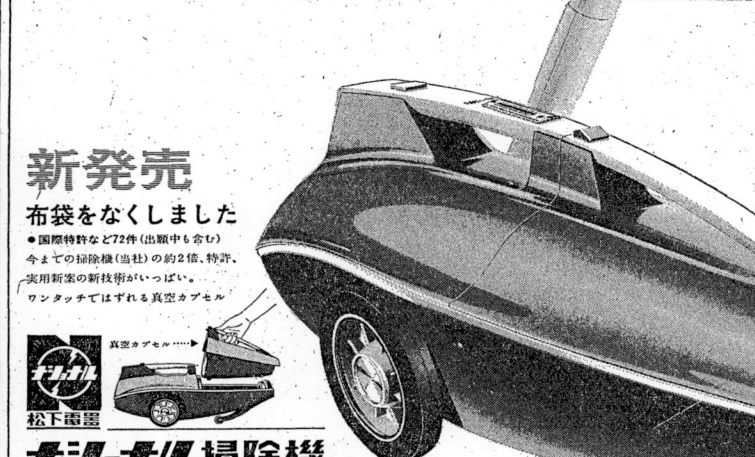

展示館は、高さ100mの主柱を中心に、最高部から、スキーのジャンプ台を思わせるようなスロープ状の屋根がかけられた建物。地上3階、地下3階で、三角形を多くとりいれたダイナミックなものです。これは、発展をつづけるソ連の姿を象徴したもので、建物の頂上にはソ連のシンボル"カマとハンマー"が飾られます。

正面の外壁はソ連の国旗を示す赤色、うしろ側は白、展示館内部には、ほとんど柱が使われていないのも特徴です。

展示は"人間と自然との調和、個人と社会との調和"をテーマに、ソ連の歴史、国民生活、シベリア開発、宇宙開発などを中心として、絶えず前進をつづけるソ連の姿が紹介されます。

また、館内には、映画館（約800人収容）、ファッション・ショーフロア（約600人収容）、講演会場などがあり、展示館の外には、レストラン（760席）も設けられます。

<日本万国博覧会展示館>

OBは語る

金にかえられぬ収穫
＜4Hクラブは、われらの財産である＞

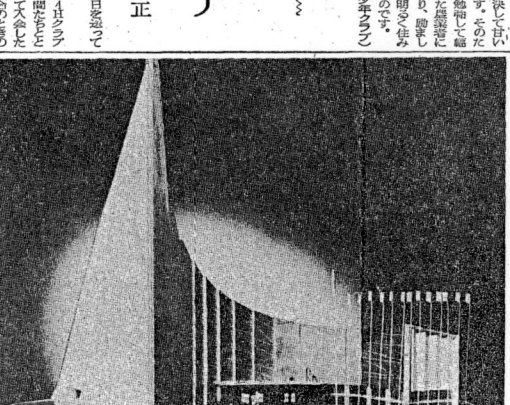

久保　博（中）

四十年度　私たちの4Hクラブは、過去十三年の歴史があるが、女子クラブ員がいなかった。このため、女性を仲間に入れようと、近くにある洋裁学校の生徒三十名全員を五百石4Hクラブに迎えて花々しく活動を展開した。

とくに、女子クラブ員については日本4H新聞でも取り上げられたが、木の実、果実の実、花のたねなどを利用して、ネックレスやアクセサリーを作成して注目を集めた。このアクセサリーは、活動資金かせぎのため即売会を催したが、人気は上々、売れ行きも好調だった。

また、五百石地区の農家全戸（三百戸）を対象にアンケート調査して注目され、農家や町、農林省などにも調査結果を提出して4Hの力を示した（これも日本4H新聞に掲載）。

それから県下初の農業講座開設や4H図書室、事務所の設置などを行なったが、クラブ員も五十六名にふえて、その活動はクラブはじまっていらい最高に達した観があった。私も県連の事務局長に選ばれ、全国大会にもクラブ員を引率して参加するようになった。また、県教育委員会と農業教育振興会が行なった優良農村青年自営者表彰において、県下で選ばれた六名の中の一人として表彰を受けたが、これもプロジェクトの研究のお陰であると思う。

四十一年度　わが家の農業経営と家族協定も家族同士の協力によってうまく進んできたが、私は、水稲にソ菜と養豚をプラスした経営をやめて、これからの成長家畜であるブロイラーに切替えた。そして国から借りた農業後継者育成資金五十万円と自己資金五十万円の計百万円で鶏舎三むねの建築と鶏餌月一千羽出荷を目標に歩み出した。

だが、単位、町、県、全国と顔を出していると、本当に自分がどうなるのかと思った。そして立山地区連の副会長に選ばれ、県連には三期連続して出席することになるわけで、運命の寄なることを痛感した。それに県連の事務局長である。こうなると、わが家の経営の方は、どうしても低滞気味になってくるものだが、私の場合は反対だった。

一年ごとに農業経営は安定して所得も年々向上した。これは会合のある日は朝早く起きて自分の仕事をすませてから参加したこともよかったと思う。

余談になるが、私は前年結婚してこの年に長男が生まれた。それも、全協の定期総会に出席するため東京に上京しているうちに誕生したもので、これが家に帰ってやっとわかったというエピソードがある。これも今では笑い話となった。

県連に参加している関係から全国大会や各種の団体に参加する機会も与えられ、このほか、全国4Hクラブ連絡協議会の北陸ブロック代表評議員、日本4H新聞の連絡報道員として活躍させていただいた。

四十二年度　長男の誕生で、殺風景なわが家はとてもにぎやかになった。

そして、私が予想もしなかった県連の重要なポストが与えられた。会長である。富山県下の4Hクラブ員を引率していく力が私にあるだろうかと思った。責任は重大だった。やはりこの一年間が長く感じられた。そして夢中で事業の一つひとつを消化していった。

例えば、一千名を集めた県4Hクラブ員のつどいをはじめとして、全協と4H協会が主催した「全国4Hクラブ員北陸のつどい」や、県4Hクラブの実績展示会など数々の大きな大会や事業を行なった。また、日本4H協会が招いた中華民国（台湾）4Hクラブ代表の二人を富山県のクラブ員が受け入れたが、わが家でも二十日ほどお世話した。これは国際親善にも役立ったと思っている。

さらに組織体の会合や県4Hクラブの予算要求、県知事との対談なども行なった。

4Hならではの思い出は数々ある。4H生活最後のこの年は私にとって本当に楽しく有意義でもあった。そして、組織力を結集して問題解決の糸口をみつけたのもこのときである。その意味で悔いのない青春時代を過ごした4Hクラブに対して深く感謝している。

また、富山県と県新聞社が共催して募集した「農業の営農研究論文」に応募したところ、わが家の営農改善計画が一位となり、農業に対する夢と希望がさらにましてきた。これも過去に4Hクラブで行なったプロジェクト研究のお陰である。そして六年間の4H活動に終りをつげたのである。

過去六ヵ年の間、4H活動を通じて磨いた営農技術や知識はお金ではかえられない大きな収穫でもある。また、わが家にも新しい一ページを加えた。

クラブ員同志や家族が手を取り合って結集すれば、混迷している農政を軌道に戻すことができると思う。農民は孤独ではない。これからがわれわれに課せられた大きな課題だと思う。

私も、もし先輩の勧めがなかったら、そして4Hクラブ活動をしなかったら仲間や友人もできず視野のせまい井の中のカワズになっていたかもしれない。いまでは県下に全国に、いや海外にも縁の仲間が数多くいる。その名刺だけでも三百枚以上である——これは、私の貴重な財産である。

それと同時に、父母、妻の周囲の温かい協力と理解もあったからである。一年間平均百三十日と、三日に一度の4H生活をしながら文句を言われたことはない。それだけに私も悩み、気もはった。なぜだろう？、それは、私が営農改善計画の実行と同時に、記録と日記、小遣など全部記録（日本4H協会が新聞の附録として贈呈している日誌）し、父子契約を実行しているためであろうか。私は家の人たちには頭が上がらない。

（元全国4Hクラブ連絡協議会代表評議員、同富山県4Hクラブ連絡協議会々長）

日本4H新聞
4Hクラブ 農事研究会 生活改善クラブ 全国弘報紙
発行所 社団法人 日本4H協会
東京都市ケ谷家の光会館内
電話(269)1675郵便番号162
編集発行人 玉井光
月3回・4の日発行
定価 1部 20円
一ヵ年700円(送料共)
振替口座東京 12055番

クラブの綱領

私達は実践を通じて自らを磨くとともに互いに力を合わせてよりよい農村、よりよい日本を創るため四つの信条をかかげます。一、私達は農業の改良と生活の改善に役立つ腕をみがきます。一、私達は科学的に物を考えることのできる頭の訓練をします。一、私達は楽しく暮し元気で働くための健康を増進します。一、私達は誠実で友情に富む心をつちかいます。

評議員・県連会長会議開く
全協

専門委員会を設置
全協活動の思想統一図る

全国4Hクラブ連絡協議会(会長・田辺保冶)は、さる十五、十六の両日、徳島市の大神子ユースホステルで今年度第一回の評議員・県連会長会議を開催し、第五回全国4Hクラブ員のつどい、全国4Hクラブ・プロジェクト実績発表大会、全国4Hクラブ中央推進会議、ブロック4Hクラブ推進会議、日本4H会館建設など、さきの総会で決定した今年度事業計画の具体策について協議するとともに、……鳥取県の……さんを選出した。

……長副議長に、川崎評議員を選出して議事に入った。

はじめに、総会で、ことしのつどいが行なわれる鳥取県から選ば……

4H活動を盛りあげるため総力をあげて新年度事業に取り組むことを誓い合う全協の評議員、県連会長会議=徳島市大神子ユースホステルで

日本4H会館建設について

つぎに、4H会館建設の件から協議に入った。まず、岩崎会館建設委員長が「私も率先して金を集……

つぎに、各県の募金状況をそれぞれ紹介しあった。みんなの説明によると、埼玉のように目標額の三分の一をすでに集めている県も……

青年の船団員(候補)決る
4H代表に大鹿君ら七人

総理府青少年対策本部は、このほど第二回「青年の船」一般団員の選考を行ない、候補者を決定した。発表によると、ことしの一般団員は男子百九十三人、女子八十四人で、このうち、全協からは、男子六人、女子一人、合計七人が団員候補者に選ばれた。

この青年の船は、次代の日本を担う青年の視野を広め、幅広い教……

今回も九月二十七日から十一月十六日にかけて、東南アジア諸国(中華民国、タイ、シンガポール、インドネシア、マレイシア、ビルマの六ヵ国)を訪問する予定。

団員候補に選ばれた人は、来る六月十九日から静岡県御殿場市の国立中央青年の家で行なわれる事前研修に参加し、その成績の結果によって正式に団員として決定されることになっている。

また、団長には、お茶の水女子大教授で総理府の青少年問題審議……

……全協事務局長を経て現在全協副会長、特技=剣道、日本民謡

大島克利(二七)岐阜県恵那郡串原村八二七、恵那地区連会長、岐阜県連事務局長を歴任、特技=野球、水泳、郷土歌舞伎

河東哲征(二七)山梨県甲府市西油川町二四四、甲府地区連会長、山梨県連総務部長を経て現在同県連外務部長、特技=バレーボール、ソフトボール、日本舞踊

野川和久(二三)神奈川県平塚市上吉沢二、三〇七、鴻の巣4Hクラ……

大鹿良夫(二三)埼玉県北葛飾郡栗橋町高柳二七八、埼玉県連会長、……

……クラブ員が毎回乗船している。

河東哲征君　古川喜美子さん　野川和久君　大鹿良夫君　豊川民男君　大島克利君　宮川四郎君

土と人と

農民らしい農民

堀越久甫

北海道の十勝地方。帯広市の西隣りに芽室村がある。この村は十勝地方ではもっとも集約化のすすんだ農業をやっている村といわれている。だが、そうはいっても内地から行った者からみれば、その広い農場風景は、眼をおどろかせる。

「あれが隣の家ですよ」

といわれて見ると、遥か彼方に二階建の家が豆粒のように見えるのである。

この芽室村の農協へ行ってみると、内地の農協には珍しい光景が見られる。事務所の壁に大きな黒板があって、そこにはマメの相場がでている。大豆、大納言、小豆、長うずら、大手亡、大正金時など十いくつのマメ類の何月何日の何時の建値がそこに書きだしてある。

事務室の真中には大きなストーブが赤々と燃えている。その周囲に長椅子が四脚ぐるりとストーブをかこんであり、農家の人たちが腰かけている。その人たちが話している。

「大手亡の値は、もっと騰るんじゃねえかな」

マメというのは独自な売り方をする。農家では、秋に収穫したマメをすぐ農協倉庫に入れる。倉庫料を払いしまっておくのだ。そして、毎日変動しているマメ相場の動きを見ながら、自分がここだと思ったときに「売った」と声をかけるのである。マメ類は価格の変動が激しい。だから、うまいときに売ると安いときの二倍にもなるということもあるし、もちろんその逆もある。だから売りどきによって農家の収入は大きく動く。

その相場の動きを見るために、農家の人たちは農協の事務室に来るわけだが、そこに集っている人たちを見てわたしは感嘆した。

「農民がここにいる!」

わたしは頭の中でそう叫んだ。

そこにいる人たちは、まさに農民であった。農民らしい顔、農民らしい体、農民らしい動作、頑丈ながらだと陽に焼けた顔、やさしくて動かない眼、ゆったりとした姿勢、重い話しぶり。まるで土の中から生えてきたような人間である。

こういう農民らしい農民は少なくなった。全国を歩いてみて、わたしはいつも思っている。「農民らしい農民はいなくなった」と。多くなったのは、サラリーマンのように眼玉のキョロキョロ動く農民である。どっちりとした、動かざること山の如し、という態の人はいなくなった。が、ここ十勝にはそういう人たちがいた。

しかし、こういうと十勝の農民は鈍重な人、というようにとられるかもしれないが、そうではない。

わたしは芽室町の農家を訪ね、何軒かの家にあがりこみ、いち日この人たちと話してみた。

そして、そのインタービュの中でもう一つの発見をした。それは、この人たちの話がたいへん論理的であるということだ。ふつう農家の人たちの話というのは、非常に断片的である。あちらへとび、こちらへ脱線し、あるいは的外れの返答をしたりして、対話はじぐざぐな進み方をするものだが、十勝の人たちはそうでない。実にキチンとすじを追って話をすすめていく。このくらい論理的な考え方をする農民は日本の他はどこにもいない。その点でも十勝の農民はわたしをおどろかせた。

以上の二つの特徴はどういう条件から生まれたのであろうか。わたしはこう解釈する。

第一は広い土地だ。大雪山から日高山脈とつづく山を遠く望んだめっぽう広い畑。それがゆったりとした、土から生えたような人を生んだ。そして第二には、明治の後期からつづくマメづくりの商品性が、人々の脳細胞を発達させ、論理的思考を育てたのである。

わたしはこのごろいつも人にいう。「日本に数少なくなった農民らしい農民を見たいと思ったら、十勝平野へ行きたまえ」

(農村評論家)

4H部長に小沢君
埼玉県連で通常総会開く

【埼玉県=猪鼻文明通信報道員発】埼玉県農業研究団体連合会(会長、飯田藤助氏)では、さる五月十日、浦和市の自治会館ホールにおいて昭和四十三年度通常総会を開催した。この連合会は、農研部・生活改善部・4H部(部長黒沢健一君)の三部会で結成しており「新しい豊かな農村を建設すること」を目的として、年間予算二百余十万円をもって各部とも連携を図りながら特色ある活動を展開しているもの。

総会は開会のことばのあと、飯田県連会長のあいさつ、つづいて議長選出、書記任命、議事録署名人の選出があり、いずれも各部会から一名ずつ選出された。

議長団のあいさつにひきつづいて、第一号議案=昭和四十三年度事業報告並びに収支決算報告が上程され、盛りたくさんな行事に質問が多く、活発な審議がはじまった。

つづいて、第二号議案=昭和四十四年度事業計画並びに収支予算について審議し、原案通り承認可決された。とくに、事業のうち4Hクラブ関係では、埼玉県4Hクラブ二十周年記念大会が計画され、早くもこの記念大会に対する関係者の関心を深めた。

つぎに、第三号議案=会費賦課徴収方法、第四号議案=現金預入れ先、第五号議案=借入金の最高限度額、第六号議案=役員改選について上程されたが衆議一決、原案通り可決された。

とくに、第四号議案の会費については一人年額百円を地区連会長を通じ、七月末日まで一括事務局へ納入する。また、役員改選では飯田会長が再選され、4H部長に小沢君が選出された。

ひきつづき行なわれた昭和四十三年度優良農業研究集団の表彰では、県知事から生活改善部二グループ、4H部四クラブが受賞した。つづいて、4H部四十三年4Hクラブ技術交換大会、農村青年会議の優秀グループ並びに優秀者の九チーム二十一名がそれぞれ表彰を受け、充実したクラブ活動の実績をものがたっていた。

この後、県知事と渋谷部長の祝辞があった。

午後は「新都市計画法について」と題して、県土木部都市計画課都市計画係長・鈴木康二氏の講演が行なわれ、参加者一同"新都市計画法と今後の農業経営は関連が深い"とあって真剣に聞き入っていた。

また、過日の県連役員会での報告によると、4H会館建設募金の運動は、各地区連、単位クラブのすみずみまでPRが行き届いており、今後募金額は着実に増えるものと県連役員は期待している。

涼風暖風

ナポレオンのズボンつり

かの有名なフランスのナポレオンは、いつも赤いズボンつりをしていたそうである。ところで、ナポレオンは何故赤いズボンつりをしていたのだろうか。この疑問をつかったトンチ話には、多くの人が一ぱいくわされている。

ナポレオンは何故赤いズボンつりをしていたか、ときかれると、みんな真剣に考える。

そこで、一番多いのは、赤いズボンつりはカッコイイから、という回答である。赤い、という色彩のイメージがやはり強烈で情熱的、感覚的な反応が早く、かつ多いことを物語っているわけである。カッコイイとか、にあうから、とかいう反応群がこれ……

心頭技健

さる十四日から三日間、徳島市の大神子ユースホステルで、全協の評議員・県連会長会議が開かれた。これは四月の総会で決議された本年度の全協事業計画を、新しい執行部と評議員、県連会長で、細部にわたって具体的に検討し、意志の統一を図るとともに一丸となって4Hクラブを盛りあげるため努力し事業を推し進めることをねらいとして開いたもの▼例年、六月に開かれていたが、ことしはつどいが二カ月後にせまっており、全協としても早急に会議を開き、新しい県連会長に全協事業を理解してもらい、協力してもらう必要にせまられていた。ことしの全協事業の主なものは、七月に島根で開催する第五回全国4Hクラブ員のつどい、十二月に御殿場国立中央青年の家で開催する全国4Hクラブ中央推進会議、来年二月頃東京で開催する全国4Hクラブ・プロジェクト実績発表大会、四十五年度に完成をめざしている日本4H会館建設の募金運動などである▼こんどの会議でも、これらの事業について熱心な討議が行なわれ、集まった評議員や県連会長との間に熱心な質疑応答がかわされた。その結果、田植えなどの忙しい時期に当り、欠席した県連会長もかなりあったが、少くとも会議に参加した人たちの間では意志の統一がなされたようだ。そして、全協は4Hクラブ員自身のものであり、自分たちが活動を盛りあげなければならないという意識のもとに、全員一丸となってことしの事業に取り組むことを誓いあった▼またこの会議でとくに注目されたのは、専門委員会の設置である。これは、現在、日本の4Hクラブ活動について、基本的には同じ考え方であっても、クラブ員OB、育成指導関係者みながそれぞれ具体的には異った見解をもっていて、全協としても全協自身の体系的な見解はなく、役員一人ひとりが独自の考え方をしている状態を改めるため、OBや学識経験者に体系的にまとめてもらい、それを全協の考え方として"しおり"を作成して全国に配布し、4Hクラブ活動について全国的に思想の統一を図ろうというもので、その成果に期待したい。

街を飾る花の話題
富山で4Hクラブ員が栽培

【富山県】富山県黒部市の黒部市4Hクラブ(会長、前田一男君)は、かねてから"花のある豊かな生活"をモットーに花いっぱい運動をすすめていたが、このほど、クラブ員が栽培した花に花びんをそえて、市役所、市民会館、農協、黒部駅などに贈った。

花はカーネーション、キク、スイセン、サクラなどで、訪れる市民の目を楽しませている。

ブラジル88村巡行 〈6〉

日本政府派遣農村青少年指導専門家 湯浅甲子

講演にファイト

初めて"農業の美しさ"を見る

サンパウロ周辺の視察旅行が続く。それにつれて、ブラジルの生活の片鱗（へんりん）がだんだんわかっていく。

四月三日 リズーシ"からの帰途、カーザ・デ・ラボーラ（農業普及所）に初めて立寄る。技師が四人で、モジ市管内を受持っている。植林指導に熱心らしく、桐の増殖に力を入れていた。農作物の種子の斡旋もやり、行政の末端指導機関的活動である。

機構より人物本位

立派な建物だ。日系農家もよく指導するそうだが、日系人側からいわせると、機構より人物本位らしく、いい人がいればよく利用するが、そうでないと全く恩恵がないばかりか、軽視する人もあるらしい。ずーっと後でわかったことだが、カーザ・デ・ラボーラと日系農家のつながりは、「ところ」によって大変違うようである。くわしくは後述することにしよう。

四月四日 例のひどい電車のセントラル線にのってスザノ市へ向う。

意外の眺めは美しい。長大なチェテ河の上流にあたるので、至るところに湿原、湖水があり水郷という感じで、日本人好みのする地帯である。

スザノ市は日系世帯が一二〇〇戸といい、一万人位の日系人が住んでいる。立派に成功している日本人も多い。

親子の関係がカギ

石橋初雄氏は、サンパウロでも花卉園芸家として有名で、荘大な屋敷内はさながら大植物園である。世界中を股にかけて活躍している方で、栃木県の話しをしたらすぐ鹿沼土の話しになり、ここにも取り寄せてあるといっていた。特に、サツキの研究は第一人者という。同氏は、もう六十歳をこした方だが、その息子たち三人は、みんな父と共に家業を分担し、父子の歯車はピッタリとあっている。このことについて、同じスザノの大浦文雄氏という二世の養鶏家はこういっている。

「ブラジルの日系家庭の重大問題は親子の関係である。親は大正初期の不景気時代に日本を出てきたいわば反骨心の強い人たちだ。ところが、息子たちはブラジル生まれで、ブラジルの不充分な教育しかうけていない。この間におこるトラブルが一番問題である。ところが、この石橋さんの家庭は違う。徹頭父子が充分に話しあって仕事を進めている。大体父子がうまくいっているか、いないかが日系農家の成功、不成功をきめているといえるだろう」と。

大変興味のある話しを聞かせてくれた。日本農村にも共通した問題なので分りすぎるぐらいに思えて急に問題が身近かに迫ってきたような感じがした。

農業の美しさ見る

この大浦さんという人は、三十代のできた人らしく、4Hクラブ活動経験者でもあり、いまは、青年のために振興指導者になっている。家は養鶏家として有名で、国や州の高官がよく視察に訪ねるという。現在、冷凍育雛にとりくんでいて、深い研究を積み重ねながら、一方、採卵養鶏を立派に経営されている。

ところが、農場に入ってみると、その雰囲気は農園といったムードである。そこには、研究とか経営とかいったきびしいものはチットも感じられない。農業を楽しんでいるとでもいうか、生活を愉しむために農場をどうしたらいいかといった角度で農場を経営しているように伺えるのである。それは、お金ができたからと見る人もあるだろうが、私にはそうは思えないのである。

この福博植民地で、原始林時代の千古の大木を計画的に残してあるのはここ以外にない。しかも、その中に鶏舎や住宅を実にうまく配置してある。プールもある。いまはこの辺で見られなくなった密林に住む獣も飼われている。それらが、南国の日ざしを一ぱいにうけて丘の上に絵のようにひろがっているのである。こうする裏面には、大浦さんの人間生活に対する愛情が百年の計になって常に脈うっているにちがいないと思うのである。私は、ブラジルで初めて農業の美しさをこの眼で確めたという気がした。この姿は、日本でなかなか見られないものの一つではないだろうか。

目頭熱く、自信もつ

スザノの講演も夜八時半から始まった。百余人の聴衆は熱心にきいてくれた。大人と青年と半々である。講演をおえて幻灯スライド「青少年活動―栃木県が毎年夏に行なうキャンプ大会を中心に編集したもの」を上映し、懐しい「日本のうた」をみんなで歌ってみた。よく知っている。「ひなまつり」「荒城の月」…涙をうかべながら歌う古老もいる。激励もうけた。質問や意見がでてきた。私は目頭が熱くなってどうしょうもなかった。

「みなさん、私の話はどのくらいわかりますか。とくに若い方はどうですか。よくわかる人は指三本あげてください。大体わかった人は指二本、全くわからなかった人は指一本あげて下さい」私はトッピなアンケートを始めた。私は一日も早く自信をもちたかったのである。その結果は、一本指はゼロ、二本指が四人、残る全員は一斉に三本指を上げてくれた。今夜の講演終了も夜中になった。しかし、うれしい日であった。ファイトが湧き上ってくるのを感じる。

〈栃木県普及教育課・特別専門技術員（青少年担当）〉

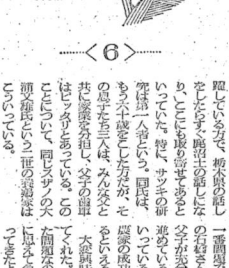

日本によく似たサンパウ周辺の農村（アチバイヤ附近）

リレー・クラブ紹介 われらのクラブ

←竹の子4Hクラブ（佐賀）

北駿4Hクラブ 静岡

真田 勝君記

→西袋4Hクラブ（福島）

富士登山で名高い

青春時代の総合学習の場に

私たちの4Hクラブは男女混合で、その比率は半々です。クラブ活動も男女の共通問題をとり上げており、男女の区別はありません。とくに、他のクラブと比べて女子クラブ員が活発であることが特長です。もちろん、農業研究集団でもありますが、それ以前に、社会人としての学習活動に重点をおいています。

クラブ活動も、行事の企画、運営を四つの部（農業改良部、生活改善部、文化部、レクリエーション部）に分けて、全クラブ員は何かの役員（リーダー）になり、運営（リード）方法を修得しています。

また、クラブの自主的財源を確保するためと、協同精神の高揚のために、水田二千㎡、畑二千㎡の共同ほ場を持っています。

毎年、全国4Hクラブ連絡協議会の中央推進会議が当地の国立中央青年の家で開催されますが、それには五名ほどのクラブ員を参加させて学習させるので、4Hクラブの理念などの理解が非常に早いようです。

当クラブの編成は、一市一町の広範囲にわたり、過去二回の「全国4Hクラブ員の富士登山」を行なっている、非常に若い（年長二十三歳）クラブ員の集まりです。

クラブの発足は昭和四十一年一月ですが、青年団の役員の人たちが中心になって十五名でスタートしたものです。一年目は、クラブ員の勧誘と親睦を図り、二年目から「自主的運営」をクラブ員のスローガンに、全国4Hクラブ員の富士登山を行ない、三年目の昨年は、農林大臣賞を受賞するなど、クラブ活動も充実し、行事内容から会計にいたるまで大形化してきました。

当地域は、大稲の早作地帯で共同プロジェクトも水稲栽培が実施されています。また、地域には農業高校がないため、クラブ員のほとんどは、普通、商業、家政科の卒業生なので、4Hクラブで行なう基礎学習によって農業への活路をみい出しています。

共同ほ場は、水稲と甘藷マルチの栽培を行ない、これを共同プロジェクトとして、優良品の依託試験、肥料施用試験などの成果を新しいクラブ員にプロジェクトの中へ取り入れてもらっています。また各クラブ員は、これを経営の中に取り入れて、栽培管理のいっさいを記帳し、秋には稲の坪刈りを行なうという方法です。

わたしたちのクラブは、クラブ員の年齢層と行…

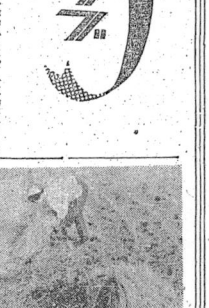

上＝共同ほ場で稲を刈取る女子クラブ員
下＝「全国4Hクラブ員富士登山の集い」の受付け風景（静岡県御殿場市で）

昭和44年度の事業計画

クラブ員構成とプロジェクト

高いが、うまい米を

自主流通米の実施要綱成る

愛知県連 成果あげた初の女子教育講座

やはり結婚問題が人気

愛知県連前副会長 古川喜美子

「教養講座に参加して」

- 普通 11%
- 大変勉強になった 26%
- 勉強になった 63%

第11回教養講座で中部電力知多火力発電所を見学する女子クラブ員と県連役員

わが経営苦難の道

環境生かして専業養鶏
プロジェクトに託す一筋の希望

奈良県山辺郡都祁村　山添4Hクラブ　吉本文孝

「信じられん、絶対そんなはずがない」右手に注射器を握りしめ左手で鶏をつかんで、一羽一羽とニューカッスル病予防のためのワクチン接種を続ける。このニューカッスルが一度発生したならば、たとえ何千羽という鶏であろうと全滅の浮目にさらされるという恐るべき鶏病が、なんとわれわれグループの中に発生しようとは！その事実を無理矢理に否定しながらも注射器をにぎる。

これは昨年の正月、まだ松の内の間のことであります。幸い私の鶏は一羽も感染することなく、無事故でありましたが「こんな山の中で、ニューカッスルなど発生しない」と過去五年、なんとなく抱いていたあてにならない安心感は、もろくもくずれさってしまったのでした。

奈良県の東北、北は京都府と東は三重県と境を接する海抜三〇〇米〜五〇〇米のこの地帯を大和高原と呼び、昔から茶の生産地として奈良県の煎茶の殆んどは、この高原から生産されています。したがって、私たち山添4Hクラブ員の多くは、茶をプロジェクトとしております。私はその高原の山辺郡都祁村の布目川にそった細い帯のような戸数七十余りの谷間の村で農業を営んでおります。

現在、水田五〇アールと茶園四〇アール、ほかに山林七〇アールを経営しておりますが、プロジェクトを続けてきた養鶏は百羽から五年にしてようやく七百羽、今年こそ副業養鶏から専業の足がかりをつかみたいという固い決意とファイトを持っております。

それは昭和三十六年、当時私はまだ奈良県立蚕業伝習農場の二年生（研究科）でした。農家には名古屋市港区の一万羽養鶏農家、そこで育すうや飼養管理を身をもって経験し、「耕地の少い私は、農業で立つにはこれだ」と強い自信を持ったのでした。

「かならず養鶏によって身を立てる」そう決心してわが家の農業についたのは昭和三十六年四月のことでした。当時わが家は、水田四十アール、茶園二十アール、年間農業粗収入が四十万円に満たないという零細な農家で、父は農閑期を見つけては出稼ぎに行く毎日でした。喜び勇んで農業に就いた私に現実は厳しいものでした。

もちろん、それは予知したことであり、私は養鶏プロジェクトの資金作りのために、父母と三人で七アールの畑に村で初めて農事研究会の人たちと抑制トマトの栽培を行ないました。茶と米、冬の薪炭以外産物らしいもののなかった私の地方で、トマトの栽培は本当に新しいことであり、水田の田畑転換は両親から許してもらえず、やむを得ず、茶園の間作として栽培したのでした。しかし、栽培は順調で十三万円の純収入を得て私は両親からこのお金を養鶏プロジェクトの資本にすることを許してもらいました。「まず二百羽から始めようか」胸もふくらむ思いであった当時の私を今もありありと思い浮かべることが出来るのです。

しかし、翌三十七年初春、風邪がもとで床についた父は三ケ月の自宅療養のあと入院生活をおくることになり、一家の生活と、農業経営は十八才の私の肩にのしかかり、乏しい私の資金もまたたくの間に消え失せて、牛を売ることも茶の加工をすることも、父にまかせて、何一つ満足に出来なかった私は、「やればなせる」それのみを頼みとして、懸命にがんばり通したのでした。何ものにも敗けまいと思いました。農閑期をみつけて、夏も、冬もスコップを握る土方仕事の毎日でした。

そんな私を、はげましてくれるのは、鍬をふるう若い仲間でした。何回かの会合の末、三人共同でやろうと話がまとまったのは、三十七年の暮れでした。

農協を通して、県の養鶏振興資金を一人八万円ずつ借り入れ、一人二百羽ずつから出発し、育雛、購入、販売は共同で行ないました。

三十八年の一月から三月、この年の雪は、例年なら、三日もすれば消える雪が三月まで根雪となって、私たち三人は、その中で手をかじかませ、手製の育雛器具や中・大雛のバタリー、を作り上げたのでした。四月に入雛した二百羽のヒナは、順調に育って、八月には殆んど自分たちの手で二百羽収容の成鶏舎を建てました。第一回育すうの二百羽は産卵を開始し、ようやく私は自分の手で育てた鶏の小さな卵を手にしたのです。

あれから五年、三十九年の冬をとす低卵価もありました。三十六年の凍害に匹敵する晩霜もありましたが、四十年に四百羽に、四十二年には後継者育成資金三十万円を導入して私の養鶏プロジェクトも七百羽になったのです。

昨年の場合、母と二人で農業粗収入は三百万円、そのうち養鶏は六十％、純収入は鶏と茶がそれぞれ約三十％、抑制トマト、米が二十％と、七年前の四・五倍、実質でも三倍にはなりましたが、私はつい昨年まで、くるしいジレンマにおちいっておりました。専業養鶏を目指しつつ、私は多角化経営を行なわざるを得ませんでした。養鶏の拡大をはかろうとすれば養鶏収入は家計へはまわせない。いきおいトマトを取り入れなければならなかったのです。しかも母と二人では、これ以上の拡大は無理であり、米、茶、トマト、養鶏の選択の時期に到達したのです。

三十九年には、阪神と中京を結ぶ、最短距離の名阪国道天理（奈良）亀山（三重）間が開通し、それまでバスで一時間もかかった天理市まで、今では二十分で行けるようになり、奈良県においても大和高原の開発が打ち出されるようになりました。しかし、現実は土地から離れ、兼業農家は年を追ってふえるばかり、レジャー資本や電機会社の下請け工場が進出してきたり、大阪からの企業養鶏家が何万羽という養鶏場をばく大な資本にものをいわせ、あちこちに作りました。現在も二業者が工事を進めています。五百米の高原は、夏涼しく空気は良く、鶏にとってすばらしい環境であることが見直されたのです。初めに述べましたが、私たちの仲間のニューカッスル病の発生はこうした急テンポで増加する鶏の増加が一原因であることは明らかです。

一刻の遅れは、大和高原も鶏病の汚染にさらされることになります。「よし今年こそ、七年来の宿願である専業養鶏への足がかりを」と決意したのは、実に昨年の初春のニューカッスルだったのです。私にとって一番悲しいのは鶏病ではなく、小さな副業にあまんじてしまうことであり、仲間と語う「大和高原の開発は、俺たちの手で」は、夢物語になってしまうことであります。

今年、私は抑制トマトの栽培も中止しました。田植と茶の収穫のあいまをぬって、友人の専業養鶏場へも二度実習に行きました。

この七年、日本の養鶏界も長足の進歩をとげて、私が名古屋で学んだ知識だけではとても間に合わなくなりました。五年間私はこの日のためにプロジェクトを続けてきたのだと考えています。時には育すうに失敗して投げ出そうかと思う日もありました。しかし、小さな失敗は、大きな知識をそのつど、私にあたえてくれたのです。つたないながらも技術があります。何よりもまず、七年間燃し続けた全身にみなぎる闘志があります。かならずや、私の願いが叶えられると信じます。

私は養鶏の技術や経営内容の細部にはふれませんでした。それよりも私の体験を通して、自分自身にも全国のクラブ員の皆さんにも強く訴えたいことは、農業に生きる喜びは、研究した成果を実践し、決断して自分の青春を、4H活動にぶつけて、実行するところにあるのだと思います。

プロジェクトの取り組み方　促進編（7）

北海道専門技術員　室輪勲

実績評価と研究協議
結果―相互で比較検討

演示発表　演示発表会には、市町村・地区・県の系統段階で行なわれる競技形式のものと、青少年グループで行なう非競技の性格のものとがある。前者は公開発表によって、プロジェクトに対する地域社会の理解と協力を得るのに効果が大きい。

近年、競技的な性格よりも研究協議的な性格が強まってきた。後者は一般に非公開の形で行なわれるが、青少年相互のプロジェクト実践研究に実質的な役割を果たす。

演示発表会は、青少年各自のプロジェクトと密接に結びついた研究交換を主体とすることが重要である。指導に当たっては次の事項について留意が必要である。

a）各自のプロジェクト実践経過で習得した技術の演示発表を、グループの会合・研究集会・プロジェクト巡回訪問などの機会を利用し、できるだけ多く実施させるようにする。この場合、発表時間や場所などは自由に設定させることが効果的である。

b）発表された演示内容をもとにして、グループの全員が実習すると効果が上がる。モデル演示発表のあと同じ材料を参加者に配布し、単位作業ごとにモデル発表者の指導によって実習する。これは演習としても重要である。

c）公開の演示発表会では、開催場所・時期・発表時間などの制約が多く、実際のほ場や家畜など実物の使用が困難なために「まねごと」演示になりやすい。このため、できるだけ発表会の条件整備を行なって本格的な発表を行なわせるように考慮が必要である。この意味では栽培や飼育の演示発表の場合、野外演示が効果的である。

d）発表会は、演示内容の質疑応答を中心とした研究協議を行なう。公式発表会などのように大人数の場合は、水稲・家畜・畑作などの部門ごとの分科会方式によって行なう。

e）公開発表では、演示作品にその説明図表を添付して一カ所に展示し、参加者の見学や試用に供するとよい。必要に応じて演示者の補足説明を行なうといっそう効果的である。

f）演示発表会では、発表要旨の資料を事前に準備させ、参加者に配付して、発表内容の理解促進をはかるよう配慮することが重要である。

プロジェクト展示会　プロジェクト実績である生産物・家畜・加工品・製品などを持ち寄って公開する展示会、また、それらの優劣を競う品評会、さらに実践経過と結果との両分野の優劣審査を行なう共励会など、プロジェクト成果の展示には各種の方法がある。

演示発表は内容によっては野外で行なう

これらの行事は、プロジ[illegible]を競うことに関心が向けられるあまり、互いに研究し合うところがおろそかになりやすい。したがって、指導上とくに次の事項が必要である。

a）生産物や製品の展示に加えて、どのような経営（生活）のもとでどのような技術によって、その成果を上げたかなど、実践経過の状況の図表・写真・レコードブックなどの資料を合わせて展示する。

b）審査を行なう場合は、生産物や製品などプロジェクト実績の審査だけでなく、実践過程をも含めた全領域を対象として総合評価を行なうことが望ましい。

c）プロジェクトの展示会は単独で開催するよりも、プロジェクト実践発表会などと併催すると効果が大きい。

以上のほかに、プロジェクトほ場を公開して行なう展示法として、プロジェクト展示ほがある。新品種の適応試験・施肥改善の効果展示・農薬や除草剤の効果比較など、実際の栽培管理の状態を見せることがねらいである。

こうした展示ほの成績は、プロジェクトの実践にすぐ活用できる意味での効果がある。しかし、展示ほの運営に従事する場合、単なる作業要員とならないように実践中の観察や学習を促進させる配慮がたいせつである。

これらの展示ほには、栽培計画の概要や技術上の注意事項などを記載した立て札や掲示板を設けるのが普通である。一般のプロジェクトほ場においても、こうした展示ほに準じた立て札を立てると、相互のプロジェクト巡回訪問などに便利である。

プロジェクト実績発表会　プロジェクト実績発表会は、一カ年の成果をまとめて相互評価を行なうため、通常年一回、十一月から二月ごろの間に開催される。

実績発表会は、直接には青少年相互の実績評価と研究協議とに目的があり、間接的には、公開発表をとおしてプロジェクト活動に対する地域社会からの理解と協力とを促進する目的がある。発表会に当たっては、これら二面的な目的が達成できるように、次の諸点に留意する。

a）単位グループにおけるプロジェクト実績発表会は、プロジェクトの相互評価や研究が最も自由に行なわれる場としてきわめて重要であり、真の実績発表会でもある。プロジェクト完成の有無にかかわらず、実施者全員がその経過と結果を紹介することが望ましい。

b）プロジェクト発表（公開）のプログラム編成の場合、プロジェクトの種類・課題・発表者の[illegible]区分・性別などにわけて順番を決めると、内容の比較・関連検討をもとにした相互研究協議を行なううえに便利である。

c）発表時には、発表者・聴[illegible]助言者など参加者全員に[illegible]研究協議を行なうとよい。

d）プロジェクト実績発表会にあわせて、プロジェクト活動の記録写真展・記録簿（レコードブック）展示会・作品展示などを行なうと効果的である。

農業簿記

京都大学名誉教授　大槻正男

農家経済経営簿記

農家経済所得簿記において、所得経済部面として取り扱われる内容を、さらに分析の歩を進めて「経営」部面と「その他所得経済」部面に分けて、記録計算するものである。

【備考】経営とは、土地・建物・機械設備などの相当大きな固定設備を有して、継続的に営まれる営業組織体をいう。これに対し、そのためになんらの固定設備を設けないで行なう金貸しや小作地の貸付けなどは、これを経営として営まれるものとは認めにくく、経営外の「その他所得経済」部面として取り扱わなければならない。

所得簿記の場合の「農家粗所得」を、経営からの粗所得である「経営粗収益」と「その他粗所得」とに分けて算出しうるためには、動態的計算としては「所得的収入」を、さらに「収益的収入」と「その他所得的収入」とに仕訳け、また、所得簿記の場合の「所得的失費」を経営の所得的失費である「経営費」と「その他所得的失費」とに分けて算出しうるためには、「所得的支出」を「収益的支出」と「その他所得的支出」とに仕訳けて計算しうるような簿記組織でなければならない。

■収益的総収入＝収益的収入＋経営から家計および「その他」への仕向け

収益的総支出＝収益的支出＋「その他」から経営への仕向け

「その他」所得的総収入＝「その他」所得的収入＋「その他」から家計および経営への仕向け

「その他」所得的総支出＝「その他」所得的支出＋経営から「その他」への支向け

また、「財産的収入」および「財産的支出」にあっても、販売された財産が経営財産であるか、またはその他所得経済財産であるかによって、所得簿記の場合の「財産的収入」を「経営財産的収入」と「その他財産的収入」とに仕訳け、購入された財産が経営財産であるか、またはその他所得経済財産であるかによって、「財産的支出」を「経営財産的支出」と「その他財産的支出」とに仕訳けて記録計算しうるものでなければならない。

また、家計仕向けも、所得簿記の場合におけるように、単に生産物の家計仕向けとして記録するのでは不十分であって、これは「経営から家計への仕向け」（すなわち生産物の家計仕向け）と「その他から家計への仕向け」と分離し、そのほかに「経営からその他への仕向け」および「その他から経営への仕向け」をも記録計算しうるような計算組織であることを必要とする。

家計費＝家計支出＋経営および「その他」から家計への仕向け

静態的計算においても同様に、農家財産を「経営財産」と「その他財産」とに分けて、それぞれの純増加額を算出せねばならない。一体として存する農家の財産を、無理に「経営財産」と「その他財産」とに分類して計算することには、解決困難な多くの問題を伴なうものである。

この点わが国のような小農経済の国において、経済簿記様式を採用することの実際上困難な理由である。

この静態的記録計算の方法を、所得簿記の静態的計算方法と比較して図解すれば右に示すとおりである。

台帳形式としては、単一簿記の台帳形式とほぼ同一のものを「経営財産」と「その他財産」との各別に備え付け、減価償却計算・増殖計算・純減少計算・純増加計算・年度始め財産計算・年度末財産計算などを、それぞれ「経営財産」および「その他財産」について各別に算出しなければならない。

（図）
農家財産を一体として把握した場合：農家財産（年度始め・年度末）
農家財産を二構成分に分解して把握した場合：経営財産（年度始め・年度末）、その他財産（年度始め・年度末）
年度末経営財産－年度始め経営財産＝経営財産純増加額
年度末その他財産－年度始めその他財産＝その他財産純増加額
経営財産純増加額＋その他財産純増加額＝農家財産純増加額

以上のようにして、動態計算および静態計算によって算出される諸計算を用いて、次掲の算式により「経営決算」並びに「その他決算」を行なうことができる。

粗収益＝収益的総収入＋経営資産増殖額＋経営資産純増加額

経営費＝収益的総支出＋経営資産償却額＋経営資産純減少額

純収益＝粗収益－経営費

「その他」粗所得＝「その他」所得的総収入＋「その他」資産増殖額＋「その他」資産純増加額

「その他」所得的失費＝「その他」所得的総支[illegible]

農業法令の手引

農業協同組合　―その一―

農業協同組合あるいは農業協同組合連合会といえば、その地区が市町村域のもの、都道府県あるいは全国区域のもの、これらの中間の区域のものがあり、事業の内容からすると、信用事業その他各種事業を行なう組合もあれば、販売事業、共済事業のみのものや、これらを主体としたものもあり、米麦その他各種農産物及びその系統組織がある一方、果樹、畜産の一部を取扱ういわゆる専門農協及び、その系統組織があります。

しかし、農業協同組合法のうえでは、これらすべて「農業協同組合及び農業協同組合連合会」という二つの章のなかで「組合」と総称して規定されています。

昭和二十二年に農業協同組合法が制定されたときは、そのなかで規定されているのは農協と同連合会のみでしたが、その後昭和二十九年の改正で「農業協同組合中央会」の制度が設けられ、さらに昭和三十七年の改正で「農事組合法人」の制度が設けられて今日に至っています。

農業協同組合及び農業協同組合連合会（以下「組合」と総称します）

（1）組合の事業

（ア）組合の事業の範囲は、次のように規定されています。

❶ 組合員の事業又は生活に必要な資金の貸付
❷ 組合員の貯金又は定期積金の受入れ
❸ 組合員の事業又は生活に必要な物資の供給
❹ 組合員の事業又は生活に必要な共同利用施設の設置
❺ 農作業の共同化その他農業労働の効率の増進に関する施設
❻ 農業の目的に供される土地の造成、改良若しくは管理又は農業水利施設の設置若しくは管理
❼ 組合員が生産する物資の運搬、加工、貯蔵又は販売
❽ 農村工業に関する施設
❾ 共済に関する施設
❿ 医療に関する施設
⓫ 組合員の農業技術及び経営の向上を図るための教育又は農村の生活及び文化の改善に関する施設
⓬ 組合員の経済的地位の改善のためにする団体協約の締結
⓭ 以上❶から⓬までの事業の附帯事業
⓮ 右の❶及び❷の事業をあわせ行なう農協に限り、農地又は採草放牧地の貸付け又は売渡しを目的とする信託の引受け

NHK農業番組（6月1日〜10日）

テレビ

明るい農村　6・30〜6・55　総合
2日　村の記録　火山灰地の中で（宮崎県霧島山麓）
3日　きょうの話題　米価
4日　産物往来　バナナ
5日　話題の広場　子牛の保母さん（茨城県美野里町、美野里酪農協同組合）豆盆栽で一千万円（世田谷区深沢）増井徳三郎
6日　村をむすぶ　フイルム・リレー
7日　農業新時代　放射能で育てる（茨城県大宮町）
9日　村の記録　繁栄条例（岐阜県上之保村）
10日　きょうの話題　新都市計画法

あすの村づくり
日　7・00〜8・00　教育
再　土　1・00〜2・00　教育
1日　グループ便り　村の酪農青年隊（岡山県勝田郡奈義町）、仲間とともに―草づくりをとおする（北海道阿寒郡阿寒町）阿寒4Hクラブ、青年像―椎茸にかける青春（三重県四日市市）稲垣つぎ子
8日　離農・帰農（福井県大野市）農業後継者グループほか

ラジオ

早起き鳥　5・5〜6・00　❶
1日　話題の窓　どうなる農協金融（農林中金調査部長）西山[illegible]夫ほか
2日　現地報告　とうちゃんのいない農繁期―その後の出かせぎ地帯―（青森県大鰐町）
3日　人と話題　農民気象台（岩手県遠野市）鈴木竜太郎
4日　通信員の手帳から　長[illegible]子
5日　産地訪問　肥後スイカ（熊本県植木町）
6日　現地報告　動き出したうい米づくり（滋賀県下）
7日　村のポスト
8日　話題の窓　要求米価きまる
9日　現地報告　大型冷凍工場と野菜契約栽培（広島県大和町）
10日　人と話題　みみずを使った草地改良（函館大学教授）山口[illegible]

ラジオ農業学校 [illegible]

春の終り（6）

一ノ瀬綾　多賀愛子画

三月も数日で終ろうという朝であった。久江から電話がかかってきた。

「これからT市までつきあってくれない。困ったことができたんだ。事情は逢って話すけど、二、三時間でいいんだよ。たのむね」

久江の声は、のっけから哀願調であった。この前逢ったままになっている。久江の心の動きも気になってはいたのだが、ブロイラーが丁度出荷時に当っていたので、紘子は淳とさえ逢っている暇がなかった。自分の行き詰まった気持も打明けたくて紘子は出かけることを承知した。

T市迄はバスで一時間近くかかるのだが、そこには、かつて紘子と久江が三年間通い馴れた高校があった。低い山脈に囲まれた盆地の真中に古城をはさんで落着いた

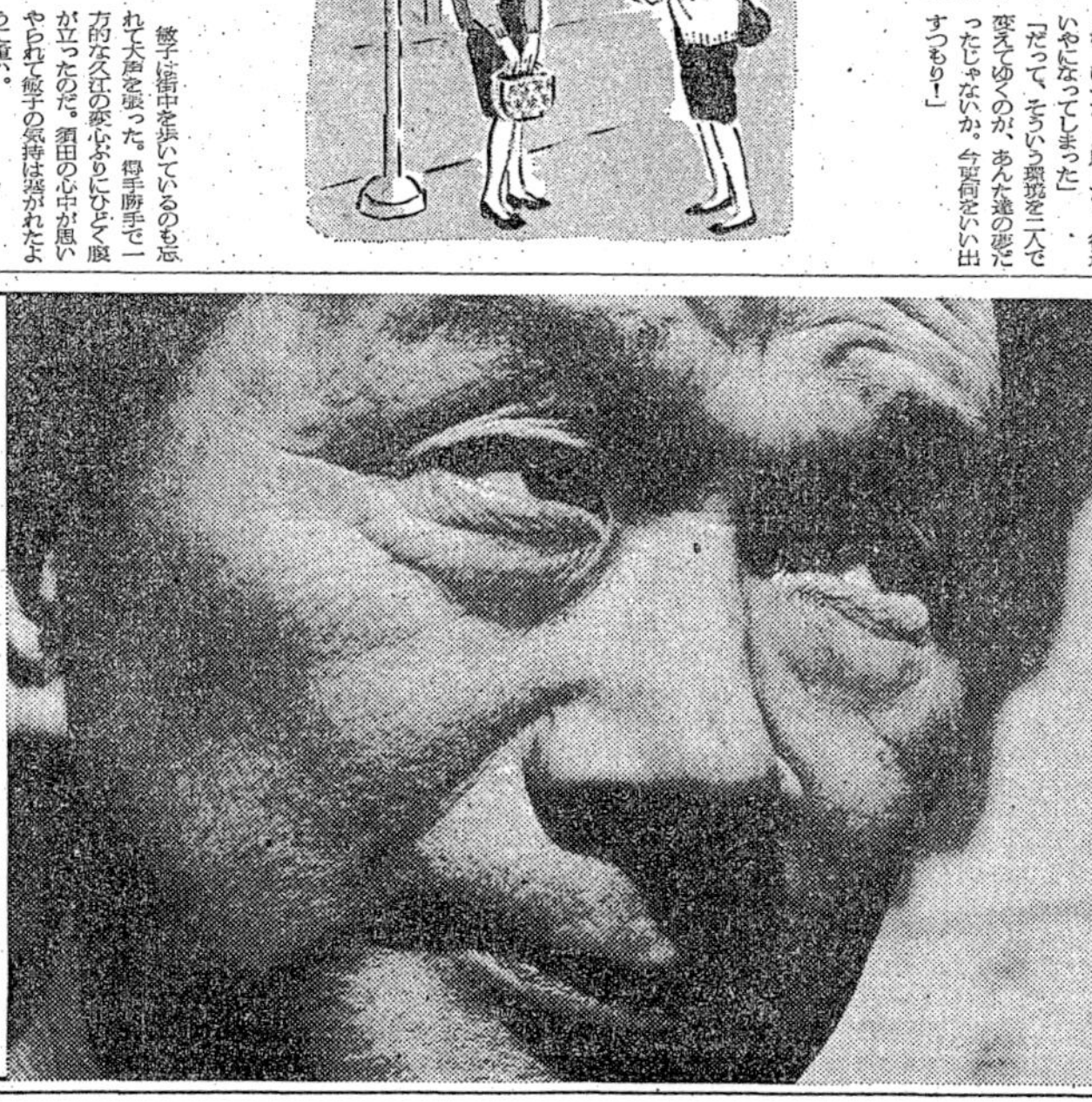

広がりを見せるその城下町には、国鉄の急行も止まった。バスの路線も網の目のように入り組んでいて、二つの郡にまたがって散在する町村の心臓部に当っているだけ[illegible]

[illegible]られなかった。

「本気でいってるの。須田[illegible]知した？」

久江は顔をゆがめて首[illegible]た。「あれから二度話し合[illegible]紙も書いたけど、彼は承知[illegible]よ」

始めは信じられずに笑っ[illegible]須田が最後には怒りを忘れ[illegible]直してくれと頭を下げたと[illegible]紘子の心は暗然となった。

「あの家を見たらどうして[illegible]気がしないんだ。身ぶるい[illegible]ほどいやなの。恐ろしい。[illegible]ま一生もみくちゃの襤褸布[illegible]な百姓女で終るかと思うと[illegible]くむ。いやだ、と思ったら[illegible]いやになってしまった」

「だって、そういう環境を[illegible]変えてゆくのが、あんた達[illegible]ったじゃないか。今更何を[illegible]すつもり！」

紘子は街中を歩いているの[illegible]れて大声を張った。得手勝手[illegible]方的な久江の変心ぶりにひ[illegible]が立ったのだ。須田の心中[illegible]やられて紘子の気持は[illegible]

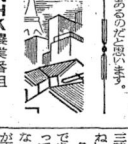

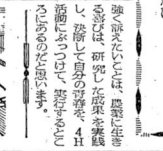

農村雑感

価格決定

折原様二郎

一般に市販される品物の価格は、生産者がまず決定し、それに卸商、小売商のマージンを加えて、最終的に価格が表示され、消費者の手に渡るのが常道である。

即ち、生産者が価格を決めるときは、消費者が他の物価等と比較し、或いは、消費者の需要の度合を考えて、まず妥当であろうと思われる基準価格を決めるわけであるが、当然この場合は生産者の利益が考慮されているわけであり、生産コストを割ってまで生産し、販売ルートにのせるようなことはしない。

生産コストを割る場合は直ちに生産をストップするなり、他の生産物の生産に視点を向ける形となる。消費者は王様であるといわれているが、他面から考えると生産者こそ王様といえるのではなかろうか。

ところで、農産物についてみると、工業製品のように生産者が価格決定を完全に行なえる立場にはないといえる。

しかし、すべての農産物が消費者または、農民以外の人によって決定されるとはいえないし、時には工業生産物より強い立場で価格は決定をし得る立場にあることも事実であろう。それは、人間生活における食という基本的な要因があることによるものであろう。それだけに、需要の増大にまかせて価格を高めることは社会不安に連ながるものであり、自から限界があるといわざるを得ない。

農産物の価格決定がなされないのは農業だけにあるという不満を今の青年は強くもっている。たしかに野菜などにおいては、貧乏豊作といわれる年にあっては、消費地に運ぶ運賃も出ず、畑の中で腐敗するのにまかせるという場合も出ている。農業は天候によって大きく左右されるが、それと共に生産者が生産調整の役割を果し得ないためでもある。

農業では、皆と逆の方法をとれば、いつも高い価格で生産物が販売できる。即ち、豊作貧乏といわれるものを翌年作ればよいという考えがでてくるわけである。一種の投機的農業といえるが、これからの農業では果して、このような考え方が通用するであろうか。否というのが正しい方向といえよう。昨年高かったから今年は作ろうといって、皆が皆同じ考えで進むこともみられる。農民が力をあわせて行なう団結力がないといえるのがこの事実を物語っていよう。

工業では生産調整をよくやるが、これは同業者が団結して自己防衛に当っているものである。農業といえども、投機的な考えを失し、長期的な見通しにたって経営を進めるならば、当然同業者が情報交換しあい、団結して行かなければならない。それが、ひいては農産物の価格決定を生産者である農民自身の手によってなされるための一つの道程であるといえよう。

米価決定はそうした意味からいって、今日の形が正しい方法であるか否か十分考えてみる必要があるのではなかろうか。

（農林省・農業者大学校）

青春と仲間

農業者大学校に入学して

前進に新たな決意を

埼玉県児玉郡児玉4Hクラブ　木村登志男

私は私のために、最も農業が身近かに、しかもすばらしく感じられるのです。そして農業を愛することでは、絶対誰にも負けられない心の約束をにぎっているのです。私は農業を、単なる箇側的視点から考えたのではなく、何か現代の人々が見失ない、忘れつつある自然の恵みに心をひかれるのです。長く、それこそ果てしなく続く自然社会との共存を、より豊かに、そして楽しいうちに将来の私たちの指標としたいのです。

自分にふりかかる万事の苦難をも乗り切って進もうとする決心に

私は自信をもって毎日勉強に頑張れるのです。現時点での農業の激動を直視しつつ、新しい農業分析に新鮮な志を感じるのです。

「農業者」ということは、農民とか、百姓とか、いろいろ農業人の呼び方はあろうかと思います。しかし、この農業という職業は、多くの人に知られているようであって、上辺ばかりしか理解されてないのが現状かと思われます。そして、農業が今日の社会経済の中で、どのような価値を示しているかを私たちは知らねばならないことだと思います。

まず、農業という職業を、きわめて平均的に分類したならば、他産業に比べてまだまだ不合理なのは言うまでもありません。それというのは、労働に等しいだけの所得が得られなかったことにもありましょう。だが私たちは、自然の中で自然を考え、より共鳴できることの豊潤なる人間性を追求できるならば、世界の中でも、それは類を見ない幸せ者ではないでしょうか。そういう心のオアシス的農村社会の体質を知ったとき、私たちは感謝すべきであります。農業には、豊かなる広大な心、そして、たくましい根性と、健康で英知な頭脳がとくに必要だと思います。これらのスタイルを、すべての人々に自覚していただかなければならないでありましょう。農村を愛する者は、農村の健全発展を祈るために、農村経済を取り囲むもっともっと広い、大きな経済社会人の発展も心に思いながら進展することに、確かなる向上が図れるのではないでしょうか。努力することは、何にも勝るすばらしいことでありますが、無駄が無く、効果を実現させるような努力の仕方を選んで行かなければならないことであります。これら謙虚で素直な誠心をいつまでもいつまでも守り続け、農業を考え、前進に決意をはらおうではありませんか。未来の農業は私たちのそれら心の変転を期待しているのです。

明日の農業は、より正確に、より合理的に、より生活力に富むことがあたりまえでありますし、それらをより早く実現させるため、私たちの心の決意一筋に期待されている事実を理解せねばなりません。私たちはとてもすばらしい環境に生活できることを無駄にせず資育教しましょう。そして、基盤のしっかりした農業経営を行なおうではありませんか。限りない意欲に私たちは燃え、心の「カテ」になる農業を実現させましょう。

私は農業が楽しい。農業について語り合える今がすばらしい。それぞれが日本のため、いや今は地球という惑星で生活しているすべてのへや、社会のために、良きアドバイサーとならなければならないのです。

農業においては、地球農林局を設き、工業国家群と、農業国家群に分け、それぞれ共存繁栄を必ず実行させるのです。

私は、農業を平凡に終らせたくありません。農業で進もうとして、可能な限り、抵抗や誤差に負けれない意志と知識をからだ全体で学びたく、心の琴線の目的をもってこの学校に入ったのでした。より広い視野の中で、農業についてまじめに考え、判断し、行動する覚悟を身にひしひしと感じました。

農業エンジンは始動しました。われわれの手で農政を作り、農政をしき、農村環境の一大転換をと強く感じたのです。

勉強は、人間の命と感激によって、大きく連体関係をもつことを知ったのです。

（東京都下南多摩郡多摩町・農林省中央青年研修施設内、全協推せん第二回「青年の船」団員）

着実に4Hの花咲かせる

クラブはなくてはならぬ存在

熊本県菊池郡西合志町4Hクラブ　森　邦弘

私の4Hクラブとの最初の出合いは、さる昭和三十七年四月、鹿本郡植木町清水にある県立経営伝習農場に入ったときでした。

農場4Hクラブを組織しましたが、はからずもクラブの会長を任されました。しかし、なにぶん初めてのことで、何も解らず先生の指導されるままに、一年間、4Hの四つの信条にそって行事計画をたてて実施しました。そしてクラブの目的やあり方などを学び、三十八年の春に卒業しました。

しかし、卒業と同時に4Hクラブに入ろうと思いましたが、町には青年団はあっても、4Hクラブがありません。そこで、4Hクラブを結成しようと思いましたが、ご承知のとおり三十七～八年は、農村若年労働力の都市流出が最も激しいときで、しかも残っている農村青年の多くが、農業の将来や嫁の問題など不安な気持をもって毎日をただぼんやりと送っていたところです。

また、青年団員の多くもサラリーマンで、農業青年の数は少なく団の行事といってもレクリエーションが殆んどで、私たちに最も密接な農業部の行事でさえ、先進地視察や経営実績発表がある程度でした。これでは、前途に多くの困難な問題があり、内外ともに農業を取りまく情勢は、年々厳しくなっていくことを感ずる私たちにとっては不満です。

そうした中で、一人、二人としだいに農業を自分の仕事として真剣に考える青年が年を重ねるごとにふえてきたため、ようやく二年前、合志町4Hクラブを結成することができました。

結成当時はクラブ員も十名足らずでしたが、昨年度はすでに四十名余りのクラブ員にふえ、元気に活動しています。

4Hクラブは、他の青年団などにくらべて一人ひとりが自目的をもち、農業に対する積極的な考えを持って行動している点が違い、これが特徴です。現在は各自それぞれプロジェクトをもち、普及所や農協の指導によって実施中ですが、この結果は町の農業関係者に何らかの影響を与えるだろうとその研究成果が期待されています。

一昨年、私は県農村青少年技術交換大会に参加しましたが、良かったと思うのは、同じ農業を志ざす青年が県下各地区から集まり、農村、農業に対する意見の交換、プロジェクト発表など、発足間もない私たちのクラブにとっては参考になる点も多く、キャンプファイヤーや、フォークダンスなどで友情を深めて県下各地に新しい友もできました。

他の団体活動にはない、4Hクラブにだけしかない良さを心深くかみしめ、本当に意義あるクラブであると強く感じました。その大会の成果を町に帰って報告するとともに、自分たちのクラブの今後のあり方などについても話し合いました。

・その中から、土壌検定などの建設的な意見が出てきて、一昨年度はクラブ員だけの、昨年度はクラブ員各自の土地の代表的な土を持ち寄って検定しました。その結果、各部落の土はほとんどが強い酸性で、作物の生育に適さないことが解りました。この検定結果を、町役員の対策、農協、普及所の専門的な意見と合わせて町の広報紙に載せました。

クラブ員が土壌検定を発表しない前は、普及所、農協の栽培作物別の肥料設計表を各戸に配布したり、講習会などで説明しましたがいくら説明を聞いても、石灰の投入などをしなかったために病害虫の被害も多く、生育、収量においても満足のいく成績をあげることができませんでした。また肥料設計も昔ながらの"勘"に頼るものでした。

ところが、私たちの調査結果を聞いてから田畑に石灰類を投入するようになり、病虫害の被害もある程度は予防できるようになりました。このようにして、作物の品質、収量も少しずつではありますが向上し、指導機関の関係者はもとより、農家から大変喜ばれ、調査しない土地も、ぜひ調査してほしいと要望があります。こうして私たちの4Hクラブもまだ発足してから三年ですが、一つ二つと小さな花を咲かせています。

いまや、西合志4Hクラブは、私たち農業に従事する青年にとって、なくてはならない存在となっています。全国4Hクラブ員のみなさんのよきアドバイス、ご指導をお願いいたします。

OBは語る

人間形成をめざして

＜4Hクラブは、われらの財産である＞

久保　博　（下）

昭和四十二年度のわが家の様子と農業経営の実態を紹介すると、家族は父母、私、妻、妹（大学生）と長男の六名である。労働力は四人で、経営は水稲二・八㌶、畑（トマト、カンラン、白菜、ナス、キュウリなど）五十㌃、ブロイラー二千羽（年間出荷羽数）で、粗収入は約六百万円である。これは、私が4Hクラブに入った当時の六倍になる。

しかし、私にも悩みがある。昨年の十月に東畑精一先生がわが家を訪れた。そのとき「君たちのような青年たちが、将来も農業で生きる自信があるか」と尋ねられたのである。私は、即座に「ハイ」と答えた。だが、いまになって考えてみると、将来よりも今日ほど社会の中で生きるのはむずかしいと思う。それは、封建性、人間関係、因習などに起因する。

また先日は、私の父母に、近所の人は、久保さんの兄さんは会社か農協へでも勤めた方がよいのではないか！とけしかけるのであった。給料をもらって安定した兼業農家がよいのではないかと口うるさく忠告や心配をしてくれるのである。しかし、私は誰れが何んと言おうと4Hクラブで学んだ4H精神、技術、プロジェクトなどすべてを取り入れ、不屈の精神で生涯農業に生きる覚悟である。東畑先生が言われたことばの意味が解ってきた……農業の未来は君たちのものだ……ということが。

最後に、いま一度私なりの4Hクラブの今後のあり方を述べてみたいと思う。

日本の4Hクラブ活動も二十年を経過したが、この4Hクラブも、日本の風土に適した成長をとげ、いまようやく日本本来の4Hになる時期であると思う。同時にクラブ員の年令についても、二十五歳までは短かすぎると考える。

そこで二十五歳を延長しろという声を聞くが、私が考えるには、4Hへの入会時期が遅すぎるのではないかと思う。中学校で4H活動を行なってしかるべきである（富山県では4Hクラブ活動をしている中学校は以前に三校ほどあったが、現在は一校だけ）。その年代から農業者教育が必要だと思う。

また、プロジェクトも、年令に合ったものを取り上げるべきである。最近の農業青年の半数は、企業的経営をとなえるご時世だが、あとについてくる人たちのことを思うと、この指導にも細心の注意が必要になる。これからの農業経営は、大型化、省力化が進む一方、他産業に従事する人たちを止めることはできない。

しかし、真剣に農業と取り組む青年たちにとって、プロジェクト活動は、われわれの目的を果たす生命である。課題解決のため技術を学び、近代農業を推進するとともにお互いに切磋琢磨して実践を通して自己を錬磨し、より広い視野と豊かな人間形成の陶冶をめざして活動を続けてほしい。

だが、とかく現在の4Hクラブはレクリエーション中心となって、4Hクラブ本来の姿からはずれ、目的あるクラブ活動とは言えない。将来日本の農村を背負って立つ青年たちが、いまこそ基礎知識を身につけ、目的達成に役立つ実力を身につけなくてはならないと思う。これが実践活動を旨とする4H活動であり、人間形成の場である。

また、4Hクラブ活動は、将来も農業に生きようとする青年たちの集団であることには確かで、それをいかにして伸ばすかにある。4Hクラブの他に農村には、農事研究会、農協青年部と組織はあるが、4Hクラブ活動は二十周年にあたり、いまや本来の姿にもどし、その活動を通して、自己の経営、自己を伸ばす教育の場とすることが急務である。

こん後、さらにむずかしい農業情勢に直面し、ますます農業青年の減少が汚うだろうが、資質的に向上した4Hクラブにすべきだと思う。同時に農村の人たちは、若いわれわれを信じて農業経営のいっさいを負かせて、親の経験を強制しないよう望みたい。

そして、全国の4Hクラブの仲間たちが、4Hの組織活動に結集して、大地に足をふんまえて農業に取り組んで行こうではありませんか。

いま、かえりみると、4Hクラブ活動六年間の想い出が次から次へと思い出される。私の書いた体験文が参考になれば幸いです。

―4Hクラブは、われわれの財産である―　（おわり）

（元全国4Hクラブ連絡協議会代表評議員、同富山県4Hクラブ連絡協議会々長）

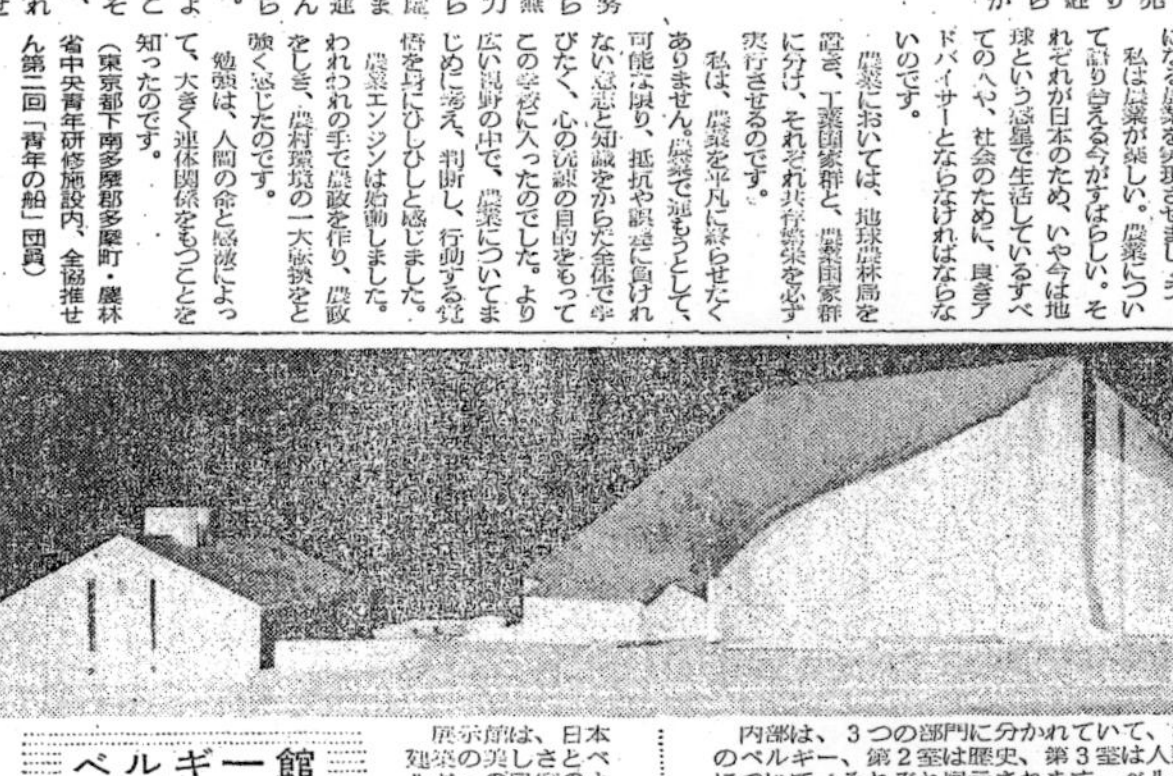

ベルギー館

敷地面積…5280㎡
出展費用…約18億円

展示館は、日本建築の美しさとベルギーの民家のよさをミックスした建物で、高さ20ｍ、奥行き55ｍ。カワラぶきの屋根で壁はコンクリート造り。１むねの付属建物がつき、まわりは広い庭で、ベルギーの伝統的な農業の姿を象徴したものです。

内部は、３つの部門に分かれていて、第１室は現在のベルギー、第２室は歴史、第３室は人類共通の未来について、それぞれ展示されます。ベルギーとはどんな国かを示すことによって、ベルギーの文化・芸術・科学・技術などが、日本とどれほど多くの共通点をもっているかが強調されます。

このほか、レストランもつくられます。

＜日本万国博覧会展示館＞

生活 もの知りコーナー

胃腸の調子をよく

▼梅干にはこんな効めが…

昔から梅干は、食中毒の予防や胃腸の調子を整えるのに効めがあるといわれ、食事ごとに食べるのを健康法にしている人もいます。

たしかに梅干にはいろいろな効果があります。

その一つは、腸内の異常発酵をおさえる力があるわけです。梅干をみただけで、あるいは思い出しただけで、口の中に唾液がたまってきますが、あの強烈な酸（リンゴ酸、コハク酸、酒石酸）が胃腸を刺激し、その結果腸の中の酸性度が高まり、腐敗細菌の繁殖力をおさえたり殺したりするわけです。

また、殺菌力のある成分（ピリルアデヒト）も含まれていますから、これも腸内の細菌の繁殖を防ぎます。いわゆる腸の弱い人には整腸剤の役目を果たしてくれるのです。また、この成分には防腐力もあります。夏など、ご飯の中に入れたり、おむすびに入れたりするのはこの梅干の防腐性を利用しています。

それから、梅干を食べると、ビタミンB1の吸収をよくすることも見逃がせません。

つまり、ビタミンB1を破壊する細菌の繁殖を防ぐ力が梅干にあるのです。こどもに多いビタミンB1の欠乏症（アノイリナーゼ症）の予防に、医者は梅干を食事のつど食べさせることをすすめるそうです。もちろん、大人のビタミンB1欠乏症の予防にも役立ちます。

以上のように、梅干にはいろいろの効能がありますから常備しておくとちょうほうします。

ただし胃酸過多症の人はひかえたほうがよく、また青梅の青酸には注意が必要です。青梅の核の中には、分解すると有毒な青酸ができる成分（アミダリン）が含まれていますから、種子をかみくだいたり、のみこんだりすると中毒を起こします。未熟な青梅は核が柔らかくて砕けやすいので気をつけましょう。

詩

土に生きる

滋賀県神崎郡五個荘町農業後継者クラブ　北川富蔵

土に生きる人々は
強くたくましい筋肉を持っている
その盛り上った筋肉の一つひとつの筋が
苦しさ、厳しさの固まりである
黒い固まりの筋肉は、1日も休まずに動き続ける
体を動かすたびに、また、新しい筋肉が生まれる
そうしてより動き、働くと
より一層黒く、たくましい筋肉に成長する
それと一緒に心までも強くなる
友よ！
自分の腕、胸、そしてからだ全体を見よ！
この日のために鍛（きた）えておいた筋肉の一つひとつを思い起こせ！
こんなことぐらいで、まいるような君の筋肉ではないだろう！
若者は、汗した黒い腕の筋肉を見ながら、明日へのファイトを燃やすのだ！

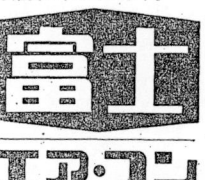

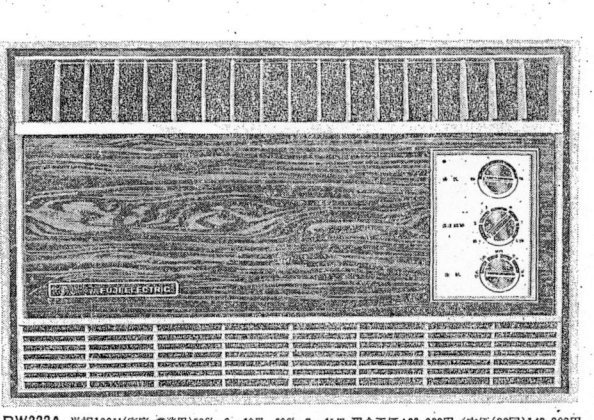

日本4H新聞
4Hクラブ 農事研究会 生活改善クラブ
全国弘報紙
発行所 社団法人 日本4H協会
東京都[illegible]
定価 1部 20円

クラブの綱領

私達は誠実で友情に富む心をつちかいます。[illegible] 私達は科学的な[illegible] 楽しく朗らかに元気で働くための健康を増進します。

「つどい」の準備急ピッチ

受入れ体制着々と
参加者 前回上回る予想

全国4Hクラブ員の一大祭典ー「全国4Hクラブ員のつどい」は第五回を迎えて、全国4Hクラブ連絡協議会（会長、黒田保君）鳥取県農村青年会議連絡協議会（会長、安積秀雄君）社団法人日本4H協会（会長、松下幸之助氏）の三者共催のもとに、来る七月二十七日から五日間、山陰の地・鳥取県の米子市、大山を主会場として花々しく開催されるが、地元・鳥取県連を中心に着々と準備が進められ、ムードを盛り上げてきている。また、各県連から参加者の申し込みがぞくぞくと続いており、奈良で開かれた前回のつどいを上回り、過去四回のうちで参加者数において最も大規模になることが予想されるが、つどい事務局ではさらに大勢のクラブ員が参加されるよう望んでいる。

鳥取県連では、毎年夏に開く技術交換大会を取り止めて、このつどいの成功のために全力を注いでいる。つどい準備委員会を結成し、過去六回にわたって会合をもち、全国の友を迎える体制を整えるとともに、制服を新調し、つどいに参加する県下の全クラブ員がこれを着用して意識の統一と昂揚を図るなど、かなり意欲的な動きをみせている。なお、全協、鳥取県連、4H協会関係者によるつどいの打ち合わせと会場の下見聞が、さる五月十二、十三の両日、つどいの宿泊所の一つ、大山観光会館などで行なわれた。

＝関連記事2面にもあります

人員の把握を急ぐ
鳥取県連 第六回の準備委員会開く

【鳥取県＝山本哲嗣連絡報道員発】われわれクラブ員の手で、クラブ員のために家族ぐるみの自主的な若い農業者の大会を開こうーと、いう全国4Hクラブ員のつどい"鳥取のつどい"も開幕までにあと約六十日を残すだけとなった。

鳥取県農村青年会議連絡協議会（会長、安積秀雄君）では、宿舎や会場、その他の予備調査など準備委員を中心に順調に進めているが、さる五月十二、十三の両日、鳥取県大山町、県立大山観光会館で全協役員、4H協会、鳥取県関係者らをむかえて"鳥取のつどい"第六回準備委員会"を催した。

同準備委員会は十二日午後八時から開かれ、安積準備委員長（鳥取県連会長）のあいさつに続いて協議事項の話し合いに入った。安積委員長はあいさつの中で、とくに総力あげて「予定より遅れている参加者数の把握を急ぎたい」と要望。この参加者数の把握は、今後、現地研修などを進めるための基礎的な条件になる」と強調した。

協議事項では、初め県の上原青少年担当官から準備の進行状況について説明があった。同氏は、この中で「ほぼ順調に進んでいるが問題点として参加クラブ員数の把握が遅れている」と説明した。

鳥取県連としては❶経営大学校生は町村クラブにまかす❷また正式に報告のない農業高校生の交渉を急ぐこと❸大会一日目だけの参加[illegible]

大山の五つの旅館、ホテル、キャンプファイヤーの鏡ケ成の広場を予約済みしていること、また、バスについても日本交通とほぼ話しがついたことを確認しあった。

記念植樹は、カラ松百五〇本（一県当り三本見当）を植樹、レセプションの入場式と閉会式には自衛隊と県立経営大学に演奏を依頼することを決定した。また、登山についてはリーダーを県山岳協会に依頼、そのサブリーダーを県連から出し、トランシーバーを全協と県連がそれぞれ用意することになった。医療関係では看護婦二名を日赤鳥取支部に依頼することを決めた。

このほか、ファイヤーは鳥取県連で進行、レクリエーション指導は日本レク協会の吉田先生に依頼することなどを決定して、十三日午前一時過ぎ第一日目の話しあいを終った。

また十三日夜、準備委員会に先立って、全協、鳥取県連、4H協会関係者と旅館側との間で、風呂に入る時間や、登山者へ弁当を作ること、などを話しあい、人数を六月末日までに旅館に報告すること、を約した。

十三日は、昨夜の話しあいが予定以上に延びたので登山をとりやめた。

米国から"草の根大使"二人
今月下旬に来日の予定

マーガレット マローンさん

マイケル ウェングリン君

国際農業青年交換（IFYE）計画に基づいて社団法人日本4H協会が[illegible]米国から招く4Hクラブ員の代表"草の根大使"二人の氏名、[illegible]マイケル・ウェングリン君（二〇）ニュージャージー州とマーガレット・マローンさん（二四）イリノイ州で、今月下旬に来日の予定。

[illegible]

▽マーガレット・マローンさん ▽身出地 イリノイ州 ▽宗教 カソリック ▽年令 二十四歳 ▽家族 両親、兄三人、姉一人 ▽学歴 大学の室内デザイン科および家政学二ヵ年研修 ▽クラブ歴 4Hクラブ六年、FFA四年 ▽農場経験 農場生活一八年、肉牛、ひつじ、ニワトリ、トウモロコシ、大豆、カラス麦栽培。▽趣味 造園、裁縫、読書、キャンプ ▽学びたいこと ❶日本の建築、家具❷生け花❸料理❹商品の製造❺茶および米の生産❻4Hクラブの栽培プロジェクト

第5回全国4Hクラブ員のつどいの開・閉会式会場となる米子市公会堂の正面玄関

涼風暖風
伝統部門から進歩部門へ

アメリカの経営学者ドラッカーの新著「断絶の時代」が、ベストセラーになっている。この本は「来たるべき知識社会への指針」と副題がつけてあるように、[illegible]

[illegible]推進されたのである。終戦当時、日本の労働人口の六割は農民であった。それが現在[illegible]業は最も伝統的な部門から進歩的な部門となってきたのである。

関東で「協議会」結成
まず九月にクラブ推進会議

関東ブロックの九つの県連（茨城、神奈川、群馬、埼玉、静岡、千葉、栃木、長野、山梨）が、このほど「関東ブロック農村青少年（4H）クラブ連絡協議会」を結成した。

かねて同協議会結成の準備を進めてきた関東ブロックの九県連は各県連から代表者三名以上の出席のもとに、さる五月二十九日午後一時から東京・新宿区市ケ谷船河原町の家の光会館で発会式を行ない、規約、役員、事業計画や予算などを決めてスタートした。これによって関東各県連の連絡協調、発展が図られるものと期待されている。予算としては、各県連の分担[illegible]

[illegible]会長、村上事務局次長、4H協会から山本総務部長らが出席したが、このあと、全国評議員会と県連会長会議の開かれる徳島にむかった。

同日選ばれた関東ブロック協議会の初代役員は次のとおり。

▽会長 高山勝利（栃木）▽副会長 大山弁（群馬）綱川信夫（埼玉）▽事務局長 石沢恒一（栃木）▽事務局次長 伊藤敏行（千葉）塩島栄雪（山梨）▽監事 葛西健三（茨城）井出五朗（長野）中野正義（神奈川）

副会長一名は未定で、静岡県連から選ばれることになっている。

高山会長

黒沢評議員

荻野評議員

幅広い仲間づくりを
広島県連で総会開かる 会長に堀川君を再選

【広島】広島県農村青少年クラブ連絡協議会（会長、堀川隆夫君）では、四月三十日、五月一日の両日、広島県青少年文化センターでリーダー研修会をかねて、昭和四十三年度の県連通常総会を開催した。

総会は、会長あいさつのあと、議長選出、議事録署名人、書記の任命があり、第一号議案から第七号議案まで審議された。

とくに、第一号議案の事務報告では、記念誌「農村青少年活動のあゆみ」の発刊などを行ない、県連として活発な活動をもの語った。また、第二号議案の昭和四十四年度活動方針に基づく事業計画と収支予算の決定にあたっては、「クラブ員数もわずかに増加し、郡単位の連絡協議会が結成されつつある中で、行政の力によりかかっていたクラブも自主独立の気運の方向にある。ここで県連は単位クラブとの連携を強めるため、事務局体制の確立を図り、最低一カ月一日を目標に執務に従事するように努めることにした。

また、多くのクラブ員を各種の全国大会や研修会に送り、全国のクラブ員と幅広い仲間づくりを行ない、機関誌「農村青少年」の発刊と日本4H新聞の購読部数の増加を図り、自主財源の一端にするという方針のもとに各事業計画が原案通り承認された。

また、規約の一部改正が行なわれ、役員の副会長は男女各一名とし、事務局次長二名が新たに加えられた。つづいて、4H会館建設の募金、日本4H新聞購読促進については積極的な取り組みが示された。

役員改選については、会長に堀川隆夫君が再選され、副会長に井上清俊君、同 岡一恵さん、事務局長に沖原啓治君、事務局次長に外田照幸君、同 前田克己君らが選出された。このあと「クラブ活動上の問題点と今後の方向」について参加者による分科会が行なわれた。

土と人と
気はやさしくて力持ち
ー南予の農民ー

堀越久甫

愛媛県の南の地方を「南予」というが、ここで取材をしていると き、ふと気のついたことがある。

それは、この地方の農家の人たちは、笑うと目の眼元が、なんとも いえぬ優しい表情を見せることである。それはあるひとりの人ではなく、全部の人が例外なくそうなのである。わたしはそのことを吉田町の役場の方に話した。

「そうですかねえ。わたしらはちっとも気がつきませんけど…」

と、役場の人は不思議そうな顔をした。

それはそうだろう。この町に生まれ、この町で育った人たちにすれば、自分も、自分の周囲のすべての人がそうなのだから、その特徴に気のつくはずはない。だが、そのことは間違いない。

私は心の中で思った。これは人種的な特徴かもしれないぞと。周知のように、いまは全く同一民族になっているわれわれ日本人も、遠い先祖をたぐると いくつかの違う民族に分かれるらしい。そして、その違いがいまもかすかにその痕跡を各地方に残している。例えば、山口県人の平均背長は、日本全体のそれよりもぐっと高く、朝鮮の人たちと同じであり、ヤマトコトバにはない中古音があることがある。身が東北地方にある、などということがある。

まあそういうことの推理は人類学者や言語学者に任せるとして、とにかく南予の人たちの眼元が優しいことはいちじるしい特徴である。

そのころーわたしが南予の地へ行ったときは、真夏で、激しい干魃の最中だった。人々はミカンの木が枯れそうだと必死の働きをしていた。だから人々の顔は陽にやけて真黒になっていたが、その真黒な顔の人が笑顔を浮かべると、ひどく優しい眼元になるのだからおもしろい。

というと、この地方の人々は女性的な気性の持主かというと、それがまたひどく違うのだ。

わたしが、吉田町の玉津地区へ取材に行った目的は、ここのミカンづくりの人たちが、海を越えた大分県の国東半島に進出、ある人は移住し、ある人は出作りしている姿を調べることにあったが、そのように、この人たちは、大へん進取の気性に富んだ性格をもっているのである。女性的どころではない。すぐれて男性的なのである。いうまでもあるまい。誰でも故郷を出るのはいやだ。大都会への憧れ、就職のためにやむなく、といった理由でもない限り、特に農業をやるのに、他所の土地へ行くというのは容易なことでない。それなのに、吉田町では、国東半島へ移住した人が六十名、出作をしている共同グループが十四組もある。

そして、もう一つのことをいえば、この移住、又は出作は追いつめられた形ではない。自分の村にいて、このままでいても十分やっていかれるという中で行なわれたことだ。その積極性は図ぬけている。

「さあさあ、もうお昼だから、いっしょに食べませんか」そう言ってすすめてくれた宇和海でとれたという小魚はおいしかった。

わたしは、お昼をご馳走になりながらこう思った。子どものころ「気はやさしくて力持ち」桃太郎さんの歌を唱ったことがある。桃太郎さんの歌にそういう言葉があったが、ここ南予の人たちはまさに桃太郎さんのように「気はやさしく」、そして一方では「力もち」つまり強い人なのである。

わたしは想像した。遠い、遠い昔のこと、何万年かのまえ、南洋のどこかの島に、笑うと眼元のやさしい種族がいた。その種族は大変積極的な気性の人たちで、あると き楽園を求めて舟に乗り、その小さな島を出て、八重の汐路を越えてヤマトの島にきた。そしていまの南予地方に居住し、今日に至った。

それは宇和の海があまりにも美しかったので、わたしの見た白日夢であろうかー（農村評論家）

心頭技健

日本海と太平洋（瀬戸内海）を同時に眺めながら、志を同じくする全国の友と語り合えるとしたら、どんなに素晴しく、また、ぜいたくな楽しみであろう。こんどの「全国4Hクラブ員のつどい」で、天候に恵まれさえすれば、それが実現できるというのである▼つどいで登山する大山は、中国地方では一番高い山で、晴れた日には頂上附近から遠く四国まで望めるという。日本海は旅館のある大山寺附近から眺めることもできるが、日本本土をはさむ二つの海を同時に望める機会はそうさらにない。いま、各県連から参加者の申し込みが続いているが大山登山を希望している人が多く、七月二十八日の登山は圧巻となることが予想され、4H色で塗りつぶされるに違いない▼ただ、鏡ケ成での話し合いやレクリエーション、キャンプファイヤー、記念植樹にしろ、このような野外での行事は天候に大きく左右され、その大会の印象にも影響してくるので好天が待たれるわけである▼この七月下旬というのは、全国的に夏のうちで最も天候が安定している時期で、静岡県の北駿4Hクラブが全国のクラブ員に呼びかけて実施している富士登山もやはりこの七月下旬。それだけにこの時期を選んで行事を催すところがあり、このつどいに参加できないクラブ員がいることは甚だ残念でもある▼しかし、組織という観点からも、このつどいに一人でも大勢のクラブ員が参加されるよう望みたい。このつどいの大きな特色は、クラブ員みずからが企画、運営し、自費で誰れでも気軽に参加できるということや、家族ぐるみの4Hクラブ活動の推進、現地交歓訪問などであろう▼現地訪問は、クラブ員の家に宿泊し、農業について学ぶとともに、家族の人たちとの生活を通じ、4Hに対する理解を深め、その土地の生活様式を知り、また、各地に友だちができるなどの収穫があり、クラブ員にとっては魅力ある行事の一つとなっている▼農業経営が忙しい人も多いと思われるが、クラブ活動に費す労力は投資でもある。全国の友よ、この七月に、山陰の地、鳥取で逢おうではないか。

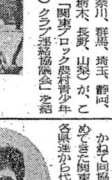

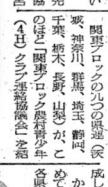

鶯鳴く鏡ケ成

四国を望める大山の頂上

話し合い、レク会場

「第五回全国4Hクラブ員のつどい」についての主催側関係者による打ち合わせと会場の下見調が、鳥取県の青少年担当者をまじえて、さる五月十二、十三の両日、開催地の鳥取県で行なわれた。十二日は午前中、鳥取市の県庁でつどいの準備進行状況などについて話し合ったあと、鳥取県連の山本前事務局長と霜田さん（全協の副会長に選ばれた）の車で、三浦前会長らとともに米子市へ。まず開・閉会式場となる市立公会堂を見て廻ったあと同所で役員会を開いていた鳥取県連役員と合流し、市立体育館、続いて、話し合いやレク会場に予定されている鏡ケ成を訪れ、夜は宿泊所の一つ、大山寺近くの大山観光会館で午前一時過ぎまでつどいの細部について打ち合わせた。翌十三日は宿泊する五軒の旅館を見て歩き、このあと散策コースに足を運んで散会した。打ち合わせの内容などについては、一面に山本県連役員が紹介しているので、ここでは主な会場について紹介してみよう。

大山をはじめとして米子市公会堂、鏡ケ成、大山寺近くの旅館などすべての会場が、このつどいのために、ずっと以前から用意されていたような錯覚をおぼえる。つどいの計画をたてた当初に考えられた鳥取の名所、砂丘や砂丘農業の視察や日本海岸での海水浴は都合で取り止めとなったのは残念であるが、このような舞台装置、環境の中で全国の仲間と語り合い交歓できることはなんと素晴しいことであろう。

全国からクラブ員が集まってくるまでには、これらの会場に歓迎のアーチが立てられ、参加者の道しるべをしてくれることになっている。

大山は標高一七二九㍍。中国地方で一番高い山だ。山の北側にはタテに線をひいたようにまだ雪が残っていた。奈良時代から平安時代にかけて山伏の修験道場として栄えたが、現在では、冬はスキー、夏は登山やキャンプなどで、各県から訪れる若い人たちで賑うという。山頂からは日本海はもちろん、四国まで望めるそうである。

また、米子や皆生温泉方面から見た大山は女性的で秀麗だが、北面は男性的で荒々しく岩肌をむき出している。この日歩いた鳥取市から米子市、大山寺、鏡ケ成への道中にみる山は、すべてその姿を変えていた。

標高約八百米の宿舎附近からみた大山

この山頂に、レンズ雲（両ワキが厚く中央が薄いもの）がかかると、雨が降るという面白い話を三浦君らが教えてくれた。

次に米子市公会堂は、市制三十周年を記念して、十一年前に建てられたもの。とくに、殿堂を思わせる、りゅう線形をした正面の姿がモダンで特徴的である。

主会場となる大ホールは、昨年のつどいの会場であった奈良県の文化会館のそれと形が似ている。

正面幅約十八㍍、奥行き約十三㍍のステージがあり、音響効果や照明器具などにも工夫が凝らされている。座席は、固定席が一千二[illegible]十八、補助椅子二百五十で[illegible]百二十八。

米子市体育館は、現在工事中で来る二十日ごろ完成が予定されている。二千人を収容できる広さで、その敷地内から体[illegible]金形をカメラの中におさめ[illegible]難しいほどだった。

旅館のある大山寺は標高[illegible]㍍。美しく舗装された有料[illegible]通るが、米子市から乗用車[illegible]四十分、バスで約一時間か[illegible]道の両側には、参道を思わ[illegible]うな大杉が整然よく列をな[illegible]る。白樺も多い。そして、[illegible]の木々の間に、今にも倒れ[illegible]傾いた家がみられる。とい[illegible]わけであるが、緩やかな坂[illegible]うに家屋は水平に建てられ[illegible]実は、コップの水がこぼれ[illegible]たため坂道の勾配を感じさ[illegible]ために起る錯覚である。し[illegible]みんながそう感じるから不[illegible]ある。車から下りると足も[illegible]らふらとして傾ずきりし[illegible]う。

眺望よい宿舎附近

この旅館からの眺望はよい。近くに大山を仰ぎ、眼下遠くはるか彼方には日本海、弓ケ浜、さかい港、隣県、島根県の宍道湖などを望むことができる。

つばめが肩にふれるように飛びかい、新緑が目を圧する。

ここから、やはり車で三、四十分のところに鏡ケ成、国民休暇村がある。途中の道は急カーブと上り下りの坂道の連続で、景色は見たいし、急カーブにひやひやでもある。

話し合いやレク、キャンプファイヤー場となり、記念植樹をする鏡ケ成は、山に囲まれた盆地のようなところ。うぐいすの鳴[illegible]こえてくる。今はひっそり[illegible]いるが、夏になるとキャン[illegible]涼みの人たちで賑わうので[illegible]静、明と暗などの演技を[illegible]キャンプファイヤーなどこ[illegible]中でどのように進めるか[illegible]あり、また、キャンプファ[illegible]を計画し、指導すること[illegible]鳥取県連の腕のみせどころ[illegible]う。

記念植樹をする場所は、クラブ員が整地することになっているという。ここで催しがくりひろげられるように好天を祈[illegible]である。

なお、鳥取県連のつどい[illegible]員は次のとおり。

▽委員長 安住秀雄（八[illegible]頭町）▽副委員長 三浦[illegible]伯郡東伯町・前年度県連会[illegible]事務局長 藤田道明（岩美[illegible]町）

▽委員 谷永徳雄（西伯[illegible]町）前田賢（倉吉市大谷[illegible]子（西伯郡中山町）治[illegible]（岩美郡国府町）金光か[illegible]伯郡関谷町）山本耕太郎[illegible]智頭町）中嶋正幸（東伯[illegible]町）岩田泰弘（東伯郡三朝[illegible]崎隆安（米子市大篠津）八[illegible]（西伯郡大山町）坪倉富[illegible]郡日南町）霜田久子（鳥取市的場）

リレー・クラブ紹介　われらのクラブ

<南畑4Hクラブ（埼玉）

芳野4Hクラブ　埼玉

山田英夫君記

堀兼4Hクラブ（埼玉）>

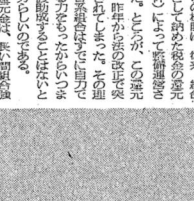

地域農業の発展図る

少数精鋭主義をモットーに

私たちのクラブは、クラブ員が少ないからといって人集めのためにレクリエーション中心の活動を行なうようなことはせず、クラブ員一同が団結し、少数精鋭主義をモットーに相互の理解を深め、近代的農村青年になるようみんなで努力しているグループです。

会員がレタス栽培をプロジェクトとして取りあげていますが、その中で生じる疑問点を各人が週一回の定例会にもち寄って、みんなで研究しあい、また、普及員や優秀農家の人と相談していいレタスをつくりだすよう頑張っています。販売面では共同搬荷を行なっています。

また、地域とのつながりを密接にして、農協の肥料や飼料を農家に配達したり、農家の実態調査、土壌検査などを共同で行ない、これからの地域農業のあり方を研究したり、また、公民館の行事を援助しています。

クラブの活動資金は、会費一人千円を前期と後期に分けて徴収するほか、農協からの援助金一万五千円、そのほかに春と秋の肥料配達と米麦のはねつけをして、その報酬金の一割をクラブ費として納めるようにしています。

この辺りは、主に米麦中心の水田地帯なので、農閑期になると勤めに出る人が多く、とくに女子クラブ員が少ないのが悩みのタネです。一方、年一回の先進地農家の視察を兼ねての慰安旅行、夏のぼん踊り大会、秋の地区体育祭、冬のスキー、スケート教室のほか定例集会など楽しいクラブの行事もたくさんあります。

今後は、都市化に即応して、現在の米麦中心の農業から脱皮し、園芸、畜産などを取り入れていきたいと考えています。

次に、クラブ役員の構成、クラブ員名、主な活動、行事の内容を紹介しますと次のとおりです。

クラブ役員の構成

会長一名、副会長二名、会計、書記、レク係各一名、レタス研究会＝会長一名、写真班、資材係、記録係各二名。

クラブ員名

山田英夫(二三)　江田一夫(二三)　細田英夫(二三)　月吉忠夫(二三)　波田野規行(二二)　長沢洋(二二)　長沢一雄(二二)　田口喜一(二二)　山崎彰(二二)　他十八名

主な活動の内容

- 四月　新入クラブ員歓迎パーティ、総会
- 五月　土壌検定、肥料配達
- 六月　他地区との4Hクラブ交歓会
- 七月　麦のはねつけ、キャンプ
- 八月　4Hクラブ主催のぼん踊り大会
- 九月　ソフトボール大会参加、三峰青年の集い参加
- 十月　地区体育祭参加、米のはねつけ
- 十一月　肥料配達、※のはねつけ
- 十二月　クリスマス・パーティ
- 地区農家実態調査、人参、ゴボウの販売
- 一月　新年会
- 二月　スキー、スケート教室
- 三月　先進地農家視察旅行

ブラジル88村巡行

日本政府派遣農村青少年指導専門家　湯浅甲子

〈7〉

望みは日系二世に

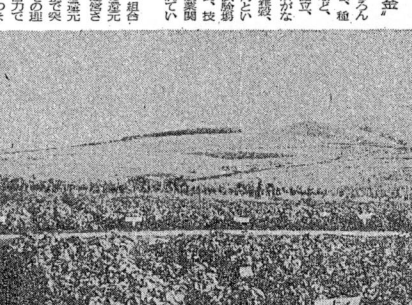

危機感にゆれるコチヤ産業組合

後継者断絶の危機

[illegible]

会員への姿勢に問題

[illegible]

二、三世に新しい芽

[illegible]

「対策」に固い誓い

[illegible]

廃止された"還元金"

[illegible]

コチヤ産業組合農事試験場のバレイショ試験畑

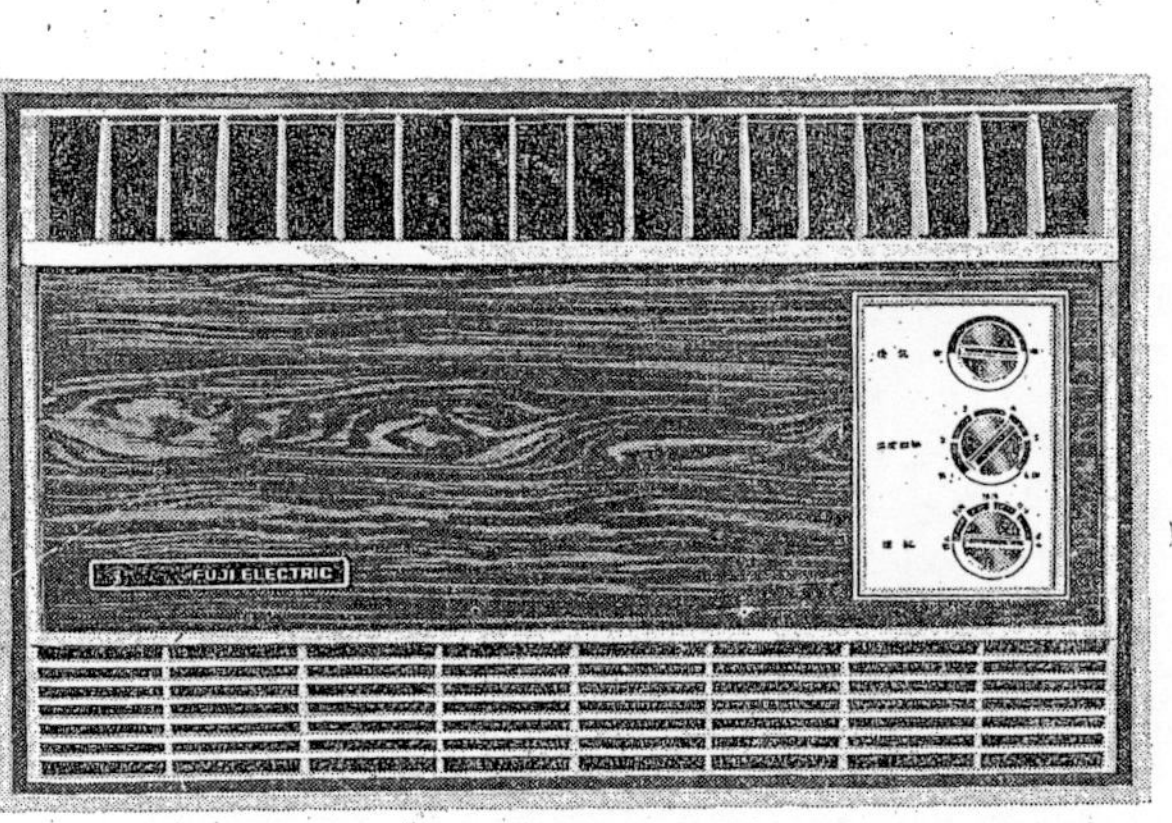

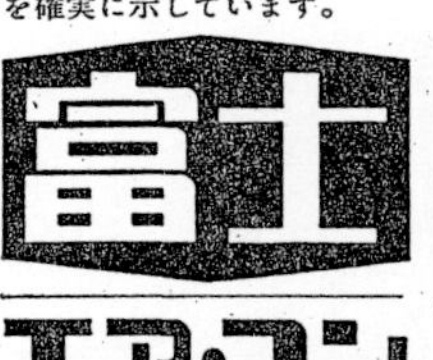

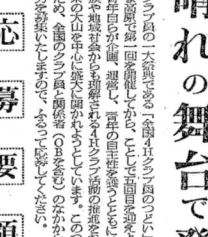

ハウス用の作業衣

人体への影響考える
涼しく、温度調節に工夫

宮崎県串間市大平西方未来若人生活研究会　瀬治山ヤス子

南九州の宮崎県は、日南海岸など観光の面でよく知られていますが、私の住んでいる串間市は、宮崎県でも一番南にあたり、年間平均気温十七・四度と暖かな所です。この地方は、一年に二度も米がとれ、稲作に頼った経営がされてきましたが、最近はビニールハウスによる蔬菜園芸とみかんなどがのびてきました。

私の家は、水田八十アール、畑七十アール、鉄骨ハウス十五アール、肥育豚七頭の経営をしていますが、蔬菜園芸と水稲が中心になっています。家族は六名で、農業は父母と弟、私の四人で行なっています。

私たちの生活の中で、農作業を [illegible] とで、私の家の作業衣を調べてみますと、古衣を利用したのがそれに二～三枚のほか、ほとんど既製品を使用していることが解りました。それによる問題点を整理してみますと——

一、腰を曲げると腰の部分にすき間が出来る

二、ビニールハウス内での作業は上着をぬいで下着だけでしなければ暑い

三、生地がいたみやすい——などです。

[illegible] の不便を感じてきました。そこで私は、作業衣について研究してみることにしました。

温度調節の改善点

まず、三つの問題点をなくすために、父の作業衣であるエンカ服をみて、腰の部分がつづいていることや全体的に体中がよごれないことにヒントを得て、（図右）の作業衣をつくりました。ところが、実際に着用してみますと、用便しやすいように前あきを後股上まで開けてみましたが、下着にファスナーがひっかかり、不便であることに気づきました。それで用便しやすいような型をいろいろ考えて、（図中）の作業衣をつくりました。これは、後の方だけ身ごろとズボンの部分にわけ、ズボンの後の方にはゴムを入れ、両脇にファスナーをつけ二十センチほど開けました。この時、上身ごろの下の部分は曲って作業をする時を考えて、二十センチのばしました。これにより、用便はしやすくなったわけです。布地は両方ともナイロンデニムを使用しました。

この作業服は、普通の作業時は不都合を感じなくなりましたが、私の場合ハウスの中での作業が多 [illegible] 考えてみました。ハウス内の作業は十二月から六月までつづきますので、まず、ハウス内の温度、外気温の差について調べた結果、ハウス内の温度は、キュウリの適温が日中二十五～二十八度ですが、三十度をこすこともあり、外気温との差は、一月、二月で約二十度前後のひらきがあります。この差による人体への影響は [illegible]

そこでハウス内での温度調節のしやすいこと、汗をとりやすい布地にすることを考え、さらに前に述べました三つの問題点を解決するために、まず、（図左）ブラウスを考えてみました。

働きやすいこと、温度調節のできることを考え合わせて五分袖のラグラン袖にしました。また、ゆとりを十分にとって前開きファスナーにして衿までファスナーをつけ、暑い時は衿口を開け、寒い時はしめられるようにしました。

背丈にゆとりを

ブラウスの下の部分は、スラックスの中に入れる時を考えました。実際曲った作業をする時と普通の時の背丈を計ってみましたら、私の場合十センチの差がありましたので、少しゆとりをみて十センチにのばしました。また、腕の部分は補助布をつけ、手甲はブラウスと共布で上部と手首にゴムを入れました。手の甲の部分は、必要でない時は上に折り曲げてボタンで固定します。ハウスの中では、ブラウスの下に手甲をすると風通しがよくなり涼しいようです。布地はギンガムを使用し、汗とりを考えてブラウスの下に綿のアミシャツを着るとよいと思います。

次にスラックスです。私の工夫した点は、腰の部分とスソの部分です。ウエストの部分は後をゴムにして、曲った作業でもしやすくして、前はベルトにしました。スソの部分は、ハウスの中で暑い時は、スソを折り曲げて作業できるように、普通のスラックスよりも広めにして、小さなベルトを外脇につけ、働きやすいようにしました。また、曲げた時のデザインを考えて、ブラウスと共布で、スソの部分を縁うちをし、もちろん、前ひざにはひざあてをつけました。

よごれ防ぐ補助衣

また、作業の時前の部分がよごれますので、補助衣としてエプロンをつけました。首つりにすると上を向いた作業をする時やポケットに物を入れると作業がしにくいので、たすきにしてウエストにゴムを入れ、ウエストの部分はひもをつけると狭いハウスの中ではひっかかるのでボタン止めにしました。ポケットは大きくして収穫時のハサミや汗ふきを入れるようにしました。

次に帽子ですが、ひさしに日おおいをつけ、寒い外の作業や防除の時は顔をおおって寒さや薬剤を防ぐようにし、ハウスの中では涼しいようにヒモだけで固定します。

以上のように、一般の農作業衣とさらに私の家のハウス野菜栽培用の作業衣を中心に考慮してみましたが、これでハウス内の作業も楽しくできるようになりました。

この作業衣の製作費用は、布地のギンガムが三・五メートルで七百円、デニムが二・六メートルで千四十円、その他付属品で約二千円です。

私は、この作業衣の改善を通して考えましたことは、自分の作業衣だけを中心に考えましたが、これからは家族のものも研究してみたいと思います。また、私だけのプロジェクトとしてでなく、共に励まし合いながら学ぶ友だちみんなと考えていきたいと思います。

写真は瀬治山さんが改善した作業衣（右上のデザインを仕立てたもの）

農業法令の手引

農業協同組合 —その2—

（イ）組合の事業の範囲や実施方法については、次のような制限が設けられています。

❶ 組合員に出資をさせないいわゆる「非出資組合」は、右の❷貯金等の受入れ又は❾共済の事業を行なうことができない。

❷ 組合員以外の者の事業利用分量の額は、組合員の利用分量の額の五分の一（右の❼のうちの加工、❽農村工業、❿医療、⓮農地信託等については組合員の利用分量の額と同額）をこえてはならない（員外利用の制限）。ただし❷貯金等の受入れ、❾共済及び⓮農地信託については、組合員の世帯員などは組合員とみなされる。

❸ 右の❷貯金等の受入れを行なう農協連合会は、❶資金の貸付け及び附帯事業のほかの事業を行なうことができない（信連の他事業禁止）。

この連合会は、会員のための手形の割引、国、地方公共団体又は定款で定める金融機関のための会員の債務の保証又は債権の取立て、農林中央金庫その他金融機関の業務の代理、内国為替取引を行なうことができる。

❹ 右の❾共済の事業を行なう農協連合会はその附帯事業のほかの事業を行なうことができない（共済連の他事業禁止）。

❺ 組合が右の共済の事業を行なうについては、❶共済規程を定め行政庁の承認を受けること、❷農林省令の定めに従い責任準備金を積み立てること、❸農協の場合は、他の事業と会計を区分すること、❹共済事業に依る財産を農林省令の定める方法により運用することという制限があります。

❻ 農協の行なう右の⓮農地信託の事業については、❶農地、採草放牧地のほか委託者の所有する森林及び農地等の利用に必用な土地等の信託の引受けをすることができること、❷信託規定を定め行政庁の承認を受けること、❸信託法の特例として、受託者以外の者を受益者とすることができず（他益信託の禁止）、農協は共同して信託を引き受けてはならず、他の者に事務の委託ができない等が定められています。

（2）組合員

（ア）農協の組合員となる資格を有する者は、次に掲げる者で定款で定めるものです。

❶農民（みずから農業を営み又は農業に従事する個人）

❷農業経営（あわせ行なう林業経営を含む）を行なう農事組合法人及び農業経営（同上）のみを行なうその他の法人。

❸ その農協の地区内に住所を有する個人で農協の施設の利用を相当とするもの。

❹ その農協の地区と地区が重なっている農協。

❺ 農協の地区内に住所を有する農民が主たる構成員又は出資者となっている団体。

（イ）農協連合会の会員となる資格を有する者は、次に掲げる者で定款で定めるものです。

❶ 農協及び農協連合会

❷ 他の法律により設立された協同組織体で組合と同種の事業を行なうもの。

❸ 組合が主たる構成員となっている法人（農協中央会を除く）

（つづく）

〈全国農業会議所編「農業法令の手引」から〉

４Ｈくん　NO.154

プロジェクトの取り組み方　促進編（7）

資金借受けの義務　収支の記帳と預金口座

北海道専門技術員　三輪勲

農業後継者育成資金の利用

農業後継者育成資金とプロジェクト

プロジェクトの実施には、多かれ少なかれ資金が必要である。とくに大規模な生産プロジェクトや高度の改良プロジェクトにおいては資金の調達が重要な要素となる。

従来こうした資金は、青少年自らの賃労働による収益やこづかいなどの貯蓄によって充当するとか、両親から必要のつど提供を受けてまかなうのが普通であった。しかし、前者の場合は調達金額に制約があり、まとまった額に達するには相当長期間を要し、後者の場合は両親に対する依存度が多くなり、青少年の主体性を得ることに欠ける傾向にあった。

このため、せっかくのプロジェクトも資金面から実践に支障をきたしたり、高度なプロジェクトへの発展が阻害され、とくに年長者の場合は、プロジェクト実践意欲にも影響するなどの問題があった。

このため、昭和三十七年から農業改良資金（技術導入資金）の一種として「プロジェクト資金」制度が設けられ、青少年のプロジェクト促進に大きな役割を果たした。しかし、貸付の対象は資材費に限定され貸付額も少額であるなど、必ずしもプロジェクトの発展に対応したものでなかった。そこで、こうした点の改善と制度の拡充をねらいとして、昭和三十九年四月に「農業改良資金助成法の一部を改正する法律」の施行によって新たに「農業後継者育成資金」の制度が設けられた。

農業後継者育成資金は、文字どおり農業後継者とそのグループを対象とした融資であるところに特徴がある。つまり、近代的な農業経営を担当するにふさわしい者の養成をはかるために、農業後継者の自らの創意と責任において近代的な農業生産技術や経営技術を実地に習得するのに必要な資金を貸付けようとするものである。

これは、優秀な勤労学生に貸与される奨学資金と同じような意味がある。農業後継者育成資金は、技術共同習得資金と部門経営開始資金との二種類にわかれている。

資金の種類と利用指導

技術共同習得資金　この資金は、昭和三十七年度から農業改良資金のうちの一種である技術導入資金（プロジェクト資金）として取り扱われ、貸付対象はプロジェクト資材に限定されていたが、昭和三十九年の法律改正によって貸付け対象を拡大し農業後継者育成資金の一種として組み入れられたものである。

技術共同習得資金とは、農村青少年グループが共同して農業技術の学習活動を実地に行なうのに必要な資金をいう。たとえば、共同プロジェクトを実施する場合、それに必要な資材・種苗・家畜・機械などの購入や施設の設置などに要する経費について貸付けされる。

この資金の貸付限度額は六万円で比較的少額であるが、しかし、能率的な技術導入をねらいとしているので、学習を主体とした共同プロジェクトに利用するのが適当であろう。

この場合、その地域ですでに一般化した技術の習得よりも、農業の発展方向に即応して普及を必要とする技術で、しかも成果の見通しのあるものをプロジェクト課題にすることが望ましい。

部門経営開始資金　部門経営開始資金とは、青少年が自分の創意と責任により、家族経営の中で新しい部門の経営を開始するのに必要な資金をいう。たとえば、稲作経営中心の青少年が養鶏をはじめるとか、大型ビニールハウスによる野菜栽培などを開始する場合に、その実施に必要な経費（土地購入は除く）について貸付される。

この資金は、経営主の農業経営の基幹部門と青少年の実施する新しい経営部門との区別を明らかにするため、経営収支の記帳と、自分名義の預金口座を設けて余裕金を預金することの二項が義務づけられている。

つまり、青少年の創意と責任とにおいて新しい経営部門のプロジェクトを実施し、これによって問題解決の能力を養い生産収入を高め、利益は自らの責任において処理しようというのがねらいである。

したがって、この資金の利用は、年長者による生産プロジェクトに適しており、自家の経営において青少年の企画に基づく新部門導入が可能となろう。この場合、経営診断と設計を行ない、経営収支の見通しに立ってプロジェクト課題を選定するように指導することがたいせつである。

部門経営開始資金の利用例

〔利用例の１〕養豚プロジェクト30頭の場合

子豚	30頭×4,500円＝	135,000円
豚舎	39.6㎡	240,000円
飼料	30頭×8,000円＝	240,000円
疾病予防	30頭×500円＝	15,000円
その他器具		40,000円
計		670,000円

（総額670,000円のうち、170,000円は自己資金で充当）

４Ｈクを各町村に　実態調査から事業計画

[illegible]

NHK農業番組（6日〜20日）

テレビ / ラジオ

[illegible]

11日　直播栽培の動向

12〜14日　機械の利用と安全

農業簿記

京都大学名誉教授　大槻正男

農家経済部門別経営簿記

農業経営をさらに進んで、各生産部門経営の総合であると考え、各生産部門経営をそれぞれ分離独立した計算単位としてまず取り扱い、そうしたあとでそれらの計算結果の総合計算によって農業経営の決算を行ない、最後に農家経済全体の計算結果として農家経済余剰を算出する簿記組織をいうのである。たとえば、ある農家の農業経営が稲作・麦作・蔬菜作・養蚕などの多面的生産経営として営 [illegible]

春の終り（7）

一ノ瀬綾　作／多賀愛子　画

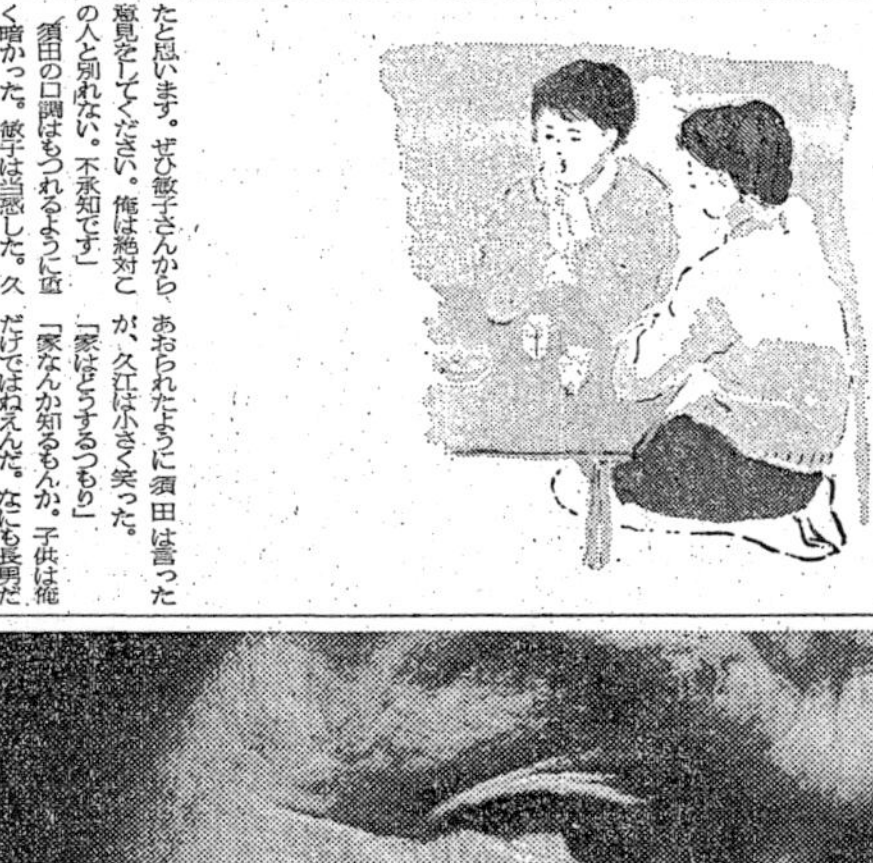

[illegible]

4H活動を盛り上げるために

理念と実際を学ぶ

お互いに問題意識をもって

新潟県西蒲原郡中之口村大字高野宮
三条地区農業改良普及所勤務　堀　敏雄

わが国経済の発展はめざましく、とくに、商工業部門の伸展はめざましい。

その流れのなかで、農業も漸次発展を続け、農業生産においても生産技術の向上と、機械力の普及によって、省力化が進み、生産性も大きく増大してきた。このため農村の生活文化も向上し、終戦当時とでは比較できない進歩ぶりである。

しかし、農村をとりまく諸情勢にはきびしいものがある。すなわち、経済の発展に伴い、貿易の自由化である。それに対応して昭和三十六年には農業基本法が制定され、日本農業の未来像が示され、いろいろな施策が行なわれているが、なかでも農業構造改善事業は注目的である。これが地域農民の刺激となって、農業観も変ってきた。

ところで、戦後の農地改革で自作農になったものの、所有する耕地面積は少なく、資本力も乏しいため、経営規模の拡大は容易でない。そのうえ、米を除いては、農畜産物の価格は不安定なため、生産意欲はあっても、積極的な投資はしない。

それというのも、一方では機械化が進み、新農薬等が開発されて普及するため、生産費の増大はもちろんのこと、生計費も増大して農業所得のみでは、生活をまかないきれなくなり、結果的には、省力化された農業の余剰労働力は他産業へ向けられ、最近は農閑期を利用して、さきを争って出稼ぎに行っている。

このように、農業基本法が施行されたにもかかわらず、近代化事業が進まないので他産業に比して農業の生産性が低く、所得格差は開く一方であることは統計が示す通りである。

たとえば、昭和三十九年の就業者一人当りの生産所得は、農業で一四万七千円、製造業で四八万七千円、非農業では五二万三千円となっている。そこで、農業も、他産業と均衡の取れた発展を望むには、経営規模の拡大とともに、専門化および、協業化の方向を選んで、零細な土地所得と資本力の弱さを補い、経営の近代化を推進しなければならない。

つぎに、農家戸数の変化を見ると、他産業との関連は見逃がせない。すなわち、商工業の発展に伴い労働力の需要が伸びて、広範囲に農村の労働力も吸収しようとしている。そこで昭和三十五年を基準にすれば、四十年には三・五％の減少であって、年率〇・六％の減少となっているが、全国平均六・五％に比べて低率である。

つぎに、農業就業人口を見ると年々減少しており、とくに若年労者の減少が目立っている。その減少割合を、基幹的、補助的従業者別に見ると、基幹的従業者は、昭和三十五年は四五万六千人が、四十年には七九、七％に減少しており補助的従業者は、三十五年に八万六千人が、四十年には一二、八％と逆に増加をしている。これは兼業農家の増加を示している。

このように農業の形態が変り、農村の都市化が進む中で、クラブ活動を盛り上げるには、むずかしいが農業の自営者養成の面から見て、意見を述べて見よう。

クラブ活動の理念を理解する

農業の近代化がさけばれ、機械化農業への希望を持って学窓を巣立った青少年の中には、理想と現実の差が大きく、卒業当時は暗中模索の心境である。それを勇気づけ励し合えるなかで、正しい方向づけをしてくれる指導者と場所が必要である。

そこで、新規学卒者に対しては、ラジオ農業学校や農業自営者養成講座（本県は農業大学講座）などを通じてクラブ活動の理念と実際を十分理解させ、仲間づくりを推進し、クラブ活動への位置づけと農業者としての方向づけをし、そのなかから仲間意識を高め、農業者としての希望が芽ばえてくるような指導と助言を続けるのが指導者の急務である。

外部指導者の養成

最近、農業人は、所得の増大をめざして生活に追われ、時間的な余裕がなくなり、日夜、労働に励むという状態が続いている。

しかし、既存の組織は維持しなければならないため、優秀な人材ほど役職を与えられて多忙である。こうなると、真に農業一筋で生きるという青年もなくなり、半サラリーマン化の傾向にあるから自から進んで後継者を指導してくれる人材が見当らない。

だから、新規学卒者はもちろんのこと、クラブ員が農業を志していても、周囲がこぞって出稼ぎをしているようでは、農業に対する希望や意欲が出ないのは当然である。

しかし、周囲に立派な篤農青年がおったなら、必ずそれを見習い、クラブ活動意欲もでると思う。

そこで、活動を盛り上げるには過去にクラブ活動の経験があって指導力と実践力のある人材を、県や市町村でも、外部指導者に委嘱して、積極的な指導を依頼する必要がある。良き指導者がおったなら、必ずクラブ活動は盛り上がると思う。その意味で外部リーダーの養成が必要である。

クラブ活動の環境づくり

農業は、自然を相手に、土地を生産手段として、創意工夫を加えながら営なまれるもので、ことしは良かったからといって、来年もそれ以上の生産は必ずしも期待はできない。これが農業のむずかしさであり、また、やりがいのある点である。この場合、実践を通じて腕を磨き、お互に力を合せ励し、勇気づけ合い、自己の経営改善や、生産性の向上に努力をし、より良き地域社会を築く目的で、意見の交流をし相互学習を行う同志の集まりが4Hクラブである。

そのためには、お互が意見や希望を語り合い、励し合うということが、大切である。青年、誰しも希望や悩みのない者はない。ただ、言葉でいい表わせない人の声である。友を求めて活動に参加することにより、問題が解決できて、欲求が満たせるような環境（場所や雰囲気）を作ることを指導者は心がけねばならない。そして、会員個々の意見を相手の気持ちになって聞き、問題解決のための良き相談役になり、人間関係を深めさせるのが指導者の使命である。

技術中心の指導を是正する

4Hクラブ活動といえば、技術が主体に考えられてきたが、実際はそれほど意識している青少年は数少ない。むしろ、将来、農村の中堅者になるためには必要な知識技術を習得する場であり、大切なのは、会員の思考力を養い、科学性を身につけさせ、社会的、経済的な視野を広めさせ、地域課題の原因を追求し、それを解決する力をつけるため、観察力や分析力を養う指導が大切である。

クラブ活動の中心をプロジェクトに

年長クラブ員なら、だれしも現在の農村をより良くし、自家の農業所得をより増大させたいという希望を持っているはずである。

ところで、クラブ活動の中で、研究課題を持っているかというと必ずしもそうでない。本来、クラブ活動は、自主的であり、目的を同じくする同志の集りであるため会員相互で協議しながら運営されるのがたてまえである。その過程で、各人の問題思考能力が高まって行くものである。よって、年長クラブ員の活動の中心は、プロジェクトでなければならない。

すなわち、クラブに目標があると同時に、会員にも目標がなければならない。そして、お互が共通の課題を持って、調査、分析し、その結果に基づいて、この地域はこれからどうしたら良いのか、討議を重ねることができるようになれば、必ずクラブ活動は盛り上がると思う。

青年団などとの連けいを深める

減少する農村青少年は、お互に既存の組織を維持しようとしている。現在、4Hクラブ員の多くは青年団や趣味のグループに所属している者が多い。

しかし、青年団は網羅的な組織であり、職業や年齢を超越した組織であり、戦前は地域社会に果す使命は大きかったが、現在ではそれがなくなり、戦前、事業の主体は体育と芸能である。

4Hクラブは、職業が同じで、共通の課題を持った同志の集団であり、青年団とはまったく性格の異った組織集団であるだけに、その目的が違う。それだけに、片方に偏した活動では青年の欲求は満たされない。そこで、お互が活動の主体性を保つなかで協力体制が必要である。

その方法としては、青年団もクラブ組織にし、その農業部を4Hクラブとして活動したら、お互に活動は盛り上がるものと思う。あまり組織にこだわり過ぎている。この点、指導者同志も関係機関との連けいを深める必要がある。

お互いが問題意識を持つこと

青年期は、夢と希望に燃え、どこまでもやり通すという意欲があるはずである。農業には魅力はないが長男だから止むを得ないというのは、青年としての価値がない。もっとはっきりした信念を持った青年らしさが必要である。悩みや矛盾の多い現実の農業に負けてはならない。どこが問題なのかをたえず研究する心構えが大切である。もっと意識を高め合い、4Hクラブ活動を見なおす努力が必要である。

以上、感じている点を述べたが、近代化が進むとともに、各々の経営規模や置かれている家庭環境などによって、在村青少年は益々減少して行く傾向にある。これらの対策としては、自立農家の育成とともに農業経営を推進しなければならない。それには、地域のクラブ員が広く仲間作りを呼びかけ、同志は農業自営者として時代を背負ってたつという意欲を持ち、各人の課題解決のために、互に協力し、人間関係を深めつつ、地域農業発展のために努力するなら、4Hクラブ活動は、自然発生的に結成され組織化が進むのではなかろうか。要は、クラブ員個々の心がけ次第である。

青春と仲間

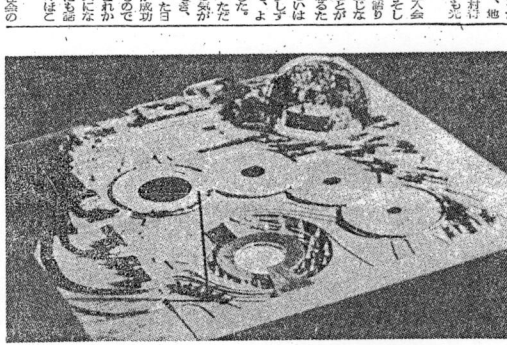

緑の大自然をバックに頑張る

奉仕活動も一つの夢

佐賀県鹿島市古枝町・鮒越4Hクラブ　中西恭子

4Hクラブに入会して、早くも四年目を迎えました。

私は、農業という職業に魅力が持てなかったのです。ただ、人手不足のために得た職業に過ぎず、毎日の農作業をやってのけるだけが私の仕事でした。

そこで、農業学園の農業コースや、たまたま行なわれる部落での果樹研究会などに参加しました。そのうちに、この職業に生きがいがもてるようになり、何か得たい、学びたいと思っていたときにふっと浮んだのが4Hクラブであったのです。このグループに参加できれば、いままで以上に、農業の知識を学ぶことができるばかりでなく、もっと若さが発揮できるかもしれないと思いました。

しかし、私たちの部落には、4Hクラブがなく、また、どんな組織であるかもぜんぜん知らなかったのですが、普及所や、部落の援助を受け、地区のクラブに参加できる、十余名のクラブ員が誕生したのです。よかった！入会出来て。

当時の私には、わが4Hクラブが誕生した喜びと、これから農業の技術面に、そして、生活の知識など学べることの願いもいっぺんにかなえられた感じでした。でも、ただそれだけでなく、多くの農業仲間をも得ることができたのです。

はじめて参加した全国大会での実績発表や、エネルギッシュな発言が、若い私には印象的で、農村女性としての責任感と使命感が、新たに感じられ、またここで与えられたのです。かすりのもんぺが似合いそうな女性、Gパンや、地下足袋とは切り離されない農村青年の姿が新鮮でほかの誰よりも光って映りました。

ファイトに満ち溢れていた大会当時、同志とともに、夢を、そして悩みや苦しみなどについて語り合うとき、結論的なものは生じなくとも、ただ、話し合えることが楽しかった。集いの場を重ねるたびに、社会的、人間的、あるいは青年として幅広く成長し、少しずつ強くなれるような気がして、より美しく生きたいと思いました。

また、4Hクラブ員であっただけに、クラブ員の作業を何の気がねもなく受け入れることもでき、それに、みんなで研究し合った日常生活においての工夫などが成功したときは、とても嬉しいものです。やがて、その研究は、これからの農家生活においてプラスになり、よその農家の主婦の方にも話してあげられることに、少々ほこりをもてました。

それに若さのある限り、社会のために役立ちたい。その中でも十勝沖地震の被災者に、わずかながらも送金できたことが、私にとって非常に嬉しかった。さらに4Hクラブと言っても、農業関係ばかりの活動でなく、無限の可能性の中に生きる限り、奉仕活動のできることも、私の一つの夢であったに違いないのです。農業改良や生活改善などの研究は常にできるし、そのほかに、グループの力や若さを、これから先、もっと活用できるような余裕も、ぜひ、作り出さなければならないと思います。

また、地域や人によっては、4Hクラブの本当の意味が十分に分ってもらっていないようであり、立派な4Hクラブを築くためにはクラブ員である私たちが、そのような面においての努力も必要であると思います。いま、私たちのクラブも十六名を数え、若いクラブ員が次々と生まれ、やがて指導者となり、建設的な運営へと、導いてくれるのが楽しみです。

リーダーとしての悩みは、続発するものですが、それは若さでカバーし、日本の農業を担う若者として、緑の大自然をバックに、明日もまた頑張る4Hクラブがあり、クラブ員がいるのです。

農村雑感

折原俊二郎

明るい農村

NHK総合テレビの農村向け番組に「明るい農村」があるが、放送される内容は優れた農家、豊かな村、または明日への期待に胸ふくらませて一生懸命に努力している農村の姿が画面を通して流されている。本当に農村はこのように明るく、希望に燃えて躍動しているのであろうか。

東北のある農村の老人が、ポツリと一言こんなことを云っていた。「明るい農村の番組を見ていると、私のところを除いて、ほかのところはすべてよくなっているように思える。私のところだけがとり残されたのではないかと、フト不安になることがある。しかし、あの番組で放送されるのは、村の極く一部の出来事で、それをあたかも日本全国の農村が明るくたくましく生れかわったように思わせているのではないか……」と。

同じ東北のある青年は、六年ほど前、派米実習生として二年余り米国の農家で働いてきた。彼は現在の自家経営を何とかしなければならない、そのためには優れた米国の農業を体験することからはじまるという気持で行き、帰ってきたが、それから六年、結果的には自家の経営は六年前とあまり変っていない。そこで彼はもう一度米国農業をみてこようということで、今年の一月、六年前に世話になった農家に行き、そこの主人の厚意で車を借り三週間で米国を一周し、つぶさに農村を見てきた。

この青年はこれから何をしようとするのだろう。とかく農村社会の中で生活していると、農村社会が持っている慣習や人間関係に左右されて、新しい方向へ前進しようとする意欲が阻害されがちである。彼はこうしたものに対し、再び挑戦したといえましょう。今回の米国視察の成果を今後どのように生かしていくだろうか。障害に、当り混迷しても、彼ならば再三その壁を打ち破るべく努力するだろう。

以上二つの例を述べたが、老人は老人でやはり農村をジッと見つめており、青年は青年で農村を見つめている。しかしその見つめる視点は自ずから大きく異っているといえましょう。

マスコミの発達はどんな山の奥までも浸透している。二十年も前であったならば、老人はこんな考え方をしなかっただろう。また、青年も同じである。しかし現在はちがう、マスコミによって後向きに考える人もあるが、逆に刺激されて前向きに進む人もある。むしろ青年は困難な道を選ぶだろう。それが青年という若さだけが持つ特権であるからである。

明るい農村、NHKで放送されるのは極く一部にすぎないだろう。ここで紹介した青年は勿論テレビには出ていない。しかし、テレビで紹介された人たちと内容的には何等変ることはないといえる。そして、このような青年が今全国各地で数多く生れつつある。これが実ったときこそ、本当に農村は明るく豊かな生活のできる場となるのではなかろうか。

（農林省・農業者大学校）

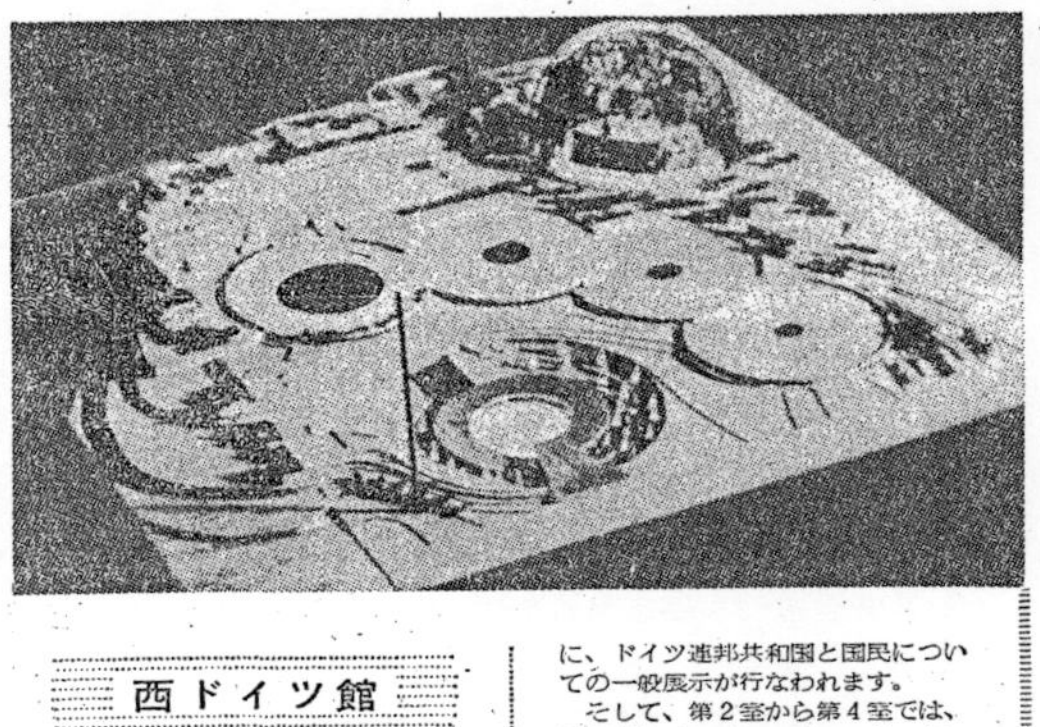

西ドイツ館

テーマ……協力・進歩・平和
敷地面積……10,000㎡
出展費用……約27億円

展示館は、すべて地下に設けられ、4つの大きな円筒を鎖のようにつなぎ合わせた建物。地上は、野バラやエーデルワイスなど、ドイツを代表する花や芝を植えた近代的な庭園となります。

ひとつの円筒の大きさは、直径28メートル、高さ7メートルで、第1室では目で見る西ドイツをテーマに、ドイツ連邦共和国と国民についての一般展示が行なわれます。

そして、第2室から第4室では、それぞれ〝コミュニケーション〟〝生命の保護〟〝意義ある消費〟をテーマに、フォルクスワーゲン、情報通信、後進国開発援助など西ドイツの産業を紹介するいろいろな資料が展示されます。

敷地の中には、これらの展示館のほかにレストランと休息所、高さ26メートルのドーム状の音楽堂が設けられます。音楽堂は、観客のいこいの場で、古典から現代までのドイツ音楽が演奏されます。

<日本万国博覧会展示館の紹介>

遠い人

天野さち子

だれかを好きになりました
だれかを　もっともっと好きになりそうな
逢うたびに　好きになりそうな
だから　少しこわいような

でもやっぱり逢いたい
逢えない日
なんとなく　せつなく
なんとなく　さみしいから
でも　あの人は　遠い人　私のとどかぬ人
あの人の笑顔を　見るだけで
わたしの心の中にある
さみしさや　せつなさが消えるから……

（静岡県御殿場市・北駿4Hクラブ）

生活もの知りコーナー

食中毒に注意を

▼梅雨どきと中毒　梅雨どきは気温が二十七度から三十度、湿度が八〇％以上となって、カビの発生するのに最適の状態になります。

食べものも腐敗しやすくなってしまいますし、私たちのからだの機能も弱ってきます。そんなときに、ちょっと臭みのついたものなどを食べると、中毒を起こして腹痛や下痢をして苦しまなくてはなりません。

食品はよく見て、カビたものをうっかり食べないようにしましょう。電気冷蔵庫だからといって安心はできません。ご飯は汗をかいて、むれた程度なら湯で洗って蒸し直せば食べられますが、長持ちさせるには固めにたいて、なるべく別の器にうつし替えないようにすることです。

ご飯をたくとき、大さじ一杯の酢を入れてたくと、腐敗をおさえるのに効果があります。

○そのほか、必要なだけ買って、買い置きをしないことと
○食べものは、清潔なところにしまうこと
○調理したら早く食べること

などの注意が必要です。食器戸棚は、塩気と水気がたまりやすく、不潔なにおいがつきやすくなりますから、湿ったままの食器類などをしまわないようにします。熱い湯で絞ったふきんでよくふいて風を入れましょう。

▼カとハエをなくそう

ハエ　ハエは九〇％が便所から発生するといわれていますが、ゴミため、台所のゴミ捨てからもハエは発生しますからDDTとかBHCなどをまいてハエの卵を駆除してください。

からだの表面や腸などに八〇万から5億というものすごいバイキンを持っているおそろしいハエは、一匹のメスが生きている約二ヵ月半の間に、六〇〇から一、〇〇〇の卵を生み、しかもその卵は一〇日から二週間で成虫になるので駆除も容易ではありませんが、健康のためにも卵のうちに駆除したいものです。

カ　発生地をまずなくすということが根本的な問題でしょう。ヤブカが好んで産卵するのはこわれた花器とか竹筒、空カンなどですから、そこに水でもたまっていたら必ず捨てます。肥料溜、防火用水には必ずフタをするほか、用水や池にメダカを飼っておくとカの発生を防げるといわれております。また、つまったドブを清掃して流れをよくするのも一つの方法です。

カはマラリア、日本脳炎、デング熱などを媒介するおそろしいものですから駆除に努めましょう。

パッと三色スミレ

青森八甲4H・公民館を美化

青森県上北郡十和田町、八甲4Hクラブ（会長、蒋畑善次郎君）では、学習の場として利用している公民館を美化しようと、自分たちが育苗した三色スミレ二百株を植えた。草花で飾られた公民館の周辺はパット明るくなり、訪れる人の心を明くしている。

日本4H新聞
4Hクラブ
農事研究会
生活改善クラブ
全国弘報紙
発行所
社団法人 日本4H協会
東京都市ケ谷家の光会館内
電話(269)1675郵便番号162
編集発行人 玉井光
月3回・4の日発行
定価 1部 20円
一ヵ年700円（送料共）
振替口座東京 12055番

4H会館の建設は歴史的な重要課題

次代への"遺産"を
情熱と創意を結集して

全国4Hクラブ連絡協議会事務局次長　村上光雄

一九六九年の日本は、来るべき一九七〇年の安保改定と万国博の論争と準備に明け暮れている。

一方、私たち農村青少年にも、一九七〇年へ向けての大きな課題が持ち上っている。言うまでもなく「4H会館」の建設である。安保問題が七十年以後の日本の政治方向を決定づけ、また、万博が日本の国力を誇示するものであるとするならば、4H会館建設は今後の農村青少年のあり方を方向づける歴史的な課題であるといっても過言ではあるまい。

さらに、農村青少年の情熱と総力を結集してのこの事業は、他のどの問題とも比較することの出来ないほど、重要な問題だといってもよいのではあるまいか。

4H会館建設も具体的な募金の段階に入った今になって、こんな抽象的なことを言っていてもはじまらないような気もする。しかし、金もない、土地もない、あるのは農村青少年の情熱と創意だけということになってくると、ある程度夢をみる必要があるのではなかろうか。

何事につけ大事業をするとなると、最初は、夢なり空想から出発し、それが徐々に具体化していくものである。いくら募金の段階に入ったとしても、おれのところはこれだけの割り当てだけを消化すればよい、といったような状態では余りに夢がなさすぎる。

会館建設の説明になると、いつも出くわす問題が、利用度の問題と一口三百円では高過ぎるといった意見である。これでは日本の農村青少年の姿としてさみしいではないか。人間、一生、何の無駄もなく生きていけるとでも思っているのだろうか。

実際、そんなことを言う人に限って無駄の多い生活を送っているものである。一円たりとも無駄使いすまいと汲々としていれば、十円、いや千円、万円の損をすることがあるということである。といって無駄の奨励をしている訳けではない。小さなことに気を奪われて、大きなところを逃がしたのでは駄目だということである。

それに、現実問題として、五百円や一千円が自由に出来ない農村青少年でもあるまい。もし、本当にそれが出来ないとするならば、日本農業の現状は、そして将来も、全く暗黒である。

次に、利用度の点についても同様のことがいえる。はっきりいって、東京を離れた県ほど、利用度は低くなっていくであろう。しかし、これを有効に利用するか、しないかは各自の意志の問題である。距離の遠近によって利用度が異ってくるような会館なら、最初から建設しない方がましであろう。それこそ「仏造って、魂入れず」である。

それに現在は、4Hクラブ活動にも国際的な交流と視野とが要求されている。このような時期において東京周辺での建物の利用度が言々されるようなことでは、4Hクラブの活動もお先き真暗といえる。

あれこれ、思いつきや、言いたいことを並べてきたが、要は次代の農村青少年への遺産づくりとして、農村青少年の創意と情熱をもって、この4H会館建設に総力を結集するということである。

さる四月三十日の広島県農村青少年クラブ連絡協議会の総会の席において、ある人がうまいことを言った。

『自分一人がいくら三百円持っていたとしても、4H会館は建設できない。4H会館を建設するということで、みんなが三百円を持ち寄ってこそ、はじめて建設できるのである。その時はじめて自分の三百円が生きてくるのであり、四千万、五千万円の働きをするのではなかろうか……』と。

全国クラブ員の絶大なる協力をお願いするしだいです。

日本4H会館完成想像図

（昭和45年度着工予定）

日本4H会館

4H会館　完成想像図を作成　ポスター、各県連に配る

全国4Hクラブ員とOBの協力で4H会館の建設を推進している日本4H会館建設委員会（委員長、岩崎茂全協初代会長）と全国4Hクラブ連絡協議会（会長、黒田保君）は、このほど4H会館の完成想像図を画いたポスターを作成、各県連に配布した。

同建設委員会と全協は、研修室や宿泊所など最低必要とする施設と募金目標額をもとに会館の仮りの設計図を作成していたが、今春東京で開かれた全協総会の席上、各県連会長から「クラブ員にアピールするために4H会館の完成想像図を書いたポスターがほしい」という強い要望があったため、それに応えたもの。

このポスターの作成によって4H会館は具体的にイメージアップされることになり、現在進められている募金活動に拍車をかけるものと期待される。

なお、4H会館建設のための募金活動は、現在、各県連で活発に展開されている。

九月に「集い」を計画　鹿児島県連でも総会　諏訪会長らを再選

【鹿児島】県農村青少年クラブ連絡協議会（会長、諏訪直樹君）は、このほど[illegible]で総会を開き、新年度の事業計画などを決めた。主な事業計画としては、[illegible]日本4H新聞の活用、全国4Hクラブ中央推進会議と第五回全国4Hクラブ[illegible]、県農村青年会議の開催など。

このほか今年度も、九月から十月にかけて第四回目の農村青少年の集いを開き、その優秀者は全国のつどいに派遣することになった。

この集いは、過去三回にわたって[illegible]めるとともに、開催地域のクラブ活動の充実とクラブ員相互の質的な向上を図ることをねらいとして計画を進めることになった。

なお、四十四年度の役員は次のとおり。

▽会長 諏訪直樹（薩摩郡東郷町）▽副会長 [illegible]同、[illegible]子（曽於郡輝北町）同▽監事 浜田秀夫（日置郡金峰町）同、岩元源弘（鹿屋市野里町）同▽顧問 中間有徳（鹿児島市山田町）柏木謙一（川内市湯田町）

諏訪会長

「4H週間」など具体化　奈良県連　第一回理事会開く

【奈良県＝薮内健司連絡報道員発】奈良県4Hクラブ連絡協議会（会長、中津喜之丞君）は、このほど県農業試験所で今年度第一回の理事会を開いた。

午後一時から、開会のことばに続いて中津会長が「昨年、本県で"第四回全国4Hクラブ員のつどい"を開催したが、私たちはその成果を礎として、県連活動の躍進を図り充実したクラブ活動を展開していきたい。それにはみなさん一人ひとりの力強い熱意と行動が必要であると思います。どうか、みなさんの積極的な協力をお願いします」と呼びかけた。

このあと自己紹介して議事審議に入り、次の事項を審議した。

一、第五回全国4Hクラブ員のつどい（鳥取で開催）

つどいの目的、内容、日程などについて説明があり、県連からの参加申し込みは三十名以上になっていることを確認した。

一、近畿地方農村青少年の集い（兵庫県淡路島）

クラブ員の意識の向上を図るためにも、県内から約六十名が参加する。

一、県技術交換大会・女子研修会

中津会長

夢と現実など話合う　岐阜・益田郡4Hク連　新就農者の激励交換会

【岐阜】益田郡4Hクラブ連絡協議会（会長、河村正幸君）の主催による新規就農者激励技術交換大会がこのほど下呂農協会館で盛大に開かれた。

この日は、今春、農業高校や農業高校学園を卒業して農業についた人たち十名と県連のクラブ員二十五名、それに益田農業改良普及所の普及員さん数人が出席し、河村会長と普及所長のあいさつのあと、この交換会を記念してアルバムが贈られた。

続いて、四名の先輩クラブ員によって熱の入ったプロジェクト発表と討論が行なわれ、午後からは三つの分科会に別かれて「これからの農業経営について」というテーマで活発な話し合いが行なわれた。

とくにこの中で、在学中に計画した農業経営をいかにして実現していくか、また、その困難な点などについて真剣に討議された。

最後に、県の専門技術員から講演を聞いたあと新就農者の代表から力強い答辞があって終了した。

（同クラブ、河村会長発）

会費値上げを決める

千葉県連で総会開く　新会長に白井君

【千葉】県農村青少年クラブ連絡協議会（会長、鈴木武君）は、さる三日、山武郡の九十九里センターで四十三年度の通常総会を開催した。

当日は、県[illegible]4Hクラブ[illegible]、鈴木会長のあいさつのあと、四十三年度[illegible]

▽会長 白井[illegible]▽副会長 伊藤[illegible]

22日に来日　米国の"青年大使"

国際農村青年交換（IFYE）計画に基づいて、[illegible]は、来る二十二日（日）午後三時四十分、羽田空港着のパンアンリカン機で来日する。

この米国4Hクラブ員の受入れについては、これまで社団法人日本4H協会（松下幸之助会長）が各府県の協力のもとに実施してきたが、昨年度から全国農村青少年教育振興会（東畑精一会長）の援助を受けている。

なお二人は、千葉県を皮切りに十二月上旬までの約六ヵ月間全国各地の農家（4Hクラブ員宅）で生活する。

無課題方式で討議　千葉県連でリーダー研修会　結婚問題も話題に

【千葉】県農村青少年クラブ連絡協議会（会長、白井[illegible]君）は、さる[illegible]、山[illegible]ターを会場として、県と共催で四十四年度初の事業であるリーダー研修会を開催した。

これは、単位クラブリーダーの資質の向上を図ることをねらいとしたもので、一日目は、開会式のあと、県農林部長の講話、続いて農業改良課長から千葉県としての四十四年度農村青年対策事業について説明があり、夜は各室ごとに話し合いが行なわれた。

二日目は、県企画部企画課長から「千葉県の開発と将来」というテーマで話しがあった。その内容は、首都圏内における千葉県はこれからいかに進み、首都圏内でどのような役割を受けもっていくのか。その中で、農業者は何をなすべきかなど、われわれの将来を考えさせる話しであったので、みんなも真剣に耳を傾けていた。

このあと、「これからの農業経営」について千葉大学教授、中島先生の講義があった。千葉県の将来についての話しのあとだったため実に興味深く聞いていた。

続いて、県レクリエーション協会担当者の指導でレクリエーションが楽しく行なわれた。とかくレクリエーションというと、道具やレコードなどを使わなければできないと考えがちであるが、この既成概念を打ち破るように、道具やレコードなしの指導が行なわれ、夜の反省でもかなり好評であったようだ。

夜は、十一の分科会に分けて自由なテーマで話し合いをした。

三日目は、昨夜にひき続いて分科会で討議が行なわれた。今回は討議に無課題方式をとり入れたがこれはなかなかの好評で、分科会ごとに、自主的に自分たちの周囲の問題点を出し合い、ユーモアの中にも真剣に話し合いが進められた。

とくに話題の中心となったものは❶農村における結婚問題❷女子クラブ員の活動❸クラブの運営と活動方法についてなどで、どの分科会にも共通したテーマであった。

最後に、研修会の反省について話し合ってもらった。その主な点は次のとおり。

一、講義などが続けて行なわれたため、聞く方はかなり疲れたので、間に休憩（レクリエーション）を入れてほしい。

二、実際、農業にとり組んでいる人の話が聞きたかった。

三、クラブをまとめるには、レクリエーションでまとめるのがよいので、レクリエーション指導を十分やってもらいたい。

四、4Hクラブとはどのようなクラブか、というような4Hクラブ本来の意義についての説明や講演がほしかった。

なお、参加者が最後まで熱心に研修ととり組んでいたことは、これからの県内のクラブ活動の発展を裏づけるものと思われる。

（千葉県連広報部・成田正雄君発）

益田郡4Hク連協で開催した新規就農者の激励技術交換大会の参加者

クラブの綱領

私達は実践を通じて自らを磨くとともに互いに力を合わせてよりよい日本を創るため四つの信条をかかげます。一、私達は農業の改善に役立つ腕をみがきます。一、私達は科学的に物を考える頭の訓練をします。一、私達は誠実で友情に富む心をつちかいます。一、私達は楽しく暮し元気で働くための健康を増進します。

涼風暖風

ヘリコプターと草取り

営農学園の二階から見ると、植付けられたばかりの水田が確かに広い。「一区画三〇㌃か」「いや五〇㌃はあるよ」と専門家の普及員さんもその広さを測りかねている様子である。

（五〇㌃と目測した水田が何と二㌶であった）

東の八郎潟に対して、地元の人々は西の雄はビワ湖畔の大中干拓地だという。多額の国費を投資して拓かれた人工平野は今年で四年目を迎え、大規模機械化農業は順調に歩んでいるかに見える。

開園したばかりの高等営農学園は、研修のほか県青少年教育のメッカとして4Hクラブの会合など多目的に利用促進される。新しい経営者の生まれる日も近い。

また、干拓地の中央部にデンと構えるカントリーエレベーターは、珍しい横型サイロを誇らしげに輝かせている。日本農業の一つの将来をまざまざと見る思いである。

営農学園では、田植方式のほか、かなりの面積でヘリコプターによる直播栽培法を行なっている。

もちろん除草剤、農薬散布もヘリで片付け、いわば「十踏まず農業」を実践中である。しかし、わたくしたちが見たものは、そこからいくらも離れていない地点で、入植者が除草機を押していたり、夫婦ではいつくばって田草をとっている姿である。

トラクター・コンバインに象徴される大規模農業からは想像もしていなかった作業ではないか。一戸四㌶の水稲単作といえども、家族労働だけで燃焼しないので、あえてはいつくばうのか。また、そういった農法に確信を持っているのか。詳しくはわからないが、素人の私にはも入植者の頑固な精神構造だけは推測できるのである。

これからは農業も大型時代を迎えるだろう。しかし、わが国の起伏に富んだ地形、所有面積の零細性、労働過剰など、大型化を阻害する要因はあまりにも多い。そして、心の零細性も見逃せないが、それも阻害条件の一つではなかろうか。

一戸当り四㌶という平等条件ですら、八戸ごとの協業組織が一組を残して解消したと噂されるし、ここの主婦は、普通り一日十時間も働いているという。「ヘリコプターと人力草取り」の疑問を解くためにも、営農学園の今後の活躍を期待したい。

（大阪・川端）

4Hのマークと共に　クラブ活動用品の案内

（単価）

品名	単価
4Hバッチ	50円
レコード盤（4Hクラブの歌・4H音頭）	150円
クラブ旗 大（72cm×97cm）	360円
クラブ旗 小（33cm×40cm）	200円
手拭	100円
ハンカチ	50円
ネクタイピン	200円
女子用ブローチ	200円
クラブ員専用便箋	100円
〃 封筒	70円

◎荷造り送料代百円です。
◎ご注文は代金を振替口座へお払込み願います。代金着次第ご送品致します。

社団法人日本4H協会代理部
東京都千代田区外神田6丁目15－11の705号
振替口座 東京 72082番

一、全国農村青少年技術交換大会（高知）

来る八月九、十の両日、県立野外活動センターで開催する。目的は、クラブ員の親睦を図るとともに4Hクラブの「あり方」を認識し、クラブ意識の向上をめざすもの。講演とレクリエーションなども予定。

機関紙によって[illegible]の向上を図る。

福島県連で会長研修会開く

【福島】県農村青少年クラブ連絡協議会（会長、[illegible]）は、来る三十日、七月一日の二日間、[illegible]

心頭技健

[illegible]たことになるが、農業関係者とりわけ、稲作だけを頼りとする地方の農民にとっては、この物価上昇の時代に、満足すべき額ではなかろう。だが、それよりも、予想されていたことではあるが、米価の据え置きという決定は、農民の考え方を根本からゆすぶるに充分な措置である▼これまで日本の農民は、戦前戦後を問わず、いや、二千年の歴史を通していつの時代にも、米の増産を強いられてきた。かつて「もう、お米は余計に作らんでよろしい！」といったお役人がいただろうか。お米が余るということは、ほんとうは素晴しいことであり、そこまで増産してきた農民に心から感謝すべきことなのだ。ところがどうであろう。農民は戸惑い、あるいは座折感にとりつかれているではないか▼そこえもってきて、マスコミや消費者からは、こんどの米価決定はすっきりしない、といって評判がわるい。そして、これは与党と農民との票を通しての取り引きであり、これでは国民の政治に対する不信感を強めるばかりであると非難されている。「田植終え、後は圧力だけを待つ」という下手な川柳が目につくのは情けない。とくに、このように農民と消費者が米価をはさんで感情的に対立することは、国家的にみて憂慮に耐えないことである▼佐藤さんはいった「新しい時代の国民生活のすう勢に対応するためには、農業生産の均衡ある進展を推進しなければならない」と。農民とて、この間の事情が判らないわけではない。しかし、では、どうすればよいのか。迷いはそこにある。

各県連絡報道員のみなさん ご苦労さんでした

本紙編集部から感謝状、記念品など贈る

連絡報道員のみなさん、この一年間、農業経営やクラブ活動などで忙しい時間をさいて、本紙の取材などにご協力下さいましてありがとうございました。この紙上を借りてお礼申し上げます。

編集部では、昨年度も各道府県連絡協議会長から推せんされた人たちに、連絡報道員をお願いして取材などに協力してもらいましたが、愛読者のみなさんもおわかりのように、いつも各県内のクラブの動きが紹介され、少なからず全国クラブ員のみなさんの参考になったと思われます。そこで、このほど連絡報道員に対し記念品と通信に要した実費をお払いするとともに、その任務を遂行したと認められる人たちに感謝状を贈呈いたしました。

今年度も、各道府県連会長に連絡報道員の推せんをお願いし、すでに各県連からその連絡を受けていますが、編集部でもさらにクラブ員のために最善の紙面を作成するよう努力したいと思いますので、愛読者のみなさんも、どうかご協力、ご指導下さいますようお願いします。

連絡報道員の仕事は①原稿（クラブ活動やプロジェクト活動についてのニュースや状況、農業経営、農家生活、農政などについての意見や提言、文芸、趣味、娯楽、写真、そのほか建設的なもの）の送付②クラブ員に対して投稿を働きかける③本紙企画記事の取材に対する協力などですが、このほか自主的に購読者の拡張に努力して下さっている人も大勢います。

なお、今年度連絡報道員にお送りした記念品は、通信回数などを考慮して、優雅な「温度計」、三つの引出しがある「小物入れ」、竹製を思わせる「ペンボックス」、青銅色をした金属製の「灰皿」、それに4H協会特製の「ネクタイピン」などです。

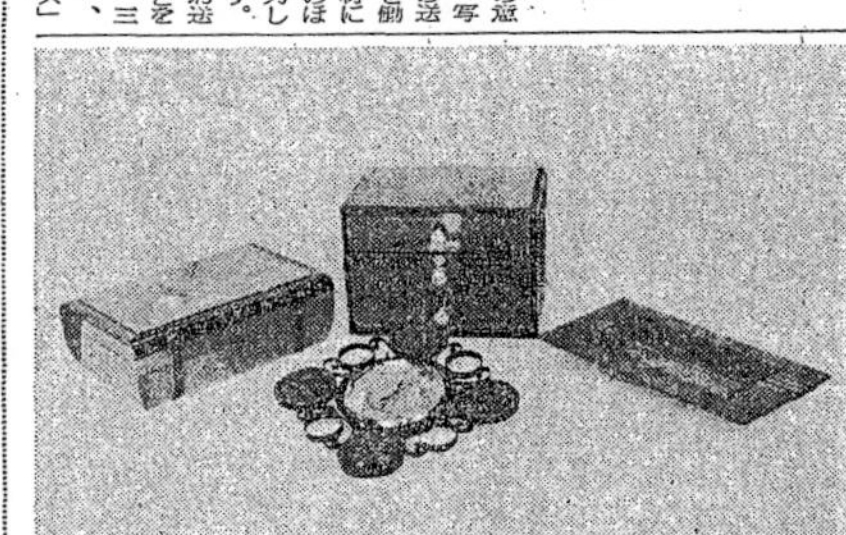

43年度の連絡報道員に贈られた記念品、中央は温度計と小物入れ、右が灰皿で左はペンボックス

43年度連絡報道員

県	氏名	住所	県連役職名
北海道	山田すが子	苫前郡苫前町	副会長
〃	福原晃一	虻田郡ニセコ町	事務局次長
青森	福田栄治	北津軽郡板柳町	
岩手	菊池忠男	稗貫郡石鳥谷町	事務局長
宮城	庄司健治	仙台市燕沢	
山形	今野誠一	山形市船町	事務局次長
福島	佐藤公伯	安達郡安達町	事務局長
茨城	中根まさ子	新治郡千代田村	
〃	永田正治	西茨城郡岩瀬町	副会長
栃木	戸沢祐蔵	下都賀郡岩舟町	副会長
埼玉	猪鼻文明	比企郡川島村	
神奈川	西山徹	厚木市戸田	副会長
山梨	掛川靖	東八代郡中道町	広報係長
静岡	真田勝	駿東郡小山町	理事
	松島猛	浜松市豊町	理事
新潟	青木保	中頸城郡三和村	
富山	佐藤信次	上新川郡大沢野町	事務局次長
石川	鴨戸良一	小松市額見町	事務局長
福井	山田佐九治	丹生郡宮崎村	
岐阜	松田正治	吉城郡上宝村	副会長
愛知	古川富美子	渥美郡渥美町	副会長
三重	水谷芳生	桑名郡多度町	機関紙編集長
滋賀	辻金雄	甲賀郡甲南町	副会長
京都	田宮徹	綴喜郡田辺町	広報委員長
大阪	松村一弥	東大阪市吉田町	4H部書記
奈良	浦崎正之	天理市柳本町	事務局長
和歌山	新井弘一	日高郡印南町	
鳥取	小谷[illegible]	鳥取市[illegible]	理事
岡山	原田靖雄	小田郡美星町	
広島	前田寛美	尾道市原田町	
山口	山崎順之	山口市大内氷山	理事
徳島	河崎嘉宏	名西郡石井町	会長
香川	湯谷孝行	高松市中山町	果樹部長
高知	和田登喜	土佐郡土佐村	理事
〃	西谷章博	長岡郡大豊村	副会長
福岡	八代義孝	筑紫郡筑紫町	
佐賀	鶴尾清一	唐津市重河内	常任理事
長崎	松永信義	北松浦郡江迎町	事務局次長
熊本	井村宣裕	鹿本郡植木町	
大分	末綱藤美	東国東郡武蔵町	
鹿児島	堀脇徹	鹿児島市上福元町	常任理事

勉学と人間形成の場に

佐賀県連でアンケート報告

佐賀県4Hクラブ連絡協議会は、[illegible]4Hクラブ員の現状や考え方について、経営、クラブ活動、生活の項目に分けてアンケート調査を実施し、その結果をまとめて発表した。[illegible]る。

経営の問題に悩み

地域社会に密着した活動を

グループ活動

各地区・単位クラブにおいて、月に一、二回の定例会を行なっているところは割に多くみられる。

しかし「資金面」「女子クラブ員が少ないこと」「青年団活動との両立」「時間励行が守れないこと」など、みんなの不満の声は同じである。

仲間づくりから協力性を養い、社会性にマッチした地域社会発展を基本としたグループ活動にしたい考えや、個人プロジェクトを行なうことによって〝友愛と創造〟あるいは〝人との和〟を創り出したい、などの意見もあった。

諸情勢のもとで、クラブの位置づけ、観点を認識すると同時に、仲間づくりが生産活動にまで発展し、地域社会を明るくするための推進力になるようなグループを展開したい。あわせて、グループへの積極的な参加と個人の自覚を期待したいものである。

4Hクラブへの加入について

個人の自主的な加入よりも、先輩や友人の勧誘による加入が多いようである。

これでみると、地道な活動によって自然に理解してもらうとか、実績をあげて4H活動のPRにつとめたり、運営機能を納得してもらうのがいかに大切なことであるかわかると思う。

なんとなく加入したが、仲間との話し合いにより、希望が湧き、研究心ができてきたというクラブ員も少なくない。

小数精鋭主義的な意見も多くみうけられるが、自分を磨き、目標を失わず、新しい農業経営者となるため、そしてまた研修により技術の導入と農業についての知識を得るためにも、ときには、レクリエーションなども取り入れて、興味ある会合や研修にするのが第一条件である。

女子加入者が少ないなど、どのクラブも不満は尽きない。仲間づくり体制から、積極さやファイトのある農村青年の勉強の場、または人間形成の場としてのグループ活動を求める意見が多い。

今後4Hクラブを発展させるためには

クラブに対する自覚をもって積極的に何事にも参加すること、クラブの内容の充実、先進地研修、交換会などの意見が最も多い。

仲間づくりばかりでなく、農業後継者としてあらゆる方向から学習することは当然であり、義務である。

地域社会に密着した奉仕活動、だれでもが気軽に楽しめる行事計画、組織強化、幹部養成、後継者育成、部門別活動、市町村へのPRなど問題点は多い。

しかし、量より質の向上、というように一致団結することである。よってこれが仲間づくりにも4H精神にも関係することである。未来を見通した賭ける明日の農業に向ってグループ活動を有機的に結びつけ、総合的な視野に立つエネルギッシュで新鮮な活動を展開したいものである。

生活について

◎いま、最もやってみたいと思っていることは何ですか

イ、経営面のこと　三二名（31%）
ロ、学習（研修、仲間との話し合いなど）　二五名（24%）
ハ、家庭生活（風習の改善や話し合いなど）　一〇名（10%）
ニ、クラブ活動面（交換会など）　一一名（11%）
ホ、結婚　八名（8%）
ヘ、旅行　八名（8%）
ト、レジャー　八名（8%）

現代青年が世界に賭ける夢は大きく、大空に翔っている。「旅行」のなかには、先進地への留学（六人）世界の農業を研修してみたい（二人）などがあった。

家族あるいは同じ農業人との話し合い、クラブの充実、交換会など、技術面において吸収するとともに、何かに熱中して自己を磨き人間性の向上に努めたいと意気込みは大きい。

女性の場合は趣味を生活のなかに生かしながら、知識を広めることに[illegible]所改善など、その悩みも現実的である。

◎あなたはどんな生活を望んでいますか

イ、楽しく明るい生活　四〇名（30%）
ロ、仕事と休養をはっきり区別した生活　一八名（14%）
ハ、余裕のある豊かな生活　一七名（13%）
ニ、安定した平和な家庭　一四名（10%）
ホ、健康で文化的な生活　一〇名（8%）
ヘ、話し合いのできる円満な家庭　一〇名（8%）
ト、平凡で幸せな生活　九名（7%）
チ、夢のある生活　六名（4%）
リ、その他　六名（4%）

これらが主なものであるが、他に、サラリーマンのような生活、都会なみの生活、機械化農業経営ができる生活などの意見があった。

出稼ぎをなくし、安定した夢のある生活という切実な問題は、何かにつけてわれわれにも考えさせられる。

それと同時に、物質的要求に耐えうる精神と、その精神をかもしだすなごやかな家庭的雰囲気を求めるのは、みんなの願いである。

◎あらゆるものにおいて、現在、最も悩んでいるものは何ですか

イ、経営　四二名（36%）
ロ、生活　七名（6%）
ハ、仲間（友人、人間関係など）　一二名（10%）
ニ、人生　一三名（11%）
ホ、家庭　八名（7%）
ヘ、クラブ　二四名（20%）
ト、恋愛、結婚　一二名（10%）

分科会や雑談のなかにも、恋人や結婚のことが最も身近かな問題として取りあげられるのは当然である。

経営面において、農業の将来や販売（九人）規模拡大（八人）技術的に未熟（八人）で、他に労働力不足、資金不足、物価の不安定など、農政に対する不満もある。

また、青春の特権である社会のなかの農村青年、青年の生き方、理想と現実、人間とは何か、私の人生、人間関係など、若者の悩みは尽きない。

たくましい夫に健康で明るい妻

＝理想の組合せ＝

◎結婚の相手にどんな人を選びますか

▽男性から女性をみた場合

イ、健康で明るい人　三五名（32%）
ロ、理解があり、自分についてきてくれる人　二四名（22%）
ハ、やさしく素直な人　二三名（20%）
ニ、明朗、活発な人　一二名（11%）
ホ、農業の好きな人　七名（6%）
ヘ、料理の上手な人　五名（5%）
ト、美人　四名（4%）

このほか、家庭的で温和な人、さわやかな人、自分を愛してくれる人…ときりがないが〝健康で明るく、経営や生活などもまかせることができ、知的で、新鮮で料理が上手で相談相手にもなる現代的なギターのような女の子〟といわれると、農村女性こそ、スーパーレディでなくてはならないはずである。

吉永小百合や栗原小巻のように心がやさしく、顔美しく、丈夫な人とは、世もまったく厳しいものである。

▽女性から男性をみた場合

イ、男性的でたくましい人　十一名（35%）
ロ、信頼できる人　九名（30%）
ハ、健康で明るい人　八名（26%）
ニ、やさしい人　三名（9%）

回答者は少ないが、考えていることはみんな同じで、進歩のある人、誠実な人、家庭を大切にする人など、やはり女性は、じゃがいも（体）みたいで、竹（心）のように切れ、一ッ石（意志）のように固い人で、それでいて、やさしく思いやりのある男性に弱いらしい。

◎恋人や結婚の相手がいないのその主な原因

イ、適当な人がいないから　四六名（33%）
ロ、まだ若いから　四四名（32%）
ハ、自分が内気だから　四三名（31%）
ニ、地域に異性がいないから　五名（4%）

自分の周囲に異性がいないという問題ではなさそうである。もはや〝言えばよかったその一言（にと）を〟である。青春時代に悔いを残さぬように、思いきって現代青年らしくお互いに告白したら、案外スイスイとうまくいくかも知れない。

趣味はスポーツ（男子）と生花、手芸、料理（女子）など

◎あなたの趣味や娯楽は何ですか

男性の場合　スポーツと答えた人が四六名で圧倒的に多く全体の32%を占めている。しかもスポーツの中でも、かっこいいボーリングが最も多い。ついで音楽とドライブが各一八名（ともに13%）つり一四名（10%）盆栽園芸一〇名（7%）映画、パチンコ各八名（ともに6%）写真五名（4%）旅行・読書各四名（ともに3%）で、このほか六名（5%）となっている。

ほかに賭けごと、ダンス、酒、女などスリルとサスペンスを求めるものがあったが、これらは金のかかるもの。しかしバイタリティに富む青年の姿がうかがえる。

女性の場合　やはり女性らしく生花、手芸、料理といったものが最も多く一三名（27%）で、続いて読書一〇名（20%）スポーツ七名（15%）音楽六名（12%）旅行五名（10%）で、映画、日本舞踊がともに三名（各6%）ドライブ二名（4%）などとなっている。

余暇を利用して趣味を生かす生活ができるとは、一石二鳥の利である。こういうことで視野を広める楽しく明るい笑いの絶えない家庭の演出家こそ、女性の義務でもあり、使命といえるものではないだろうか。

◎現在、農業をやっている理由について

イ、好きだから　五八名（40%）
ロ、長男（女）だから　二八名（20%）
ハ、夢があるから　一六名（11%）
ニ、労働力が不足だから　一四名（10%）
ホ、自分の意志を生かせるから（自由だから）　一二名（8%）
ヘ、やりがいがあるから　九名（6%）
ト、自分に適した職業だから　七名（5%）

この回答をみると、一生の仕事として夢をもち、他の職業には味えない収穫の喜びにすべてを賭けようとしている人が多いが、その反面、仕方なく、あるいは、なんとなく宿命的になかばあきらめた様子が感じられたのは意外だった。

ブラジル88村巡行

日本政府派遣農村青少年指導専門家　湯浅甲子

〈8〉

常の悩みが現実に

胸に刺ったあるクラブ員の訴え

四月二十五日　サンパウロから東へ車で三時間半の高原に、サント・アントニオ・ド・フィニァールという山村がある。ここは標高一八〇〇米の高燥地で、ブラジル随一の高原保養地、カンポス・デ・ジョルダンの入口にあたる所である。ここを訪れることになったいきさつは、次のようであった。

切実なテイコ発言

四月の八日に、この地のすぐ近くにあたる、ピンダモンニャンガーバで講演をした時である。山一つ向う側は、大西洋という高温多湿の町で、日中、四時間にわたる苦しい指導をしたとき、少ない参集者の中に、八人の青年が目立っていた。男五人、女三人で、終始熱心に私の話を聞いていたが、終って懇談に入ったとき、この青年の中の一段と目立つきれいな娘さんが質問にスックと立ち上り、特異な日本語でこういったのである。

「わたくしは、サント・アントニオ・ド・フィニァールという高原の村にある、クラブ・アグリコーラ・マンチクエーラというグループのもので、テイコ・キムラといいます。いま、先生の話をきいて、よくわかりません。わたくしたちのクラブは、今までは立派にやってきましたが、やることがなくなってしまいました。いま、どうしたらいいかわからないのです。先生の話は、わたくしたちのクラブをよくすることに役立ちません。どうしたらいいですか」

丸顔にオカッパ髪、白のスーツに赤のカーディガンが、色白の彼女にピッタリして、むしろ可愛らしい面だちだが、発言内容は可成りきびしく、また切実感のあるものだった。そして、男のクラブ員をも圧するような一つの迫力があるようにも感じたのである。

純粋な心の中の渦

私は、青年から初めて、具体的な問題を投げかけられ、軌道にのりかけてホッとしていた私の指導に、チクリと刺激を与えてくれたような気分になった。

同行したコチヤ産組の井上忠治技師の話では、このクラブはサンパウロ州内でも屈指の優れたクラブで、発言した木村テイ子さんは、長い間会長をつとめた名リーダーだとのことだった。

私は、閉会後もしばらく、彼女たちと話をしあった。その話の中で、部落の人たちのいくじなさや、山村農業のむずかしさ、また、近所にあるブラジル唯一の高原保養観光地の影響を若い人たちがうけて離村するものが多くなったこと、それでも、他地域と隔絶した高原で、なんとか頑張ろうとする青年が大部いることなどが、若い人の純粋な心の中で渦をまき、どうしたらいいのか、本当に困っている様子が、手にとるようにわかってきたのであった。

〝再会〟を約束して

私は、指導旅行の間に、しばしば考えることが一つあった。それは、指導しっぱなしでは効果が上らない、何とか私の微力が一粒でも定着して芽を出すように、事後継続指導の手が何らかの方法でうたれなければならないということであった。その私の悩みに、グサッと刺しこんできたのが、テイ子発言である。

熱心な八人の青年たちとこんな型で別れては、私の責任感が承知できなくなった。彼らは、ジープで長い山道を一八〇〇米も下ってきて、私に会いに来たのだ。こんどは、私の方から、山を登って、彼らに会うのが本当だ。そして、彼らをとりかこむ生活を知らなければ、彼らの疑問を解いてやる方法はないと考えたのである。

「今月の末頃、みなさんの村へいきましょう。歓迎してくれますね」といったら、彼女たちは、とび上ってよろこんでくれた。山に帰えるジープの窓からはいつまでも、八人の青年がふる手が見えていた。

こんないきさつが、この高原へくることになった理由であった。

心からの歓迎受る

二十五日から三日間は、私の休養日であったが、こんな日しか私の自由な日はなかったので一泊予定で朝の八時四十分、サンパウロを車で出発した。所要時間三時間三十分、晴天に、青葉がキラキラ光る山道を、かなり強引に突破し、標高一八〇〇米のフィニァールについたのはお昼を過ぎていた。

村の集会所の前には、待ちくたびれたクラブ員が、私たちの到着をクビを長くして待っていたらしく、車のクラクションを聞くと、ワァーッと坂道をかけ下りてきて、車をとり囲んだ。「ボン・ディア＝今日は」という挨拶がとびかう。テイ子さんや、八日にあった青年たちもいる。近くアメリカへ留学するコチヤ産組生活指導員も先行していた。クラブ員は、男十三名、女十一名だ。車からおりた私は一人一人と握手をかわし、出迎えてくれたお礼をいってまわった。なんとも華やいだ雰囲気でうきうきしている。私は、栃木県下のクラブ員を訪ねているような錯覚をもってしまった。

もう私と青年の間には、心の隔りがない。「先生、車にのって下さい、行きましょう」と、私を車に押し上げた。「あれ、どこへいくの、どこかへみんなで行くんだネ」と誰へでもなくいうと、「先生、クラブ員と、カンポス・デ・ジョルダンへ登るんです。素晴らしい山ですよ。出発します」

〈栃木県普及教育課・特別専門技術員（青少年担当）〉

クラブ・アグリコーラ・マンチクエーラのみなさんたち

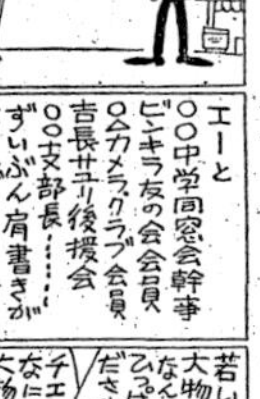

年間一万ドルを目標 キウリを経営の主体に

私のハウス園芸

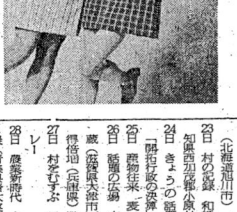

岐阜県海津郡海津町 札野・高須4Hクラブ　服部貢

私の住んでいる海津町は、岐阜県の最南端にあり、標高〇・五〜二十メートルの平坦地で、一戸平均一・四ヘクタールの水田を有する農業地帯であります。

とくに暖地であるため、ビニールハウス園芸がさかんで、昭和三十二年に私たちの先輩4Hクラブ員によって、水田裏作にビニールハウスによるトマトの半促成栽培が導入されてから十余年になります。その後、栽培面積の増加と栽培技術の向上により生産量が増大し、現在使用している出荷場（昭和三十六年建設）が狭くなり、出荷作業に支障が生ずる状況になり昨年、農業構造改善事業で総工費一億二千万円のマンモス選果場を建設し、トマト、キウリ、イチゴなどの生産物を一元集荷し、共選共販を行なっています。

ことしは、トマトの選果機が導入され、いっそう出荷労力が省力化されて、ハウス園芸に取り組む私たちには絶好の条件に恵まれています。

栽培管理概要
播種……1月3日　品種……サツキミドリ　台木南瓜……平和親善 1月1日
接木……1月17日〜19日　活着率70％（寄接方法）
定植……2月12日畦間、株間……1m×45cm（10アール当1200株）
管理　保温……暖房機自動温度調節（燃料の補給）かん水……自動かん水装置　防除……動力噴霧器（3回散布）支柱立て……ポリテープ使用　追肥……液肥として自動かん水より追肥　除草
収穫・出荷……収穫始3月15日　収穫終7月10日、収穫量6,500Kg、家計仕向200Kg
労力……総合計4,530時間
収支……収入キウリ　販売代金460,000円、支出76,800円、差引純益183,200円

私は、昭和四十二年は農業講習所を卒業と同時に、両親が経営していた小型ハウスのトマト栽培を手伝うようになりました。六ヵ月間のトマト栽培に取り組んだ結果を反省したところ、次にあげるようなことから大型ハウスを建設することにしました。

一、小型ハウスの構造は簡単で、組立、移動が容易で、なお低価格であるが、風や雪に対して弱い。
二、ハウスが小型のため、作業の姿勢が悪く仕事の能率が低下し、体力の消耗が大きい。
三、土地の利用率が低い。
四、栽培管理の省力化が困難。
五、労働投資より施設投資が優先する。
六、農業後継者育成資金の借入ができる——などがあげられます。

以上のような反省から大型ハウスの建設にふみきったのですが、ハウスの建設に伴ない、ハウス施設、暖房器、かん水施設などの償却費を考えますと、三・三平方メートル当り二千円以上の収益が必要になります。これを各生産物で計算しますと、三・三平方メートル当り、トマト千八百円、キウリ二千五百円でキウリの方が有利になります。そこで私は、最近の市場における消費動向や価格からみて、接木によるイボキウリの栽培を選びました。

まず、ハウスの建設作業は、基礎コンクリートうちに三日間、ハウス組立、ビニール張りに六日間を要し、その建設労力は七十人を要しましたが、うち五十五人は家族労力でまかないました。

栽培管理と収支については上表のようです。

私はキウリと同時にトマトを栽培しましたが、収穫最盛期が同時になるため、収穫・出荷の労力に大きく無理が生じ、こん後一作目だけにしていきたいと思います。また、キウリの栽培期を早くして早期多収、長期出荷の栽培型にしていき、ハウスの周年利用を行ない償却費を早く生みだすことがたいせつです。

こん後の計画として、❶キウリ栽培の規模拡大をはかり経営の中心にしたい❷栽培時期を早め長期出荷する❸施設の改善によりいっそう省力化をはかる❹ハウスの利用度を高める——などの目標に向って努力していきたいと思います。なお、私の当面の経営目標としては、合理的なハウスの施設による省力化を第一とし、生産物の商品価値を高めるなどして、キウリ、トマト、米の複合経営で年間収入一万ドルにしていきたいと希望しています。

「4Hの森」を山につくる

・福島・船引町4Hク連

【福島】田村郡船引町4Hクラブ連絡協議会（会長、渡辺充君）は、このほど同町の片曽根山（標高七百十七メートル）に「4Hの森」をつくった。

これは、同町老人クラブ連絡協議会（会長、遠藤七郎氏）から贈られたツツジの苗木二百五十本と同町森林組合から寄贈された松苗百本を、会員約百人が参加して同町農業改良普及所と森林組合職員の指導で片曽根山に植樹したもので「4Hの森」と名づけた。

老人ク連絡協議会から贈られたツツジの苗木は、明治百年の記念事業の一つとして同協議会が会員から集めたもので、こんご4Hクラブ員が管理育成に当るという。

くん炭育苗に自信

新潟県長岡市福井町 白樺4Hクラブ　小林立憲

私の住む長岡市は、新潟県の中央に位置し、豊かな信濃川の水を利用した水田地帯です。

私は高校卒業後、千葉県九十九里町へ三カ月間先進地農家留学研修を受ける機会に恵まれました。そのとき、くん炭育苗の話しや現地をみて、非常に強く心をうたれました。そのくん炭育苗は、育苗操作が簡単で揃ったよい苗がえられることを、はっきり証明していたからです。私の地帯は積雪寒冷地帯だといいながらも、立派な苗さえできれば高い収益と商品価値のあるトマトやキウリができるのです。私はその後くん炭育苗によるハウス経営にとり組んでいます。

育苗の方法について説明しますと、三・六メートル×一・八メートル、高さ十センチの育苗ワクをつくり、くん炭は焼きすぎないように準備します。育苗鉢はポリ鉢をつかい、くん炭を十分つめこみます。保温源は、電熱線を使用しています。育苗管理は、発芽するまではかん水だけにして、発芽後は培養液を用います。子葉展開後移植鉢に移し、培養液を水深二センチぐらい入れてやり、次第に株間の間隔を広げていきます。とくに注意することは、病原菌に感染しないようにすることで、その他は一般の方法に従います。

現在、園芸クラブの八人の仲間が、くん炭育苗を行なっていますが成績は非常によく、将来に対して明るい希望と自信をもっています。さらに安定した苗の得られるくん炭育苗をさらに研究して、稲作とハウス園芸で立派な自立経営をやりぬいていきたいと思います。

プロジェクトの取り組み方

青年の可能性を発見

重要な人間関係の理解

北海道専門技術員　三輪勲

プロジェクト指導の組織と運用

指導対象青少年の理解

プロジェクトの指導は、青少年ひとりひとりの能力・欲求・性格・家庭における地位・グループにおける活動状態などに即したものでなければならない。このためには青少年の実態を十分に理解することが重要である。

青少年理解の基本的な資料としては、青少年の実態調書・青少年グループ活動調書・青少年の家庭位置図などを整備するとよい。

青少年実態調書

青少年の実態調書は個人別に作成する。調書の内容は、本人のプロジェクトレコードブックをもとにして次の事項などを集約する。また、青少年の家庭の農業経営概況など既調査資料がある場合は、できるだけそれらを活用すれば能率的である。

【青少年の身上状況】
a）氏名、性別、生年月日
b）世帯主との続柄、農業後継・非後継の別
c）最終学校名と卒業年次
d）ラジオ農業学校・農業学園・青年学級などの受講（学年）または修了の別
e）所属グループ名、入会期日、プロジェクト達成件数
f）実施中のプロジェクトの名称と規模

【家族の状況】
家族の氏名、年令、本人との続柄、職業など

【農業経営の概要】
a）土地利用面積……耕地（田・普通畑・牧草畑・樹園地）採草放牧地、山林、未利用地
b）作付……おもな作物名と面積
c）家畜……種類別、おす・めす別、成・子別の頭羽数
d）農業機械……種類と台数
e）施設……畜舎、サイロ、作業場などの規模
f）住宅……面積、室数など

青少年グループの活動調書

青少年グループの活動実態について調査する。これは❶グループの組織数（人員構成、篤志指導者）❷グループの構成人員（年齢別、学歴別）❸活動経験年数❹会合の開催日数（行事参加人員）❺個人・共同プロジェクト実施人員と実績❻活動資金源と金額——などのように詳細について調査を行ない、その結果を活用するとよい。

これにより、青少年のプロジェクトの実績とそのグループ活動との関連を理解することができる。また、共同プロジェクトの指導に関連して青少年の人間関係を理解することが重要であるから、観察法や事例研究の調査を行なうと効果的である。

青少年の家庭位置図

青少年の家庭の住所見取り図を作成する。新たに作成しなくとも、既製の農家見取り図を活用してグループ員のいる農家に特定の印をつけて識別すればよい。

この見取り図は、グループ員の分布を知ることのほか、プロジェクトの部門（たとえば、農産・畜産・生活など）の識別を加えると、プロジェクト課題別実施者の分布図としても活用できる。こうした見取り図は、プロジェクト巡回指導の際に便利である。

以上、対象青少年の理解について資料作成の方法をあげたが、このほかに面接・事例研究・行動の観察・アンケートなど各種の方法がある。いずれの方法に

おしゃれコーナー

夏を呼ぶよそおい

梅雨前線北上——もなんのその、カラッと晴れた街角の午後は、若人たちの夏を呼ぶ元気な姿がいっぱい。あちらをみても、こちらをみても街は夏の装い一色という季節を迎えました。

若い恋人によりそう娘さんの装いは、綿百％が夏の服装の素材として人気を集めてから久しくなりますが、最近は、ただコットンを選ぶというのではなく、その装いの目的に応じて、たとえば、遊び着には綿サッカーや綿ジャージーを、おしゃれ着には綿サキン、綿ピケを、と布地で楽しむ若い女性が増えています。

今シーズンとくに選んだ綿サッカーと綿サテンの製品を紹介しましょう。綿サテンは柔らかく、しかもはりがあるので、シルクとはまた違った贅沢さが好まれます。綿サッカーはなんといっても、あのシャキッとした肌ざわりが忘れられない魅力です。

【写真】[illegible]

農業簿記

京都大学名誉教授　大槻正男

自計式農家経済簿記

自計式農家経済簿記の[illegible]の記録計算の様式による[illegible]よるときは単記式複計算[illegible]ひとつに属し、記録計算による分類によるときに[illegible]家経済所得簿記に属するものである。

[illegible]

▼財産

（1）流動性財
（イ）消耗性財（たとえば、肥料・飼料・薬剤などのようなもの）
（ロ）年度内生産性財（たとえば米・繭など）
（2）不流動性財
（イ）減耗性財および不消耗性財（たとえば建物・機械・役牛馬・土地・有価証券など）
（ロ）長期生産性財および不生産性財（たとえば林木・育成牛馬および土地など）

（つづく）

NHK農事番組（6月21日〜30日）

テレビ

明るい農村　6・30〜6・50　総合

[illegible]

あすの村づくり　日　7・00〜8・00　教育　再　土　1・00〜2・00　教育

[illegible]

30日　村の記録　十年目を迎えた開拓地（岩手県九戸郡）

農業教室　7・30〜8・00　教育

23日　現地報告　五百頭酪農誕生（北海道[illegible]町）
24日　人と話題　ソ連に夏みかん出荷
25日　通信員の手帳から　西山卓次
26日　産地訪問　生シイタケ（奈良県五条市）
27日　現地報告　海を渡る牛＝島の子牛委託制度＝（東京三宅島）
28日　村のポスト
29日　話題の窓　[illegible]
30日　現地報告　水田でどじょう養殖（青森県六戸町）

ラジオ

早起鳥　5・50〜6・00　❶

[illegible]

ラジオ農業学校　月〜土　6・40〜7・00　❷　日　6・30〜7・00　❷　再　19・00〜19・15　❷

29日　村落再編成をはかるもの＝岡山県農業青少年、助言者＝工学院大学助教授・荻原正三

農業法令の手引

農業協同組合

—その3—

（ウ）組合員の権利義務については、大体次のような事項が定められています。

❶組合には出資組合と非出資組合とがあり、出資組合の組合員は、出資一口以上を有しなければなりません。出資組合の組合員は、組合の承認を得て譲渡することができます。ただし、持分の共有は認められません。

❷組合員にはいわゆる正組合員と准組合員があり、農協の場合は右の（ア）の❶農民と❷の農業経営を行なう法人、農協連合会では（イ）の❸の農協及び農協連合会が正組合員で、正組合員は、それぞれ一個の議決権と役員及び総代の選挙権を有します。この議決権及び選挙権は、書面によって、又はその組合員の世帯又は他の正組合員を代理人として行使することができます。

❸組合は、定款の定めにより、組合員に経費を賦課することができ、また、組合員に過怠金を課すことができます。

❹組合は、一年以内の期間として、組合員が組合の施設の一部をもっぱら利用する契約（専属利用契約）を組合員と締結することができます。ただし、この契約を締結するかどうかは組合員の任意で、組合は、組合員がその締結を拒んだことを理由にしてその組合員が組合の施設を利用することを拒むことはできません。

❺組合員となる資格を有する者が組合に加入を申し込んだときは、組合は、正当な理由がないのに、加入を拒んだり、現在の組合員が加入の際につけられたより困難な条件をつけたりしてはなりません。

❻組合員が組合を脱退するには次の四つの場合があります。

一、予告脱退……予告は六十日前、（一年以内の期間で定款で定められたときはその期間前）に行ない、事業年度の終りで脱退する。
二、組合員たる資格の喪失
三、死亡又は解散（法人又は団体の場合）
四、除名……除名は、長期間にわたり組合の施設を利用しない場合、出資の払込、経費の支払その他の義務を怠った場合その他定款で定める行為をした場合に、総会の議決で行なうことができる。

脱退した組合員は、持分の全部又は一部の払戻を請求することができます。持分の計算は、脱退した事業年度末の組合の財産によって行なわれますが、その財産が債務の完済に不足するときは損失額の払込みを請求されます。

❼出資組合員は、定款の定めにより出資口数を減少することができます

（3）組合の管理

（ア）組合の定款では、事業、名称、事務所の所在地、組合員の資格及び加入脱退、出資一口の金額及び払込方法、一組合員の有し得る出資口数の最高限度その他の事項を定めることになっています。

また、総会又は総代会、業務の執行及び会計その他の事項を規約で定めることができます。

（イ）組合に役員として理事（五人以上）及び監事（二人以上）を置きます。

理事の定数は少なくとも四分の三は正組合員たる個人でなければなりません。

役員は、総会又は総会外において組合員が選挙し、その任期は三年以内で定款で定めます。

（ウ）組合は、理事の過半数の決定により参事又は会計主任を選出し、組合の業務を処理することができます。参事には商法の支配人の規定が準用されます。参事及び会計主任については、正規組合員の十分の一以上の同意を以って、その解任を請求できます。

（つづく）

〈全国農業会議所編「農業法令のあらまし」から〉

春の終り（8）

一ノ瀬綾　多賀愛子画

額に汗をにじませて、須田が久江に詰めよっていった。

「百姓が嫌だなんて[illegible]だな。本当は俺が嫌いになったんだろう。きさま、俺を利用して楽しんだから、用がなくなったと言いてえんだろう」

「思いたけりゃ、そう思えばいいさ」

「なに！」

須田の形相が一変した。[illegible]頭が見る間に紅潮してくると、さっと右手がのびて久江の肩先をつかんでいた。敏子は思わず腰を浮かせた。

「久江さん、[illegible]」

「いいんだ。こう言わなけりゃ、この人解らないんだから……ほっといて！」

「こいつ、人を馬鹿にしやがって！」

須田は叫ぶと久江をその場に突き倒した。倒されたまま久江は須田を睨んだが、その瞳にはギラした憎悪の色がにじんでいた。「どうするつもり！　なにをされたってわたしは平気だよ！　百姓なんか嫌だ。嫌いだ……村になんか居るもんか！」

突然、駄々子のように久江は口走った。そしてむっくりと起き直ると、みだれた頭を[illegible]荒々しく息を吐いた。[illegible]いた敏子は、久江の最後の言葉に気づいてはっとなっていた。

「久江さん、あなたは、村を出て行くつもり」

「ああ、行くよ。行っちまうよ」

「どこへ行くつもりだ！」

「どこでもいい。とにかく村を出る」

その言い方には、この場の出来心ではない、以前からの覚悟のような響きがあった。敏子は思わず須田を見た。須田の瞳にはさっと怯えに似た狼狽の色が走った。

「行かないでくれ！」

突然、須田がうめいたと思うと久江の膝元へ頭をさげてにじり寄って行った。

「行かないでくれ。村を出るなんかいつでもできる。どんな話にでも応じるだ！　頼む、行かないでくれ……」

須田はその場に両手を突いた。首を落とし背を波打たせる須田の姿には、見栄も外聞もかなぐり捨てた男のみじめな足掻きがむき出しになっていた。[illegible]久江は、さすがに[illegible]いたが、押し黙ったその横顔は冷たくこわばっていた。

そんな二人を見ている敏子の胸には不意に、自分がまだ知らずにいる男と女の世界を、とっくに通りすぎてきた須田と久江の本当の姿が鮮明に浮かび上がってきた。二人は自分の口出しする段階をはるかに越えたところで向い合っているのだと感じてきた。敏子の心にはじめて白けた虚しい疲れが広がってきた。居たたまれない気持であった。

「わたし帰るね。お役には立てそうもないし、出る幕もないみたい。久江さん、あんたはもう村に居ない……わたしの友達ではなくなったんだね」

口に出してみて敏子は、始めて自分が久江に対して激しい怒りとやり切れない哀しみを抱いているのを知った。そのやり切れなさは須田に対しても同様であった。二人の今の心情も、解り切っていてなお、敏子は二人に同情できない強い抵抗を覚えるのであった。席を立った背後で、久江が何か叫んだが敏子は振り返らなかった。

歩きながら敏子の胸には、さまざまな感慨が音を立てて流れて[illegible]すぐバスに乗る気持になれないまま、足は自然に通い馴れた母校の方向に向って行く。[illegible]敏子は校舎の見える城山の坂道を登って行った。天守閣を残した外堀の一帯は市の公園になっていて、石垣に登ると、足下に学校の全貌が望め、視線をのばすと[illegible]郊外の山裾に銀色の細い流れを縫う千曲川が見える。学生服の敏子と久江はよく連れ立って遊びに来たものである。

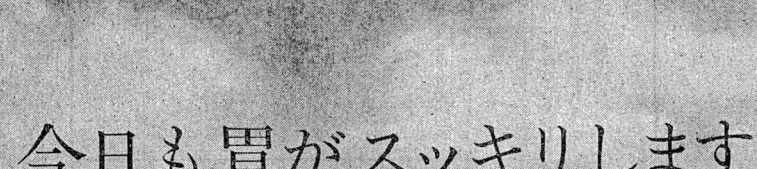

ニュージーランド館

敷地面積 二、九一四㎡

展示館は、同じ大きさの木造の建物５むね（事務局館、展示館１号・２号、映画館、食堂）を配列したもの。各建物は一辺約15ｍの正方形で、山の多いニュージーランドにふさわしく、山荘ふうに設計されています。展示は〝偉大なる食糧国〟〝すぐれた貿易国〟としてのニュージーランドを強調し、社会保障のゆきとどいた豊かな国民生活が紹介されます。

正面入口にあたる事務局館では豊かな土地、食糧、生産品を立体的に展示。１号館では、実物の木や岩、録音による鳥の声などで構成された森林の展示から、都市や町の生活、教育、社会、スポーツ、レジャーまでを紹介します。その他略＜日本万博展示館＞

青春と仲間

私のクラブ活動の足跡

前岡山県連会長　真木英和

☆☆養豚の「協業経営」

[illegible]

養豚家もしだいに増加しましたが、問題も数多くありました。高冷地[illegible]

結局、養豚生産者会員のうち四名がまとまり、養豚経営の実態や方法について研究をさらに重ねて昭和三十七年三月、仔豚の生産から肥育までの一貫協業経営にふみきったのです。

津山市では県の種豚ランドレースの貸付け制度ができましたが、せっかく生産されても津山市には豚市場がありませんでした。そこで、組合員は市場開設について関係団体に働きかけ、ようやくその実現をみることができたのでした。

☆☆部門別活動に成果

このようにして数年を経ましたが、いつの間にか農村青年の数は年とともに減少の一途を続け、いままでのクラブ活動に幾多の問題が生じてきました。会員の激減によって各地のクラブ活動に行きづまりの現象が現われだしたのです。この問題を解決しなければならないと感じた会員たちは、今までの町村単位ではなく、広く津山市全体の組織改善を行なうべく努力して、会員同志相互の協力を求めましたところその成果が現われ、新しいクラブ結成の見通しもでき待望の新クラブが三十九年五月十二日誕生したのです。

会員三十五名のうち男子がほとんどで、それが現在のクラブです。いままでのクラブと違った点と申しますと、各クラブ員は、それぞれ専門部に所属し、部門ごとに計画実施し問題点をみんなで考え合うということです。その部門は、水稲、養豚、養鶏、和牛、園芸、の五つの部門に分け、私は養豚部に所属し部長を勤めることになりました。

しかし、津山市は養豚を取り入れてから日も浅いため養豚家の数も少なく、規模が小さいのが実情でしたので、私たちはまずはじめに市内の養豚家の様子を視察して自分たちの反省の材料にしたのです。飼育方法、設備、豚の良否、規模の大小などの実態を見てお互いの話し合いを進め普及所の専門の先生の説明を聞いて参考にしました。また遠く米子市場へ出かけて市場の状況、仔豚の取り引き方法、飼育管理などについて実際に現地で研修してみて、私たちの地方は、とくに品種の改良が遅れていることに気付き、これらの改良に努めたのです。

このようなクラブ活動は直接わが家の経営に関係して活かされるため大いに役立ちました。また、五つの部門は一緒に研修旅行やレクリエーションなどを実施し、相互間の仲間作りにも役立ち楽しい会となっています。しかし、この会も大きな問題があります。それは、女子クラブ員がわずかしか入会していないことで、そのために将来、結婚問題もひかえているクラブ員にとっては本当に寂しいことなのでした。

☆☆会員の意見を尊重

四十一年四月私たちの津山市クラブ総会の改選によって私は会長を命ぜられました。思いがけないことでしたが、会員みなさんの意志を尊重し引き受けまして、次の事項と取り組みました。

一、会員の募集
一、組織の充実
一、学習活動の実施
一、他グループとの交流
一、実績発表会の開催

以上の項目を実行にうつしてみまして、とくにリーダーとしての心得は、会員一人ひとりの意見を十分聞き入れて尊重し、その判断は常に和合的であってはならないと思いました。そうすることが、クラブや団体活動をおし進め助長するためには必要な条件と考えられたからです。

☆☆県連の再発足を実現

岡山県農村青少年クラブ連絡協議会は、三十九年以来活動が停止していました。その原因は、いろいろ考えられますが、第一に各地域の農村青少年の農業従事者の激減によるクラブ員の減少が考えられ、第二に、行政的に従来の４Ｈクラブの指導機関の体制の変化、第三に、最近の農業、農村生活に対し魅力がなくなったこと、第四に、農業関係以外のグループ活動に参加するなどの理由があるものと思われました。

停止している県連協をなんとかもう一度再発足させようとの声が高まり、関係機関の多大な協力を得まして、遂に四十二年八月二日県庁において発足の式が行なわれました。発足に伴い、私は会長という大役をおおせつけられたのです。私たちは現状の活動から脱皮する目的で、次の事柄を重点に導き計画をたてました。

一、単位クラブの活動を活発化するため、リーダー研修会を実施する。
一、実績発表会を実施する。
一、研究集会、クラブの問題点についてみんなで討議する。

☆☆4Ｈ会館建設に協力

このような計画をたて実行しました成果は、初めての試みとしてはまずまずの出来であったように思います。とくにリーダー研修会や、全国大会の参加は、他のクラブ員によりよい刺激を与え、よい傾向がみられました。発表会などの内容は年代によって差があり、その意義は大きく成果があったものと思いました。

そして、県連協が発足してこれまでの期間を通じて、次の点に気がつきました。

一、4Ｈ会館建設に協力
一、県外クラブ大会に代表者派遣
一、全国4Ｈクラブとの連絡の充実
一、広報活動を広める（4Ｈ新聞の購読を含む）
一、組織活動の徹底
一、クラブ員の募集
一、放送利用による学習活動の推進
一、自主的活動の確立

このような点につきましていっそう努力したいと決心し、会員の一人として頑張っています。（津山市農業後継者協議会）

農村雑感　女子短期大学

折原俊二郎

高校の進学率が七〇％を越したというのは、もう大分古い話になった。義務教育は小学校と中学校であるが、高校進学率が七〇％を越せば、もう義務教育にしてもよし、また、それだけの実績を積み重ねたといえよう。

ところで、この高校進学率は都市のことではなく、農村のことであり、都市と農村の差は無くなりつつあるといえよう。

かつて、農業では学問が不必要であるといわれたこともあった。それは、農業は誰にも出来るし、祖先伝来の畑を耕して、勤勉に働いておれば生活出来るという理由であった。この裏には、他産業がやすい賃金で雇える、好条件の労働市場としてみていたことも事実である。

一方、農村の内部でも、時には勉学のため親や世間の意に反する行動をとろうとすれば、農村社会の除け者として扱われるなど、今日では考えもつかないことが平然と行なわれていたのである。しかも、この考えがなくなったのは遠い昔のことでは決してない。

農業を受け継ぐ男子が、このようなことであったから、勿論、男女平等という今日の思想から、女子教育についても、ほとんどといってよいほど無関心であったといえよう。学問をした娘は芳しくて家の嫁に出来ないという声があったのはその裏付けるものの一つ。

最近、女子の短期大学が各地に出来ており、しかも、農家の子女の入学が極めて多いということである。かつて、女子の短期大学は花嫁学校であると都会で云われたこともあるが、今日では、徐々にこの現象がくずれてきている。それは、卒業生があらゆる職場に進出しているからであり、好ましい姿といえる。

この女子短期大学卒業生が農村に多く誕生し、しかも、入学希望者も極めて多くなったことである。農家の娘さんが短期大学を卒業し、農村に帰り、本格的に農業をやろうとしていることである。今や、短期大学に農村の良い意味での花嫁学校の性格をおびてきつつある。数年前までは、高校を卒えたら農家の嫁として十分であると考えられていたが、それが短い年月の間に、高校から短期大学に移りつつあるのである。

このことは、女子青年の方が男子青年よりもはるかに学歴が高くなって、うっかりしていると農にも来てくれなくなることもある。このため、男子青年はさらに勉強しなければならなくなるだろう。学歴を云々するわけではないが、長い期間高い知識、技術について学ぶことは、それだけ将来への可能性を含んでいる。それは、幅広い人間形成にも通ずるものであるといえよう。農村は、今後もっともっとめまぐるしく変化することだろう。資本主義経済の外的要因に左右されるのみでなく、農村社会の内部から変革するときが来るかも知れない。そのとき、農村に定着した女子短期大学卒業生がその一つの役目を果すかも知れない。

〈農林省・農業者大学校〉

明日の大陸 南米を行く

〝日本人〟を強く意識

真昼のラブシーンは猛烈な印象

埼玉県加須市船越　水深４Ｈクラブ　並木利夫

埼玉県加須市の４Ｈクラブ会長、並木利夫君は、総理府が実施している日本青年海外派遣の第十回派遣団員に選ばれて、昨年九月三日から十一月十一日までの二ヵ月余にわたって南米諸国を視察研修してきました。同君は後進国における青年の力強さに心を打たれ、これから体験を生かして農業に、また地域発展のために努力したいと語っています。以下は並木君の見てある記です。

船出　はじめて海外へ行く不安と期待を感じながら、ブラジル丸で横浜港を出発。一万一千トンという大きな船ですが、やはり揺れ方が激しく、船酔いで一週間ぐらい食事が進みませんでした。

しかし、行けども行けども見渡す限りの大海原に、私は〝世界は広いんだ、よし、この海のように心を大きく、そして美しくわが人生を送りたい〟と感じました。

毎日の日課は、朝六時三十分に起床し、ラジオ体操、食事のあと十時から十一時までスペイン語の研修、午後三時から四時まで自分の研修テーマの発表で、私は「加須市の青少年活動」について発表しました。

毎日、非常に暑く、プールで泳いだり、運動会などが行なわれます。移住者の人たちや、外人との交際がたくさんもたれ、スペイン語も、アルゼンチン人をつかまえて実地勉強につとめるなど、にぎやかに、船は目的地のベネズエラへと向う。

ベネズエラ　ラガイラ港へ入る。非常に暑く、呼吸が苦しくなる。日本大使館、ベネズエラの新聞記者など大勢の歓迎を受け、車で首都カラカス市へ向う。まわりの人たちは、黒人、白人、混血児と今までに見たことのない肌の色に、内心ドキドキの感じでした。

カラカス市は、海抜九百五十㍍の高地にあり、日本の秋を想わせるほど爽やかでした。

ボーイスカウトの交歓会には、今までに会ったことのない肌の色も、言葉も違う青年たちと輪をつくり、歌に踊りに、それこそ世界は一つという気がしました。山すそに輝く夕陽の中に、両国の旗が掲げられたが、私の人生において、こんなに美しい日の丸を見たことがなく感激でした。そして、一番心に感じたことは〝日本人〟であるということでした。

高層ビルが立ち並んで見る限りでは立派であるが、街角には靴磨きの少年がみすぼらしい姿で立ち私たちにパンを乞うて寄ってくる姿、ロールスロイスに乗った石油会社の社長などすべてがアンバランスであり、貧富の格差の大きいことに驚きました。それは、教育の進歩、普及がないかぎり、石油依存のベネズエラから、自立国ベネズエラとして脱皮することができないのではないかと思います。

ブラジル　ベレム、ベネズエラと比べて物価も安く、なによりも果物の豊富なことには驚きました。パイナップル、バナナ、パパイヤをふんだんに食べることができました。この国も水は飲めず、毎日がコーラでした。

日系人が経営しているピメンタ（こしょう）を栽培しているのを見学しましたが、あらためて、日本人の勇気ある行動に力強さを感じました。若い青年に会ったとき「もう一度日本に帰りたいでも、自分の志を達成するまで、どんなことがあっても頑張るんだ」という言葉を聞きましたが、自分ももっと頑張らなくてはと意を新にさせられました。

ブラジリアに向かいましたが、その飛行機がなんと日本製のＹＳ[illegible]二十一世紀のブラジルを思わせるような感じがしました。

リオ・デ・ジャネイロでは、坂本九ちゃん（歌手）と会いましたが、ものすごい人気で、少年が私たちのところに近寄ってくるなり九ちゃんの歌をうたってくれとせがむのにはびっくりしました。それ以上に、移住の歴史、六十年という血と汗と涙の努力というものが、日本に対する親近感を強めているということに気がつきました。私も胸をはって、堂々と、しかも、すし、うどん、そばも食べることができ外国へ来ているという感じは少しもしませんでした。しかし、国民性の違いということを感じました。〝人生は楽しむためにある〟ーこれが南米人の合言葉です。レストランに入っても、一時間から二時間待たされます。官庁街でも、朝九時に始まって十一時まで仕事をし、それから二時まで昼寝の時間という具合で、銀行や郵便局までがしまってしまうのには困ってしまいました。男女関係もオープンで、高校生でありながらタバコをふかし、屋[illegible]間、堂々とキッスシーンをやるという、私にはまったく強烈なる印[illegible]に活躍しています。

パラグアイ　南米の中央にあ[illegible]

サンパウロの日系人大学生の宴ーアルモニア学生寮に宿泊したとき開いた日系人との交歓会の参加者（前列左端が並木君）

映画

世界的な最高傑作の映画化

凄絶な人間ドラマ

「カラマーゾフの兄弟」（東和映画配給）

「カラマーゾフの兄弟」は、いうまでもなく文豪ドストエフスキー最後の、そして最大の長編小説。作品的にみても作者の最高傑作であり、その思想の集大成であるといわれている。

世界文学史上、「神曲」（ダンテ）「ファウスト」（ゲーテ）とともに三大傑作の一つに数えられ「聖書」に匹敵する唯一の人間によって書かれた文学、ともいわれるほど深遠なテーマがつらぬいており、発表されてから九十年、激しい愛と憎しみを極限まで描いた凄絶な人間ドラマでもあるこの大ロマンは、国をこえ、時代をこえて、世界中の人びとの心にはかり知れない影響を与えてきた。

☆

フョードル・カラマーゾフは、五十を過ぎてもなお肉と欲とを求めてやむことがない。彼には三人の息子があるが、その生い立ちは決して幸福とはいえなかった。

長男のドミトリーは二十八歳。激情に走り易く、金銭と女性の件で、父と競っていた。次男のイワンは二十四歳。神を否定し、人間にはすべてが許されると主張する大学出の秀才である。三男のアリョーシャは二十一歳。清らかな魂と深い信仰を持った青年である。ゾシマ長老にもに愛されている。

一方、召使いスメルジャコフには忌しい過去があった。そのため彼は父、フョードルを憎み、他の兄弟に嫉妬していた。彼は前からイワンに近づいていたが、昨日の会合以来、しきりにモスクワへ行くようにイワンに勧めるのだった。この卑しい、狡猾な男はなにか恐しいことを企んでいる違いにない！そう考えながらも、イワンは暗示にかけられたかのようにモスクワへ発った。

グルーシェンカがフョードルの居間にいるとにらんだドミトリーは、彼の部屋の窓際に身をよせると、かねてスメルジャコフから聞き出してあった合図を送った。父が近づくとドミトリーは手にした銅製の杵を握りしめた……。

翌朝、ドミトリーは父親殺しの容疑で逮捕され、証拠はことごとく彼に不利となった。それから約二ヵ月、イワンは病床にあるスメルジャコフを訪ねた。こいつこそ犯人だ！激しく詰め寄るイワンに彼は狡賢かった。巧みな弁舌でいつの間にか、イワンを精神的な犯人に仕立てあげていた。

フォードル（父）を追いかけようとするドミトリー（長男・中央）を押さえるイワン（次男・右）と、なだめるアリョーシャ（三男・左）

生活もの知りコーナー

白い布地　本洗いは熱い湯で

▼白いものを白く洗うコツ　もめん、麻の肌着やブラウスなど、白いものを白く洗いあげるには、本洗いは熱い湯を使うのがコツです。繊維は水分と熱を加えると膨張して、中のよごれの分子が落ちやすくなるからです。

洗剤は弱アルカリ性洗剤を使います。洗剤の量は少なすぎてはいけませんが、それかといって多すぎてもよごれが落ちるものではありません。洗うものの分量と、よごれ具合によって、洗剤の容器に表示してある分量を守りましょう。

洗う時間は、電気洗たく機なら十分〜十五分位が適当。長い間まわしているとせっかくとれたよごれがまたもどってしまいます。

一回で落ちないときは、洗剤は初めのときの三分の一の量にして、もう一度洗うと、完全にきれいになります。

とくによごれのひどいときは、漂白剤を洗剤といっしょに入れてください。干すときは、直射日光に当て、乾いたらすぐとりこむのがコツです。一日中干しておくと蛍光染料が太陽の光線で焼かれて、黄ばむ原因になります。

▼日射病・熱射病　暑い日に長い時間帽子もかぶらないで外にいて、強い太陽にあたっていると日射病にかかります。また、風通しの悪い熱い部屋で熱気にあてられて起るのは熱射病です。いずれも頭へ血がのぼり、うっ血して意識がぼんやりしてき、ひきつけることがあります。

こういう症状のときには、涼しい場所に寝かせて、食塩水をのませるようにしましょう。頭痛がひどいときは冷やします。安静にして、早く医師を迎えてください。砂糖湯やうすい番茶もよいでしょう。あまり冷たい水や氷水などは与えないように。暑い外にでるときは必ず帽子の着用を。

日本4H新聞
4Hクラブ
農事研究会
生活改善グループ
全国弘報紙
発行所 社団法人 日本4H協会
東京都市ケ谷家の光会館内
電話(269)1675 郵便番号162
編集発行人 [illegible]
月3回・4の日発行
定価 1部 20円
一ヵ月700円（送料共）
振替口座東京 12055番

クラブの綱領

一、私達は農業を通じて自らを磨くとともに互いに力を合わせてよりよい日本を創るため四つの信条をかかげます。一、私達は農業の改善と生活の改善に役立つ腕をみがきます。一、私達は科学的に物を考えることのできる頭の訓練をします。一、私達は[illegible]心をつちかいます。一、私達は楽しく[illegible]健康を増進します。

着々すすむ「つどい」の準備

県連で記念誌を発行

安住県連会長語る あとは友を待つだけ

「全国4Hクラブ員のつどい」として鳥取県で開かれるつどいも、あと一ヵ月後にせまった。鳥取県連では、かねてから全協などとともに、その大詰めの段階の準備をすすめてきた。その結果、さきの全協役員を迎えての準備委員会以来の懸案であった参加人数の把握もほぼできた。そこで、このほど鳥取県庁で開かれた準備委員会に、安住鳥取県連会長を訪ね、つどいの準備の進行状況などを聞いてみた――本紙連絡報道員 山本哲朗記

会場の県庁会議室では、十数人の準備委員が机に向って、懸命に各種の資料の整理にあたっていた。安住会長はその中央で、こもる熱気のため背広をぬいで、委員のひとりとせわしそうに何やら話していた。

――現在、つどいの準備の進行状況はどうか。

安住会長 ほぼ八、九分通り仕上ったところである。あとは、全国の仲間に鳥取県を理解してもらうためと、私たちの意欲の成果を記念するための特集誌や、その他の資料の作成をするだけである。

――参加の人数はどれほどか。

同会長 さきの徳島県で行なわれた全協の県連会長会議で、参加申し込みがほぼ出そろうのを期待していたが、はっきりしなかった。しかし、その後の連絡では、県外から予想通り約七百名のクラブ員が本県を訪ずれることになった。

――鳥取県農業について認識を深めてもらおうという現地研修についてはどうか。

同会長 すでに各市町村のクラブには受け入れについて了承してもらっているので、早急に地区会長会議を催して、六月中には各地区に割りあてるので別に問題はない。

安住会長

――特集誌の表紙には、オシドリが載せられるようだが、これは何か意味があるのか。

同会長 このオシドリは、鳥取県の県鳥である。この鳥は、いつも番（つがい）でいるのが特徴である。このオシドリが力を合わせて生活を営んでいる姿は、今後をめざす若い農業者にとってなにか通ずるところがあると思う。

――大会期間中に、これといって気をつけたいというようなことはないか。

同会長 ご存知のように、これは私たちのために、私たちが催す、自主的な意欲のつどいである。その意味から、小さなことも、例えば、夜遅く着いたりするクラブ員がスムーズに仲間と参加し、本来の目的を達成できるように万全の策を構ずるつもりである。

――このほかに、問題はないか。

同会長 つどいの準備で、あと残っていることといえば、特集誌の印刷だけである。宿舎の割り当てもでき、会場の準備もすでに終わり、もう全国から仲間がくるのを待つだけである。

（流ちょうであるが、確実に核心をついてくる安住会長は、さいごに、鳥取を訪ずれようとしている全国の仲間に、次のように呼びかけてくれた）

あとわずか一ヵ月後に、鳥取県でつどいを催すことになりました。私たちは、その後もだんだんと準備を進めていますが、みなさん方は鳥取県の農業だけでなくていろいろの面から私たちの鳥取県をみて、それに接し、あわせてつどいの本来の目的にそって、そのより大きな収穫をぜひとも持ち帰ってください。

◇ ◇ ◇

目下、県連では、参加人数の報告がほぼ出そろったことで、一息入れながらも、この日本の4Hクラブ員が自らの手で、自らのために催す自主的なつどいで、全国各地から積極的な参加を希望をする仲間に、私たちが希望をもって取り組んでいる農業、また広い視野から鳥取県を充分に理解してもらうためと、私たちの意欲の盛り上がり、努力というものを記念する意味から「つどい記念特集誌」の編集をすすめている。なお、鳥取県連の役員は、つぎのとおり（理事は省略）。

会長 安住秀雄（八頭）
副会長 谷永憲雄（西伯）
同 前田賢（倉吉）
[illegible]

日頃の成果を発表

大和郡山市4Hクラブ 技術交換大会開く

【奈良】奈良県大和郡山市4Hクラブ[illegible]

[illegible]

地域農業の推進を図り、研究したプロジェクトを発表するクラブ員

4Hとプロジェクトを学ぶ

愛知県連で新人研修会開く

【愛知県＝二宮直子連絡報道員発】愛知県4Hクラブ連絡協議会（会長、飯田雅美君）は、このほど二回にわたって、新入4Hクラブ員研修会を開催した。

これは、ことし同県下で新しく4Hクラブに加入した[illegible]というもので、県下で田植えの時[illegible]六十五名、第一回東三河地区は同[illegible]二十七日から豊橋市青年の家で五十一名を、それぞれ二日間の日程で行ない、第三回西三河地区は、来る六月二十七日から岡崎市働く若者の山の家で行なう予定にしている。

第二回の研修会では、最初に開会式。飯田会長が「二日間にわたってこの研修を真剣に受けられ、4Hクラブ員としての自信と誇りをもってすすんでください」とあいさつ。みんなで、憶えたばかりの4Hクラブの歌を力強く斉唱した。

つづいて、ゲームや歌を楽しみながら、明るくリラックスした雰囲気のなかで自己紹介。このあと研修に移った。

まず、4Hクラブ活動について演習とまとめ、つぎにプロジェクト活動について、ロールプレイング、事例発表、演習をしてまとめ、さいごに再び、4Hクラブ活動についてパネル討議でまとめを行なった。

県庁から出席した山田青少年係長は閉会式で「平生のプロジェクト活動が、明るく豊かな農村を築くもとであると思いますので、ぜひみなさんも実践していただきたい」と激励された。

また、初めて参加したM君は「歌あり、ゲームありの研修会でたいへん楽しかった。4Hクラブを理解するのにとても有意義な二日間でした」と話していた。

二日間の研修を終えて、新入クラブ員たちは新たな決意に瞳を輝かせながら、県下各地に分れていった。

技術はまだ不足

栃木県市貝のテスト結果

【栃木】栃木県市貝農業改良普及所では、このほど市貝村民会館で青少年技術競技会を開いた。

これは、地域農業を担う農村青少年の技術の向上をはかることを目的として行なわれたもので、茂木町、芳賀町、市貝村の4Hクラブ員約七十名が参加。稲作、園芸、そ菜、花卉、生活、特用作物、経営の分野に分けた六十四問のテストを行なった。

テストの結果は、専門家以上の成績をもった人がいた反面、平均ではまだ研究不足という成績であった。

同普及所では、これを機会に技術の指導を進めていきたいといっている。

4H・農研・生改 三者で協力を確約す

4H部長に原田君を選出

大阪府連総会

【大阪府・[illegible]連絡報道員発】大阪府農業・生活研究グループ連絡協議会[illegible]

[illegible]

[illegible]年技術研修（専門＝6～3回、経営＝8月19～22日初[illegible]ス、12月10～12日上級コー[illegible]）
[illegible]技利用活動（府下七ヵ所[illegible]）
[illegible]間づくり推進事業（府下七[illegible]7～3月）
[illegible]子教室（府下七ヵ所＝6～[illegible]）
[illegible]青少年留学研修（国内農[illegible]ヵ月、農業者大学校＝三ヵ[illegible]外実習生＝約一ヵ年、国外[illegible]ヵ月以上、＝試験研修機関[illegible]）
[illegible]研修会＝5～1月、現地集[illegible]年間）
[illegible]約二ヵ年）
[illegible]カづくり指導者研究会（技[illegible]大会に合併＝10月7～9[illegible]）

富士登山のご案内

みんなで登ろう 霊峰富士へ

全国の4Hクラブ員のみなさん こんにちは――ことしも明るい太陽の季節、私たち若人の鍛錬の夏がやってきました。

さて、私たち北駿4Hクラブでは、日本のシンボル富士山に4Hの旗をなびかせて登る恒例の「全国4Hクラブ員・富士登山のつどい」を、ことしも来る八月四日から三日間にわたり、左記の日程で計画しましたのでご案内します。

私たちのクラブ員のなかには、アルバイトながら、富士登山の案内をする者もいます。そのベテランが、全国の仲間をご案内するのを楽しみにしています。どうか、私たち北駿4Hクラブ員一同、全国から多くのクラブ員のみなさんのお越しをお待ちしていますので、ご参加ください。

静岡県北駿4Hクラブ
会長 山口泰秀

第三回全国4Hクラブ員・富士登山のつどい実施要領

一、日程

八月四日（月）
十三時～十七時 御殿場駅前で受付
十九時三十分 開会
二十二時三十分 交歓のつどい
二十二時 消灯
八月五日（火）
八時三十分～十二時 話し合い・地域見学
十三時 富士登山（須走）
富士山八合目泊
八月六日（水）
十二時 富士下山（御殿場駅）
十二時～十四時 お別れ会
十四時 解散

二、携行品および会費
（イ）会費三千円（食費、交通費、宿泊費、その他）
（ロ）携行品 ズック、登山靴、帽子、雨具、手袋、懐中電灯、冬着など登山できる仕度、その他

三、参加者は、全日程に参加するものとします。

四、参加申し込み方法
クラブ単位、または個人で下記の様式で七月十五日までに申し込んでください。

氏名	年令	性別	クラブ名	住所	御殿場駅到着時間

なお、準備の都合がありますので、登山ご希望の方は、なるべく早目にご連絡ください。

（連絡先）
静岡県駿東郡小山町竹の下三三〇一
電話 小山（〇五五〇）六－〇〇九一
郵便番号 四一〇－一三
北駿4Hクラブ 岩田乙女

涼風暖風

北海道に哲学する

久しぶりに北海道を訪れた。昨冬の北海道行は、白銀の空港に降りたち、冬のきびしさに思わず身ぶるいしたが、六月の北海道の眺めは、果てしなく続く鏡のような水田の美しさで、乗客の多くを飛行機の丸窓に引きつけてはなさなかった。

そんな乗客の中にあって、羽田を飛びたつときから、千歳空港につくまで、終始読書している人も何人かいた。旅なれているつもりなのか、飛行機はあきる程乗っているジェスチャーなのか、窓外の雲の流れはおろか、窓枠すらみようともせず、週刊誌に読みふけっている姿には恐れいるばかり。

こんな人は、何も飛行機に限らず、汽車の旅でも目につく。同じ富士山でも、四季により、天候により、時間によって、刻々に変化している。何時でも読める週刊誌などに時を盗られ、窓外にくりひろげられるこの自然の移りかわりを見すごしてしまうのは、余りにももったいないと考えるのだが。

無理をして、ぎごちないポーズをとらずに、素直に車窓を流れる自然の風物に身も心もとけこますことはできないことなのだろうか。

限りない変化の中にある自然の美しさにひかれながら、無感動になっていく現代人の悲哀におもいを馳せていると、あざやかなライラックの花かげがようしゃなく目の奥深くとびこんできた。

終点は大雪山の山ふところ。千古斧を知らぬ原生林は、しんかんとして深淵にひきこまれるような感じを与える。大都会の真中で、人また人の群と鼻つき合せる毎日の生活を考えると、やっと解放されたような思いとともに、私はいま一人なのだろうかという疑問のとりこになってしまった。

アメリカのある随筆家の作品の中に、こんなことが書いてあったのを思い出す。一人の男が、一匹のロバと森林をさまよっているとき、いつしか雨がふってきた。その男がつぶやいたことばが「孤独も、また他人無くしては完全でない」

北海道の原生林にふみこんで、他の人との対比があってこそ、また自分の存在が確認できるのだ、とつくづく思った。とすれば、「他の中の個の確立」ということに、それこそ真剣にとりくまなければならないだろう。

大勢の中にあっても、大勢を離れても、ただ無感動になっていく現代人には、自然との対話を求めることが無理なのだろうか。ともあれ、いろんなことを哲学させられた北海道行であった。

（文部省 伊藤）

地区連間で情報交換

神奈川県連・リーダー研修会開く

広域普及や新都市法などを協議

【神奈川県＝石井忠輝連絡報道員発】神奈川県農村青少年クラブ連絡協議会（会長、中野正義君）は、さきごろ、県農業経営研修場でリーダー研修会を行なった。

これは、県内各地で活動している農業青少年が、現在の激動する神奈川農業のなかで、クラブ活動に変化をせまられ、それぞれ異った目的や方向へすすんでおり、クラブ活動に多くの問題点があるので、それらをお互いに解決し合うとともに、リーダーとして視野を広めるために開いたもの。

まず、地区連について情報交換を行なった。現在、地区連の中に部会があり、部会単独で活動を行なっているので、地区連としては、どうしてもレクリエーションを主体とした運営になってしまう。部会のある地区連は、クラブ員が身近に感じている問題を見きわめてすすめていけばいいのではないかという意見がでた。

つぎに、新都市計画法と[illegible]活動について、分科会で話し合った。

新都市計画法については、現在二、三の地区連が活動し、これから予定しているところもあるが、いまのところ、クラブ員の関心がうすいので、県連がクラブ員全体に説明会などを開き、働きかける必要がある。

これからは、都市化に対応した経営者として、立地条件を生かした有利な経営を考え、共同経営など生産から販売まで直結した経営を考えてみるなど話し合った。

つづいて、普及所の統合問題とクラブ組織について各地区の現状を討議した。

普及所が統合された場合、クラブ員に与える普及員の指導の問題として❶普及員の労力、知識❷普及員の指導の平均化❸統合による指導の弱体化などを話し合った。

また、普及所の統合で、二、三の地区連が合併したり、一つの地区連が二つに分かれたところもでたが、地区連と地区連、地区連と県連の間で連絡委員会などを設け、現状のクラブ体制を維持しようという意向が強く示されていた。

会館建設へ協力など決る

神奈川県連の事業計画

【神奈川県＝石井忠輝連絡報道員発】神奈川県農村青少年クラブ連絡協議会（会長、中野正義君）は、さきごろ開いた総会において協議の結果、新年度の事業計画をつぎの通り決定した。

事業計画

クラブの組織強化をすすめるなかで、農業の諸問題を考え、解決に努力し、クラブ活動を通して青少年らしい自主独立の精神を養うため、次の事業を中心に行なう。

一、リーダー研修会（年二回）
二、討論会（新都市計画法、普及所統合問題などについて）
三、クラブ員のつどい（十二月）
四、各種発表大会
五、県連だよりの発行
六、日本4H会館建設への協力
七、この他活動方針に基づく事業

栃木で技術交換会

【栃木】栃木県矢板農業改良普及所は、このほど、同市体育館に管内の4Hクラブ員ら百名を集めて、技術交換大会を開いた。

この大会は全国大会の予選をかねて行なわれたもので、成績上位の九名が来る県の大会に出場することになった。

心頭技健

ある県の農業普及担当官の話である。その県では、県下の農家に目標を与えるため、昨年から、農家の理想像の作成にかかった▼すなわち、現在のところ、農民が豊かで明るく文化的な生活を営むには、年間どれだけの収入が必要であるという目標をまず定め、それには水稲だけでは達成できないので、プラス・アルファの形態とし、それぞれ県下の各地域の条件を考慮して、この地区は養豚、あの地区は果樹というようにプランを立てた▼そして水稲でどれだけ、果樹、養豚でどれだけの収入を得るには、水稲の規模によって果樹幾ヘクタール、豚幾頭というように、農家がすぐに取りかかれるように具体的な経営内容まで立案したのであった▼ところが、いよいよ具体案ができあがり、普及所で指導の段階にきて困ったことになった。農業を取りまく環境が変っていて、もはやそのプランでは実行できなくなっていたのである。農民にビジョンを与えてやろうとした指導関係者のせっかくの努力も、空しいものになってしまったのである▼これまで、普及所は技術の指導をしていればよかった。だが、これからは農民の生活を守り、また伸ばすためには、経営の指導をしなければならない。ところが、このような事情で、普及所では経営の指導は難かしく、どうすればいいのか悩んでいるというのである▼そこで思うのだが、断絶の時代と呼ばれるように、今日の激動する社会環境についていくために、将来のプランを机上で立てても、実際にその通りに実現させることはできない。そうだとすれば、もはや方法論や技術の問題ではなく、農業にかけるその人の信念の問題である▼志あるところ必ず道ありという。これからの世の中では、目前のことに惑わされていては、農業に限らず、大成することはおぼつかなかろう。俺は農業に生きるのだという固い信念があれば、たとえ一度や二度は失敗することがあっても、必ず立ち上がり、立派に大成するに違いない▼したがって、普及所の指導も、これからは、人づくりに主力を注ぐべきではなかろうか。それには、まず、指導関係者が農業に対して確固たる信念をもつことである。

全国の育成担当者会議開かる

「日本的４Ｈクラブ」を

関係者（農林省・全協など）の話合いを要望

全国都道府県の農村青少年育成担当者による会議が、さる六月[illegible]日から三日間、東京・[illegible]で開かれた。[illegible]

四つの分科会のうち、クラブ員、青少年の育成[illegible]について話し合われた。[illegible]

第一は、現在、４Ｈクラブの指導が多いまいになっている。[illegible]

第二は、[illegible]

農村青少年の育成について真剣に討議研究する各県青少年担当者。

などして４Ｈクラブの指導理念が[illegible]

[illegible]

四、４Ｈという名前の[illegible]

[illegible]

リレー・クラブ紹介　われらのクラブ

<北駿４Ｈクラブ（静岡）

西袋４Ｈクラブ　福島

佐藤　正君記

→神根４Ｈクラブ（埼玉）

農村のリードマンに

４Ｈは人間成長の場　地域に密着した活動を

私たち４Ｈクラブ員の住む西袋は、須賀川市街から西へ約五㌔にあり、東に阿武隈山系、西に奥羽山脈を遠くに望むどく平坦な所です。

また、昔からの水田単作地帯でしたが、それに拍車をかけるように、猪苗代湖からの新安積疏水の通水によって農家経営は水稲が基幹作目となっています。副収入源として現在は、そ菜（岩瀬のキュウリ）果樹（西袋梨）などを栽培し、わりあい安定した経営を営んでいます。

このような環境の中で、さる四十二年まで郷元の須賀川４Ｈクラブに所属しておりましたが西袋方面の会員の増加とともに〝やはり４Ｈクラブは地域に立脚した活動でなければ〟との声があがりました。このため、ＯＢと私たち十数名によって一昨年、西袋地区に４Ｈクラブが結成され、現在、クラブ員数は二十余名をかぞえるに至っています。

私たちのクラブでは、クラブ員は積極的にクラブ運営に参加しています。そして、クラブが価値ある人間成長の場であることをクラブ員自身が認識し、いろいろの行事、活動には各自が責任ある行動をとり、また、女性の人格尊重の立場にたって無理のない行事や計画をたててこれを着実に実行し、年間をとおして、クラブ員相互の親和、協力、連帯性などをつちかうよう効果的な活動をおし進めています。

現在は、農政、文化、レクリエーションの各部をもうけて各自がこれらの部に入って活動しています。また、クラブ活動の理念をよく理解し、民主的で自主的に運営するためにも、交代制で会の司会や内容説明、準備などを行なっています。

今年度は、個人プロジェクトの充実と共通プロジェクト（アスター栽培）をとり入れ、経過の記帳や経営の実態、収益性を正しく評価してその得失を診断しています。そしていろいろの環境条件のもとで、経営の改善や地域農業にどのように役立つか、市場の動向はどうかなどを研究するため、各自が五㌃ぐらい栽培していますが、これを今後、共同プロジェクトにもっていく考えでいます。また、これは、初心者にプロジェクトについての意味を早く理解してもらうためにも役立っています。

しかし、クラブ活動の中で、やはり低年令層と年長クラブ員との活動のズレや、技術的なレベル、経営能力などに多少とも差があり、活動がスムーズにいかない状態です。また、農村青年がお互いに既存の組織を維持しようとしている現在、４Ｈクラブ員の多くは他団体に所属している者が多い。これは、４Ｈクラブで満たされないものを他に欲求するような形が多いものですから、この間に生ずる目的や思想、時間の違いに考える余地があります。

このように、いくつかの問題はありますが、やはり男女混合の４Ｈクラブであるため非常になごやかな雰囲気があります。

クラブ活動の資金は、現在、クラブ費として千二百円を前期と後期に分けて徴収するほか、農協トラクター、バインダーなどのオペレーターや委託防除によって得た報酬金をクラブ資金にあてています。

今後の方向として、もっと４Ｈクラブという組織を地域にＰＲし、地域農村の建設に貢献することによって、家族はもとより地域社会に立脚した４Ｈ活動を進めていき、目先の安易な考えに負けない青年になりたいと思っています。

口を開けば、日本農政の貧困さを論じ、また、生産の面では共同化を口にしない農村青年はいません。しかし、これからは知識や思考について口先きだけで終ったのでは日本農業を向上させることができません。

だが、体験集団であり実践を通じて学ぶわれわれ４Ｈクラブ員は違います。これらの考えや知識を行動にうつし、地域農村のリードマン、近代的センスのある農村青年になるため懸命に頑張ります。

なお、私たちクラブの年間の主な行事や、クラブ員構成、個人プロジェクトなどは左記のとおりです。

個人プロジェクトに精を出すクラブ員

今年度の活動地

		年令	プロジェクト	クラブ歴
渡辺	一	21	経営全般主に水稲	5
大橋	茂幸	21	果樹（ブドウ）	5
阿部	孝幸	21	果樹（梨）	5
佐藤	正	21	水稲	5
村上	正名	20	そ菜（胡瓜）	4
平塚	重一	24	経営全般	6
小枝	幸夫	21	果樹（桃）	5
郡司	広道	19	畜産（豚）	2
渡辺	貞夫	19	そ菜（胡瓜）	2
佐浦	醇男	19	そ菜（胡瓜）	2
柳川	良雄	19	そ菜（トマト）	2
丹治	実	19	そ菜（胡瓜）	1
我妻	修一	18	そ菜（胡瓜）	1
橋本三起子		19	女子活部（果樹）	2
西牧	幸子	19	〃　（〃）	2
柳川	幸枝	19	〃　（〃）	1
相楽	孝子	18	〃　（〃）	1
村越	チエ	18	〃　（〃）	2
佐藤	公子	17	〃　（〃）	1

クラブ員構成とプロジェクト

月	事業
3月	昭和43年度事業報告（総会）
4月	個人プロジェクト作成、共通プロの管理打合せ、新入会員紹介
5月	水田除草剤及び新薬の講習会
6月	実物鑑定競技会の実施、他の４Ｈクラブとの交歓会
7月	プロジェクト圃場見学会、機関誌発行、胡瓜栽培管理の講話会
8月	水稲の今後の管理について講習会、アメリカヒロシトリ委託防除、福島県若い農業者の集い参加
9月	農試まつり見学、中間プロジェクト発表会
10月	映写会
11月	岩瀬郡球技大会参加
12月	44年度プロジェクト発表会、研修旅行（青年の家）
1月	新年会、機関誌発行、農業用トラクター免許取得
2月	交歓会（地域婦人会）、耕地測量（平板）、土壌検定

昭和44年度の事業計画

ブラジル88村巡行

日本政府派遣農村青少年指導専門家　湯浅甲子

＜９＞

生涯忘れえぬ一時

[illegible]

千古の謎秘めた樹海を前にパーティー

ピックイタペーバ頂上で記念撮影する参加者（右四人目湯浅氏）

…える。[illegible]前にも述べたように、この地は高燥な所なので健康によく、ブラジル唯一の保養地になっている。あの建物は主に結核療養所らしい。一時は日本人の入所も多かったというが、入植時の重労働がたたったためなのであろう。

お腹のふくれた私たちは、さらに山を登ってマンチクェラ山脈の高峰、ピック・イタペーバの頂上に立つ。標高二〇二〇㍍、その雄大な眺望は、筆舌にあらわしがたい。広漠たる南ブラジル平原が、視力の限界をこえて無限に広がり、人跡未踏の樹林が、千古の謎を秘めて音もなく拡がっている。よく晴れているので、気がとおくなるほど遠くまで見える。ポツ、ポツと煙が樹海の中から上っている。あんな所に人が住んでいるのだろうか、信じられない樹海である。

この雄大な自然の中で青年たちと送ったひと時は、私にとって生涯忘れられないものになろう。夜は木村正治氏の家に泊る。正治氏は、テイカさんの父で、また第一回派日実習生・木村俊輔君の父である。

〈栃木県普及教育課・特別専門技術員（青少年担当）〉

…たもの、穀物を中に入れたもの、三角ムスビ、丸ムスビ、みんな懐しい日本の味である。クラブ員たちもオムスビは大変すきらしい。近頃は、ブラジル人の間にも、これが流行しているという。

うまい！ピニヨン

ピニヨンと呼ばれるパラナ松の実をゆでたものもある。栗をちょっと細長くしたようなもので皮をはがして喰べると、味も栗に似ている。栗とクルミの中…

社会との連帯感を

７月中「社会を明るくする運動」展開

ことしも七月いっぱい、第十九回の「社会を明るくする運動」が法務省の主唱によって全国的に展開される。

さいきんの青少年の非行をみると、とくに都市集中化などによって地域社会との連帯感が浴くなっていることと密接な関係があるため、ことしの運動は「青少年の非行防止と社会的連帯の強化」を重点目標にかかげて明るい社会を築くよう努力する。

この運動を強力に展開するため中央と地方に〝社会を明るくする運動〟実施委員会を設け、関係官庁、機関、団体の協力のもとに、七月一日を「更生保護の日」として、この運動月間の初日にふさわしい行事を催すのをはじめとして犯罪多発地域などに重点活動地域を設けて厚生保護のための地域活動を盛り上げたり、青少年の非行防止についての講演会、座談会、映画会、ケース研究会を開くなどの行事や活動を進めていくことになっている。４Ｈクラブ員からは犯罪者が出ないといわれるが青少年の非行防止のために協力されるよう望まれる。

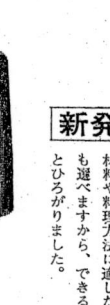

肉用牛の削蹄について

多頭飼育は放牧で
体重支える蹄を丈夫に

岡山県真庭郡湯原町
湯原町山の湯クラブ　大西　泉

私の住んでいる湯原町は、岡山県の最北部、鳥取県との県境近くにあり、標高四百m、平均気温十二・五度、降雨量千八百ミリとなっています。町の耕地面積は水田五百二十三ha、畑百五十九ha、山林二百二十三ha、肉用牛八百三十九頭、乳用牛四百二十頭、農家戸数八百二十九戸、一戸当りの耕地面積は八十二aで経営形態の大部分は水稲と畜産の複合経営です。

湯原町は、昔から山陰と山陽を結ぶ要路で、三作三湯のひとつとして知られています。さらに昭和二十九年湯原ダムの完成を契機にダムと温泉の観光地としてクローズアップされ、農業と観光の両立をめざしています。

私は、昭和四十一年に農業高校を卒業しましたが、その当時の私の家の経営内容は、水田八十a、畑二十a、肉用牛一頭、山林十haを所有し、父は会社勤めなので母一人できりまわしてきました。私も高校在学中から卒業後の経営についていろいろ考え、先進農家を見学、先生や先輩、家族とも相談をかさねた結果、肉用牛の多頭飼育と水稲の複合経営に将来の目標をきめました。

肉用牛の多頭飼育を選んだ理由としては、酪農の場合ですと搾乳という時間に制約を受ける作業があるため、労力の少ない私の家では無理の生じる恐れがあること、また、畜舎の改造をしなければならないなどの問題点が多くありました。和牛は、さいわいに岡山県でも有数の産地であり、飼育管理にも熱心な人が多く、町役場、農協が一体となって肉用牛産地の育成を強力に推進しているなど、条件的にも整っているので肉用牛の将来性をも考えあわせて多頭飼育を選んだわけです。

私は卒業と同時に、湯原町農業後継者クラブに加入して、肉用牛部門に席をおき、肉用牛飼育技術の研修に努めるとともに、先輩や普及員に計画を話し、指導助言をうけて実施計画をたてました。

まず、現在一頭の肉用牛を五カ年計画で十五頭（繁殖牛十頭、肥育牛五頭）飼育の目標をたて、その資金としては農業後継者育成資金を利用することにしました。また、家族労力が少ないので、従来の舎内飼育の方法をやめ、比較的めぐまれている山林を活用した林間放牧の方法を取り入れて、省力飼育を計画しました。次に、飼料対策として改良草地の造成をはかるとともに、冬期飼料の確保のため、貯蔵飼料としてサイロの増設を考えました。

この計画に従い昭和四十一年五月に、農業後継者育成資金の借受申請の手続きをするとともにサイロの増設にかかりました。十月に資金の借受が決定しましたので、それまでに目をつけていた成牛二頭と育成牛一頭を仮契約しておき、十二月に五十万円の融資を受けると同時に購入して最初の計画を終えたのであります。

草地改良も昭和四十三年には一haに達し、サイロも三基となって計画通りに進んでいます。

山林利用の林間放牧の利点については、広島大学の小野教授らが発表されていますが私は植林一年目から放牧しています。その結果をみますと林間の下草刈の作業がはぶけること、放牧中に排泄する糞尿で樹木の成育が早まることなどがあります。

しかし、私たちの山は急傾斜地の山肌が多いので、牛の足が丈夫でないと安心して放牧できません。そこで足の状態には常に注意を要するわけです。

和牛は、現在肉用牛としてその名を一新し、昔の役用面をまったく忘れられようとしています。したがって役用に必要な蹄（ヒズメ）の重要さがまったくかえりみられないのが現状です。しかし、蹄は役用牛でなくても体重を支えるもっとも重要な器官であり、その重要さには変りありません。

たとえば、肥育の場合、体重の増加に伴って蹄に加わる重量、これにたえる蹄のつり合いがとれないとよい成果をあげることはできません。また、蹄の病気（マタグサレ）などが発生した場合、牛の成育をそこなう結果となり、ひいては経済的にもたいへんな損害をこおむります。

こんご、ますます生産コストが問題となり、このコストの切り下げは、いろいろの面から考えて、放牧飼育による方法がもっとも良いと思います。したがって、牛の蹄の弱いもの悪いものは肉用牛として、よい成果が期待できません。

以上のことから蹄は重要であって、その手入れも年に三〜四回できることとなりますので重要な管理作業のひとつといえます。

……削蹄鎌（サクテイカマ）、蹄鎚（テイロ）❷次に牛を保定します❸作業に取りかかる場合、牛の頭から次第に目的部位へ❹牛の足をもちあげる❺それぞれの器具を使用して仕上げる――

以上のように書くことは簡単ですが、もっともたいせつなことは体験することであります。

蹄は乳牛のように白色で軟かいものでも乾燥しているものは、たいへんかたく、鎌がすべって思わぬ方向にそれてしまい、けがをすることがありますので十分な注意を要します。また、一度に多く切らず、回数を多く切ることも失敗せぬ方法のひとつです。一度に多く切ると思わぬ深切りで出血をみることがあります。この場合万一に備えて焼ゴテを用意して処理します。

牛の蹄は生れた時は、みな正しい型です。それが飼育する人の管理の良い悪いで変化してきます。「良い牛はよい蹄」をもつことが牛の成育によい成果を与えます。ぜひ、年三〜四回、蹄の手入れを実行していきたいものです。

農繁期の生活を工夫
主婦の労働時間に疑問もつ

石川県鳳至郡能都町字出津・若葉会　乙川恵美子

私の住んでいる能都町は、石川県の北端、奥能登線出津駅を下車したところです。農家戸数二十六、水田面積一戸平均七十a、畑面積十二aの山村で、耕地整理もしてない平担地に比べて一・二倍の労力がかかります。私の家の耕作面積は水田一ha、畑二十aで、農業従事者は両親と私の三人です。

私は高校を卒業して一年間農業を行なってみて、農繁期における主婦の労働時間に疑問をもちました。朝は早く起き、朝食の準備を整え、掃除、洗たくをしたあと農作業にいき、夕方は一緒に帰ってあわてて夕食の準備をするう忙しさです。そこで、私はどれくらい働いているかを知りたくなり、若葉会に課題を提出して生活時間と食事の時間の調査してみました。田植期五日間の調査結果をみますと、父の場合は農業十五時間、すい眠六時間、身の回り四時間、母は農作業十四時間、すい眠五時間、身の回り二・五時間、食事準備二・五時間です。

……うな時間割を組みました。農作業――十時間、すい眠――……たい――などと考えています。……するよう現在の諸問題と取り組み……

〈農業法令の手引〉
農業協同組合 ―その四―

（ウ）組合の行なう事業と実質的に競争関係にある事業を営み又はこれに従事する人は、組合理事、監事、参事又は会計主任になることができません。

❶ 理事は毎年一回通常総会を招集しなければならない。

❷ 正組合員は正組合員の五分の一以上の同意を得て理事に対し、総会の招集を請求することができる。

❸ 理事の職務を行なう者がないとき又は❷の請求があるのに理事が総会の招集をしないときは、監事は総会を招集しなければならない。

❹ 理事は通常総会の……

……てるため剰余金の二十分の一以上を繰り越さなければならない。

❸ 剰余金の配当は、損失をてん補し、定款の定めにより、準備金及び繰越金を控除して残額がある場合に、定款の定めにより、組合員の組合の事業の利用分量の割合に応じて（利用分量配当）し、又、年六分以内で払込出資額（出資配当）に応じてすることができる。

❹ 組合員が出資の払込みを終るまでは、配当する剰余金をその払込みに充てることができる。

〈全国農業会議所編「農業法令のあらまし」から〉

プロジェクトの取り組み方

北海道専門技術員　三輪　勲

効果上る指導体制を
OBも自らの経験生かして

プロジェクト指導体制と運用

……ことが効果的である。同じ課題（部門）のプロジェクトをもつ青少年が著しく多いときは、必要に応じて二名以上でその指導を担当するなどの措置を講ずるとよい。

こうした指導体制は、改良普及員の人数が多いときは二区分に専従が可能であるが、小人数の場合は双方の機能を兼ね合わせて担当するとよい。全員が青年グループ別または地域担当しながらそれぞれの専門によって課題（部門）別担当を行なう方法がそれである。

また、青少年担当普及員は、普及地区内の青少年全員のプロジェクト指導を総括するとともに、自らも青少年グループ担当あるいは地域別担当を行なうほか、プロジェクト指導についての改良普及員相互の連絡調整の役割を果すことが必要である。

篤志指導者などによる指導

篤志指導者（自ら奉仕的に農村青少年グループの指導を行なう人）やグループのO・Bは、改良普及員に協力して青少年グループの指導に従事しているが、これらの方々の活動に負うところは大きい。地区農業改良普及所における青少年育成の体制は、篤志指導者の全面的な協力を得て、その充実強化をはかることが重要である。

篤志指導者には、青少年グループ活動の全体について指導を担当する場合と、主としてプロジェクトを専門に担当する場合とがある。通常、篤志指導者は、単位グループごとに設けられているので、グループ別または地域別担当の改良普及員の協力者として活動願うことが適当であろう。とくに、青少年と日常接する機会が多いだけに、青少年個々の理解はもちろんプロジェクト実施状況の細部もわかるなど常時具体的な助言が可能となる。

農業経営者や主婦が篤志指導者となっている場合は、実際の経営や生活経験から効果的な助言が期待できよう。また篤志指導者はプロジェクト指導上の具体的な問題点を改良普及員に伝達するなど、プロジェクト促進指導に大きな役割を果たすことになる。

なお、青少年グループO・Bは自らのプロジェクトの経験と農業者としての立場を生かして、後輩のプロジェクト指導を行なえるので、篤志指導者とともに重要な役割をになっている。

こうした篤志指導者やO・Bに対しては、プロジェクト指導について十分な理解と協力を得るために、連絡会議の開催・資料の提供・プロジェクト巡回指導の協力要請などの考慮が必要である。また、こうした指導者が設けられていないグループの場合は、その確保に努めることがたいせつである。

農業改良普及所におけるプロジェクト指導体制（例）

- 農業改良普及所長
  - 専門担当改良普及員
  - 地域担当改良普及員
  - 専門（青少年）担当普及員
    - プロジェクト課題別担当普及員：野菜／畜産／農業経営／農産／生活改善
    - 篤志指導者：青少年グループO・B
    - 青少年グループ別担当普及員：Aグループ／Bグループ／a地域／b地域／c地域

農業簿記

京都大学名誉教授　大槻正男

自計式農家経済簿記
利益額に食違い

流動性財に対しては、損益の発生をその流動性財の取引が行なわれたつど、ひとまとめにしてその取引額（購入額または販売額）によって画一的に把握し、不流動性財に対しては、年度末に財産たな卸しを行なって画一的に把握するという別々の手段を用いるのである。

詳説すれば、流動財のうち肥料・飼料などのような消耗性財は、だいたいにおいて購入した年度内に消耗して損失するものと見ることができるから、購入と同時に購入の全額が即座に消耗して損失に帰したものとして把握するのである。また、米・マユなどのような年度内生産性財は、だいたいにおいて生産された年度内において販売するものと見ることができるから、販売の直前に販売の全額が生産され、それだけの利益が発生したものとして把握するのである。

そこで消耗性財および諸用役の購入支出は、ひとまず全額損失的支出（すなわち「失費的支出」または「損になる支出」）とする。

しかし、この方法によって計算された損失額は、実際の損失額とはある場合には多少食いちがいを生じる。なんとなれば、消耗性財であっても、厳密にその年度において購入されたものだけが消耗され、そしてその購入されたものは残りなく消耗しつくすとは限らない。一般には肥料・飼料などは、前年度からの繰越しが年度始めに残っており、まずそれを消費する。だから、実際の消耗による損失額を算出するためには、その年度の購入額に前年度からの繰越し額である年度始めあり高を加算し補正する。

また、その年度の購入額は必ずしも全額消費されるとは限らない。一部分は年度末に残るであろう。この年度末残存額は実際に消費されないのであるから購入支出額から差し引いて補正されねばならない。このようにして厳密な消耗・損失額は、購入支出額を修正して算出される。

以上の関係を算式で表わすと次のとおりである。

消耗・損失額＝損失的支出額＋年度始めあり高－年度末あり高＝損失的支出額＋（年度始めあり高－年度末あり高）＝損失的支出額＋年度末純減少額

生産・利益額に関しても、年度内生産性の財および諸用役の販売収入はひとまず全額において、利益的支入（すなわち「もうけになる収入」または「所得的収入」）とする。しかし、この方法によって算出される利益額も、実際の利益額とはある場合には多少の食いちがいがおきる。たとえ、米麦の販売収入についてみるならば、その年度に生産された米麦だけの販売収入額だけとは限らない。前年度において生産されたものが残っていて、それを販売した収入が含まれているかもしれない。

だから、実際の生産・利益額を算出するためには、その年度の販売収入額から、前年度からの繰越し額である年度始めあり高を差し引いて修正しなければならない。また、その年度の生産額の全部がその年度に販売されるとは限らない。一部分は年度末に残るであろう。この年度末残存額はまだ販売されていないために販売収入額に含まれていないが、その年度の実際の生産利益であることには変わりがないから、販売収入額に加算して補正されなければならない。

このようにして厳密な生産・利益額が、販売収入額に補正を加えて算出される。

以上の関係を算式で表わすと次の通りである

生産・利益額＝利益的収入額＋年度末あり高－年度始めあり高＝利益的収入額＋（年度末あり高－年度始めあり高）＝利益的収入額＋年度末純増加額

（つづく）

NHK農事番組（7月1日〜10日）

テレビ

明るい農村　6・30〜6・55総合
1日　きょうの話題　相続と嫁の……
……
8日　きょうの話題　こども……
9日　産物往来　メロン
10日　話題の広場　機械化……（千葉県千潟町）新婚住宅……（……城県常陸太田市）

農業教室　7・30〜8・00　教育
1〜2日　草地改良と維持
3〜5日　気象の観測と利用
7〜9日　養蚕の協業化
10日　水田の除草技術

あすの村づくり
日　7・00〜8・00教育
再　土　1・00〜2・00教育
6日　若さで守る近郊農業（神奈川県高座大和農友会）

ラジオ

早起き鳥　5・05〜6・00　❶
1日　人と話題　畜産公社の造成（神奈川県知事）津田文吾
2日　通信員の手帳から
3日　産地訪問　アスパラガス（北海道紋別郡上湧別町）
4日　現地報告　スタートした村落再編成（岡山県奥津町）
5日　村のポスト
6日　話題の窓　八郎潟干拓地の悩み
7日　現地報告　きらわれた作づけ転換
8日　人と話題（福岡県苅田町）中西……
9日　通信員の手帳から
10日　産地訪問　鉄砲ユリ（千葉県江見町）

ラジオ農業学校
月〜土　6・40〜7・00　❷
日　6・30〜7・00　❷
再　19・00〜19・15　❷
6日　現地研修（広島県北……郡高野町後継会）助言者＝広島県専門技術員＝佐藤政実、石井哲治

ひるのいこい　12・15〜12・34　❶
7日　海で学ぶこどもたち（岡山県玉野市渋川）
10日　ほおずき市（東京浅草寺）

春の終り（9）

一ノ瀬　綾
多賀愛子画

卒業が近い頃、敏子は担任の教師から将来の志望を聞かれて、念を押されたことがあった。（後悔することはないだろうな……）T市の近郊農村に住んでいたその教師は敏子の希望の無邪気さが心配だったのかも知れなかった。久江も同様だった筈である。今にして敏子は師の言葉に思い当った。後悔どころか早くも投げ出してしまった久江は、いったい五年間という自分の足跡になんと言訳をするつもりなのだろうか。

敏子の心中に、じりじりと焦げつくような無念さが広がっていく。只単に自分達の結婚だけを目標にしてきた年月ではなかった筈である。須田と久江、淳と自分、その四人のつながりを通して、村の中に新しい農民像を創り出すのが願いだったのではなかったか。少なくとも敏子にとっては、そう

た。久江と須田の無残な結末を振り返るとじっとしてはいられなくなる。かきたてられたように、敏子は淳に逢いたくなっていた。

逢って間違いのない淳の決意を確めねばならない。迷っているのならその手足を大地に引きつけてやるのだ、と敏子はまるで自分をゆすぶるような激しさで思いつめていた。

ようやく都合がついて、敏子が淳に逢えたのはもう三月も明日で終りという日の夜であった。淳の方が青年団の引きつぎや送別会などに追われたうえに、農作業の準備も始まってひまができなかったのだ。その間にも、淳が勤めるらしいという噂は、兄の幸次の口からも伝えられ家族の話題にされたが、敏子には返事のしようがなかった。敏子にとっては市から帰って以来の数日は、不安と焦燥にじっと耐えてきたつらい日時であった。

二人が落ち合ったのは、街の中にある富士屋という旅館である。ここは村内の団体や個人の宴会を目当にした料理屋も兼業していて敏子達若い仲間もよく利用する気のおけない家であった。

敏子の顔を見るといきなり淳が言った。

「久江さんは東京へ行くそうだな」「誰に聞いたの」

「ゆうべ逢った坂田が言っていた」

坂田は久江の近所の青年である。T市で別れて以来、敏子は久江に逢っていなかった。電話も交していない。自分の心配にまぎれていたことは事実だが、本当は気にかけていたのである。村を出ると口にした以上必ず実行する久江のことだから、近いうちには電話ぐらいあるだろうと内心期待していた敏子であった。

久江と須田のいきさつは、電話で淳にも告げてあったが、今淳の口から久江の上京を知らされてみると、敏子の心は傷付いた。一言の別れの言葉もなく久江は村を去るつもりか……そうだとすれば、友情とは、なんともろくて、わびしいものなのだろうと思えてくるのだ。

「黙って行ってしまうつもりだろうか……」

「……現実家なんだよ」

敏子をみた淳の表情には、甘い理想家は困りものだとでも言いたげな苦笑が漂いていた。そんな淳の顔色の陰にさえ、役場勤めを諦めていない男の執着心を読み取って、敏子の心は二重に傷付いた。

「淳さんは、久江さんの行動をいいと思うの。自分の都合だけで投げ出してしまったあの人が正しいと思っているの」

「いいか、悪いかなんて言わねえよ。現実をよく見ることは大事だ。その上で決まったことは仕方がねえだろう」

腕を組んで反り身になった淳の前で、敏子は、なにかがどこかで食いちがっていく不安を必死で押えながら、これから聞く淳の言葉が怖くなっていた。

「現代の農業は、弱小者切り捨て御免なんだ。少ない土地ではいくら足掻いても浮かばれねえ仕組になっていやがる。俺の家がいい例だ。ホップだ、苺だ、トマトだ、花作りだとどれをやっても二年と続かなかったぜ。菊作りをした時買った水揚用のポンプ代金は、今でも借金の中に入っている始末でね……」

思い出すのもいまいましいといった口調で淳は言う。一つ一つ頷ける話ではあったが、敏子には淳の話の行き先が見えてきて胸が閊えた。

4Hくん　NO.156　桜井はじめ

納得いく精神修養を
私は〝4Hクラブ一年生〟

私と4Hクラブ

埼玉県鴻巣市郷地
笠原4Hクラブ
今井喜代子

☆☆ 短かく感じた一年間

埼玉県の中央を流れる豊かな荒川、その流れもゆるやかになり、武蔵野を潤おすころ浜稲地帯の鴻巣市があります。

この市の西北に生まれて間もない笠原4Hクラブがあります。クラブ員の年齢は低く、他の仲間たちに「追いつき、追い越せ」と集会では活発な議論がわく楽しいクラブです。

笠原4Hクラブは、ある一部の人たちが「青年活動のあり方」という講義に深い感銘を受けてから仲間をたくさん欲しいという願いが強まり、普及員さんに相談し、また友だちと話し合っているうちに、ぜひクラブ活動をというわけで誕生したのです。

そのころ、私は、研修生だったのですが、地区の立派な先輩たちに恵まれ、五里霧中の私にとって形には現われませんでしたけれども、心の中に芽ばえ成長していくなにかがあり、一年間がとても短かく感じられました。これも私たちを教育してくれた4Hクラブがあったからこそで、その重要性をひとしお強く感じています。

☆☆ 殴り書きした「長女」

私の家では、一・八紛の水稲とイチゴ、キュウリ栽培が経営の中心です。私は「農家に育った、長女に生まれた」ということに何の抵抗もなく農業高校へ進学しましたが、高学年になってから将来について真剣に考えるようになり「私は親の跡を継がなくてはならない面倒をみるのが当然なんだ」という観念した考えと「家のことは妹たちもいることだし、自分の進みたい道を…」とやや理想的な二つの考えが交錯して、いつも薄暗くなった部屋で、長女ー、百姓ー、家の跡を継ぐー、と殴り書きしました。

しかし、一度農業をやると決心したからには、どんなものにもヒクともしない経営を、と心に誓いました。そんな私の夢を実現させるには、今がたいせつなのだ、もっと農業について真剣に話し合える仲間が欲しい。現実には農業高校といえども友だちの七〜八割は就職してしまう者ばかりです。仲間を求めるよりどころがないのです。

卒業するころ、先生から農業研修センターで実習生を募集していることを聞き、そこなら仲間を得るだけでなく、農業の中にかくれている喜怒哀楽を肌を通して身につけられると思うし、実際に田圃に出て、稲とヒエの区別がつけられぬような無知識さを補ってくれそうな気持に勇気づきました。

☆☆ 宝を探し当てた研修

研修センターに入所して、私にはその一日いちにちが重要であり、すべての計画がち密に組まれていて、無駄という空間がなかった。ギラギラ照りつける太陽の下で泥にまみれて畑を耕し、キュウリ、トマト、ナスなどを栽培し、豊かな香りを味わいながら収穫する。小川の瀬々らぎを聞き、すすき野に赤トンボの飛ぶのを見て「生産が先か、生活が先か…」と時間を忘れて討論する。研修生六十名のうち女子は八名でしたが、偶然にも同年齢で、一週間、寝食をともにしているうち姉妹のようになりました。

まったくの他人でありながら、血肉を分けた姉妹よりも身近かに感じられ、人生論、恋愛論を心から語り合いました。私はこの生活でなににも優る宝物をさがしあてたのです。青年活動のあり方、たのしい生活があればこそ生産に励めるのだという生活第一の考え方、礼儀、規律、農業の実践と技術について…限りないくらいの教えを受けたうえに、友だちという宝物にも優るものを得たのです。

それは、人間として世の中に通用していくために必得ておかなければならない常識よりも、発展性、進歩性のある友情を身近かに触れたからでしょう。これらの友だちと話し合いの場をもつことによって、お互いに成長し、発展するための礎となるのです。

☆☆ 静かに思い出す教訓

私は、さくらの花の蕾もふくらむころ、これからの長い友交を誓い合い、一年間の研修に別れを告げました。

家に帰るとさっそく、4Hクラブ活動に参加しました。参加してみると、いがいに仲間は少なく、農業関係以外の仕事に従事している人も参加していた。

クラブ員の仕事の都合上、夜の会議が多く、時間通り行ってもまだ灯りもつかずひっそりしている仕末です。遅れて始まった会議の席上で一生懸命発言しても一笑にふされ、情けなくなることもしばしばありました。そんな時、研修センターの所長さんがいったことば浄静かにかみしめて耐えたのです。

「みなさんが地元へ帰ったら、必ずやリーダーの立場で青年活動を進めていかなければならない。それは、体力的にも技術的にもみなさんはこの一年間で驚くほどの成長をみました。だが、ときには失敗もあり、サジを投げたくなることもあるでしょう。しかし、そこで悲観してはいけない。そこで建設的な精神に燃え、未来に希望をもち青年活動をよりよい方向へもっていってほしい」と。私は、あまりにも早く所長の教訓を思い出す事態を迎えたのです。「ようし、こんなことぐらいで」と自分自身にいい聞かせて頑張りました。

☆☆ こころ豊かな人間に

私は、地区の総会で役員につきました。いままで農業の話しを真剣にかわせる仲間欲しさに研修センターに入所し、また、4Hクラブに参加してきました。「多くの友だちを通して自分を磨き、こころ豊かな人間になりたい」そう念願して努力してきました。私が地区の副会長になってから女子クラブ員だけの料理講習会と討議会を開きました。たまたま男子クラブ員も混じってなごやかな雰囲気になり、たのしさそのものでした。[illegible] いわゆる話し合いの機会を多くつくることがたいせつなのです。

☆☆ 4Hクは修練の場

[illegible] とはどれもがたいせつなことと [illegible] たのです。農村青年の離農が多い折から、志を同じくする [illegible] ちはより以上に建設的な内容の [illegible] なクラブ活動を計画しなくて [illegible] らないでしょう。そのために [illegible] Hクラブ活動は、個人個人 [illegible] 練する場であるという自覚を [illegible]

農村雑感

折原俊二郎

資格

「隣りの息子は今年大学を出た」とか「誰々の家の娘は、今大学の三年生になったそうだ」とか、こうした話題は都市といわず農村といわず、あらゆるところで聞かれることで、今では日常会話の一つでもある。日本の国民すべてが教育者になったような有様である。

この会話の中には、あたかも大学に入り、大学を卒業したことによって、その人間が社会的にも、人格的にも他の人よりは一段上にランクづけられたように思われ、そうした錯覚におちいっているような状況である。

大学に入ることは恵まれている。しかし、そこでどれだけ深く学問を学び、しかも、人格を磨いたかということについては、何一つふれられていない。学校側も、入学してきた学生については、一定の年数がすぎればトコロ天式に卒業証書を交付している。しかも、「学士」という資格を与えて社会に送り出すのである。考えてみると何とも奇妙なことであり、どこか間違っているのではないだろうかと思わざるを得ない。

一般社会では、学歴という資格によってその人間を格付けし、また、その格付けされた座にのって生活している人も多い。一面からみると、社会全体がそのように動いているようである。

最近、実力主義とか能力主義という言葉が多く聞かれるようになってきている。しかし、そう云われながらも、またそうあるべきであると考えられながらも実際には、仲々そのように動いていない。そのために、学歴という資格の不必要な社会の人までも、学歴という資格をほしがっている実態である。それは、レッテルを持っているということに対するカッコイイということであり、他面、幅がきくという云い訳であり、自己満足でもある。悪く云えば、中味のないサンドイッチマンでもあろう。

ところで、よく実力や能力さえあれば学歴は不必要であるということを聞くが、その実例として、学歴がなくても社会的に認められている優れた人が多くあるということである。まさしくその通りであるが、これらの人たちは学校で学んだ以上のことを社会生活の中で学び、努力した人たちである。

実力とは自ら努力して身につけることである。そういう実力を備えるために努力しようとする人に、その方法なり手段を手近かに教えてくれる場が学校であろう。そこには学歴というのみで社会的に認められる資格が存在してはならない。本当に、社会的に認められる資格とは何年か、何十年か後になされるべきであろうと思う。

農業をやる人は、実力主義の社会にあるといわれている。それは、経営者として、資本家として、また労働者としての評価が、生産物を通して直接なされるからである。しかし、親から引継いだ範囲の中で動いているのみであってはならない。それをふみ越えて拡大していく、その成果の中にのみ本当の実力者としての評価がなされる。そこには、学歴としての資格ではなく、社会的な成功者としての資格が自ずから与えられてくる。本当の資格とは、そこにのみ存在するのではなかろうか。

＜農林省・農業者大学校＞

農業に使命感もて

神奈川県三浦市初声町
三浦地区農村青少年 [illegible]
菱沼豊

私は、いまここで、農村青少年いや学生にも極めて素朴な [illegible] 課題を提起したいと思う。

その第一は、なぜ農業高 [illegible] り、そして農業へと進もうと [illegible] いるのか、ということ。第二の疑問は、青少年であるみなさん [illegible] なぜ井の中の蛙でいるのかと [illegible] こと。そして第三の疑問は、 [illegible] 農民と農家と農村、さらに [illegible] というものが必要なのだろうか [illegible]

[illegible]

フランス館

敷地面積…10,900㎡

展示館は、ちょうどカサを広げたような円形の天井をもつエア・ドーム方式の建物。直径50㎝のものと70㎝のものが二つずつ並び、そのうちひとつは直径50ｍの球体、他は半球体で、3つは展示会場として使用される。

円形の天井はプラスチック製で、館内と館外との気圧差によって形を変えることもできる。

このプラスチックのドームは＜全体的スクリーン＞として利用されることになります。曲線ばかりの平面に映しだされた映像は、SF的な世界をつくり出すことでしょう。とくに、球体の建物の床は半分、地中に埋められた球の中央に設けられるため、そこにはいった状態におかれます。

球の内側には、下から上へと映像が連続して写され、フランスの過去・現在・未来を技術面から紹介します。そこから、エスカレーターで約20ｍあがると第2の球があり、文化面の展示が行なわれます。

＜日本万国博覧会展示館の紹介＞

4Hクラブと放送利用
身近な教材から学ぶ
個人と全体の能力の向上に

愛知県知多農業改良普及所 山田立夫

「私は、農村での放送利用をこのようにして進めた」

私が、日夜普及活動を行なっているところは、愛知県・知多半島の最南端にあり、地形は低く急峻地が多い。その台地に畑が広がり谷間から海岸に向かって水田が開けている。

耕地面積の五〇%が水田、三〇%が普通畑、二〇%がみかん畑になっており、農業生産の中心は米とみかんである。しかし、愛知用水の開通によって、近年とくにみかんの新植が目立ち、年々主産地形成へと展開されている。

こうした立地条件のところに、河和4Hクラブがあり、現在では男子だけで、二十名のクラブである。クラブ員のプロジェクトの内容をみると、みかん栽培十名、施設園芸四名、水稲栽培四名、酪農二名で、平均年齢二十一歳という若々しく、高校卒業生が七〇%を示しているクラブである。

去る四十一年、県から放送利用集団モデルグループとして指定され、クラブ活動の中に本格的に放送利用による学習会を取り入れるようになった。

その方法としては、クラブで指定した番組（農業教室）の中から自分なりに受けとめたことや、疑問に思ったことなどをメモするよう助言を与え、その中からクラブ員が、自分なりに考えた解決策、実行策を見い出させるようにするとともに自分自身で思考し判断できる力を養い、クラブ員のプロジェクトに対して問題点をもたせ、解決の一つの手段として活用している。

そこで、実際例として、はじめのうちは指定した番組をクラブ員一人ひとりが家庭でみるようにして、数日後にそのテーマについて研究会を開いていた。しかし、出席者のうち、視聴した者がわずか三分の一にすぎなかった。このため、なかなか話し合いの糸口もみい出せず、司会者はとまどっていた。

また、農作業の都合で見ることのできなかった人のためにと、役員にテープレコーダーに録音させそれを当日みんなに視聴させても実際に自分の目で見たものでないため実感がわかず、放送に対する認識が低く、つい、隣同士がおしゃべりをしてしまうというように思うようにすすまなかったのである。

そこで、クラブ員全員がお互いに考え悩み、討議し合った結果、放送に対する問題意識をもたせることが大切であることを感じ、その後、研究会の場をクラブ員の家庭で持ちまわり制にして、また、テープレコーダーに録音する係、司会者などを順番制に切替えたのである。

こうした研究会を二～三回繰り返したある日のこと、一人のクラブ員が事務所にきて、先生、先日の放送利用研究会のときに感じたのですが、ぼくたちは、テレビの放送というものの中から、私たちの知らない新しい知識や技術を教えてくれるものと思っていたのですが、私たちのプロジェクトに対する問題点を提起してくれるものとは思わず、なにか放送によって、すべてのものを解決できるものとばかりクラブ員が考え違いをしていたのではなかろうか」と言ったのです。

私はそのとき、よし、しめた、これでクラブ員に放送利用に対する一つの認識が高まったぞ、と心に強く感じた。

また、ある研究会の日、今月はクラブ員全員に共通するテーマを選んだらということで、どのクラブ員も実施している水稲の問題を取り上げることにした。ところでちょうどその月に稲の倒伏する原因というテーマで放送される番組があった。

あるクラブ員が、自分のプロジェクトとして、水稲栽培を実施していたのであるが、毎年のように山間にある稲は秋の稔の時期がくると、少しの風でもすぐ倒伏してしまうという問題点をもっていた。

しかし、放送利用の学習会の中でみんなで話し合い、討議し合った資料をもとに、新しい知識や技術を習得することができ〝今年の水稲の倒伏するプロジェクトについて反省できたぞ、よし、来年こそは〟と意気込んでいた一コマもあった。

その後のある日、クラブ員の家庭訪問に行ったとき、父兄から「最近うちの子供はみかんを作っていても、観察力が鋭くなり、病害虫の発生にもよく気を配るようになった。明日、みかんの消毒をするのだと自分から言い出すようになった」と言われ、またあるときは、クラブ員が強く父親に対して、今年はみかんの新植方法を変えようではないかと、自分の意見としてのべている姿もみうけられるようになった。

こうしたクラブ活動を繰り返すことによって、一人のクラブ員の能力、知識を高めるとともに、クラブ全体の能力を高め、放送利用を最大限に利用して農業生産力の意欲をもりあげている。

クラブ員は言うのです。「一人ではなかなか視聴が実行しにくかったが、共同視聴という責任感から、多少なりとも目的をもって、しかも考えながら視聴するようになった」と。若いおれたちは、身近かにある有効なテレビという教材をもとに、ただ意味もなく立ち止まっていてはいけないのだとがんばっている。

今後とも、こうしたクラブ員の体験をとおしたプロジェクトと、放送利用とを上手にかみ合わせて、かれらの若い芽を少しでも伸ばそうと日夜はげんでいるのです。

生活もの知りコーナー
ビールは約10度がうまい

[illegible]

コップは、小さめの（一八〇ccはいるくらいのもの）で、ガラスのうす手のもの [illegible] ラスを愛用する人が多いのです。

解説執筆者

安岡健一（やすおか・けんいち）

一九七九年生まれ。大阪大学大学院人文学研究科准教授。飯田市歴史研究所顧問研究員。

『「他者」たちの農業史　在日朝鮮人・疎開者・開拓農民・海外移民』（京都大学学術出版会、二〇一四年）、『コロナ禍の声を聞く　大学生とオーラルヒストリーの出会い』（監修、大阪大学出版会、二〇二三年）、『農業開発の現代史　冷戦下のテクノロジー・辺境地・ジェンダー』（足立芳宏編、京都大学学術出版会、二〇二二年）ほか。

資料　戦後日本の農業と地域１

復刻版　日本４Ｈ新聞　第８巻

第５０７号～第５７６号
（１９６７年７月４日～１９６９年６月24日）
第１回配本・全３巻

解説　安岡健一

２０２４年12月25日　初版第一刷発行

発行者　船橋竜祐
発行所　不二出版　株式会社
〒１１２－０００５
東京都文京区水道２－10－10
電話　０３（５９８１）６７０４
https://www.fujishuppan.co.jp
組版／昴印刷　印刷／富士リプロ　製本／青木製本
乱丁・落丁はお取り替えいたします。

第１回配本・全３巻セット　揃定価89,100円（揃本体81,000円＋税10％）
（分売不可）　ISBN978-4-8350-8855-6　C3336
第８巻　ISBN978-4-8350-8856-3

2024 Printed in Japan